DUDEN-TASCHENBÜCHER

Herausgegeben vom Wissenschaftlichen Rat der Dudenredaktion: Dr. Günther Drosdowski · Professor Dr. Paul Grebe · Dr. Rudolf Köster · Dr. Wolfgang Müller

Band 1: Komma, Punkt und alle anderen Satzzeichen
Sie finden in diesem Taschenbuch Antwort auf alle Fragen, die im Bereich der deutschen Zeichensetzung auftreten können. 208 Seiten.

Band 2: Wie sagt man noch?
Hier ist der Ratgeber, wenn Ihnen gerade das passende Wort nicht einfällt oder wenn Sie sich im Ausdruck nicht wiederholen wollen. 224 Seiten.

Band 3: Die Regeln der deutschen Rechtschreibung
Dieses Buch stellt die Regeln zum richtigen Schreiben der Wörter und Namen sowie die Regeln zum richtigen Gebrauch der Satzzeichen dar. 232 Seiten.

Band 4: Lexikon der Vornamen
Mehr als 3000 weibliche und männliche Vornamen enthält dieses Taschenbuch. Sie erfahren, aus welcher Sprache ein Name stammt, was er bedeutet und welche Persönlichkeiten ihn getragen haben. 237 Seiten.

Band 5: Satzanweisungen und Korrekturvorschriften
Dieses Taschenbuch enthält nicht nur die Vorschriften für den Schriftsatz und die üblichen Korrekturvorschriften, sondern auch Regeln für Spezialbereiche. 185 Seiten.

Band 6: Wann schreibt man groß, wann schreibt man klein?
In diesem Taschenbuch finden Sie in mehr als 7500 Artikeln Antwort auf die Frage „groß oder klein"? 256 Seiten.

Band 7: Wie schreibt man gutes Deutsch?
Dieses Duden-Taschenbuch enthält alle sprachlichen Erscheinungen, die für einen schlechten Stil charakteristisch sind und die man vermeiden kann, wenn man sich nur darum bemüht. 163 Seiten.

Band 8: Wie sagt man in Österreich?
Das Buch bringt eine Fülle an Informationen über alle sprachlichen Eigenheiten, durch die sich die deutsche Sprache in Österreich von dem in Deutschland üblichen Sprachgebrauch unterscheidet. 268 Seiten.

…dwörter
Mit 4000 Stichwörtern und über 30000 Anwendungsbeispielen ist dieses Taschenbuch eine praktische Stilfibel des Fremdwortes. 368 Seiten.

Band 10: Wie sagt der Arzt?
Dieses Buch unterrichtet Sie in knapper Form darüber, was der Arzt mit diesem oder jenem Ausdruck meint. 176 Seiten mit ca. 9000 Stichwörtern.

Band 11: Wörterbuch der Abkürzungen
Berücksichtigt werden 35000 Abkürzungen, Kurzformen und Zeichen aus allen Bereichen. 260 Seiten.

Band 13: mahlen oder malen?
Hier werden gleichklingende, aber verschieden geschriebene Wörter in Gruppen dargestellt und erläutert. 191 Seiten.

Band 14: Fehlerfreies Deutsch
Viele Fragen zur Grammatik erübrigen sich, wenn man dieses Duden-Taschenbuch besitzt. Es macht grammatische Regeln verständlich und führt den Benutzer zum richtigen Sprachgebrauch. 200 Seiten.

Band 15: Wie sagt man anderswo?
Fleischer oder Metzger? fegen oder kehren? Dieses Buch will allen jenen helfen, die mit den landschaftlichen Unterschieden in Wort- und Sprachgebrauch konfrontiert werden. 159 Seiten.

Band 16: Wortschatz und Regeln des Sports – Ballspiele
Der erste Teil behandelt die Regeln der Sportarten. Der zweite Teil enthält ein Wörterbuch mit etwa 3700 Stichwörtern, die sowohl aus dem Fachwortgut als auch aus dem Jargon stammen. 377 Seiten.

Band 17: Leicht verwechselbare Wörter
Der Band enthält Gruppen von Wörtern, die auf Grund ihrer lautlichen Ähnlichkeit leicht verwechselt werden: z. B. vierwöchig oder vierwöchentlich? real oder reell? konvex oder konkav? 334 Seiten.

Bibliographisches Institut
Mannheim/Wien/Zürich

DUDEN FRANCAIS

DUDEN FRANÇAIS

Dictionnaire en images

Édité par la Rédaction
du Bibliographisches Institut, Mannheim,
et la Librairie Marcel Didier, Paris

2ème édition corrigée

BIBLIOGRAPHISCHES INSTITUT · MANNHEIM/WIEN/ZÜRICH

DUDENVERLAG

25 000 mots

368 tableaux d'images,

dont 8 en couleurs;

AVIS AU LECTEUR

Le lecteur perspicace pourra découvrir dans le DUDEN des objets représentés qui ne lui paraîtront pas familiers. Ils existent pourtant dans d'autres pays voisins et peuvent être désignés par un mot propre.

Les illustrations du DUDEN Français sont, en effet, à quelques exceptions près, celles de l'édition originale (allemande) de cet ouvrage.

Nous avons pensé que cette confrontation était un élément important de l'attrait que peut offrir au lecteur une illustration commune pouvant s'accompagner, dans les différentes éditions, d'une nomenclature allemande, anglaise, espagnole, française.

Le lecteur y trouvera son bien et peut-être une raison supplémentaire de s'intéresser à ce dictionnaire en images d'un univers commun.

Nous avons placé en fin de volume la liste des collaborateurs, traducteurs, conseillers et spécialistes qui nous ont aidés dans ce travail considérable qui a été l'établissement de cette édition française du nouveau DUDEN; nous leur adressons, ainsi qu'à Mademoiselle PREUSS et Monsieur WEITH du Bibliographisches Institut tous nos remerciements.

Les éditeurs

Satz: Zechnersche Buchdruckerei, Speyer

Druck und Bindearbeit: Klambt-Druck GmbH, Speyer

Printed in Germany

ISBN 3-411-00972-1

M

DUDEN EN IMAGES

Voici un ouvrage de référence d'une conception entièrement originale. Le Duden est un répertoire en images, *un dictionnaire sans phrase* qui, en un modeste volume, donne sous *368 rubriques les 25.000 mots* avec leurs 25.000 représentations graphiques de tous les aspects de la réalité concrète dans la vie moderne. Ce vocabulaire concret est à la fois celui de la vie courante comme celui des métiers, des techniques, des sciences, en un mot le vocabulaire de l'honnête homme comme celui du spécialiste. Ce dictionnaire a son histoire. Il est une production du Bibliographisches Institut qui, en 1936, avant le tournant du siècle et la deuxième guerre mondiale, avait fait une première tentative déjà fort brillante et qui avait connu un tel succès que des adaptations dans les principales langues du monde en avaient été presque immédiatement réalisées. Notre univers contemporain s'est considérablement élargi par de nouvelles conquêtes, spatiales ou autres, par le développement de nombreuses techniques et sciences nouvelles. En 1962, un tel dictionnaire représente par la qualité de ses illustrations, leur précision documentaire, leur information dans les points les plus délicats des nouvelles créations techniques, une encyclopédie en images doublée d'un vocabulaire technique qu'il est impossible de trouver même dans une collection importante de dictionnaires spécialisés.

Cette précision et cette amplitude n'en rendent pas l'utilisation plus difficile, au contraire.

Si l'on connait *l'objet,* il suffit de se reporter à la planche dans laquelle il se trouve représenté et, utilisant la référence numérique, de se reporter à la nomenclature correspondante; si l'on connait *le mot,* la table alphabétique qui se trouve en fin d'ouvrage permet de repérer aisément la figure qui lui correspond, et non seulement cette figure isolée mais aussi tout le contexte de vocabulaire et d'images dont ce mot fait partie. Il existe dès à présent trois éditions de ce dictionnaire, en allemand, en anglais, en français, d'autres suivent. Par le fonds commun de leur représentation graphique, il est désormais possible à quiconque d'acquérir un vocabulaire extrêmement étendu dans toutes les langues pour une même réalité infiniment variée et commune, celle de la vie même.

TABLE DES MATIÈRES

Atome, Univers, Terre

	tableau
Atome I	1
Atome II	2
Atome III	3
Atmosphère	4
Astronomie I	5
Astronomie II	6
Astronomie III	7
Météorologie I	8
Météorologie II	9
Instruments météorologiques	10
Géographie générale I	11
Géographie générale II	12
Géographie générale III	13
Drapeaux	14
Carte géographique I	15
Carte géographique II	16

L'Homme et le Foyer

Soins d'urgence	17
Anatomie humaine I	18
Anatomie humaine II	19
Anatomie humaine III	20
Anatomie humaine IV	21
Anatomie humaine V	22
Soins médicaux I	23
Soins médicaux II	24
Hygiène corporelle	25
Médecin	26
Dentiste	27
Hôpital I	28
Hôpital II	29
Soins aux nourrissons et layette	30
Vêtements pour enfants	31
Vêtements pour dames	32
Sous-vêtements et vêtements d'intérieur	33
Vêtements pour hommes	34
Cheveux et barbes	35
Coiffures (couvre-chefs)	36
Accessoires de l'habillement	37
Parure	38
Habitations et types de maisons	39
Toit et chaufferie	40
Cuisine I	41
Cuisine II	42
Vestibule	43
Salle de séjour et salle de musique	44
Salle à manger	45
Table dressée	46
Bureau-Fumoir	47
Chambre à coucher	48
Chambre d'enfants	49
Jardin d'enfants	50
Cabinet de toilette	51
Débarras	52
Cour et buanderie	53
Jardin d'agrément	54
Jardin potager	55

Horticulture, Agriculture et Silviculture

Plantes d'appartement	56
Multiplication des plantes	57
Instruments de jardinage	58
Légumes et plantes potagères	59
Baies et fruits à pépins	60
Fruits à noyaux et à coque	61
Fleurs des jardins	62
Mauvaises herbes	63
Ferme	64
Agriculture	65
Instruments et outils agricoles	66
Machines agricoles I	67
Machines agricoles II	68
Produits agricoles	69
Plantes fourragères	70
Races de chiens	71
Cheval I	72
Cheval II	73
Animaux domestiques	74
Aviculture	75
Soins au bétail	76
Laiterie	77
Abeilles et apiculture	78
Horticulture et culture maraîchère	79
Viticulture	80
Parasites (prédateurs, ravageurs) des cultures	81
Insectes nuisibles aux forêts	82
Lutte contre les parasites et protection des végétaux	83
Économie forestière I	84
Économie forestière II	85

Chasse et Pêche

Chasse	86
Armes de chasse, matériel de chasse	87
Gibier	88
Pêche sportive en eau douce	89
Pêche maritime, pêche à la baleine	90

Artisanat et Industrie

Meunerie 91
Malterie et brasserie I 92
Brasserie II 93
Abattoir 94
Viande de boucherie 95
Boucherie-charcuterie 96
Boulangerie 97
Alimentation fine 98
Cordonnerie 99
Chaussures 100
Travaux à l'aiguille 101
Couture 102
Coiffure pour dames 103
Coiffure pour messieurs. 104
Tabac et articles pour fumeurs. . . 105
Orfèvrerie 106
Horloger et horlogerie 107
Optique 108
Instruments d'optique I 109
Instruments d'optique II 110
Photographie I 111
Photographie II 112
Chantier de construction I 113
Chantier de construction II 114
Charpente 115
Toiture, assemblage du bois . . . 116
Couverture et couvreur 117
Plancher, plafond, escalier 118
Installations sanitaires 119
Installations électriques 120
Peinture et papiers peints 121
Vitrerie 122
Bourrellerie-sellerie 123
Matelasserie 124
Cordier. 125
Tonnellerie 126
Menuiserie 127
Menuiserie mécanique 128
Tournerie sur bois 129
Vannerie 130
Charronnerie 131
Forge 132
Forge industrielle 133
Serrurerie. 134
Soudure 135
Profilés, vis et pièces de machines . 136

Industrie

Mine I 137
Mine II 138
Pétrole 139
Usine sidérurgique 140
Fonderie de fer et laminage 141
Machines-outils I 142
Machines-outils II 143
Bureau d'études 144
Usine 145
Centrale électrique I 146
Centrale électrique II 147
Usine à gaz 148
Scierie 149
Carrière 150
Briqueterie 151
Cimenterie 152
Four à chaux 153
Fabrication de la porcelaine 154
Travail du verre 155
Filage du coton I 156
Filage du coton II 157
Tissage I 158
Tissage II 159
Tricotage 160
Teinture et blanchiment des fibres textiles 161
Apprêtage (finissage) des matières textiles 162
Textiles synthétiques I 163
Textiles synthétiques II 164
Croisements dans les tissus 165
Blanchissage 166
Fabrication du papier I 167
Fabrication du papier II 168

Technique graphique

Composition typographique I . . 169
Composition typographique II. . . 170
Photogravure 171
Galvanotypie et fabrication des clichés 172
Copie offset 173
Impression offset 174
Impression typographique 175
Impression hélio en creux (rotogravure) 176
Reliure I 177
Reliure II 178

Transports et Communications

Voiture à chevaux 179
Bicyclette I 180
Bicyclette II. 181
Motocylette 182
Scooter et véhicules carénés . . . 183
Moteurs à explosion 184
Automobile I 185
Automobile II. 186
Voitures de tourisme 187
Autobus 188
Véhicules automobiles de transport de marchandises 189
Station-service 190
Entretien des véhicules 191
Outillage automobile 192

Tramway 193
Coupe en travers d'une rue 194
Nettoyage des rues et des chaussées 195
Construction des routes I 196
Construction des routes II 197
Voie ferrée 198
Installations ferroviaires 199
Hall de gare 200
Quai 201
Gare de marchandises 202
Véhicules ferroviaires (voitures sur rails) I 203
Véhicules ferroviaires (voitures sur rails) II 204
Véhicules ferroviaires (voitures sur rails) III 205
Véhicules ferroviaires (voitures sur rails) IV 206
Véhicules ferroviaires (voitures sur rails) V 207
Véhicules ferroviaires (voitures sur rails) VI 208
Chemins de fer de montagne . . . 209
Ponts 210
Fleuve et construction fluviale . . 211
Installations hydrauliques 212
Types de navires historiques . . . 213
Bateaux à voiles I 214
Bateaux à voiles II 215
Types de navires 216
Construction navale 217
Navire à moteur 218
Navigation 219
Port I 220
Port II 221
Navire de guerre I 222
Navire de guerre II 223
Sauvetage d'épaves et de naufragés. 224
Types d'avions I 225
Types d'avions II 226
Moteurs d'avions 227
Poste de pilotage, pilotage des avions, parachute 228
Fusées et vol de fusées 229
Aéroport et radionavigation aérienne 230
Poste I 231
Poste II 232
Téléphone et télégraphe 233
Radio I. 234
Radio II 235
Télévision I 236
Télévision II 237

Bureau, Banque, Bourse

Bureau I 238
Bureau II 239
Bureau III 240
Bureau IV 241
Banque 242
Bourse 243

État et la Cité

Argent (pièces et billets de banque) 244
Drapeaux et pavillons 245
Héraldique, couronnes 246
Police 247
Justice 248
École 249
Université 250
Élections 251
Ville I 252
Ville II 253
Service des eaux 254
Lutte contre le feu 255
Grand magasin 256
Parc 257
Terrain de jeux pour enfants . . . 258

Voyages et Loisirs

Hôtel 259
Restaurant I 260
Restaurant II 261
Station thermale 262
Roulette 263
Billard 264
Jeux de société 265
Camping 266
Plage 267

Sports

Natation 268
Sports nautiques I 269
Sports nautiques II 270
Vol à voile 271
Équitation 272
Sports routiers de cycles et moteurs 273
Jeux de ballon I 274
Jeux de ballon II 275
Jeux de ballon III 276
Escrime 277
Gymnastique I 278
Gymnastique II 279
Athlétisme I 280
Athlétisme II 281
Alpinisme 282
Sports d'hiver I 283
Sports d'hiver II. 284
Sports d'hiver III 285
Paysage d'hiver 286
Divers genres de sport 287

Divertissement et Musique

Danse 288
Carnaval 289
Cirque 290
Parc d'attractions 291
Cinéma I 292
Cinéma II 293
Cinéma III 294
Cinéma IV 295
Théâtre I 296
Théâtre II 297
Théâtre III 298

Science, Religion, Art

Notation musicale I 299
Notation musicale II 300
Instruments de musique I 301
Instruments de musique II 302
Instruments de musique III . . . 303
Instruments de musique IV 304
Instruments de musique V 305
Instruments de musique VI 306
Êtres fabuleux et mythologiques . 307
Mythologie classique 308
Préhistoire 309
Chevalerie 310
Église I 311
Église II 312
Église III 313
Couvent et habits sacerdotaux (habits réguliers) 314
Art I 315
Art II 316
Art III 317
Art IV 318
Art V 319
Couleurs 320
Atelier de peinture et de dessin . . 321
Atelier de sculpture 322
Gravure 323
Écriture I 324
Écriture II 325
Mathématiques I 326
Mathématiques II 327
Géométrie I 328
Géométrie II 329
Cristaux, cristallographie 330
Appareils de manipulations de physique I 331
Appareils de manipulations de physique II 332
Chimie I 333
Chimie II 334
Ethnographie I 335
Ethnographie II 336
Ethnographie III 337
Costumes 338

Animaux et Plantes

Jardin zoologique (zoo) 339
Invertébrés 340
Insectes domestiques nuisibles et parasites 341
Animaux articulés 342
Oiseaux 343
Oiseaux indigènes 344
Oiseaux exotiques 345
Passereaux 346
Oiseaux de proie 347
Papillons 348
Faune des eaux profondes 349
Poissons, batraciens et reptiles . . 350
Mammifères I 351
Mammifères II 352
Mammifères III 353
Botanique générale 354
Feuillus (arbres à feuilles caduques) 355
Conifères (arbres à feuillage persistant) 356
Plantes ornementales I 357
Plantes ornementales II 358
Fleurs des champs I 359
Fleurs des champs II 360
Plantes des bois, des tourbières et des landes 361
Flore alpine, flore aquatique . . . 362
Plantes vénéneuses 363
Plantes médicales 364
Champignons comestibles 365
Stimulants et épices tropicaux . . . 366
Plantes industrielles 367
Fruits méridionaux et fruits exotiques 368

1 Atome I

1-4 schéma *m* d'un atome,
1 et 2 le noyau atomique:
1 le proton [positif]
2 le neutron [non chargé, neutre];
3 l'électron *m* [négatif]
4 l'orbite *f* électronique [qui forme la couche électronique];

5-8 schéma *m* d'un isotope *m* faisant partie de 1 à 4 [radioactif]:
5 le proton
6 le neutron
7 l'électron *m*
8 l'orbite *f* électronique;

9-12 désintégration *f* spontanée d'un atome [radioactivité *f*]:
9 le noyau atomique
10 le rayonnement alpha [noyau *m* d'hélium *m*]
11 le rayonnement bêta [les électrons *m*]
12 le rayonnement gamma (rayonnement de Roentgen *ou* rayons *m* X)

13-17 la fission nucléaire:
13 le noyau atomique
14 le bombardement par un neutron
15 les deux nouveaux noyaux *m* atomiques
16 les neutrons *m* libérés [production *f* de chaleur *f*]
17 le rayonnement analogue au rayonnement Roentgen (rayonnement gamma);

18-21 la réaction en chaîne *f*:
18 le neutron qui désintègre le noyau atomique
19 le noyau atomique avant la fission
20 les résidus *m* des noyaux *m* désintégrés
21 les neutrons *m* libérés par la fission désintègrent les autres noyaux *m*;

22-30 la réaction en chaîne *f* contrôlée:
22 le noyau d'un élément à désintégrer
23 le bombardement par un neutron
24 un neutron libéré qui désintègre un autre noyau atomique
25 les deux nouveaux noyaux *m* atomiques
26 le modérateur, une couche de freinage *m* en graphite *m*
27 les neutrons *m* libérés [production *f* de chaleur *f*]
28 la dérivation de chaleur *f* [gain *m* d'énergie *f*]
29 le rayonnement analogue au rayonnement Roentgen
30 l'écran *m* de plomb *m* ou de béton *m*;

31-46 le réacteur atomique
(réacteur nucléaire, la pile atomique, pile à ralentisseur *m* en graphite *m*, le four atomique):
31 le blindage de protection *f* de béton *m*
32 la couche d'air *m*
33 la conduite d'air *m*
34 le modérateur
35 le tube de refroidissement *m*
36 le tube pour les radio-isotopes *m*
37 le côté de chargement *m*
38 l'orifice *m* de chargement *m*
39 la barre d'uranium *m* (barre de chargement *m*) [le combustible du réacteur]
40 l'atomiste *m* (le physicien nucléaire)
41 le technicien
42 la galerie, un plateau élévateur pour le chargement du réacteur
43 l'échelle *f*
44 les trous *m* de prélèvement *m* des radio-isotopes *m*
45 la barre de contrôle consistant en un composé de cadmium *m* ou de bore *m*
46 le moteur de la barre de contrôle *m*;

47 la bombe atomique:
48 le plutonium ou les isotopes *m* d'uranium *m*
49 le détonateur à retardement *m*
50 le réflecteur en béryllium *m*

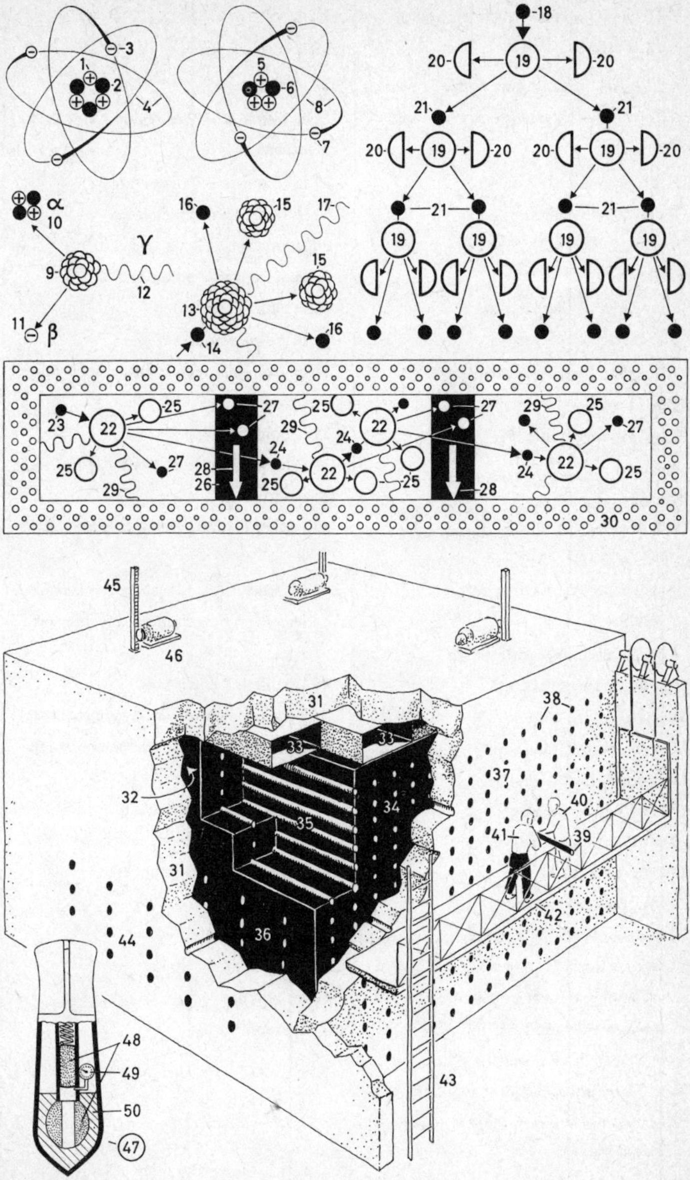
1
2
3
4
5
6
7
8
9
α
10
11
β
γ
12
13
14
15
16
17
18
19
20
21
22
23
24
25
26
27
28
29
30
31
32
33
34
35
36
37
38
39
40
41
42
43
44
45
46
47
48
49
50

1-23 appareils *m* de mesure *f* de radiation *f*,

1 l'appareil *m* de mesure *f* pour la protection contre les radiations *f* (appareil «direct»):

2 la chambre d'ionisation *f*

3 l'électrode *f* interne

4 la manette de réglage *m* de la portée de mesure *f*

5 le boîtier de l'appareil *m*

6 le cadran de mesure *f*

7 le tarage (la mise à zéro *m*);

8-23 dosimètres *m*,

8 le dosimètre à film *m*:

9 le filtre

10 le film;

11 le dosimètre à film *m* en forme *f* de bague *f*:

12 le filtre

13 le film

14 le couvercle avec filtre *m*;

15 le dosimètre de poche *f*:

16 le voyant

17 la chambre d'ionisation *f*

18 le clip;

19 le compteur Geiger:

20 la monture du tube compteur

21 le tube compteur

22 le boîtier de l'instrument *m*

23 la manette de réglage *m* de la portée de mesure *f*;

24 la chambre de détente *f* de Wilson (chambre de condensation *f*):

25 le plateau de compression *f*;

26 le cliché de la chambre à brouillard *m*:

27 la trajectoire de brouillard *m* d'une particule alpha;

28 la bombe au cobalt:

29 la colonne portante

30 les courroies *f*

31 le blindage de protection *f* contre les rayons *m*

32 la commande d'ouverture *f*

33 le diaphragme à lamelles *f*

34 la lunette de visée *f*

35 le dispositif pendulaire

36 la table d'irradiation *f*

37 le rail de roulement *m*;

38 le manipulateur à joints *m* sphériques (manipulateur):

39 la poignée

40 le levier de sûreté *f* (levier de fixation *f*)

41 la rotule

42 le bras de transmission *f* (la barre conductrice)

43 le dispositif de blocage *m* (de serrage *m*)

44 les pinces *f* manipulatrices («la main-robot»)

45 la tablette à encoches *f*

46 l'écran *m* de protection *f* contre les radiations *f*, un écran de plomb *m* [en coupe *f*];

47 le bras-robot d'un manipulateur jumelé (d'un manipulateur master-slave):

48 le manchon anti-poussière;

49 le cosmotron:

50 la zone dangereuse

51 l'aimant *m*

52 les pompes *f* à faire le vide de la chambre à vide

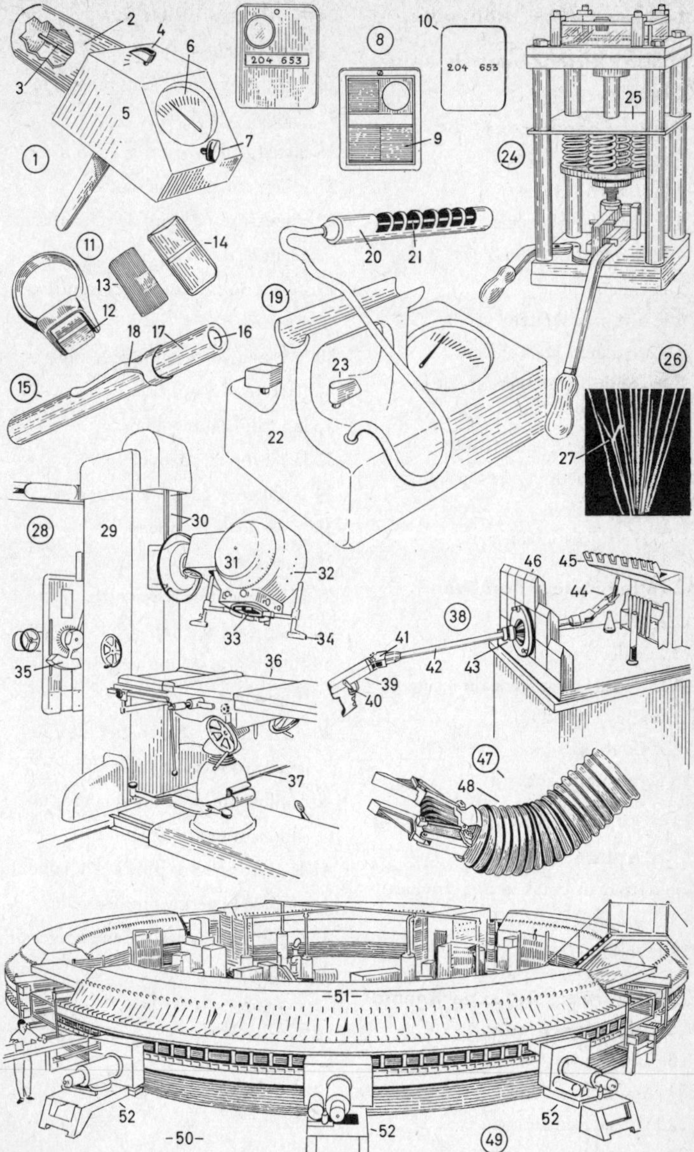
1
2
3
4
5
6
7
204 653
8
9
10
204 653
11
12
13
14
15
16
17
18
19
20
21
22
23
24
25
26
27
28
29
30
31
32
33
34
35
36
37
38
39
40
41
42
43
44
45
46
47
48
49
50
51
52
52
52

1-23 réacteurs *m* atomiques,

1-11 le réacteur à eau *f* bouillante:

1 la paroi de protection *f* contre les radiations *f*

2 le réservoir d'eau *f*

3 le combustible nucléaire

4 les barres *f* de contrôle *m*

5 la vapeur d'eau *f*

6 le turbo-générateur

7 l'échangeur *m* de chaleur *f*

8 le conduit d'admission *f* de la vapeur

9 l'injection *f* d'eau *f* froide

10 le condenseur

11 le retour d'eau *f* de refroidissement *m*;

12-16 le réacteur homogène:

12 le réacteur

13 le réflecteur

14 le liquide homogène du réacteur, un métal fondu

15 le bouilleur

16 le carburant chauffé;

17-19 le réacteur au sodium-graphite:

17 la barre de combustible *m* nucléaire

18 le graphite

19 le sodium fondu;

20-23 le réacteur expérimental auto-générateur:

20 l'uranium *m* 238

21 l'uranium *m* 235

22 le métal liquéfié chaud

23 le métal liquéfié refroidi;

24-42 le circuit idéal du réacteur:

24 le réacteur à eau *f* sous pression *f*

25 l'enveloppe *f*

26 la charge d'uranium *m* en solution *f*

27 le serpentin réfrigérant

28 l'injection *f* d'eau *f* de refroidissement *m*

29 l'éjection *f* d'eau *f* de refroidissement *m*

30 la vapeur sous haute pression *f*

31 l'arrivée *f* d'eau *f*

32 la turbine électrogène

33 la station électrique

34 la vapeur venant de la turbine

35 la sortie de la vapeur

36 l'arrivée *f* d'eau *f* chaude

37 le bâtiment de téléchauffe *f*

38 l'annexe *f* de chimie *f*

39 l'usine *f* de séparation *f* des isotopes *m*

40-42 la transmutation du plutonium avec production *f* d'énergie *f*:

40 le plutonium destiné à la propulsion aéronautique et navale

41 le plutonium destiné à la production de l'énergie *f* industrielle

42 le plutonium destiné aux usages *m* militaires

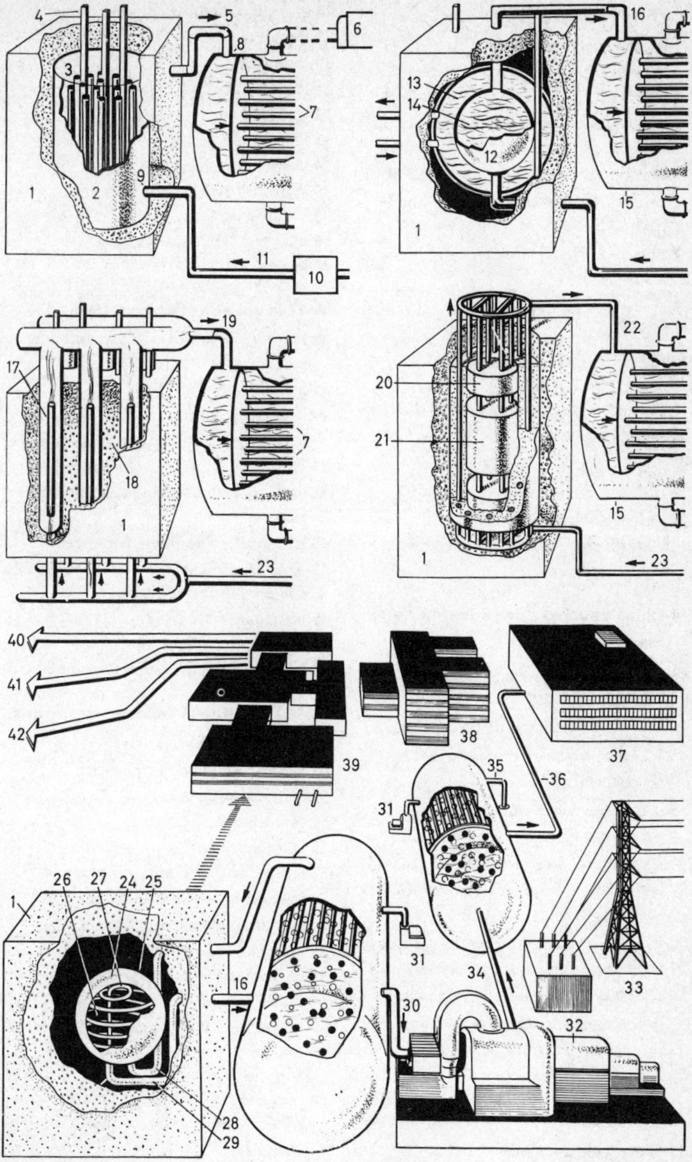
4
5
6
3
8
7
9
1
2
11
10
16
13
14
12
15
1
19
17
7
18
1
23
22
20
21
15
1
23
40
41
42
38
37
39
36
35
31
26
27
24
25
1
31
16
34
33
30
32
28
29

4 Atmosphère

1-10 la terre:

1 la croûte terrestre
2 la montagne la plus haute [8882 m]
3 le volcan
4 le panache de fumée *f* du Krakatoa [30 km]
5 le puits de mine le plus profond [2800 m]
6 le forage de pétrole *m* le plus profond [6170 *m*]
7 nuages *m*
8 le niveau de la mer
9 l'essai *m* de plongée *f* de Houot et Willm [4050 m]
10 le fond marin le plus profond [10 899 m];

11-15 la structure des couches *f* d'air *m* (l'atmosphère *f*):

11 la troposphère
12 la stratosphère
13 l'ionosphère *f*
14 l'exosphère *f*
15 la chemosphère;

16-19 les couches *f* de réflexion *f* pour les ondes *f* radio:

16 le rayonnement hertzien normal (la couche D)
17 le rayonnement modulé (la couche E)
18 le rayonnement cosmique de jour *m* (la couche F_1)
19 le rayonnement cosmique de nuit *f* (la couche F_2);
20 les grandes ondes *f* (petites fréquences *f*)
21 les ondes *f* moyennes (moyennes fréquences *f*)
22 les ondes *f* courtes (hautes fréquences *f*)
23 les ondes *f* ultra-courtes (liaisons *f* radar terre-lune à fréquences *f* maximales)
24 le rayonnement ultraviolet
25 le rayonnement infrarouge
26 la zone limite du crépuscule

27-34 les rayonnements *m* cosmiques:

27 la particule cosmique
28 la désintégration du noyau
29 le proton
30 le neutron
31 le méson π
32 le méson μ
33 l'électron *m*
34 la fin de la trajectoire des électrons *m*
35 l'aurore *f* polaire (aurore boréale, aurore australe)
36 nuages *m* lumineux nocturnes
37 le météore

38-47 le vol dans l'atmosphère *f*:

38 l'altitude *f* de vol *m* des avions *m* à réaction *f* [16 000 m]
39 le Bell X-IA [27 500 m]
40 la montée du ballon Picard [16 940 m]
41 le ballon stratosphérique »Explorer II«, USA [23 490 m]
42 et 43 les ballons *m* sondes [sans équipage *m*]
44 les montées *f* de différentes fusées *f*
45-47 le lancement d'une fusée à double étage *m* [»Bumper-Wac«]:
45 le premier étage [»V2«]
46 la séparation d'un étage
47 le deuxième étage [«Wac Corporal»]

48-58 le vol dans l'espace *m* cosmique:

48 le satellite d'exploration *f*
49 l'orbite *f* du satellite terrestre
50 la direction de vol *m*
51 la force centrifuge
52 la force centripète
53 le satellite d'exploration *f* plus grand avec des animaux *m* de laboratoire *m*
54 la station spatiale équipée
55 l'orbite *f* de la station spatiale
56 le dernier étage à ailes *f* d'une fusée multiétage équipée
57 les parties *f* d'un navire spatial destiné exclusivement pour la navigation interplanétaire
58 l'échelle *f* colorimétrique des températures *f* [bleu = froid, rouge à jaune = chaud]

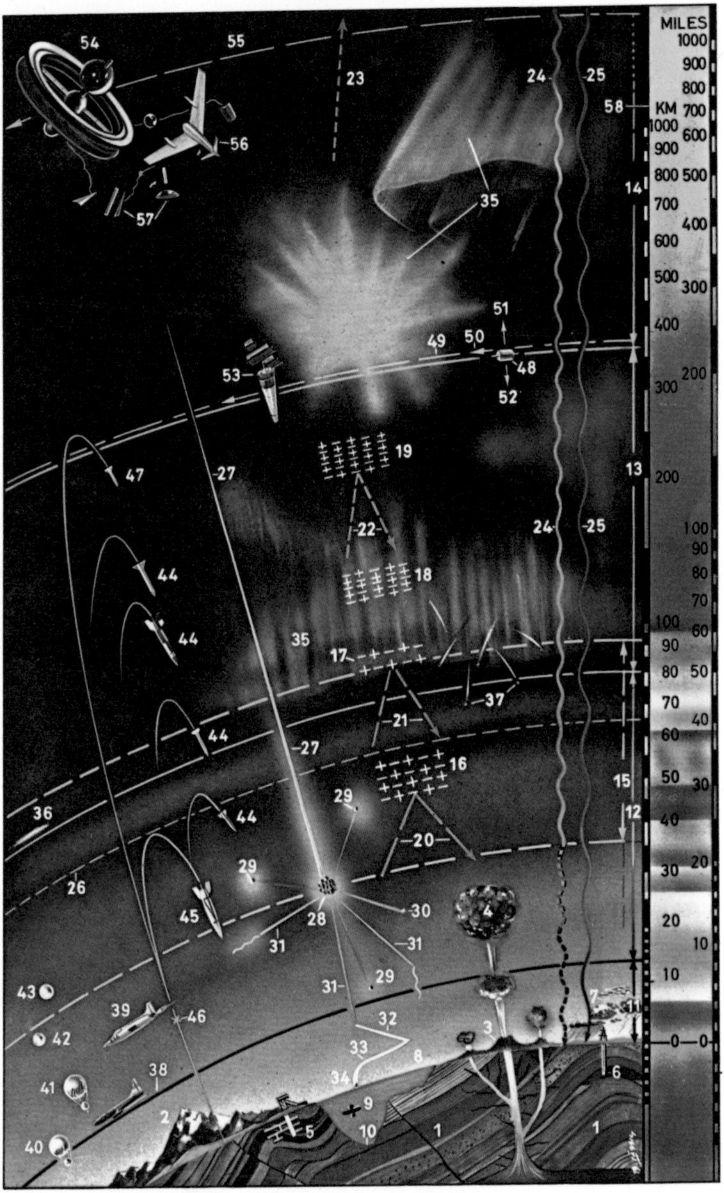
MILES
KM
1000
900
800
700
600
500
400
300
200
100
90
80
70
60
50
40
30
20
10
0

5 Astronomie I

1-35 carte *f* du ciel étoilé du nord (de l'hémisphère *m* nord), une carte céleste,

1-8 division *f* de la voûte céleste:

1 le pôle céleste avec l'étoile *f* polaire (étoile du nord)

2 l'écliptique *f* (trajectoire *f* annuelle apparente du soleil)

3 l'équateur *m* céleste

4 le tropique du Cancer

5 le cercle limite *f* des étoiles *f* circumpolaires

6 et 7 les points *m* équinoxiaux (l'époque *f* où le jour est égal à la nuit, l'équinoxe *m*):

6 l'équinoxe *m* du printemps(le point vernal, le commencement du printemps)

7 l'équinoxe *m* d'automne *m* (le commencement de l'automne);

8 le solstice d'été *m*;

9-48 constellations *f* (groupe *m* d'étoiles fixes et d'astres *m*) **et noms** *m* **d'étoiles** *f*:

9 l'Aigle *m* (Aquila) avec l'étoile *f* principale Altaïr

10 Pégase *m* (Pegasus)

11 la Baleine (Cetus) avec Mira, une étoile variable

12 l'Eridan *m* (Eridanus)

13 Orion *m* avec Rigel *m*, Bételgeuse *f* et Bellatrix *f*

14 le Grand Chien (Canis major) avec Sirius *m*, une étoile de première grandeur *f*

15 le Petit Chien (Canis minor) avec Procyon *m*

16 l'Hydre *f* (Hydra)

17 le Lion (Leo) avec Régulus *m*

18 la Vierge (Virgo) avec l'Epi *m*

19 la Balance (Libra)

20 le Serpent (Serpens)

21 Hercule *m* (Hercules)

22 la Lyre (Lyra) avec Véga

23 le Cygne (Cygnus) avec Deneb

24 Andromède *f* (Andromeda)

25 le Taureau (Taurus) avec Aldébaran

26 les Pléïades *f*, un amas d'étoiles *f* ouvert

27 le Cocher (Auriga) avec Capella *f*

28 les Gémeaux *m* (Gemini) avec Castor et Pollux

29 la Grande Ourse (Ursa major) avec l'étoile *f* double Mizar et Alcor (le chariot de David)

30 le Bouvier (Bootes) avec Arcturus

31 la Couronne Boréale (Corona Borealis)

32 le Dragon (Draco)

33 Cassiopée *f* (Cassiopeia)

34 la Petite Ourse (Ursa minor) avec l'étoile *f* polaire (le petit chariot)

35 la Voie lactée (la Galaxie);

36-48 l'hémisphère *m* céleste austral:

36 le Capricorne (Capricornus)

37 le Sagittaire (Sagittarius)

38 le Scorpion (Scorpius)

39 le Centaure (Centaurus)

40 le triangle austral (Triangulum Australe)

41 le Paon (Pavo)

42 la Grue (Grus)

43 l'Octan *m* (Octans)

44 la Croix du Sud (Crux)

45 le Navire (Argo)

46 la Carène (Carina)

47 le Chevalet du Peintre (Machina Pictoris)

48 le Réticule (Reticulum)

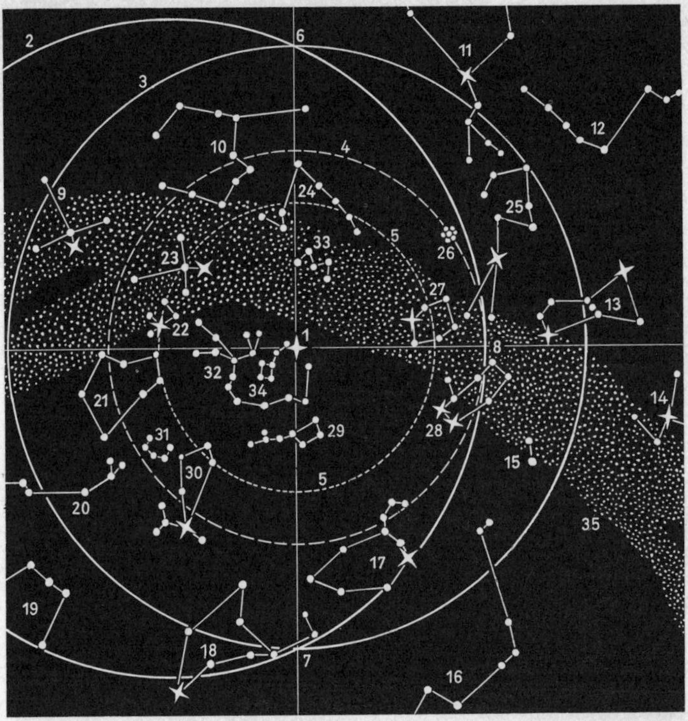
2
6
11
3
12
10
4
9
24
25
5
33
26
23
27
13
22
1
8
32
34
21
14
28
29
31
15
30
5
20
35
17
19
18
7
16

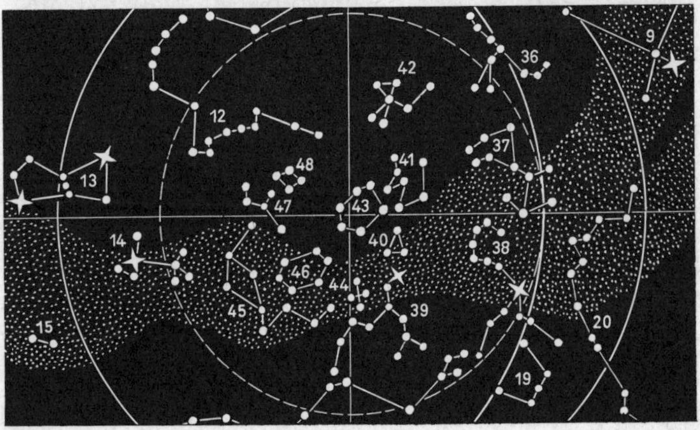
9
36
42
12
37
48
41
13
47
43
14
40
38
46
44
45
39
15
20
19

6 Astronomie II

1-51 astronomie *f*:

1 le firmament (le ciel étoilé, le ciel, la sphère céleste)

2-11 l'observatoire *m*,

2-7 le télescope à réflecteur *m* (télescope):

2 le tube à claire-voie *f*

3 l'objectif *m* *ou* une caméra pour la photographie des étoiles *f* (l'astrophotographie *f*)

4 le miroir (miroir concave, miroir parabolique)

5 l'axe *m* horaire

6 l'axe *m* des déclinaisons *f*

7 les socles *m*;

8 la coupole pivotante

9 la fente d'observation *f*

10 la plate-forme d'observation *f* de l'astronome *m*

11 le rail circulaire;

12-14 le planétarium:

12 la coupole fixe

13 le firmament artificiel

14 l'appareil *m* de projection *f*;

15-20 la tour Einstein,

15-18 le cœlostat:

15 le miroir

16 la tour de bois *m*

17 le puits pour la lumière

18 le miroir inférieur;

19 le local à température *f* constante

20 les laboratoires *m* de recherches *f* pour la lumière solaire et stellaire (la physique solaire, l'astrophysique *f*, l'analyse *f* spectrale) et pour la théorie de la rélativité de Einstein;

21-31 le système planétaire (système solaire, le cours des planètes *f* autour du soleil) et **les symboles** *m* **des planètes** *f*:

21 le soleil

22-31 les planètes *f*:

22 Mercure *m*

23 Vénus *f*

24 la Terre et la Lune, un satellite

25 Mars *m* et 2 satellites *m*

26 les planétoïdes *m* (les astéroïdes *m*, les petites planètes *f*, les fragments *m* de planète)

27 Jupiter *m* et 12 satellites *m*

28 Saturne *m* et 9 satellites *m*

29 Uranus *m* et 5 satellites *m*

30 Neptune *m* et 2 satellites *m*

31 Pluton *m*;

32-43 les signes *m* **du Zodiaque:**

32 le Bélier (Aries)

33 le Taureau (Taurus)

34 les Gémeaux *m* (Gemini)

35 le Cancer (Cancer)

36 le Lion (Leo)

37 la Vierge (Virgo)

38 la Balance (Libra)

39 le Scorpion (Scorpius)

40 le Sagittaire (Sagittarius)

41 le Capricorne (Capricornus)

42 le Verseau (Aquarius)

43 les Poissons *m* (Pisces);

44-46 la nébuleuse spirale:

44 le noyau de la nébuleuse spirale

45 les bras *m* en spirale *f*

46 le diamètre de la nébuleuse spirale;

47-50 vue *f* latérale schématique de la Voie lactée:

47 le noyau du système de la Galaxie

48 la position approximative de notre système *m* solaire

49 la zone des nébuleuses *f* obscures

50 l'épaisseur *f*;

51 la grande **nébuleuse d'Orion,** une nébuleuse gazeuse

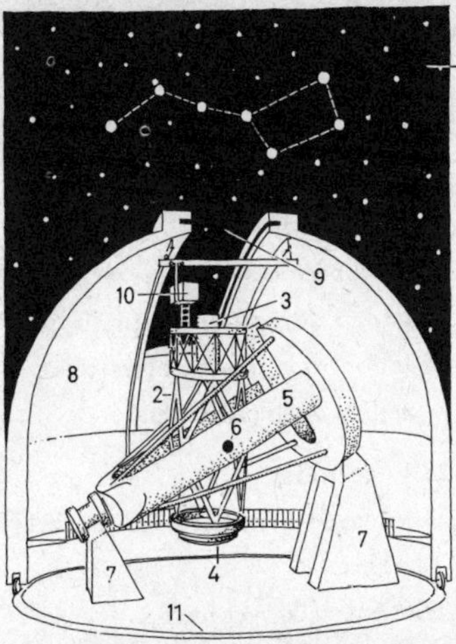
1
2
3
4
5
6
7
7
8
9
10
11

12
13
14

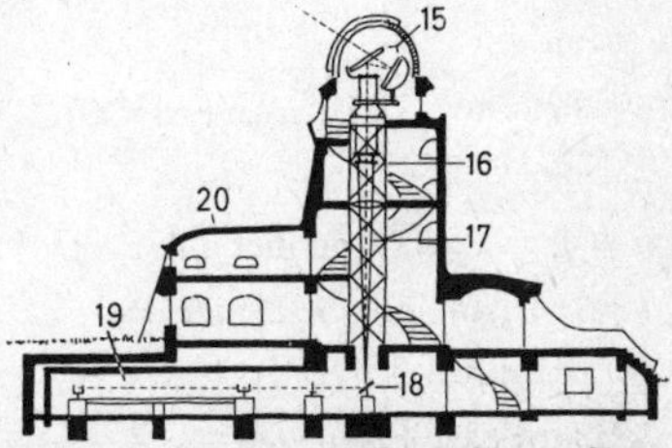
15
16
17
18
19
20

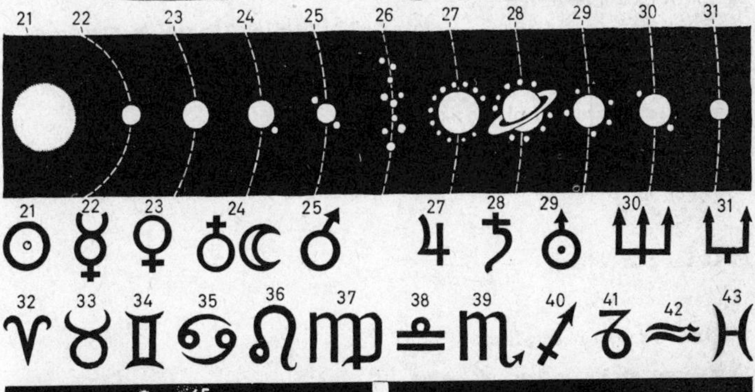
21
22
23
24
25
26
27
28
29
30
31

21
22
23
24
25
27
28
29
30
31
32
33
34
35
36
37
38
39
40
41
42
43

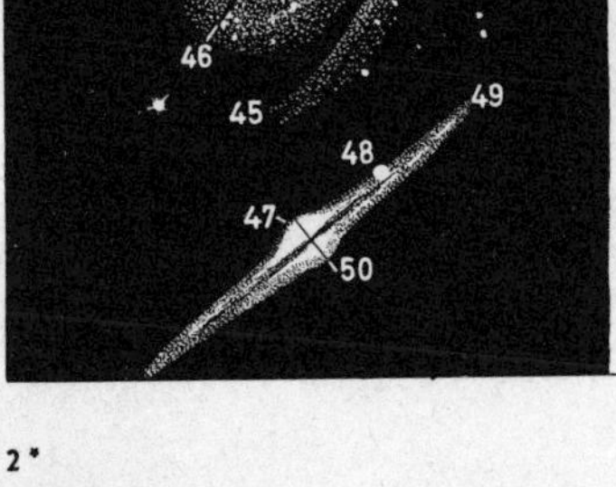
44
45
45
46
46
47
48
49
50

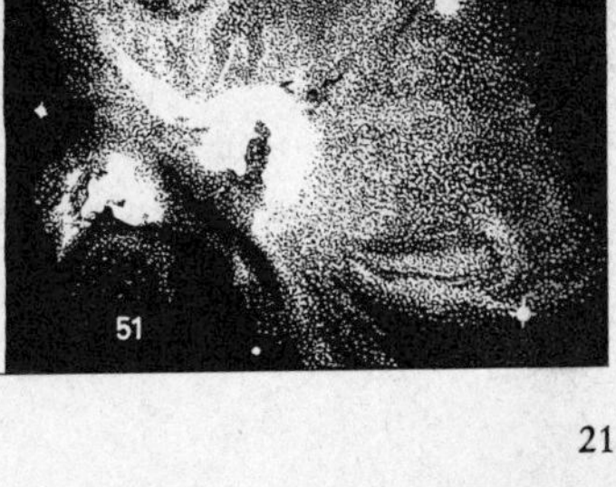
51

1-12 la lune:

1 l'orbite *f* lunaire (le cours de la lune autour de la terre)

2-7 les phases *f* lunaires (la lunaison):

2 la nouvelle lune

3 le croissant lunaire (la lune croissante)

4 la demi-lune (le premier quartier)

5 la pleine lune

6 la demi-lune (le dernier quartier)

7 le croissant lunaire (la lune décroissante);

8 la terre (le globe terrestre)

9 la direction des rayons *m* solaires

10 la surface de la lune:

11 une mer lunaire, une plaine basse sans eau *f*

12 un cratère lunaire;

13-18 les planètes *f*,

13 la surface de Mars *m*:

14 la calotte polaire de Mars *m*

15 les «canaux *m*» de Mars *m*;

16 Saturne *m*:

17 les anneaux *m* de Saturne *m*

18 bandes *f* dans l'atmosphère *f* de Saturne *m*;

19-23 le soleil:

19 le disque solaire (le globe solaire)

20 les taches *f* solaires (les facules *f*)

21 tourbillons *m* dans le voisinage des taches *f* solaires

22 la couronne (couronne solaire, la corona) observable lors d'une éclipse solaire totale ou avec des instruments *m* spéciaux, sur le pourtour du soleil

23 protubérances *f* (nuages *m* gazeux de caractère *m* éruptif);

24 le pourtour de la lune lors d'une éclipse de soleil *m* totale

25 la comète:

26 la tête de la comète (le noyau de la comète)

27 la queue de la comète;

28 l'étoile *f* **filante** (le météore, l'astéroïde *m*):

29 la météorite

30 le cratère provoqué par une météorite

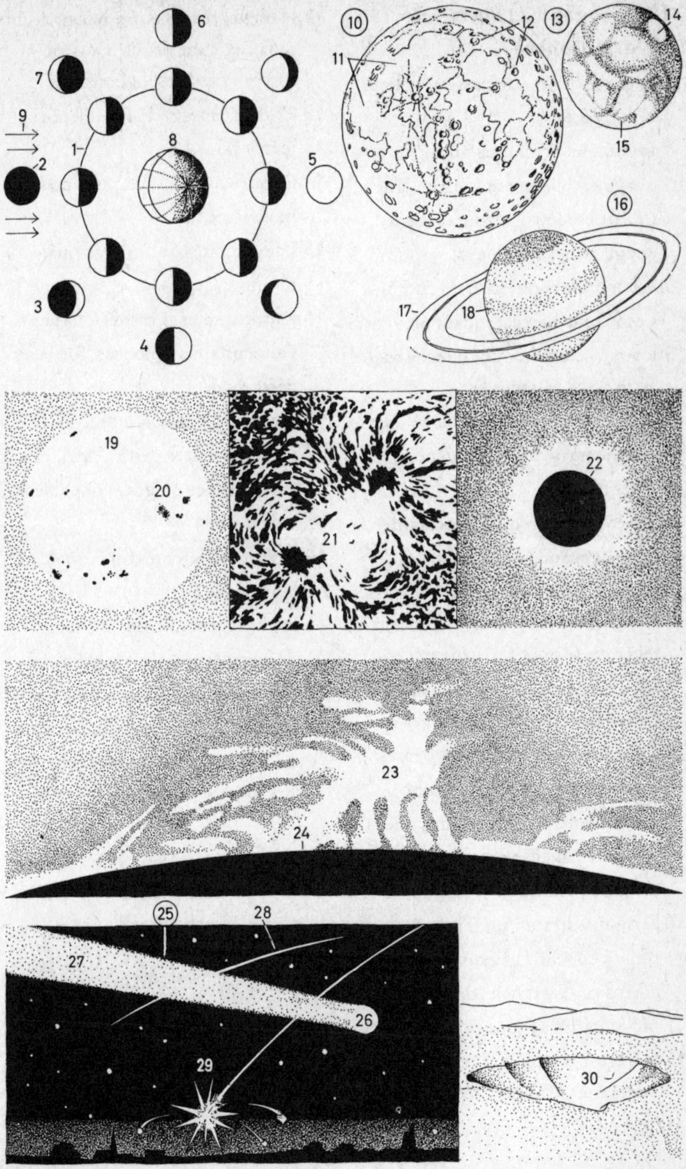
1
2
3
4
5
6
7
8
9
10
11
12
13
14
15
16
17
18
19
20
21
22
23
24
25
26
27
28
29
30

1-19 nuages *m* et états *m* de l'atmosphère *f*,

1-4 les nuages *m* des masses *f* d'air *m* homogènes:

1 le cumulus (cumulus humilis), un nuage à mouvement *m* ascendant (nuage étendu horizontalement, nuage de beau temps *m*)

2 le cumulus congestus, un cumulus à mouvement *m* ascendant plus fort

3 le strato-cumulus, une couche basse stratifiée de nuages *m*

4 le stratus (le brouillard élevé), une couche nuageuse homogène, basse;

5-12 les nuages *m* du front chaud:

5 le front chaud

6 le cirrus, un nuage formé de cristaux *m* de glace *f*, haut à très haut, léger, de formes *f* très diverses

7 le cirro-stratus, un voile nuageux formé de cristaux *m* de glace *f*

8 l'altostratus *m*, une couche nuageuse à une altitude moyenne

9 l'altostratus *m* praecipitans, une couche nuageuse avec précipitations *f* en altitude *f*

10 le nimbo-stratus, un nuage de pluie *f*, couche nuageuse à très forte extension *f* verticale; donnant des précipitations *f* (pluie *f* ou neige *f*)

11 le fracto-stratus, un nuage déchiqueté sous le nimbo-stratus

12 le fracto-cumulus, un nuage déchiqueté comme le 11, mais de formes *f* rondes, ballonnées;

13-17 les nuages *m* du front froid:

13 le front froid

14 le cirro-cumulus, un petit nuage moutonné

15 l'altocumulus *m*, un gros nuage moutonné

16 l'altocumulus *m* castellanus et l'altocumulus *m* floccus, formes *f* dérivées de 15

17 le cumulo-nimbus, un nuage à développement *m* vertical très puissant, lors des orages *m* de chaleur *f*, voir 1–4;

18 et **19** les différentes formes *f* de précipitations *f*:

18 la pluie générale ou la chute de neige *f* sur un vaste territoire, une précipitation uniforme

19 l'averse *f*, une précipitation intermittente (précipitation partielle)

flèche noire = air froid;
flèche blanche = air chaud

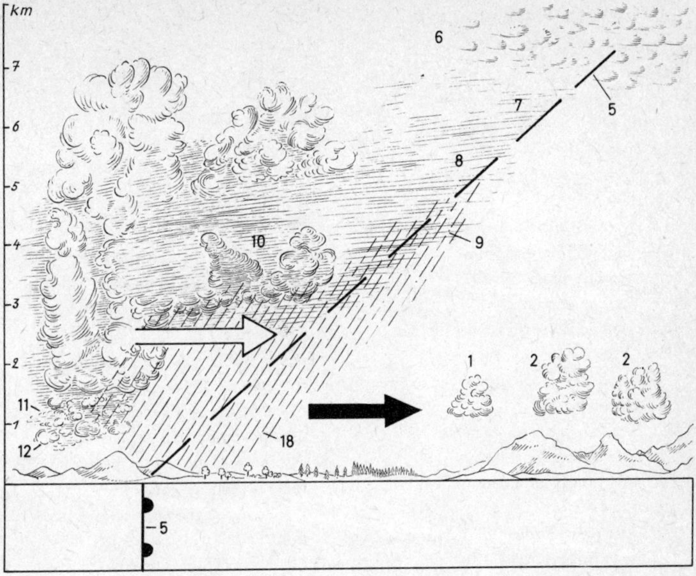
km
7
6
5
4
3
2
1
6
7
5
8
9
10
11
12
18
1
2
2
5

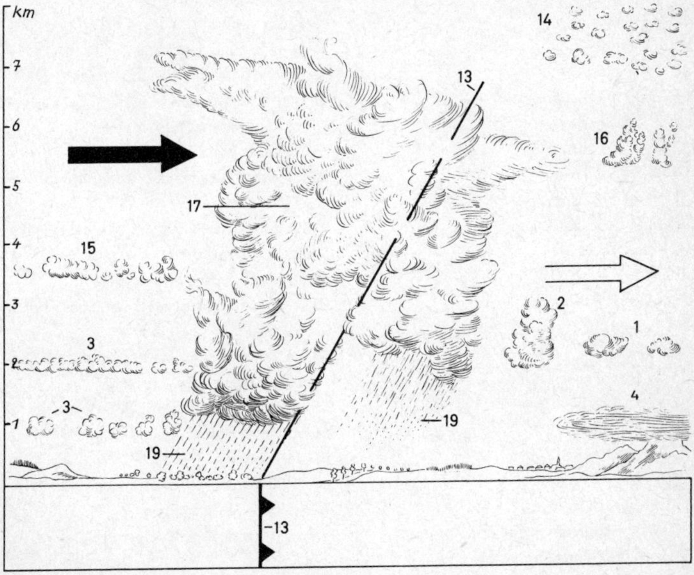
km
7
6
5
4
3
2
1
14
13
16
17
15
3
3
2
1
4
19
19
13

9 Météorologie II

1-39 la carte du temps (carte météorologique):

1 l'isobare *f* (ligne *f* d'égale pression *f* atmosphérique réduite au niveau de la mer)
2 la pliobare (isobare *f* au-dessus de 1000 mb)
3 la miobare (isobare *f* au-dessous de 1000 mb)
4 l'indication *f* de la pression atmosphérique *f* en millibares *m* (mb)
5 la région de basse pression *f* (le bas, le cyclone, la dépression)
6 la région de haute pression *f* (le haut, l'anticyclone *m*)
7 la station météorologique ou le navire météorologique
8 l'indication *f* de la température
9-19 l'indication *f* du vent:
9 la flèche pour l'indication *f* de la direction du vent
10 la coche pour l'indication *f* de la vitesse ou de la force du vent
11 le calme
12 1-2 nœuds *m*
13 3-7 nœuds *m*
14 8-12 nœuds *m*
15 13-17 nœuds *m*
16 18-22 nœuds *m*
17 23-27 nœuds *m*
18 28-32 nœuds *m*
19 58-62 nœuds *m*;
20-24 la nébulosité:
20 sans nuages *m*
21 clair
22 à moitié *f* couvert
23 nuageux
24 couvert;
25-29 fronts *m* et courants *m*:
25 l'occlusion *f*
26 le front chaud
27 le front froid
28 le courant chaud
29 le courant froid;
30-39 phénomènes *m* météorologiques:
30 la région de précipitation *f*
31 le brouillard
32 la pluie
33 la bruine
34 la neige
35 le grésil
36 la grêle
37 l'averse *f*
38 l'orage *m*
39 l'éclair *m* de chaleur *f*;

40-58 la carte des climats *m*:

40 l'isotherme *f* (ligne *f* d'égale température *f* moyenne)
41 l'isotherme *f* 0 (ligne *f* passant par les points *m* ayant une température annuelle moyenne de 0 ° C.)
42 l'isochimène *f* (ligne *f* d'égale température *f* moyenne en hiver *m*)
43 l'isothère *f* (ligne *f* de même température moyenne en été *m*)
44 l'isohélie *f* (ligne *f* de même durée *f* d'insolation *f*)
45 l'isohyète *f* (ligne *f* de même somme *f* des précipitations *f*);
46-52 les systèmes *m* des vents *m*,
46 et 47 la zone des calmes *m*:
46 la zone des calmes *m* équatoriaux
47 la zone des calmes *m* subtropicaux;
48 les vents *m* alizés du nord-est
49 les vents *m* alizés du sud-est
50 les zones *f* des vents *m* variables d'ouest *m*
51 les zones *f* des vents *m* polaires
52 la mousson d'été *m*;
53-58 les climats *m* de la terre:
53 le climat équatorial: la zone des pluies *f* tropicales
54 les deux zones *f* arides: les déserts *m* et les steppes *f*
55 les deux zones *f* tempérées pluvieuses
56 le climat boréal (climat des neiges *f* et des forêts *f*);
57 et 58 les zones *f* de climat *m* polaire:
57 le climat de la toundra
58 le climat de la gelée pérenne

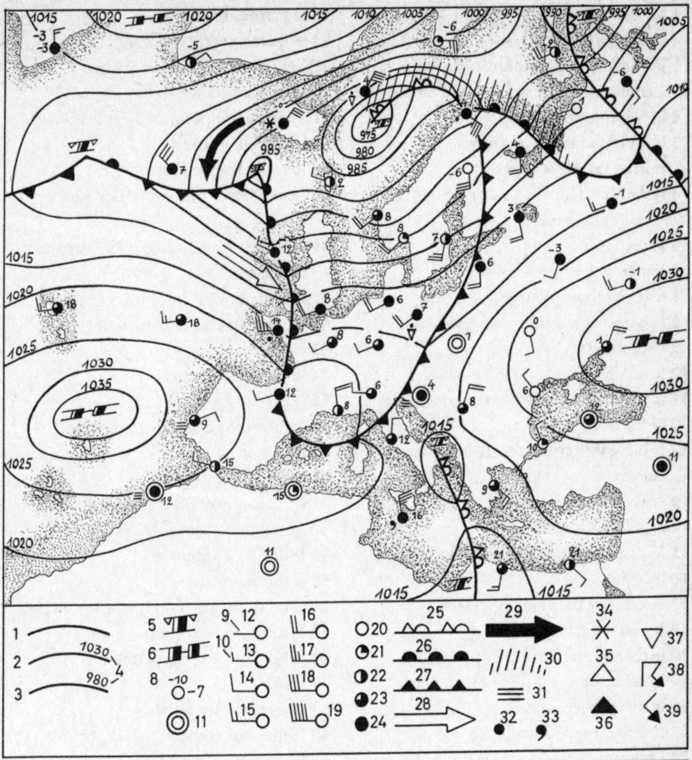
1015
1020
1015
1010
1005
1000
995
990
995
1000
1005
1010
985
975
980
985
1015
1020
1025
1030
1015
1020
1025
1030
1035
1025
1020
1015
1030
1025
1020
1015
1015
1
2
3
1030
980
4
5
6
8
-10
-7
9
12
10
13
14
15
11
16
17
18
19
20
21
22
23
24
25
26
27
28
29
30
31
32
33
34
35
36
37
38
39

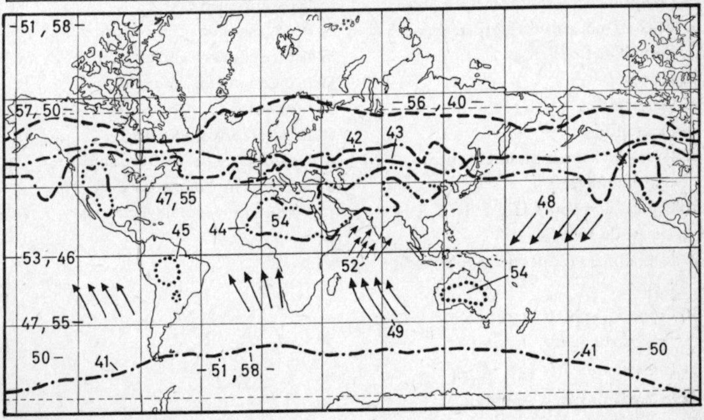
51, 58
57, 50
56, 40
42
43
47, 55
45
44
54
48
53, 46
52
54
47, 55
49
50
41
51, 58
41
50

10 Instruments météorologiques

1-18 appareils *m* pour mesurer la pression atmosphérique,
1 le baromètre à mercure *m*, un baromètre à siphon *m*, un baromètre à liquide *m*:
2 la colonne de mercure *m*
3 la graduation en millibars *m* (graduation en millimètres *m*);
4 le barographe d'une station, un baromètre enregistreur
5 le tambour
6 l'anéroïde *m*
7 le levier inscripteur;
8 le baromètre (baromètre anéroïde):
9 l'aiguille *f*
10 le ressort
11 la boîte métallique fermée, contenant un air raréfié
12 la pièce de liaison *f* entre la boîte et le ressort
13 le support du ressort
14 la plaque de base *f*
15 le dispositif pour le réglage du ressort
16 le levier
17 la pièce de liaison *f* réglable
18 le ressort en spirale *f*;
19 le thermographe d'une station:
20 le tambour
21 le levier inscripteur
22 l'élément *m* de mesure *f*;
23 l'hygromètre *m* (hygromètre à cheveux *m*), un instrument pour mesurer l'humidité *f* de l'air *m*:
24 le cheveu
25 l'échelle *f*
26 l'aiguille *f*;
27 l'appareil *m* pour mesurer le vent (l'anémomètre *m*):
28 l'appareil *m* pour l'indication *f* de la vitesse du vent
29 le moulinet avec des demi-sphères *f* creuses
30 l'appareil *m* pour l'indication *f* de la direction du vent
31 la girouette;
32 le psychromètre à aspiration *f*:
33 le thermomètre «sec»
34 le thermomètre «humide»
35 le tube isolateur de radiations *f*
36 le tube aspirant;
37 l'appareil *m* pour mesurer les précipitations *f* (le pluviomètre):
38 le collecteur de pluie *f*
39 le récipient collecteur des précipitations *f*
40 le verre gradué (verre pour mesurer la pluie)
41 la croix à neige *f*;
42 le pluviomètre enregistreur:
43 le boîtier
44 le collecteur de pluie *f*
45 le rebord à pluie *f*
46 le dispositif d'enregistrement *m*
47 le siphon;
48 le pyrhéliomètre à disque *m* d'argent *m*, un instrument pour mesurer l'intensité *f* du rayonnement solaire:
49 le disque d'argent *m*
50 le thermomètre
51 la boîte de protection *f* isolante en bois *m*
52 le tube avec diaphragmes *m*;
53 la hutte pour les appareils *m* enregistreurs:
54 l'hygrographe *m*
55 le thermographe
56 le psychromètre
57 et **58** thermomètres *m* à extrema:
57 le thermomètre à maxima
58 le thermomètre à minima;
59 la radiosonde:
60 le ballon à hydrogène *m*
61 les tôles *f* pour la détection par radar *m*
62 la boîte à instruments *m* avec l'émetteur *m* d'ondes *f* courtes

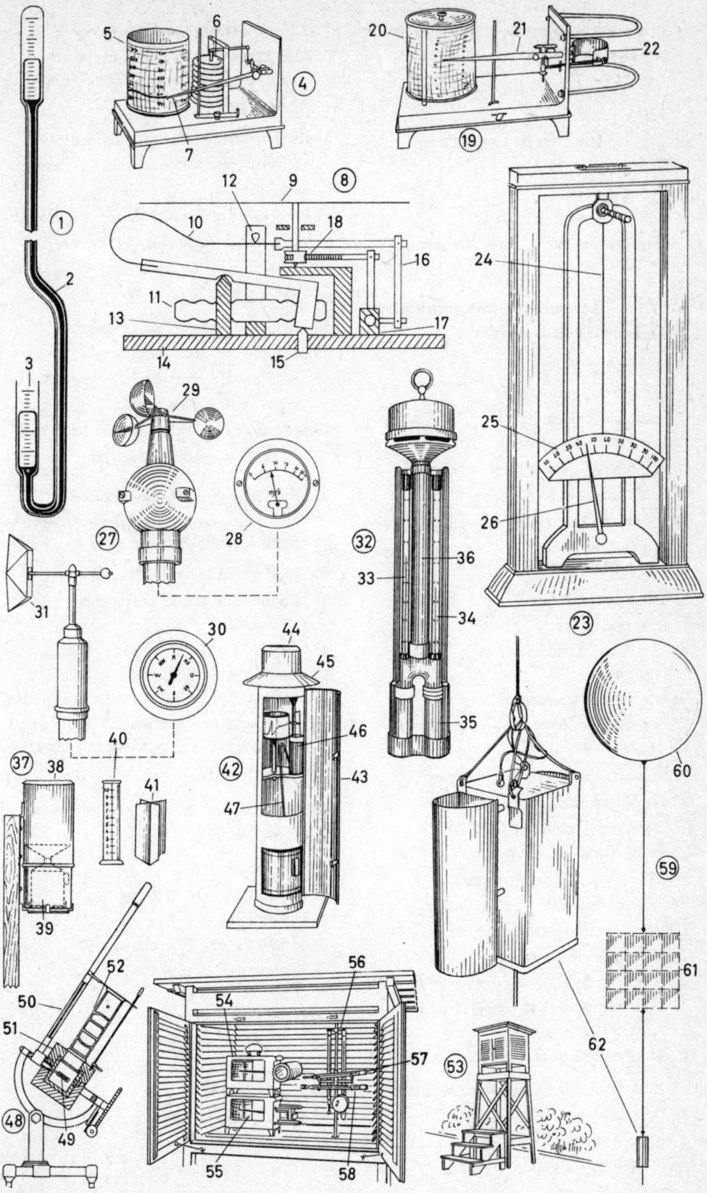
1
2
3
4
5
6
7
8
9
10
11
12
13
14
15
16
17
18
19
20
21
22
23
24
25
26
27
28
29
30
31
32
33
34
35
36
37
38
39
40
41
42
43
44
45
46
47
48
49
50
51
52
53
54
55
56
57
58
59
60
61
62
m/s

11 Géographie générale I

1-5 la structure en couches *f* de la terre:

1 la croûte terrestre (la lithosphère, le sial)
2 la zone visqueuse (la pyrosphère, le sima, zone de flux *m*)
3 l'enveloppe *f*
4 la couche intermédiaire
5 le noyau terrestre (le nifé, la barysphère);

6-12 la courbe hypsométrique de la surface de la terre:

6 les cimes *f*
7 la table continentale
8 le socle continental
9 le versant continental
10 la table des profondeurs *f* marines
11 le niveau de la mer
12 la fosse sous-marine;

13-20 le volcanisme:

13 le volcan bouclier
14 la nappe de lave *f*
15 le volcan en activité *f*, un volcan composé
16 le cratère du volcan
17 la cheminée (le canal *m* d'éruption *f*)
18 la coulée de lave *f*
19 le tuf (la masse molle du volcan)
20 la poche volcanique souterraine
21 le geyser (la source jaillissante)
22 le jet d'eau *f* et de vapeur *f*
23 les terrasses *f* de stalagmites *f*;
24 le mont en forme *f* de remblai *m*
25 le cratère d'un volcan éteint:
26 le remblai de tuf *m*
27 la brèche de matière *f* éruptive
28 la cheminée du volcan éteint;

29-31 le magma des profondeurs *f*:

29 le batholite (la roche plutonienne)
30 la laccolithe, une infiltration
31 le gisement (le filon), un gisement de minerai *m*

32-38 le tremblement de terre *f* (*var.*: tremblement tectonique, tremblement volcanique, l'effondrement *m*) **et la séismologie:**

32 l'hypocentre *m* (le foyer du tremblement de terre *f*, la source des ondes *f* sismiques)
33 l'épicentre *m* (le point de surface *f* directement au-dessus de l'hypocentre *m*)
34 la profondeur du foyer
35 le rayon de poussée *f*
36 les ondes *f* de surface *f* (ondes de séisme *m*, ondes sismiques)
37 l'isoligne *f* (l'isosiste *f*, la ligne reliant les points *m* de même poussée *f* sismique)
38 la zone de l'épicentre *m* (zone de tremblements *m* macrosismiques);

39 le séismographe horizontal (séismopraphe, l'enregistreur *m* des tremblements *m* de terre *f*):

40 l'amortisseur *m* magnétique
41 le bouton de réglage *m* de la période du pendule
42 le joint à ressort *m* pour la suspension du pendule *m*
43 la masse du pendule (masse stationnaire)
44 les bobines *f* d'induction *f* pour le courant indicateur du galvanomètre enregistreur;

45-54 les effets *m* du tremblement de terre *f*:

45 la chute d'eau *f*
46 l'éboulement *m* (le glissement de terre *f*)
47 l'éboulis *m*
48 le creux après l'éboulement *m*
49 le cratère de l'impact *m* (l'entonnoir d'éboulement *m*)
50 le décrochement du terrain
51 la coulée de vase *f* (coulée de boue *f*, le cône de vase, cône de boue)
52 la crevasse (la fissure)
53 le raz de marée causé par un tremblement de mer *f*
54 la plage en terrasse *f*

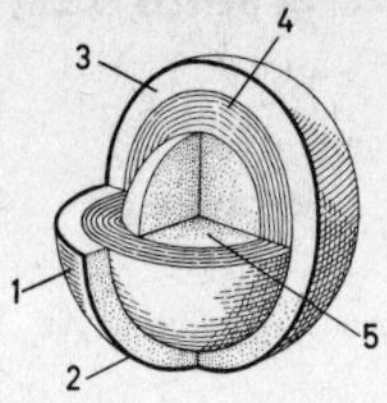
1
2
3
4
5

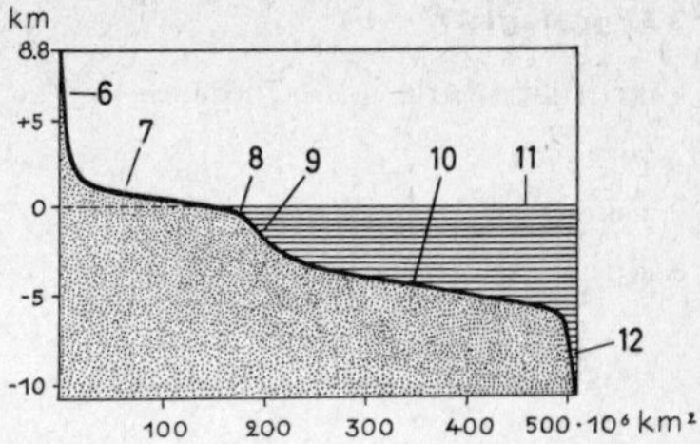
km
8.8
+5
0
-5
-10
100
200
300
400
500 · 10⁶ km²
6
7
8
9
10
11
12

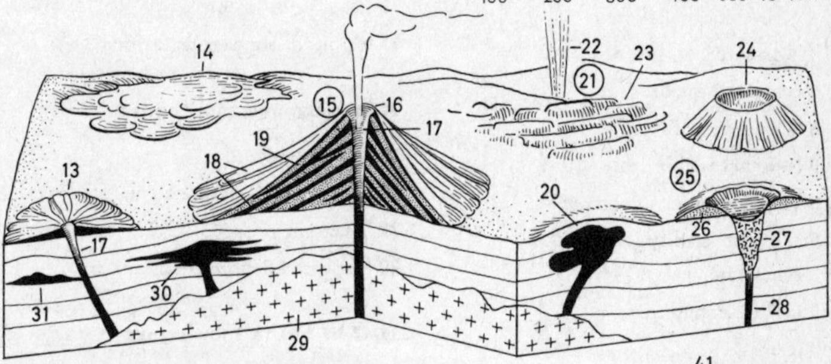
13
14
15
16
17
18
19
20
21
22
23
24
25
26
27
28
29
30
31

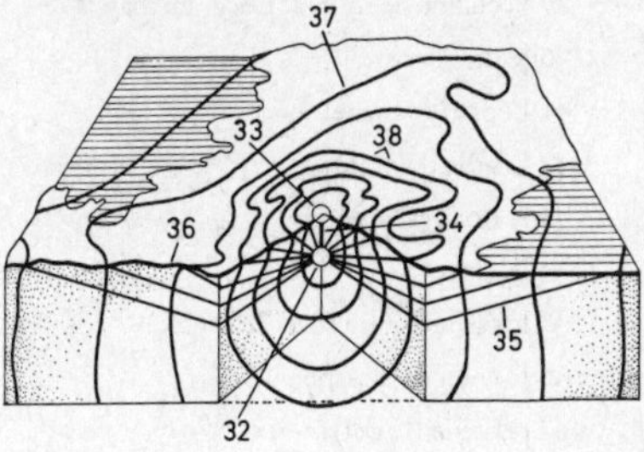
32
33
34
35
36
37
38

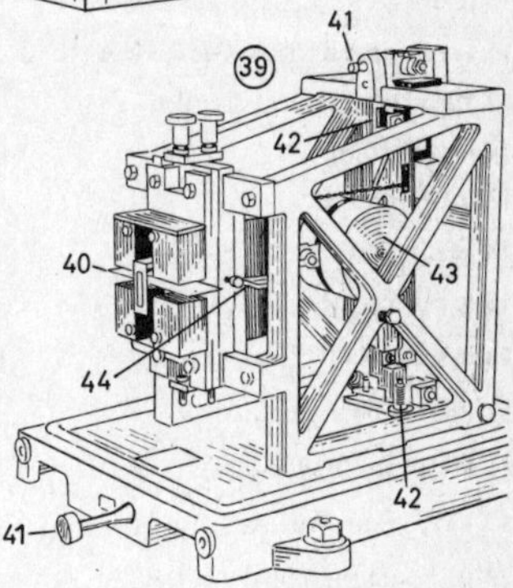
39
40
41
42
43
44

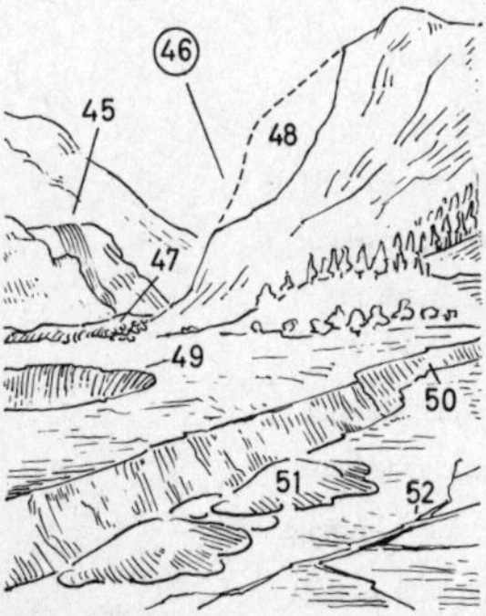
45
46
47
48
49
50
51
52

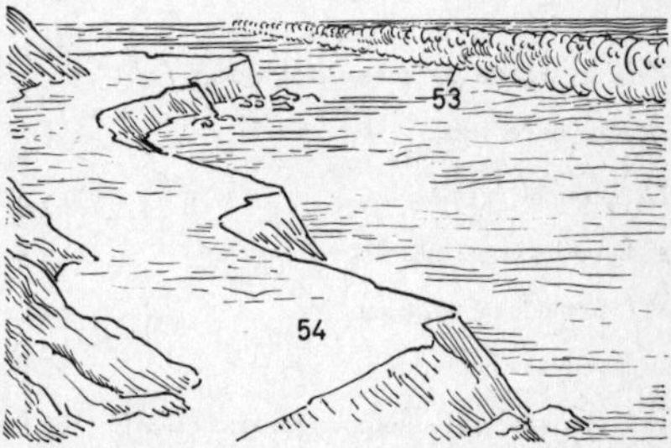
53
54

12 Géographie générale II

1-33 géologie *f*,

1 la stratification des roches *f* sédimentaires:

2 la direction

3 la pente (la direction de chute *f*);

4-20 les mouvements *m* **de terrain** *m*,

4-11 les blocs *m* faillés,

4 la cassure:

5 la ligne de cassure *f*

6 la hauteur de chute *f*;

7 la poussée débordante

8-11 perturbations *f* complexes:

8 la cassure en degrés *m* (le bloc échelonné)

9 la faille en pupitre *m*

10 le horst

11 la cassure en forme *f* de fossé *m*;

12-20 la montagne plissée:

12 le pli debout

13 le pli incliné

14 le pli renversé

15 le pli couché

16 la selle (l'anticlinal *m*)

17 l'axe *m* de l'anticlinal *m*

18 le vallon (le synclinal)

19 l'axe *m* du synclinal

20 la montagne à plis *m* faillés;

21 le système artésien des eaux *f* **souterraines:**

22 la couche perméable

23 la roche imperméable

24 la zone de pénétration *f*

25 les tuyaux *m* du puits

26 la fontaine jaillissante, un puits artésien;

27 le gisement de pétrole *m* dans un anticlinal:

28 la couche imperméable

29 la couche poreuse comme roche-magasin *f*

30 le gaz minéral, une calotte de gaz

31 le pétrole

32 l'eau *f* sous-jacente

33 le puits de sondage *m* (de forage *m*);

34 la moyenne montagne:

35 le cône émoussé

36 la crête (crête de montagne *f*)

37 le versant

38 la source à flanc *m* de coteaux *m*;

39-47 la haute montagne:

39 la chaîne de montagnes *f*, un massif

40 le pic (la cime)

41 l'épaule *f* rocheuse

42 la selle de montagne *f*

43 le bord escarpé

44 la cluse

45 les strates *f* (la rocaille roulée)

46 le chemin escarpé

47 le défilé (le col);

48-56 le glacier:

48 le champ de neige *f* (le névé)

49 le glacier de la vallée

50 la crevasse de glacier *m*

51 le front du glacier

52 le torrent

53 la moraine latérale

54 la moraine médiane

55 la moraine terminale

56 la surface du glacier

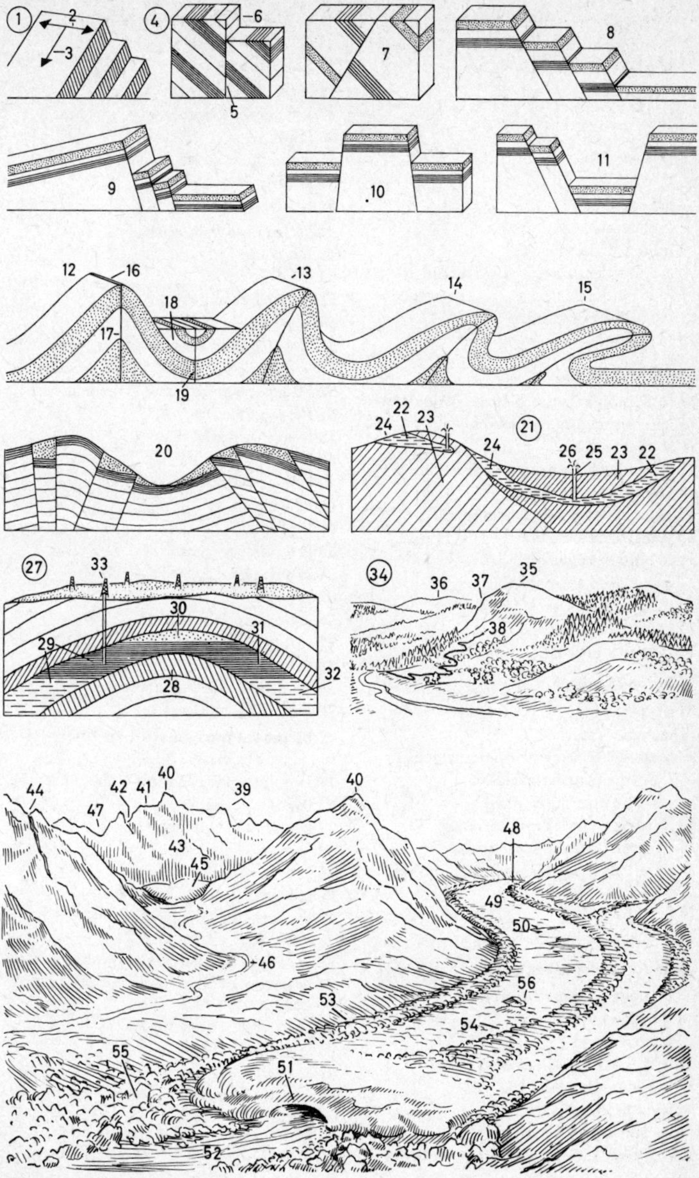
1
2
3
4
5
6
7
8
9
10
11
12
13
14
15
16
17
18
19
20
21
22
23
24
25
26
27
28
29
30
31
32
33
34
35
36
37
38
39
40
41
42
43
44
45
46
47
48
49
50
51
52
53
54
55
56

13 Géographie générale III

1-13 le paysage de rivière *f*:
1 l'embouchure *f* du fleuve, un delta
2 le bras d'embouchure *f*, un bras de fleuve *m*
3 le lac
4 la rive
5 la presqu'île
6 l'île *f*
7 la baie (l'anse *f*)
8 le ruisseau
9 le cône d'alluvions *f*
10 la zone d'engravement *m* alluvial
11 le méandre du fleuve
12 la colline contournée
13 la prairie;

14-24 le marais,
14 le marécage (la tourbière de plaine *f*):
15 les couches *f* marécageuses
16 la poche d'eau *f*
17 la tourbe de roseaux *m* et de laiches *f*
18 la tourbe d'aunaie *f* ;
19 la tourbière bombée (émergée):
20 la masse de jeune tourbe *f* de mousse *f*
21 le bord de la couche
22 la couche d'ancienne tourbe *f* de mousse *f*
23 la mare de marécage *m*
24 la zone infiltrée;

25-31 la falaise:
25 l'écueil *m*
26 la mer
27 le ressac (le déferlement des vagues *f*)
28 l'escarpement *m* (la falaise)
29 les galets *m* de la plage
30 la gorge érodée par le ressac
31 la surface arasée par le ressac;
32 l'atoll *m* (le récif à lagunes *f*), un récif corallien:
33 la lagune
34 le chenal;

35-44 la côte plate (la plage):
35 la limite de la marée montante
36 les vagues *f* de la côte
37 le brise-lames
38 la tête de brise-lames *m*
39 la dune mouvante
40 la dune en croissant *m*
41 les sillons *m* du vent
42 la nebka (forme *f* d'abrasion *f* éolienne)
43 l'arbre *m* incliné par le vent
44 le lac de rivage *m*;

45 le cañon:
46 le plateau (la surface élevée)
47 la terrasse de rocher *m*
48 la strate
49 le gradin de strate *f*
50 la faille
51 la rivière du cañon;

52-56 formes *f* **de vallée** *f* [en coupe *f*]:
52 la gorge étroite
53 la vallée en auge *f*
54 la vallée en entaille *f* ouverte
55 la vallée à fond *m* plat
56 la vallée en cuvette *f* (vallée synclinale);
57-70 le paysage de la vallée fluviale:
57 l'escarpement *m*
58 la rive (la pente) plate
59 la mesa
60 la ligne (la chaîne) des hauteurs *f*
61 le fleuve
62 la prairie en bordure *f* du fleuve
63 la terrasse rocheuse
64 la terrasse de galets *m*
65 la pente
66 la hauteur (la colline)
67 le fond de la vallée
68 le lit du fleuve
69 les dépôts *m* sédimentaires
70 l'assise *f* rocheuse;

71-83 les formations karstiques dans le calcaire:
71 la doline, un entonnoir d'éboulement *m*
72 le poljé (les dépressions *f*)
73 la zone d'écoulement *m*
74 la source karstique
75 la vallée à sec *m*
76 le système caverneux
77 le niveau de la nappe d'eau *f* karstique
78 la couche rocheuse imperméable
79 la grotte à concrétion *f* calcaire (grotte de stalactites *f*),
80 et 81 concrétions *f* calcaires:
80 la stalactite
81 la stalagmite;
82 le pilier (la colonne) de concrétion *f* calcaire
83 la rivière souterraine (rivière de la grotte)

12
11
13
1
2
4
7
5
3
6
8
9
10

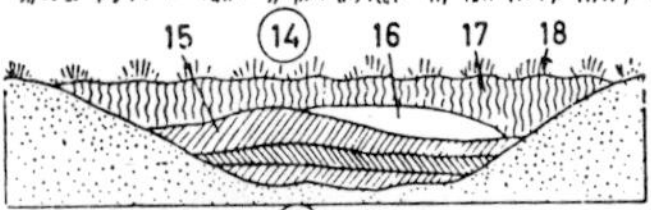
15
14
16
17
18

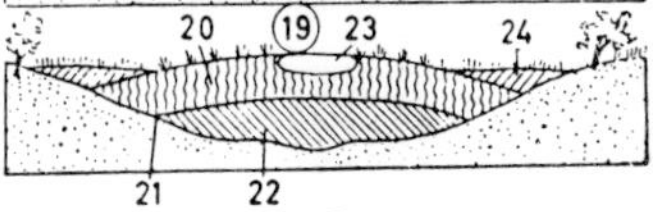
20
19
23
24
21
22

25
28
26
30
27
29
31

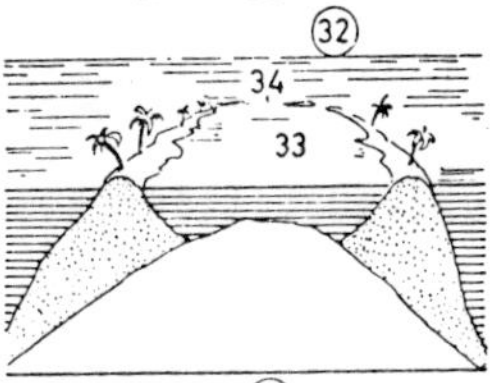
32
34
33

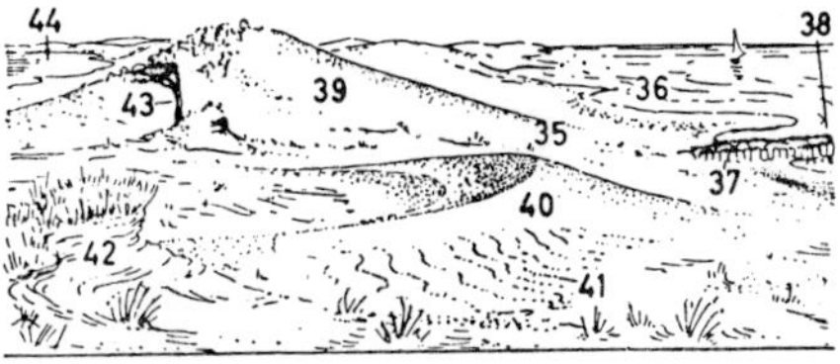
44
38
43
39
36
35
37
40
42
41

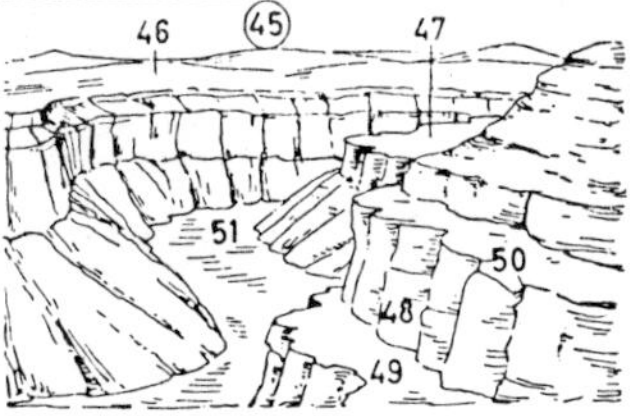
46
45
47
51
50
48
49

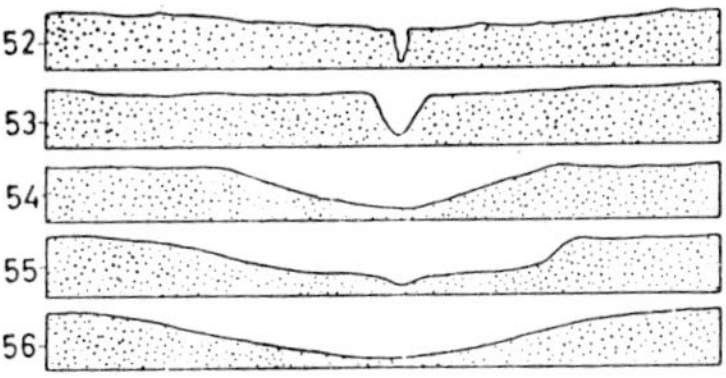
52
53
54
55
56

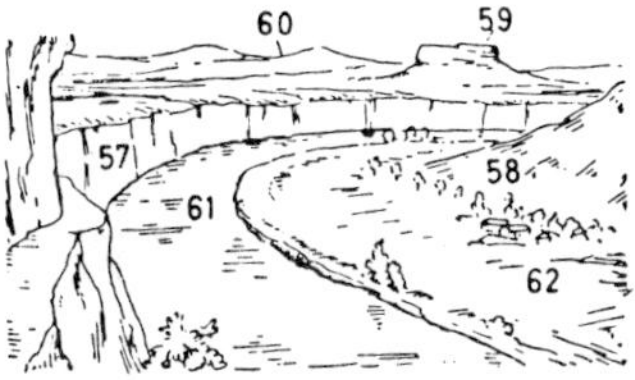
60
59
57
58
61
62

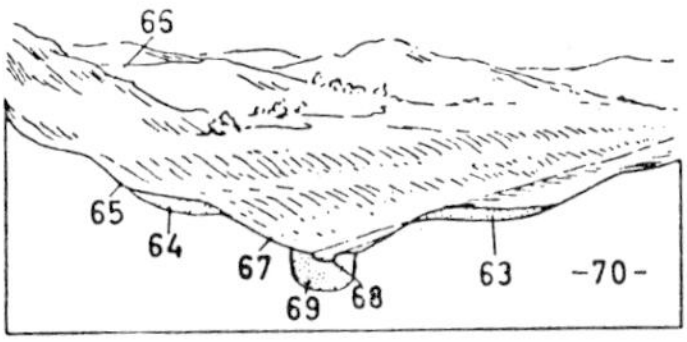
66
65
64
67
68
69
63
-70-

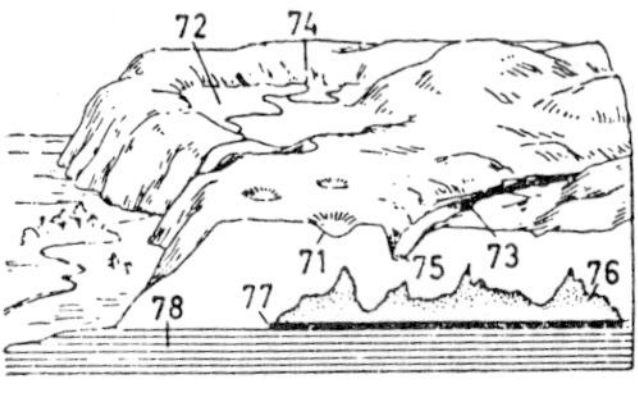
72
74
71
75
73
76
78
77

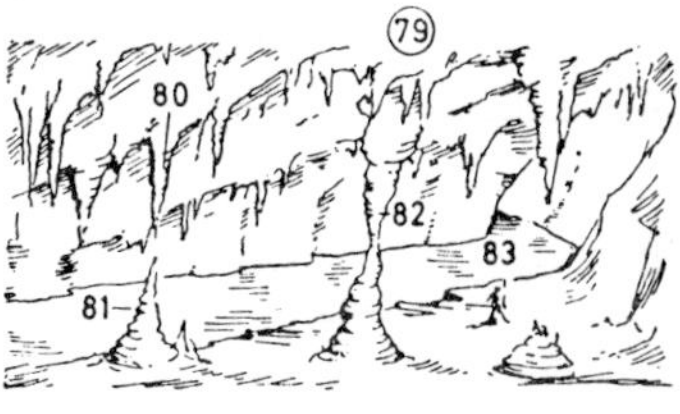
79
80
82
83
81

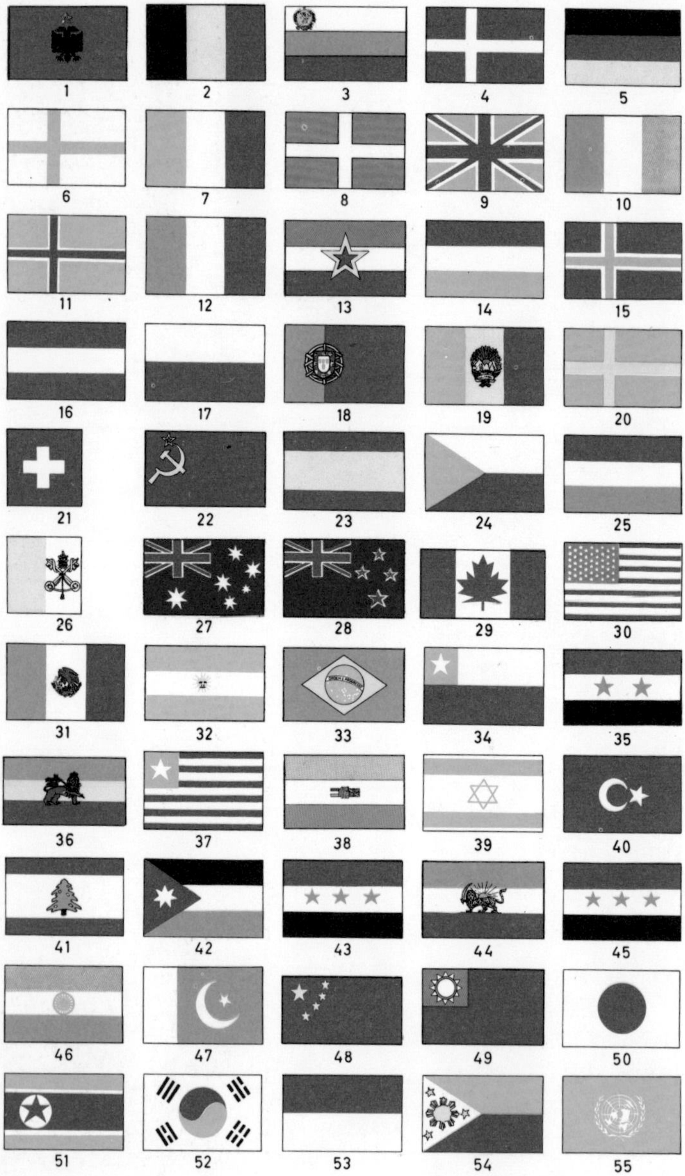
1 2 3 4 5
6 7 8 9 10
11 12 13 14 15
16 17 18 19 20
21 22 23 24 25
26 27 28 29 30
31 32 33 34 35
36 37 38 39 40
41 42 43 44 45
46 47 48 49 50
51 52 53 54 55

1-26 l'Europe *f*:
1 l'Albanie *f*
2 la Belgique
3 la Bulgarie
4 le Danemark
5 l'Allemagne *f*
6 la Finlande
7 la France
8 la Grèce
9 la Grande-Bretagne
10 l'Irlande *f*
11 l'Islande *f*
12 l'Italie *f*
13 la Yougoslavie
14 les Pays-Bas *m*; le Luxembourg
15 la Norvège
16 l'Autriche *f*
17 la Pologne
18 le Portugal
19 la Roumanie
20 la Suède
21 la Suisse
22 l'U.R.S.S. *f* (l'Union des républiques *f* socialistes soviétiques)
23 l'Espagne *f*
24 la Tchécoslovaquie
25 la Hongrie
26 le Vatican;
27 l'Australie *f*
28 la Nouvelle-Zélande
29-34 l'Amérique *f*,
29 et **30** l'Amérique du Nord:
29 le Canada
30 U.S.A., *m* (les Etats-Unis *m* d'Amérique *f*);
31 le Mexique [Amérique centrale]
32-34 l'Amérique *f* du Sud:
32 la République Argentine
33 le Brésil
34 le Chili;
35-38 l'Afrique *f*:
35 l'Egypte *f*
36 l'Ethiopie *f* (*anc.* l'Abyssinie)
37 le Libéria
38 l'Union *f* sud-africaine;
39-54 l'Asie *f*,
39-45 le Proche-Orient:
39 Israël *m*
40 la Turquie
41 le Liban
42 la Jordanie
43 la Syrie
44 l'Iran *m* (la Perse)
45 l'Irak *m*;
46 l'Inde *f*
47 le Pakistan
48 la République populaire de Chine *f*
49 la Chine nationaliste
50 le Japon
51 la Corée (Corée du Nord)
52 la Corée (Corée du Sud)
53 l'Indonésie *f*
54 les Philippines *f*;
55 les Nations unies *f*

15 Carte géographique I

1-7 le réseau de coordonnées *f* **terrestres:**

1 l'équateur *m*
2 un parallèle
3 le pôle [Pôle Nord], un pôle terrestre
4 le méridien
5 le méridien zéro
6 le degré de latitude *f* (le parallèle)
7 le degré de longitude *f* (le méridien);

8 et 9 les projections *f*:

8 la projection conique
9 la projection cylindrique;

10-45 la carte de la terre (carte du monde):

10 les tropiques *m*
11 les cercles *m* polaires
12-18 les continents *m*,
12 et 13 l'Amérique *f*:
12 l'Amérique *f* du Nord
13 l'Amérique *f* du Sud;
14 l'Afrique *f*
15 et 16 l'Eurasie *f*:
15 l'Europe *f*
16 l'Asie *f*;
17 l'Australie *f*
18 la zone antarctique;
19-26 les mers *f* du monde:
19 le Pacifique (l'Océan *m* Pacifique)
20 l'Atlantique *m* (l'Océan *m* Atlantique)
21 l'Océan *m* Glacial Nord
22 l'Océan *m* Glacial Sud
23 l'Océan *m* Indien
24 le Détroit de Gibraltar, une route maritime
25 la Méditerranée [mer intérieure de l'Europe *f*]
26 la mer du Nord, une mer bordière
27-29 la légende:
27 les courants *m* marins froids
28 les courants *m* marins chauds
29 l'échelle *f*;
30-45 les courants *m* marins:
30 le Gulf Stream (le courant du golfe)
31 le Kouro Sivo
32 le Courant Équatorial Nord
33 le Contre-courant Équatorial
34 le Courant Équatorial Sud
35 le Courant du Brésil
36 le Courant de la Somalie
37 le Courant Agulka
38 le Courant Austral Est
39 le Courant de Californie *f*
40 le Courant du Labrador
41 le Courant des Canaries *f*
42 le Courant de Humboldt (du Pérou)
43 le Courant Benguella
44 la dérive du vent d'ouest *m*
45 le Courant Austral Ouest;

46-62 la géodésie,

46 le nivellement (la mesure géométrique des hauteurs *f*):
47 la jauge
48 le niveau, une lunette de visée *f*;
49 le point trigonométrique:
50 le chevalet
51 le mât de signalisation *f*;
52-62 le théodolite, un goniomètre:
52 le bouton du micromètre
53 l'oculaire *m* du microscope
54 la mesure à distance *f* des hauteurs *f*
55 la pince des hauteurs *f*
56 la mesure à distance *f* dans le sens latéral
57 la pince des mesures *f* latérales
58 le bouton de réglage *m* pour le miroir d'éclairage *m*
59 le miroir d'éclairage *m*
60 la longue-vue (la lunette d'approche *f*)
61 le niveau à bulle *f* d'air *m*
62 le déplacement circulaire;
63-66 la photogrammétrie:
63 la chambre de mesure *f* en série *f*
64 le stéréotopographe:
65 le pantographe;
66 le planigraphe stéréoscopique

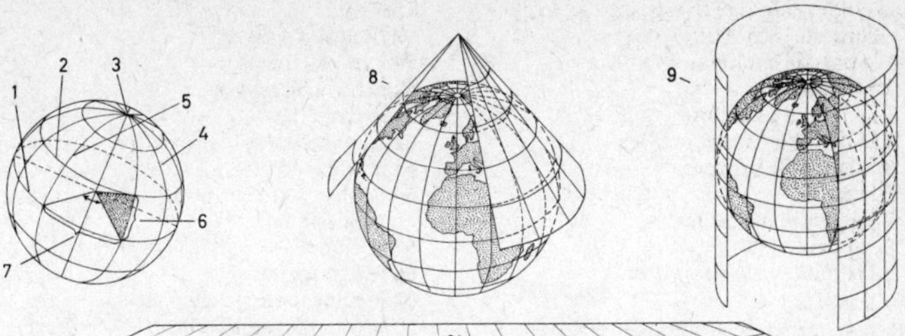
1
2
3
4
5
6
7
8
9

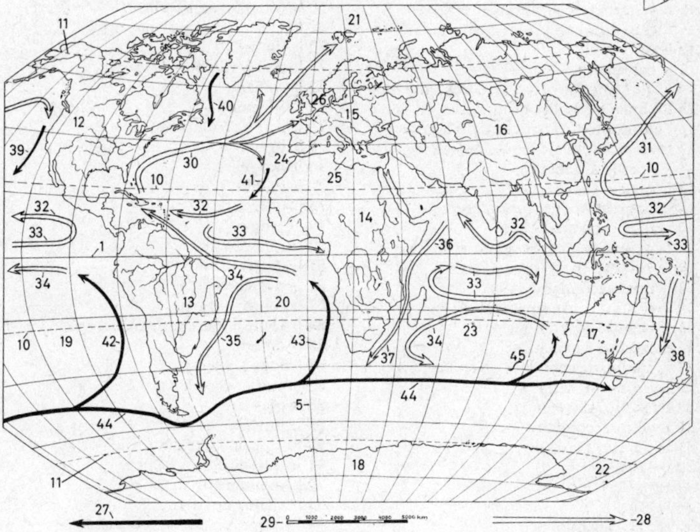
1
5
10
11
12
13
14
15
16
17
18
19
20
21
22
23
24
25
26
27
28
29
30
31
32
33
34
35
36
37
38
39
40
41
42
43
44
45

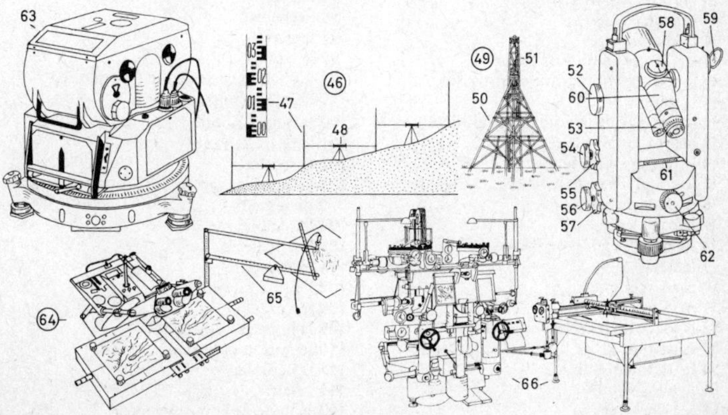
46
47
48
49
50
51
52
53
54
55
56
57
58
59
60
61
62
63
64
65
66

16 Carte géographique II

1-114 les signes *m* topographiques d'une carte au 1:25000:
1 le bois de conifères *m*
2 la clairière
3 la maison forestière
4 le bois d'arbres *m* feuillus
5 la lande (la bruyère)
6 le sable
7 l'élyme *m* des sables *m*
8 le phare
9 la limite des bas-fonds *m*
10 la balise
11 les courbes *f* de profondeurs *f* (les isobathes *f*)
12 le ferry-boat
13 le bateau-feu
14 la forêt mixte (forêt d'essences *f* diverses)
15 les buissons *m* (les broussailles *f*)
16 l'autoroute *f* avec rampe *f* d'accès *m*
17 la route nationale (route de trafic *m* à grande distance *f*)
18 la prairie
19 la prairie humide (prairie trempée)
20 le marais (le marécage)
21 la grande ligne de chemin *m* de fer *m*
22 le passage en-dessous
23 la ligne secondaire
24 le poste de cantonnement *m*
25 le chemin de fer *m* vicinal
26 le passage à niveau *m*
27 la station de chemin *m* de fer *m*
28 le groupe de villas *f*
29 l'échelle *f* d'étiage *m*
30 la route secondaire
31 le moulin à vent *m*
32 la saline
33 le pylône de T.S.F.
34 la mine
35 la mine abandonnée
36 la route départementale
37 l'usine *f*
38 la cheminée
39 la clôture en fil *m* de fer *m*
40 le passage d'une route en-dessus
41 la gare
42 le passage de la voie ferrée en-dessus
43 le sentier des piétons *m*
44 le passage inférieur
45 le cours d'eau *f* (le fleuve) navigable
46 le pont de bateaux *m*
47 le bac à voitures *f*
48 le môle (la jetée) en pierre *f*
49 le fanal
50 le pont en pierre *f*
51 la ville
52 la place du marché
53 la grande église à deux clochers *m*
54 le bâtiment public
55 le pont-route
56 le pont en fer *m*
57 le canal
58 l'écluse *f* à sas *m*
59 l'appontement *m*
60 le bac à piétons *m*
61 la chapelle
62 les courbes *f* de niveau *m* (les isohypses *f*)
63 le couvent
64 l'église *f* visible de loin [un point *m* géodésique]
65 la vigne
66 le barrage
67 le funiculaire (le téléphérique)
68 la tour d'observation *f* (le belvédère)
69 l'écluse *f* de refoulement *m*
70 le tunnel
71 le point trigonométrique
72 la ruine
73 l'éolienne *f*
74 le fort (la forteresse)
75 le bras mort
76 le fleuve
77 le moulin à eau *f*
78 la passerelle
79 l'étang *m*
80 le ruisseau
81 le château d'eau *f*
82 la source
83 la route nationale
84 la route encaissée (le défilé)
85 la caverne
86 le four à chaux *f*
87 la carrière de pierre *f*
88 la glaisière
89 la tuilerie
90 la voie de service *m* (voie portative)
91 le quai de chargement *m*
92 le monument
93 le champ de bataille *f*
94 la ferme, un domaine agricole
95 le mur
96 le château
97 le parc
98 la haie
99 le chemin carrossable (chemin régulièrement entretenu)
100 le puits à poulie *f*
101 la ferme isolée
102 le sentier
103 la limite de canton *m* (limite d'arrondissement *m*)
104 le remblai
105 le village
106 le cimetière
107 l'église *f* de village *m*
108 le verger
109 la borne kilométrique
110 le poteau indicateur
111 la pépinière
112 la laie
113 la ligne de haute tension *f*
114 la houblonnière

E.F.
W.F.
P.F.
K.O.
Zgl.
A.T.
Qu.
P.
E
1632
en France
N.P.7 ou N.31
D.P.5 ou D 12

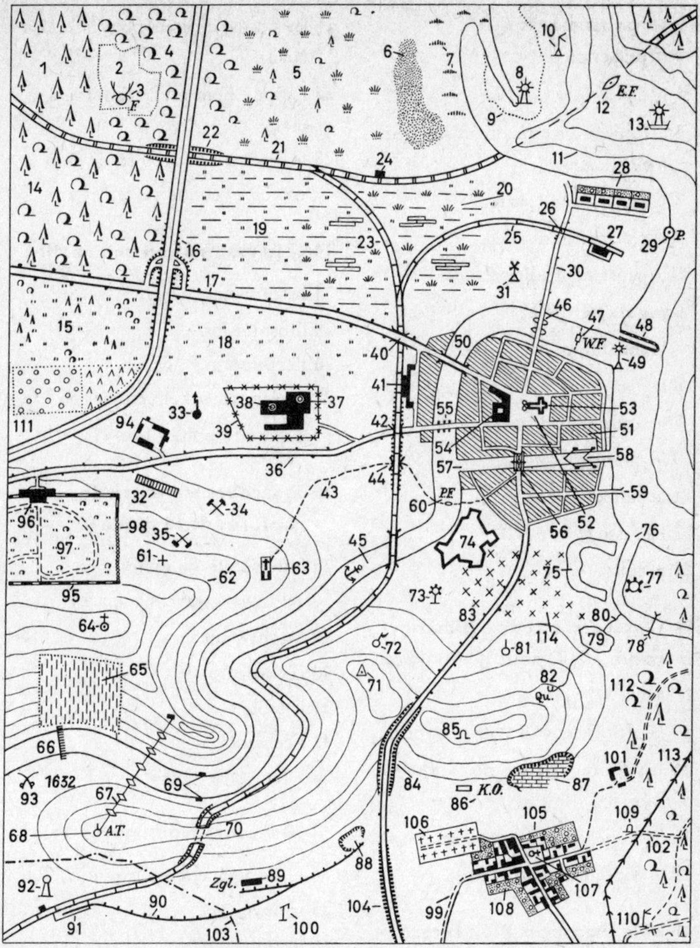

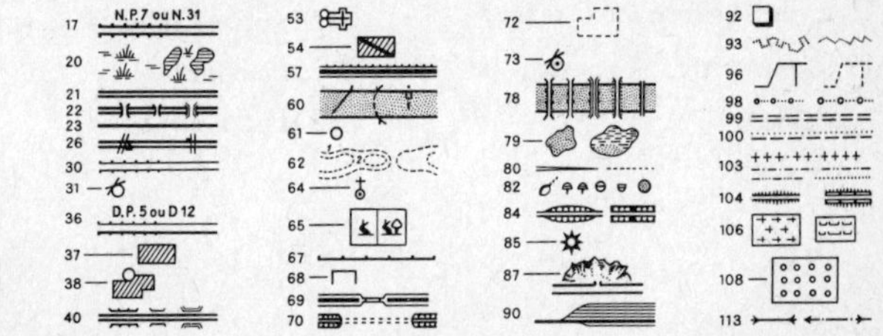

17 Soins d'urgence

1-13 pansements *m* **d'urgence** *f*,

1 le pansement brachial:

2 le foulard triangulaire utilisé comme bandage *m*;

3 le pansement de la tête

4 le pansement du pied

5 le pansement adhésif:

6 la gaze stérilisée;

7 le sparadrap

8 la plaie

9 le rouleau de pansement *m*

10 les attelles *f*:

11 la jambe cassée

12 l'éclisse *f*;

13 le coussinet;

14-17 soins *m*, **en cas** *m* **d'hémorragie** *f* (la ligature d'un vaisseau sanguin):

14 la prise de garrot *m* de la carotide

15 la prise de garrot *m* de l'artère *f* fémorale:

16 la canne utilisée comme garrot *m*;

17 le pansement garrot *m*;

18-23 le transport d'un blessé:

18 le blessé sans connaissance *f*

19 le secouriste

20 l'aide *m*

21 les mains *f* croisées pour faire la chaise

22 l'appui *m* pour le transport à une main

23 le brancard improvisé de deux bâtons *m* et une veste;

24-27 la respiration artificielle:

24 le serre-lange

25 l'inspiration *f*

26 l'expiration *f*

27 le réanimateur électrique, un appareil respiratoire;

28-33 secours *m* **en cas** *m* **de rupture** *f* **de la glace** *f*:

28 la personne qui est tombée à l'eau *f* à travers la glace

29 le sauveteur

30 la corde

31 la table

32 l'échelle *f*

33 l'auto-sauvetage *m*;

34-38 secours *m* **aux noyés** *m*:

34 le dégagement de l'étreinte *f*:

35 le noyé

36 le sauveteur;

37 la prise scapulaire, une prise de transport *m*

38 la prise lombaire

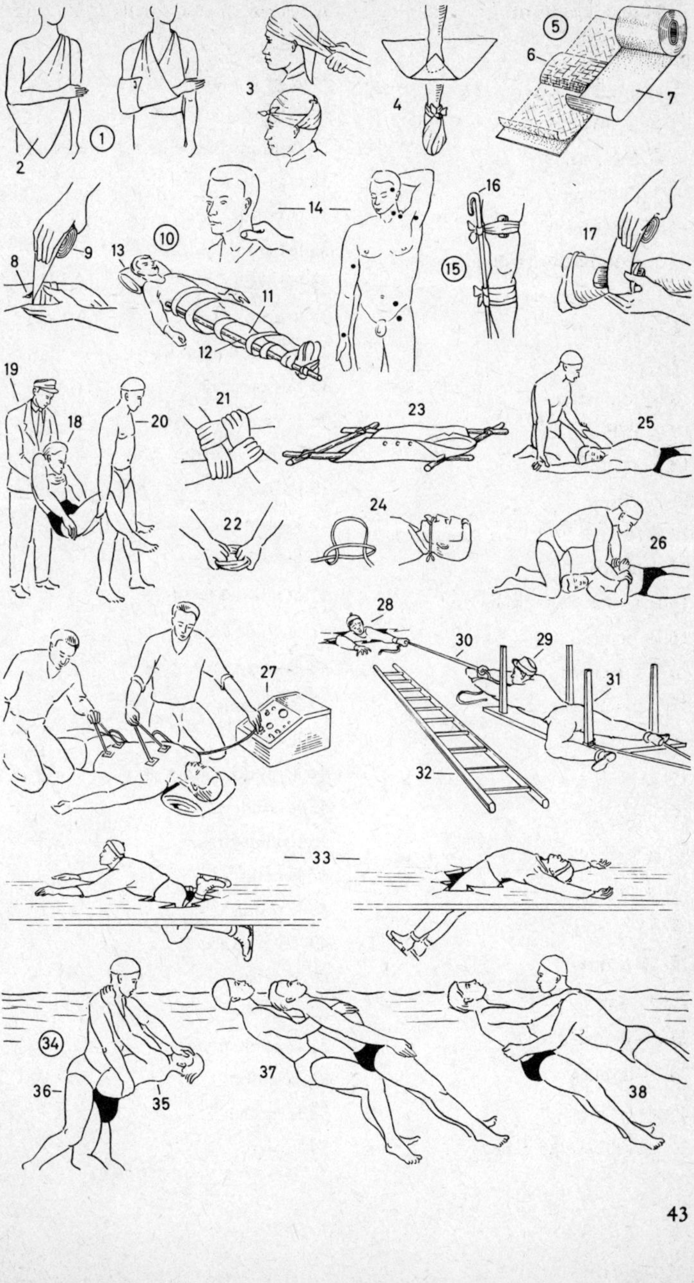
1
2
3
4
5
6
7
8
9
10
11
12
13
14
15
16
17
18
19
20
21
22
23
24
25
26
27
28
29
30
31
32
33
34
35
36
37
38

1-54 le corps humain,

1–18 la tête:
1 le crâne
2 l'occiput *m*
3 la chevelure
4–17 le visage,
4 et 5 le front:
4 la protubérance frontale
5 la bosse frontale;
6 la tempe
7 l'œil *m*
8 la pommette
9 la joue
10 le nez
11 la narine
12 la fossette de la lèvre supérieure
13 la bouche
14 la commissure des lèvres *f*
15 le menton
16 la fossette du menton
17 la mâchoire;
18 l'oreille *f*;
19–21 le cou:
19 la gorge
20 la fosse jugulaire
21 la nuque;
22–41 le tronc,
22–25 le dos:
22 l'épaule *f*
23 l'omoplate *f*
24 les lombes *m*
25 les reins *m*;
26 le creux de l'aisselle *f*
27 les poils *m* de l'aisselle *f*
28–30 la poitrine,
28 et 29 le sein:
28 le mamelon
29 la pointe des seins *m* (l'aréole *f*);
30 la gorge;
31 la taille
32 le flanc
33 la hanche
34 le nombril
35–37 l'abdomen *m*:
35 l'estomac *m*
36 le ventre
37 le bas-ventre;
38 l'aine *f*
39 le pubis
40 la fesse
41 la raie des fesses *f*;
42 le pli de l'aine *f*
43–54 les membres *m*,
43–48 le bras:
43 le bras
44 le pli du coude
45 le coude
46 l'avant-bras *m*
47 la main
48 le poing;
49–54 la jambe:
49 la cuisse
50 le genou
51 le pli du genou
52 la jambe
53 le mollet
54 le pied

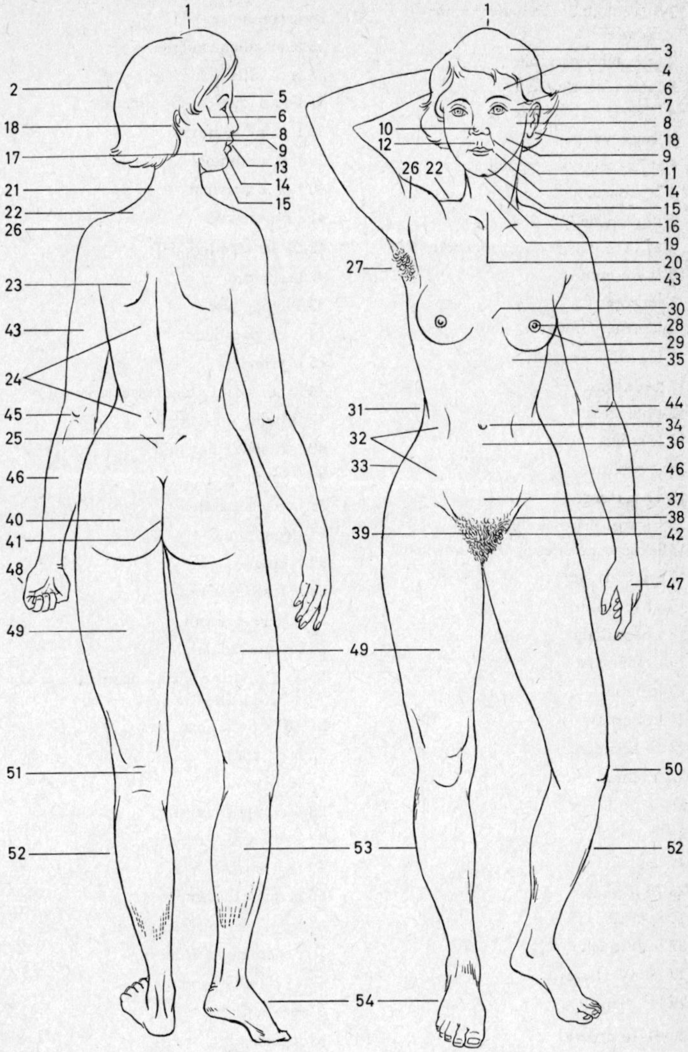
1
1
2
3
4
5
6
18
6
7
8
8
18
17
10
12
9
9
13
11
21
14
26 22
14
15
22
15
16
26
19
20
27
23
43
43
30
28
29
24
35
45
31
44
34
25
32
36
33
46
46
37
40
38
39
42
41
48
47
49
49
51
50
53
52
52
54

19 Anatomie humaine II

1-29 le squelette (les os *m*, l'ossature *f*):
1 le crâne
2-5 la colonne vertébrale (l'épine *f* dorsale):
2 la vertèbre cervicale
3 la vertèbre thoracique
4 la vertèbre lombaire
5 le coccyx;
6 et 7 la ceinture scapulaire:
6 la clavicule
7 l'omoplate *f*;
8-11 le thorax (la cage thoracique):
8 le sternum
9 les côtes *f*
10 les côtes *f* flottantes (fausses côtes)
11 le cartilage costal;
12-14 le bras:
12 l'humérus *m*
13 le radius
14 le cubitus;
15-17 la main:
15 le carpe (les os *m* carpiens)
16 le métacarpe (les os *m* métacarpiens)
17 les phalanges *f*;
18-21 le bassin:
18 l'os *m* iliaque
19 l'ischion *m*
20 le pubis
21 le sacrum;
22-25 la jambe:
22 le fémur
23 la rotule
24 le péroné
25 le tibia;
26-29 le pied:
26 le tarse
27 le calcanéum
28 les métatarses *m*
29 les phalanges *f*;

30-41 le crâne:
30 le frontal
31 le pariétal
32 l'occipital *m*
33 le temporal
34 le conduit auditif
35 le maxillaire inférieur
36 le maxillaire supérieur
37 l'os *m* jugal (os zygomatique)
38 l'os *m* cunéiforme
39 l'os *m* ethmoïde
40 l'os *m* lacrymal
41 l'os *m* nasal;

42-55 la tête [coupe]:
42 le cerveau
43 l'hypophyse *f*
44 le corps calleux
45 le cervelet
46 le pont (la protubérance de Varole)
47 le bulbe
48 la moelle épinière
49 l'œsophage *m*
50 la trachée-artère
51 l'épiglotte *f*
52 la langue
53 la fosse nasale
54 le sinus sphénoïde
55 le sinus frontal;

56-65 l'organe *m* de l'équilibre *m* et de l'audition *f*:
56-58 l'oreille *f* externe:
56 le pavillon
57 le lobe
58 le conduit auditif;
59-61 l'oreille *f* moyenne:
59 le tympan
60 la caisse du tympan
61 les osselets *m*: le marteau, l'enclume *f*, l'étrier *m*;
62-64 l'oreille *f* interne:
62 le labyrinthe
63 le limaçon
64 le nerf auditif;
65 la trompe d'Eustache

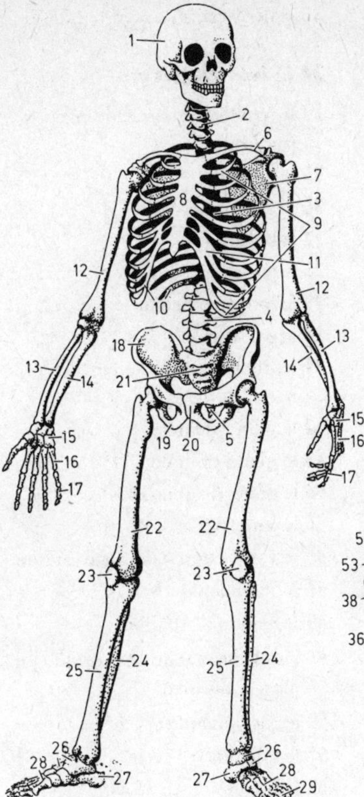
1
2
6
7
8
3
9
11
12
10
4
13
14
18
21
15
16
17
19
20
5
22
23
25
24
26
27
28
29

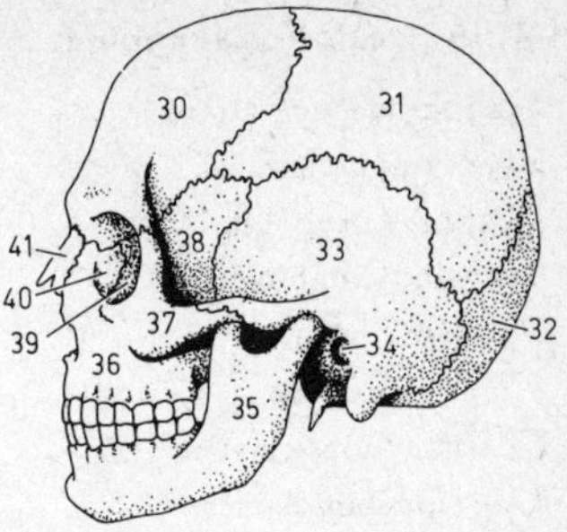
30
31
41
38
33
40
39
37
34
32
36
35

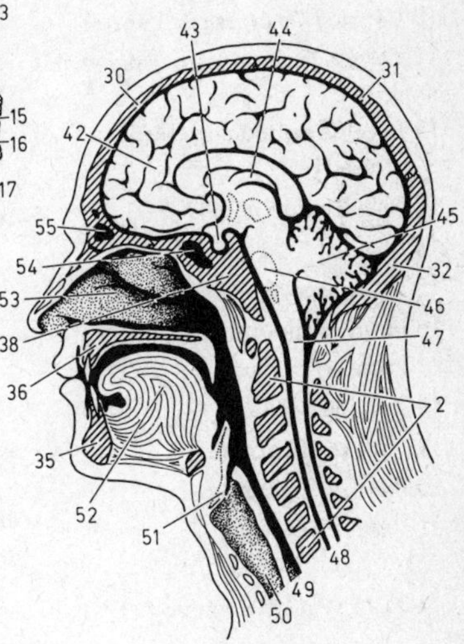
43
44
30
31
42
55
45
54
32
53
46
38
47
36
2
35
52
51
48
49
50

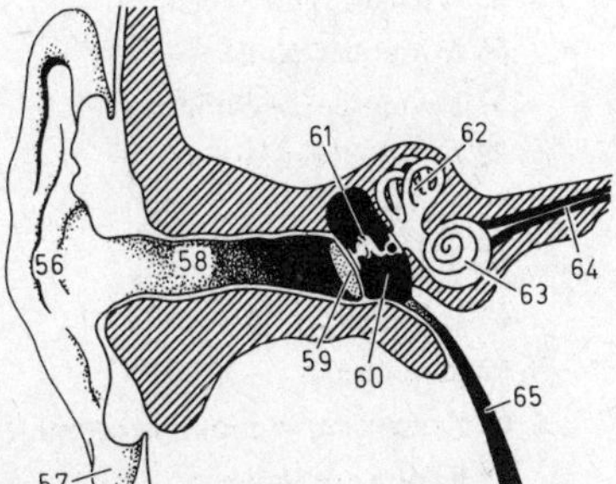
61
62
56
58
64
63
59
60
65
57

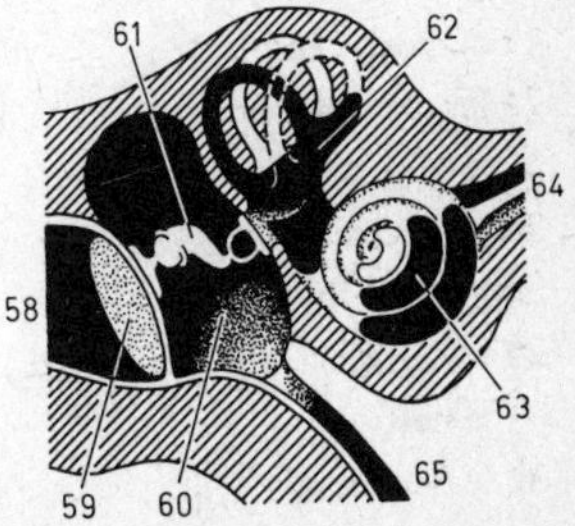
61
62
64
58
63
65
59
60

1-21 la circulation sanguine:

1 la carotide, une artère
2 la veine jugulaire
3 l'artère *f* temporale
4 la veine temporale
5 l'artère *f* frontale
6 la veine frontale
7 l'artère *f* sous-clavière
8 la veine sous-clavière
9 la veine cave supérieure
10 l'aorte *f* (la crosse de l'aorte)
11 l'artère *f* pulmonaire [sang *m* veineux]
12 la veine pulmonaire [sang *m* artériel]
13 les poumons *m*
14 le cœur
15 la veine cave inférieure
16 l'aorte *f* abdominale
17 l'artère *f* iliaque
18 la veine iliaque
19 l'artère *f* fémorale
20 l'artère *f* tibiale
21 l'artère *f* radiale;

22-33 le système nerveux:

22 le cerveau
23 le cervelet
24 le bulbe rachidien
25 la moelle épinière
26 les nerfs *m* thoraciques
27 le plexus brachial
28 le nerf cubital
29 le nerf radial
30 le nerf sciatique [à l'arrière]
31 le nerf crural
32 le nerf tibial
33 le nerf sciatique poplité externe;

34-64 les muscles *m*:

34 le muscle sterno-cléido-mastoïdien
35 le deltoïde
36 le grand pectoral
37 le biceps
38 le triceps
39 le long supinateur
40 le palmaire
41 les muscles *m* de l'éminence *f* thénar
42 le grand dentelé
43 le grand oblique
44 le grand droit de l'abdomen *m*
45 le couturier
46 le vaste externe, le vaste interne
47 le jambier antérieur
48 le tendon d'Achille
49 l'abducteur *m* du gros orteil, un muscle du pied
50 les occipitaux *m*
51 le splénius
52 le trapèze
53 le sous-épineux
54 le petit rond
55 le grand rond
56 le premier radial
57 l'extenseur *m* commun
58 le cubital postérieur
59 le dorsal
60 le grand fessier
61 le biceps crural
62 le jumeau
63 l'extenseur *m* commun crural
64 le long péronnier

20

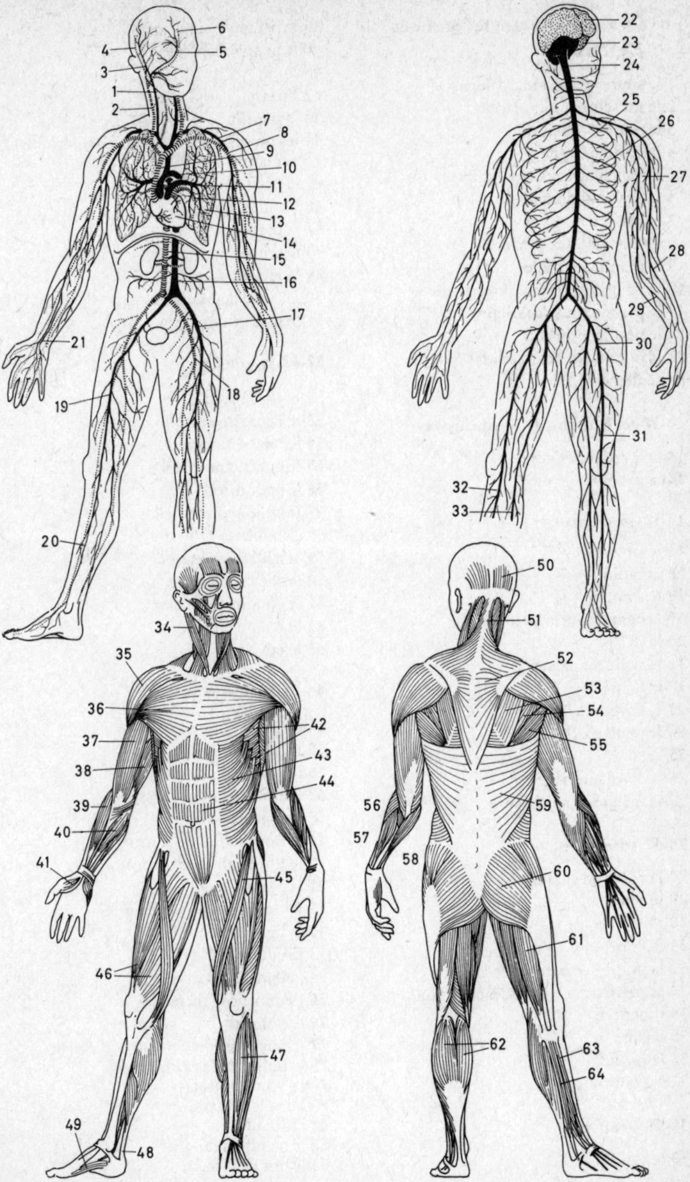

1
2
3
4
5
6
7
8
9
10
11
12
13
14
15
16
17
18
19
20
21
22
23
24
25
26
27
28
29
30
31
32
33
34
35
36
37
38
39
40
41
42
43
44
45
46
47
48
49
50
51
52
53
54
55
56
57
58
59
60
61
62
63
64

21 Anatomie humaine IV

1-13 les muscles *m* et les glandes *f* de la tête:

1 le sterno-cléido-mastoïdien
2 le muscle occipito-frontal
3 le muscle temporal
4 le muscle frontal
5 l'orbiculaire *m* des paupières *f*
6 le grand zygomatique
7 le masséter
8 l'orbiculaire *m* des lèvres *f*
9 la glande parotide
10 le ganglion lymphatique;
11 la glande sous-maxillaire
12 le peaucier du cou
13 la pomme d'Adam [chez l'homme seulement];

14-37 la bouche et le pharynx

14 la lèvre supérieure
15 la gencive

16-18 la denture:

16 les incisives *f*
17 la canine
18 les molaires *f*;
19 la commissure des lèvres *f*
20 le palais
21 le voile du palais
22 la luette
23 l'amygdale *f*
24 le pharynx (le gosier)
25 la langue
26 la lèvre inférieure
27 la mâchoire supérieure

28-37 la dent:

28 la coiffe de la racine
29 le cément
30 l'émail *m*
31 l'ivoire *m*
32 la pulpe dentaire
33 les nerfs *m* et les vaisseaux *m* sanguins
34 l'incisive *f*
35 la molaire
36 la racine
37 la couronne;

38-51 l'œil *m*:

38 le sourcil
39 la paupière supérieure
40 la paupière inférieure
41 le cil
42 l'iris *m*
43 la pupille
44 les muscles *m* oculo-moteurs (muscles oculaires)
45 la prunelle de l'œil *m*
46 l'humeur *f* vitrée
47 la cornée
48 le cristallin
49 la rétine
50 la tache de Mariotte
51 le nerf optique;

52-63 le pied:

52 le gros orteil
53 le deuxième orteil
54 le troisième orteil
55 le quatrième orteil
56 le petit orteil
57 l'ongle *m* de l'orteil *m*
58 l'éminence *f* du gros orteil
59 la malléole externe
60 la cheville interne
61 le cou-de-pied
62 la plante du pied
63 le talon;

64-83 la main:

64 le pouce
65 l'index *m*
66 le majeur
67 l'annulaire *m*
68 l'auriculaire *m*
69 le bord radial de la main
70 le bord cubital de la main
71 la paume
72-74 les lignes *f* de la main:
72 la ligne de vie *f*
73 la ligne de tête *f*
74 la ligne de cœur *m*;
75 l'éminence *f* thénar
76 le poignet
77 la phalange
78 la pulpe de la phalangette
79 le bout du doigt
80 l'ongle *m* du doigt
81 la lunule
82 le nœud du doigt
83 le dos de la main

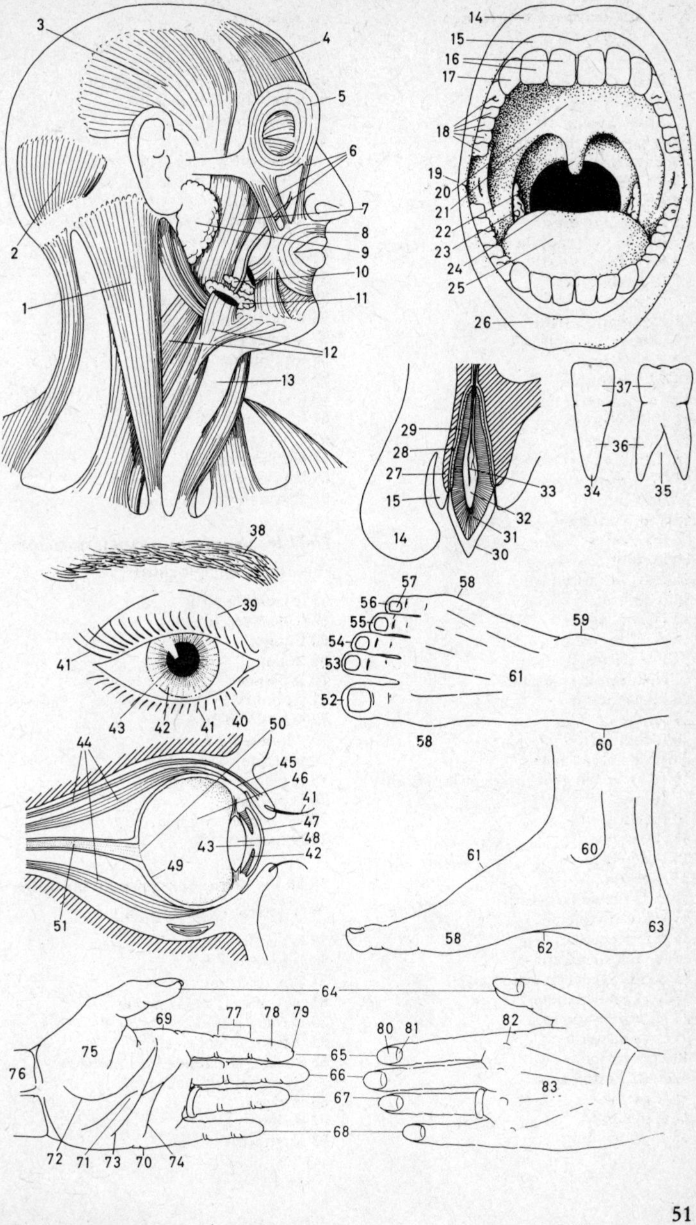
3
4
5
6
2
7
8
9
10
1
11
12
13
14
15
16
17
18
19
20
21
22
23
24
25
26
29
28
27
15
14
33
32
31
30
37
36
34
35
38
39
41
43
42
41
40
57
58
56
55
54
53
52
59
61
58
60
44
50
45
46
41
47
48
43
42
49
51
61
60
58
62
63
64
69
77
78
79
80
81
82
75
76
65
66
67
68
83
72
71
73
70
74

1-57 les organes *m* internes [vus de face]:

1 le corps thyroïde
2 et 3 le larynx:
2 l'os *m* hyoïde
3 le cartilage thyroïde;
4 la trachée-artère
5 les bronches *f*
6 et 7 les poumons *m*:
6 le poumon droit
7 le lobe supérieur du poumon [coupe];
8 le cœur
9 le diaphragme
10 le foie
11 la vésicule biliaire
12 la rate
13 l'estomac *m*
14-22 l'intestin *m*,
14-16 l'intestin grêle:
14 le duodénum
15 le jéjunum
16 l'iléon *m*;
17-22 le gros intestin:
17 le cæcum
18 l'appendice *m*
19 le côlon ascendant
20 le côlon transverse
21 le côlon descendant
22 le rectum;
23 l'œsophage *m*
24 et 25 le cœur:
24 l'oreillette *f*;
25 la sulcature antérieure;
26 le diaphragme
27 la rate
28 le rein droit
29 la capsule surrénale
30 et 31 le rein gauche [coupe longitudinale]:
30 le calice
31 le bassinet;
32 l'uretère *m*
33 la vessie
34 et 35 le foie [rabattu]:
34 le hile du foie
35 le lobe du foie;
36 la vésicule biliaire
37 et 38 le canal cholédoque:
37 le canal hépatique
38 le canal cystique;
39 la veine porte
40 l'œsophage *m*
41 et 42 l'estomac *m*:
41 le cardia
42 le pylore ;
43 le duodénum
44 le pancréas
45-47 le cœur [coupe frontale]:
45 l'oreillette *f*
46 et 47 les valvules *f* du cœur:
46 la valvule tricuspide
47 la valvule mitrale;
48 la valve
49 la valvule sigmoïde de l'aorte *f*
50 la valvule sigmoïde de la veine pulmonaire
51 le ventricule
52 la cloison ventriculaire
53 la veine cave supérieure
54 l'aorte *f*
55 l'artère *f* pulmonaire
56 la veine *f* pulmonaire
57 la veine cave inférieure;
58 le péritoine
59 le sacrum
60 le coccyx
61 le rectum
62 l'anus *m*
63 le sphincter anal
64 le périnée
65 la symphyse pubienne

66-77 les organes *m* sexuels masculins [coupe longitudinale]:

66 le membre viril
67 le tissu érectile
68 l'urètre *m*
69 le gland
70 le prépuce
71 les bourses *f* (le scrotum)
72 le testicule droit
73 l'épididyme *m*
74 le conduit séminal
75 la glande de Cowper
76 la prostate
77 la vésicule séminale;
78 la vessie

79-88 les organes *m* sexuels féminins [coupe longitudinale]:

79 la matrice
80 la cavité utérine
81 l'oviducte *m*
82 les franges *f* de la trompe
83 l'ovaire *m*
84 le follicule et l'ovule *m*
85 l'orifice *m* extérieur de l'utérus *m* (le museau de tanche *f*)
86 le vagin
87 les lèvres *f*
88 le clitoris

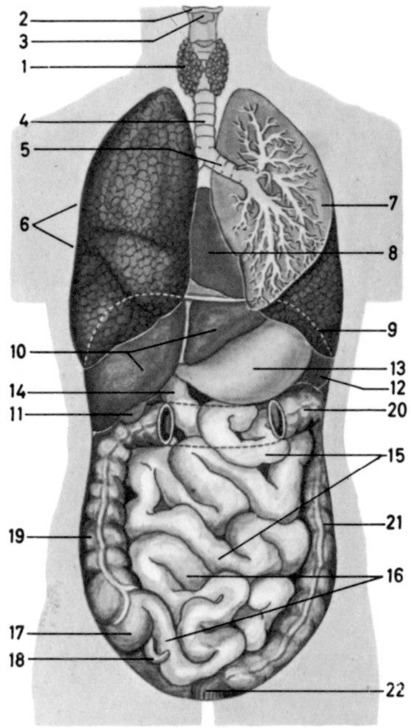
2
3
1
4
5
6
7
8
9
10
13
12
14
11
20
15
19
21
16
17
18
22

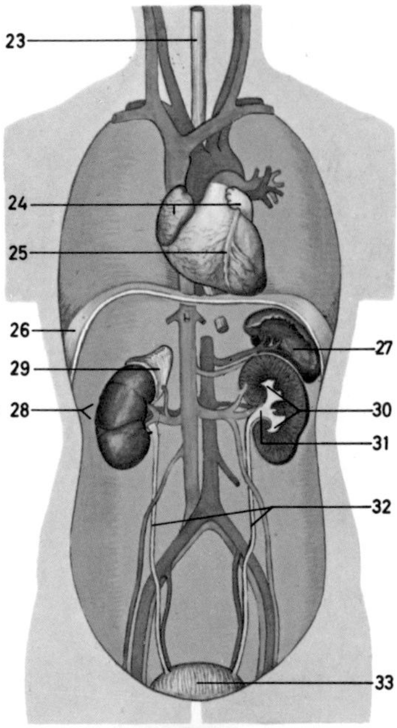
23
24
25
26
27
29
28
30
31
32
33

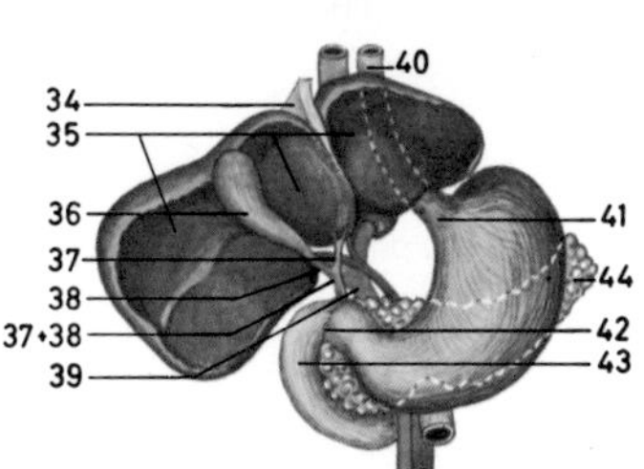
40
34
35
36
41
37
44
38
37+38
42
39
43

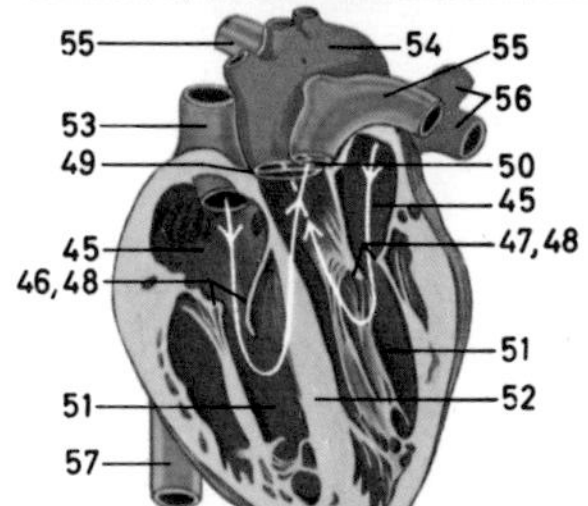
55
54
55
56
53
49
50
45
45
47,48
46,48
51
51
52
57

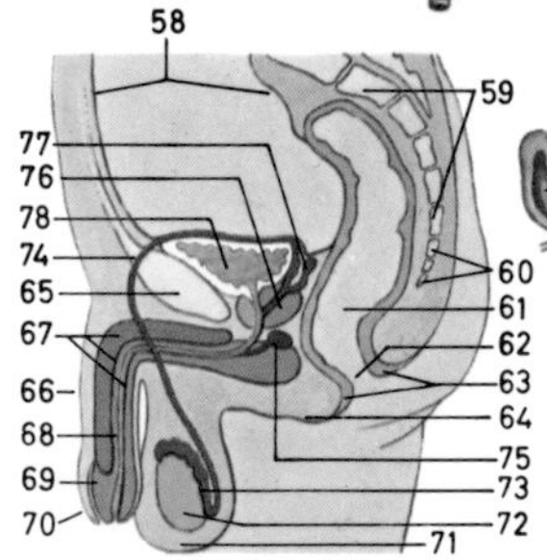
58
59
77
76
78
74
60
65
61
67
62
66
63
64
68
75
69
73
70
72
71

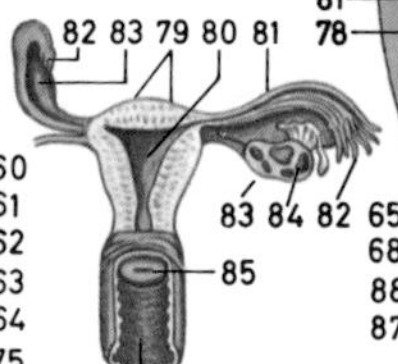
82
83
79
80
81
83
84
82
85
86

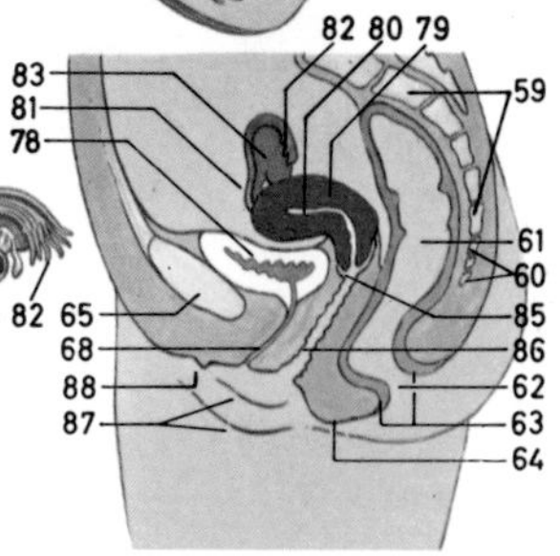
82
80
79
83
59
81
78
61
60
65
85
68
86
88
62
87
63
64

1 le sphygmomanomètre (sphygmotensiomètre), un appareil permettant la mesure de la pression artérielle:
2 la vis d'évacuation *f* de l'air *m*
3 la poire en caoutchouc *m*
4 le bracelet en caoutchouc *m*
5 le manomètre à mercure *m*;
6 l'ordonnance *f*
7 le suppositoire
8 la boîte à pilules *f*
9 la pilule
10 le tube de comprimés *m*
11 le comprimé
12 l'enveloppe *f* à dragées *f*
13 la dragée
14 la bouillotte en métal *m*
15 la compresse humide
16 le crachoir:
17 le couvercle à clapet *m*;
18 la sonnette
19 l'enveloppement *m* total:
20 le drap humide
21 la couverture de laine *f*
22 l'alaise *f*;
23 l'infirmière *f* (la garde-malade)
24 le bassin de lit *m*
25 la chaise percée
26 le thermomètre mural
27 la bouillotte en caoutchouc *m*
28 le coussin pneumatique
29 la vessie à glace *f*
30 le doigt en caoutchouc *m*
31 le doigtier
32 le crachoir de poche *f*
33 l'inhalateur *m*:
34 le pulvérisateur
35 le liquide à inhaler
36 la pompe électrique;

37 le couvre-œil

38 le bandage herniaire:

39 la pelote;

40 l'œillère *f*

41 l'extenseur *m*:

42 le poids

43 l'éclisse *f* de Braun

44 le fil (fil de réduction *f*)

45 l'étrier *m* de réduction *f*;

46 l'irrigateur *m*

47 la bande de crêpe *m*, un bandage

48-50 prothèses *f*:

48 la jambe artificielle

49 le bras artificiel:

50 le crochet interchangeable;

51 le fauteuil à roulettes *f*

52 le coussin électrique:

53 le thermostat;

54-63 la pharmacie de famille *f*:

54 le sparadrap

55 la bande de gaze *f* [hydrophile]

56 le flacon compte-gouttes *m* (le compte-gouttes)

57 les gouttes *f* de valériane *f*

58 la teinture d'iode *m*

59 la poire à injection *f* pour enfants *m*

60 le poudrier à antibiotique *m*

61 les pilules *f* purgatives

62 les cachets *m* antinévralgiques

63 les serviettes *f* hygiéniques (serviettes périodiques)

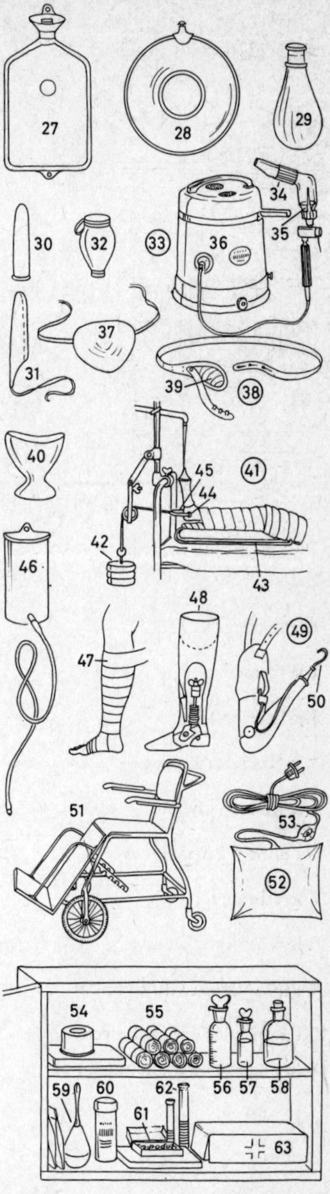

24 Soins médicaux II

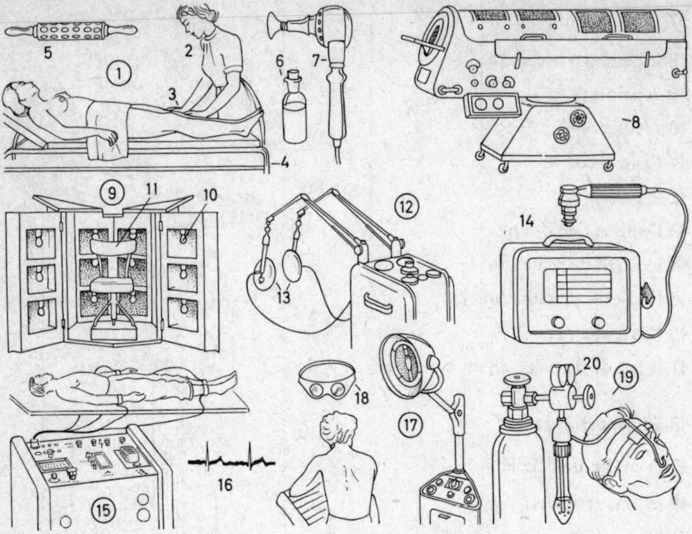

1 le massage:

2 la masseuse

3 la friction

4 la table de massage *m*

5 le rouleau alvéolé

6 l'huile *f* à massage *m*

7 le vibrateur;

8 le poumon d'acier *m*

9 l'installation *f* de rayons *m*:

10 l'ampoule *f* à incandescence *f*

11 le siège pour le traitement par rayons *m*;

12 l'appareil *m* à ondes *f* courtes pour le traitement par ondes courtes:

13 les électrodes *f*;

14 l'installation *f* à ultrasons *m* pour le traitement par ultrasons

15 l'électrocardiographe *m*:

16 l'électrocardiogramme *m*;

17 la lampe à rayons *m* ultra-violets pour le traitement par rayons ultra-violets:

18 les lunettes *f* de protection *f*;

19 l'inhalateur *m* à oxygène *m*:

20 le manomètre à oxygène *m*

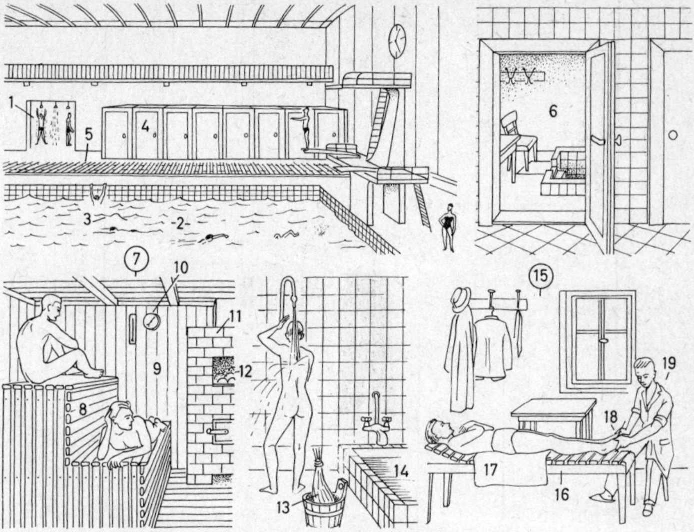

1-6 l'établissement *m* **de bains** *m*,

1–5 le bain public:

1 l'installation *f* de douches *f*

2 le bassin de natation *f* (la piscine)

3 les vagues artificielles *f*

4 la cabine

5 le caillebotis;

6 la baignoire;

7-16 l'étuve *f*

(le bain finnois d'air chaud; *ou d'air m chaud et humide :* : le bain de vapeur *f*, le bain turc):

7 la chambre d'étuve *f*:

8 le siège et le banc

9 la paroi

10 l'hygromètre *m*

11 le poêle

12 les galets *m*;

13 les balais *m* de bouleau *m* pour battre la peau

14 la baignoire à eau *f* froide

15 la salle de repos *m*:

16 la couchette;

17 le drap de bain *m*

18 la pédicure

19 le pédicure

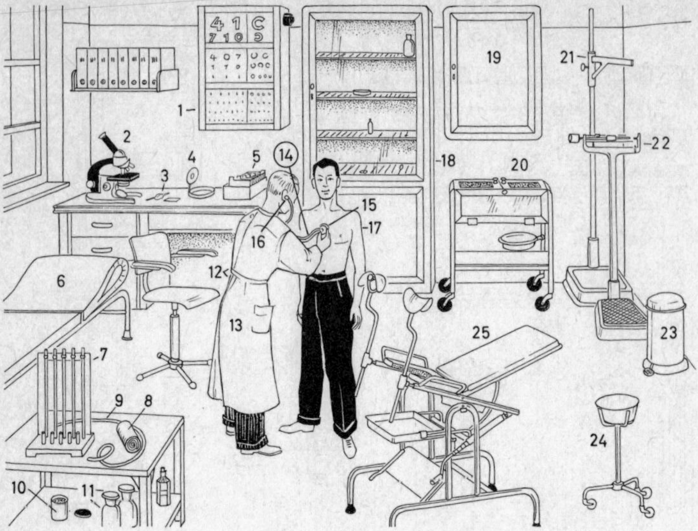

1-25 le cabinet de consultation *f*:

1 le tableau d'acuité *f* visuelle
2 le microscope
3 le prélèvement sur plaque *f* de verre *m*
4 la glace frontale
5 le fichier des malades *m*
6 le divan d'auscultation *f*
7 le porte-éprouvettes de sédimentation *f* du sang
8 la bande plâtrée
9 le tuyau stomacal
10 le pot de pommade *f* avec la pommade
11 le flacon de médicament *m* avec le remède
12 le médecin (le praticien ou le spécialiste)
13 la blouse du médecin
14 le stéthoscope (stéthoscope à membrane *f*, le phonendoscope), un instrument d'auscultation *f*:
15 la capsule à membrane *f*
16 les écouteurs *m*;
17 le patient (le malade) en traitement *m*
18 l'armoire *f* aux instruments *m*
19 l'armoire *f* aux médicaments *m*
20 la table aux instruments *m*
21 la toise
22 la balance (le pèse-personne)
23 la poubelle à pansements *m*
24 le support de cuvette *f*
25 la table de consultation *f* gynécologique;

26-62 instruments *m* médicaux:

26 le stéthoscope en bois *m*
27 le maillet percuteur
28 la seringue (seringue à injection *f*):
29 le piston
30 le cylindre de verre *m*

31 la canule;
32 l'ampoule *f* de sérum *m* ou vaccin *m*
33 l'ophtalmoscope *m*:
34 la loupe;
35 la pince
36 les aiguilles *f* à suture *f*
37 la pince hémostatique
38 l'agrafe *f*
39 le scalpel
40 la cisaille
41 et 42 trocarts *m* (aiguilles *f* à ponction *f*):
41 le trocart droit
42 le trocart courbe;
43 la sonde
44 la pipette:
45 la tête de pipette *f* en caoutchouc *m*
46 le tube de verre *m*
47 la pointe de pipette *f* (la larme pour le débit goutte *f* à goutte);
48 le thermocautère:
49 le serre-nœud cautérisant;
50 le cystoscope:
51 la petite lampe (l'ampoule *f*)
52 l'oculaire *m*;
53 la sonde de Politzer:
54 le bec
55 l'œilleton *m*;
56 la ventouse:
57 la pompe aspirante;
58 la seringue auriculaire
59 l'otoscope *m*
60 la curette
61 le laryngoscope
62 le haricot

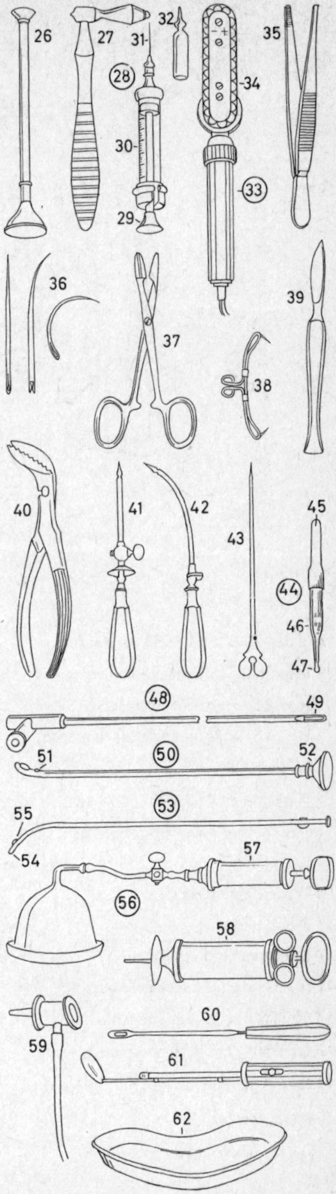

27 Dentiste

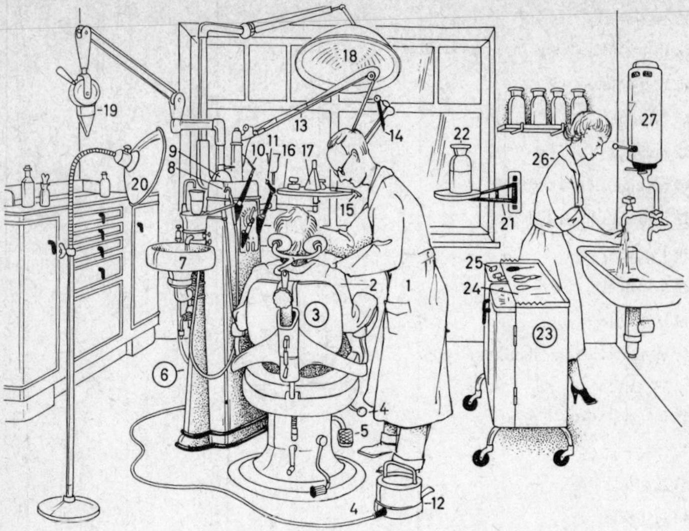

1 le dentiste (le médecin dentiste)
2 le patient pendant les soins *m* dentaires
3 le siège (siège opératoire):
4 la pédale de montée *f* et de descente *f* du siège
5 la pédale d'inclinaison *f* du siège
6 l'élément *m* opératoire:
7 le crachoir
8 la pompe à salive *f*
9 le vaporisateur
10 l'injecteur *m* d'air *m* chaud
11 la seringue à eau *f* chaude et froide
12-15 la fraise de dentiste *m*:
12 la pédale de fonctionnement *m*
13 le bras de transmission *f*
14 la poignée;
15 la poignée coudée;
16 la tablette aux instruments *m*
17 l'amalgame *m*
18 le lustre orientable
19 l'appareil *m* radiographique
20 la lampe d'irradiation *f*
21 le bras amovible
22 le flacon de désinfectant *m*
23 l'armoire *f* aux instruments *m*:
24 la table aux instruments *m*
25 le rouleau d'ouate *f* (rouleau de coton *m* hydrophile);
26 l'assistante *f* du dentiste
27 le chauffe-eau, un chauffe-eau instantané
28 la prothèse dentaire
29 le bridge:
30 le chicot retaillé
31 la courronne; *sortes*: couronne d'or *m*, le jacket crown

32 la dent de porcelaine *f*;
33 le plombage
34 la couronne à pivot *m*, une dent à pivot:
35 la face
36 la couronne
37 le pivot;
38 le disque de carborundum *m*
39 le disque d'émeri *m*
40 fraises *f*
41 la fraise flammée
42 fraises *f* striées
43 le pharyngoscope
44 la lampe buccale
45 le thermocautère:
46 l'électrode *m* de platine *m* iridié, un électrode actif;
47 les grattoirs *m* dentaires
48 le davier
49 l'extracteur *m* de racines *f*
50 le burin à os *m*
51 la spatule
52 le mortier
53 le pilon
54 la seringue à injection *f* anesthésique (l'anesthésie *f* du nerf)
55 le tendeur de matrice *f*
56 la forme pour prise *f* d'empreinte *f* dentaire
57 la lampe à alcool *m*

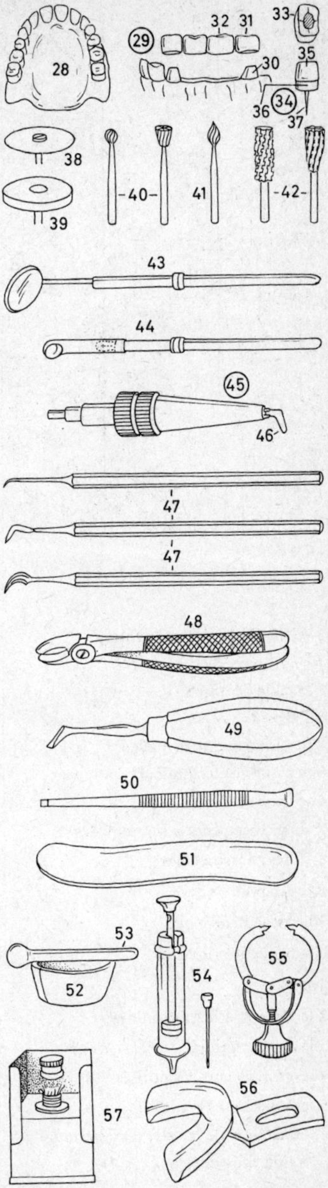

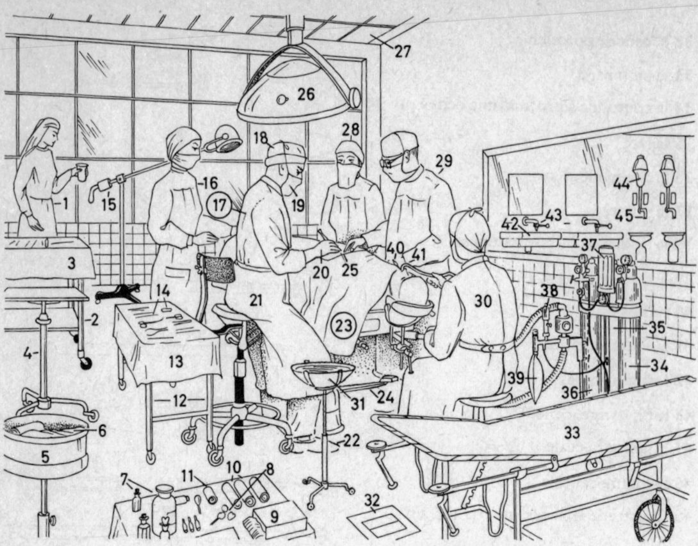

1-45 la salle d'opération *f*:

1 l'infirmière *f*

2 la table de suture *f*

3 l'alèze *f*

4 la table à opérer la main *f*

5 le tambour stérilisateur

6 le linge stérilisé

7 les médicaments *m* (les remèdes *m*)

8-11 les pansements *m*:

8 le tampon

9 le coton hydrophile

10 la bande stérilisée

11 la gaze;

12 la table aux instruments *m*

13 la nappe stérilisée

14 les instruments *m* stérilisés

15 le projecteur à pied *m*

16 l'infirmière de la salle d'opération *f* (l'aide *f* opératrice)

17 l'opérateur *m* (le chirurgien):

18 la calotte de l'opérateur *m*

19 le masque opératoire

20 le gant de caoutchouc *m*

21 la blouse de l'opérateur *m*

22 la chaussure de caoutchouc *m*;

23 la table d'opération *f*:

24 la pédale à lever et abaisser le plateau;

25 le champ opératoire

26 le lustre opératoire

27 le plafond translucide

28 la femme chirurgien assistant

29 l'assistant *m* chirurgien

30 l'anesthésiste *m*

31 la cuvette à sublimé *m* corrosif

32 l'écoulement *m*

33 le brancard à roulettes *f*

34-41 l'appareil *m* à narcose *f*:

34 la bouteille de gaz *m* hilarant

35 la bouteille de gaz *m* carbonique

36 la bouteille d'oxygène *m*

37 le dosimètre

38 la bouteille d'éther *m*

39 la poche de contrôle *m* de la respiration

40 le ballon sonde *f*

41 le tube;

42-45 le cabinet de toilette *f*:

42 le lavabo

43 le robinet à commande *f* cubitale

44 le récipient à alcool *m*

45 l'écoulement *m* d'alcool *m*;

46-59 instruments *m* chirurgicaux:

46 la sonde à bout *m* rond

47 la sonde cannelée (sonde creuse)

48 les ciseaux *m* courbes

49 la lancette

50 la pince à ligature *f*

51 le fil à suture *f*

52 la pince à séquestre *m*

53 le drain

54 le tourniquet

55 la pince hémostatique

56 le crochet à écarter les lèvres *f* de la plaie

57 l'ostéotome *m*

58 la curette pour le curetage

59 le forceps;

60 le stérilisateur

61 le stérilisateur à sec

62 le stérilisateur à seringues *f*

63 le distillateur d'eau *f*

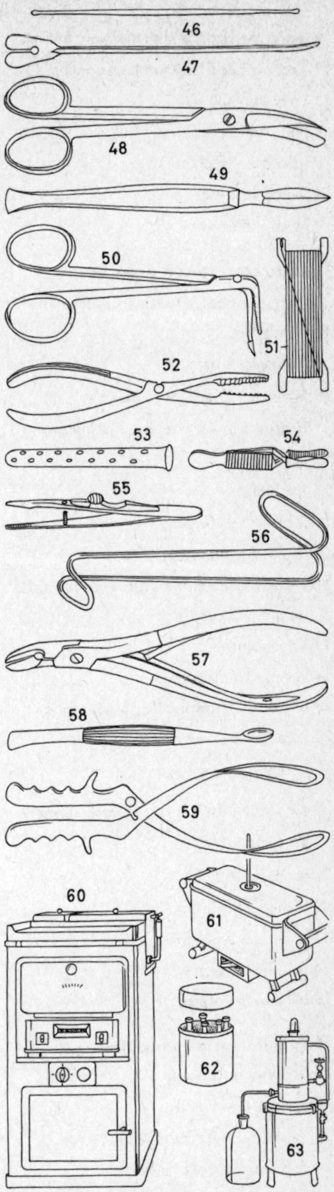

1 la chambre d'accouchement *m*:
2 l'accouchée *f* (la femme en couches *f*)
3 l'accoucheur *m*
4 le porte-jambe
5 le lit d'accouchement *m*
6 le nouveau-né
7 la sage-femme;

8-20 la chambre à deux lits *m*,
8 le lit d'hôpital *m* (lit de malade *m*, lit à roulettes *f*)
9 le dossier amovible
10 la vis de réglage *m*
11 le dispositif élévateur des jambes *f*
12 la roulette;
13 l'urinal *m*
14 la table d'allongée *f*:
15 le plateau amovible;
16 la courbe de température *f* sur la feuille de température *f*
17 l'écouteur *m*
18 la sœur [religieuse]
19 le sphygmographe (le pulsographe)
20 la tasse à bec *m* verseur (tasse pour malades *m*);

21-25 l'aérium *m* pour la cure allongée de plein air *m*,
21 la chaise longue :
22 le dispositif de levage *m*
23 le dossier amovible;
24 le convalescent
25 le bandage plâtré;

26 la transfusion sanguine:
27 le donneur de sang *m*
28 le récepteur de sang *m*
29 l'appareil *m* de transfusion *f* avec robinet *m* à trois voies *f*;

30-38 le traitement par rayons *m* **X,**
30 l'appareil *m* à rayons *m* X:
31 la coiffe du tube à rayons *m* X
32 le tube
33 le support plafonnier *m*
34 le câble électrique;
35 la table de radiothérapie *f*
36 le divan de traitement *m*
37 la chambre de commande *f*
38 l'assistante *f* radiologiste;

39-47 la radiographie,
39 l'appareil *m* radioscopique (appareil Röntgen, appareil à rayons *m* X):
40 la table de commande *f*
41 l'écran *m* radioscopique
42 la table basculante
43 l'écran *m* protecteur
44 la chaise mobile;
45 le radiologue
46 les lunettes *f* protectrices
47 les gants *m* protecteurs;

48-55 la radiothérapie *f* (le traitement de maladies *f* de la peau et de maladies cancéreuses par rayonnement *m* gamma):
48 le compteur de Geiger-Müller
49 l'intégrateur *m*
50 le tube du compteur Geiger
51 l'armoire *f* à radium *m*, une armoire plombée
52 le tube de platine *m* contenant le radium
53 la pince
54 la table à habiller le radium avec les instruments *m*
55 la matière plastique contenant du cobalt radioactif

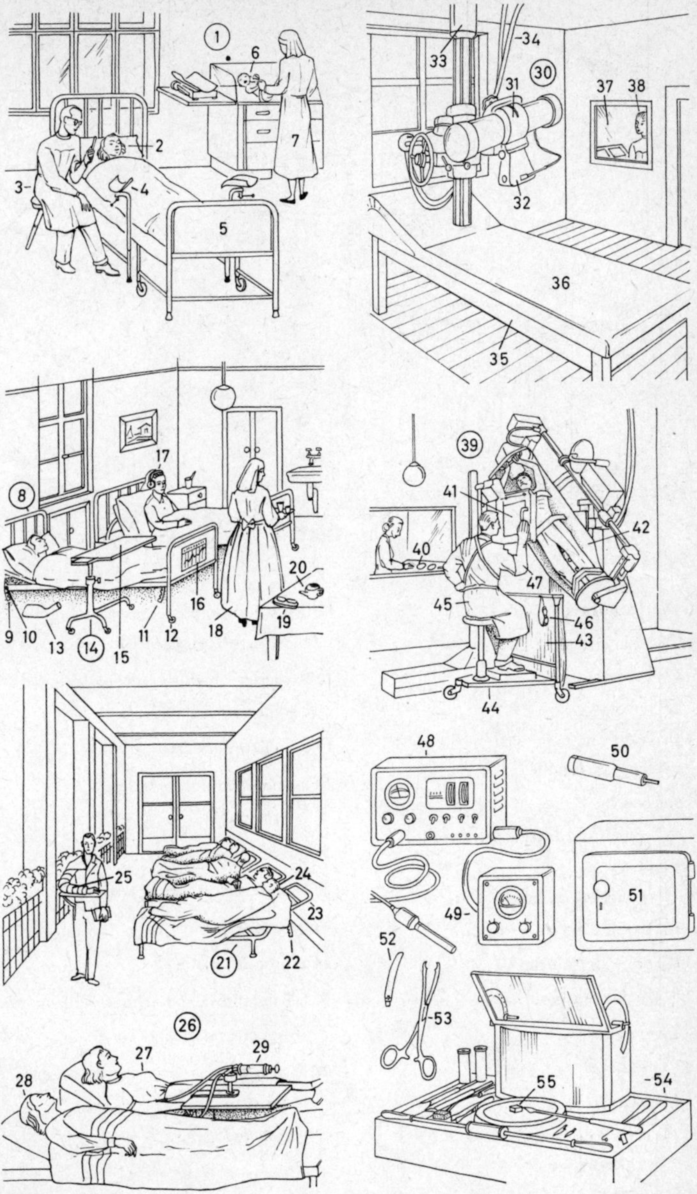
1
2
3
4
5
6
7
8
9
10
11
12
13
14
15
16
17
18
19
20
21
22
23
24
25
26
27
28
29
30
31
32
33
34
35
36
37
38
39
40
41
42
43
44
45
46
47
48
49
50
51
52
53
54
55

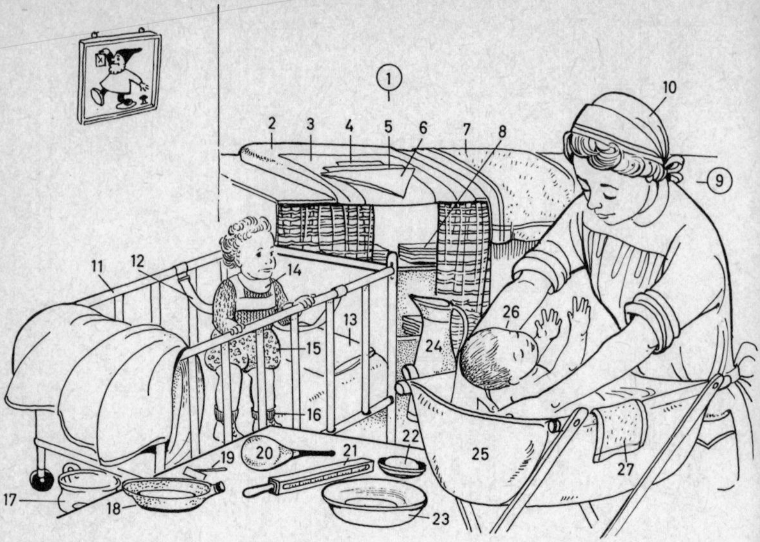

1-52 la nursery,

1 la table à langer:

2 le coussin

3 le lange

4 l'alèze *f*

5 le lange de flanelle *f*

6 la couche

7 la couverture de laine *f* (couverture feutrée)

8 les couches *f* de flanelle *f*

9 la bonne d'enfant *m* (la nurse):

10 la coiffe de la nurse;

11 le lit d'enfant *m* ajustable

12 les sangles *f*

13 l'oreiller *m*

14 le bavoir

15 la culotte de caoutchouc *m*

16 les chaussons *m*

17 le pot de chambre *f*, un vase de nuit *f* en verre *m* ou en faïence *f*

18 l'assiette *f* à bouillie *f*, une assiette chauffante

19 la raclette de bébé *m*

20 la poire à lavements *m*, une poire en caoutchouc *m*

21 le thermomètre de bain *m*

22 le porte-savon avec la savonnette

23 la cuvette de toilette *f*

24 le broc de toilette *f*

25 la baignoire de caoutchouc *m* pliante (baignoire pour bébés *m*)

26 le nourrisson (le bébé, le petit enfant, le nouveau-né)

27 le gant de toilette *f*

28 le pèse-bébé

29 le bilboquet

30 l'allaitement *m* maternel par la mère ou la nourrice

31 le maillot

32 le chariot:

33 le plumeau

34 le volant

35 la capote

36 la roue caoutchoutée;

37 la nurse en train de langer le bébé

38 la boîte à poudre *f* avec le talc

39 le derrière de l'enfant *m*

40 l'anneau *m* pour la dentition

41 l'animal *m* en caoutchouc *m*

42 le hochet

43 la boîte à onguent *m* (boîte à vaseline *f*)

44 la bande ombilicale

45 les ciseaux *m* à ongles *m* pour bébés *m*

46 le biberon:

47 la graduation;

48 la tétine

49 la boîte à coton *m*

50 l'ouate *f*

51 la sucette

52 le seau

31 Vêtements pour enfants

1-60 layette *f*, vêtements *m* de garçons *m* et filles *f*,

1 la chemise de nuit *f* de fille *f*:
2 l'empiècement *m*;
3 la barrette
4 la chemise de jour *m* de fille *f*
5 la barboteuse:
6 le corselet;
7 le toupet
8 le mouchoir
9 la salopette:
10 la poche;
11 la tenue de gymnastique *f*:
12 le maillot de gymnastique *f*
13 la culotte de gymnastique *f*;
14 le pyjama de garçonnet *m*:
15 la patte de boutonnage *m*;
16 les vêtements *m* de bébé *m*:
17 la brassière
18 le chausson
19 la barboteuse à jambes *f* longues
20 le paletot de laine *f*
21 le petit bonnet;
22 la robe d'enfant *m*:
23 la manche
24 le petit col;
25 la pèlerine :
26 le capuchon;
27 le collant
28 le costume marin:
29 la marinière
30 le col marin
31 la cravate (le nœud marin);
32 le béret de marin *m*:
33 le ruban de béret *m*;
34 la jupe plissée à bretelles *f*
35 le nœud de ruban *m*
36 le costume tyrolien pour filles *f*
37 le manteau de fillette *f*, un manteau d'enfant *m*
38 le chapeau de fillette *f*, un chapeau d'enfant *m*
39 les chaussettes *f* montantes
40 le blouson de sport *m* pour filles *f*
41 le pantalon de fille *f*
42 l'anorak *m* de fille *f*
43 le béret basque
44 la pantalon de ski *m* de fille *f*
45 les chaussures *f* d'enfant *m*
46 l'anorak de garçon *m*
47 la casquette à rabat *m*
48 le tablier d'enfant *m*
49 la chemise de sport *m* (le polo)
50 la culotte de peau *f*:
51 la bavette de culotte *f*
52 les bretelles *f*;
53 le costume de petit garçon *m*
54 la culotte courte
55 la saharienne *f*
56 les socquettes *f*
57 le duffel-coat
58 la casquette de sport *m*
59 la casquette d'écolier *m*
60 le corsage (la blouse mouchetée);
61 le collier
62 la queue de cheval *m*

1
2
3
4
5
6
7
8
9
10
11
12
13
14
15
16
17
18
19
20
21
22
23
24
25
26
27
28
29
30
31
32
33
34
35
36
37
38
39
40
41
42
43
44
45
46
47
48
49
50
51
52
53
54
55
56
57
58
59
60
61
62

1 le costume-tailleur:
2 la veste de tailleur
3 la poche appliquée
4 la jupe de tailleur
5 le pli;
6 le chemisier:
7 le passepoil;
8 la robe-manteau
9 le deux-pièces:
10 le pli creux;
11 la jupe à bretelles *f*
12 le pull-over:
13 le col roulé
14 la manche longue;
15 la robe d'intérieur *m*:
16 la manche trois-quarts;
17 le tablier:
18 la poche de tablier *m*;
19 la blouse:
20 le col châle;
21 le costume bavarois (costume tyrolien):
22 la manche ballon;
23 le tablier tyrolien, un tablier décoré:
24 le ruban de tablier *m*;
25 la robe du soir, une robe de soirée *f*:
26 le décolleté (décolleté profond)
27 le drapé à nœud *m*;
28 la robe de cocktail *m*, une robe d'après-midi *m*:
29 le boléro
30 le volant échelonné;
31 la robe d'été *m*:
32 la manche courte
33 le plissé;
34 l'ombrelle *f*
35 l'ensemble *m*:
36 le manteau, un manteau de lainage *m*
37 la robe de lainage *m*
38 le pli;
39 l'ensemble *m*: pull-over *m* et cardigan *m*
40 le pull-over avec décolleté
41 le gilet bord à bord *m*
42 le manteau de popeline *f*, un imperméable ou un cache-poussière:
43 la capuche;
44 la fourrure:
45 la veste de fourrure *f*
46 le bonnet de fourrure *f*
47 le manchon;
48 la cravate de fourrure *f* (l'étole *f* de fourrure)
49 le manteau de fourrure *f*:
50 la manche large
51 le bouton;
52 le manteau d'hiver *m*, une redingote:
53 les garnitures *f* de fourrure *f* (le col de fourrure, le revers de la manche de fourrure et la poche garnie de fourrure);
54 le manteau d'été *m*:
55 les piqûres *f*;
56 la tenue de week-end *m*:
57 le pantalon corsaire *m*;
58 le costume sport de tweed *m*:
59 la poche coupée

1
2
3
4
5
6
7
8
9
10
11
12
13
14
15
16
17
18
19
20
21
22
23
24
25
26
27
28
29
30
31
32
33
34
35
36
37
38
39
40
41
42
43
44
45
46
47
48
49
50
51
52
53
54
55
56
57
58
59

33 Sous-vêtements et vêtements d'intérieur

1-34 la lingerie féminine,

1 la chemise de nuit *f* sans manches *f*:

2 la dentelle de chemise *f*, un empiècement;

3 le pyjama de femme *f*:

4 la veste de pyjama *m*

5 le pantalon de pyjama *m*;

6 la robe de chambre *f*

7 la tenue d'intérieur *m*:

8 le pantalon de femme *f*

9 le chemisier

10 la veste d'intérieur *m*;

11 la combinaison courte:

12 la bretelle;

13 la chemise-culotte

14 le soutien-gorge à bretelles *f*

15 le soutien-gorge sans bretelles *f*

16 la gaine:

17 la baleine

18 le porte-jarretelles:

19 les jarretelles *f*;

20 le slip

21 la culotte:

22 l'élastique *m*;

23 la combinaison-gaine:

24 la partie élastique

25 le laçage;

26 le jupon:

27 la ceinture de jupe *f*;

28 la combinaison longue:

29 la garniture de dentelle *f*;

30 la liseuse

31 le dessous-de-bras

32 le bas de rayonne *f* ou de soie *f*, bas de nylon *m*, un bas de femme *f*

33 le bas en filet *m*

34 le bas fantaisie de laine *f* (bas jacquard);

35-65 les sous-vêtements *m* masculins:

35 le pyjama d'homme *m*

36 la chemise:

37 le col détachable, un col mou

38 la manchette;

39 la chemise de sport *m*:

40 le col tenant;

41 la chemise amidonnée de cérémonie *f*:

42 le plastron

43 la manche de chemise *f*;

44 le nœud papillon

45 la cravate:

46 le nœud de cravate *f*;

47 les bretelles *f*

48 le maillot de corps *m*

49 le tricot de corps *m*

50 la chemise de nuit *f* d'homme *m*:

51 le col de chemise *f*

52 le bouton de chemise *f*

53 le poignet de chemise *f*;

54 la ceinture

55 le col cassé dur (col cassé amidonné)

56 le caleçon court

57 le slip d'homme *m*

58 le caleçon long:

59 la jambe;

60 le bouton de manchette *f*

61 les boutons *m* de col *m* rigide et à tête *f* amovible

62 la chaussette

63 le fixe-chaussette

64 la socquette:

65 la bande élastique

1
2
3
4
5
6
7
8
9
10
11
12
13
14
15
16
17
18
19
20
21
22
23
24
25
26
27
28
29
30
31
32
33
34
35
36
37
38
39
40
41
42
43
44
45
46
47
48
49
50
51
52
53
54
55
56
57
58
59
60
61
62
63
64
65

34 Vêtements pour hommes

1 l'ensemble *m*:
2 la vareuse de sport *m*
3 le pantalon de sport *m*;
4 le complet croisé à deux boutons *m*:
5 la veste
6 le bouton de veste *f*
7 la boutonnière
8 la poche à pochette *f*
9 le rabat de poche *f* (la patte);
10 le pantalon:
11 la jambe du pantalon
12 le pli;
13 le veston droit:
14 la poche latérale
15 le col de veston *m*
16 le revers
17 la manche
18 la doublure
19 la poche intérieure;
20 la tenue de sport *m*:
21 la veste de sport *m*
22 le pantalon de golf *m*; *anal.*: les knickerbockers *m*;
23 le blouson:
24 la fermeture à glissière *f*
25 la ceinture tricotée;
26 la veste bavaroise
27 la culotte de cheval *m*:
28 la ceinture de pantalon *m*
29 le bouton de culotte *f*
30 la braguette
31 la poche
32 le fond de culotte *f* renforcé;
33 la poche revolver
34 le fond de culotte *f*
35 le ciré (le suroît)
36 le duffel-coat:
37 la poche plaquée
38 le bouton en bâtonnet *m*;
39 l'imperméable *m* caoutchouté
40 l'imperméable *m* de popeline *f*
41 le raglan, un manteau de sport *m*, manteau de demi-saison *f*
42 le gilet de fantaisie *f* (gilet bariolé):
43 la doublure du gilet
44 la poche de gilet *m*
45 le bouton de gilet *m*;
46 la robe de chambre *f*
47 la veste d'intérieur *m*
48 le pardessus (le paletot):
49 le col de manteau *m*
50 le bouton de manteau *m*
51 la poche de manteau *m*
52 le manteau de demi-saison *f*
53 la redingote:
54 le revers de soie *f*;
55 la jaquette:
56 le pantalon rayé;
57 l'habit *m*, un habit de cérémonie *f*:
58 le pan
59 le gilet blanc
60 le nœud papillon blanc;
61 le smoking, un habit de soirée *f*:
62 la veste de smoking *m*
63 la pochette brodée
64 le nœud papillon noir;
65 la pelisse:
66 la doublure fourrée;
67 l'anorak *m*:
68 le col de fourrure *f*

1
2
3
4
5
6
7
8
9
10
11
12
13
14
15
16
17
18
19
20
21
22
23
24
25
26
27
28
29
30
31
32
33
34
35
36
37
38
39
40
41
42
43
44
45
46
47
48
49
50
51
52
53
54
55
56
57
58
59
60
61
62
63
64
65
66
67
68

1-26 coiffures *f* et tailles *f* de barbe *f* masculines:

1 les cheveux *m* longs

2 la perruque longue bouclée; *plus courte et plate :* le toupet:

3 les boucles *f*;

4 la perruque à bourse *f*

5 la perruque à queue *f*:

6 la queue

7 le nœud de la queue;

8 la barbe et la moustache Henri IV, une barbe en pointe *f*

9 la barbe de bouc *m*, une barbiche

10 la brosse

11 les favoris *m*

12 l'impériale *f*

13 la raie de côté *m*

14 la barbe longue

15 la barbe carrée

16 la mouche

17 la tête bouclée

18 la moustache

19 la raie au milieu

20 la tête chauve:

21 le crâne chauve (*fam.*: le genou);

22 la calvitie totale

23 la barbe de trois jours *m*

24 les favoris *m*

25 le visage glabre

26 la moustache en brosse *f*;

27-38 coiffures *f* féminines (coiffures de dames *f* et de jeunes filles *f*):

27 les cheveux *m* longs

28 les cheveux *m* en chignon *m*:

29 le chignon;

30 les nattes

31 la coiffure en diadème *m*:

32 le diadème;

33 les cheveux *m* bouclés

34 les cheveux *m* courts

35 la coiffure de page *m*:

36 la frange;

37 la coiffure à macarons *m*:

38 le macaron

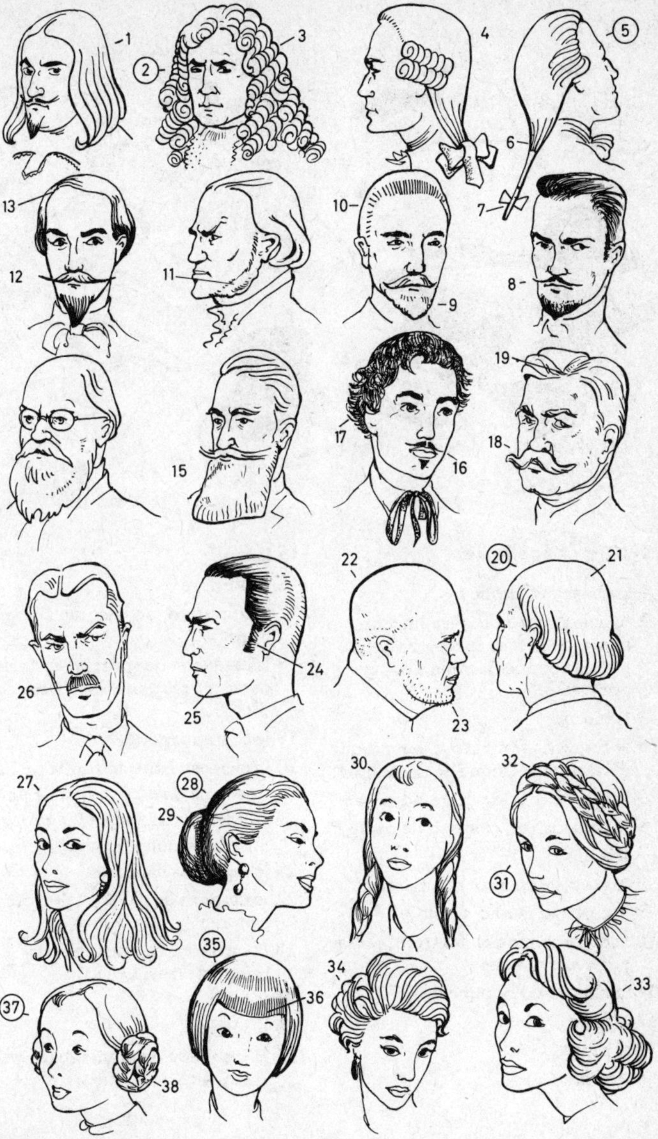
1
2
3
4
5
6
7
8
9
10
11
12
13
14
15
16
17
18
19
20
21
22
23
24
25
26
27
28
29
30
31
32
33
34
35
36
37
38

36 Coiffures (couvre-chefs)

1-26 la chapellerie:

1 le chapeau d'étoffe *f*

2 le bonnet à pointe *f* (bonnet de nuit *f*, bonnet de meunier *m*); *var.:* le bonnet jacobin (bonnet phrygien):

3 la mèche;

4 la toque de fourrure *f*; *var.:* toque d'astracan *m* (toque de Cosaque *m*)

5 la calotte (calotte de grand-père *m*)

6 le panama, un chapeau de paille *f*

7 le melon

8 le chapeau en fibre *f* de ramie *f*

9 le chapeau mou d'artiste *m*

10 le chapeau mou en feutre *m*, fait de poils *m* de lapins *m*

11 le chapeau d'homme *m*:

12 le fond

13 la pince

14 le ruban

15 le bord;

16 la bordure

17 le sombrero, un chapeau à larges bords *m*

18 la casquette de sport *m* (casquette de voyage *m*), une casquette d'étoffe *f*

19 le chapeau mou

20 le chapeau haut de forme (le haut-de-forme, *fam.:* le tuyau de poêle *m*), de taffetas; *quand il s'aplatit:* le chapeau claque (le gibus)

21 le carton à chapeau *m*

22 le chapeau de paille *f* (*fam.:* le canotier)

23 la casquette de yacht *m* (casquette de marin *m*):

24 le fond

25 la visière;

26 la casquette de montagnard *m* (casquette de skieur *m*);

27-57 la boutique de modiste:

27 la toque
28 le petit chapeau d'étoffe *f*
29 le bonnet
30 la modiste
31 la forme (la matière première)
32 la forme (*ici:* le moule)
33 la cloche de feutre *m*
34 la toque pour la soirée, une toque de brocart *m*:
35 la plume de héron *m* (l'aigrette *f*);
36 la fleur artificielle
37 les bordures *f* en paille *f* tressée
38 le ruban de nuque *f*
39 le chapeau de paille *f* d'Italie (la capeline), un chapeau de paille à larges bords *m*
40 la voilette courte
41 le ruban de velours *m* ou de soie *f*, le ruban de moire *f*
42 la plume de coq *m*
43 la toque de plumes *f*
44 le bonnet de daim *m*:
45 la bordure tricotée;
46 le chapeau de deuil *m*
47 le voile mi-long
48 le chapeau de dame *f*, un chapeau couvert de soie *f* ou de tulle *m*:
49 le colifichet
50 l'épingle *f* à chapeau *m*;
51 le champignon
52 l'aileron *m* d'oiseau *m*
53 le béret tricoté, une béret transformable
54 le béret basque
55 la barrette
56 la plume de faisan *m*
57 le chapeau de plage *f*, un chapeau en fibre *f*

37 Accessoires de l'habillement

1-27 les accessoires *m* (accessoires de l'habillement *m*):

1 le miton (la manchette)

2 le mouchoir (mouchoir de poche *f*):

3 la garniture de dentelle *f*, une dentelle décorative

4 le monogramme;

5 le pochoir à linge *m* (un pochoir à marquer le linge)

6 le col de dentelle *f*, un revers de dentelle

7 la manchette de dentelle *f*, une manchette

8 le fourre-tout *m*

9 le foulard (le fichu)

10 le sac à main *f*:

11 la poignée

12 le fermoir;

13 la ceinture tressée:

14 la boucle de ceinture *f*

15 le passant de ceinture *f*;

16 la ceinture de cuir *m*:

17 le fermoir à bouton *m*;

18 la ruche

19 le support de col *m*, un support en matière *f* plastique; *anc.*: le support de baleine *f*

20 le bouton-pression *m*

21 la fermeture à glissière *f*:

22 la tirette (le glisseur);

23 l'agrafe *f*

24 l'œillet *m*

25 l'épingle *f* de nourrice *f* (l'épingle de sûreté *f*)

26 le bouton à linge *m*

27 le bouton de culotte *f*

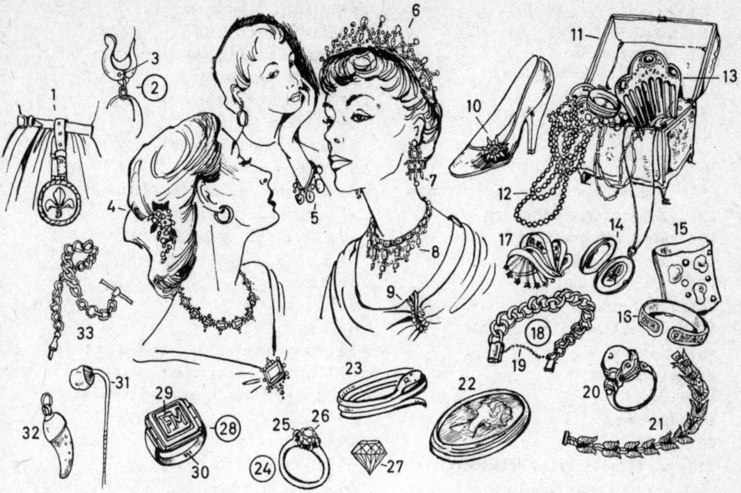

1-33 bijoux *m* (joyaux *m*, colifichets *m*):

1 le médaillon de ceinture *f*, un ornement de ceinture *f*

2 la boucle d'oreille *f* (le clip d'oreille):

3 la vis d'attache *f*;

4 le clip pour la chevelure, un ornement de cheveux *m*

5 le bracelet de monnaies *f*

6 le diadème orné de pierres *f* précieuses

7 le pendant d'oreille *f* (la boucle d'oreille *f*)

8 le collier de brillants (collier)

9 le clip pour la robe

10 la boucle de chaussure *f*, un ornement de chaussure

11 le coffret à bijoux *m*

12 le collier de perles *f*

13 le peigne de parure *f*

14 la médaillon (le pendentif)

15 le bracelet d'esclave *m*, un bracelet plat

16 le bracelet filigrané

17 la broche

18 le bracelet-gourmette:

19 la chaîne de sûreté *f*;

20 la bague (l'anneau *m*)

21 le bracelet articulé

22 le camée en broche *f*

23 le bracelet en boucles *f*

24 la bague à brillant *m* (le solitaire):

25 le chaton, une sertissure

26 le brillant, une pierre précieuse à facettes *f*;

27 les facettes *f*

28 la chevalière:

29 la gravure

30 le poinçon indiquant le titre d'or *m*;

31 l'épingle *f* de cravate *f*

32 la breloque

33 la chaîne de montre *f*

1-53 le pavillon familial:
1 le sous-sol
2 le rez-de-chaussée
3 l'étage *m* (étage supérieur)
4 les combles *m*
5 le toit à deux pentes *f* inégales
6 la gouttière
7 le faîtage
8 la rive de pignon *m*
9 la corniche, une corniche à chevrons *m*
10 la cheminée (la souche)
11 le chéneau de gouttière *f*
12 le raccord coudé
13 la descente en zinc *m*
14 le tuyau en fonte *f*
15 le pignon (le côté du pignon)
16 la murette
17 le soubassement
18 la loggia
19 la balustrade
20 la jardinière
21 la porte de la loggia à deux battants *m*
22 la fenêtre à deux vantaux *m*
23 la fenêtre à un vantail:
24 l'appui *m* (l'allège *f*) de la fenêtre avec le rebord
25 le linteau
26 l'embrasure *f*;
27 le soupirail
28 le rideau à enroulement *m* (le store roulant):
29 le tendeur de store *m*;
30 les persiennes *f* (les contrevents *m*, les volets *m*):
31 le crochet [pour fixer le volet];
32 le garage et le débarras
33 l'espalier *m*
34 la porte en planches *f*
35 l'imposte *f* à croisillon *m*
36 la terrasse
37 la murette *f* dallée
38 l'éclairage *m* de jardin *m*
39 les marches *f* du jardin
40 la rocaille
41 le robinet d'arrosage *m*
42 le tuyau d'arrosage *m*
43 le tourniquet
44 le bassin à patauger
45 le gué de pierres *f*
46 la pelouse
47 la chaise longue
48 le parasol de jardin *m*
49 la chaise de jardin *m*
50 la table de jardin *m*
51 la barre à battre les tapis *m*
52 l'accès *m* au garage
53 la clôture, une palissade
54-57 la cité ouvrière
54 la maison de lotissement *m*:
55 le toit en appentis *m*
56 la lucarne avec toit en appentis *m*
57 le jardin de la maison;
58-63 la rangée de maisons *f* échelonnées:
58 le jardinet
59 la haie
60 le trottoir
61 la rue
62 le réverbère (*autrefois :* le bec de gaz *m*)
63 la corbeille à papier *m*;
64-68 le pavillon (la maison) pour deux familles *f*:
64 le toit en croupe *f*
65 la porte de la maison
66 le perron
67 l'auvent *m*
68 la baie vitrée;
69-71 le pavillon double à quatre logements *m*:
69 le balcon
70 la véranda (l'encorbellement *m*) vitrée
71 la marquise (le store);
72-76 l'immeuble *m* à coursive *f*:
72 la cage d'escalier *m*
73 la coursive
74 l'atelier *m*
75 le toit-terrasse, une terrasse de repos *m*
76 l'espace *m* vert;
77-81 le bloc d'habitation *f* à plusieurs étages *m*
77 la dalle (le toit plat)
78 le toit à potence *f* (toit en appentis *m*)
79 le garage
80 la pergola
81 la fenêtre de l'escalier *m*;
82 la maison-tour (maison à multiples étages *m*, le gratte-ciel)
83 la guérite de l'ascenseur *m* et de la sortie de l'escalier *m*
84-86 le cottage (la maison de campagne *f*), une maison en bois *m*
84 le coffrage horizontal
85 le soubassement en pierres *f* de taille *f*
86 la fenêtre à quatre vanteaux *m*

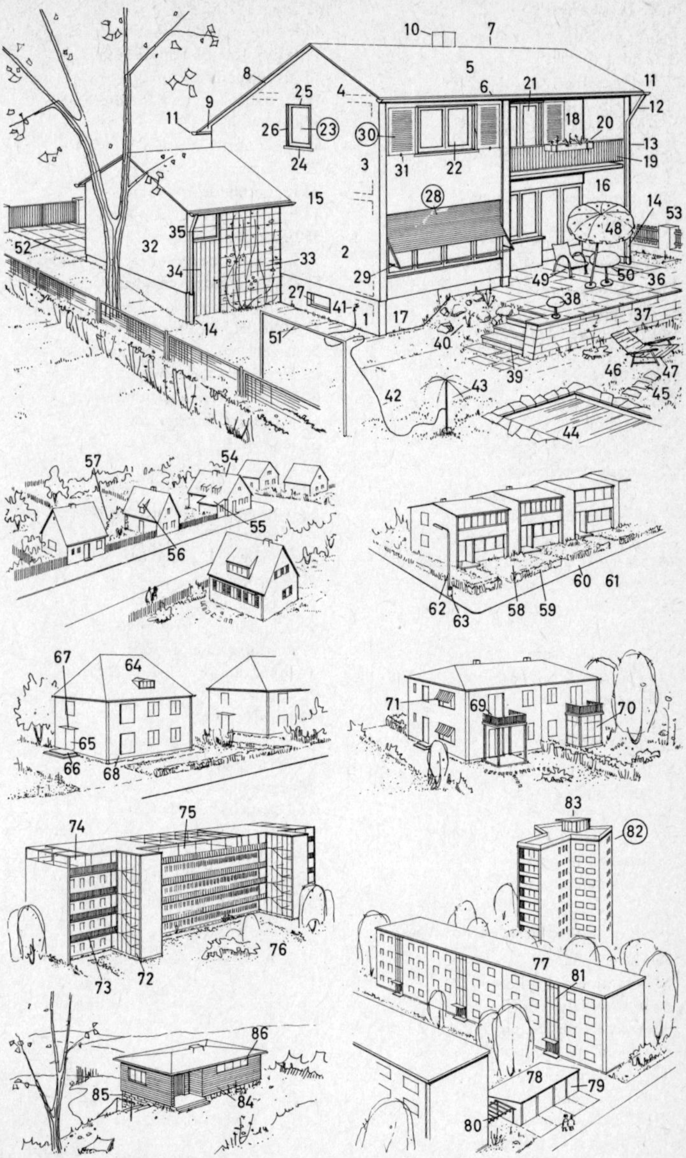
10 7
8 5
25 4 6 21 11
9 18 20 12
11 26 23 30 13
24 3 31 22 19
15 16
28 14 53
35 48
52 32 33
2
34 29 49 50 36
27 41 38
14 1 17 37
51 40
39 46 47
42 43 45
44
57 54
55
56
60 61
58 59
62
63
67 64
71 69 70
65
66 68
83
74 75 82
76
73 72
77
81
86
85 84
78 79
80

1-29 le grenier:

1 la couverture
2 la lucarne
3 la passerelle
4 l'échelle *f* de couvreur *m*
5 la cheminée
6 le crochet de couvreur *m*
7 la lucarne
8 la grille à retenir la neige
9 la gouttière
10 le tuyau *m* de descente *f*
11 la corniche de toit *m*
12 les combles *m*
13 la trappe
14 l'ouverture *f* de la trappe
15 l'échelle à barreaux *m*:
16 le montant
17 l'échelon *m* (le barreau);
18 le grenier:
19 la cloison de bois *m*
20 la porte de la mansarde
21 le cadenas
22 le crochet de la corde à linge *m*
23 la corde à linge *m*;
24 le vase d'expansion *f* du chauffage
25 l'escalier *m* en bois *m* et la rampe:
26 le limon (la paroi latérale de l'escalier *m*)
27 la marche
28 la main courante
29 le poteau de rampe *f*;
30 le paratonnerre

31 le ramoneur:

32 le hérisson avec le boulet *m*
33 la raclette
34 le sac à suie *f*
35 le hérisson
36 le balai à manche *m*
37 le manche à balai *m*;

38-81 le chauffage central à eau *f*,

38-43 la chaufferie,
38 la chaudière à coke *m*:
39 la porte *f* du cendrier
40 le canal de la cheminée
41 le pique-feu
42 la raclette
43 la pelle à charbon *m*;
44-60 le chauffage à mazout *m*,
44 le réservoir à mazout *m*:
45 le puits d'accès *m*
46 le couvercle du puits
47 la tubulure de remplissage *m*
48 le couvercle du dôme
49 la soupape du fond du réservoir
50 le mazout
51 le conduit d'aération *f*
52 la clapette d'aération *f*
53 le conduit de mazout *m*
54 le manomètre à mazout *m*
55 le conduit aspirant
56 le conduit de retour *m*;
57 la chaudière du chauffage central (chaudière à mazout *m*),
58-60 le brûleur à mazout *m*:
58 le ventilateur d'air *m* frais
59 le moteur électrique
60 le bec brûleur sous revêtement *m*;
61 la porte d'alimentation *f*
62 le voyant
63 le manomètre à eau *f*
64 le thermomètre de la chaudière
65 le robinet de remplissage *m* et de vidage *m*
66 le socle de la chaudière;
67 le tableau de bord *m*
68 le chauffe-eau:
69 le conduit de trop-plein
70 la soupape de sûreté *f*;
71 le conduit principal ascendant:
72 l'isolation *f*
73 la valve;
74 le conduit d'alimentation *f*
75 la valve de réglage *m*
76 le radiateur
77 l'élément du radiateur
78 le thermostat
79 le tuyau de descente *f*
80 le conduit principal descendant
81 le conduit de fumée *f*

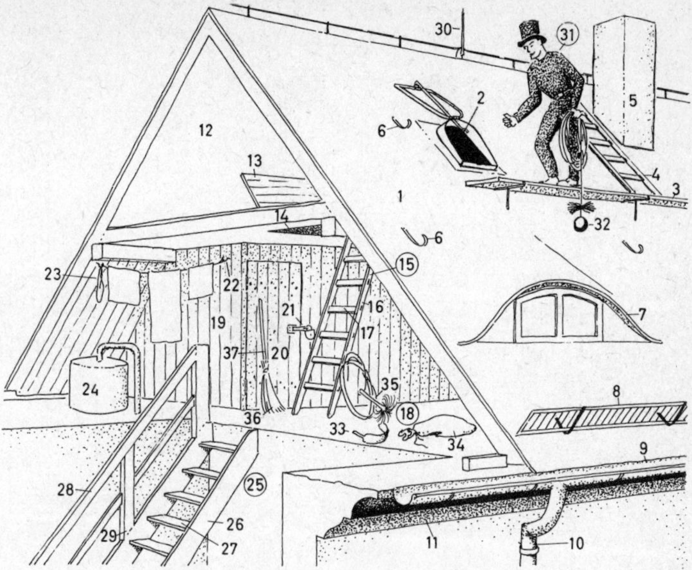
30
31
2
5
6
12
13
4
3
1
32
14
6
15
23
22
21
16
19
17
7
37
20
24
35
18
8
36
33
34
9
28
25
26
29
27
11
10

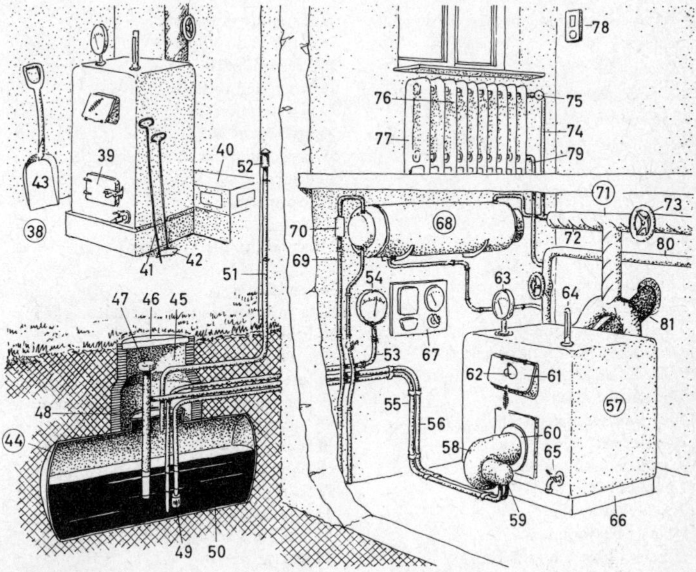
78
76
75
77
74
40
79
52
39
43
71
73
68
38
70
72
80
41
42
69
51
54
63
47
46
45
64
81
53
67
62
61
48
55
57
56
44
60
58
65
59
66
49
50

41 Cuisine I

1 l'élément *m* mural, une armoire de cuisine *f*
2 l'écumoire *f*
3 le pilon presse-purée
4 le battoir à viande *f*
5 la louche
6 la boîte à pain *m*
7 le livre de cuisine *f*
8 l'armoire *f* de cuisine *f*:
9 le tiroir à couverts *m*
10 l'armoire *f* aux épices *f*;
11 le seau à ordures *f* (la poubelle):
12 la pédale d'ouverture *f*;
13 le rideau de cuisine *f*
14-16 les torchons *m* de cuisine *f*:
14 le torchon à verres *m* (l'essuie-verres *m*)
15 le torchon à couverts *m*
16 le torchon à assiettes *f* ;
17 l'évier *m*:
18 la planche à égoutter
19 l'égouttoir *m*
20 la cuve à rincer
21 l'eau *f* de rinçage *m*
22 la cuve à laver la vaisselle
23 le robinet *m* pivotant;
24 le gratte-casseroles
25 l'écouvillon *m*
26 la lavette à vaisselle *f*
27 la poudre à récurer
28 les cristaux *m* (la soude)
29 le produit pour laver la vaisselle
30 la lavette
31 le savon mou
32 la cuisinière (la bonne)
33 la planche de travail, une planche d'angle *m*
34 les déchets *m*
35 la cuisinière à gaz *m* (le réchaud à gaz):
36 le brûleur à gaz *m*
37 le bouton de commande *f*
38 le four;
39 la cuisinière à charbon *m* (le fourneau de cuisine *f*):
40 la chaudière
41 la plaque de fourneau *m*
42 les ronds *m*
43 la porte du foyer *m*
44 la porte d'aération *f*
45 le cendrier;

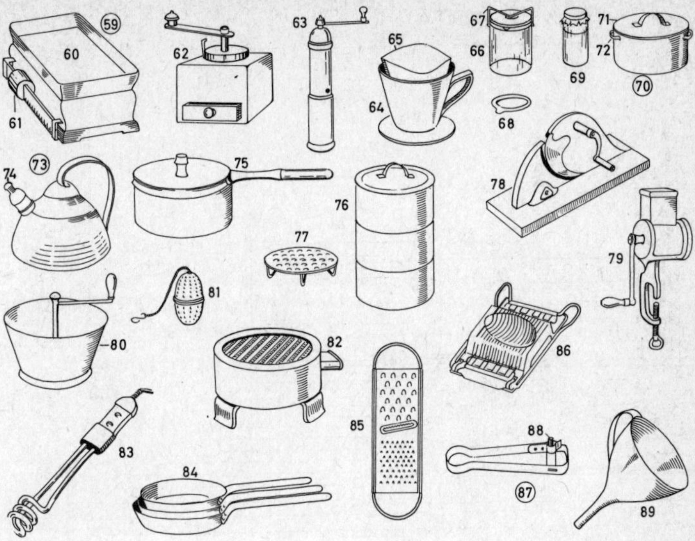

46 le bac à charbon *m*
47 la pelle à charbon *m*
48 les pincettes *f* à feu *m*
49 le tissonier (le pique-feu)
50 le tuyau de poêle *m*
51 le carreau pour murs *m*
52 la chaise de cuisine *f*
53 la table de cuisine *f*
54 le couteau à pain *m*
55 l'éplucheur *m*
56 le couteau de cuisine *f*
57 la planche à hacher
58 le hachoir berçoir
59 la balance de cuisine *f*, une balance à poids *m* curseur:
60 le plateau de balance *f*
61 le poids curseur;
62 le moulin à café *m*
63 le moulin à café turc
64 le filtre à café *m*
65 le papier filtre
66 le bocal à conserves *f*
67 la pince *f* à vide *m* du bocal
68 le caoutchouc de bocal *m*
69 le verre à confiture *f*
70 le fait-tout:
71 le couvercle
72 l'anse *f*;
73 la bouilloire:
74 le sifflet (sifflet à vapeur *f*);
75 la casserole
76 les marmites *f* superposées
77 la grille de cuisson *f*
78 la machine à couper (à trancher) le pain
79 la machine à râper (la râpe de ménage *m*)
80 le moulin à légumes *m*
81 la boule à thé *m*
82 le réchaud électrique
83 le thermo-plongeur (le chauffe-liquide)
84 la série de poêles *f*
85 la râpe
86 le tranche-œufs (le coupe-œufs)
87 l'allume-gaz *m*:
88 la pierre à briquets *m*;
89 l'entonnoir *m*

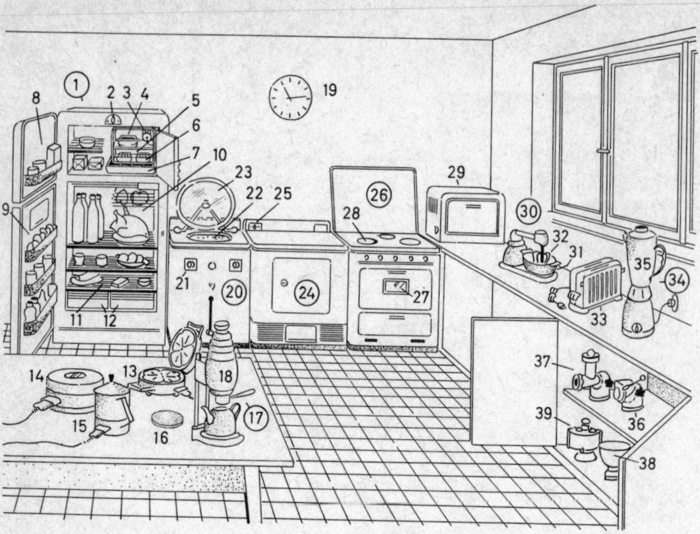

1-66 appareils *m* **et ustensiles** *m* **ménagers,**

1 le réfrigérateur (réfrigérateur à compresseur *m*):

2 le thermostat

3 l'évaporateur *m* (le compresseur)

4 le compartiment à grande réfrigération *f*

5 le compartiment réfrigérant

6 le boîtier à glaçons *m*

7 l'égouttoir *m*

8 le compartiment de la porte

9 le casier à œufs *m*

10 le casier à bouteilles *f*

11 la grille

12 le casier à légumes *m*;

13 le gaufrier électrique

14 le gril

15 la bouilloire électriquc

16 la plaque d'amiante *m*

17 la cafetière à filtre *m*, un percolateur à moka *m*:

18 le filtre;

19 la pendule de cuisine *f*

20 la machine à laver:

21 le présélecteur

22 le tambour laveur

23 le couvercle en verre *m* incassable;

24 l'essoreuse *f*:

25 l'interrupteur *m* automatique de sécurité;

26 la cuisinière électrique:

27 l'œilleton *m*

28 la plaque chauffante;

29 le grilloir électrique

30 le batteur-mixeur:

31 l'écuelle *f* à battre

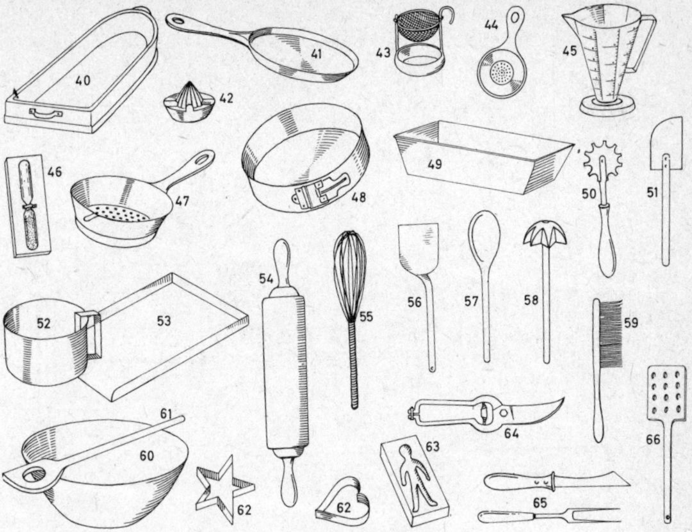

32 le fouet;
33 le gril à toasts *m*
34 le mixeur:
35 le haut du mixeur;
36 le hachoir à légumes *m*
37 le hachoir électrique à viande *f*
38 le batteur électrique à crème *f*
39 le presse-fruits
40 la casserole à rôti *m*
41 la poêle à frire (poêle à queue *f*)
42 le presse-citron
43 la passoire à thé *m* (le passe-thé)
44 la passoire [à café *m*]
45 le verre gradué
46 le sablier
47 la passoire
48 et 49 les moules *m* à gâteaux *m*:
48 le moule démontable
49 le moule à cake *m*;
50 la videlle
51 la raclette
52 le tamis à farine *f*
53 la tôle à gâteau *m*
54 le rouleau à pâte *f*
55 le fouet à œufs *m*
56 la spatule
57 la cuiller de bois *m*
58 le moussoir
59 la brosse de pâtissier *m*
60 la bassine à mélanger la pâte
61 la cuiller de bois *m* percée, un mélangeur
62 la forme à découper
63 le moule en bois *m*
64 les cisailles *f* à volaille *f*
65 le service à découper
66 la palette à poisson *m*

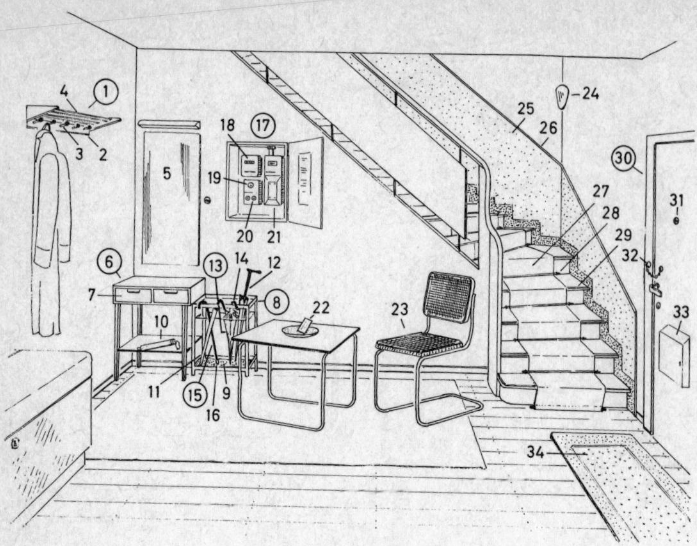

1-34 le vestibule (l'antichambre *f*),
1 le portemanteaux:
2 la tringle
3 la patère
4 le porte-chapeau;
5 la glace de vestibule *m*
6 la table de vestibule *m*:
7 le coffret à gants *m*;
8 le porte-parapluies et porte-cannes *m*:
9 l'égouttoir *m*;
10-14 parapluies *m*:
10 le parapluie pliant (le tom-pouce)
11 la canne parapluie
12 le parapluie de dame *f*
13 le parapluie d'homme *m*:
14 la poignée (le bec de canne *f*);
15 la canne:
16 la virole;
17 le coffre à compteurs *m*:
18 le compteur électrique
19 l'interrupteur *m* principal
20 le fusible
21 le compteur à gaz *m*;
22 la carte de visite *f*
23 le siège métallique tubulaire à siège et dossier canné, un meuble métallique tubulaire
24 l'éclairage *m* de l'escalier *m*, un éclairage d'angle *m*
25 la tenture de protection *f*
26 la baguette
27 le tapis d'escalier *m*
28 la tringle de tapis *m*
29 la bordure de protection *f*, une bordure en caoutchouc *m*
30 la porte du corridor:
31 le mouchard (le judas)
32 la chaîne de sûreté *f*
33 la boîte aux lettres *f*;
34 le paillasson

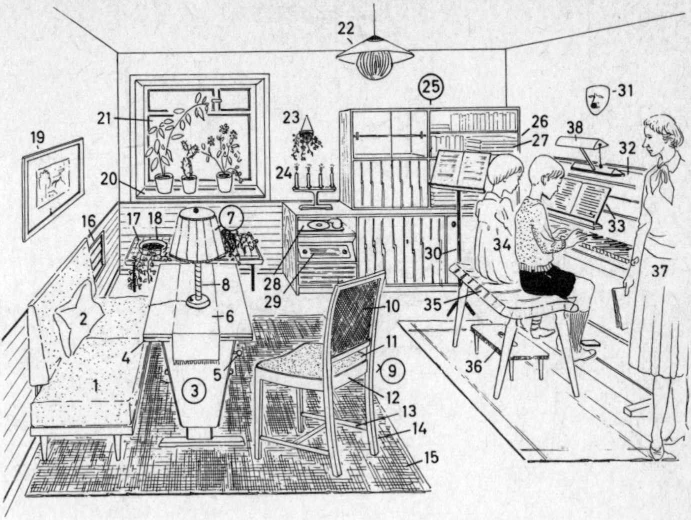

1 la banquette rembourrée
2 le coussin
3 la table à usages *m* multiples (table transformable):
4 la rallonge
5 la poignée à régler la hauteur;
6 le chemin de table *f*
7 la lampe de table *f*:
8 le pied de lampe *f*;
9 la chaise:
10 le dossier canné
11 le siège
12 le châssis de la chaise
13 le barreau
14 le pied de la chaise;
15 le tapis en sisal *m*
16 la bouche à air *m* chaud du chauffage d'appartement *m*
17 la jardinière
18 la coupe à fleurs *f*
19 l'aquarelle *f*
20 le rebord de fenêtre *f*
21 la fenêtre fleurie
22 la lampe à suspension *f*
23 l'applique *f* florale (le vase applique)
24 le chandelier
25 le meuble (l'armoire *f*) à usages *m* multiples, un meuble par éléments *m*:
26 le classeur à musique *f*;
27 l'album *m* de musique *f*
28 et 29 le combiné radio-phono:
28 le tourne-disque
29 le poste de radio (le récepteur radio);
30 le pupitre à musique *f*
31 le masque mortuaire
32-37 la leçon de piano *m*:
32 le piano
33 le cahier de musique *f*
34 les élèves *m* jouant à quatre mains *f*
35 la banquette
36 le banc de pieds *m* (l'escabeau *m*)
37 la maîtresse de piano *m*;
38 la lampe de piano *m*

45 Salle à manger

1-29 la table dressée pour le goûter,
1-4 la famille,
1 et 2 les parents *m*:
1 le père (le papa)
2 la mère (la maman);
3 et 4 les enfants *m*:
3 le garçon
4 la fille;
5 la table de la salle à manger
6 la nappe
7-21 le service à café *m*:
7 la tasse
8 la soucoupe
9 l'assiette *f* à dessert *m*
10 la tartelette
11 la cuiller à café *m* (cuiller à thé *m*)
12-17 la cafetière:
12 le corps de la cafetière
13 le couvercle
14 le bouton
15 le verseur
16 le bec
17 l'anse *f*;
18 le dessous de plat *m*
19 le pot à lait *m*
20 le pot à lait *m* doseur
21 le sucrier;
22 le sucre en morceau *m*
23 la pince à sucre *m*
24 le sucrier doseur
25 la passoire (le passe-café)
26 le plat à gâteaux *m*
27 la tarte
28 la pelle à gâteaux *m* (pelle à tarte *f*)
29 le kugelhoff;
30 le lustre:
31 la coupe de la lampe;
32 le pot à chocolat *m*:

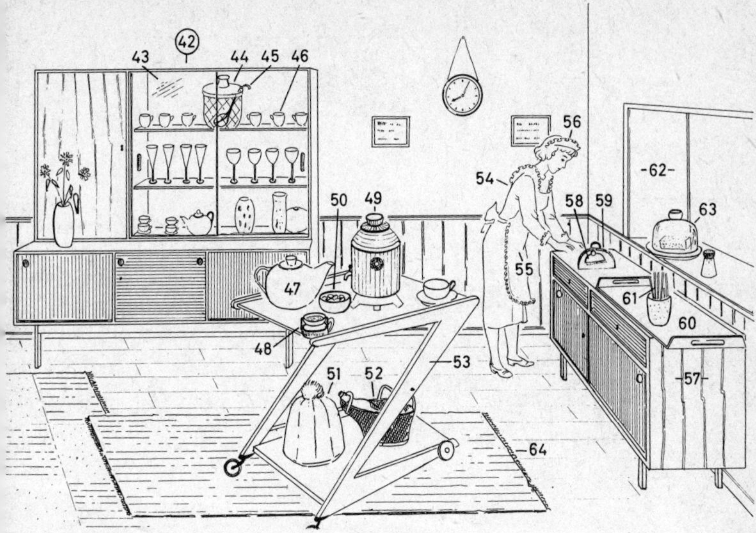

33 le ramasse-gouttes
34 la goutte;
35 la boîte à biscuits *m*
36 la pince à gâteaux *m*
37 la salière
38 le coquetier
39 la bonnette à oeuf *m*
40 la cuiller à œuf *m*
41 le couvre-cafetière
42 le buffet:
43 la porte vitrée à glissière *f*;
44 le broc (le bol) à punch *m*
45 la cuiller à punch *m*
46 le verre à punch *m*
47 la théière
48 la passoire (le passe-thé)
49 le samovar (la bouilloire à thé *m*)
50 les amandes *f* salées
51 la bonnette à théière *f* (le couvre-théière)
52 le porte-bouteille
53 la desserte
54 la bonne à tout faire (la domestique, la servante)
55 le tablier de service *m*, un tablier brodé
56 la coiffe
57 le dressoir (la crédence)
58 et **59** le ramasse-miettes:
58 la brosse de table *f*
59 la pelle ramasse-miettes;
60 le plateau à servir
61 les allumettes *f* (les bâtonnets *m*) au fromage *m* ou salées
62 le guichet
63 la cloche à fromage *m*
64 la carpette

46 Table dressée

1 la table de la salle à manger
2 la nappe (nappe damassée)
3-12 le couvert pour une personne:
3 l'assiette *f*
4 l'assiette *f* plate
5 l'assiette *f* creuse
6 l'assiette *f* à dessert *m*
7 le couvert
8 le couvert à poisson *m*
9 la serviette de table *f*
10 le rond de serviette *f*
11 le porte-couteau *m*
12 les verres *m* à vin *m*
13 le carton de table *f*
14 la louche
15 la soupière
16 le chandelier *m* de table *f*
17 la saucière
18 la cuiller à sauce *f*
19 la décoration de table *f*
20 la corbeille à pain *m*
21 le petit pain *m*
22 la tranche de pain *m*
23 le saladier
24 le couvert à salade *f*
25 le légumier
26 le plat à rôti *m*
27 le rôti *m*
28 le compotier
29 le petit compotier
30 la compote
31 le plat à pommes de terre *f*
32 la desserte roulante
33 le plat de légumes *m*
34 le toast
35 le plat à fromage *m*
36 le beurrier
37 la tartine garnie
38 la garniture de la tartine
39 le sandwich
40 la coupe à fruits *m*
41 les amandes *f*
42 les burettes *f* à huile *f* et à vinaigre *m*
43 la sauce anglaise
44 le dressoir
45 le chauffe-plats électrique
46 le tire-bouchon
47 le décapsuleur

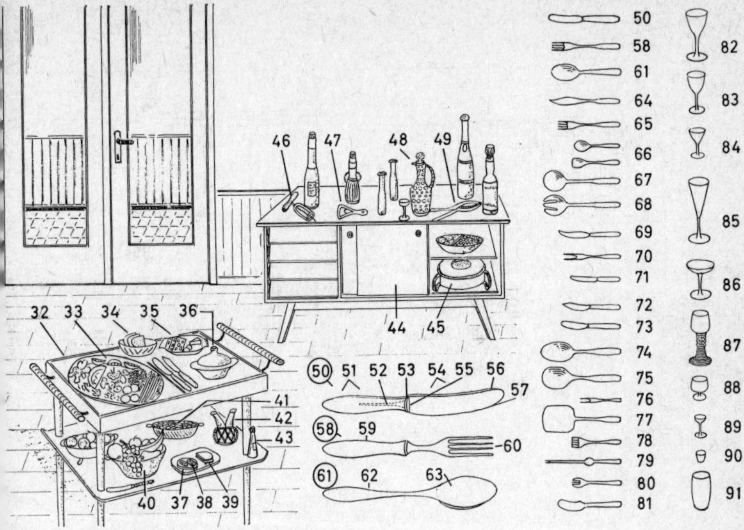

48 le carafon à liqueur *f*
49 le casse-noix
50 le couteau:
51 le manche
52 l'époinçon *m*
53 la virole
54 la lame:
55 la bague
56 le dos
57 le tranchant;
58 la fourchette:
59 le manche
60 la dent;
61 la cuiller à soupe *f*:
62 le manche;
63 le cuilleron;
64 le couteau à poisson *m*
65 la fourchette à poisson *m*
66 la cuiller à entremets *m*
67 la cuiller à salade *f*
68 la fourchette à salade *f*
69 et **70** le couvert à servir:
69 le couteau à servir
70 la grande fourchette (fourchette à servir);
71 le couteau à fruits *m*
72 le couteau à fromage *m*
73 le couteau à beurre *m*
74 la cuiller à légumes *m*, une cuiller à servir
75 la cuiller à pommes de terre *f*
76 la fourchette à sandwich *m*
77 la pelle à asperges *f*
78 la fourchette à sardines *f*
79 la fourchette à homard *m*
80 la fourchette à huîtres *f*
81 le couteau à caviar *m*
82 le verre à vin *m* blanc
83 le verre à vin *m* rouge
84 le verre à madère *m*
85 et **86** les verres *m* à champagne *m*:
85 la flûte
86 la coupe;
87 le verre à vin *m* du Rhin
88 le verre-ballon
89 le verre à liqueur *f*
90 le verre à eau-de-vie *f*
91 le verre à bière *f*

47 Bureau-fumoir

1-61 le bureau,

1 le radiateur à air *m*:

2 la bouche à air *m* chaud

3 le conduit d'aspiration *f* de l'air *m*;

4 la bibliothèque

5 la rangée de livres *m*

6 le tableau à l'huile *f*, un paysage

7 le casier à journaux *m*

8 le journal

9 le magazine, un périodique mensuel

10 l'illustré *m*, un magazine hebdomadaire

11 le bureau

12 le téléphone de table *f*

13 le socle à stylo *m*

14 l'album *m* à photos *f*

15 la photo

16 le cadre sur socle *m*

17 la lampe de bureau, une lampe orientable

18 le fauteuil de bureau *m*:

19 le rembourrage de cuir *m*;

20 le coussin pour les pieds *m*

21 la table de fumeur *m*, une table à carreaux *m* de faïence *f*:

22 le pied de table *f*

23 le plateau (la tablette de la table);

24 la bougie:

25 la mèche de la bougie

26 la flamme de la bougie;

27 le bougeoir

28 le bâtonnet odorant

29 les mouchettes *f*

30 la lampe désodorisante

31 le cendrier

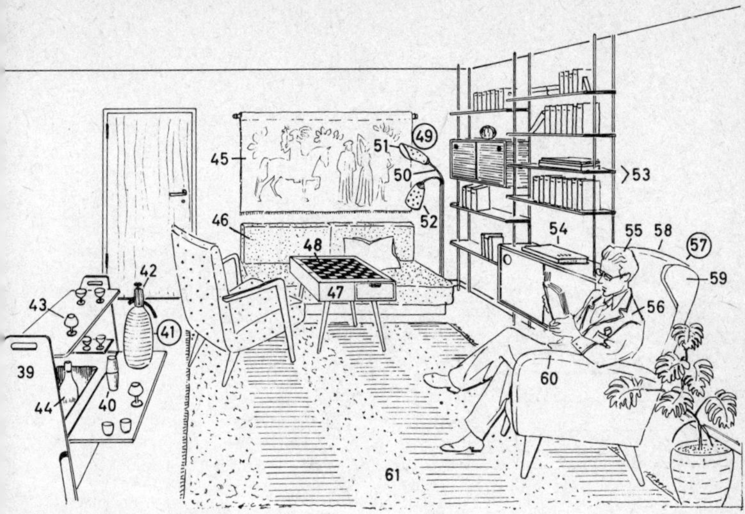

32 la boite à cigarettes *f* (le porte-cigarettes)

33 le coffret de cigares *m*

34-36 les collections *f* de naturaliste *m*:

34 la collection de papillons *m*

35 la collection d'insectes *m*

36 la collection de pierres *f*;

37 l'album *m* de photographies *f*

38 la collection de monnaies *f*

39 le bar de salon *m*

40-43 le service à cocktail *m*:

40 le mélangeur

41 le siphon d'eau *f* de Seltz:

42 la cartouche d'acide *m* carbonique;

43 le verre à cocktail *m*;

44 la bouteille de whisky *m*

45 la tapisserie (tapisserie faite à la main)

46 le divan, un divan-lit

47 la table à jeu *m* d'échecs *m*

48 la marqueterie, un échiquier

49 le lampadaire, une lampe à pied *m*:

50 le bras orientable

51 la corolle

52 l'abat-jour *m*;

53 le rayon bibliothèque (le meuble à rayonnages *m*), un meuble par éléments *m*

54 le portefeuille à gravures *f*

55 le maître de maison *f*

56 la veste *f* d'intérieur *m*

57 le fauteuil à oreillettes *f*:

58 le dossier

59 l'oreillette *f*

60 l'accoudoir *m*;

61 la moquette

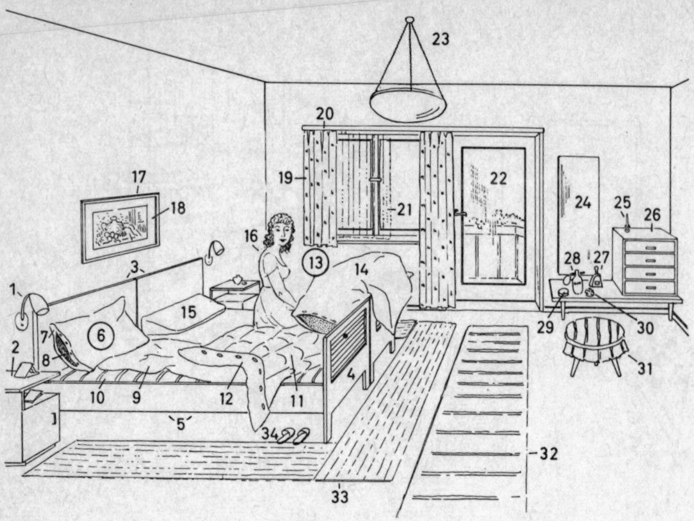

1 la lampe de chevet *m*, une applique
2 la table de chevet *m* (table de nuit *f*)
3-15 le lit, un lit à deux,
3-5 le bois de lit *m* (le châlit):
3 le chevet (le panneau de tête *f*)
4 le pied du lit (le panneau de pieds *m*)
5 le côté du lit;
6 l'oreiller *m*:
7 la taie d'oreiller *m*
8 le sac d'oreiller *m*;
9 le drap, un drap de toile *f*
10 le matelas
11 le couvre-pieds piqué, une couverture de plume ou de laine *f*
12 le drap de dessus *m*
13 l'édredon *m* de plume:
14 la taie;
15 le traversin [type *m* allemand],
16 la femme en déshabillé *m* (en saut *m* de lit *m*)
17 le cadre de tableau *m*
18 le passe-partout
19 le rideau
20 la tringle à rideaux *m*
21 le panneau (le store), un panneau à tirer
22 la porte du balcon (la porte-fenêtre)
23 la lampe à suspension *f*
24 la glace de toilette *f*
25 le porte-bague
26 la table de toilette *f*
27 le flacon de parfum *m*
28 le vaporisateur

29 le poudrier

30 la houpette

31 le pouf de toilette *f*, un tabouret de décoration *f*

32 le chemin

33 les carpettes *f* autour du lit

34 la pantoufle (la mule)

35 la descente de lit *m*

36 le rideau à glissière *f*

37 la tringle de plafond *m*

38 la main courante

39 la niche de toilette *f*

40 l'armoire *f* de la chambre à coucher, une armoire à vêtements *m* et à linge *m*:

41 le casier à linge *m*

42 la pile de linge *m*

43 la glace de la porte (glace de l'armoire *f*);

44 la housse étanche

45 la tringle à vêtements *m*

46 le cintre à pantalon *m*

47 le paravent

48 la femme de chambre *f*

49 le panier à linge *m*

50 le tabouret

51 la couverture chauffante:

52 le commutateur rotatif pour le réglage de la température;

53 le divan:

54 le traversin;

55 la couverture de voyage *m* (le plaid)

56 le kimono, une robe de chambre *f*

49 Chambre d'enfants

1-29 la chambre d'enfants *m* (la nursery) :

1 la bonne d'enfants *m*

2 le lit d'enfant *m*

3 le trotte-bébé (le trotteur pour enfants *m*)

4 le baby-parc

5-29 les jouets *m*:

5 l'ours *m* en peluche *f*, un animal en étoffe *f*

6 la maison de poupée *f*:

7 la cuisine de poupée *f*

8 la cuisinière de poupée *f*

9 la chambre de poupée *f*

10 les meubles *m* de poupée *f*

11 la vaisselle de poupée *f*;

12 le landau *m* de poupée *f*

13 le cheval *m* à bascule *f*

14 le polichinelle

15 le canard à bascule *f*, un siège à bascule *f*

16 la maisonnette-jouet

17 les animaux-jouets *m*

18 la trompette d'enfant *m*

19 les pièces *f* du jeu de construction *f*

20 le train jouet

21 le tambour d'enfant *m*

22 les baguettes *f*

23 l'auto-jouet *m*

24 la toupie ronflante

25 le soldat d'étain *m* (soldat de plomb *m*)

26 le petit enfant

27 la chaise d'enfant *m*

28 la table d'enfant *m*

29 la timbale

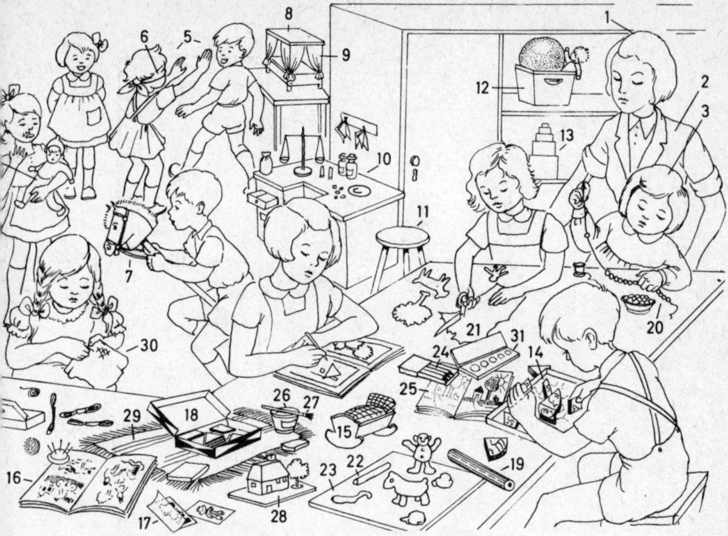

1 la jardinière d'enfants *m*

2 la blouse

3 l'enfant *m*

4 le baigneur

5 le jeu de colin-maillard *m*

6 le bandeau sur les yeux *m*

7 le dada

8 le lit de poupée *f*:

9 le ciel de lit *m*;

10 le magasin d'enfant *m*

11 le tabouret d'enfant *m*

12 le coffre à jouets *m*

13 le jeu de cubes *m*

14 le puzzle, un jeu de patience *f*

15 le berceau de poupée *f*

16 le livre d'images *f*

17 l'image *f* à décalquer

18 le jeu de mosaïque *f*

19 le kaléidoscope

20-31 le bricolage:

20 les perles *f* de verre *m* (perles)

21 les découpages *m*

22 la plastiline, une pâte à modeler

23 la planche à modeler

24 les crayons *m* de couleur *f*

25 l'album *m* à colorier

26 le pot de colle *f*

27 le pinceau à colle *f*

28 le collage

29 le tressage

30 la broderie, un ouvrage à l'aiguille *f*

31 la boîte de peinture *f*

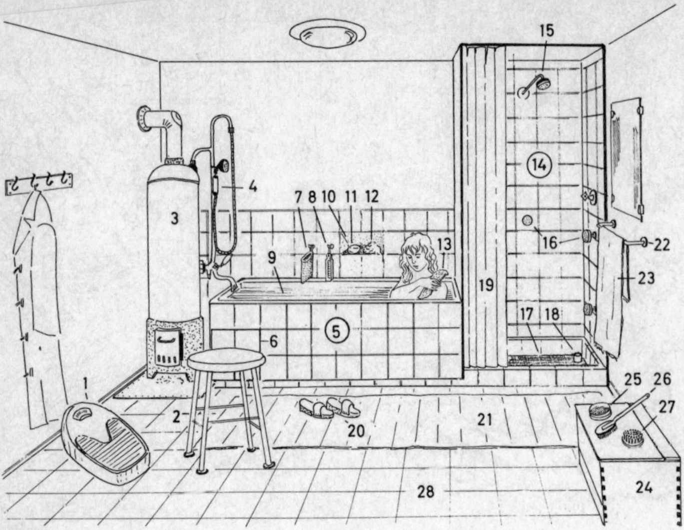

1-28 la salle de bains *m*:

1 le pèse-personne
2 le tabouret
3 le chauffe-bain à charbon *m*
4 la douche articulée (douche à main *f*)
5 la baignoire encastrée:
6 le panneau de réparation *f* (panneau d'accès *m* au siphon);
7 le gant de toilette *f*
8 le thermomètre de bain *m*
9 l'eau *f* de la baignoire
10 le porte-savon
11 le savon de toilette *f*
12 l'éponge *f* de toilette *f*
13 l'éponge *f* végétale
14 la cabine à douches *f*:
15 la douche plafonnière
16 la douche murale
17 le bac récepteur (le récepteur de douches *f*)
18 la bonde siphoïde d'évacuation *f* et de trop-plein *m*;
19 le rideau en plastique *m*
20 les socques de bain *m*
21 le tapis de bain *m*
22 le porte-serviettes
23 la serviette de bain *m*
24 la banquette coffre
25 les sels *m* de toilette *f*
26 la brosse pour le dos
27 la brosse à massage *m*
28 le carrelage;

29-82 le cabinet de toilette *f*:

29 le désodorisant
30 le distributeur de papier *m* hygiénique
31 le rouleau de papier *m* hygiénique
32 l'essuie-lunette *m*
33 la balayette (le balai) W.-C.
34 la garniture du W.-C.
35 le water-closet (le W.-C.):
36 le bassin de W.-C.
37 la cuvette de W.-C.
38 et 39 le siège de W.-C.:
38 l'abattant *m* de W.-C. (la lunette)
39 le couvercle de W.-C.;

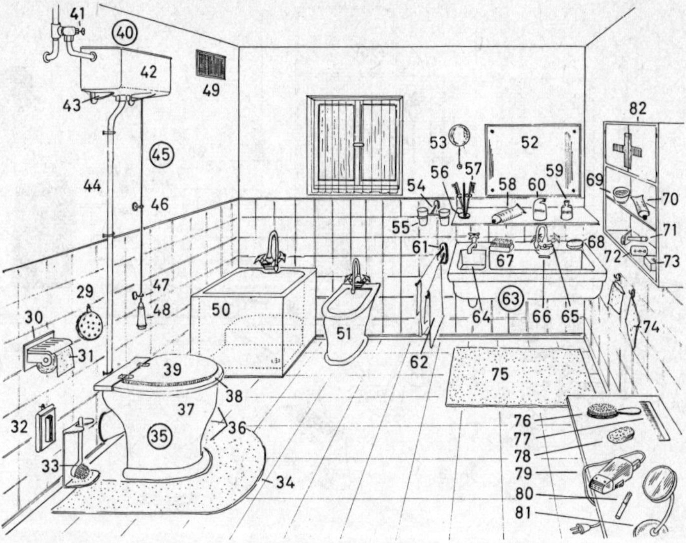

40 la chasse d'eau:
41 le robinet d'arrêt *m*
42 le réservoir de chasse d'eau *m*
43 la console
44 le tuyau de descente *f*;
45 le tire-chasse-d'eau (le dispositif de déclenchement *m*):
46 la chaîne
47 l'attache *f* de chaîne *f*
48 la poignée;
49 la bouche d'aération *f*
50 la baignoire sabot *m*
51 le bidet
52-68 le lavabo et les ustensiles *m* de toilette *f*:
52 la glace de toilette *f*
53 l'éclairage *m* mural
54 le support à verres *m*
55 le verre à dents *f*
56 le support à brosses *f* à dents *f*
57 la brosse à dents *f*
58 la pâte dentifrice
59 la poudre dentifrice
60 l'eau *f* dentifrice
61 le porte-serviettes
62 la serviette
63 le lavabo:
64 le crachoir
65 le levier de la bonde
66 le trop-plein;
67 la brosse à ongles *m*
68 la savonnette (le savon de toilette *f*);
69 le savon à barbe *f*;
70 la crème à raser *f*
71 le rasoir
72 la lame de rasoir *m*
73 l'affûtoir *m*
74 le gant de toilette *f*
75 la carpette en caoutchouc *m* mousse
76 la brosse à cheveux *m*
77 le peigne
78 la pierre ponce
79 le rasoir électrique
80 la pierre d'alun *m*
81 la glace à barbe *f*
82 la pharmacie de ménage *m* (de famille *f*)

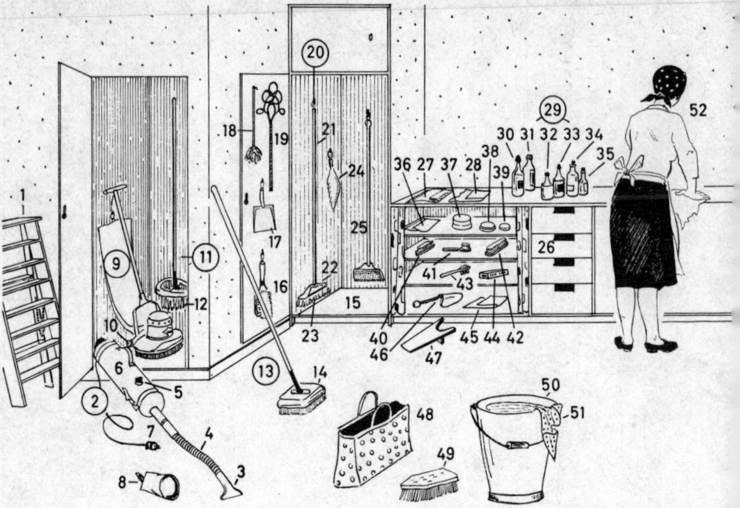

1 l'escabeau *m* (l'échelle *f* pliante, le marchepied)
2 l'aspirateur *m* :
3 le suceur
4 le tuyau métallique souple
5 l'interrupteur *m* (le commutateur)
6 le corps (le carter) de l'aspirateur *m*
7 la prise de courant *m* (prise mâle)
8 le sac à poussière *f*;
9 l'aspirateur-balai *m* électrique et cireuse-brosseuse *f*:
10 l'interrupteur *m* à pédale *f* (interrupteur au pied);
11 le balai à franges *f*:
12 les franges *f*;
13 la cireuse:
14 la brosse;
15 l'armoire *f* à balais *m* (armoire porte-balais)
16 la balayette *f*
17 la pelle à poussière *f*
18 le plumeau
19 la tapette
20 le balai:
21 le manche à balai *m*
22 la brosse du balai
23 les soies *f*;
24 le houssoir
25 le balai-brosse (le frottoir)
26 l'armoire *f* à nettoyer les chaussures *f*
27 le torchon à poussière *f*
28 la peau de chamois *m*
29 produits *m* de nettoyage *m* et d'entretien *m*:
30 la benzine
31 l'ammoniaque *f*
32 l'alcool *m* à brûler
33 la glycérine
34 la térébenthine
35 l'esprit *m* de sel *m*;
36 le chiffon à reluire
37 l'encaustique *f*
38 le cirage
39 la graisse
40-43 les brosses *f* à chaussures *f*:

40 la décrotteuse (la brosse de nettoyage *m*)
41 la brosse à cirage *m* (brosse à étendre)
42 la brosse à reluire
43 la brosse de caoutchouc, une brosse à daim *m*;
44 le colorant en poudre *f*
45 le chiffon à reluire
46 l'embauchoir *m*
47 le tire-botte
48 le cabas (le sac à provisions *f*)
49 la brosse à laver
50 le seau
51 la serpillière (le torchon à laver)
52 la femme de ménage *m*
53 le vitrage (le rideau)
54 la tringle à rideaux *m*
55 la caisse (le coffre) à charbon *m*
56 le seau à charbon *m*
57 le casier à briquettes *f*
58 la malle en osier *m*
59 le baquet (la bassine) de ménage *m* en tôle *f*
60 la brosse à tapis *m*
61 le bois d'allumage *m*, un ligot
62 la bûche
63 le panier à bois *m*
64 le poêle en fonte *f*
65 le pare-feu (l'écran *m* de poêle *m*)
66 la brosse à habits *m*
67 la fente de la porte
68 l'entrebâillement *m* de la porte
69 le porte-vêtements *m*
70 le ramasse-miettes
71 le filet à provisions *f*
72 la planche à repasser
73 le bric-à-brac
74 la souris
75 le sommier:
76 le ressort à spirale *f*
77 le ressort de traction *f*;
78 le balai de paille *f*

1-49 la cour (l'arrière-cour *f*):

1 les dépendances *f* (l'annexe *f*), une maison donnant sur la cour

2 la porte de la cave

3 l'escalier *m* de la cave

4 le cadenas

5 le moraillon

6 la chèvre

7 la bûche

8 le bois d'allumage *m* (les bûchettes *f*)

9 le billot

10 le casseur de bois *m*

11 les gosses *m* (la marmaille, les gamins *m*)

12 la maison de rapport *m*:

13 la fenêtre de cabinet *m*

14 la fenêtre de la cage d'escalier *m*

15 la porte de service *m* (porte de la cour)

16 l'éclairage *m* de la cour

17 la loggia

18 la jardinière

19 l'entrée *f* (le passage):

20 le portail

21 le trottoir du passage

22 la borne (le butoir);

23 la maison voisine

24 le chanteur des rues *f*

25 le mur de la cour (mur mitoyen)

26 l'orgue *m* de barbarie *f*

27 le joueur d'orgue *m* de barbarie *f*

28 le concierge

29 la commère

30 le colporteur

31 le tas de bois *m* (la pile de bois)

32 la poubelle:

33 le couvercle rabattant

34 la poignée;

35-42 le séchoir:

35 le linge

36 la corde à linge *m* (corde à sécher)

37 la perche de la corde à linge *m* (perche à linge)
38 le poteau
39 le crochet
40 le sac à pinces *f* à linge *m*
41 le panier à linge *m*
42 la pince à linge *m*;
43 le moineau
44 la clôture en lattes *f* (la palissade)
45 le balai en paille *f* de riz *m*
46 la barre à battre les tapis *m*
47 l'appentis *m*
48 le crochet
49 la voiture (la charrette) à bras *m*;

50-73 la buanderie,

50 le tuyau de poêle *m*, un tuyau d'échappement *m* des gaz *m* de fumée *f*:
51 le coude du tuyau
52 la rosace murale;
53 la lessiveuse
54 le couvercle de la lessiveuse, un couvercle en bois *m*
55 le savon en poudre *f* (la lessive)
56 le détachant
57 l'amidon *m*
58 le paquet de bleu *m* de lessive *f*
59 la brosse à laver
60 le pain de savon *m*
61 l'essoreuse *f*:
62 le rouleau;
63 le sabot
64 l'écope *f*
65 la porte de la buanderie
66 le verrou de la porte
67 la blanchisseuse
68 l'aire *f* en plâtre *m*
69 la bassine lessiveuse
70 la planche à laver
71 le porte-savon
72 la claie
73 le fouloir à lessive *f*

54 Jardin d'agrément

1 la rocaille fleurie (le jardin alpin)
2 la tonnelle
3 les meubles *m* de jardin *m*
4 l'arbrisseau *m* ornemental
5 la pergola
6 le parterre rond
7 le fauteuil de jardin *m*
8 la lanterne de jardin *m*
9 le parasol articulé
10 la chaise longue
11 le robinier (le faux acacia, l'acacia blanc) taillé en boule *f*
12 la palissade (le paravent), un abri contre le vent
13 la haie de thuyas *m*
14 la mangeoire d'hiver *m* pour les oiseaux *m*
15 le bassin (le bain) pour les oiseaux *m*, une cuvette en ciment *m*
16 le râteau à feuilles *f* (râteau métallique à lamelles *f* plates et élastiques)
17 l'arrosoir *m* (arrosoir de jardin *m*)
18 le banc de jardin *m*
19 la pièce d'eau *f*, un bassin d'eau
20 le jet d'eau *f*
21 le gazon
22 le gué (le chemin dallé)
23 le paysagiste
24 les marches *f* de pierre *f*
25 la balançoire

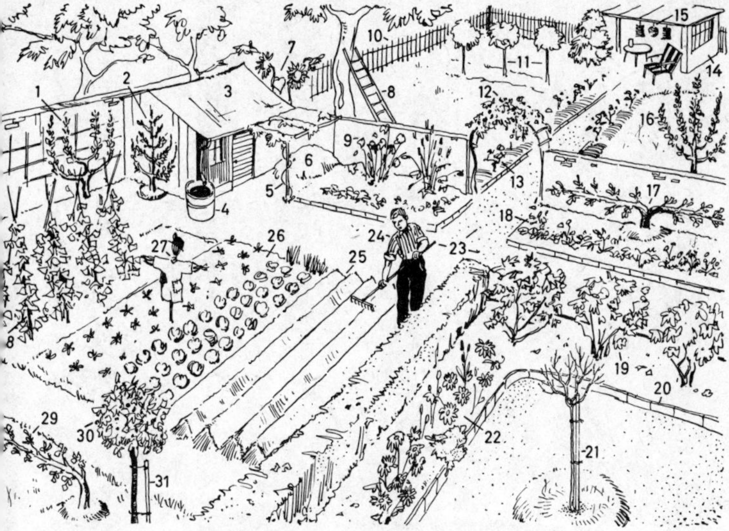

1-31 le jardinet (le jardin potager et fruitier),

1, 2, 16, 17, 29 arbres *m* fruitiers nains (arbres taillés, arbres fruitiers en espalier *m*):

1 la palmette candélabre

2 l'espalier *m* vertical (le cordon vertical)

3 la cabane

4 la tonne à eau *f* de pluie *f*

5 la plante grimpante (plante volubile)

6 le tas de fumier *m* (tas de terreau *m*, tas de compost *m*)

7 le tournesol (le grand soleil)

8 l'échelle *f* de jardin *m*

9 la plante vivace (l'arbuste *m* en fleurs *f*)

10 la clôture en lattis *m* (clôture à claire-voie *f*)

11 l'arbuste *m* à baies *f* à haute tige *f*

12 le rosier grimpant sur l'arceau *m* en espalier *m*

13 le rosier en buisson *m* (rosier nain)

14 la gloriette (la tonnelle)

15 le lampion (la lanterne vénitienne)

16 l'arbre *m* fruitier taillé en pyramide *f* (la pyramide horizontale double), un arbre en espalier *m* détaché

17 le cordon horizontal à deux bras *m*, un arbre en espalier *m* mural

18 la plate-bande, un parterre de fleurs *f* en bordure *f*

19 l'arbuste *m* à baies *f*

20 la bordure de ciment *m*

21 le rosier à haute tige *f*

22 la planche de plantes *f* vivaces

23 le chemin de jardin *m*

24 le jardinier amateur (jardinier du dimanche)

25 la planche d'asperges *f*

26 la planche de légumes *m*

27 l'épouvantail *m*

28 la rame de haricots *m*

29 le cordon horizontal simple

30 l'arbre *m* fruitier à haute tige *f*

31 le tuteur

56 Plantes d'appartement

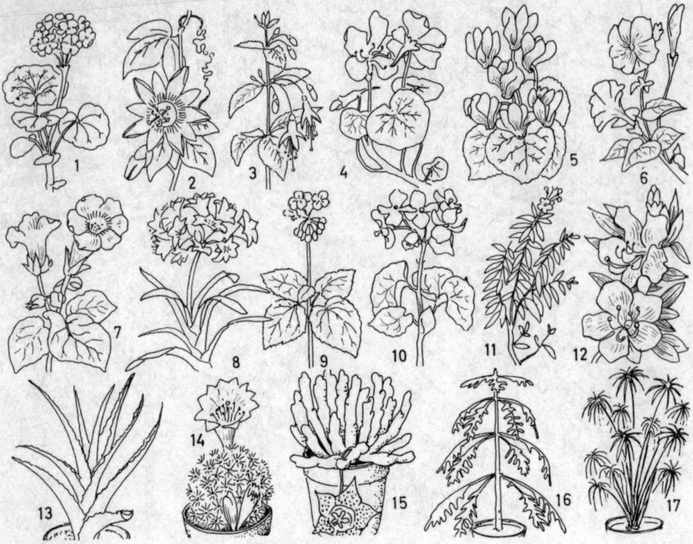

1 le pélargonium (*pop.*: le géranium), une géraniacée

2 la passiflore (la fleur de la Passion), genre *m* des pariétales *f*

3 le fuchsia, une œnothéracée

4 la capucine, une tropéolée

5 le cyclamen, une primulacée

6 le pétunia, une solanacée

7 la gloxinie, une gesnériacée

8 le clivia (la clivie), une amaryllidacée

9 le tilleul nain (le sparmannia), une tiliacée

10 le bégonia, une bégoniacée

11 le myrte, une myrtacée

12 l'azalée *f*, une éricacée

13 l'aloès *m*, une liliacée

14 l'échinocactus *m* (*pop.*: le coussin de belle-mère *f*)

15 le stapélia (la stapélie), une asclépiadacée

16 l'araucaria *m*, un conifère

17 le souchet (le cypérus), une cypéracée

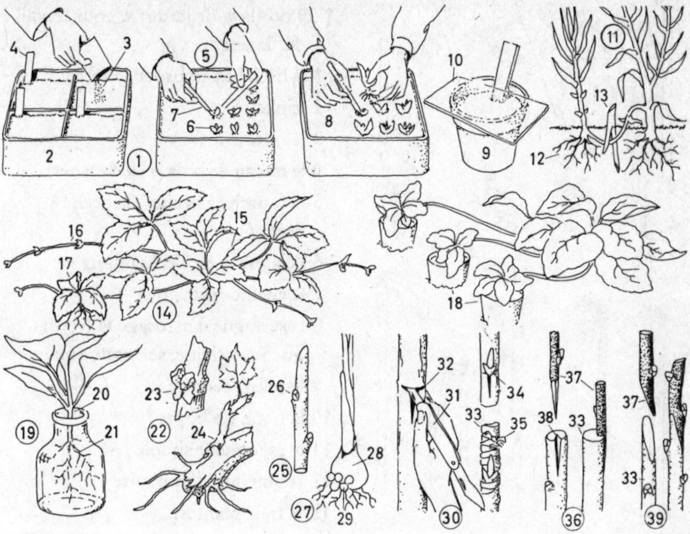

1 l'ensemencement *m*:

2 la terrine à semis *m*

3 la graine (la semence)

4 l'étiquette *f* de dénomination *f*;

5 le repiquage:

6 le plant

7 le plantoir

8 la transplantation de fleurs *f*;

9 le pot à fleurs *f*, un pot à semis *m*

10 la plaque de verre *m*;

11 le marcottage en archet *m* (le couchage simple):

12 la marcotte enracinée

13 la fourche de branche *f* pour la fixation;

14 le marcottage naturel par stolons *m*:

15 la plante-mère

16 le stolon (le coulant, le jet, le rejet, le rejeton)

17 la jeune plante enracinée;

18 le marcottage en pot *m*

19 le bouturage dans l'eau *f*:

20 la bouture

21 la racine;

22 le bouturage de la vigne par boutures *f* d'œil *m* (boutures anglaises, boutures semées):

23 la bouture d'œil *m*

24 le greffon;

25 la bouture ligneuse:

26 le bourgeon;

27 la multiplication par caïeux *m*:

28 le bulbe

29 le caïeu (le cayeu);

30-39 la greffe,

30 la greffe en écusson *m* par œil *m* détaché:

31 le greffoir

32 l'incision *f* en T

33 le sujet (*avant greffe*: le sauvageon)

34 le greffon mis en place *f*

35 la ligature de raphia *m*;

36 la greffe en fente *f*:

37 l'ente *f*

38 l'incision *f* en coin *m*;

39 la greffe anglaise

58 Instruments de jardinage

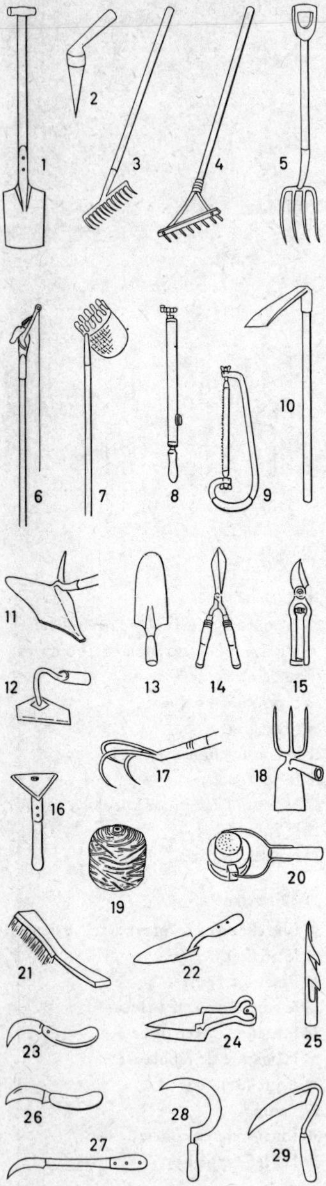

1-29 outils *m* de jardin *m* pour travailler la terre:

1 la bêche à retourner la terre

2 le plantoir

3 le râteau de fer *m*

4 le râteau de bois *m* (le fauchet)

5 la fourche à bêcher (la bêche à dents *f*)

6 l'élagueur *m* (l'échenilloir *m*)

7 le cueille-fruit

8 la seringue d'arrosage *m* (seringue insecticide, seringue à main *f*)

9 la scie d'élagage *m*

10 la houe (le hoyau)

11 le rayonneur simple

12 la binette (la ratissoire)

13 le transplantoir

14 la cisaille à haies *f*

15 le sécateur

16 l'émoussoir *m*

17 la griffe sarcleuse

18 la serfouette

19 la ficelle (le cordeau) pour aligner les bordures *f* (le cordeau de jardinier *m*)

20 la lampe pour écheniller

21 la brosse-émoussoir

22 le grand transplantoir

23 la serpette

24 les ciseaux *m* à gazon *m*

25 l'échardonnoir *m*

26 l'entoir (le greffoir, l'écussonnoir *m*)

27 le coupe-asperges

28 la faucille

29 la fauchette à lame *f* cintrée

30 la brouette de jardin *m*

31 la bêche semi-automatique
32 le rayonneur multiple
33 la hache dresse-bordure
34 la tondeuse à gazon *m*
35 le tambour à tuyau *m* (le dévidoir-tambour)
36 le chariot à tuyau *m* (le dévidoir-chariot)
37 le tuyau d'arrosage *m*
38 la chaise longue roulante de jardin *m*
39 le cadran solaire
40 l'arroseur *m* fixe
41 l'arroseur *m* rotatif
42 le puisoir à purin *m*
43 la taupière (le piège à taupes *f*)
44 le piège à mulots *m*

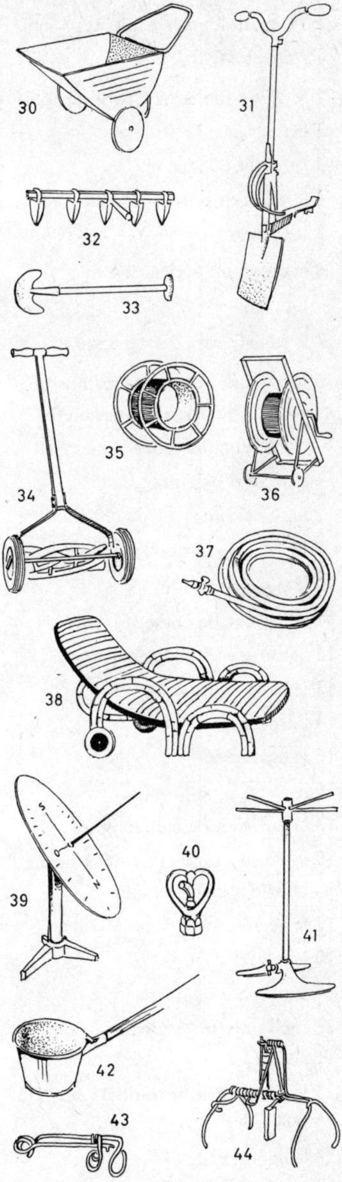

1-11 légumineuses *f* (plantes *f* légumineuses),

1 le pois potager, une papilionacée:

2 la fleur de pois *m*

3 la feuille pennée

4 la vrille de pois, une vrille foliaire

5 la stipule

6 la cosse, un péricarpe (enveloppe *f*)

7 le pois (petit pois), la graine;

8 le haricot, une plante grimpante; *variétés.:* le haricot commun (haricot vert), haricot à rames *f*, haricot d'Espagne; *plus petit:* haricot nain:

9 la fleur de haricot *m*

10 la tige grimpante

11 le haricot [la cosse et la graine];

12 la tomate (la pomme d'amour *m*)

13 le concombre

14 l'asperge *f*

15 le radis rose

16 le navet

17 la carotte à racine *f* longue

18 la carotte grelot (carotte à racine *f* courte, carotte ronde)

19 le persil

20 le raifort

21 le poireau (le porreau)

22 la ciboulette (la cive, la civette)

23 le potiron (la citrouille); *anal.:* le melon

24 l'oignon *m*

25 la tunique d'oignon *m*

26 le chou-rave

27 le céleri-rave;

28-34 plantes *f* à feuilles *f* comestibles:

28 la bette (bette à carde *f*, la poirée)

29 l'épinard *m*

30 le chou de Bruxelles

31 le chou-fleur

32 le chou (chou pommé, chou cabus, la tête de chou), un chou; *variétés:* chou blanc, chou rouge

33 le chou de Milan (chou de Savoie)

34 le chou vert (chou non pommé);

35 la scorsonère [*analogue:* le salsifis]

36-42 salades *f*:

36 la laitue pommée

37 la feuille de salade *f*

38 la mâche (la doucette)

39 l'endive *f*

40 la chicorée; *var.:* chicorée frisée, la scarole

41 l'artichaut *m*

42 le piment (le poivron, le poivre d'Espagne)

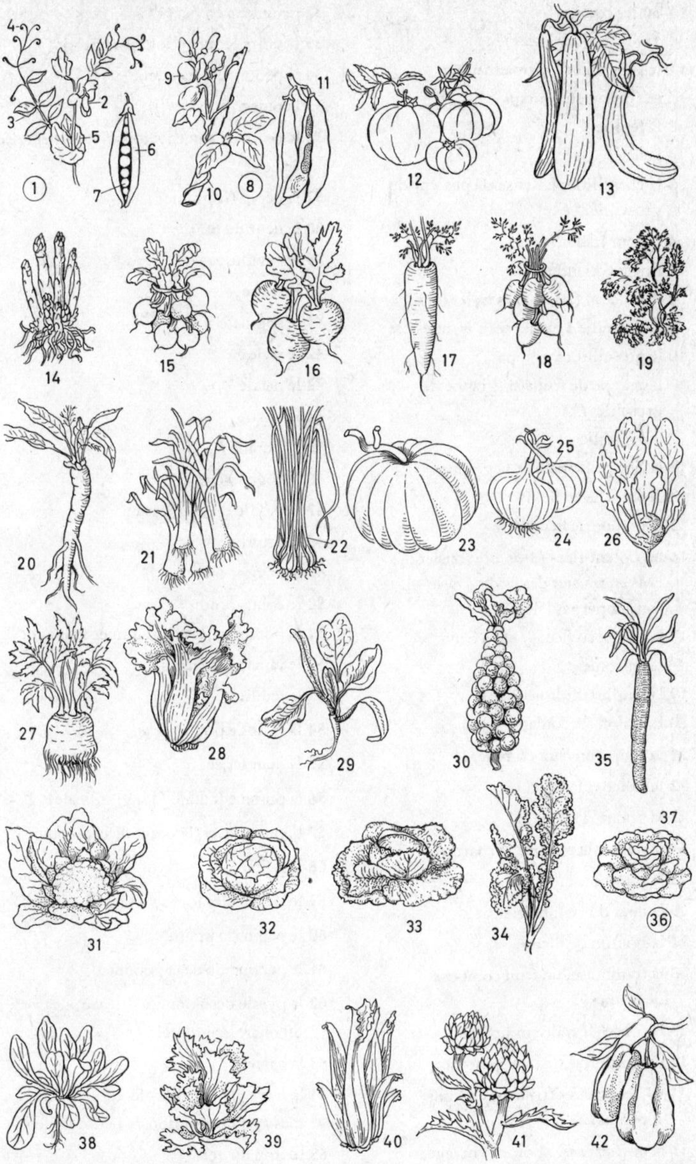
4
3
2
5
6
7
1
9
10
8
11
12
13
14
15
16
17
18
19
20
21
22
23
25
24
26
27
28
29
30
35
37
31
32
33
34
36
38
39
40
41
42

60 Baies et fruits à pépins

1-30 les baies *f*,
1-15 les saxifragacées *f*,
1 le groseillier à maquereau *m*:
2 le rameau en fleurs *f*
3 la feuille
4 la fleur
5 la chenille arpenteuse (la phalène du groseillier)
6 la fleur [détail]
7 l'ovaire *m* infère
8 le calice *m* (les sépales *m*, les lobes *m*)
9 la groseille à maquereau *m*, une baie;
10 le groseillier à grappes *f*:
11 la grappe de fruits *m* (grappe de groseilles *f*)
12 la groseille
13 la tige principale de la grappe
14 la branche en fleurs *f*
15 la grappe de fleurs *f*;
16 les potentillées *f*; *var.* : le fraisier des bois *m*, fraisier des jardins *m*, le fraisier perpétuel:
17 la plante en fleurs *f* et en fruits *m*
18 le rhizome;
19 la feuille trifoliolée
20 le stolon (le coulant, le jet)
21 la fraise, un fruit complexe
22 le calice et le calicule
23 la graine (l'akène *m*)
24 la pulpe (le réceptacle charnu);
25 le framboisier:
26 la fleur du framboisier
27 le bouton de fleur *m*
28 la framboise, un fruit composé de drupes *f*;
29 la ronce (le mûrier sauvage):
30 l'aiguillon *m* (la tige épineuse);
31-61 les pirées *f* (fruits *m* charnus à pépins):
31 le poirier; *var.* : poirier sauvage:
32 le rameau en fleurs *f*
33 la poire [coupe *f* longitudinale]
34 le pédoncule (la queue)
35 la pulpe
36 le cœur et son enveloppe *f* parcheminée (la loge)
37 le pépin (la graine)
38 la fleur du poirier
39 les ovules *m*
40 l'ovaire *m*
41 le stigmate
42 le style
43 le pétale
44 le sépale
45 l'étamine *f*;
46 le cognassier:
47 la feuille du cognassier
48 la stipule
49 le coing-pomme
50 le coing-poire;
51 le pommier; *var.* : pommier sauvage:
52 le rameau en fleurs *f*
53 la feuille
54 la fleur de pommier *m*
55 la fleur fanée;
56 la pomme [coupe *f* longitudinale]:
57 l'épiderme *m* (la peau) de la pomme
58 la pulpe
59 le cœur et les loges *f*
60 le pépin (la graine)
61 le pédoncule de la pomme;
62 la pyrale des pommes *f* (le carpocapse), un microlépidoptère
63 la galerie
64 la larve (la chenille, le ver des pommes *f*) d'un papillon de petite taille *f*
65 le trou du ver

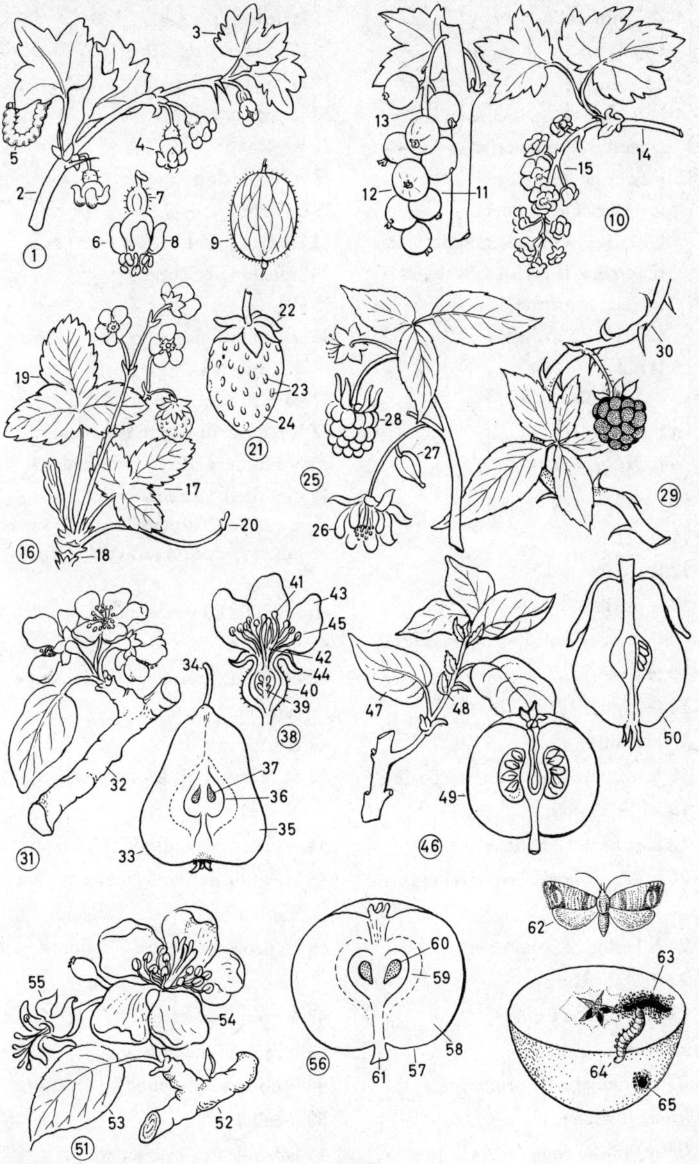

1
2
3
4
5
6
7
8
9
10
11
12
13
14
15
16
17
18
19
20
21
22
23
24
25
26
27
28
29
30
31
32
33
34
35
36
37
38
39
40
41
42
43
44
45
46
47
48
49
50
51
52
53
54
55
56
57
58
59
60
61
62
63
64
65

1-36 fruits *m* à noyaux *m* (drupes *m*),
1-18 le cerisier,
1 le rameau de cerisier *m* en fleurs *f*:
2 la feuille de cerisier *m*
3 la fleur de cerisier *m*
4 le pédoncule (la queue);
5 la cerise; *variétés:* la guigne *ou* le bigarreau, la cerise sauvage *ou* la merise, la griotte, la cerise acerbe (le fruit du mahaleb):
6 la pulpe
7 le noyau
8 l'amande *f*;
9 la fleur [coupe longitudinale]:
10 l'anthère *f* de l'étamine *f*
11 le pétale
12 le sépale
13 le pistil
14 l'ovule *m* dans l'ovaire *m* central
15 le style
16 le stigmate;
17 la feuille:
18 le nectaire (l'alvéole *m* nectarifère);
19-23 le prunier,
19 le rameau en fruits *m*:
20 la prune; *anal.:* la quetsche; *séchée*: le pruneau
21 la feuille de prunier *m*
22 le bourgeon;
23 le noyau de prune *f*;
24 la reine-claude
25 la mirabelle (la prune jaune)
26-32 le pêcher,
26 le rameau en fleurs *f*:
27 la fleur de pêcher *m*
28 l'insertion *f* de la fleur
29 la jeune feuille;
30 le rameau en fruits *m*
31 la pêche
32 la feuille de pêcher *m*;
33-36 l'abricotier *m*,
33 le rameau d'abricotier *m* en fleurs *f*:
34 la fleur d'abricotier *m*;
35 l'abricot *m*
36 la feuille d'abricotier *m*;
37-51 fruits *m* à coque *f*,
37-43 le noyer,
37 le rameau de noyer *m* en fleurs *f*:
38 la fleur féconde (la fleur femelle)
39 l'inflorescence *f* mâle (les fleurs *f* mâles, le chaton mâle avec les étamines *f*, chaton de fleurs *f* staminifères)
40 la feuille imparipennée
41 le fruit:
42 le brou (le péricarpe, l'enveloppe extérieure verte)
43 la noix, une drupe;
44-51 le noisetier (le coudrier), une plante anémogame,
44 le rameau de noisetier *m* en fleurs *f*:
45 le chaton de fleurs *f* mâles (de fleurs staminifères)
46 les fleurs *f* femelles (l'inflorescence *f* femelle)
47 le bourgeon à feuilles *f*;
48 le rameau en fruits *m*:
49 la noisette (l'aveline *f*), un fruit
50 le calice
51 la feuille de noisetier *m*

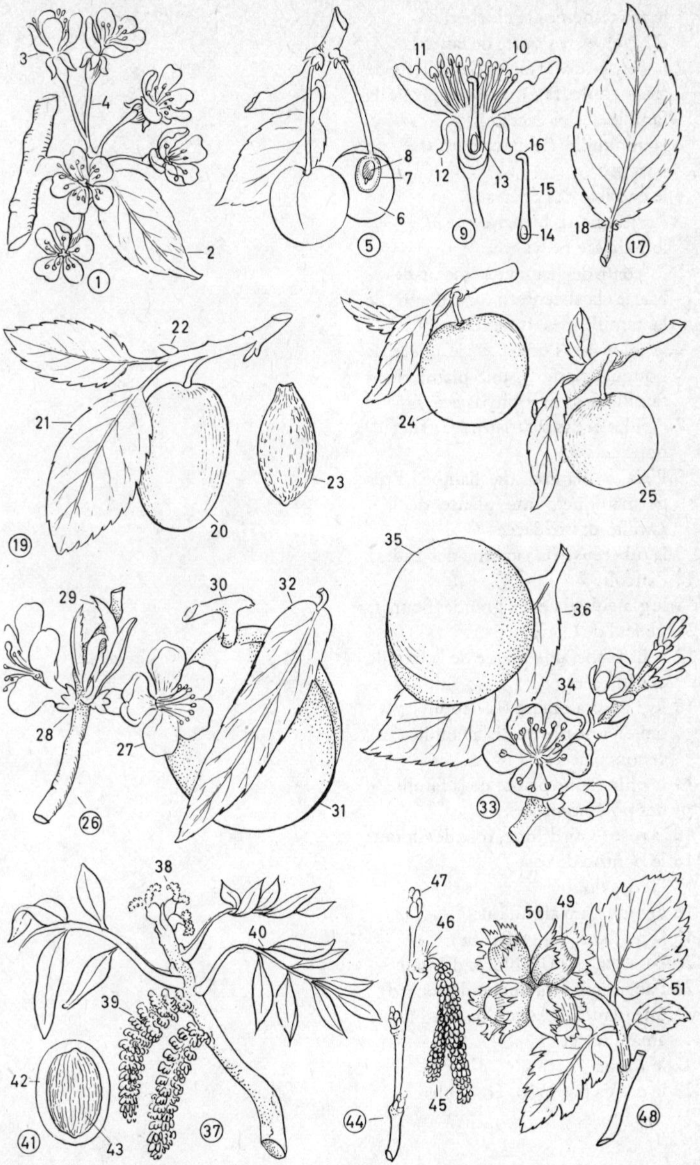
1
2
3
4
5
6
7
8
9
10
11
12
13
14
15
16
17
18
19
20
21
22
23
24
25
26
27
28
29
30
31
32
33
34
35
36
37
38
39
40
41
42
43
44
45
46
47
48
49
50
51

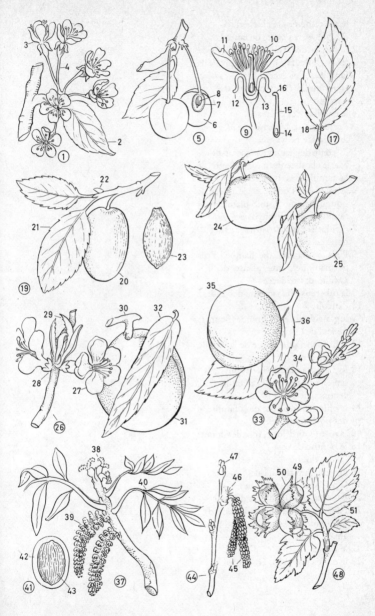

1 le perce-neige (la clochette d'hiver *m*, la goutte de lait *m*)
2 la pensée de jardin *m* (la violette de trois couleurs *f*), une plante de la famille des violacées *f*
3 la jonquille (le faux narcisse), un narcisse
4 le narcisse des poètes *m* (la jeannette blanche); *anal.*: le narcisse polyanthe
5 le cœur-de-Jeannette (cœur-de-Marie, la dicentra), une plante de la famille des fumariacées *f*
6 la jalousie (l'œillet *m* de poète, le bouquet parfait), une plante de la famille des caryophyllacées *f*
7 l'œillet *m* des fleuristes *m* (œillet à bouquets *m*)
8 l'iris *m* flambe (la flambe, l'iris germanique), une plante de la famille des iridacées *f*
9 la tubéreuse (la jacinthe des Indes)
10 l'ancolie *f*
11 le glaïeul (glaïeul à grandes fleurs *f*, glaïeul de Gand)
12 le lis blanc, une plante de la famille des liliacées *f*
13 le pied-d'alouette (la dauphinelle), une plante de la famille des renonculacées *f*
14 le phlox, une plante de la famille des polémoniacées *f*
15 la rose (rose d'Inde, rose de Chine):
16 le bouton de rose *f*
17 la rose double
18 l'épine *f*, un aiguillon;
19 la gaillarde (la gaillardie)
20 la (le) tagète (l'œillet *m* d'Inde)
21 l'amarante *f* (la queue-de-renard), une plante de la famille des amarantacées *f*
22 le zinnia
23 le dahlia pompon, un dahlia

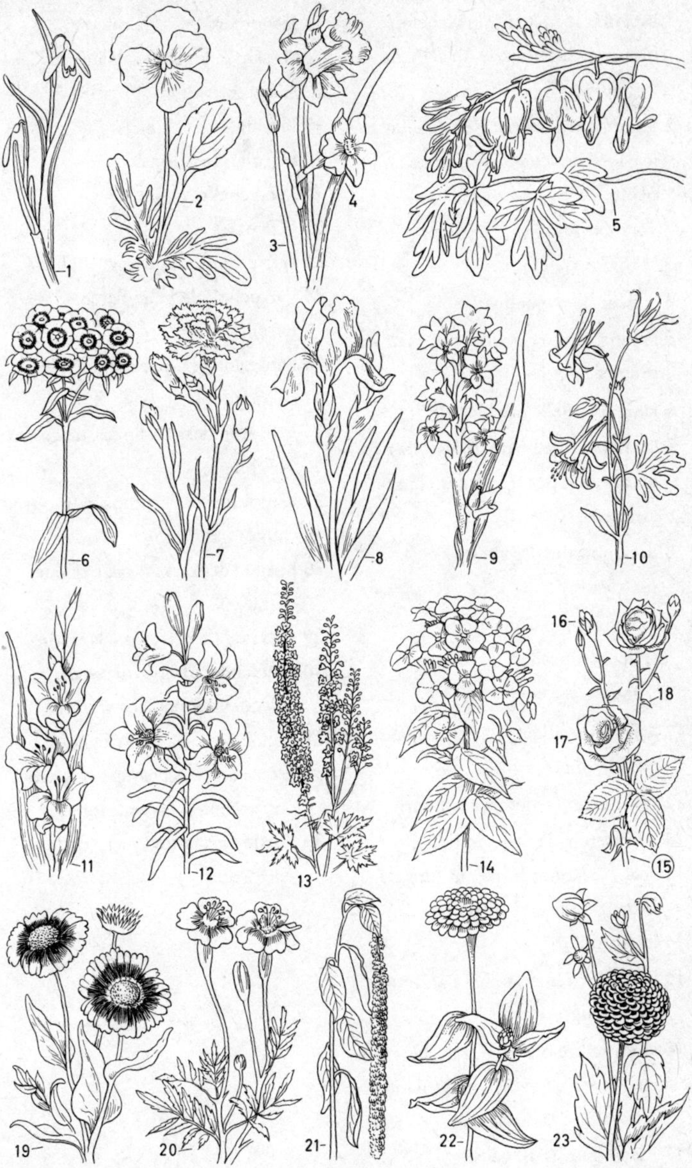
1
2
3
4
5
6
7
8
9
10
11
12
13
14
15
16
17
18
19
20
21
22
23

63 Mauvaises herbes

1 la centaurée bleuet (le bleuet des blés *m*, le barbeau, le bluet), une centaurée

2 le pavot coquelicot (le coquelicot, le pavot des champs *m*), une plante de la famille des papavéracées *f*:

3 le bouton

4 la fleur de coquelicot *m*

5 la capsule de coquelicot *m* avec les graines *f*;

6 la nielle (nielle des blés *m*)

7 le chrysanthème des moissons *f* (la marguerite des blés *m*), un chrysanthème

8 la camomille des champs *m* (la matricaire)

9 la bourse-à-pasteur (la boursette, la capselle):

10 la fleur

11 le fruit (la silicule) en forme *f* de petite bourse *f*;

12 le séneçon (séneçon commun)

13 le pissenlit (la dent-de-lion); *anal.:* le léontodon d'automne *m*, la dent-de-lion d'automne *m*:

14 le capitule

15 les fruits (les akènes *m* à aigrettes *f*, akènes aigrettés);

16 le sisymbre officinal (l'herbe - aux-chantres *f*, le vélar), une plante de la famille des crucifères *f*

17 l'alysson *m* (l'alysse *m*)

18 la moutarde des champs *m* (la sanve, le sénevé, la moutarde sauvage):

19 la fleur

20 le fruit, une silique;

21 la ravenelle:

22 la fleur

23 le fruit, une silique;

24 l'arroche *f* (la belle-dame, la follette)

25 l'ansérine *f* (la patte-d'oie *f*, le chénopode)

26 le liseron des champs *m*, une plante volubile

27 le mouron des champs *m* (mouron rouge)

28 l'orge *f* des rats *m* (orge queue-de-rat *m*)

29 l'ivraie *f* (le ray-grass, la vorge)

30 le chiendent rampant; *anal.:* chiendent des chiens *m*

31 la galinsoge (la galinsogée)

32 le chardon des champs *m* (chardon argenté), un chardon

33 l'ortie *f* brûlante (petite ortie), une ortie

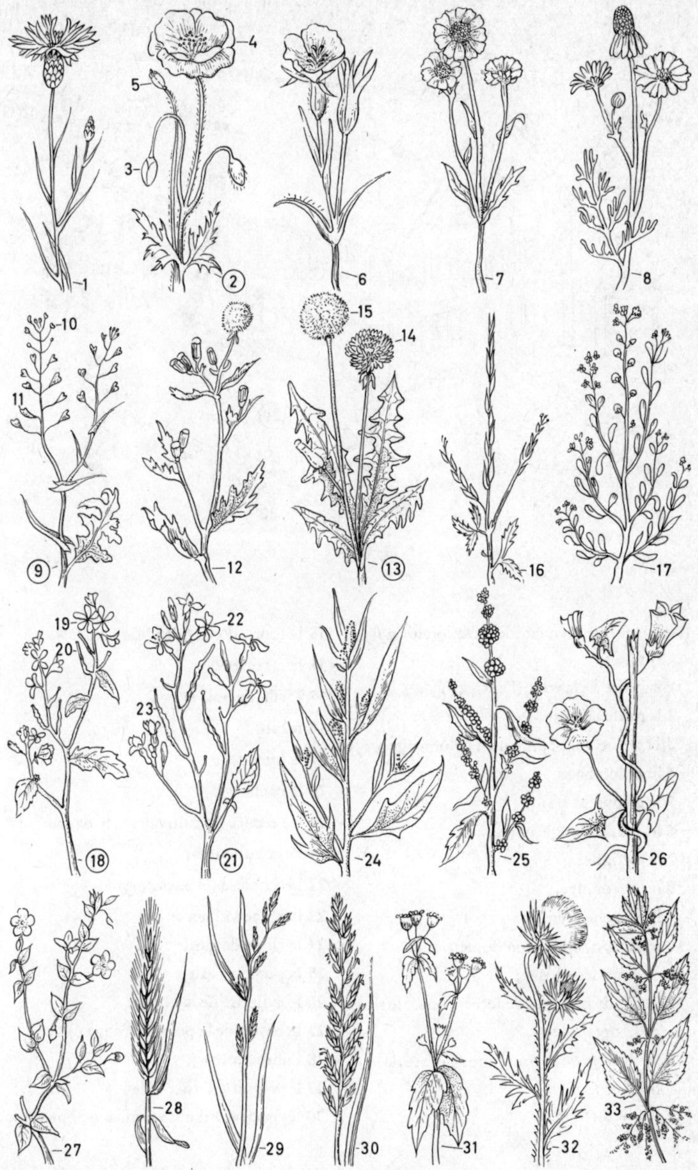
1
2
3
4
5
6
7
8
9
10
11
12
13
14
15
16
17
18
19
20
21
22
23
24
25
26
27
28
29
30
31
32
33

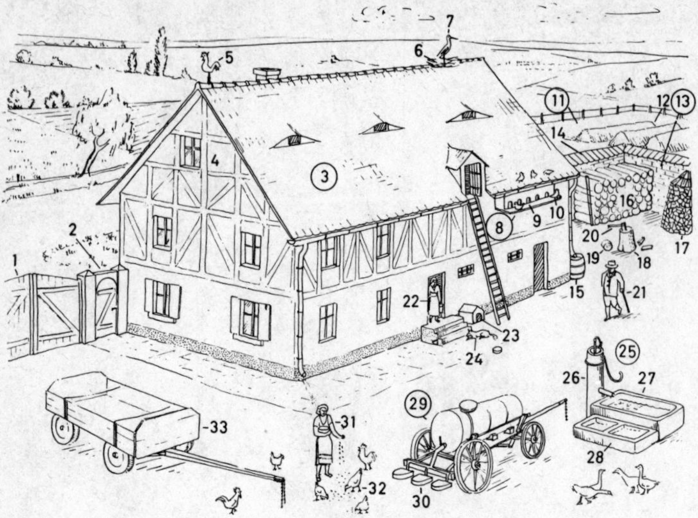

1-60 la ferme (la métairie, l'exploitation *f* rurale):

1 la porte de la cour (l'entrée *f*)

2 la porte latérale

3 la ferme, un bâtiment en colombage *m*:

4 le colombage

5 la girouette

6 le nid de cigognes *f*:

7 la cigogne;

8 le pigeonnier:

9 la planche d'envol *m*

10 le pigeon, un pigeon domestique;

11 la cour des silos *m*:

12 le silo de pommes de terre *f*; *anal.*: le silo de betteraves *f*;

13 la murette de la cour, une murette de briques *f*:

14 le toit du mur;

15 la tonne d'eau *f* de pluie *f*

16 le tas de bois *m*

17 le silo de bois *m*

18 le billot

19 la bûche

20 la hache

21 le fermier (le cultivateur, le paysan, l'agriculteur *m*)

22 la fermière (la paysanne)

23 la niche à chien *m*

24 le chien de garde *f*

25 la pompe à eau *f*:

26 le cylindre de la pompe

27 le bassin de la pompe (l'auge *f*)

28 l'abreuvoir *m*;

29 le wagon-citerne:

30 les godets *m* d'abreuvoir *m* automatique;

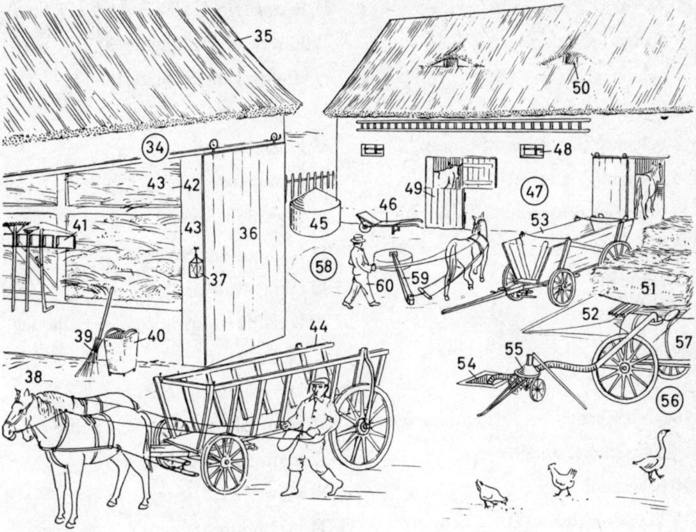

31 la fille de ferme *f*

32 la volaille

33 la voiture à roues *f* caoutchoutées (la remorque à pneus *m*)

34 la grange:

35 le toit de chaume *m*; *anal.* : le toit de roseau *m*

36 la porte de grange *f*

37 la lanterne d'écurie *f*

38 l'aire *f*

39 le balai de brindilles *f*

40 le panier (la hotte), un panier d'osier *m*

41 le râtelier à outils *m*

42 la lassière (le las)

43 les céréales *f*;

44 le chariot pour la moisson, un chariot à ridelles *f*

45 le silo à fourrage *m*

46 la brouette à fumier *m*

47 l'étable *f*; *variétés* : l'écurie *f* pour les chevaux *m*, la porcherie pour les porcs *m*, l'étable pour les vaches *f*, la bergerie pour les moutons *m*, l'étable aux chèvres *f*:

48 la fenêtre d'étable *f*

49 la porte à deux parties *f*, une porte d'étable *f*

50 la lucarne;

51 le fumier

52 l'aire *f* du fumier

53 le chariot à fumier *m*, un chariot à bords *m*

54 la fosse à purin *m*

55 la pompe à purin *m*

56 la tonne à purin *m*

57 le tonneau à purin *m*

58 le manège à un cheval:

59 le bras du manège;

60 le valet de ferme *f*

1-46 travaux *m* des champs *m* (travaux agricoles):
1 la jachère
2 la borne cadastrale
3 la lisière (la limite du champ)
4 le champ (la terre)
5 l'ouvrier *m* agricole (le journalier)
6 la charrue
7 la motte
8 le sillon
9 la pierre extraite du champ labouré
10-12 les semailles *f* (l'emblavage *m*, l'ensemencement *m*):
10 le semeur
11 le tablier (le sac) de semeur *m* (le semoir)
12 la graine de semence *f* (les semences);
13 le garde champêtre
14 l'engrais *m* chimique (engrais artificiel); *var.:* engrais potassique, engrais phosphaté, engrais de chaux *f*, engrais azoté
15 la charretée de fumier *m*
16 l'attelage *m* de bœufs *m*
17 la campagne
18 le chemin vicinal
19-24 la moisson (la récolte de blé *m*, récolte de céréales *f*):
19 le champ de céréales *f*; *var.:* champ de seigle *m*, champ de blé *m*, champ d'orge *f*, champ d'avoine *f*
20 le chaume
21 la meulette (le tas de gerbes *f*)
22 le gerbier [vingt gerbes] (la double rangée de gerbes *f*)
23 la gerbe:
24 le lien de paille *f*;
25 le tracteur
26 la grange ouverte
27 la meule de céréales *f*
28 la meule de paille *f*
29 la paille comprimée, une balle de paille *f*
30 la presse à paille *f*:
31 la gueule de la presse à paille *f*
32 le dispositif d'amenée *f*
33 l'appareil *m* lieur
34 le conduit presseur;
35-43 la fenaison; *la deuxième récolte:* le regain:
35 le pré
36 la meule de foin *m*
37 le tas de foin *m*
38 les perroquets *m* (les fanoirs *m* de Suède)
39 le chevalet à sécher le foin (chevalet à faner)
40 l'andain *m*
41 le chariot à foin *m*
42 le fanoir (le carcal, le siccateur) à traverses *f*
43 le fanoir (le carcal, le siccateur) en pyramide *f*;
44 le drain
45 le canal d'écoulement *m*
46 le champ de raves *f*

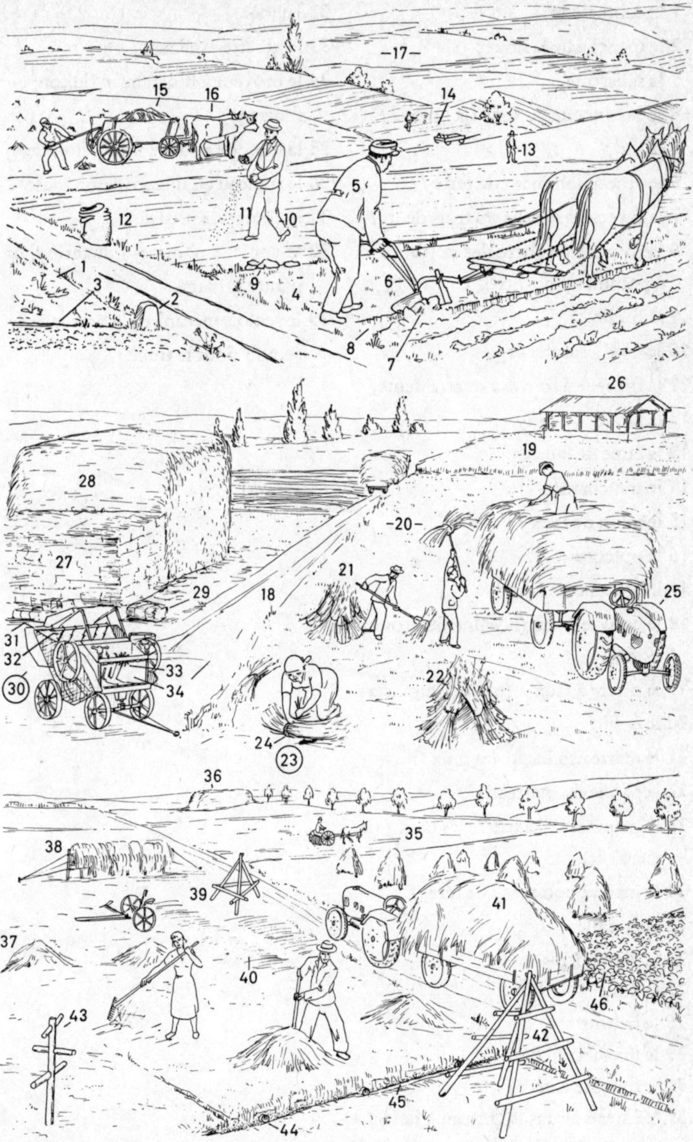
-17-
15
16
14
13
5
12
11
10
1
3
9
4
6
2
8
7
26
19
28
-20-
27
21
29
18
25
31
32
33
30
34
22
24
23
36
35
38
39
41
37
40
46
43
42
45
44

1 la subraclette:
2 le manche de la houe;
3 la ratissoire
4 le rayonneur butteur (la butteuse):
5 le soc;
6 le croc à pommes *f* de terre *f*
7 la fourche à fumier *m* à trois dents *f*
8 la fourche à tubercules *m* (fourche à pommes *f* de terre *f*)
9 la bêche
10 le croc à fumier *m*
11 la fourche à foin *m* à quatre dents *f*
12 la faux:
13 la lame de faux *f*
14 le tranchant
15 le talon de faux *f*
16 la potence
17 le manche de faux *f*;
18 le couvre-lame (la gaine de protection *f*)
19 la pierre à faux *f* (pierre à aiguiser)
20 le coffin
21 le marteau à battre les faux *f*:
22 la panne du marteau;
23 l'enclumette *f* à battre les faux *f* (le chaploir)
24 la griffe à pommes *f* de terre *f*
25 la faucille
26 le panier à plants *m*
27 le fléau:
28 le battoir
29 le manche du fléau;
30 la fourche à bêcher
31 le râteau à bras *m* (râteau à faner, râteau à foin *m*)
32 la houe
33 la binette sarcleuse
34 le broyeur à fourrage *m* (le coupe-fourrage)
35 la fourche arracheuse à betteraves *f*
36 le rouleau cisailleur (la tondeuse)
37 le couteau à pied *m*
38 le panier à pommes *f* de terre *f*, un panier grillagé
39 le semoir mécanique à bras *m*, un semoir pour le trèfle

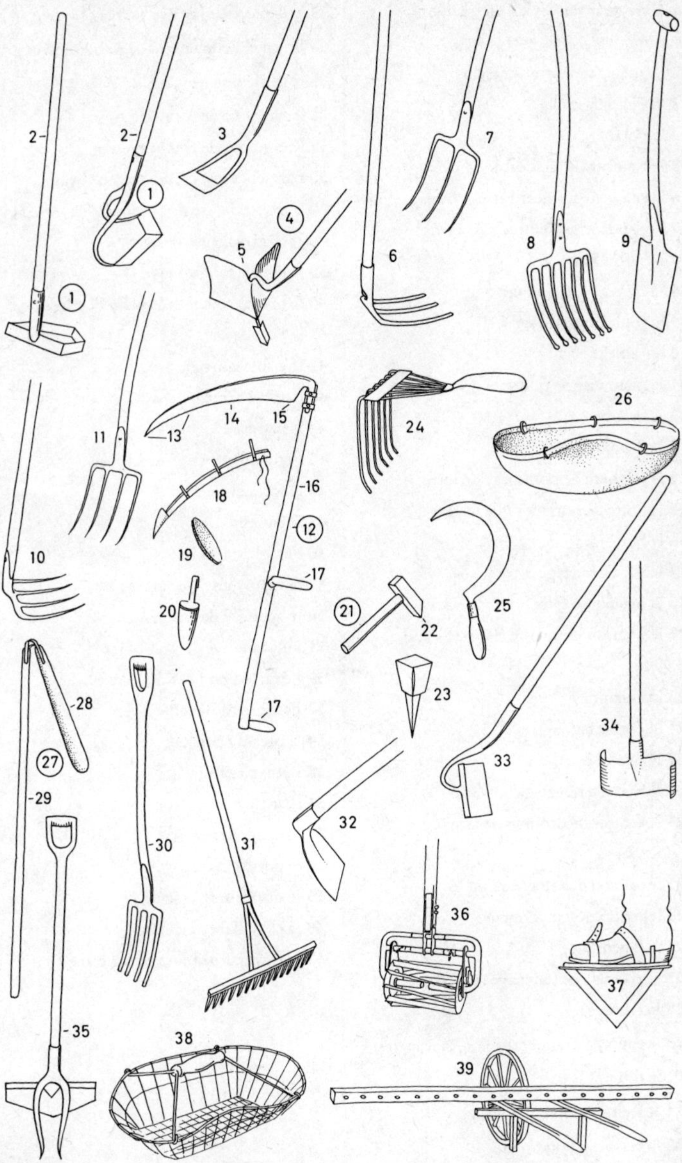
1
2
3
4
5
6
7
8
9
10
11
12
13
14
15
16
17
18
19
20
21
22
23
24
25
26
27
28
29
30
31
32
33
34
35
36
37
38
39

1 le tracteur universel, un tracteur-porteur:
2 le pneu profilé tout-terrain
3 le siège élastique
4 le volant;
5 le traînoir (le traîneau):
6 le cercle de traînoir brise-mottes;
7 l'épandeur *m* d'engrais *m*; *anal.*: le semoir à la volée:
8 le caisson d'épandage *m*;
9 le rouleau agricole:
10 le rouleau;
11 la planteuse de pommes *f* de terre:
12 la rasette
13 le disque butteur
14 la glissière de pommes *f* de terre
15 la hotte de pommes *f* de terre;
16 le buttoir:
17 le soc de buttage *m*;
18 la machine à faire les poquets *m*:
19 le plantoir circulaire (la roue à cuillères *f*)
20 le versoir;
21 le râteau faneur:
22 le râteau courbe
23 la dent de râteau *m*;
24 le semoir mécanique (semoir en ligne *f*):
25 le caisson de semence *f*
26 les coutres *m* rayonneurs;
27 la faucheuse:
28 les lames *f* de fauchage *m*;
29 la faneuse:
30 la fourche à faner (la foine, la foinette, la fouine)
31 le frein à pédale *f* blocable
32 le ressort à boudin *m*;
33 le décrotteur [de betteraves *f*] à lame *f*:
34 la boîte d'alimentation *f* de betteraves *f*
35 la grille de nettoyage *m*
36 le tambour de coupe *f*
37 le tambour de nettoyage *m*;
38 l'arracheuse *f* à crible *m* convoyeur, une arracheuse de pommes *f* de terre *f*; *var.*: arracheuse de betteraves *f*:
39 la tête de remorquage *m*
40 le branchement de la prise de force *f*
41 la glissière
42 le crible convoyeur
43 le soc d'arrachage *m*;
44 la batteuse:
45 l'engreneur *m* automatique
46 le secoueur
47 le batteur
48 l'ébarbeur *m*
49 la nettoyeuse (le tarare)
50 le cylindre de triage *m*
51 l'élévateur *m*
52 l'évacuation *f* des déchets *m*
53 l'arbre *m* de la table de secouage *m*
54 la presse à paille *f*;
55 l'étuve *f* à fourrage *m*:
56 le socle
57 le cendrier
58 le portillon du foyer
59 le dispositif à bascule *f*
60 la chaudière basculante
61 la traverse de blocage *m* à came *f*

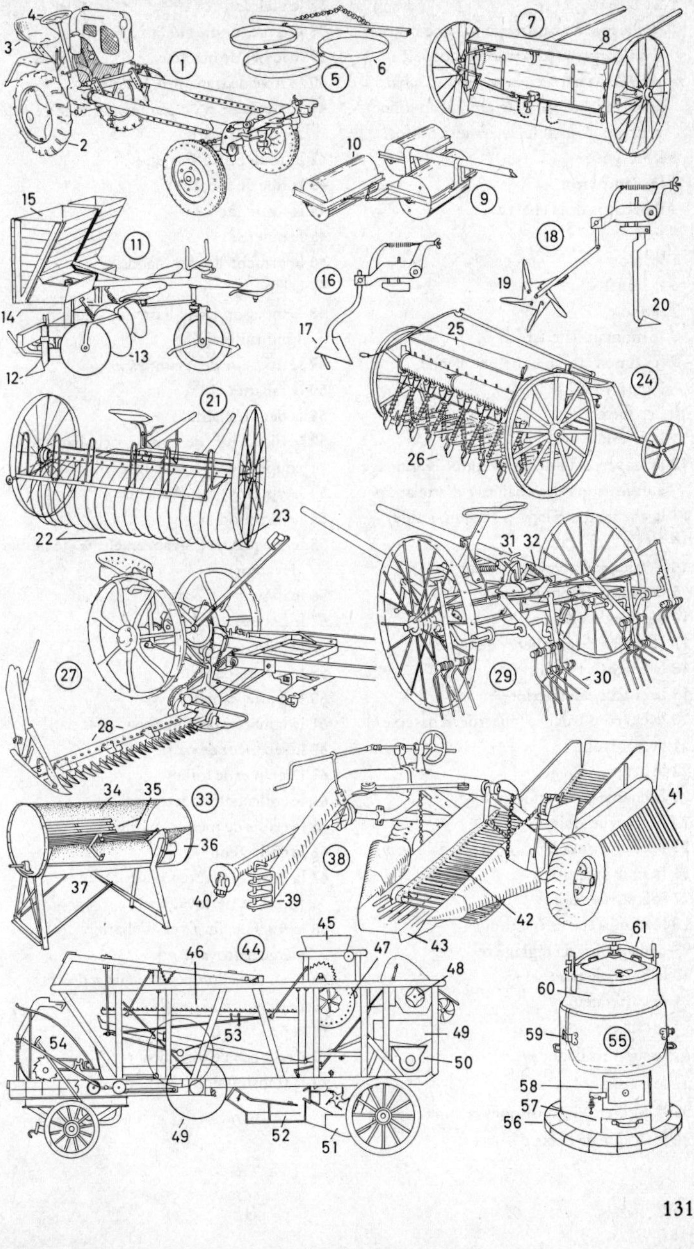
1
2
3
4
5
6
7
8
9
10
11
12
13
14
15
16
17
18
19
20
21
22
23
24
25
26
27
28
29
30
31
32
33
34
35
36
37
38
39
40
41
42
43
44
45
46
47
48
49
50
51
52
53
54
55
56
57
58
59
60
61

1-34 charrues *f*,
1 la charrue à avant-train *m*, une charrue à un corps *m* (charrue monosoc); *variétés :* charrue à avant-train, charrue araire à sabot *m* (charrue brabançonne), charrue réversible, charrue à butter:
2 la poignée
3 le mancheron
4-8 le corps de la charrue:
4 le versoir
5 le talon
6 la semelle
7 le soc
8 le montant (l'étançon *m*);
9 le timon (la perche, la flèche, l'age *m*)
10 le coutre
11 la rasette
12 la traverse d'attelage *m* pour le guidage automatique des chaînes *f* d'attelage *m*
13 la chaîne d'attelage *m* (chaîne-guide)
14-19 l'avant-train *m*:
14 l'étrier *m* (la travée, le joug)
15 la roue de support *m*
16 la roue de sillon *m*
17 la chaîne de crochet *m* de traction *f*
18 la barre de traction *f*
19 le crochet de traction *f*;
20 la charrue-balance (charrue *f* à bascule *f*):
21 la manivelle
22 le pivot
23 la chaîne de traction *f*;
24 la charrue araire:
25 le coutre circulaire (coutre à disque *m*)
26 la roue support;
27 la charrue araire:
28 le régulateur de traction *f*
29 le dispositif de réglage *m*
30 la barre de traction *f*;
31 le cultivateur:
32 le châssis
33 le support de soc *m*
34 le cœur;
35 le pulvériseur à disques *m*, une herse:
36 le disque de herse *f*
37 le racloir
38 le siège monté sur lame *f*
39 le levier de manœuvre *f*
40 la roue de transport *f* relevée;
41 l'arracheur *m* de pommes *f* de terre *f* (le fouilleur rotatif):
42 la roue porte-fourches
43 la tige de fourche *f*
44 la fourche;
45 la bineuse:
46 le manche de commande *f*
47 la lame;
48 la moissonneuse-batteuse [section longitudinale]:
49 le diviseur de chaumes *m*
50 le rabatteur
51 la dent réglable
52 le dispositif de coupe *f* (la barre *f* de coupe *f*) et le releveur d'épis *m*
53 la vis sans fin *f* d'amenée *f*
54 la direction
55 le dispositif d'avancement *m* (le tablier élévateur)
56 le moteur
57 le batteur
58 la batte
59 le contre-batteur
60 la grille-panier
61 le tambour de guidage *m* de la paille
62 le secoueur de paille *f*
63 l'écran *m* de toile *f*
64 le collecteur de retour *m*
65 le crible de menues pailles *f*
66 le collecteur
67 la buse de tuyère *f* d'aspiration *f* [premier nettoyage *m*]
68 la vis sans fin *f* vers l'ébarbeur *m* [deuxième nettoyage *m*]
69 la vis sans fin *f* de releveur *m* d'épis *m*
70 l'éjecteur *m* de paille *f*
71 la presse à paille *f*
72 l'essieu *m* de direction *f*
73 la transmission

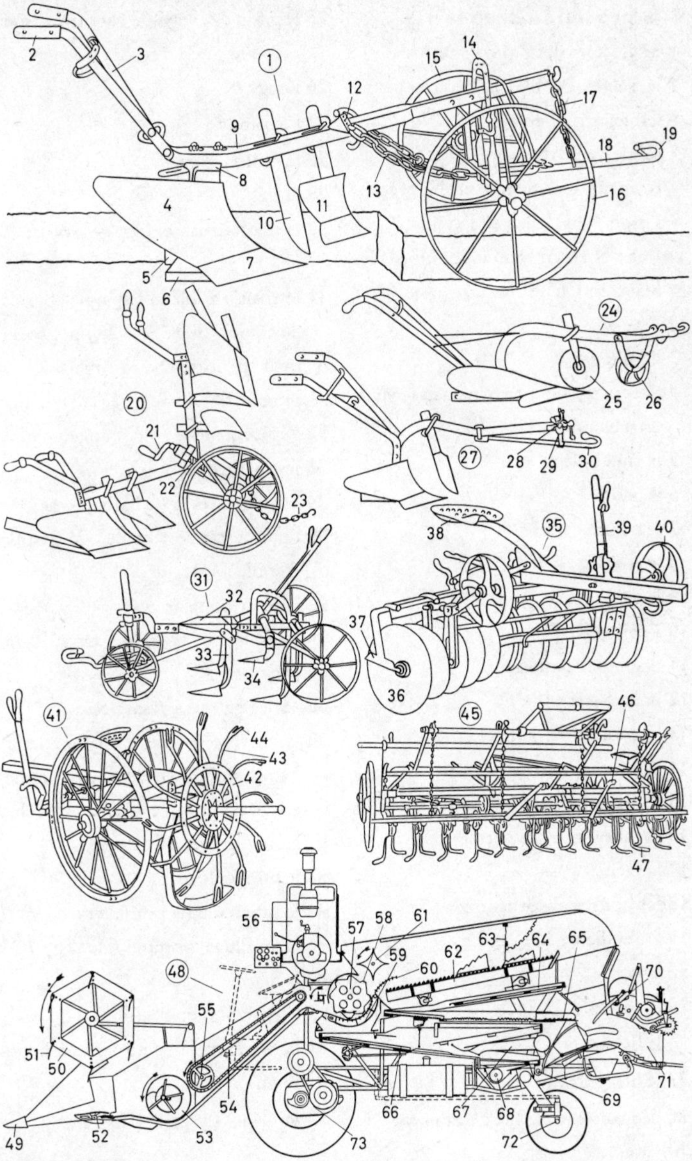

1
2
3
4
5
6
7
8
9
10
11
12
13
14
15
16
17
18
19
20
21
22
23
24
25
26
27
28
29
30
31
32
33
34
35
36
37
38
39
40
41
42
43
44
45
46
47
48
49
50
51
52
53
54
55
56
57
58
59
60
61
62
63
64
65
66
67
68
69
70
71
72
73

1-45 produits *m* **de la terre,**

1-37 les céréales *f* (les grains *m*),

1 le seigle (le blé, la céréale panifiable, en Allemagne du Nord: le seigle, en Allemagne du Sud: le froment, en Suède et Norvège: l'orge *f* , en Écosse: l'avoine *f*, en Italie et en Amérique du Nord: le maïs, en Chine: le riz):

2 l'épi *m*

3 l'épillet *m*

4 l'ergot *m*, un grain parasité par un champignon;

5 la tige tallée:

6 la paille

7 le nœud

8 la feuille

9 la gaine;

10 l'épillet *m*:

11 la glumelle inférieure

12 la barbe (l'arête *f*)

13 le grain (le caryopse);

14 le grain germé (la plantule):

15 le grain [contenant l'albumen *m*]

16 l'embryon *m* (le germe)

17 la racine

18 les poils *m* absorbants;

19 la feuille de blé *m*:

20 le limbe

21 la gaine

22 la ligule;

23 le blé (le froment)

24 l'épeautre *m* (le blé à grains *m* vêtus):

25 le grain de blé *m* (le caryopse); *non mûri :* le grain vert des potages *m*;

26 l'orge *f*

27 l'avoine *f*

28 le millet

29 le riz:

30 le grain de riz *m* [*non décortiqué*: le paddy];

31 le maïs (le blé d'Espagne, blé de Turquie; *variétés :* le popcorn, maïs dent-de-cheval, maïs à gousse *f*, maïs tendre:

32 l'épi *m* femelle *f* (le spadice)

33 les spathes *f*

34 les stigmates *m* (la barbe)

35 l'inflorescence *f* mâle (la grappe d'épillets *m*);

36 l'épi *m* de maïs *m*

37 le fruit (le grain de maïs *m*, le caryopse);

38-45 les cultures *f* sarclées,

38 la pomme de terre, un tubercule; *formes :* ronde, ovale, plate, longue, en haricot *m*; *couleurs :* blanche, jaune, rouge, violette:

39 le tubercule mère

40 le tubercule (la pomme de terre)

41 la feuille de pomme *f* de terre *f*

42 la fleur

43 le fruit non comestible;

44 la betterave à sucre *m*, une betterave:

45 la racine pivotante

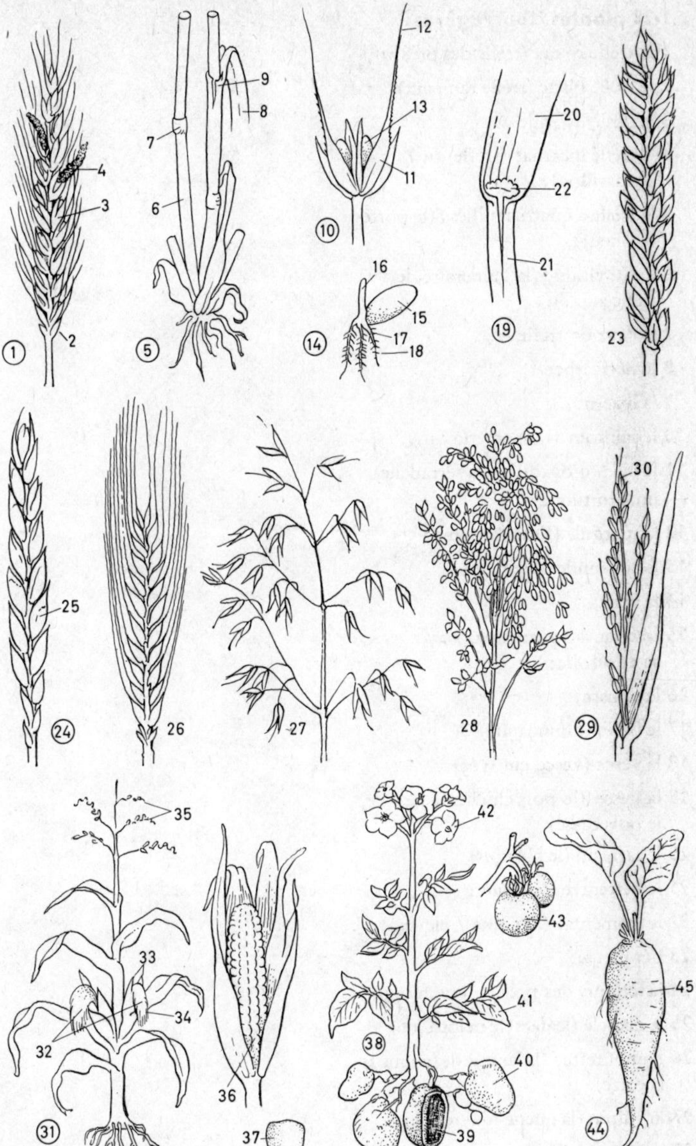
1
2
3
4
5
6
7
8
9
10
11
12
13
14
15
16
17
18
19
20
21
22
23
24
25
26
27
28
29
30
31
32
33
34
35
36
37
38
39
40
41
42
43
44
45

1-28 plantes *f* fourragères:

1 le trèfle rouge (trèfle des prés *m*)

2 le trèfle blanc (trèfle rampant)

3 le trèfle hybride

4 le trèfle incarnat (trèfle du Roussillon):

5 le trèfle à quatre feuilles *f* (le porte-bonheur);

6 l'anthyllide *f* (la vulnéraire, le trèfle jaune):

7 la fleur de trèfle *m*

8 le péricarpe;

9 la luzerne

10 le sainfoin (l'esparcette *f*)

11 le pied-d'oiseau *m* (la serradelle), un ornithope

12 la spergule (l'espargoute *f*)

13 la consoude officinale:

14 la fleur;

15 la fève des marais *m*; *anal.:* la féverolle:

16 la gousse;

17 le lupin (lupin jaune)

18 la vesce (vesce cultivée)

19 la gesse (le pois chiche, la jarosse, le pois cassé)

20 le sarrasin (le blé noir)

21 la betterave fourragère

22 le fromental (l'avoine *f* élevée):

23 l'épillet *m*;

24 la fétuque des prés *m*, une fétuque

25 le dactyle (le dactyle pelotonné)

26 l'amourette *f* (la langue de femme *f*, la brize)

27 le vulpin (la queue-de-renard)

28 la pimprenelle

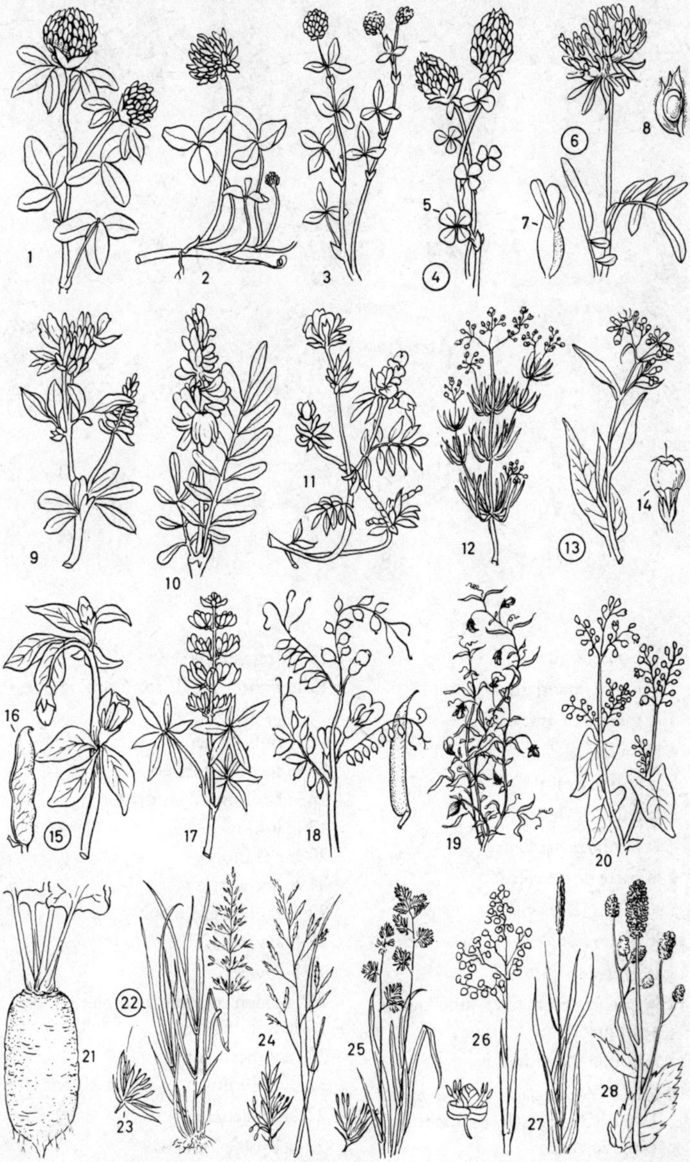
1
2
3
4
5
6
7
8
9
10
11
12
13
14
15
16
17
18
19
20
21
22
23
24
25
26
27
28

1 le bouledogue:
2 l'oreille *f* pendante
3 la gueule (le museau)
4 le mufle
5 la jambe avant
6 la patte de devant
7 la jambe postérieure
8 la patte de derrière;
9 le carlin (le mopse)
10 le boxer:
11 le garrot
12 la queue de chien *m*, une queue tronquée;
13 le collier de chien *m*
14 le caniche; *analogue et plus petit:* le petit barbet (le barbichon, le caniche nain)
15-18 terriers *m*:
15 le fox-terrier (le fox à poil *m* dur, le fox)
16 le bull-terrier
17 le scottish-terrier
18 le bedlington (le griffon);
19 le loulou
20 le pékinois
21 le chow-chow
22 le chien esquimau
23 le lévrier afghan
24 le lévrier
25 le chien courant (le limier, le pointer)
26 le dobermann
27-30 l'équipement *m* du chien:
27 la muselière
28 la brosse à chien *m*

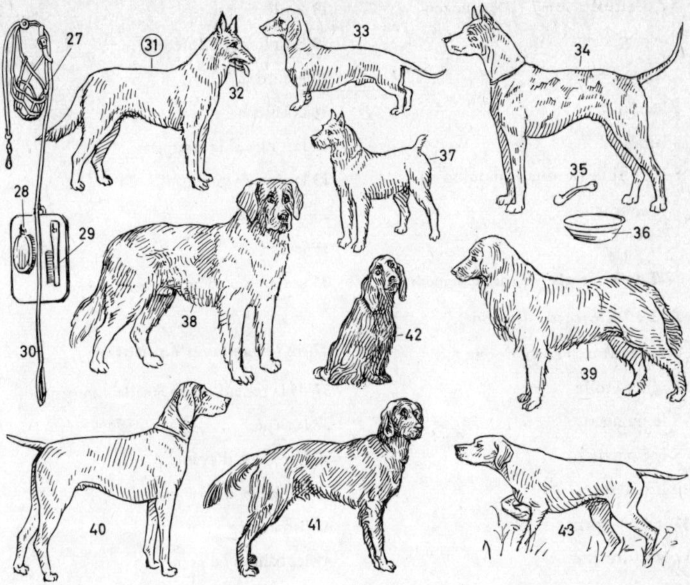

29 le peigne à chien *m*

30 la laisse;

31 le berger allemand, un chien de garde *f* et de police *f*:

32 les babines *f*;

33 le basset teckel (basset allemand), un dachshund

34 le dogue danois

35 l'os *m*

36 l'écuelle *f*

37 le griffon ratier

38 le Saint-Bernard

39 le terre-neuve

40-43 chiens *m* de chasse *f*:

40 le chien d'arrêt *m* (le braque allemand)

41 le setter, un chien d'arrêt *m*

42 l'épagneul *m* allemand

43 le pointer, un chien d'arrêt *m*

1-6 l'équitation *f* (la haute école):

1 le piaffement

2 le pas d'école *f*

3 le passage

4 la cabrade

5 la cabriole (le saut de mouton *m*)

6 la courbette;

7-25 le harnais (le harnachement),

7-13 et 25 le harnais (la bride),

7-11 le harnachement de tête *f*:

7 la muserolle

8 le montant

9 le frontal

10 la têtière

11 le sous-gorge;

12 la gourmette

13 le mors;

14 le crochet d'attelle *f*

15 le collier

16 la garniture du collier

17 la sellette (la dossière)

18 la sous-ventrière

19 le contre-sanglon porte-traits

20 la chaîne de flèche *f*

21 le timon (la flèche)

22 le trait

23 la ventrière de secours *m*

24 la bricole

25 la rêne (la guide);

26-36 le harnachement de poitrail *m*:

26 l'œillère *f*

27 l'anneau *m* de recul *m*

28 la poitrinière

29 la fourche du surcol

30 le surdos

31 la sellette

32 la longe de la croupière

33 la rêne (la guide)

34 la croupière

35 le trait

36 la sous-ventrière;

37-49 les selles d'équitation *f*,

37-44 la selle d'armes *f* (selle hongroise):

37 le siège

38 l'arçon *m* d'avant

39 l'arçon *m* d'arrière

40 le quartier

41 les bandes *f* d'arçon *m*

42 l'étrivière *f*

43 l'étrier *m*

44 la couverture de selle *f*;

45-49 la selle de chasse *f* (selle anglaise):

45 le siège

46 le pommeau

47 le quartier

48 le faux quartier

49 le troussequin;

50 et 51 les éperons *m*:

50 l'éperon *m* à pointe *f*

51 l'éperon *m* à la chevalière;

52 le mors

53 le pas d'âne *m*

54 l'étrille *f*

55 la brosse de pansage *m*

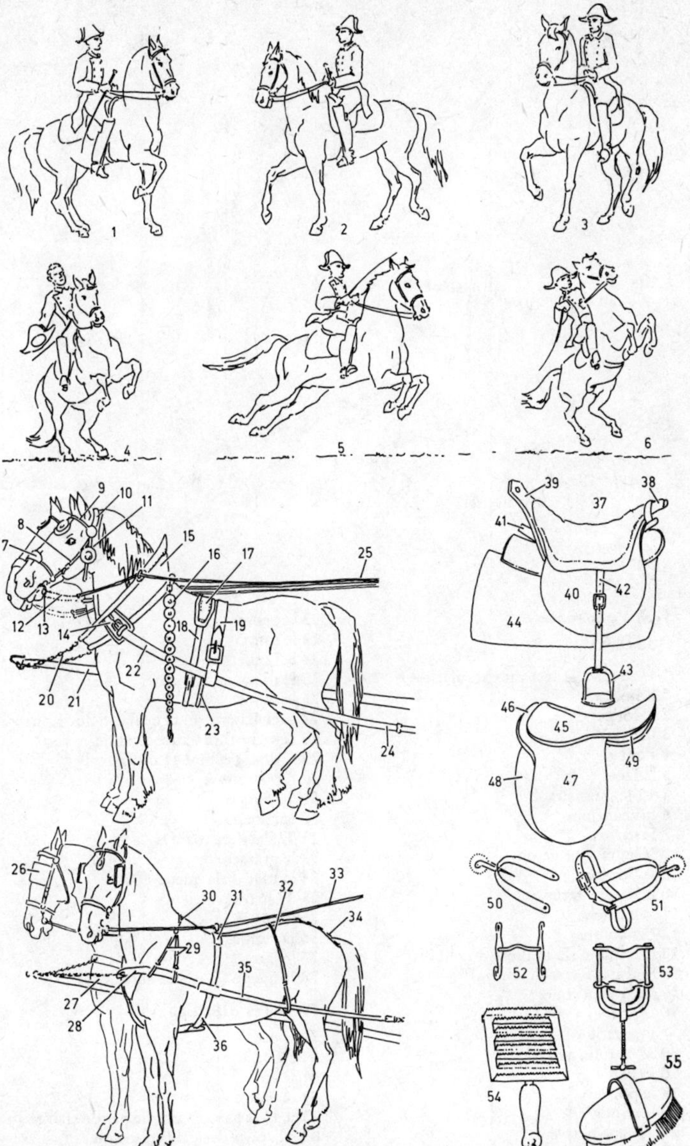
1
2
3
4
5
6
7
8
9
10
11
12
13
14
15
16
17
18
19
20
21
22
23
24
25
26
27
28
29
30
31
32
33
34
35
36
37
38
39
40
41
42
43
44
45
46
47
48
49
50
51
52
53
54
55

73 Cheval II

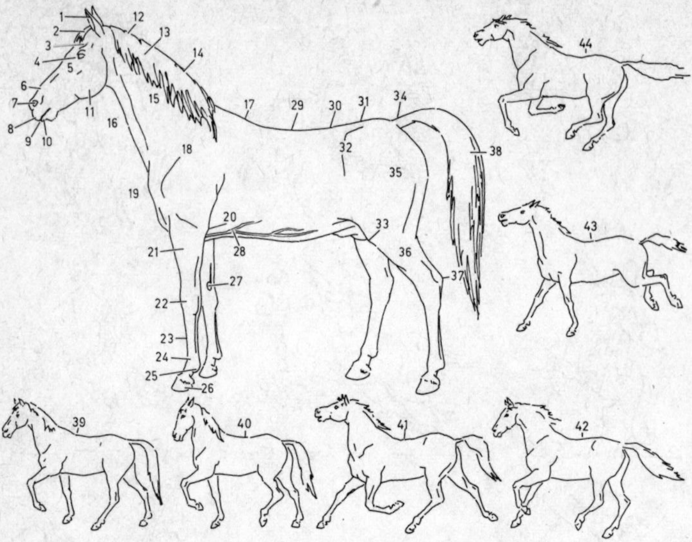

1-38 l'aspect *m*
du cheval,

1-11 la tête (la tête du cheval):
1 l'oreille *f*
2 le toupet
3 le front
4 l'œil *m*
5 la face
6-10 le museau:
6 le chanfrein
7 le naseau
8 la lèvre supérieure
9 la bouche
10 la lèvre inférieure;
11 la ganache;
12 l'encolure *f*
13 la crinière (la crinière du cheval)
14 le cou (le cou du cheval)
15 le côté du cou
16 la gorge
17 le garrot
18-27 le train avant:
18 l'épaule *f*
19 le poitrail
20 le coude
21 l'avant-bras *m*
22-26 la jambe avant:
22 le genou
23 le canon
24 le boulet
25 le paturon
26 le sabot;
27 la châtaigne du cheval, un durillon;
28 la veine thoracique externe
29 le dos (l'échine *f*) du cheval
30 les reins *m*
31 la croupe
32 la hanche
33-37 l'arrière-main *f*:
33 le grasset
34 la base de la queue
35-37 le train arrière:
35 la cuisse
36 la jambe
37 le jarret;
38 la queue (la queue du cheval);

39-44 les allures *f*:

39 le pas
40 l'amble *m*
41 le trot
42 le galop
43 et **44** le galop forcé (le pas de charge *f*):
43 à la pose des pieds *m* avants
44 à la levée des quatre fers *m*

Abr.: *m* = mâle; *ch* = châtré;
f = femelle; *p* = le petit

1 et **2** le gros bétail:

1 le boviné, une bête à cornes *f*, un ruminant; *m* le taureau; *ch* le bœuf; *f* la vache; *p* le veau

2 le cheval; *m* cheval entier (l'étalon *m*); *ch* le hongre; *f* la jument; *p* le poulain (la pouliche);

3 l'âne *m*:

4 le bât

5 la charge

6 la queue

7 la houppe de la queue;

8 le mulet (le croisement d'un âne et d'une jument)

9 le cochon, un suidé artiodactyle; *m* le verrat; *f* la truie; *p* le goret:

10 le groin

11 l'oreille *f*

12 la queue en trompette *f*;

13 le mouton; *m* le bélier, *ch* le mouton, *f* la brebis; *p* l'agneau *m*

14 le bouc (la chèvre):

15 la barbiche;

16 le chien, ici un chien berger; *m* le chien, *f* la chienne, *p* le chiot

17 le chat, un chat angora; *m* le matou

18-36 la basse-cour:

18 le lapin; *m* le bouquin; *f* la lapine

19-36 la volaille,

19-26 le poulet,

19 la poule:

20 le jabot;

21 le coq; *ch* le chapon:

22 la crête

23 l'oreillon *m*

24 le barbillon

25 les faucilles *f* de la queue

26 l'ergot *m*;

27 la pintade

28 *m* le dindon; *f* la dinde:

29 la roue;

30 le paon:

31 la plume de paon *m*

32 l'ocellation *f* (l'œil *m* de paon *m*);

33 le pigeon; *m* le pigeon; *f* la pigeonne

34 l'oie *f*; *m* le jars; *p* l'oison *m*

35 *m* le canard; *f* la cane; *p* le caneton:

36 la palmure

1-46 l'élevage *m* des poules *f*,

1 le poulailler pour la ponte:

2 la fenêtre à rabat *m*

3 le guichet à poules *f*

4 la rampe

5 la trappe à œufs *m*

6 le nid à poules *f*;

7 l'avicultrice *f*

8 la trémie automatique

9 le coq

10 le toit protégeant du soleil

11 l'aviculteur *m*

12 le mât d'éclairage *m*

13 le poulailler:

14 le perchoir

15 le crottoir

16 la litière;

17 la poule-couveuse

18 la cour aux poules *f*

19 le silo à fourrage *m* vert

20 la poule

21 le tas de sable *m*

22 la mangeoire à graines *f*

23 le grillage

24 le poteau du grillage

25 la porte grillagée

26 la fermeture automatique de la porte

27 la couveuse:

28 la couveuse artificielle

29 la litière aux poussins *m*

30 le couvoir

31 la glissière

32 la coulisse;

33 le poussin

34 la mangeoire à poussins *m*

35 le seau

36 la boîte à œufs *m*

37 l'abreuvoir *m* à poussins *m*

38 la mangeoire couverte à poussins *m*

39 la trieuse à œufs *m* et le pèse-œuf

40 la boîte pour l'expédition *f* des poussins *m*

41 le couperet à verdure *f*

42 la bague

43 la marque

44 le poulet nain (poulet de Bantam)

45 la poule pondeuse

46 la lampe à mirer les œufs *m*;

47 l'œuf *m*:

48 la coquille, un tégument d'œuf *m*

49 la membrane coquillère

50 la poche d'air *m* (la chambre à air)

51 le blanc d'œuf *m* (l'albumen *m*)

52 la chalaze

53 la membrane vitelline

54 la vésicule germinative

55 le germe

56 le sac amniotique

57 le jaune (le vitellus)

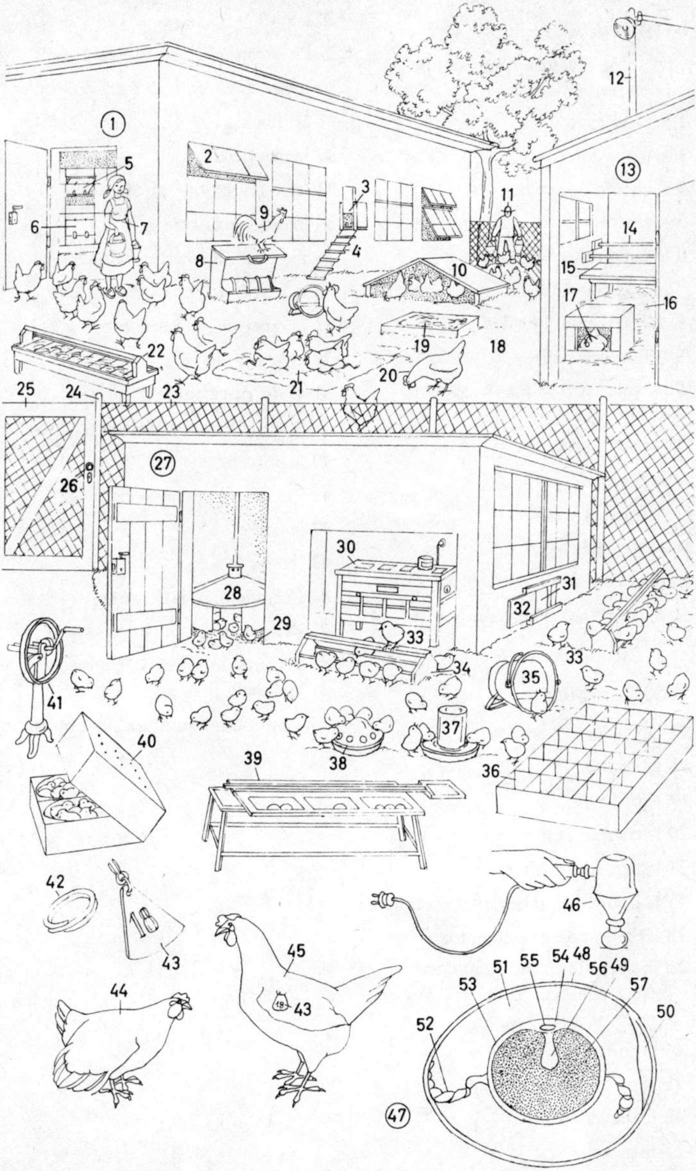
1
2
3
4
5
6
7
8
9
10
11
12
13
14
15
16
17
18
19
20
21
22
23
24
25
26
27
28
29
30
31
32
33
34
35
36
37
38
39
40
41
42
43
44
45
46
47
48
49
50
51
52
53
54
55
56
57

1-16 l'écurie *f*:

1 la lampe d'écurie *f*, une lampe portative
2 le râtelier
3 la mangeoire
4 la chaîne d'attache *f*
5 le cheval
6 le collier de cheval *m*
7 le box (la stalle)
8 le crottin de cheval *m*
9 la botte de paille *f*
10 le valet d'écurie *f* (le garçon d'écurie)
11 le joug à seaux *m* d'eau *f*
12 la litière de paille *f*
13 la fourche à paille *f*
14 le bat-flanc
15 le vétérinaire
16 la lampe tempête, une lampe à pétrole *m*;

17-38 l'étable *f*:

17 la vachère
18 la vache:
19 le pis
20 le trayon (la mamelle);
21 la rigole à purin *m*
22 la bouse de vache *f*, un excrément
23-29 la trayeuse électrique:
23 la téterelle en caoutchouc *m* (téterelle avec tube *m* à lait *m* et à air *m*)
24 le collecteur de lait *m*
25 la membrane pulsante
26 le seau à traire
27 le moteur
28 la pompe à vide *m*
29 l'indicateur *m* de vide *m*;
30 le passage d'évacuation *f* du fumier
31 la chaîne
32 la mangeoire
33 le passage pour affourager
34 le bidon à lait *m*
35 l'abreuvoir *m* automatique:
36 le bassin de l'abreuvoir *m*
37 le rabat de l'abreuvoir *m*;
38 la corne de la vache;

39-47 la porcherie:

39 la stalle aux porcelets *m*
40 le porcelet
41 l'étable *f* à cochons *m*
42 la truie
43 l'auge *f*
44 l'écoulement *m* du purin
45 l'égout *m* du purin
46 la porte de communication *f* des porcelets *m*
47 la brouette à fumier *m*, une brouette

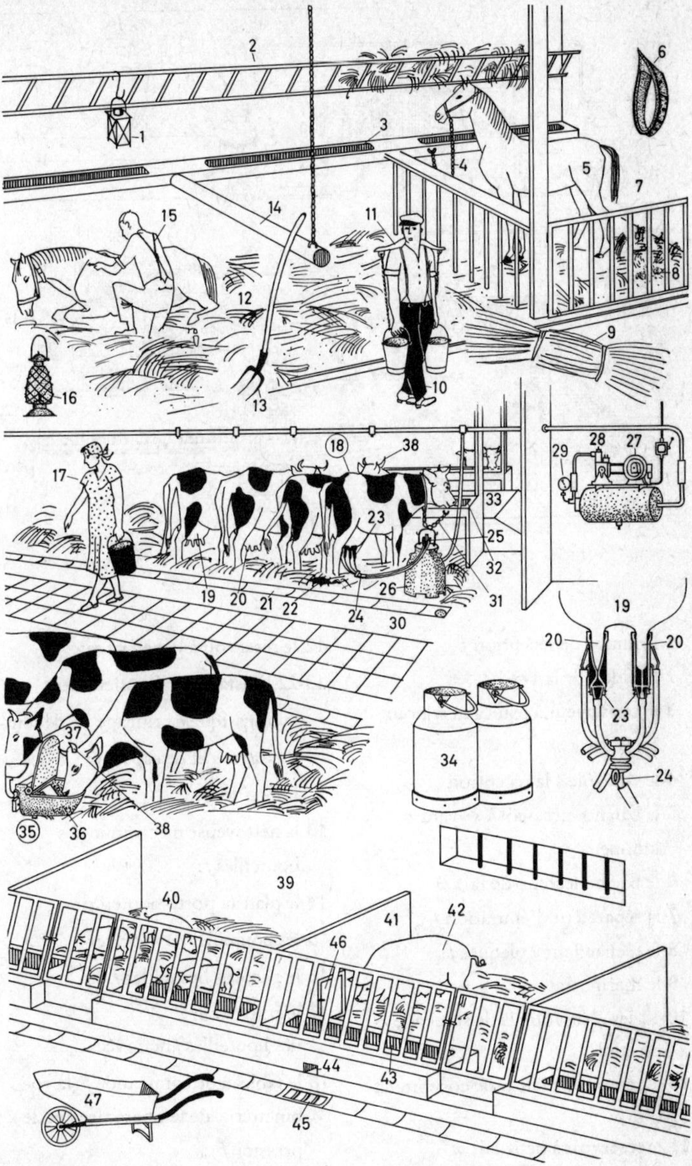
1
2
3
4
5
6
7
8
9
10
11
12
13
14
15
16
17
18
19
20
21
22
23
24
25
26
27
28
29
30
31
32
33
34
35
36
37
38
39
40
41
42
43
44
45
46
47

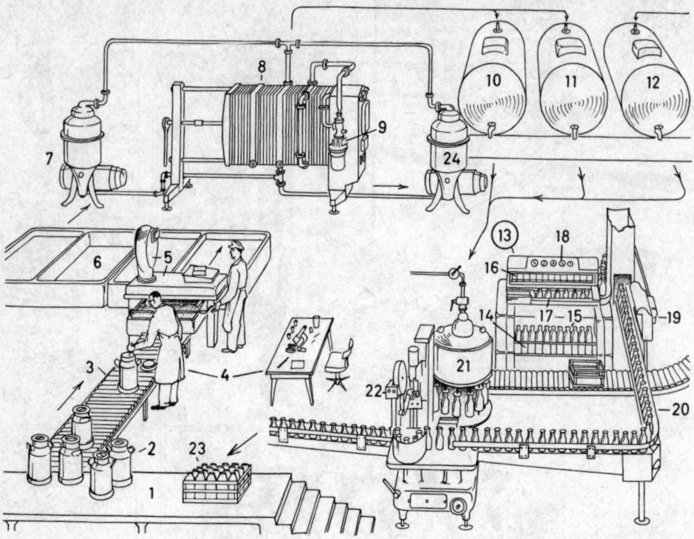

1 la rampe de réception *f*
2 le bidon de lait *m*
3 le convoyeur à rouleaux *m* pour les bidons *m*
4 le contrôle à la réception
5 la balance pèse-lait à voyant *m* lumineux
6 le bac collecteur de lait *m*
7 le séparateur d'épuration *f*
8 le réchauffeur à plaques *f*
9 le thermostat
10-12 les réservoirs *m* de stockage *m* du lait:
10 le réservoir à lait *m* de consommation *f*
11 le réservoir à petit-lait *m*
12 le réservoir à babeurre *m*;
13-22 l'installation *f* entièrement automatique de rinçage *m*, de remplissage *m* et de capsulage *m* des bouteilles *f*,
13 la nettoyeuse mécanique des bouteilles *f*:
14 le plateau porte-bouteilles
15 les bouteilles *f* à nettoyer
16 le panier à bouteilles *f*
17 le convoyeur des bouteilles *f* nettoyées
18 le tableau de commande *f* (la robinetterie de température *f* et de pression *f*);

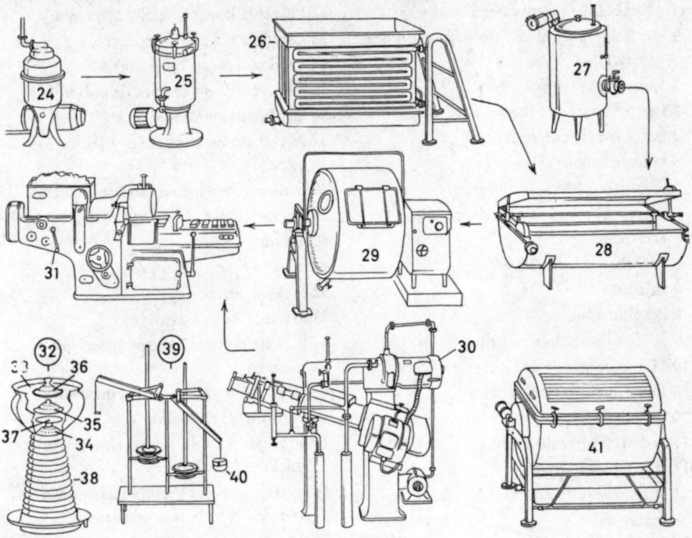

19 l'installation *f* de contrôle *m* par transparence *f*

20 la bande transporteuse de bouteilles *f*

21 la remplisseuse mécanique des bouteilles *f*

22 la capsuleuse;

23 le casier à bouteilles *f* de lait *m*

24 l'écrémeuse *f*

25 l'écrémeuse *f* centrifuge chauffante

26 le refroidisseur de crème *f*, un refroidisseur compact

27 l'appareil *m* d'acidification *f*

28 le bac de fermentation *f* de la crème

29 la baratteuse de crème *f* acide

30 la baratteuse de crème *f* douce

31 la machine à mettre en pains *m* et à empaqueter le beurre

32 le refroidisseur de lait *m* frais:

33 la bassine d'entrée *f* [en coupe]

34 la passoire fine

35 la passoire moyenne

36 la passoire à gros trous *m*

37 le disque filtrant en ouate *f*

38 le corps du refroidisseur;

39 la presse à fromage *m* à balancier *m*:

40 les poids *m*;

41 l'appareil *m* à caillebotte *f*

1-25 l'abeille *f* (la mouche à miel *m*),
1,4 et 5 les catégories *f* (les classes *f*) des abeilles *f*,
1 l'ouvrière *f* (le neutre *m*):
2 les trois ocelles *f* (les yeux *m* simples)
3 la culotte (le pollen recueilli);
4 la reine (la mère)
5 le faux bourdon (le mâle);
6-9 la patte postérieure gauche d'une ouvrière:
6 la corbeille à pollen *m*
7 la brosse
8 la griffe double
9 la ventouse adhésive (le pulvillus);
10-19 l'abdomen *m* de l'ouvrière *f*,
10-14 l'appareil *m* vulnérant:
10 la barbelure
11 le dard (l'aiguillon *m*)
12 la gaine de l'aiguillon *m*
13 le réservoir à venin *m* (la vésicule à venin *m*)
14 la glande à venin *m*;
15-19 le tube digestif:
15 l'intestin *m*
16 l'estomac *m*
17 le sphincter
18 le jabot
19 l'œsophage *m*;
20-24 l'œil *m* à facettes *f* (œil composé):
20 la facette
21 le cristallin
22 la zone sensorielle (les cellules *f* rétiniennes)
23 le filet (la fibre) du nerf optique
24 le nerf optique;
25 les squames *f* de cire *f* (les plaques *f* cirières);
26-30 l'alvéole *m* (la cellule de l'abeille *f*):
26 l'œuf *m*
27 l'alvéole *m* avec œuf *m* pondu
28 la jeune larve
29 la larve
30 la nymphe;
31-43 le rayon (le gâteau):
31 l'alvéole *m* à couvain *m*
32 l'alvéole *m* operculé avec nymphe *f*
33 l'alvéole *m* à miel *m* operculé
34 les alvéoles *m* d'ouvrières *f*
35 les alvéoles *m* à réserve de pollen *m*
36 les alvéoles *m* de mâles *m*
37 la cellule de reine mère *f* (la loge de la reine)
38 la nouvelle reine sortant de sa cellule
39 l'opercule *m*
40 le cadre
41 la patte d'écartement *m*
42 le rayon artificiel
43 le fond de cire *f* gaufrée;
44 la boîte servant à l'expédition *f* de la reine
45-50 la ruche (la caisse à cadres *m* verticaux, la housse):
45 le magasin à miel *m* avec les rayons *m* à miel
46 le compartiment réservé à la ponte avec les rayons *m* à couvain *m*
47 la grille de séparation *f*
48 le trou de vol *m*
49 la planche de vol *m*
50 la fenêtre;
51 le rucher d'ancien modèle *m*:
52 la ruche en paille *f*;
53 l'essaim *m* d'abeilles *f*
54 le filet à essaim *m*
55 le croc
56 le rucher moderne
57 l'apiculteur *m*:
58 le voile d'apiculteur *m*
59 la pipe d'apiculteur *m* (l'enfumoir *m*);
60 le rayon naturel
61 l'extracteur *m* centrifuge
62 et 63 le miel expulsé des rayons *m* par force *f* centrifuge:
62 le récipient à miel *m*
63 le pot à miel *m* en verre *m* (le bocal à miel);
64 le miel en rayon *m*
65 le rat-de-cave *f*
66 la chandelle de cire *f* (la bougie de cire)
67 la cire d'abeilles *f*
68 la pommade anti-venimeuse

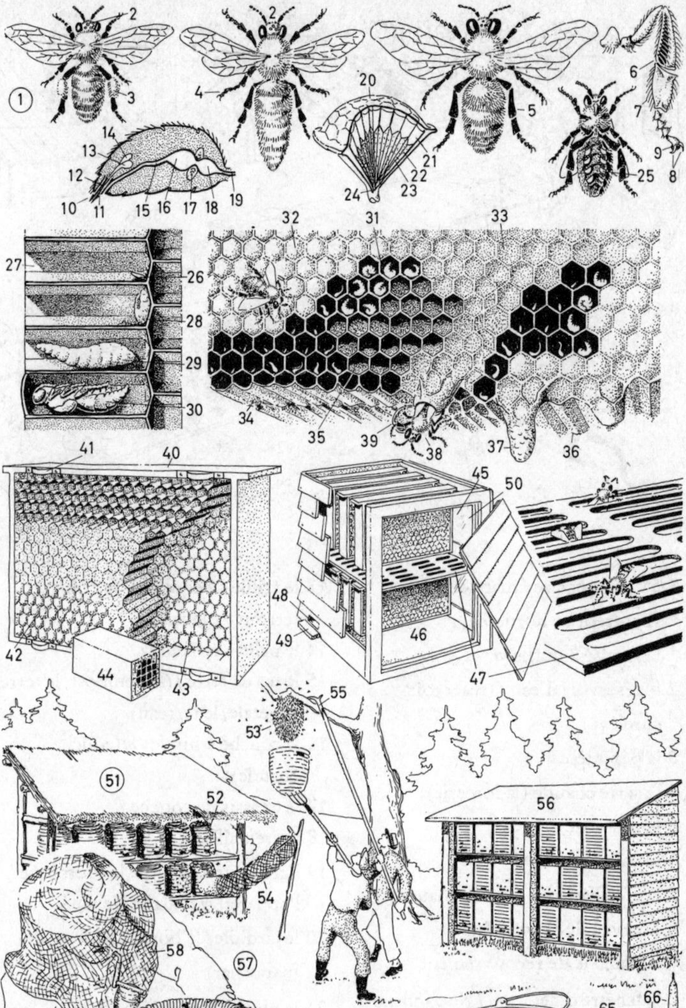
1
2
3
2
4
20
21
22
23
24
5
6
7
9
8
25
14
13
12
10
11
15
16
17
18
19
32
31
33
27
26
28
29
30
34
35
39
38
37
36
41
40
42
44
43
45
50
48
49
46
47
55
53
51
52
54
56
58
57
59
60
61
62
63
64
65
66
68
67

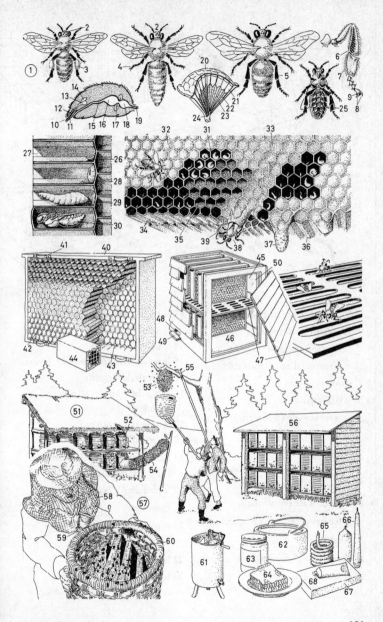

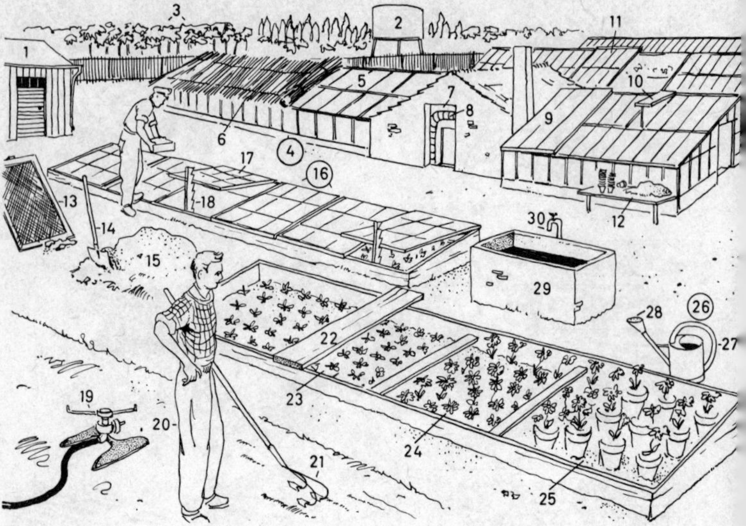

1-51 l'entreprise *f* maraîchère (l'entreprise horticole):

1 la remise à outils *m*

2 le réservoir d'eau *f* (réservoir surélevé)

3 la pépinière

4 la serre chaude (la forcerie):

5 le toit vitré

6 le paillasson

7 la chaufferie (la salle de chauffe *f*)

8 le tuyau de chauffage *m*

9 la planche de recouvrement *m*

10 la fenêtre d'aération *f* (le panneau à tabatière *f*)

11 le panneau d'aération *f* coulissant;

12 la table à empoter

13 le crible à béquille *f* (le crible à terreau *m*, le tamis)

14 la pelle à terreau *m*

15 le tas de terre *f* (le compost, la terre végétale, le terreau)

16 la couche à fumier *m* (couche chaude):

17 le châssis de couche *f*

18 la crémaillère;

19 l'arroseur *m* rotatif (le tourniquet, l'appareil *m* d'arrosage *m*)

20 le jardinier (l'horticulteur *m*, le maraîcher)

21 le piocheur multiple (le cultivateur à main *f*)

22 la passerelle

23 les jeunes plants *m* repiqués

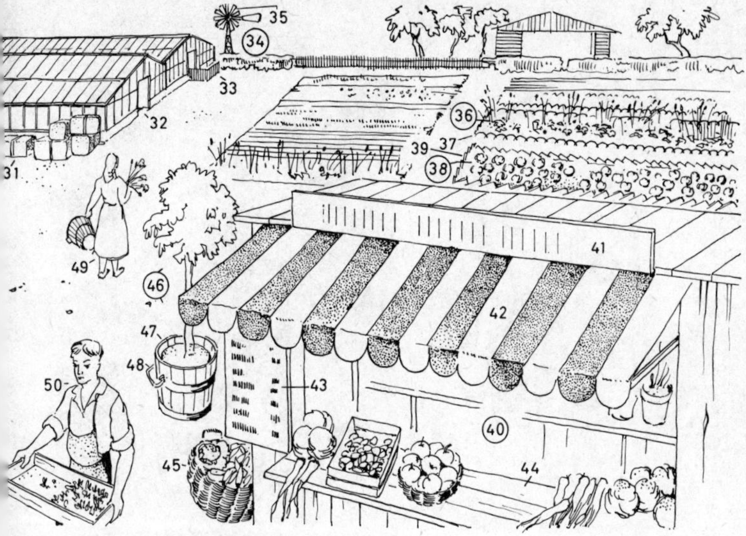

24 les fleurs *f* précoces [culture *f* forcée]

25 les plantes *f* en pots *m*

26 l'arrosoir *m* à anse *f*:

27 l'anse *f*

28 la pomme d'arrosoir *m*;

29 le bassin (le bac à eau *f*)

30 le tuyau d'eau *f*

31 la balle de tourbe *f*

32 la serre tempérée

33 la serre froide, une serre en sous-sol *m*

34 l'éolienne *f*:

35 la roue à palettes *f*;

36 la planche de fleurs *f*:

37 la bordure d'arceaux *m*;

38 la planche de légumes *m*:

39 la bordure de briques *f*;

40 la boutique de vente *f* des légumes *m*:

41 l'enseigne *f* de la maison

42 le store (le rideau, la banne)

43 le tableau d'affichage *m* des prix *m* (le prix courant) des produits *m* maraîchers

44 le comptoir de vente *f*;

45 le cageot de légumes *m*

46 la plante en baquet *m*

47 le baquet à plante *f*

48 la poignée;

49 la jardinière (la maraîchère)

50 l'aide-jardinier *m* (le commis)

51 la boîte portoir de semis *m*

1-20 la région vinicole (les coteaux *m*):

1 le vignoble pendant les vendanges *f*

2 la cabane du vigneron

3-6 le pied de vigne *f* (le cep):

3 la pousse (le sarment)

4 la vrille de vigne *f*

5 la feuille de vigne *f*

6 le raisin (la grappe de raisin *m*, les grains *m* de raisin);

7 l'échalas *m* (le piquet de vigne *f*, le paisseau)

8 le baquet à vendange *f* (la comporte)

9 la vendangeuse en train *m* de vendanger (la récolte des raisins) *m*

10 le couteau (la serpette)

11 le vigneron (le viticulteur)

12 la hotte

13 le tonneau de transport *m*

14 l'aide-vendangeur *m* versant le moût

15 la cuve à moût *m*

16 le fouloir à raisins *m*

17 la cruche (le cruchon)

18 le vendangeur

19 le calvaire

20 le château en ruine *f* (le burg);

21 la cave à vins *m* (le cellier, le chai, le chais):

22 la voûte

23 le tonneau sur chantier *m* (la barrique)

24 la cuve (la citerne à vin *m*)

25 la mise en bouteilles *f*

26 la machine à remplir les bouteilles *f*

27 la machine à boucher (le bouche-bouteilles):

28 le compresseur à bouchons *m*;

29 le bouchon de liège *m*, un bouchon pour bouteilles *f*

30 le pichet à vin *m*

31 la cave à bouteilles *f*:

32 le casier à bouteilles *f*

33 la bouteille à vin *m*

34 le panier à bouteilles *f*

35 le caviste;

36 la dégustation de vin *m*:

37 le tonneau à vin *m* (le fût)

38 le tâte-vin (la pipette)

39 le maître de chai *m*

40 le dégustateur, un connaisseur en vins *m*;

41 le foulage:

42 la presse hydraulique (le pressoir à vin *m*, le pressoir à raisins *m*):

43 le baquet à claire-voie *f*;

44 le chariot roulant

45 le jus de raisin *m*

81 Parasites (prédateurs, ravageurs) des cultures

1-19 parasites *m* des fruits *m*,

1 le bombyx disparate (le zigzag, le spongieux):

2 la ponte des œufs *m*

3 la chenille

4 la nymphe;

5 l'hyponomeute *f* du pommier, un tinéidé:

6 la larve

7 la toile (le réseau) de soie *f*

8 la chenille squelettisant la feuille;

9 la pyrale des pommes *f* (le carpocapse)

10 l'anthonome *m* du pommier:

11 le bouton floral attaqué, «le clou de girofle»

12 le trou de ponte *f*;

13 le bombyx à livrée:

14 la chenille

15 les œufs *m*;

16 la phalène défeuillante (l'hibernie *f*):

17 la chenille;

18 la mouche des cerises *f* (le rhagoletis cerasi):

19 la larve (le ver);

20-27 ravageurs *m* de la vigne,

20 le mildiou de la vigne (le faux oïdium), un champignon qui s'attaque à la feuille et la fait tomber:

21 le grain desséché (le mildiou de la grappe);

22 la tordeuse de la grappe *f*:

23 la chenille de la 1ère génération

24 la chenille de la 2ème génération

25 la nymphe (la pupe);

26 le puceron des racines *f* de la vigne, un phylloxera:

27 les nodosités *f* en forme de galle *f* sur les radicelles *f*;

28 le cul brun:

29 la chenille

30 la ponte des œufs *m*

31 le nid de feuilles *f* (le nid d'hibernation *f*);

32 le puceron lanigère, un puceron:

33 la prolifération produite par la piqûre du puceron

34 la colonie de pucerons *m*;

35 le pou de San-José, une cochenille:

36 les larves *f* mâles et femelles

37-55 ravageurs *m* des champs *m*,

37 le taupin des moissons *f*, un élatéridé, un coléoptère sauteur:

38 le ver fil de fer, une larve;

39 la puce de terre *f* (l'altise *f* des crucifères *f*)

40 la cécidomie destructive (la mouche de Hesse), un diptère gallicole:

41 la larve;

42 la noctuelle des moissons *f*, un noctuidé:

43 la nymphe

44 la chenille de la noctuelle, une chenille;

45 le silphe obscur de la betterave:

46 la larve;

47 la piéride du chou:

48 la chenille de la piéride de la rave;

49 le charançon, un curculionidé:

50 le trou du charançon;

51 l'anguillule de la betterave, un nématode

52 le doryphore:

53 la larve prête à la nymphose

54 la jeune larve

55 les œufs *m*

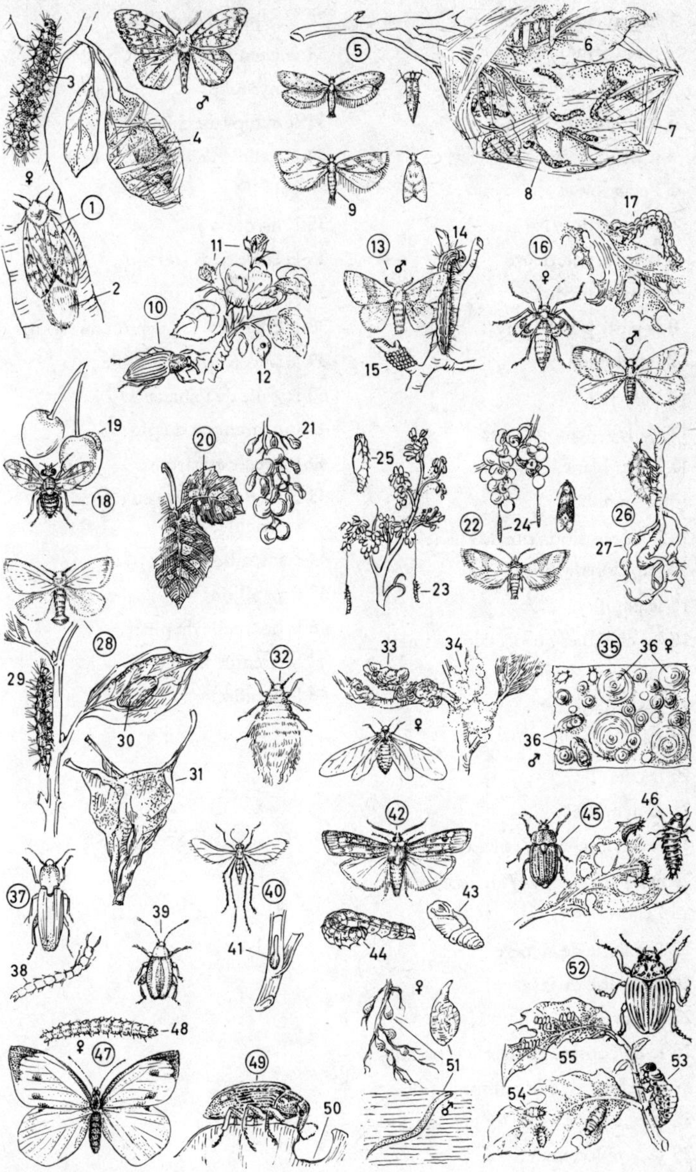
1
2
3
4
♂
5
6
7
8
9
♀
10
11
12
13
♂
14
15
16
♀
17
♂
18
19
20
21
22
23
24
25
26
27
28
29
30
31
32
33
34
♀
35
36 ♀
36
♂
37
38
39
40
41
42
43
44
45
46
47
♀
48
49
50
♀
51
♂
52
53
54
55

1 le hanneton, un coléoptère lamellicorné:
2 la tête
3 l'antenne *f*
4 le prothorax (le corselet)
5 l'écusson *m*
6-8 les pattes *f*:
6 la patte antérieure
7 la patte médiane
8 la patte postérieure;
9 l'abdomen *m*
10 l'élytre *f*
11 l'aile *f* membraneuse
12 le ver blanc, une larve
13 la nymphe;
14 la processionnaire du chêne, un papillon de nuit *f*:
15 le papillon
16 les chenilles *f* processionnaires;
17 la nonne (le moine):
18 le papillon
19 les œufs *m*
20 la chenille
21 la nymphe;
22 la bostryche de l'épicéa *m*, un ipidé,
23 et 24 les galeries *f* creusées sous l'écorce *f*:
23 la galerie de la mère
24 la galerie de la larve;
25 la larve
26 le coléoptère (l'insecte *m* parfait);
27 le sphinx du pin, un sphingidé
28 le phalène du pin, un géométridé:
29 le papillon mâle
30 le papillon femelle
31 la chenille
32 la nymphe;
33 le cynips du chêne:
34 la galle du chêne (la noix de galle *f*)
35 l'insecte *m* ailé
36 la larve dans son nid;
37 la galle du hêtre
38 le chermès (le puceron du sapin):
39 le puceron au stade ailé
40 la galle de l'ananas *m*;
41 le charançon du pin:
42 l'insecte *m* parfait;
43 la tordeuse verte du chêne, un tortricidé:
44 la chenille
45 le papillon;
46 la noctuelle du pin:
47 la chenille
48 le papillon

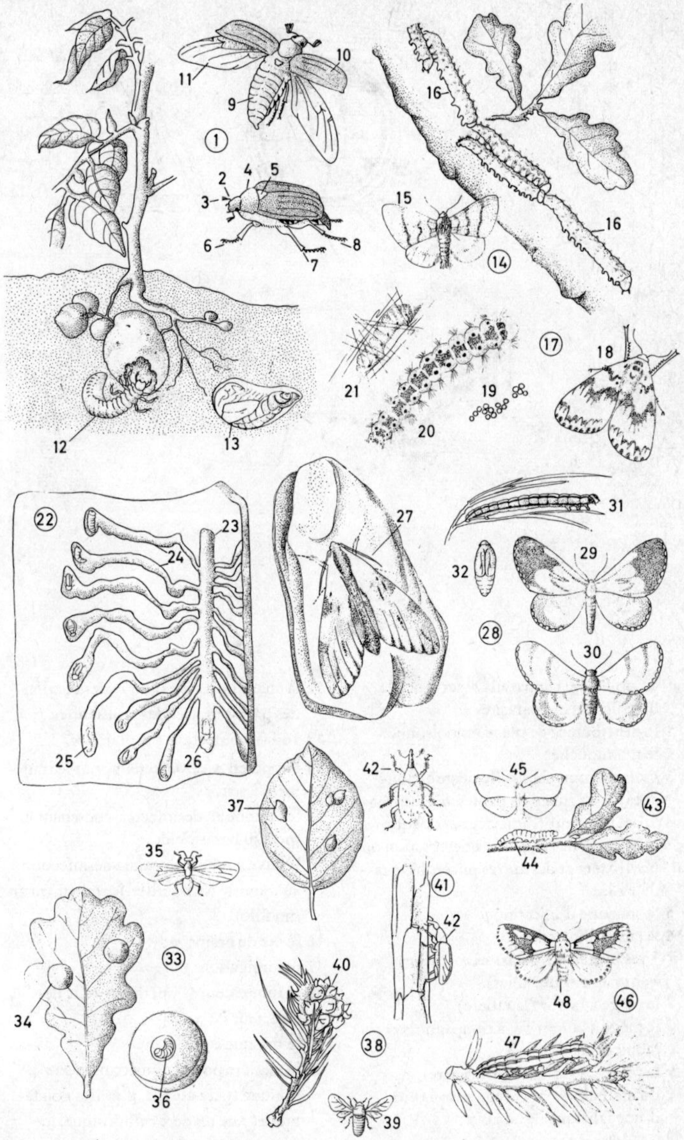
1
2
3
4
5
6
7
8
9
10
11
12
13
14
15
16
17
18
19
20
21
22
23
24
25
26
27
28
29
30
31
32
33
34
35
36
37
38
39
40
41
42
43
44
45
46
47
48

83 Lutte contre les parasites et protection des végétaux

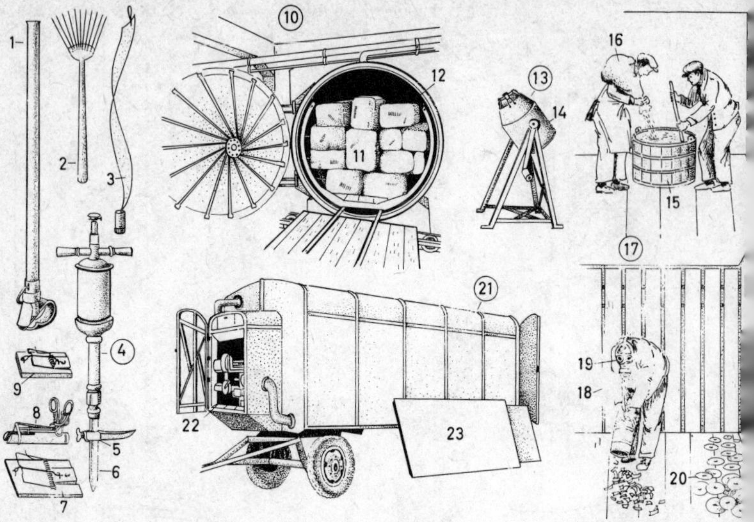

1-48 objets *m* et appareils *m* servant à la destruction des parasites *m*:
1 le distributeur de blé *m* empoisonné
2 le tue-mouches
3 l'attrape-mouches *m* (le piège à mouches *f*), un ruban de papier *m* gluant
4 le pal injecteur (l'injecteur *m* de sulfure *m* de carbone *m*), pour la destruction du phylloxéra et des autres pucerons *m* radicicoles:
5 la soupape d'injection *f*
6 la lance d'injection *f*;
7-9 les pièges *m* à parasites *m* (pièges à animaux *m* nuisibles):
7 le piège à rats *m* (la ratière)
8 le piège à taupes *f* et à campagnols *m* (la taupière)
9 le piège à souris *f* (la souricière);
10 l'installation *f* de gazage *m* sous vide d'une fabrique de tabac *m*:
11 les balles *f* de tabac *m* brut
12 la chambre à vide pour la destruction des parasites *m* et des moisissures *f*;
13-16 la désinfection des grains *m*,
13 l'appareil *m* désinfecteur pour le traitement à sec *m*:
14 le tambour à désinfecter, contenant le produit parasiticide;
15 la cuve à bouillie pour la désinfection au mouillé (la bouillie, le traitement au mouillé)
16 le sac de grains *m*;
17 la fumigation:
18 le fumigateur (l'opérateur *m*, le destructeur de parasites *m*)
19 le masque à gaz *m*
20 la matière poreuse émettant le gaz toxique (parasiticide, pastilles *f* ou tablettes *f* de matière cellulosique, imprégnées d'acide *m* cyanhydrique);

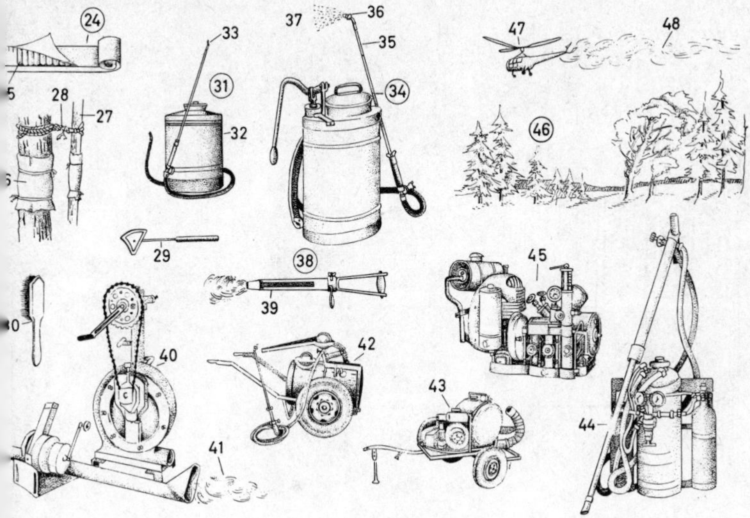

21 l'étuve *f* mobile à désinfection *f* par l'acide *m* cyanhydrique pour les plants *m* de pépinière *f*, les plants de vigne *f*, les semences *f*, les sacs *m* vides:
22 le dispositif de circulation *f* du gaz
23 le plateau;
24-45 la protection des arbres *m* fruitiers contre les insectes *m*,
24 la bande-piège:
25 le carton ondulé
26 la bande-piège de glu *f*
27 le tuteur
28 la ligature;
29 la raclette à écorcer
30 la brosse à écorcer
31 le pulvérisateur à diaphragme *m*:
32 le réservoir à produits *m* toxiques
33 la douille, une buse;
34-37 le pulvérisateur portatif pour arbres *m* fruitiers, un pulvérisateur à piston *m*; *également*: pulvérisateur de peinture *f* ou de produits *m* d'imprégnation *f*,
34 le corps de lance *f*:
35 le tube de rallonge *f*
36 la buse;
37 le liquide pulvérisé;
38 l'appareil *m* fumigène:
39 la cartouche à gaz *m*;
40 le diffuseur de gaz *m* toxiques
41 le gaz insecticide
42 le pulvérisateur à deux roues *f* pour arbres *m* fruitiers
43 le moteur à usages *m* multiples, épandeur *m*, vaporisateur *m*, pulvérisateur *m*
44 l'appareil *m* à mousse toxique
45 le groupe moto-pulvérisateur pour arbres *m* fruitiers;
46 protection *f* des forêts *f* et des plantations *f* (la pulvérisation *f* de produits *m* toxiques):
47 l'hélicoptère *m*
48 le nuage de poudre insecticide *f* (la poudre insecticide)

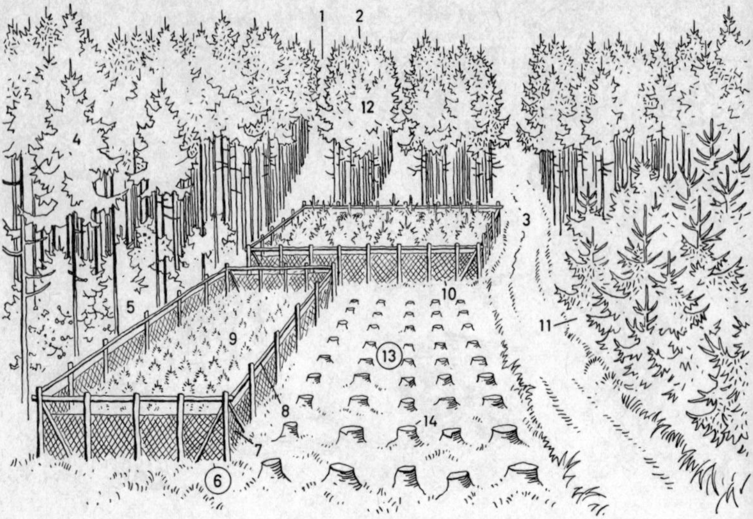

1-34 la forêt (le bois):

1 la laie (le layon)

2 la parcelle

3 la voie de vidange *f* du bois, un chemin forestier

4-14 le système de coupe *f* à blanc:

4 le vieux peuplement, une haute futaie

5 le sous-bois (le buisson)

6 la plantation (la pépinière):

7 la clôture (le grillage contre le gibier), un treillis de fil *m* de fer *m*

8 la barre de protection *f* [qui empêche le gibier de sauter]

9 le semis (la régénération par la graine);

10 et **11** le jeune peuplement:

10 la réserve (la plantation après repiquage *m*)

11 le peuplement de quinze années *f*;

12 les hauts fûts *m* (le peuplement après élagage *m* naturel)

13 la coupe à blanc-étoc:

14 la souche;

15-34 la coupe en exploitation *f*:

15 le fardier (le chariot pour transport *m* de long bois *m*, de grumes *f*)

16 la bourrée

17 le fagot

18 l'ouvrier *m* forestier tournant une bille

19 le tourne-bille

20 l'équipe *f* de deux hommes *m* au passe-partout

21 le tronc (le long bois, la bille)

22 la surbille

23 la couche annuelle d'accroissement *m* (le cerne)

24 le stère de bois *m* empilé, un mètre cube de bois *m*:

25 le pieu

26 le lien d'osier *m*;

27 le bûcheron, un ouvrier forestier en train d'abattre un arbre

28 le séchoir à écorces *f*:

29 l'écorce *f* de rouvre;

30 le chef de chantier *m* en train de numéroter

31 le tronc numéroté

32 le glissoir (le lançoir, la rièse), une piste de glissement *m*:

33 le garde-fou (la palplanche)

34 le tronc glissant vers la vallée (le tronc dévalant la pente);

35 le garde forestier (l'agent *m* technique des Eaux et Forêts)

1-6 le transport routier de grumes *f*:
1 le tracteur à roues *f*
2 la remorque pour grumes *f*:
3 le rancher
4 la poulie et le câble du treuil de chargement *m*
5 le billon de chargement *m*
6 la grume (le long bois);
7 la schlitte:
8 le joug (le support)
9 la semelle (le plancher)
10 le tronc de garde *f*
11 le tronc supérieur
12 le tronc de faîte *m*;
13 la hache d'abattage *m*; *anal.:* la cognée à branches *f*:
14 le manche
15 le tranchant
16 le fer
17 le talon de la hache
18 l'œil *m*;
19 l'abattage *m* à la hache et à la scie:
20 l'entaille *f*
21 le trait de scie *f*
22 le pied du corps d'arbre *m* dressé à la cognée
23 le coin enfoncé;
24 le coin à abattre, un coin
25 le tranchant coupe-écorce, pour l'exploitation *f* de l'écorce *f*
26 le merlin de bûcheron *m*; *anal.:* la hache pour fendre le bois
27 le triqueballe pour le débardage des troncs *m*:
28 l'essieu *m* coudé
29 la grippe;
30 la serpe pour couper et élaguer
31 le sapi (le pic), un instrument de levage *m*
32 le décortiqueur (la pelle à écorcer)
33 le compas forestier (le pied à coulisse *f*), un instrument de mesure
34-41 scies *f* forestières,
34 la scie passe-partout (scie «à deux mains»):
35 la lame de scie *f*
36 la dent de scie *f*
37 le manche (la poignée);
38 la scie à main *f* (scie à manche *m* d'égoïne *f*)
39 la scie à bûches *f* (scie à arc *m*):
40 l'archet *m* métallique
41 la poignée;
42 la plane pour l'écorçage *m* blanc
43 le marteau numéroteur rotatif
44 la tronçonneuse (scie *f* mécanique, individuelle, à chaîne *f*):
45 la poignée
46 la chaîne de scie *f*
47 le guide-chaîne (le passant)

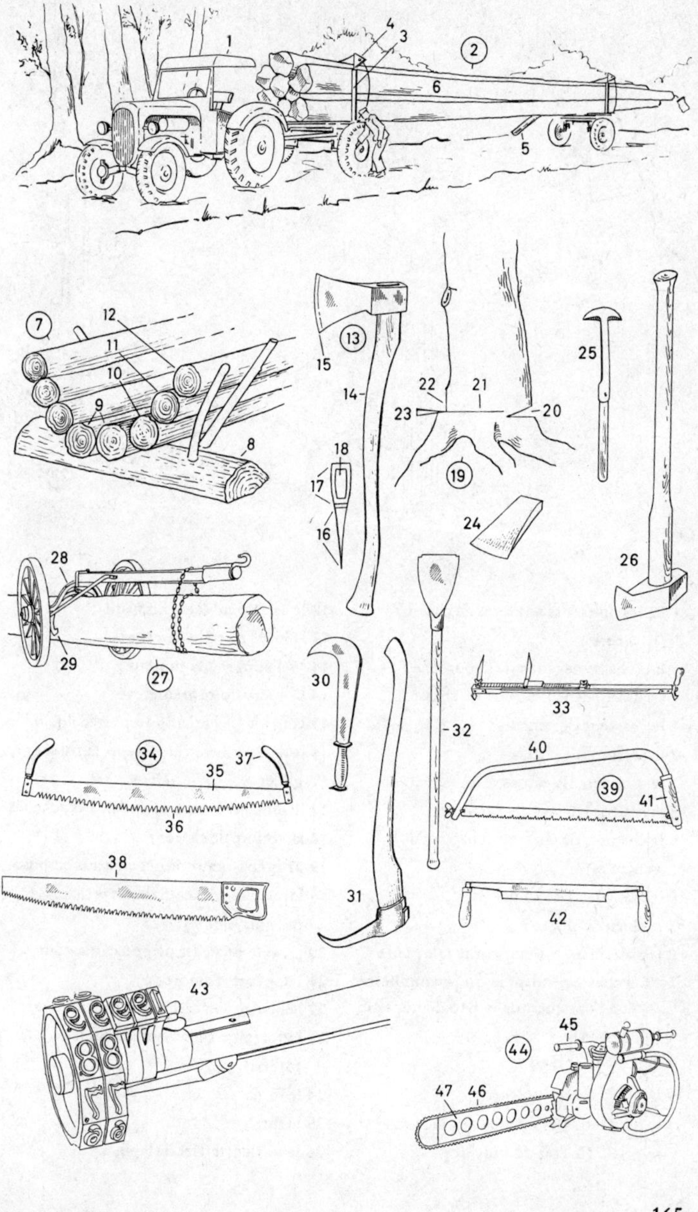
1
2
3
4
5
6
7
8
9
10
11
12
13
14
15
16
17
18
19
20
21
22
23
24
25
26
27
28
29
30
31
32
33
34
35
36
37
38
39
40
41
42
43
44
45
46
47

1-52 les différents modes *m* de chasse *f* (la vénerie),

1-8 la chasse devant soi (l'approche *f*, le pirsch) dans le terrain de chasse,

1 le chasseur (le veneur):

2 le costume de chasse *f*

3 la gibecière (la carnassière)

4 le fusil de chasse *f* (la carabine)

5 le chapeau de chasse *f* (chapeau de veneur *m*)

6 les jumelles *f* de campagne *f*;

7 le chien de chasse *f*

8 la piste (la trace, l'empreinte *f* de pied *m*);

9-12 la chasse pendant le rut [mammifères *m*] et à l'époque *f* de la parade nuptiale [oiseaux *m*]:

9 le poste (l'abri *m*)

10 la canne-siège de chasse *f*

11 le petit tétras à l'époque *f* de la parade nuptiale (le coq de bruyère)

12 le cerf en rut (cerf bramant);

13 la biche en train de viander

14-17 l'affût *m* à la murette:

14 l'observatoire *m* surélevé

15 la harde (la harpaille) à portée *f* de tir *m*

16 le déplacement (le passage, la passée) de gibier *m*

17 le brocard touché à l'épaule *f* et achevé;

18 la voiture de chasse *f*

19-27 la chasse aux pièges *m* et aux engins *m*,

19 le piégeage des carnassiers *m* (le piégeage des nuisibles *m*):

20 la boîte-piège (le piége à carnassiers *m*)

21 l'appât *m* (l'amorce *f*)

22 la martre, un carnassier (nuisible *m*);

23 le furetage (la chasse au lapin avec le furet):

24 le furet

25 le fureteur

26 le terrier (terrier de lapin *m*)

27 le filet (la bourse, la poche) posé au-dessus du trou de sortie *f* (au-dessus de la gueule);
28 le râtelier à fourrage pour l'hiver *m*
29 le braconnier (le braco)
30 la petite carabine
31 courre le sanglier (la chasse au sanglier):
32 le cochon (le sanglier, la laie)
33 le chien dressé à la chasse du sanglier (le chien de meute; *plusieurs :* la meute);
34-39 la battue (la chasse en rond, la chasse au chaudron, la chasse au lièvre, «le kessel»):
34 la mise en joue
35 le lièvre (le roussin, l'oreillard *m*, le couard), un gibier à poil *m*
36 le rapport du gibier
37 le rabatteur
38 le tableau de chasse *f*
39 la voiture à gibier *m*;
40 la chasse à la sauvagine (chasse au gibier d'eau *f*, la chasse au canard):
41 le vol (le passage) de canards *m* sauvages, gibier *m* à plumes *f*;
42-46 la fauconnerie (la chasse au faucon):
42 le fauconnier
43 le pât, un morceau de viande *f*
44 le chaperon du faucon
45 la courroie (la longe)
46 un faucon mâle (le tiercelet) fondant sur un héron;
47-52 la chasse en hutte *f* (l'affût *m* au grand duc, la chasse au grand duc):
47 l'arbrisseau *m* de pose des becs *m* droits
48 le grand duc, un oiseau appât (un appelant)
49 le piquet (le perchoir)
50 l'oiseau attiré, une corneille
51 la hutte (hutte d'affût *m*)
52 la meurtrière (le créneau, la guignette)

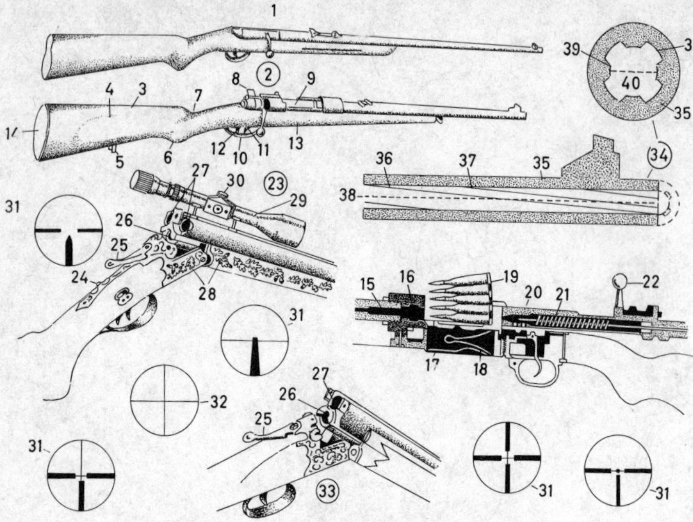

1-40 armes *f* sportives (armes de chasse *f*, fusils *m* de chasse):
1 la carabine
2 la carabine à répétition *f*, une arme à feu *m* portative, une arme à plusieurs coups *m* (fusil *m* à magasin *m*):
3, 4, 6, 13 la monture
3 la crosse
4 la joue
5 le porte-bretelle
6 la poignée de pistolet *m*
7 le col de la crosse
8 le verrou de sûreté *f*
9 la culasse
10 le pontet
11 la gâchette
12 la détente
13 le fût
14 la plaque de couche *f* de la poignée *f*
15 le chargeur
16 la boîte de culasse *f*
17 le magasin de cartouches *f*
18 le ressort d'apport *m*
19 la bande de cartouches *f*
20 la culasse mobile
21 le percuteur
22 le levier de culasse mobile (levier d'armement *m*);
23 le drilling (le fusil à trois canons *m*), un fusil à détente *f* automatique:
24 l'inverseur *m*
25 la clef d'ouverture *f*
26 le canon à balles *f* (canon à âme *f* rayée)
27 le canon à plombs *m* (canon lisse, canon à âme lisse)
28 la gravure décorative
29 la lunette de visée *f* (lunette de pointage *m*)
30 le dispositif de visée *f*
31 et 32 la mire (mire à la lunette d'approche *f*):
31 différents systèmes *m* de réticule *m*
32 le réticule (les fils *m* croisés);
33 le fusil à double canon *m* (fusil à deux canons)
34 le canon rayé:
35 le tube (la paroi) du canon
36 la rayure
37 le filet de rayure *f*
38 l'âme *f* du canon

39 la paroi intérieure du canon
40 le calibre;
41-48 accessoires *m* de chasse *f*:
41 le coutelas
42 le poignard (le couteau de chasse *f*)
43-47 appeaux *m* pour attirer le gibier:
43 l'appeau *m* pour le chevreuil
44 l'appeau *m* pour le lièvre (hasenquäke)
45 l'appeau *m* pour la caille
46 l'appeau *m* pour le cerf
47 l'appeau *m* pour la perdrix;
48 le piège «col de cygne», un piège à mâchoires *f*;
49 la cartouche à plombs *m*:
50 la douille en carton *m*
51 la charge de plombs *m*
52 la bourre
53 la poudre sans fumée *f* (poudre noire);
54 la cartouche:
55 la balle pleine
56 la balle à tête *f* de plomb *m*
57 la charge de poudre *f*
58 le culot
59 l'amorce *f*;
60 la trompe (le cor de chasse *f*)
61-64 les instruments *m* de nettoyage *m*:
61 la baguette de nettoyage *m*
62 l'écouvillon *m* de nettoyage *m* (la brosse)
63 l'étoupe *f*
64 le cordon de nettoyage *m*;
65 le viseur:
66 le cran de mire *f* (l'entaille *f*, l'encoche du fusil)
67 la planche de hausse *f*
68 la graduation
69 le curseur (le coulisseau)
70 la butée
71 le guidon
72 le sommet du guidon;
73 la balistique:
74 l'horizontale *f* de l'ouverture *f*
75 l'angle *m* au niveau
76 l'angle *m* d'élévation *f*
77 la flèche
78 l'angle *m* de chute *f*
79 la courbe balistique (la trajectoire)

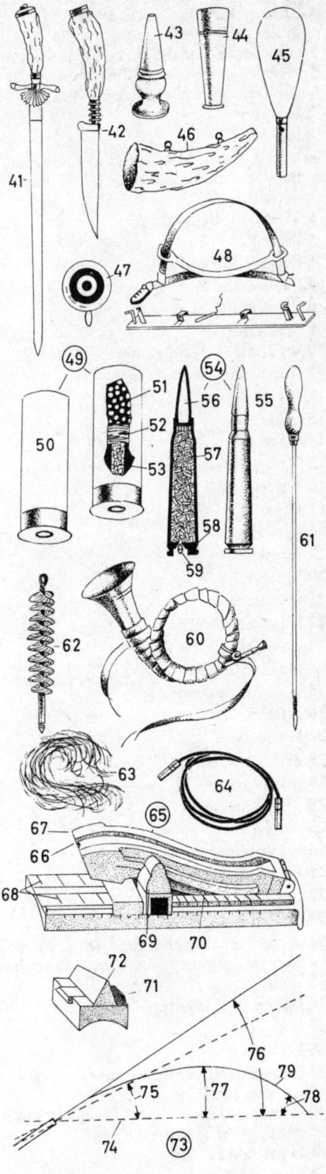

1-27 le gros gibier (grand gibier, gibier gros-pied),
1 la biche (la femelle du cerf), une jeune biche *ou* une biche adulte; *plusieurs :* un troupeau de biches, *le petit :* le faon:
2 la langue
3 le cou;
4 le cerf (cerf mâle); le faon mâle, le hère [de six mois à un an], le daguet [à deux ans],
5-11 le bois (la ramure):
5 la meule
6 l'andouiller *m* d'œil *m*
7 l'andouiller *m* de fer *m*
8 l'andouiller *m* moyen
9 la trochure
10 les épois *m* d'empaumure *f*
11 le merrain (la perche);
12 la tête
13 la gueule
14 le larmier
15 l'œil *m*
16 l'oreille *f*
17 l'épaule *f*
18 le cimier
19 la queue
20 la serviette
21 le cuissot
22 la jambe de derrière
23 l'os *m* (l'ergot *m*)
24 le sabot (le pied)
25 la jambe de devant
26 le flanc
27 le corsage;
28-39 le chevreuil,
28 le brocard,
29-31 le bois (les cornes *f*):
29 la meule
30 le merrain avec les perlures *f*
31 l'époi *m*;
32 l'oreille *f*
33 l'œil *m*;
34 la chevrette (le chevreuil femelle), une chevrette vierge *ou* une chevrette adulte:
35 le cimier
36 la roze (la serviette)
37 le cuissot
38 l'épaule *f*;
39 le faon (le chevrillard), un faon mâle *ou* un faon femelle
40 le daim (daim mâle), un cervidé à bois *m* palmé; *fem.* la daine:
41 la paumure;
42 le renard roux (renard commun); *fem.* la renarde:
43 les yeux *m*
44 l'oreille *f*
45 la gueule
46 les pattes *f*
47 la queue;
48 le blaireau:
49 la queue
50 les pattes *f*;
51 la bête noire; *ici :* le sanglier mâle (le solitaire); *fem.* la laie, *tous les deux :* le sanglier, *le petit :* le marcassin:
52 les soies *f*
53 le museau (le boutoir, le groin)
54 la défense
55 la peau de l'épaule *f*, une peau particulièrement épaisse
56 la peau (le cuir)
57 les gardes *m* (les ergots *m*)
58 la queue en tire-bouchon terminée par un panache;
59 le lièvre de plaine (l'oreillard *m*, le bouquin); *fem. :* la hase:
60 l'œil *m*
61 l'oreille *f*
62 la queue
63 la patte de derrière
64 la patte de devant;
65 le lapin
66 le petit coq de bruyère *f* (le petit tétras, le tétras-lyre, le coq des bouleaux *m*, le tétras à queue *f* fourchue):
67 la queue (la lyre)
68 les pennes *f* rectrices (les faucilles *f*);
69 la gelinotte des bois *m* (la poule des bois, poule des coudriers *m*)
70 la perdrix:
71 le fer à cheval *m*;
72 le grand tétras (le grand coq de bruyère *f*):
73 la barbe (barbe de plumes *f*)
74 la tache blanche
75 la queue en éventail *m*
76 les pennes *f* rémiges
77 le faisan ordinaire, un faisan
78 l'aigrette *f*
79 l'aile *f*
80 la queue
81 la patte
82 l'ergot *m*;
83 la bécasse:
84 le bec

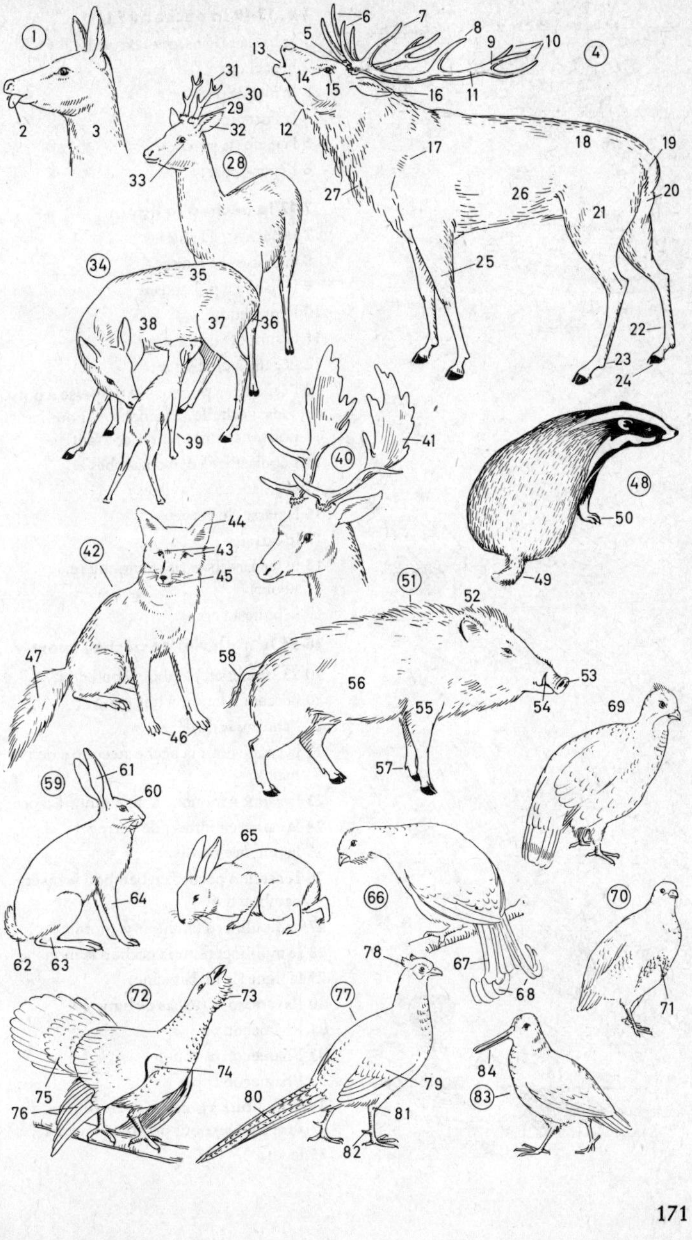
1
2
3
4
5
6
7
8
9
10
11
12
13
14
15
16
17
18
19
20
21
22
23
24
25
26
27
28
29
30
31
32
33
34
35
36
37
38
39
40
41
42
43
44
45
46
47
48
49
50
51
52
53
54
55
56
57
58
59
60
61
62
63
64
65
66
67
68
69
70
71
72
73
74
75
76
77
78
79
80
81
82
83
84

1-6, 13-19 la pêche au filet:

1 le bateau (la barque) de pêche *f*
2 le pêcheur
3 le filet de pêche *f*
4 le flotteur
5 la gaffe (la perche)
6 l'épervier *m*;

7-12 la pêche à la ligne:

7 le pêcheur à la ligne
8 le ruisseau à truites *f*
9 le panier à poissons *m*
10 l'épuisette *f*
11 le support de cannes *f*
12 la gaffe à crochet *m*;
13 l'échelle *f* à poissons *m* (la passe à poissons, l'échelle à saumons *m*) pour les poissons remontant le courant
14 l'épuisette *f* à deux manches *m*
15 la balance à écrevisses *f*
16 la nasse (le verveux)
17 le carrelet
18 le seau à vifs *m* (la goujonnière, le vivier)
19 la boîte à vers *m*;

20-54 le matériel de pêche *f* sportive,

20-23 cannes en bambou *m* refendu,
20 la canne à lancer à une main *f*:
21 l'anneau *m* de départ *m*;
22 la canne pour la pêche au coup à deux mains *f*
23 la canne à mouche *f*, une canne à lancer;
24 la canne en fibres *f* de verre *m*:
25 la poignée revolver;
26 la canne à pêche *f* en bambou *m* ou en bambou noir
27 le moulinet à tambour *m* mobile
28 le moulinet pour la pêche à la mouche
29 la ligne (le fil, la racine)
30 l'avançon *m* (le bas de ligne *f*)
31 l'hameçon *m*
32 l'hameçon *m* double
33 l'hameçon triple
34 la monture à poisson *m* vivant (monture à vif *m*) pour poissons rapaces
35 le vif;

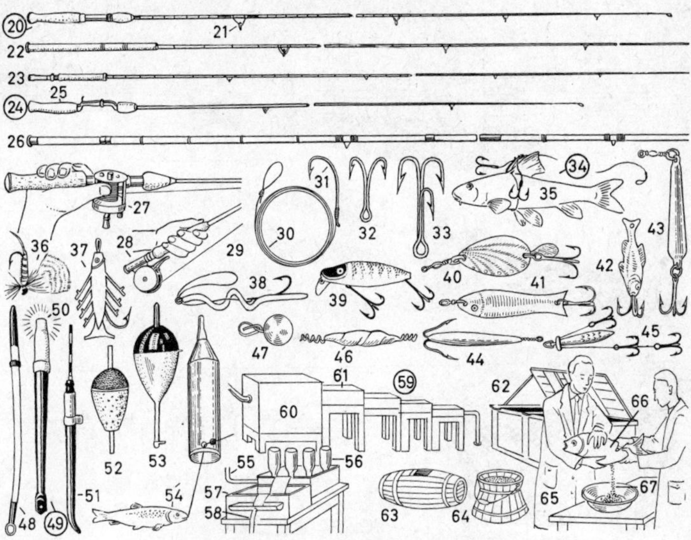

36-43 appâts *m* artificiels (leurres *m*):
36 la mouche artificielle
37 la crevette artificielle
38 le ver artificiel
39 le devon (le poisson nageur)
40 la cuiller «Nymphe»
41 le poisson cuillère
42 le poisson d'étain *m* pour la pêche à la dandinette
43 la cuiller «Léman»;
44 la monture à poisson *m* mort (la «vaironnette»)
45 la monture oscillante à poisson *m* mort
46 et **47** les plombs *m*:
46 l'olive *f* à spirales *f* (olive anglaise)
47 le plomb sphérique;
48 la plume de paon *m*
49 la plume lumineuse:
50 la couleur phosphorescente;
51 le flotteur à antenne *f*
52 le bouchon toupie en liège *m* (le flotteur)
53 le bouchon glisseur
54 la balise pour vif *m*;

55-67 l'établissement *m* de pisciculture *f* (l'élevage *m* piscicole):
55 l'arrivée *f* d'eau *f*
56 le bocal de couvée *f*
57 le bac pour l'alevin *m*
58 l'écoulement *m* d'eau *f*
59 l'incubateur *m*:
60 le filtre
61 le bac d'incubation *f*;
62 le vivier
63 le tonnelet à poissons *m*
64 le seau (le vivier) pour le transport des poissons *m*
65 le pisciculteur (l'éleveur *m*)
66 le poisson femelle (poisson rogué); *le mâle*: le poisson laité; les testicules *m* du mâle émettent la laitance
67 le frai de poisson *m* (les œufs *m* de poisson)

90 Pêche maritime, pêche à la baleine

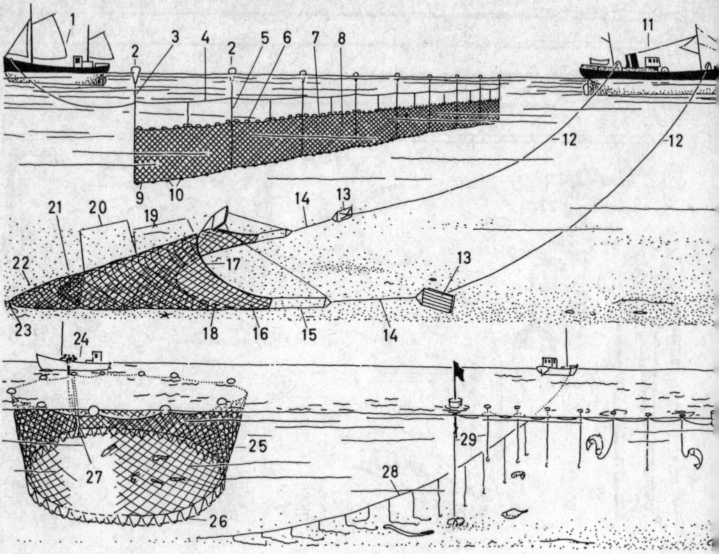

1-23 la pêche en haute mer *f*,

1-10 la pêche au filet dérivant:

1 le harenguier (le dériveur, le lougre)

2-10 le filet dérivant:

2 la bouée (le flotteur)

3 l'orin *m* de la bouée

4 l'aussière *f*

5 les darsouins *m*

6 la flotte (le flotteur de bois *m*)

7 la fincelle (la corde de tête *f*)

8 le filet vertical

9 la souillardière (la ralingue au pied du filet)

10 les plombs *m* de lest *m*;

11-23 la pêche au chalut (pêche à la seine):

11 le chalutier, un grand bateau de pêche *f* à moteur *m*

12 la fune

13 les panneaux *m*

14 les bras *m*

15 les guindeaux *m*

16 l'aile *f*

17 la corde de tête *f*

18 la chaîne

19 le grand dos

20 le petit dos

21 la porte (le battant)

22 le cul (la queue)

23 le raban de cul *m* (la corde de fermeture *f* de la queue);

24-29 la pêche côtière:

24 le bateau de pêche *f*

25 le filet circulaire, un filet tournant et coulissant (le cerco)

26 la retenue (la ralingue de fermeture *f*)

27 le dispositif de fermeture *f*

28 et **29** la pêche à la palangre:

28 la palangre dérivante

29 la ligne munie d'hameçons *m*, une ligne de coton *m*;

30-43 la pêche à la baleine,

30-33 la cuisson des baleines *f* sur le baleinier

30 le pont de découpage *m*

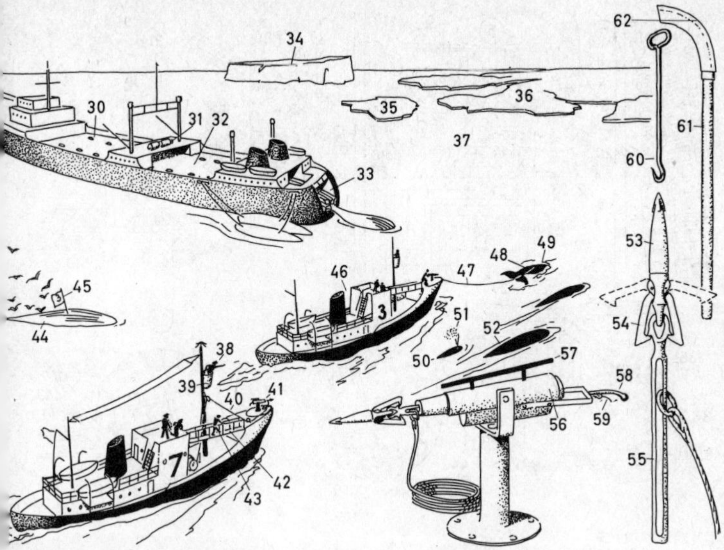

31 le guindeau (le cabestan, le treuil) à baleines *f*
32 le pont à lard *m*
33 le slip de halage *m* des baleines *f*;
34 l'iceberg *m*
35 le morceau de pack (le glaçon)
36 le pack (la mer de glace *f*)
37 la mer
38-43 la baleinière:
38 la vigie
39 le tonneau de vigie *f*
40 le câble à baleine *f*
41 le canon
42 la passerelle
43 le harponneur;
44-62 la chasse à la baleine:
44 la baleine marquée, une baleine tuée, une baleine franche
45 la marque avec le numéro du bateau
46 la baleinière
47 la première ligne
48 l'aileron *m*
49 la baleine harponnée
50 la baleine, soufflant
51 le souffle
52 le banc de baleines *f*
53-59 le canon lance-harpons,
53-55 le harpon:
53 la grenade
54 la barbe
55 la hampe;
56 le tube du canon
57 le viseur
58 la crosse de pointage *m*
59 la détente;
60 le crochet à lard *m*
61 le tranche-lard
62 le tranchant

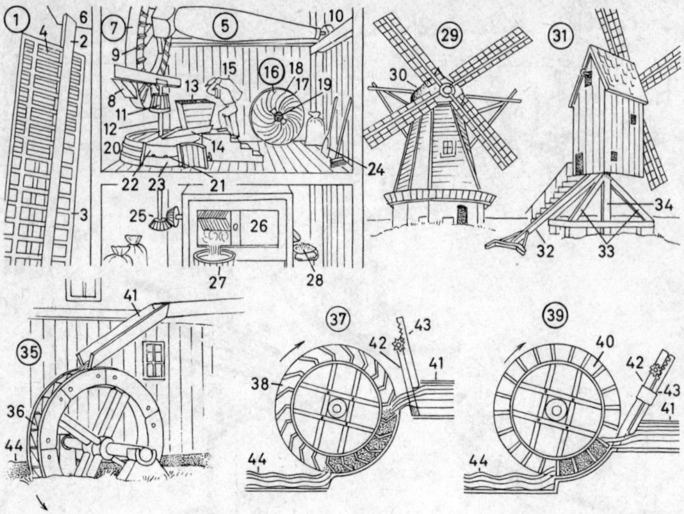

1-34 le moulin à vent *m*,

1 l'aile *f* du moulin à vent *m* (le volant du moulin à vent):

2 le bras du volant

3 la lamelle (le cadre)

4 le volet;

5 l'arbre *m* des ailes *f* (arbre de la roue):

6 la tête de l'aile *f*;

7 la roue à dents *f* de bois *m*:

8 le frein de la roue

9 l'alluchon *m* (la dent de bois *m*);

10 la crapaudine (le palier)

11 l'engrenage *m* du moulin à vent *m*

12 le gros fer

13 la trémie

14 le sabot de la trémie

15 le meunier

16 la meule:

17 la retaille

18 le tranchant

19 l'œillard *m* de meule *f*;

20 la cuve (la caisse des meules *f*)

21 la paire de meules *f*

22 la meule courante

23 la meule dormante (meule gisante)

24 la pelle en bois *m*

25 l'engrenage *m* conique (engrenage d'angle *m*)

26 le crible rond (le sas)

27 le baquet en bois *m*

28 la farine

29 le moulin de type *m* hollandais:

30 la calotte pivotante du moulin;

31 le moulin sur pile *f* (moulin de type *m* allemand):

32 la queue du moulin

33 le pied sur pile *f*

34 l'arbre «royal» (le poteau, la colonne centrale autour de laquelle tourne la cage du moulin);

35-44 le moulin à eau *f* (le moulin hydraulique),

35 la roue en dessus (roue à augets *m*), une roue de moulin *m* (roue hydraulique):

36 l'auget *m*;

37 la roue hydraulique de côté *m*:

38 l'aube *f* (la palette) courbée *ou* cintrée;

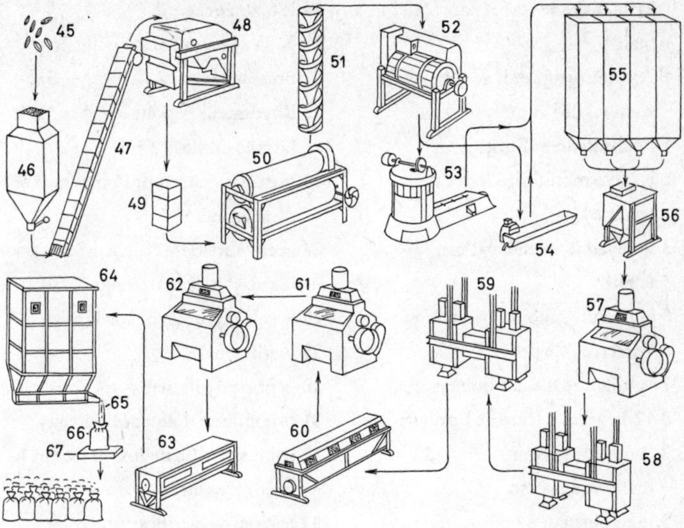

39 la roue hydraulique en dessous (roue hydraulique à palettes *f*):
40 l'aube rectiligne ;
41 le coursier (le bief d'amont *m*)
42 le batardeau de moulin *m*
43 le déversoir
44 le bief du moulin (bief d'aval *m*);

45-67 le moulin à cylindres *m* (la minoterie),

45-56 les nettoyeuses *f* de grains *m*, une variété de tarares *m*:
45 le grain
46 la balance automatique à céréales *f*
47 l'élévateur *m*
48 l'aspirateur *m* (le nettoyeur préalable)
49 l'aimant *m* pour séparer les parcelles *f* métalliques
50 le trieur pour séparer les mauvais grains *m*
51 le trieur à vis sans fin (le trieur-toboggan)
52 la décortiqueuse
53 le lave-grain
54 le mouille-grain
55 le conditionneur
56 le brosse-grain (le dispositif à polir les grains *m*);
57—67 les machines *f* de façonnage *m* des céréales *f*:
57 le moulin concasseur, un moulin à double cylindre pour le concassage, le gruautage et la mouture plus fine
58 le plansichter (le blutoir horizontal)
59 le blutoir trieur
60 la machine à nettoyer le gruau et la recoupe
61 le moulin à désagréger le gruau et la recoupe
62 le dispositif à mouture intégrale
63 la machine à nettoyer la farine pour séparer le son
64 la mélangeuse de farine *f*
65 le produit fini
66 le sac de farine *f*
67 le dispositif d'ensachage *m* et de pesage *m*

1-21 le maltage (la préparation du malt),
1-7 le nettoyage et le mouillage (la trempe) de l'orge *f*:
1 l'épurateur *m* d'orge *f*
2 la cuve mouilloire (cuve de trempe *f*)
3 le tuyau d'amenée *f* d'eau *f*
4 le rail
5 la bascule mobile automatique
6 l'arrivée *f* de l'orge *f*
7 la vidange d'eau *f* boueuse;
8-12 la germination de l'orge *f*:
8 la case de germination *f*, une malterie à la case
9 le retourneur à malt *m* vert:
10 le rail plat;
11 le malt vert (l'orge *f* germante)
12 le malteur;
13-20 la touraille (les claies *f*) à sécher le malt:
13 le malt à tourailler
14 le plateau de dessiccation *f*
15 le plateau de torréfaction *f*
16 le retourneur de malt *m*
17 la chaîne sans fin *f*
18 le four à sécher:
19 le cochon de touraille *f*, une chambre de chauffe *f*
20 la bouche d'amenée *f* d'air *m* froid;
21 la nettoyeuse de malt *m*;
22-36 la production du moût *m*:
22 le concasseur de malt *m*
23 le préposé à la mouture
24 le malt égrugé
25-36 la cuisson dans la salle de brassage *m*:
25 l'hydrateur *m* pour le mélange de farine *f* et d'eau *f*
26 le macérateur pour l'empâtage *m* de la farine
27 la cuve-matière (la chaudière) pour la cuisson de la trempe:
28 la calotte (le dôme) de la cuve
29 l'agitateur *m*
30 la porte à glissière *f*
31 la conduite d'amenée *f* d'eau *f*;
32 le brasseur (le maître-brasseur, le chef-brasseur)
33 la cuve de clarification *f* pour laisser se déposer la drêche (les résidus *m*) et pour filtrer le moût
34 la batterie de rectification *f* pour l'examen *m* de la finesse du moût
35 la chaudière à houblon *m* (la cuve à moût *m*) pour la cuisson du moût
36 le thermomètre plongeur

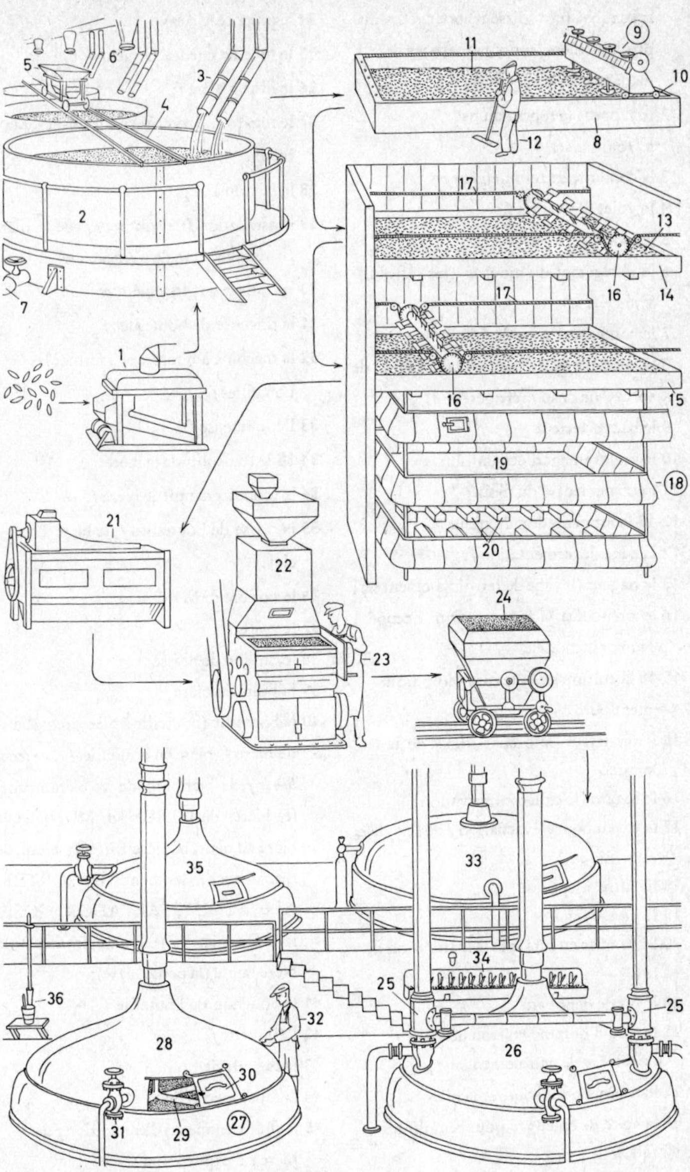
1
2
3
4
5
6
7
8
9
10
11
12
13
14
15
16
17
18
19
20
21
22
23
24
25
26
27
28
29
30
31
32
33
34
35
36

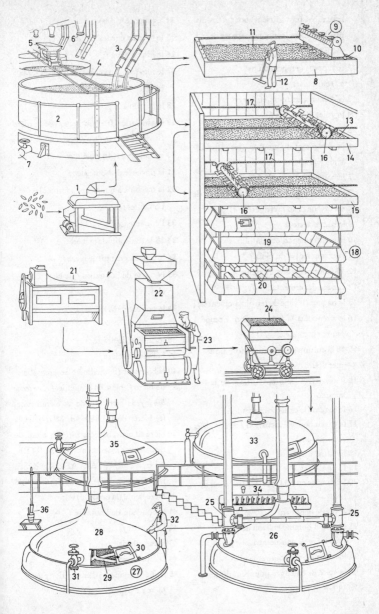

1 le bac (bac refroidisseur) pour refroidir préalablement le moût et séparer des matières *f* en suspension *f*:
2 le support (support du bac refroidisseur)
3 la conduite de refoulement *m*
4 le volet d'aération *f*
5 le moût;
6 le réfrigérant du moût *m* (les refroidisseurs *m*):
7 la conduite d'amenée *f* du moût *m*
8 la conduite d'arrivée *f* et la conduite de sortie *f* de l'eau *f* réfrigérée
9 le bac collecteur
10 le prélèvement d'échantillon *m*
11 l'écoulement *m* du moût;
12-19 la fermentation du moût,
12 la cuve de fermentation *f*:
13 le nageur (le tube de refroidissement *m*);
14 le préposé à la fermentation, occupé à écumer la mousse
15-18 la culture de la levure biologiquement pure,
15 l'appareil *m* de préparation *f* de la levure:
16 le regard (le trou d'observation *f*)
17 le tuyau pour l'évacuation *f* de l'acide *m* carbonique
18 le filtre aseptique;
19 le presse-levure;
20-28 la mise en fûts *m* et la maturation de la bière,
20 le fût de dépôt *m*:
21 le trou d'homme *m* (trou de visite *f*, l'orifice *m* de nettoiement *m*);
22 le robinet pour soutirer la bière
23 la «tête de chien» *m* pour remplir les fûts *m*
24 le préposé à la cave
25 le tube de refroidissement *m*
26 le filtre à bière *f*:
27 le regard (la lanterne) pour observer la bière
28 le manomètre;
29 l'installation *f* de soutirage *m* de la bière (la remplisseuse de tonneaux *m*)
30 les rails *m* de glissement *m*
31 la rinceuse de bouteilles *f*
32 la machine à remplir et à fermer les bouteilles *f*
33 l'étiqueteuse *f*
34-38 le transport de la bière:
34 le tonneau rempli de bière *f*
35 la caisse de bouteilles *f* de bière *f* (la claie)
36 la voiture de brasseur *m*
37 le voiturier
38 le camion de brasseur *m*;
39 la boîte de bière *f*
40 la bouteille (bouteille à bière) remplie de bière *f* (bière en bouteilles *f*); *sortes de bières f*: la bière blonde, la bière brune, les bières de PILSEN, de MUNICH, la bière au malt, la bière forte, la bière de mars (bock), les bières de PORTER, ALE, STOUT, SALVADOR, GOSE, la bière blanche (bière au froment), la bière faible (la petite bière):
41 le bouchon de bouteille *f*
42 l'étiquette *f*;
43 la capsule de bouteille *f*
44 la capsule en étain *m*
45 le fût (le tonneau) d'expédition *f* de bière *f* d'exportation *f*

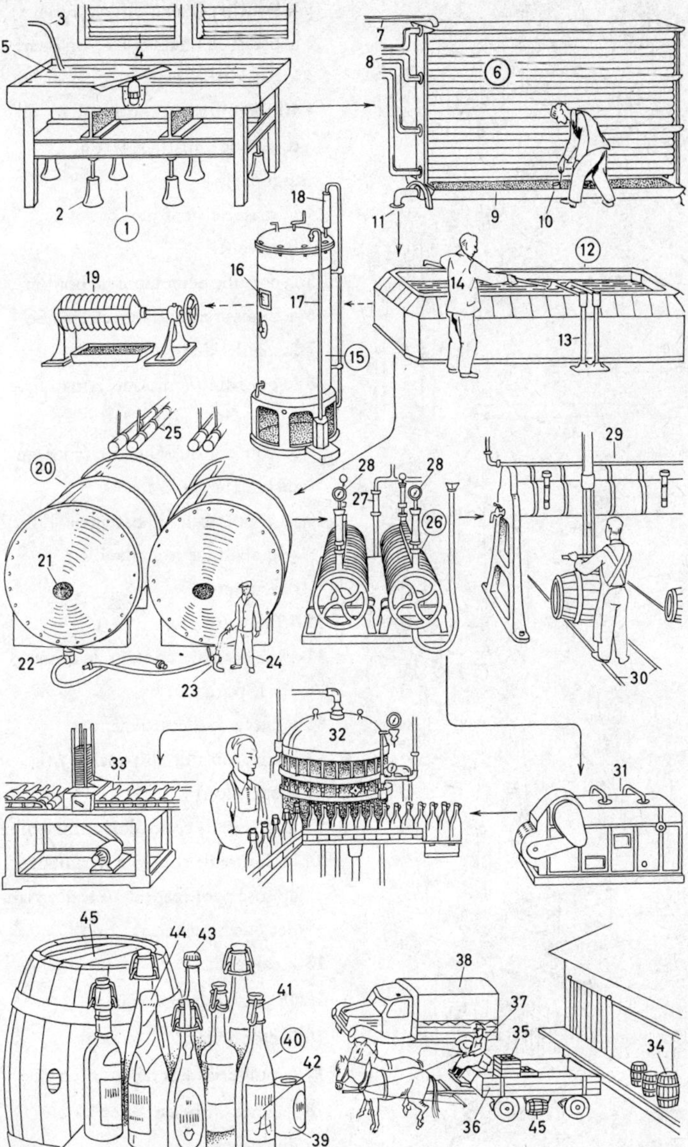
1
2
3
4
5
6
7
8
9
10
11
12
13
14
15
16
17
18
19
20
21
22
23
24
25
26
27
28
28
29
30
31
32
33
34
35
36
37
38
39
40
41
42
43
44
45
45

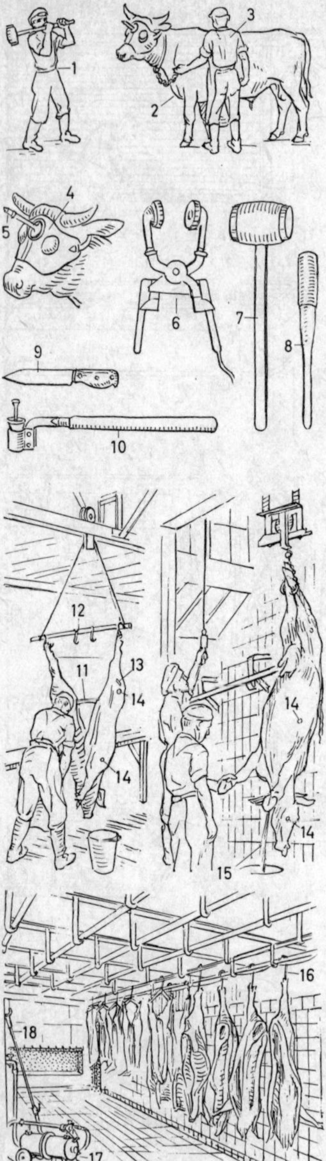

1 le boucher (l'abatteur *m*, le tueur)
2 le bétail de boucherie *f*, un bœuf
3 le garçon boucher
4-10 les outils *m* (l'outillage *m*) du tueur (de l'abatteur *m*, du saigneur),
4 le masque (masque Bruneau):
5 la cheville percutante (le boulon);
6 la pince anesthésiante électrique
7 le maillet du tueur
8 le gourdin (la massue, la matraque, le «merlin allemand»)
9 le couteau du saigneur (couteau de boucher *m*)
10 la «bouterolle d'abattage» (l'outil *m* d'abattage *m* à cheville *f* percutante);
11-15 l'abattoir *m*,
11-14 le boucher en train de découper le porc tué:
11 la traverse d'écartement *m*
12 le dispositif de suspension *f* (la suspension)
13 le timbre de contrôle *m* antitrichine
14 le timbre de contrôle *m* sanitaire apposé par l'inspecteur *m* des viandes *f* de boucherie *f*;
15 la saignée;
16-18 le local frigorifique:
16 le croc à viande *f*
17 le pulvérisateur de désinfection *f*
18 le lance-diffuseur avec les ajutages *m*

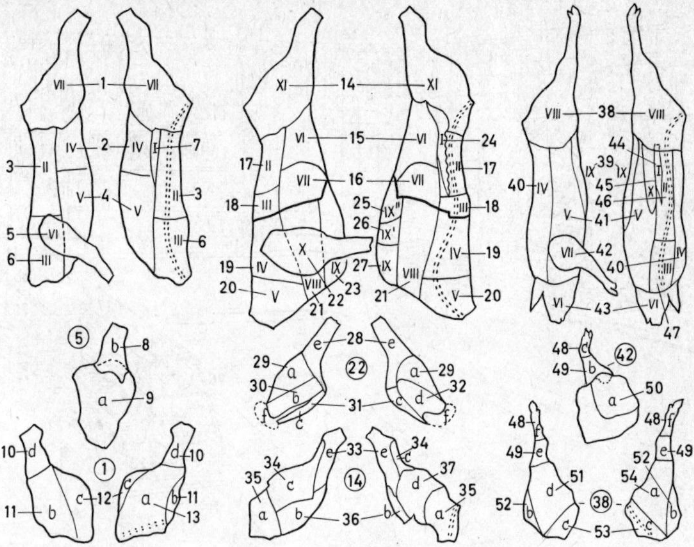

Découpe allemande de la viande
[*à gauche :* la viande ; *à droite :* les os]

1-13 le veau :
1 le cuissot avec le jarret de derrière *m*
2 la panse
3 la côtelette (côtelette de veau *m*)
4 le tendron (tendron de veau *m*)
5 l'épaule *f* avec le jarret de devant *m*
6 le collet
7 le filet (filet de veau *m*)
8 le jarret de devant *m*
9 l'épaule *f*
10 le jarret de derrière *m*
11 la noix
12 le fricandeau
13 le gîte à la noix ;
14-37 le bœuf :
14 la cuisse avec le jarret de derrière *m*
15 et 16 les flanchets *m* :
15 le flanchet
16 le tendron ;
17 le rosbif
18 l'entrecôte *f*
19 la surlonge
20 le collet
21 le paleron
22 l'épaule *f* avec le jarret de devant *m*
23 la poitrine (poitrine de bœuf *m*)
24 le filet (filet de bœuf *m*)
25 le contre-filet
26 l'aiguillette *f* baronne
27 le talon de collier *m*
28 le jarret de devant *m*
29 la macreuse
30 le plat de côtes *f*
31 le faux filet
32 l'aloyau *m*
33 le jarret de derrière *m* (le gîte-gîte)
34 la culotte
35 la bavette d'aloyau *m*
36 la tranche grasse
37 le gîte à la noix ;
38-54 le porc :
38 le jambon avec le jambonneau et le pied
39 la peau du ventre
40 le lard du dos
41 le ventre (la poitrine)
42 l'épaule *f* avec le jambonneau et le pied
43 la tête (tête de porc *m*)
44 le filet (filet de porc *m*)
45 la panne
46 la côtelette (côtelette de porc *m*)
47 les côtes *f* (côtes de porc *m*)
48 le pied
49 le jambonneau
50 le gras (gras du jambon)
51 le quartier de jambon *m*
52 la noix de jambon *m*
53 le lard de jambon *m*
54 le gîte à la noix

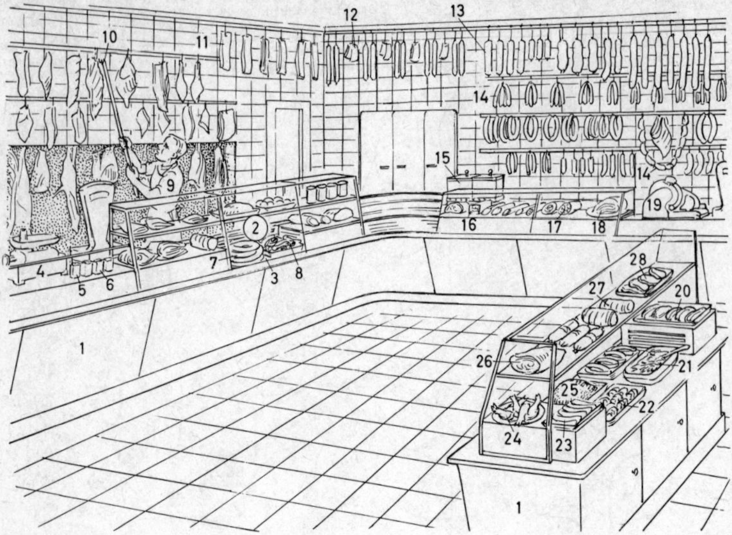

1-28 la boucherie:

1 le comptoir

2 l'installation *f* frigorifique à vitrine *f*:

3 le plateau réfrigéré;

4 le hache-viande

5 le saindoux empaqueté

6 le suif de bœuf *m*, un suif

7 la saucisse longue en anneau *m*

8 l'os *m* pour le pot-au-feu (l'os à moelle *f*)

9 le boucher-charcutier

10 le décrochoir

11 le quartier de lard *m* (le lard)

12 la viande séchée (la viande boucanée, la viande fumée)

13 le saucisson sec (la saucisse dure, le salami)

14 la petite saucisse à bouillir; *genres :* saucisses de Vienne, de Francfort, de Halberstadt

15 le chauffe-eau pour saucisses *f*

16 le pâté de foie *m*, un pâté de viande *f*

17 le saucisson

18 le jambon cuit

19 la découpeuse à charcuterie *f*

20 le romsteck: *analogues :* le bifteck, un morceau de culotte de bœuf *m*

21 la salade de viande *f*

22 la roulade de bœuf *m*

23 la saucisse à rôtir (saucisse à griller)

24 le pied de porc *m*

25 la viande hachée (les raclures *f* de viande *f* crue)

26 le jambon cru

27 le jambon roulé

28 le foie de porc *m*;

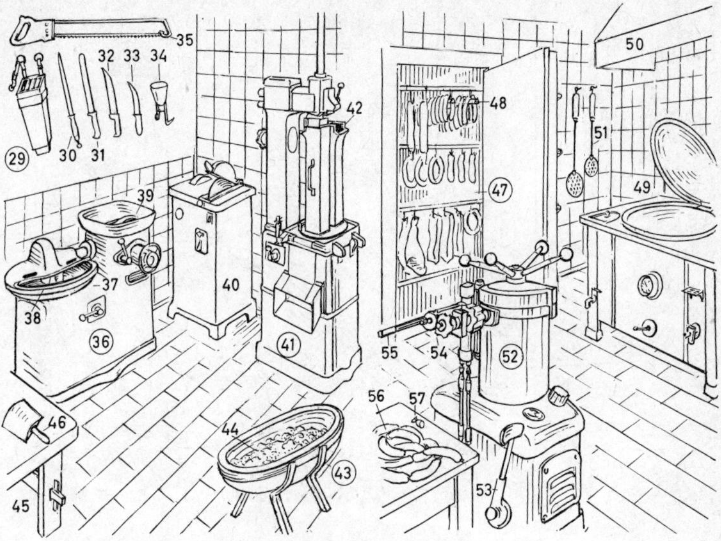

29-57 l'office *m* du boucher-charcutier,

29-35 l'outillage *m* du boucher,

29 les outils *m* de boucher *m*:

30 le fusil (l'affiloir *m*) de boucher *m*

31 le couteau à saucisses *f*

32 le couteau à détailler

33 le couteau à écorcher;

34 le racloir pour enlever les soies *f* de porc *m* et pour racler les panses *f* des bœufs *m*

35 la scie à os *m*;

36 la double machine à préparer la viande:

37 la machine à découper la viande

38 le dévaloir

39 le hachoir;

40 la scie électrique à os *m*

41 la machine à découper les dés *m* de lard *m*:

42 l'orifice *m* d'alimentation *f*;

43 le pétrin à viande *f* (le baquet à mélanger):

44 la chair à saucisse *f*;

45 l'étal *m*

46 le couperet

47 le fumoir [à fumée *f* chaude]:

48 la broche du fumoir *m*;

49 la chaudière à saucisses *f*

50 la hotte

51 l'écumoire *f*

52 la machine à remplir les boyaux *m* à saucisses *f*:

53 le levier à coude *m*

54 le dispositif à diviser et à ligaturer

55 le débite-rations;

56 les boyaux *m* remplis de chair *f* à saucisses *f*

57 le bout de saucisse *f*

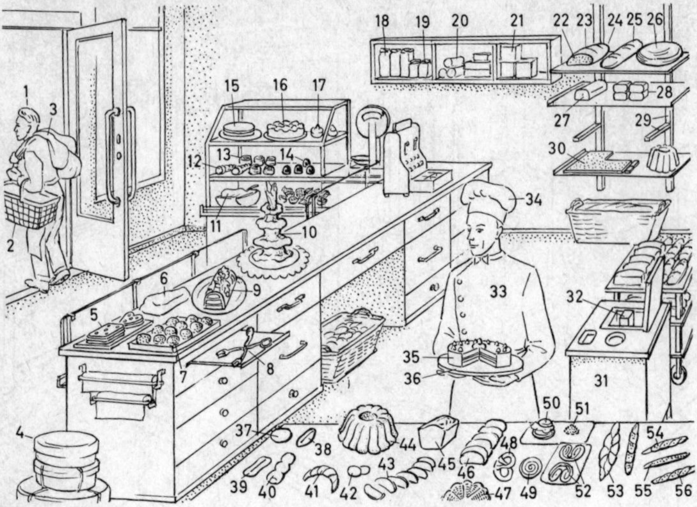

1-56 la boulangerie-pâtisserie, la confiserie:
1 le garçon boulanger (*fam.* : le mitron)
2 le panier de petits pains *m*
3 le sac de petits pains *m*
4 la boîte à tartes *f* (boîte à gâteaux *m*)
5 le pain d'épice *f*
6 la grande brioche *(alld)*, un gâteau de Noël *m*
7 la boule de Berlin (le «Krapfen»), une pâtisserie de pâte *f* à levain *m* frite dans la graisse bouillante
8 la pince à gâteaux *m*
9 la tourte allongée
10 la pièce montée
11 la crème fouettée
12 le puits d'amour *m*
13 le petit pâté feuilleté
14 la pâtisserie allemande appelée «tête de nègre»
15 le sablé, une abaisse
16 la tarte aux fruits *m*
17 la meringue
18 et **19** la farine:
18 la farine de froment *m*
19 la farine de seigle *m*;
20 le biscotin
21 le pain croustillant, un pain de blé *m* égrugé (pain complet)
22-24 le pain:
22 la mie
23 la croûte
24 le croûton;
25-28 les sortes *f* de pain *m*:
25 le pain long (pain de froment *m* et de seigle *m*)
26 la miche (le pain rond), un pain bis
27 le pain de mie *f*, un pain blanc
28 le pain noir de Westphalie (le «Pumpernickel») à emballage *m* étanche;
29 le châssis d'étalage *m*
30 le gâteau sur la feuille à tartes *f*
31 la sorbetière-glacière
32 le moule distributeur
33 le pâtissier:
34 le bonnet de pâtissier *m*;
35 le gâteau à la crème
36 le plat à gâteaux *m*
37-40 petits pains *m*:
37 le petit pain blanc (le petit pain rond)
38 le petit pain fendu
39 le petit pain long *m* appelé «Knüppel» = «le gourdin»
40 les petits pains *m* ronds attachés en série *f*;

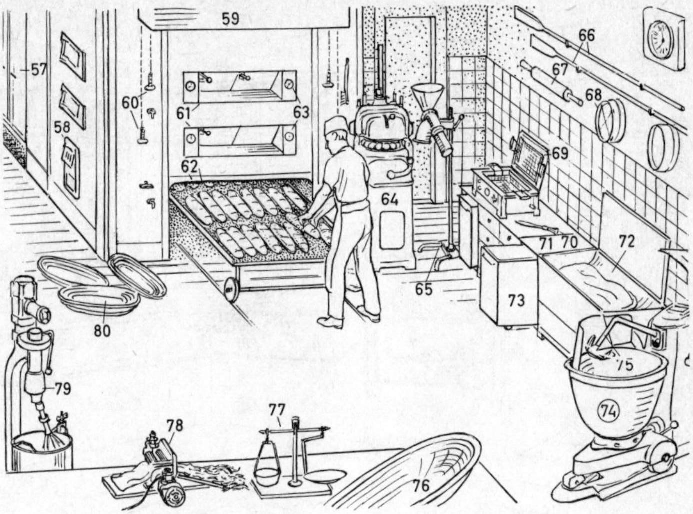

41 le croissant
42 le biscuit
43 la biscotte
44 le gougelhof (le kougelhof, le kouglof)
45 le cake
46 le pain de mie *f*
47 la gaufre
48 le bretzel (*alld.*), le craquelin
49 le petit pain aux raisins *m*
50 le chou à la crème
51 le macaron
52 le «cœur de France» (le «palmier»)
53 la tresse
54 la petite flûte au sel
55 la flûte saupoudrée de graines *f* de pavot *m*
56 la flûte saupoudrée de graines *f* de cumin *m*;
57-80 le fournil,
57-63 le four à pain *m* (four de boulanger *m*):
57 la chambre de fermentation *f* et de séchage *m*
58 le foyer
59 la hotte
60 la poignée à tirage *m*
61 la porte à enfournage *m*
62 la porte à défournage *m*
63 le pyromètre;
64 la machine électrique à diviser la pâte
65 la machine électrique à tamiser les farines *f*
66 la pelle à enfourner
67 le rouleau à pâtisserie *f*
68 le tamis à farine *f* (le sas à farine *f*)
69 la bassine électrique à fritures *f*
70 le pinceau à beurrer
71 la table à pétrir:
72 le pétrin
73 le chariot de farine *f*;
74 la pétrisseuse électrique:
75 le bras pétrisseur;
76 le petit pétrin (la maie)
77 la balance à pâte *f*, une balance romaine
78 la machine à découper les nouilles *f*
79 la machine à fouetter (machine à mélanger)
80 le banneton en osier *m*

1-87 le magasin d'alimentation *f* (l'épicerie *f* fine):
1 l'étalage *m* de la vitrine
2 l'affiche *f* (l'affiche publicitaire)
3 la vitrine réfrigérante
4 les saucisses *f*
5 le fromage
6 le chapon, un coq châtré et engraissé
7 la poularde, une poule engraissée
8 les raisins *m* secs; *anal.*: les raisins secs sans pépins *m*
9 les raisins *m* de Corinthe
10 le citronnat
11 l'orangeat *m*
12 la balance automatique
13 le vendeur
14 le rayon aux marchandises *f*
15-20 conserves *f*:
15 le lait condensé
16 la boîte de conserves *f* de fruits *m*
17 la boîte de conserves *f* de légumes *m*
18 la bouteille de jus *m* de fruit *m*
19 les boîtes *f* de sardines *f*, une conserve de poisson *m*
20 la boîte de viande *f* en conserve *f*;
21 la margarine
22 le beurre
23 le beurre de coco (la cocose), un beurre végétal
24 l'huile *f*: *sortes*: huile d'olive *f*, huile de table *f*, huile à salade *f*
25 le vinaigre
26 le potage en cube *m*
27 le bouillon cube
28 la moutarde en tube *m*
29 le cornichon au vinaigre *m*
30 le concentré pour les potages *m*
31 la vendeuse
32-34 pâtes *f* alimentaires:
32 les spaghetti *m*
33 les macaroni *m*
34 les nouilles *f*;
35-39 denrées *f*:
35 l'orge *m* perlé
36 la semoule
37 les flocons *m* d'avoine *f*
38 le riz
39 le sagou;
40 le sel
41 le marchand
42 les câpres *f*
43 la vanille

44 la cannelle
45 la cliente (l'acheteuse *f*)
46-49 matériaux *m* d'emballage *m*:
46 le papier d'emballage *m*
47 la ficelle
48 le sac de papier *m*
49 le cornet [de papier *m*];
50 l'entremets *m* en poudre *f*
51 la confiture
52 la marmelade
53-55 le sucre:
53 le sucre en morceaux *m*
54 le sucre en poudre *f*
55 le sucre cristallisé, un sucre raffiné;
56-59 spiritueux *m*:
56 l'eau-de-vie *f*
57 le rhum
58 la liqueur
59 le cognac;
60-64 vin *m* en bouteille *f*:
60 le vin blanc
61 le chianti
62 le vermouth
63 le champagne (le vin mousseux)
64 le vin rouge;
65 le café de malt *m*
66-68 denrées *f* coloniales:
66 le cacao
67 le café
68 le thé;
69 le moulin électrique à café *m*
70 le torréfacteur à café *m*:
71 le tambour de torréfaction *f*
72 le tiroir de contrôle *m*;
73 le prix courant
74 la glacière
75-86 confiserie *f*:
75 le bonbon
76 les bonbons *m* aux fruits *m*
77 les caramels *m*
78 la tablette de chocolat *m*
79 la boîte de bonbons *m*:
80 la praline (le bonbon praliné) un article de confiserie *f*;
81 le nougat
82 la pâte d'amandes *f* (le massepain)
83 le bonbon au cognac
84 la langue-de-chat
85 la croquante
86 les truffes *f* de chocolat;
87 l'eau *f* minérale de table *f* (l'eau de Seltz, l'eau gazeuse)

1-37 l'atelier *m* de cordonnerie *f*:

1 l'ouvrier *m* cordonnier (le compagnon)

2 la machine à piquer

3 le fil à piquer

4 les semelles *f* intérieures (semelles mobiles):

5 la semelle de paille *f*

6 la semelle de feutre *m*

7 la semelle de caoutchouc *m* mousse

8 la semelle de liège *m*

9 la semelle tressée en bois *m* de tilleul *m*;

10 la forme (l'embauchoir *m*)

11 le crochet de la forme (crochet à tirer la forme)

12 le mètre à ruban *m* pour le pied

13 l'apprenti *m* cordonnier

14 le tabouret de cordonnier *m*

15 le tire-pied

16 la poix

17 la boîte à clous *m*, une boîte à case *f* pour chevilles *f* de bois *m*, semences *f*, pointes *f* et crampons *m*

18 l'ébourroir *m*

19 le fil à poix *f* (fil poissé)

20 la machine à élargir (à forcer) les chaussures *f*

21 le flacon d'alcool *m* à nettoyer

22 la râpe plate

23 le patron (le maître-cordonnier) réparant des chaussures *f*

24 la machine à coudre à petits points *m*

25 la boule de cordonnier *m*, une boule de verre *m* remplie d'eau *f*

26 la lampe à pétrole *m*

27 le socle de travail *m*, un socle double à formes *f* métalliques

28 l'estrade *f*

29 le support orthopédique

30 le fer à lisser (le lissoir)

31 la guinche

32 le trépied de cordonnier

33 le cloutage

34 la chaussure orthopédique

35 la tenaille (les tenailles)

36 la râpe en cuiller *f*

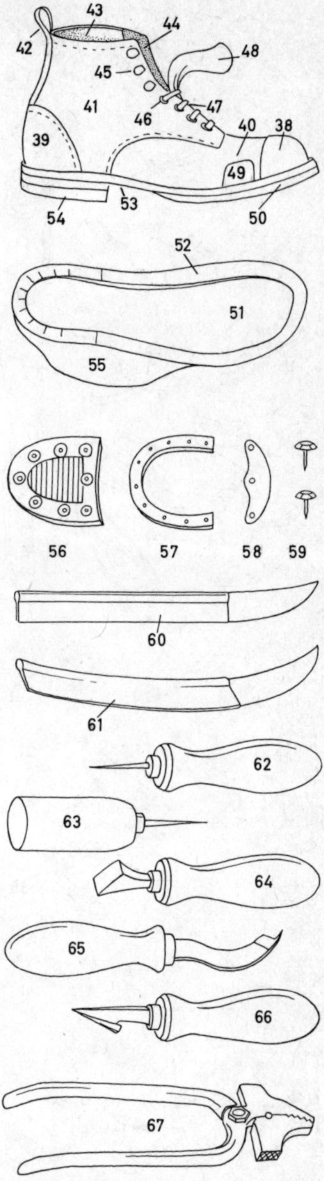

37 la semelle de caoutchouc *m* profilée;
38-55 la bottine,
38-49 le dessus de la chaussure (la tige):
38 le bout dur (bout renforcé, le bout bombé)
39 le contrefort
40 l'empeigne *f*
41 la partie latérale de l'empeigne *f*
42 le tirant
43 la doublure de tige *f*
44 le renforcement sous les œillets *m* (le sous-garant)
45 le crochet
46 l'œillet *m* (les œillets = le garant)
47 le lacet
48 la languette (le soufflet, quand elle est cousue des deux côtés *m*)
49 la pièce de cuir *m*;
50-54 le dessous de la chaussure,
50 et **51** la semelle, une semelle de cuir *m*:
50 la semelle de croupon *m*
51 la première, une semelle intérieure;
52 la trépointe (le couche-point)
53 la cambrure
54 le talon;
55 la peausserie;
56 le talon de caoutchouc *m* (le bon bout)
57 le fer du talon
58 le bout de fer
59 le clou à brodequin *m*
60 le tranchet
61 le tranchet recourbé
62 l'alêne *f* (le poinçon) pour le fil
63 l'alêne *f* (le poinçon *m*) pour les clous *m*
64 le polissoir de talon *m*
65 le tranchet à faire les bords *m*
66 l'outil *m* à rainer
67 la pince de montage *m* (pince de cordonnier *m*)

1 la chaussure de cuir *m*, un soulier bas
2 la chaussure d'homme *m* (le soulier Richelieu), une chaussure *f* en daim *m* (en peau *f* chamoisée):
3 la semelle crêpe;
4 la chaussure de toile *f*
5 le soulier de caoutchouc *m*
6 la socque, une chaussure de bois *m*
7 l'espadrille *f* (la chaussure à semelle *f* de corde *f*); *anal.*: la chaussure à semelle de paille *f*
8 la bottine
9 la chaussure boutonnée (le soulier à bride *f*, soulier Charles IX), une chaussure d'enfant *m*
10 le crochet à bottine *f*
11 la chaussure de feutre *m*
12 le mocassin
13 le soulier à lacets *m*
14 la chaussure de bébé *m*
15 la botte (botte à tige *f* haute)
16 le tendeur de botte *f*
17 le chausse-pied long
18 la talonnette
19 le chausse-pied
20 la chaussure de ville *f*
21 la chaussure de travail *m*
22 la chaussure de sport *m*
23 le soulier à patte *f* (soulier tyrolien), une chaussure de jeune fille *f*
24 le soulier de tennis *m*
25 le soulier de golf *m*
26 la bottine à élastiques *m* (bottine à tirant *m*)
27 le caoutchouc (la galoche)
28 la botte de marche *f*
29 la sandale
30 la guêtre de cuir *m* (la jambière, la molletière, le legging)
31 la guêtre de ville *f*
32 la chaussure de bal *m*
33 la chaussure en peau *f* de serpent *m*, une chaussure de luxe *m*
34 la chaussure de plage *f*:
35 la semelle compensée
36 la semelle de liège *m*;
37 le soulier à boucle *f* (le napolitain):
38 la boucle du soulier;
39 le soulier à bride *f* (soulier Charles IX)
40 l'escarpin *m* (le soulier découvert, soulier décolleté):
41 le talon haut (talon Louis XV);
42 le mocassin
43 la sandale emboutie (le cothurne)
44 la sandalette, une chaussure de dame *f*
45 la pantoufle:
46 le revers
47 le pompon;
48 la mule de bain *m*

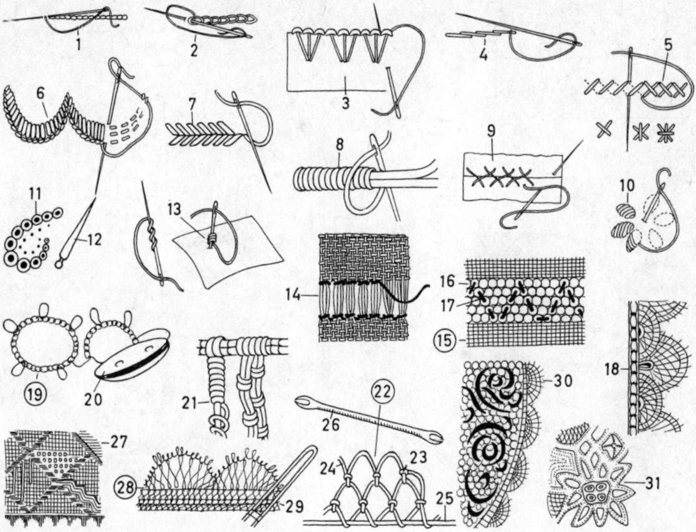

1 la couture piquée
2 le point de chaînette *f*
3 le point de boutonnière *f* (point de fantaisie *f*)
4 le point de tige *f*
5 le point de croix *f*
6 le point de feston *m* (point de languette *f*)
7 le point natté
8 le point de cordonnet *m* (point de bourdon *m*)
9 le point de chausson *m*
10 le plumetis
11 la broderie anglaise
12 le poinçon
13 le point noué (point de nœuds *m*)
14 le travail à jour (l'ourlet *m* à jour *m*)
15 la broderie sur tulle *m* (la dentelle de tulle *m*):
16 le fond de tulle *m* (fond en dentelle *f*)
17 le point de reprise *f*;
18 la dentelle aux fuseaux *m*; *variétés:* la dentelle de Valenciennes' la dentelle de Bruxelles
19 le travail à la navette (la frivolité):
20 la navette;
21 le macramé
22 le filet:
23 la maille (le nœud)
24 le fil à filet *m*
25 le cadre (le moule, le bâton) à filet *m*
26 la navette (l'aiguille *f* à filet *m*);
27 le travail à jour *m*
28 la broderie à la fourche:
29 le crochet à la fourche
30 la dentelle à l'aiguille *f*; *variétés:* le point de Venise, la dentelle d'Alençon *anal.* avec fil *m* métallique: les travaux *m* de filigrane *m*
31 la dentelle au lacet

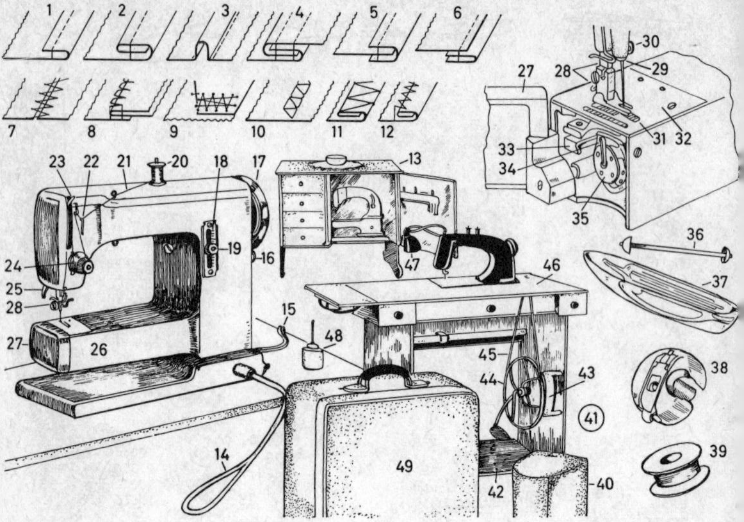

1-12 les coutures *f* à la machine:
1 le pli
2 l'ourlet *m*
3 la piqûre (la nervure)
4 la couture rabattue double
5 la bordure
6 le passepoil
7 le point zig-zag [bord *m* à bord]
8 le point de fantaisie *f*
9 le point d'arrêt *m*
10 le travail à jour en échelle *f* (le jour échelle)
11 l'ourlage *m*
12 le point de souris *f* (point de flanelle *f*, point de chausson *m* en broderie *f*, point russe);
13 l'armoire *f* de la machine à coudre
14-47 la machine à coudre,
14-40 la machine à coudre électrique:
14 le levier coudé
15 le cordon de raccordement *m*
16 le dispositif pour bobiner la canette
17 le volant
18 le tableau des points *m*
19 la vis de réglage *m* (la manette de longueur *f* du point)
20 la bobine de fil *m*
21 le fil de dessus, un fil à coudre
22 le tire-fil (le passe-fil)
23 le guide-fil
24 le tendeur de fil *m*
25 le levier du pied-de-biche
26 le bras libre de la machine
27 la plaque de recouvrement *m*
28 la tige avec le pied-de-biche (avec le pied presseur)
29 la barre à aiguille *f*
30 le serre-aiguille *f* (la vis de fixation *f*)
31 le transporteur
32 la plaque à aiguille *f*
33 le pince-étoffe (le levier presse-étoffe)
34 la griffe d'entraînement *m*
35 la bobine
36 la canette vide pour le fil de dessous
37 la navette droite
38 la navette circulaire (navette centrale, navette vibrante)
39 la canette pour le fil de dessous

40 la couverture de la machine à coudre;
41 le support de pédale *f*:
42 la pédale
43 le protège-jupe
44 le volant
45 la courroie de transmission *f*;
46 le plateau de la machine (la table de travail *m*)
47 la lampe d'éclairage *m*;
48 la burette à huile *f*, un injecteur d'huile *f* avec de l'huile animale
49 le coffret de la machine à coudre
50 la bobine (la cigarette) de soie *f* à coudre
51 la carte de fil *m* à repriser
52 le fil à faufiler
53 le dé à coudre
54 le cache-couture (l'extra - fort *m*)
55 l'aiguille *f* pour machines *f* à coudre
56 l'aiguille *f* à coudre
57 l'aiguille *f* à repriser
58 le chas (l'œil *m* de l'aiguille *f*)
59 le passe-lacet, pour passer l'élastique *m*
60 l'épingle *f* de nourrice *f* (l'épingle *f* de sûreté *f*)
61 l'aiguille *f* à remailler
62 la roulette de couturière *f*
63 la boule à bas (boule à repriser)
64 le champignon à repriser
65 les ciseaux *m* de tailleur *m*
66 les ciseaux *m* à boutonnières *f*
67 le bougran
68 le patron (le tracé de coupe *f*)
69 la doublure
70 les ciseaux *m* à tailler
71 le journal de modes *f*
72 la planche à patrons *m*
73 le ruban métrique, un mètre à ruban
74 le coffret articulé
75 la couturière; *anal.* : la coupeuse
76 le mannequin
77 la pelote
78 l'épingle *f*
79 la tête d'épingle *f*
80 les épaulettes *f*
81 les chutes *f* d'étoffe *f*
82 la craie tailleur

103 Coiffure pour dames

1-34 le salon de coiffure *f* pour dames *f*, (l'institut *m* de beauté *f*)

1-8 la manucure (les soins *m* des mains *f* et des ongles *m*):

1 la manucure

2 le rince-doigts *m* (le bol pour tremper les doigts *m*)

3 le repousse - peau *f*

4 la table roulante de soins *m* de beauté *f*:

5 les ciseaux *m* à ongles *m*

6 les ciseaux *m* à peau *f*

7 la lime à ongles *m*

8 le cure-ongles;

9 l'encre *f* à cils *m* avec la brosse à cils

10 les serviettes *f* pour compresses *f* faciales

11 la crème de beauté *f*; *anal.:* crème de jour *m*, crème de nuit *f*, crème à massage *m*, (crème nutritive)

12 le vernis à ongles *m*

13 le dissolvant du vernis à ongles *m*;

14 la lotion faciale (l'eau *f* faciale)

15 le fard

16 le crayon à sourcils *m*

17 la poudre faciale

18 la poudre soufrée

19 le bâton de rouge *m* à lèvres *f*

20 l'eau *f* de Cologne

21 l'eau *f* de lavande *f*

22 la glycérine;

23 le casque de séchage *m*

24 le filet à cheveux *m* (la résille)

25 l'appareil *m* à permanente *f*

26 le peignoir de coiffure *f*

27 les pellicules *f*

28 la coiffeuse

29 le fixatif à cheveux *m* (le produit pour tenir la mise en plis *m*)

30 le sèche-cheveux (le séchoir)

31 la lotion pour la permanente à froid

32 la teinture capillaire

33 l'esthéticienne *f* pendant le massage facial

34 le fauteuil de massage *m*;

35 le bigoudi

36 le petit peigne

37 la brosse à onduler

38 le fer à onduler

39 les ciseaux *m* à effiler

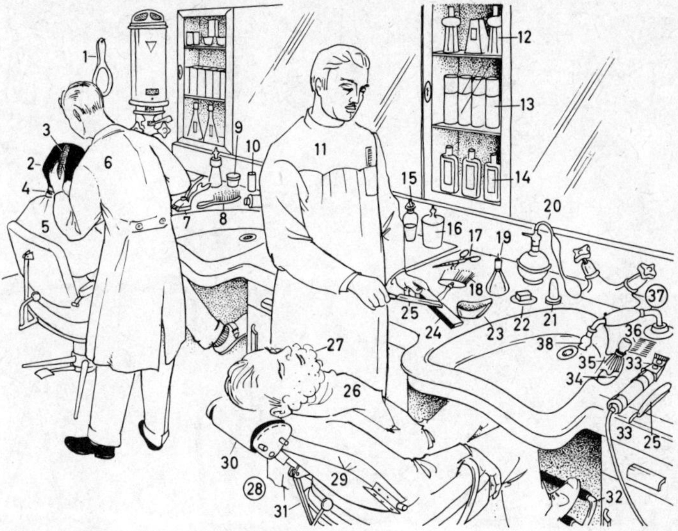

1-38 le salon de coiffure *f* pour messieurs:
1 la glace à main *f*
2 la coupe de cheveux *m* (la taille)
3 le peigne pour la coupe de cheveux *m* (le peigne à démêler ou retenir les cheveux *m*)
4 le crêpe
5 le peignoir
6 le garçon faisant une coupe de cheveux *m*
7 la tondeuse
8 la brosse à cheveux *m*
9 la crème capillaire
10 la brillantine
11 le patron (le maître-coiffeur) faisant la barbe
12 la brillantine liquide
13 la lotion capillaire
14 la lotion après rasage *m*
15 le shampooing
16 l'antiseptique *m*
17 les ciseaux *m* pour couper les cheveux *m*
18 la brosse de nuque *f*
19 le pulvérisateur à poudre *f*
20 le vaporisateur à parfum *m*
21 le savon à barbe *f*
22 le cautère, (l'hémostatique *m*), une pierre d'alun *m*
23 le plat à barbe *f*
24 le cuir à aiguiser
25 le rasoir
26 la serviette (servant de linge *m* de protection *f*)
27 la mousse de savon *m*
28 le fauteuil de coiffeur *m*:
29 le dossier
30 l'appui-tête *m*
31 la tige de réglage *m*;
32 l'appui-pieds *m*
33 la tondeuse électrique
34 le pot à savon *m*
35 le blaireau
36 le peigne fin
37 la douche:
38 la pomme de la douche

105 Tabac et articles pour fumeurs

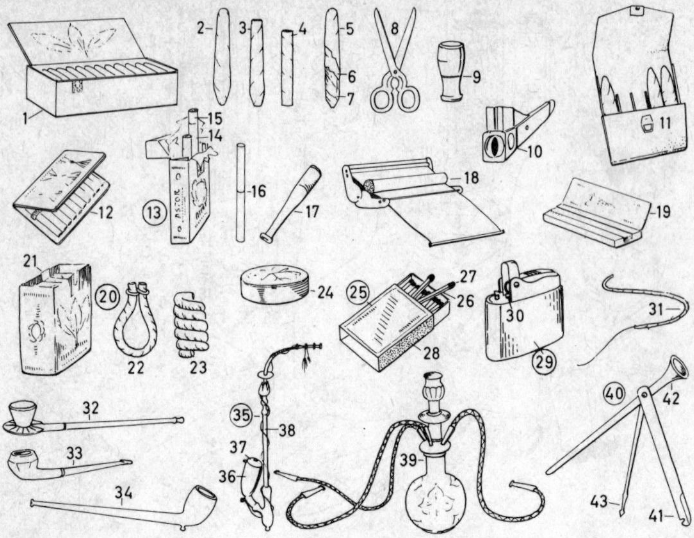

1 la boîte de cigares *m*
2 le cigare; *variétés :* Havane, Brésil, Sumatra
3 le cigarillo (le petit cigare)
4 le stump (le bout coupé)
5 la cape (la robe)
6 la sous-cape (la première enveloppe)
7 la tripe (l'intérieur *m*)
8 les ciseaux *m* coupe-cigares
9 le fume-cigare
10 le coupe-cigare
11 l'étui *m* à cigares *m* (le porte-cigares)
12 l'étui *m* à cigarettes *f* (le porte-cigarettes)
13 le paquet de cigarettes *f*:
14 la cigarette
15 le bout; *variétés :* le bout doré, le bout-liège, le bout-filtre;
16 le papiros
17 le fume-cigarette
18 le roule-cigarettes (le rouleau à cigarettes *f*, le moule à cigarettes *f*)
19 la cartouche de papier *m* à cigarettes *f*
20 le paquet de tabac *m*; *variétés :* le tabac en coupe *f* fine, le tabac granulé, la coupe marine:
21 la vignette fiscale;
22 le tabac roulé
23 le tabac à chiquer (le tabac à mâcher); *un morceau :* la chique (le rôle, la carotte)
24 la tabatière, contenant du tabac à priser
25 la boîte d'allumettes *f*:
26 l'allumette *f*
27 la tête soufrée (le bouton soufré)
28 le frottoir;
29 le briquet:
30 la pierre à fusil *m*;
31 la mèche
32-39 pipes *f*:
32 la chibouque (le chibouk, la pipe arabe, la pipe turque)
33 la petite pipe droite
34 la pipe en terre *f*
35 la pipe longue:
36 le fourneau (le foyer, la tête de la pipe)
37 le couvercle de la pipe
38 le tuyau de la pipe;
39 le narguilé (le narghileh);
40 le cure-pipe:
41 la curette
42 le bourron
43 le poinçon

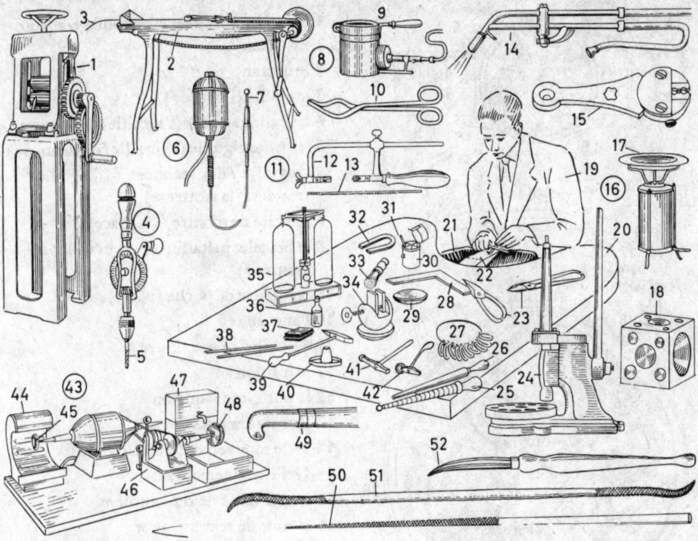

1 le laminoir (le fileteur à cylindres *m*)
2 le banc à tirer (le tréfiloir, le banc à étirer, le banc d'étirage *m*, le banc de tréfilerie *f*)
3 le fil [le fil d'or *m* ou d'argent *m*]
4 la perceuse à main *f*:
5 le perçoir (le foret, la vrille);
6 la perceuse électrique:
7 la fraise sphérique;
8 le four de fusion *f*:
9 le creuset;
10 la pince à creuset *m*
11 la scie à chantourner:
12 l'étrier *m* de la scie à chantourner
13 la lame de la scie à chantourner;
14 le pistolet à souder
15 la filière
16 la soufflerie à pédale *f*:
17 le disque à souder;
18 la marque en creux *m*
19 l'orfèvre *m*
20 la planche à outils *m* (planche de travail *m*)
21 le cuir
22 la lime
23 la cisaille à tôles *f* (le coupoir)
24 la machine à fabriquer les alliances *f*
25 la jauge conique
26 le triboulet
27 le baguier
28 l'équerre *f* en acier *m*
29 le coussinet de cuir *m*
30 la boîte à poinçons *m*
31 le poinçon
32 l'aimant *m*
33 la brosse
34 la boule à graver
35 le trébuchet
36 la soudure
37 la plaque incandescente en charbon *m* de bois *m*
38 la barre à souder
39 le fer à souder
40 le borax à souder
41 le marteau à façonner (marteau à décolleter ou à profiler)
42 le marteau à ciseler
43 la polisseuse-racleuse:
44 le pare-poussière
45 la brosse à polir
46 le régulateur de vitesse *f*
47 la boîte à raclures *f*
48 la gratte-bosse;
49 l'hématite *f* rouge (le fer oligiste)
50 la lime en aiguille *f*
51 le rifloir
52 le polissoir

107 Horloger et horlogerie

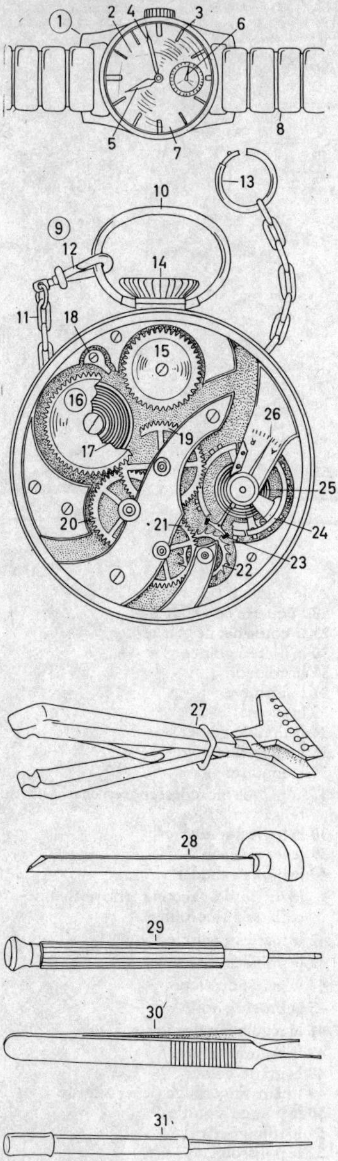

1 la montre-bracelet à remontage *m* automatique:
2 le cadran
3 le chiffre (l'heure *f*)
4 la grande aiguille (l'aiguille des minutes *f*)
5 la petite aiguille (l'aiguille *f* des heures *f*)
6 l'aiguille *f* des secondes *f* (l'aiguille *f* trotteuse, la trotteuse)
7 le verre de montre *f* (la glace)
8 le bracelet métallique, un bracelet de montre *f*;
9 la montre de poche *f*:
10 l'anneau *m*
11-13 la chaîne de montre *f*:
11 le maillon
12 le porte-mousqueton
13 l'anneau *m* à ressort *m*;
14-26 le mouvement d'horlogerie *f*,
14-17 l'entraînement *m*:
14 la couronne de remontoir *m*
15 la roue de remontage *m*
16 le barillet:
17 le ressort de barillet *m*;
18 le cliquet d'arrêt *m*
19-21 les rouages *m* (le train d'engrenage *m*):
19 la roue de centre *m* (la grande moyenne)
20 la roue moyenne
21 la roue de seconde *f* (la troisième roue, la roue trotteuse);
22 et **23** l'échappement *m*:
22 la roue d'ancre *f* (roue *ou* le rochet d'échappement *m*, la roue de rencontre *f*)
23 l'ancre *f*;
24-26 le régulateur (le modérateur):
24 le balancier
25 le ressort du balancier, un ressort spiral (un spiral)
26 la raquette (l'aiguille *f* pour le réglage du spiral);
27-31 les outils *m* de l'horloger *m*:
27 le pied-de-biche *f*
28 le burin (l'échoppe *f*, la fraise-couteau)
29 le tournevis
30 les brucelles *f* (les pincettes *f*)
31 la burette de précision *f* à huile *f*;
32 la pendule (l'horloge *f* de parquet *m*, l'horloge *f* de caisse *f*):
33 le coffre d'horloge *f*

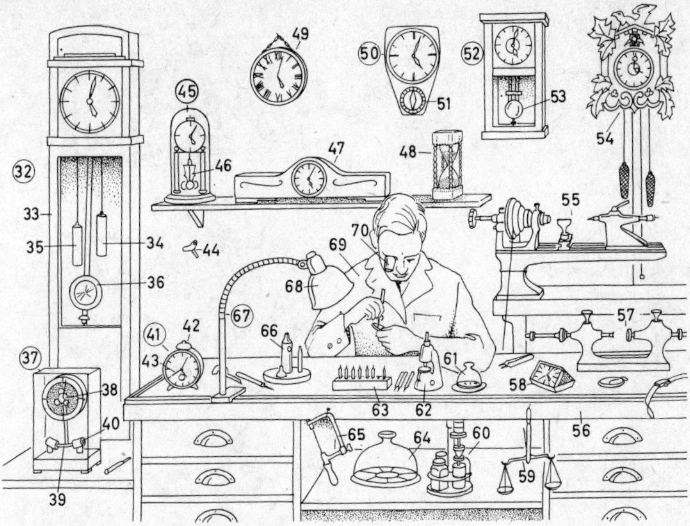

34 le poids de sonnerie *f*
35 le poids de la marche
36 le pendule;
37 la pendule électrique, une pendule de précision *f* avec balancier *m* compensateur (balancier compensé):
38 la roue des heures *f*
39 le pendule en acier-nickel *m*
40 l'aimant *m* permanent;
41 le réveille-matin (le réveil):
42 la sonnerie
43 l'aiguille *f* de sonnerie *f*;
44 la clé de l'horloge *f*:
45 la pendule annuelle:
46 le pendule tournant;
47 la pendule à sonnerie *f* (pendule sonnante)
48 le sablier
49 la pendule ronde *dite* «œil *m* de bœuf *m*»
50 la pendule de cuisine *f*:
51 le chronomètre;
52 la pendule murale (le régulateur):
53 le pendule compensateur (le pendule à gril *m*);
54 l'horloge *f* à coucou *m* (le coucou)
55 le tour d'horloger *m* (tour pour travaux *m* de précision *f* mécanique)
56 l'établi *m*
57 le tour Jacot (tour à pivoter *m*)
58 le réveil de voyage *m*
59 le trébuchet
60 le décrasseur
61 le garde-poussière (le globe en verre *m*) pour les instruments *m* de précision *f*
62 la machine à river les pignons *m*
63 le poinçon à river
64 l'assiette *f* avec globe *m* en verre *m*
65 la scie d'horloger *m*
66 l'enclume *f* à aiguilles *f*
67 la lampe de travail *m*:
68 le réflecteur;
69 l'horloger *m*
70 la loupe d'horloger *m*

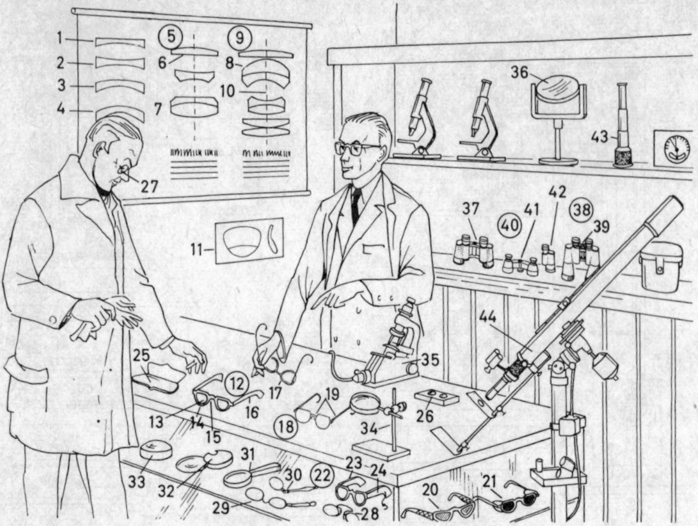

1-8 lentilles *f* sphériques,
1-4 lentilles *f* concaves (lentilles divergentes):
1 la lentille plan-concave
2 la lentille biconcave (la lentille double concave)
3 la lentille convexe-concave
4 le ménisque concave;
5-8 lentilles *f* convergentes,
5 la lentille plan-convexe:
6 la surface plane;
7 la lentille biconvexe (la lentille double convexe)
8 la lentille concave-convexe;
9 le système optique:
10 l'axe *m*;
11 la lentille bifocale (les verres *m* bi-forces)
12-24 lunettes *f*,
12 les lunettes *f* à monture *f* d'écaille *f*:
13 le verre de lunettes *f*
14-16 les branches *f* et l'armature *f*:
14 la monture
15 l'arcade *f*
16 la branche;
17 la monture métallique
18 les lunettes *f* sans armature *f*:
19 l'arcade *f* et les branches *f*;
20 les lunettes *f* de soleil *m*
21 les lunettes *f* pour aveugle *m*
22 les verres *m* combinés avec l'appareil *m* acoustique:
23 la branche à microphone *m*
24 la branche à batterie *f*;
25 l'étui *m* à lunettes *f*
26 le verre de contact *m*
27 le monocle
28 le pince-nez (le binocle)
29 le lorgnon (le face-à-main)
30 le lorgnon monocle
31-34 loupes *f* et appareils *m* grossissants:
31 la loupe à manche *m*
32 la loupe en boîte *f*
33 la loupe de contact *m*
34 la loupe sur pied *m*;
35 le fronto-focomètre
36 le miroir concave
37-44 télescopes *m*:
37 une paire de jumelles *f*, un télescope double
38 les jumelles *f* de chasse *f* pour la vision nocturne:
39 le dispositif central de réglage *m*;
40 les lunettes *f* de théâtre *m*:
41 la charnière (le joint);
42 la lunette monoculaire
43 la lunette télescopique
44 la lunette d'approche *f* pour l'observation *f* du ciel

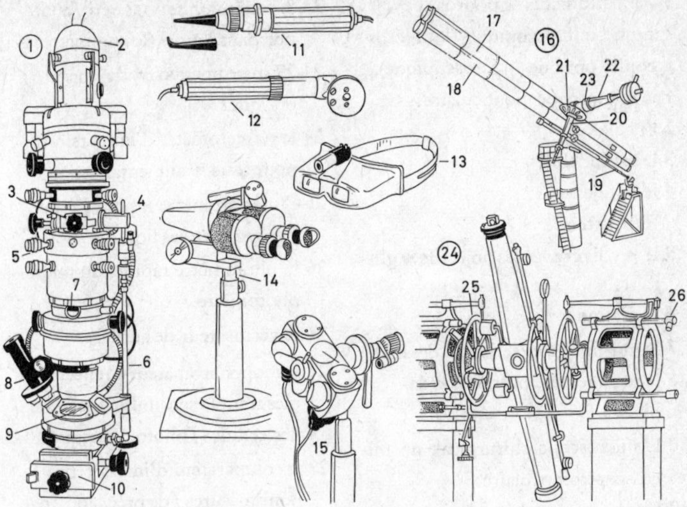

1 le microscope électronique,
2-10 le tube du microscope:
2 la source d'électrons *m*
3 l'orifice *m* d'introduction *f* de l'objet *m*
4 la manette de l'orifice *m* d'introduction *f*
5 la vis d'ouverture *f* du diaphragme
6 le réglage de la platine
7 le viseur de l'image *f* intermédiaire
8 l'oculaire *m* de l'écran *m* fluorescent
9 la loupe de réflexion *f*
10 la chambre photographique;
11-15 appareils *m* ophtalmologiques:
11 le sclérotoscope
12 le rétinoscope
13 la loupe serre-tête binoculaire
14 le microscope pour l'examen *m* de la cornée
15 l'ophtalmomètre *m*;
16-26 instruments *m* astronomiques,
16 le réfracteur:
17 le tube photographique
18 le tube de visée *f*
19 le chercheur
20 l'axe *m* horaire
21 le cercle de position *f* horaire
22 l'axe de déclinaison *f*
23 le cercle de déclinaison *f*;
24 le circuit de méridien *m* (circuit orbital):
25 l'échelle *f* graduée
26 le microscope de lecture *f*

1-23 instruments *m* pour la technique microscopique (la microscopie, optique *f* microscopique),
1 le microscope monoculaire:
2 l'oculaire *m*
3 le tube incliné
4 le condenseur à filtre *m* teinté
5 le revolver avec les objectifs *m* glissants
6 la platine
7 le miroir de projection *f* à dessiner;
8 le réglage des contrastes *m* de phases *f*
9 le microscope chirurgical, un microscope binoculaire:
10 le tube monoculaire droit;
11 le colposcope pour examens *m* gynécologiques:
12 le viseur à tube *m* incliné;
13 le microscope à éclairage *m* incident:
14 le condenseur à éclairage *m* incident
15 le porte-tube
16 le revolver à objectifs *m* ;
17 le microscope de tests *m* stéréo pour examens *m* microstéréoscopiques:
18 le tube binoculaire incliné;
19 le microscope photographique pour microphotographie *f*:
20 la source lumineuse verticale pour prises *f* de vue *f* en champ *m* clair, obscur, et en lumière *f* polarisée
21 la caméra du microscope
22 la lampe du microscope;
23 le compteur de poussière *f* contenue dans l'air *m* (le conimètre);
24-29 instruments *m* de mesure *f* optique:
24 le réfractomètre d'immersion *f* pour tests *m* alimentaires
25 l'interféromètre *m* pour l'étude *f* des gaz *m* et des liquides *m*
26 le photomètre rapide, un microphotomètre
27 le vérificateur de surface *f*
28 le monochromateur à réflecteur *f* mesurant la sensibilité spectrale des cellules *f* photoélectriques
29 le comparateur d'interférence *f* pour mesures *f* de précision *f* par voie de longueur *f* d'ondes *f* lumineuses;
30-38 instruments *m* géodésiques (instruments topographiques),
30 le tachéomètre de réduction *f* à double image *f* pour la mesure optique des distances *f*:
31 le microscope à échelle *f*
32 l'oculaire *m* de lecture *f*
33 l'index *m* altimétrique avec réglage *m* des coïncidences *f*
34 le fil à plomb *m* optique
35 le pied à centrer
36 le triangle de référence *f*
37 la latte de mesure *f* (le jalon);
38 le micromètre à planimètre pour la mesure de précision *f* d'altitude *f* employé dans la construction au-dessus et au-dessous du sol

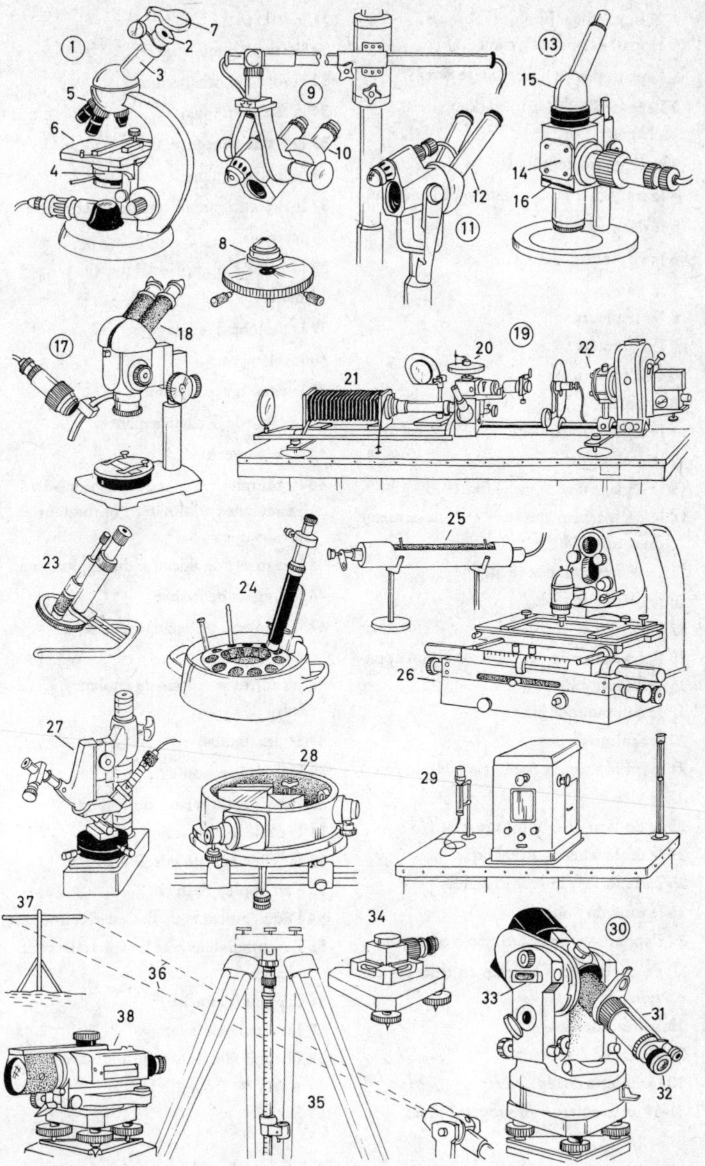
1
2
3
4
5
6
7
8
9
10
11
12
13
14
15
16
17
18
19
20
21
22
23
24
25
26
27
28
29
30
31
32
33
34
35
36
37
38

1-27 appareils *m* photographiques, (appareils photo *m*, caméras *f*):
1 l'appareil *m* en boîtier *m* (le box)
2 l'appareil *m* à soufflet *m* (l'appareil pliant):
3 la chambre de bobinage *m*
4 le rouleau d'avancement *m* de la bobine
5 le déclencheur
6 le voyant (le viseur)
7 le soufflet
8 les tendeurs *m*
9 l'abattant *m*;
10-14 l'objectif *m*:
10 la lentille
11 le réglage d'exposition *f*
12 le réglage du diaphragme
13 le réglage de distance *f* focale
14 le déclencheur de pose *f* et d'ouverture *f* du soufflet;
15 l'appareil *m* réflex (Rolleiflex):
16 le boîtier de visée *f*
17 l'objectif *m* de visée *f*;
18 l'appareil *m* de petit format *m*, un appareil monobloc:
19 le compteur de poses *f*
20 le tableau de pose *f*
21 la griffe pour accessoires *m* (cellule *f* etc.)
22 le viseur
23 le bouton de rebobinage *m*
24 le déclencheur automatique
25 les lentilles *f* interchangeables
26 le fond du boîtier;
27 l'appareil *m* de photo stéréo pour prise *f* de clichés *m* en relief *m* en trois dimensions *f*;
28 le stéréoscope:
29 la plaque diapositive
30 la molette de réglage *m*;
31-59 accessoires *m* photographiques,
31 le trépied:
32 l'articulation *f*
33 la rotule d'orientation
34 la tête du trépied
35 la vis de serrage *m*
36 le pied du trépied;
37 le déclencheur automatique, chronométrique
38 la cellule photoélectrique (le posemètre):
39 la molette de réglage *m*;
40 le télémètre:
41 la patte d'accouplement *m*;
42 le câble de déclenchement *m*
43 le téléobjectif
44 l'obturateur *m* central synchronisé à instantanés *m*, *variété:* l'obturateur *m* à rideau *m*:
45 les lames *f* de rideau *m* du diaphragme
46 le contact de flash *m*
47 le contact de déclencheur *m* automatique;
48 les filtres *m* (filtres de couleur *f*, U V et infra R),
49-59 les flash *m*,
49 le flash à ampoule *f*:
50 le boîtier de la batterie
51 le câble de connexion *f*
52 le réflecteur, un miroir concave
53 l'ampoule *f* flash *m*;
54 l'équipement *m* de flash *m* électronique:
55 l'accumulateur *m* et les appareils *m* de charge *f*
56 le point d'attache *f*
57 le manche de la lampe
58 le tube électronique, une ampoule à gaz *m*
59 la courroie

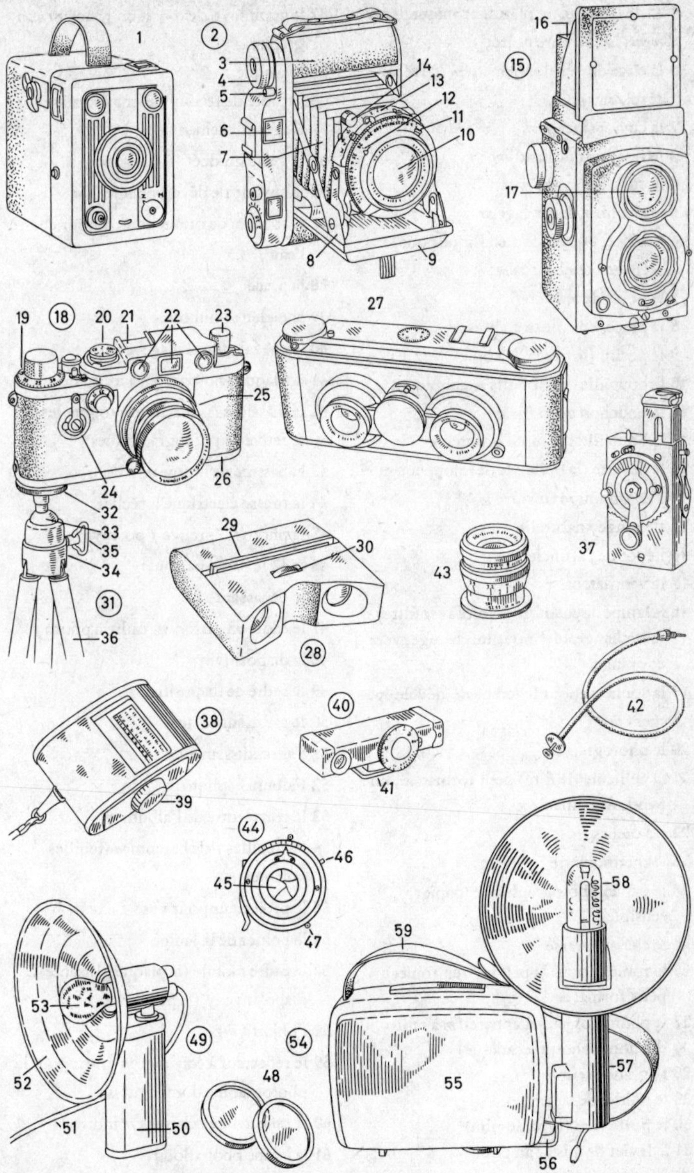
1
2
3
4
5
6
7
8
9
10
11
12
13
14
15
16
17
18
19
20
21
22
23
24
25
26
27
28
29
30
31
32
33
34
35
36
37
38
39
40
41
42
43
44
45
46
47
48
49
50
51
52
53
54
55
56
57
58
59

1-61 le laboratoire photographique; *également*: la chambre noire:
1 la cuve de développement *m* (cuve au révélateur)
2 la cuve à rinçage *m*
3 le réservoir de fixatif *m*
4 la cuve de lavage *m*
5 la chambre de séchage *m*
6 la pince, une pince métallique pour le séchage des négatifs *m*
7 le poids de tension *f*
8 la pince, une pince en bois *m*
9 le positif (le tirage, la copie)
10 la bouteille de produits *m* chimiques
11 le bouchon de verre *m*
12 la bouteille à compte-gouttes *m*
13 la cuvette (la boîte) de développement *m*
14 l'entonnoir *m* en verre *m*
15 l'éponge *f* naturelle
16 l'éponge *f* artificielle
17 le ventilateur
18 la lampe de chambre *f* noire avec filtres *m* interchangeables pour infrarouge, vert et orange
19 la sonnerie pour le temps de développement *m*
20 le photographe
21 la pellicule (le film) petit format *m*, une bande de pellicule
22 les caches *f*
23 le thermomètre
24 le papier photographique (papier sensible)
25 le châssis-presse
26 le rouleau pour la pellicule en rouleau petit format *m*
27 le photo-copieur (l'appareil *m* à reproduction *f* photomécanique)
28 l'agrandisseur *m*:
29 le boîtier de la lampe
30 le porte-film (le passe-film)
31 le levier de mise *f* au point
32 le compteur d'exposition *f*, un chronographe
33 la plaque
34 le cadre de recouvrement *m* (cadre d'agrandissement *m*);
35 le verre gradué
36 la cuvette de développement *m*
37 le rouleau de caoutchouc *m* pour chasser l'eau *f*
38 la pince
39 la raclette pour films *m*
40 le chevalet de séchage *m*
41 la plaque photographique, un négatif
42 le massicot (la machine à rogner les épreuves *f* photographiques)
43 la bassine de lavage *m*
44 la presse électrique à sécher
45 la photo (l'épreuve *f* positive)
46 et **47** le passe-partout:
46 le dépassant
47 le cadre en carton *m* (cadre à photo *f*);
48 la diapositive
49 le cadre de diapositive *f*
50 le cadre sur socle *m*
51 l'agrandissement *m*
52 l'album *m* photo:
53 la couverture de l'album *m*
54 les feuilles *f* de l'album *m* (feuilles volantes);
55 le projecteur pour vues *f* fixes:
56 le boîtier de la lampe
57 le cadre mobile (la plaque glissante) à diapositives *f* (le passe-vues)
58 l'objectif *m*;
59 le réflecteur à éclairage *m* direct pour la photographie d'intérieur *m*:
60 le réflecteur à éclairage *m* indirect:
61 la lampe photo flood

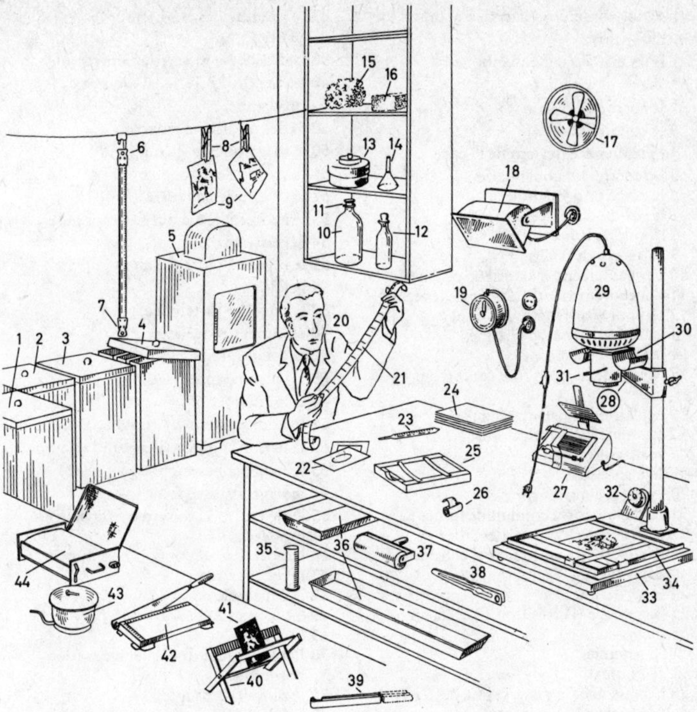
1
2
3
4
5
6
7
8
9
10
11
12
13
14
15
16
17
18
19
20
21
22
23
24
25
26
27
28
29
30
31
32
33
34
35
36
37
38
39
40
41
42
43
44

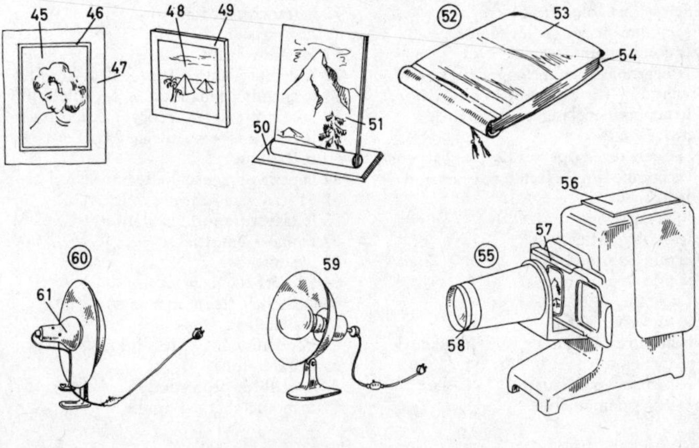
45
46
47
48
49
50
51
52
53
54
55
56
57
58
59
60
61

1-49 le gros œuvre (la construction d'un bâtiment):
1 le soubassement en béton *m* damé
2 le socle de béton *m*
3 le soupirail
4 l'escalier *m* extérieur de la cave
5 la fenêtre de la buanderie
6 la porte de la buanderie
7 le rez-de-chaussée
8 le mur de briques *f*
9 le linteau de fenêtre *f*
10 l'encadrement *m* extérieur de fenêtre *f*
11 l'encadrement *m* intérieur de fenêtre *f*
12 l'appui *m* de fenêtre *f* (l'allège *f*)
13 le linteau de béton *m* armé
14 le premier étage
15 le mur de parpaings *m* (mur d'agglomérés *m*)
16 le plafond construit en dur *m*
17 l'estrade *f* (les tréteaux *m*)
18 le maçon
19 le manœuvre
20 l'auge *f* à mortier *m*
21 la cheminée (le conduit de fumée *f*)
22 le panneau de cage *f* d'escalier *m*
23 l'écoperche *f* (la perche d'échafaudage *m*)
24 le garde-fou
25 la traverse (l'étrésillon *m*) d'échafaudage *m*
26 le sommier
27 le boulin
28 le platelage (la plate-forme de madriers *m*)
29 la planche (la latte) de garde *f*
30 le nœud d'échafaudage *m*, avec chaînette *f* ou câble *m* de sûreté *f*
31 le monte-charge (l'élévateur *m*)
32 le conducteur mécanicien
33 la bétonnière, un mélangeur par gravitation *f* (un malaxeur à chute *f* libre):
34 le tambour-mélangeur (la cuve de malaxage *f*)
35 la caisse de chargement *m* (le chargeur);
36 les composants *m* [sable *m*, gravillon *m*]
37 la brouette
38 le tuyau d'eau *f*
39 le bac à mortier *m*
40 la pile de briques *f*
41 la pile de palançons *m*
42 l'échelle *f*
43 le sac de ciment *m*
44 la clôture du chantier, une palissade de planches *f*
45 le panneau publicitaire
46 la porte démontable
47 le panneau des enseignes *f* des entreprises *f*
48 la cabane (la resserre à outils *m*)
49 les feuillées *f* (le lieu d'aisance *f*) du chantier;
50-57 les outils *m* du maçon:
50 le fil à plomb *m* (la toupie)
51 le crayon de maçon *m*
52 la truelle de maçon *m*
53 le marteau de maçon *m* (le martelet)
54 la massette
55 le niveau à bulle *f* d'air *m*
56 la taloche
57 le bouclier (la taloche);
58-68 modes *m* de liaison *f*:
58 la brique pleine calibrée
59 la liaison-panneresse
60 la boutisse:
61 le bout en attente *f* (bout en escalier *m*);
62 la liaison anglaise (l'appareil *m* simple)
63 le rang panneresse *f*
64 le rang boutisse *f*;
65 l'appareil *m* à croisettes *f* (la liaison croisée)
66 l'appareil *m* de conduit *m* de fumée *f*:
67 le premier rang
68 le deuxième rang;
69-82 la fouille (l'excavation *f*):
69 la chaise
70 l'axe repère *m* de piquetage *m* (de cordes *f*)
71 le plomb (la toupie)
72 le talus
73 la règle de niveau *m* supérieur
74 la règle de niveau *m* inférieur
75 la tranchée de fondation *f*
76 le terrassier
77 le tapis roulant
78 le déblai (l'enlèvement *m* de terres *f*)
79 le chemin en madriers *m* (le caillebotis)
80 la ceinture de protection *f* de l'arbre *m*
81 la pelleteuse excavatrice (la pelle mécanique):
82 la pelle preneuse (pelle fouilleuse);
83-91 le revêtement des murs *m*:
83 le ravaleur; *anal.*: le plâtrier
84 l'auge *f* à mortier *m*
85 le tamis
86-89 l'échafaudage *m*:
86 l'échelle *f* (les montants *m*)
87 le platelage
88 l'étrésillon *m* (le croisillon)
89 le garde-fou;
90 la grille de protection *f*
91 le monte-charge à poulie *f*

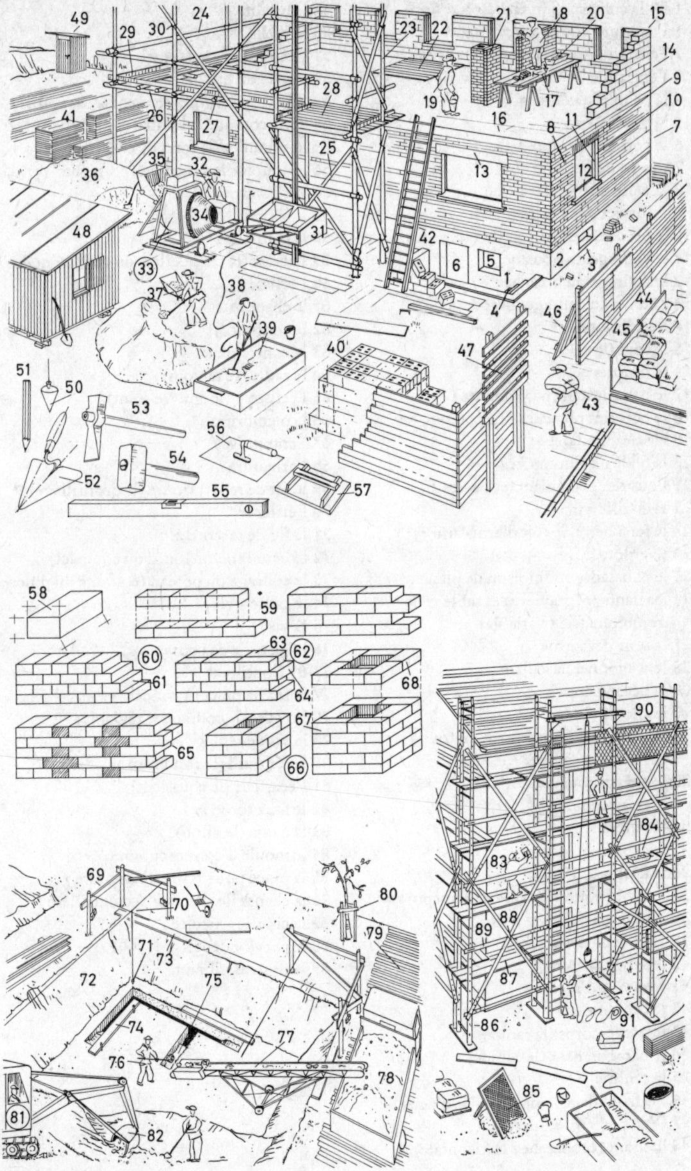
1
2
3
4
5
6
7
8
9
10
11
12
13
14
15
16
17
18
19
20
21
22
23
24
25
26
27
28
29
30
31
32
33
34
35
36
37
38
39
40
41
42
43
44
45
46
47
48
49
50
51
52
53
54
55
56
57
58
59
60
61
62
63
64
65
66
67
68
69
70
71
72
73
74
75
76
77
78
79
80
81
82
83
84
85
86
87
88
89
90
91

1-89 la construction en béton *m* armé,
1 l'ossature *f* de béton *m* armé:
2 l'encadrement *m* en béton *m* armé
3 l'entrait *m* (le tirant)
4 la panne de béton *m*
5 la poutre
6 le corbeau (le gousset);
7 le mur de béton *m* coulé
8 la dalle de béton *m* armé
9 l'ouvrier *m* bétonnier au lissage
10 le fer de reprise *f* (fer de raccord *m*)
11 le coffrage du poteau
12 le coffrage du plancher
13 l'étai *m* du coffrage (la chandelle)
14 l'étrésillonnage *m*
15 le coin (la cale)
16 le madrier
17 le batardeau de palplanches *f*
18 le bois (les planches *f* de coffrage *m*)
19 la scie circulaire
20 la table de cintrage *m*
21 l'ouvrier *m* coudant les barres *f*
22 la cisaille à main *f*
23 le fer à béton *m* (fer d'armature *f*)
24 l'aggloméré *m*
25 la palissade, une cloison de planches *f*
26 les liants *m* [gravier *m* et sable *m* de granulométrie *f* variable]
27 la voie de la grue
28 le wagonnet basculant
29 la bétonnière
30 le silo de ciment *m*
31 la grue de façade *f* (grue en tour *f* pivotante):
32 le châssis roulant
33 le contrepoids
34 le pylône
35 la cabine du grutier
36 la flèche
37 le câble porteur (câble de transport *m*)
38 la benne à béton *m*;
39 la voie de traverses *f*
40 le sabot de frein *m*
41 la rampe d'accès *m*
42 la brouette
43 le garde-corps (la rampe)
44 le baraquement (la cabine)
45 la cantine
46 l'échafaudage *m* de tubes *m* d'acier *m*:
47 l'échasse *f* (l'écoperche *f*)
48 le tirant (écoperche *f* horizontale)
49 le boulin
50 le patin
51 l'entretoise *f* en fer *m*
52 le plateau
53 le raccord (l'emboîtement *m*, le collier);
54-76 le coffrage et l'armature *f* de béton *m*:
54 le sommier (le fond de coffre *m*)
55 le coffrage latéral d'une corniche
56 le chevêtre
57 la solive
58 le crampon
59 l'étai *m* (la chandelle), un étai frontal
60 l'éclisse *f*
61 le chapeau
62 le contrefort
63 la contre-fiche
64 le cadre (le témoin)
65 l'éclisse *f* (le couvre-joint)
66 la membrure
67 l'entretoise *f*
68 l'armature *f*
69 le fer de répartition *f* (le quadrillage)
70 l'étrier *m*
71 le fer de raccord *m*
72 le béton (béton lourd ou compact)
73 le coffrage du poteau (coffrage du pilier)
74 le cadre à vis *f*
75 la vis
76 la planche de coffrage *m*;
77-89 l'outillage *m*:
77 le fer (la pince) à couder
78 le cadre de coffrage *m* réglable:
79 la vis de réglage *m*;
80 le fer rond (le rondin en acier *m*):
81 l'écarteur (le coussinet);
82 le fer à toron *m*
83 la dame (le pilon)
84 le moule d'essai *m* cubique
85 la pince pour fer *m* d'armature *f*
86 la chandelle (l'étai *m*) à crémaillère *f*
87 la cisaille articulée
88 le pervibrateur:
89 le flotteur vibrant

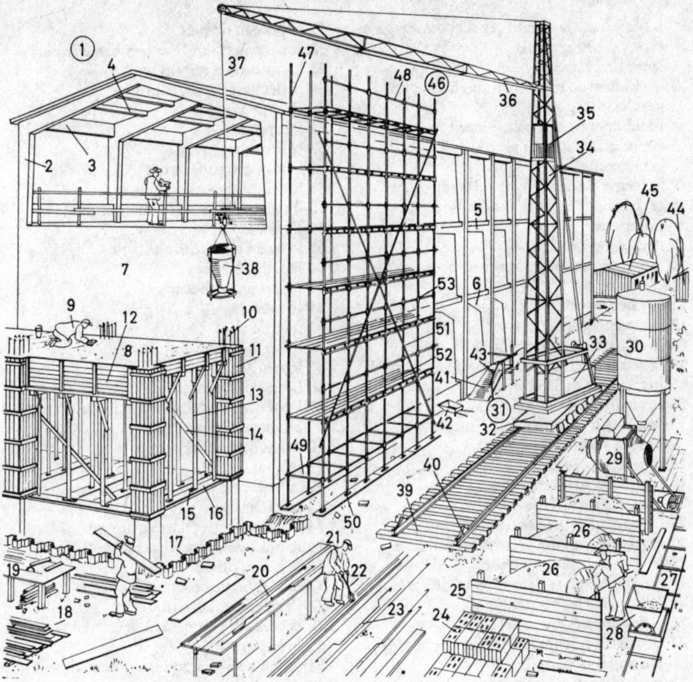
1
2
3
4
5
6
7
8
9
10
11
12
13
14
15
16
17
18
19
20
21
22
23
24
25
26
26
27
28
29
30
31
32
33
34
35
36
37
38
39
40
41
42
43
44
45
46
47
48
49
50
51
52
53

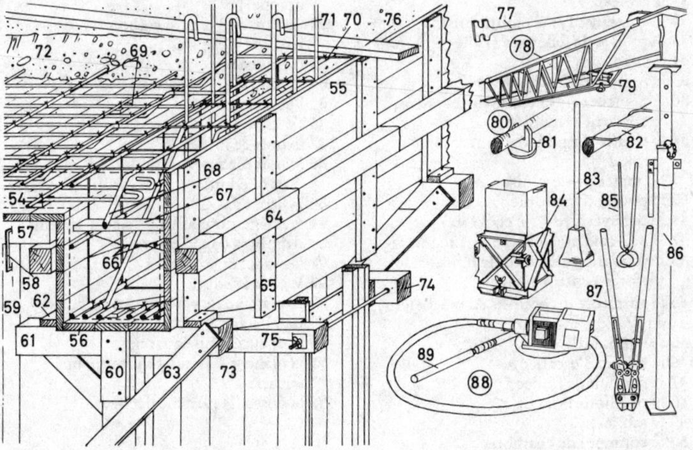
54
55
56
57
58
59
60
61
62
63
64
65
66
67
68
69
70
71
72
73
74
75
76
77
78
79
80
81
82
83
84
85
86
87
88
89

1-59 le chantier (chantier d'assemblage *m* et de montage *m*):
1 le tas de planches *f*
2 les bois *m* de long (la longrine)
3 la scierie
4 l'atelier *m* de charpentier *m*
5 la porte de l'atelier *m*
6 la charrette
7 la ferme (le comble, le faîtage)
8 le mât de faîtage *m* avec le bouquet de faîtage *m*
9 la cloison de planches *f*
10 le bois équarri (bois avivé, bois d'œuvre *m*)
11 la plate-forme de travail *m*
12 le charpentier
13 le chapeau de charpentier *m*
14 la scie à tronçonner, une scie à chaîne *f*:
15 la traverse de la scie
16 la chaîne de la scie;
17 le fermoir électrique (la fraiseuse à chaîne *f*)
18 le tréteau
19 la poutre sur tréteau *m*
20 la caisse à outils *m*
21 la perceuse (la foreuse électrique)
22 le trou à cheville *f* (trou à goujon *m*)
23 le trou à goujon *m* tracé
24 l'assemblage *m* de bois *m* taillé
25 le poteau (le montant)
26 la traverse (l'entretoise *f*)
27 l'étrésillon *m* (la décharge, l'écharpe *f*)
28 le soubassement
29 le mur de la maison (mur extérieur)
30 la baie de fenêtre *f*
31 le tableau
32 l'ébrasement *m* (l'embrasure *f*)
33 l'appui *m* de fenêtre *f* (l'allège *f*)
34 le chaînage
35 le bois rond (l'échasse *f*)
36 le plancher (le chemin) de travail *m*
37 la corde de remontée *f*
38 la poutre du plafond (poutre maîtresse *f*)
39 la poutre porte-cloison *m*
40 la poutre de bordure *f*
41 l'enchevêtrure *f* (le chevêtre)
42 la solive d'assemblage *m* à tenon *m*
43 le fond intermédiaire (le hourdis, le plafond à entrevous *m*)
44 la garniture du hourdis en mâchefer *m*, en argile *f* etc.
45 la lambourde
46 la trémie d'escalier *m*
47 le conduit de fumée *f*
48 le treillis de bois *m*:
49 la sablière
50 le sommier de chambrée *f*
51 le poteau de baie *f*
52 le poteau d'angle *m* (poteau cornier)
53 le poteau de refend *m*
54 la décharge avec mortaise *f*
55 l'entretoise *f*
56 l'appui *m*
57 le linteau
58 la sablière supérieure
59 le remplissage en briques *f*;
60-82 l'outillage *m* du charpentier:
60 l'égoïne *f*
61 la scie à chantourner (scie à châssis *m*):
62 la lame de scie *f*;
63 la scie à guichet *m*
64 le rabot
65 la tarière
66 le serre-joint
67 le maillet
68 la scie passe-partout
69 l'équerre *f* à lame *f* d'acier *m* (équerre à chapeau *m* d'ajusteur *m*)
70 la hache de charpentier *m*
71 le ciseau
72 la besaiguë (la bisaiguë)
73 la hache
74 le marteau de charpentier *m*:
75 le pied-de-biche (l'arrache-clous *m*);
76 le mètre pliant
77 le crayon de charpentier *m*
78 l'équerre *f* métallique
79 la plane (le couteau à deux mains *f*)
80 le copeau
81 la sauterelle (l'équerre *f* de biais *m* à mitre *f*)
82 le biveau (la fausse équerre, le télégraphe);
83-96 bois *m* d'œuvre *m* (bois de construction *f*),
83 la grume:
84 le cœur (le bois parfait)
85 l'aubier *m*
86 l'écorce *f*;
87 le bois de brin *m*
88 le bois d'équarrissage *m* (bois mi-plat, bois refendu):
89 la flache;
90 le sciage sur mailles *f* (sciage hollandais, bois coupé en croix *f*)
91 la planche:
92 le bois debout;
93 la planche de cœur *m* (planche de moelle *f*)
94 la planche non équarrie
95 la planche à arêtes *f* vives (planche équarrie)
96 la dosse (la planche flacheuse)

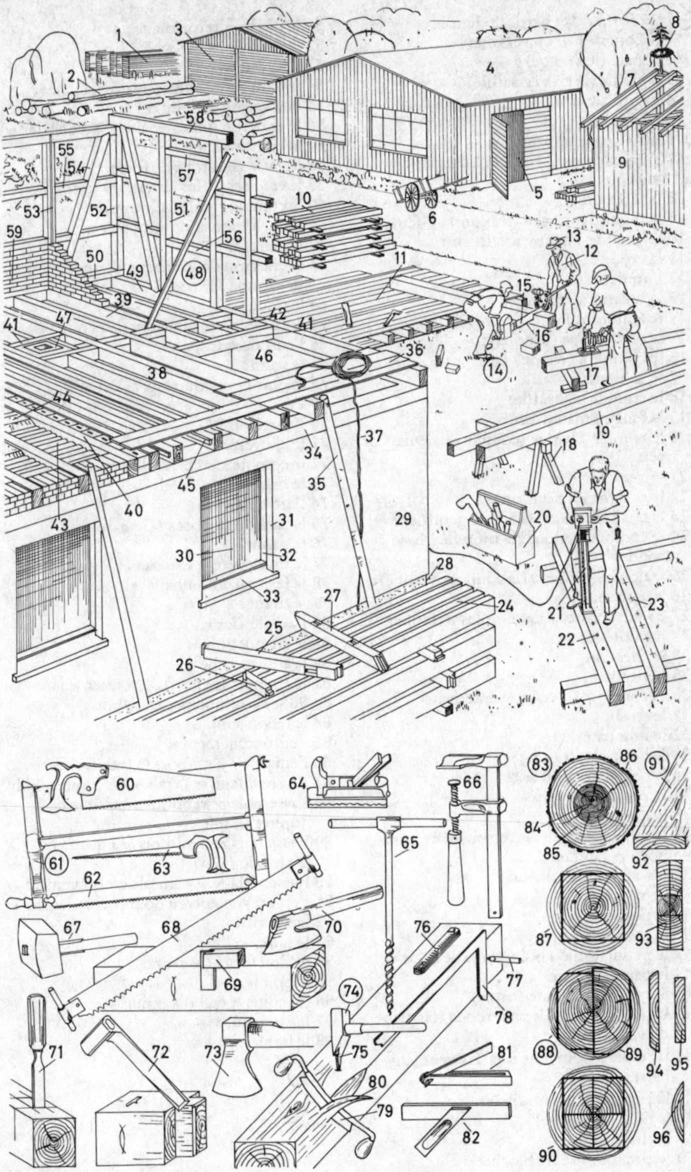

1-26 formes *f* et parties *f* du toit,
1 le comble à deux versants *m*:
2 le faîte (le faîtage)
3 la saillie (la rive en saillie)
4 la gouttière
5 le pignon
6 la lucarne rampante;
7 l'appentis *m* (le comble à un seul versant):
8 la tabatière
9 le pignon mitoyen (le mur pare-feu);
10 le comble à quatre arêtiers *m*:
11 la croupe
12 l'arêtier *m*
13 la lucarne à croupe *f*
14 le lanterneau
15 la petite noue (le nolet);
16 le comble à croupe *f* faîtière :
17 le capiteret;
18 le comble mansardé:
19 la fenêtre mansardée;
20 le comble Shed *m* (comble en dents *f* de scie *f*):
21 le versant vitré;
22 le comble en pavillon *m*:
23 la chatière (le chapeau) de gendarme *m*;
24 le comble conique (la tourelle à base *f* ronde)
25 le dôme à bulbe *m* (la coupole à bulbe):
26 la girouette;
27-83 charpentes *f* de combles *m* (fermes *f*),
27 la petite ferme:
28 le chevron
29 l'entrait *m*
30 l'écharpe *f* (le contreventement)
31 le coyau
32 le mur extérieur
33 le bout d'entrait *m*;
34 la ferme à entrait *m* relevé:
35 l'entrait *m* retroussé
36 le chevron;
37 la ferme à entrait *m* retroussé et poinçons *m* latéraux:
38 les entraits *m* retroussés
39 la panne
40 le poinçon
41 la contre-fiche;
42 la petite ferme à poinçon *m* de fond *m*:
43 la panne faîtière
44 la sablière (la plate-forme)
45 la tête (le bout) de chevron *m* (la queue de vache *f*);
46 la ferme à poinçons *m* latéraux et jambettes *f*:
47 la jambette (le mur d'arase *f*)
48 le faîte (le faîtage)
49 le tirant haut
50 le tirant moisé (le blochet)
51 la panne intermédiaire;
52 le comble polygonal:
53 l'entrait *m*
54 la solive intermédiaire du plancher
55 le chevron de faîte *m*
56 le chevron intermédaire (l'arbalétrier *m*)
57 la contre-fiche
58 l'étai *m* (la jambe de force *f*)
59 les moises *f* (les entraits *m* retroussés);
60 le comble rigide à croupe *f*:
61 l'empannon *m* de long pan *m*
62 l'arêtier *m*
63 le chevron de la croupe (l'empannon *m* de croupe *f*)
64 la noue;
65 le comble à plancher *m* suspendu:
66 l'entrait *m* suspendu
67 le soffite
68 le poteau de soupente *f* (l'aiguille *f*)
69 l'étai *m*
70 l'entretoise *f*
71 le chevêtre;
72 le comble sur chandelles *f*:
73 le tirant
74 l'arbalétrier *m*
75 la cloison de frises *f* (le bardage)
76 la panne
77 le mur porteur extérieur;
78 la ferme à colombage *m*:
79 le tirant
80 l'arbalétrier *m*
81 la chandelle
82 la contre-fiche
83 le support (le mur) de soutien *m*;
84-98 les assemblages *m* du bois:
84 le tenon simple
85 l'enfourchement *m*
86 l'entaille *f* à mi-bois (à trait *m* droit)
87 l'assemblage *m* à trait *m* de Jupiter droit
88 l'assemblage *m* oblique à trait *m* de Jupiter simple
89 l'assemblage à mi-bois *m* à queue *f* d'aronde *f*
90 l'assemblage *m* à simple embrèvement *m*
91 l'embrèvement *m* à double épaulement *m*
92 la cheville
93 le tampon
94 le clou forgé (le carval)
95 la pointe
96 les coins *m* en bois *m* dur
97 le clameau
98 le boulon

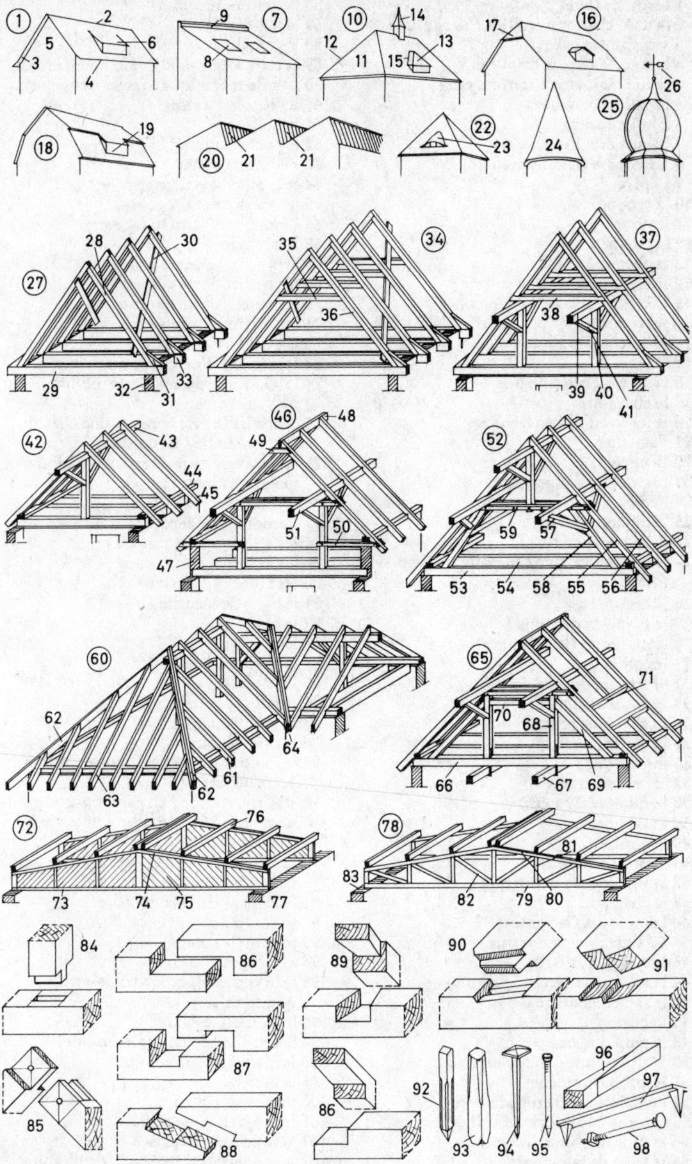
1
2
3
4
5
6
7
8
9
10
11
12
13
14
15
16
17
18
19
20
21
21
22
23
24
25
26
27
28
29
30
31
32
33
34
35
36
37
38
39
40
41
42
43
44
45
46
47
48
49
50
51
52
53
54
55
56
57
58
59
60
61
62
62
63
64
65
66
67
68
69
70
71
72
73
74
75
76
77
78
79
80
81
82
83
84
85
86
86
87
88
89
90
91
92
93
94
95
96
97
98

1 le toit de tuiles *f*:
2 la couverture en écailles *f* droites chevauchantes
3 la tuile faîtière (l'enfaîteau *m*)
4 la tuile faîtière du dernier rang
5 la tuile d'égout *m*
6 la tuile en écaille *f*
7 la chatière (l'outeau *m*)
8 l'arêtier *m* (la tuile arêtière)
9 l'épi *m*
10 la croupe
11 la noue;
12 la tabatière
13 la cheminée
14 le solin de la souche en zinc *m*
15 le crochet d'échelle *f* (crochet de service *m*)
16 le crochet du garde-neige
17 le lattis
18 la pige d'écartement *m*
19 le chevron
20 le marteau de couvreur *m*
21 l'assette *f*
22 l'auget *m*:
23 le crochet d'auget *m*;
24 l'accès *m*
25 le pignon
26 la baguette de rive *f*
27 le dessous de rive *f* en voliges *f* (le plafonnet)
28 la gouttière
29 le tuyau de descente *f*
30 le moignon (la naissance)
31 le collier
32 le crochet de gouttière *f*
33 la pince à tuile *f*
34 l'échafaudage *m*:
35 le garde-corps;
36 la corniche:
37 le mur extérieur
38 l'enduit *m* (le crépi)
39 l'arasement *m*
40 la sablière
41 la queue de vache *f*
42 la volige de la corniche
43 la chanlatte
44 les plaques *f* isolantes;
45-60 tuiles *f* et couverture *f* en tuiles,
45 le toit à éclisse *f*:
46 la tuile plate (écaille *f* droite)
47 le rang de faîtage *m*
48 l'éclisse *f*
49 le rang d'égout *m*;
50 la couverture à joints *m* rompus:
51 le talon (le crochet)
52 l'enfaîteau *m* (la tuile faîtière);
53 la toiture flamande (toiture à pannes *f*):
54 la tuile flamande (la panne)
55 le solin de faîtage *m*;
56 la toiture romaine:
57 la tégole
58 la «canali»;
59 la tuile mécanique à emboîtement *m*
60 la tuile mécanique à recouvrement *m*;
61-89 le toit d'ardoise *f*:
61 le voligeage
62 le papier bitumé
63 l'échelle *f* plate:
64 le crochet de rallonge *f*
65 le crochet de faîtage *m*;
66 l'étrier *m* d'échafaudage *m*:
67 le cordage
68 la boucle (le nœud)
69 le crochet de service *m*;
70 la planche d'échafaudage *m*
71 le couvreur-ardoisier
72 la poche à clous *m*
73 le marteau d'ardoisier *m*
74 le clou à ardoise *f*, une pointe galvanisée
75 l'espadrille *f* de corde *f*, une chaussure à semelle *f* de corde *f*
76-82 la couverture allemande traditionnelle en ardoise *f*:
76 les ardoises *f* d'égout *m*
77 l'ardoise *f* de départ *m*
78 les ardoises *f* de toiture *f*
79 les ardoises *f* de faîte *m*
80 les ardoises *f* de rive *f*
81 la ligne de sécurité *f*
82 la noue;
83 le chéneau
84 la cisaille à ardoise *f*
85 l'ardoise *f*:
86 le bord apparent
87 le chef (la tête)
88 le bord recouvert
89 la ligne de pureau *m* (ligne de recouvrement *m*);
90-103 couverture *f* en papier *m* goudronné et couverture en fibrociment *m* ondulé,
90 la toiture en papier *m* goudronné (en carton bitumé):
91 le lé [parallèle à la gouttière]
92 la gouttière
93 le faîte (le faîtage)
94 le raccord
95 le lé vertical [perpendiculaire à la gouttière];
96 le clou à tête *f* large
97 le toit en fibrociment *m* ondulé:
98 la plaque ondulée
99 la faîtière
100 le recouvrement
101 la vis parisienne de fixation *f*
102 la rondelle galvanisée
103 la rondelle d'étanchéité *f* de plomb *m*

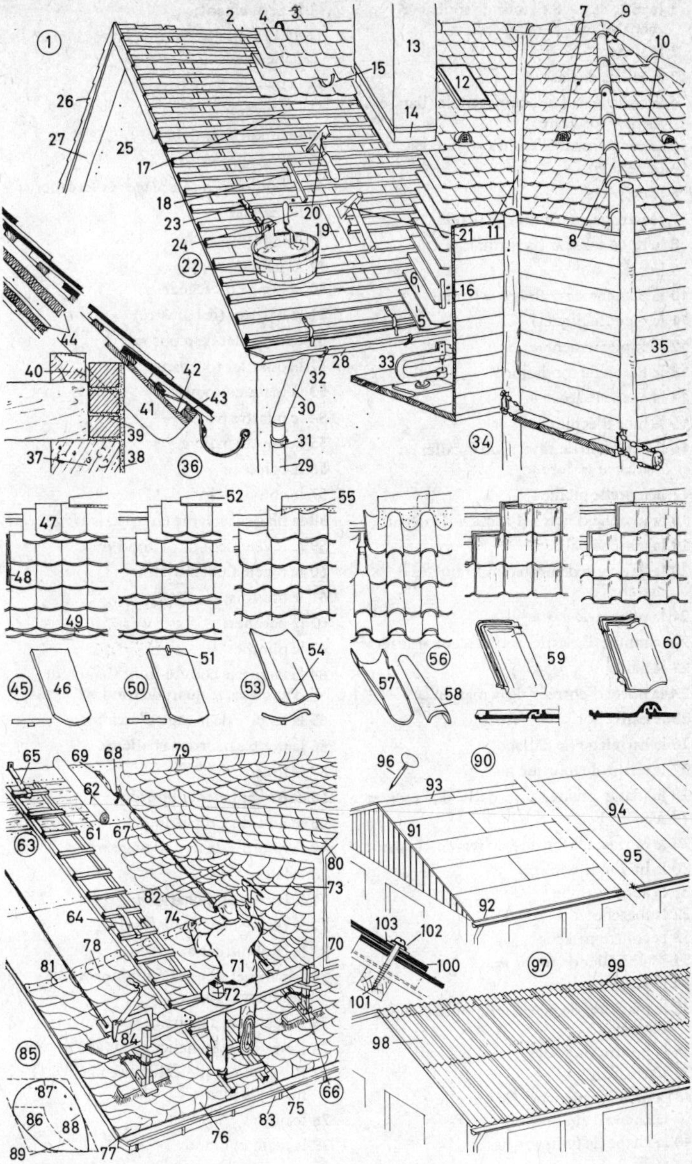
1
2
3
4
5
6
7
8
9
10
11
12
13
14
15
16
17
18
19
20
21
22
23
24
25
26
27
28
29
30
31
32
33
34
35
36
37
38
39
40
41
42
43
44
45
46
47
48
49
50
51
52
53
54
55
56
57
58
59
60
61
62
63
64
65
66
67
68
69
70
71
72
73
74
75
76
77
78
79
80
81
82
83
84
85
86
87
88
89
90
91
92
93
94
95
96
97
98
99
100
101
102
103

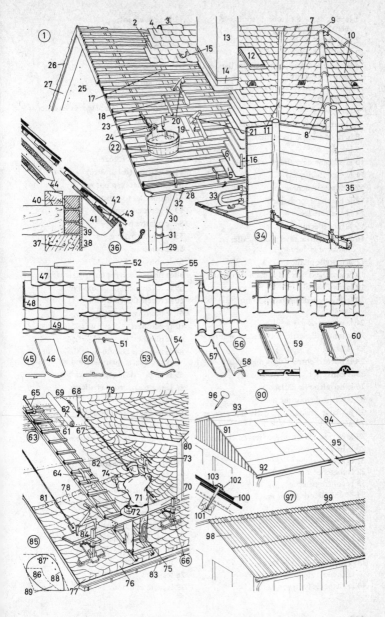

1 le mur de cave *f* (mur de soubassement *m*), un mur en béton *m*
2 le socle:
3 la saillie de l'assise *f*;
4 la couche isolante horizontale (l'arasement *m* sanitaire)
5 le revêtement (l'enduit *m*, le ravalement *m*)
6 le crépi
7 le pavage en briques *f* à plat *m*
8 le lit de sable *m* (la forme)
9 le sol
10 la planche de coffrage *m* latéral
11 le pieu (le piquet)
12 l'empierrement *m*
13 le béton de fondation *f*
14 la chape lissée
15 le mur d'échiffre *m*
16 l'escalier *m* de cave *f*, un escalier en matériau *m* dur:
17 la marche pleine
18 la marche d'accès (l'accès *m*, le départ)
19 la marche palière
20 la baguette de protection *f* du nez de marche *f*
21 la plaque de garde *f*;
22 la rampe d'escalier *m* à barreaux *m* de fer *m*
23 le palier
24 la porte d'entrée *f* de la maison
25 le paillasson
26 le carrelage (le dallage)
27 la chape de mortier *m*
28 la dalle pleine, une dalle de béton *m* armé
29 le mur en élévation *f* du rez-de-chaussée
30 le limon de béton *m*
31 la sous-marche
32 la marche
33 la contre-marche
34-41 le palier de repos *m*:
34 la poutre palière
35 le plancher de béton *m* à poutres *f* apparentes:
36 la poutre (la solive)
37 l'armature *f*
38 la dalle du plancher (la semelle);
39 la chape d'égalisation *f*
40 la chape de finition *f* lissée
41 le revêtement;
42-44 l'escalier *m* rompu, un escalier en paliers *m*:
42 la marche de départ *m*
43 le pilastre
44 le limon apparent;
45 le faux-limon
46 le boulon d'assemblage *m* d'escalier *m*
47 la marche
48 la contre-marche
49 l'épaulement *m*
50 la rampe d'escalier *m*:
51 le barreau (le balustre)
52-62 le palier de repos *m*:
52 le quartier tournant
53 la main courante;
54 le pilastre palier
55 la poutre palière
56 le bandeau
57 le couvre-joint
58 la plaque isolante en matériau léger
59 le revêtement de plafond *m*
60 le revêtement mural
61 le hourdis
62 le parquet;
63 la plinthe
64 la baguette couvre-joint (baguette d'angle *m*, le quart de rond *m*)
65 la fenêtre de la cage d'escalier *m*
66 la poutre maîtresse palière
67 la fourrure
68 et **69** le plancher hourdé:
68 le hourdis préfabriqué
69 le hourdis de remplissage *m*;
70 le lattis
71 le lattis porte-charge *m*
72 le revêtement de plafond *m*
73 le lambourdage
74 le parquet à lames *f* à rainures *f* et languettes *f*
75 l'escalier *m* à quartier *m* tournant
76 l'escalier *m* en hélice *f* à noyau *m* creux
77 l'escargot *m* (l'escalier *m* en hélice *f*) à noyau *m* plein:
78 le noyau
79 la main courante

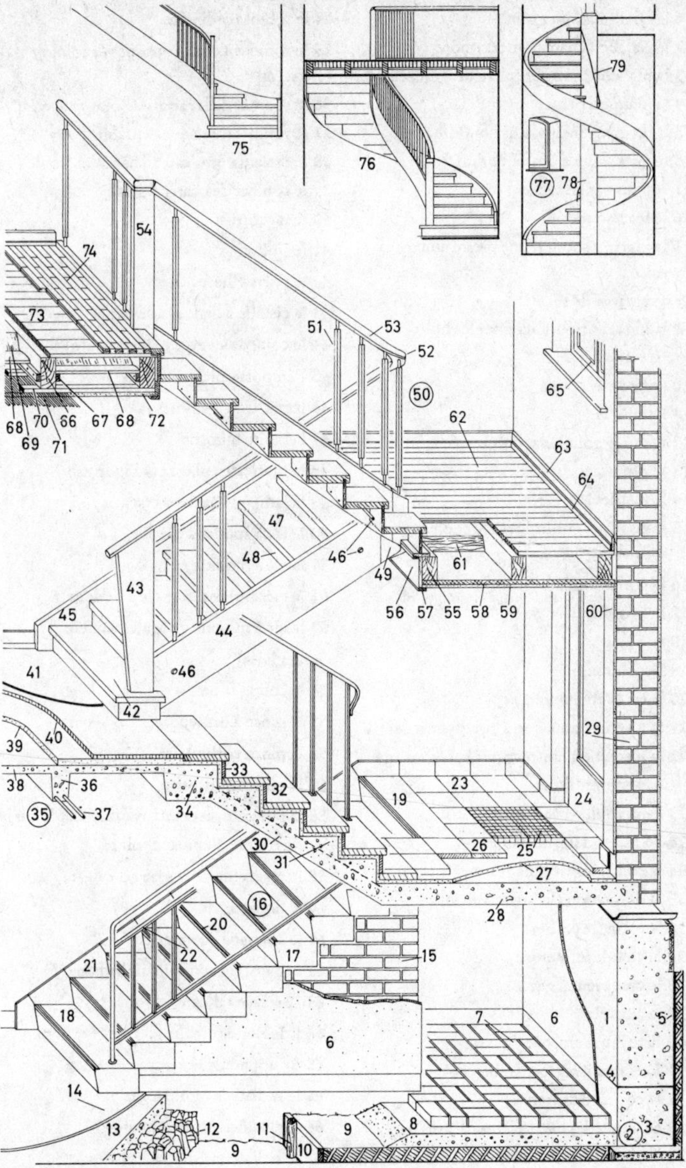
75
76
79
77
78
54
74
73
51
53
52
50
65
68
70
66
67
68
72
69
71
62
63
64
47
48
46
49
61
43
45
56
57
55
58
59
60
44
41
46
42
40
39
29
33
38
36
32
23
34
24
35
37
19
30
26
25
31
27
16
28
20
22
15
21
17
18
7
6
1
5
6
4
14
13
12
11
9
8
10
9
2
3

1 la cisaille droite à tôle *f*
2 la cisaille à chantourner coudée
3 la planche à border (planche à dresser)
4 la plaque à planer
5-8 les instruments *m* de soudure *f*:
5 le fer à souder à essence *f* un fer à souder à marteau *m*
6 le fer à souder
7 la pierre à souder, une pierre ammoniacale
8 l'esprit *m* de sel *m*;
9 la bigorne pour façonner les bourrelets *m*
10 l'alésoir *m* coudé
11 l'établi *m*
12 l'étau *m* pour les tubulures *f*
13 le plombier
14 le maillet
15 la cisaille à guillotine *f* (le couteau de ferblantier *m*)
16 la corne ronde
17 le tasseau
18 le billot
19 l'enclume *f*:
20 le tas (l'enclumette *f*);
21 la machine à suager, à boudiner et à sertir
22 la machine à cintrer pour le façonnage des entonnoirs *m*
23 le plombier-installateur
24-30 la conduite de gaz *m*:
24 la conduite ascendante
25 la dérivation (le branchement)
26 la patte (le collier)
27 la clef de fermeture *f*
28 le compteur à gaz *m*
29 la console
30 le tuyau d'amenée *f*;
31 l'escabeau *m* (le marchepied):
32 la chaîne de sûreté *f*;
33-67 l'outillage *m* et pièces *f* d'installation *f*:
33 la cisaille universelle, une cisaille coudée
34 le robinet ordinaire
35 le robinet à deux soupapes *f* à joint *m* spécial
36 le robinet de lavabo *m* à joint *m* spécial
37 le robinet à bec *m* orientable
38 le mélangeur d'eau *f* chaude et froide
39 le robinet de chasse *f* d'eau *f*
40 le raccord
41 le siphon
42 le porte-filières
43 la cisaille à banc *m* à levier *m*
44 le compas à verge *f* (le trusquin)
45 l'emporte-pièces *m*
46 le marteau à pointes *f*
47 la petite bigorne
48 le marteau à planer (à bigorner)
49 la lampe à souder à essence *f*
50 le fer à souder à gaz *m*
51 la clé à molette *f*
52 la clé anglaise, une clé à molette *f*
53 la clé à molette *f* [également clé *f* anglaise]
54 le coupe-tube
55 la pince à brûleur *m*
56 la pince corbeau *m*
57 la pince multiprise
58 la pince à évaser les tuyaux *m* de plomb *m* (la toupie, l'embauchoir *m*)
59 le réservoir de chasse *f* d'eau *f*:
60 le flotteur
61 la soupape de vidange *f*
62 le culot (la conduite de vidange *f*)
63 l'arrivée *f* d'eau *f*
64 le levier de cloche *f*;
65-67 appareils *m* à gaz *m*:
65 le radiateur mural à gaz *m*
66 le chauffe-eau instantané
67 le radiateur à gaz *m*

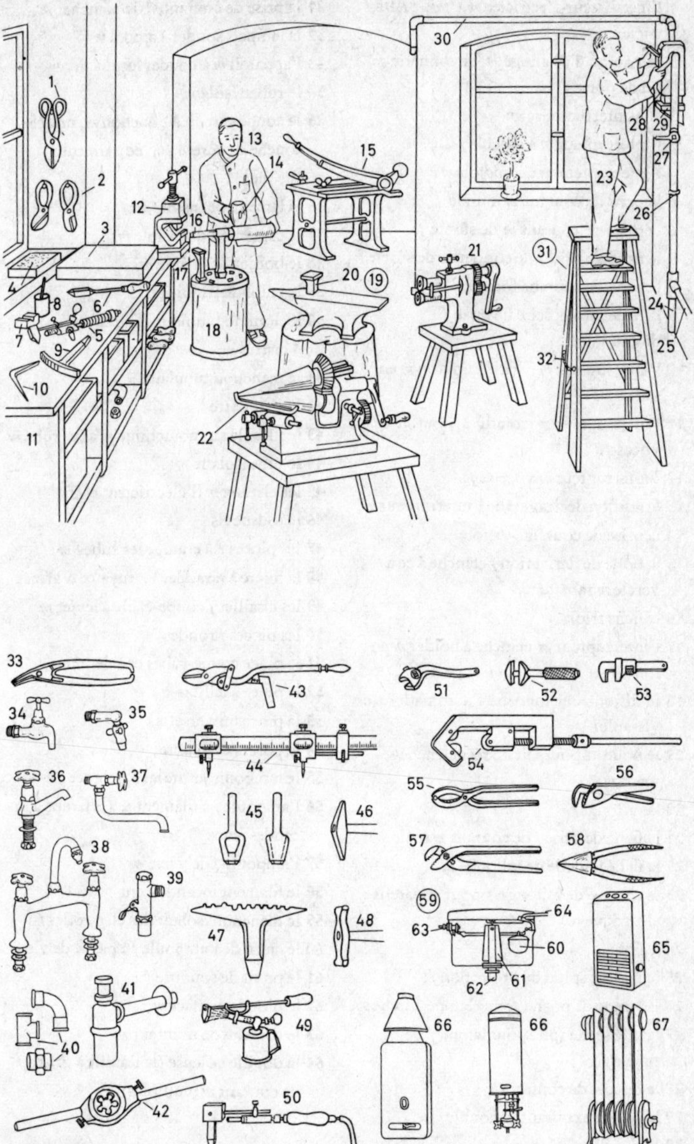
1
2
3
4
5
6
7
8
9
10
11
12
13
14
15
16
17
18
19
20
21
22
23
24
25
26
27
28
29
30
31
32
33
34
35
36
37
38
39
40
41
42
43
44
45
46
47
48
49
50
51
52
53
54
55
56
57
58
59
60
61
62
63
64
65
66
66
67

1 l'installateur-électricien *m* (*fam.*: l'électricien *m*)
2 le bouton d'éclairage *m*, de sonnerie *f* ou de porte *f*
3 et 4 interrupteurs *m*:
3 l'interrupteur *m* à bascule *f*
4 l'interrupteur *m* à poussoir *m*;
5 la prise de courant *m* murale
6 la prise de courant *m* de sûreté *f*
7 la fiche de prise *f* de courant *m* de sûreté *f*
8 la prise de courant-force *m*
9 la fiche tétrapolaire de prise *f* de courant *m*
10 l'interrupteur *m* rotatif à bouton *m* en saillie *f*
11 l'interrupteur *m* rotatif à bouton *m* encastré
12 l'interrupteur *m* à tirette *f*:
13 le cordon de tirage *m* de l'interrupteur *m*;
14 la prise de courant *m* triple
15 la boîte de dérivation *f* étanche à couvercle *m* rabattant
16 la fiche triple
17 l'interrupteur *m* étanche à boîtier *m* en fonte *f*
18 le disjoncteur miniature automatique et vissable:
19 le bouton-poussoir de réenclenchement *m*;
20 la rallonge:
21 la fiche de prise *f* de courant *m* mâle
22 la fiche femelle de rallonge *f*;
23 le cordon de rallonge *f* pour appareils *m* électriques:
24 la fiche
25 le ressort spiral de protection *f*;
26 la lampe de poche *f*, une lampe-torche:
27 la pile sèche (pile pour lampe *f* de poche *f*)
28 le ressort de contact *m*;
29 la prise de courant *m* double
30 le tire-fil en acier *m*
31 la prise de courant *m* de plancher *m*
32 la lampe à souder à alcool *m*
33 l'appareil *m* à couder les tuyaux *m*
34 le ruban isolant
35 le coupe-circuit à bouchon *m*, une cartouche de sûreté *f* avec garniture *f* fusible:
36 la lamelle de fusible *m*
37 le capuchon de fusible *m*
38 le boîtier de fusible *m*
39 le culot de fusible *m*;
40 le domino bipolaire (l'agrafe *f* à lustres *m*)
41 le manchon tubulaire
42 le voltmètre
43 le fil isolé au caoutchouc *m* sous tube *m*
44 le tube isolant
45 les ciseaux *m* d'électricien *m*
46 le tournevis
47 les pinces *f* à couder les tubes *m*
48 la filière à tarauder les tuyaux *m* armés
49 les cisailles *f* coupe-câble à levier *m*
50 les pinces *f* rondes
51 la pince coupe-tubes et à dénuder
52 la pince à œillets *m*
53 la pince universelle:
54 la poignée isolante;
55 le tamponnoir mural à poignée *f*
56 l'ampoule *f* à filament *m* (la lampe à incandescence *f*):
57 l'ampoule *f* de verre *m*
58 le filament incandescent
59 le manchon isolant des électrodes *f*
60 le culot de l'ampoule *f* à pas *m* de vis *f*
61 le point de soudure *f*
62 le plot de contact *m*;
63 le couteau de monteur *m*
64 la douille voleuse (la douille à prises *f* de courant *m* multiples)

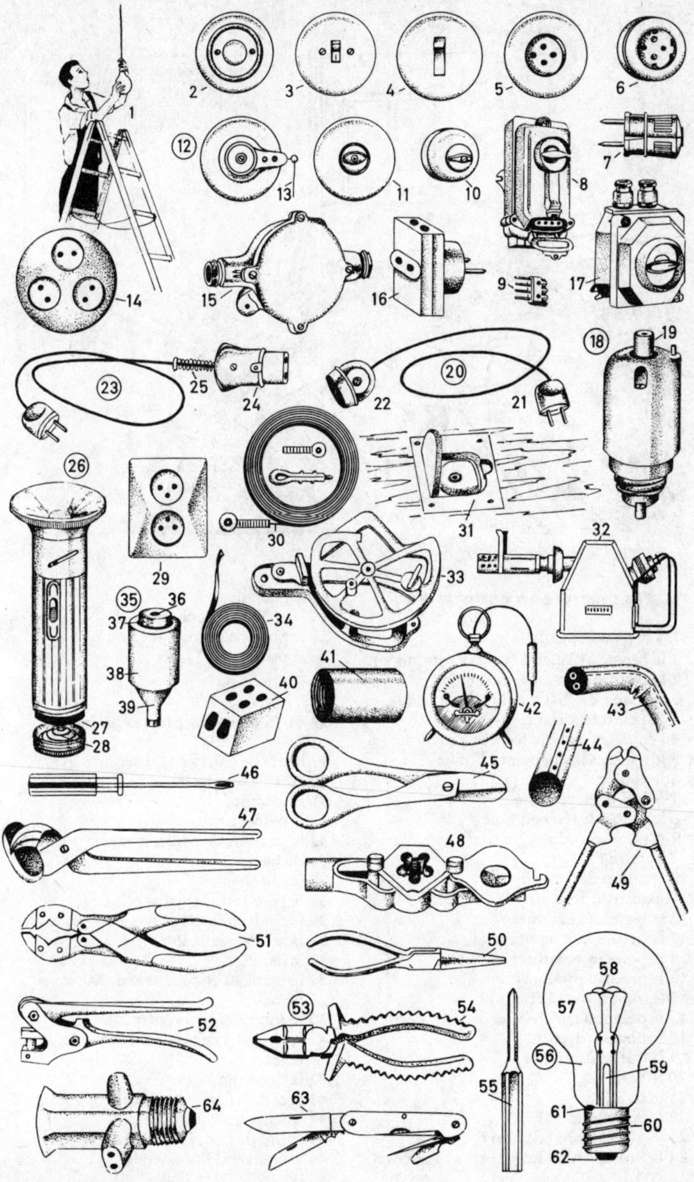
1
2
3
4
5
6
7
8
9
10
11
12
13
14
15
16
17
18
19
20
21
22
23
24
25
26
27
28
29
30
31
32
33
34
35
36
37
38
39
40
41
42
43
44
45
46
47
48
49
50
51
52
53
54
55
56
57
58
59
60
61
62
63
64

121 Peinture et papiers peints

1-28 la peinture en bâtiments *m*,

1-3 le blanchiment:
1 la brosse à blanchir (brosse à enduit *m*)
2 le peintre en train de blanchir
3 le blanc de chaux *f* (le lait de chaux, la peinture à chaux);
4 l'échelle *f* double (échelle de peintre *m*)
5 le soubassement peint à l'huile *f*
6 le rouleau
7 le bidon de vernis *m*
8 le bidon de térébenthine *f*
9 la poudre à teinter (la couleur en poudre *f*)
10 le bidon de laque *f*
11 le seau de peinture *f* à la colle
12 le pistolet à peinture *f*
13 la brosse à tamponner
14 le pinceau à marbrer
15 le pinceau rond
16 le pinceau à radiateurs *m*
17 le peigne à faux bois *m*
18 le pinceau à lettres *f*
19 la queue de morue *f*
20 le blaireau
21 le traînard
22 le tamponnoir
23 le pinceau pour dorure *f*
24 la brosse à plafond *m* (brosse à pocher)
25 le pochoir
26 le rouleau à pochoir *m*
27 le pot à peinture *f* (le camion)
28 le peintre;

29-41 la pose du papier peint:

29 le pot de colle *f* à tapisser
30 la colle à tapisser
31 la macule
32 le papier peint
33 la bordure de papier *m* peint (bordure du haut)
34 la plinthe
35 le poseur de papier *m* peint
36 le rouleau (le lé) de papier *m* peint
37 la brosse à encoller
38 le lissoir
39 le marteau de colleur *m* de papier *m* peint
40 le rouleau à lisser les coutures *f*
41 le chevalet de poseur *m* de papier *m* peint;
42 le linoléum
43 le carton feutre (la thibaude)
44 le balatum
45 le mastic pour linoléum *m*
46 le couteau à linoléum *m*

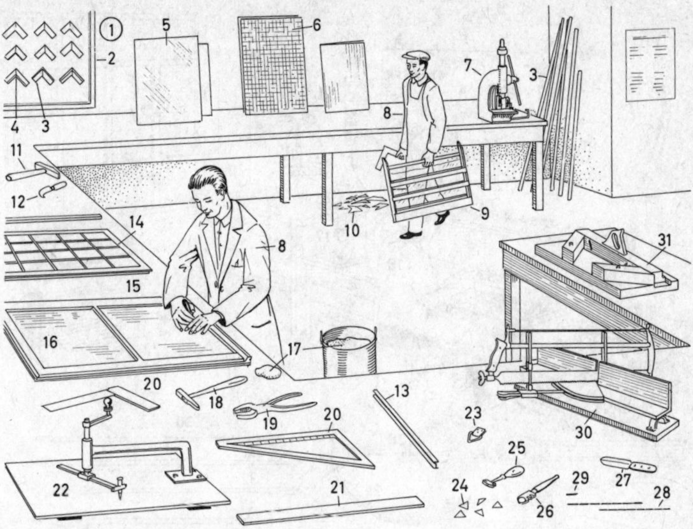

1 l'atelier *m* de vitrier *m* (de vitrerie *f*):

2 les modèles *m* de moulure *f* (de baguette *f*) pour encadrement *m*

3 la moulure (la baguette, le listel, le listeau)

4 l'onglet *m*

5 le verre plat en feuille *f*; *var.*: verre à vitres *f*, verre dépoli, verre mousseline, verre à glace *f* en cristal *m*, glace, verre opaque, verre type triplex, verre armé (verre de sécurité *f*)

6 le verre coulé; *var.*: verre cathédrale, verre d'ornement *m*, verre brut, verre cul de bouteilles *f*, verre armé, verre strié ou rayé

7 l'estampeuse *f* d'onglets *m*

8 le vitrier; *var.*: vitrier en bâtiment *m*, l'encadreur *m*, le maître verrier

9 le chevalet portatif du vitrier

10 les tessons *m* (les débris de verre, le morceau de verre)

11 le marteau à plomb *m*

12 le couteau à plomb *m*

13 la baguette à rainure *f* pour sertir le plomb

14 le vitrail

15 l'établi *m*

16 la vitre (le carreau)

17 le mastic

18 le marteau de vitrier *m* à bec *m* plat

19 la pince à gruger

20 l'équerre *f* coupe-verre *m*

21 la règle

22 le compas coupe-verre

23 l'attache *f*

24 le coin

25 et **26** les coupe-verre *m*:

25 le diamant de vitrier *m*, un coupe-verre à diamants *m*

26 le coupe-verre à molettes *f* en acier *m*;

27 le couteau à mastiquer

28 la tige de pointes *f* détachables

29 la pointe

30 la scie à onglet *m*

31 la cale d'assemblage *m*

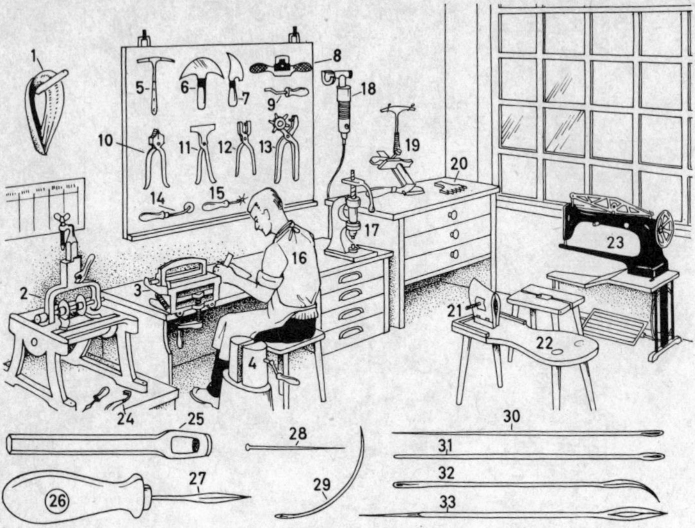

1-33 l'atelier *m* de bourrelier-sellier *m*:

1 le faux collier

2 la machine à rainurer pour l'impression *f* des bordures *f* de ceintures *f*

3 la machine à refendre et parer le cuir

4 la forme pour collier *m*

5 le marteau de sellier *m*

6 le couteau à pied *m* (le demi-rond)

7 le couteau à quart-de-lune (la cornette)

8 le vastringue

9 l'abat-carré *m*

10 la pince à monter

11 la pince à tendre les sangles *f*

12 la pince à œillets *m*

13 la pince-revolver

14 la roulette de sellier *m*

15 la griffe à tracer

16 le bourrelier-sellier

17 la poinçonneuse

18 la machine électrique coupe-cuir

19 le couteau à sangles *f*

20 l'outil *m* à piquer à la main

21 la joue du chevalet

22 le chevalet

23 la machine à coudre de sellier *m* à pédale *f*

24 le fer à jointer (la drayoire)

25 l'emporte-pièces *m*

26 l'alène *f* à brédir (le passe-corde)

27 la lame (le poinçon);

28-33 les aiguilles *f* de sellier *m*:

28 l'épingle *f*

29 le carrelet (l'aiguille *f* courbe)

30 l'aiguille *f* à garnir

31 l'aiguille *f* de harnacheur *m*

32 l'aiguille *f* à ourler

33 l'aiguille *f* à ranguiller

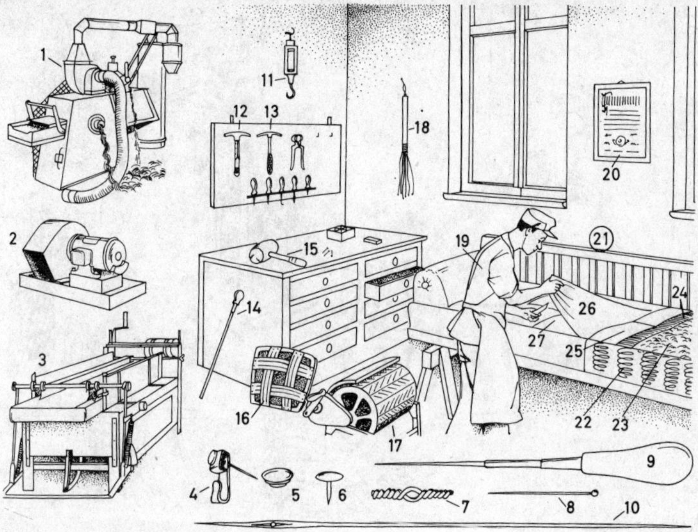

1-27 l'atelier *m* du matelassier:

1 la cardeuse-dévrillonneuse (machine *f* combinée à carder, à remplir et à détordre les écheveaux *m*) avec dispositif *m* de dépoussiérage *m*

2 la cardeuse de table *f* (cardeuse à kapok *m* et à crin *m* végétal)

3 la machine à remplir et à monter les matelas *m*

4 le crochet X (crochet à tableaux *m*, crochet mural)

5 le bouton de capiton *m*

6 le clou de tapissier *m* (clou décoratif)

7 l'agrafe *f* à coudre

8 l'épingle *f*

9 le tire-crin

10 l'aiguille *f* à deux pointes *f*

11 le dévrillonneur (le tourniquet à crin *m* pour détordre les bouchons *m* serrés de crin)

12 le ramponneau

13 le ramponneau mi-fin

14 le bâton à remplir (à bourrer)

15 le maillet

16 la sangle

17 la cardeuse à main *f*

18 le fouet à dépoussiérer (fouet en lanières *f* de feutre *m*)

19 le maître matelassier (matelassier-tapissier *m*)

20 le diplôme de maîtrise *f*

21 le divan:

22 le ressort à boudin *m*

23 la matière de rembourrage *m*; *genres:* crin *m* de cheval *m*, crin végétal, kapok *m*, fils *m* de latex *m*

24 la toile de sac *m* (toile d'embourrure *f*)

25 la toile forte

26 l'étoffe *f* de garniture *f* du divan

27 les panneaux *m* carrés de capitonnage *m*

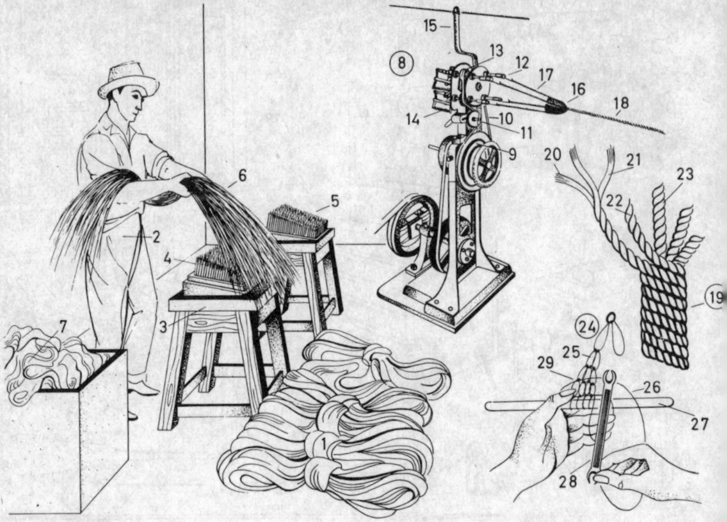

1-18 la corderie,

1-7 le sérançage:

1 le chanvre brut

2 le séranceur

3 la chaise à sérancer

4 l'ébauchoir *m* (le séran grossier, le gros peigne)

5 l'affinoir *m* (le séran fin, le peigne fin)

6 le chanvre sérancé (chanvre peigné)

7 l'étoupe *f* provenant de l'ébauchoir *m*; la mère-étoupe provenant de l'affinoir *m*;

8 la machine à corder (machine *f* à filer), avec le dispositif à quatre crochets *m*:

9 la poulie à cordon *m*

10 la courroie de transmission *f*

11 le dispositif de tension *f*

12 le crochet à corder (crochet à filer)

13 les poulies *f* de transmission *f*

14 les ressorts *m* de rappel *m* des crochets *m*

15 le dispositif d'ouverture *f*

16 le calibre (le toupin, le gabieu)

17 le toron cordé

18 la corde;

19 le câble (la corde):

20 le brin de chanvre *m*

21 la lisse

22 le toron

23 l'âme *f* (le toron du milieu);

24 le filochage (la fabrication du filet):

25 la maille

26 le fil d'ouvrage *m*

27 le moule (le rouleau, le bâton)

28 la navette (l'aiguille *f* à filet *m*)

29 le nœud de filet *m* (le simple nœud droit, le point d'attache *f*)

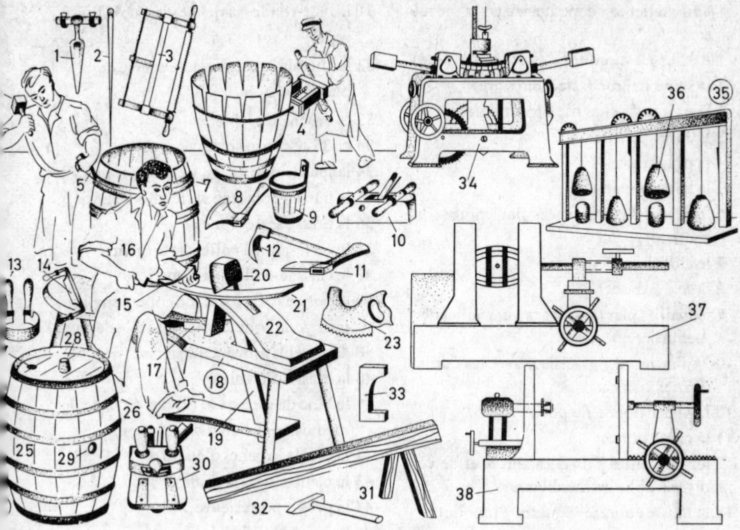

1-33 la tonnellerie:
1 la bondonnière (la jarbière, le foret de tonnelier *m*)
2 la velte pour jauger les tonneaux *m*
3 la scie à chantourner
4 le vérin de serrage *m* (vérin à serrer)
5 le chassoir (le décognoir, le cognoir, le cercleur)
6 le hutinet (le maillet de tonnelier *m*)
7 le cercle en bois *m*
8 la hache arrondie
9 le seau à puiser (le broc)
10 le rabot à quatre mains *f*
11 le coutre (le fendoir)
12 l'aissette *f* creuse (l'aisseau *m*, l'aisceau *m*, l'aisselière *f*)
13 la plane à genoux *m*
14 et **15** planes *f*:
14 la plane à lame *f* droite
15 le débordoir;
16 le tonnelier (le futailler, le foudrier)
17 le couteau de tonnelier *m* (couteau à tailler)
18 le chevalet (la selle) de tonnelier *m* (la marotte, le bastringue):
19 la traverse de la selle
20 la tête de la selle
21 la douve de tonneau *m*
22 la selle;
23 la scie à jabler
24 le tonneau (le fût):
25 le corps du tonneau
26 le cercle du tonneau
27 le trou de la cheville (trou du fausset, trou du fosset)
28 le bondon
29 la bonde;
30 le jabloir (la jabloire, la jablière) pour faire la rainure (le jable) aux extrémités *f* des douves *f* pour placer le fond
31 la colombe (le banc pour le façonnage des douves *f* du tonneau)
32 la chasse de tonnelier *m*
33 le gabarit de tonnelier *m*;
34-38 machines *f* pour la fabrication des tonneaux *m*:
34 la machine à cintrer les douves *f* (la cintreuse)
35 la calotte chauffante:
36 la calotte (la cloche);
37 la machine à doler les tonneaux *m*
38 la machine à jabler les tonneaux *m*

1-65 l'atelier *m* de menuisier *m* (la menuiserie),
1-8 scies *f* à monture *f* (scies à châssis *m*),
1 la scie à main *f* (scie à refendre):
2 le garrot (la cheville à tourniquet *m*)
3 la corde de tension *f*
4 la poignée
5 la lame de scie *f*
6 les dents *f* contournées (la denture contournée)
7 le châssis;
8 la scie à araser;
9 le maillet plat (maillet carré, maillet de menuisier *m*)
10-31 l'armoire *f* à outils *m* avec les outils de menuisier *m*:
10 la pierre ponce *f* à polir
11 la cale à poncer
12 les bouteilles *f* de décapant *m* et de vernis *m* à polir les meubles *m*
13 la fausse équerre (équerre *f* mobile)
14 le marteau de menuisier *m*
15 l'équerre *f* de menuisier *m*, une équerre épaulée;
16-18 mèches *f* pour le vilebrequin:
16 la mèche conique (le champignon, le foret à fraiser)
17 la mèche hélicoïdale
18 la mèche à trois pointes *f* (mèche anglaise);
19 la vrille (le foret)
20 le trusquin pour le traçage de lignes *f* parallèles
21 la tenaille (les tenailles, les tricoises *f*, la pince coupante)
22 le vilebrequin:
23 le cliquet (la crécelle), un encliquetage
24 le mandrin à serrage *m* (le manchon);
25 les ciseaux *m* (les poinçons *m*)
26 le tiers-point (lime à scies *f*), une lime triangulaire
27 la scie à couteau *m* (scie passe-partout, l'égoïne *f*):
28 la poignée ouverte;
29 la lime à bois *m*
30 la râpe à bois *m*
31 la lime ronde (la queue-de-rat, la lime-râpe);
32 le châssis à plaquer, une presse de placage *m*):
33 la broche réglable;
34 et **35** le contre-plaqué:
34 la feuille de placage *m* en bois *m* précieux
35 le bâtis de placage *m* (le bois de bâtis);
36 la presse serre-joint *m*
37 le serre-joint à coller (le sergent)
38 le chauffe-colle à bain-marie *m*
39 le pot de colle forte (de colle *f* en plaques *f*, de colle d'os *m*, de colle de Lyon)
40-44 l'établi *m* de menuisier *m*:
40 la presse d'établi *m*
41 le bloc de serrage *m* (la clef du banc de menuisier *m*, l'étau *m*)
42 la vis (la broche) d'établi *m*
43 le mentonnet (la griffe)
44 la presse postérieure;
45 le menuisier (l'ébéniste *m*)
46 la varlope
47 les copeaux *m*
48 la vis à bois *m*
49 le tourne-à-gauche (le fer à contourner) pour rectifier les dents *f* de scie *f*
50 la boîte à coupes *f* obliques (boîte à onglets *m*, boîte de mitre *f*)
51 l'égoïne *f*, une scie à dosseret *m*;
52-61 les rabots *m* à main *f*:
52 le rabot plat
53 le riflard (le rabot à contre-fer *m*)
54 le rabot denté (rabot à dents *f*):
55 la poignée
56 le coin
57 le fer de rabot *m*
58 le fût;
59 le guillaume (le rabot à corniche *f*)
60 le rabot gorget (la guimbarde)
61 la vastringue (le rabot à racler);
62 le ciseau à biseaux *m* (ciseau de menuisier *m*)
63 le bédane (le bec d'âne *m*)
64 la gouge
65 le ciseau en biseau *m* à brides *f*

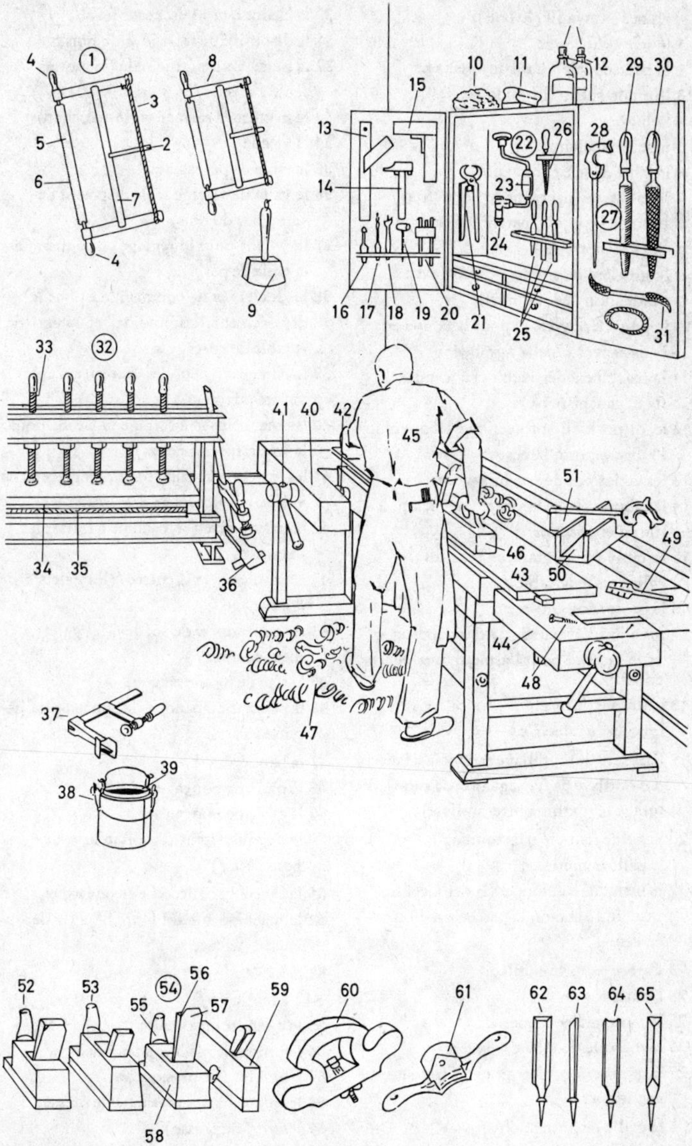
1
2
3
4
5
6
7
8
9
10
11
12
13
14
15
16
17
18
19
20
21
22
23
24
25
26
27
28
29
30
31
32
33
34
35
36
37
38
39
40
41
42
43
44
45
46
47
48
49
50
51
52
53
54
55
56
57
58
59
60
61
62
63
64
65

1-59 machines *f* de menuiserie *f* (machines à travailler le bois),
1 la scie à ruban *m*:
2 la lame de scie *f* à ruban *m* sans fin *f*
3 le guide-ruban (le guide-lame)
4 la butée;
5 la scie circulaire:
6 la lame de scie *f* circulaire
7 le sabot, un dispositif de protection *f*
8 la butée (le guide) parallèle à réglage *m* de précision *f*
9 la glissière du guide parallèle avec graduation *f* en millimètres *m*
10 le guide à onglets *m* pour la coupe en biais *m* avec échelle *f* graduée;
11 la machine à dégauchir et à joindre (la dégauchisseuse):
12 le dispositif de protection *f* recouvrant l'arbre *m* porte-lames *m*
13 les tables *f* de dégauchissage *m*;
14 la raboteuse à cylindre *m* (la machine à tirer d'épaisseur *m*);
15 la table de rabotage *m* avec les cylindres *m* de table *f*
16 la protection anti-recul
17 le capot d'évacuation *f* des copeaux *m* et le raccord pour l'aspirateur *m* de copeaux;
18 la toupie (la machine à toupiller, la fraiseuse à table *f*):
19 l'arbre *m* de toupillage *m* pour la fixation des outils *m* de fraisage *m* et de moulurage *m* (l'arbre porte-outils *m*)
20 le guide (la butée) de toupie *f*
21 le palier supérieur;
22 la machine à défoncer (la défonceuse, machine à copier, la perceuse-défonceuse):
23 l'arbre *m* porte-outils *m*
24 l'outil *m*
25 le moteur électrique
26 la tourelle (la tête revolver *m*)
27 la pointe à copier pour le fraisage sur gabarit *m*
28 la grille de protection *f*;
29 la mortaiseuse à chaîne *f*:
30 la chaîne à mortaiser sans fin *f*
31 le dispositif de serrage *m* du bois;
32 la perceuse longitudinale (la mortaiseuse à mèche *f*):
33 le mandrin à serrage *m* (le manchon)
34 la mèche
35 la table de perçage *m*
36 le valet de serrage *m* (le dispositif de serrage *m* du bois)
37 le volant pour le réglage en hauteur *f* de la table de perçage *m*
38 les leviers *m* de commande *f* pour le déplacement longitudinal et latéral de la table de perçage *m*;
39 la perceuse à dénoder (perceuse à enlever les nœuds *m*):
40 les mandrins *m* à serrage *m* rapide pour la fixation des mèches *f*
41 les leviers *m* à main *f* pour le déplacement vertical de la broche de perçage *m*;
42 la moulurière (la machine à fraiser les baguettes *f*):
43 les rouleaux *m* d'entrée *f* (les galets *m* d'amenage *m*)
44 les rouleaux *m* de sortie *f* (les galets *m* d'évacuation *f*)
45 la tête de moulurage *m*;
46 la ponceuse à bande *f* (la ponceuse-polisseuse à bande):
47 la bande abrasive
48 le patin de ponçage *m*
49 la table de ponçage *m*
50 le dépoussiéreur (l'aspirateur *m* de poussière *f*)
51 le capot du collecteur de poussière *f*;
52 la machine à dérouler le bois (la dérouleuse à placage *m*):
53 la feuille de placage *m*;
54 l'encolleuse *f*:
55 le cylindre encolleur;
56 la presse de placage *m* rapide:
57 les tables *f* de pressage *m*
58 les plateaux *m* supérieurs de presse *f*
59 les vis *f* de presse *f*

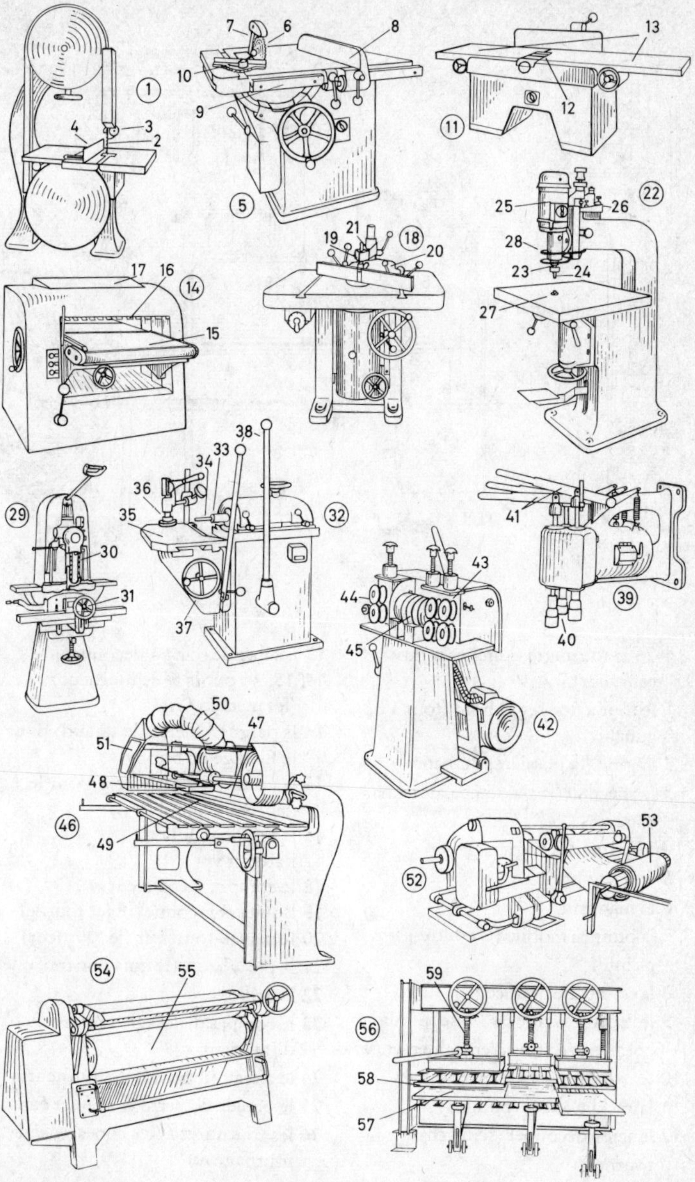
1
2
3
4
5
6
7
8
9
10
11
12
13
14
15
16
17
18
19
20
21
22
23
24
25
26
27
28
29
30
31
32
33
34
35
36
37
38
39
40
41
42
43
44
45
46
47
48
49
50
51
52
53
54
55
56
57
58
59

129 Tournerie sur bois

1-26 la tournerie (l'atelier *m* du tourneur),

1 le tour à dresser le bois (tour à dégauchir):

2 la joue (la glissière) du banc

3 le rhéostat (la résistance) de démarrage *m*

4 le carter des engrenages *m*

5 le porte-outil

6 le mandrin

7 la poupée mobile (la contre-pointe)

8 la pointe de poupée *f*

9 le volant à toc *m*, une poulie à corde *f* avec toc d'entraînement *m*

10 le mandrin à deux mâchoires *f*

11 la mèche à trois pointes *f*;

12 la scie à découper (scie à chantourner):

13 la lame de scie *f* à découper;

14, 15, 24 outils *m* de tourneur *m* (les mèches *f*):

14 le peigne à fileter (le taraud) pour le filetage de bois *m*

15 la gouge de tourneur *m* pour le dégrossissage

16 la mèche à cuiller

17 l'alésoir *m*

18 le compas d'épaisseur *m*

19 l'objet *m* façonné (objet tourné)

20 le maître-tourneur (le tourneur)

21 la pièce brute (le bois non travaillé)

22 la drille

23 le compas d'alésage *m* (compas d'intérieur *m*)

24 le ciseau (le burin) de tourneur *m*

25 le papier de verre *m* (papier émeri)

26 les tournures *f* (les copeaux *m* de tournage *m*)

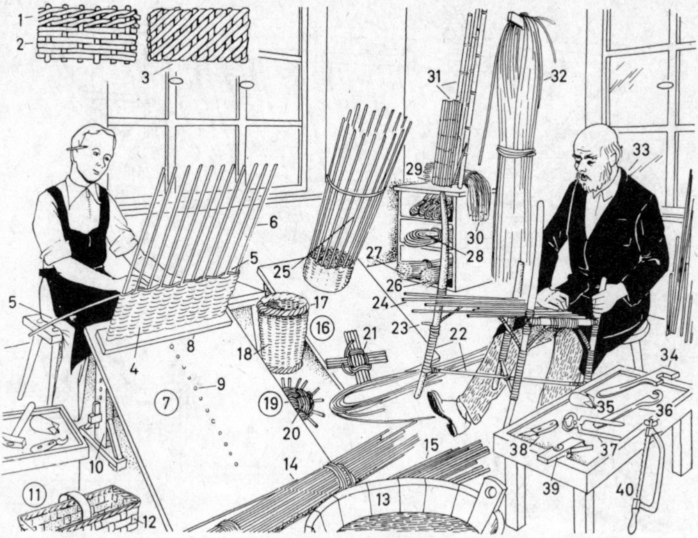

1-40 la vannerie,
1-4 modes *m* de tressage *m* (modes d'entrelacement *m*):
1 le tressage (l'entrelacement *m*) en torsade *f*
2 le tressage (l'entrelacement *m*) en croisé *m*
3 le tressage (l'entrelacement *m*) en diagonale *f*
4 le travail en plein simple, un travail de vannerie *f* (un ouvrage tressé);
5 le brin de rempli *m* (brin de clôture *f*, brin de trame *f*)
6 le montant
7 la planche de travail *m*:
8 le bois à enfonçures *f* (la traverse)
9 l'enfonçure *f* pour fixer la traverse;
10 le chevalet
11 le panier en copeaux *m*:
12 le copeau;
13 le bac (la cuve) de trempage *m*
14 les verges d'osier *m* (verges *f*, les brins *m*)
15 les baguettes *f* d'osier *m* (baguettes)
16 la corbeille, un ouvrage de vannerie *f*:
17 la bordure
18 la clôture latérale;
19 l'étoile *f* de fond *m*:
20 le rempli (la clôture) de fond *m*;
21 la croisée de fond *m*
22-24 le travail sur monture *f*:
22 la monture
23 l'éclisse *f*
24 la lame;
25 la charpente (la monture, les montants *m*)
26 les graminées *f*; *espèces*: sparte *m*, alfa *m*
27 le roseau (la canne)
28 le jonc (la lanière de jonc)
29 le raphia
30 la paille
31 le bambou
32 le rotin (le jonc d'Inde, le rotang)
33 le vannier
34 l'arlequin *m* (le fer à cintrer)
35 le fendoir
36 la batte
37 la pince coupante
38 l'épluchoir *m*
39 le rabot à lames *f* (rabot à éclisses *f*)
40 la scie à archet *m dite* «violon» *m*

131 Charronnerie

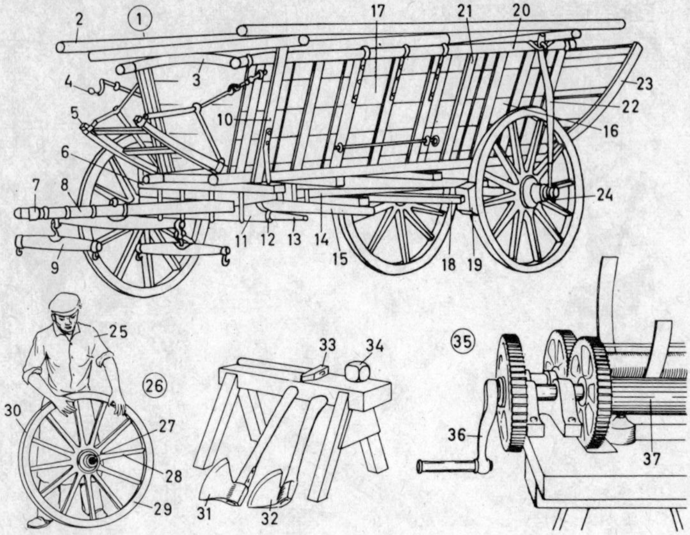

1 le chariot agricole avec ridelles *f* à récoltes *f* (le chariot à fourrage *m*):
2 le cadre de chargement *m*
3 la traverse (l'entretoise *f*, l'épar *m*)
4 la manivelle de frein *m* pour le serrage du frein
5 la fourragère (le hayon)
6 la sellette (le lissoir) de frottement *m*
7 le timon (le bras de timon, l'armon *m*)
8 et **9** l'attelage *m*:
8 la volée (le corps de volée *f*)
9 le palonnier (le palonneau);
10 le rancher (la ranche, le ranchet)
11 l'essieu *m*
12 la rondelle d'épaulement *m* (le collet de butée *f*)
13 la fusée d'essieu *m* (le tourillon)
14 le longeron (le brancard de caisse *f*, la flèche)
15 la sassoire (la traverse de frottement *m*, la traverse tournante, le lissoir)
16 le côté de la caisse
17 le panneau mobile (le volet) de la caisse
18 la traverse (la tige) de frein *m*
19 le sabot de frein *m*
20 et **21** la ridelle (l'échelle *f*) de chariot *m*:
20 la ridelle de dessus
21 le barreau (l'échelon *m*, l'épar *m*);
22 le support de rancher *m* (la lisse)
23 le hayon (la fourragère de derrière)
24 la goupille (la clavette, l'esse *f* d'essieu *m*)
25 le charron (le fabricant de voitures *f*)
26 la roue de chariot *m*:
27 le moyeu
28 le rai (le rayon de roue *f*)
29 la jante
30 le cercle (le bandage, le fer) de roue *f*;
31 la cognée
32 la hache de charron *m*
33 le marteau à rebattre les faux *f* (marteau à chapler)
34 l'enclumette *f* à rebattre les faux *f* (le tas à chapler, le chaploir)
35 la machine à cintrer (la cintreuse) pour le formage (le cintrage) des fers *m* de roue *f* (des bandages *m* de roue *f*):
36 la manivelle
37 le cylindre d'amenage *m* (le rouleau entraîneur)

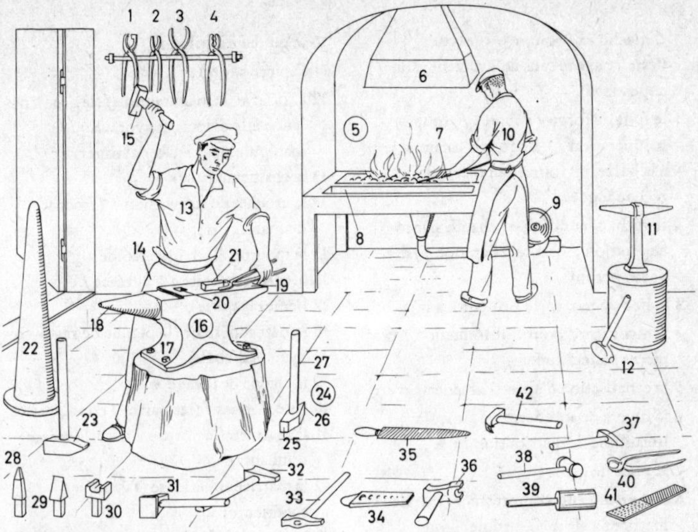

1-42 la forge artisanale,
1-4 les tenailles *f* à forger (tenailles de forgeron *m*):
1 la tenaille à crochet *m*
2 la tenaille à bras *m* (la pince à feu *m*)
3 la tenaille à saisir (tenaille ronde)
4 la tenaille à gueule *f* de loup *m*;
5 la forge (le bâti de forge, l'âtre *m*, le foyer, le fourneau):
6 le conduit d'évacuation *f* de fumée *f* (la hotte, la cheminée)
7 le foyer
8 le réservoir à eau *f* (le bac à eau)
9 la soufflerie (le ventilateur) à commande *f* par moteur *m* électrique;
10 le maître-forgeron, un forgeron
11 la bigorne
12 la bouterolle
13 le frappeur, un compagnon forgeron (aide-forgeron, un ouvrier *m* forgeron)
14 le tablier de cuir *m*
15 le marteau de forgeron *m* (marteau à main *f*)
16 l'enclume *f*:
17 le pied de l'enclume *f*
18 la bigorne
19 la table aciérée
20 l'œil *m* pour étampes *f*;
21 la pièce forgée
22 le mandrin (le cône de forge *f*)
23 le marteau à frapper devant (marteau de frappeur *m*, marteau à devant, le frappe-devant, marteau à deux mains *f*, la masse)
24 le marteau, un marteau à placer en croix *f*:
25 la table aciérée
26 la panne
27 le manche du marteau;
28-30 les étampes *f* d'enclume *f* (les outils *m* à queue *f* pour enclume):
28 le cône (le poinçon) d'enclume *f*
29 le tranchet d'enclume *f* à queue *f*
30 le dessous d'étampe *f* (l'étampe *f* inférieure);
31 la chasse à parer (le marteau à planer, marteau à dresser)
32 le dégorgeoir (le fer à encoche *f*)
33 la bouterolle à manche *m* (bouterolle à œil *m*, la chasse à percer)
34 le fer à trous *m* (fer à clous *m*, la cloutière)
35 la lime à dégrossir (lime au paquet, lime à bras *m*, le riflard) à grosse taille *f*
36 l'étampe *f* supérieure (le dessus d'étampe) pour le façonnage
37 la tranche (le marteau à ébarber, l'ébarboir *m*, le ciseau), une tranche à chaud ou à froid; *anal.*: le coupe-rivets
38 le marteau de maréchal-ferrant *m*
39 le maillet (la batte)
40 les tricoises *f*
41 la râpe à sabot *m*
42 le brochoir (le marteau à ferrer)

1-6 machines *f* pour le forgeage et l'estampage *m* sans enlèvement *m* de copeaux *m*),
1 le four de forge *f* à fentes *f* (four à récupération *f*), un four d'estampage *m* à la barre, un four à flammes *f* de réchauffage *m*:
2 le réchauffeur d'air *m*, chauffé par récupération *f* (par régénération *f*) des gaz *m* perdus
3 le bec de gaz *m* (le brûleur à gaz)
4 l'ouverture *f* pour l'introduction *f* des pièces *f* à réchauffer
5 la canalisation d'air *m* (l'amenée *f* d'air)
6 la tuyère de soufflerie *f* à air *m* (la tuyauterie de distribution *f*)
7 la prise de gaz *m*;
8 le marteau autocompresseur (marteau à matricer à air *m* comprimé) pour l'exécution *f* de pièces *f* par estampage *m*:
9 le moteur électrique
10 la masse tombante
11 la pédale de manœuvre *f*
12 l'étampe *f* supérieure
13 la tête du guide de la masse tombante
14 le piston de la masse tombante
15 l'enclume *f* (l'étampe *f* inférieure);
16 le mouton à courroie *f*:
17 le refroidissement du tambour
18 le mécanisme de commande *f*
19 les montants *m*
20 la masse tombante
21 la chabotte
22 l'enclume *f*;
23 la presse hydraulique à forger [jusqu' à 6.000 t. de pression *f*]:
24 le système hydraulique (le cylindre moteur, cylindre de manœuvre *f*)
25 le piston
26 le bâti transversal
27 l'étampe *f* supérieure
28 l'enclume *f* (l'étampe *f* inférieure)
29 la chabotte
30 le guidage à colonne *f*
31 la pièce à forger
32 l'engin *m* de manutention *f* (la grue à potence *f*, le dispositif hydraulique à manipuler les pièces *f* à forger)
33 la chaîne du palan
34 le crochet de suspension *f* (crochet d'amarrage *m*);
35 le mouton électrique rapide:
36 le carter de boîte *f* à vitesses *f*
37 l'embrayage *m*
38 le bâti supérieur (la plaque de recouvrement *m* du bâti)
39 la chaîne de levage *m*
40 les colonnes *f* (les barres *f* conductrices)
41 le marteau (le porte-matrice, la masse tombante)
42 la matrice supérieure (l'étampe *f* supérieure)
43 la matrice inférieure (l'étampe *f* inférieure)
44 les jambages *m* de marteau *m*
45 la chabotte
46 la pédale de contact *m* pour la manœuvre électro-pneumatique
47 le taquet (le cran) d'arrêt *m* du marteau;
48 la presse à forger à vapeur *f*
49 le chariot de manœuvre *f* pour la manipulation de la pièce à forger à frappe *f* libre [sans étampes *f*]:
50 les tenailles *f* :
51 le contrepoids;
52 le four de forge *f* à gaz *m*:
53 le brûleur à gaz *m*
54 la porte (l'ouverture *f*) pour l'introduction *f* des pièces *f* à usiner
55 le rideau de chaînes *f*
56 la porte à guillotine *f*
57 la canalisation d'air *m* chaud
58 le réchauffeur d'air *m*
59 l'arrivée *f* de gaz *m*
60 le dispositif de levage *m* de la porte à commande *f* par moteur électrique
61 la tuyère de soufflerie à air *m* (la rampe de distribution *f*)

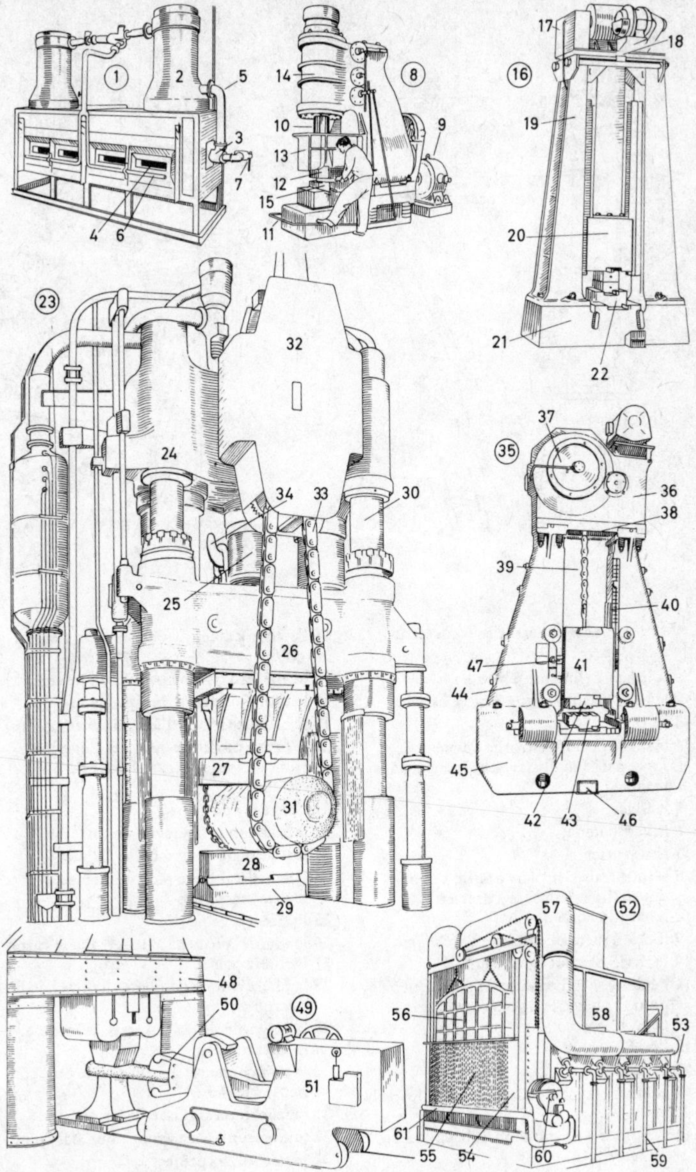
1
2
3
4
5
6
7
8
9
10
11
12
13
14
15
16
17
18
19
20
21
22
23
24
25
26
27
28
29
30
31
32
33
34
35
36
37
38
39
40
41
42
43
44
45
46
47
48
49
50
51
52
53
54
55
56
57
58
59
60
61

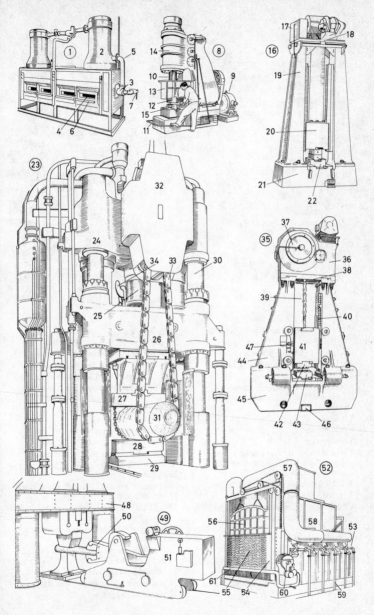

1-34 l'atelier *m* de serrurier *m* (la serrurerie),

1 la limeuse (limeuse à bande *f*):

2 la buse d'aspiration *f* des copeaux *m*

3 la lime;

4 la forge portative (forge de plein air *m*, forge à un feu, forge pour le travail à la main):

5 le foyer

6 le ventilateur;

7 le serrurier

8 la lime fraiseuse plate à taille *f* demi-douce (lime fraiseuse à dresser, lime bâtarde à taille mi-fine)

9 la scie à métaux, une scie à archet *m*

10 le passe-partout (le rossignol)

11 l'étampe *f* universelle (la plaque percée) pour le pliage, le dressage et l'estampage *m*

12 l'étau *m* parallèle:

13 la mâchoire (la joue) mobile

14 la barre (la manivelle, la brimballe) de la vis;

15 l'établi *m* (le banc à limer, la table à ouvrage *m*)

16 l'étau *m* à main *f* (étau-limeur, l'étau à vis *f*)

17 le marteau rivoir à panne *f* en travers

18 le burin ordinaire (le ciseau plat)

19 le bédane (le bec-d'âne, le ciseau pointu)

20 le four à moufle *m*, un four d'établi *m* (four de forge *f* à gaz *m*, four de trempe *f*):

21 l'arrivée *f* de gaz *m*;

22 la lime ronde (la queue-de-rat)

23 la lime plate (lime à taille *f* douce)

24 l'étau d'établi *m* à pied *m*, un étau à hautes mâchoires *f*

25 l'alésoir *m*

26 le tourne-à-gauche à trois trous *m* carrés

27 la filière brisée

28 la filière simple (la plaque à fileter, le fer à écrou *m*)

29 la chignole (le porte-forets, la foreuse, le vilebrequin)

30 la poinçonneuse à main *f*, une poinçonneuse à levier *m*

31 la machine à aiguiser (le touret):

32 la roue polisseuse (roue pour le lapping)

33 le pare-éclats protecteur

34 la meule d'ébauchage *m* (la meule-émeri);
35 la serrure de porte *f*, une serrure à mortaise *f*:
36 le coffre (le palastre)
37 le pêne du demi-tour
38 la gâchette (le levier)
39 le verrou (le pêne dormant)
40 le trou de la serrure
41 l'ergot *m* guidant le verrou
42 le ressort de verrouillage *m*, un ressort spirale *f*
43 la noix avec trou *m* carré;
44 la clef (la clé):
45 l'anneau *m*
46 la tige (le canon)
47 le panneton;
48 la serrure cylindrique (serrure à goupilles *f*, serrure de sûreté *f*):
49 le cylindre
50 le ressort
51 le pointeau (le piston, la cheville) d'arrêt *m*;
52 la clef de sûreté *f*, une clé plate
53 le pied (le calibre) à coulisse *f* d'épaisseur *f*
54 le calibre à coulisse *f* de profondeur *f*:
55 le vernier;
56 la penture droite (penture simple)
57 la charnière
58 la penture en équerre *f*
59 la pièce à travailler (pièce à usiner)
60 la feuille de fer-blanc *m* (feuille de débit *m*)
61 le poinçon (le grugeoir, l'outil *m* de coupe *f*)
62 la jauge (le calibre) d'épaisseur *f* (l'espion *m*)
63 le calibre de perçage *m* (calibre d'alésage *m*, calibre à trous *m*)
64 le taraud (le foret)
65 les coussinets *m* de filière *f*
66 le tournevis
67 le grattoir
68 le pointeau
69 le poinçon (la bouterolle)
70 la pince plate, une pince à fil *m*
71 la pince coupante articulée
72 la pince à gaz *m*
73 la pince coupante devant

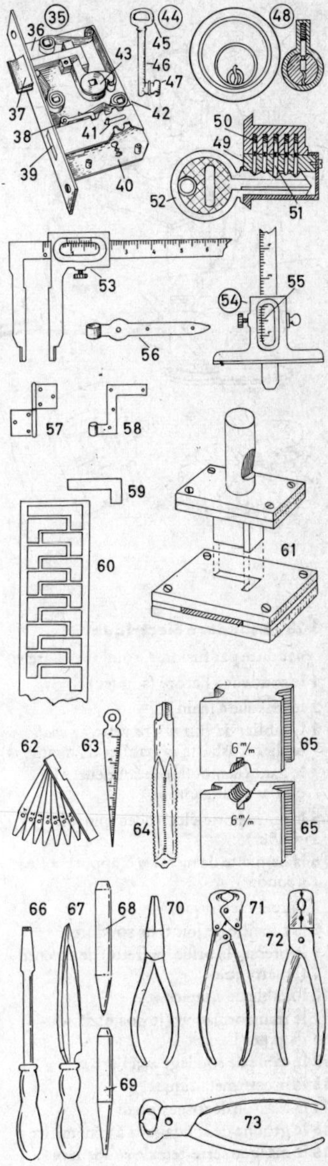

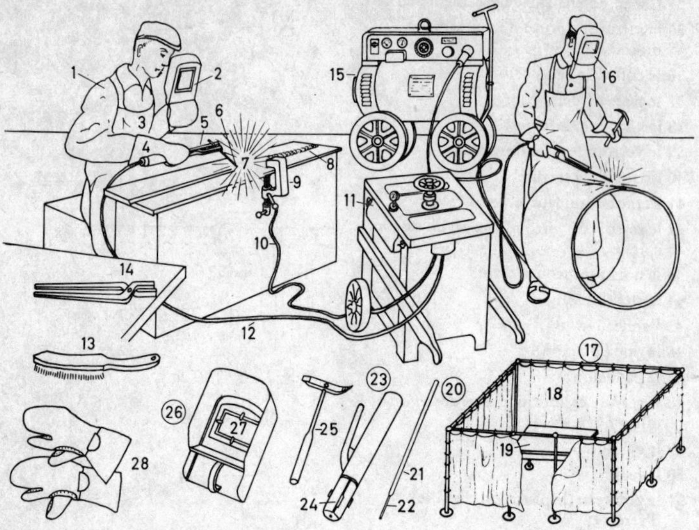

1-28 la soudure électrique

(soudure par fusion *f*, soudure à l'arc *m*)

1 le soudeur à l'arc *m* (soudeur)

2 le masque à main *f*

3 le tablier de cuir *m* à bavette *f*; *anal.*: tablier d'asbeste *m* (tablier d'amiante *m*)

4 le gant (la moufle) de soudeur *m* en cuir *m* ou amiante *m*

5 la pince porte-électrodes (pince à souder)

6 la baguette de métal *m* d'apport *m* (le fil à souder)

7 l'arc *m* électrique

8 la chenille (le joint) de soudure *f*

9 la presse (la bride, la frette) de raccord *m* (le serre-joint)

10 le câble de contact *m*

11 le transformateur (le poste) de soudage *m* à l'arc *m*

12 le câble de soudage *m* à l'arc *m*

13 la brosse métallique

14 la tenaille de forge *f* plate

15 le groupe de soudage *m* à génératrice *f*

16 le masque serre-tête de soudeur *m*

17 la tente de soudage *m*:

18 le rideau de soudage *m*

19 la table de soudage *m*;

20 l'électrode *f*:

21 l'enrobage *m*

22 l'âme *f* (le fil à souder);

23 le porte-électrodes à poignée *f* en matière *f* synthétique:

24 le contacteur à électrode *f*;

25 le marteau à piquer (marteau burineur)

26 le masque à main:

27 la vitre de protection *f*;

28 les gants *m* (les moufles *f*) de protection *f* de soudeur *m*;

29-64 la soudure autogène (soudure oxy-acétylénique),

29 le générateur d'acétylène *m* (le poste de soudure *f* oxy-acétylénique et de découpage *m* à l'acétylène *m*):

30 le générateur de gaz *m* acétylène *m* (la cuve)

31 le détendeur (le manodétendeur, la soupape réductrice)

32 la bouteille à oxygène *m*

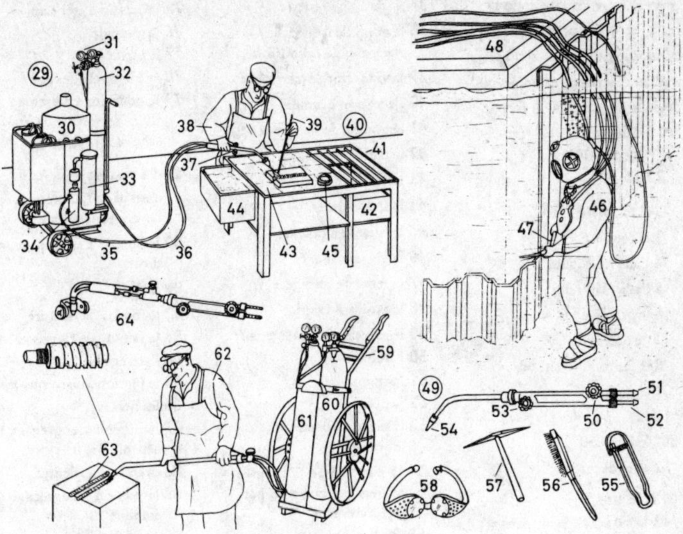

33 l'épurateur *m* de gaz *m*

34 la capacité de refoulement *m* (la soupape hydraulique), une protection contre les explosions *f* lors de retours *m* de flamme *f*

35 le tuyau à gaz *m* (tuyau à acétylène *m*)

36 le tuyau à oxygène *m*;

37 le chalumeau soudeur

38 le soudeur autogène (soudeur oxy-acétylène)

39 la baguette de brasure *f*

40 la table à souder:

41 la grille de coupage *m*

42 le bac à chutes *f* (bac de ferraille *f*)

43 la dalle de revêtement *m* de la table en briques *f* réfractaires

44 le bac à eau *f* de refroidissement *m*;

45 la pâte à souder (pâte décapante)

46-48 le soudage sous l'eau *f*:

46 le plongeur (le scaphandrier)

47 le chalumeau découpeur spécial

48 les tuyaux *m* d'air *m* respirable, de gaz *m* de combustion *f* et de protection *f*;

49 le chalumeau soudeur:

50 le robinet d'arrêt *m* d'oxygène *m*

51 la prise d'oxygène *m*

52 la prise de gaz *m*

53 le robinet d'arrêt *m* de gaz *m*

54 le bec (la buse) du chalumeau;

55 l'allumeur *m* du chalumeau

56 la brosse métallique

57 le marteau à piquer (marteau à scories *f*, marteau de soudeur *m*)

58 les lunettes *f* de soudeur *m*

59 le chariot pour transport *m* de bouteilles *f*

60 la bouteille d'acétylène *m*

61 la bouteille d'oxygène *m*

62 le soudeur à oxygène *m*

63 la pièce à braser

64 la lance de soudo-brasure *f* (le chalumeau chauffeur-braseur) avec dispositif *m* de découpage *m* et guide *m* à roulettes *f*

[matériaux *m* de fabrication *f*: fer *m*, acier *m*, laiton *m*, aluminium *m*, matériau *m* synthétique etc.; comme exemple ci-dessous on a choisi le fer]

1 le fer à cornière *f* (fer d'angle *m*):
2 l'aile *f*;

3-7 profilés *m*:
3 le profilé en T:
4 l'aile *f* médiane
5 l'aile *f* latérale;
6 le profilé en H
7 le profilé en U;
8 le fer rond (les ronds *m*)
9 le carré
10 le fer plat (les plats *m*)
11 le feuillard
12 le fil de fer *m*

13-48 vis *f*,
13 la vis à tête *f* à six pans *m* (le boulon hexagonal):
14 la tête
15 la tige lisse
16 le filetage
17 la rondelle
18 l'écrou *m* à six pans *m*
19 la goupille fendue
20 le bout sphérique
21 la cote sur plats *m*;
22 le goujon (le tourillon):
23 le bout
24 l'écrou *m* à créneaux *m*
25 le trou de goupille *f*;
26 la vis à tête *f* fraisée:
27 l'ergot *m* (le talon)
28 le contre-écrou
29 le tenon;
30 la vis d'assemblage *m* à embase *f*:
31 l'embase *f*
32 la rondelle Grower (l'anneau-ressort *m*)
33 l'écrou *m* à calage *m*, un écrou de fixation *f*;
34 la vis à tête *f* cylindrique, une vis fendue:
35 la goupille conique
36 la fente de serrage *m*;
37 la vis à tête *f* carrée:
38 la goupille à encoche *f*, une goupille cylindrique;
39 la vis à tête *f* de marteau *m*:
40 l'écrou *m* à oreilles *f*;
41 le goujon de maçon *m*:
42 le talon d'arrêt *m*;
43 la vis à bois *m*:
44 la tête fraisée
45 le filetage à bois *m*;
46 la vis sans tête *f*:
47 la fente de serrage *m*
48 le bout sphérique;
49 le clou (la pointe de fer *m*):
50 la tête
51 la tige
52 la pointe;
53 la pointe à papier *m* bitumé;

54 le rivetage (l'assemblage *m* par rivets *m*, par recouvrement *m*):
55-58 le rivet:
55 la tête de rivet *m*
56 la tige de rivet *m*
57 la contre-rivure;
58 l'entraxe *m*;

59 l'arbre *m* (l'axe *m*):
60 le chanfrein
61 le tourillon
62 le collet
63 la portée
64 la rainure de clavetage *m*
65 le cône (l'embase *f* conique)
66 le filetage;

67 le roulement à billes *f* (le palier-porteur transversal, le roulement à galets *m*)
68 la bille d'acier *m*
69 la bague extérieure
70 la bague intérieure;

71 et 72 les clavettes *f*:
71 la clavette plate (clavette encastrée)
72 la clavette à talon *m*;
73 la cage du roulement à aiguilles *f*
74 l'aiguille *f*
75 l'écrou *m* à créneaux *m*
76 la goupille
77 le carter
78 le couvercle de carter *m*
79 le graisseur à pression *f* (le raccord fileté de graissage *m* à pression *f*);

80-94 roues *f* **dentées** (les pignons *m*, les engrenages *m*),
80 le pignon d'engrenage *m* droit:
81 la dent
82 le fond de la denture
83 la rainure de clavetage *m*
84 l'alésage *m*;
85 le pignon à chevrons *m*:
86 les bras *m*;
87 le pignon à engrenage *m* hélicoïdal:
88 la couronne dentée;
89 le pignon à engrenage *m* conique
90 et 91 l'engrenage *m* conique hélicoïdal:
90 le pignon d'attaque *f* (le pignon menant)
91 la couronne;
92 l'engrenage *m* planétaire
93 la denture intérieure
94 la denture extérieure;

95-105 freins *m*,
95 le frein à mâchoires *f* (frein à sabots *m*):
96 le disque du frein
97 l'axe *m* (l'arbre *m*) du frein
98 le patin (le sabot) de frein *m*
99 la tige de liaison *f* (le tirant)
100 l'électro-aimant *m* de rappel *m* (de démarrage *m* de frein *m*)
101 le contrepoids;
102 le frein à bande *f*:
103 la bande du frein
104 la garniture de frein *m*
105 la vis de réglage *m* pour équilibrer l'action *f* du frein

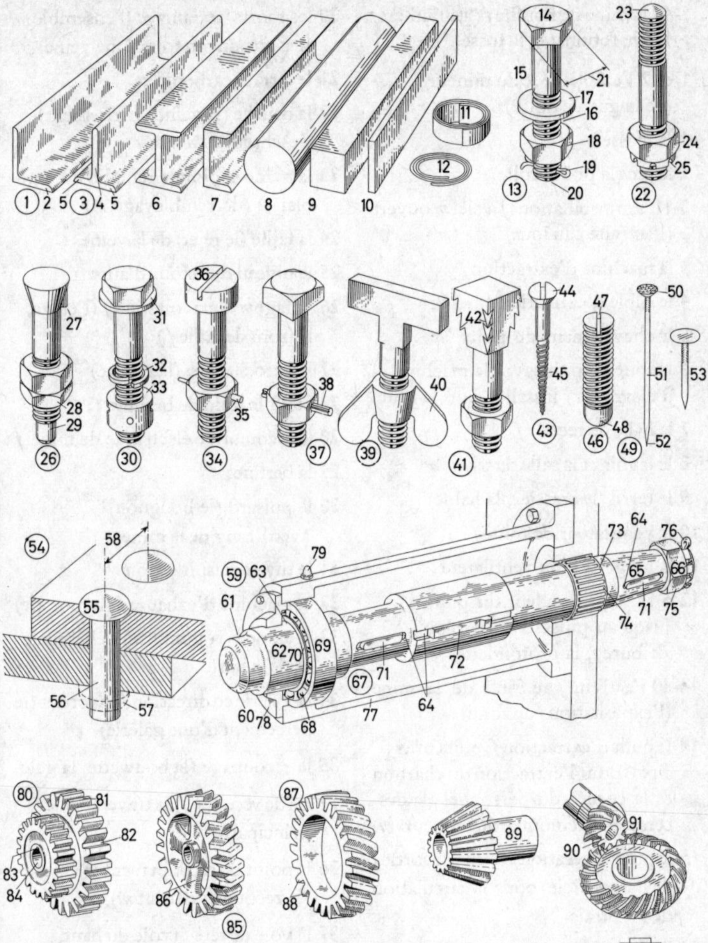
1 2 5 3 4 5 6 7 8 9 10 11 12
13 14 15 16 17 18 19 20 21 22 23 24 25
26 27 28 29 30 31 32 33 34 35 36 37 38 39 40
41 42 43 44 45 46 47 48 49 50 51 52 53
54 55 56 57 58 59 60 61 62 63 64 65 66 67 68 69 70 71 72 73 74 75 76 77 78 79
80 81 82 83 84 85 86 87 88 89 90 91
92 93 94 95 96 97 98 99 100 101 102 103 104 105

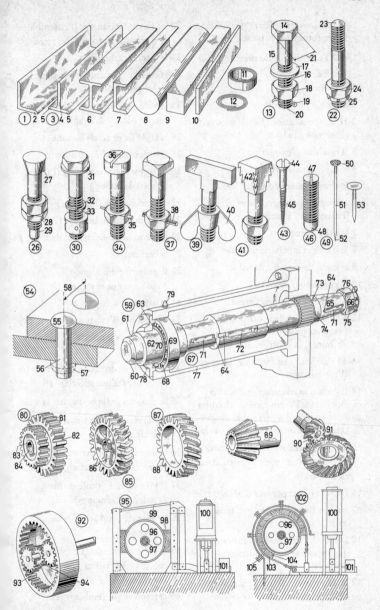

1-40 la mine de houille *f* (la houillère, le charbonnage, la fosse),

1 et **2** l'emblème *m* du mineur (de la gueule noire):

1 la masse

2 le pic (la pointerolle);

3-11 les installations *f* à ciel *m* ouvert (l'activité *f* au jour):

3 la machine d'extraction *f*

4 le câble d'extraction *f*

5 le chevalement du puits

6 la tour du puits avec la machine d'élévation *f* installée dans la tour

7 la halle de recette *f*

8 le lavoir et la salle de triage *m*

9 le terril (le crassier, la halde)

10 le ventilateur de mine *f*

11 la gargouille du ventilateur;

12 à 13 la profondeur du puits jusqu'au puisard *m* (le plomb de bure *f*, la profondeur)

14-40 l'activité *f* au fond de la mine (l'exploitation *f* au fond):

14 le puits d'extraction *f* (puits principal) pour l'extraction du charbon et la cordée du personnel (la descente et la remontée des mineurs *m*)

15 le puits d'aération *f* (puits de sortie *f* de l'air *m* vicié) pour la circulation de l'air frais

16 l'écluse *f* avec portes *f* d'aérage *m*

17 la bure (le puits intérieur, faux puits, le burquin)

18 la cage d'extraction *f* avec berlines *f* [transport *m* de produits *m* extraits]

19 la cage d'extraction *f* transportant une équipe [cordée *f* du personnel]

20 les morts-terrains *m* (l'ensemble *m* des terrains au toit d'une veine)

21 le terrain carbonifère

22 la couche (la veine, le gisement) de charbon *m* vif

23 la veine exploitée remplie de remblai *m* (de remblayage *m*)

24 la faille (le rejet) de la veine

25 le niveau du retour d'air *m*

26 l'étage *m* d'exploitation *f* (l'étage, le front de taille *f*)

27 l'accrochage *m* (la recette)

28 et **29** le train de berlines *f*:

28 la locomotive électrique de mine *f*

29 la berline;

30 le puisard (le bougnou) avec l'eau *f* de la mine

31 le tuyau d'aspiration *f*

32 la machine d'exhaure *f* (la pompe)

33 la rampe (la goulotte) hélicoïdale dans la bure

34 la galerie en direction *f* au rocher (le percement d'une galerie)

35 le recoupage (la bouwette, la galerie de recoupe *f*, le travers-banc principal)

36 le point de recoupement *m* (la recoupe de front *m*)

37 la voie de tête *f* (voie du haut, la galerie d'aérage *m*)

38 la voie de fond *m* (voie de roulage *m*)

39 la taille chassante (l'exploitation *f* par grandes tailles *f*, exploitation houillère)

40 le remblai (le remblayage)

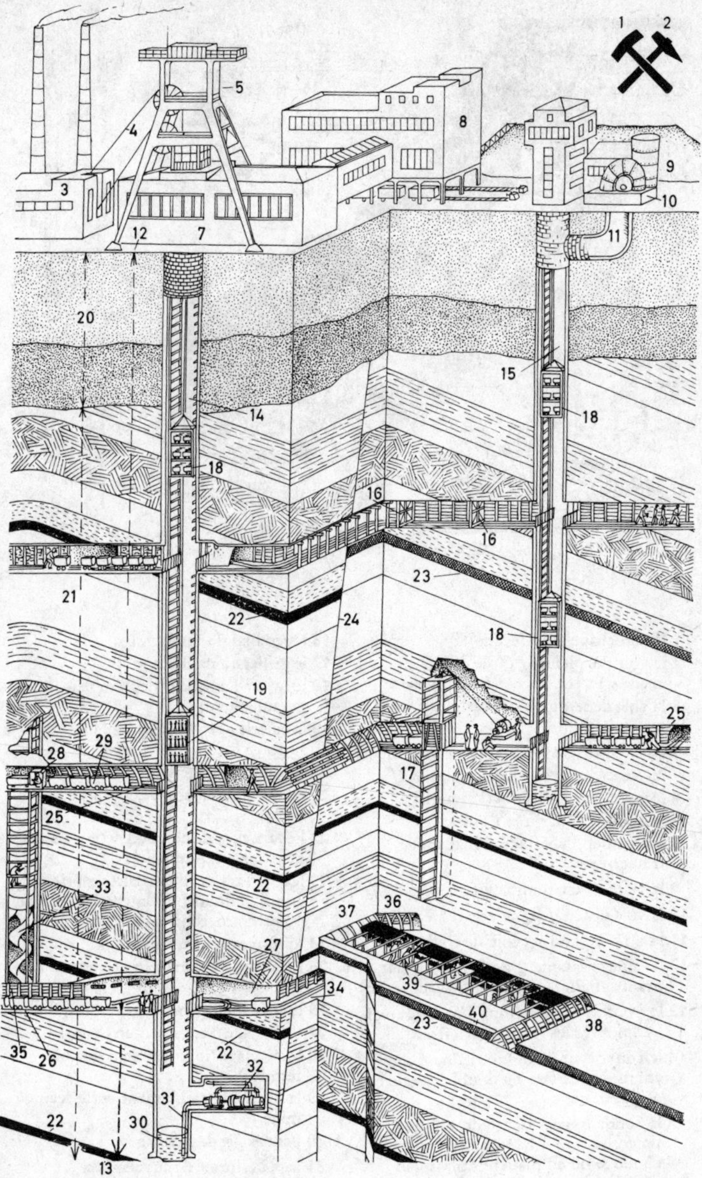
1
2
5
4
3
12
7
8
9
10
11
20
14
18
15
18
16
16
23
21
22
24
18
19
25
29
28
17
25
22
33
37
36
27
34
39
40
23
38
35
26
22
32
31
30
22
13

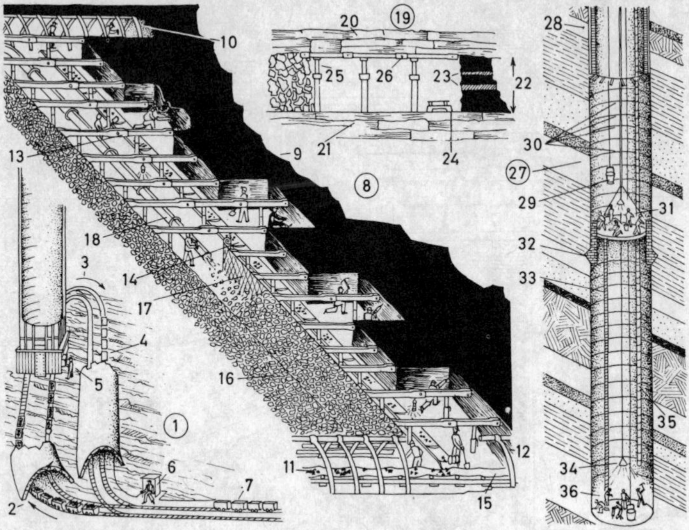

1 l'accrochage *m* (la recette):
2 la voie des pleines *f* (voie d'encagement *m*) avec des berlines *f* pleines
3 la voie de retour *m* des berlines *f* vides
4 la voie des vides *f*
5 l'accrocheur *m* (l'encageur *m*, le mineur qui encage (accroche) les berlines *f*)
6 le poste d'aiguillage *m* (l'aiguillage)
7 le retour des berlines *f* vides;
8 le chantier d'abattage *m* (l'abattage) d'une veine:
9 la veine de charbon *m* vif
10 la voie de tête *f* (la galerie d'aréage *m*)
11 la voie de fond *m* (voie de roulage *m*)
12 la taille chassante (l'exploitation *f* par grandes tailles *f*, l'abattage *m* du charbon)
13 le front de taille *f* (front d'abattage *m*, la taille), avec les mineurs *m* à front
14 le convoyeur à double chaîne *f*, un engin de desserte *f* à double chaîne et et à raclettes *f*
15 la bande transporteuse de galerie *f*, un convoyeur à bandes *f* en caoutchouc *m* ou en matière *f* plastique
16 le remblai (le remblayage)
17 le grillage à remblais *m*
18 le tuyau d'amenée *f* des remblais *m* pneumatique;
19 la galerie avec le front de taille *f* dépourvu d'étançons *m*:
20 le toit (la couche au-dessus de la veine)
21 le mur (la couche au-dessous de la veine)
22 l'épaisseur *f* de charbon *m* (la puissance de la veine exploitable)
23 les schistes *m* intercalaires stériles (les filons *m* de roche *f* intercalés dans la veine de charbon *m*)
24 le convoyeur de taille *f*
25 l'étançon de mine *f* [en acier *m* ou en métal *m* léger]
26 la rallonge (le chapeau);
27 le fonçage (fonçage d'un puits):
28 le cuvelage (le revêtement du puits terminé)
29 la benne de creusement *m* (le seau de mine *f*)
30 l'anneau *m* de cuvelage *m*
31 la plate-forme de cuvelage *m*

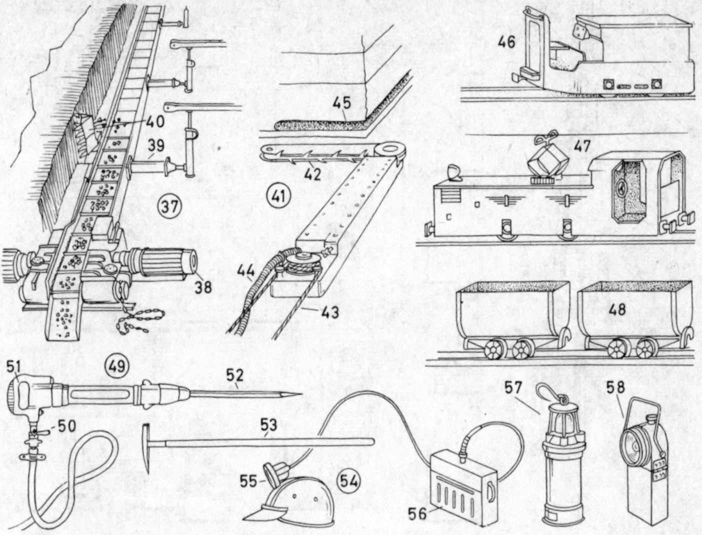

32 la base de cuvelage *m* en maçonnerie *f* (la roue dans une avaleresse *f*)

33 l'échelle *f* de secours *m*

34 l'appareil *m* d'éclairage *m* à haut voltage *m* (le projecteur)

35 la buse d'aérage *m* (le tuyau d'amenée *f* d'air *m* frais)

36 les ouvriers *m* au fonçage ;

37-53 machines *f* et outillage *m* de mine *f*

37 le convoyeur à chaîne *f* à raclettes *f*

38 la commande du convoyeur et du rabot à charbon *m*

39 le cylindre de manœuvre *f* du convoyeur

40 le rabot à charbon *m*;

41 la haveuse:

42 le bras haveur avec chaîne *f* et pic *m* de haveuse *f*

43 le câble de halage *m*

44 le tuyau à air *m* comprimé (l'arrivée *f* d'air comprimé)

45 la saignée (la havée);

46 et **47** locotracteurs *m* électriques du fond:

46 le locotracteur à accumulateurs *m*

47 le locotracteur à trolley *m*;

48 la berline

49 le marteau-piqueur pneumatique (marteau d'abattage *m*):

50 la soupape d'admission *f* d'air *m* comprimé

51 la poignée

52 le pic du marteau-piqueur;

53 le pic (la canne) du porion;

54-58 l'équipement *m* du mineur,

54 le casque de mineur *m* [en matière *f* plastique]:

55 la lampe de chapeau *m*

56 l'accumulateur *m* (l'accu *m*);

57 et **58** lampes *f* de fond *m* (lampes de mine *f*):

57 la lampe de mineur *m*

58 la lampe réservée aux cadres *m*

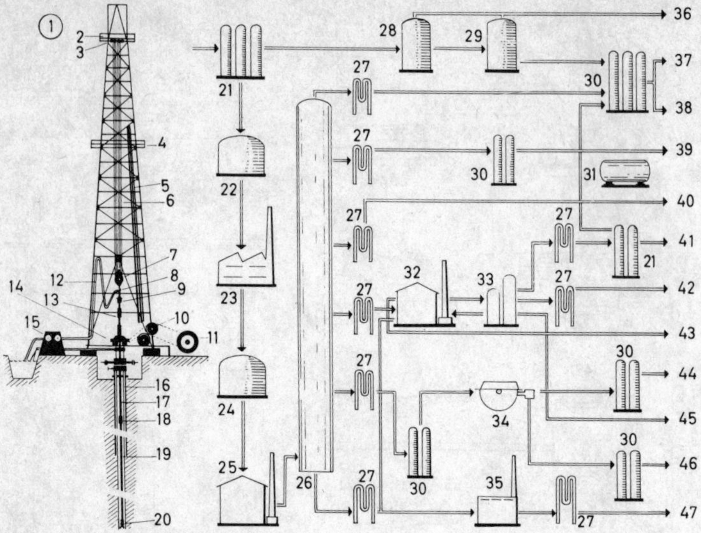

1-20 le forage pétrolier,

1 le derrick (la tour de forage *m*):

2 le bloc-couronne

3 les galets *m* de renvoi *m*

4 la plate-forme de manœuvre *f*, une plate-forme intermédiaire

5 les tiges *f* de forage *m*

6 le brin moteur

7 le palan mobile

8 le crochet de traction *f*

9 la tête d'injection *f* (le touret hydraulique)

10 le treuil

11 le moteur de commande *f*

12 la colonne montante

13 la tige d'entraînement *m*

14 la table de rotation *f*

15 la pompe à boue *f*

16 la remontée de boue *f*

17 les tiges *f* de sondage *m*

18 le trou de sonde *f*

19 le tubage

20 le trépan de sondage *m* (la tête foreuse); *variétés*: trépan à queue *f* de poisson *m*, trépan à molettes *f*, trépan à carotte *f*;

21-35 le traitement du pétrole brut (traitement des huiles *f* lourdes) [schématique]:

21 le séparateur de gaz *m* (la tour de dégazolinage *m*)

22 le réservoir de stockage *m*

23 la station de pompage *m*

24 le stockage en raffinerie *f*

25 le four tubulaire

26 la tour de fractionnement *m*

27 le refroidisseur

28 la transformation de gaz *m* naturel en essence *f*

29 l'installation *f* de stabilisation *f*

30 l'installation *f* d'épuration *f*

31 l'alkylation *f* (la transformation de gaz *m* de cracking *m* en essence *f*)

32 le four tubulaire

33 l'installation *f* de cracking *m*

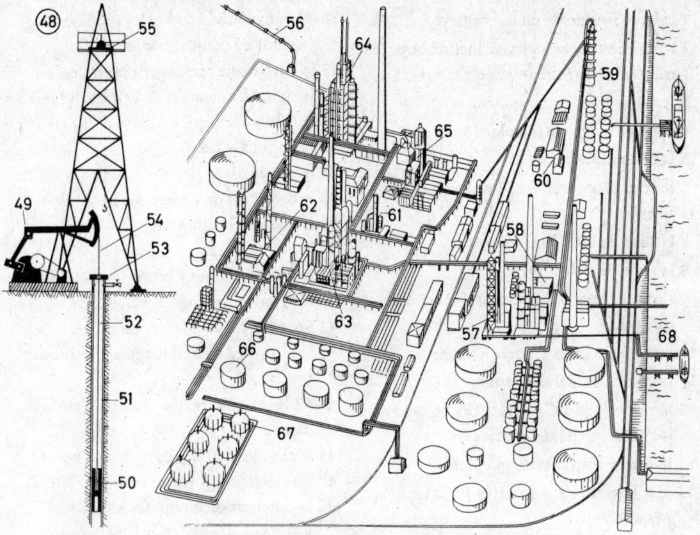

34 le déparaffinage
35 l'installation *f* de bitume *m*;
36-47 les produits *m* pétroliers:
36 le gaz de chauffage *m*
37 l'essence *f* d'avion *m*
38 le carburant léger
39 le pétrole ordinaire (pétrole lampant)
40 le gas oil
41 les hydrocarbures *m* gazeux
42 le mazout (le fuel-oil)
43 l'huile *f* lourde (le carburant Diesel)
44 l'huile *f* de graissage *m*
45 le coke de pétrole *m*
46 la paraffine
47 le bitume;
48-55 la production pétrolière,
48 la tour d'extraction *f*:
49 le balancier de la pompe
50 la pompe à puits *m* profond
51 la colonne montante de pompage *m*
52 les tiges *f* de pompe *f*
53 la calotte d'obturation *f*
54 la tige polie de pompe *f*
55 le bloc à galets *m*;
56-67 la raffinerie de pétrole *m*:
56 le pipe-line (l'oléoduc *m*)
57 les installations *f* (les réservoirs *m*) de distillation *f*
58 l'oxydation *f* du bitume
59 la redistillation de l'essence *f*
60 la raffinerie de lubrifiants *m*
61 les installations *f* de centrifugeuse *f* et de four *m* Claus
62 l'installation *f* de séparation *f* des gaz *m*
63 l'installation *f* de cracking *m* catalytique
64 l'installation *f* de reforming *m* catalytique (l'hydrogénation *f* des carbures *m*)
65 la désulfuration du gas-oil (l'hydrogénation *f* du soufre)
66 le réservoir de stockage *m*
67 le réservoir sphérique;
68 le port industriel; *ici*: port pétrolier

1-19 l'installation *f* de haut fourneau *m*:
1 le haut fourneau, un four à cuve *f*
2 le monte-charge à plan *m* incliné pour le minerai et les fondants *m* ou le coke
3 le chariot (le treuil) roulant
4 la plate-forme du gueulard
5 la benne-trémie
6 le cône d'obturation *f* (la cloche du gueulard)
7 la cuve de haut fourneau *m*
8 la zone de réduction *f*
9 l'écoulement *m* des scories *f* (la coulée du laitier)
10 la cuve à scories *f* (cuve à laitier *m*)
11 la coulée de la fonte brute
12 la poche à fonte *f* brute (poche de coulée), une poche sur chariot *m*
13 la sortie des gaz *m* du gueulard
14 le collecteur de poussières *f* (le sac à poussières)
15 le réchauffeur de vent *m* (le cowper, le récupérateur)
16 l'alimentation *f* d'air *m*
17 la conduite de gaz *m*
18 la conduite de vent *m* chaud
19 la tuyère à vent *m*;
20-62 l'aciérie *f*,
20-29 le four Siemens-Martin:
20 la poche à fonte *f* brute (poche de coulée *f*)
21 la rigole d'alimentation *f*
22 le four fixe
23 la chambre du four
24 la machine de chargement *m*
25 la cuvette à mitraille *f*
26 la conduite de gaz *m*
27 la chambre de chauffe *f* du gaz
28 le tuyau d'amenée *f* de l'air *m*
29 la chambre de chauffe *f* de l'air *m*;
30 la poche à acier *m* en fusion *f* (poche de coulée *f*) avec fermeture *f* à bouchon *m* [vidange *m* par en bas]
31 la lingotière pour la coulée d'un lingot
32 le lingot d'acier *m*
33-43 la machine à couler les saumons *m* (machine à couler les gueuses *f*):
33 la cuve de réception *f* de la coulée
34 la rigole d'amenée *f* de la fonte liquide
35 le ruban à lingotières *f*
36 la lingotière (la coquille)
37 la passerelle
38 le dispositif de versement *m*
39 la gueuse (le saumon)
40 le pont roulant
41 la poche à fonte *f* brute (poche de coulée *f*) avec vidange *f* par en haut
42 le bec de la poche de coulée *f*
43 le dispositif de culbutage *m* (le culbuteur);
44-47 le four électrique Siemens à cuve *f* basse:
44 le chargement du four
45 les électrodes *f* [disposées en cercle *m*]
46 la canalisation circulaire pour l'évacuation *f* des gaz *m* du four
47 la rigole de coulée *f* (la coulée, la percée);
48-62 le convertisseur Thomas:
48 la position de chargement *m* pour la fonte liquide
49 la position de chargement *m* pour la chaux
50 la position de soufflage *m* (position de fonctionnement *m*)
51 la position de déchargement *m*
52 le dispositif de culbutage *m*
53 la poche de coulée suspendue
54 le palan auxiliaire du pont roulant
55 la trémie à chaux *f*
56 le tuyau de chute *f* (tuyau de descente *f*)
57 le wagonnet de mitraille *f* légère
58 l'introduction *f* de la mitraille *f*
59 le poste de commande *f* avec les appareils *m* de commande et de contrôle *m*
60 la cheminée du convertisseur
61 le tuyau d'amenée *f* de l'air *m* de soufflage *m*
62 le fond à tuyères *f*

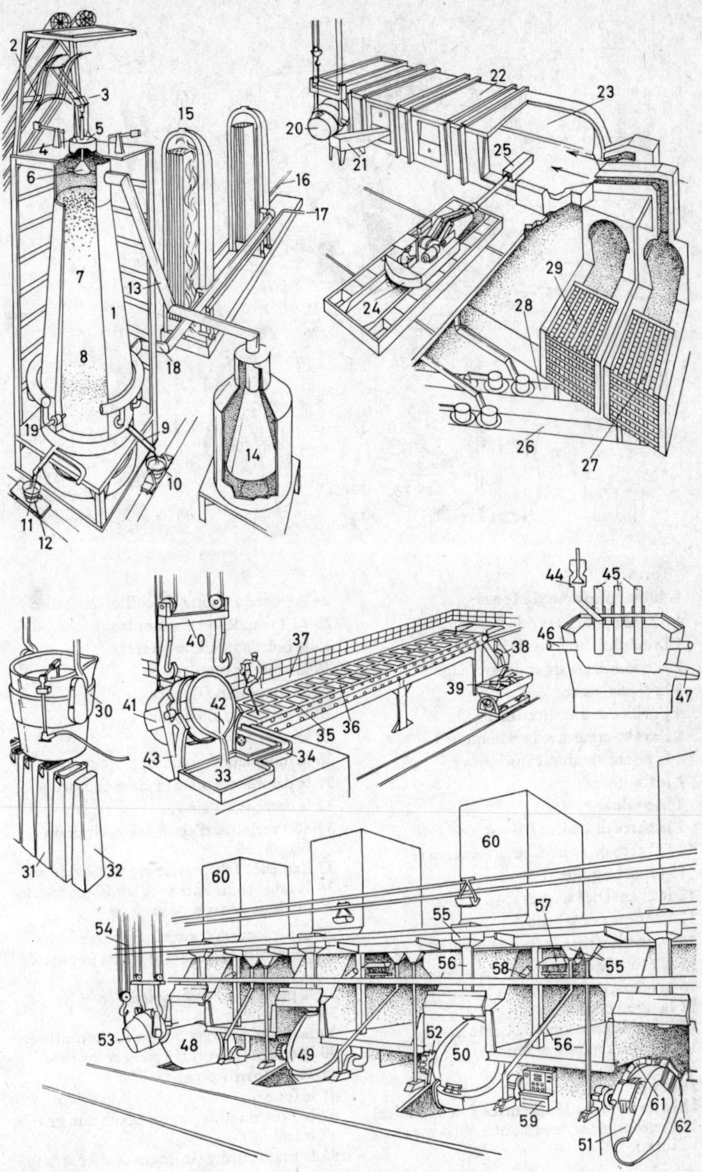

1
2
3
4
5
6
7
8
9
10
11
12
13
14
15
16
17
18
19
20
21
22
23
24
25
26
27
28
29
30
31
32
33
34
35
36
37
38
39
40
41
42
43
44
45
46
47
48
49
50
51
52
53
54
55
56
57
58
59
60
61
62

1-40 la fonderie de fer *m*,
1-12 les opérations *f* de fusion *f*:
1 le cubilot, un four de fusion *f*
2 la conduite d'air *m* de soufflage *f*
3 le chenal de coulée *f*
4 l'orifice *m* d'inspection *f*
5 l'avant-creuset *m* basculant
6 la poche-tambour sur roues *f*
7 le fondeur
8 le couleur
9 la barre de coulée *f*
10 la barre de bouchage *m* (la serrière)
11 la fonte liquide
12 le chenal des scories *f*;
13 l'équipe *f* de coulée *f*:
14 la poche à bras *m* (poche à fourche *f*)
15 la fourche de la poche
16 la queue de la poche
17 la tige à crasses *f*
18 le poids pour comprimer le moule;
19 la boîte à moule *m* fermée:
20 la boîte supérieure
21 la boîte inférieure
22 le jet de la coulée (l'entrée *f* de la coulée)
23 l'entonnoir *m* de remontée *f* (la masselotte);
24 la poche à main *f* (la cuiller de coulée *f*)
25-32 le modelage (le moulage),
25 la boîte à moule *m* ouverte:
26 le sable de moulage *m*
27 l'impression *f* du modèle
28 la marque *f* du noyau
29 le noyau;
30 le modeleur (mouleur)
31 le damoir (le pilan) à air *m* comprimé
32 le damoir à main *f*;
33-40 l'atelier *m* d'ébarbage *m* (le dessablage):
33 l'amenée *f* de gravier *m* ou de sable *m*
34 la table tournante avec soufflage *m* automatique de jet *m* de sable *m*
35 la protection contre la dispersion des particules *f* de sable *m* et des impuretés *f*
36 la table tournante
37 la pièce de fonte *f* coulée
38 le nettoyeur
39 la machine à rectifier à air *m* comprimé
40 le ciseau (le burin) à air *m* comprimé;
41-76 le laminage:
41 le four pit
42 la grue du four pit, un pont (une grue) à tenailles *f*
43 la brame brute (le lingot d'acier *m* brut)

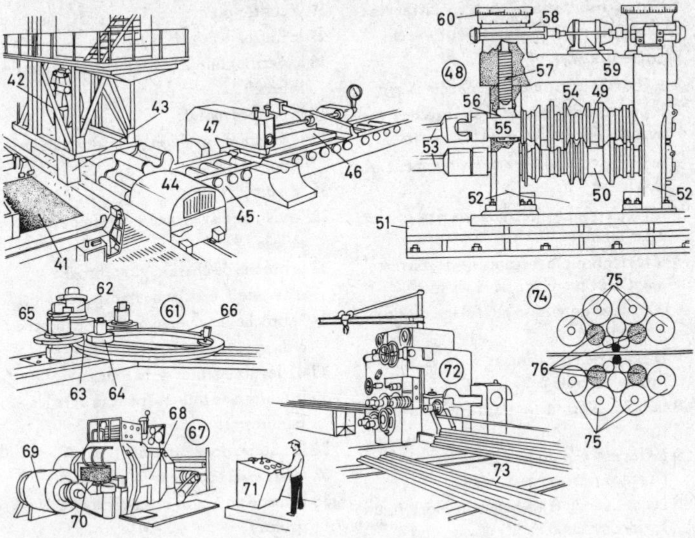

44 le wagonnet basculant à lingots *m*
45 le train à rouleaux *m* (train dégrossisseur)
46 la pièce d'acier *m* à laminer
47 la cisaille à blooms *m*
48 le laminoir duo (laminoir deux cylindres *m*)
49 et **50** l'assemblage *m* des cylindres *m*:
49 le cylindre supérieur
50 le cylindre inférieur;
51-55 la cage de laminoir *m*:
51 la plaque d'assise *f*
52 le montant de cage *f*
53 l'arbre *m* d'accouplement *m*
54 le calibre
55 le palier à roulement *m*;
56-59 le dispositif de mise *f* en marche *f*:
56 l'empoise *f* de laminoir *m*
57 la vis de serrage *m*
58 l'engrenage *m*
59 le moteur;
60 le dispositif indicateur pour le réglage grossier et fin
61 le laminoir à bandages *m* de roues *f* et à centres *m* de roues :
62 le rouleau de travail *m* (rouleau de laminage *m*)
63 le calibre
64 le rouleau presseur
65 le rouleau guide
66 la cornière annulaire;
67 le laminoir Sendzimir, un laminoir à froid *m*:
68 la cage de laminoir *m*
69 le cylindre bobineur (le rouleau enrouleur)
70 la tôle type *m* carrosserie *f*
71 le poste de commande *f*;
72 la machine à dresser à rouleaux *m*:
73 le profilé;
74 le laminoir à plusieurs cylindres *m*:
75 la disposition des cylindres *m*
76 les cylindres *m* entraînés

1-47 les machines *f* à travailler les métaux *m* à enlèvement *m* de copeaux *m*,

1 le tour (tour rapide, tour à métaux *m*):

2 la commande de mise *f* en marche *f* des avances *f* et des pas *m* (la poupée fixe):

3 le levier verrouilleur de changement *m* de vitesse *f*

4 le levier pour le filetage à pas *m* normal et à pas rapide

5 le levier pour le mécanisme de renversement *m* de marche *f* de la vis-mère

6 le réglage de vitesse *f* (réglage du nombre de tours *m*)

7 la boîte de changement *m* de vitesse *f* à bras *m* réglable

8 la boîte Norton (le train baladeur Norton)

9 les leviers *m* pour le réglage de l'avance *f* et du pas de vis *f*

10 la coulisse du train baladeur Norton, un levier de changement *m*

11 le levier de commande *f* pour marche *f* à droite ou à gauche de la broche principale

12 le pied de tour *m*

13 le volant à main *f* pour le mouvement du chariot longitudinal

14 le levier pour le mécanisme de renversement *m* du dispositif d'avance *f*

15 la tige filetée de réglage *m* à manivelle *f*

16 le support d'outils *m* avec tablier *m*

17 le levier pour le mouvement longitudinal et transversal

18 la vis sans fin d'entraînement *m* pour la mise en marche *f* des avances *f*

19 le levier pour l'écrou *m* embrayable de la vis-mère

20 le mandrin de rotation *f* (mandrin de travail *m*)

21 le porte-outil

22 le support longitudinal

23 le support transversal

24 le chariot longitudinal

25 le tube d'alimentation *f* d'agents *m* refroidisseurs

26 la contre-pointe

27 le fourreau de la broche

28 le garrot pour le blocage du fourreau de la broche

29 la poupée mobile

30 le volant de position *f* du fourreau de la broche

31 le banc de tour *m*

32 la vis-mère avec filet *m* carré pour filetage *m*

33 la broche de chariotage *m* (broche d'avance *f*, broche de transport *m*)

34 la broche de changement *m* de marche *f* à droite et à gauche;

35-42 les accessoires *m* du tour,

35 le plateau de tour *m* (plateau avec les rainures *f*):

36 la rainure de serrage *m*;

37 la griffe de serrage *m* (le mors)

38 le mandrin à trois mâchoires *f* (à trois griffes *f*)

39 la clé de serrage *m*

40 la bague de serrage *m* du plateau d'entraînement *m*

41 le plateau à toc *m*

42 le toc (le cœur d'entraînement *m*);

43-47 aciers *m* de tournage *m* à charioter:

43 l'acier *m* dégrossisseur

44 l'acier *m* à finir

45 l'acier *m* de décolletage *m*

46 l'acier *m* à fileter

47 la cale étalon combinable pour régler la longueur de tournage *m*;

48-56 les instruments *m* de mesure *f*:

48 la jauge (le calibre) de profondeur *f*

49 le calibre-mâchoire double, un calibre limite *f* extérieure de tolérance *f*:

50 le côté entre

51 le côté n'entre pas;

52 le tampon à tolérance *f*

53 le micromètre (le palmer);

54 l'échelle *f* de mesure *f*

55 le tambour gradué

56 la tige palpeuse

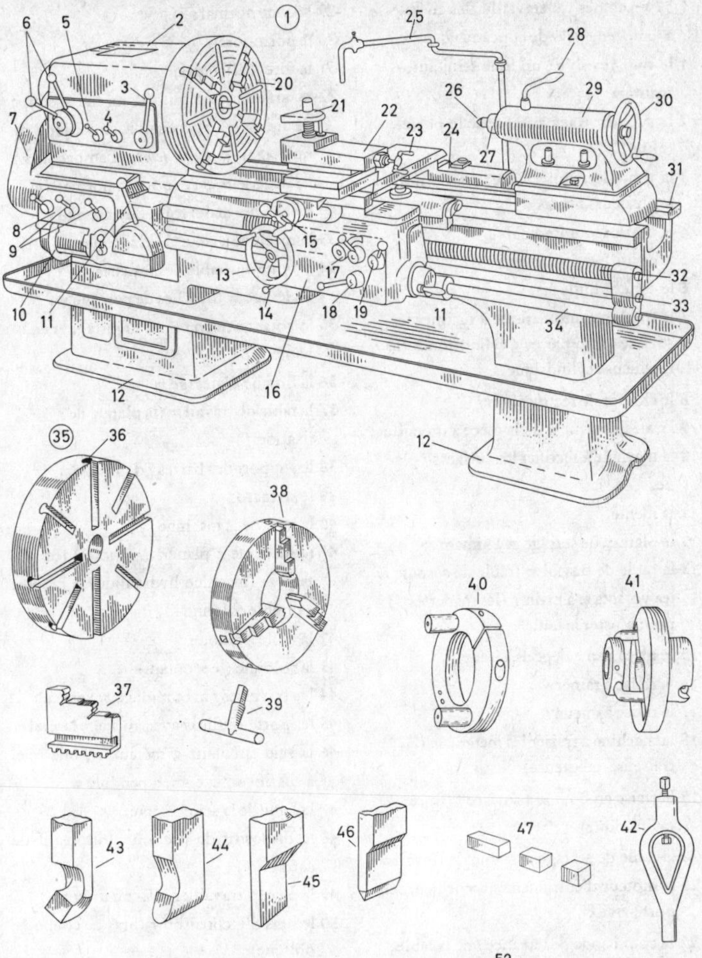
1
2
3
4
5
6
7
8
9
10
11
12
13
14
15
16
17
18
19
20
21
22
23
24
25
26
27
28
29
30
31
32
33
34
35
36
37
38
39
40
41
42
43
44
45
46
47
48
49
50
51
52
53
54
55
56

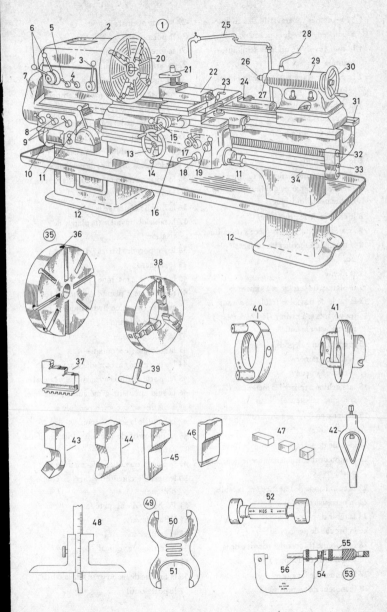

1-57 machines *f* à travailler les métaux *m* à enlèvement *m* de copeaux *m*,
1 le tour revolver, un tour semi-automatique:
2 le support transversal avec le porte-outil
3 la tourelle revolver avec porte-outils *m* à plusieurs postes *m*
4 le chariot longitudinal
5 le croisillon de manœuvre *f*
6 le carter à huile *f*;
7 la machine automatique à rectifier les surfaces *f* ou pièces *f* cylindriques (la rectifieuse cylindrique):
8 le chariot de rectification *f*
9 l'entraînement *m* de la pièce à travailler;
10 la machine à rectifier les surfaces *f* planes:
11 la meule
12 le plateau de serrage *m* à aimant *m*
13 la table de travail *m* (table de serrage *m*)
14 les volants *m* à main *f* (les manettes *f*) pour ajuster la table
15 le mécanisme dépoussiéreur;
16 la fraise à rainer
17 la fraise à queue *f*
18 la machine à fraiser les métaux *m* (la fraiseuse-raboteuse):
19 la fraise en bout *m* à surface *f* (fraise cylindrique)
20 la table de serrage *m* (table de travail *m*)
21 le moteur d'entraînement *m* de la broche porte-fraise
22 la commande de l'avance *f* de la table;
23 la perceuse radiale;
24 la table de perçage *m*
25 la broche de perçage *m*
26 la colonne (la chemise rotative de la colonne de direction *f*)
27 le moteur de levage *m*
28 le moteur de commande *f*;
29 le cône normal:
30 le porte-foret
31 le foret hélicoïdal;
32 le taraud mécanique (la mèche à coupe de finissage *m*, mèche à une coupe de finissage); *en même temps*: l'amorçoir *m*, l'élargisseur *m* et le foret normal (la mèche normale, foret de finissage *m*)
33 la machine à aléser horizontale:
34 la boîte ajustable des broches *f* d'alésage *m* (broches de perçage *m*)
35 le volant à main *f* pour l'ajustage *m* en hauteur *f*
36 la broche d'alésage *m*
37 la table de travail *m* (la plaque de fixation *f*)
38 le support des barres *f* d'alésage *m*
39 le traînard
40 la base de la machine;
41 la machine à planer (à raboter) les métaux *m* (machine hydraulique à raboter à double colonne *f*):
42 la table à raboter
43 la colonne (le montant)
44 les traverses *f* avec réglage *m* vertical
45 les porte-outils *m* avec ajustage latéral
46 la scie circulaire à métaux *m*, une scie à chariot *m*, une scie à pendule *m*:
47 la lame de la scie à métaux *m*
48 le dispositif de fixation *f* (dispositif de serrage *m*)
49 la pièce à travailler (pièce à usiner)
50 le bras d'inclinaison *f* (bras de coupe *f* oblique)
51 l'échelle *f* d'obliquité *f*;
52 l'étau-limeur:
53 le coulisseau
54 le coulisseur vertical
55 la table
56 la broche de manœuvre *f* de la table
57 le porte-outil

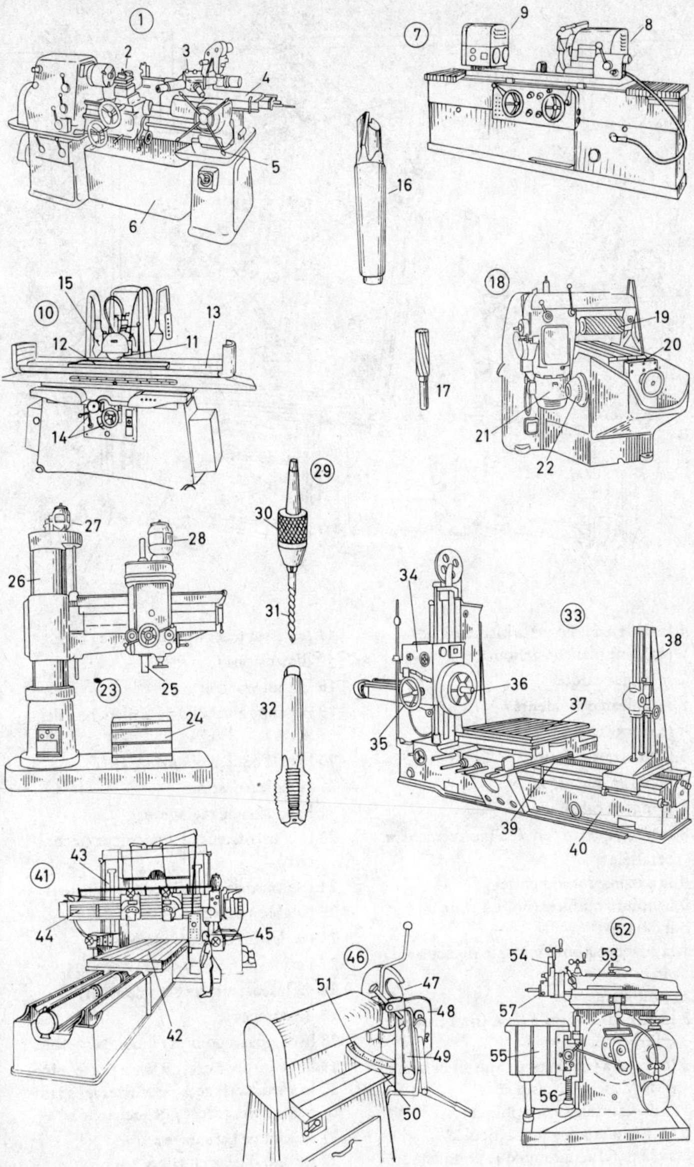
1
2
3
4
5
6
7
8
9
10
11
12
13
14
15
16
17
18
19
20
21
22
23
24
25
26
27
28
29
30
31
32
33
34
35
36
37
38
39
40
41
42
43
44
45
46
47
48
49
50
51
52
53
54
55
56
57

1 la table à dessin *m* (la planche à dessin), une planche debout
2 le papier-calque
3 le tableau des valeurs *f*
4 le rapporteur
5 l'équerre *f* à dessin *m*
6 le dessin technique
7 la règle à calcul *m*
8 le té (l'équerre *f* en T) à mouvement *m* parallèle
9 le dessinateur industriel
10 la boîte à outils *m* (boîte à instruments *m*)
11 la poignée pour ajuster la planche à dessin *m*
12 le montant
13 le compas à verge *f* (compas à trusquin *m*)
14 le levier à pied *m* pour ajuster la hauteur de la planche à dessin *m*
15 le diagramme (le graphique)
16 la machine à dessiner articulée avec parallélogramme *m* conducteur
17 le dessin technique en coupe *f* avec dimensions *f*
18 le contrepoids
19 la lampe ajustable de la planche à dessin *m*
20 le té (l'équerre *f* à main *f* en T)
21 la règle à dessiner:
22 le bouton de réglage *m*;
23 le constructeur, un ingénieur (technicien)
24 la blouse de travail *m* du dessinateur
25 la table à dessin *m*
26 les dessins *m* (les plans *m*)
27 l'armoire *f* (le classeur) à dessins *m*
28-48 les instruments *m* à dessiner,
28-47 compas *m*,
28 le compas à pointes *f* interchangeables:
29 la garniture à crayon *m* (le porte-mine)
30 la vis de serrage *m* pour fixer les garnitures *f* (les pièces *f* de rechange *m*)
31 le joint de basculage *m*
32 le joint d'écartement *m*

33 la tête;
34 le grand compas de réduction *f*
35 la rallonge:
36 la vis de serrage *m*
37 le joint de basculage *m*;
38 le compas à pompe *f* (le balustre):
39 le plongeur
40 la vis de réglage *m* de la distance
41 le tire-ligne du compas à encre *f*
42 la garniture à crayon *m*
43 la garniture à encre *f* de Chine *f*;
44 le compas de réduction *f* (compas de précision *f*, compas à ressort *m*):
45 le ressort
46 la vis de réglage *m*
47 la pointe du compas;
48 le tire-ligne;
49 le pistolet
50 le porte-mine avec la mine interchangeable
51 la règle graduée triangulaire, une règle de réduction *f*
52 la punaise
53 la gomme à crayon *m*
54 la gomme à encre *f* de Chine *f*
55 le flacon d'encre *f* de Chine *f*
56 le grattoir
57 le dessin de la construction (le plan):
58 l'échelle *f* (la mesure)
59-63 les projections *f* (les plans *m*, les esquisses *f*):
59 la coupe
60 l'élévation *f* de face *f* (la vue de face)
61 l'élévation *f* (la vue latérale)
62 le plan (la vue d'en haut)
63 le plan (plan de fondation *f*, la projection horizontale);
64 la cartouche du dessin avec la nomenclature;
65 la plume à dessiner
66 la plume d'écriture *f* pour diverses épaisseurs *f* d'écriture
67 la plume de revêtement *m*

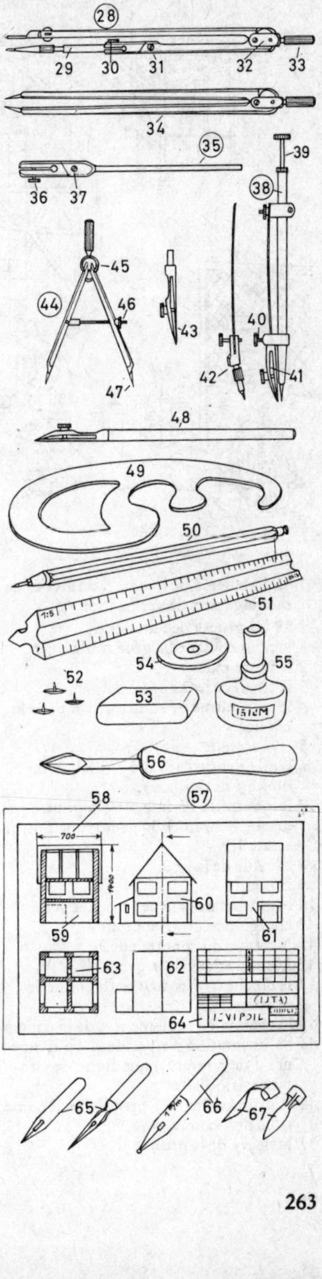

145 Usine

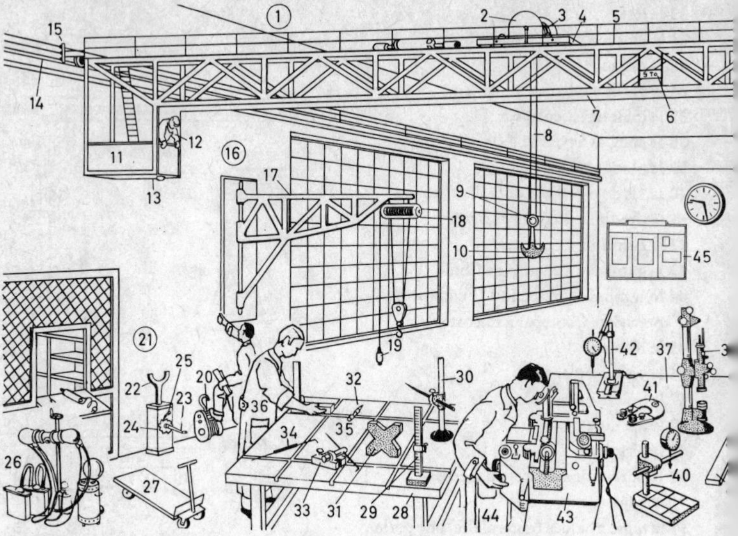

1-45 l'atelier *m* de l'usine *f*, un atelier de montage *m* et de vérification *f*,
1-19 les grues *f* de l'atelier *m*,
1 le pont roulant (la grue roulante):
2 le porte-palan
3 le treuil de levage *m*
4 le mécanisme de roulement *m* pour le chariot
5 la passerelle
6 la plaque de capacité *f* (plaque de limite *f* de poids *m*)
7 le poutrelle de la grue (la poutre principale, le pont de la grue), une poutre en treillis *m*
8 le câble de la grue
9 la poulie
10 le crochet de la grue (crochet porte-charge), un crochet double
11 la cabine du conducteur *m*
12 le conducteur de la grue
13 la cloche-avertisseur *m* (la sonnerie avertisseuse)
14 le chemin de roulement *m* de la grue
15 l'alimentation *f* en courant *m* (l'amenée *f* de courant), une ligne de contact *m* tripolaire;
16 la grue à console *f* (grue murale), une grue pivotante:
17 la flèche de la grue
18 le palan électrique
19 l'interrrupteur *m* de service *m*, un interrupteur à bouton *m*;
20 la chape du palan
21 le cric à crochet *m*, un cric à crémaillère *f*:
22 la crémaillère
23 la manivelle
24 et **25** l'encliquetage *m*:
24 la roue dentée à rochet *m*
25 le cliquet d'arrêt *m* (cliquet de retenue *f*);
26 l'appareil *m* à rayons X *m* pour la vérification du métal
27 le chariot élévateur
28 la plaque à tracer (plaque à dresser)
29-35 les outils *m* à tracer:
29 la jauge de hauteur *f*
30 le traceur de hauteur *f*
31 le prisme
32 le pointeau
33 le trusquin
34 le traceret (la pointe de traçage *m*)
35 l'équerre *f* à chapeau *m*;
36 le traceur:
37 la table de vérification *f* (table d'essai *m* des produits *m*)
38-43 instruments *m* de mesure *f* de précision *f*:
38 la jauge (le compas) d'épaisseur

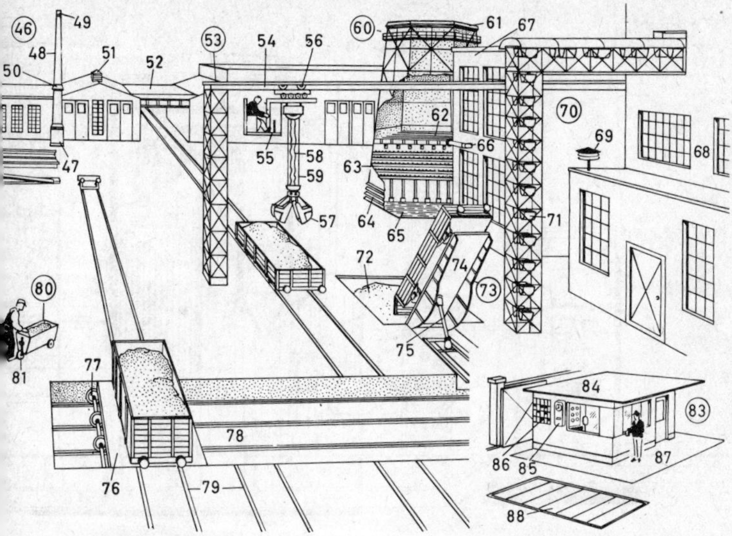

39 le niveau de précision *f* à bulle *f* d'air *m*
40 le comparateur (l'indicateur) à cadran *m*
41 le calibre de filetage *m*
42 le micromètre électrique avec cadran *m* indicateur
43 le microscope à mesurer l'outillage *m* (le micromètre oculaire);
44 l'inspecteur-vérificateur
45 le tableau d'affiches *f* (tableau noir)
46 la cheminée de l'usine *f*:
47 le socle de la cheminée
48 le corps de la cheminée
49 la tête de la cheminée
50 le séparateur des cendres *f* volantes;
51 la bouche d'aération *f* (la ventilation)
52 le passage supérieur
53 la voie suspendue électrique à monorail *m*:
54 les rails *m* de roulement *m*
55 la cabine suspendue
56 le chariot roulant
57 le grappin à deux mâchoires *f*
58 le câble de levage *m*
59 le câble porteur;
60 la tour de réfrigération *f*, un réfrigérant de cheminée *f*, un réfrigérant de retour *m*
61 la cheminée de réfrigération *f*
62 les rigoles *f* de distribution *f*
63 le condensateur à ruissellement *m*
64 les persiennes *f* pour permettre l'entrée *f* de l'air *m*
65 le récipient d'eau *f* refroidie
66 l'entrée *f* de l'eau *f* chaude;
67 le bâtiment des machines *f* (la centrale de force *f* motrice)
68 la salle des chaudières *f* (la chaufferie):
69 la sirène de la fabrique
70 l'élévateur *m* à godets *m* oscillants, un transporteur à godets:
71 le godet de l'élévateur *m*;
72 la fosse à remplir (fosse de chargement *m*)
73 le wagon basculant, une plate-forme basculante:
74 la plate-forme de culbutage *m*
75 l'arbre *m* de poussée *f*;
76 le pont roulant (le chariot transbordeur)
77 la roue de roulement *m*
78 la fosse de la voie
79 la voie de raccordement *m*
80 le chariot hollandais, un chariot à main *f*:
81 le rouleau de direction *f*;
82 l'ouvrier *m* des transports *m*
83 la loge du portier:
84 les plaques *f* (les marques *f*, les coupons *m*) de contrôle *m*
85 l'horloge *f* de pointage *m*
86 la carte de contrôle *m*;
87 le portier
88 le pont-bascule à voitures *f*, une bascule centésimale

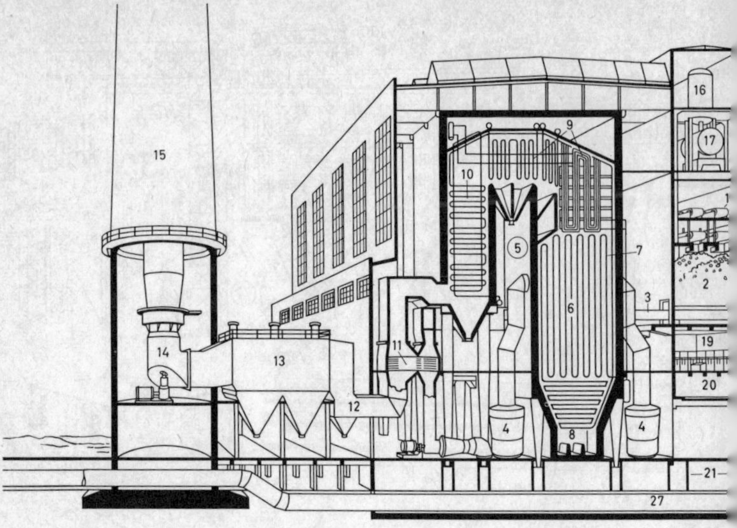

1-28 l'usine *f* **thermique à vapeur** *f*,
une centrale électrique,

1-21 la chaufferie:

1 le transporteur à charbon *m*

2 le silo à charbon *m*

3 le tapis d'évacuation *f* de charbon *m*

4 le broyeur à charbon *m*

5 la chaudière, une chaudière à tuyauterie *f* (chaudière à rayonnement *m*):

6 la chambre de combustion *f*

7 les tubes *m* d'écran *m* d'eau *f* (tubes d'eau)

8 le cendrier (le pit aux scories *f*)

9 le surchauffeur

10 le préchauffeur d'eau *f*

11 le préchauffeur d'air *m*

12 la gaine de fumée *f*;

13 le dépoussiéreur de fumée *f*, un électrofiltre

14 le ventilateur de tirage *m* par aspiration *f*

15 la cheminée

16 le dégazeur

17 le ballon (le réservoir) d'eau *f*

18 la pompe d'alimentation *f* de la chaudière

19 la salle des commandes *f*

20 la galerie des câbles *m*

21 la soute des câbles *m*;

22 la salle des machines *f* (salle des turbines *f*):

23 la turbine à vapeur *f* avec l'alternateur *m*

24 le condenseur à surface *f*

25 le préchauffeur à basse pression *f*

26 le préchauffeur à haute pression *f*

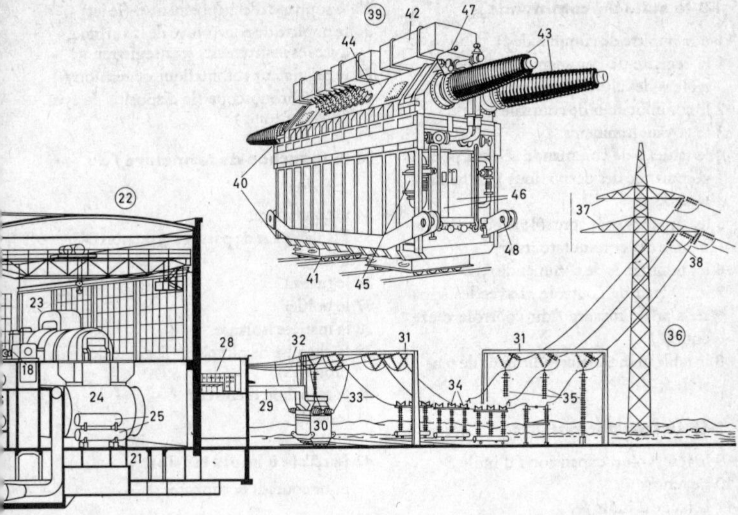

27 le conduit d'eau *f* réfrigérante
28 la salle de contrôle *m*;

29-35 l'installation *f* de distribution *f* du courant en plein air *m*,
une installation de distribution du courant de haute tension *f*:
29 les barres *f* conductrices
30 le transformateur pour force *f* motrice, un transformateur mobile (transformateur sur rail *m*)
31 le portique des isolateurs *m*
32 le câble de transport *m* à haute tension *f* (le feeder)
33 le câble à haute tension *f*
34 le disjoncteur instantané à air *m* comprimé
35 le dérivateur de surtension *f*;
36 le pylône (le support de lignes *f* aériennes, le pylône de haubanage *m*), un pylône en treillis *m*:
37 le bras transversal (la traverse)
38 l'isolateur *m* suspendu;

39 le transformateur mobile
(l'auto-transformateur *m*, le transformateur pour force *f* motrice, le régulateur automatique):
40 le capot (le blindage, la cuve) du transformateur
41 le chariot de roulement *m*
42 le réservoir d'expansion *f* d'huile *f*
43 la borne (la traversée) à haute tension *f*
44 les bornes *f* (les traversées *f*) à basse tension *f*
45 la pompe à circulation *f* d'huile *f*
46 le réfrigérant hydraulique d'huile *f*
47 le pôle de décharge *f* électrique
48 l'œillet *m* d'accrochage *m* pour le transport

1-8 la salle de commande *f*,

1-6 le pupitre de commande *f*:
1 le registre de commande *f* et de contrôle *m* des alternateurs *m* triphasés
2 le commutateur de contrôle *m*
3 le voyant lumineux
4 le tableau de commande sélectif pour la commande des dérivations *f* de haute tension *f*:
5 les organes *m* de contrôle *m* pour la commande des commutateurs *m*;
6 les boutons *m* de commande *f*;
7 le tableau de contrôle *m* avec les appareils *m* de mesure *f* du contrôle d'exécution *f*
8 le tableau lumineux indicateur de tension *f*;

9-18 le transformateur:

9 le réservoir d'expansion *f* d'huile *f*
10 l'évent *m*
11 la jauge d'huile *f*
12 l'isolateur *m* de passage *m*
13 le commutateur de prise *f* de haute tension *f*
14 la culasse
15 l'enroulement *m* du circuit primaire (enroulement du circuit haute tension *f*)
16 l'enroulement *m* du circuit secondaire (enroulement du circuit basse tension *f*)
17 le noyau
18 le couplage [de la prise de réglage *m*];

19 le couplage (le montage) **du transformateur:**

20 le montage en étoile *f*
21 le montage en triangle *m* (en delta *m*)
22 le point neutre;

23-30 la turbine à vapeur *f*,
un groupe de turbo-alternateurs *m* à vapeur:

23 le corps (le cylindre) haute pression *f*
24 le corps (le cylindre) moyenne pression *f*
25 le corps (le cylindre) basse pression *f*
26 l'alternateur *m* triphasé (le générateur)
27 le refroidisseur à hydrogène *m*
28 la conduite de passage *m* de la vapeur
29 la soupape d'échappement *m* (le jet)
30 le pupitre de contrôle *m* de la turbine, avec les instruments *m* enregistreurs;
31 le régulateur automatique de tension *f*
32 le synchronoscope (le dispositif de synchronisation *f*)

33 le manchon de fermeture *f* du câble:

34 le conducteur
35 l'isolateur *m* de passage *m* en porcelaine *f*
36 le fuseau
37 le boîtier
38 la matière isolante
39 la chemise de plomb *m* (la gaine de plomb *m*)
40 le manchon d'entrée *f*
41 le câble;

42 le câble à haute tension *f*,
pour courant *m* triphasé:

43 le conducteur
44 le papier métallisé
45 le bourrage
46 la mousseline (la bande de mousseline)
47 la gaine de plomb *m*
48 le papier goudronné
49 le filin de jute *m*
50 l'armature *f* de feuillard *m* ou de fil *m* d'acier *m*;

51-62 le disjoncteur rapide à air *m* comprimé,
un interrupteur-disjoncteur:

51 le réservoir à air *m* comprimé
52 le dispositif de contrôle *m*
53 la soupape d'admission *f* de l'air *m* comprimé
54 l'isolateur *m* creux, un isolateur à chaîne *f*, un isolateur à capot *m* et tige *f*
55 la tuyère
56 la résistance
57 les contacts *m* auxiliaires
58 le transformateur de courant *m*
59 le transformateur de tension *f*
60 la boîte à bornes *f* (le raccordement de câbles *m*)
61 la corne
62 l'éclateur *m* (la portée de l'étincelle *f*)

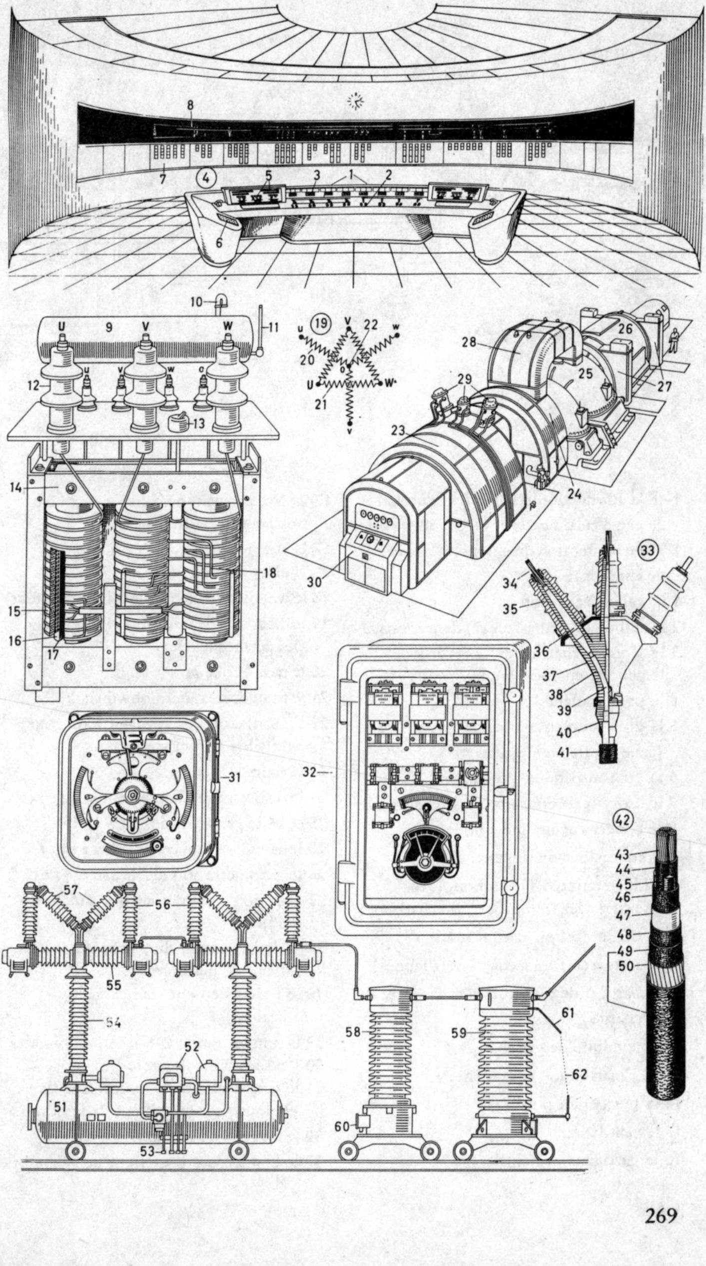
1
2
3
4
5
6
7
8
9
10
11
U
V
W
u
v
w
o
12
13
14
15
16
17
18
19
20
21
22
23
24
25
26
27
28
29
30
31
32
33
34
35
36
37
38
39
40
41
42
43
44
45
46
47
48
49
50
51
52
53
54
55
56
57
58
59
60
61
62

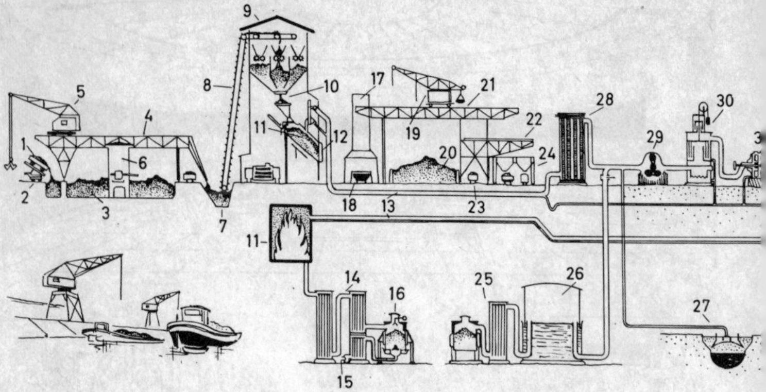

1-46 la production du gaz (production de gaz d'éclairage *m* et de chauffage *m*),

1-9 la manutention du charbon (le trajet du charbon):

1 le wagon à charbon *m*

2 le culbuteur (le basculeur) de wagons *m*

3 le dépôt de charbon *m* (le tas, le stock, le parc de charbon *m*)

4 le pont roulant

5 la grue tournante à benne *f* preneuse (grue tournante à griffes *f*)

6 la voie suspendue électrique

7 le broyeur (le concasseur) de charbon *m*

8 le convoyeur incliné à godets *m*

9 le concasseur-mélangeur;

10-12 le traitement du charbon (le dispositif de dégazéification *f* du charbon):

10 la trémie (trémie d'alimentation *f*)

11 la cornue (le four à chambre *f* inclinée)

12 le barillet de goudron *m* et la porte de décharge *f*

13 la conduite de gaz *m* brut;

14-16 l'installation *f* gazogène:

14 le réfrigérant postérieur

15 le ventilateur

16 le gazogène principal;

17-24 le traitement du coke (sa manutention *f* et son classement *m*):

17 la trémie-égouttoir d'extinction *f* (l'aire *f* d'extinction)

18 le wagonnet à coke *m* (le wagon déluteur)

19 le dispositif de transport *m* du coke (le transbordeur)

20 le parc à coke *m*

21 le pont de manutention *f* du coke

22 l'installation *f* de criblage *m* du coke, avec silos *m* de classement *m*

23 le train de la cokerie

24 le dispositif de chargement *m* du coke;

25 et 26 le gazogène de gaz *m* à l'eau *f*:

25 le laveur-scrubber du gaz à l'eau *f*

26 le gazomètre humide de gaz *m* à l'eau *f*;

27 la station d'épuration *f* des eaux *f* résiduelles

28-46 le traitement du gaz brut dans les salles *f* de machines *f*:

28 le précondenseur (le réfrigérant antérieur)

29 la pompe goudron-eaux ammoniacales

30 l'extracteur *m* de gaz *m*

31 le condensateur de goudron *m* (le «Pelouze», le séparateur de goudron *m*)

32 le laveur à naphtaline *f*

33 le condenseur postérieur de gaz *m* brut

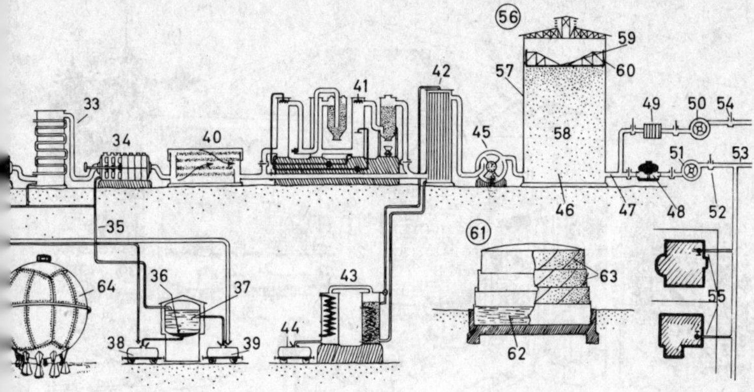

34 le laveur à ammoniaque *f*
35 la conduite d'évacuation *f* des eaux *f* ammoniacales
36 et **37** la citerne à décantation *f*:
36 le château de goudron *m*
37 le château d'eau *f* ammoniacale;
38 le wagon-citerne à goudron *m*
39 le wagon-citerne à eau *f* ammoniacale
40 la désulfurisation
41 le dispositif d'élimination *f* des produits *m* toxiques (l'épuration *f*)
42 le laveur à benzol *m*
43 l'installation *f* de débenzolage *m* (le circuit benzol)
44 le wagon-citerne à benzol *m*
45 le compteur à gaz *m* à piston *m* rotatif (le totalisateur)
46 le stockage du gaz;
47-55 le réseau de distribution *f* du gaz:
47 le feeder (la conduite principale de gaz *m*)
48 le régulateur-détendeur (le régulateur pour groupe *m* d'abonnés *m*)
49 le compresseur du gaz
50 l'enregistreur *m* de gaz *m* à haute pression *f*
51 l'enregistreur *m* de gaz à basse pression *f*
52 les détendeurs *m*
53 et **54** le réseau urbain (réseau de canalisations *f*, les conduites *f* de gaz *m* sous pression *f*, le réseau de distribution *f* aux consommateurs *m*):
53 la conduite de gaz *m* à basse pression *f*
54 la conduite de gaz *m* à haute pression *f*;
55 les conduites *f* d'adduction *f* de gaz *m* au consommateur (les branchements *m* aux abonnés *m*);
56-64 gazomètres *m* (le magasin variable de gaz, l'accumulateur *m* de gaz),
56 le gazomètre sec à disque *m* à cinq levées *f*:
57 l'enveloppe *f*
58 le volume (la capacité) gazométrique
59 le disque (le plateau)
60 le joint d'étanchéité *f* à liquide *m* obturant;
61 le gazomètre humide télescopique à trois levées *f* (gazomètre à cloche *f*):
62 l'étanchéité *f* hydraulique (le lut)
63 le guidage tangentiel;
64 le réservoir sphérique à gaz *m* à haute pression *f* (le gazomètre-ballon)

1-59 la scierie-raboterie (scierie *f*; *autrefois:* le moulin de scierie):

1 les sciages *m* avivés (sciages alignés, le dépôt de planches *f*, le tas de planches, la pile de planches)

2 la scie circulaire de délignage *m* et de débit *m* en lattes *f*:

3 le jeu de lames *f* de scie *f*

4 les rouleaux *m* d'amenage *m*

5 l'échelle *f* d'épaisseur *f* de débit *m*

6 la protection anti-recul

7 les index *m* articulés

8 l'échelle *f* d'avance *f* de coupe *f*

9 l'échelle *f* de hauteur *f* de trait *m*;

10 la scie verticale à lames *f* multiples (scie alternative à châssis *m*):

11 les lames *f* de scie *f*

12 le cadre (le châssis) porte-lames

13 les rouleaux *m* d'alimentation *f* (les cylindres *m* de guidage *m*)

14 la cannelure

15 le manomètre de pression *f* d'huile *f* (l'indicateur *m* de pression d'huile)

16 le cadre (le châssis) de scie *f*

17 le chariot de serrage *m* à griffes *f*

18 les griffes *f* de serrage *m* (la pince de serrage);

19 l'ouvrier *m* scieur (le scieur)

20 la scie circulaire double pour bois *m* de construction *f*:

21 les lames *f* de scie *f* circulaire

22 le volant de réglage *m* de la largeur de débit *m*

23 la chaîne d'avancement *m* (chaîne d'amenage *m*)

24 l'arbre *m* porte-scies;

25 le contremaître (le chef de chantier *m*)

26 la voie ferrée de roulement *m*:

27 le chariot à grumes *f* (chariot à rondins *m*, chariot à billes *f*);

28 la pile de bois *m* équarri

29 le hangar de la scierie-raboterie

30 le chantier (le parc) à grumes *f* (à rondins *m*, à bois *m*):

31 les grumes *f* (les rondins *m*);

32 le transporteur de grumes *f* (de rondins *m*):

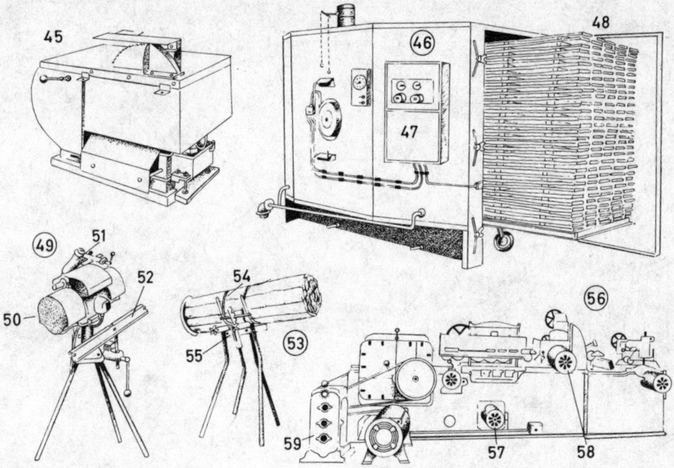

33 la chaîne sans fin *f*
34 le tasseau d'entraînement *m*
35 les griffes *f* (les crans *m*, les dents *f*, les pointes *f*);
36 le canal pour le nettoyage des grumes *f*
37 les sciages *m* flacheux (les planches *f* flacheuses)
38 les sciages *m* en plots (le plot):
39 la dosse
40 le côté sur bois *m* parfait
41 le duramen (le bois parfait, le cœur)
42 le plateau de cœur *m*
43 le côté sur aubier *m*;
44 le dé en ciment *m*
45 la tronçonneuse circulaire
46 le séchoir à bois *m* à air *m* humide, équipé d'éléments *m* chauffants et de ventilateurs *m* axiaux réversibles, une installation de séchage *m* de bois:
47 le pupitre de commande *f*
48 la pile de planches *f*;
49 la machine à écorcer:
50 la tête d'écorçage *m* à lames *f* plates
51 l'affûteuse *f* électrique (le dispositif électrique pour l'affûtage *m* des lames *f*)
52 le support du bois;
53 la presse à botteler pour le bottelage des dosses *f* et des déchets *m* de délignage *m*:
54 le câble de serrage *m*
55 le dispositif de serrage *m*;
56 la machine à raboter (la raboteuse) pour la fabrication des frises *f* de plancher *m*:
57 le moteur du brise-copeaux (moteur du coupe-copeaux)
58 les arbres *m* porte-lames *m*
59 le mécanisme du régulateur d'amenage *m*

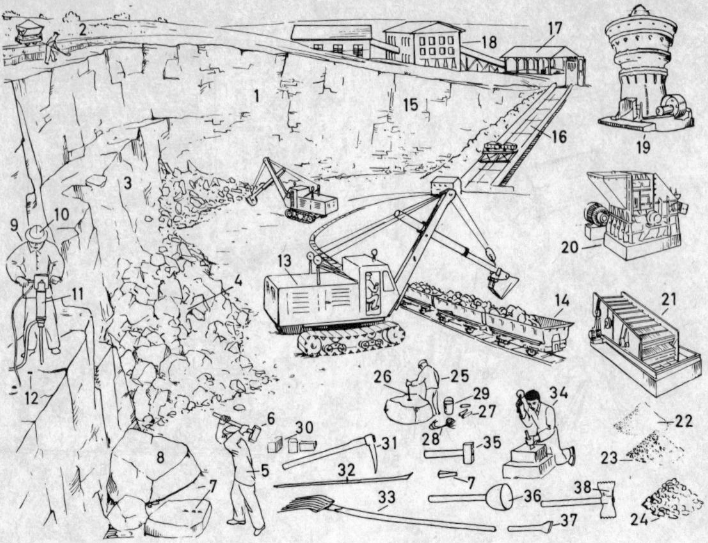

1 la carrière, une exploitation à ciel *m* ouvert
2 le terrain de couverture *f* (le mort-terrain, le terrain de recouvrement *m*)
3 la face d'abattage *m*
4 la décharge
5 l'ouvrier carrier (l'abatteur) *m*
6 le marteau à deux mains *f*
7 le coin
8 le gros bloc
9 le piqueur
10 le casque de protection *f*
11 le marteau piqueur (marteau à air *m* comprimé)
12 le point de casse *f* (la forure)
13 la benne universelle
14 le wagonnet de grande capacité *f*
15 le mur de faille *f*
16 le monte-charge incliné
17 le premier concasseur
18 l'atelier *m* de broyage *m*
19 le concasseur giratoire
20 le broyeur à mâchoires *f*
21 le crible vibreur
22 le sable broyé (la farine de pierre *f*)
23 le gravier de concassage *m*
24 la pierraille (le cailloutis)
25 le maître du tir à la poudre
26 la jauge
27 la charge explosive (la cartouche)
28 le cordon d'allumage *m*
29 le baquet de sable *m*, pour combler le trou de mine *f*
30 la pierre équarrie
31 le pic
32 le levier
33 la fourche à pierres *f*
34 le tailleur de pierre *f*

35-38 l'outillage *m* du tailleur de pierre *f*:

35 la massette
36 le tampon (le maillet, la batte)
37 équarrisseur *m*
38 le maillet lourd (le rustique)

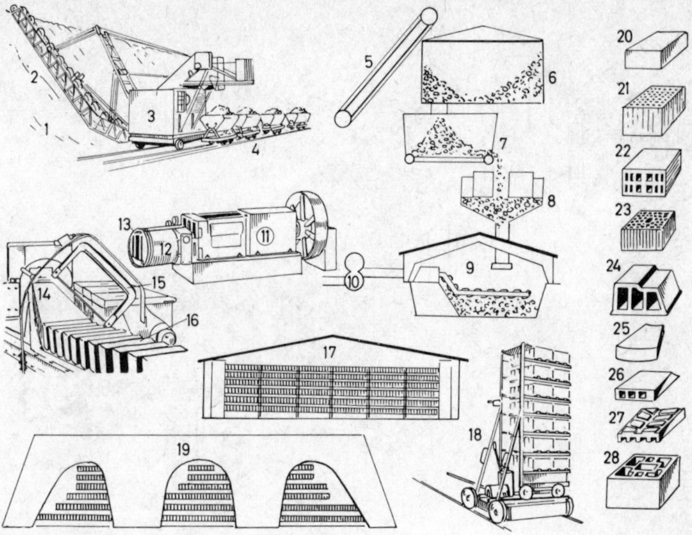

1 la glaisière

2 la glaise non homogène ; *également :* limon *m*, marne *f*, argile *f*

3 l'excavateur de morts-terrains *m*, une pelle excavatrice

4 le chemin de fer *m* à voie étroite (la voie étroite)

5 le monte-charge incliné

6 la fosse

7 le caisson de chargement *m*

8 le broyeur à meules *f*

9 le broyeur à cylindres *m* lisses

10 le mélangeur à deux arbres *m*

11 la boudineuse (la presse à briques *f*)

12 la chambre à vide *m*

13 l'embouchure *f*;

14 le train d'argile *f* homogénéisée

15 la sectionneuse de briques *f*

16 la brique non cuite

17 le hangar séchoir

18 le chariot élévateur

19 le four circulaire (four à briques *f*)

20 la brique pleine

21 et **22** les briques *f* creuses :

21 la brique à trous *m* transversaux

22 la brique à trous *m* longitudinaux ;

23 la brique poreuse treillissée

24 la brique pontée de plancher *m*

25 la plaque de cheminée *f* (la brique radiale)

26 la brique de hourdis *m*

27 la brique de pavement *m*

28 la brique cellulaire en conduits *m* de cheminée *f*

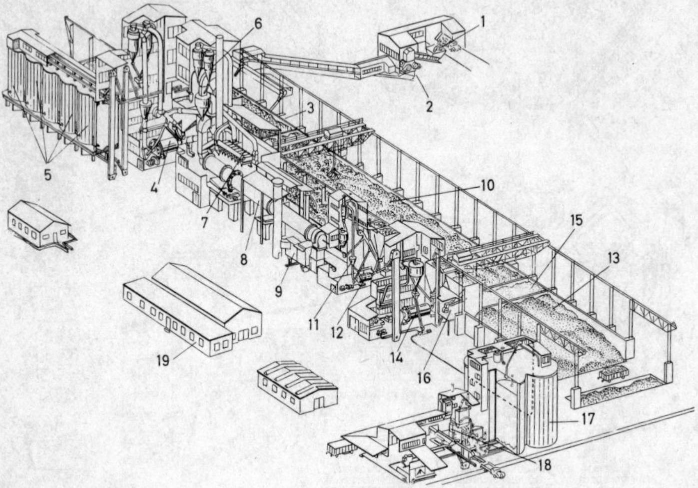

1 la matière première [calcaire *m*, argile *f* et marne *f* argileuse]

2 le concasseur à marteaux *m*

3 l'entrepôt *m* de matériaux *m* bruts

4 le moulin pour la mouture et, en même temps, le séchage des matériaux *m* bruts en employant les fumées *f* de l'échangeur *m* de chaleur *f*

5 les silos *m* d'alimentation *f* en poudre *f* brute

6 l'échangeur de chaleur *f*

7 l'appareil *m* de dépoussiérage *m*

8 le four rotatif

9 le refroidisseur du clinker

10 l'entrepôt *m* de clinker *m*

11 la soufflante à air *m* primaire

12 l'installation *f* de pulvérisation *f* du charbon

13 l'entrepôt *m* de charbon *m*

14 l'installation *f* de broyage *m* du ciment

15 l'entrepôt *m* de plâtre *m*

16 la machine à broyer le plâtre

17 le silo à ciment *m*

18 l'ensacheuse de ciment *m* pour sacs *m* en papier *m* à valve *f*

19 la centrale d'énergie *f*

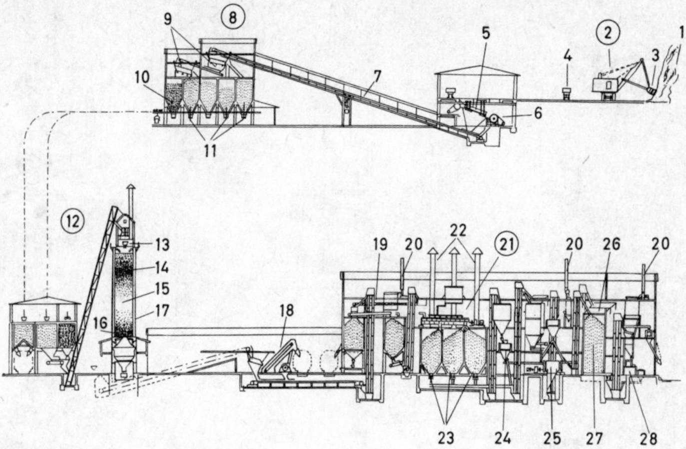

1 la carrière à chaux *f*
2 l'excavatrice *f* à pelle *f*:
3 la pelle;
4 le wagonnet à benne *f* basculante
5 la grille tubulaire
6 le broyeur, un concasseur à mâchoires *f*; *anal.*: concasseur à rouleaux *m*
7 le tapis roulant
8 l'installation *f* de triage *m*:
9 le crible (le tamis) vibrant (tamis oscillant);
10 la marne calcaire (la chaux marneuse)
11 la pierre calcaire (pierre à chaux *f*)
12 le four à chaux *f*, un four à cuve *f*:
13 l'ouverture *f* (l'alimentation *f*) du four
14 la charge du four, un mélange de pierre *f* à chaux *f* et de coke *m*
15 la zone de cuisson *f*
16 la chaux vive (chaux anhydre)
17 la paroi du four;
18 le premier concassage, un concasseur à marteaux *m*
19 l'installation *f* de concassage *m* et criblage *m*
20 le dépoussiérage
21 l'extinction *f* de la chaux:
22 les conduits *m* d'évacuation *f* de la vapeur
23 le silo d'extinction *f*
24 le séparateur à air *m*;
25 le broyeur à billes *f* (broyeur à boules *f*)
26 le silo d'hydratation *f*
27 la chaux éteinte (l'hydrate *f* de calcium *m*)
28 l'ensachage *m*

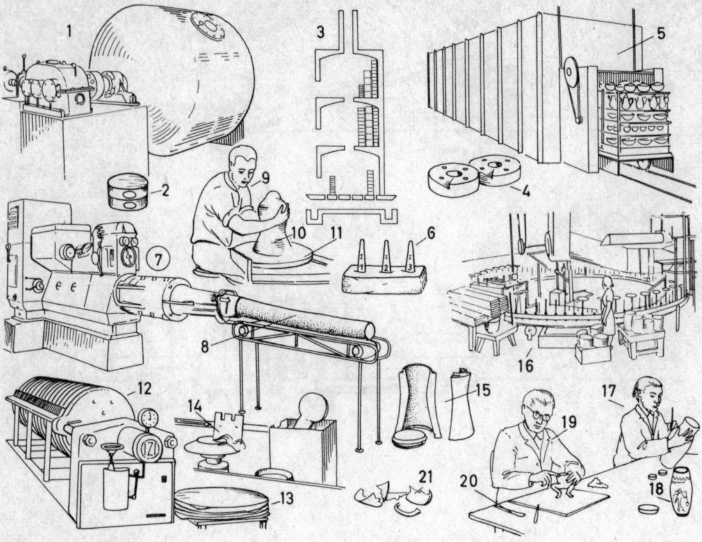

1 le broyeur cylindrique pour la préparation humide de la pâte
2 les capsules *f* témoins à œillets *m* pour l'observation *f* de la cuisson
3 le four cylindrique [schéma]
4 les moules *m* de chauffe *f*
5 le four tunnel
6 les cônes *m* de Seger pour la mesure de fortes températures *f*
7 la presse à vide *m*, une presse d'extrusion *f* (presse à former un boudin);
8 la colonne de pâte *f* (le boudin de pâte);
9 le modeleur tournant une pièce
10 la masse d'argile *f*
11 le plateau de tour *m*; *anal.:* le tour de potier *m*
12 le filtre-presse
13 le gâteau de pâte *f*
14 le tour et les calibres *m*
15 le moule en plâtre *m* pour la barbotine
16 la machine rotative de vitrification *f*
17 le peintre sur porcelaine *f*
18 le vase peint à la main
19 le retoucheur (le modeleur)
20 la spatule à modeler
21 les débris *m* de porcelaine *f* (les tessons *m*)

1-11 la fabrication du verre en feuilles *f* (fabrication du verre plat de vitrification *f*),

1 le four à vitrification *f* [schéma]:

2 les canalisations *f* d'alimentation *f*

3 la cuve de vitrification *f*

4 la cuve d'affinage *m* (cuve de finition *f*)

5 la cuve de travail *m*

6 le canal de travail *m*;

7 la machine d'étirage *m* du verre:

8 la charge de verre *m* fondu

9 le four d'étirage *m*

10 le tambour de centrage *m* refroidi à l'air *m*

11 la feuille de verre *m*;

12 la machine automatique Owen, une machine à fabriquer les bouteilles *f*

13-15 le soufflage du verre (soufflage à la bouche, le formage):

13 le souffleur de verre *m* (le verrier)

14 la pipe (la felle, la fêle) de soufflage *m*

15 la paraison;

16-21 le travail du verre aux pièces *f*:

16 le verrier

17 le verre en forme *f* de flûte *f* soufflé à la bouche

18 la forme pour le pied de la flûte

19 le calibre

20 la pince-précelles

21 le banc du verrier;

22 le creuset fermé de vitrification *f* (le moule fermé)

23 le moule pour le soufflage de la paraison pré-moulée

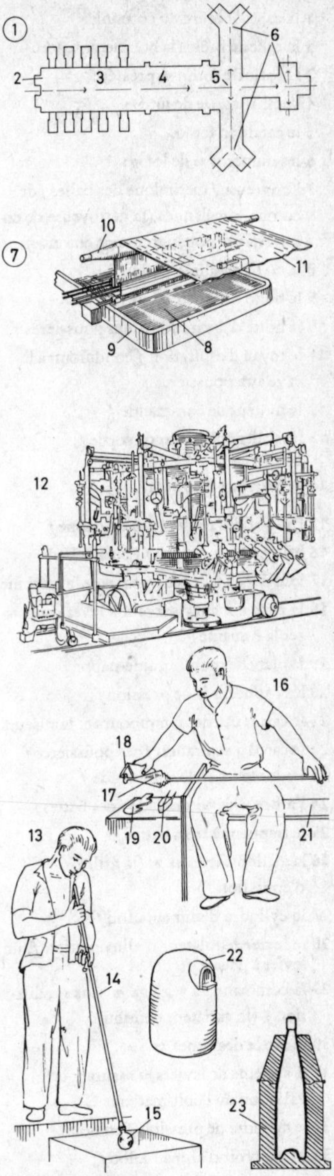

1 la capsule mûre du cotonnier
2 la canette prête (la bobine, le fuseau)
3 la balle de coton *m* pressée:
4 l'emballage *m* de jute *m*
5 le cercle en fer *m*
6 les numéros *m* de lot *m*;
7 l'ouvreuse *f* mécanique des balles *f* de cotons *m* mélangés (la nettoyeuse de coton *m*, la dépoussiéreuse de coton *m*):
8 le tablier d'alimentation *f*
9 la boîte d'alimentation *f*
10 la hotte d'aspiration *f* des poussières *f*
11 le tuyau d'aspiration *f* conduisant à la cave aux poussières *f*
12 le moteur de commande *f*
13 le tablier collecteur de sortie *f*;

14 le batteur double:

15 l'auge *f* des rouleaux *m* de nappe *f*
16 le levier de pression *f* (la romaine)
17 le levier d'enclenchement *m* de la machine
18 la roue à main *f* servant à lever ou baisser la romaine
19 la planche mobile guide-nappe
20 les cylindres *m* de pression *f*
21 le carter des deux tambours *m* tamiseurs
22 le canal d'aspiration *f* des poussières *f*
23 les moteurs *m* de commande *f*
24 l'arbre *m* de commande *f* des battes *f*
25 le frappeur à trois battes *f*:
26 la grille à barreaux *m* (la grille d'épuration *f*)
27 le cylindre d'alimentation *f*
28 le levier régulateur d'alimentation *f*, un levier à pédale *f*;
29 la commande à réglage *m* sans graduation *f* (le variateur continu)
30 le carter des cônes *m*
31 le système de leviers *m* assurant la variation du débit-matières
32 le cylindre de pression *f* en bois *m*
33 le réservoir d'alimentation *f*;

34 la carde à chapeaux *m*:

35 le pot à carde *f* recevant le ruban de carde *f*
36 la colonne du pot tournant
37 les cylindres calendreurs (les rouleaux *m* d'appel *m*)
38 le ruban de carde *f*
39 le peigne débourreur (le peigne détacheur)
40 le levier d'arrêt *m*
41 les paliers *m* du racleur
42 le cylindre peigneur
43 le tambour
44 le dispositif de nettoyage *m* des chapeaux *m*
45 la chaîne des chapeaux *m*
46 les galets *m* tendeurs de la chaîne des chapeaux *m*
47 le rouleau de nappe *f* du batteur
48 le guide du rouleau de nappe *f* du batteur
49 le moteur à commande *f* par courroies *f* plates
50 la poulie principale de commande *f*;
51 le schéma illustrant le principe de travail *m* de la carde:
52 le cylindre d'alimentation *f*
53 le briseur
54 la grille du briseur
55 la grille du tambour;

56 la peigneuse:

57 le boîtier de vitesse *f*
58 le rouleau de nappe *f* d'étirage *m*
59 le serrage des rubans *m* de nappe *f*
60 le banc d'étirage *m*
61 le compteur
62 la dépose des rubans *m* peignés;
63 le principe opérationnel de la peigneuse:
64 le ruban de carde *f*
65 la pince (la griffe) inférieure
66 la pince (la griffe) supérieure
67 le peigne fixe
68 le peigne circulaire
69 le segment en cuir *m*
70 le segment d'aiguille *f*
71 le cylindre arracheur
72 le ruban peigné

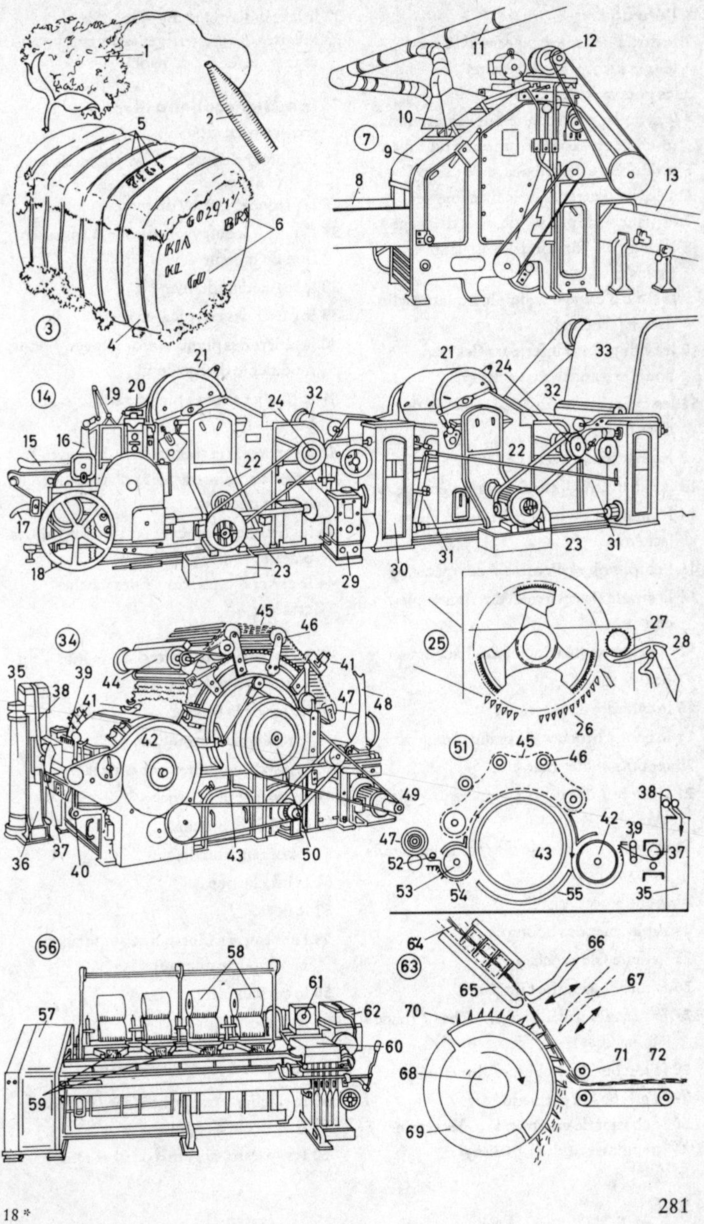

1
2
3
4
5
6
7
8
9
10
11
12
13
14
15
16
17
18
19
20
21
22
23
24
25
26
27
28
29
30
31
32
33
34
35
36
37
38
39
40
41
42
43
44
45
46
47
48
49
50
51
52
53
54
55
56
57
58
59
60
61
62
63
64
65
66
67
68
69
70
71
72

157 Filage du coton II

1 l'étirage *m*:
2 le carter des engrenages *m* avec moteur *m* incorporé (la têtière)
3 les pots *m* de carde *f*
4 le cylindre contacteur pour l'arrêt *m* de la machine en cas *m* de rupture *f* du ruban
5 le doublage des rubans *m* de carde *f*
6 le levier d'arrêt *m* de la machine
7 la planche de garde *f* du banc d'étirage *m*
8 les lampes *f* de contrôle *m* (lampes témoins);
9 le banc d'étirage *m* simple à quatre cylindres *m* [schéma]:
10 les cylindres *m* inférieurs (les tambours *m* cannelés en acier *m*)
11 les cylindres *m* supérieurs garnis de matière *f* plastique
12 le gros ruban avant l'étirage *m*
13 le ruban étiré, plus fin, après l'étirage *m*;
14 le principe du banc d'étirage *m* élevé [schéma]:
15 l'entonnoir *m* d'entrée *f* des mèches *f*
16 la sangle (la courroie) de commande *f* en cuir *m*
17 la baguette (la tringle) de changement *m* de direction *f*
18 le cylindre de pression *f*;
19 le banc à broches *f* à grand étirage *m*:
20 les pots *m* d'étirage *m*
21 l'entrée *f* des rubans *m* au banc d'étirage *m*
22 le système d'étirage *m* avec chapeau *m* de nettoyage *m*
23 les bobinots *m*
24 la placeuse des bobinots *m*
25 l'ailette *f* de broche *f*
26 la tôle de sécurité *f* du banc;
27 le banc intermédiaire à broches *f* (banc «inter-fine»):
28 le râtelier des bobines *f* alimentaires
29 la mèche à la sortie du banc
30 le chariot de commande *f* des bobines *f*
31 la commande des broches *f*
32 le levier d'arrêt *m* du banc
33 le carter des engrenages *m* portant le moteur *m* (la têtière du banc);

34 le métier continu à filer à anneaux *m*:
35 le moteur à courant *m* polyphasé à collecteur *m*
36 la plaque d'assise *f* du moteur
37 l'anneau *m* de levage *m* pour la manutention du moteur
38 le régulateur du filage
39 le carter des engrenages *m*
40 la têtière des pignons *m* de change *f* pour modifier le titrage du fil
41 le râtelier avec sa pleine garniture *f* de bobines *f*
42 les arbres *m* et montants *m* de renvoi *m*, pour la commande de la plate-bande porte-anneaux
43 les broches *f* avec les anti-ballons *m* (les plaques *f* de séparation *f*)
44 le carter d'aspiration *f* des mèches *f* cassées;

45 la broche standard du métier continu à anneaux *m*:
46 la tige de la broche
47 le roulement à rouleaux *m*
48 la noix d'entraînement *m* de la broche
49 le crochet de la broche
50 le col de la broche;
51 les organes du filage:
52 la broche nue
53 le fil
54 l'anneau *m* à filer monté sur la plate-bande porte-anneaux
55 le curseur
56 le fil enroulé;

57 la retordeuse à anneaux *m*:
58 le râtelier garni de bobines *f* croisées
59 le système d'appel *m*
60 les fuseaux *m* garnis de fil *m* retors

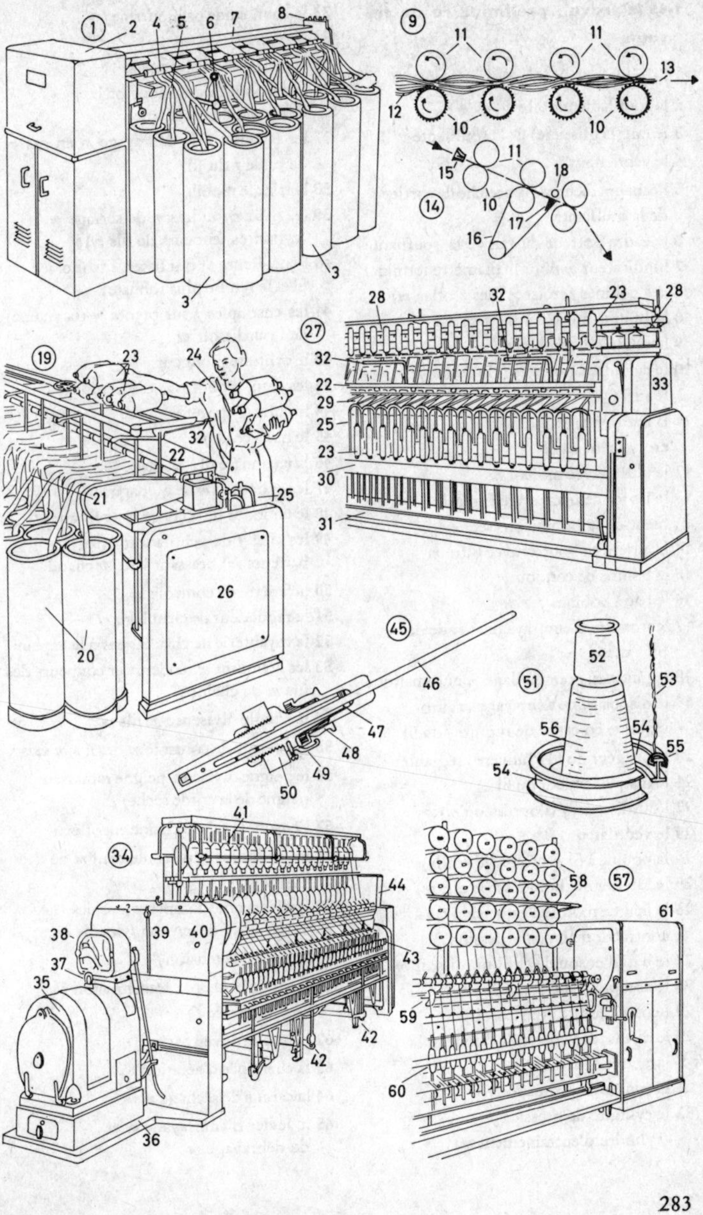
1
2
3
4
5
6
7
8
9
10
11
12
13
14
15
16
17
18
19
20
21
22
23
24
25
26
27
28
29
30
31
32
33
34
35
36
37
38
39
40
41
42
43
44
45
46
47
48
49
50
51
52
53
54
55
56
57
58
59
60
61

1-65 le travail préliminaire du tissage,

1 le bobinoir à fil *m* croisé:
2 la soufflante mobile
3 le rail (la glissière) de la soufflante
4 le ventilateur
5 l'échappement *m* (la bouche de sortie *f*) de la soufflante
6 le cadre porteur du rail de la soufflante
7 l'indicateur *m* pour le diamètre terminal des bobines *f* croisées (des «rolls» *m*)
8 la bobine croisée à fil *m* croisé
9 le râtelier des bobines *f*
10 le cylindre à rainures *f* (le tambour à fentes *f*)
11 la fente en zigzag (en «V») pour le croisement du fil
12 la têtière avec moteur *m*
13 le levier de manœuvre *f* pour le dégagement de la bobine croisée
14 la têtière en bout *m* avec filtre *m*
15 la bobine de continu *m*
16 le bac à bobines *f*
17 la manette d'embrayage *m* et de débrayage *m*
18 le guide-fil pour enfilage *m* automatique
19 le dispositif de débrayage *m* automatique en cas *m* de rupture *f* du fil
20 le purgeur du fil à lumière *f* réglable
21 le disque tendeur du fil;
22 l'ourdisseuse *f* (l'ourdissoir *m*):
23 le ventilateur
24 la bobine à fil *m* croisé (le «roll»)
25 le râtelier des bobines *f* (le cantre)
26 le peigne mobile à expansion *f* et à contraction *f* ou compression *f*
27 le bâti d'ensouple *f* de l'ourdissoir *m*
28 le compteur métrique du fil
29 l'ensouple *f* de l'ourdissoir *m*
30 le disque de l'ensouple *f* limitant la largeur de la toile
31 la tringle de protection *f*
32 le cylindre de pression *f* (cylindre d'entraînement *m*)
33 la commande par courroie *f*
34 le moteur
35 la pédale d'embrayage *m*
36 la vis pour l'expansion *f* ou la compression du peigne
37 les lamelles *f* de débrayage *m* en cas *m* de casse *f* du fil
38 la tringle mobile
39 les deux cylindres *m* de serrage *m* (cylindres tendeurs de fils *m*);
40 l'encolleuse *f* pour lisser, encoller le fil et le rendre plus robuste:
41 les ensouples *f* sur pivots *m* (la chaîne) de l'ourdissoir *m*
42 le cylindre plongeur
43 les deux cylindres *m* essoreurs
44 la colle (l'apprêt *m*)
45 le bac à colle *f*
46 la chaîne (le fil à chaîne)
47 les cylindres *m* de guidage *m*
48 le tambour de séchage *m* avec lattes *f*
49 les ailes *f* de ventilation *f* (les batteurs *m*) brassant l'air *m* chaud
50 la fenêtre de contrôle *m*
51 le régulateur de chauffage *m*
52 la tuyauterie de chauffage *m* à la vapeur
53 les cylindres *m* tendeurs et coupeurs des fils *m* de chaîne *f*
54 la tringle diviseuse de fils *m*
55 le passage de contrôle *m* des fils *m* secs
56 le peigne diviseur (peigne ramasseur, peigne de la corde sèche)
57 l'ensouple *f* de la chaîne encollée
58 les cylindres *m* de roulement *m* de l'ensouple *f*
59 le différentiel compensateur des variations *f* de tension *f* des fils *m*
60 le tâteur de tension *f*
61 la commande par transmission *f* (par courroie *f*)
62 la poulie de renvoi *m*
63 la cheminée d'aération *f*
64 la cabine de séchage *m*
65 le levier d'embrayage *m* et de débrayage *m*

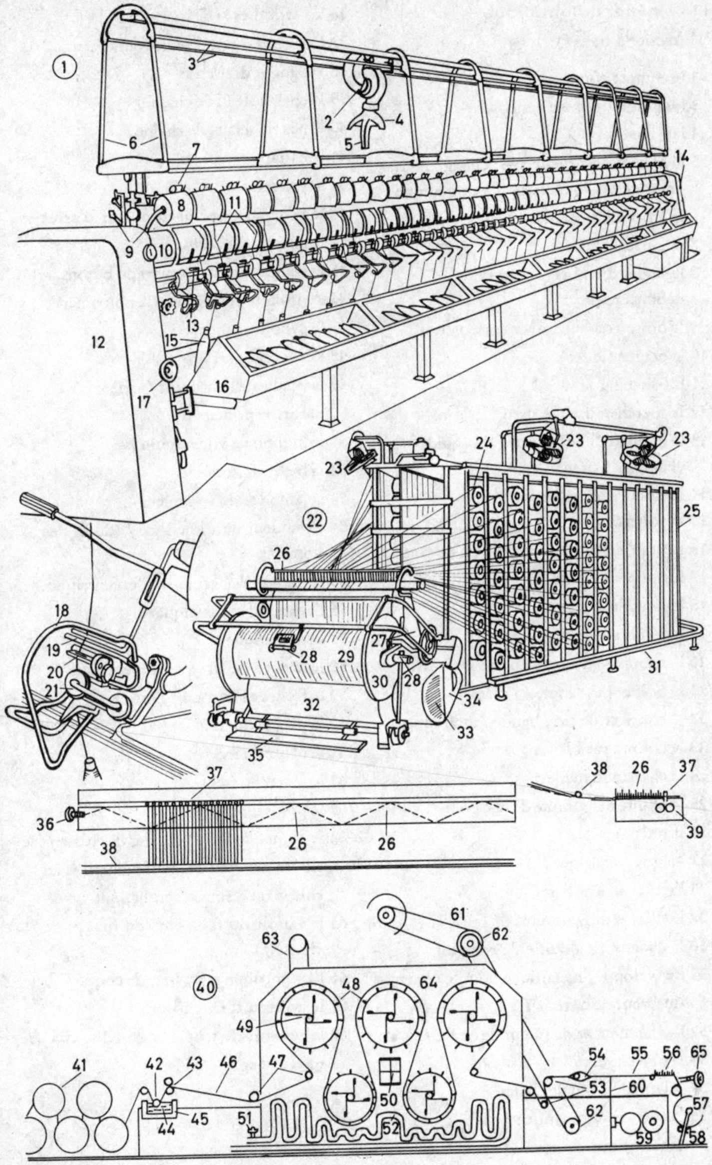
1
2
3
4
5
6
7
8
9
10
11
12
13
14
15
16
17
18
19
20
21
22
23
24
25
26
27
28
29
30
31
32
33
34
35
36
37
38
39
40
41
42
43
44
45
46
47
48
49
50
51
52
53
54
55
56
57
58
59
60
61
62
63
64
65

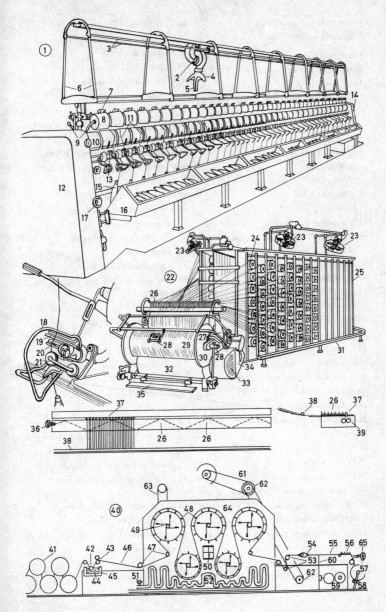

1 **le métier automatique** (métier à tiges *f*):
2 le compte-tours
3 les guide-tiges *m* à coulisses *f*
4 les tiges *f*
5 le magasin chargeur avec changement *m* des canettes *f* par chasse *f* automatique
6 le chapeau du battant
7 la canette
8 le levier d'embrayage *m* et de débrayage *m*
9 la boîte à navettes avec ses navettes *f*
10 le peigne (le ros)
11 la lisière du tissu
12 la marchandise (le tissu)
13 le régulateur de largeur *f* (le «guide-champ» du tissu)
14 le tâteur électrique de fil *m*
15 le volant
16 la poitrinière (l'ensouple *f* de devant)
17 le frappeur (le sabre)
18 le moteur électrique
19 les pignons de change *m*
20 l'ensouple *f* d'enroulement *m* du tissu
21 le boîtier des canettes *f* vides
22 la courroie de commande *f* du frappeur
23 le coffre à fusibles *m*
24 le châssis du métier;
25 la pointe métallique de la navette
26 la navette
27 la lisse métallique:
28 l'œillet *m* de la lisse
29 l'œillet *m* de la navette
30 la canette (la douille de canette)
31 l'enveloppe *f* métallique pour le contact du tâteur de navette *f*
32 l'évidement *m* du tâteur de navette *f*
33 la pince-canette
34 la lamelle du fil de chaîne *f*;
35 le métier automatique [vue *f* schématique de côté *m*]:
36 les cylindres *m* de lisses *f*
37 l'arbre *m* support *m* de trame *f*
38 la tringle diviseuse
39 la chaîne (le fil de chaîne)
40 le pas (le relais) de chaîne *f*
41 le battant
42 le sommier
43 le piqueur pour le dispositif d'arrêt *m*
44 le butoir (le heurtoir)
45 la tringle d'effacement *m* du butoir
46 l'ensouple *f* de devant (la poitrinière)
47 le cylindre cannelé
48 l'ensouple *f* arrière
49 la poulie de l'ensouple *f* arrière
50 l'arbre *m* principal
51 le pignon de vilebrequin *m*
52 la bielle du sommier
53 la jambière du sommier
54 le tendeur du fil de lisse *f* (du fil de trame *f*)
55 le pignon de l'arbre *m* d'excentrique *m*
56 l'arbre *m* d'excentrique *m*
57 l'excentrique *m*
58 le levier à pédale *f* de l'excentrique *m*
59 le frein de l'ensouple *f* arrière
60 le disque du frein
61 le câble du frein
62 le levier du frein
63 le poids du frein
64 le taquet (le tacot) du bras de chasse *f* (de chasse-navettes *m*) avec coussin *m* en cuir *m* ou résine *m* synthétique
65 le butoir du frappeur (du bras *m* de chasse *f*)
66 l'excentrique *m* du bras de chasse *f*
67 le cylindre d'excentrique *m*
68 le resssort de rappel *m* du sabre chasse-navettes *m*

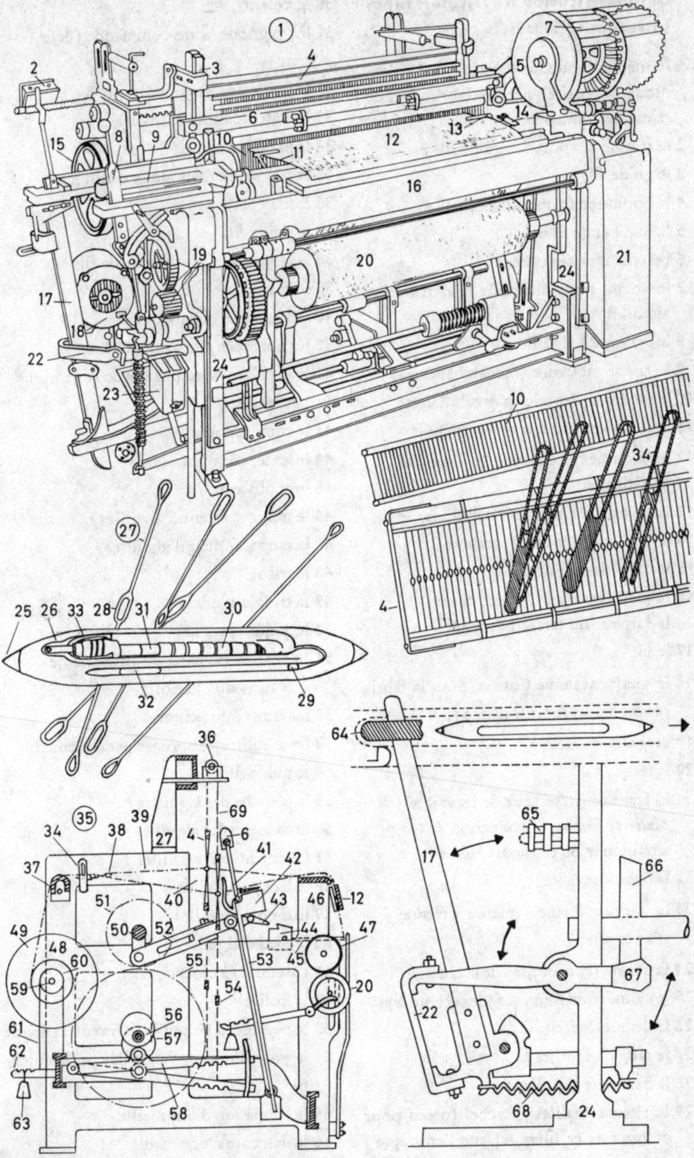
1
2
3
4
5
6
7
8
9
10
11
12
13
14
15
16
17
18
19
20
21
22
23
24
25
26
27
28
29
30
31
32
33
34
35
36
37
38
39
40
41
42
43
44
45
46
47
48
49
50
51
52
53
54
55
56
57
58
59
60
61
62
63
64
65
66
67
68
69

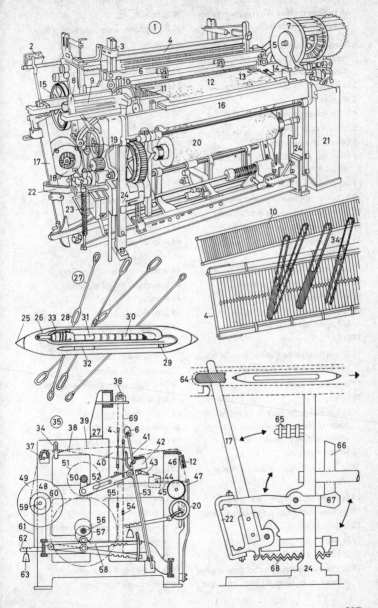

1-66 la fabrication de tricots *m* **tubulaires** (la fabrique de bas *m*),

1 le métier circulaire (la tricoteuse mécanique circulaire) pour la fabrication de tricots *m* tubulaires:
2 la tringle-support des guide-fils *m*
3 le guide-fil
4 la bobine en forme *f* de bouteille *f*
5 le tendeur de fil *m*
6 l'élément *m* séparateur
7 le volant pour diriger le fil derrière les aiguilles *f*
8 le cylindre à aiguilles *f*
9 le tricot tubulaire (la marchandise)
10 le réservoir des tricots *m* tubulaires;
11 le cylindre à aiguilles *f* [en coupe]:
12 les aiguilles *f* à crochets *m* disposées radialement
13 le corps (la chemise) de cylindre *m*
14 les éléments *m* du séparateur
15 le canal des aiguilles *f*
16 le diamètre du cylindre; *aussi*: la largeur du tricot tubulaire
17 le fil;
18 le métier système Cotton, pour la fabrication de bas *m* pour dames *f*:
19 la chaîne modèle
20 la têtière
21 la fonture (le secteur de travail *m*); *plusieurs fontures*: production *f* simultanée de plusieurs bas *m*
22 la main courante;
23 le métier Rachel (métier à chaîne *f* d'arrêt *m*):
24 la chaîne (l'ensouple *f* de la chaîne)
25 le cylindre de fonture *f* (de secteur *m*)
26 le disque de fonture *f*
27 le rang d'aiguilles *f*
28 la barre des aiguilles *f*
29 le tissu à mailles *f* Rachel [tissus pour rideaux *m* et filets *m*] sur l'ensouple *f*
30 le volant
31 les pignons *m* de commande *f* et le moteur
32 le poids de serrage *m*
33 le bâti (le cadre porteur)
34 la plaque d'assise *f* du bâti;
35 la tricoteuse mécanique rectiligne:
36 le fil
37 le guide-fil
38 la tringle-support des guide-fils *m*
39 le chariot mobile
40 l'élément *m* séparateur
41 les poignées *f* de manutention *f*
42 le panneau de réglage *m* de la grosseur des mailles *f*
43 le compte-tours
44 le levier d'embrayage *m*
45 le coulisseau
46 le rang supérieur d'aiguilles *f*
47 le rang inférieur d'aiguilles *f*
48 le tricot
49 la tringle-tendeur
50 le poids tendeur;
51 le chariot [schéma du principe de travail *m* du chariot]:
52 les dents *f* du peigne
53 les aiguilles *f* disposées parallèlement
54 le guide-fil
55 la planche des aiguilles *f*
56 le chapeau des aiguilles *f*
57 l'élément *m* à aiguilles *f*
58 le baisse-aiguilles
59 le monte-aiguilles
60 le pied d'aiguille *f*;
61 l'aiguille *f* à crochet *m*:
62 la maille
63 le passage de l'aiguille *f* à travers la maille
64 la pose du fil sur l'aiguille *f* par le guide-fil
65 la formation d'une maille
66 la descente d'une maille

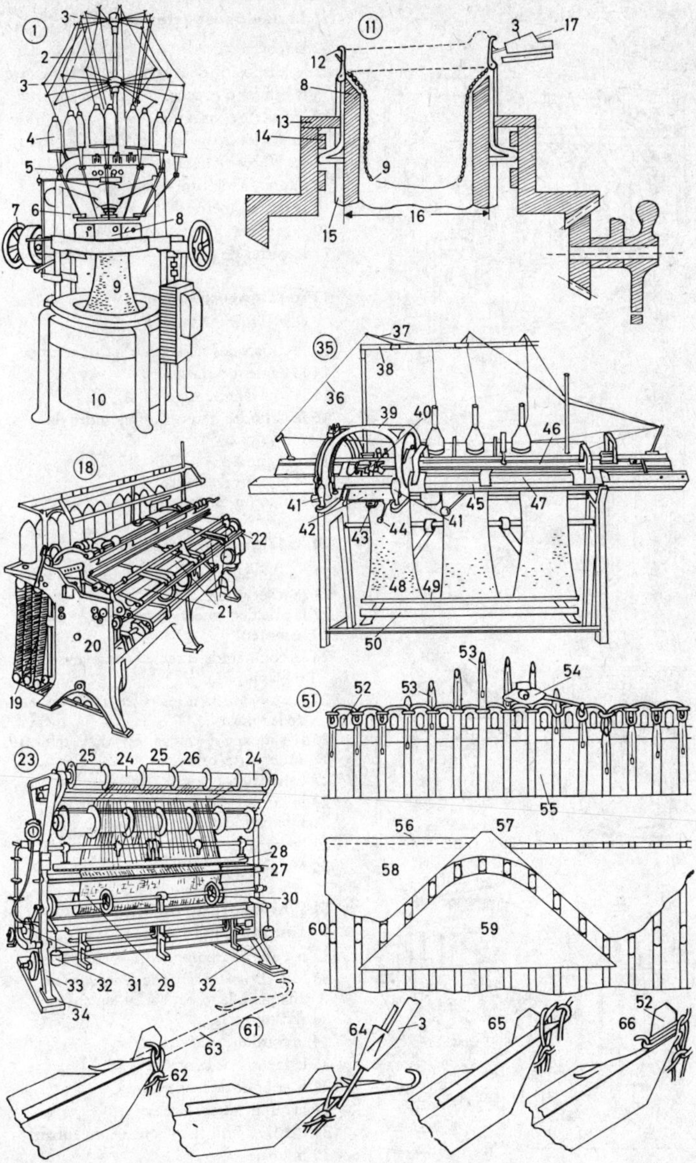
1
2
3
4
5
6
7
8
9
10
11
12
13
14
15
16
17
18
19
20
21
22
23
24
25
26
27
28
29
30
31
32
33
34
35
36
37
38
39
40
41
42
43
44
45
46
47
48
49
50
51
52
53
54
55
56
57
58
59
60
61
62
63
64
65
66

161 Teinture et blanchiment des fibres textiles

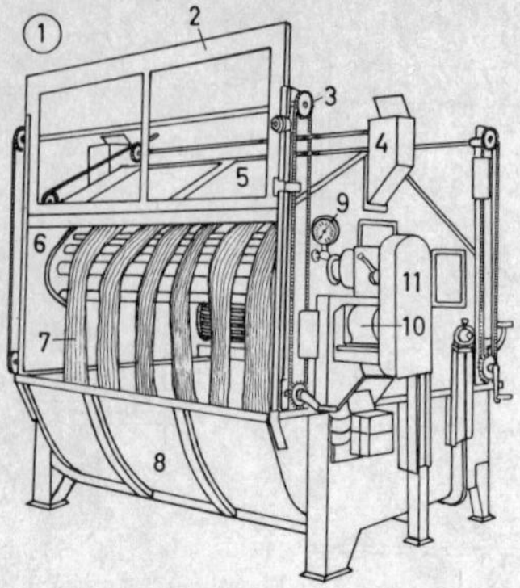

1 la dévideuse-teigneuse:

2 la fenêtre vitrée
3 le dispositif de relevage *m* de la fenêtre
4 le boîtier d'évacuation *f* de la vapeur
5 le toit (le recouvrement)
6 le dévidoir oval (*aussi*: dévidoir rond)
7 les pièces *f* à teindre
8 l'auge *f* à teinture *f*
9 le thermomètre
10 le moteur
11 le carter de protection *f* de la courroie;

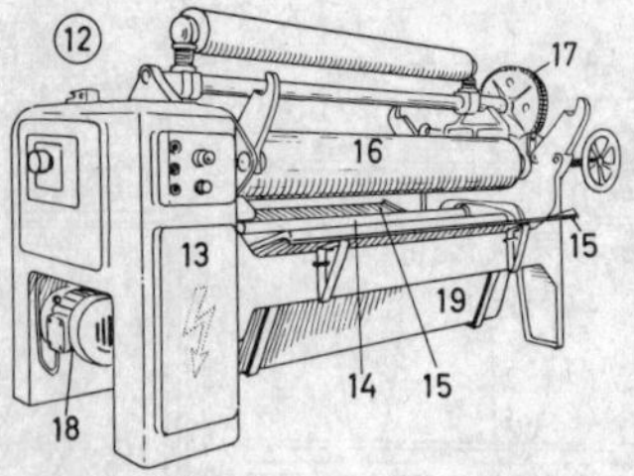

12 la teigneuse large («le Jigger») à tamis *m*:

13 le coffret des réglages *m* automatiques
14 le tendeur de largeur *f*
15 la tôle d'égouttage *m*
16 le cylindre d'appel *m* (cylindre de relevage *m*)
17 le pignon
18 le moteur de commande *f*
19 l'auge *f* à teinture *f*;

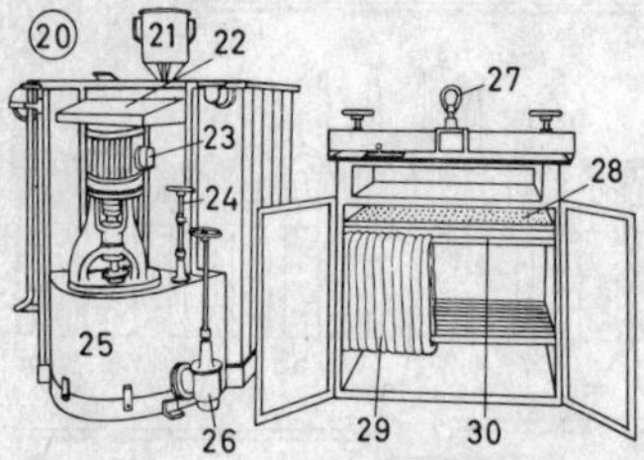

20 la teigneuse à rubans *m*,

21-26 l'installation *f* de teinture *f*:
21 le réservoir de la teinture
22 la tôle de protection *f* (le toit)
23 le moteur
24 la commande directe (commande réglable)
25 la cuve abritant les pales *f* de brassage *m* de la teinture *f*
26 la soupape d'évacuation *f* de la teinture;
27-30 le porte-rubans:
27 l'anneau *m* porteur
28 le tamis de couverture *f* pour la répartition *f* de la teinture
29 les rubans *m*
30 les lattes *f*;

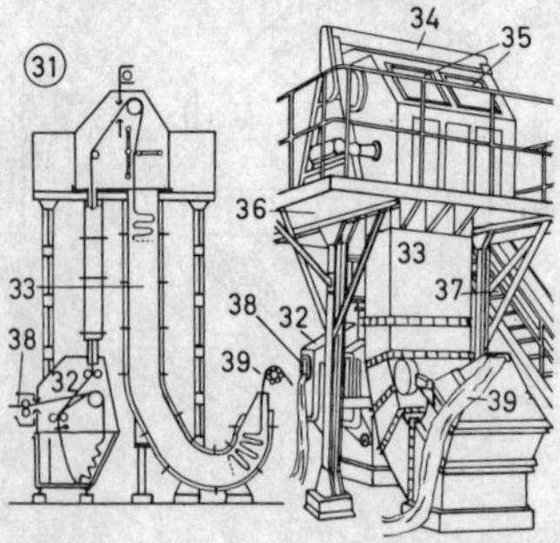

31 l'installation *f* **de blanchiment** *m* **en continu** (le «J-Box»):

32 la cuve de trempe *f*
33 le «J-Box» (le canal de décharge *f* du tissu chauffé à la vapeur à isolement *m* thermique)
34 la conduite d'aération *f*
35 la fenêtre de contrôle *m* du J-Box
36 la tribune de manœuvre *f*
37 la rampe de service *m*
38 l'entrée *f* du tissu (entrée du ruban)
39 la sortie;

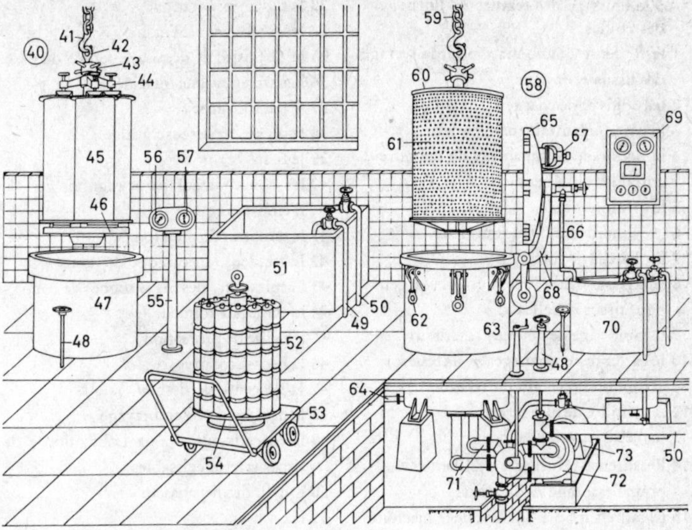

40 l'installation *f* de blanchiment *m* de la chaîne d'ensouple *f*
pour rubans *m* de carde *f* ou fils *m* de chaîne *f*:

41 le crochet de suspension *f* de la grue
42 l'anneau *m* de suspension *f* rapporté
43 le manchon rapporté à vis *f* de fixation *f*
44 le couvercle des ensouples *f* à vis *f* de fixation *f*
45 les ensouples *f*
46 le plateau-support d'ensouple *f*
47 la cuve du bain de blanchiment *m*
48 la vanne d'alimentation *f*
49 la tubulure d'eau *f* «dure»
50 la tubulure d'eau *f* «douce»
51 le réservoir pour préparer le bain de blanchiment *m*
52 la bobine conique ou cylindrique à fil *m* croisé
53 le chariot (le diable) transporteur
54 le porte-bobines
55 la colonne des appareils *m* de contrôle *m*
56 le manomètre de pression *f*
57 le thermomètre;

58 l'installation *f* de teinture *f*
de matières *f* textiles en vrac *m* ou de bobines *f* à fil *m* croisé:

59 la chaîne de la grue
60 le cylindre d'insertion *f*
61 le tamis-tambour perforé
62 le boulon à œil *m* de fermeture *f*
63 la cuve à teinture *f*
64 la tubulure de la vapeur
65 le couvercle de l'appareil *m*
66 le tube d'arrivée *f* de la couleur
67 l'orifice *m* d'échantillonnage *m* (de prélèvements *m*) de la couleur
68 le bras-support et l'étrier *m* du couvercle
69 le tableau (le coffret) de la commande automatique
70 la cuve (le réservoir) de préparation *f* et d'alimentation *f* de la couleur
71 les conduits *m* d'aspiration *f* et de refoulement *m* de la pompe
72 la pompe centrifuge
73 le moteur de la pompe

1-65 le finissage des textiles *m* (finissage des étoffes *f*),
1 la fouleuse à tambour *m* pour le serrage des tissus *m* de laine *f*:
2 les poids *m* de charge *f*
3 le tambour entraîneur supérieur
4 la poulie de commande *f* du cylindre entraîneur inférieur
5 le cylindre-guide
6 le cylindre entraîneur inférieur
7 la planche de sortie *f*;
8 la laveuse mécanique à grande largeur pour tissus *m* délicats:
9 le ramassage de l'étoffe *f* (du tissu)
10 le carter des engrenages *m* (la têtière)
11 la tubulure (la conduite) d'eau *f*
12 le cylindre de direction *f*
13 le mécanisme tendeur;
14 l'essoreuse-centrifuge oscillante pour l'essorage *m* du tissu:
15 le cadre-support (le banc de la machine)
16 le support de la cuve oscillante
17 la cuve avec son tambour rotatif intérieur
18 le couvercle de l'essoreuse-centrifuge *f*
19 le coupe-circuit de sécurité *f*
20 le mécanisme de démarrage *m* et freinage *m* automatiques;
21 la rame de séchage *m* pour tissus *m*:
22 le tissu mouillé
23 la plate-forme de service *m*
24 le serrage du tissu par chaînes *f* à raclettes *f* ou à aiguilles *f*
25 le boîtier des commutateurs *m*
26 l'entrée *f* du tissu plissé en vue d'un rétrécissement au séchage
27 le thermomètre
28 le coffre de séchage *m*
29 le tube d'évacuation *f* d'air *m*
30 la sortie de la rame;
31 l'égratigneuse *f* pour égratigner les tissus *m* en surface *f* pour le lainage ou pelage *m* des tissus *m*:
32 la têtière (le carter du mécanisme de commande *f*)
33 le tissu non égratigné
34 les tambours *m* laineurs
35 le dispositif de dépose *f* alternée du tissu
36 le tissu égratigné ou lainé
37 le banc de pose *f*;
38 la presse-repasseuse à auge *f*:
39 le tissu
40 les commutateurs *m* et pignons *m* d'embrayage *m*
41 le tambour de pression *f* chauffé;
42 la tondeuse mécanique de tissus *m*:
43 l'aspiration *f* des fils *m* rognés de coupe *f*
44 le tambour tondeur
45 la grille de protection *f*
46 la brosse rotative
47 la descente de tissu *m*
48 le marchepied d'embrayage *m*;
49 la décatisseuse pour l'obtention *f* de tissus *m* irrétrécissables:
50 le cylindre décatisseur
51 le tissu
52 la manivelle;
53 l'imprimeuse *f* à cylindres *m* imprimant en dix couleurs *f* (le métier de surface *f*):
54 le bâti (le support) de base *f*
55 le moteur
56 le doublier
57 le tissu imprimé
58 l'embrayage *m* électrique;
59 l'installation *f* d'impression *f* des tissus *m* au pochoir:
60 le cadre-pochoir (la rame) mobile
61 le racleur
62 le pochoir
63 la table d'impression *f*
64 le tissu encollé non imprimé
65 l'opérateur *m*

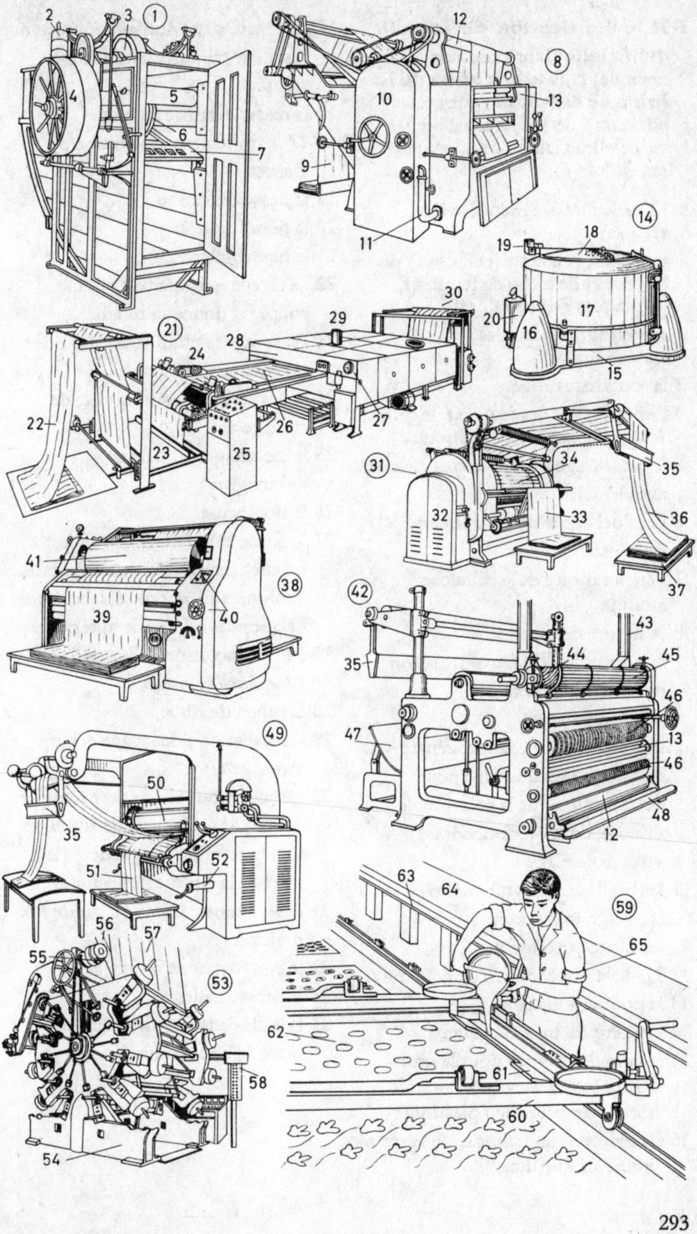
1
2
3
4
5
6
7
8
9
10
11
12
13
14
15
16
17
18
19
20
21
22
23
24
25
26
27
28
29
30
31
32
33
34
35
36
37
38
39
40
41
42
43
44
45
46
47
48
49
50
51
52
53
54
55
56
57
58
59
60
61
62
63
64
65

1-34 **la fabrication de la soie artificielle** (fabrication de la rayonne) et la **fabrication de la laine de cellulose** *f* par l'élaboration *f* de la viscose (soie *f* artificielle et laine *f* cellulosique en viscose *f*),

1-12 de la matière première à la viscose:

1 la matière première [cellulose *f* de hêtre *m* et de pin *m* en feuilles *f*, les plaques *f* de cellulose]

2 le mélange des feuilles *f* de cellulose *f*

3 la soude caustique

4 l'immersion *f* des feuilles *f* de cellulose dans la soude caustique

5 le pressurage de la soude caustique excédentaire

6 l'effilochage *m* des feuilles *f* de cellulose *f*

7 l'élaboration *f* de la cellulose alcaline

8 le sulfure de carbone *m*

9 la sulfuration (la transformation de la cellulose alcaline en xanthogénate *m*)

10 la dissolution du xanthogénate dans la soude caustique pour l'élaboration *f* de la solution de viscose, dont on obtiendra la viscose de filage *m*

11 les barils *m* (les tambours *m*) de stockage *m* à vide *m*

12 les filtres-presses *m*;

13-27 de la viscose au fil de rayonne *f*:

13 la pompe à filage *m*

14 la filière (la buse de filage)

15 le bain de filage *m* pour la transformation de la viscose liquide en fibres *f* de cellulose *f* plastiques

16 «la galette», un cylindre de verre *m* pour soie *f* artificielle

17 le centrifugeur de filage *m* unissant les fils *m* séparés en un cordon unique

18 la masse destinée au filage

19-27 le traitement de la masse de viscose *f*:

19 la désacidification

20 la désulfuration

21 le blanchiment

22 l'avivage *m* rendant la viscose souple et douce au toucher

23 l'essorage *m* éliminant le liquide excédentaire du bain

24 la dessiccation, dans la salle de séchage *m*

25 le bobinage (la salle de bobinage *m*)

26 la bobineuse

27 le fil de rayonne *f* (la soie artificielle), enroulé sur une bobine conique à fil *m* croisé, en vue de l'élaboration *f* textile ultérieure;

28-34 de la solution de viscose *f* à la laine de cellulose *f*:

28 le ruban de fils *m*

29 l'installation *f* de lavage *m* par arrosage *m*

30 l'installation *f* de coupe *f* pour couper les rubans *m* de fils *m* à une certaine longueur *f* [la mèche, la fibre cellulosique]

31 le sécheur de fibres *f* à bande *f* multiple

32 le convoyeur de levage *m*

33 le presse-balles

34 la balle de laine *f* de cellulose *f* prête à l'expédition *f*

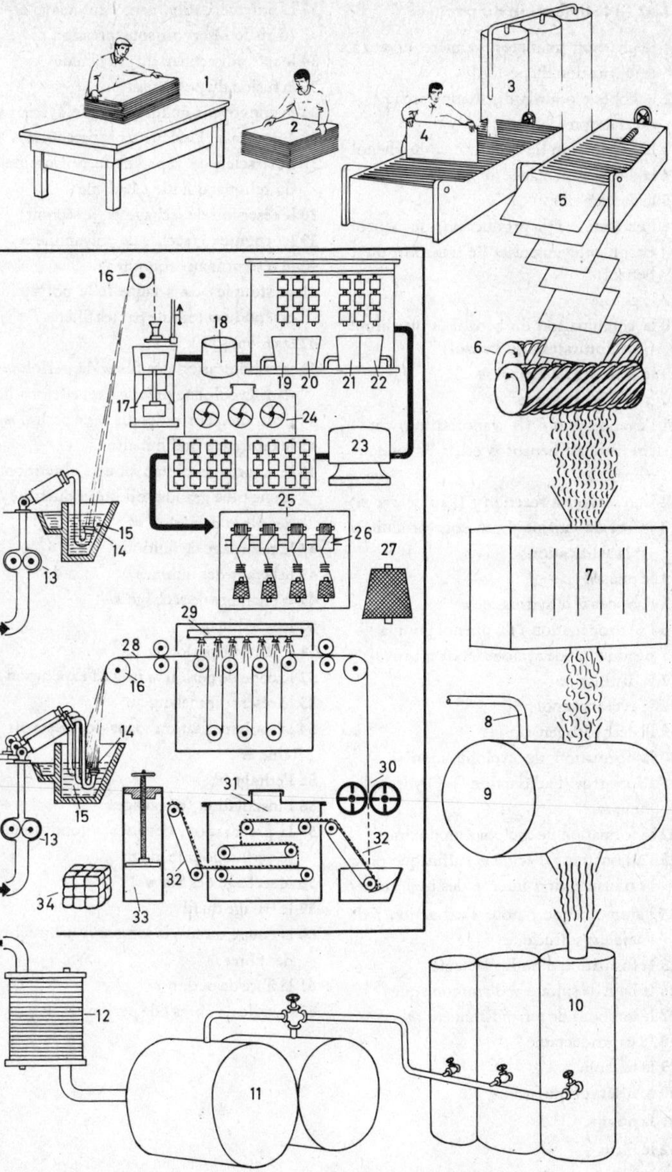
1
2
3
4
5
6
7
8
9
10
11
12
13
14
15
16
17
18
19
20
21
22
23
24
25
26
27
28
29
30
31
32
33
34

1-62 la fabrication du perlon:

1 le charbon [matière *f* première servant à la fabrication du perlon]
2 la cokerie pour la distillation sèche du charbon
3 la production du goudron et du phénol
4 la distillation étagée du goudron
5 le condenseur
6 l'extraction *f* (la production) du benzol et son enlèvement *m* (le transport du benzol)
7 le chlore
8 la combinaison du benzol et du chlore (la chloruration du benzol)
9 le chlorure de benzol *m*
10 la soude caustique
11 l'évaporation *f* (la vaporisation) du chlorure de benzol *m* et de la soude caustique
12 le réservoir à réaction *f* (l'autoclave *m*)
13 le sel de cuisine *f*, un sous-produit *m* de la fabrication
14 le phénol
15 l'apport *m* d'hydrogène *m*
16 l'hydrogénation *f* du phénol pour la production de cyclohexanol *m* brut
17 la distillation
18 le cyclohexanol pur
19 la déshydrogénation
20 la formation de cyclohexanon *m*
21 l'apport *m* (l'adjonction *f*) d'hydroxylamine *m*
22 la formation de cyclohexanonoxime
23 l'adjonction *f* d'acide *m* sulfurique pour la transposition interne des molécules *f*
24 l'ammoniaque *f* pour l'extraction *f* de l'acide *m* sulfurique
25 la formation d'huile *f* lactame
26 le bain de sulfate *m* d'ammoniaque *f*
27 le tambour de refroidissement *m*
28 le capro-lactame
29 la bascule
30 le réservoir de fusion *f*
31 la pompe
32 le filtre
33 la polymérisation dans l'autoclave *m* (dans le réservoir sous pression *f*)
34 le refroidissement du polyamide
35 la fusion du polyamide
36 le convoyeur de levage *m* (l'élévateur *m* à godets *m*, l'ascenseur *m* patenôtre)
37 l'extracteur *m* séparant le polyamide du reliquat d'huile *f* lactame
38 le réservoir de séchage *m* (le séchoir)
39 les rognures *f* sèches de polyamide *m*
40 le réservoir aux rognures *f*
41 la «toupie» dans laquelle le polyamide est fondu et refoulé par les filières *f*
42 les filières *f*
43 la solidification des fils *m* de perlon *m* dans la colonne prévue à cet effet *m*
44 l'enroulement *m* des fils *m* de perlon *m*
45 le retordage préliminaire
46 le retordage-étirage pour l'obtention *f* d'une plus grande solidité et ductilité *f* des fils *m* de perlon *m*
47 le retordage de finition *f*
48 le lavage des bobines *f*
49 la chambre de séchage *m*
50 le rebobinage
51 le cône de perlon *m*
52 le cône de perlon *m* prêt à l'expédition *f*
53 le réservoir mélangeur
54 la polymérisation dans le réservoir à vide *m*
55 l'étirage *m*
56 l'installation *f* de lavage *m*
57 la préparation, destinée à conditionner le perlon pour le filage
58 le séchage des fils *m*
59 le frisage du fil
60 la coupe du fil à la longueur habituelle des fibres *f*
61 la fibre de perlon *m*
62 la balle de fibres *f* de perlon *m*

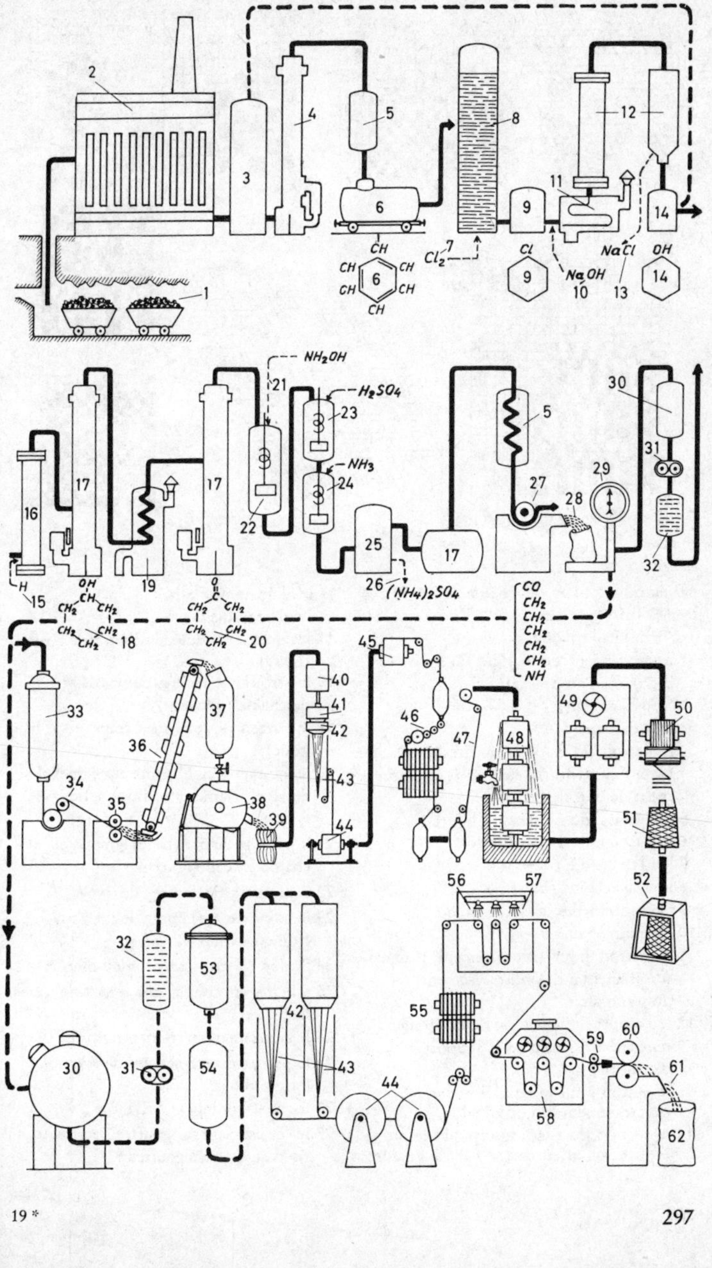
CH
CH
CH
CH
CH
CH
Cl2
Cl
NaOH
NaCl
OH
NH2OH
H2SO4
NH3
(NH4)2SO4
H
OH
CH
CH2
CH2
CH2
CH2
CH2
O
C
CH2
CH2
CH2
CH2
CH2
CO
CH2
CH2
CH2
CH2
CH2
NH

165 Croisements dans les tissus

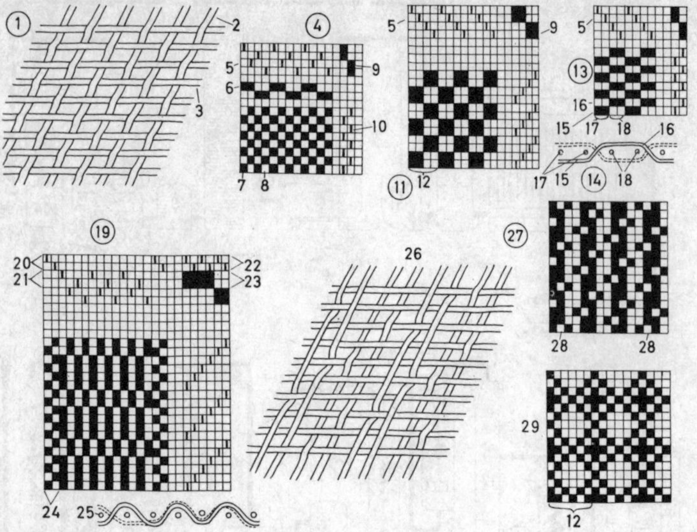

carrés noirs: fil *m* de chaîne *f* levé, fil de trame *f* baissé; carrés blancs: fil de trame levé, fil de chaîne baissé]

1 le croisement de la toile de lin *m* (du drap) [vu d'au-dessus]:

2 le fil de chaîne *f*

3 le fil de trame *f*;

4 le patron (le damier) [le dessin mis en carte *f* pour le tisseur] pour le croisement de la toile de lin *m*:

5 le passage du fil dans les lames *f*

6 le passage du fil dans le ros

7 le fil de chaîne *f* levé

8 le fil de chaîne *f* baissé

9 le montage des lames *f*

10 l'embrèvement *m*;

11 le patron pour le croisement Panama (croisement à dés *m*, croisement du drap anglais):

12 le rapport (l'élément *m* du croisement à répétition *f* continue, le rapport d'armure *f*);

13 le patron pour le reps de trame *f* (le croisement longitudinal),

14 la section du tissu du reps de trame *f*, un schéma *m* en coupe *f* de la chaîne:

15 le fil de trame *f* baissé

16 le fil de trame *f* levé

17 les premier et deuxième fils *m* de chaîne *f* [levés]

18 les troisième et quatrième fils *m* de chaîne *f* [baissés];

19 le patron pour le reps transversal irrégulier:

20 le passage du fil dans les lames *f* de rive *f* (lames *f* additionnelles pour la lisière)

21 le passage du fil dans les lames *f* de champ *m* [toile *f* ou drap *m*]

22 le montage des lames *f* de rive *f*

23 le montage des lames *f* de champ *m* [toile *f* ou drap *m*]

24 la rive (le croisement *m* de drap *m*)

25 schéma en coupe *f* du reps transversal irrégulier;

26 le croisement du tricot longitudinal

27 le patron du croisement de tricot *m* longitudinal:

28 les contrepoints *m* de liage *m*;

29 le croisement à gaufres, assurant au tissu un dessin à gaufres *f*

1-40 la blanchisserie,
1 la laveuse à vapeur *f*:
2 le tambour laveur rotatif
3 les compartiments *m* du tambour intérieur
4 le carter contenant la lessive et l'eau *f* de rinçage *m* (le tambour extérieur)
5 la sortie d'eau *f* sale;
6 le tumbler, une culbuteuse-essoreuse:
7 le carter avec le tambour essoreur
8 la porte de service *m*
9 le téléthermomètre
10 l'hygromètre *m*:
11 la buanderie,
12 la laveuse-armoire:
13 le levier d'embrayage *m*
14 l'ouverture *f* pour introduire les détergents *m*
15 le porte-étiquette
16 le robinet d'écoulement *m* de l'eau *f* de lessive *f*;
17 le bac roulant pour le transport du linge
18 la centrifugeuse
19 le séchoir à chambre *f* unique:
20 le ventilateur brassant l'air *m*
21 la conduite d'alimentation *f* de la vapeur
22 la conduite d'évacuation *f* de l'eau *f* de condensation *f*
23 le réglage de l'air *m* frais et de l'air d'échappement *m*;
24 le volet d'admission *f* d'air *m* frais
25 la calandre à chaud:
26 le tambour de calandrage *m* chauffé
27 la grille de protection *f*
28 la calandreuse
29 la table à linge *m*
30 la conduite d'échappement *m* de l'air *m*;
31 le repassage:
32 la repasseuse
33 le fer électrique à repasser
34 la planche à repasser;
35 la presse-repasseuse:
36 le fer supérieur non garni
37 le fer inférieur garni de feutre *m*
38 le ressort de rappel *m*
39 la pédale de service *m*
40 l'aspiration de la vapeur de repassage *m*

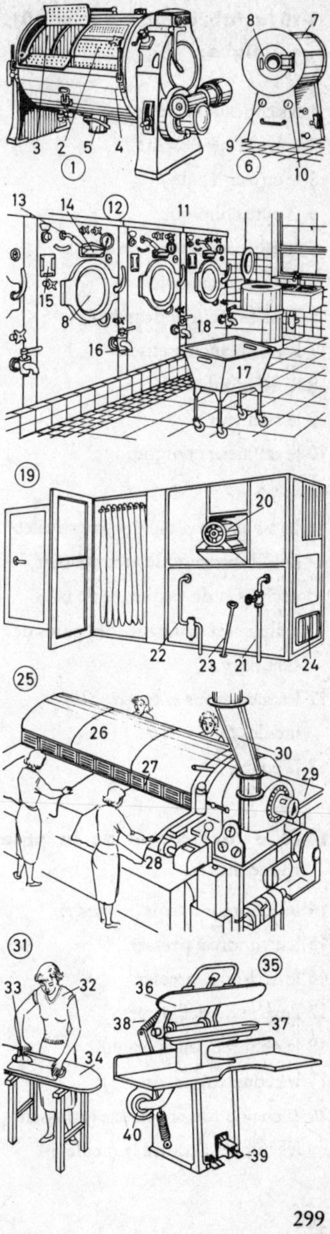

167 Fabrication du papier I

1-10 la fabrication de la pâte chimique:

1 les copeaux *m* de bois *m*

2 le lessiveur de pâte *f*

3 le cuvier à pâte *f*

4 la pâte chimique

5 et 6 la préparation de la pâte:

5 le séparateur

6 l'épaississeur *m* de pâte *f*;

7 la pile blanchisseuse

8 le déchiqueteur

9 le raffineur

10 le raffineur conique;

11 **le broyeur** à meules *f* verticales pour le broyage du vieux papier, des déchets *m* de papier, *m* de la cellulose à sulfate *m*, des pâtes de nœuds *m* :

12 les meuletons *m* en grès (les meules *f*)

13 la cuve;

14-20 la fabrication de la pâte mécanique,

14 le défibreur à trois presses *f*:

15 le cylindre à presser

16 le caisson à presser

17 l'axe *m* du défibreur;

18 le défibreur en continu:

19 le réducteur de vitesse *f*

20 la chaîne transporteuse [poussant les bûches *f* contre la meule];

21 le lessiveur de chiffons *m* (lessiveur sphérique) pour obtenir la demi-pâte à chiffons:

22 la roue motrice

23 l'entrée *f* de la vapeur;

24-27 la préparation de la pâte à papier *m*,

24 la pile hollandaise (pile raffineuse):

25 les matières premières *f*, les demi-pâtes *f* et les produits *m* d'addition *f*;

26 le tambour à lames *f* (tambour de broyage *m*);

27 la pile hollandaise [coupe]

28 la plaque de fondation *f* (plaque d'assise *f*)

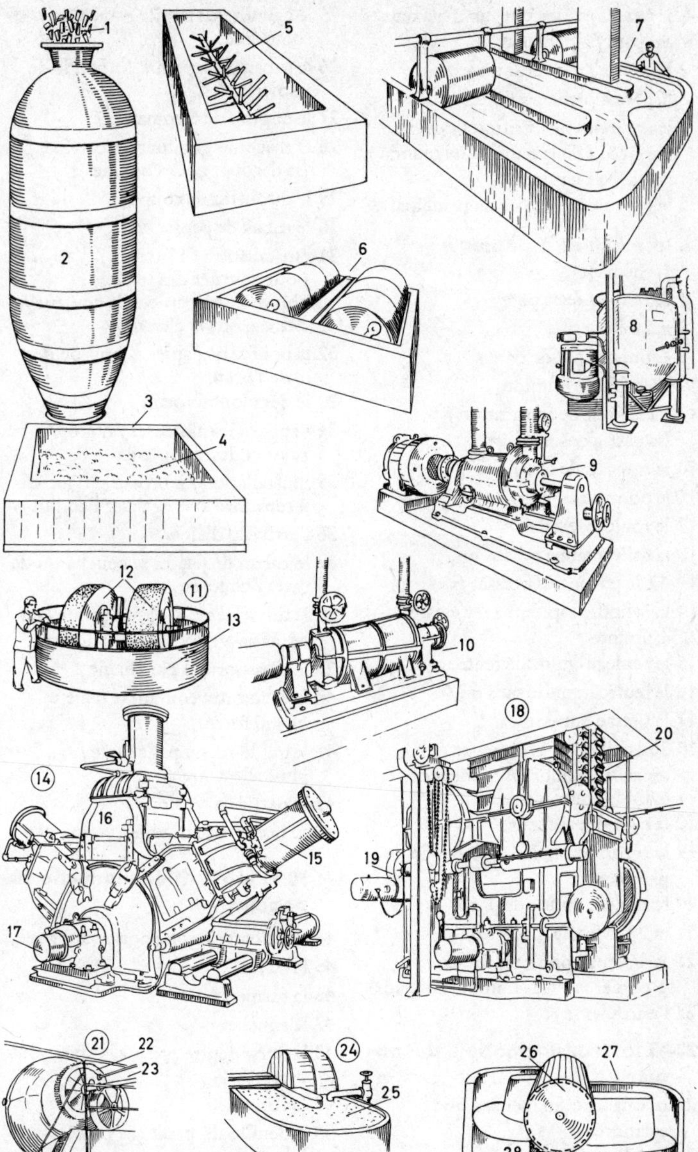
1
2
3
4
5
6
7
8
9
10
11
12
13
14
15
16
17
18
19
20
21
22
23
24
25
26
27
28

1 le cuvier mélangeur, un malaxeur de pâte *f* à papier *m*
2 l'écuelle *f* de laboratoire *m*:
3 la pâte à papier *m* finie;
4 les pompes *f* centrifuges devant l'arrivée *f* de la pâte d'une grande machine à papier *m*:
5 le tuyau vertical (tuyau principal);

6 la machine à papier *m* [schéma]:
7 l'arrivée *f* de la pâte *f*
8 le sablier
9 l'épurateur *m* de pâte *f*
10-17 la partie humide,
10-13 la table de fabrication *f* (la partie des tamis *m*):
10 le rouleau de tête *f*
11 le pontuseau inférieur
12 le rouleau-guide
13 la toile à tamis *m* sans fin *f*;
14-17 la partie des presses *f*:
14 le cylindre aspirant avec caisse *f* aspirante
15 le rouleau-guide de feutre *m*
16 le feutre humide sans fin *f*
17 la presse humide;
18-20 la sécherie avec feutre *m* sécheur, cylindre *m* sécheur et cylindre refroidisseur:
18 le cylindre sécheur
19 le ruban de papier *m* (la bande de papier *m*)
20 le rouleau-guide de papier *m*;
21 et 22 la fin de machine *f*:
21 la lisseuse pour machines *f* à papier *m*; (le laminoir finisseur)
22 l'enrouleuse *f*;

23-43 la transformation du papier,
23 la calandre finisseuse, une calandre:
24 le cylindre de fonte *f* durcie
25 le cylindre en papier *m* de laine *f* comprimé
26 le ruban de papier *m* (la bande de papier)
27 le pupitre de commande *f*;
28 la machine à couper les bobines *f* (le découpage des bobines):
29 le dispositif de coupe *f*
30 le ruban de papier *m*;
31 l'installation *f* à brosses *f* d'air *m* pour coucher des papiers *m* chromo, des papiers de couleur *f*, des cartons *m* chromo:
32 la bobine de papier *m* brut ou de carte *f* brute
33 le dévidoir pivotant
34 l'appareil *m* à brosses *f* d'air *m* pour enduire le papier
35 l'installation *f* à brosses *f* d'air *m* à répandre et à égaliser l'enduit *m*
36 l'arrivée *f* d'air *m*
37 le ruban de papier *m* couché ou de carte *f* couchée
38 le tunnel d'air *m* chaud (tunnel de séchage *m*) divisé en sections *f*
39 le transporteur par chaîne *f*
40 la chambre à courant *m* d'air *m* chaud forcé
41 le guide-ruban par cellule *f* photoélectrique
42 la partie de tension *f*
43 la bobineuse double

44-50 la fabrication manuelle du papier:
44 le puiseur (le compagnon à la cuve)
45 la cuve
46 la forme
47 le coucheur
48 la porse-feutre prête à la mise sous presse *f*:
49 le feutre
50 la feuille de papier *m* puisée à la main

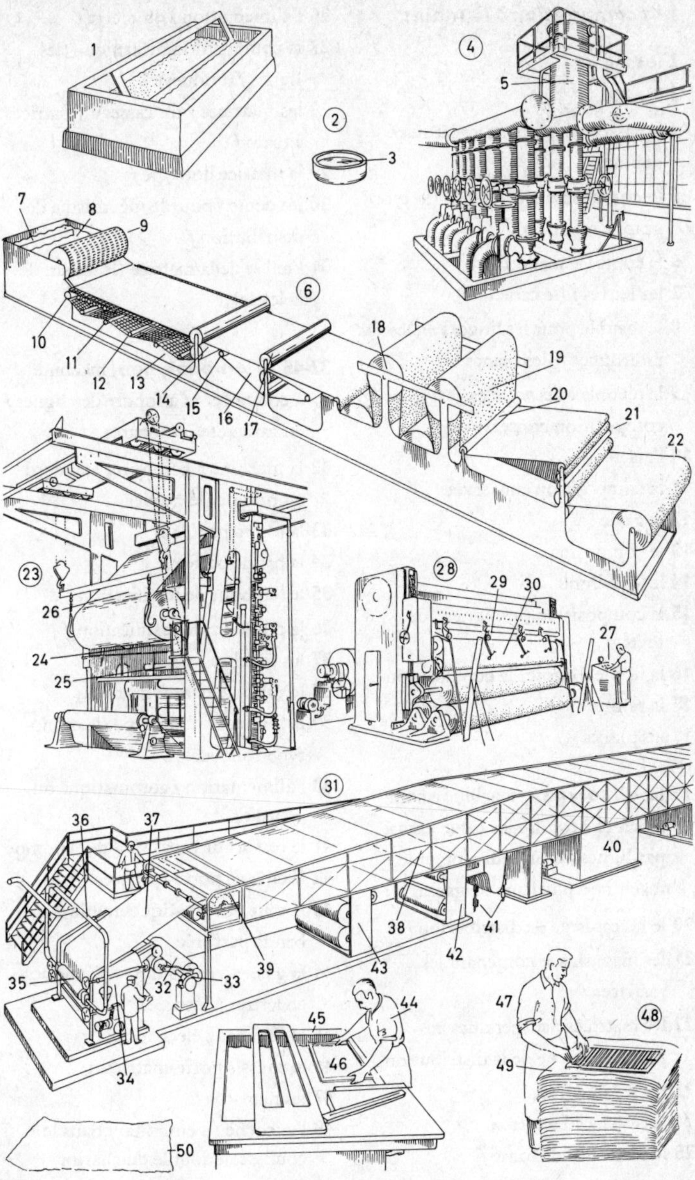
1
2
3
4
5
6
7
8
9
10
11
12
13
14
15
16
17
18
19
20
21
22
23
24
25
26
27
28
29
30
31
32
33
34
35
36
37
38
39
40
41
42
43
44
45
46
47
48
49
50

169 Composition typographique I

1 la composition à la main:

2 le rang

3 la casse

4 le casseau contenant les lettres *f* debout

5 le compositeur à main *f* (le typographe metteur)

6 la copie (le manuscrit)

7 les lettres *f* (le caractère)

8 le meuble pour les lingots *m*, les interlignes *f* (les blancs *m*)

9 le meuble à ais *m* (le casier) pour la composition conservée

10 l'ais *m*

11 la composition conservée

12 la galée

13 le composteur

14 le lève-ligne

15 la composition (les lignes *f* de texte *m*)

16 la ficelle à ligoter la composition

17 la pointe

18 les pinces *f*;

19 la «linotype», machine à composer et à fondre les caractères *m* par lignes *f* d'un seul bloc, une machine à plusieurs magasins *m*:

20 le mécanisme de distribution *f*

21 les magasins *m* contenant les matrices *f*

22 les matrices *f* suspendues au preneur en vue de la distribution

23 l'assembleur *m*

24 les espaces-bandes *m*

25 le dispositif de fonte *f*

26 l'alimentation *f* du creuset

27 la composition mécanique (les lignes *f* fondues)

28 les matrices *f* du casseau (matrices à main *f*);

29 la matrice linotype *f*:

30 les dents *f* pour le mécanisme de distribution *f*

31 l'œil *m* de la matrice (le dessin de la lettre);

32-45 la «monotype», machine à composer et à fondre des lignes *f* en caractères *m* séparés,

32 la machine à composer standard monotype (le clavier):

33 la tour à papier *m*

34 la bande perforée

35 le tambour de justification *f*

36 le pointeur de justification *f*

37 les touches *f* du clavier

38 le tuyau à air *m* comprimé;

39 la fondeuse monotype (la monotype-fondeuse):

40 l'alimentation *f* automatique du creuset

41 le ressort de pression *f* de la pompe

42 le châssis porte-matrices

43 la tour pneumatique munie de la bande perforée

44 la galée avec les lignes *f* fondues en lettres *f* séparées

45 le chauffage électrique;

46 le châssis porte-matrices:

47 les matrices *f*

48 l'encoche *f* s'emboîtant dans le coulisseau double du chariot

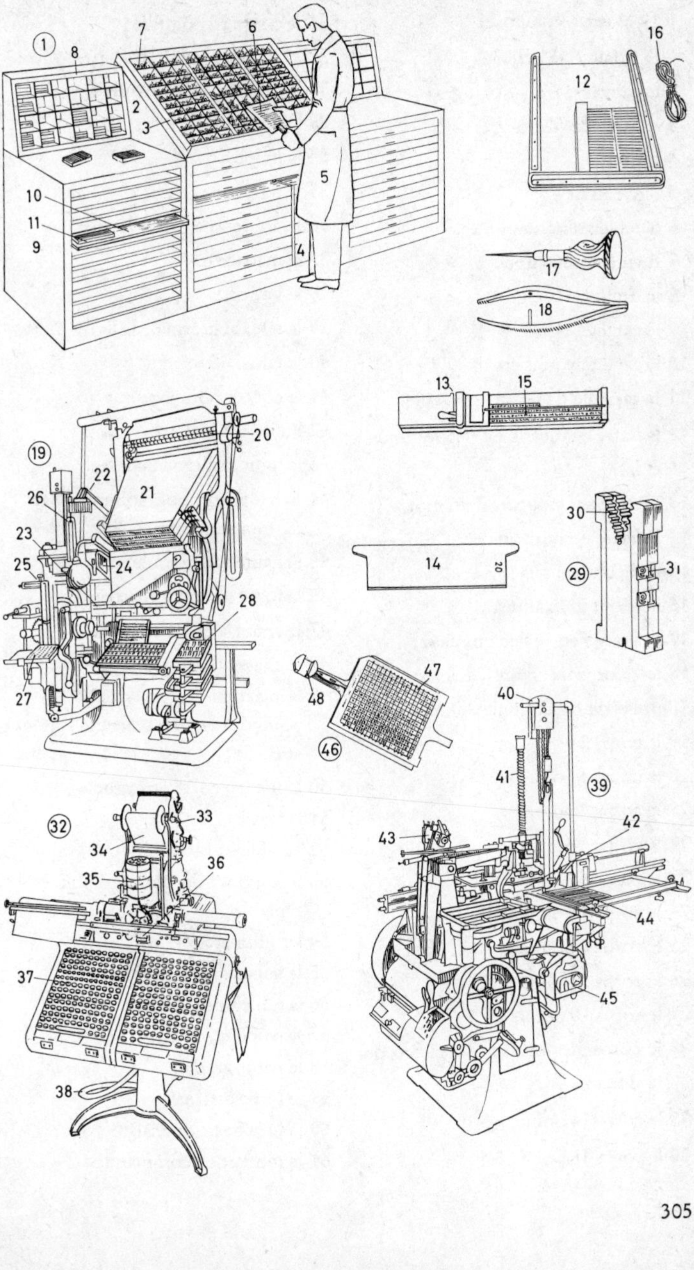
1
8
7
6
2
3
5
10
11
9
4
16
12
17
18
13
15
19
20
22
21
26
23
24
25
28
27
30
14
20
29
31
47
48
46
40
41
39
32
33
34
35
36
42
43
44
37
45
38

1-17 le texte composé:
1 l'initiale *f* (la lettrine)
2 le caractère trois-quart gras
3 le caractère demi-gras
4 la ligne
5 l'interligne *f*
6 deux lettres *f* ligaturées
7 le caractère italique
8 le caractère maigre
9 le caractère gras
10 le caractère gras étroit
11 la capitale (la lettre majuscule)
12 la lettre bas de casse *f* (lettre minuscule)
13 les lettres *f* espacées d'un mot
14 la lettre petite capitale
15 la fin d'un alinéa
16 le début d'un alinéa
17 l'espace *f* entre deux mots *m*;
18 les corps *m* d'un caractère [un point typographique=0,376 mm]:
19 le corps 2 points *m*
20 le corps 3 points *m*
21 le corps 4 points *m*
22 le corps 5 points *m*
23 le corps 6 points *m*
24 le corps 7 points *m*
25 le corps 8 points *m*
26 le corps 9 points *m*
27 le corps 10 points *m*
28 le corps 12 points *m* (le cicéro ou le douze)
29 le corps 14 points *m*
30 le corps 16 points *m*
31 le corps 20 points *m*;
32-37 la fabrication des lettres *f*:
32 le graveur de poinçons *m*
33 l'échoppe *f*
34 la loupe
35 le poinçon;
36 le poinçon en acier *m* terminé
37 la matrice frappée;
38 la lettre:
39 la tête du dessin de la lettre
40 le talus
41 le contre-poinçon
42 l'œil *m* de la lettre
43 la ligne (l'alignement *m*)
44 la hauteur typographique (hauteur en papier *m*)
45 la hauteur de moule *m*
46 la force de corps (le corps)
47 le cran (la petite encoche)
48 la chasse (la largeur);
49 la machine à graver les poinçons *m*, une machine à graver spéciale:
50 le bâti en col *m* de cygne *m*
51 la fraise
52 la table à graver
53 le support du pantographe réglable
54 les glissières *f*
55 le gabarit (le schablon)
56 la table porte-gabarit
57 le palpeur
58 le pantographe
59 le serre-matrice
60 la broche porte-fraise
61 le moteur de commande *f*

Parmi les **DIDOT,** Imprimeurs célèbres de 1698 à nos jours, nous distinguons: **François Ambroise DIDOT** (1730 – 1804), qui inventa la presse à un coup, régularise mathématiquement la force des caractères, en inventant (1775) le système des points typographiques (le *point Didot* = 0mm. 376; le millimètre vaut 2 points Didot, 66), introduit en France la fabrication du papier vélin. A édité la collection du *Dauphin*.

Pierre DIDOT (1761 – 1853) imprima les éditions in-folio, dites du Louvre, où le Gouvernement avait fait placer ses presses. Son RACINE fût proclamé par le Jury de 1806 la plus parfaite production typographique de tous les pays.

Firmin DIDOT (1764 – 1836), Imprimeur Editeur, graveur, fondeur en caractères, créa le *caractère Didot,* inventa la *stéréotypie*. Imprimeur de l'Institut en 1811, du Roi en 1814, poète et littérateur, Député.

Ambroise FIRMIN-DIDOT (1790 – 1876) créa des grandes publications, qui firent la gloire de la Maison, Thesaurus græcae linguae d'Henri ESTIENNE, collections des classiques grecs et latins, littérateur et savant helléniste, créa l'Imprimerie Nationale d'Athènes. Erudit et bibliophile passionné, premier Président du Cercle de la Librairie en 1847, membre de l'Académie des Inscriptions et Belles Lettres.

La Société Firmin-Didot et Cie compose en

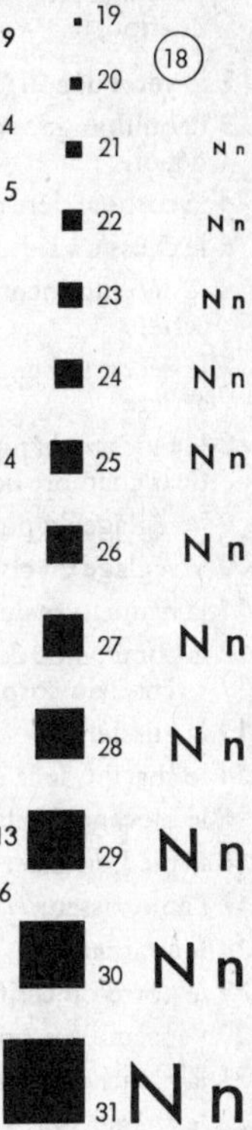

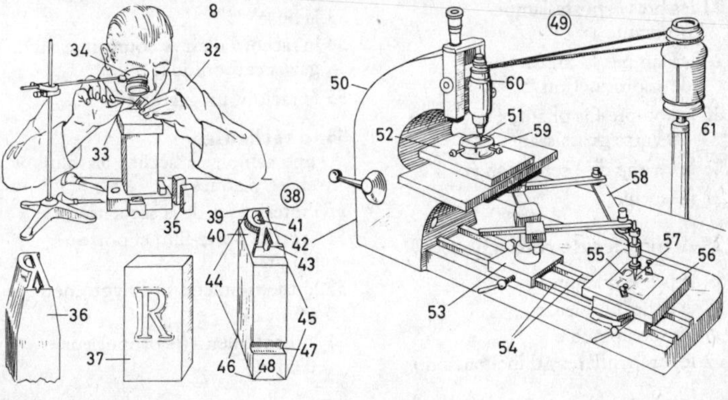

1 **la caméra de reproduction** *f* (la chambre noire pour la reproduction):
2 le verre dépoli (le dépoli)
3 l'équilibrage *m* de la commande du dépoli
4 le corps arrière de la caméra
5 le châssis à rideaux *m*
6 le décentrement latéral du corps arrière
7 le décentrement vertical du corps arrière
8 le blocage du pivotement de la base de la chambre noire
9 le réglage du porte-objectif
10 le réglage du châssis
11 la manœuvre du chariot
12 la commande de mise *f* au point *m* précise du corps arrière
13 la glissière
14 le chariot de la caméra
15 le blocage du chariot
16 le pied en acier *m*
17 l'amortisseur *m* de vibrations *f*
18 le soufflet
19 le porte-objectif
20 l'ensemble *m* porte-original
21 la planche à piquer
22 le châssis porte-original
23 les bras *m* porte-lampes pivotants
24 les lampes *f* à arc *m* de reproduction *f*;
25 le compte-fils pliant, un verre grossissant:
26 le champ d'observation *f*
27 la lentille;

28 **le pupitre de retouche** *f*:
29 le porte-document
30 la dalle lumineuse
31 l'interrupteur *m*
32 les crémaillères *f* d'inclinaison *f*;

33 **la caméra de reproduction verticale super-automatique** (la chambre claire):
34 le verre dépoli (le dépoli)
35 la trame circulaire, une trame à lignes *f* croisées pour décomposer les teintes *f* de l'original *m* en petits points *m*
36 le soufflet
37 les lampes *f* à arc *m* jumelées
38 le tableau de commande *f*
39 le porte-original;

40 **la tireuse à vide** *m*:
41 le tapis de caoutchouc *m*
42 le tableau de commande *f*
43 la minuterie de contact *m* automatique
44 le vacuomètre
45 le levier de verrouillage
46 le rhéostat de réglage *m* de la lumière diffuse
47 la lampe pour lumière *f* diffuse
48 les lampes *f* rouges de sécurité *f*
49 la lampe ponctuelle
50 la glace de copie *f*;

51 **l'aérographe** *m* (le pinceau à air *m*), un appareil pour la retouche:
52 le levier de buse *f*
53 la buse
54 le raccord d'air *m* comprimé ou de gaz *m* carbonique;
55 le racloir, un grattoir

56 **la sécheuse,** une armoire à sécher les films *m* et les plaques *f*:
57 l'intérieur *m* de la sécheuse
58 le cadre porte-film et porte-plaque
59 le thermomètre et l'hygromètre *m*
60 le voyant
61 le ventilateur (le propulseur d'air *m*)

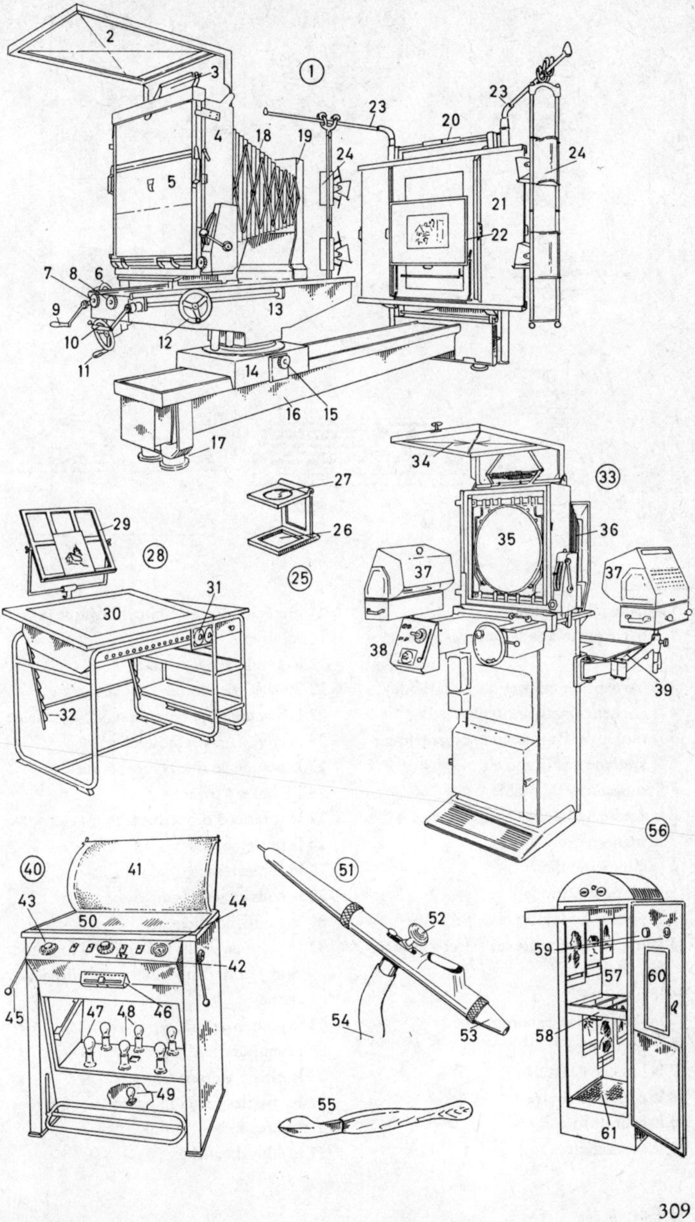
1
2 3 4 5 6 7 8 9 10 11 12 13 14 15 16 17 18 19 20 21 22 23 24
25
26 27
28
29 30 31 32
33
34 35 36 37 38 39
40
41 42 43 44 45 46 47 48 49 50
51
52 53 54
55
56
57 58 59 60 61

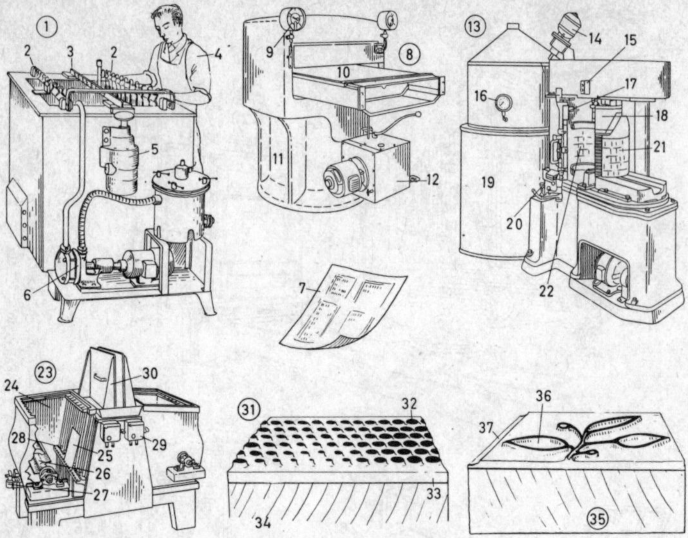

1 le bain galvanique:
2 la barre porte-anode (anodes *f* de cuivre *m*)
3 la barre porte-empreinte (la cathode)
4 le clicheur et galvanotypeur
5 le moteur et l'agitateur *m* excentrique;
6 le système de filtrage *m*;
7 l'empreinte *f* (le moule)
8 la presse hydraulique à mouler:
9 le manomètre
10 la table à mouler
11 la base cylindrique
12 la pompe hydraulique de presse *f*;
13 la machine à fondre les stéréos *m* demi-cylindriques:
14 le moteur
15 les boutons *m* de commande *f*
16 le pyromètre
17 la bouche de coulée *f*
18 le noyau de coulée *f*
19 le four de fusion *f*
20 le contacteur
21 le stéréo fondu demi-cylindrique pour rotative *f*
22 le moule fixe (le box);
23-30 la fabrication des clichés *m*,
23 la machine à graver, un modèle jumelé:
24 la cuve à graver [coupe]
25 la plaque de zinc *m* reproduite
26 l'arbre *m* à palettes *f*
27 le robinet d'écoulement *m*
28 le porte-clichés
29 le contacteur:
30 le couvercle de la cuve;
31 la simili, un cliché:
32 le point de simili *f*, élément d'impression *f* dont l'ensemble *m* constitue la trame
33 la plaque de zinc *m* gravée
34 le support de cliché *m* en bois *m*;
35 le cliché au trait:
36 les parties *f* non imprimantes, gravées en creux
37 le talus du cliché

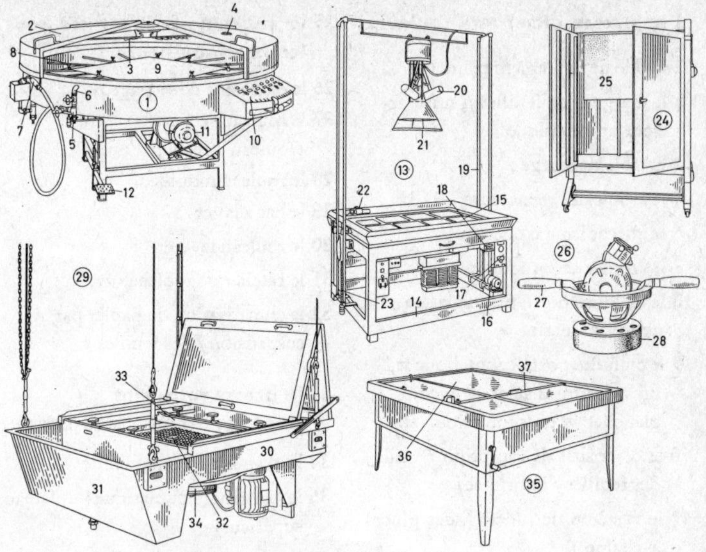

1 la tournette pour sensibiliser les plaques *f* offset:

2 le couvercle coulissant

3 les éléments *m* de chauffage *m* électrique

4 le thermomètre

5 l'arrivée d'eau *f*

6 le rince-plaque circulaire

7 la douchette

8 les barres *f* porte-plaque

9 la plaque de zinc *m*, future plaque d'impression *f*

10 le pupitre de commande *f* principal

11 le moteur électrique

12 le frein à pédale *f*

13 le châssis pneumatique à copier

14 le bâti du châssis pneumatique

15 la plaque de verre *m*

16 la pompe à faire le vide

17 le tableau de commande *f*

18 le levier pour soulever la plaque de verre *m*

19 les montants *m*

20 la lampe à arc *m* pour le photocalque, une lampe à filament *m* de charbon *m*

21 le verre pare-feu

22 le réglage de l'intensité *f* lumineuse

23 la commande d'élévation *f* de la plaque de verre *m*;

24 l'armoire *f* à sécher les plaques *f* offset:

25 la plaque de zinc *m* reproduite;

26 le bourriquet à grainer (à effacer) les plaques *f* de zinc *m*:

27 les poignées *f*

28 le disque de ponçage *m*;

29 le grainoir à billes *f*:

30 la cuve à grainer

31 le bac de réception *f* des billes *f*

32 les billes *f* de ponçage *m*

33 les barres *f* fixe-plaques

34 la roue d'entraînement *m*;

35 la table lumineuse pour le montage des films *m*:

36 la plaque de verre *m* de montage *m*

37 les règles *f* coulissantes

1 la presse offset une couleur:

2 la pile de papier à imprimer

3 le margeur de feuilles *f*, un margeur automatique

4 la table de marge *f*

5 les rouleaux *m* encreurs

6 le mécanisme d'encrage *m*

7 les rouleaux *m* mouilleurs

8 le cylindre porte-plaque *m*, un cylindre de zinc *m*

9 le cylindre porte-caoutchouc *m*, un cylindre d'acier *m* avec blanchet *m* en caoutchouc *m*

10 le dispositif de réception *f* à pile *f* des feuilles *f* imprimées

11 le système de pinces *f*, des pinces à chaîne *f*

12 la pile de papier *m* [imprimé]

13 la plaque de protection *f* pour la commande à courroie *f* trapézoïdale;

14 la presse (la machine) offset une couleur [schéma]:

15 le dispositif d'encrage *m* avec les rouleaux *m* encreurs

16 le dispositif de mouillage *m* avec les rouleaux mouilleurs *m*

17 le cylindre porte-plaque

18 le cylindre porte-caoutchouc

19 le cylindre de presse

20 le tambour de sortie *f* avec le système de pinces *f*

21 la poulie de commande *f*

22 la table de marge *f*

23 le margeur automatique

24 la pile de papier *m* [non imprimé];

25 la machine à laver les rouleaux *m* mouilleurs:

26 le dispositif de séchage *m*

27 le rouleau sécheur (rouleau pressant l'eau *f*)

28 le rouleau mouilleur

29 le bac à laver

30 le rouleau laveur

31 le râtelier de rouleaux *m*;

32 la climatisation du papier par suspension *f* des feuilles *f*

33 la presse rotaprint (la petite machine offset à piles *f*):

34 le dispositif d'encrage *m*

35 le margeur pneumatique (le plateau supérieur)

36 la table à pile *f* (le plateau inférieur)

37 le tableau de bord *m* (le panneau de distribution *f*) avec compte-feuilles *m*, manomètre *m* régulateur *m* d'air *m*, embrayeur *m* et débrayeur *m* du margeur;

38 la presse offset à plat (presse à contre-épreuve *f*):

39 l'encrage *m* (le dispositif d'encrage *m*)

40 les rouleaux *m* encreurs

41 la platine

42 le cylindre porte-caoutchouc (cylindre avec blanchet *m* en caoutchouc *m*)

43 le levier pour embrayer et débrayer le mécanisme d'impression *f*

44 le réglage de la pression

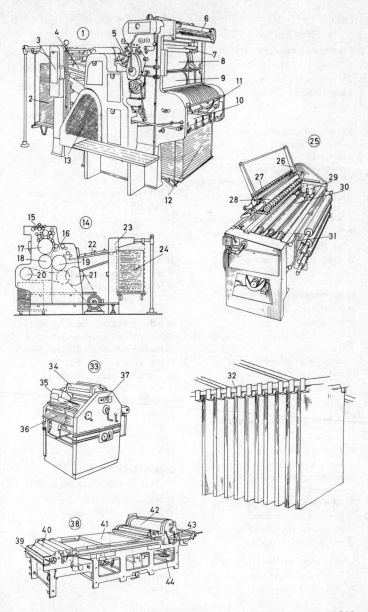

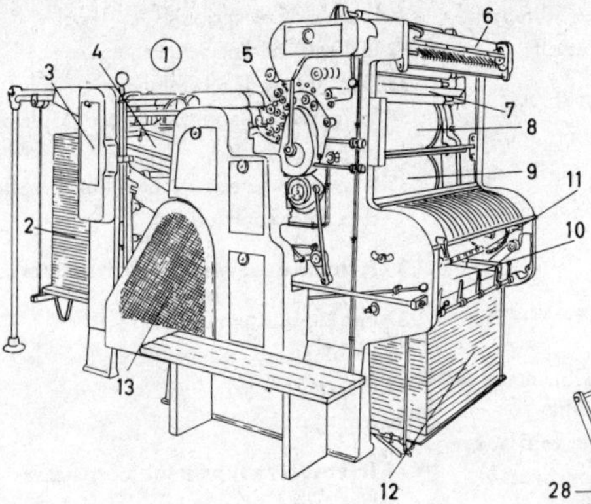
1
2
3
4
5
6
7
8
9
10
11
12
13

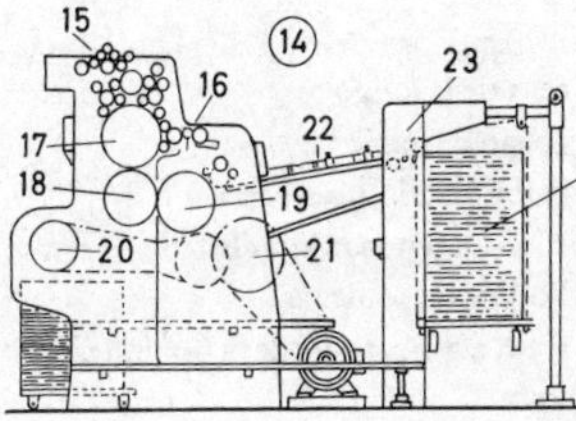
14
15
16
17
18
19
20
21
22
23
24

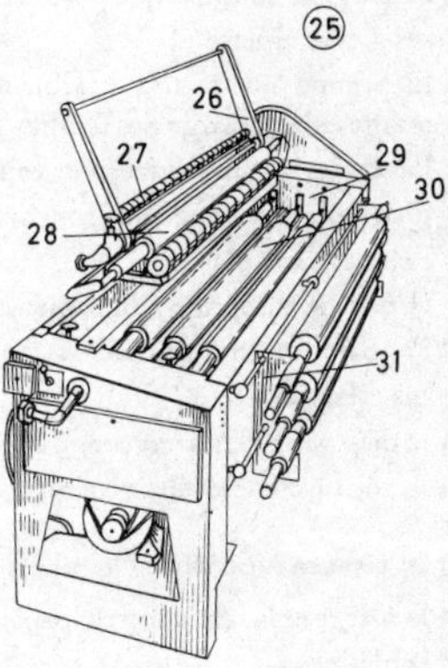
25
26
27
28
29
30
31

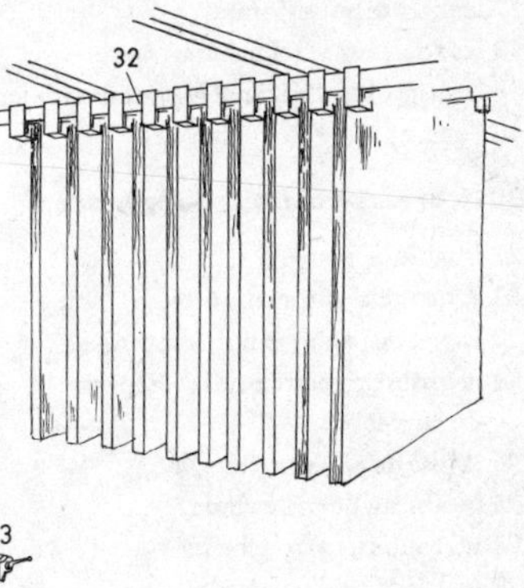
32

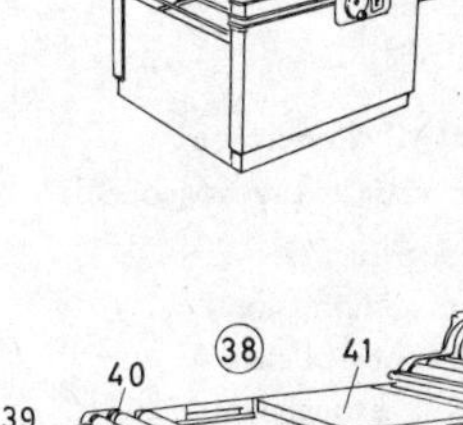
33
34
35
36
37

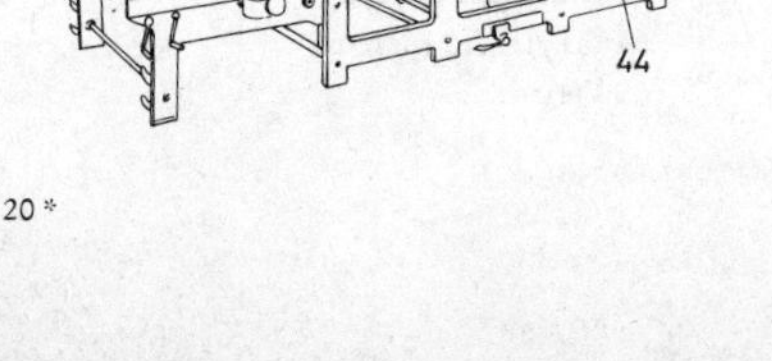
38
39
40
41
42
43
44

1-65 machines *f* de l'atelier *m* d'impression *f* (machines d'imprimerie *f*),

1 **la presse à deux tours** *m* (presse d'imprimerie *f* rapide à deux tours):
2 le cylindre d'impression *f*
3 le levier pour soulever et pour baisser le cylindre
4 la table de marge *f*
5 le margeur automatique [avec ventouses *f* et soufflerie *f*]
6 la pompe pneumatique alimentant la marge et la démarge des feuilles *f*
7 l'encrage *m* cylindrique avec rouleaux *m* distributeurs et rouleaux toucheurs
8 l'encrage *m* à plat *m*
9 la pile de réception *f* du papier imprimé
10 l'appareil *m* (le vaporisateur) d'antimaculage *m*
11 le dispositif à encartage *m*
12 la pédale d'enclenchement *m*;

13 **la presse à platine** *f* [coupe]:
14 la marge et la réception du papier
15 la platine
16 le mécanisme de commande *f* à genouillère *f*
17 le marbre porte-forme
18 les rouleaux *m* toucheurs
19 le dispositif d'encrage *m* pour distribuer l'encre *f*;

20 **la presse à arrêt** *m* **de cylindre** *m*:
21 la table de marge *f*
22 le margeur automatique
23 la pile de papier *m* non imprimé
24 la grille protectrice de la réception du papier
25 la pile de papier *m* imprimé
26 le tableau de commande *f*
27 les rouleaux *m* toucheurs
28 le dispositif d'encrage *m*;

29 **la presse à platine** [Heidelberg]:
30 la table de marge *f* avec la pile de papier *m* non imprimé
31 la table de réception *f*
32 le dispositif d'enclenchement *m*
33 la soufflerie de réception *f*
34 le dispositif d'antimaculage *m* (le pistolet pulvérisateur)
35 la pompe pneumatique pour l'aspiration *f* et la soufflerie;

36 **la forme serrée** (forme de texte *m*):
37 une page de texte *m*
38 le châssis
39 le serrage
40 le lingot;

41 **la rotative typo** pour journaux *m* jusqu'à 16 pages *f*:
42 les disques de refente *f* du papier dans le sens de la longueur
43 le ruban de papier *m*
44 le cylindre d'impression *f*
45 le rouleau tendeur mobile
46 la bobine de papier *m*
47 le frein automatique de la bobine de papier *m*
48 le dispositif d'impression *f* du recto
49 le dispositif d'impression *f* du verso
50 l'encrier *m* (le dispositif d'encrage *m*)
51 le cylindre porte-clichés
52 l'élément *m* pour l'impression *f* en couleur *f*
53 le cône de pliage *m*
54 le tachymètre avec compteur *m* des exemplaires *m*
55 la plieuse
56 le journal plié;

57 **le dispositif d'encrage** *m* (l'encrier *m*) de la rotative [coupe]:
58 le ruban de papier *m*
59 le cylindre d'impression *f*
60 le cylindre porte-clichés
61 les rouleaux *m* toucheurs
62 le rouleau distributeur
63 le rouleau preneur
64 le cylindre encreur
65 l'encrier *m*

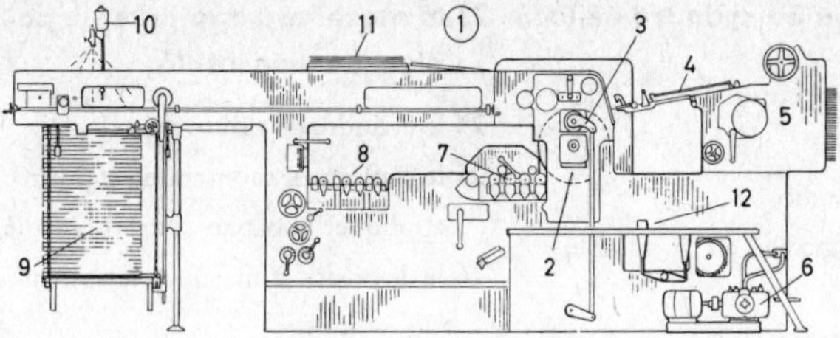
1
2
3
4
5
6
7
8
9
10
11
12

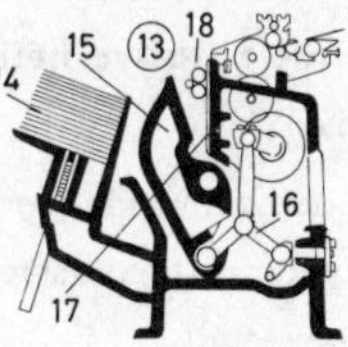
13
14
15
16
17
18
19

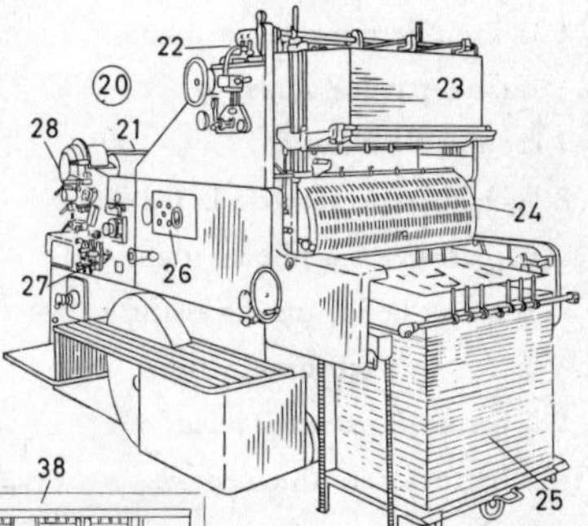
20
21
22
23
24
25
26
27
28

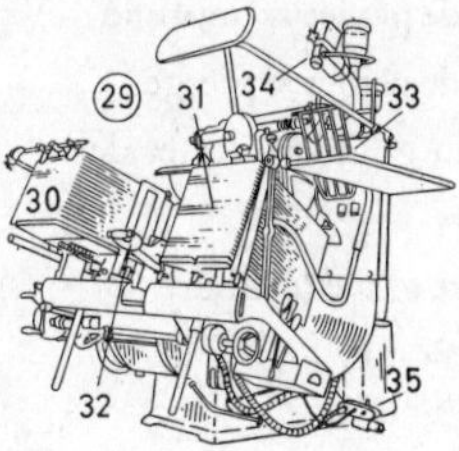
29
30
31
32
33
34
35

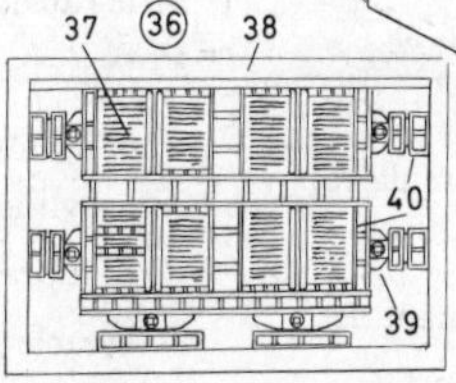
36
37
38
39
40

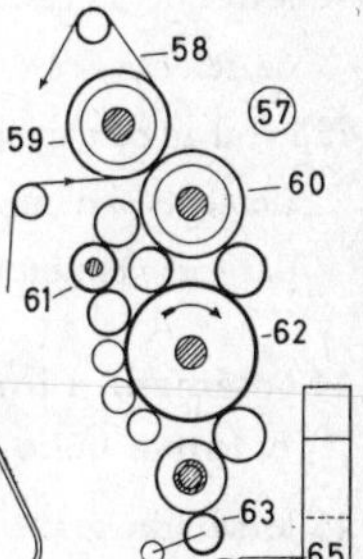
57
58
59
60
61
62
63
64
65

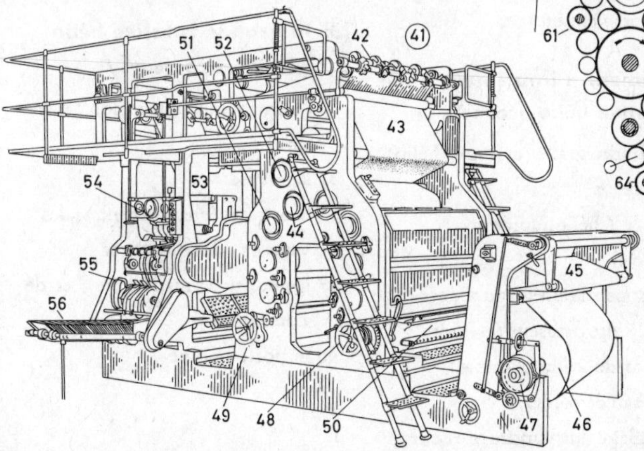
41
42
43
44
45
46
47
48
49
50
51
52
53
54
55
56

1 la gravure du cylindre hélio:

2 le cylindre de cuivre *m* copié (le cylindre hélio)

3 le graveur hélio

4 l'acide *m* à graver; *ici*: le perchlorure de fer *m*

5 la montre de contrôle *m*

6 le broc de mordant *m* inattaquable par les acides *m*

7 la conduite d'eau *f*;

8 l'acheminement *m* de la bande de papier *m* vers la plieuse d'une rotative hélio, un dispositif à barre *f* de retournement *m*:

9 la bande de papier *m* refendue

10 la barre de retournement *m*

11 le dispositif de refente *f*

12 le disque (le couteau circulaire) de refente *f*

13 le ruban de papier *m* venant des éléments *m* d'impression *f* [largeur *f* entière];

14 l'élément *m* imprimeur d'une rotative hélio [coupe]:

15 le cylindre gravé (cylindre hélio)

16 l'encrier *m*

17 l'encre *f* hélioliquide

18 la racle

19 le dispositif de réglage *m* de la racle

20 le cylindre presseur (cylindre revêtu de caoutchouc *m*)

21 le ruban de papier *m*

22 le réglage du cylindre presseur;

23 la machine à appliquer le papier charbon insolé:

24 le cylindre de cuivre *m* poli

25 le rouleau en caoutchouc *m* pour appliquer le papier charbon insolé

26 le dispositif à marquer le milieu du cylindre;

27 l'élément *m* d'impression *f* d'une grande rotative hélio multicolore:

28 le panneau de commande *f* par bouton-poussoir *m* (le contacteur)

29 le cylindre presseur

30 le ruban de papier *m* imprimé

31 le ruban de papier *m* vierge

32 le rouleau guide-papier et de registre *m*

33 le cylindre gravé (cylindre d'impression *f*)

34 la racle;

35 la grande rotative hélio plusieurs couleurs *f*:

36 l'élément *m* d'impression *f* réversible

37 la plieuse

38 le tuyau d'échappement *m* des vapeurs *f* de solvants *m*

39 le pupitre de manœuvre *f* et de commande *f*

40 le porte-bobine

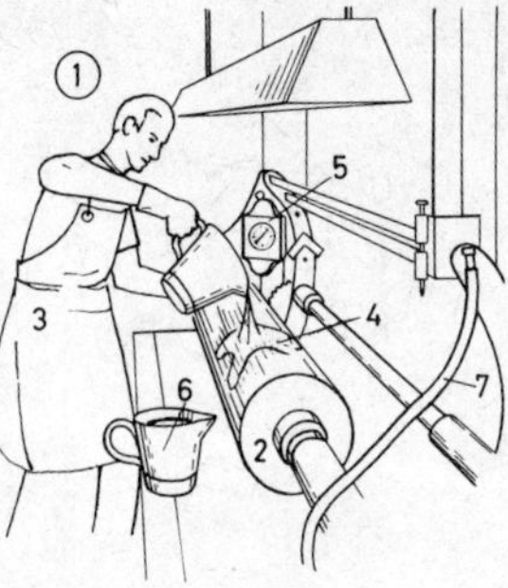
1
2
3
4
5
6
7

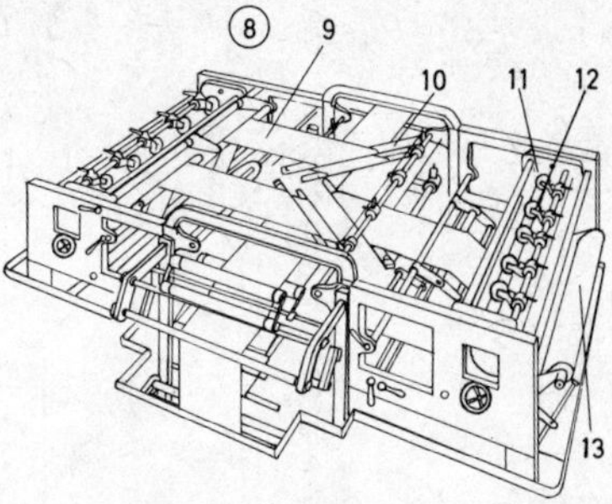
8
9
10
11
12
13

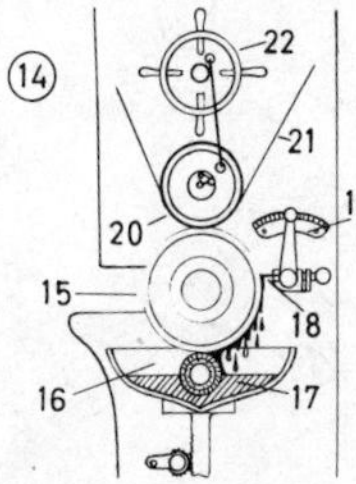
14
15
16
17
18
19
20
21
22

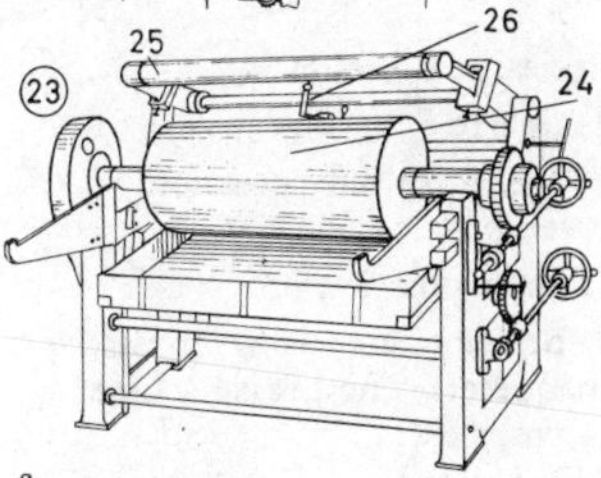
23
24
25
26

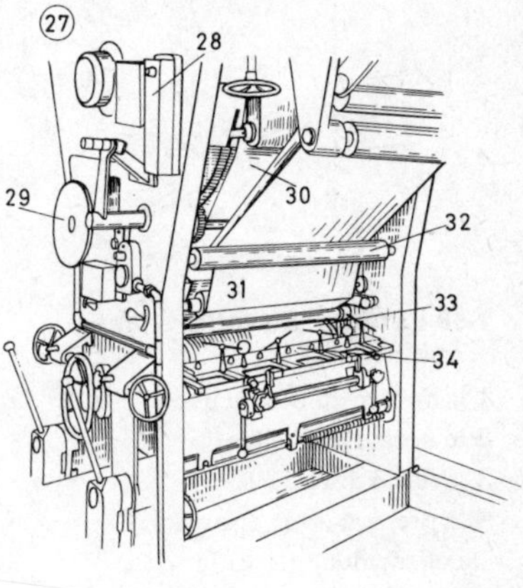
27
28
29
30
31
32
33
34

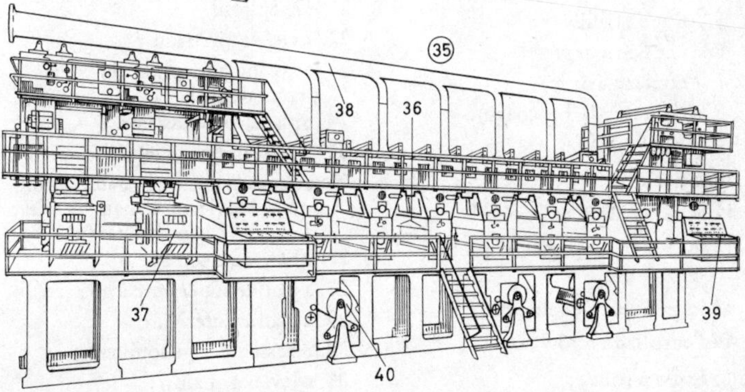
35
36
37
38
39
40

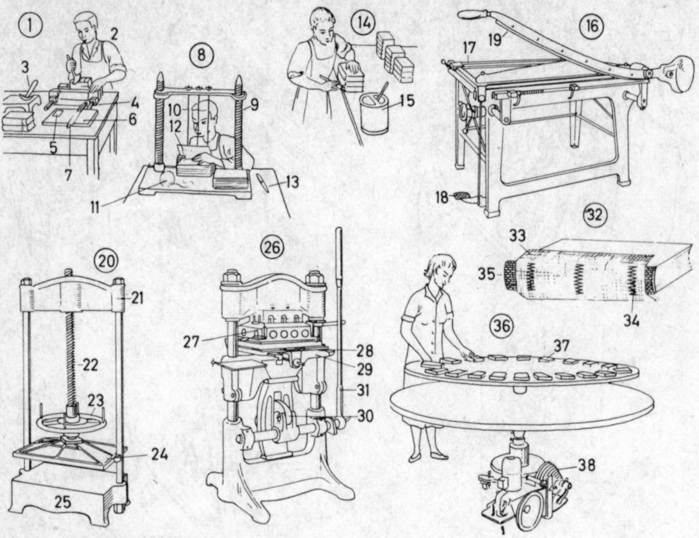

1-38 l'atelier de reliure *f* à la main,

1 la dorure du dos du livre:

2 le doreur, un relieur

3 le filet à dorer

4 la presse à dorer [position *f* à l'allemande] (le cadre de serrage *m*)

5 l'or *m* en feuilles *f*

6 le coussin à or *m*

7 le couteau à or *m*;

8 la couture (le brochage):

9 le cousoir

10 la ficelle

11 la pelote de fil *m*

12 le cahier de papier *m* prêt à être cousu

13 le couteau de relieur *m*;

14 l'encollage *m* du dos:

15 le pot à colle *f*;

16 la cisaille à carton *m*:

17 l'équerre *f*

18 le mécanisme de pression *f* avec pédale

19 la lame supérieure;

20 la presse à percussion *f* (presse à paqueter), une presse à lisser et à emballer:

21 le chapiteau

22 la vis de pression *f*

23 le volant horizontal (la roue à percussion *f*)

24 le plateau de pression *f*

25 le plateau (le socle) fixe;

26 la presse à dorer et à gaufrer, une presse à levier *m* à main *f*; *anal.:* la presse à genouillère *f*:

27 le bloc de chauffage *m*

28 la platine supérieure à glissière *f*

29 la platine inférieure

30 le système à genouillère *f*

31 le levier à main *f*;

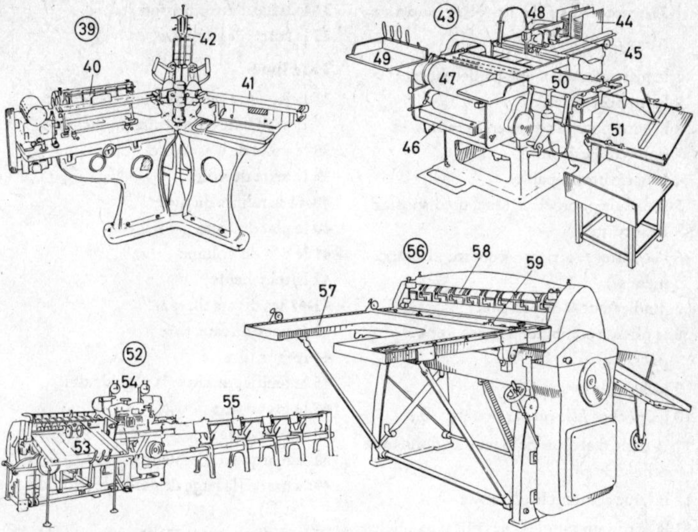

32 le corps du livre cousu sur mousseline *f* (le brochage):

33 la mousseline

34 la couture

35 la tranchefile;

36 la table à assembler (le carrousel), une table pivotante ou rotative

37 les piles *f* de cahiers *m* (les signatures *f*)

38 le moteur tourne-table;

39-59 machines *f* de reliure *f*,

39 la machine à relier par collage *m* sans couture *f*:

40 l'appareil *m* à bercement *m* et à encollage *m*

41 le mandrin à arrondir et à refouler le dos

42 l'appareil *m* à endosser et à appliquer l'onglet *m*;

43 la machine à faire les couvertures *f*:

44 les magasins *m* à couvertures *f* en carton *m*

45 les pinces *f* tire-carton *m*

46 le bac à colle *f*

47 le cylindre porte-recouvrement

48 le bras à ventouses *f*

49 la table de service *m* pour matériaux *m* de recouvrement *m* [toile *f*, papier *m*, cuir *m*]

50 le mécanisme de pression *f*

51 la table de réception *f*;

52 l'encarteuse-piqueuse *f*:

53 le mécanisme de réception *f*

54 les têtes *f* de piquage *m*

55 la station de marge *f*;

56 la cisaille circulaire à carton *m*:

57 la table de marge *f* échancrée

58 le couteau circulaire

59 le guide d'entrée *f*

1-35 machines *f* de l'atelier *m* de reliure *f*,

1 le massicot, un coupe-papier rapide:

2 le support de lame *f*

3 la lame pour la coupe en ciseaux *m* et pour coupe droite

4 la barre presse-papier

5 la cellule photoélectrique, un dispositif de sécurité *f*

6 l'équerre *f* arrière (équerre d'avancement *m*)

7 l'indicateur *m* de pression *f*;

8 la plieuse combinée à lames *f* et à poches *f*:

9 la table de marge *f*

10 les poches *f* (le pli par bouclage *m*)

11 la règle d'arrêt *m* de la feuille [donnant à celle-ci le pli]

12 la lame assurant le pli croisé

13 la sortie sur sangles *f* des plis *m* parallèles

14 le dispositif du troisième pli

15 la sortie après le troisième pli;

16 la couseuse à fil *m*

17 le porte-cônes

18 le cône de fil, une bobine de fil *m*

19 le porte-mousseline

20 la mousseline

21 le bloc d'agrafes *f*

22 le volume cousu

23 la réception des volumes *m*

24 le tablier mobile;

25 la machine à emboîter les livres *m*:

26 la couverture du livre

27 les rouleaux encolleurs *m*

28 le corps du volume

29 la lame (le couteau)

30 les volumes *m* emboîtés;

31 l'encolleuse *f* pour l'encollage *m* en plein, en réserve, en bandes *f* et des bords *m*:

32 le bac à colle *f*

33 le rouleau encolleur

34 la table d'introduction *f*

35 la sortie des livres *m*;

36 le livre:

37 la jaquette (la couverture de protection *f*), une couverture publicitaire

38 le volet de la jaquette

39 le texte du volet

40-42 la reliure du livre:

40 le plat du recto

41 le dos du volume

42 la tranchefile;

43-47 les divers titres *m*:

43 la page du faux titre

44 le faux titre

45 le feuillet du titre (la page de titre)

46 le grand titre

47 le sous-titre;

48 la marque de l'éditeur *m*

49 la garde (la page de garde, le feuillet de garde)

50 la dédicace manuscrite

51 l'ex-libris *m* (la marque de possession *f*);

52 le livre ouvert:

53 la page (le feuillet) du livre

54 le pli

55-58 les marges *f*:

55 le blanc du petit fond

56 le blanc de tête *f*

57 le blanc du grand fond

58 le blanc de pied *m*;

59 la surface imprimée

60 le titre de chapitre *m*

61 l'astérisque *m* (le rappel de note *f*)

62 la note placée en pied *m* de la page, une remarque

63 le folio (la pagination)

64 la composition en deux colonnes *f*

65 la colonne

66 le titre courant

67 le sous-titre courant (le titre intercalaire)

68 la note marginale

69 la signature de feuille *f*

70 le signet fixe

71 le signet mobile

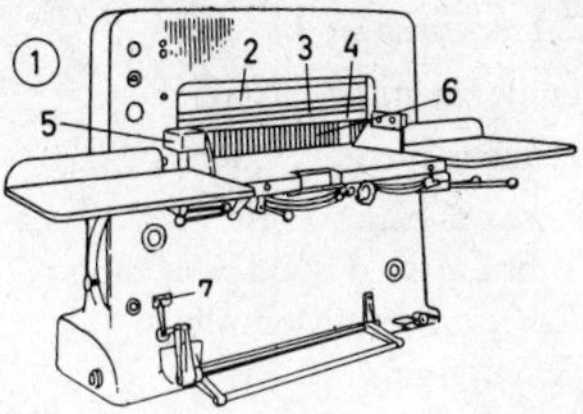
1
2
3
4
5
6
7

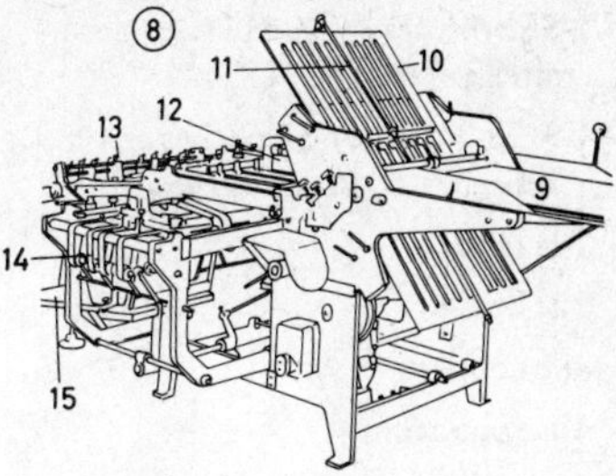
8
9
10
11
12
13
14
15

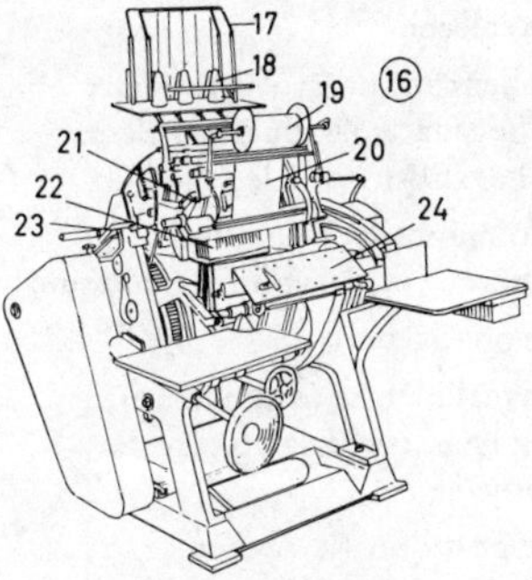
16
17
18
19
20
21
22
23
24

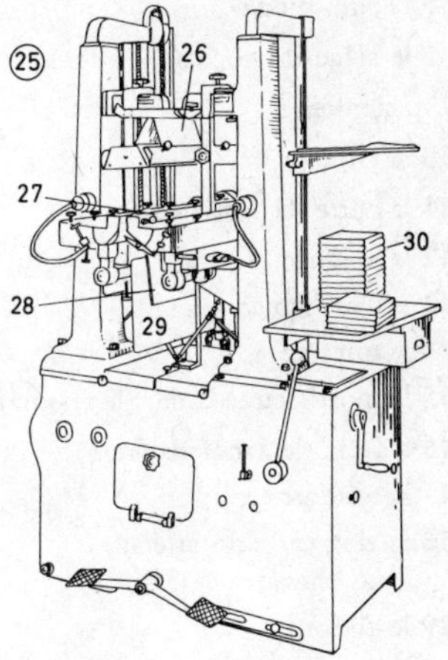
25
26
27
28
29
30

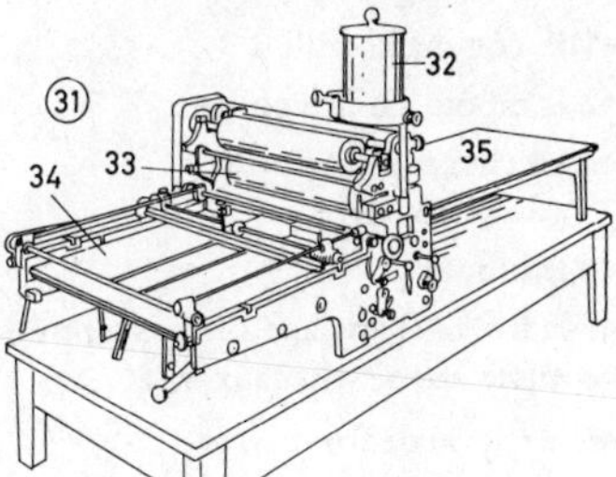
31
32
33
34
35

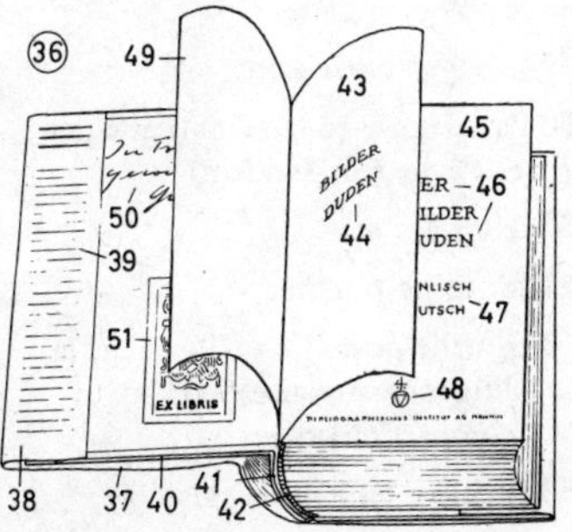
36
37
38
39
40
41
42
43
44
45
46
47
48
49
50
51
BILDER
DUDEN
EX LIBRIS

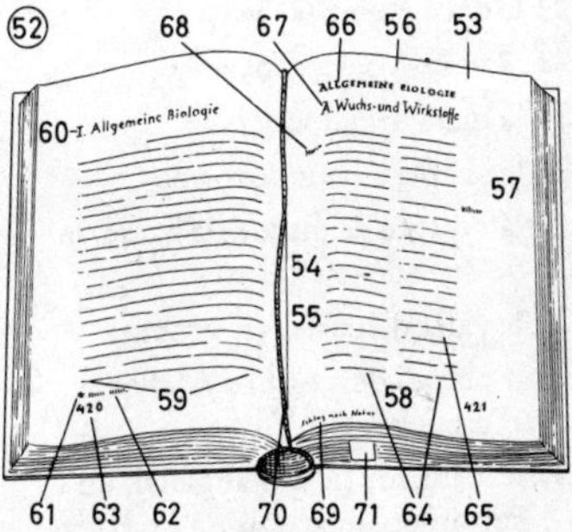
52
53
54
55
56
57
58
59
60
61
62
63
64
65
66
67
68
69
70
71
I. Allgemeine Biologie
ALLGEMEINE BIOLOGIE
A. Wuchs- und Wirkstoffe
420
421

1-54 voitures *f* (véhicules *m*, attelages *m*),

1-3, 26-39, 45, 51-54 coches *m* (coaches *m*, voitures *f*):

1 la berline

2 le break

3 le coupé:

4 la roue avant

5 la caisse de coupé *m*

6 le tablier (le pare-boue)

7 l'appui-pied *m*

8 le siège du cocher

9 la lanterne

10 la vitre

11 la porte (la portière)

12 la poignée

13 le marchepied

14 le toit fixe

15 l'amortisseur à lame *f* (le ressort)

16 le frein (le sabot de frein)

17 la roue arrière;

18 le dog-cart, un attelage à un cheval:

19 le timon;

20 le laquais:

21 l'habit *m* de valet *m* (la livrée)

22 le col à parement *m*

23 la veste à parement *m*

24 la manche galonnée

25 le chapeau haut de forme *f*;

26 la voiture de place *f* (le fiacre, la voiture de louage *m*)

27 le valet d'écurie *f* (le groom)

28 le cheval de voiture *f* (cheval d'attelage *m*)

29 le hansom (le cab anglais), un cabriolet, un attelage à un cheval:

30 les brancards *m*;

31 la rêne (la guide)

32 le cocher avec sa capuche

33 le char à bancs *m* (le break, l'omnibus *m* d'hôtel *m*, la tapissière), un grand omnibus d'excursion *f*

34 le cabriolet

35 la calèche

36 le landau, un attelage à deux chevaux *m* (voiture *f* à deux chevaux); *anal.:* le landaulet

37 l'omnibus *m* (l'omnibus à chevaux *m*, la voiture publique)

38 le phaéton

39 la malle-poste (la diligence); *en même temps*: la voiture de voyage *m*:

40 le postillon (le cocher de la diligence)

41 le cor du postillon

42 la capote de la voiture

43 les chevaux *m* de poste *f* (de relais *m*);

44 le tilbury

45 la troïka (l'attelage ou la voiture russe à trois chevaux *m*):

46 le cheval de front

47 le cheval de côté *m*;

48 le buggy anglais

49 le buggy américain

50 l'attelage *m* en tandem (l'attelage en flèche *f*, le tandem)

51 le vis-à-vis:

52 la capote pliante;

53 la malle-poste (le mail-coach, la diligence anglaise) à trois compartiments *m*

54 la chaise (chaise de poste *f*)

1
2
9
14
10
8
6
7
15
12
5
11
4
13
16
3
17
25
22
23
21
19
24
18
20
26
32
31
28
30
27
29
33
34
35
36
37
38
42
41
40
43
44
39
45
47
46
48
49
50
52
51
53
54

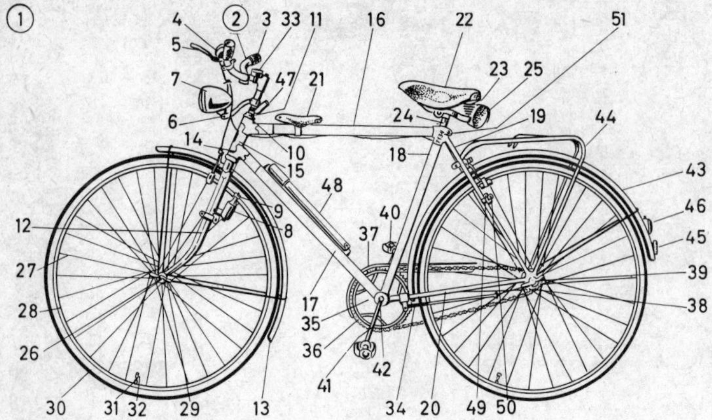

1 la bicyclette (le vélo), une bicyclette pour homme *m*, une bicyclette de tourisme *m*,
2 le guidon, un guidon de randonnée *f*:
3 la poignée;
4 le timbre de vélo *m* (l'avertisseur *m*, le timbre avertisseur)
5 le frein avant (frein à main *f*)
6 le support de phare *m*
7 le phare du vélo
8 la dynamo
9 la molette de dynamo *f*
10-12 la fourche de la roue avant:
10 la tige (le tube) de la fourche (tige du guidon)
11 la tête de fourche *f*
12 les pattes *f* (le bâti) de fourche *f*;
13 le garde-boue avant
14-20 le cadre du vélo:
14 le tube de direction *f*
15 l'écusson *m* de marque *f*
16 le tube supérieur du cadre
17 le tube inférieur du cadre (tube du pédalier)
18 le tube de selle *f*
19 les branches *f* supérieures de la fourche arrière
20 les branches *f* inférieures de la fourche arrière;
21 la selle d'enfant *m*
22 la selle du vélo (selle souple)
23 les ressorts *m* de selle *f*
24 le tube porte-selle (le support de selle *f*)
25 la sacoche de selle *f* (la trousse à outils *m*)
26-32 la roue (roue avant, roue directrice):
26 le moyeu
27 le rayon
28 la jante
29 l'écrou *m* papillon
30 le pneu (le boyau, pneu à air *m*, pneu à haute pression *f*, pneu à air *m* comprimé); *à l'intérieur :* la chambre à air *m*, *à l'extérieur*: l'enveloppe *f*
31 la valve, une valve de la chambre à air *m* avec tube *m* caoutchouté intérieur, ou une valve brevetée à bille *f*
32 le capuchon de valve *f*;
33 l'indicateur *m* de vitesse *f* et le compteur kilométrique
34 la béquille du vélo
35-42 les éléments *m* propulseurs du vélo,
35-39 la propulsion à chaîne *f*:
35 le plateau (le grand pignon, la roue dentée avant)
36 la chaîne (chaîne à maillons *m* cylindriques)
37 le carter (le couvre-chaîne en tôle *f*)

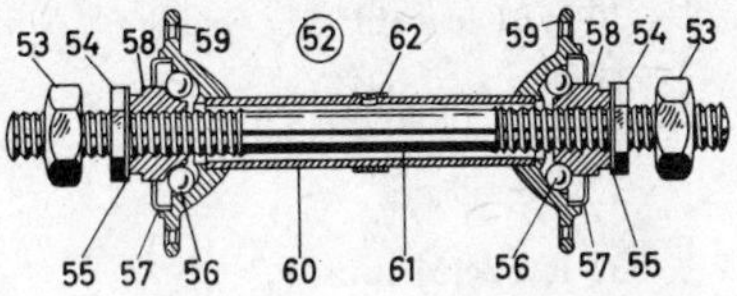

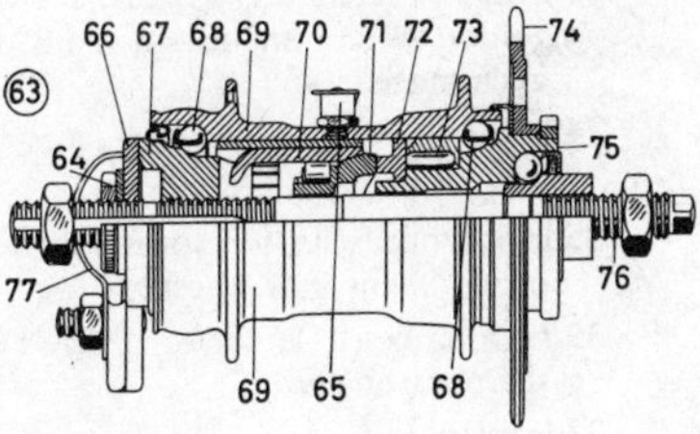

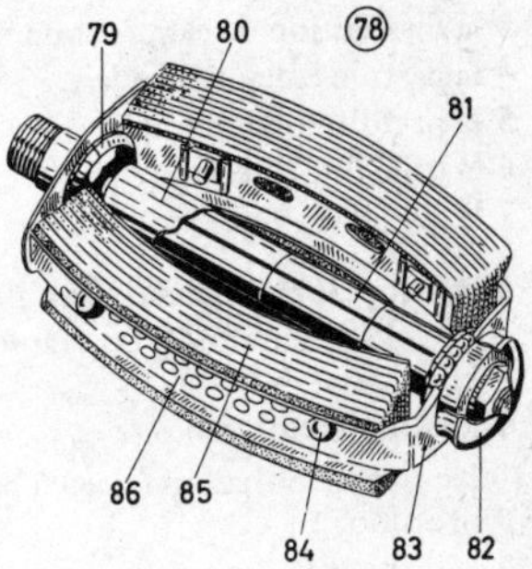

38 le pignon (la roue dentée d'arrière *f*)
39 le tendeur de chaîne *f*;
40 la pédale
41 la manivelle du pédalier
42 le pédalier (le palier du pédalier);
43 le garde-boue arrière
44 le porte-bagage
45 le cataphote (le feu rouge, feu arrière)
46 le feu arrière électrique
47 le témoin du feu arrière
48 la pompe à bicyclette *f* (pompe à air *m*)
49 l'anti-vol *m*, un verrou de sûreté *f* s'engageant dans les rayons *m*
50 la clef d'anti-vol *m*
51 le numéro de la bicyclette (numéro de fabrique *f*)
52 le moyeu de la roue avant:
53 l'écrou *m*
54 le contre-écrou avec rondelle *f* à ergot *m*
55 le couvre-cuvette *f*
56 la bille
57 la couronne antipoussière
58 la cuvette (le cône)
59 la douille
60 le tube (le manteau du moyeu)
61 l'axe *m*
62 le trou de graissage *m*;
63 le moyeu à roue *f* libre et le frein par contre-pédalage *m*:
64 le contre-écrou de bielle *f* avec méplat *m* (l'écrou de sécurité *f*)
65 le graisseur à chapeau *m*
66 la bielle de frein *m*
67 la cuvette (le cône) du frein
68 la cuvette (l'anneau *m*) intérieure à billes *f* avec billes dans le roulement
69 le corps extérieur du moyeu
70 la bague du frein
71 le cône du frein (le cône-frein)
72 l'anneau *m* circulaire de transmission *f*
73 la tige de transmission *f*
74 la couronne dentée
75 la tête de filet *m*
76 l'axe *m*
77 le bandage;
78 la pédale de vélo *m* (pédale à réflecteur *m*, pédale lumineuse), une pédale à blocs en caoutchouc *m*:
79 la douille
80 le carter de pédale *f*
81 l'axe *m* de pédale *f*
82 la calotte antipoussière
83 le châssis de la pédale
84 la cheville en caoutchouc *m* (le patin)
85 le bloc caoutchouc
86 les verres *m* réflecteurs

1 le nécessaire pour la réparation:

2 la trousse (le nécessaire) de réparation *f*
3 la dissolution de caoutchouc *m*
4 la pastille collante ronde
5 la pastille collante carrée
6 la toile de protection *f*
7 le papier de verre *m*;

8 la bicyclette pour dame *f* (le vélo de femme *f*), un vélo de sport *m*:

9 le cadre à deux tubes *m*
10 le pneu demi-ballon (pneu à basse pression *f*)
11 le filet garde-jupes
12 le guidon sport;

13 la bicyclette pour enfant *m* (le vélo d'enfant *m*):

14 le pneu ballon;

15 le vélo de livraison *f*, un vélo de transport *m*:

16 le porte-bagages avant
17 la roue avant surbaissée
18 le panonceau réclame
19 les sacoches *f* latérales à bagages *m*
20 la remorque pour cycle *m* (remorque pour vélo *m*):
21 le système d'attache *f* à bille *f*;

22 la voiture pour malades *m* (le tricycle pour malades), une voiture à propulsion *f* à main *f*:

23 le logement pour les pieds *m*
24 le levier de propulsion *f*
25 le frein à main *f*
26 la direction
27 la roue directrice;
28 les pièces *f* de rechange *m* de chaîne *f* de cyclomoteur *m*,
29-31 le maillon avec fermeture *f* à attache *f*, un maillon de chaîne *f*:
29 l'attache *f* de sûreté *f* (le ressort à déclic *m*)
30 et 31 le maillon de chaîne *f*:
30 l'éclisse *f* (la joue)
31 le rivet;
32 le maillon;

33 le cyclomoteur,

34-39 les commandes *f* à main *f* sur guidon *m* (commandes à main de cyclomoteur *m*):
34 le levier (la manette) tournant des gaz *m*
35 la poignée (le levier) tournante de changement *m* de vitesse *f*
36 la poignée (le levier) d'embrayage *m*
37 la poignée (le levier) de frein *m* à main *f*
38 l'interrupteur *m* d'éclairage *m*
39 le compteur de vitesse *f* encastré (le tachymètre);
40 le projecteur pour cyclomoteur *m*
41 les câbles *m* flexibles Bowden
42 l'enjoliveur *m* de garde-boue *m*
43 le frein avant, un frein tambour *m* à câble *m*
44 le voyant de contrôle *m* du feu arrière
45 le réservoir à carburant *m*
46 le cadre avec réservoir, un cadre à tube *m* ovale
47 le carénage en tôle *f* d'acier *m*
48 la selle à suspension *f* centrale
49 le moteur de cyclomoteur *m*, un moteur monocylindrique, un moteur à deux temps *m* avec balayage *m* du carter de vilebrequin *m*
50 le démarreur au pied encastré (la pédale starter ou de démarrage)
51 le carter de chaîne *f*
52 la chaîne d'entraînement *m*
53 le tendeur de chaîne *f*, une clavette mobile

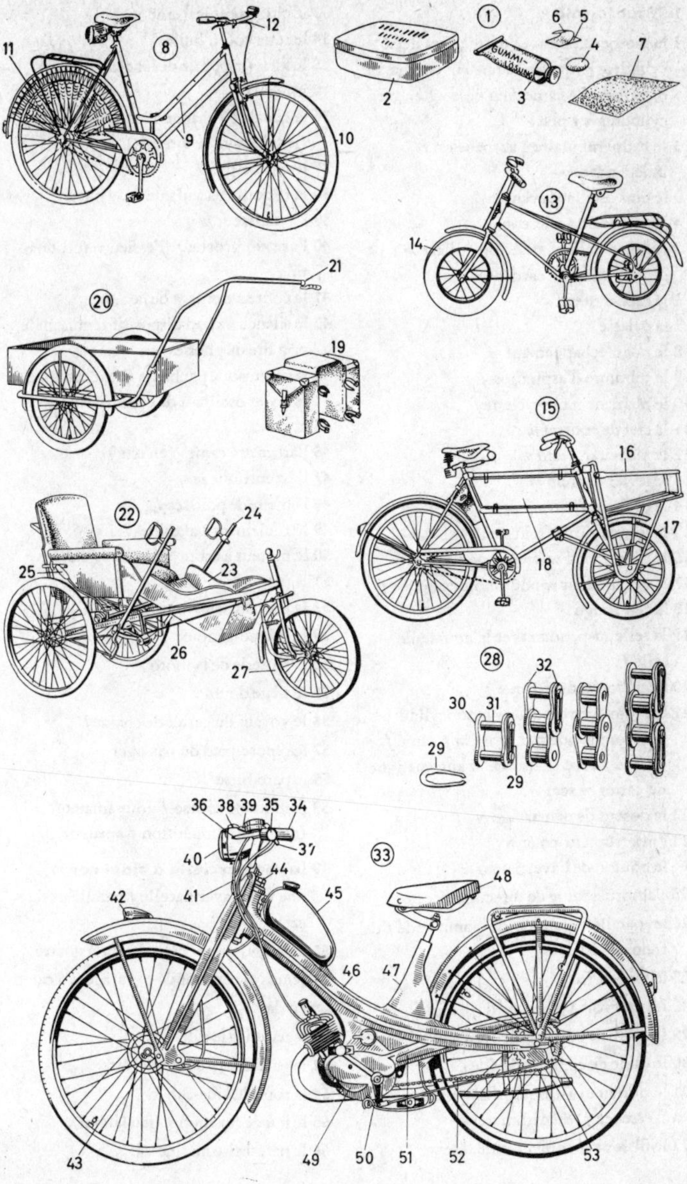
1
2
3
4
5
6
7
GUMMI-
LÖSUNG
8
9
10
11
12
13
14
15
16
17
18
19
20
21
22
23
24
25
26
27
28
29
30
31
32
33
34
35
36
37
38
39
40
41
42
43
44
45
46
47
48
49
50
51
52
53

1-59 moto-solo *f*,

1 la motocyclette avec moteur *m* à deux cylindres *m* quatre temps *m*, commandé par arbre *m* à came *f* en dessous *m* avec cylindres *m* à plat:

2 le cadre tubulaire à suspension *f* indépendante

3 le bras oscillant avant

4 la suspension télescopique

5 le bras oscillant arrière avec l'axe *m* d'oscillation *f* à cardans *m*

6 le bloc moteur

7 la culasse

8 le pot d'échappement *m*

9 la tubulure d'aspiration *f*

10 le phare de motocyclette *f*

11 la clef de contact *m*

12 le moyeu de frein *m*

13 le levier de frein *m*

14 le câble de frein *m*

15 la timonerie de frein *m* arrière

16 le frein à pied *m* (frein à pédale *f*)

17 la pompe à air *m* pour motocyclettes *f*

18 le feu rouge

19 la selle suspendue avec la housse de selle *f*

20 l'écusson *m* de marque *f*;

21 la moto avec moteur *m* monocylindrique commandé par arbre *m* à came *f* en tête *f* avec graissage *m* automatique de carter *m* sec:

22 le doseur de démarrage *m*

23 l'interrupteur-code *m*

24 le bouton de l'avertisseur *m*

25 l'amortisseur *m* de direction *f*

26 le parallélogramme de commande *f* de frein *m*

27 le moyeu-frein

28 le réservoir à essence *f* de la moto

29 le câble de commande *f* du gaz

30 le câble de commande *f* de l'air *m*

31 le titillateur (le bouton d'appel *m* d'essence *f*) du carburateur

32 le filtre avec robinet *m* de réserve *f*

33 le châssis central embouti

34 le réservoir d'huile *f*

35 le kick (la pédale de lancement *m* du moteur)

36 la pédale de changement *m* de vitesse *f* (le sélecteur de vitesses)

37 le repose-pied

38 la béquille basculante de la moto

39 l'avertisseur *m*

40 l'axe *m* à broche *f* (l'essieu *m* full-floating)

41 le coffre à outils *m* de la moto

42 le silencieux, un dispositif réduisant le nombre de phones *m*;

43 la commande par bielle *f* à excentrique *m*:

44 le levier oscillant de commande *f*

45 la came

46 l'arbre *m* à cames *f* en tête *f*

47 l'excentrique *m*

48 la bielle de poussée *f*

49 le roulement à aiguilles *f*;

50 le moteur à arbre *m* à cames *f* en tête *f*

51 la plaque du type

52 la fourche télescopique

53 le grippe-genoux

54 la batterie de la moto

55 le siège double

56 le voyant du carter de chaîne *f*

57 le repose-pied du passager

58 le pare-brise

59 la moto de course *f* pour amateurs *m* (moto de compétition *f* amateur);

60 la motocyclette à side-car *m*, une moto avec nacelle *f* parallèle (side-car):

61 le moteur monocylindrique à quatre temps *m* commandé par arbre *m* à came *f* en dessous

62 la nacelle (le side-car)

63 le pare-chocs du side-car

64 la roue du side-car

65 le feu de position *f* (feu latéral)

66 le pare-brise du side-car

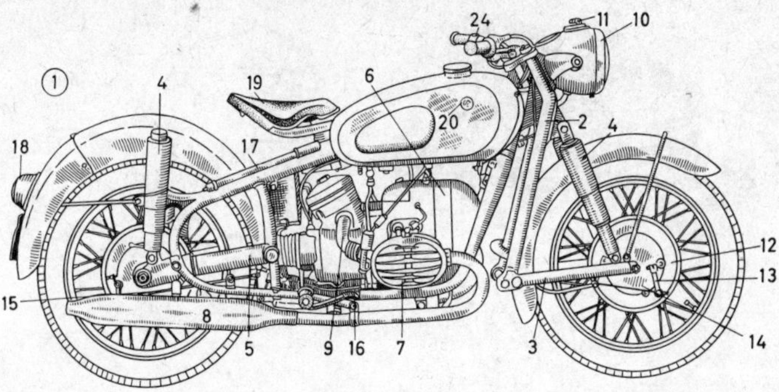
1
24 11 10
4 19 6
20 2 4
18 17
12
13
15 8
5 9 16 7 3 14

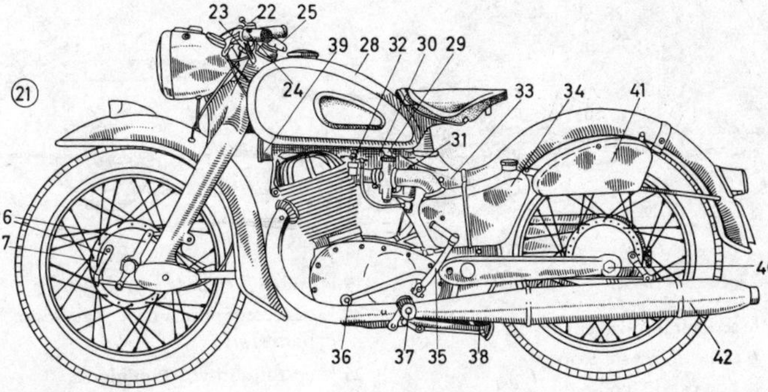
21
23 22 25
39 28 32 30 29
24 33 34 41
31
26
27
40
36 37 35 38 42

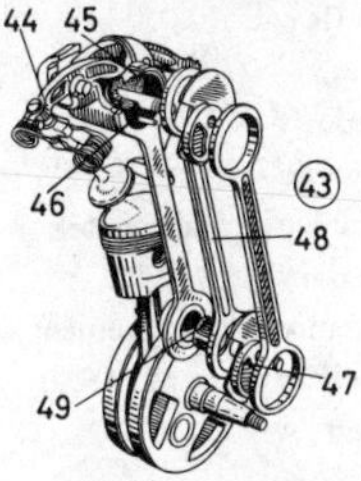
43
44 45
46
48
49 47

59

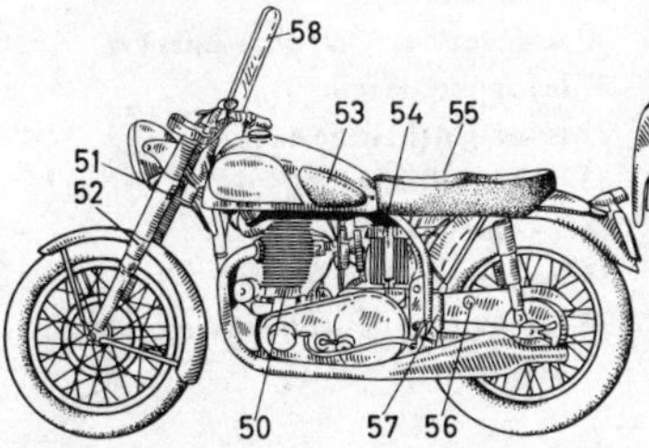
58
53 54 55
51
52
50 57 56

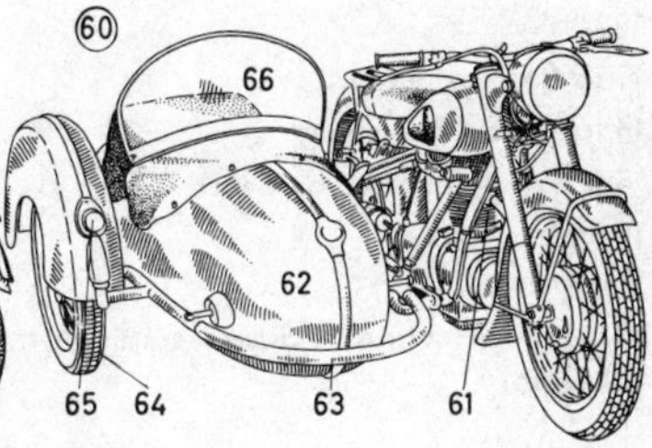
60
66
62
65 64 63 61

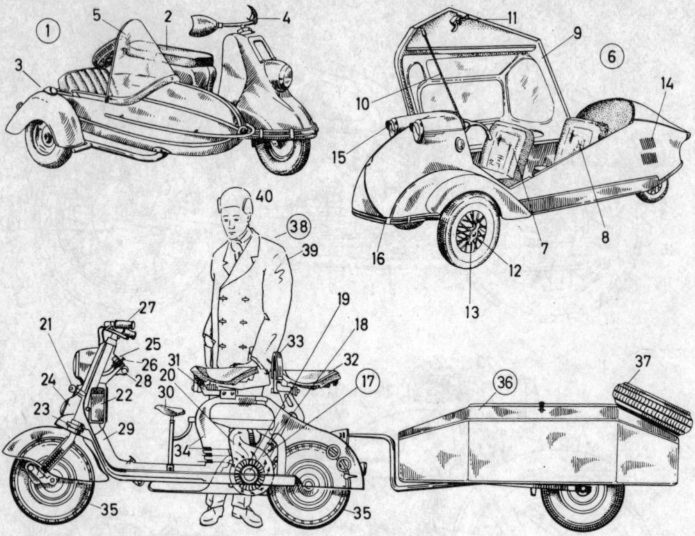

1-37 scooters *m*,

1 le scooter lourd avec side-car *m*:

2 la selle biplace du scooter

3 le side-car du scooter

4 le protège-mains

5 le pare-brise;

6 le scooter caréné à trois roues *f*:

7 le siège avant

8 le siège arrière

9 le toit rabattable

10 le câble de retenue *f* de toit *m*

11 la poignée de fermeture *f* du toit

12 la roue à rayons *m*

13 l'écrou *m* papillon

14 les fentes *f* d'aération *f*

15 le dispositif anti-éblouissant

16 les moulures *f*;

17-35 le scooter,

17 le ventilateur (le refroidissement à air *m*);

18 le rotor

19 les aubes *f* d'amenée *f* d'air *m*

20 le déflecteur pour amener l'air *m* aux cylindres *m*;

21 le verrou anti-vol de guidon *m*

22 la batterie starter (le bac d'accumulateur *m*)

23 le palier de direction *f*

24 le coffrage de fourche *f*

25 le tableau de commande *f* du scooter

26 le démarreur (le dynastart)

27 la poignée tournante de changement *m* de vitesse *f* (le sélecteur à main *f*)

28 l'accroche-serviette *m*

29 le cadre tubulaire

30 le siège du scooter pour enfant *m*

31 le support de selle *f*

32 le tan-sad (le siège du passager)

33 la poignée de selle *f*

34 le coffrage en tôle *f*

35 la roue du scooter;

36 la remorque du scooter (remorque de camping *m*):

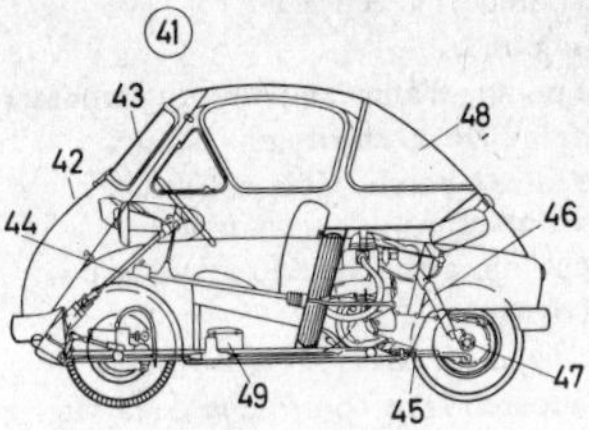

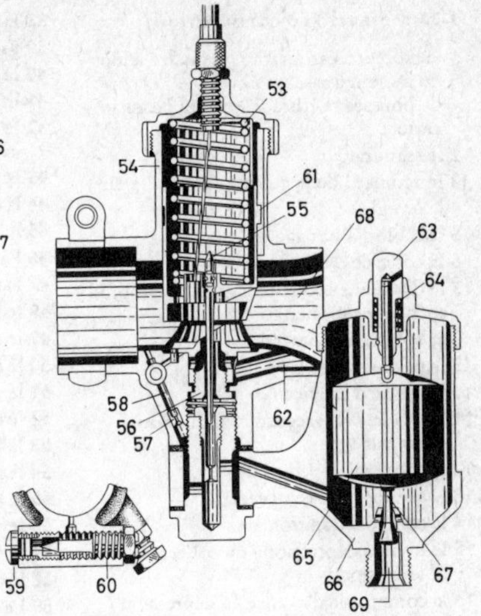

37 la roue de secours *m*;
38 le scootériste (le conducteur du scooter):
39 la veste pare-poussière
40 la casquette pare-poussière;

41-52 véhicules *m* carénés,

41 la voiturette biplace, une petite voiture (voiture de petite cylindrée *f*):
42 la porte frontale
43 la vitre panoramique en plexiglas *m*
44 la colonne de direction *f* pivotante (colonne de direction *f* articulée)
45 la lame de demi-ressort *m* (ressort à lames *f*)
46 l'amortisseur *m* télescopique
47 l'essieu *m* rigide
48 la vitre arrière
49 le frein à commande *f* hydraulique;
50 la voiturette quatre places (voiturette quadriplace):
51 la colonne fixe de direction *f*
52 le volant demi-lune *f*;

53-69 le carburateur (carburateur de scooters *m* et de motos *m*), un carburateur à tiroir *m* unique:
53 le ressort de tiroir *m*
54 le corps du carburateur
55 l'aiguille *f* du gicleur
56 le gicleur à aiguille *f*
57 le gicleur secondaire (gicleur de ralenti *m*)
58 l'alésage *m* du gicleur de ralenti *m*
59 l'ajustage *m* d'air *m* de ralenti *m*
60 la vis de réglage *m* d'air *m*
61 le tiroir des gaz *m*; *pour le moteur d'auto f*: le papillon des gaz *m*
62 l'alésage *m* du diffuseur
63 le titillateur (le bouton d'appel *m* d'essence *f*)
64 le ressort du titillateur
65 le flotteur (flotteur du carburateur)
66 la cuve à niveau *m* constant
67 le pointeau
68 le tuyau d'arrivée *f* d'air *m* (tuyau d'aspiration *f*)
69 le pointeau du carburateur

1-36 moteurs *m* à carburation *f*,

1 le moteur à carburation *f* à quatre temps, un moteur à essence *f* avec bielle *f* de poussée et arbre *m* à cames *f* dans le carter:
2 le carburateur
3 le reniflard de la culasse (le ventilateur)
4 la bougie
5 le câble d'allumage *m*
6 la cosse de câble *m*
7 le distributeur d'allumage *m* (improprement appelé delco)
8 la bobine d'allumage *m*
9 la pompe à essence *f*
10 l'arrivée d'essence *f*
11 l'embase *f* de raccord *m* d'eau *f* du radiateur
12 le couvercle de chapelle *f*
13 le stabilisateur transversal
14 la courroie trapézoïdale
15 le tuyau à dépression *f* du collecteur d'admission *f*
16 la commande d'avance *f* à dépression *f*
17 le filtre à air *m*
18 la jauge d'huile *f*
19 le ventilateur
20 le reniflard d'aération *f* du carter
21 l'arbre *m* du distributeur et de la pompe à huile *f*
22 la pompe à huile *f*
23 le carter inférieur à huile *f*
24 la vis de vidange *f* d'huile *f*
25 le bloc des cylindres *m*
26 la chambre de combustion *f*
27 le poussoir de soupape *f*
28 la tige du culbuteur
29 les soupapes *f* d'admission *f* et d'échappement *m*
30 la tige (la queue) de soupape *f*
31 la tête de soupape *f* (le champignon);
32 le moteur à carburation *f* à deux temps *m*:
33 le pignon du démarreur
34 le disque volant
35 la roue libre
36 le différentiel;

37-80 moteurs *m* Diesel
(moteurs à huile *f* lourde),

37 le moteur Diesel à quatre temps *m* à chambre *f* dans le piston [à injection *f* directe]:
38 la pompe d'injection *f*
39 l'injecteur *m*
40 la pompe d'alimentation *f* du carburant
41 le régulateur centrifuge
42 le filtre à combustible *m* (filtre à carburant *m*)
43 la pompe à eau *f* de refroidissement *m*
44 la dynamo
45 le dispositif de départ *m* à froid *m*
46 l'appareil *m* de contrôle *m* de la vitesse
47 la tubulure de remplissage *m* d'huile *f*
48 le filtre à huile *f*
49 le carter inférieur à huile *f*
50 le démarreur
51 le radiateur d'huile *f*
52 le cylindre
53 la culasse (la tête de cylindre *m*)
54 le piston
55 la bielle
56 le vilebrequin
57 la soupape
58 le culbuteur
59 l'arbre *m* à cames *f* dans le carter
60 la came
61 le ressort de soupape *f*
62 le tuyau d'échappement *m*;
63 le moteur Diesel à chambre *f* de précombustion *f*:
64 la bougie à incandescence *f* de préchauffage *m*
65 l'injecteur *m*
66 la chambre de précombustion *f*
67 la chambre de compression *f*
68 le poussoir avec la tige de culbuteur *m*
69 le liquide de refroidissement *m*
70 la course du cylindre
71 l'axe *m* creux du piston;
72 le moteur Diesel à deux temps *m* sans soupapes *f*:
73 les fentes *f* d'admission *f*
74 les fentes d'échappement *m*
75 l'air *m* frais (l'arrivée *f* de l'air frais)
76 les gaz *m* brûlés (gaz d'échappement *m*, gaz résiduels);
77 le moteur Diesel avec chambre *f* à turbulence *f*:
78 la chambre à turbulence *f*
79 les segments *m* du piston *m* (segments de compression *f*)
80 les segments racleurs d'huile *f* (le racloir d'huile)

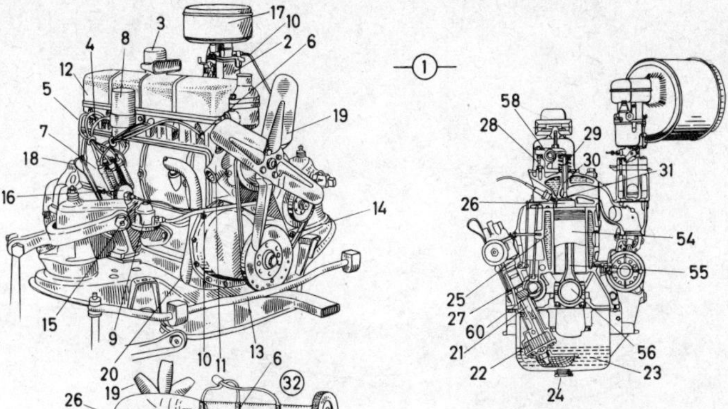
1
17
10
3
2
6
8
4
12
5
19
7
18
16
14
15
9
20
10
11
13
58
28
29
30
31
26
54
55
25
27
60
21
56
22
23
24

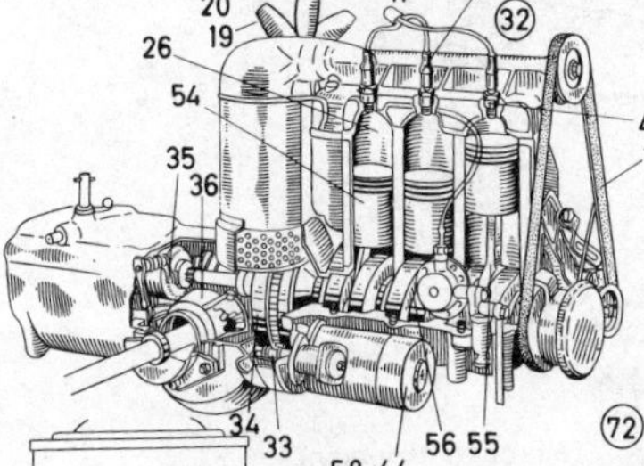
32
6
19
26
54
4
14
35
36
34
33
44
56
55

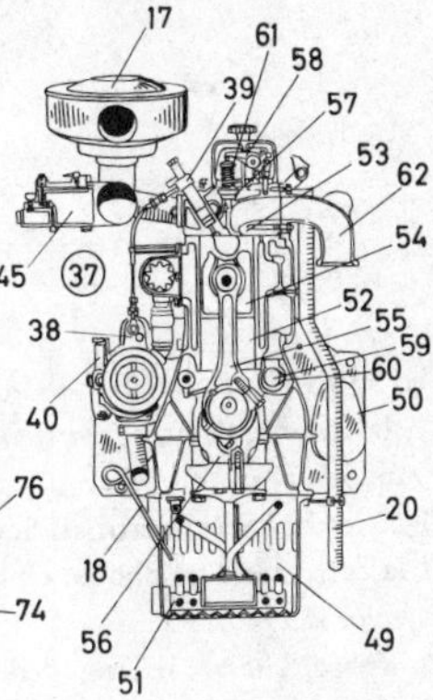
17
61
39
58
57
53
62
54
45
37
38
52
55
59
60
40
50
20
18
56
51
49

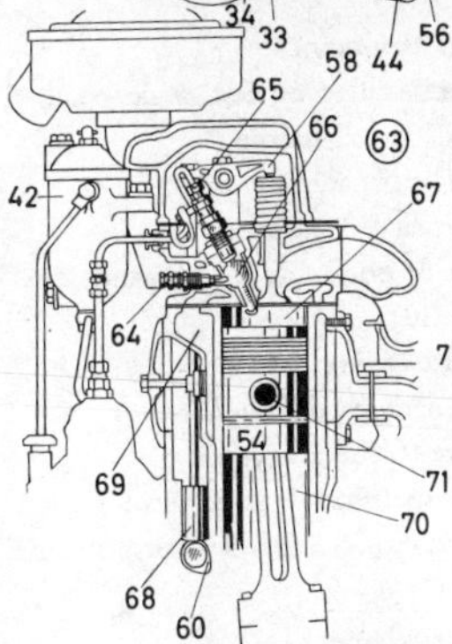
58
65
66
63
42
67
64
69
54
71
70
68
60

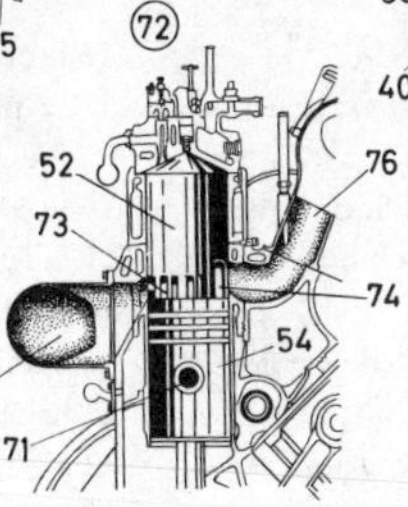
72
52
76
73
74
54
75
71

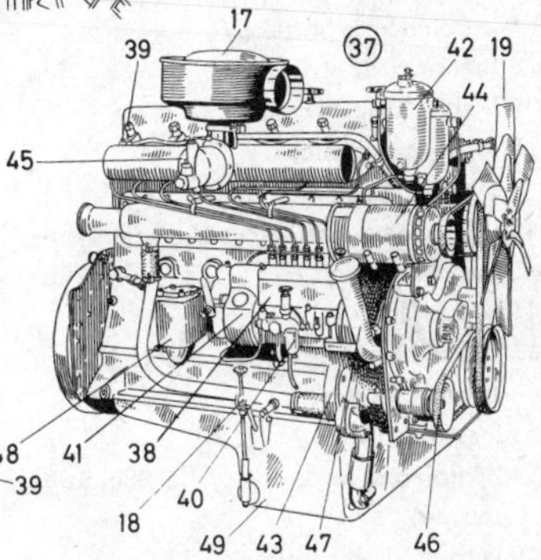
17
39
37
42
19
44
45
48
41
38
18
40
49
43
47
46

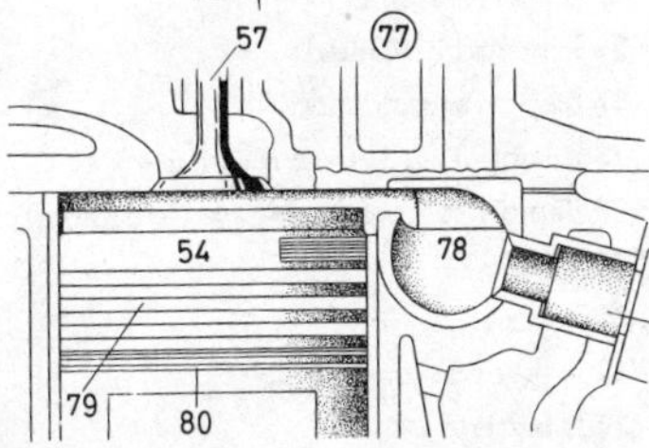
57
77
54
78
39
79
80

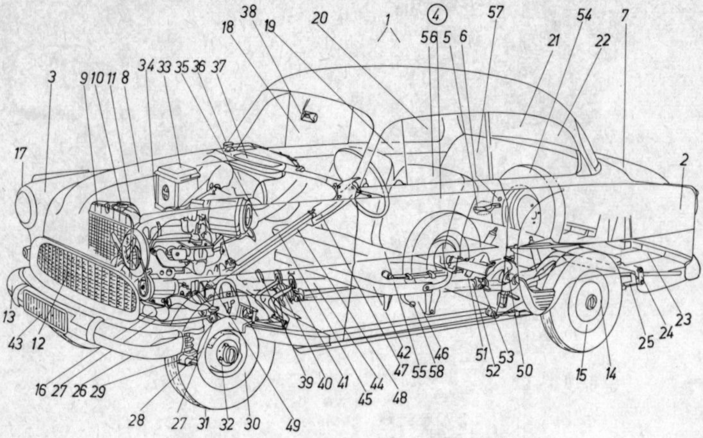

1-65 la voiture automobile
(la voiture, l'auto *f*; *autrefois*: l'automobile *f*),
1-58 le châssis et la carrosserie de l'auto *f*:
1 la carrosserie monobloc emboutie tout acier *m*
2 la partie latérale arrière, (l'aile *f* arrière)
3 l'aile *f* (le garde-boue)
4 la portière (la porte de la voiture):
5 la poignée de portière *f*
6 la serrure de porte *f*;
7 le couvercle du coffre
8 le capot du moteur
9 le radiateur
10 le bouchon de radiateur *m* avec soupape *f* de soulagement *m*
11 la durite
12 la calandre (la grille de protection *f* contre les pierres *f*)
13 le pare-choc
14 l'enjoliveur *m* de roue *f* (le chapeau du moyeu)
15 la roue à voile *m* plein
16 le clignotant avant
17 le phare équipé en feu *m* de route *f*, feu code *m* et lanterne *f*
18 le pare-brise panoramique
19 la fenêtre à déflecteur *m*
20 la vitre de porte *f* avec commande *f* à manivelle *f*
21 la lunette arrière
22 la vitre arrière à déflecteur *m*
23 le coffre (coffre à bagages *m*)
24-29 la suspension de la voiture:
24 la fixation des ressorts *m* (la suspension à ressorts)
25 le ressort à lames *f*
26 le ressort hélicoïdal
27 les bras *m* oscillants
28 le support de la fusée d'essieu *m*
29 l'amortisseur *m* de chocs *m* (le damper);
30 la jante
31 le pneu
32 le pivot de roue *f*
33 la batterie

59

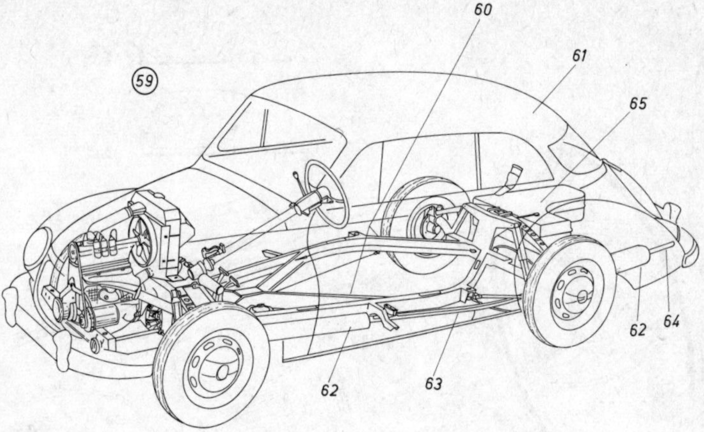

34 le support de batterie *f*
35 le tuyau du dégivreur
36 le tuyau d'aération *f*
37 le volet d'aération *f*
38 le rétroviseur
39-41 les pédales *f*:
39 la pédale de gaz *m* (l'accélérateur *m*)
40 la pédale du frein (de frein au pied)
41 la pédale d'embrayage *m* (l'embrayage);
42 le bâti du siège
43 la plaque d'immatriculation *f* (plaque minéralogique) avant
44 le passage de l'arbre *m* de transmission *f*
45 le levier de commande *f* de changement *m* de vitesse *f*
46 le plancher tôlé
47 la tôle de coffrage *m*
48 la colonne de direction *f*
49 l'arbre de direction *f*
50 l'engrenage *m* du différentiel
51 l'essieu *m* arrière (le pont arrière)
52 l'arbre *m* cardan *m* (arbre à cardans, arbre de transmission *f*)
53 le joint de cardan (le cardan)
54 la roue de secours *m* (la cinquième roue)
55 le siège avant (siège du conducteur), un siège rabattable
56 le dossier rabattable
57 le siège arrière (la banquette arrière, le fond de la voiture)
58 le levier de réglage *m* du siège avant;
59 l'ensemble *m* (châssis *m* et carrosserie *f* en construction *f* séparée):
60 le châssis profilé en U (le cadre de châssis, cadre porteur)
61 la carrosserie montée (carosserie rapportée)
62 le pot d'échappement *m* (le silencieux d'échappement, pot silencieux)
63 le tuyau d'échappement *m*
64 l'échappement *m*
65 le réservoir à essence *f* (réservoir)

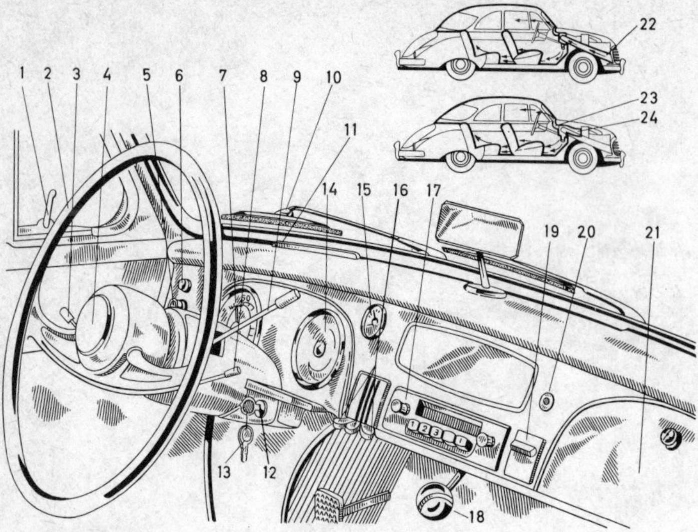

1-21 le tableau de bord *m* de l'automobile *f*:

1 le loquet de déflecteur *m*
2 le volant de direction *f* (volant, la roue directrice)
3 le dispositif code
4 le bouton de l'avertisseur *m* sonore (le klaxon)
5 la commande d'essuie-glaces *m*
6 le bouton de starter (le starter)
7 le compteur kilométrique avec l'indicateur *m* de vitesse *f*
8 la commande des clignotants *m*
9 le levier de changement *m* de vitesse *f*
10 l'essuie-glaces *m*
11 l'orifice *m* (la fente) du dégivreur
12 l'anti-vol *m*
13 la clef de contact *m*
14 l'indicateur de niveau *m* d'essence *f* avec thermomètre *m* (la jauge d'essence)
15 la montre de bord *m*
16 la commande d'air *m* chaud et d'air frais (commande du climatiseur)
17 le poste de T.S.F. pour automobiles *f* (le récepteur d'automobile, la radio d'automobile)
18 le levier de frein *m* à main *f*
19 le cendrier de voiture *f*
20 la prise de courant *m* pour baladeuse *f* ou allume-cigare *m*
21 la boîte à gants *m*;

22-24 le chauffage et la climatisation de l'auto *f*:

22 le climatiseur à l'air *m* frais
23 l'échappement *m* d'air *m*
24 le chauffage à l'air *m* chaud;

25-38 l'arrière *m* de la voiture:

25 la serrure du couvercle de coffre *m* à bagages *m*
26 la poignée du couvercle de coffre *m* (poignée de coffre)
27 le clignotant (l'indicateur *m* de changement *m* de direction *f*)
28 le feu de freinage *m* (feu stop)
29 le feu arrière
30 l'orifice *m* de remplissage *m* d'essence *f* avec bouchon *m*
31 la plaque arrière

32 le numéro d'immatriculation *f* (numéro minéralogique):
33 la plaque de nationalité *f*
34 le numéro d'immatriculation *f* (numéro de mise *f* en service *m*)
35 l'indicatif *m* du département (*en Allemagne :* de la ville);
36 le pare-choc arrière
37 la banane de pare-choc *m* avec éclairage *m* de plaque *f*
38 le phare de recul *m*;

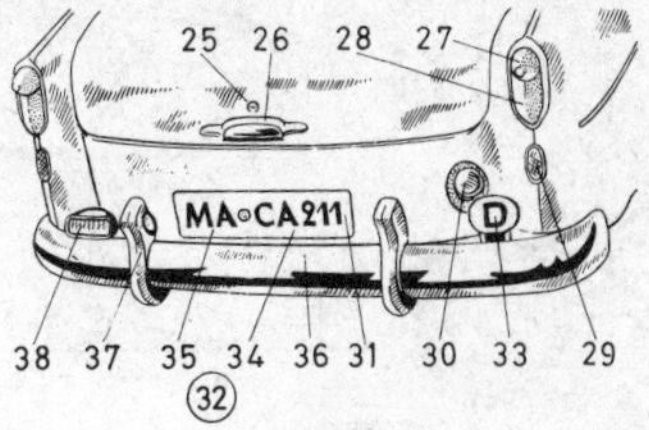

39-49 les organes *m* **de direction** *f*
de l'automobile *f*,

39 le boîtier de renvoi *m* de direction *f* par vis sans fin *f* et secteur *m*:
40 le levier de commande *f* de direction *f* (la bielle pendante)
41 l'arbre *m* de direction *f*
42 le segment denté sur l'axe *m* de l'arbre *m* de direction *f*
43 la vis sans fin *f* de direction *f* avec billes *f*;
44 la barre de connexion *f* (barre d'accouplement *m*)
45 l'écrou *m* de réglage *m* de la barre de connexion *f*
46 le levier de renvoi *m*
47 le boulon central d'articulation *f*
48 la vis de tension *f*
49 l'axe *m* avant;

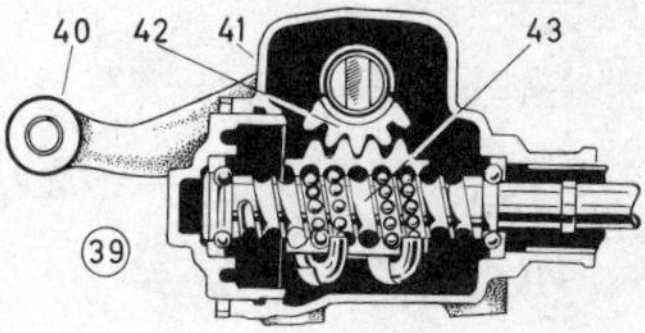

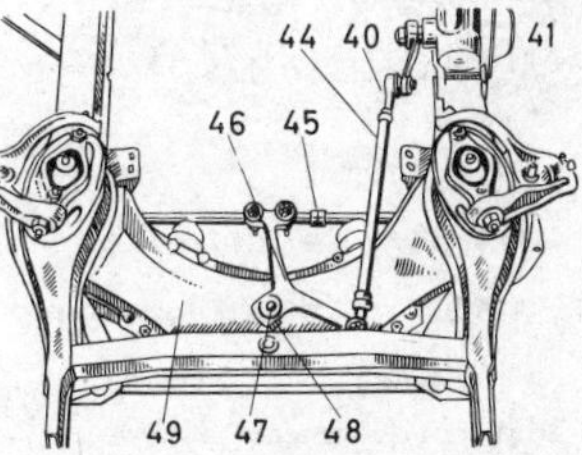

50-54 les freins *m*
(le freinage) **de la voiture:**

50 le plateau support de segments *m* de frein *m*
51 les mâchoires *f* de frein *m* avec garnitures *f* de frein *m*
52 le cylindre de frein *m* de la roue
53 le ressort de rappel *m*
54 la fusée d'essieu *m*;

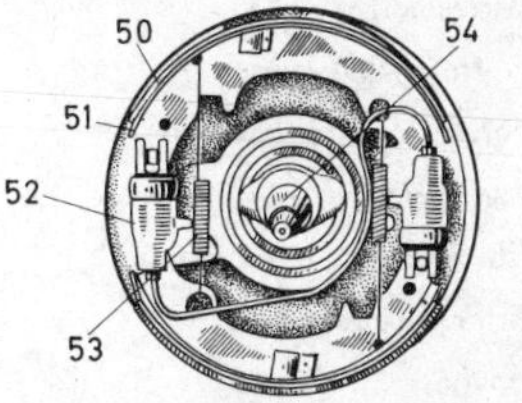

55-62 la boîte de vitesse *f*:

55 l'arbre *m* primaire
56 l'arbre *m* secondaire (l'arbre de sortie *f* vers l'arbre cardan)
57 la bride de fixation *f* de la boîte de vitesse *f*
58 l'orifice *m* de remplissage *m* d'huile *f*
59 les pignons *m* à denture *f* hélicoïdale
60 le synchroniseur (la boîte de vitesse *f* synchromesh)
61 les pignons *m* de renvoi *m* sur arbre *m* intermédiaire
62 la fixation de la boîte de vitesses *f*

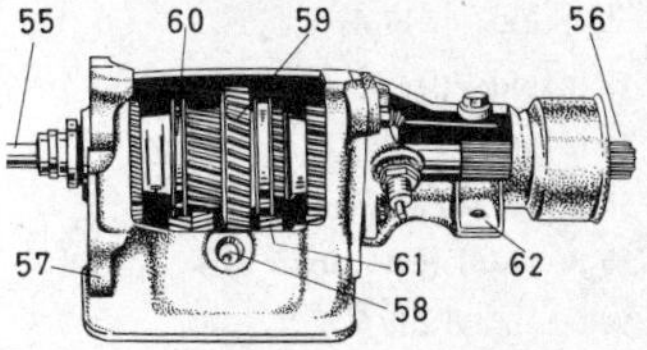

187 Voitures de tourisme

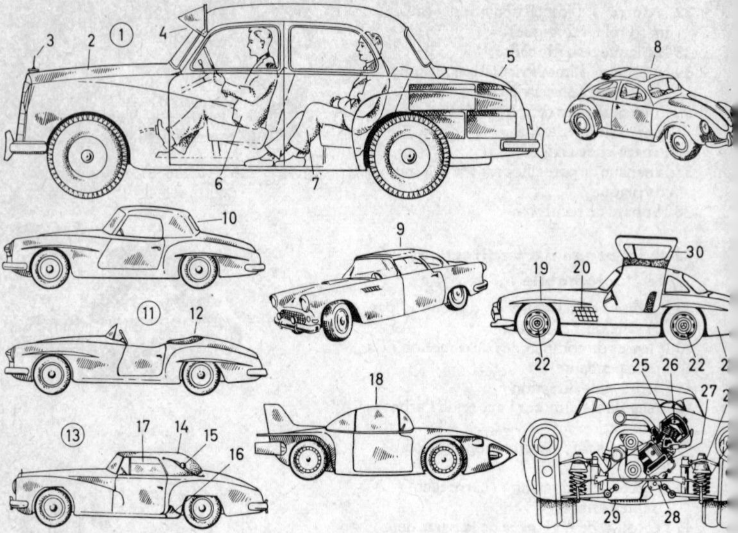

1-30 types *m* de voiture *f*,

1 la limousine à deux portes *f* (la conduite intérieure):

2 le capot du moteur

3 le bouchon enjoliveur du radiateur

4 le pare-soleil

5 le coffre à bagages *m*

6 le conducteur (le chauffeur)

7 le passager;

8 la limousine à toit *m* ouvrant

9 la limousine de luxe *m*

10 le coupé

11 le roadster (la voiture biplace de sport *m*, le biplace):

12 le spider (les sièges *m* de réserve *f*);

13 le cabriolet:

14 la capote rabattable

15 la charnière de capote *f*

16 le sabot d'aile *f*

17 la vitre à crémaillère *f*;

18 la voiture à turbine *f*

19–30 la voiture de course *f*:

19 les garde-boue *m*

20 les ouïes *f* d'aération *f*

21 les faces *f* latérales avec les ailes *f* arrières

22 la roue-ventilateur de refroidissement *m* du tambour de frein *m*

23 le bras oscillant transversal parallèle

24 les ressorts *m* hélicoïdaux

25 le moteur Otto oblique avec un arbre à cames *f* en tête *f*

26 l'arbre *m* à cames *f* en tête *f*

27 l'injection d'essence *f*

28 la pompe à injection *f*

29 les ailettes *f* de refroidissement *m* du carter

30 les portes *f* rabattantes à suspension *f* télescopique

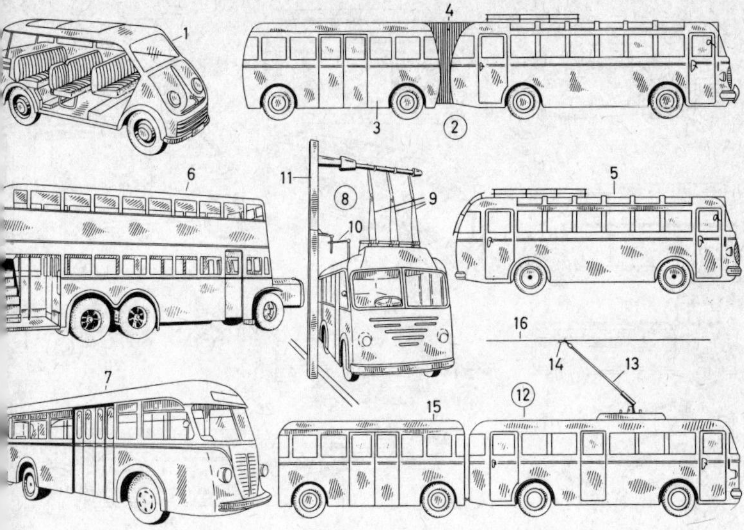

1-16 types *m* de véhicules *m* de transport *m* en commun,

1-7 véhicules *m* de transport *m* en commun à moteur *m* à combustion *f* interne:

1 le petit car de voyage *m*, un autocar

2 l'autocar *m* articulé long courrier *m*, un autocar de grand tourisme *m*:

3 la remorque de car *m*

4 le soufflet d'accouplement *m*;

5 l'autobus *m* (le bus), un autobus Diesel avec moteur *m* à l'arrière *m*

6 l'autobus à impériale *f*

7 l'autobus de transport *m* urbain;

8-16 véhicules *m* électriques de transport *m* en commun,

8 le gyrobus a entraînement *m* par volant *m* d'inertie *f*, un électro-gyro:

9 les perches *f* de contact *m* de trolleys *m*, pour charger les accumulateurs *m*

10 le bras de contact *m* pour protection *f* par mise *f* à la terre

11 le mât de charge *f* à l'arrêt du gyrobus;

12-16 le trolleybus à remorque *f*,

12 le trolleybus:

13 la perche pivotante du trolley

14 la roulette de contact *m* (le galet de trolley *m*);

15 la remorque de trolleybus *m*

16 la ligne aérienne double (ligne aérienne bifilaire)

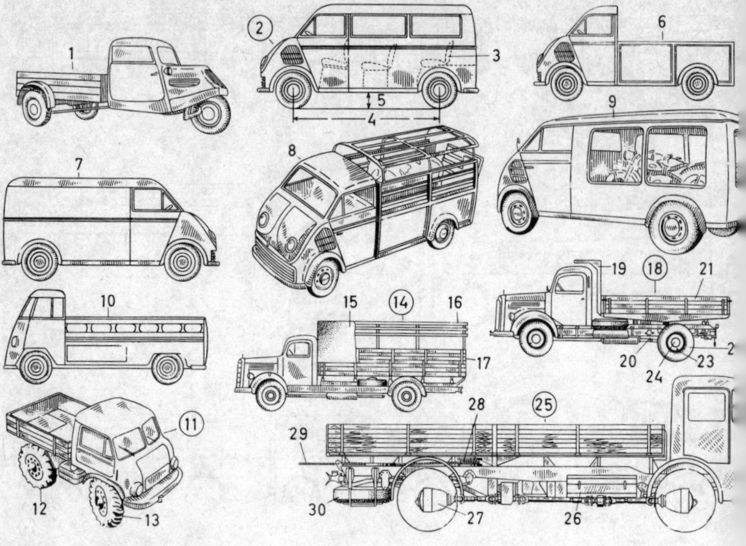

1-13 camionnettes *f*
(véhicules *m* de petit transport *m*):
1 le véhicule de livraison *f* à trois roues *f*
2 le véhicule mixte:
3 les sièges *m* amovibles
4 l'empattement *m*
5 la garde au sol;
6 la camionnette surbaissée
7 la camionnette fermée (le fourgon)
8 la camionnette pour le transport des bestiaux *m*
9 la camionnette publicitaire (cammionnette d'exposition *f*)
10 la camionnette-plateau
11 la camionnette à quatre roues *f* motrices (type Unimog):
12 le pneu tous-terrains *m*
13 le dessin d'enveloppe *f* (le profil du pneu, profil anti-dérapant);

14-50 camions *m* **poids-lourd**
(poids lourds *m*),
14 le camion à ridelles *f*:
15 la bâche
16 les ridelles *f* supérieures
17 la ridelle surélevée;
18 le camion à triple mouvement *m* de bascule *f* hydraulique de la benne:
19 l'écran *m* de protection *f* de la cabine
20 le mécanisme de bascule *f*
21 le plateau basculant (la benne basculante)
22 l'équipement *m* de pneus *m* (*extérieurement:* l'enveloppe *f*, *intérieurement:* la chambre à air *m*)
23 la valve de chambre *f* à air *m*
24 le cache-moyeu (l'enjoliveur *m*);
25 le plateau à ridelles *f* à traction *f* avant avec plate-forme *f* de chargement *m* élargie:

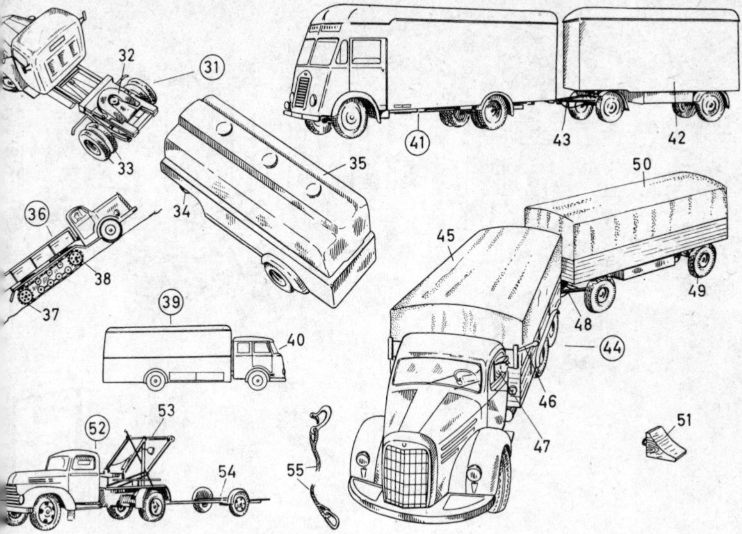

26 le moteur à plat *m* sous plancher *m*

27 les différentiels *m*

28 le treuil à câble *m*

29 le câble métallique

30 la roue de secours *m* (roue de rechange *m*);

31 le tracteur pour semi-remorque *f*:

32 la sellette de remorque *f*

33 les pneus *m* jumelés

34 les béquilles *f* à roue *f* [après dételage *m* du tracteur]

35 la semi-remorque, une remorque à deux roues *f*;

36 le véhicule semi-chenillé (le half-truck, la voiture à chenilles *f*):

37 la chaîne à chenille *f*

38 le barbotin;

39 le camion à grande capacité *f* (camion de gros tonnages *m*):

40 la cabine du conducteur (cabine du routier);

41 le camion de déménagement *m* (le fourgon de déménagement):

42 la remorque du camion de déménagement *m*

43 le frein à glissement *m*, un frein combiné qui entre en fonction *f* également en cas de rupture *f* de l'accouplement *m*;

44 le convoi, un camion à six roues *f*:

45 le camion-tracteur

46 le bras de direction *f* (la flèche indicatrice), un indicateur de direction oscillant

47 le conducteur (le routier, le chauffeur)

48 le dispositif d'accouplement *m*

49 les pneumatiques *m* basse pression *f*

50 la remorque;

51 la cale de freinage *m*

52 le camion de dépannage *m* (le camion-grue, la dépanneuse):

53 la grue de dépannage *m*

54 la remorque de dépanneuse *f*

55 le câble de remorque *f* en acier *m*

190 Station-service

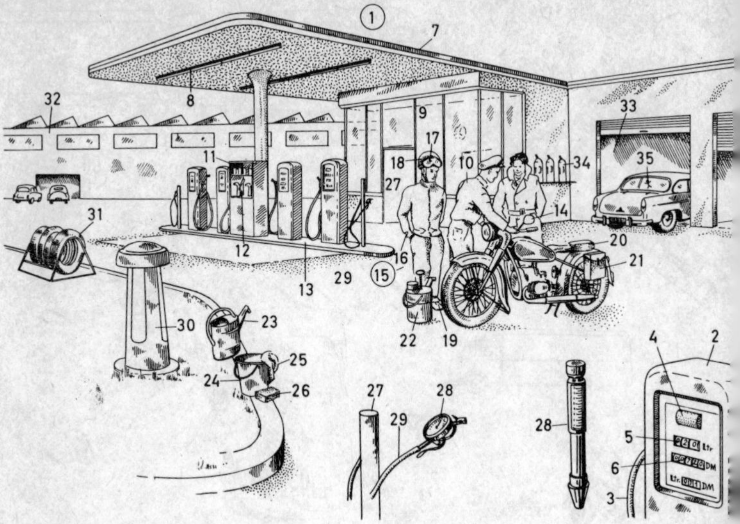

1 la station-service (le poste d'essence *f*):
2 le distributeur (la pompe à essence *f*)
3 le tuyau à essence *f*
4 le voyant de contrôle *m*
5 le compteur volumétrique d'essence *f*
6 l'indication *f* du prix (le prix à payer)
7 le toit de la station-service
8 l'éclairage *m* de la station-service
9 le bureau du pompiste
10 le pompiste (le gardien)
11 le placard à huile *f* (l'étagère *f* à huile, l'armoire *f* à huile)
12 la pompe à huile *f*
13 l'aire *f* de ravitaillement *m*;
14 le rétroviseur de motocyclette *f*
15 le motocycliste:
16 la veste de cuir *m* (le blouson de cuir)
17 les lunettes *f* de motocycliste *m*
18 le casque de cuir *m*
19 les bottes *f* de motocycliste *m*;
20 le tan-sad (le siège-arrière)
21 la sacoche de moto *f*
22 le bidon mélangeur (bidon de mixage *m*) pour le mélange huile-essence (pour le mélange deux temps *m*)
23 le bidon à eau *f*
24 le seau pour le nettoyage des vitres *f*
25 la peau de chamois *m*
26 l'éponge *f* à vitres *f*
27 la colonne de prise *f* d'air *m* avec pompe *f* à moteur *m*
28 le manomètre (l'indicateur *m* de pression *f* des pneus *m*, le contrôleur de gonflage *m*)
29 le tuyau à air *m*
30 la lampe de refuge *m* (la borne d'éclairage *m*)
31 le porte-pneus
32 le garage
33 le box individuel
34 l'extincteur *m* à main *f*
35 le fétiche (la poupée porte-bonheur, la mascotte)

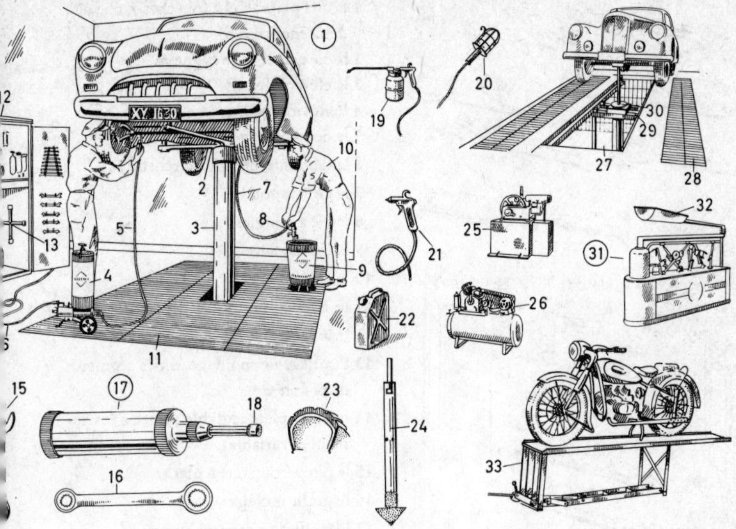

1 la salle de graissage *m*:

2 le croisillon (le support de l'élévateur *m*)

3 le piston d'élévateur *m*

4 le compresseur de graissage *m*

5 le tuyau de graissage *m* sous pression *f*

6 le tuyau d'arrivée *f* d'air *m* comprimé

7 le tuyau à huile *f*

8 la pompe à huile *f* pour engrenages *m* (pompe de graissage *m*)

9 le seau à huile *f* (seau de graissage *m*) pour engrenages *m*

10 l'ouvrier *m* chargé de l'entretien *m* (l'ouvrier de la station-service)

11 la grille

12 l'armoire *f* à outils *m* de graissage *m*

13 la clé en croix (clé multiple)

14 la burette d'huile *f* de graissage *m*;

15 la clef plate (clef à fourche *f*, clef à écrous *m*)

16 la clef à douille *f*

17 la pompe à graisse *f*:

18 le raccord fileté de graissage *m*;

19 le pistolet pulvérisateur

20 la lampe baladeuse

21 le pistolet à air comprimé

22 le jerrycan (le bidon à essence *f*)

23 le pneu tubeless (pneu sans chambre *f* à air *m*)

24 la presse à pâte *f* de vulcanisation *f* à froid

25 la machine à laver les autos *f* (le compresseur à laver les autos)

26 le compresseur d'air *m*

27 la fosse de graissage *m*

28 les grilles *f* rabattables

29 les rails *m* de guidage *m*

30 l'élévateur *m* pneumatique de fosse *f* (l'élévateur à un piston)

31 le stand d'huile *f* (le distributeur d'huile *f*):

32 le baquet de vidange des huiles *f* usées;

33 le pont élévateur pour moto *f*

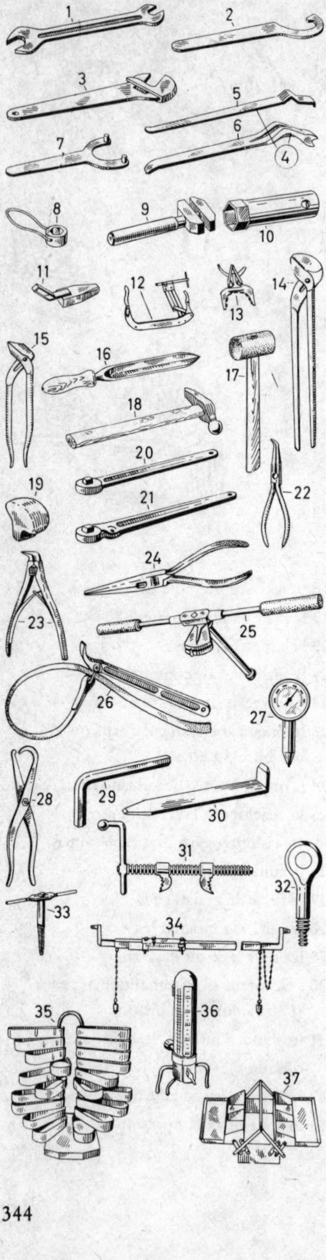

1 la clef plate (clef à fourches *f*, clef à deux encoches *f*)
2 la clé en col *m* de cygne *m*
3 la clé à molette *f*
4 les leviers *m* démonte-pneus:
5 le démonte-pneu
6 le démonte-pneu à fourchette *f*;
7 la clé à ergots *m*
8 la clé à bougies *f*
9 la clé anglaise
10 la clé à tube *m*
11 le coin pour l'entretien *m* des valves *f*
12 le lève-soupape
13 l'outil *m* de montage *m* des segments *m* de piston *m*
14 la pince plate réglable (pince à écartement *m* variable)
15 la pince coupante à plat *m*
16 le grattoir creux
17 le maillet en caoutchouc *m*
18 le marteau à boule *f* ou à panne *f* sphérique
19 l'enclumette *f* (l'embossoir *m*)
20 le cliquet
21 le cliquet interversible
22 et 23 pinces *f* pour fusibles *m*:
22 pour fusibles *m* intérieurs
23 pour fusibles *m* extérieurs;
24 la pince à becs *m* minces allongés
25 la clé dynamométrique
26 le dévisse-bouchon de réservoir *m*
27 le compte-tours
28 la pince à ressort *m* de frein *m*
29 la clé Allen
30 le tournevis coudé
31 l'écarte-pneu *m*:
32 la manille pour le levage du moteur;
33 le taraud tire-goujon
34 le dispositif de réglage *m* du parallélisme des roues *f*
35 la caisse pour l'assortiment *m* de petites pièces *f*

36 la jauge de consommation *f* d'essence *f*

37 la boîte à outils *m*

38 la batterie (batterie d'accumulateurs *m*, les accus *m*):

39 la borne à pôle *m* [pôle positif ou pôle négatif]

40 l'orifice *m* de remplissage *m*

41 le bac d'accus *m*;

42-45 le poste de recharge *f*:

42 le groupe de charge *f* (le chargeur)

43 la pipette:

44 le pèse-acide;

45 la bouteille d'eau *f* distillée;

46 le voltmètre

47 le cric

48 la pompe à air *m* à main *f*

49 la pompe à air *m* à pédale *f*

50 la pompe à graisse *f* (le graisseur à main *f*, la burette à graisse *f*)

51 l'appareil *m* à vérifier les injecteurs *m*

52 la perceuse

53 la machine *f* à honer

54 la presse hydraulique

55 l'aléseur *m* de soupapes *f*

56 le contrôleur et nettoyeur *m* de bougies *f*

57 la machine à équilibrer les roues *f*

58 l'appareil *m* de réglage *m* des phares *m*

59 le contrôleur de réglage *m* de l'allumage *m*

60 le palan:

61 le pylône de palan *m*

62 la flèche (le bras) orientable;

63 la fosse de réparation *f*

64 les madriers *m*

65 le mécanicien d'auto *f*

66 le cric rouleur

67 le sommier roulant

68 le chariot à outils *m*

69 le coton d'essuyage *m*

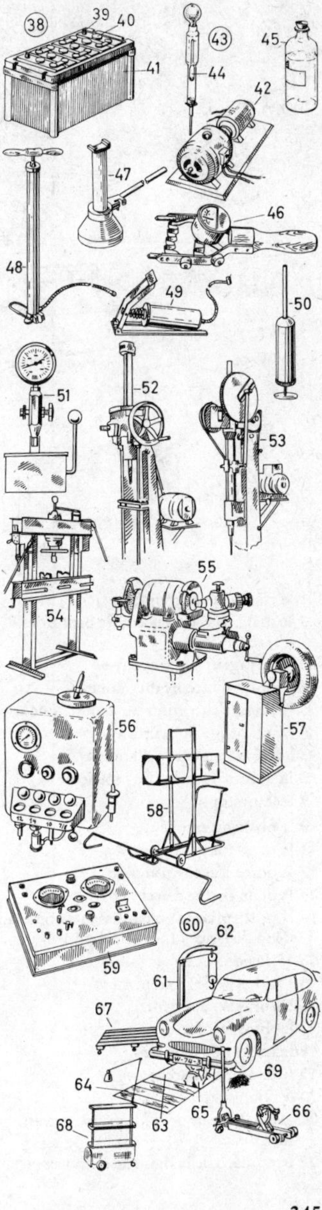

193 Tramway

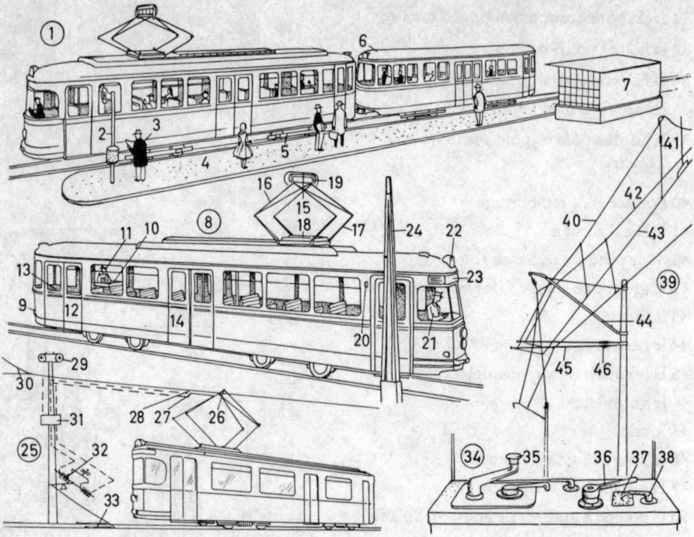

1 le tramway de grande capacité *f*:
2 le mât de la station avec le panneau d'arrêt *m*
3 le voyageur de tramway *m*
4 le point d'arrêt *m* du tramway
5 le boggie suspendu sur caoutchouc *m*
6 la remorque du tramway;
7 l'abri *m* (la guérite d'attente *f*)
8 la voiture motrice (la motrice):
9 le feu «stop»
10 le poste du receveur
11 le receveur de tramway
12 la porte d'accès *m* arrière
13 la plate-forme d'accès *m*
14 la porte pliante ou coulissante commandée à distance *f* (porte téléguidée)
15-19 le pantographe:
15 l'archet *m* de frottement *m*
16 les bras *m* supérieurs
17 les bras *m* inférieurs
18 le ressort de montée *f*
19 le ressort de l'archet *m*;
20 le clignotant
21 le conducteur de tramway *m* (le wattman)
22 le numéro de la ligne de tramway *m*
23 l'indicateur de destination *f*;
24 le pylône en béton *m*
25 l'aiguillage *m* électromagnétique:
26 la barre de frottement *m*
27 le contact par frottement *m*
28 le contact isolant
29 le signal lumineux de branchement *m* de voie *f*
30 l'aiguillage *m* aérien
31 l'électro-aimant *m* de commande *f*
32 l'électro-aimant d'attraction *f*
33 la lame d'aiguillage *m*;
34 le poste de conduite *f*:
35 le manipulateur, un manipulateur à cames *f*; *égal.*: le frein électrique
36 le levier de commande *f* de la sablière
37 la montre de bord *m*
38 la commande du frein à air *m*;
39 la suspension du fil de contact *m*:
40 le câble porteur
41 le pendule
42 le câble porteur auxiliaire
43 le fil de contact *m*
44 la console
45 l'antibalançant *m*
46 l'isolateur *m* à barre *f*

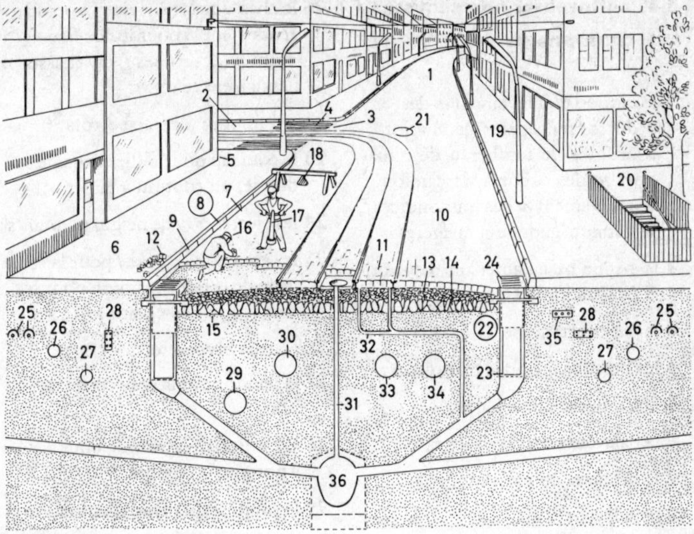

1 la rue
2 la voie secondaire (la rue latérale)
3 le passage pour piétons *m* (passage clouté):
4 les bandes *f* zébrées;
5 le coin de la rue
6 le trottoir
7 le caniveau (la rigole)
8 le bord du trottoir:
9 la bordure du trottoir;
10 la chaussée
11 le revêtement de chaussée *f* (les pavés *m*):
12 le pavé, une pierre naturelle
13 la pierraille
14 le hérisson (la fondation)
15 la plate-forme (l'aire *f* d'un pavé)
16 le paveur
17 la demoiselle (la dame, la hie)
18 le panneau d'avertissement; *ici :* attention *f* aux travaux *m*!
19 le lampadaire (le réverbère), une lampe à gaz *m* d'éclairage *m*
20 l'accès *m* aux W.-C. *m* souterrains
21 la plaque d'égout *m* (le couvercle du regard) sur le puits d'accès *m* à l'égout *m* (l'entrée *f* de l'égout)
22 la fosse d'écoulement *m* à l'égout *m* (la bouche d'égout *m*) avec séparateur *m*:
23 le séparateur de boues *f* (le caisson ramasseur de boue *f*)
24 la grille d'égout *m*;
25 les câbles *m* électriques pour l'alimentation *f* en courant ménager et les câbles principaux
26 les canalisations *f* de gaz *m* (les conduites *f* de gaz *m*)
27 la conduite d'eau *f*
28 le câble téléphonique et les installations *f* de câbles téléphoniques
29 les conduites *f* d'eau *f* principales
30 les conduites *f* de chauffage *m* urbain (conduites de chauffage à grande distance *f*)
31 le puits d'aération *f*
32 le système de drainage *m* des voies *f*
33 les conduites *f* de gaz *m* à grande distance *f*
34 la conduite principale de gaz *m*
35 les câbles *m* téléphoniques directs pour appeler les sapeurs-pompiers *m* ou la police
36 l'égout *m* mixte pour eaux *f* usées et eaux de surface *f*

1-40 nettoyeuses *f* de chaussée *f* et chasse-neige *m*,

1 le camion d'enlèvement *m* des ordures *f* ménagères (le chariot à ordures, le tomberau de transport *m* des ordures, le camion d'enlèvement *m* des immondices *f*, le camion gadoue-ménagère):

2 la benne basculante, un dispositif d'évacuation *f* étanche;

3 la petite arroseuse, une jeep

4 le chasse-neige pour trottoirs *m*:

5 l'épandeuse *f* de sable *m*;

6 la balayeuse à trois roues *f*

7 la brouette du balayeur

8 le balayeur

9 le balai

10 le brassard

11 la pelle

12 la balayeuse-ramasseuse automatique, un camion basculant d'arrière [en position *f* de déchargement *m*]

13 le camion ramasse-neige:

14 le conduit de chargement *m*

15 le chasse-neige à fraise *f* latérale (l'appareillage *m* latéral);

16 le camion épandeur de sable *m*:

17 la trémie à sable *m* (la sablière), une sablière portée

18 l'épandeuse *f* centrifuge de sable *m*

19 le disque de dispersion *f* du sable;

20 le chasse-neige à étrave *f* (chasse-neige à lames *f* en dièdre *m*), un chasse-neige bilatéral

21 le chasse-neige à fraise *f* à grand rendement *m* pour le déneigement *m* des routes *f*, un chasse-neige à éjecteurs *m*:

22 le tambour de fraise *f* rotatif

23 le couteau pour tailler la neige durcie, un couteau à tailler

24 les éjecteurs *m* de neige *f* pivotants;

25 le camion avec grue *f* pour la collecte de la boue (camion pour le nettoyage des égouts *m*):

26 la grue pivotante

27 la benne pour la collecte de la boue;

28 le camion dragueur de boue *f* à pompe *f* aspirante:

29 le support du tuyau d'aspiration *f*;

30 le chasse-neige à main *f* à moteur *m*, un chasse-neige unilatéral

31 la balayeuse-arroseuse:

32 le rouleau de balayeuse *f* à brosse *f* métallique (la brosse cylindrique, brosse balayeuse, le rouleau laveur)

33 la buse d'arrosage *m* (buse à jet *m* horizontal);

34 le camion de vidange *f* des fosses *f* d'aisance *f*:

35 la pompe à compression *f* à faire le vide;

36 l'arroseuse *f* (arroseuse automobile):

37 le dôme à couvercle *m* rabattant

38 le réservoir à eau *f*

39 la pomme d'arrosage *m* (l'arrosoir *m*)

40 le conducteur de l'arroseuse *f* (l'arroseur *m*)

1
2
3
4
5
6
7
8
9
10
11
12
13
14
15
16
17
18
19
20
21
22
23
24
25
26
27
28
29
30
31
32
33
34
35
36
37
38
39
40

1-54 équipements *m* mécaniques pour chantiers *m* routiers,

1 la pelle équipée en butte *f*:

2 la cabine de commande *f*

3 la chenille

4 la flèche de la pelle

5 le godet de la pelle

6 les dents *f* de fouille *f* du godet;

7 le basculeur arrière, un camion lourd:

8 la benne basculante en tôle *f* d'acier *m*

9 la nervure de renforcement *m*

10 le protège-cabine

11 la cabine du conducteur;

12 les matériaux *m* en vrac *m*

13 la benne racleuse, une bétonnière:

14 le chargeur-élévateur

15 le tambour de bétonnière *f*, un dispositif de mélange *m*;

16 le scraper (la benne racleuse) sur chenilles *f*:

17 le scraper (la benne racleuse)

18 la lame du scraper;

19 la niveleuse:

20 la défonceuse

21 la lame niveleuse

22 la couronne de rotation *f* de la lame;

23 le chemin de fer *m* à voie *f* démontable:

24 la locomotive Diesel pour chemin *m* de fer *m* à voie *f* étroite

25 le wagonnet de remorque *f*;

26 la grenouille à moteur *m*, une machine à damer; *modèle plus lourd*: la dame à moteur *m*:

27 les tiges *f* de guidage *m* et de contrôle *m*;

28 le bulldozer (le boutoir à lame *f*):

29 la lame du bulldozer (du boutoir)

30 l'encadrement *m* du boutoir;

31 l'épandeur-régleur-dameur *m*:

32 le support des dames *f*

33 les dames *f*

34 la tôle de gabarit (le gabarit)

35 la paroi latérale de la trémie de stockage *m*;

36 le cylindre compresseur à trois roues *f* à moteur *m*, un rouleau pour les travaux *m* de route *f*:

37 le cylindre (le rouleau)

38 le toit;

39 le compresseur mobile à moteur *m* Diesel:

40 la bouteille à oxygène *m*;

41 l'épandeuse *f* de gravillons *m* automotrice:

42 le clapet d'épandage *m*;

43 la finisseuse de revêtements *m* souples:

44 le gabarit

45 la trémie de stockage *m*;

46 la goudronneuse avec fondoir *m* de goudron *m* et de bitume *m*:

47 la chaudière à goudron *m*;

48 le groupe automatique de séchage *m* et de mélange *m* de béton *m* bitumineux:

49 l'élévateur *m* à godets *m*

50 le tambour de malaxage *m* de l'asphalte *m*

51 l'élévateur *m* de filler *m*

52 l'adjonction *f* de filler *m*

53 l'injection *f* de l'agglomérant *m*

54 la sortie du mélange bitumineux;

55 la section transversale d'une route à revêtement *m* bitumineux:

56 l'accotement *m* gazonné

57 la pente transversale

58 le revêtement bitumineux

59 le hérisson

60 la sous-couche, une couche de protection *f* contre le gel

61 le fossé souterrain de drainage *m*

62 le drain de ciment *m*

63 le caniveau d'écoulement *m*

64 la couverture de terre *f* végétale

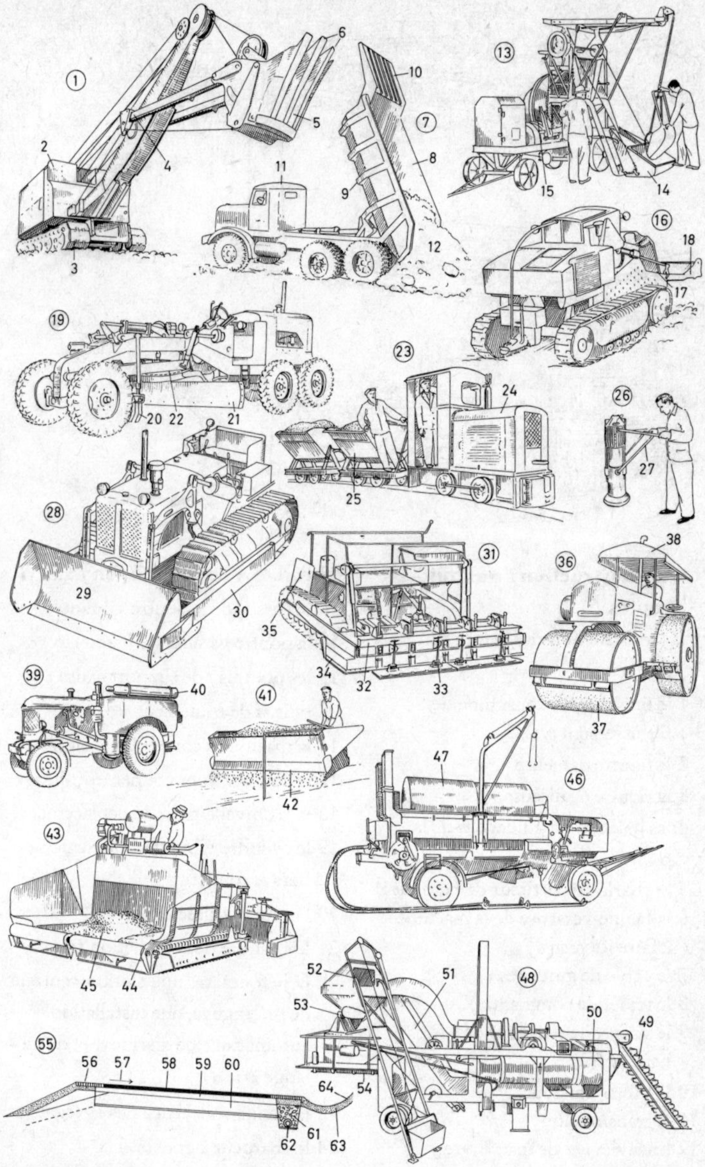
1
2
3
4
5
6
7
8
9
10
11
12
13
14
15
16
17
18
19
20
21
22
23
24
25
26
27
28
29
30
31
32
33
34
35
36
37
38
39
40
41
42
43
44
45
46
47
48
49
50
51
52
53
54
55
56
57
58
59
60
61
62
63
64

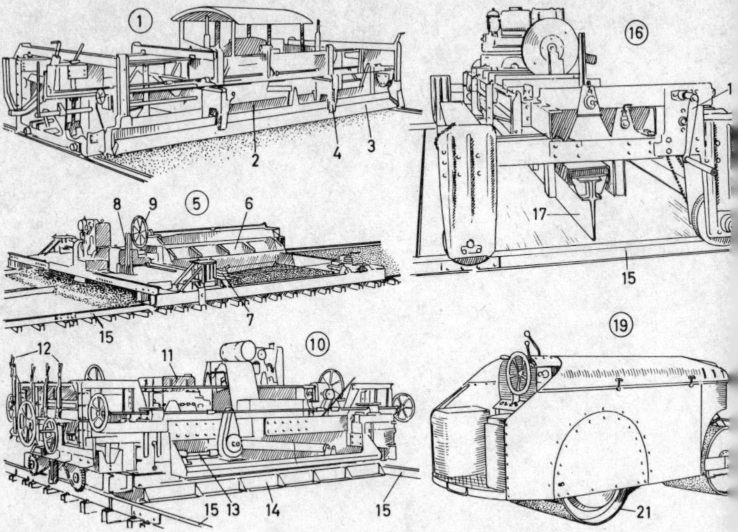

1-27 construction *f* **des autoroutes** *f*
(construction des routes *f* en béton *m*),
1 le finisseur, une machine de terrassement *m*:
2 la poutre dameuse
3 la poutre égaliseuse
4 les galets *m* de guidage *m* de la poutre égaliseuse;
5 le chariot répartiteur de béton *m*:
6 la benne-verseuse de la machine à faire les pistes *f*
7 le câble de guidage *m*
8 le levier de commande *f*
9 le volant de vidage *m* des bennes *f*;
10 le vibro-finisseur:
11 la transmission
12 les leviers *m* de manœuvre *f*
13 l'arbre *m* de transmission *f* aux vibreurs *m* de la poutre vibrante
14 la poutre lisseuse (le lissoir)
15 les poutres *f* de support *m* des rails *m* de roulement *m*;
16 la machine à couper les joints *m*:
17 le couteau pour couper les joints *m*
18 la manivelle pour le déplacement;
19 le cylindre vibrant pour chantiers *m* routiers:
20 le rouleau directeur
21 le cylindre de compaction *f*;
22 la bétonnière, une station centrale de mélange *m*, une installation automatique de dosage *m* et de mélange *m*:
23 la benne collectrice des agrégats *m*
24 le chargeur à godets *m*

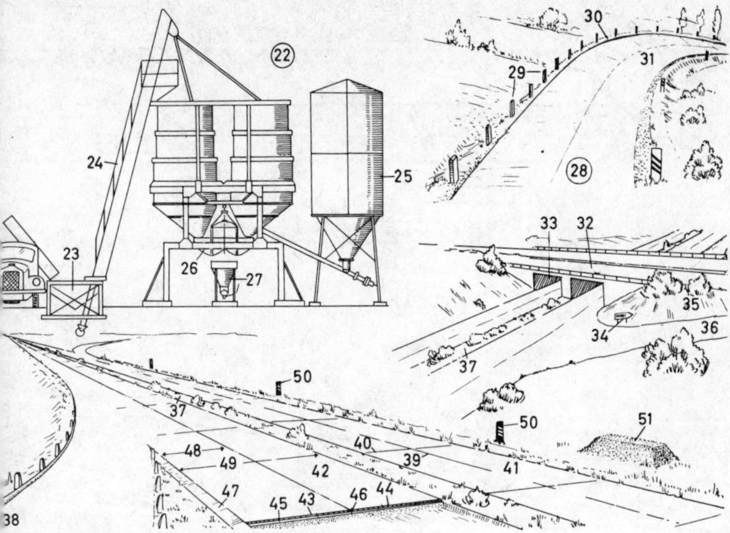

25 le silo à ciment *m*
26 le malaxeur à mélange *m* forcé
27 la benne à béton *m*;

28 la route nationale
(grande route):
29 la signalisation des virages *m*
30 le relèvement de virage *m*
31 le virage;

32-50 l'autoroute *f*;
32 le passage supérieur de l'autoroute *f*
33 le passage inférieur de l'autoroute *f*
34 le terre-plein (le cône de talus *m*)
35 le remblai de la route
36 la sortie de l'autoroute *f*; *anal.*: l'entrée *f* de l'autoroute *f*, une route d'accès *m*
37 la bande médiane (la haie, la pelouse)
38 la bordure de protection *f*; *types*: bordures en béton *m* ou en bois *m*
39 et 40 les joints *m* de dilatation *f* thermique:
39 le joint longitudinal
40 le joint transversal;
41 la dalle de béton *m*
42 le revêtement routier de béton *m*
43-46 la section d'un revêtement routier en béton *m*:
43 la couche supérieure (couche d'usure *f*) en béton *m*
44 la couche de protection *f* contre le gel
45 la couche inférieure de béton *m*
46 le goujon;
47 la banquette en béton *m*
48 la pente transversale
49 la largeur de chaussée *f*
50 les jalons *m* d'annonce *f* de sortie *f*;
51 le dépôt de matériaux *m* [le tas *m* d'agrégats *m*, de gravillons *m*, de sable *m*]

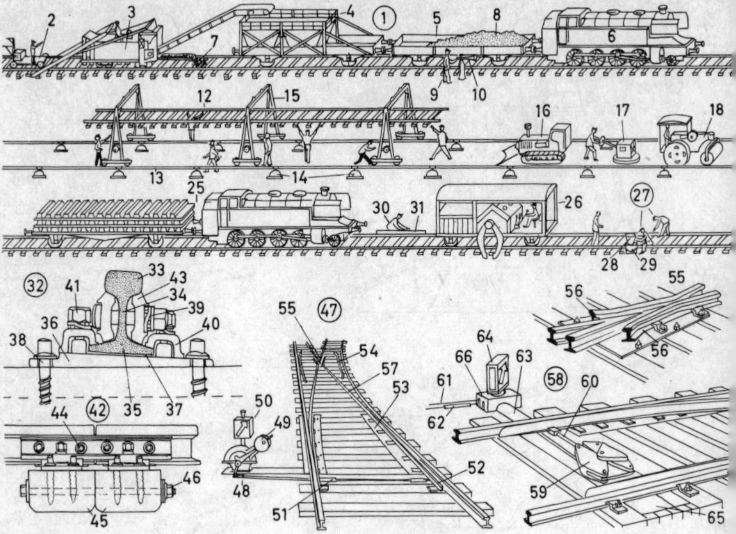

1-31 la construction de la voie ferrée;
anal.: la réfection de la voie ferrée,
1 le train de travaux *m*:
2 le véhicule de commandement *m* (de direction *f* des travaux *m*)
3 la machine à cribler le ballast (la dégarnisseuse)
4 le wagon-silo
5 le wagon de déblais *m*
6 la locomotive de travail *m*
7 le ballast criblé
8 les déblais *m*;
9 l'agent *m* assurant la protection
10 la corne de signal *m*
11 le train de travaux *m* (les wagons *m* porte-rails *m*)
12 le châssis de voie *f*
13 le rail auxiliaire
14 l'appui *m* du rail auxiliaire
15 la grue à portique *m*
16 le bulldozer (le boutoir)
17 le vibrateur à damer
18 le rouleau compresseur de ballast *m*
19 l'appareil *m* à poser les traverses *f*
20 le poseur de rails *m*, un cantonnier
21 la pince à rails *m*
22 le remblai
23 le lorry [pour le transport de traverses *f*]
24 le transporteur à traverses *f*
25 le train de traverses *f*
26 la bourreuse de traverses *f*
27 l'équipe *f* de soudure *f*:
28 l'entonnoir *m* pour la soudure aluminothermique
29 le moule
30 le chef d'équipe *f* (chef de canton *m*)
31 le niveau à bulle *f* du poseur de rails *m*;
32 le rail:
33 le champignon du rail
34 l'âme *f* du rail
35 le patin du rail
36 la semelle de rail *m*
37 l'intercalaire *m*
38 le tirefond
39 la rondelle élastique
40 le crapaud (la plaque de serrage *m*)
41 le crampon à vis *f*;
42 le joint des rails *m*:
43 l'éclisse *f*
44 le boulon d'éclisse *f*
45 la traverse jumelée (traverse de joint *m*)

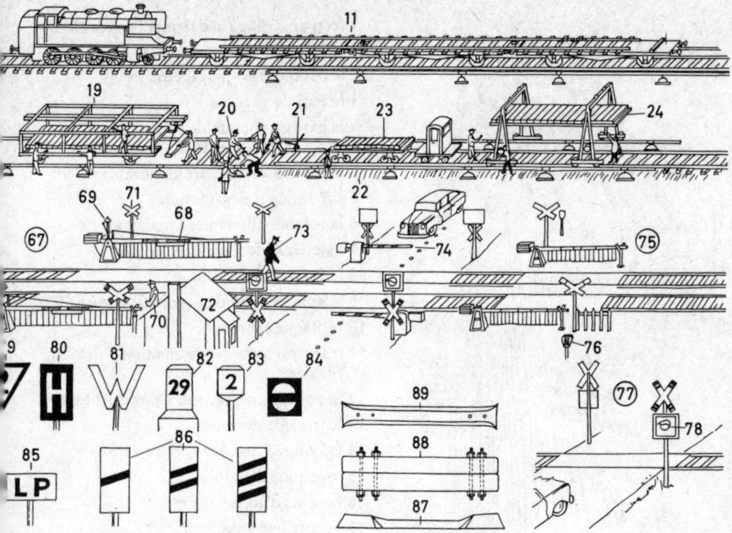

46 le boulon de jumelage *m*;
47 l'aiguille *f* manœuvrée à pied *m* d'œuvre *f* (aiguille manœuvrée à main *f*):
48 le chevalet de manœuvre *f*
49 le contrepoids
50 le signal de position *f* d'aiguille *f* (la lanterne d'aiguille)
51 la tringle de manœuvre *f*
52 la lame d'aiguille *f* (le rail mobile)
53 le coussinet (la plaque de glissement *m*)
54 le contre-rail
55 le cœur d'aiguille *f*
56 la patte de lièvre *m* (le rail coudé)
57 le rail intermédiaire;
58 l'aiguille *f* manœuvrée à distance *f*:
59 le verrou d'aiguille *f*
60 la tringle d'appui *m*
61 la transmission funiculaire (la commande par fils *m*)
62 l'écrou tendeur *m*
63 le caniveau
64 la lanterne d'aiguille *f* (le signal de position *f* d'aiguille *f*) à éclairage *m* électrique
65 le châssis d'aiguille *f*
66 la commande d'aiguille *f* dans le carter de protection *f*;

67-78 les passages *m* à niveau *m*:

67 le passage à niveau *m*
68 la barrière
69 la sonnerie de pré-avertissement *m*
70 le garde-barrière
71 le signal avertisseur de passage *m* à niveau *m*
72 la maison de garde-barrière *m*
73 le surveillant de la voie
74 la demi-barrière
75 la barrière à poste *m* d'appel *m*:
76 l'interphone *m*;
77 le passage non gardé:
78 le signal avertisseur lumineux;

79-86 les tableaux *m* indicateurs:

79 le tableau indicateur de limite *f* de vitesse *f*
80 le tableau «arrêt»
81 le tableau «attendre»
82 la borne kilométrique
83 la borne hectométrique
84 le signal de taquet *m* d'arrêt *m*
85 le tableau «siffler»
86 les mirlitons *m*;
87 la traverse de béton *m*
88 la traverse jumelée
89 la traverse de fer *m*

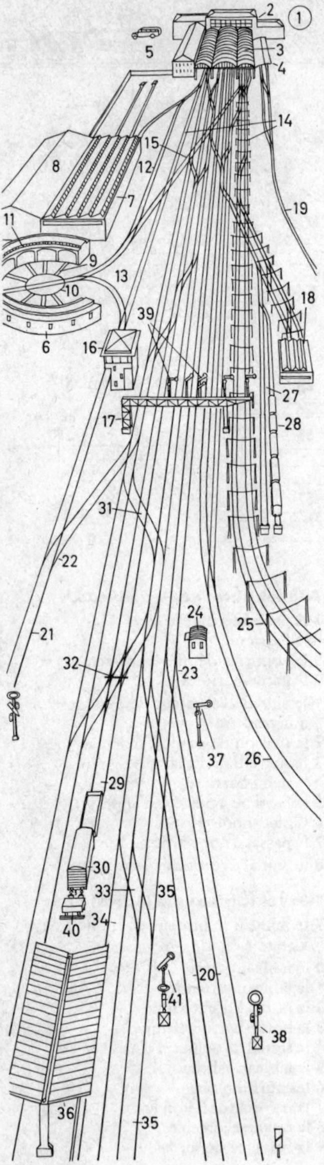

1 la gare tête *f* **de ligne** *f* (gare en cul-de-sac *m*):

2 le bâtiment des voyageurs *m*

3 le hall de gare *f* ;

4 la gare du chemin de fer *m* secondaire (gare du chemin de fer à voie *f* étroite)

5 la gare routière (gare d'autobus *m*)

6 et 7 le dépôt des machines *f*:

6 la rotonde (la remise à machines *f*)

7 l'atelier *m* de réparation *f*;

8 le dépôt des autobus *m*

9 la voie de rotonde *f* (voie de remise *f*)

10 la plaque tournante

11 les ouvertures *f* d'évacuation *f* des fumées *f*

12 la voie de préparation *f* des machines *f*

13 le triangle de voies *f*

14 les voies *f* d'arrivée *f* et de départ *m*

15 le groupe d'aiguilles *f*

16 le poste d'aiguillage *m*

17 le portique à signaux *m*

18 la remise aux locomotives *f* électriques

19 le chemin de fer *m* d'intérêt *m* local, un chemin de fer secondaire

20 la ligne principale à double voie *f*

21 la voie de circulation *f* des locomotives *f*

22 le branchement

23 la bifurcation

24 le poste de bifurcation *f* (poste intermédiaire de bloc *m*)

25 la voie principale électrifiée

26 la ligne à voie *f* unique

27 le faisceau de voies *f* de garage *m*

28 la rame de wagons *m* au garage, un train de wagons vides

29 la voie de garage *m*

30 le wagon de service *m*

31 le croisement de voies *f*

32 la traversée-jonction

33 la communication de voies *f* (la jonction de voies)

34 la voie du service de banlieue *m* (voie d'évitement *m*)

35 la voie principale directe

36 la gare de passage *m* (la station)

37 le signal (le sémaphore) principal

38 le signal avancé (signal avertisseur)

39 le signal de direction *f*

40 le butoir

41 le signal de bloc *m* (signal de cantonnement *m*) combiné avec l'avertissement *m*

42 le parc à combustible *m* (le dépôt *m* de charbon *m*):

43 la grue à charbon *m*

44 la soute à charbon *m*

45 la paroi de la soute

46 les projecteurs *m* à flots *m* de lumière *f*

47 le pont roulant;

48 le château d'eau *f*

49 le bâti

50 la fosse de visite *f*

51 la fosse à piquer (fosse aux cendres *f*)

52 la prise d'eau *f* (la grue hydraulique)

53 la soute à scories *f*

54 le réservoir à sable *m*

55 le bureau du chef de district *m* (bureau de service *m* de la voie)

56-72 l'aiguillage *m*,

56 le poste d'aiguillage *m* mécanique:

57 les leviers *m*

58 le levier d'aiguille *f* [bleu], un levier de blocage *m* des aiguilles *f*

59 le levier de signal *m* [rouge]

60 la manette (le verrou)

61 le levier d'itinéraire *m*

62 le bloc de section *f*

63 le panneau du bloc;

64 le poste d'aiguillage *m* électrique:

65 les leviers *m* d'aiguilles *f* et de signaux *m*

66 le registre d'enclenchement *m*

67 les voyants *m* de contrôle *m*;

68 le poste à tableau *m* de contrôle *m* optique:

69 le pupitre de manœuvre *f*

70 les boutons-poussoirs *m*

71 les parcours *m*

72 le transmetteur d'ordres *m* (l'interphone *m*)

1 le service des colis *m* express (réception *f* et délivrance *f* des colis express):

2 le colis express

3 l'étiquette *f* volante des colis *m* express;

4 l'enregistrement *m* des bagages *m*:

5 la balance automatique à aiguille *f*

6 la malle

7 l'étiquette-adresse *f*

8 le bulletin de bagages *m*

9 l'agent *m* préposé aux bagages *m*;

10 le registre des messages *m* personnels

11 le cireur

12 le socle de travail du cireur

13 le buffet

14 la salle d'attente *f*

15 le plan de la ville

16 le tableau horaire tournant

17 le garçon d'hôtel *m*

18 les tableaux *m* d'indication *f* des trains *m* et des voies *f*:

19 le tableau des arrivées *f*

20 le tableau des départs *m*;

21 la consigne automatique à libre-service *m*

22 le distributeur automatique de billets *m* de quai *m*

23 l'accès aux quais *m* avec barrière *f*

24 la loge de contrôle *m* de billets *m*

25 le contrôleur des billets *m*

26 la librairie de gare *f*

27 la consigne [à petits bagages *m*]

28 le bureau de réservation *f* de chambres *f* d'hôtel *m* et de meublés

29 le bureau de renseignements *m*

30 l'horloge *f* de gare *f*, une horloge régulatrice

31 le bureau de change *m*

32 le tableau horaire mural

33 la carte schématique des lignes *f*

34 la distribution des billets *m*:

35 le guichet de délivrance *f* des billets *m*

36 le billet

37 le plateau *m* tournant [distributeur de monnaie *f* et de billets *m*]

38 l'hygiaphone *m*

39 le guichetier (le receveur)

40 la machine à imprimer les billets *m*

41 l'échelle *f* de lecture *f* du pupitre lumineux

42 le prisme tournant (le chariot imprimeur)

43 le manipulateur imprimeur

44 indicateur *m* de poche *f*

45 la table à bagages *m*;

46 la cabine téléphonique publique

47 le bureau de tabac *m*

48 le kiosque de fleurs *f*

49 l'agent *m* de renseignements *m* (*antrefois:* le portier de gare *f*)

50 l'indicateur *m* officiel

51 le tableau d'annonce *f* des retards *m* des trains *m*

52 la boîte aux lettres *f* de la gare

53 le centre d'accueil *m*

54 l'infirmerie *f* (le poste de secours *m*)

1 le hall de gare *f*

2 l'escalier *m* d'accès *m* au quai, partant du passage inférieur

3 les voyageurs *m*

4-12 les bagages *m*:

4 la valise

5 le porte-adresse

6 les étiquettes *f* d'hôtel *m*

7 le sac de voyage *m*

8 la couverture de voyage *m* (le plaid)

9 le nécessaire de voyage *m*

10 le parapluie dans son étui *m*

11 le carton à chapeaux *m*

12 la cantine (la malle cabine);

13 les locaux *m* de service *m*

14 le nettoyeur de voitures *f*

15 l'échelle *f* du nettoyeur

16 le quai contigu au bâtiment des voyageurs *m*

17 le kiosque roulant

18 la lecture de voyage *m*

19 le vendeur de journaux *m*

20 le passage à niveau *m* du quai

21 la bordure du quai

22 l'agent de police *f* de la gare

23 le panneau indicateur de direction *f*

24 l'indicateur *m* de la gare destinataire

25 l'indicateur *m* de l'heure *f* de départ *m*

26 l'indicateur de retard *m* du train

27 le train de voyageurs *m*, un autorail

28 le haut-parleur du quai

29 le chariot électrique de quai *m*

30 l'homme *m* d'équipe *f*

31 la fontaine à eau *f* potable

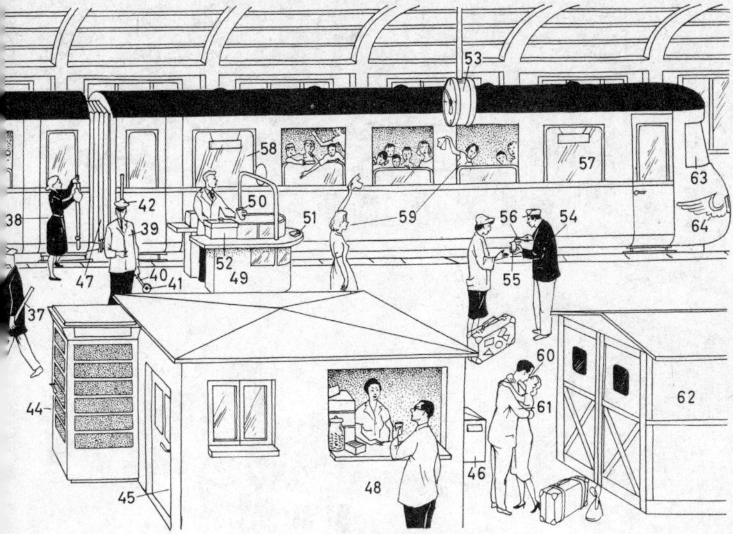

32 le porteur
33 le chariot à bagages *m*
34 la plaque d'itinéraire *m*
35 le signal de départ *m*, un signal lumineux de jour *m*
36 le visiteur (le contrôleur) des roues *f*
37 le marteau pour le contrôle des roues *f*
38 la femme de service *m* ambulante
39 le surveillant (l'employé responsable)
40 le guidon (le bâton à signaux *m*)
41 la cocarde de guidon *m* [pendant la nuit un signal lumineux]
42 la casquette rouge *[en Allemagne]*
43 le banc de quai *m*
44 la cabine téléphonique de quai *m*
45 le local de service *m*
46 la boîte aux lettres *f* de quai *m*
47 le soufflet
48 la buvette de quai *m* pour la vente de boissons *f* et de nourriture *f* de voyage *m*
49 la voiturette-buffet de quai *m*
50 le gobelet en carton *m*
51 l'assiette *f* en carton *m*
52 la chaudière à saucisses *f*
53 l'horloge *f* du quai
54 le contrôleur de route *f*
55 le carnet de billets *m* (carnet de tickets *m* circulaires)
56 la pince de contrôle *m* pour poinçonner et dater
57 le compartiment de service *m*
58 le compartiment pour dames *f* et enfants *m*
59 les adieux *m*
60 le baiser
61 l'étreinte *f*
62 le monte-charge
63 la cabine de conduite *f*
64 l'écusson *m* à la roue ailée *[en Allemagne]*

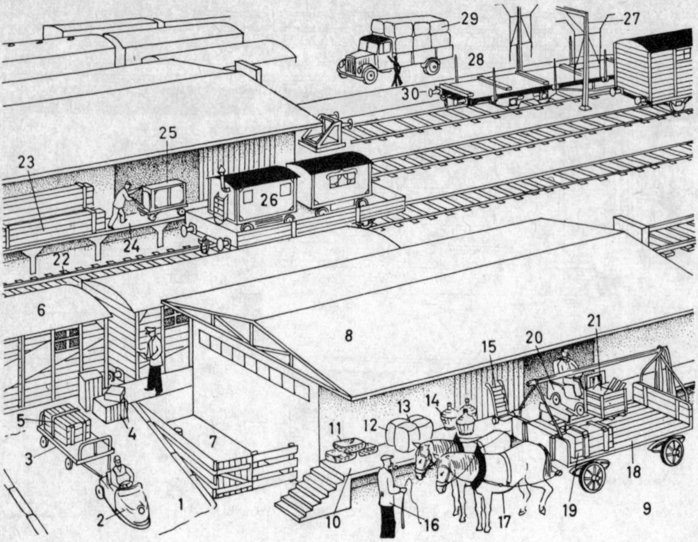

1 la rampe d'accès *m*; *anal.:* rampe aux bestiaux *m*

2 le tracteur électrique

3 la remorque du tracteur électrique

4 les colis *m* de détail *m*; *en service de groupage:* l'expédition *f* collective

5 le feuillard (feuillard d'emballage *m*)

6 le wagon (le fourgon) pour les envois *m* de détail *m*

7 le parc pour petits animaux *m*, un parc à bestiaux *m*

8 la halle (le hangar) à marchandises *f*

9 la rue conduisant au quai de chargement *m*

10 le quai de chargement *m*

11 le cageot de fruits *m* ou de légumes *m*, un panier d'osier *m*

12 la balle

13 le ficelage

14 la bonbonne (la tourie)

15 le diable

16 le camionneur (le voiturier)

17 le cheval de trait *m*, une bête de trait

18 le camion, une voiture de camionnage *m* pour délivrer les marchandises *f*

19 la caisse à claire-voie *f*

20 le chariot élévateur à fourche *f*

21 la palette, une caisse pour les petits colis *m*

22 la voie de chargement *m*

23 la marchandise encombrante

24 le quai de chargement *m* (quai latéral)

25 le petit container appartenant au chemin de fer *m*, une caisse d'expédition *f*

26 la roulotte de forain *m*

27 le gabarit de chargement *m*

28 le quai de chargement *m*

29 les balles *f* de paille *f*

30 le wagon à ranchers *m*

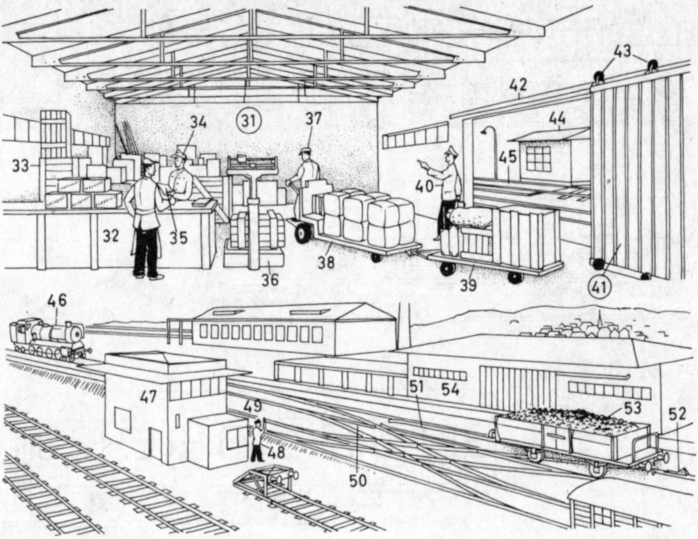

31 la halle à marchandises *f*:

32 la réception *f* des marchandises *f* (l'expédition *f* des marchandises, le bureau des expéditions *f*)

33 les marchandises *f* (les colis *m*) [pour l'expédition *f* par petite vitesse *f*]

34 le brigadier de manutention *f*

35 la déclaration d'expédition *f* (la lettre de voiture *f*)

36 la bascule pour les marchandises *f* en colis *m*

37 l'homme *m* d'équipe *f*

38 le chariot électrique, un chariot à plateforme *f*

39 la remorque

40 le commis aux expéditions *f* ;

41 la porte à coulisse *f* (porte de la halle):

42 le rail de roulement *m*

43 les galets de roulement *m*;

44-54 la gare de triage *m* (gare de manœuvre *f*):

44 l'abri *m* de bascule *f*

45 la bascule à wagons *m* (le pont-bascule à wagon)

46 la locomotive de manœuvre *f*

47 le poste de débranchement *m*

48 le brigadier de manœuvre *f*

49 la butte de triage *m* (la bosse de triage, le dos d'âne *m*)

50 la voie de triage *m* (voie de garage *m*)

51 le frein de voie *f*

52 le sabot d'enrayage *m*

53 la charge

54 l'entrepôt *m*

203 Véhicules ferroviaires (voitures sur rails) I

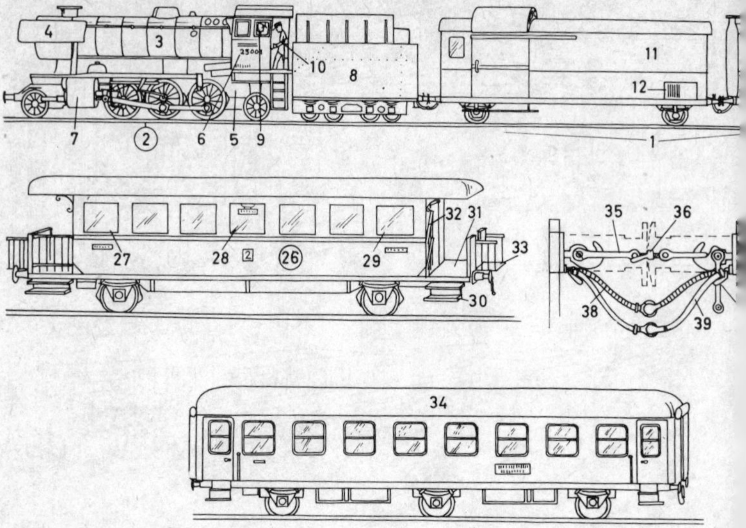

1 **le train omnibus** (train de voyageurs *m*),

2 la locomotive pour trains *m* omnibus, une locomotive à vapeur *f*:

3 la chaudière

4 la tôle paravent

5 le foyer

6 le numéro de la locomotive et le numéro de série *f*

7 le cylindre

8 le tender;

9 et **10** l'équipe *f* de la locomotive:

9 le mécanicien de la locomotive

10 le chauffeur de la locomotive;

11 le fourgon à bagages *m*

12 la niche à chiens *m*

13 le chef de train *m*:

14 le baudrier rouge *[en Allemagne]*

15 la casquette d'employé *m* de chemin *m* de fer *m*

16 le sifflet à signaux *m*, un sifflet à roulette *f*;

17 le contrôleur de route *f*

18 la poste ambulante (poste de chemin *m* de fer *m*):

19 la voiture postale (le wagon-poste)

20 la boîte aux lettres *f* du wagon-poste

21 l'employé des postes *f* de chemin *m* de fer *m*

22 le sac de lettres *f* plombé

23 le sac de paquets-poste *m*;

24 la voiture (le wagon) à compartiments *m*, une voiture sans couloir *m*:

25 le marchepied

26 la voiture à voyageurs *m* de 2ème classe *f*, une voiture (wagon *m*) à plates-formes *f* ouvertes:

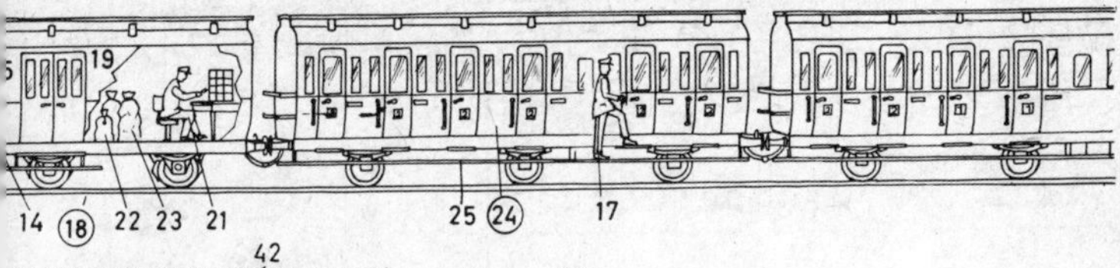

48

27 le compartiment des fumeurs *m*

28 le compartiment des mutilés *m*

29 le compartiment des non-fumeurs *m*

30 le marchepied

31 la plate-forme ouverte

32 la portière rabattable en treillis *m*

33 la passerelle abattante;

34 la voiture (le wagon) à voyageurs *m* en alliage *m* (métal *m*) léger

35-39 l'attelage *m* de tuyaux *m* et de wagons *m*:

35 la manille du tendeur d'attelage *m*

36 l'appareil *m* tendeur (vis *f* et manivelle *f* d'attelage *m*)

37 la manille pendante

38 le tuyau d'accouplement *m* de chauffage *m*

39 le tuyau d'accouplement *m* de frein *m* (tuyau de conduite *f* du frein);

40-47 l'intérieur *m* de la voiture (intérieur du wagon):

40 la banquette garnie de moleskine *f* (de matière *f* plastique)

41 le dispositif de réglage *m* de la température

42 le porte-bagages (le filet à bagages *m*)

43 le signal d'alarme *f*:

44 le plomb;

45 le couloir central

46 le cendrier à couvercle *m* rabattant

47 l'accoudoir *m*;

48 le billet (billet de chemin *m* de fer *m*), un billet aller et retour

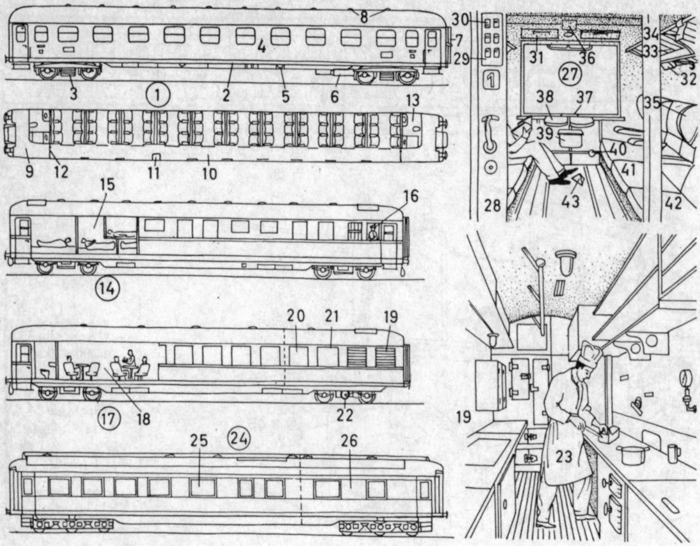

1 la voiture de grandes lignes *f* (le wagon de train-express *m*):

2 le châssis

3 le boggie

4 la caisse de voiture *f*

5 le cylindre de frein *m* à air *m* comprimé

6 la dynamo d'éclairage *m*

7 le soufflet (l'accordéon *m*)

8 l'aération, un ventilateur

9 la plate-forme fermée

10 le couloir latéral

11 le strapontin (le siège rabattable)

12 la porte va-et-vient

13 le cabinet de toilette *f*;

14 la voiture-lit (le wagon-lit):

15 le compartiment-lit

16 le contrôleur de wagons-lits *m*;

17 la voiture-restaurant (le wagon-restaurant):

18 la salle à manger

19 la desserte

20 l'office *m*

21 la cuisine de train *m* (cuisine de wagon-restaurant *m*)

22 la dynamo pour la génération de courant *m* autonome;

23 le chef cuisinier de wagon-restaurant *m*

24 la voiture de société *f* (voiture-dancing, voiture-cinéma):

25 la salle (salle de société *f*, salle de danse *f*)

26 le compartiment du bar (le bar);

27 le compartiment:

28 la porte coulissante du compartiment

29 le tableau de numérotage *m* des places *f* réservées

30 le numéro de la place réservée

31 le volet d'aération *f*

32 la lampe pour la lecture

33 le porte-bagages

34 l'étiquette *f* de réservation *f* de places *f*

35 l'appui-tête *m* réglable

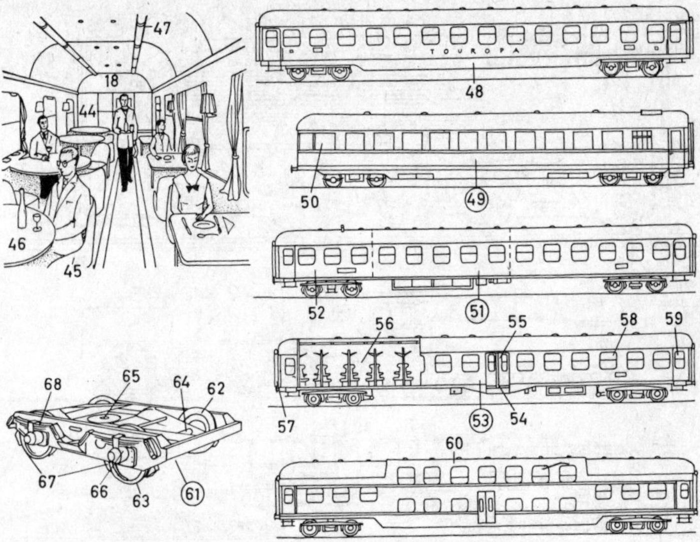

36 le signal d'alarme *f*
37 la plaque d'avertissement *m* [«ne pas se pencher au dehors»]
38 la table rabattable
39 la corbeille (le cendrier)
40 le dispositif de réglage *m* du chauffage
41 le siège rembourré extensible
42 la place de coin *m*
43 le tabouret;
44 le serveur (le garçon) de wagon-restaurant *m*
45 le siège pivotant
46 la table ovale
47 le tube fluorescent
48 la voiture Touropa de grand parcours *m* avec sièges *m* inclinables, salon *m* de coiffure *f* et cabinets *m* de toilette *f*, une voiture-couchettes
49 la voiture-salon (le wagon-salon):
50 le salon (le compartiment panoramique ou de conférence *f*);
51 le wagon-restaurant:
52 le compartiment de cuisine *f*;
53 la voiture rapide interurbaine:
54 le bourrelet en caoutchouc *m*
55 la porte centrale à deux vantaux *m*
56 le compartiment de grande capacité *f*
57 l'intercirculation *f*
58 la fenêtre coulissante, une fenêtre sans courant *m* d'air *m*
59 la porte d'extrémité *f* à un vantail;
60 la voiture à voyageurs *m* à deux étages *m*
61 le boggie,
62-64 la garniture de roues *f* avec l'essieu *m* monté:
62 la roue de voiture *f*
63 le boudin de roue *f*
64 l'axe *m* d'essieu *m*;
65 la crapaudine de pivot *m* de boggie *m*
66 la boîte d'essieu *m* avec réservoir *m* à graisse *f*
67 les sabots *m* de frein *m*
68 le ressort de suspension *f* de l'essieu *m*

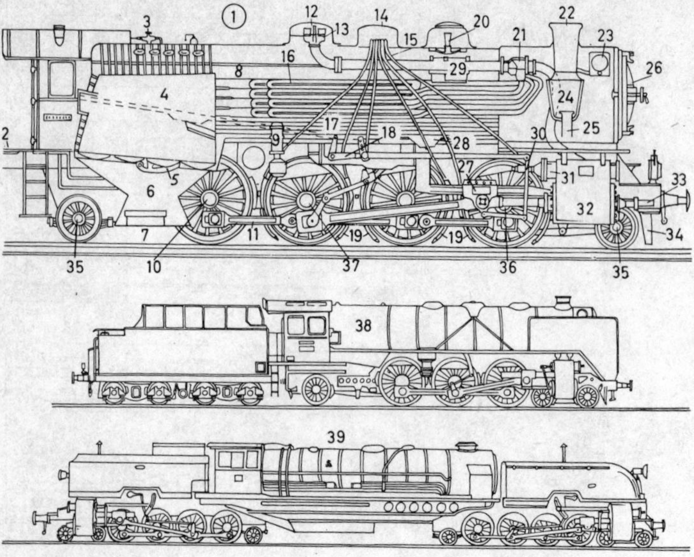

1 la locomotive à vapeur *f*, (locomotive à piston *m*), une locomotive à adhérence *f*,

2-37 la chaudière tubulaire et le mécanisme de locomotive *f*:

2 le tablier mobile de tender *m* avec attelage *m*

3 la soupape de sûreté *f* pour surpression *f* de vapeur *f*

4 le foyer

5 la grille basculante (le jette-feu)

6 le cendrier à ventilation *f*

7 la trappe de fond *m* du cendrier

8 les tubes *m* à fumée *f*

9 la pompe d'alimentation *f* en eau *f*

10 la boîte d'essieu *m*

11 la bielle d'accouplement *m*

12 le dôme de vapeur *f*

13 le régulateur de vapeur *f*

14 la sablière

15 les tuyaux *m* de descente *f* de sable *m*

16 la chaudière tubulaire

17 les tubes *m* de chaudière *f*

18 la distribution de vapeur *f*

19 l'éjecteur *m* de sablière *f* à air *m* comprimé

20 la soupape d'alimentation *f*

21 le collecteur de vapeur *f*

22 la cheminée (la sortie de la fumée et l'échappement *m* de la vapeur épuisée)

23 le réchauffeur d'eau *f* d'alimentation *f* (réchauffeur à surface *f*)

24 la grille à flammèches *f*

25 le souffleur

26 la porte de la caisse à fumée *f*

27 la tête (la crosse) de piston *m*

28 le collecteur de boue *f*

29 le filtre à eau *f* de l'épurateur *m* de l'eau *f* d'alimentation *f*

30 la tige de tiroir *m*

31 le boîtier de bielles *f*

32 le cylindre (la boîte à étoupe *f*)

33 la tige de piston *m*

34 le chasse-pierres

35 l'essieu *m* porteur

36 l'essieu *m* couplé

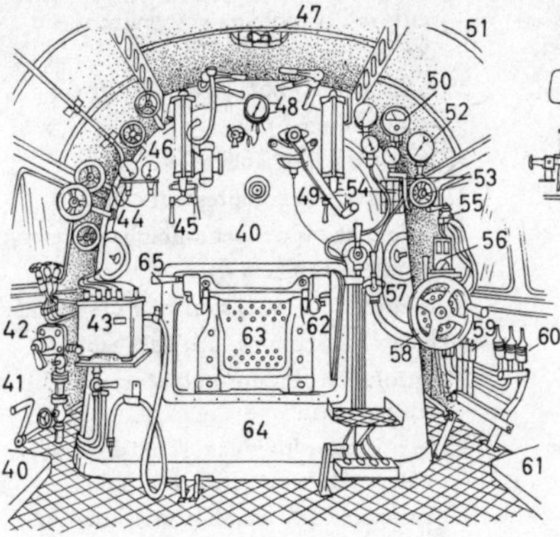

69

70

37 l'essieu *m* moteur;
38 la locomotive à tender *m* séparé pour trains *m* rapides
39 la locomotive articulée (locomotive Garratt)
40-65 la cabine de la locomotive:
40 le siège du chauffeur
41 la manivelle de la grille basculante
42 l'injecteur *m*
43 le graisseur mécanique
44 le manomètre du réchauffeur
45 le manomètre
46 l'indicateur *m* de niveau *m* d'eau *f*
47 l'éclairage *m*
48 le manomètre de chaudière *f*
49 le levier de régulateur *m* (la vanne à vapeur *f*)
50 le téléthermomètre
51 l'abri *m* du mécanicien
52 le manomètre de frein *m*
53 le robinet du sifflet à vapeur *f*
54 le livret de marche *f*
55 le robinet de frein *m* du mécanicien
56 le tachymètre enregistreur
57 le robinet de la sablière
58 l'inverseur *m* de direction *f*; *égal.* : le volant
59 le robinet du frein de secours *m*
60 le purgeur
61 le siège du mécanicien
62 l'écran *m* anti-éblouissant
63 la porte de foyer *m*
64 la boîte à feu *m*
65 l'ouvre-porte *m* de foyer *m*;
66 la locomotive-tender:
67 le réservoir d'eau *f*
68 le tender à combustible *m*;
69 la locomotive à accumulateur *m* de vapeur *f* (locomotive de manœuvre *f* sans foyer *m*)
70 la locomotive à condensation *f*

1 la locomotive électrique (locomotive électrique à fil *m* aérien, locomotive électrique de grand parcours *m*):
2 la caténaire (le câble porteur, les pendules *m*, le fil de contact *m*)
3 le pantographe
4 le disjoncteur principal, un disjoncteur à huile *f* ou à air *m* comprimé
5 les isolateurs *m* d'entrée *f*
6 le sectionneur de toiture *f*
7 le transformateur principal
8 le bloc de commande *f* à arbres *m* à cames *f*
9 le graduateur
10 le moteur de traction *f*, un moteur de châssis *m*
11 le dispositif d'égalisation *f* de la charge des essieux *m*
12 la bielle de guidage *m*
13 le moteur de frein *m* (moteur pour relever le frein)
14 le releveur de démarrage *m* de frein *m*
15 la sablière
16 le ventilateur de moteur *m* de traction *f*
17 la pompe à air *m* à moteur *m* (le compresseur d'air *m*)
18 le ventilateur du transformateur
19 les refroidisseurs *m* d'huile *f* à serpentins *m*
20 le filtre aspirateur d'air *m*
21 les résistances *f* de renversement *m* du sens de rotation *f*
22 le robinet de frein *m* du mécanicien
23 la manille de tendeur *m* d'attelage *m* de la locomotive
24 l'accouplement *m* à vis *f* (le tendeur d'attelage *m*)
25 le crochet de traction *f*
26 le robinet de la conduite d'air *m* du frein;
27 la cabine de conduite *f* de la locomotive électrique:
28 le conducteur électricien
29 le siège du conducteur électricien
30 l'aide-conducteur *m*
31 le volant du manipulateur
32 l'indicateur *m* de position *f* du graduateur
33 le commutateur de sens *m* de marche *f* (la commande d'inversion *f* du sens de marche *f*)
34 la commande manuelle des ventilateurs *m* des moteurs *m* (commande des ventilateurs *m*)
35 le dispositif d'homme *m* mort (le contact de sûreté *f*)
36 la manette de chauffage *m* du train
37 la manette du compresseur d'air *m*
38 la commande des pantographes *m* (commande des archets *m*)
39 la commande du disjoncteur ultrarapide
40 le levier de commande *f* de la sablière
41 le voltmètre indiquant la tension du courant chauffage
42 le voltmètre indiquant la tension du courant de la caténaire
43 l'ampèremètre *m* indiquant l'intensité *f* du courant de la caténaire
44 l'appareil *m* de mesure *f* de l'effort *m* de traction *f* des moteurs *m*
45 le vibrateur (le signal acoustique, l'avertisseur *m*)
46 le manomètre de la conduite principale d'air *m* (de la conduite du frein)
47 le manomètre du réservoir d'air *m* auxiliaire
48 le manomètre du réservoir d'air *m* principal
49 le manomètre du cylindre de frein *m* de la locomotive
50 le levier de commande *f* du sifflet à air *m*
51 le robinet additionnel du frein de secours *m*
52 le robinet de frein *m* du mécanicien pour le freinage automatique du train
53 la commande manuelle du disjoncteur principal
54 l'indicateur *m* de vitesse *f*;
55 l'automotrice *f* électrique avec pantographe *m*
56 la locomotive électrique de mines *f* à ciel *m* ouvert
57 la voiture de contrôle *m* des caténaires *f*, une voiture à impériale *f*
58 l'automotrice *f* à accumulateurs *m*
59 la locomotive électrique de manœuvre *f*
60 la rame électrique triple

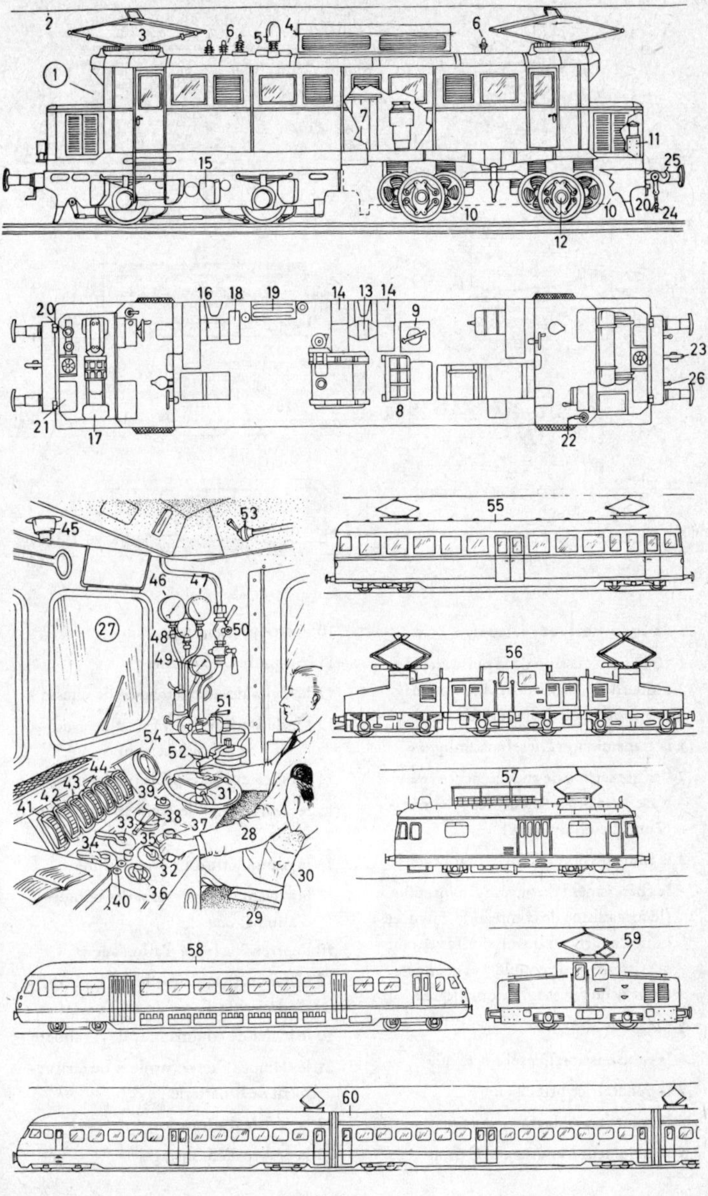
2
3
6
5
4
6
1
7
11
15
25
10
10
20
24
12
20
16
18
19
14
13
14
9
23
26
21
17
8
22
45
53
46
47
27
48
50
49
51
54
52
44
43
42
41
39
31
33
38
37
34
35
28
32
36
40
30
29
55
56
57
58
59
60

207 Véhicules ferroviaires (voitures sur rails) V

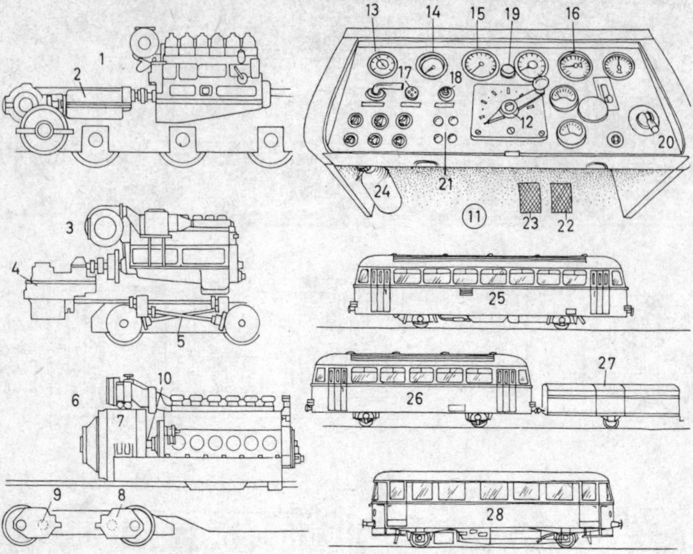

1-43 locomotives *f* Diesel,

1-10 la transmission de la puissance des moteurs *m* Diesel aux essieux *m* de la locomotive ou de l'automotrice *f*:

1 la transmission Diesel mécanique

2 l'engrenage *m* de changement *m* de vitesse *f* (la boîte de vitesses *f*, le mécanisme d'embrayage *m*)

3 la transmission Diesel hydraulique

4 le changement de vitesse *f* hydraulique (le mécanisme de commande *f* hydraulique, la turbo-transmission) avec convertisseurs *m* de couple *f* et changement *m* de vitesse *f* automatique

5 l'arbre *m* moteur

6 la transmission Diesel électrique

7 la génératrice principale

8 les moteurs *m* de traction *f*

9 le réducteur à engrenage *m* droit

10 l'accouplement *m* élastique;

11 le pupitre de conduite *f*:

12 le levier de changement *m* de vitesse *f*

13 l'indicateur *m* de température *f* de l'eau *f* de refroidissement *m*

14 l'indicateur *m* de pression *f* d'huile *f*

15 le tachymètre (le compte-tours) électrique

16 le manomètre à air *m* comprimé

17 le voyant de contrôle *m* des bougies *f* d'allumage *m*

18 l'entrée *f* de la clé d'allumage *m*

19 la commande manuelle de la timonerie d'admission *f*

20 le levier de commande *f* de la sablière

21 les lampes *f* de contrôle *m* du chargement de la batterie

22 la pédale d'admission *f*

23 la pédale d'embrayage *m*

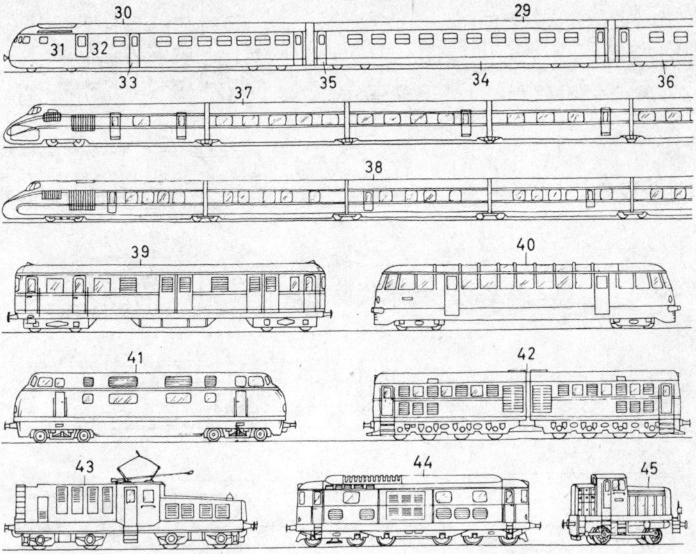

24 l'extincteur *m* à mousse *f*;

25 l'autorail *m* Diesel mécanique en aluminium *m* (autorail léger)

26 la remorque d'autorail *m*

27 la remorque fourgon d'autorail *m* à un essieu

28-40 types d'autorails *m* Diesel:

28 l'autorail *m* Diesel mécanique en alliage *m* léger

29 la rame automotrice (le train automoteur) de grandes lignes *f*

30 la voiture motrice

31 le compartiment des machines *f*

32 le compartiment à bagages *m*

33 le compartiment poste *f*

34 la voiture intermédiaire

35 la porte coulissante et pivotante

36 la voiture à poste *m* de conduite *f*

37 et 38 les rames *f* articulées Diesel à transmission *f* hydro-mécanique:

37 la rame de sept wagons *m* pour le service de jour *m*

38 la rame de wagons-lits *m*;

39 l'automotrice *f* Diesel pour le service des marchandises *f* et de la poste

40 l'autorail *m* panoramique;

41 la locomotive Diesel télécommandée pour trains *m* rapides

42 la locomotive Diesel double pour trains *m* de marchandises *f*

43 la locomotive mixte d'usine *f* [électrique ou Diesel-électrique];

44 la locomotive à turbine *f* à gaz *m*

45 la locomotive à moteur *m* à gaz *m*

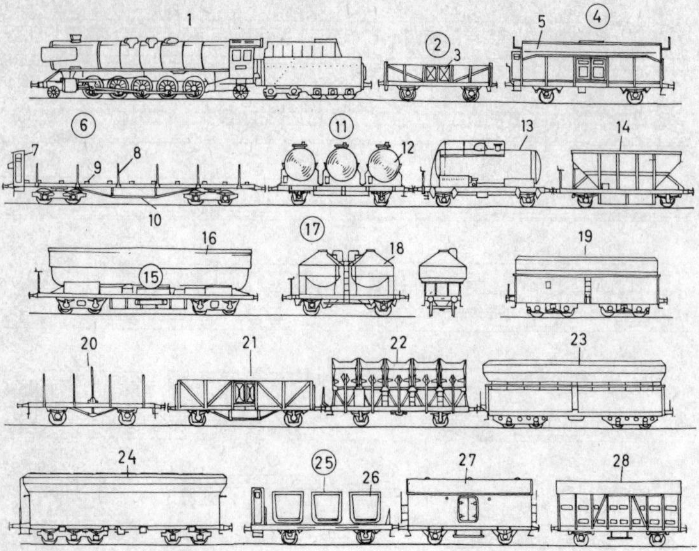

1 la locomotive à vapeur *f* à tender *m* séparé pour trains *m* de marchandises *f*

2-34 wagons *m* de marchandises *f*,

2 le wagon ouvert à marchandises *f* (wagon-tombereau):

3 les portes *f* latérales pivotantes;

4 le wagon à marchandises *f* couvert (fermé):

5 le toit ouvrant;

6 le wagon plat à ranchers *m* en acier *m*:

7 le poste de frein *m* à main *f* avec la guérite

8 le rancher amovible

9 la poutre de fond *m* (poutre d'appui *m*)

10 le tirant de brancard *m*;

11 le wagon à citernes *f* [pour produits *m* chimiques]:

12 la citerne;

13 le wagon-citerne à tout usage *m*

14 le wagon à déchargement *m* par le fond [pour le transport de ballast *m*]

15 le wagon-citerne à gaz *m* comprimé [pour gaz *m* liquéfiés]:

16 l'écran *m* (la tôle) pare-soleil *m*;

17 le wagon à citernes *f* [pour le transport des pulvérulents *m*], un wagon à déchargement *m* automatique:

18 le couvercle;

19 le wagon pour le transport de minerai *m*, un wagon à déchargement *m* latéral

20 le wagon pour le transport du bois

21 le wagon ouvert (wagon-tombereau)

22 le wagon à bennes *f* basculantes

23 le wagon à plancher *m* en dos *m* d'âne *m*, un wagon déchargeant des deux côtés *m* [pour le transport de coke *m* et de charbon *m*]

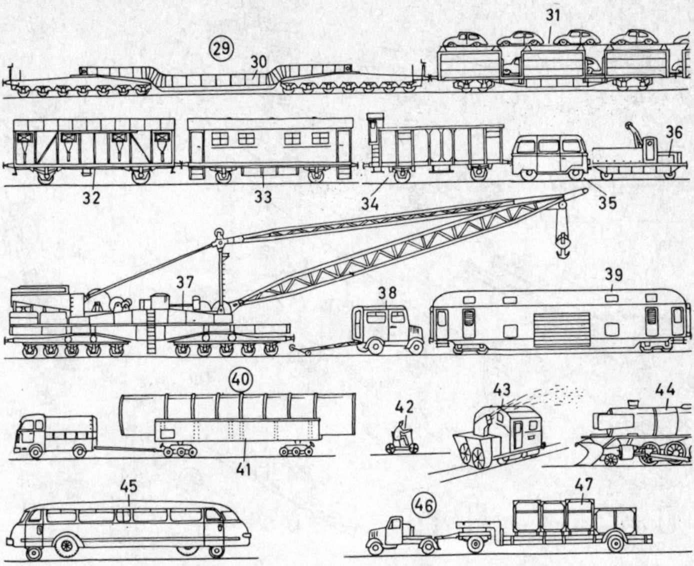

24 le wagon couvert à déchargement *m* automatique [pour matières *f* en vrac *m*]

25 le wagon porte-containers:

26 le grand container;

27 le wagon réfrigérant

28 le wagon à cloisons *f* à étages *m* [pour le transport des volailles *f*]

29 le wagon à plate-forme *f* surbaissée à quatorze essieux *m* [pour poids *m* très lourds]:

30 le pont de chargement *m*;

31 le wagon à marchandises *f* à deux étages *m* (wagon pour le transport des automobiles *f*)

32 le wagon à usages *m* multiples

33 le wagon-atelier

34 le wagon couvert;

35-47 véhicules *m* spéciaux rail-route *f*:

35 l'automobile *f* roulante sur rails *m*

36 la camion-grue rail-route pour les poseurs *m* de la voie

37 le wagon-grue pour la construction des voies *f* et des ponts *m*

38 la draisine de contrôle *m* des voies *f*

39 le fourgon à deux étages *m*

40 la remorque routière à six essieux *m*:

41 la plate-forme de chargement *m* surbaissée;

42 la draisine, un wagonnet actionné à bras *m* d'homme *m* ou par moteur *m*

43 le chasse-neige rotatif, un chasse-neige pour les voies *f* ferrées

44 la locomotive à chasse-neige *m*

45 la voiture (l'autobus *m*) rail-route

46 la semi-remorque à plate-forme *f* surbaissée:

47 le container

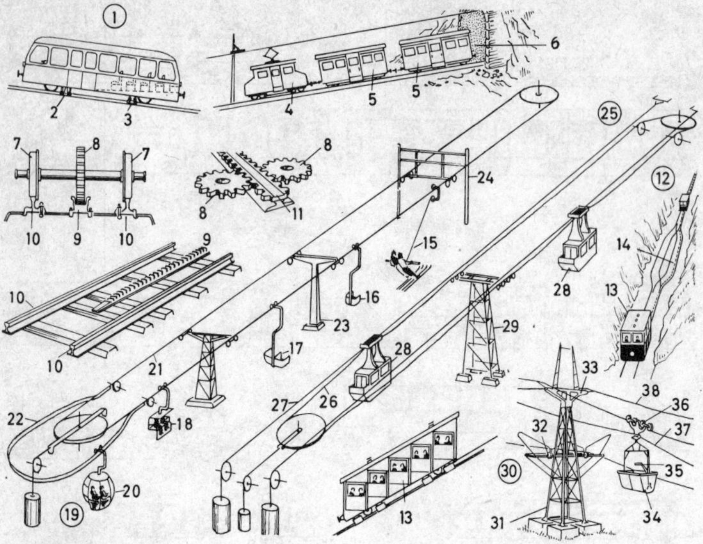

1-14 chemins *m* de fer *m* de montagne *f*,

1 l'automotrice *f* à adhérence *f* forcée:
2 l'entraînement *m*
3 le frein de secours *m*;
4 et **5** le chemin de fer *m* à crémaillère *f*:
4 la locomotive électrique à crémaillère *f*
5 la remorque de la locomotive à crémaillère *f*;
6 le tunnel
7-11 les systèmes *f* de chemins *m* de fer *m* à crémaillère *f*:
7 la roue portante
8 la roue dentée motrice
9 la crémaillère à dents *f*
10 le rail
11 la crémaillère double horizontale;
12 le funiculaire:
13 la voiture (le wagon) de funiculaire *m*
14 le câble tracteur;

15-38 téléfériques *m*

(transporteurs *m* aériens, voies *f* suspendues),
15-24 téléfériques *m* monocâbles, téléphériques à câble *m* sans fin *f*:
15 le téléski (le remonte-pentes)
16-18 le télésiège:
16 le siège de téléférique *m*, un siège monoplace
17 le siège biplace
18 le siège biplace à attelage *m*;
19 la télécabine, un téléphérique à câble *m* sans fin *f*:
20 la cabine circulante;
21 le câble sans fin *f*, un câble porteur et tracteur
22 le rail de retour *m*
23 le pylône d'appui *m*
24 le portique;
25 le téléférique bicâble, un va-et-vient:
26 le câble tracteur
27 le câble porteur
28 la cabine aux passagers *m*
29 le pylône intermédiaire;
30 le téléférique, un transporteur aérien bicâble:
31 le pylône en treillis *m*
32 le galet du câble tracteur
33 le sabot de câble *m* (le palier du câble porteur)
34 la benne basculante
35 la butée de basculage *m*
36 le chariot de roulement *m*
37 le câble tracteur
38 le câble porteur;

39 la station inférieure:
40 la chambre (la fosse) de déplacement *m* du contrepoids
41 le contrepoids du câble porteur
42 le contrepoids du câble tracteur
43 la poulie du câble de tension *f*
44 le câble porteur
45 le câble tracteur
46 le câble lest (câble d'équilibre *m*)
47 le câble auxiliaire
48 le dispositif de tension *f* du câble auxiliaire
49 les galets-support *m* du câble tracteur
50 le système amortisseur de démarrage *m* (l'amortisseur *m* à ressort *m*)
51 le quai de la station inférieure
52 la cabine des passagers *m* (cabine de téléférique *m*), une grande cabine (cabine à grande capacité *f*)
53 le train de roulement *m*
54 la suspension
55 l'amortisseur *m* d'oscillations *f*
56 le butoir;

57 la station supérieure:
58 le sabot de câble *m* porteur
59 l'ancrage *m* du câble porteur
60 la batterie de galets *m* du câble tracteur
61 la poulie de déviation *f* du câble tracteur
62 la poulie d'entraînement *m* du câble tracteur
63 le groupe moteur principal
64 le groupe moteur de réserve *f*
65 le poste de commande *f*;

66 les organes *m* de roulement *m* de la cabine:
67 le longeron principal du train de roulement *m*
68 le double balancier
69 le balancier à deux galets *m*
70 les galets *m* de roulement *m*
71 le frein de câble *m* porteur, un frein de secours *m* en cas *m* de rupture *f* du câble tracteur
72 l'axe *m* de suspension *f*
73 le manchon du câble tracteur
74 le manchon du câble lest
75 le dispositif antidérailleur;
76 pylônes *m* de téléférique *m* (poylônes intermédiaires):
77 le pylône métallique en treillis *m*, une haute charpente en acier *m*
78 le pylône en tubes *m* d'acier *m*
79 le sabot du câble porteur (sabot d'appui *m*)
80 les potences *f* du pylône, un dispositif pour la réparation *f* des câbles *m*
81 le socle du pylône

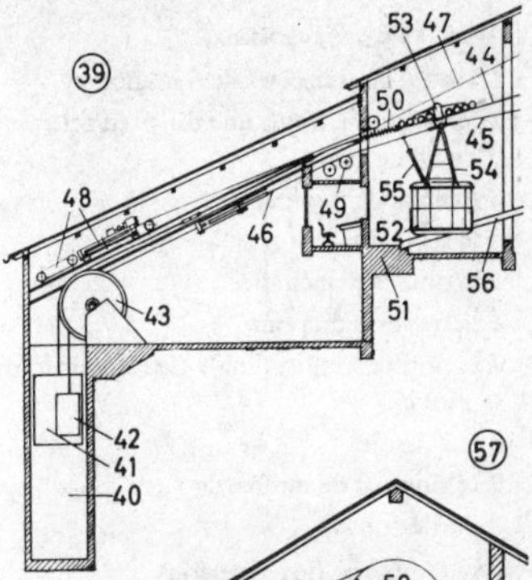

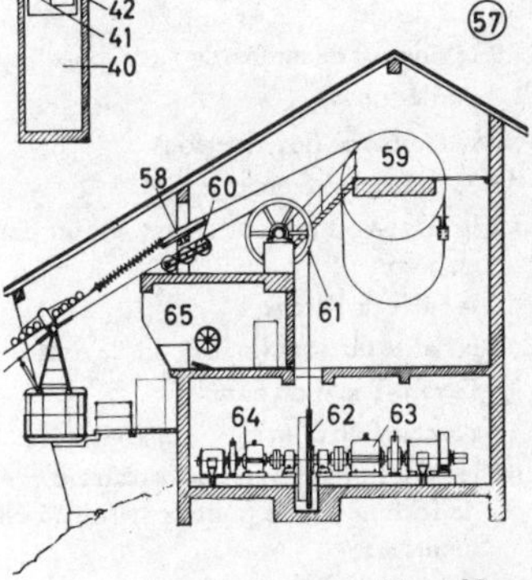

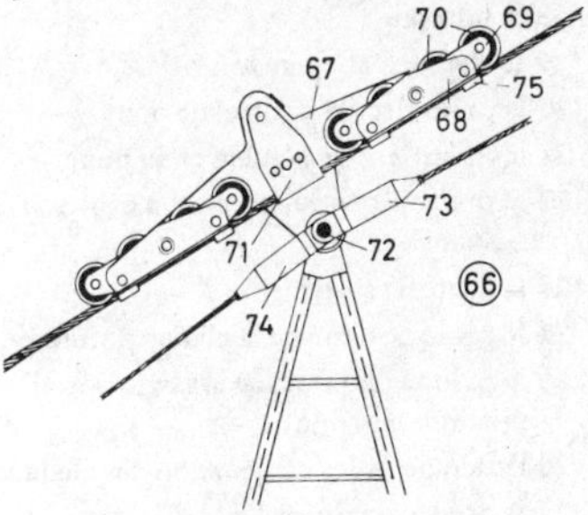

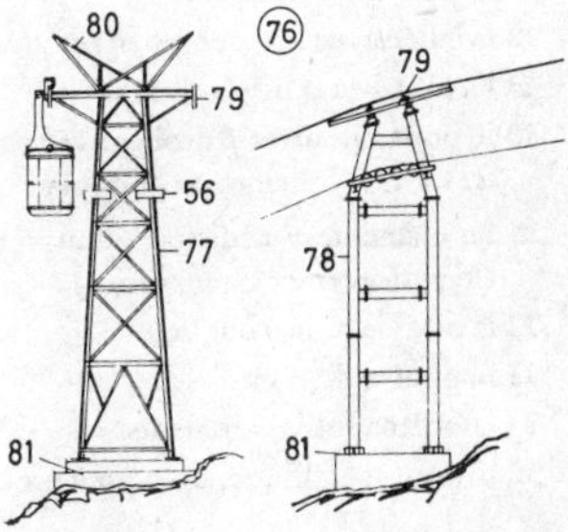

1-54 les ponts *m* fixes,

1 la section transversale d'un pont:

2 le tablier du pont, un tablier en acier *m* ou en béton *m*

3 le bord de traverse *f*

4 le trottoir

5 la poutre principale

6 la traverse du pont

7 la poutre longitudinale (le longeron) du pont

8 la console

9 le support de rambarde *f* (support de garde-fou *m*)

10 la rambarde (le garde-fou)

11 le contreventement;

12 le pont-voûte (pont en arc *m*), un pont en béton *m*:

13 la culée de l'arc *m*

14 la balise du pont (le brise-glace) isolée

15 l'avant-bec *m* du pont

16 l'arche *f* du pont;

17 le pont flottant (pont de bateaux *m*, pont de fortune *f*), un pont provisoire à éléments *m*:

18 le ponton

19 la chaîne d'ancrage *m*

20 la poutrelle (la poutre) de pont *m*

21 les madriers (le plancher) du pont;

22 le pont suspendu, un pont à câbles *m* ou à chaînes *f*:

23 la barre de suspension *f*

24 le câble porteur ou la chaîne porteuse

25 le pylône du pont; *les deux*: le portail (le portique) du pont

26 l'ancrage *m* des câbles *m* ou des chaînes *f*

27 la poutre de rigidité *f*

28 la culée avec les murs *m* en retour *m*

29 l'avant-bec *m* brise-glace;

30 le pont à poutres *f* droites avec des poutres à âme *f* pleine, un pont plat:

31 les éléments *m* raidisseurs transversaux (le renforcement transversal)

32 la pile (le pilier) du pont

33 l'appui *m* du pont

34 la portée entre parements *m*;

35 le pont métallique, un pont à arc-corde:

36 la poutre en arc *m*;

37 le pont à haubans *m* (pont à câbles *m* diagonaux):

38 le câble tendeur (câble diagonal)

39 la traverse de pylônes

40 les points *m* d'attache *f* des câbles *m* tendeurs;

41 le pont sur voûtes *f* montées sur piles *f*:

42 la culée de voûte *f*

43 la pile du pont

44 le sommet de l'arche *f*;

45 le pont de bois *m*:

46 la palée du pont;

47 le pont à poutre *f* en treillis *m* métallique, un pont en acier *m*, un pont pour chemins *m* de fer *m* à voie *f* unique,

48-54 la charpente en treillis *m* du pont:

48 la membrure supérieure

49 la membrure inférieure

50 l'entretoise *f* (le renforcement diagonal)

51 la poutre verticale (le poteau vertical) du pont

52 le nœud de la charpente

53 le contreventement supérieur

54 le portique terminal;

55-70 ponts *m* mobiles,

55 le pont pivotant:

56 le sens de rotation *f*

57 la couronne de pivotement *m*

58 la pile de pivotement *m*

59 le mécanisme d'entraînement *m*

60 le dispositif de verrouillage *m*;

61 le pont basculant:

62 la volée mobile du pont

63 la couronne dentée

64 le pivot;

65 le pont levant

66 le pylône levant

67 la poulie d'entraînement *m*

68 la superstructure

69 le contrepoids

70 la hauteur d'élévation *f* (le tirant d'air *m*)

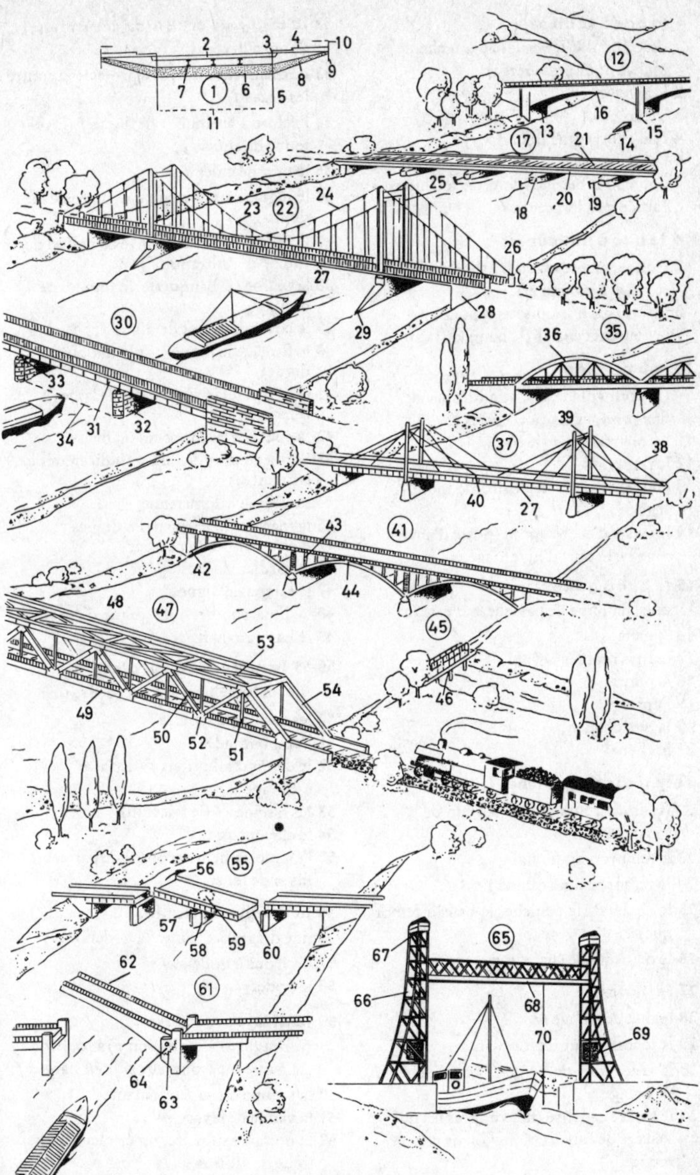
1
2
3
4
5
6
7
8
9
10
11
12
13
14
15
16
17
18
19
20
21
22
23
24
25
26
27
28
29
30
31
32
33
34
35
36
37
38
39
40
41
42
43
44
45
46
47
48
49
50
51
52
53
54
55
56
57
58
59
60
61
62
63
64
65
66
67
68
69
70

1 **le bac à câble** *m*
(bac à traille *f*; *aussi*: le bac à chaîne *f*), un bac pour passagers *m*:
2 le passeur
3 le câble;
4 l'île *f* fluviale (l'îlot *m*)
5 l'affouillement *m* (l'éboulement *m*) de la berge, une dégradation (une érosion) causée par les crues *f*

6 **le bac à moteur** *m*:
7 l'embarcadère *m* (embarcadère à bateaux *m* à moteur *m*)
8 la fondation sur pilotis *m*;
9 le courant central (le cours de l'eau *f*)

10 **le bac volant**
(le pont volant, bac mouillé, bac de fleuve *m*), un bac à voitures *f*:
11 l'embarcation *f* (le bac)
12 le flotteur
13 l'ancrage *m* (le dispositif de mouillage *m*)
14 le poste d'accostage *m* (poste d'amarrage *m*, le port d'hivernage *m*)

15 **le bac à gaffe** *f*,
une chaloupe de passage *m* d'eau *f*:
16 la gaffe;
17 le bras mort
18 le pilotis
19 l'épi *m*:
20 la tête d'épi *m*;
21 le chenal

22 **le train de péniches** *f*:
(train de remorqueur *m*, train de touage *m*):
23 le remorqueur fluvial
24 le remorqueur à cabine *f*
25 le chaland (la péniche, le bateau remorqué)
26 le marinier de chaland *m*;

27 **le halage:**
28 le mât de halage *m*
29 le locotracteur remorquant
30 la voie ferrée de berge *f*; *anc.*: le chemin de halage *m*;
31 le fleuve canalisé (fleuve après les travaux *m* de canalisation *f* ou de correction *f*)

32 **la digue de crue** *f* (digue maîtresse, digue d'hiver *m*):
33 l'exhaussement *m*, une protection contre les crues *f*
34 l'écluse *f* à vanne *f* de digue *f* (la retenue de chasse *f*)
35 le mur de culée *f*
36 le régulateur de régime *m*, un fossé de drainage *m*
37 le fossé d'évacuation *f* (évacuation des eaux *f* d'infiltration *f*)
38 la berme (la banquette, la retraite de digue *f*)
39 le couronnement de digue *f*;
40 le flanc de la digue (la plantation sur digue)
41 le lit de crue *f* (lit majeur, la zone d'inondation *f*)
42 la courbe (la sinuosité) du fleuve
43 l'indicateur *m* de flux *m* (indicateur de courant *m*)
44 le tableau kilométrique
45 la maison du gardien des digues *f*; *aussi*: maison du passeur
46 le gardien de digue *f*
47 la rampe de digue *f*
48 la digue submersible (digue d'été *m*)
49 le barrage du fleuve

50-55 **le matériel de protection** *f* (de renforcement *m*) **de la digue:**
50 les sacs *m* de sable *m*
51 l'empierrage *m*
52 le dépôt d'alluvions *f* (dépôt *m* sablonneux)
53 les fascines *f* (le faisceau)
54 le clayonnage
55 l'empierrement *m* consolidé par des fils *m* de fer *m*;

56 **la drague flottante,**
une drague à chaîne *f* à godets *m*:
57 la chaîne à godets *m*
58 le godet;

59 **la drague suceuse**
(le dragueur à aspiration *f*) avec benne *f* traînante ou aspirateur *m* pour barges *f*:
60 la pompe d'eau *f* refoulante
61 la vanne de lavage *m*
62 la pompe aspirante, un éjecteur hydraulique de sâble *m*

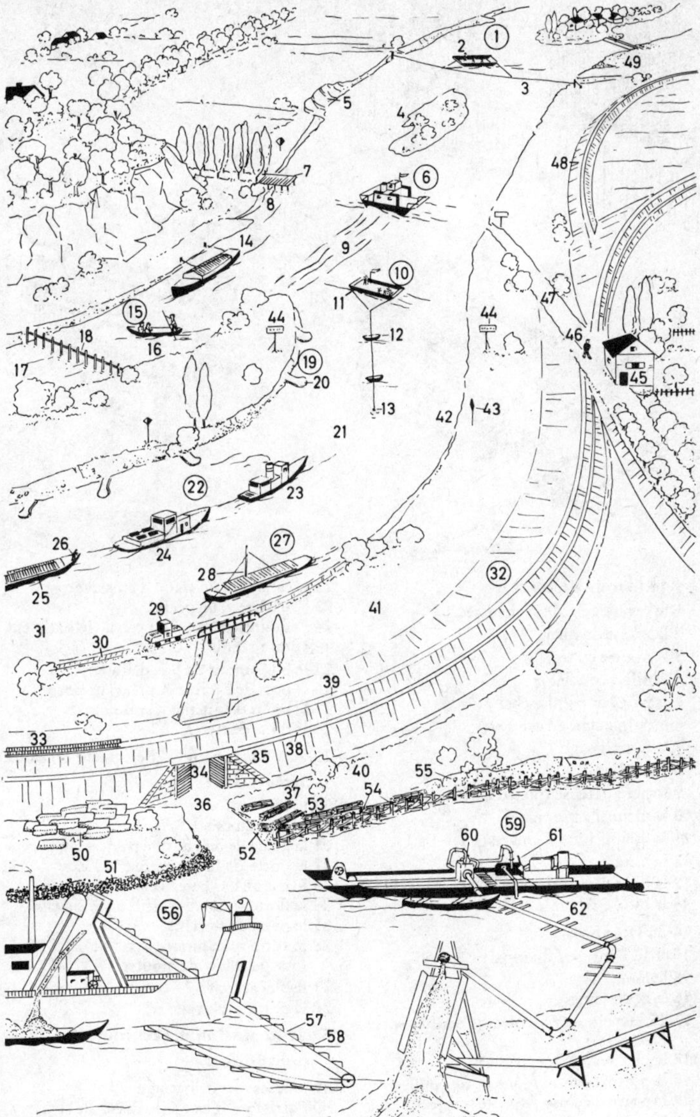
1
2
3
4
5
6
7
8
9
10
11
12
13
14
15
16
17
18
19
20
21
22
23
24
25
26
27
28
29
30
31
32
33
34
35
36
37
38
39
40
41
42
43
44
44
45
46
47
48
49
50
51
52
53
54
55
56
57
58
59
60
61
62

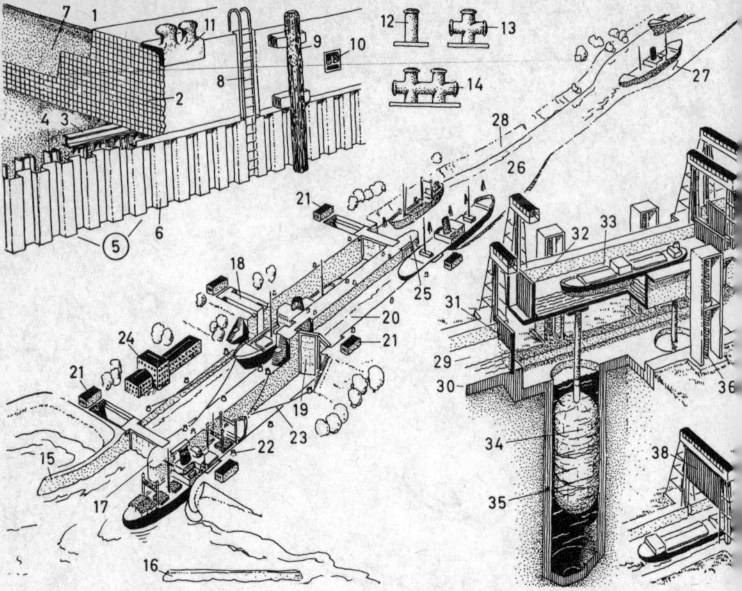

1-14 le mur de quai *m***:**
1 le revêtement de la chaussée
2 la masse du quai
3 la poutre en acier *m*
4 le pilier en acier *m*
5 la paroi de palplanches *f*:
6 la palplanche en acier *m*;
7 le remplissage
8 l'échelle *f*
9 le pieu-défense (pieu d'accostage *m*)
10 la niche d'amarrage *m*
11 la double bitte d'amarrage *m*
12 la bitte
13 la bitte d'enroulement *m* en croix *f*
14 la bitte en double croix *f*;

15-28 le canal,
15 et 16 l'entrée *f* du canal:
15 le môle
16 le brise-lames;
17-25 les écluses *f* accolées (l'escalier *m* d'écluses):
17 le bief aval (la tête d'aval)
18 la porte d'écluse *f*, une porte coulissante
19 la porte d'écluse *f* (porte busquée)
20 la chambre d'écluse *f*
21 le hall aux machines *f*
22 le cabestan, un treuil d'amarrage *m*
23 l'aussière *f*, un grelin
24 l'administration *f* du canal (le bâtiment administratif)
25 le bief amont (la tête d'amont);
26 le port de l'écluse *f*, un avant-port
27 le point d'évitement *m* du canal
28 le talus de rive *f*;

29-38 l'ascenseur *m* (l'élévateur *m*) **pour bateaux** *m***:**
29 le bief aval
30 la sole du canal
31 la porte de bief *m*, une porte à relevage *m*
32 la porte de la chambre d'écluse *f*
33 le bassin des bateaux *m*
34 le flotteur, un dispositif de levage *m*
35 le puits du flotteur
36 le vérin mécanique (la vis de hissage *m*, vis de montée *f*)
37 le bief amont
38 la porte à relevage *m*;

39-44 la station d'accumulation *f* **par pompage** *m***:**
39 le réservoir de barrage *m*
40 l'arrivée *f* d'eau *f* (le bassin de charge *f*)
41 la conduite forcée
42 le bâtiment des vannes *f*

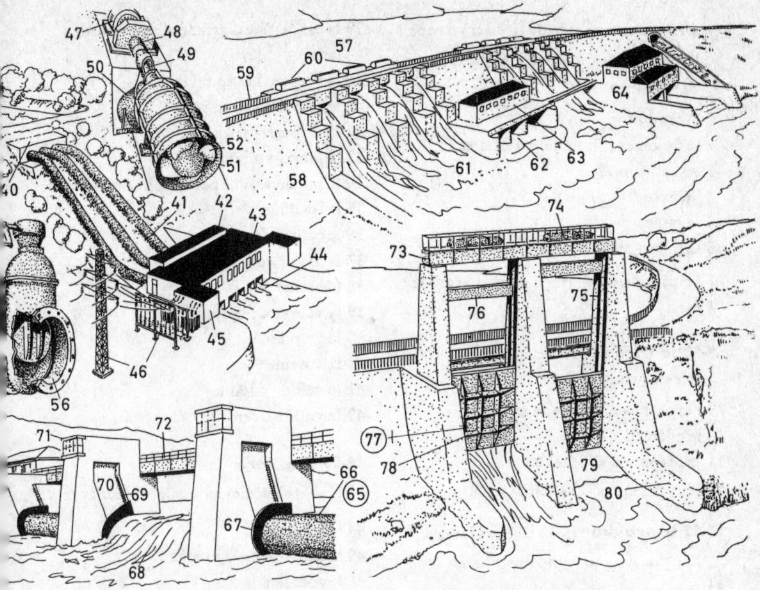

43 le bâtiment des turbines *f* (la station des pompes *f*)
44 l'installation *f* d'écoulement *m*;
45 le poste de commutation *f* (poste de manœuvre *f* électrique)
46 le poste de transformation *f*

47-52 la pompe hélice (pompe à rotor *m*, pompe à roue-hélice *f*):
47 le moteur d'entraînement *m*
48 le mécanisme
49 l'arbre *m* de commande *f*
50 le tuyau de refoulement *m*
51 le conduit d'aspiration *f*
52 l'hélice *f* (le rotor, la roue-hélice);

53-56 la vanne (vanne d'arrêt *m*):
53 la commande à coulisse *f*
54 la boîte de vanne *f*
55 la vanne proprement dite
56 l'ouverture *f* utile (la section de passage *m*, la voie d'écoulement *m*);

57-64 le barrage de vallée *f*:
57 le bassin de retenue *f*
58 le mur de barrage *m*
59 le couronnement
60 le déversoir de crues *f*
61 le bassin à tourbillonnement *m* (bassin de repos *m*, bassin d'amortissement *m*)
62 l'évacuation *f* de fond *m*
63 la maison des vannes *f*
64 le centrale électrique;

65-72 le barrage à cylindres *m*, un digue-réservoir;
autre système: le barrage à clapets *m*,
65 le cylindre, une vanne cylindrique:
66 le sommet de la vanne
67 le bouclier latéral;
68 la vanne immergée
69 la crémaillère
70 la niche
71 le bâtiment des treuils *m*
72 la passerelle de service *m* ;

73-80 le barrage à vannes *f* (barrage à hausses *f*):
73 la passerelle des treuils *m*
74 la machinerie (le treuil)
75 la gorge de guidage *m* de la hausse
76 le contrepoids
77 la vanne (la hausse):
78 les nervures *f* de renforcement *m*;
79 la sole de barrage *m*
80 le bajoyer

213 Types de navires historiques

1-6 le bateau germanique à rames *f* [environ 400 ans après J. C.]; la barque de Nydam:
1 l'étambot *m*
2 le timonier (l'homme *m* de barre *f*)
3 les rameurs *m*
4 l'étrave *f*
5 la rame
6 le timon, un gouvernail de direction *f*;
7 **la pirogue,** un tronc d'arbre *m* évidé
8 la pagaie

9-12 la trirème (la trière), un bateau de guerre *f* romain:
9 l'éperon *m* d'abordage *m*
10 le château
11 le grappin d'abordage *m*
12 les trois rangs *m* de rames *f*;

13-17 le drakkar (le bateau *m* viking à tête *f* de dragon *m* [norois]:
13 la barre du gouvernail (le timon)
14 la corne de tente *f* à têtes *f* de cheval *m* sculptées
15 la tente
16 la figure de proue *f* à tête *f* de dragon *m*
17 le bouclier;

18-26 la kogge (la nef à deux châteaux *m* de la Hanse):
18 le câble d'ancre *f*
19 le château avant
20 le beaupré
21 la grand'vergue (la voile carrée carguée)
22 l'oriflamme *m*
23 le château arrière
24 le timon, un gouvernail d'étambot *m*
25 l'arrière *m* rond
26 la défense en bois *m*;

27-43 la caravelle [«Santa-Maria» 1492]:
27 le poste amiral
28 le bras d'artimon *m*
29 la brigantine d'artimon *m*, une voile latine
30 la vergue d'artimon *m*
31 le mât d'artimon *m*
32 l'écart *m* (la saisine)
33 la grand-voile carrée
34 la bonnette, une petite voile démontable
35 la bouline
36 le cargue-fond
37 la grand'vergue
38 le hunier
39 la vergue de hunier *m*
40 le grand mât
41 la misaine
42 le mât de misaine *f*
43 la voile à livarde *f*;

44-50 la galère [15è–18è siècle], une galère d'esclaves *m*:
44 le fanal
45 le carrosse du capitaine
46 le coursier
47 le garde-chiourme avec son fouet
48 les galériens *m* (les esclaves *m*, les condamnés *m*)
49 la rambarde, une plate-forme *f* pontée à l'avant *m*
50 l'artillerie *f*;

51-60 le vaisseau de ligne *f* [18è et 19è siècles], un trois-ponts:
51 le bout-dehors de beaupré *m* (le bâton de foc *m*)
52 le petit perroquet
53 le grand perroquet
54 la perruche
55-57 le château d'apparat *m*:
55 la galerie supérieure
56 la galerie de poupe *f*
57 les bouteilles *f* (la poulaine)
58 le tableau arrière
59 les sabords *m* de batterie *f* ouverts pour le tir de bordée *f*
60 le panneau de sabord *m*

1
2
3
4
5
6
7
8
9
10
11
12
13
14
15
16
17
18
19
20
21
22
23
24
25
26
27
28
29
30
31
32
33
34
35
36
37
38
39
40
41
42
43
44
45
46
47
48
49
50
51
52
53
54
55
56
57
58
59
60

1-72 le gréement et la voilure d'un trois-mâts barque,

1-9 les mâts *m*:

1 le beaupré
2-4 le ton de hunier *m*:
2 le mât de misaine *f*
3 le petit mât de hune *f*
4 le petit mât de cacatois *m*;
5 et 6 le ton de grand mât *m*:
5 le grand mât
6 le grand mât de hune *f*;
7 le grand mât de perroquet *m*
8 et 9 le ton d'artimon *m*;
8 le mât d'artimon *m*
9 le mât de perruche *f*;

10-19 les manœuvres *f* dormantes:

10 l'étai *m*
11 l'étai *m* de mât *m* de hune *f* (de flèche *f*)
12 l'étai *m* de perroquet *m*
13 l'étai *m* de cacatois *m*
14 l'étai *m* de bout *m* dehors
15 la sous-barbe de beaupré *m*
16 les haubans *m*
17 les haubans *m* de hune *f*
18 les haubans *m* de perroquet *m*
19 les galhaubans *m*;

20-31 les voiles *f* auriques:

20 le petit foc
21 le faux foc
22 le foc (grand foc)
23 le clinfoc
24 la voile d'étai *m* de grand hunier *m*
25 la voile d'étai *m* de grand perroquet *m*
26 la voile d'étai *m* de grand cacatois *m*
27 le foc d'artimon *m*
28 le diablotin
29 la voile d'étai *m* de flèche *f* d'artimon *m*
30 la voile d'artimon *m*
31 la voile de flèche *f* (le pic);

32-45 les espars *m*:

32 la vergue de misaine *f*
33 la vergue de petit hunier *m* fixe
34 la vergue de petit hunier *m* volant
35 la vergue de petit perroquet *m* fixe
36 la vergue de petit perroquet *m* volant
37 la vergue de petit cacatois *m*
38 la grand'vergue
39 la vergue de grand hunier *m* fixe
40 la vergue de grand hunier *m* volant
41 la vergue de grand perroquet *m* fixe
42 la vergue de grand perroquet *m* volant
43 la vergue de grand cacatois *m*
44 la vergue brigantine *f* (la bôme)
45 la corne d'artimon *m*;
46 le marchepied
47 les balancines *f*
48 la balancine de gui *m*
49 la pantoire de pic *m*
50 les élongis *m* de hune *f* de misaine *f*
51 les élongis *m* de petit perroquet *m*
52 les élongis *m* de grand'hune *f*
53 les élongis de grand perroquet *m*
54 les élongis d'artimon *m*

55-66 les voiles *f* carrées:

55 la misaine
56 le petit hunier fixe
57 le petit hunier volant
58 le petit perroquet fixe
59 le petit perroquet volant
60 le petit cacatois
61 la grand-voile
62 le grand hunier fixe
63 le grand hunier volant
64 le grand perroquet fixe
65 le grand perroquet volant
66 le grand cacatois;

67-71 les manœuvres *f* courantes:

67 les bras *m*
68 les écoutes *f*
69 l'écoute *f* d'artimon *m*
70 le palan de garde *f* d'artimon *m*
71 le cargue-fond;
72 le ris

214

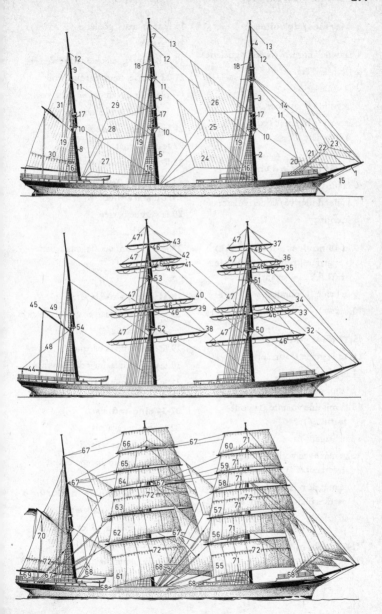

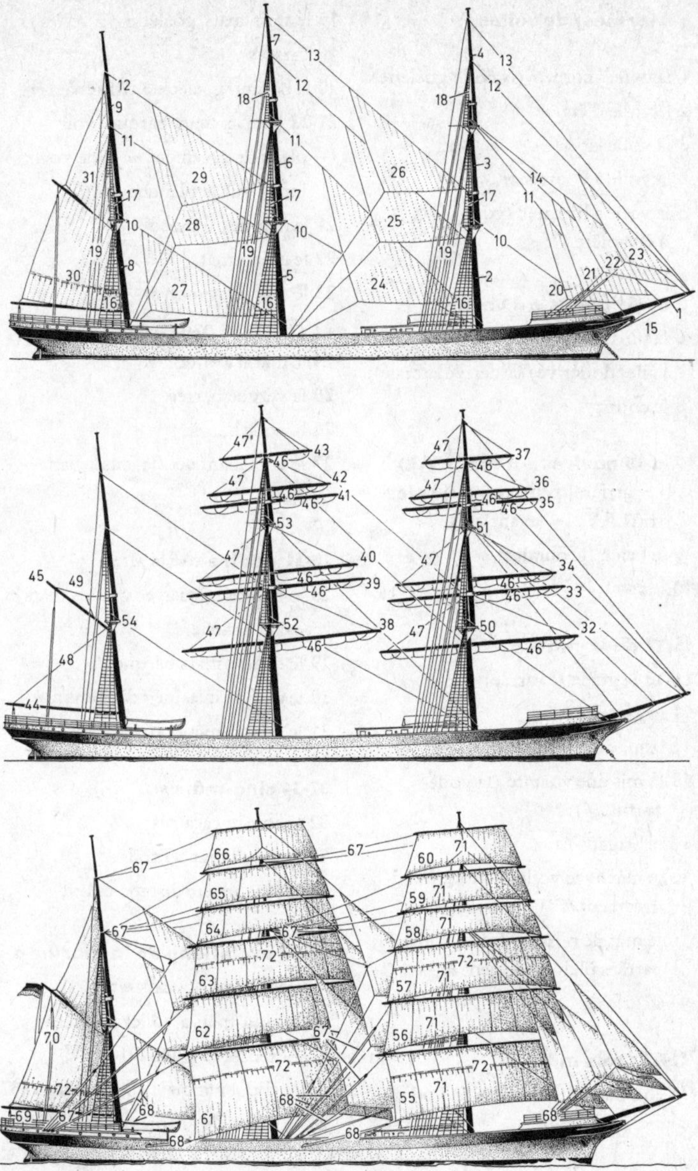

1
2
3
4
5
6
7
8
9
10
11
12
13
14
15
16
17
18
19
20
21
22
23
24
25
26
27
28
29
30
31
32
33
34
35
36
37
38
39
40
41
42
43
44
45
46
47
47'
48
49
50
51
52
53
54
55
56
57
58
59
60
61
62
63
64
65
66
67
68
69
70
71
72

1-5 formes *f* **de voiles** *f*:

1 la voile à corne *f* (la voile-goélette)
2 la voile d'étai *m*
3 la voile latine
4 la voile à bourcet *m*
5 la voile à livarde *f* (voile à civadière *f*);

6-8 bâtiments *m* **à un mât,**
6 la pinasse:
7 l'aile *f* de dérive *f* (la dérive latérale);
8 le cotre;

9 et 10 navires *m* **à mât** *m* **AR.** [= arrière] **plus court que le mât AV.** [= avant];
9 le ketch (le dundee)
10 le yawl;

11-17 deux-mâts *m*,
11-13 la goélette carrée:
11 la grand-voile
12 la misaine-goélette
13 la misaine volante (la voile-fortune *f*);
14 le brigantin:
15 le mât avec voiles *f* auriques mi-gréement *m*
16 le mât de misaine *f* avec voiles *f* carrées plein-gréement *m*;
17 le brick;

18-27 trois-mâts *m*:
18 le trois-mâts goélette *f* à voiles *f* auriques
19 le trois-mâts goélette *f* à voiles *f* carrées
20 la barque-goélette à trois mâts *m*
21-23 le trois-mâts barque [voir plans de gréement *m* et de voilure *f* sur la planche 214]:
21 le mât de misaine *f*
22 le grand mât
23 le mât d'artimon *m*;
24-27 le trois-mâts carré:
24 le mât d'artimon *m*
25 la vergue barrée
26 la voile barrée
27 le faux mantelet (la fausse batterie);

28-31 quatre-mâts *m*:
28 le quatre-mâts avec grands mâts *m* avant et arrière
29 le quatre-mâts barque:
30 le mât de misaine *f* d'artimon *m*;
31 le quatre-mâts carré;

32-34 cinq-mâts *m*:
32 le contre-cacatois
33 le grand mât central
34 le mât arrière de tape-cul *m*;

35-37 évolution *f* **de la marine à voile** *f* en 400 ans *m*:
35 le cinq-mâts à voiles *f* carrées «Preussen» 1902-1910
36 le clipper anglais «Spindrift» 1867
37 la caravelle «Santa Maria» 1492

1
2
3
4
5
6
7
8
9
10
11
12
13
14
15
16
17
18
19
20
21
22
23
24
25
26
27
28
29
30
31
32
33
34
35
36
37

1 le cargo lourd, un navire de charge *f* spécialisé au long cours *m*:

2 le mâtereau de charge *f*

3 le mât pour charges *f* lourdes

4 la caliorne, un palan de force-moufle *f*, une poulie mouflée

5 la tête de poulie *f*;

6 le bâtiment-usine

7 le chalutier de pêche *f*

8 le bananier, un cargo fruitier

9 le tanker pour gaz *m* liquides:

10 le réservoir de gaz *m*

11 le bulbe (le dôme)

12 le conduit d'évacuation *f* par combustion *f* des gaz *m* résiduels;

13 le cargo à moteur *m* pour distances *f* moyennes:

14 l'échelle *f* de tangon *m*, une échelle de corde *f*;

15 le bateau-pilote

16 le ferry-boat (le bateau transbordeur):

17 la passerelle de manœuvre *f*

18 le pont transbordeur

19 le wagon;

20 le yacht privé, un yacht à moteur *m*:

21 le hublot;

22 le pétrolier (le bateau-citerne):

23 le bloc passerelle

24 le passavant

25 les superstructures *f* de la chambre des machines *f*

26 la chambre des machines *f*

27 le compartiment des machines *f* auxiliaires

28 la soute à mazout *m*

29 le cofferdam

30 le tank (le réservoir)

31 le local des pompes *f*;

32 le transatlantique (le navire à passagers *m*), un navire qui assure une ligne

33 le paquebot mixte (paquebot à fret *m* et passagers *m*) au long cours *m*:

34 l'échelle *f* de coupée *f*
35 le débarquement par canots *m*;
36 le navire pour croisières *f* en voyage *m* d'inauguration *f*:
37 le grand pavois;
38 le caboteur à moteur *m* pour navigation *f* côtière
39 la vedette de la douane
40 le transport à bétail *m*, un navire spécialisé:
41 l'échelle *f* de descente *f* (l'entrée *f* de capot *m*)
42 la manche à air *m*
43 le sabord de muraille *f*
44 le sabord de pavois *m*;
45-66 le bateau de plaisance *f* (le navire d'excursion *f*),
45-50 la suspension des canots *m* de sauvetage *m*:
45 le bossoir
46 le hauban tendeur
47 la sauvegarde (la tire-vieille)
48 le palan:
49 la poulie
50 le garant du palan;
51 le prélart (le capot)
52 le passager
53 le steward
54 le fauteuil de pont *m* (le transatlantique)
55 le mousse
56 le seau (la baille)
57 le maître d'équipage *m*:
58 la vareuse (la tunique);
59 la tente de pont *m*:
60 le montant de tente *f*
61 le traversin de tente *f*
62 l'estrope *f* (l'erse *f*);
63 la bouée lumineuse de nuit *f*:
64 le phoscar;
65 l'officier *m* de quart *m*:
66 la tenue de service *m*

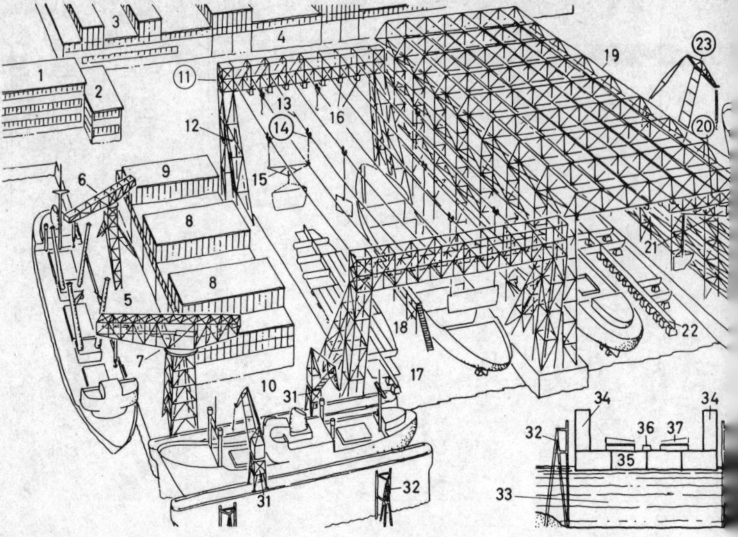

1-40 le chantier de construction *f* navale:

1 le bâtiment administratif
2 le bureau d'études *f*
3 et 4 le hall de construction *f* navale:
3 la salle à tracer (salle des gabarits *m*)
4 le hall de montage *m*;
5-9 le quai d'armement *m*:
5 le quai
6 la grue tripode
7 la grue trapézoïdale [*dite* en tête *f* de marteau *m*]
8 l'atelier *m* des machines *f*
9 la chaudronnerie;
10 le quai de réparations *f*

11-26 les installations *f* de la cale de construction *f* (cale de halage *m*)
11-18 la cale à portique *m*, une cale de construction *f*,
11 le portique de cale *f*:
12 les poteaux *m* de portique *m*;
13 le câble de grue *f*
14 le chariot suspendu:
15 la barre de traverse *f*;
16 la cabine du grutier
17 la sole de la cale de construction *f*
18 l'échafaudage *m*;
19-21 la cale à échafaudages *m*:
19 l'échafaudage de cale *f*
20 la grue à portique *m*:
21 le pont roulant orientable;
22 la quille sur forme *f*
23-26 le chantier moderne à grue *f*,
23 la grue à volée *f* variable orientable, une grue de cale *f* de construction *f*:
24 la voie de grue *f*;
25 la coque sur couples *m*
26 le bateau en construction *f*;

27-30 la cale sèche
(le dock de carénage *m*):
27 le radier du bassin
28 le ponton-porte (la porte de dock *m*)
29 la grue pivotante en console *f*
30 le bâtiment des pompes *f* (le hall aux machines *f*);

31-40 le dock flottant
(le chantier à flot *m*):
31 la grue de quai *m*, une grue à portique *m*
32 les ducs *m* d'Albe de défense *f*
33-40 le fonctionnement du bassin de radoub *m*:
33 la fosse de la forme
34 et 35 l'armature *f* de dock *m*:
34 le réservoir de côté *m*

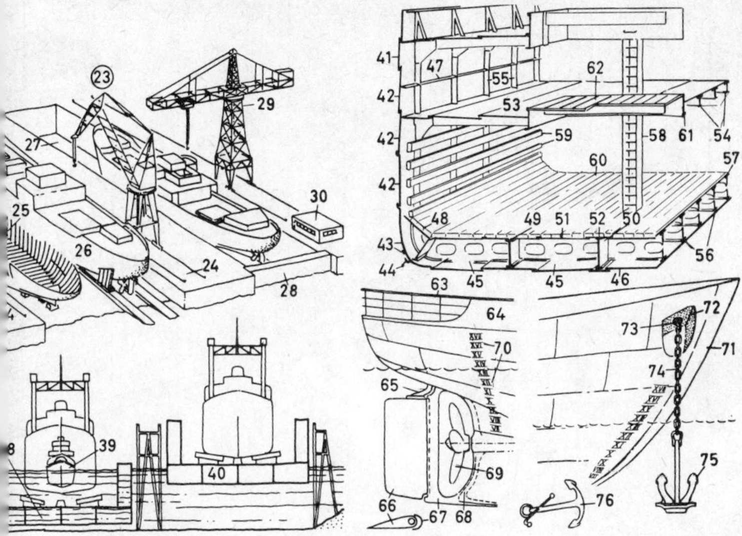

35 le réservoir de fond *m*;
36 le tin de quille *f*, un tin de dock *m*
37 le tin de bouchain *m*
38-40 l'entrée *f* en cale *f* d'un navire:
38 le dock chargé d'eau *f*
39 le remorqueur en action *f*
40 le dock lège (dock affranchi);

41-58 les éléments *m* de construction *f*,
41-53 l'assemblage *m* longitudinal,
41-46 le bordé de carène *f*:
41 le carreau
42 la virure de côté *m*
43 la virure de bouchain *m*
44 la quille de roulis *m* (quille de bouchain *m*)
45 la virure de fond *m*
46 la quille plate;
47 la serre
48 la tôle de côté *m* (tôle de flanc *m*, tôle de ballast *m*)
49 la carlingue latérale
50 la carlingue centrale
51 le plafond de ballast *m*
52 la tôle centrale
53 la tôle de pont *m*;
54 le barrot de pont *m*
55 le couple (la membrure)
56 la varangue
57 le double-fond
58 l'épontille *f* de cale *f*;
59 et 60 le vaigrage (la garniture):
59 le vaigrage latéral
60 le vaigrage de fond *m*;
61 et 62 l'écoutille *f*:
61 le surbau (le massif d'écoutille *f*)
62 le panneau d'écoutille *f*;
63-69 la poupe (l'arrière *m*):
63 le bastingage ouvert
64 le pavois
65 la mèche du gouvernail
66 et 67 le gouvernail Oertz:
66 le safran
67 et 68 l'étambot *m* (l'arcasse *f*):
67 l'étambot *m* arrière (étambot de gouvernail *m*)
68 l'étambot *m* avant (le faux étambot);
69 l'hélice *f* de navire *m* (hélice de propulsion *f*);
70 l'échelle *f* de tirant *m* d'eau *f* (le piétage)
71-73 la proue (l'avant *m*):
71 l'étrave *f*
72 l'écubier *m*
73 le manchon d'écubier *m*;
74 la chaîne d'ancre *f*
75 l'ancre *f* sans jas *m*
76 l'ancre *f* à jas *m*

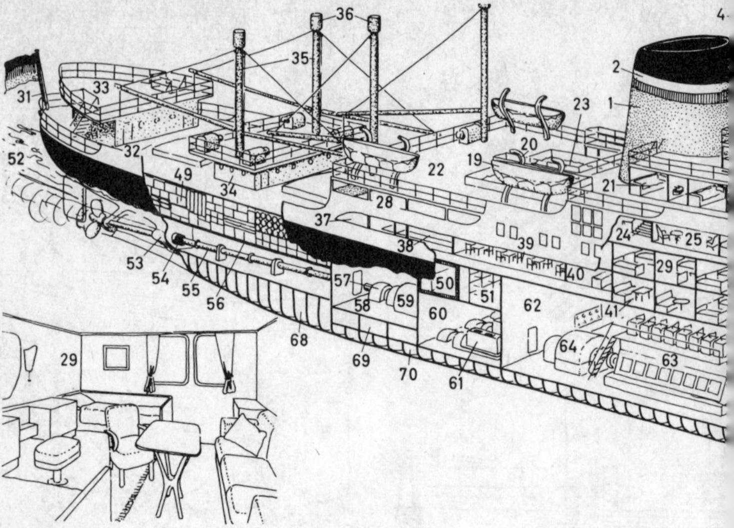

1-71 le cargo mixte passagers-marchandises:
1 la cheminée
2 la marque de cheminée *f*
3 la sirène (le signal de brume *f*)
4-11 la passerelle de navigation *f*:
4 la descente d'antenne *f*
5 l'antenne *f* radio-goniométrique (le cadre gonio)
6 le compas de relèvement *m*
7 la lampe à éclats *m* morse
8 l'antenne *f* de radar *m*
9 le pavillon à signaux *m*
10 la drisse de pavillons *m*
11 l'étai *m* de signalisation *f* (l'étai de chouque *m*);
12-18 le pont-passerelle (le banc de quart *m*):
12 le poste radio
13 le salon du commandant
14 la chambre des cartes *f*
15 les feux *m* de côté *m* [le feu de tribord *m*: vert; le feu de bâbord: rouge]
16 l'aileron *m* de passerelle *f*
17 la toile de passerelle *f* (le pare-brise)
18 la timonerie;
19-21 le pont des embarcations *f* (le spardeck):
19 le canot de sauvetage *m*
20 le bossoir (le portemanteau)
21 la cabine d'officier *m*;
22-27 le pont-promenade:
22 le pont d'ensoleillement *m* (le sundeck)
23 la piscine
24 l'escalier *m* des cabines *f*
25 la bibliothèque
26 le salon
27 la promenade;
28-30 le pont A:
28 le pont A semi-couvert
29 la cabine à deux couchettes *f*, une cabine
30 la cabine de luxe *m*;
31 le mât de pavillon *m*
32-42 le pont B (pont principal):
32 la plage arrière (le pont arrière)
33 la dunette
34 le rouf du pont

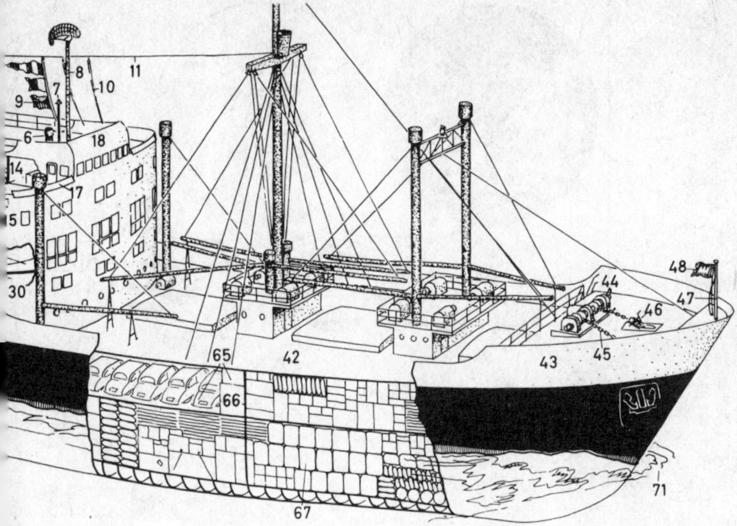

35 le mâtereau de charge *f*
36 le capuchon de ventilateur *m*
37 la cambuse (la cuisine)
38 l'office *m*
39 la salle à manger
40 le bureau du commissaire de marine *f*
41 la cabine à une couchette
42 la plage avant ;
43 le gaillard d'avant (la teugue)
44-46 ancres *f* et chaînes *f*:
44 le guindeau
45 la chaîne d'ancre *f*
46 le stoppeur de chaîne *f* (la griffe à chaîne);
47 le bâton de pavillon *m* de beaupré *m*
48 le pavillon de beaupré *m*
49 les soutes *f* arrière
50 la chambre froide
51 la soute aux vivres *m*
52 le sillage
53 l'aileron *m* d'arbre *m* d'hélice *f*
54 le presse-étoupe
55 l'arbre *m* porte-hélice *m*
56 le tunnel de l'arbre *m* porte-hélice
57 le palier de butée *f*
58-64 la propulsion électrique Diesel:
58 le compartiment des moteurs *m* électriques
59 le moteur électrique
60 le compartiment des auxiliaires *m*
61 les machines *f* auxiliaires
62 le compartiment des moteurs *m* principaux
63 le moteur principal, un moteur Diesel
64 le groupe génératrice *f*;
65 les soutes *f* avant
66 l'entrepont *m*
67 le fret (la cargaison)
68 le water-ballast pour l'eau *f* de ballast *m*
69 le réservoir d'eau *f* potable
70 le réservoir à mazout *m*
71 la lame d'étrave *f*

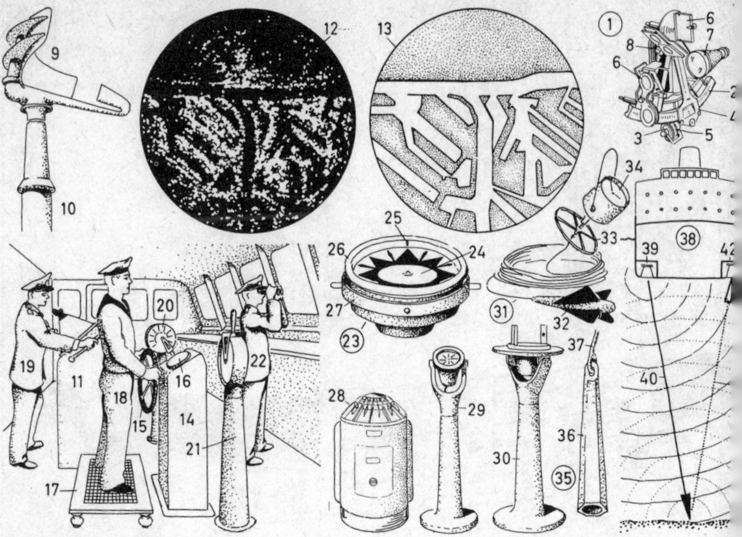

1 le sextant:
2 le limbe
3 la roulette de réglage *m*
4 l'alidade *f*
5 le vernier
6 la grande et la petite pinnule
7 la longue-vue
8 la poignée de manœuvre *f*;

9-13 l'installation *f* de radar *m*:
9 l'antenne *f* réflectrice, une antenne orientable
10 le mât radar
11 le récepteur radar
12 le scope (l'image *f*) radar
13 l'image *f* radar interprétée en section *f* de carte *f*;

14-22 la timonerie:
14 le socle de barre *f*
15 la roue de gouvernail *m*
16 le compas de route *f*
17 le caillebotis
18 l'homme *m* de barre *f* (le timonier)
19 l'officier *m* de route *f*
20 le transmetteur d'ordres *m*
21 l'indicateur *m* télégraphique de manœuvre *f*
22 le capitaine;

23-30 compas *m* et boussoles *f*,
23 le compas liquide, un compas magnétique:
24 la rose des vents *m*
25 la ligne de foi *f*
26 la cuvette de compas *m*
27 la suspension à la cardan;
28-30 l'installation *f* de compas *m* gyroscopique:
28 le compas-mère (l'étalon *m*)
29 le répétiteur de compas *m* gyroscopique
30 le compas répétiteur avec alidade *f*;

31 le loch à hélice *f*
(loch breveté, le sillomètre):
32 l'hélice *f* du loch
33 le régulateur à volant *m*
34 l'enregistreur *m* du loch;

35-42 sondes *f*,
35 la sonde à main *f*:
36 le plomb de sonde *f*
37 la ligne de sonde *f*;
38 le sondeur acoustique (l'écho-sonde *f*):

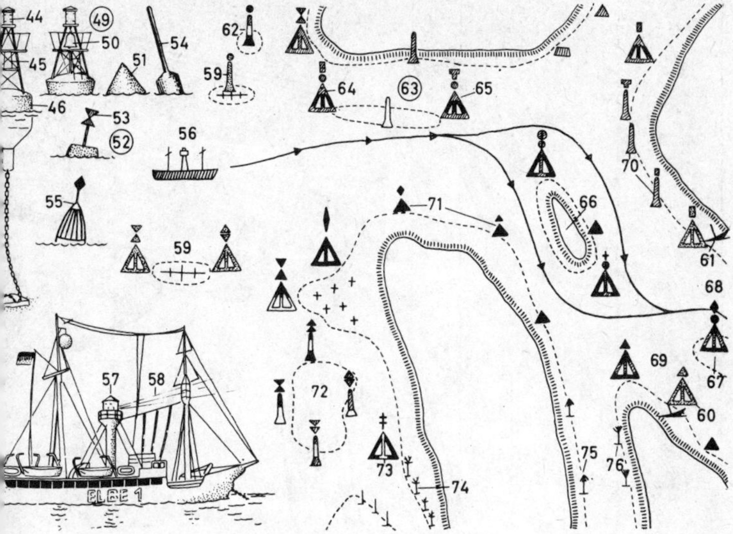

39 l'émetteur *m* Aldis
40 l'impulsion *f* émise d'ondes *f* sonores
41 l'écho *m*
42 le récepteur d'écho *m* (récepteur Aldis);

43-76 signalisation *f* maritime par balises *f* et feux *m*,

43-58 les balises *f* de chenal *m*,
43 la balise lumineuse et sonore:
44 le fanal
45 l'appareil *m* sonore (la bouée à sifflet *m*)
46 la tonne flottante (la bouée)
47 la chaîne de bouée *f*
48 le crapaud d'ancrage *m*;
49 la bouée lumineuse à cloche *f*:
50 la cloche de bouée *f*;
51 la bouẹe-sphère conique [noire]
52 la bouée en cône *m* tronqué:
53 le voyant *m* de bouée *f*;
54 la bouée à espar *m* (bouée à fuseau *m*) [rouge]
55 la balise flottante
56 le bateau-feu:
57 le phare, un mât-phare
58 le rayon lumineux;
59-76 la signalisation du chenal:
59 épave *f* [balisage *m* vert]
60 épave *f* à tribord *m*
61 épave *f* à bâbord *m*
62 haut fond *m*
63 banc *m* milieu à bâbord *m*:
64 tour *f* de bifurcation *f*
65 tour *f* de jonction *f*;
66 banc *m* milieu
67 banc *m* milieu à tribord *m*
68 le chenal principal
69 le chenal secondaire
70 bouées *f* de bâbord *m* [rouge]
71 bouées *f* de tribord *m* [noire]
72 haut fond *m* hors chenal *m*
73 milieu *m* du chenal
74 perches *f* de bâbord *m*
75 poteaux *m* de tribord *m*
76 poteaux *m* de bâbord *m*

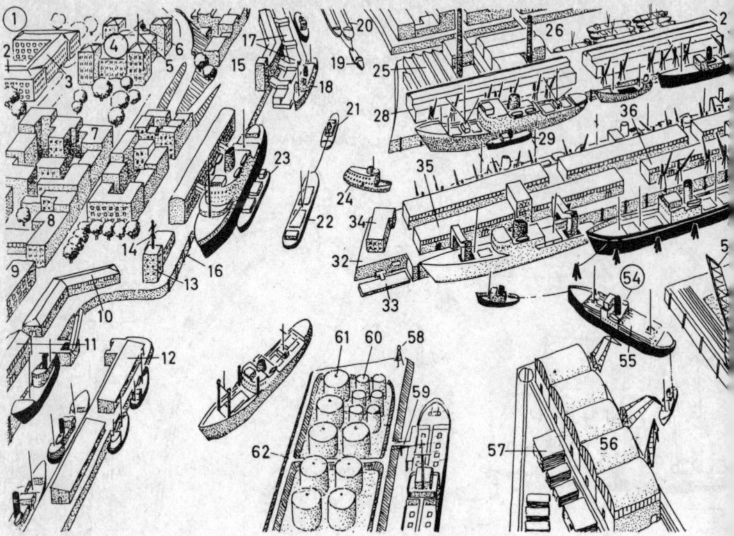

1 l'hôpital *m* du port:
2 l'aile *f* de quarantaine *f*
3 l'institut *m* de médecine *f* tropicale;
4 la station météorologique, un service météorologique:
5 le mât de signaux *m* (le sémaphore)
6 la boule de tempête *f* (le ballon annonciateur de tempête);
7 le quartier du port

8-12 le port de pêche *f*:

8 la fabrique de filets *m*
9 l'usine *f* de conserves *f* de poissons *m*
10 le hall d'emballage *m*
11 la halle pour la vente aux enchères *f* des poissons *m* (halle au poisson)
12 le hall d'armement *m*;
13 la direction du port
14 l'indicateur *m* hydrostatique de hauteur *f* des eaux *f*
15 la rue du quai
16 le quai des passagers *m*
17 l'embarcadère *m* (le débarcadère)
18 le bateau de plaisance *f* (bateau d'excursion *f*)
19 la barcasse (la vedette)
20 la péniche (le chaland)
21 le remorqueur
22 l'allège *f* (la gabare)
23 le bateau-soute
24 le bac (le transbordeur)

25-62 le port franc:

25 le quartier industriel du port
26 l'arrière-port *m* (le port de navigation *f* intérieure)
27 le canal du port
28-31 le port de transbordement *m*:
28 l'entrepôt *m* de marchandises *f* diverses
29 le ravitailleur en eau *f*
30 le chaland *m* (l'allège *f*)
31 le magasin;
32-36 l'appontement *m* (le quai, le wharf);
32 le môle, une jetée
33 le ponton d'accostage *m*
34 la douane du port
35 l'entrepôt *m* à bananes *f*
36 l'entrepôt *m* à fruits *m*;
37 le duc d'Albe (l'estacade *f*)
38 le hangar de fret *m* (l'entrepôt *m*)

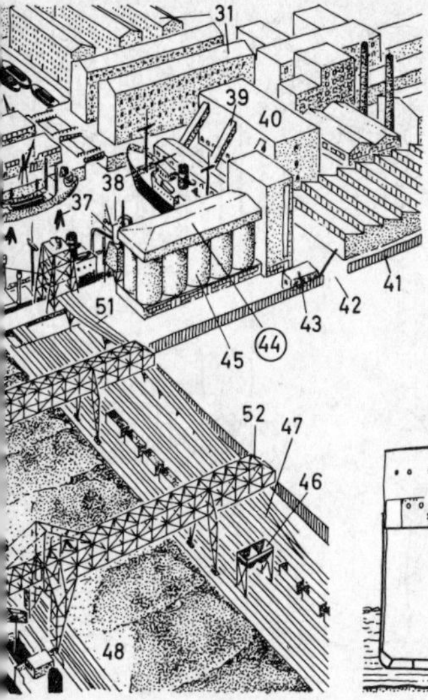

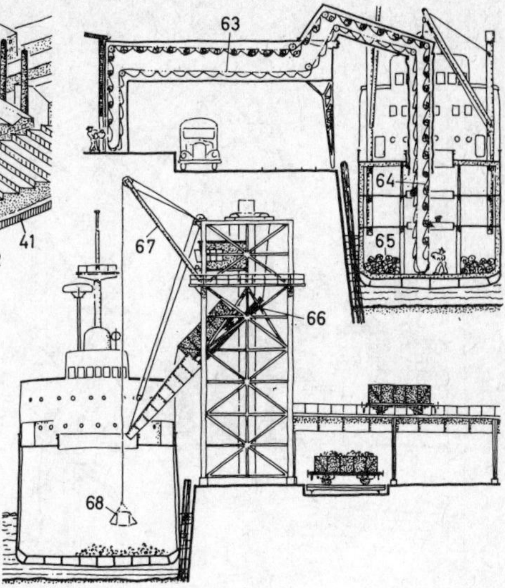

39 la bande transporteuse
40 l'entrepôt *m* frigorifique
41-43 les limites *f* du port franc:
41 la grille de la douane
42 et **43** l'entrée *f* de la douane:
42 la barrière de la douane
43 le poste de la douane;
44-53 le quai aux marchandises *f* en vrac *m*,
44 les silos *m*:
45 la chambre silo;
46-53 le quai à charbon *m*:
46 le réservoir en berceau *m*
47 le chemin de fer *m* de port *m*
48 le parc à charbon *m*
49-51 le quai de charbonnage *m*:
49 la plate-forme de manœuvre *f*
50 la goulotte à charbon *m* (la décharge à charbon)
51 les rails *m* en dos *m* d'âne *m*;
52 le portique de chargement *m*
53 la flèche;
54 un transport de bois *m*:
55 la pontée;
56 et **57** le port au bois:
56 les entrepôts *m* à bois *m*
57 le chantier de bois *m*;
58 le feu d'entrée *f* de port *m*
59-62 le bassin (le quai) à pétrole *m*:
59 la passerelle pipe-line
60 la cuve moyenne
61 le réservoir principal
62 la digue de sécurité *f*;

63-68 le transbordement,

63 et **64** l'élévateur *m* à bananes *f*:
63 la bande sans fin *f*
64 le godet d'élévateur *m*;
65 le régime de bananes *f*
66-68 la décharge à charbon *m*:
66 l'élévateur *m* (la plate-forme d'élévateur *m*)
67 la potence
68 la benne preneuse

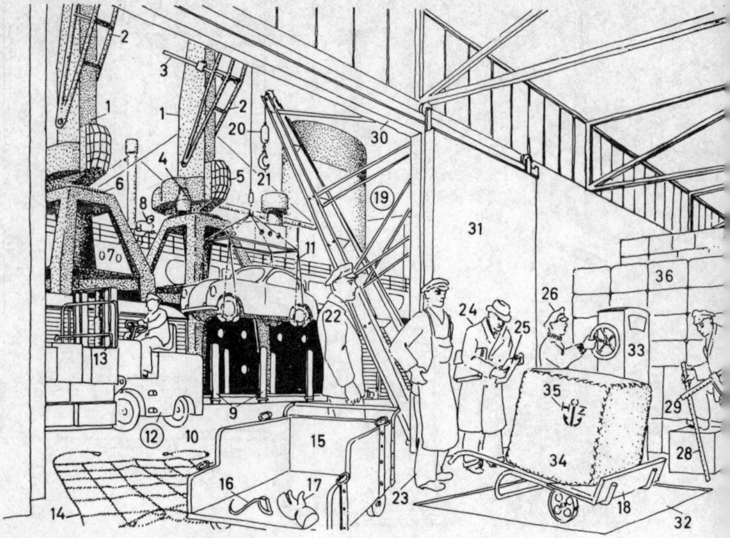

1-36 les opérations *f* **de chargement** *m* **et déchargement** *m*,

1-21 les opérations *f* à quai *m*,

1-7 la grue tournante à fût *m* (grue tournante à colonne *f*):

1 la colonne (colonne pivotante)

2 la potence (la flèche)

3 la crémaillère

4 le mécanisme d'orientation *f*

5 la cabine panoramique

6 la couronne dentée

7 le portique de grue *f*;

8 l'officier *m* de chargement *m* (le chef arrimeur)

9 la voie ferrée du port

10 la rampe de chargement *m* et déchargement *m*

11 l'élingue *f*

12 le chariot élévateur à fourche *f*:

13 le socle amovible (l'appareil *m* de levage *m*);

14 le filet de charge *f*

15 le chariot de charge *f*

16 le crochet à main *f*

17 le gant de manutention *f*

18 le diable

19 la grue murale (grue à potence *f*):

20 le poids

21 le crochet de grue *f*;

22-36 la manutention en entrepôt *m*:

22 le chef d'entrepôt *m*

23 le débardeur (le docker)

24 le commis

25 le connaissement

26 le préposé à la bascule

27 le pointeur (le contrôleur)

28 le mètre (la jauge)

29 la jauge à ballots *m*, un instrument à mesurer

30-36 le hangar de quai *m* (le magasin de transit *m*):

30 le portail (portail de hangar *m*)

31 la porte à glissières *f* (porte)

32 et 33 le pont-bascule au sol:

32 le plateau de la bascule

33 le bâti de la bascule;

34 la balle (le ballot)

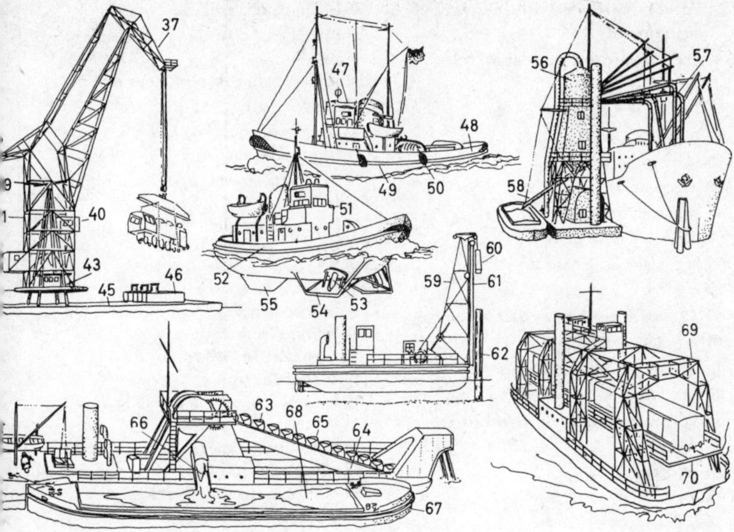

35 l'estampille *f* (la marque)
36 la pile (le tas);
37-70 navires *m* de port *m* spéciaux,
37-46 la grue flottante (le ponton bigue):
37 la flèche (la volée) de grue *f*
38 le contrepoids
39 le pivot de réglage *m*
40 la guérite du conducteur de grue *f*
41 la charpente de la grue
42 la cage de tambour *m* de hissage *m*
43 la passerelle de commande *f*
44 la plaque tournante
45 le ponton flottant, une prame
46 la chambre du moteur;
47-50 le remorqueur de haute mer *f*:
47 la toile abri de pavois *m* (le cagnard), un prélart
48 le liston de défense *f*
49 le côté bâbord [bâbord = à gauche]
50 la défense mobile (la ceinture);
51-55 le remorqueur de port *m*:
51 le bordé à rivolins *m*
52 le côté tribord [tribord = à droite]
53 le propulseur Voith-Schneider à pales *f* verticales
54 le cadre de protection *f* des pales *f*
55 l'aileron *m* (le stabilisateur);
56-58 l'élévateur *m* à grains *m*:
56 le silo
57 la buse d'aspiration *f*
58 la buse de chargement *m*;
59-62 le ponton-sonnette:
59 les poutrelles *f* d'armature *f* (le bâti)
60 la masse tombante (le mouton)
61 le rail de guidage *m*
62 le pilotis à foncer;
63-68 la drague à godets *m*, une drague:
63 la chaîne des godets *m*
64 le convoyeur à godets *m*
65 le godet (le louchet) de drague *f*
66 la glissière
67 la marie-salope (l'allège *f* de décharge *f*)
68 la vase;
69 et 70 le ferry-boat, un bateau transbordeur:
69 le portique d'embarquement *m*
70 la plate-forme de levage *m*

1-8 bâtiments *m* auxiliaires et ravitailleurs *m*,
1 le dock en forme *f* de navire *m*:
2 le dock
3 les parois *f* du dock
4 la grue du dock;
5 le brise-glace:
6 le pont d'atterrissage *m*
7 le mât en treillis *m*
8 l'étrave *f* brise-glace *m*;
9 la péniche de débarquement *m*:
10 la porte d'étrave *f*;
11-13 petits navires *m* de combat *m*,
11 le dragueur de mines *f*:
12 le bossoir d'embarcation *f* ;
13 l'escorteur *m* (la corvette);
14-17 bâtiments *m* de combat *m* légers,
14 le torpilleur:
15 les tubes *m* lance-torpilles;
16 le destroyer (le contre-torpilleur)
17 le destroyer de gros tonnage *m* (le contre-torpilleur);
18-64 bâtiments de combat *m* lourds,
18-20 sous-marins *m*:
18 le sous-marin de faible tonnage *m*
19 le sous-marin de croisière *f*
20 le sous-marin atomique;
21-30 croiseurs *m*,
21 le croiseur léger:
22 l'antenne *f* fouet *m*;
23 le croiseur lourd:
24 la tourelle jumelle, une tourelle blindée
25 le mât tripode;
26 le croiseur de bataille *f*:
27 la tourelle triple
28 la catapulte d'avion *m*
29 la grue de repêchage *m* d'avions *m*
30 le hangar à avions *m*;
31-64 cuirassés *m*,
31 le navire de combat *m* (le vaisseau de bataille, le cuirassé d'escadre *f*),
32-35 l'artillerie *f* de bord *m*:
32 l'artillerie *f* lourde
33 l'artillerie *f* moyenne
34 l'artillerie *f* légère
35 les mitrailleuses *f* de défense *f* anti-aérienne (mitrailleuses de D.C.A.);
36 le télémètre d'artillerie *f* lourde
37 le télémètre d'artillerie *f* moyenne et légère
38 la plate-forme de projecteur *m*
39 le projecteur
40 le capot de cheminée *f*
41 la tourelle supérieure
42 le blindage pare-éclats
43 le donjon
44 le poste (la tourelle) de commandement *m*
45 la passerelle de navigation *f* (le banc de quart *m*)
46 le brise-lames de plage *f* avant
47 la grue d'embarcations *f* ;
48 la vue en plan *m* du pont:
49 la catapulte fixe
50 la plage arrière pour avions *m*
51 la grue pour avions *m*
52 la bande médiane (l'axe *m* du navire);
53 la vue en plan *m* au niveau d'arrimage *m*:
54 la cloison étanche, une cloison transversale
55 le compartiment
56 la cloison étanche longitudinale
57 la cuirasse latérale
58 le corridor (le caisson anti-torpilles)
59 la barbette
60-63 la machinerie (l'équipement *m* moteur):
60 le compartiment des moteurs *m*
61 le moteur Diesel
62 la chambre de transmission *f*
63 la transmission motrice;
64 le garde-côtes (le monitor);
65-77 le porte-avions,
65 la vue avant (vue de face *f*):
66 l'encorbellement *m*
67 l'ascenseur *m* pour avions *m*
68 la superstructure (l'îlot *m*) de porte-avions;
69-74 le pont d'envol *m*:
69 le pont d'atterrissage *m*
70 la piste
71 les sangles *f* de freinage *m*
72 le pont de départ *m* accéléré
73 la catapulte
74 l'ascenseur *m* pour avions *m*;
75 l'appareil *m* radar
76 le canot pneumatique
77 l'arrière *m* à plateau *m* (l'arrière carré)

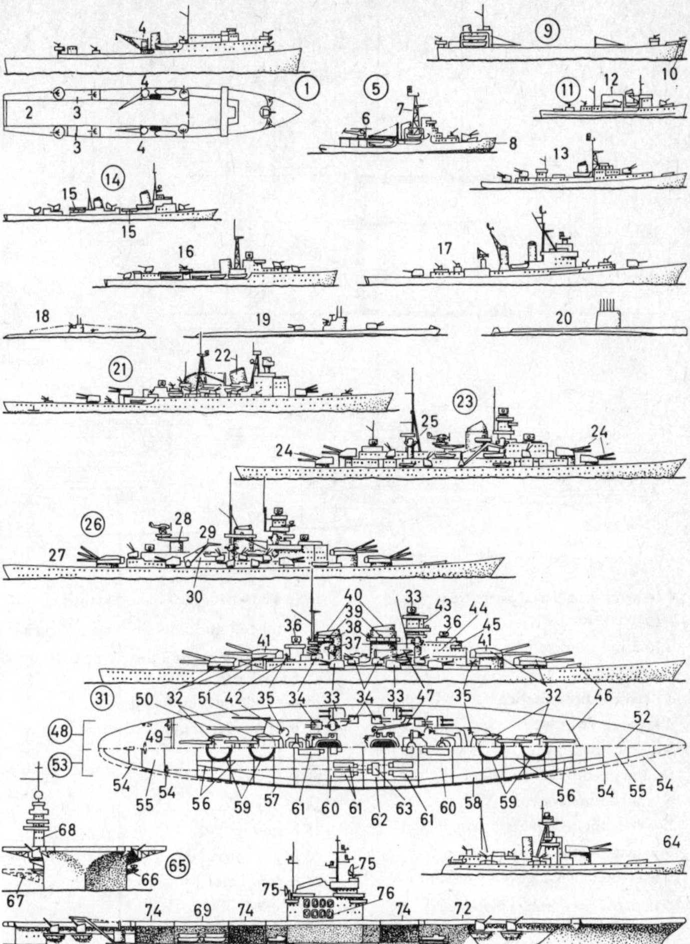
4 9 10
1 2 3 4 5 6 7 8 11 12
13 14 15
16 17
18 19 20
21 22
23 24 25
26 27 28 29 30
31 32 33 34 35 36 37 38 39 40 41 42 43 44 45 46 47
48 49 50 51 52 53 54 55 56 57 58 59 60 61 62 63
64 65 66 67 68
69 70 71 72 73 74 75 76 77

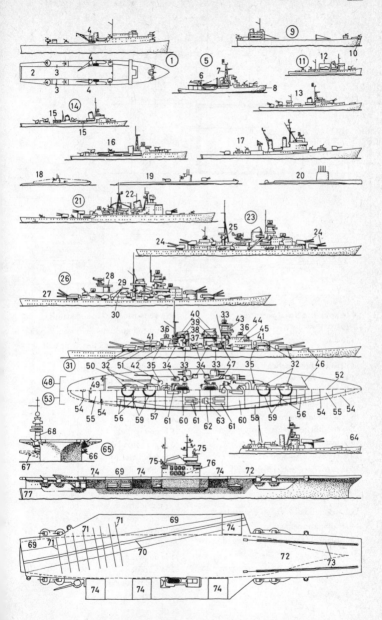

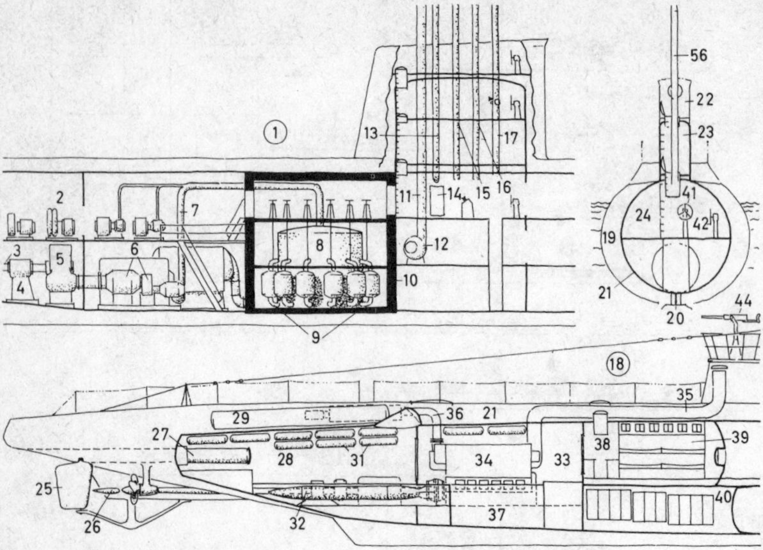

1 le sous-marin atomique: [partie *f* médiane]:

2 le compartiment des machines *f* auxiliaires

3 l'arbre *m* porte-hélice

4 le palier de butée *f*

5 la transmission

6-10 la propulsion atomique:

6 le turbo-générateur

7 le conduit de vapeur *f* principal

8 le générateur de vapeur *f*

9 le réacteur à eau *f* sous pression *f*

10 la paroi de plomb *m* isolante;

11 le schnorchel

12 la soufflerie d'air *m* frais

13 la conduite d'amenée *f* d'antenne *f*

14 le compartiment radio

15 l'antenne *f* radar pour la navigation en surface *f*

16 l'antenne *f* radar pour la navigation en plongée *f*

17 le périscope;

18 le sous-marin (le submersible) [coupe *f* longitudinale et transversale]:

19 le compartiment à l'eau *f* de ballast (le ballast)

20 la vanne de remplissage *m*

21 la coque résistante à la pression

22 le pont

23 le kiosque

24 le poste central

25 le gouvernail

26 le gouvernail de plongée *f* arrière

27 le tube lance-torpilles *m* arrière (tube arrière)

28 le compartiment des groupes *m* électrogènes et le compartiment des torpilles *f* arrière

29 le caisson à torpilles *f* de réserve *f*

30 le panneau d'embarquement *m* des torpilles *f*

31 la bouteille d'air *m* comprimé

32 la torpille

33 le compartiment des moteurs *m* électriques

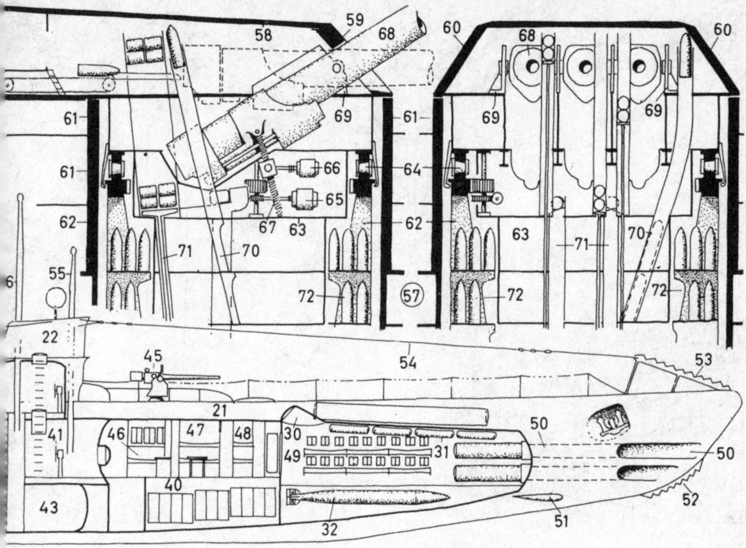

34 le moteur Diesel
35 le tuyau d'aspiration *f* d'air *m* frais
36 l'échappement *m*
37 le réservoir à mazout *m*
38 la cambuse (la cuisine)
39 le poste des quartier-maîtres *m*
40 le compartiment des accumulateurs *m*
41 la commande (la roue à main *f*, le volant) du gouvernail de direction *f*
42 la commande (la roue à main *f*, le volant) du gouvernail de plongée *f*
43 la caisse d'assiette *f*
44 la mitrailleuse antiaérienne
45 le canon de 88 à tir *m* rapide
46 la chambre du commandant
47 la cabine d'officier *m*
48 la cabine du premier maître
49 le poste d'équipage *m* et le compartiment à torpilles *f* avant
50 le tube lance-torpilles *m* avant (tube avant)
51 le gouvernail de plongée *f* avant
52 le coupe-filets inférieur
53 le coupe-filets supérieur
54 l'antenne *f*
55 le périscope d'observation *f*
56 le périscope panoramique;

57 la tourelle triple
(tourelle triple blindée tournante) de l'artillerie *f* lourde de bord *m*,
58-60 la coupole blindée tournante:
58 le plafond cuirassé
59 le blindage frontal
60 la cuirasse latérale;
61 la barbette
62 le cylindre de soutènement *m*
63 la plaque tournante de la tourelle
64 la couronne de galets *m*
65 le moteur de pointage *m* en direction *f* de la tourelle
66 le moteur de pointage *m* en hauteur *f*
67 le pignon de réglage *m* d'azimut *m*
68 le canon (le tube)
69 le berceau *m* de canon *m*
70 la noria à projectiles *m*
71 la noria à gargousses *f*
72 les munitions *f* en parc *m*

224 Sauvetage d'épaves et de naufragés

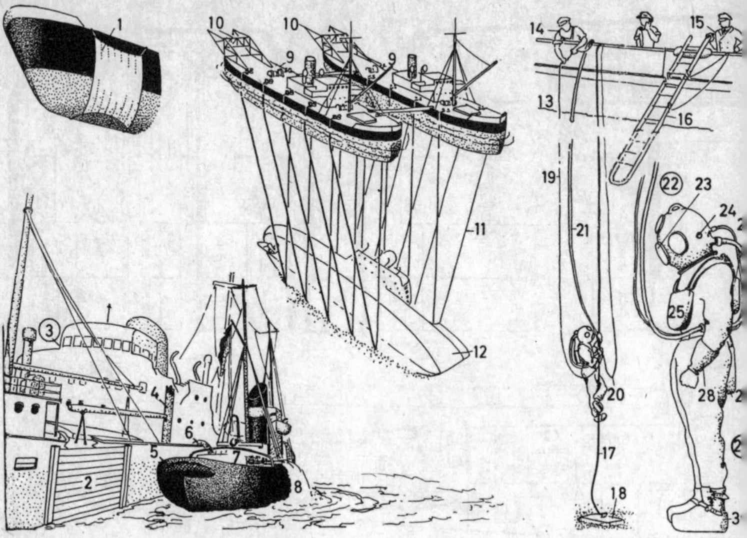

1 et 2 comment aveugler une voie d'eau *f*:

1 le paillet, un prélart

2 le bouchon de poutres *f*, madriers *m* et prélart *m*;

3 le bateau qui a subi des avaries *f*, un bateau endommagé:

4 l'avarie *f* (la détérioration);

5-8 le bateau-pompe, un remorqueur de sauvetage *m*:

5 la défense arrière

6 le tuyau d'aspiration *f*

7 le local des pompes *f*

8 l'eau *f* d'évacuation *f*;

9-12 le relevage (le renflouement) **d'une épave:**

9 le bateau-releveur (le remorqueur de sauvetage *m*)

10 la grue arrière

11 le câble de levage *m*

12 l'épave *f* arrimée avec ses haussières *f*;

13-19 la plongée:

13 le bateau-scaphandre

14 l'équipe *f* de pont *m*

15 le maître-sauveteur

16 l'échelle *f* de sauvetage *m*

17 le câble de plongée *f*

18 la masse (le plomb de descente *f*)

19 le filin d'appel *m* (la corde d'alarme *f*);

20-30 l'équipement *m* du scaphandrier:

20 le câble téléphonique

21 le tuyau à air *m*

22 le casque de scaphandrier *m*:

23 la vitre d'observation *f*

24 la soupape d'évacuation *f* d'air *m*;

25 la tare pectorale

26 la tare dorsale

27 le scaphandre:

28 la manchette étanche
29 la tare lombaire
30 les souliers *m* de scaphandrier *m* (souliers de plomb *m*);

31-43 le bateau de sauvetage, un navire de sauvetage *m* à moteur *m*:

31 la plage arrière relevable
32 le dispositif de relevage *m*
33 le slip (la cale) [l'arrimage *m* du second canot de sauvetage *m*]
34 la barre de remorquage *m*
35 le crochet de remorque *f*
36 le kiosque de la barre (la timonerie)
37 le pont
38 le patron
39 l'homme *m* de barre *f*
40 le filet de réception *f*
41 le projecteur de signalisation *f*
42 le porte-phare
43 le pont étanche en dos *m* de tortue *f*;
44 le second canot de sauvetage *m*
45 la ceinture de sauvetage *m* (la bouée de sauvetage *m*)
46 le naufragé
47 le navire échoué (le bateau naufragé)
48 le sac à huile *f* pour faire filer de l'huile *f* à la surface de l'eau *f*
49 le câble de sauvetage *m*
50 le va-et-vient, un câble sans fin *f*
51 la bouée-culotte

52 et 53 l'appareil *m* lance-fusée (le canon porte-amarre):

52 le filin (la corde) de tir *m*
53 la fusée;

54-56 les cirés *m*:

54 le suroît
55 le gilet ciré
56 le manteau ciré;
57 le gilet de sauvetage *m*
58 la ceinture de liège *m*, une ceinture de sauvetage *m*

225 Types d'avions I

1 le monoplan *m*, un avion à aile *f* haute (à aile semi-haute):
2 l'aile *f* haute
3 la dérive;
4 le sesquiplan [périmé]:
5 le train d'atterrissage *m* entretoisé
6 la béquille de queue *f* d'avion *m*;
7 le biplan:
8 la roulette de queue *f* (la roue de queue)
9 le ski d'atterrissage *m*;
10 le triplan *m* [périmé]:
11 l'aile *f* droite;
12 l'avion *m* à aile *f* basse:
13 l'aile *f* trapézoïdale à bout *m* carré
14 le double empennage vertical (la double dérive)
15 le double empennage à flasque *m* terminal
16 le fuselage en forme *f* de torpille *f*;
17 le fuselage d'un avion à aile *f* cantilever
18 l'aile *f* trapézoïdale à saumon *m* arrondi
19 l'avion *m* à aile *f* médiane:
20 l'aile *f* en M;
21 l'avion *m* à aile *f* haute:
22 la dérive à faible allongement *m* (dérive basse);
23 l'aile *f* ovale
24 la dérive à grand allongement *m* (dérive haute)
25 l'aile *f* rectangulaire
26 le fuselage à section *f* circulaire
27 l'avion *m* à aile *f* en flèche *f*:
28 l'aile *f* en flèche *f* vers l'arrière *m*;
29 l'aile *f* volante (l'avion *m* sans queue *f*):
30 l'aile *f* triangulaire (l'aile en delta *m*)
31 la dérive sur voilure *f*;
32 l'avion *m* amphibie, un avion terrestre et un hydravion:
33 le flotteur en bout *m* d'aile *f*
34 le fuselage-poutre
35 l'empennage *m* horizontal trapézoïdal;
36 l'avion-canard *m*:
37 le stabilisateur avant (l'empennage *m* frontal)
38 le fuselage allongé de l'avion-canard *m*;
39 l'avion *m* à double fuselage *m*:
40 le fuselage bipoutre
41 l'empennage *m* horizontal rectangulaire;
42 l'avion *m* rapide (avion à grande vitesse *f*):
43 le patin d'atterrissage *m*
44 le fuselage court et trapu (fuselage «en forme de grenade *f*»);
45 la voilure en dièdre *m*
46 le fuselage à section *f* polygonale
47 le fuselage «en dos *m* de chameau *m*»
48 la triple dérive
49 l'atterrisseur *m* avant (la roue d'avion *m* avant)
50 le fuselage à section *f* cylindrique
51 le train d'atterrissage *m* relevable (escamotable)
52 la dérive avec arête *f* dorsale
53 l'avion *m* à aile *f* en delta *m*:
54 l'aile *f* delta (aile *f* triangulaire)
55 le «fence» d'aile *f* (la barrière *f* de décrochage *m*) pour l'aspiration *f* de la couche-limite
56 la gouverne de direction *f* delta (le drapeau)
57 le fuselage en forme *f* de delta *m*;
58 l'aile *f* à fente *f*
59 l'empennage *m* «en forme de T»
60 l'hydravion *m* à coque *f*:
61 la coque de l'hydravion *m*
62 le plan fixe horizontal
63 le stabilisateur latéral
64 le flotteur du bout d'aile *f*;
65 le fuselage «en forme de têtard»
66 le double empennage cruciforme
67 l'avion *m* à aile *f* en croissant *m*:
68 l'aile *f* en croissant *m*;
69 l'autogire *m* avec rotor *m* de sustentation *f* (l'hélicoptère *m*)
70 l'avion *m* à voilure *f* annulaire (le coléoptère) propulsé par turbo-réacteur *m*
71 l'avion *m* à propulsion *f* atomique avec pile *f* d'avion *m*

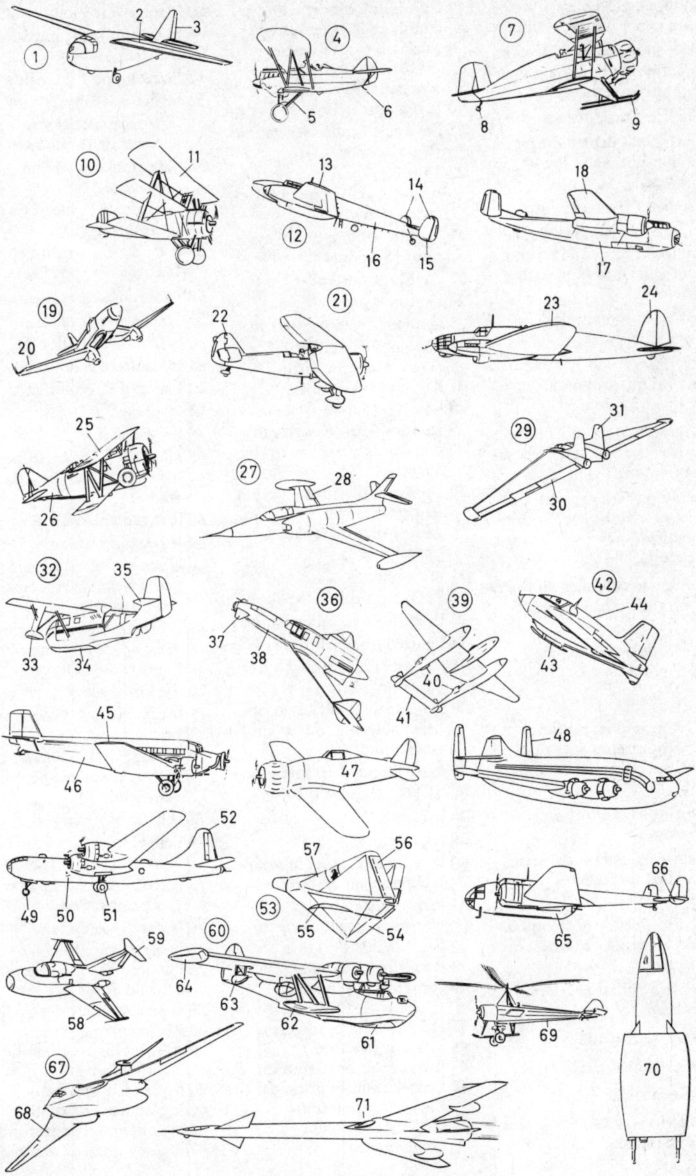
1
2
3
4
5
6
7
8
9
10
11
12
13
14
15
16
17
18
19
20
21
22
23
24
25
26
27
28
29
30
31
32
33
34
35
36
37
38
39
40
41
42
43
44
45
46
47
48
49
50
51
52
53
54
55
56
57
58
59
60
61
62
63
64
65
66
67
68
69
70
71

1-8 avions *m* à hélice *f* (avions avec propulseur *m* à hélice),
1 l'avion *m* monomoteur (le monomoteur), un avion à moteur propulseur:
2 l'hélice *f* propulsive;
3 l'avion *m* à deux moteurs *m* (avion bimoteur, le bimoteur):
4 l'hélice *f* tractive;
5 l'avion *m* à trois moteurs *m* (avion trimoteur, le trimoteur), un avion à moteur tracteur:
6 le fuseau-moteur de l'avion *m*;
7 l'avion *m* à quatre moteurs *m* (avion quadrimoteur, le quadrimoteur)
8 l'avion *m* à six moteurs *m* (avion hexamoteur, l'hexamoteur *m*);
9-12 avions *m* à turbopropulseur *m* (avions avec turbine *f* à hélice *f*, avions à turbohélice *f*),
9 l'avion *m* avec un seul turbopropulseur (le monoréacteur):
10 le propulseur (l'hélice *f* aérienne)
11 la tuyère d'éjection *f*;
12 l'avion *m* avec plusieurs turbopropulseurs *m* (avion multiréacteur, le multiréacteur);
13-18 avions *m* à turboréacteurs *m*;
13 l'entrée *f* d'air *m* (la prise d'air *m*) du réacteur dans le nez du fuselage
14 le dispositif de postcombustion *f* (le post-brûleur) du réacteur
15 l'entrée *f* d'air *m* latérale du réacteur
16 le réacteur d'aile *f*
17 le réacteur dorsal
18 le fuseau-réacteur;
19-21 avions *m* à statoréacteur *m* (statoréacteurs),
19 l'avion *m* à statoréacteur *m* annulaire dans le fuselage (avion à fuseau-fuselage *m*, le «tonneau Leduc», avion-tonneau *m*):
20 le réacteur en bout *m* d'aile *f*;
21 l'avion *m* à pulso-réacteur *m* (le pulsoréacteur);
22-24 le largage d'un avion par un autre avion en vol *m* (le largage en vol),
22 l'avion *m* composite (avion pour le largage en vol *m*:
23 l'avion *m* porteur
24 l'avion *m* porté;
25 le ravitaillement en vol *m*:
26 l'avion *m* ravitailleur (l'avion-citerne *m*)
27 l'avion *m* ravitaillé;
28 l'avion *m* à ailes *f* rotatives:
29 les ailes *f* propulsives, mises en rotation *f* par des tuyères *f* à réaction *f*;
30 l'avion *m* de ligne *f* (avion de passagers *m*), un avion stratosphérique (stratoliner *m*):
31 le passager
32 l'hôtesse *f* de l'air *m*
33 l'escalier *m* (escalier roulant)
34 l'entrée *f* des passagers *m*
35 la porte des soutes *f* à fret *m* (des cales *f* à fret)
36 la béquille avant aux roues *f* orientables (la roue avant orientable)
37 la carlingue de pilotage *m*
38-41 l'équipage *m* d'avion *m*:
38 le pilote
39 le co-pilote
40 le radio navigant (le radiotélégraphiste de bord *m*)
41 le mécanicien navigant (l'officier-mécanicien navigant);
42 la cabine de l'hôtesse *f*
43 la cuisine de bord *m*
44 l'antenne *f* de bord *m* (l'aêrien *m* d'avion *m*)
45 la cabine des passagers *m*
46 le feu de position *f*
47 le réservoir de carburant *m*
48 l'atterrisseur *m* principal (les boggies *m* porteurs)
49 la nacelle à moteur *m* de l'avion *m*
50 le turboréacteur;
51 le ballon libre, un ballon dirigeable:
52 l'enveloppe *f* du ballon
53 le filet du ballon
54 le panneau de déchirure *f* avec la corde de déchirure
55 l'appendice *m* de remplissage *m*
56 la suspente de filet *m* (la corde de suspension *f*)
57 le tendeur d'appendice *m* (la corde d'appendice)
58 l'anneau *m* de suspension *f*
59 la suspente de nacelle *f*
60 la nacelle de ballon *m*
61 le lest [sacs *m* de sable *m*]
62 l'ancre *f* de ballon *m*
63 le guide-rope
64 l'aéronaute *m*
65 «l'aéronef» *m* (le dirigeable, le zeppelin) un dirigeable rigide:
66 le mât d'amarrage *m*
67 le bec d'amarrage *m*
68 la nacelle des passagers *m* avec les compartiments *m* des passagers
69 la nacelle de commandement *m* (de pilotage *m*) avec le poste de pilote *m*
70 l'amortisseur *m* de nacelle *f*
71 la plate-forme d'observation *f*
72 le chapeau d'évacuation *f* d'air *m* (le claquet de ventilation *f*)
73 la carène de dirigeable *m*
74 l'enveloppe *f* (le bordé extérieur, l'entoilage *m*)
75 les ballonnets *m* à gaz *m* (les compartiments *m* à gaz)
76 la nacelle latérale
77 la nacelle arrière
78 l'hélice *f* aérienne (le propulseur de dirigeable *m*)
79 la poupe du dirigeable
80-83 l'empennage *m*.
80 et **81** les plans *m* fixes de stabilisation *f*:
80 le plan fixe vertical
81 le plan fixe horizontal;
82 le gouvernail de profondeur *f*
83 le gouvernail de direction *f*

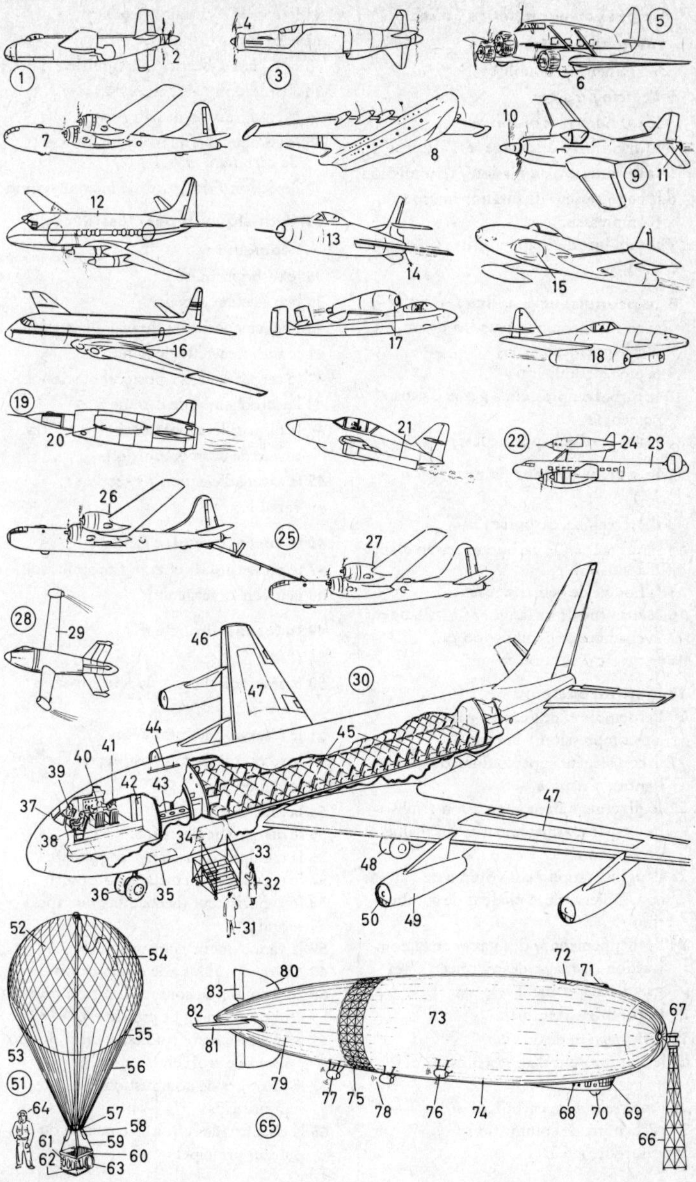
1
2
3
4
5
6
7
8
9
10
11
12
13
14
15
16
17
18
19
20
21
22
23
24
25
26
27
28
29
30
31
32
33
34
35
36
37
38
39
40
41
42
43
44
45
46
47
47
48
49
50
51
52
53
54
55
56
57
58
59
60
61
62
63
64
65
66
67
68
69
70
71
72
73
74
75
76
77
78
79
80
81
82
83

1 le propulseur à hélice *f* **avec moteur à piston** *m*,
un moteur en double étoile *f*:
2 l'entrée *f* d'air *m*
3 le cylindre avec piston *m*
4 le dispositif d'allumage *m* (l'allumage)
5 la tuyauterie d'admission *f* (l'admission)
6 le compresseur de suralimentation *f* (compresseur)
7 la tubulure d'échappement *m* (l'échappement);

8 le propulseur à hélice *f*
avec turbocompresseur *m* à gaz *m* d'échappement *m*:
9 la pipe d'admission *f*
10 le turbocompresseur à gaz *m* d'échappement *m*
11 les gaz *m* d'échappement *m*;

12 le pulsoréacteur (la propulsion V 1):
13 l'arrivée *f* du carburant
14 l'injecteur *m* de carburant *m*, un clapet d'admission *f*
15 la bougie de démarrage *m*
16 la chambre de mélange *m* (le mélangeur)
17 la chambre de combustion *f*
18 la tuyère d'éjection *f*;

19 le statoréacteur:
20 l'ensemble *m* de l'entrée *f* d'air *m* à recompression *f* interne
21 le convergent supersonique de l'entrée *f* d'air *m*
22 le divergent à recompression *f* subsonique par élargissement *m* du diamètre de la tuyère
23 l'augmentation *f* du volume de l'air *m* sous l'effet *m* de la chaleur de combustion *f*
24 l'échappement *m* des gaz *m* de la combustion (la masse des gaz éjectés, les gaz d'échappement *m*);

25 le turboréacteur:
26 le démarreur de turbine *f*
27 le compresseur d'air *m* à plusieurs étages *m*
28 l'injecteur *m* de carburant *m*
29 la chambre de combustion *f*
30 le turboréacteur
31 l'arbre *m* d'entraînement *m*
32 le palier de turbine *f*
33 la tuyère d'éjection *f* à aiguille *f* mobile
34 l'aspiration *f* de l'air *m* d'aval *m*
35 la compression de l'air *m*
36 la combustion du mélange d'air *m* et de carburant *m*
37 l'éjection *f* des gaz *m* de la combustion;

38-45 quelques types classiques de réacteurs *m*,
38 le turbopropulseur:
39 le réducteur d'hélice *f*
40 l'hélice *f* aérienne (le propulseur);
41 le turboréacteur classique
42 le turboréacteur à postcombustion *f*:
43 l'accrocheur *m* de flamme *f*
44 le dispositif de postcombustion *f* (la tuyère de postcombustion)
45 la tuyère d'éjection *f* à section *f* variable;

46 la fusée à poudre *f*:
47 le propergol (la charge *f* propulsive)
48 la tuyère divergente;

49 la fusée à liquide *m*
(fusée *f* à hypergol *m*):
50 le réservoir d'eau *f* de refroidissement *m*
51 le réservoir de comburant *m*
52 le réservoir de combustible *m*
53 les pompes *f*
54 la turbine à vapeur *f*
55 le démarreur électrique
56 la conduite du mélange propulsif
57 le régulateur du mélange propulsif
58 le vaporisateur (la chambre de vaporisation *f*)
59 la vanne du mélange propulsif
60-63 les chambres *f* de combustion *f*:
60 la chambre de combustion *f* du propulseur pour vol *m* de croisière *f*
61 la chemise de refroidissement *m* du propulseur de croisière *f*
62 la chambre de combustion *f* du propulseur principal
63 la chemise de refroidissement *m* du propulseur principal

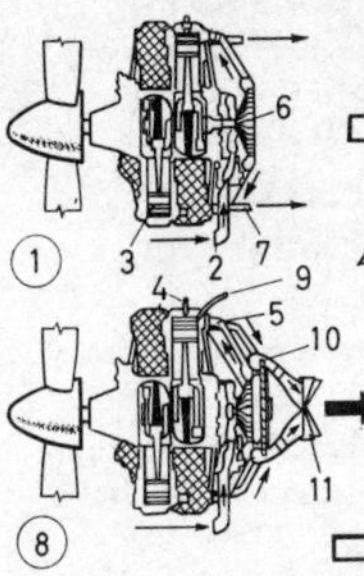
1
2
3
6
7
4
5
8
9
10
11

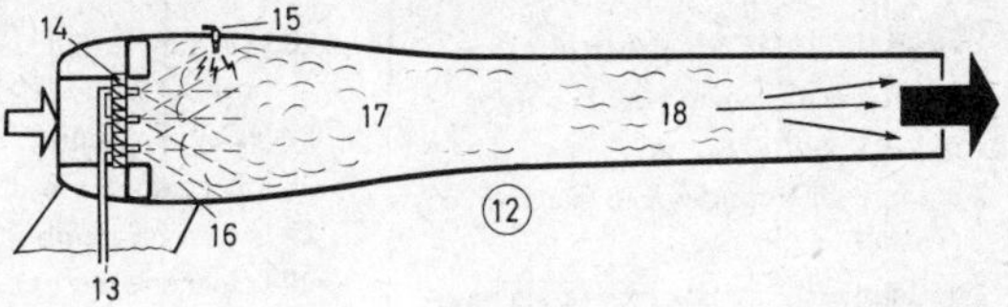
12
13
14
15
16
17
18

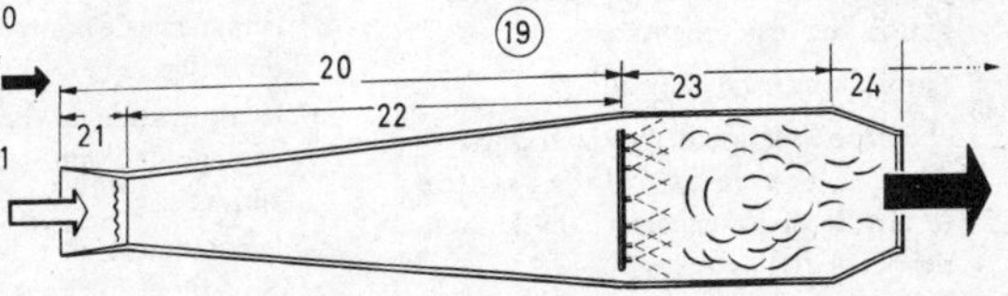
19
20
21
22
23
24

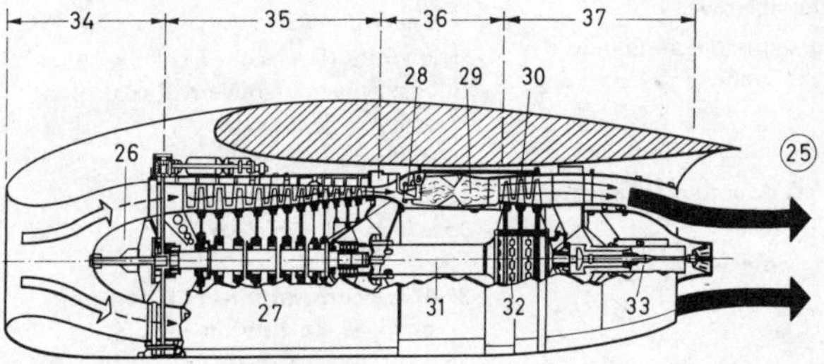
25
26
27
28
29
30
31
32
33
34
35
36
37

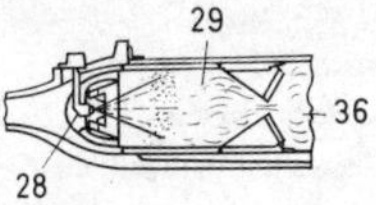
28
29
36

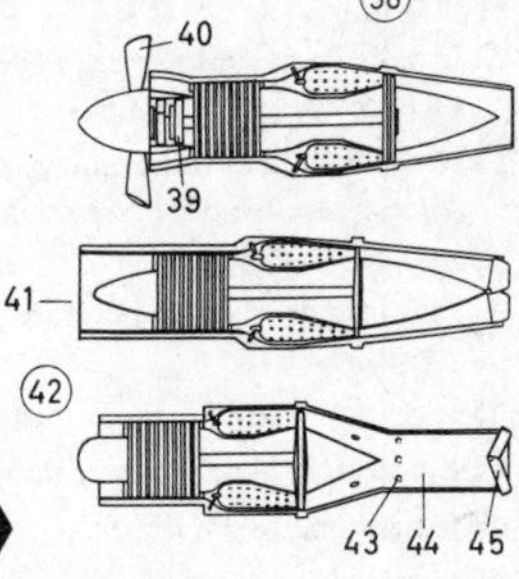
38
39
40
41
42
43
44
45

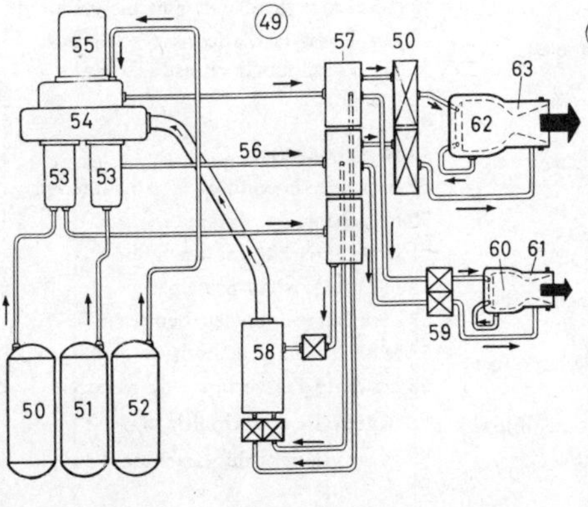
49
50
51
52
53
53
54
55
56
57
50
58
59
60
61
62
63

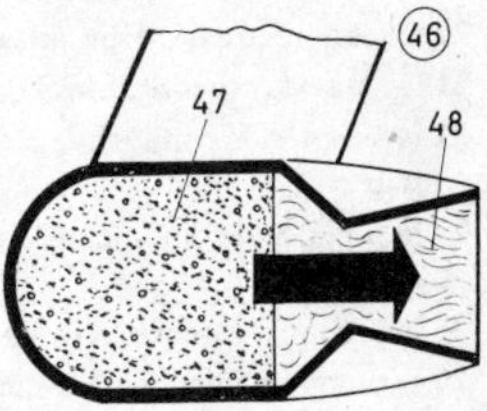
46
47
48

1-38 le poste de pilotage *m*:

1 le siège du commandant de bord *m* (siège du pilote)

2 le siège du second pilote (siège du copilote)

3-16 la planche de bord *m* pour la navigation aux instruments *m*:

3 l'indicateur *m* de direction *f*

4 l'horizon *m* artificiel (horizon gyroscopique) pour le contrôle de l'assiette *f* (contrôle de l'ascension *f* ou de la descente de l'avion *m*)

5 l'indicateur *m* de virage *m* et de pente *f* pour le contrôle de l'état *m* d'équilibre *m* (l'inclinomètre *m*)

6 le variomètre statoscopique pour le contrôle des variations *f* de l'altitude *f* du vol

7 le conservateur de cap *m* (le navigraphe)

8 le chronomètre de bord *m* (la montre de bord)

9 l'altimètre *m* de précision *f* et l'altimètre simple

10 le radio-compas

11 le compas d'avion *m*

12 la table de déviation *f* pour la correction de la déviation du compas

13 le variomètre (l'indicateur *m* de la vitesse ascensionnelle et de la vitesse de descente *f*)

14 l'indicateur *m* de température *f* extérieure

15 le manomètre d'air *m* comprimé

16 l'indicateur *m* de vitesse *f* de vol *m*;

17 le manomètre d'huile *f*

18 le tachymètre (le compteur de tours *m*)

19 le thermomètre d'huile *f*

20 le manomètre de carburant *m*

21 la jauge de combustible *m*

22 la poignée de commande *f* de l'extincteur *m*

23 la poignée de commande *f* de la pompe à main *f*

24 la pompe d'injection *f* de combustible *m*

25 la pompe d'injection *f* d'huile *f*

26 le voyant lumineux du niveau de combustible *m*

27 le coupe-circuit

28 l'interrupteur *m* d'allumage *m*

29 la commande du train d'atterrissage *m*

30 la manette des gaz *m*

31 la manette de contrôle *m* de la richesse du mélange

32 la commande de l'étouffoir *m* pour le réglage de l'admission *f* du combustible

33 la commande de déverrouillage *m* de la roue du train avant ou du train principal

34 la colonne des volants *m* de la double commande; *à l'intérieur*: les arbres *m* d'ailerons *m*

35 le volant (le manche à balai *m*) pour la commande du gouvernail de profondeur *f* et de direction *f*

36 la timonerie de profondeur *f*

37 le palonnier de direction *f*

38 la pédale de direction *f*;

39-47 les commandes *f* **et l'empennage** *m* **de l'avion** *m*:

39 la timonerie de profondeur *f*

40 la timonerie de gauchissement *m*

41 le plan fixe vertical (la dérive)

42 le gouvernail de direction *f*

43 le plan fixe horizontal

44 le gouvernail de profondeur *f*

45 la voilure fixe d'avion *m* (les ailes *f*)

46 l'aileron *m* (le plan de gauchissement *m*)

47 le volet (volet d'atterrissage *m*), destiné à diminuer la vitesse à l'atterrissage;

48 le parachute:

49 la calotte (la voilure) de parachute *m*

50 la suspente du parachute

51 le sac extérieur du parachute

52 le câble porteur principal

53 l'anneau *m* de déclenchement *m*

54 le harnais du parachutiste

55 la sangle d'ouverture *f* du parachute

56 la goupille de verrouillage *m*

57 le sac intérieur du parachute

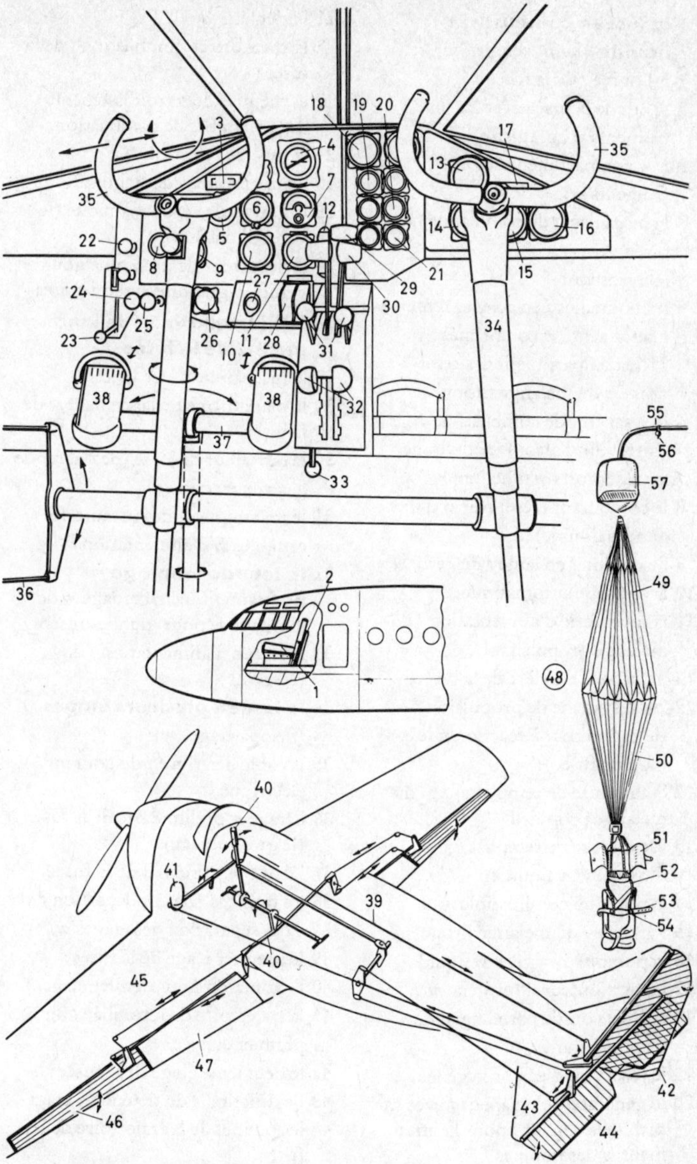
18
19
20
4
3
17
13
35
35
7
6
12
22
8
9
5
14
16
15
21
29
30
27
24
25
23
26
10
11
28
31
34
38
38
37
32
33
55
56
57
36
2
1
48
49
50
40
41
39
40
45
51
52
53
54
47
46
43
44
42

1 **la fusée à combustible** *m* **liquide** [*milit.* «engin» *m*],
2-5 l'ogive *f* de la fusée:
2 le nez de la fusée avec les instruments *m* enregistreurs
3-5 le compartiment des instruments *m*:
3 le mécanisme de commande *f* de la fusée
4 le gyroscope
5 les bouteilles *f* en acier *m* renfermant l'azote *m* comprimé;
6-11 le compartiment des réservoirs *m* du mélange propulsif:
6 le réservoir de combustible *m* (réservoir d'alcool *m* éthylique)
7 les réservoirs *m* d'hélium *m*
8 le comburant (réservoir *m* d'oxygène *m* liquide)
9 l'isolation *f* en laine *f* de verre *m*
10 la soupape automatique
11 la tuyauterie d'alimentation *f* du mélange propulsif;
12-27 la partie arrière de la fusée,
12-24 le système de propulsion *f* (le propulseur à réaction *f*, le moteur-fusée):
12 la tubulure de remplissage *m* du mélange propulsif
13 la tubulure de remplissage *m* d'oxygène *m* liquide
14 la pompe à combustible *m*
15 l'arrivée *f* du mélange propulsif
16 la pompe à oxygène *m* liquide
17 le distributeur d'oxygène *m*
18 le réservoir de permanganate *m* de potassium *m*
19 le réservoir d'eau *f* oxygénée
20 le générateur de vapeur *f* avec sa turbine à vapeur *f* pour l'entraînement *m* des pompes *f*
21 l'injecteur *m*
22 la chambre de combustion *f* de la fusée
23 la chemise de refroidissement *m* de la chambre de combustion *f*
24 la tuyère d'éjection *f*;
25 l'empennage *m* de stabilisation *f*
26 la gouverne aérodynamique (le volet d'incidence *f*)
27 le déflecteur de jet *m*, une gouverne en graphite *m* réfractaire;
28-31 l'installation *f* **de lancement** *m* **de la fusée,**
28 la fusée prête à être lancée:
29 la plate-forme de lancement *m* de la fusée
30 le déviateur de jet *m* (déviateur de gaz *m* d'éjection *f*)
31 le mât-support des tuyauteries *f* et câbles *m* d'alimentation *f*;
32 la tour de montage *m* **de fusée** *f* (l'échafaudage *m* de montage *m* pour grandes fusées *f*):
33 les tubes d'alimentation *f* du réservoir;
34 la fusée à plusieurs étages *m* (fusée à étages *m*):
35 le câble d'arrivée *f* du courant électrique
36 l'étage *m* préliminaire de la fusée (le préallumage)
37 l'étage *m* principal de la fusée
38 les traînées *f* de condensation *f*
39-42 la séparation des étages *m*,
39 le premier étage de la fusée:
40 l'extinction *f* du premier étage
41 la trajectoire de retombée *f* du premier étage ;
42 le deuxième étage de la fusée;
43 l'extinction *f* du deuxième étage
44 le sommet de la trajectoire de la fusée

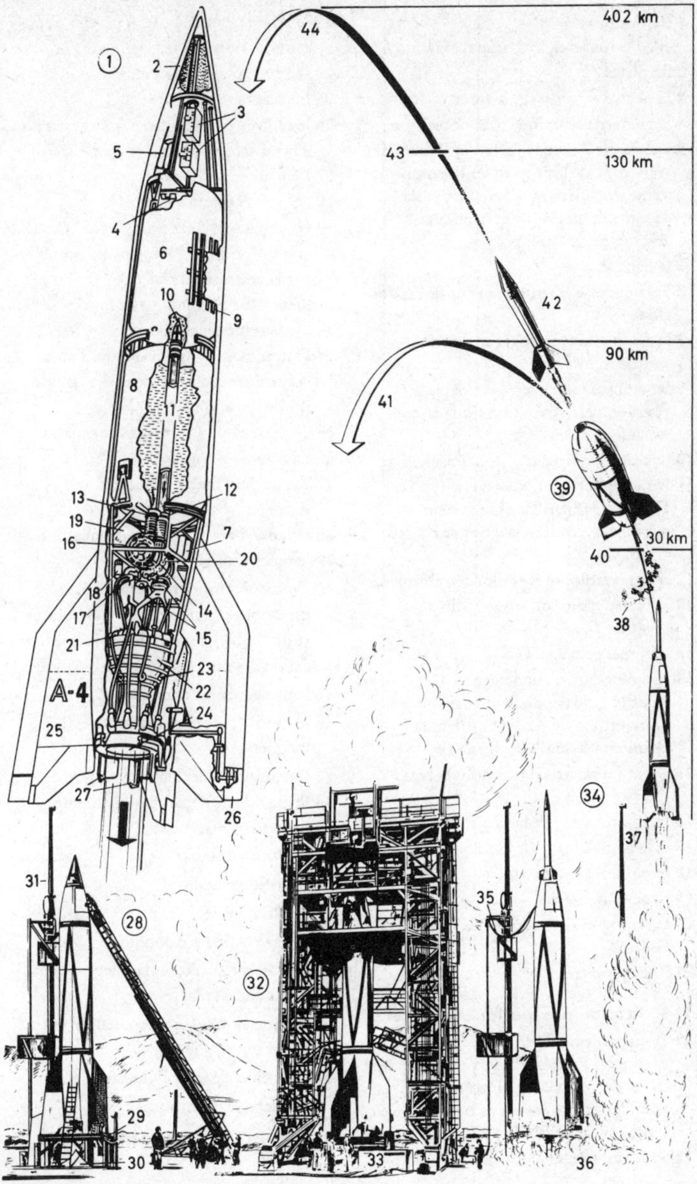

402 km
44
1
2
3
5
43
130 km
4
6
42
10
9
90 km
8
41
11
39
13
12
19
7
16
30 km
20
40
18
14
17
38
15
21
23
A-4
22
24
25
27
26
34
37
31
35
28
32
29
30
33
36

1 l'aéroport *m* (l'aérodrome *m*, le champ d'aviation *f*):
2 les pistes *f*
3 la piste d'atterrissage *m* forcé
4 le radar panoramique d'aérodrome *m*
5 l'aérogare *f* avec la direction (l'administration *f*) de l'aéroport *m*, le comptoir-vente des billets *m* d'avion *m*, le service des opérations *f* aériennes et le restaurant de l'aréoport *m*
6 le hangar
7 les ateliers *m* d'entretien *m* et de réparations *f*
8 la station météorologique de l'aéroport *m*
9 les ateliers *m* de l'aéroport *m* pour la révision et la réparation *f* du matériel volant
10 le radar d'approche *f* de précision *f*
11 le radiophare d'alignement *m* type *m* ILS (instrument landing system = système *m* d'atterrissage *m* aux instruments *m*)
12 et **18** les radiophares *m* de l'aérodrome *m*:
12 la balise radio, un signe radio de position *f*
13 le signal principal ILS
14 le radiophare d'alignement *m* ILS pour le guidage de l'avion *m* sur la trajectoire de descente *f* dans la dernière phase d'atterrissage *m*
15 l'aire *f* d'atterrissage *m* pour hélicoptères *m*
16 le répartiteur téléphonique
17 la manche à air *m* (le sac à vent *m*)
18 le radiophare tournant
19 l'anémomètre *m*
20 le radiogoniomètre à ondes *f* ultra-courtes
21 l'aérogare-fret *f*;

22-53 la radionavigation aérienne,
22-38 procédés *m* de sécurité *f* aérienne (procédés de sécurité en vol *m*, dispositifs *m* de radionavigation *f* aérienne) en vue d'atterrissages *m* par mauvaise visibilité ou sans visibilité *f*,
22-33 le radiorepérage,
22 le relèvement de bord *m* par deux émetteurs *m* au sol et un récepteur à bord *m*:
23, 24 les émetteurs *m* I et II
25 le récepteur de bord *m*;
26 le relèvement de sol *m* par un émetteur à bord *m* et deux récepteurs *m* au sol:
27 l'émetteur *m* de bord *m*
28, 29 les récepteurs *m* I et II;
30 combinaison *f* des procédés *m* 22 et 26 (réception *f* par l'avion *m* des postes *m* I et II et émission *f* à leur intention *f*):
31 l'émetteur-récepteur *m* de bord *m*
32, 33 les émetteurs-récepteurs *m* I et II;
34 l'atterrissage *m* sans visibilité *f* sous contrôle *m* radar (la détection suivie d'identification *f*):
35 l'émetteur-phonie *m* du contrôle radar
36 l'avion *m* en approche *f*
37 l'antenne *f* radar à couverture *f* panoramique
38 le radar d'atterrissage *m* de précision *f*;
39 le radar panoramique:
40 l'antenne *f* tournante à faisceau *m* directionnel, une antenne parabolique réalisant la concentration et la focalisation des ondes *f* électromagnétiques
41 le mécanisme d'entraînement *m*
42 les ondes *f* de rayonnement *m* électromagnétique
43 les ondes *f* réfléchies
44 le meuble de l'émetteur-récepteur *m*
45 l'émetteur *m* radar
46 le récepteur radar
47 le maître-synchro;
48 l'indicateur *m*:
49 l'oscilloscope *m* cathodique
50 l'écran *m* fluorescent [sur lequel apparaît la carte radar];
51 la carte radar (la représentation des échos *m*)
52 l'antenne *f* parabolique radar en treillage *m* métallique
53 le support d'antenne *f* parabolique rotatif

230

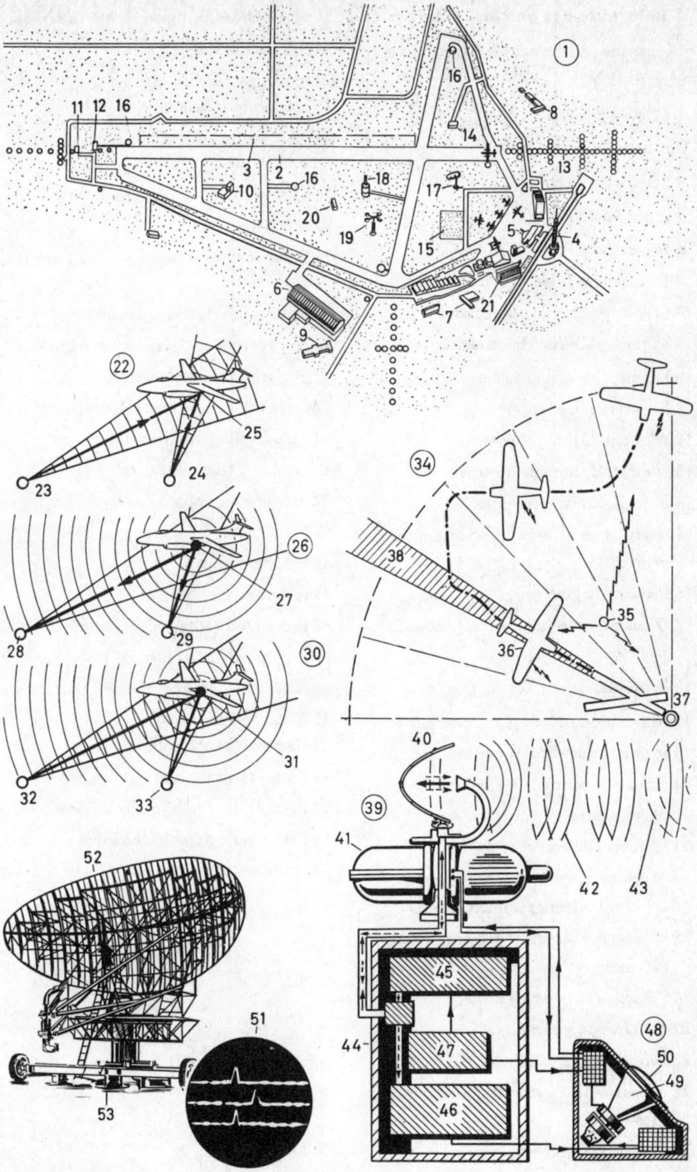
1
2
3
4
5
6
7
8
9
10
11
12
13
14
15
16
17
18
19
20
21
22
23
24
25
26
27
28
29
30
31
32
33
34
35
36
37
38
39
40
41
42
43
44
45
46
47
48
49
50
51
52
53

1-30 la salle des guichets *m*:

1 le guichet aux paquets *m* (la réception des colis *m*)

2 la balance à paquets *m*

3 le colis (le paquet-poste):

4 l'étiquette *f* à coller;

5 le pot à colle *f*

6 le petit paquet

7 les casiers *m* clos:

8 la boîte postale (le casier postal);

9 le guichet d'affranchissement *m*

10 l'employé *m* de guichet *m*

11 le livret de dépôt *m*

12 le carnet de timbres-poste *m*

13 le cahier de timbres-poste *m*

14 la feuille de timbres-poste *m*

15 le grillage à glissière *f*, un grillage de protection *f*

16 la caisse du guichet

17 l'échantillon *m* [sans valeur] dans son sachet *m*

18 le rouleau de timbres-poste *m*

19 le guichet de dépôt *m* et de retrait *m*

20 le guichet de télégramme *m*

21 les casiers *m* de poste *f* restante

22 le pèse-lettre

23 le bureau du receveur

24 la cabine téléphonique pour communications *f* urbaines et interurbaines:

25 le plancher allumant automatiquement la cabine;

26 l'affiche *f*; *ici*: le tarif postal

27 la boîte aux lettres *f*

28 la boîte aux lettres-avion

29 le distributeur automatique de timbres-poste *m*

30 le pupitre (la planche à écrire);

31-46 l'acheminement *m* du courrier,

31 la levée du courrier:

32 le sac postal de levée *f*

33 le triporteur de levée *f*;

34-39 le tri du courrier (le service d'expédition *f* du courrier):

34 l'installation *f* de dépoussiérage *m*

35 le courrier

36 la bande transporteuse à lettres *f*, un tapis roulant

37 le dispositif de tri *m* du courrier

38 les casiers *m* de classement *m* des liasses *f* par lieux *m* de destination *f*

39 le trieur, un fonctionnaire des postes *f*,

40 l'estampillage *m* à la main:

41 la table d'estampillage *m*

42 le tampon à oblitérer;

43 le rouleau à oblitérer

44 le composteur

45 la machine à oblitérer

46 la machine à affranchir postale;

47 le préposé (le facteur)

48 la sacoche postale (sacoche de facteur *m*)

49-52 cachets *m* postaux (estampilles *f* à main *f*):

49 le cachet au rouleau

50 l'estampille *f* publicitaire du lieu

51 l'estampille *f* commémorative

52 l'estampille *f* de tri gare *f*

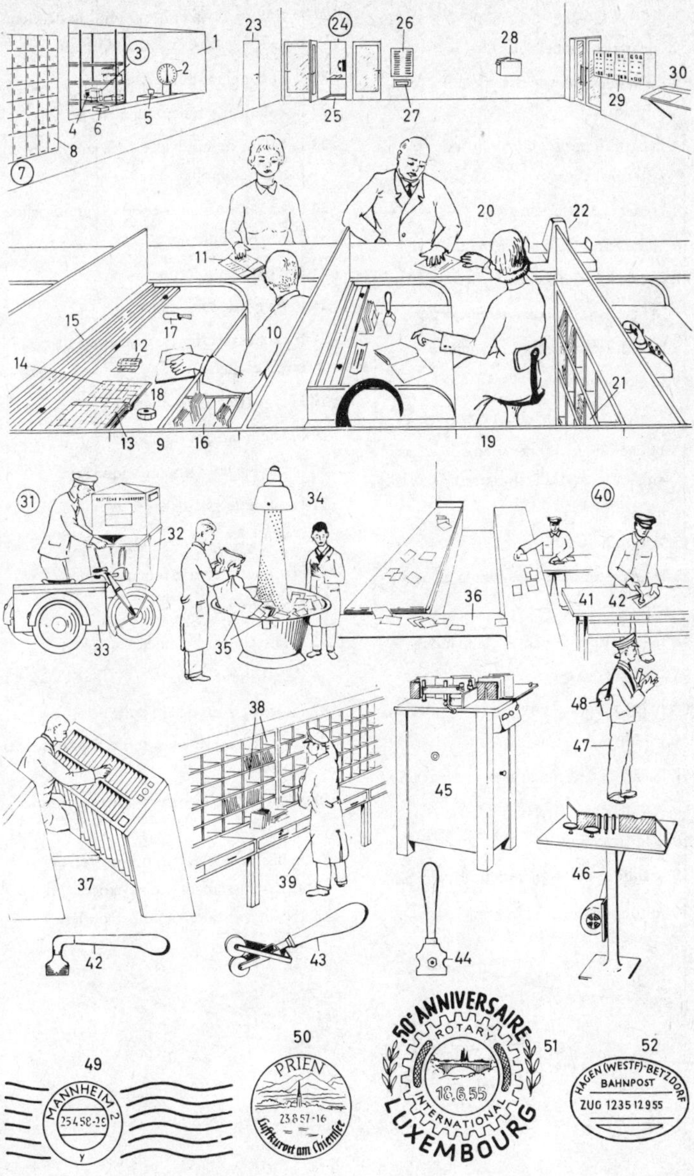
1
2
3
4
5
6
7
8
9
10
11
12
13
14
15
16
17
18
19
20
21
22
23
24
25
26
27
28
29
30
31
32
33
34
35
36
37
38
39
40
41
42
43
44
45
46
47
48
49
50
51
52
MANNHEIM 2
PRIEN
23.8.57-16
Luftkurort am Chiemsee
50e ANNIVERSAIRE
ROTARY
INTERNATIONAL
18.6.55
LUXEMBOURG
HAGEN (WESTF)-BETZDORF
BAHNPOST
ZUG 1235 12 9 55

1 la carte-lettre

2 la carte postale:

3 le cachet d'affranchissement *m* imprimé;

4 la carte-réponse, une carte à deux volets *m*

5 la carte postale illustrée

6-15 les formulaires *m* postaux:

6 l'accusé *m* de réception *f*

7 le mandat de recouvrement *m* postal

8 le mandat de remboursement *m*

9 le récépissé postal

10 l'enveloppe *f* de chèque *m* postal

11 le chèque postal de virement *m*; *anal.*: chèque postal d'assignation *f* payable au comptant

12 le mandat-poste

13 le télégramme (*autrefois*: la dépêche, le câblogramme)

14 la fiche de paiement *m* (le mandat-chèque)

15 le formulaire d'envoi *m* de paquet *m*;

16 l'imprimé *m*:

17 le cachet d'affranchissement *m* (cachet postal);

18 la lettre-avion

19 le timbre-avion [*ici*: un timbre U. S.]

20 le coupon-réponse international

21 le timbre à surcharge *f* (timbre de bienfaisance *f*), une émission spéciale,

22 et 23 la valeur nominale:

22 la valeur d'affranchissement *m*

23 la valeur de surcharge *f* (la surcharge de bienfaisance *f*);

24 l'expédition *f* sous bande *f*, un imprimé à taxe *f* réduite

25 la lettre chargée:

26 le revers de l'enveloppe *f*

27 le cachet de cire (l'empreinte *f* dans la cire à cacheter);

28 la vignette «lettre chargée»

29 le pneumatique (le pneu):

30 le timbre pour pneumatique *m*;

31 la vignette «lettre express»

32 la vignette «par avion»

33 la vignette «lettre recommandée»;

34 la lettre express

35 la lettre recommandée:

36 l'expéditeur *m*

37 l'adresse *f* du destinataire

38 le numéro de la région (du département) postale

39 le cachet de la poste (cachet du bureau d'origine *m*)

40 le timbre postal (timbre-poste), un affranchissement pour l'expédition *f* locale, lointaine ou hors frontière *f*.

en France

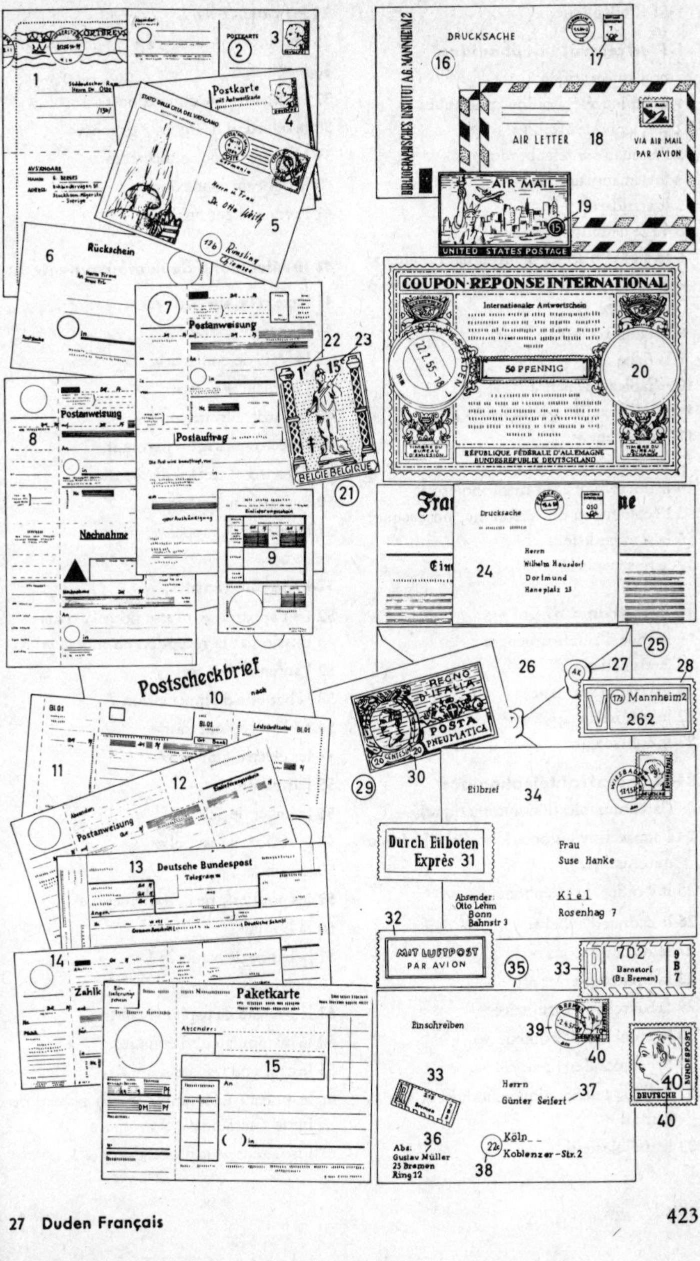
1
POSTKARTE
2
3
Postkarte mit Antwortkarte
4
STATO DELLA CITTÀ DEL VATICANO
5
Rückschein
6
7
Postanweisung
Postauftrag
8
Postanweisung
Nachnahme
9
Postscheckbrief
10
11
12
Postanweisung
13
Deutsche Bundespost
Telegramm
14
Zahlk
Paketkarte
15
Absender:
An
DRUCKSACHE
16
BIBLIOGRAPHISCHES INSTITUT AG. MANNHEIM 2
17
AIR LETTER
18
VIA AIR MAIL
PAR AVION
AIR MAIL
UNITED STATES POSTAGE
19
COUPON-RÉPONSE INTERNATIONAL
Internationaler Antwortschein
50 PFENNIG
20
RÉPUBLIQUE FÉDÉRALE D'ALLEMAGNE
BUNDESREPUBLIK DEUTSCHLAND
BELGIE BELGIQUE
21
22
23
Drucksache
Herrn
Wilhelm Hausdorf
Dortmund
Haneplatz 23
24
25
26
27
28
Mannheim 2
262
REGNO D'ITALIA
POSTA PNEUMATICA
29
30
Eilbrief
34
Durch Eilboten
Exprès 31
Frau
Suse Hanke
Kiel
Rosenhag 7
Absender:
Otto Lehm
Bonn
Bahnstr 3
32
MIT LUFTPOST
PAR AVION
35
33
702
Barnstorf
(Bz Bremen)
Einschreiben
39
40
33
Herrn
Günter Seifert
37
BUNDESPOST
DEUTSCHE
40
40
36
Abs:
Gustav Müller
28 Bremen
Ring 12
Köln
Koblenzer-Str. 2
38

1-51 le téléphone,

1-17 le central téléphonique non automatique,
1 la cabine téléphonique publique:
2 le téléphone à jeton *m*
3 l'annuaire *m* téléphonique
4 le demandeur
5 le standard,
6-12 le démultiplicateur:
6 le signal d'appel *m*, un signal lumineux
7 le jack, un interrupteur de contact *m* à ressort *m*
8 le panneau jack
9 la fiche
10 le tableau de fiches *f*
11 le câble reliant deux fiches *f*
12 l'inverseur *m*;
13 le casque:
14 le microphone sur mentonnière *f*
15 l'écouteur *m* du téléphone, un casque;
16 la standardiste
17 le poste appelé;

18 le cadran d'appel *m*:
19 la roue d'entraînement *m*
20 la vis hélicoïdale
21 le tasseau pivotant
22 le ressort de rappel *m*
23 le contacteur;

24-41 le central téléphonique (la communication automatique),
24 l'appareil *m* automatique (le téléphone automatique):
25 le boîtier du téléphone
26 le cadran d'appel *m*
27 le disque à trous *m*
28 la boutée (l'arrêt *m*)
29 la fourche interruptrice
30 le combiné (l'écouteur *m*)
31 la personne en ligne *f*
32 la ligne téléphonique conduisant au central
33 le présélecteur
34 le frotteur balai
35 les plots *m* de contact *m*
36 le sélecteur
37 les lignes *f* de connexion *f*
38 le sélecteur de lignes *f* groupées
39 les bancs *m* de connecteurs *m*
40 la ligne de connexion *f*
41 le connecteur final;

42 le sélecteur à deux mouvements *m*:
43 l'axe *m* de sélection *f*
44 le bras de contact *m*
45 la série de contacts *m*
46 l'élément *m* rotatif
47 la partie élévatrice
48 l'électro-aimant *m* pivotant
49 l'électro-aimant *m* d'ascension *f*
50 le verrou magnétique
51 le ressort de rappel *m*;

52-67 le télégraphe,
52-64 l'appareil *m* morse pour la transmission et la réception en morse *m*:
52 l'antenne *f* de terre *f*
53 la batterie d'alimentation *f*
54-63 le récepteur morse:
54 les électro-aimants *m*
55 l'armature *f*
56 le levier de palette *f*
57 le ressort de rappel *m*
58 la pointe
59 les poulies *f* de déroulement *m*
60 la bobine
61 la bande de papier *m*
62 l'écriture morse
63 le rouleau de papier *m* vierge;
64 le manipulateur d'émission *f*;
65 le câble de transmission *f*
66 le poteau télégraphique, un poteau de ligne *f* aérienne
67 l'isolateur *m* de porcelaine *f*

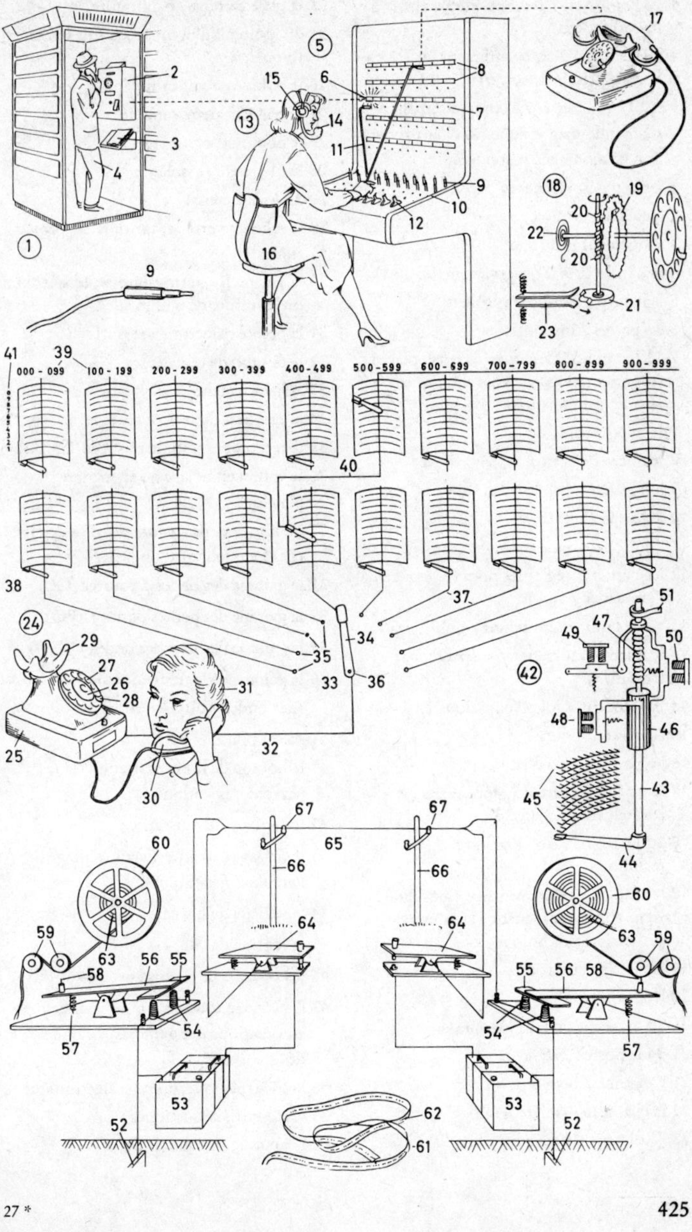

1 2 3 4 5 6 7 8 9 10 11 12 13 14 15 16 17 18 19 20 21 22 23 24 25 26 27 28 29 30 31 32 33 34 35 36 37 38 39 40 41 42 43 44 45 46 47 48 49 50 51 52 53 54 55 56 57 58 59 60 61 62 63 64 65 66 67
000 - 099
100 - 199
200 - 299
300 - 399
400 - 499
500 - 599
600 - 699
700 - 799
800 - 899
900 - 999

1-20 l'émission *f* radiophonique (la radiodiffusion),

1-6 le studio d'enregistrement *m* (la cabine de prise *f* de son *m*)

1 et **2** l'installation *f* d'enregistrement *m* sur bande magnétique pour la production de montages *m* sonores:

1 les magnétophones *m*

2 le tableau de mixage *m*;

3 l'ingénieur *m* du son

4 la paroi vitrée d'observation *f*

5 le haut-parleur de contrôle *m*

6 les parois *f* insonorisées;

7-12 le studio d'annonce *f* et des pièces *f* (représentations *f*) radiophoniques (studio des émissions *f* parlées):

7 le micro suspendu

8 le micro de table *f*

9 le speaker

10 le script (le texte)

11 l'horloge *f* régulatrice

12 les parois *f* réglables pour le réglage de l'ambiance *f* sonore

13-17 le studio d'émissions *f* publiques :

13 le micro d'ambiance *f* suspendu par trois fils *m*

14 la scène du studio d'émissions *f*

15 la salle publique

16 les parois *f* réglables

17 le plafond revêtu de panneaux *m* (le revêtement du plafond);

18-20 la cabine de réalisation *f* technique:

18 les câbles *f* en provenance *f* des différents studios *m* menant à la cabine de réalisation *f* technique

19 la table de contrôle *m*

20 le régisseur du son;

21-50 la réception radiophonique,

21-34 le poste à galène *f*:

21 l'antenne *f* de réception *f*

22 la chaîne des isolateurs *m*

23 l'isolateur-tendeur *m*

24 la prise de terre *f* parafoudre

25-28 le circuit d'oscillations *f* de haute fréquence *f*:

25 la bobine de self-induction *f*

26 le condensateur variable

27 le bouton d'accord *m*

28 le fil-jarretière isolant;

29-32 le détecteur:

29 le tube en verre *m*, un tube de protection *f*

30 la galène [le germanium *m*, le sélénium ou le sulfure de plomb *m*]

31 la pointe détectrice à ressort *m*

32 le bouton de réglage *m*;

33 la fiche banane

34 le casque à deux écouteurs *m*;

35 le récepteur radio (le poste de T.S.F.):

36 le coffret en bois *m* ou en matière *f* plastique

37-40 le cadran des gammes *f* d'ondes *f* (des longueurs *f* d'ondes):

37 la gamme des ondes *f* courtes (OC)

38 la gamme des petites ondes *f* (PO)

39 la gamme des grandes ondes *f* (GO)

40 la gamme de la fréquence modulée (des ondes *f* ultra-courtes);

41-45 les boutons *m*:

41 le bouton de la syntonisation (la recherche des stations *f*)

42 le réglage de puissance *f*

43 le réglage du cadre Ferrit (réglage de l'antenne *f* incorporée)

44 le réglage du grave

45 le réglage de l'aigu *m*;

46 les voyants de la tonalité de 44 et 45

47 le clavier à touches *f* pour la sélection automatique des gammes *f* d'ondes *f* ou des stations *f*

48 l'œil *m* magique, un tube électronique

49 les fentes *f* acoustiques

50 l'écran acoustique (le baffle)

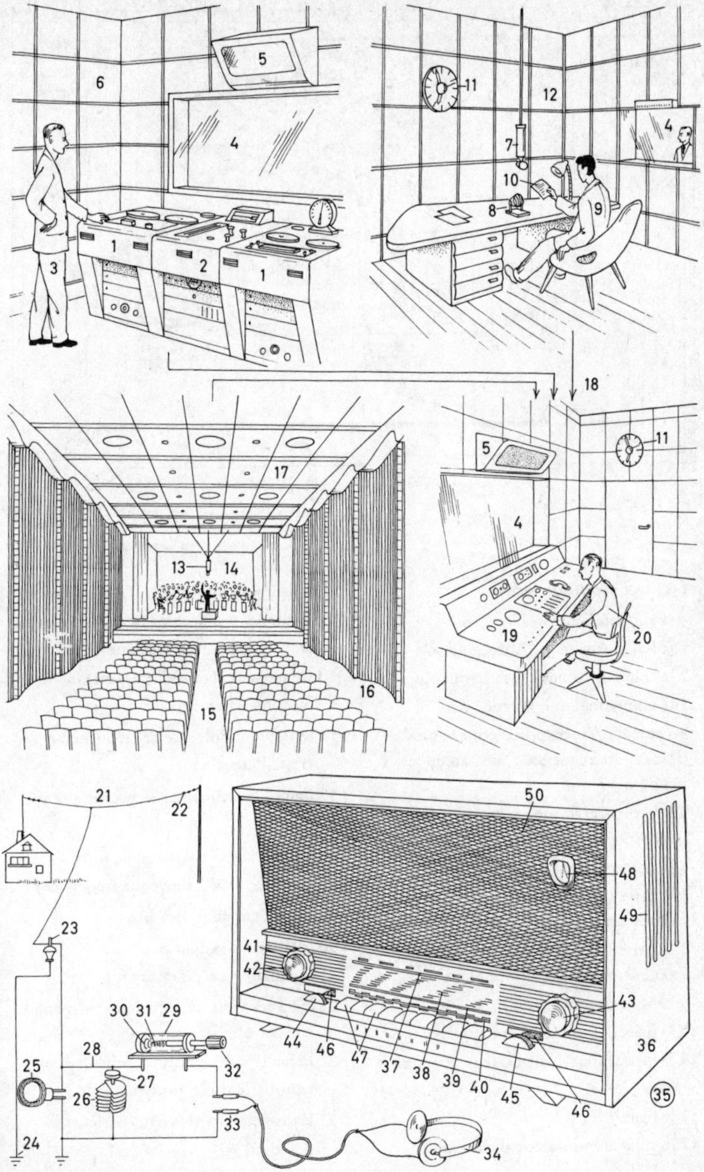

1
2
3
4
5
6
7
8
9
10
11
12
13
14
15
16
17
18
19
20
21
22
23
24
25
26
27
28
29
30
31
32
33
34
35
36
37
38
39
40
41
42
43
44
45
46
47
48
49
50

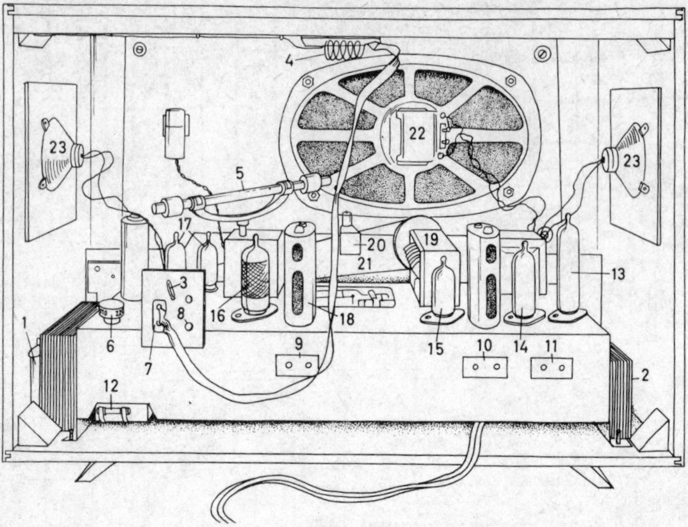

1-23 le récepteur radio
[vue *f* intérieure]:

1 le transformateur d'alimentation *f*

2 le transformateur basse fréquence *f*

3 le commutateur d'antenne *f*

4 l'antenne *f* incorporée pour la modulation de fréquence *f*, une antenne dipôle

5 le cadre Ferrit, une antenne rotative incorporée

6 le commutateur de secteur *m*

7 la prise d'antenne *f* extérieure pour modulation *f* de fréquence *f*

8 la prise d'antenne *f* pour grandes ondes *f* et petites ondes *f*

9 la prise de pick-up *m*

10 la prise de magnétophone *m*

11 la prise pour haut-parleur *m* supplémentaire *m*;

12 le fusible *m*

13 le tube amplificateur d'extrémité *f*

14 la lampe compound

15 le tube amplificateur de haute fréquence *f*, le tube amplificateur de moyenne fréquence et la bande passante de moyenne fréquence

16 le tube modulateur de fréquence *f* (l'oscillateur *m*)

17 l'amplificateur *m* et le préamplificateur

18 les blocs *m* d'accord *m* (le filtre à ruban *m*, filtre à moyenne fréquence *f*)

19 le condensateur variable

20 la lampe de cadran *m*

21 le cadran [vue *f* intérieure]

22 et 23 les trois haut-parleurs *m* montés en son *m* relief:

22 le haut-parleur normal principal, un haut-parleur électrodynamique

23 les tweeters *m* (les haut-parleurs *m* des aigus *m*)

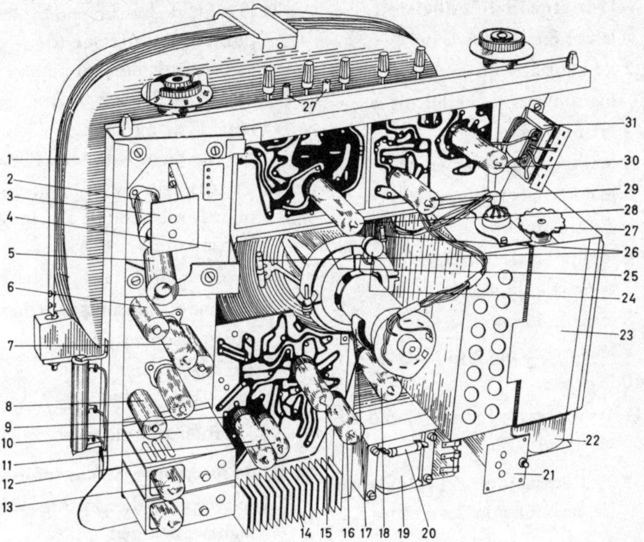

1-31 le récepteur de télévision *f* [vue *f* intérieure]:

1 le tube *m* à rayons *m* cathodiques (tube de l'image *f*)

2 le préamplificateur *m* à HF (haute fréquence *f*)

3 la plaque de connexion *f* d'antenne *f*

4 le sélecteur de canaux *m* (le choix d'émission *f*)

5 le tube mélangeur et l'oscillateur *m*

6 le filtre d'image *f* à moyenne fréquence *f*

7 l'amplificateur d'image *f* à moyenne fréquence *f*

8 la résistance-self

9 le circuit imprimé

10 le détecteur-vision à moyenne fréquence *f*

11 l'amplificateur *m* vidéo

12 le réglage à main *f* et la lampe de contraste *m*

13 l'inverseur *m* d'interférences *f*

14 le redresseur au sélénium

15 le synchronisateur avec le séparateur d'interférences *f*

16 l'amplificateur *m* acoustique de moyenne fréquence (le canal son)

17 l'aimant-piège *m* à ions *m*

18 le démodulateur de son *m* et le préamplificateur à basse fréquence *f*

19 le self de choc *m*

20 le thermorupteur

21 la plaque de connexion *f* de la télécommande

22 le transformateur de sortie *f* du balayage vertical

23 le blindage

24 le centreur d'images *f*

25 la bobine de déviation *f*

26 les redresseurs *m* de distorsions *f*

27 le rotacteur

28 le stabilisateur vertical et la mise au point *m* du balayage vertical

29 le stabilisateur horizontal

30 la mise au point de basse fréquence *f*

31 le transformateur de sortie *f* du son (BF)

1-11 le studio de télévision *f*:

1 la caméra de télévision *f*

2 les câbles *m* de caméra *f* vers les instruments *m* de contrôle *m*

3 le caméraman

4 le travelling de caméra *m*

5 le micro à condensateur *m* électro-statique

6 le support de micro *m*

7 la perche du micro

8 le câble du micro

9 les projecteurs *m* de plateau *m*

10 le décor

11 les acteurs *m* dans le studio de télévision *f*;

12-39 l'émission *f* **de télévision** *f* (la transmission des images *f*):

12 le pupitre de mixage *m* du son

13 le magnétophone

14 le tourne-disque

15 l'ingénieur *m* du son

16 la cabine de mixage *m* du son;

17 le régulateur de balayage *m* à l'horizontale *f* et à la verticale des faisceaux *m* de prises de vue *f*

18 le câble de transmission *f* des images *f*

19 les appareils *m* de contrôle *m*

20-24 la chambre de contrôle *m* **de définition** *f*:

20 le projecteur en diapositif *m*

21 le projecteur en format *m* normal pour film *m* sonore

22 le projecteur en petit format *m*

23 le câble de transmission *f* du son jusqu'aux pupitres *m* du mixage *m* du son

24 le câble de transmission *f* de l'impulsion *f* cathodique (des signaux *m* vidéo) au pupitre de mixage *m* de l'image *f*;

25 la table de mélange *m* vidéo (le pupitre de mixage *m* de l'image *f*)

26 les récepteurs *m* de montage *m* pour la sélection de l'image *f* à transmettre

27 le récepteur de l'image *f* retenue

28 le câble de transmission *f* du signal vidéo jusqu'au poste *m* de contrôle *m*

29 le mélangeur d'images *f*

30 le producteur de télévision *f*

31-34 la cabine de contrôle *m*:

31 le récepteur de contrôle *m* des signaux *m* vidéo

32 l'oscillographe *m* cathodique

33 le modulateur de transformation *f* des fréquences *f* vidéo en fréquences transmissibles par câble *m*

34 le câble de transmission *f*

35 le démodulateur par inversion *f*

36 le modulateur de transformation *f* des fréquences *f* vidéo en fréquences radio

37 le modulateur de son *m*

38 la tour de l'antenne *f* émettrice de télévision *f*

39 l'antenne *f* émettrice, une antenne à ailettes *f*;

40 et 41 la réception de télévision *f*:

40 l'antenne *f* réceptrice, une antenne bipôlaire

41 le récepteur (le poste) de télévision *f*

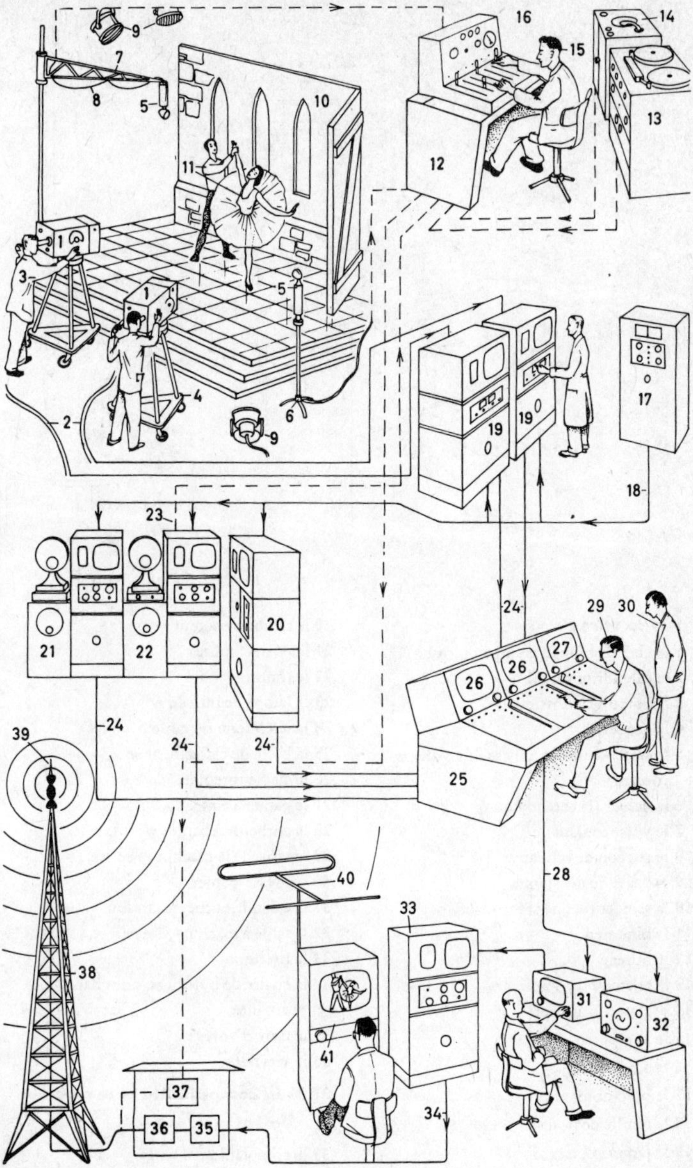
1
2
3
4
5
6
7
8
9
10
11
12
13
14
15
16
17
18
19
20
21
22
23
24
25
26
27
28
29
30
31
32
33
34
35
36
37
38
39
40
41

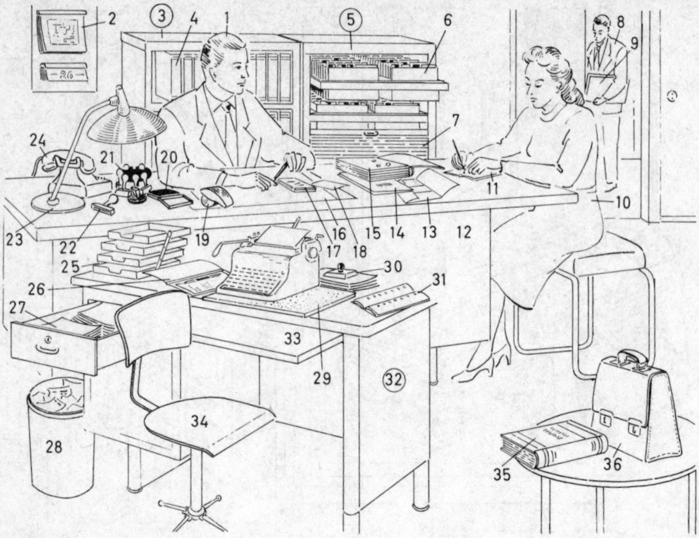

1-36 le bureau:

1 le chef de bureau *m*, un employé
2 le calendrier mural
3 l'armoire *f* à dossiers *m*:
4 le classeur;
5 le casier-armoire, un casier à volet *m* roulant:
6 le fichier (la cartothèque)
7 le volet roulant;
8 le garçon de bureau *m*
9 la liasse de dossiers *m*
10 la secrétaire, une sténo-dactylo
11 le bloc sténo
12 le bureau
13 la chemise de dossiers *m*
14 le classeur dossier
15 le parapheur
16 le sous-main
17 le bloc-notes
18 la feuille de notes *f*
19 le tampon-buvard
20 le tampon encreur
21 le porte-timbres
22 le timbre
23 la lampe de bureau *m*
24 le téléphone de table *f*
25 la boîte de classement *m*
26 le classeur rapide
27 le papier à écrire
28 la corbeille à papier *m*
29 le tapis de la machine à écrire
30 le presse-papier
31 le calendrier-mémorandum
32 la table à machine *f* à écrire:
33 la tirette;
34 la chaise de bureau *m*, une chaise tournante
35 le livre d'adresses *f*
36 la serviette;

37-80 la comptabilité et le classement:

37 le comptable

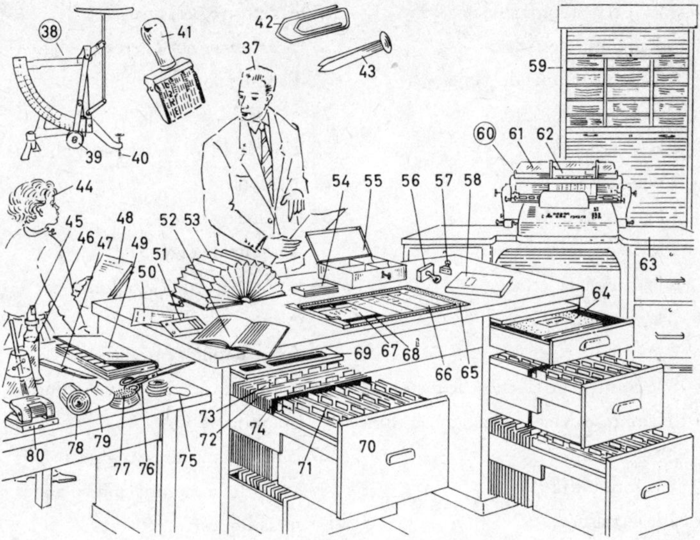

38 le pèse-lettre:
39 le poids incliné
40 la vis de réglage *m*;
41 le timbre dateur, un timbre réglable
42 l'attache *f* de bureau *m*
43 l'attache *f* parisienne
44 l'apprenti *m*
45 la pointe collante
46 la colle de bureau *m*
47 le coupe-papier
48 le registre des frais *m* de port *m*
49 le classeur pour timbres - postes *m*
50 la facture
51 la quittance; *anal.*: la pièce justificative
52 le livre de comptes *m*
53 le préclasseur
54 le bloc-note de caisse *f*
55 la caisse contenant l'argent *m*
56 le timbre de la tenue des comptes *m*
57 le timbre de la comptabilisation
58 le livre de caisse *f*
59 l'armoire *f* aux archives *f* comptables
60 la machine comptable:
61 le dispositif d'introduction *f*;
62 la feuille du compte
63 la table de comptabilité *f*
64 le grand livre
65 le sous-main pour les écritures *f* à la main *f*
66 la feuille-journal
67 la feuille du compte
68 le papier-couleur
69 le plumier
70 le tiroir contenant le fichier
71 le fichier (l'ensemble *m* des fiches *f*)
72 la fiche d'enregistrement *m*
73 la fiche directrice
74 le cavalier
75 l'élastique *m*
76 les ciseaux *m* à papier *m*
77 le mouilleur de bureau *m* avec éponge *f*
78 le rouleau de papier *m* collant
79 la bande de papier *m* collant
80 le perforateur

1-12 la lettre commerciale (lettre d'affaires *f*, lettre) :
1 la feuille (feuille de papier *m* à lettres *f*)
2 la marge
3 l'en-tête *m*
4 l'adresse *f*:
5 le destinataire;
6 la date de la lettre
7 la référence
8 le titre
9 le contenu de la lettre (le texte)
10 la phrase détachée (la ligne renfoncée)
11 la formule finale
12 la signature;
13 l'enveloppe *f* affranchie, une enveloppe à fenêtre *f*:
14 la patte [de l'enveloppe *f*]
15 l'expéditeur *m*
16 la fenêtre;
17-36 instruments *m* pour écrire:
17 le porte-plume
18 la plume, une plume en acier *m*
19 le porte-plume à réservoir *m* (le stylo), un stylo à piston *m*:
20 la plume de stylo *m*, une plume en or *m*
21 le réservoir d'encre *f*
22 le piston
23 le voyant
24 le capuchon
25 l'agrafe *f*;
26 le stylo à bille *f*:
27 le bouton à pression *f*
28 la cartouche avec la réserve d'encre *f* solide
29 la bille;
30 le porte-stylo, un récipient humide
31 le crayon:
32 la gaine en bois *m*
33 la pointe du crayon;
34 le porte-crayon (la rallonge de crayon *m*)
35 le porte-mine rentrant
36 la mine de crayon *m*, une mine en graphite *m*;
37 la machine à adresser, une machine à imprimer au moyen de plaques *f* métalliques:
38 le magasin de sortie *f* des plaques *f*
39 le ruban encreur
40 le tampon presseur
41 le bras de pression *f*
42 le levier de pression *f*
43 la plaque métallique estampée
44 le magasin d'entrée *f* des plaques *f*;
45 la machine à affranchir:
46 le timbre à affranchir, un cliché
47 le rouleau encreur
48 le levier de réglage *m*
49 la manivelle à main *f*
50 le poussoir du ruban encreur
51 le totalisateur
52 le compteur de vignettes *f*
53 le levier de débrayage *m*

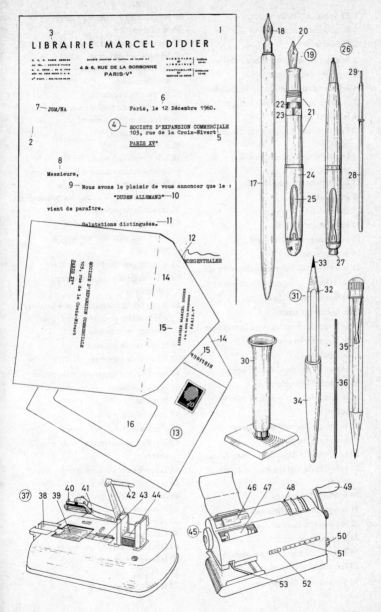

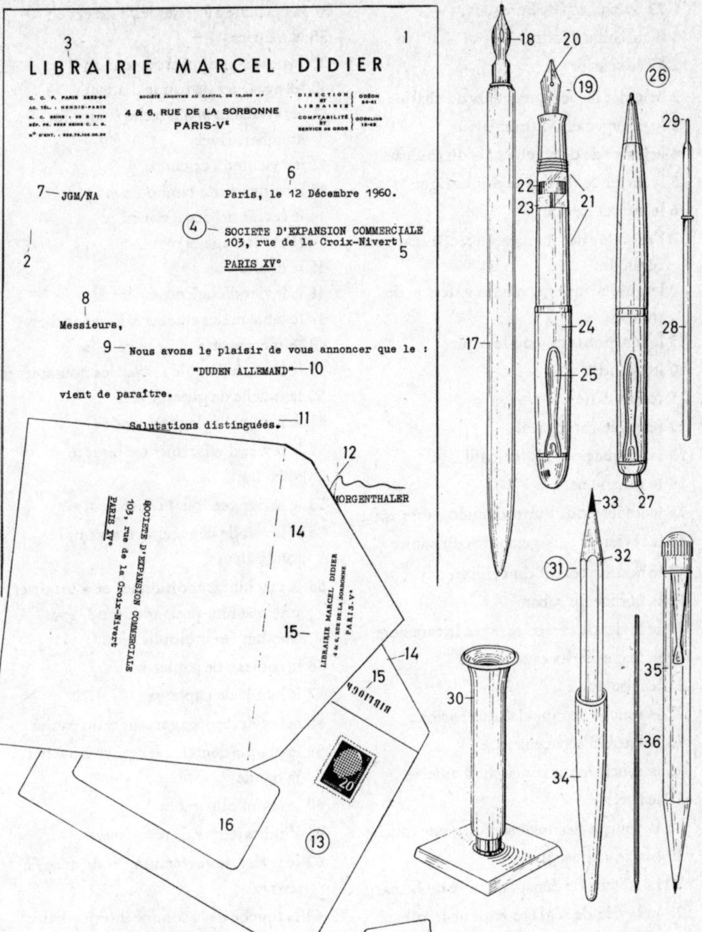

1
2
3
LIBRAIRIE MARCEL DIDIER
4 & 6, RUE DE LA SORBONNE
PARIS-Vᴱ
4
5
6
7
JGM/NA
Paris, le 12 Décembre 1960.
SOCIETE D'EXPANSION COMMERCIALE
103, rue de la Croix-Nivert
PARIS XVᵉ
8
Messieurs,
9
Nous avons le plaisir de vous annoncer que le :
"DUDEN ALLEMAND"
10
vient de paraître.
Salutations distinguées.
11
12
MORGENTHALER
13
14
15
16
SOCIETE D'EXPANSION COMMERCIALE
103, rue de la Croix-Nivert
PARIS XVᵉ
LIBRAIRIE MARCEL DIDIER
4 & 6, RUE DE LA SORBONNE
PARIS. Vᵉ
BIBLIOGR
20
17
18
19
20
21
22
23
24
25
26
27
28
29
30
31
32
33
34
35
36
37
38
39
40
41
42
43
44
45
46
47
48
49
50
51
52
53

1-72 machines *f* de bureau *m*,
1 la machine à écrire,
2-17 le chariot:
2 le levier de dégagement *m* du chariot
3 le dégagement du tabulateur
4 le levier de dégagement *m* du rouleau
5 le levier de réglage *m* d'interligne *m*
6 le taquet de marge *f*
7 l'échelle *f* des marges *f* avec le margeur réglable
8 le guide-papier, avec les galets *m* de guidage *m*
9 la tige pour soutenir le papier
10 le cylindre
11 le fixe-carte
12 le guide-caractères
13 la plaque pour régler le lignage
14 le ruban encré
15 le levier pour l'introduction *f* du papier
16 le levier de dégagement *m* du papier
17 le bouton rotatif du cylindre;
18 la bobine du ruban
19 le levier de caractère avec le caractère
20 le magasin des caractères *m*
21 le tabulateur
22 la touche de rappel *m* du chariot
23 la barre d'espacement *m*
24 la touche pour la marche à vide *m*
25 le clavier
26 la touche des majuscules *f*, une touche
27 le fixe-majuscules *f*
28 la touche de dégagement *m* de la marge
29 le levier de réglage *m* pour le ruban encré
30 le levier d'interligne *m*
31 le bouton d'interligne *m* variable;
32 la plaquette pour les corrections *f*
33 la gomme pour machine *f* à écrire
34 la pâte à nettoyer les caractères *m*
35 la brosse à nettoyage *m*
36 l'agrafeuse *f* de bureau *m*
37 la machine à agrafer les dossiers *m*:
38 la matrice
39 le poussoir de chargement *m*;
40 les agrafes *f* (la bande d'attaches *f*)
41 les systèmes *m* d'attache *f*: agrafer, attacher, river
42 la machine à calculer:
43 le compteur à tambours *m*
44 le levier de dégagement *m* (l'embrayage *m*)
45 le libellé
46 le levier d'enclenchement *m*
47 le tableau des chiffres *m* à enclencher
48 le mécanisme pour le résultat
49 le liteau à virgule *f* avec les poussoirs *m*
50 la touche de glissage *m*
51 la manivelle de commande *f*
52 le levier d'effacement *m* pour le «résultat»
53 le levier général d'effacement *m*
54 le levier de dégagement *m* pour le totalisateur;
55 la machine à additionner et à totaliser, une machine pour addition *f*, soustraction *f* et multiplication *f*:
56 le rouleau de papier *m*
57 la bande de papier *m*
58 le levier de dégagement *m* du papier
59 la plaque dentelée servant à détacher la bande
60 le levier plus-moins
61 l'indicateur *m* de résultat *m*
62 le levier de correction *f* et de mise *f* à zéro *m*
63 la touche de la somme intermédiaire
64 la touche du total
65 les touches *f* du zéro
66 la touche de multiplication *f*
67 le levier de réglage *m* d'interligne *m*;
68 le taille-crayon
69 la machine à tailler les crayons *m*:
70 le levier de tension *f*
71 la bague
72 le magasin à copeaux *m*

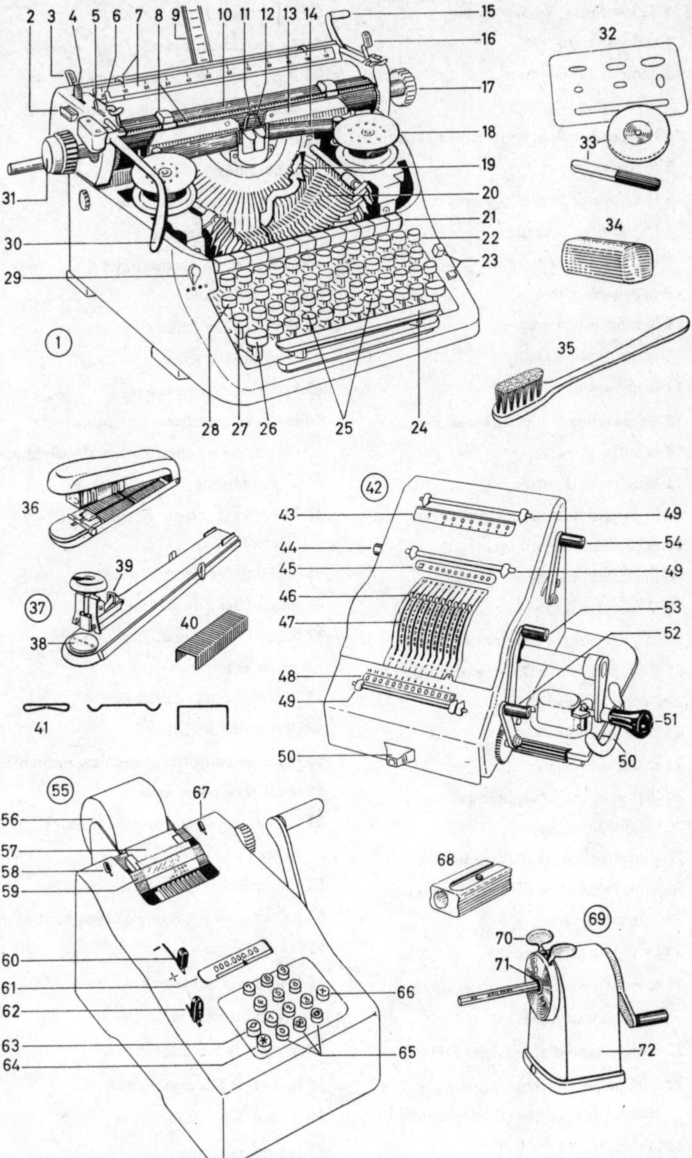
1
2
3
4
5
6
7
8
9
10
11
12
13
14
15
16
17
18
19
20
21
22
23
24
25
26
27
28
29
30
31
32
33
34
35
36
37
38
39
40
41
42
43
44
45
46
47
48
49
50
51
52
53
54
55
56
57
58
59
60
61
62
63
64
65
66
67
68
69
70
71
72

1-61 machines *f* de bureau *m*,
1 le duplicateur:
2 le modèle (la matrice)
3 le margeur
4 la table de marge *f*, une table à élévation *f*
5 la mâchoire
6 le dispositif pour déplacer la marge
7 le bouton d'encrage *m*
8 le compteur de tirage *m*
9 la prise du papier
10 la mâchoire à empiler
11 la manivelle à main *f*
12 le réglage de marche *f*;
13 l'appareil *m* à tirer les bleus *m*
14 la table de marge *f*
15 le cylindre d'entrée *f*
16 le chronomètre du temps de pose *f*;
17 la copie héliographique
18 l'appareil *m* à photocopier:
19 la fente pour l'exposition *f*
20 la fente pour le développement
21 l'interrupteur *m* pour l'exposition *f*
22 l'échelle *f* graduée;
23 la photocopie
24 le dictaphone:
25 le disque magnétophonique
26 le tableau indicateur
27 l'interrupteur *m* d'effacement *m*
28 l'interrupteur *m* d'amplitude *f* du son
29 le diaphragme
30 le régleur de l'intensité *f*
31 le microphone à manche *m*, un microphone dynamique;
32-34 la station d'abonné *m* au télétype,
32 le télétype, un transcripteur sur feuilles *f*, un appareil télégraphique:
33 le clavier
34 le cadran;
35-61 machines *f* à cartes *f* perforées,
35 le compteur à tambour *m* magnétique, une machine à calculer électronique:
36 le bloc cartes
37 le tambour
38 le bloc (la section de réseau *m*)
39 le tableau de service *m*;
40-61 le groupe des machines *f*,
40 le perforateur:
41 l'entrée *f* des fiches *f*
42 la sortie des fiches *f*
43 la table [pour les cartes *f*]
44 le clavier alphabétique-numérique (le clavier pour la perforation alphabétique et numérique);
45-51 le poinçonneur-calculateur électronique,
45 le compteur électronique:
46 les touches *f* de service *m*
47 les lampes *f* de contrôle *m* (avertisseurs *m* lumineux);
48 le poinçonneur de fiches *f*:
49 l'amenée *f* des fiches *f*
50 le tableau de distribution *f* escamotable;
51 le câble de connexion *f*;
52 la machine électronique à trier les cartes *f*:
53 l'amenée *f* des cartes *f*
54 les compartiments *m* de classement *m*;
55 la tabulatrice:
56 le magasin de cartes *f*
57 l'entraînement *m*
58 le mécanisme inscripteur
59 les barres *f* de caractères *m*
60 les touches *f* de service *m*;
61 la carte perforée

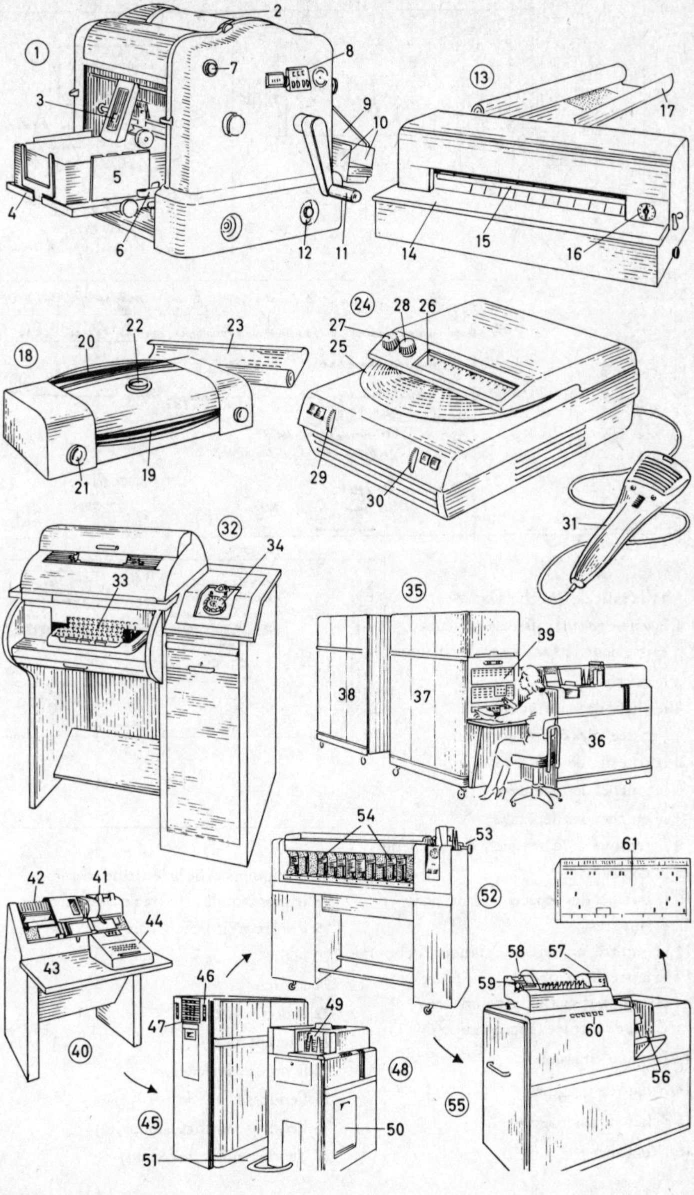
1
2
3
4
5
6
7
8
9
10
11
12
13
14
15
16
17
18
19
20
21
22
23
24
25
26
27
28
29
30
31
32
33
34
35
36
37
38
39
40
41
42
43
44
45
46
47
48
49
50
51
52
53
54
55
56
57
58
59
60
61

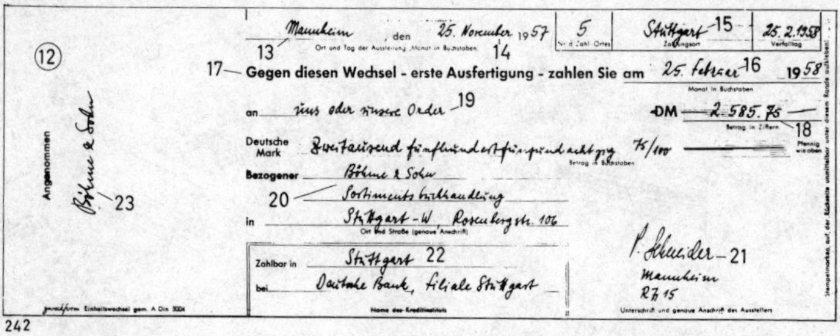

242

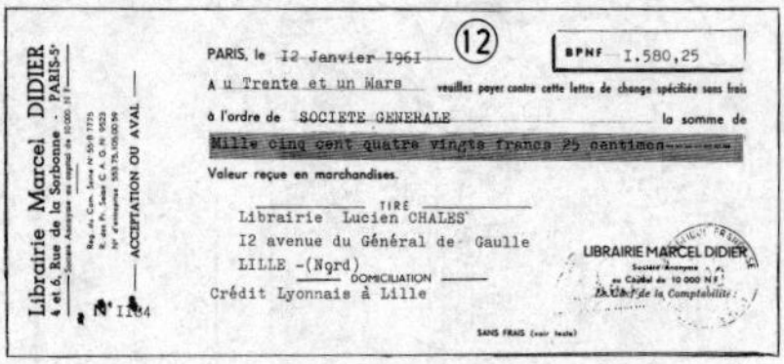

1-11 la salle des guichets *m*:

1 la caisse; *anal.*: caisse des valeurs *f*, caisse des effets *m*, caisse du change

2 le caissier

3 le client de la banque

4 l'entrée *f* des coffres-forts *m*

5 la cote des devises *f*

6 le guichet des valeurs *f*

7 le guichet des dépôts *m*

8 l'employé *m* de banque *f* (le guichetier)

9 le comptoir

10 le guichet des espèces *f* en monnaies *f* étrangères

11 le pupitre, un pupitre à station *f* debout;

12 la lettre de change; *ici*: une lettre de change *m* tirée (la traite) une lettre de change acceptée (l'acceptation *f*):

13 le lieu d'émission *f*

14 la date de tirage *m*

15 le lieu de paiement *m*

16 l'échéance *f*

17 la stipulation de la lettre de change *m*

18 le montant de la lettre de change *m*

19 l'ordre *m* (le bénéficiaire)

20 le tiré

21 le tireur

22 la domiciliation

23 l'acceptation *f*

24 le timbre de l'effet *m*

25 l'endossement *m*

26 l'endossé *m* (le cessionnaire)

27 l'endosseur *m* (le cédant)

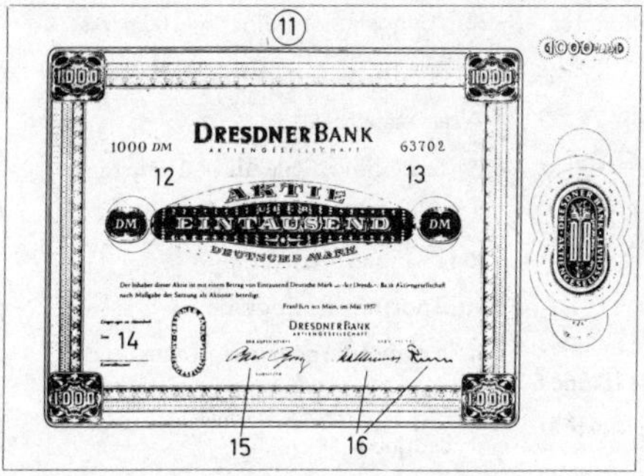

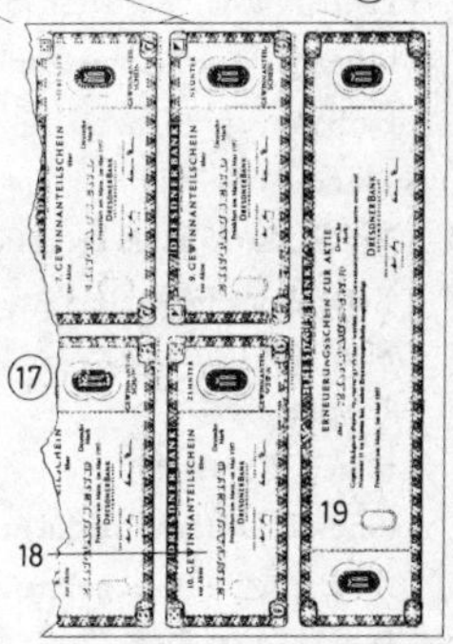

1-10 la bourse (bourse des valeurs *f* mobilières comprenant les effets *m*, les titres *m* et les rentes d'État *m*),

1 la salle de la bourse:

2 le marché des valeurs *f*

3 la corbeille

4 le courtier assermenté (l'agent *m* de change *m*), un courtier

5 le courtier libre pour les transactions *f* sur le marché libre

6 le membre de la bourse, un particulier admis aux transactions *f* des valeurs *f*

7 l'agent *m* en bourse *f*, un employé de banque *f*

8 la cote de la bourse

9 le garçon à la bourse

10 la cabine téléphonique;

11-19 les valeurs *f*; *sortes de valeurs*: actions *f*, rentes *f* à revenu *m* fixe, emprunts *m* d'État *m* et de collectivités *f*, obligations *f* hypothécaires, obligations *f* communales, obligations *f* industrielles, emprunts *m* convertibles,

11 l'action *f* (le titre); *ici*: titre au porteur:

12 la valeur nominale de l'action *f*

13 le numéro d'ordre *m*

14 le numéro de la page du livre des actions *f* de la banque

15 la signature du président du conseil de surveillance *f*

16 la signature du président du comité de direction *f*;

17 la feuille de coupon *m* de dividende *m*:

18 le tantième (le coupon de dividende *m*)

19 le talon de renouvellement *m*

1-28 monnaies *f* (espèces *f*; *var.*: pièces *f* d'or *m* argent *m* nickel *m* cuivre *m* ou aluminium *m*);

1 Athènes: la tétradrachme en lingot *m*:

2 la chouette (l'oiseau *m* de la ville d'Athènes);

3 l'auréus *m* de Constantin le Grand

4 la bractéate de l'Empereur Frédéric 1er Barberousse

5 France: Louis d'or de Louis XIV

6 Prusse: le thaler de Frédéric le Grand

7 République Fédérale d'Allemagne: pièce de 5 deutsche mark; 1 DM = 100 pfennig:

8 la face (l'avers *m*)

9 l'indicatif *m* (la lettre) du lieu de frappe *f* (de l'Hôtel *m* de la monnaie, de l'institut *m* d'émission *f*)

10 le revers

11 l'inscription *f* marginale

12 l'effigie *f* de la monnaie, les armoiries *f* nationales

13 Autriche: 25 schillings; 1 schilling = 100 groschen:

14 les armes *f* des pays *m*;

15 Suisse: pièce de 5 francs; 1 franc = 100 centimes

16 France: pièce de 1 franc (F); 1 franc = 100 centimes

17 Belgique: pièce de 100 francs

18 Luxembourg: pièce de 1 franc

19 Pays-Bas *m* (Hollande *f*): pièce *f* de 2½ florins; 1 florin = 100 cents

20 Italie: pièce de 10 lire *f*; 1 lira = 100 centesimi

21 Etat du Vatican: pièce de 100 lire

22 Espagne: 1 peseta = 100 centimos = 4 reales

23 Portugal: 1 escudo = 100 centavos

24 Danemark: 1 krone (couronne) = 100 öre

25 Suède: 1 krona (couronne)

26 Norvège: 1 krone (couronne)

27 Tchécoslovaquie: 100 koruna (couronnes), 1 koruna = 100 halěřu (haler),

28 Yougoslavie: 1 dinar = 100 paras;

29-39 billets *m* **de banque** *f* (papier-monnaie *m*),

29 République Fédérale d'Allemagne: billet de 50 DM:

30 la banque d'émission *f*

31 le portrait en filigrane *m*

32 la clause de pénalités *f* [dans le cas d'émission *f* de faux billets *m* de banque *f*]

33 Etats-Unis d'Amérique: 1 dollar = 100 cents:

34 les signatures *f* en fac-similé *m*

35 le timbre de contrôle *m*

36 le numéro de série *f*;

37 Grande-Bretagne et Irlande du Nord: 1 pound sterling (livre sterling) = 20 shillings, 1 s = 12 pence (d), 2 s = 1 florin:

38 le guillochage;

39 Grèce: 1 000 drachmai (drachmes); 1 drachme = 100 lepta;

40-44 la frappe de la monnaie,

40 et 41 les coins:

40 le coin supérieur

41 le coin inférieur;

42 la virole

43 le flan

44 le fer (les mâchoires *f* à cordonner) qui sert à donner le cordonnet à la tranche de la monnaie

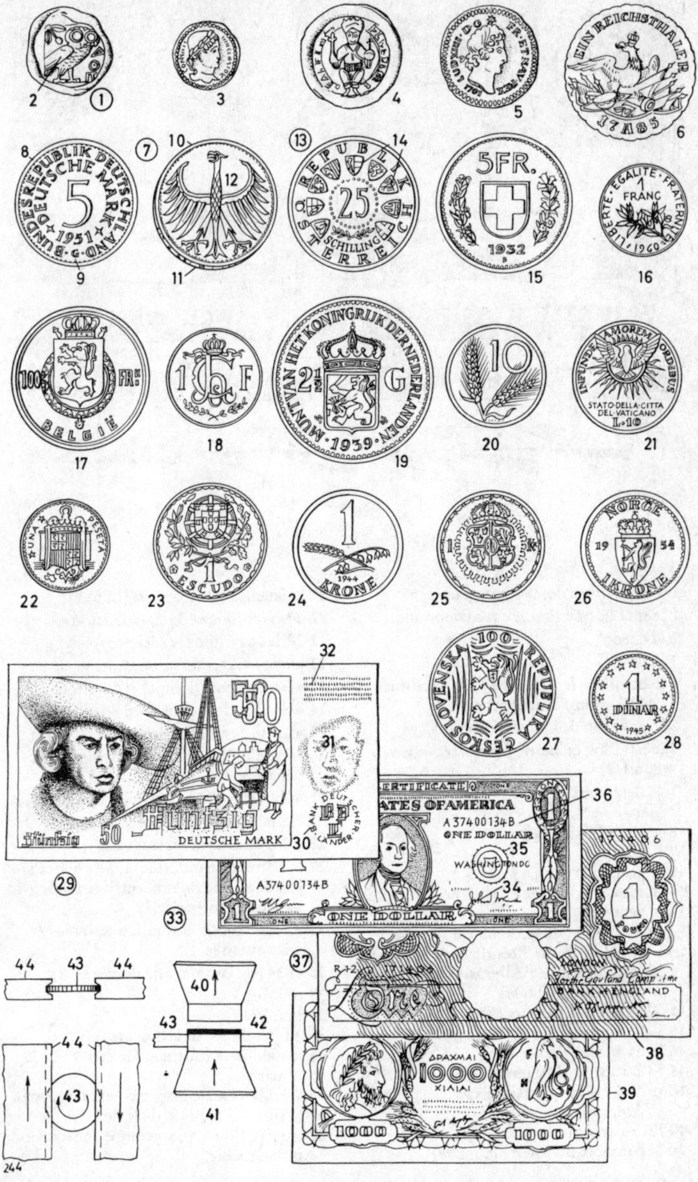
1 2 3 4 5 6 7 8 9 10 11 12 13 14 15 16 17 18 19 20 21 22 23 24 25 26 27 28 29 30 31 32 33 34 35 36 37 38 39 40 41 42 43 44
EIN REICHSTHALER
17A85
BUNDESREPUBLIK DEUTSCHLAND
DEUTSCHE MARK
5
1951
REPUBLIK ÖSTERREICH
25
SCHILLING
5FR.
1932
LIBERTE · EGALITE · FRATERNITE
1 FRANC
1960
BELGIË
100
FRS
1 F
MUNTVAN HET KONINGRIJK DER NEDERLANDEN
2½ G
1939
10
STATO·DELLA·CITTA DEL·VATICANO
L.10
UNA PESETA
1 ESCUDO
1 KRONE
1944
NORGE
19 54
1 KRONE
REPUBLIKA ČESKOSLOVENSKÁ
100
1 DINAR
1945
Fünfzig
DEUTSCHE MARK
50
BANK DEUTSCHER LÄNDER
ATES OFAMERICA
A 37400134B
ONE DOLLAR
WASHINGTON DC
ONE DOLLAR
BANK of ENGLAND
LONDON
ΔΡΑΧΜΑΙ
1000
ΧΙΛΙΑΙ

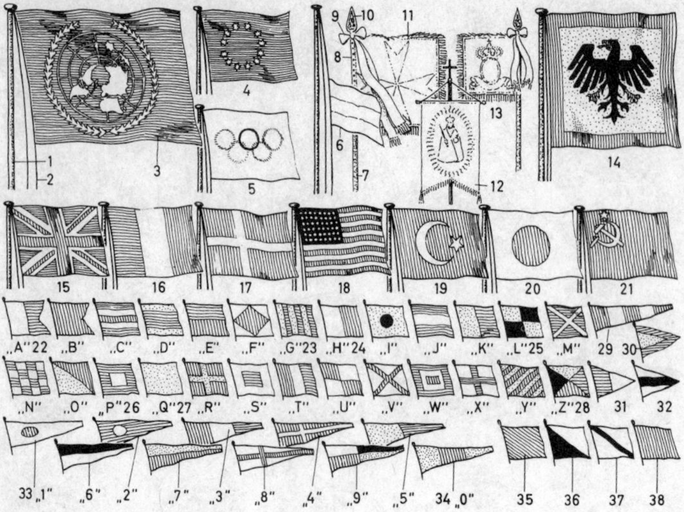

1-3 le pavillon des Nations *f* unie :
1 le mât de pavillon *m* avec la pomme
2 la corde
3 le tissu;
4 le pavillon de l'Europe *f* (le pavillon de l'Union *f* Européenne)
5 le pavillon des Jeux Olympiques *m*
6 le pavillon en berne *f* [en signe *m* de deuil *m*]
7-11 le drapeau:
7 la hampe
8 le clou de la hampe
9 l'écharpe *f*
10 la pointe de hampe *f*
11 le tissu du drapeau;
12 la bannière
13 l'étendard *m* de la cavalerie
14 l'étendard *m* du Président de la République Fédérale d'Allemagne *f* [insigne *m* d'un chef d'Etat *m*]
15-21 pavillons nationaux *m*:
15 Union Jack (Grande-Bretagne *f*)
16 le tricolore (France *f*)
17 le danebrog (Danemark *m*)
18 le ciel étoilé (Etats-Unis *m* d'Amérique)
19 le croissant (Turquie *f*)
20 la bannière du soleil (Japon *m*)
21 la faucille et le marteau (*URSS*);
22-34 pavillons *m* de signalisation *f*,
22-28 les pavillons *m* à lettres *f*:
22 lettre *f* «A», un fanion dentelé
23 «G», le signal d'appel *m* du pilote
24 «H» (le pilote est à bord *m*)
25 «L», le pavillon d'épidémie *f*
26 «P», «le Pierrot bleu», un signal de départ *m*
27 «Q», le pavillon de quarantaine *f*, un signal d'appel *m* du médecin
28 «Z», un fanion rectangulaire;
29 la flamme (banderole) du livre des signaux *m*, une flamme du livre international des signalisations *f*
30-32 les fanions *m* auxiliaires, fanions triangulaires
33 et **34** les flammes *f* de nombres *m*:
33 nombre 1
34 nombre O;
35-38 pavillons *m* de douane *f*:
35 le fanion «douane» du canot de la douane
36 «le navire a été inspecté par la douane»
37 le signal d'appel *m* de la douane
38 le pavillon de la poudre [«cargaison *f* inflammable»]

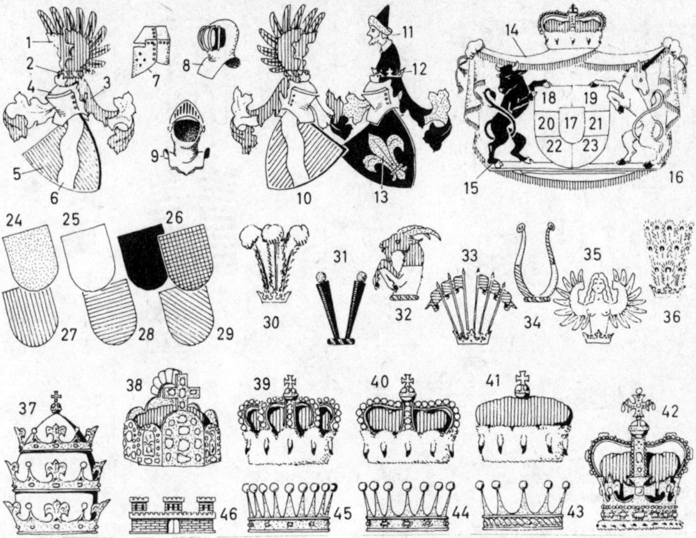

1-36 la science héraldique (science du blason)
1-6 les armes *f* (le blason):
1 le cimier
2 le bourrelet
3 le lambrequin
4 le heaume
5 l'écu *m*
6 la fasce ondée;
4, 7-9 heaumes *m*:
7 le bassinet
8 le heaume grillé
9 le casque à visière *f*;
10-13 le blason d'alliance *f* (blason double):
10 le timbre du mari
11-13 le timbre de la femme:
11 le pantin
12 la couronne de feuilles *f*
13 la fleur de lis *m*;
14 le manteau
15 et **16** les tenants *m* (les supports *m*):
15 le taureau
16 la licorne;
17-23 les blasons *m* (les emplacements *m*, les divisions *f* de l'écu *m*):
17 le centre (le cœur, l'abîme *m*)
18-23 les secteurs (cantons *m* et flancs *m*) premier à sixième
18 et **19** le chef
22 et **23** la pointe
18, 20, 22 la dextre
19, 21, 23 la sénestre;
24-29 les couleurs *f*,
24 et **25** les métaux *m*:
24 or *m* [jaune]
25 argent *m* [blanc];
26 sable *m* [noir]
27 gueules *m* [rouge]
28 azur *m* [bleu]
29 sinople *m* [vert];
1, 11, 30-36 les cimiers *m*:
30 les plumes *f* d'autruche *f*
31 les bâtons *m*
32 l'accorné *m*
33 les fanions *m* de tournoi *m*
34 les cornes *f* de buffle *m*
35 la harpie
36 la queue de paon *m*;
37, 38, 42-46 couronnes *f*:
37 la tiare pontificale
38 la couronne impériale [alld. jusqu'en 1806]
39 la couronne ducale
40 la couronne des princes *m*
41 la toque de prince *m* électeur
42 la couronne royale anglaise
43-45 les couronnes *f* de dignitaires *m*:
43 la couronne de chevalier *m*
44 la couronne de baron *m*
45 la couronne comtale;
46 la couronne murale d'un blason de ville *f*

247 Police

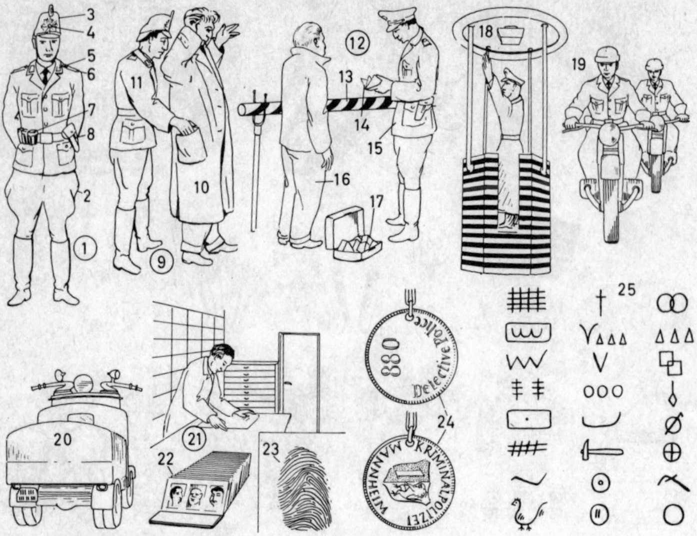

1-8 la police mobile (les troupes *f* de police en caserne *f*),

1 l'agent *m* de police *f* (le policier):

2 l'uniforme *m* (uniforme de police *f*)

3 le shako (le képi)

4 la cocarde

5 l'écusson *m* (l'insigne *m*) de col *m*

6 l'épaulette *f*

7 la cartouchière

8 l'étui *m* à revolver *m*;

9-11 la gendarmerie,

9 la fouille:

10 le suspect

11 l'agent *m* de police *f* (le policier);

12 le contrôle à la frontière:

13 la barrière frontalière; *ici:* la douane

14 et **15** le contrôle des passeports *m*:

14 le passeport, un document permettant le passage de la frontière

15 le douanier;

16 le contrebandier

17 la marchandise de contrebande *f*;

18 et **19** la police de la circulation; *autres catégories*: la police fluviale et la police maritime, la police des mœurs *m*, police pour le contrôle du commerce etc.:

18 la guérite de l'agent *m* de la circulation

19 la patrouille motorisée de la circulation;

20 le camion d'arrosage *m*

21-24 la police criminelle (la sûreté),

21 les archives *f* du service anthropométrique:

22 le fichier de l'Identité *f* Judiciaire (fichier criminel)

23 l'empreinte *f* digitale

24 l'insigne *m* du policier criminel;

25 les signes *m* de code *m* des voleurs *m*

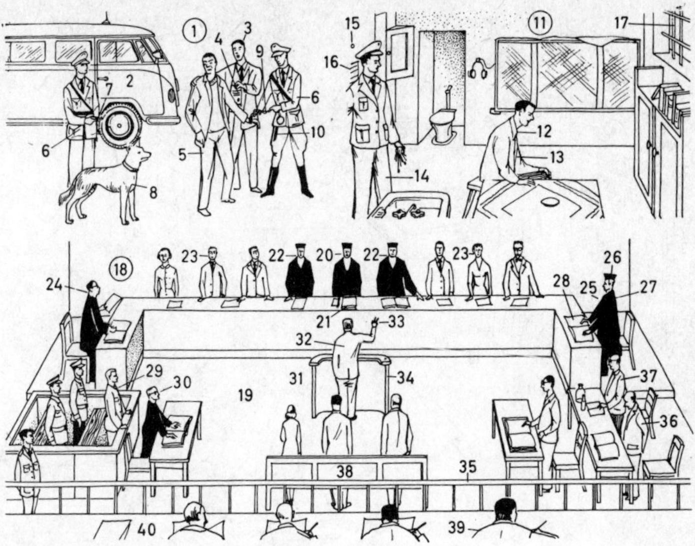

1 l'arrestation *f*:
2 la voiture cellulaire radio
3 l'agent *m* de la sûreté (l'inspecteur *m* de police *f*)
4 le mandat d'arrêt *m*
5 le détenu
6 l'agent *m* de police *f*
7 le revolver
8 le chien policier
9 les menottes *f*
10 la matraque en caoutchouc *m*;

11 la cellule de prison *f*:
12 le prisonnier
13 l'uniforme *m* de la prison
14 le gardien de prison *f*
15 le judas
16 le guichet passe-plats
17 la fenêtre grillagée;

18 le procès (les débats *m* judiciaires):
19 la salle du tribunal (le tribunal)
20 le président
21 les pièces *f* du procès (le dossier)
22 le juge assesseur
23 le juré (le juge profane)
24 le greffier
25 le procureur d'État *m* (l'avocat *m* de l'accusation *f*)
26 la toque
27 la robe
28 l'acte *m* d'accusation *f*
29 l'accusé *m*
30 le défenseur (l'avocat *m* de la défense)
31 la prestation de serment *m*
32 le témoin
33 la main levée pour prêter serment *m*
34 la table des témoins *m* (*en France :* la barre des témoins)
35 la barre
36 l'expert *m* auprès du tribunal
37 le médecin légiste
38 le banc des témoins *m*
39 le rapporteur
40 la table de la presse

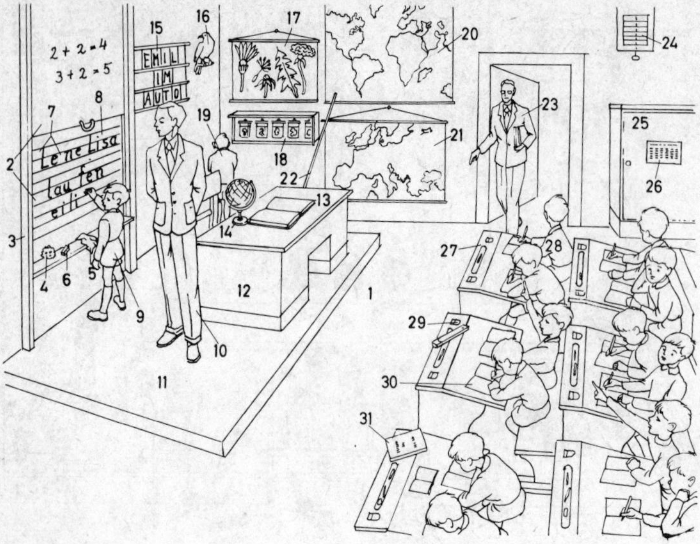

1-31 l'enseignement *m* scolaire (enseignement),
1 la classe (la salle de classe):
2 le tableau noir mural
3 le montant du tableau noir
4 l'éponge *f*
5 le chiffon
6 la craie
7 et 8 l'exercice *m* d'écriture *f*:
7 la syllabe
8 le mot;
9 l'élève *m* débutant (élève du cours préparatoire)
10 l'instituteur *m*; *autrefois*: le maître d'école *f*
11 l'estrade *f*
12 la chaire
13 le registre de classe *f*
14 le globe terrestre (la mappemonde)
15 le tableau de lecture *f*
16 l'oiseau *m* empaillé
17 le tableau pour la leçon de choses *f*
18 la vitrine avec les préparations *f*
19 l'élève *m* puni (élève au coin)
20 et 21 les cartes *f* murales:
20 la carte du monde
21 la carte de l'Europe;
22 la baguette
23 le directeur d'école *f* (le principal, le proviseur)
24 le clapet de ventilation *f*
25 l'armoire *f* de classe *f*
26 l'emploi *m* du temps (l'horaire *m*)
27 le pupitre
28 l'élève *m* (l'écolier *m*)
29 l'encrier *m*
30 le cahier scolaire (cahier de devoirs *m*)
31 le livre de lecture *f*;
32-70 le matériel scolaire (les fournitures *f* scolaires),
32 l'ardoise *f*:
33 le cadre de bois *m*

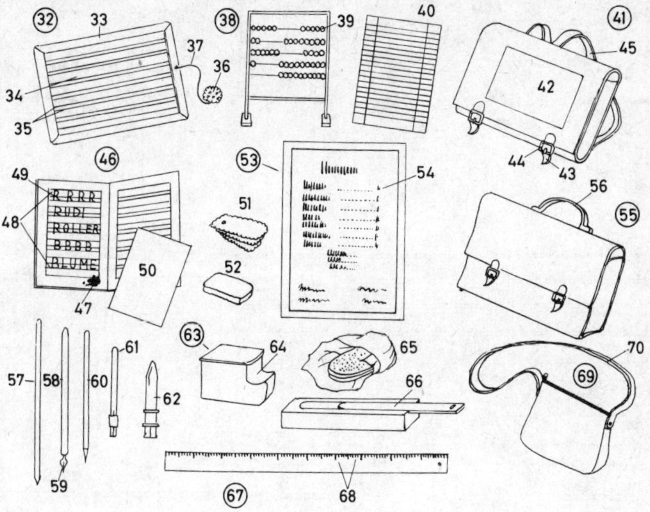

34 la surface à écrire
35 les lignes *f*
36 l'éponge *f* pour l'ardoise *f*
37 le cordon de l'éponge *f*;
38 le boulier:
39 la boule à compter;
40 la feuille de papier *m* ligné
41 le sac d'écolier *m* (le cartable):
42 la couverture du cartable;
43 la courroie de fermeture *f* (les courroies à boucles *f*)
44 la boucle
45 les courroies *f* du cartable;
46 le cahier:
47 la tache d'encre *f*
48 la page d' écriture *f*
49 la lettre
50 le buvard;
51 l'essuie-plumes *m*
52 la gomme
53 le bulletin de notes *f* (le carnet de notes):
54 la note;
55 la serviette d'écolier *m*:
56 la poignée (l'anse *f*);
57 le crayon d'ardoise *f*
58 le porte-plume
59 la plume
60 le crayon
61 la rallonge de crayon *m*
62 le protège-mine
63 l'encrier *m* (encrier à couvercle *m* rabattant):
64 la rainure pour les porte-plumes *m*;
65 le goûter pour la récréation
66 le plumier
67 la règle:
68 la division des mesures *f*;
69 la sacoche en bandoulière *f*:
70 la courroie (l'anse *f*) de sacoche *f*

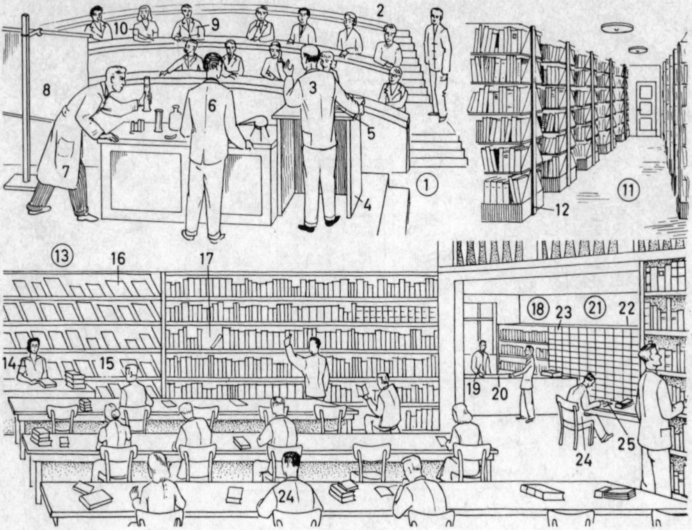

1-25 l'université *f*,

1 le cours:

2 l'auditorium *m* (la salle de cours *m*, l'amphithéâtre *m*)

3 le chargé de cours *m* (le maître de conférence *f*), un professeur d'université *f*, un lecteur

4 la chaire

5 le manuscrit

6 l'assistant *m*

7 l'aide *m*

8 le tableau pour l'enseignement *m*

9 l'étudiant *m*

10 l'étudiante *f*;

11-25 la bibliothèque universitaire; *anal.*: bibliothèque d'État *m* (bibliothèque nationale), bibliothèque d'académie *f*, bibliothèque municipale,

11 la réserve de livres *m*:

12 le rayon de livres *m*, un rayon métallique;

13 la salle de lecture *f*:

14 la surveillante, une bibliothécaire

15 le casier à revues *f* avec des revues *f*

16 le casier à journaux *m*

17 la bibliothèque de consultation *f* avec les ouvrages *m* de référence *f* (manuels *m*, lexiques *m*, encyclopédies *f*, dictionnaires *m*);

18 le service de prêt *m* des livres *m* (la salle de prêt *m*) et la salle des catalogues *m*:

19 le bibliothécaire

20 le pupitre du service de prêt *m*

21 le catalogue principal

22 l'armoire *f* fichier

23 le fichier

24 l'usager *m* de la bibliothèque (le lecteur)

25 le bulletin de prêt *m*

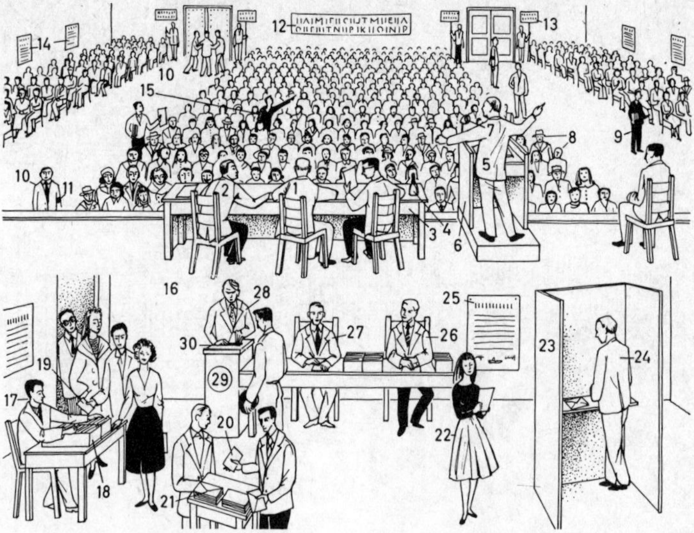

1-15 la réunion électorale (réunion des électeurs *m*), un meeting,

1 et **2** le comité:

1 le président de la réunion

2 l'assesseur *m*;

3 la table du comité

4 la sonnette

5 l'orateur *m* électoral

6 la tribune

7 le microphone

8 l'assemblée *f* (l'audience *f*)

9 le distributeur de tracts *m*

10 le service d'ordre *m*

11 le brassard

12 l'affiche *f* électorale

13 le panneau électoral

14 la proclamation

15 le contradicteur;

16-30 l'élection *f*:

16 le bureau de vote *m*

17 l'assesseur *m* (l'assistant *m*)

18 le fichier électoral

19 la carte d'électeur *m* avec le numéro électoral

20 le bulletin de vote *m* avec les noms *m* des partis *m* et des candidats *m*

21 l'enveloppe *f* électorale

22 l'électrice *f*

23 l'isoloir *m*

24 l'électeur *m* exerçant son droit de vote *m*

25 le règlement électoral

26 le secrétaire

27 le représentant de la liste opposante

28 le chef du scrutin

29 l'urne *f* électorale:

30 la fente de l'urne *f*

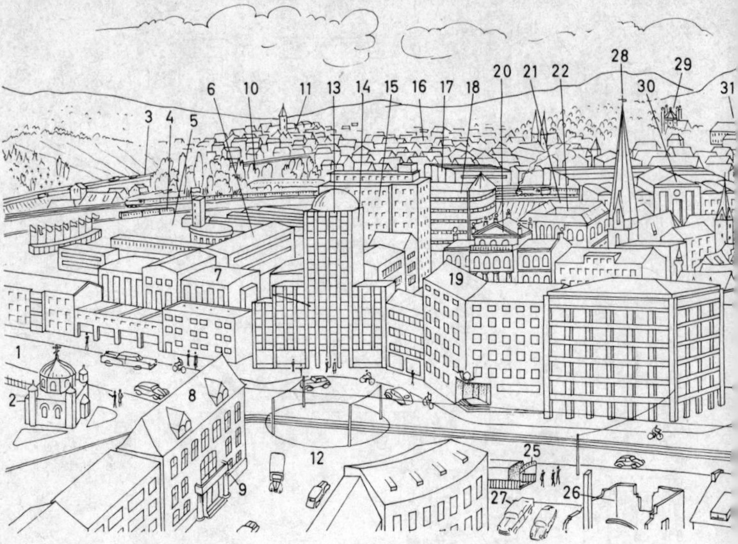

1-70 la grande ville; *plus petite :* petite ville, ville de province *f*:

1 la grande rue menant vers la banlieue

2 l'église *f* grecque-orthodoxe

3 le boulevard extérieur

4 le chemin de fer *m* aérien, un chemin de fer métropolitain

5 l'esplanade *f* de l'exposition *f* (esplanade de la foire)

6 le bâtiment de l'exposition *f*

7 la halle de la ville (halle municipale)

8 le palais de justice *f*

9 le balcon

10 le parc municipal (les espaces *m* verts)

11 la banlieue (le faubourg), un quartier d'habitation *f*

12 la place ronde (le rond-point) avec trafic *m* à sens *m* giratoire

13 l'immeuble *m* en hauteur *f* (le bâtiment à multiples étages *m*)

14 le panneau de publicité *f*

15 l'immeuble *m* à bureaux *m*, un immeuble commercial

16 le quartier de la ville

17 le dépôt des tramways *m* (la remise)

18 le grand magasin

19 le bâtiment des P. T. T. (Postes-Télégraphes-Téléphones), un bâtiment public

20 l'Opéra *m*

21 le musée

22 le hall central (la cour vitrée)

23 le trolleybus

24 les fils *m* conducteurs des omnibus *m*

25 l'entrée *f* (la bouche) du métro (du métropolitain)

26 le chantier de ruines *f* (chantier de démolition *f*)

27 le parc à voitures *f* (le stationnement)

28 l'église *f* de ville *f*

29 la synagogue

30 la gare principale (gare centrale)

31 la périphérie de la ville

32 la rue commerçante, une rue à grand trafic *m*

33 le quartier des affaires *f* (le centre de la ville)

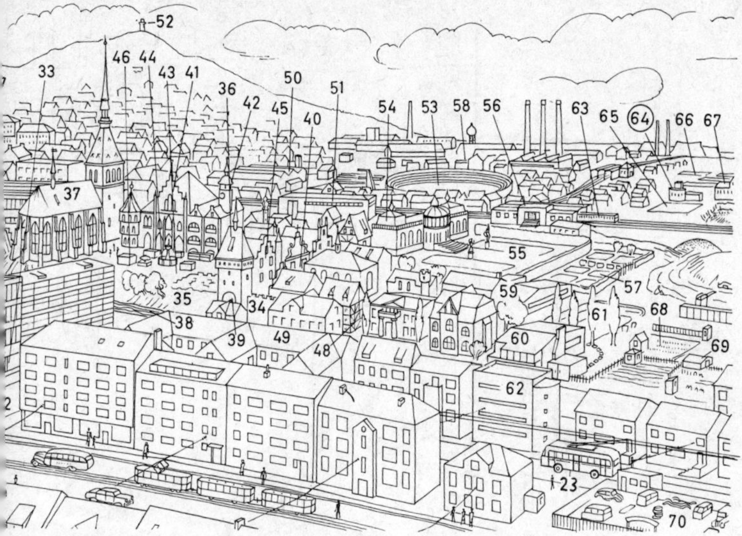

34-45 la vieille ville (le noyau de la cité):
34 le mur de la ville, un mur d'enceinte *f*
35 le rempart
36 la tour du rempart
37 la cathédrale
38 le fossé de la ville
39 la porte de la ville
40 l'impasse *f*, une ruelle
41 l'hôtel *m* de ville (la mairie)
42 la flèche de la tour
43 le marché (la place du marché)
44 la fontaine du marché
45 le bâtiment historique;
46 les boutiques *f* du marché
47 la caserne avec la cour de la caserne
48 la maison en colombage *m*
49 le bloc d'immeubles *m* locatifs (le pâté de maisons *f*, l'îlot *m* de maisons; *anc.*: les maisons de rapport *m*)
50 les halles *f* principales (les halles)
51 les abattoirs *m*
52 le belvédère
53 le stade
54 le château
55 le jardin du château
56 la gare secondaire
57 le jardin botanique
58 la zone industrielle (le terrain industriel)
59 la zone résidentielle (le quartier de villas *f*)
60 la villa en ville *f*
61 le jardin de villa *f*
62 le garage en hauteur *f* (garage à multiples étages *m*)
63 la voie ferrée de banlieue *f*
64 la station (l'installation *f*) d'épuration *f* des eaux *f* résiduaires:
65 le bassin de décantation *f*
66 les champs *m* d'épandage *m*;
67 l'usine *f* d'incinération *f* des ordures *f* ménagères
68 le jardin ouvrier
69 la zone d'habitation *f* à la périphérie de la ville
70 le cimetière des automobiles *f*

1 le magasin de fourrures *f* (la pelleterie), un magasin en étage *m*
2 la plaque de rue *f* avec le nom de la rue
3 la librairie avec un rayon de livres *m* anciens (de livres d'occasion *f*):
4 l'étalage *m*;
5 le camelot (le marchand ambulant)
6 le trottoir
7 la rue secondaire (rue latérale); *anal.:* rue transversale
8 la rue principale (grande rue)
9 le carrefour (le croisement de rues *f*)
10 la charrette de fruits *m*
11 le marchand de fruits *m* (marchand des quatre-saisons *f*)
12 la cliente
13 le sac (le cabas)
14 l'avertisseur *m* de police *f* (l'installation *f* d'appel *m* de police *f*)
15 le coin de rue *f*
16 le réverbère:
17 le poteau de réverbère *m*;
18 le signal «stationnement *m* interdit»
19 le magasin de chocolats *m* (la confiserie)
20 le mendiant
21 la colonne d'affiches *f*:
22 l'affiche *f*;
23 la droguerie
24 la boutique de fleurs *f*:
25 la décoration de l'étalage *m*;
26 la voiture à charbon *m*
27 le charbonnier
28 la pharmacie
29 la chaîne de barrage *m*
30 le refuge
31 le cycliste
32 le piéton (le passant)
33 le passage pour piétons *m* (passage clouté)
34 la chaussée
35 le taxi à la station des taxis:
36 le taximètre

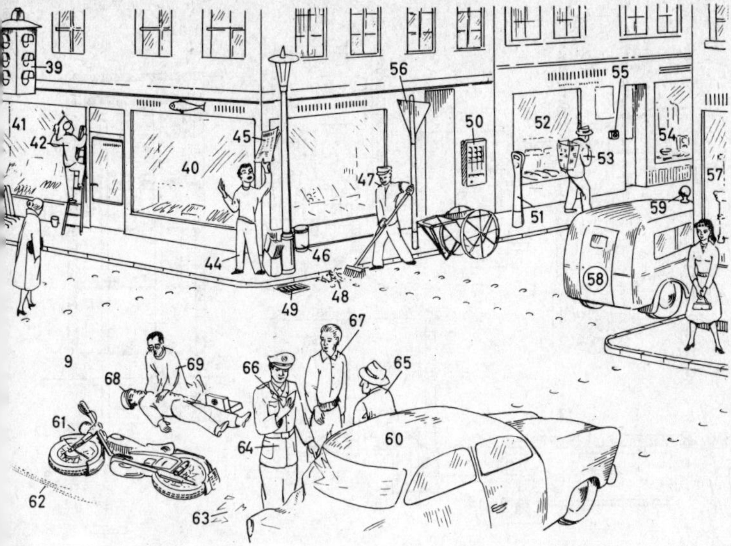

37 le chauffeur de taxi *m*;

38 le client

39 le feu de circulation *f*

40 la poissonnerie, une boutique d'angle *m*

41 la vitrine (la devanture, l'étalage *m*)

42 le nettoyeur de vitres *f*

43 le râtelier à bicyclettes *f*

44 le marchand de journaux *m*

45 l'édition *f* spéciale

46 la corbeille à papier *m* (corbeille à détritus *m*)

47 le balayeur de rues *f*

48 les ordures *f* de la rue

49 la bouche d'égout *m* avec la grille d'égout

50 le distributeur automatique

51 le compteur de stationnement *m*

52 la boulangerie

53 le colporteur

54 la boutique de brocanteur *m*

55 l'avertisseur *m* d'incendie *m*

56 le panneau de signalisation *f*, un signal d'obligation *f*; *ici*: stop! attention *f* priorité *f*!

57 le commerce d'antiquités *f*

58-69 l'accident *m* de la circulation,

58 l'ambulance *f*:

59 la lumière bleue;

60 l'automobile *f* endommagée

61 la motocyclette renversée

62 les traces *f* de freinage *m*

63 les éclats *m* de verre *m*

64 l'agent *m* de police *f*, un agent de la circulation

65 le conducteur de la voiture

66 les papiers *m* du véhicule

67 le témoin oculaire

68 le motocycliste; *ici*: le blessé (l'accidenté *m*)

69 le médecin d'accident *m*

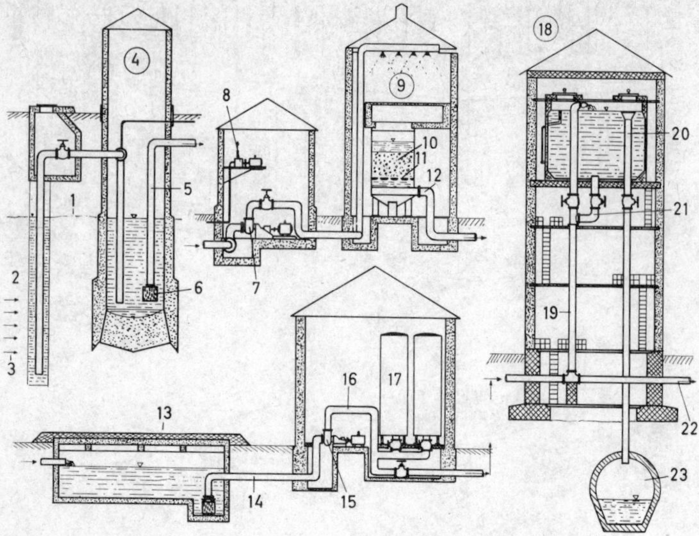

1-66 la distribution d'eau *f* potable:

1 le niveau de la nappe d'eau *f* souterraine

2 la couche perméable

3 le courant d'eau *f* souterraine

4 la citerne pour l'eau *f* non filtrée:

5 le conduit d'aspiration *f*

6 la crépine avec la valve de pied *m*;

7 la pompe à eau *f* à moteur *m*

8 la pompe à vide *m* à moteur *m*

9 l'appareil *m* de filtrage *m* rapide:

10 le gravier de filtrage *m*

11 le fond du filtre, une grille

12 la conduite de sortie *f* pour l'eau *f* filtrée;

13 le réservoir d'eau *f* filtrée

14 le tuyau d'aspiration *f* avec crépine *f* et valve *f* de pied *m*

15 la pompe principale à moteur *m*

16 la conduite d'eau *f* sous pression *f*

17 le réservoir à air *m*

18 le château d'eau *f* (le réservoir d'eau *f* élevé):

19 le tuyau de montée *f*

20 la conduite de trop-plein *m*

21 le tuyau de descente *f*

22 la conduite vers le réservoir de distribution *f*

23 le canal des eaux *f* de trop-plein *m*;

24-39 le captage d'une source:

24 la chambre à collecter l'eau *f* de source *f*

25 le mur de la chambre

26 le puits de visite *f*

27 la ventilation

28 l'échelon *m* en fer *m*

29 le remblai

30 la soupape de fermeture *f*

31 la soupape de vidange *f*

32 le filtre

33 le trop-plein

34 la décharge de fond *m*

35 les tuyaux *m* de terre *f* cuite

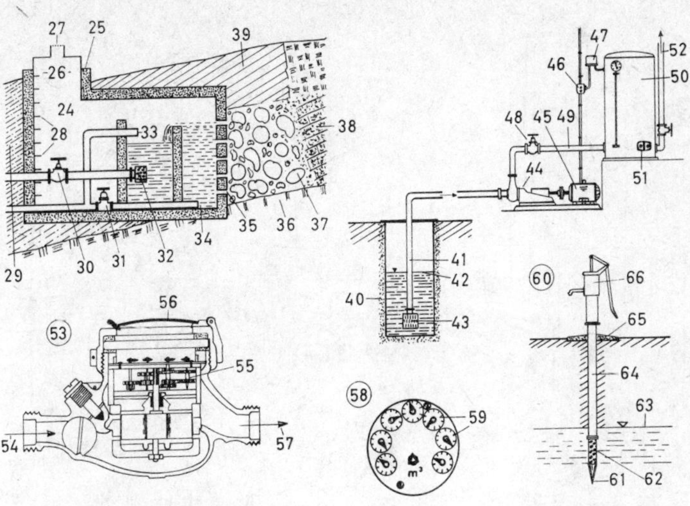

36 la couche imperméable à l'eau *f*

37 le lit de galets *m* devant la chambre

38 la couche perméable

39 la couche d'argile *f* damée;

40-52 l'installation *f* individuelle de distribution *f* d'eau *f*:

40 le puits

41 la conduite d'aspiration *f*

42 le niveau de la nappe d'eau *f*

43 la crépine avec valve *f* de pied *m*

44 la pompe rotative

45 le moteur

46 le disjoncteur de protection *f* du moteur

47 l'avertisseur *m* de pression *f*, un appareil de commande *f*

48 la soupape de fermeture *f*

49 la conduite sous pression *f*

50 le réservoir à air *m*

51 la bouche d'accès *m* (le trou d'homme *m*)

52 le branchement vers l'usager *m*;

53 le compteur d'eau *f*, un compteur à ailettes *f* hydrométriques:

54 l'arrivée *f* d'eau *f*

55 le mécanisme compteur intérieur

56 la coiffe avec couvercle *m* vitré

57 la sortie de l'eau *f*;

58 le cadran du compteur d'eau *f*:

59 le mécanisme compteur extérieur;

60 la pompe sonnette:

61 la pointe de la sonnette

62 le filtre

63 le niveau de la nappe d'eau *f*

64 le tuyau de la pompe

65 la bordure de la pompe

66 la pompe à main *f*

1-46 l'exercice *m* **de lutte** *f* **contre le feu** (l'exercice des sapeurs-pompiers *m*, exercice d'extinction *f*, d'escalade *f*, d'échelle *f* et de sauvetage *m*),

1-3 le poste permanent de feu *m* :

1 le garage pour les véhicules *m* et la remise pour le matériel

2 la caserne des sapeurs-pompiers *m* (le stationnement du corps)

3 la tour d'exercice *m*;

4 la sirène d'alerte *f* au feu

5 le premier-secours (l'autopompe *f*, une motopompe):

6 le feu avertisseur, un signal clignotant

7 le klaxon

8 la motopompe, une pompe centrifuge;

9 l'échelle *f* pivotante automobile:

10 les plans *m* d'échelle *f*, une échelle en acier *m* (échelle mécanique)

11 le mécanisme d'échelle *f*

12 la tige d'appui *m*;

13 le machiniste

14 l'échelle *f* coulissante

15 le croc à incendie *m* (la gaffe)

16 l'échelle *f* à crochets *m*

17 les sapeurs *m* tenant le drap de sauvetage *m*

18 le drap de sauvetage *m*

19 l'ambulance *f* (la voiture de secours *m*), une automobile sanitaire

20 l'appareil *m* de réanimation *f*, un inhalateur d'oxygène *m*

21 l'ambulancier *m* (le brancardier secouriste)

22 le brassard

23 le brancard (la civière)

24 l'homme *m* sans connaissance *f*

25 la bouche d'incendie *m* (la prise d'eau *f*) souterraine:

26 le tuyau de prise *f* d'eau *f*

27 la clef de la prise d'eau *f*;

28 le dévidoir mobile pour tuyaux *m* souples

29 le raccord à griffes *f* pour tuyau *m* souple

30 la conduite d'aspiration *f*, une conduite en tuyau *m* flexible

31 la conduite de refoulement *m*

32 la pièce d'embranchement *m* de tuyau *m* (le raccord de tuyau *m* en T)
33 la lance
34 l'équipe *f* d'extinction *f* (le porte-lance et son aide *m*)
35 la borne d'incendie *m* (la prise d'eau *f* de surface *f*)
36 le chef de poste *m*
37 le sapeur - pompier:
38 le casque antifeu avec le couvre-nuque
39 l'appareil *m* respiratoire
40 le masque à gaz *m* (masque antigaz)
41 le mobilophone avec le laryngophone
42 le projecteur portatif
43 la hachette de sapeur *m*
44 le ceinturon à crochets *m* (ceinturon à mousquetons *m*)
45 la corde (le cordage) de sauvetage *m*
46 le vêtement antifeu en amiante *m* ou en toile *f* métallisée;
47 la dépanneuse (la grue automobile):
48 la grue de dépannage *m*
49 le crochet de traction *f*
50 le galet support;
51 le fourgon-tonne
52 la motopompe portative
53 le fourgon à tuyaux *m* et d'outillage *m*:
54 les rouleaux *m* souples
55 la bobine à câble *m*
56 le cabestan;
57 le filtre du masque à gaz *m* (du masque antigaz):
58 le charbon actif
59 le filtre antipoussière
60 l'entrée *f* d'air *m*;
61 l'extincteur *m* d'incendie *m* à main *f*:
62 la soupape pistolet;
63 l'extincteur *m* mobile
64 le projecteur d'aérimousse *f* (de mousse *f* d'air *m*) et d'eau *f*
65 le bateau-pompe:
66 la lance d'incendie *m* (le canon) à grande puissance *f* (la lance «Monitor»)
67 le tuyau flexible d'aspiration *f*

1 la caissière

2 la caisse enregistreuse électrique:

3 les touches *f* de chiffres *m*

4 le bouton à effacer

5 le tiroir de la caisse

6 les casiers *m* pour les pièces *f* de monnaie *f* et les billets *m* de banque *f*

7 le bon de caisse *f* acquitté

8 la somme à payer (le montant enregistré)

9 le mécanisme compteur

10 la recette de la journée;

11 le hall central

12 le rayon d'articles *m* pour hommes *m*

13 la vitrine d'exposition *f* à l'intérieur *m*

14 la délivrance de la marchandise

15 la petite corbeille à marchandises *f*

16 la cliente (l'acheteuse *f*)

17 le rayon des bas *m* et chaussettes *f*

18 la vendeuse

19 le tableau des prix *m*

20 le support d'essai *m* des gants *m*

21 le duffle-coat, un manteau trois quarts *m*

22 l'escalier *m* roulant

23 le tube d'éclairage *m* au néon

24 le bureau des voyages *m*

25 l'affiche *f* touristique

26 le bureau de location *f* pour les théâtres *m* et les concerts *m*

27 le bureau des achats *m* à crédit *m*

28 le rayon de la confection pour dames *f*:

29 la robe de confection *f* (robe toute faite)

30 le protège-poussière

31 la barre de suspension *f*

32 la cabine d'essayage *m*

33 le chef de la réception

34 le mannequin

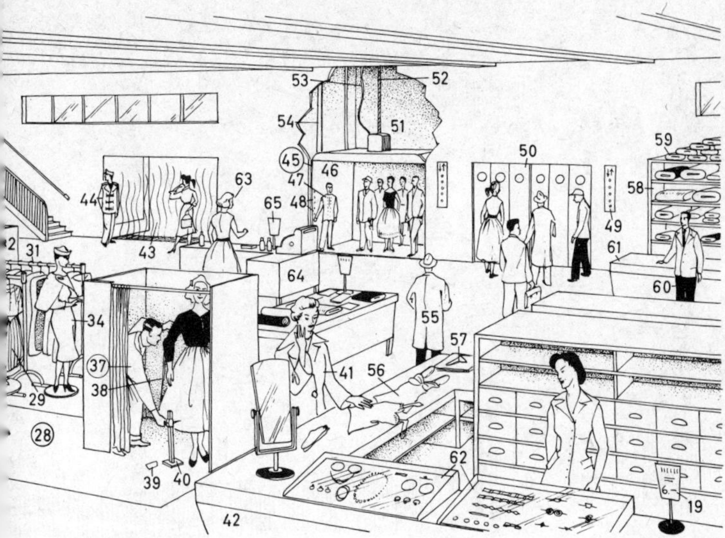

35 le fauteuil
36 le journal de mode *f*
37 le tailleur prenant les mesures *f*:
38 le mètre-ruban
39 la craie de tailleur *m*
40 l'appareil *m* de mesure *f* pour repérer la longueur de la robe;
41 le manteau ample
42 les comptoirs *m* à l'équerre *f*
43 le rideau d'air *m* chaud
44 le portier
45 l'ascenseur *m* pour personnes *f* (le lift):
46 la cabine
47 le liftier (le garçon d'ascenseur *m*)
48 la commande de l'ascenseur *m*
49 l'indicateur *m* des étages *m*
50 la porte coulissante
51 la cage de l'ascenseur *m*
52 le câble porteur
53 le câble de commande *f*
54 le rail conducteur;
55 le client (l'acheteur *m*)
56 la bonneterie
57 le blanc (le linge de table *f* et de literie *f*)
58 le rayon des étoffes *f* (rayon des tissus *m*)
59 la pièce de tissu *m* (pièce d'étoffe *f*)
60 le chef de rayon *m*
61 le comptoir des ventes *f*
62 le rayon de la bijouterie (rayon des articles *m* de fantaisie *f*)
63 la vendeuse de nouveautés *f*
64 la tablette pour la vente d'articles *m* du jour
65 l'affiche *f* de vente-réclame *f*
66 le rayon des rideaux *m*
67 la décoration du rayonnage

1-40 le parc à la française

(parc baroque), un parc de château *m*:

1 la grotte

2 la statue, une nymphe de source *f*

3 l'orangerie *f*

4 le bosquet

5 le labyrinthe bordé de haies *f*

6 le théâtre de nature *f*

7 le château en style *m* baroque

8 les jeux *m* d'eau *f* :

9 la cascade (la chute d'eau *f* artificelle à gradins *m*);

10 la statue, un monument:

11 le socle de la statue;

12 l'arbre *m* en boule *f*

13 l'arbre *m* en quille *f*

14 le buisson d'ornement *m*

15 la fontaine murale

16 le banc de jardin *m*

17 la pergola

18 le sentier recouvert de gravier *m*

19 l'arbre *m* pyramidal

20 l'Amour *m*

21 la fontaine:

22 le jet d'eau *f*

23 le bassin à débordement *m*

24 le bassin

25 la margelle du bassin (la bordure du bassin);

26 le promeneur

27 la gouvernante (l'institutrice *f*)

28 les élèves du pensionnat de jeunes filles *f*

29 le règlement du parc

30 le garde du parc

31 la porte du parc (la grille), une porte en fer *m* forgé:

32 l'entrée *f* du parc;

33 la grille du parc:

34 le barreau de la grille;

35 le vase de pierre *f*

36 le gazon (la pelouse)

37 la bordure du sentier, une haie taillée

38 l'allée *f* du parc

39 la plate-bande

40 le bouleau;

41-69 le parc à l'anglaise *f*

(parc naturel) et la vie au parc:

41 l'allée *f* cavalière

42 le cavalier en promenade *f*

43 le photographe amateur

44 le couple d'amoureux *m* au rendez-vous

45 la promenade à dos *m* d'âne *m*

46 le cygne

47 la niche des cygnes *m*

48 le meeting en plein air *m*:

49 l'orateur *m*;

50 la pièce d'eau *f* (l'étang *m*)

51 le canot

52 le rameur

53 le peuplier pyramidal

54 l'attelage *m* à quatre chevaux *m*

55 l'invalide *m* de guerre *f* (le mutilé de guerre *f*)

56 le chariot d'enfant *m*

57 la pièce d'eau *f* aux poissons *m* rouges

58 le kiosque aux rafraîchissements *m*

59 la sucette

60 la trottinette

61 l'orchestre *m* de l'Armée *f* du Salut:

62 le soldat de l'Armée *f* du Salut

63 la cadette de l'Armée *f* du Salut

64 la capeline

65 le tronc;

66 le dormeur

67 le boueur

68 le gardien du parc, un jardinier municipal

69 la corbeille à détritus *m*

258 Terrain de jeux pour enfants

1-59 jeux *m* d'enfant *m*:

1 le jeu de cache-cache

2 l'automobile *f* à pédales *f*

3 la carabine à air *m* comprimé

4 le jeu du tampon:

5 le tampon;

6 la culbute

7 la course en sac *m*

8 la patinette

9 la fronde

10 le bassin à patauger

11 le ballon (la balle)

12 la bonne d'enfant *m* (la nurse)

13 la marelle (le jeu du «paradis et de l'enfer *m*»)

14 la grand-mère (la grand-maman):

15 la capote

16 le bas à tricoter;

17 le jeu de la toupie:

18 la toupie

19 le fouet à toupie *f*;

20 le jeu du cerceau:

21 le cerceau

22 la baguette à taper sur le cerceau;

23 la poursuite [on cherche à attraper à la course], un jeu de mouvement *m*

24 le jeu du diabolo, un jeu d'adresse *f*:

25 le diabolo;

26 le tas de sable *m*:

27 le seau à sable *m*

28 la pelle à sable *m*;

29 la ronde

30 la voiture d'enfant *m* en osier *m* (voiture d'enfant):

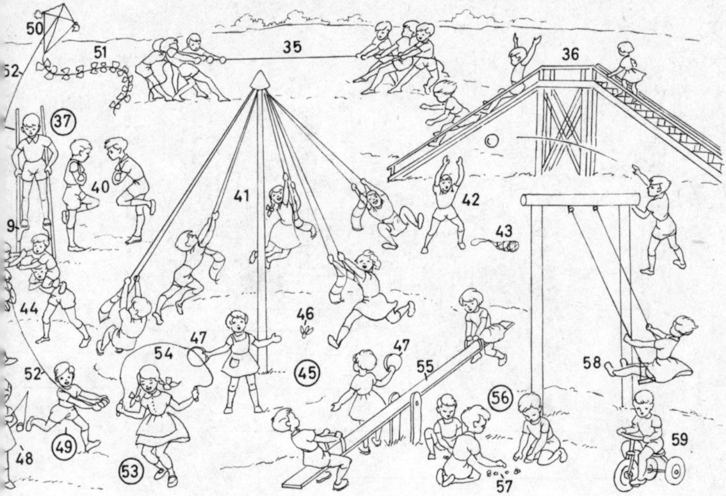

31 la couverture de sortie *f*
32 la capote
33 la poche de la voiture;
34 la gouvernante
35 tirer la corde (la lutte à la corde)
36 le toboggan (la glissoire)
37 la course aux échasses *f*:
38 l'échasse *f*
39 le marchepied de l'échasse *f* (l'étrier *m* de l'échasse);
40 le combat de coqs *m* (la bousculade)
41 le manège (le pas de géant *m*)
42 le jeu de balles *f*
43 le filet à balles *f*
44 la joute des cavaliers *m*
45 le jeu du tambourin:
46 le volant
47 le tambourin;
48 le jeu du yo-yo
49 la montée du cerf-volant:
50 le cerf-volant en papier *m*
51 la queue du cerf-volant
52 la corde du cerf-volant;
53 le saut à la corde:
54 la corde à sauter;
55 la bascule
56 le jeu de billes *f*:
57 les billes *f*;
58 la balançoire
59 le tricycle d'enfant *m*

1-26 le vestibule (la salle de réception *f*):
1 le portier
2 le casier du courrier avec les cases *f*
3 le tableau des clefs *f*
4 le globe d'éclairage *m*, un globe de verre *m* dépoli
5 le tableau avertisseur
6 le signal d'appel *m* lumineux
7 le chef de la réception
8 le registre des voyageurs *m*
9 la clef de la chambre:
10 la plaque numérotée avec le numéro de la chambre;
11 la facture de l'hôtel *m*
12 le bloc des fiches *f* d'arrivée *f*
13 le passeport
14 le client de l'hôtel *m*
15 la valise pour voyage *m* par avion *m*, une valise légère
16 le pupitre mural
17 le domestique (le garçon du service);
18-26 le hall de l'hôtel *m*:
18 le groom (le chasseur)
19 le directeur de l'hôtel *m*
20 la salle à manger (le restaurant)
21 le lustre, un luminaire à plusieurs lumières *f*
22 le coin du feu:
23 la cheminée
24 le linteau
25 le feu découvert
26 le fauteuil club;
27-38 la chambre d'hôtel *m*, une chambre à deux lits *m* avec salle *f* de bains *m*:
27 la double porte
28 la plaque des sonneries *f*
29 la malle cabine:
30 le compartiment à vêtements *m*
31 le compartiment à linge *m*;
32 le lavabo double
33 le garçon de service *m* (le valet de chambre *f*)

34 le téléphone de la chambre
35 la moquette
36 le guéridon à fleurs *f*
37 le bouquet de fleurs *f*
38 le lit à deux places *f*;
39 la salle de société *f* (salle de fête *f*, salle de banquet *m*),
40-43 les convives *m* (le cercle fermé) à un repas de fête *f* (un banquet):
40 l'orateur *m* de la fête portant un toast
41 le voisin de table *f* du 42
42 le commensal de la dame du 43
43 la convive du 42;
44-46 le thé à cinq heures *f* dans le hall de l'hôtel *m*,
44 le trio du bar (l'orchestre *m* de bar):
45 le violoniste jouant debout;
46 le couple qui danse;
47 le garçon
48 la serviette du garçon
49 le vendeur de cigares *m* et cigarettes *f*
50 le magasin portatif (la boîte à tabac *m*)
51 le bar de l'hôtel *m*:
52 la plinthe (la barre d'appui *m* pour les pieds *m*)
53 le tabouret du bar
54 le bar (le comptoir)
55 le client du bar
56 le verre à cocktail *m*
57 le verre à whisky *m*
58 le bouchon de champagne *m*
59 le seau à frapper (seau pour le champagne)
60 le verre gradué
61 le shaker à cocktails *m*
62 le barman
63 la barmaid
64 la tablette des bouteilles *f*
65 le rayon des verres *m*
66 le revêtement en miroirs *m*

1-29 le restaurant (*moins confortable*: l'auberge *f*, le bistrot),

1-11 le buffet (le comptoir, le zinc):

1 l'appareil *m* de pression *f* pour débit *m* de bière *f* (la pompe à bière)

2 l'égouttoir *m*

3 le bock, un gobelet

4 la mousse de la bière

5 le cendrier sphérique

6 la chope (le verre à bière *f*)

7 le chauffe-bière

8 le serveur (le garçon) de comptoir *m*

9 l'étagère *f* à verres *m*

10 l'étagère *f* à bouteilles *f*

11 la pile d'assiettes *f* (de vaisselle *f*);

12 le portemanteau :

13 la patère à chapeaux *m*

14 la patère à vêtement *m*;

15 le ventilateur mural

16 la bouteille

17 le plat

18 la serveuse

19 le plateau

20 le vendeur de billets *m* de loterie *f*

21 le menu (menu de jour, la carte)

22 la ménagère

23 la boîte de cure-dents *m*

24 le porte-allumettes

25 le client

26 le dessous de bock *m* (le sous-bock)

27 la chope (le verre à bière *f*)

28 la marchande de fleurs *f*

29 la corbeille à fleurs *f*;

30-44 la taverne (le débit de vin *m*):

30 le garçon

31 la carte des vins *m*

32 la carafe de vin *m*

33 le verre à vin *m*

34 le poêle en faïence *f*:

35 le carreau de poêle *m* en faïence *f*

36 la banquette du poêle;

37 le lambris de bois *m* (le lambrissage)

38 la banquette de coin *m*

39 la table des habitués *m*

40 l'habitué *m*

41 le dressoir

42 le seau à frapper le vin:

43 la bouteille de vin *m*

44 les morceaux de glace *f*;

45-54 le restaurant à service *m* rapide, un restaurant automatique pour libre service *m*:

45 la paroi vitrée

46 la caissière

47 la caisse à monnaie *f*

48 l'appareil *m* à sous *m* (appareil de jeu de hasard *m*)

49 le distributeur automatique d'aliments *m*:

50 la fente pour la monnaie

51 la sortie du plat;

52 le distributeur automatique de boissons *f*;

53 la table à manger debout

54 le plateau du repas complet

1-26 le café

avec pâtisserie *f*; *var.*: la salle du café express, le salon de thé *m*,

1 le comptoir:

2 le percolateur

3 la plaque à ramasser la monnaie

4 la tarte

5 la meringue, un gâteau fait de blancs *m* d'œufs *m* battus et sucrés avec crème *f* fouettée;

6 l'apprenti *m* pâtissier

7 la demoiselle (la dame) du comptoir

8 l'étagère *f* à journaux *m*

9 l'applique *f*

10 la banquette de coin *m*, une banquette rembourrée

11 la table du café:

12 la plaque de marbre *m*;

13 la serveuse

14 le plateau à servir

15 la bouteille de limonade *f*

16 le verre à limonade *f*

17 les joueurs *m* d'échecs *m* qui jouent une partie d'échecs

18 le couvert à café *m*:

19 la tasse de café *m*

20 le petit sucrier

21 le petit pot de crème *f*;

22 le soupirant, un jeune homme

23 la jeune fille

24 le lecteur de journaux *m*, un habitué

25 le journal

26 la tringle à journaux *m*;

27-44 le café en plein air *m*,

un café-jardin:

27 la terrasse

28 les enfants *m* qui jouent au cerceau (le jeu de grâces *f*):

29 le cerceau

30 la baguette à saisir le cerceau;

31 le terrain de jeux *m*

32 l'aile *f* couverte (la véranda vitrée):

33 la grande fenêtre avec vue *f* sur l'extérieur *m*;

34 la bombe glacée

35 le verre d'orangeade *f*

36 la paille à siroter, un chalumeau de paille ou de plastique *f*

37 la coupe de crème *f* glacée:

38 la gaufre glacée

39 la cuillère à glace *f*;

40 la pince à fixer la nappe

41 la barre de la main courante

42 l'arbuste-nain *m*

43 le gravier

44 la grille gratte-pieds (le paillasson);

45-51 le bar express et **le débit de crèmes *f* glacées:**

45 la glacière pour conserver les crèmes *f* glacées

46 la masse de crème *f* glacée

47 la machine électrique à faire la crème glacée:

48 le mécanisme avec vaporisateur *m* d'ammoniaque *m*, compresseur *m* et réfrigérateur *m*

49 le mélangeur à spirale *f*;

50 la machine express (machine italienne à faire le café express)

51 la tasse de moka *m*

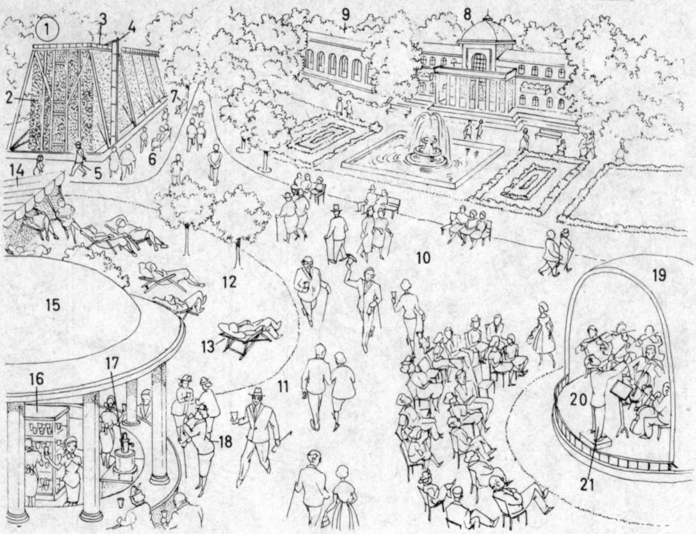

1-49 la station thermale (station balnéaire, la ville d'eau *f*),
1-21 le parc de la station balnéaire,
1-7 la saline (le bain d'eau *f*),
1 le bâtiment de graduation *f*:
2 les fascines *f* de prunelliers *m*
3 la rigole de répartition *f* pour l'eau *f* salée
4 la conduite d'eau *f* salée à partir de la pompe;
5 le gardien du système de ruissellement *m* (gardien de la saline)
6 et **7** la cure d'inhalation *f*:
6 l'inhalatorium *m* en plein air *m*
7 le malade en traitement *m* par inhalation *f*;
8 l'établissement *m* de cure *f* avec Kursaal (le casino)
9 le promenoir (la colonnade)
10 la promenade de la station balnéaire
11 l'allée *f* de la source
12-14 la cure de repos *m*:
12 la pelouse pour la cure d'air *m*
13 la chaise longue
14 la marquise;
15-17 la source (source minérale):
15 le pavillon de la source
16 l'étagère *f* à verres *m*
17 le distributeur d'eau *f*;
18 le curiste en train de boire de l'eau *f* minérale
19 le kiosque à musique *f*
20 l'orchestre *m* de la station en train de donner un concert
21 le chef d'orchestre *m*;
22 la pension de famille *f*
23 la galerie

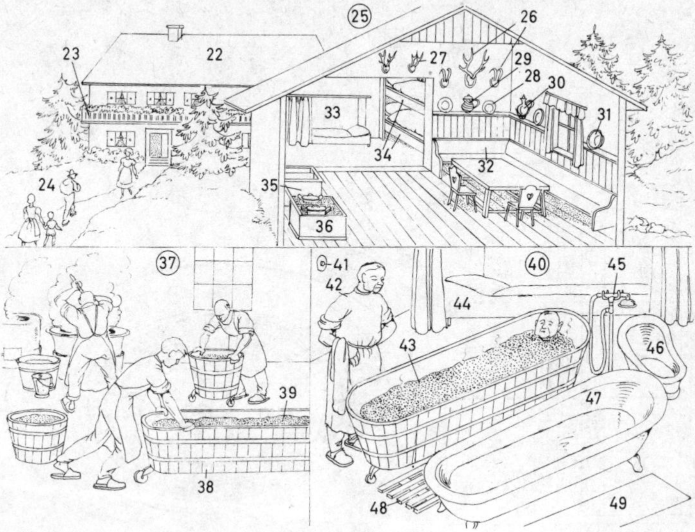

24 les pensionnaires *m* (clients *m* des vacances *f*, les villégiateurs *m*)

25 la maison de week-end *m* (maison de campagne *f*, maison pour l'été *m*), un chalet en rondins *m*:

26 les trophées *f* de chasse *f*

27 les bois *m* de cerf *m*

28-31 la vaisselle en étain *m*:

28 l'assiette *f* en étain *m*:

29 la cruche en étain *m*

30 la carafe en étain *m*

31 le plat en étain *m*;

32 le banc de coin *m*

33 le lit escamotable

34 la cabine double

35 la glacière

36 la marmite norvégienne;

37-49 le bain de boue *f*,

37 la salle de préparation *f* de la boue

38 la baignoire de boue *f*, une baignoire en bois *m*

39 la boue préparée (boue thérapeutique);

40 la cabine de bain *m*:

41 la sonnette d'alarme *f*

42 le maître-baigneur

43 le bain complet de boue *f*

44 le lit de repos *m*

45 la douche à main *f*

46 la baignoire sabot pour le bain de boue *f* partiel

47 le bain de rinçage *m*

48 la claire-voie (la claie pour la descente du bain)

49 le tapis de bain *m*

263 Roulette

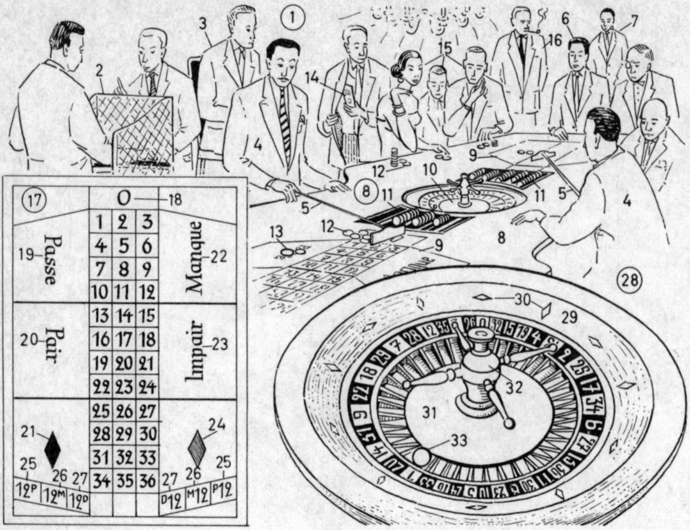

1-33 la roulette, un jeu de hasard *m*,

1 la salle de la roulette (la salle des jeux *m*), au casino:

2 la caisse

3 le chef de partie *f*

4 le croupier

5 le râteau

6 le croupier de tête *f*

7 le chef de salle *f*

8 la table sur laquelle se joue la roulette:

9 le tableau du jeu

10 la roulette

11 la banque

12 le jeton

13 la mise;

14 le ticket du casino

15 le joueur à la roulette

16 le détective privé (détective de la maison);

17 le tableau de la roulette:

18 Zéro

19 Passe [nombres de 19 à 36]

20 Pair [nombres pairs]

21 Noir

22 Manque [nombres de 1 à 18]

23 Impair [nombres impairs]

24 Rouge

25 les douze premiers (la première douzaine) [nombres de 1 à 12]

26 les douze du milieu (la douzaine intermédiaire) [nombres de 13 à 24]

27 les douze derniers (la dernière douzaine) [nombres de 25 à 36];

28 la roulette:

29 le bassin de la roulette

30 l'entrave *f*

31 le disque tournant avec les numéros *m* de 0 à 36

32 le tourniquet en forme *f* de croix *f*

33 la boule

1-19 le billard (le jeu de billard):

1 la boule de billard *m*, une boule en ivoire *m* ou en matière *f* synthétique

2-6 les coups *m* de billard *m*:

2 le coup du milieu horizontal

3 le coup en haut [le coulé]

4 le coup en bas [le retrait]

5 le coup d'effet *m*

6 le coup de contre-effet *m*;

7-19 la salle de billard *m*:

7 le billard français (billiard à carambolage *m*); *anal.*: le billard allemand ou anglais (billiard à trous *m*):

8 le joueur de billard *m*

9 la queue:

10 la coiffe de la queue, une coiffe de cuir *m*;

11 la boule blanche à jouer

12 la boule rouge (la carambole)

13 la boule blanche à pointer

14 la table de billard *m*, une table d'ardoise *f* ou de marbre *m*:

15 la surface du billard (surface à jouer) garnie d'un tapis vert

16 la bande (bande en caoutchouc *m*);

17 le taxi-billard, une montre de contrôle *m*

18 le tableau pour inscrire les points *m*

19 le râtelier pour les queues *f*

1-16 les échecs *m*

(le jeu royal, un jeu de combinaisons *f* ou de positions *f*),

1 l'échiquier *m* avec les pièces *f* dans la position de départ *m*:

2 la case blanche

3 la case noire

4 les pièces *f* blanches

5 les pièces *f* noires

6 les lettres *f* et chiffres *m* pour la désignation de la case de l'échiquier *m* pour la notation des parties *f* et des problèmes *m* d'échecs *m*

7 les symboles *m* des pièces *f* pour représenter des positions *f* sur l'échiquier *m*:

8 le roi

9 la dame

10 le fou

11 le cavalier

12 la tour

13 le pion;

14 la marche des pièces *f* (les coups *m*)

15 le mat, un mat de cavalier *m*

16 l'horloge *f* d'échecs *m*, une horloge double pour les tournois *m* d'échecs *m* (championnats *m* d'échecs *m*);

17-19 le jeu de dames *f*:

17 le damier

18 le pion blanc; *égal.*: le palet pour le trictrac et pour le jeu de la marelle assise

19 le pion noir;

20 le jeu de salta *m*:

21 le pion du salta;

22 le damier pour **le jeu de trictrac** *m*;

23-25 le jeu de la marelle assise

(le moulin):

23 le damier

24 la marelle

25 la marelle double;

26-28 le jeu de halma *m*:

26 le damier pour le jeu de halma *m*

27 la cour

28 les pièces *f* du jeu de couleurs *f* diverses;

29 le jeu de dés *m*:

30 le gobelet à dés *m*

31 les dés *m*

32 les points *m*;

33 le jeu de domino *m*:

34 le domino

35 le doublet;

36 les cartes *f* **à jouer**:

37 le jeu de cartes *f* françaises

38-45 les couleurs *f* (les marques *f* de série *f*):

38 le trèfle

39 le pique

40 le cœur

41 le carreau

42 le gland [42-45 cartes allemandes]

43 vert (la feuille)

44 rouge (le cœur)

45 le grelot

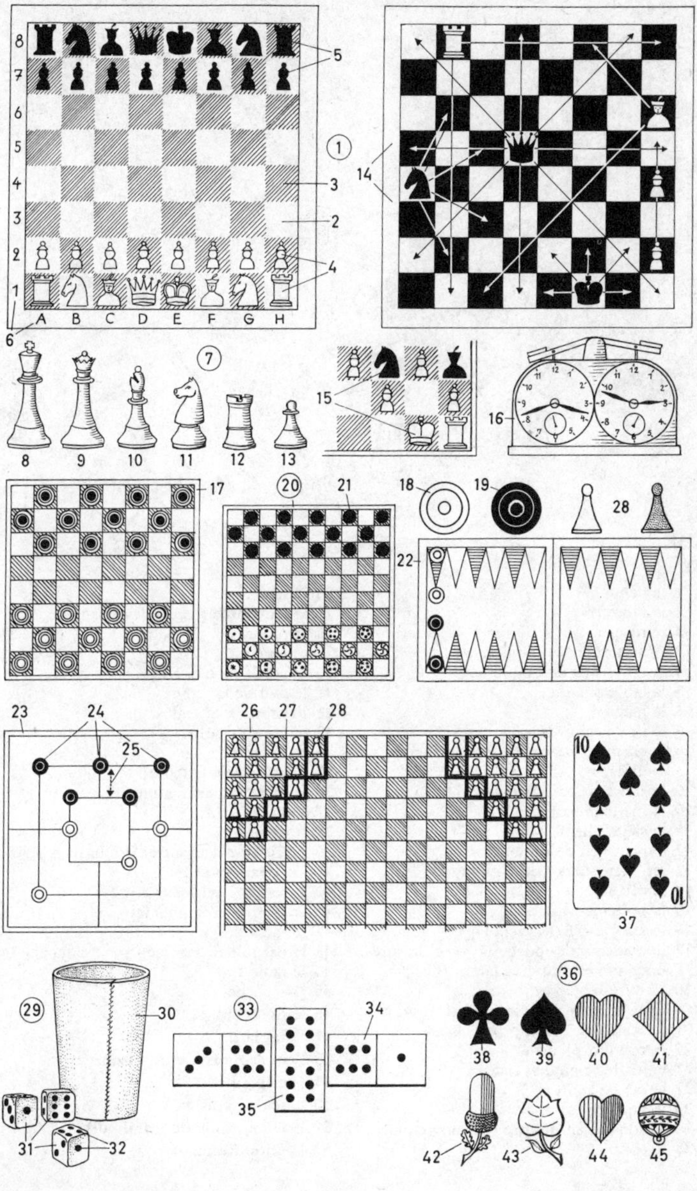
8
7
6
5
4
3
2
1
A B C D E F G H
1
2
3
4
5
6
7
8 9 10 11 12 13
14
15
16
17
18
19
20
21
22
23
24
25
26
27
28
29
30
31
32
33
34
35
36
37
38 39 40 41
42 43 44 45

1 le nénuphar
2 le radeau
3 le roseau
4-52 le terrain de camping *m*:
4 la remorque de camping *m*
5 la table pliante
6 le parasol
7 le lit de camp *m*
8 la chemise de sport *m* à manches *f* courtes
9 le short (la culotte courte)
10 la mallette–radio
11 le siège pliant
12 le pantalon de camping *m*
13 les chaussures *f* de camping *m*
14 le pliant
15 la boîte de pharmacie *f*
16 le sac à eau *f* (la vache)
17 le couteau de poche *f* avec le tire-bouchon et plusieurs lames *f*
18 l'ouvre-boîte *m*
19 le réchaud de camping, un réchaud à alcool *m* ou à essence *f*
20 le couvert pliant
21 la mallette pique-nique
22 le sac de sport *m*
23 la sacoche
24 le coussin en mousse *f* de caoutchouc *m*
25 le soufflet
26 le nécessaire
27 la tente, une tente à deux pans *m*:
28 le piquet
29 le tendeur
30 la corde de tension *f*
31 le mât de la tente
32 l'auvent *m* latéral
33 le tapis de sol *m*
34 l'auvent *m*
35 l'abside *f* de la tente;
36 le matelas pneumatique
37 l'avant-toit *m*
38 le hamac
39 les lieux *m* d'aisance *f* (les latrines *f*)
40-52 le jamboree,
40 le scout (l'éclaireur *m*):
41 la gourde et le gobelet
42 le sac à dos *m*
43 la batterie de cuisine *f* pour camper;
44 le fanion
45 la sacoche
46 le poignard
47 le foulard
48 l'emplacement *m* de cuisine *f*:
49 le trépied
50 le feu de bois *m*;
51 la tente ronde (le marabout)
52 la porte du camp

1 le maître nageur
2 la corde de sauvetage *m*
3 la bouée de sauvetage *m*
4 la boule de tempête *f* (la signalisation par boules *f*)
5 le signal horaire
6 le tableau avertisseur
7 le tableau des marées *f* (indiquant les heures de flux *m* et de reflux *m*)
8 le tableau indiquant la température de l'eau *f* et de l'air *m*
9 la passerelle
10 le mât portant les flammes *f* triangulaires:
11 la flamme;
12 le pédalo
13 l'aquaplane *m* derrière le canot automobile:
14 l'amateur *m* d'aquaplane *m*
15 la planche d'aquaplane *m*;
16 le ski nautique
17 le radeau-flotteur (un matelas de natation *f*)
18 le ballon à jouer dans l'eau *f*
19-23 la tenue de plage *f*,
19 le vêtement de plage *f*:
20 le chapeau de plage *f*
21 la veste de plage *f*
22 le pantalon de plage *f*
23 les chaussures *f* de plage *f*;
24 le sac de plage *f*
25 le peignoir
26 le maillot de bain *m* deux-pièces *f*:
27 le slip de bain *m*
28 le soutien-gorge;
29 le bonnet de bain *m*
30 le baigneur
31 le jeu de l'anneau *m*:
32 l'anneau *m* en caoutchouc *m*;
33 l'animal *m* en caoutchouc *m* qui flotte dans l'eau *f*
34 le gardien de la plage *f*
35 le château de sable *m*
36 le fauteuil-guérite
37 le chasseur sous-marin:
38 les lunettes *f* de plongée *f*
39 le tuyau de plongée *f*
40 le harpon à main *f*
41 les palmes *f*;
42 le maillot de bain *m*:
43 le caleçon de bain *m*
44 le bonnet de bain *m*;
45 la tente de plage *f*
46 la station de sauvetage *m*

1-32 le bassin de natation *f* (la piscine), un bassin en plein air *m*:

1 la cabine de bain *m*
2 la douche
3 le vestiaire
4 le bain de soleil *m* ou le bain d'air *m*

5-10 le plongeoir:

5 le plongeur de haut vol *m*
6 la tour de saut *m*:
7 la plate-forme de dix mètres *m*
8 la plate-forme de cinq mètres *m*
9 le tremplin de trois mètres *m*
10 le tremplin d' un mètre;
11 le bassin de plongée *f*
12 le plongeon par la tête (plongeon en extension *f*, le saut de l'ange *m*)
13 le plongeon par les pieds *m*
14 le plongeon accroupi (le paquet)
15 le maître nageur

16-20 l'enseignement *m* **de la natation:**

16 le professeur de natation *f*
17 l'élève en train de nager
18 le flotteur de natation *f*
19 la ceinture de natation *f* en liège *m*
20 la nage à sec *m*;
21-23 les bassins *m* de natation *f*:
21 le petit bassin pour les non-nageurs *m*
22 le canal
23 le bassin pour les nageurs *m*;

24-32 la compétition de nage *f* **libre** (un relais):

24 le chronométreur
25 le juge d'arrivée *f*
26 le juge *m* de touche *f*
27 le bloc de départ *m*
28 la touche d'un nageur de compétition *f*
29 le plongeon de départ *m*
30 le starter
31 le couloir
32 la ligne à flotteurs *m* de liège *m*;

33-40 les styles *m* **de natation** *f*

33 la brasse
34 la brasse papillon
35 le style dauphin
36 la nage sur le dos
37 la nage sur le côté (la coupe)
38 le crawl; *anal.*: le trudgeon
39 la nage en plongée *f* (la nage sous l'eau *f*)
40 la nage debout;

41-46 les plongeons *m* (plongeons artistiques, les sauts *m* acrobatiques):

41 le saut de brochet *m* (plongeon *m* avant face à l'eau *f*)
42 le saut d'Auerbach (plongeon *m* avant face au tremplin)
43 le saut périlleux (plongeon *m* arrière face au tremplin)
44 le tire-bouchon avec élan *m*
45 le saut en vrille *f*
46 le saut avec départ *m* en appui renversé *m*;

47-51 le water-polo:

47 le but de water-polo *m*
48 le gardien de but *m*
49 le ballon
50 le défenseur (l'arrière *m*)
51 l'assaillant *m* (l'avant *m*)

1
2
3
4
5
6
7
8
9
10
11
12
13
14
15
16
17
18
19
20
21
22
23
24
25
26
27
28
29
30
31
32
33
34
35
36
37
38
39
40
41
42
43
44
45
46
47
48
49
50
51

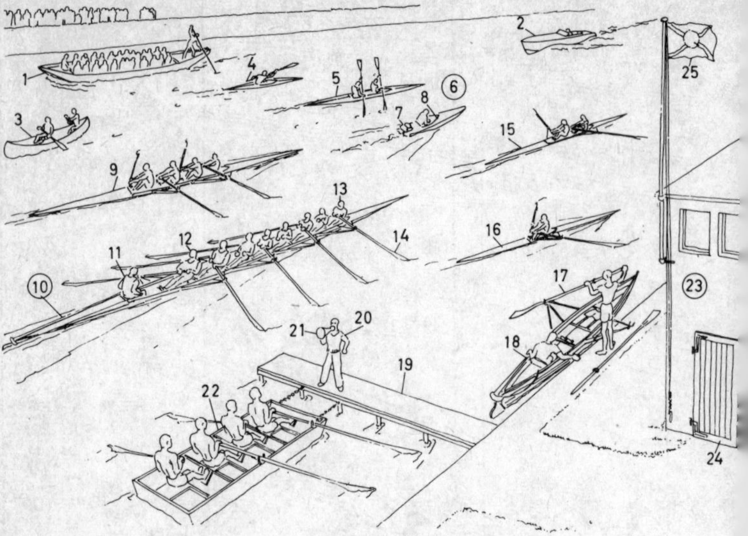

1-66 l'aviron *m* (le canotage) **et le pagayage,**

1-18 les préparatifs *m* pour les régates *f* d'aviron *m* (les courses *f* de canots *m*):

1 le bac (la barque) à gaffe *f*, un bateau de plaisance *f*

2 le canot automobile

3 le canoë canadien

4 le kayak

5 le kayak biplace

6 le canot à moteur *m* hors-bord (le hors-bord), un canot de course *f* à moteur *m*:

7 le moteur à hors-bord *m*

8 le trou d'homme *m* (le siège, le cockpit);

9-16 canots *m* de course *f* (bateaux *m* de sport *m*, outriggers *m*),

9-15 canots *m* à rames *f*:

9 le canot à quatre rameurs *m* sans barreur *m* (le quatre sans barreur), un canot à franc-bord *m*

10 le canot de course *f* à huit rameurs *m* (le huit de course):

11 le barreur

12 le chef de nage *f*, un rameur

13 le rameur à la pointe (le numéro un)

14 la rame (l'aviron *m*);

15 le canot à deux rameurs *m* (le deux);

16 le skiff à un rameur;

17 la rame (l'aviron *m*)

18 le canot à un rameur avec barreur *m* (le bateau bordé à clin *m*);

19 le ponton (le débarcadère)

20-22 l'aviron *m* en ponton *m* pour apprendre à ramer:

20 l'entraîneur *m*

21 le porte-voix

22 le ponton (la machine à ramer);

23 le hangar du club:

24 le garage des canots *m*

25 le fanion du club;

26-33 la yole à quatre rameurs *m*, une yole (le canot à rowlock *m*):

26 la barre (le gouvernail)

27 le siège du barreur

28 le banc du rameur

29 la fourche (l'appui *m* des rames *f*)

30 la hiloire (le plat-bord)

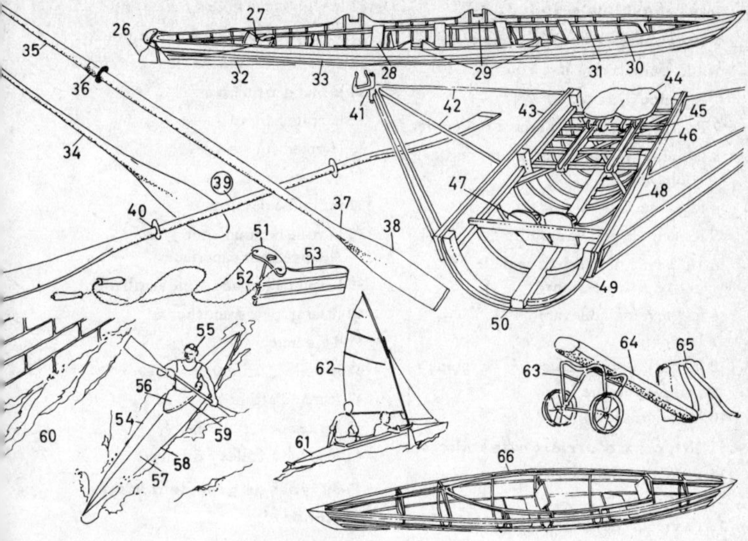

31 la glissière de la banquette
32 la quille (quille extérieure)
33 le bordage extérieur [à clin *m*];
34 la pagaie simple
35-38 la rame (l'aviron *m*):
35 la barre à la rame
36 la garniture de cuir *m*
37 le collet de la rame
38 la pale;
39 la pagaie double:
40 l'anneau *m* paragoutte;
41-50 le siège à roulette *f* (siège à coulisse *f*):
41 la fourche (le rowlock pivotant)
42 l'outrigger *m* (le porte-en-dehors)
43 le plat-bord
44 le siège à roulette *f* (siège à coulisse *f*)
45 le chemin de roulement *m* (la glissière)
46 l'étai *m*
47 la barre de pied *m* (barre d'appui *m*)
48 la coque (le bordage extérieur)
49 le couple
50 la quille (quille intérieure);
51-53 le gouvernail (la barre):
51 le joug du gouvernail (joug de la barre)
52 le tire-veilles
53 le safran;
54-66 kayaks *m* pliants (canots *m* démontables, canots pliants):
54 le kayak pliant monoplace (kayak de sport *m* monoplace)
55 le conducteur de kayak *m* pliant
56 la couverture contre l'eau *f* giclante
57 le plat-bord
58 l'enveloppe *f* de caoutchouc *m*
59 la hiloire
60 le canal aux radeaux *m*
61 le kayak pliant biplace
62 la voile de kayak *m* pliant
63 le chariot de transport *m* pour canot *m*
64 le sac pour la carcasse du canot
65 le havresac du kayak
66 la carcasse du canot

1-60 le yachting à voile *f*,

1-10 types *m* **de coques** *f* **de voiliers** *m*,

1-4 le yacht de croisière à quille *f*:

1 la poupe (l'arrière *m*)

2 l'avant *m* (la proue, l'étrave *f*) à cuiller *f*

3 la quille (quille de ballast *m*, quille de roulis *m*)

4 le gouvernail;

5 le yacht de course à quille *f* de plomb *m*

6-10 la yole, un yacht à semelle *f* de dérive *f* (le dériveur):

6 le gouvernail relevable

7 le cockpit

8 le rouf (la superstructure) de cabine *f*

9 l'étrave *f* droite

10 la dérive relevable;

11-18 types *m* **d'arrière** *m* **de voiliers** *m*:

11 l'arrière *m* du yacht

12 le tableau du yacht

13 l'arrière *m* de canoë *m*

14 l'arrière *m* de croiseur *m* pointu

15 le massif

16 la plaque avec le nom du yacht

17 l'arrière *m* carré

18 l'arrière-tableau *m* (l'arcasse *f*);

19-26 le bordé,

19-21 le bordé à clins *m* (bordé imbriqué):

19 la planche de bordé *m* extérieur

20 le couple, un couple transversal

21 le clou d'assemblage *m* rivé;

22 le bordé à franc-bord *m* (le bordage en carvelle *f*)

23 la construction en couple *m* couture *f*

24 le couple couture *f*, un couple longitudinal

25 le bordé à franc-bord en diagonale *f*

26 le bordé intérieur;

27-50 types *m* **de yacht** *m*:

27 le schooner «America» [1851]

28-32 le yacht-schooner, un deux-mâts:

28 la grand-voile

29 la voile de schooner *m*

30 le clinfoc

31 le gréement supérieur

32 le schooner à voiles *f* d'étai *m*;

33-36 le yawl, un mât et un demi-mât:

33 la voile d'artimon *m* (le rabatteur)

34 le mât d'artimon *m*

35 la voile ballon

36 le gréement supérieur;

37-40 le cotre (le cutter):

37 le clinfoc de cutter *m*

38 la voile bermudienne (le gréement supérieur)

39 le spinnaker, une voile auxiliaire;

40 le tangon de spinnaker *m*;

41-44 le ketch:

41 la voile d'artimon *m*

42 le mât d'artimon *m*

43 le gréement supérieur

44 le ketch à voiles *f* d'étai *m*;

45-50 types de gréement *m* **de sloops** *m*:

45 le sloop

46 la vergue à corne *f* (la houari)

47 l'étai *m* arrière

48 l'étai *m* avant

49 l'étrésillon *m* de l'étai *m* avant

50 le sloop baltique;

51-60 les régates *f* **à voiles** *f*:

51 le départ

52-54 virer de bord, tribord amure (le changement de route *f* au vent; *virer plusieurs fois :* louvoyer):

52 venir au vent (bâbord amure, grande écoute *f* serrée, gouvernail *m* tribord)

53 faséyer la voile

54 la voile pleine;

55 la bouée de virage *m*

56-58 virer vent *m* arrière (changement *m* de route *f* sous le vent):

56 le ralentissement

57 la trinquette faséye

58 la voile pleine grand largue;

59 le but (l'arrivée *f*)

60 la direction du vent

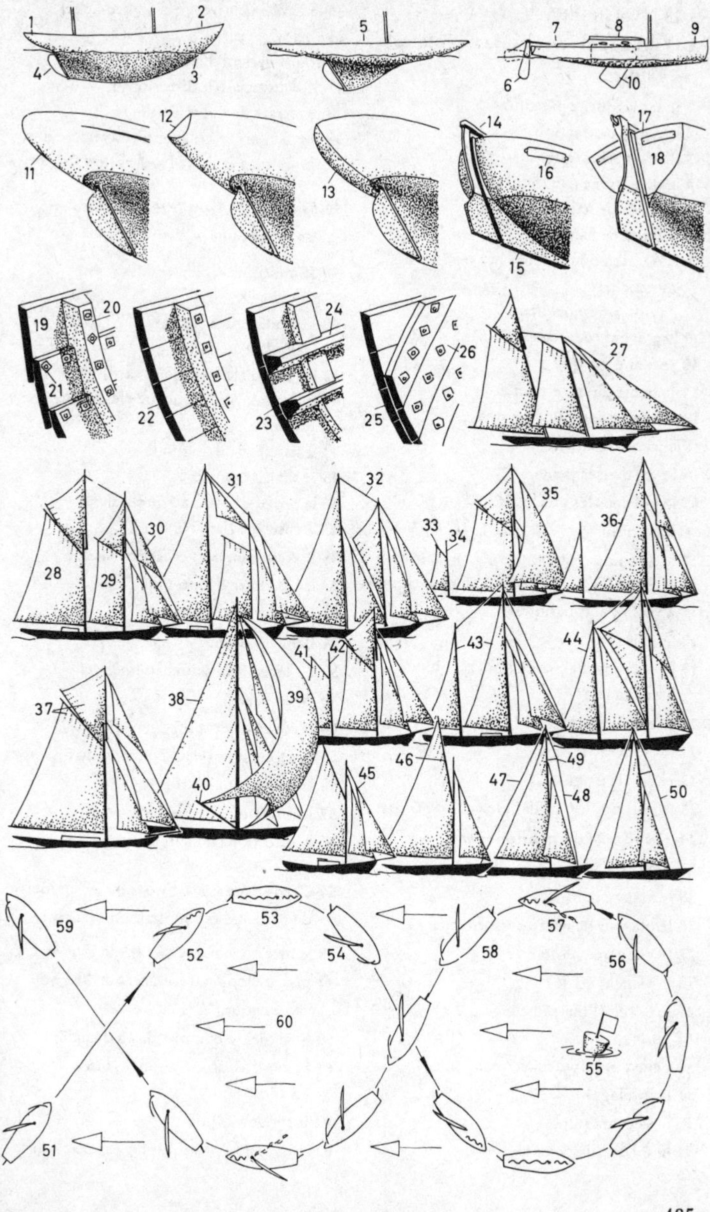
1
2
3
4
5
6
7
8
9
10
11
12
13
14
15
16
17
18
19
20
21
22
23
24
25
26
27
28
29
30
31
32
33
34
35
36
37
38
39
40
41
42
43
44
45
46
47
48
49
50
51
52
53
54
55
56
57
58
59
60

271 Vol à voile

1-23 le vol à voile *f*,

1-12 les départs *m* lancés dans le vol à voile *f*,

1 le remorquage par auto *f* :

2 la corde de traction *f*

3 l'auto *f* remorqueuse;

4 le démarrage par treuil *m*:

5 la corde de halage *m*

6 le treuil de halage *m*;

7 la traction du planeur par un avion à moteur *m*:

8 l'avion *m* remorqueur

9 le planeur remorqué;

10 le vol à voile *f* :

11 la pente de lancement *m*

12 le lancement d'une pente;

13 le vent ascendant

14 le vol dans la pente

15 le vol dans les nuages *m*

16 le cumulus

17 le looping (la boucle), une acrobatie aérienne exécutée avec un planeur (le vol à voile *f* acrobatique)

18 le vol plané

19 le courant d'air *m* chaud (la colonne ascendante)

20 le vol thermique

21 le front d'orage *m*

22 le vol de front *m*

23 le vol ondulé (vol dans le vent du sud);

24-37 types *m* de planeurs *m* :

24 l'hydroplan *m*

25 le planeur cargo

26 le planeur de haute performance *f*

27 le planeur à moteur *m*;

28 le planeur école:

29 le pilote (l'instructeur *m* de vol *m* à voile *f*)

30 l'élève *m* pilote de vol *m* à voile *f*

31 le fuselage

32 le siège du pilote

33 le ski de glissement *m*

34 la jambe de force *f* (la contre-fiche)

35 l'aile *f* (le plan)

36 le gouvernail d'altitude *f*

37 le gouvernail de direction *f*;

38 le terrain de vol *m* à voile *f*

39 les hangars *m* à planeurs *m* avec le camp des pilotes *m* de vol *m* à voile *f*

40-63 construction *f* de modèles *m* de planeurs *m*,

40-58 modèles *m* de planeurs *m* sans moteur *m*:

40 le modèle sans queue *f*

41 le modèle courant

42 le canard (le modèle canard)

43 le modèle double queue (le double queue)

44 le fuselage nu du modèle:

45 le ski du modèle

46 la proue (l'avant *m*) du fuselage

47 le fuselage (la carlingue)

48 le couple en bois *m* contre-plaqué

49 la courbure d'extrémité *f*

50 la sangle

51 l'aile *f* portante

52 l'aileron *m* de gauchissement *m*

53 la traverse

54 la côte (la nervure)

55 l'entoilage *m* (le revêtement) du fuselage

56 la queue (la direction)

57 la direction vers les côtés *m*

58 la direction en hauteur *f*;

59-63 modèles *m* à moteur *m* (modèles de planeurs *m* à moteur auxiliaire):

59 le modèle à moteur *m* caoutchouc *m* à propulsion *f* par torsion *f* de fils *m* de caoutchouc

60 le modèle à commande *f* à distance *f*

61 le modèle fusée *f* (modèle fusée à poudre *f*)

62 le modèle captif

63 le modèle à propulsion *f* par réaction *f*

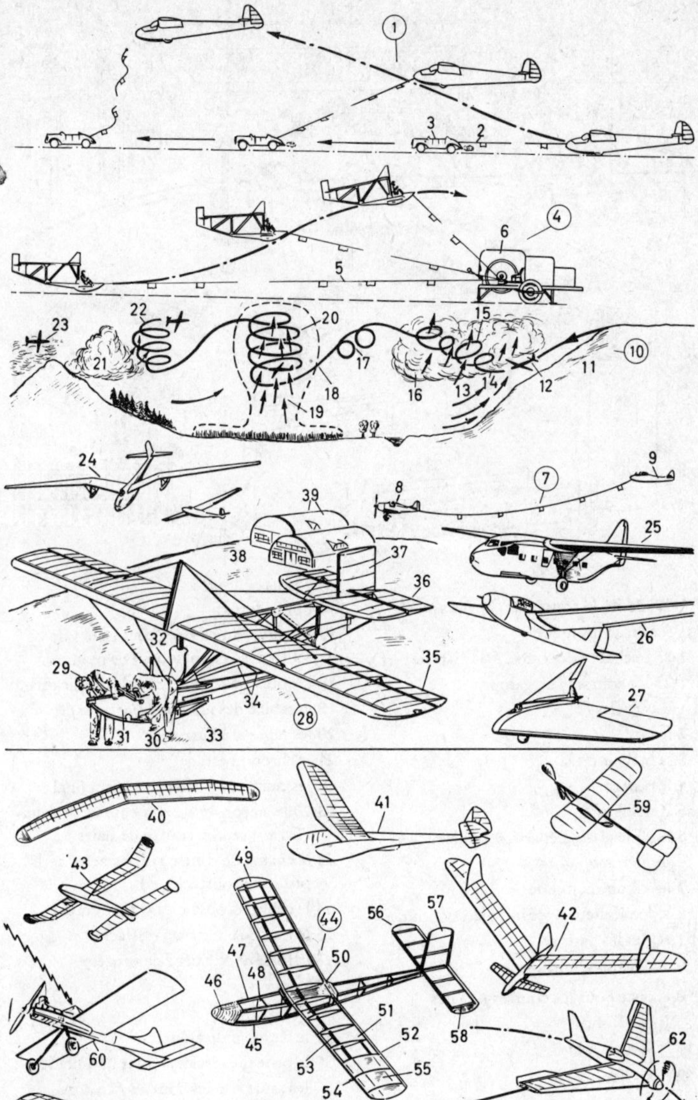
1
2
3
4
5
6
7
8
9
10
11
12
13
14
15
16
17
18
19
20
21
22
23
24
25
26
27
28
29
30
31
32
33
34
35
36
37
38
39
40
41
42
43
44
45
46
47
48
49
50
51
52
53
54
55
56
57
58
59
60
61
62
63

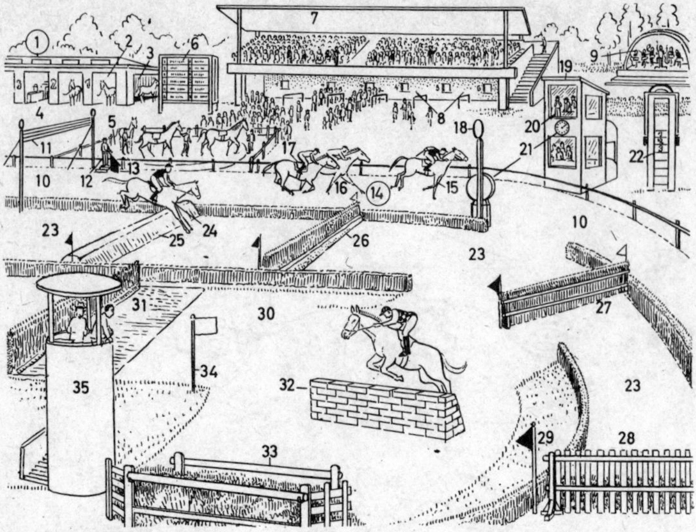

1-29, 36-46 la course de chevaux *m* (course hippique),
1-35 le champ de course *f* (la piste, le turf),
1-29 les courses *f* au galop,
1 les écuries *f*:
2 le box
3 la bascule;
4 le pesage
5 le manège
6 le tableau des départs *m* (tableau des numéros *m*)
7 la tribune couverte
8 le totalisateur avec les caisses *f* pour régler les paris *m*
9 le kiosque à musique *f*
10 la piste pour les courses *f* plates (piste libre)
11 le starting gate
12 le starter
13 le fanion du départ
14 les chevaux *m* de course *f* (le champ):
15 le favori
16 l'outsider *m*;
17 la couverture lestée (couverture de selle *f* avec des plaques *f* de plomb *m*)
18 le poteau d'arrivée *f* avec le disque du but
19 la cabine des juges *m* à l'arrivée *f*
20 les juges *m* à l'arrivée *f*
21 le chronométrage
22 les numéros *m* du classement final
23-29 le steeple-chase (la course d'obstacles *m*); *anal.:* course de haies *f*:
23 le champ de course *f* d'obstacles *m* (la piste avec obstacles *m*)
24 le cheval d'obstacles *m* (le hunter)
25 le mur de terre *f*, un obstacle
26 le fossé avec haies *f* de verges *f*
27 la haie
28 la barrière
29 le fanion indicateur;
30 la piste d'exercice *m* pour l'équitation *f*, les sauts *m* et les courses *f* au trot
31-34 la course à obstacles *m* et fossés *m*:
31 le fossé d'eau *f* avec haie *f*
32 le mur

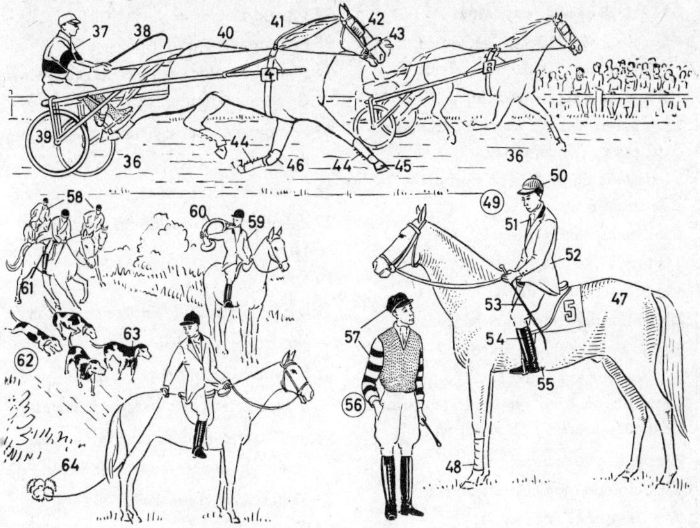

33 l'oxer *m* pour les sauts *m* en hauteur *f* et en longueur *f* (la double barrière)

34 le fanion de virage *m*;

35 la tour des juges *m* à l'arrivée *f* du champ de course *f*;

36-46 la course au trot attelé:

36 la piste pour les courses *f* au trot attelé (le champ de course *f* pour trotteurs *m*), une piste dure

37 le conducteur

38 le fouet

39 le sulky

40 le trotteur

41 les fausses rênes *f*

42 l'œillère *f*

43 la muserolle à œillère *f*

44 la jambière

45 le protège-boulet

46 la genouillère;

47 le cheval de selle *f*

48 le bandage

49 le cavalier, un amateur:

50 la casquette de chasseur *m*

51 la cravate de cavalier *m*

52 le veston d'équitation *f* (le saute-en-bas)

53 le fouet de cheval *m* (la cravache)

54 la botte d'équitation *f*

55 l'éperon *m*;

56 le jockey, un professionnel:

57 la tenue aux couleurs *f* de son écurie *f*, une casaque et une casquette en soie *f*;

58-64 la chasse à courre; *ici :* une chasse à la traîne; *anal. :* la chasse au renard, le rallye-paper:

58 le chasseur à courre

59 le piqueur qui souffle l'hallali *m* (signal *m* de la fin de la chasse)

60 le cor de chasse *f*

61 le maître

62 la meute de chiens *m*

63 le chien de la chasse à courre (chien courant);

64 la traîne avec la déjection (les fumées *f*) de renard *m*

273 Sports routiers de cycles et moteurs

1-23 les courses *f* cyclistes:

1 le vélodrome (la piste de course *f* cycliste); *ici*: vélodrome couvert

2-7 la course des six jours *m*:

2 le coureur des six jours *m*, un coureur sur piste *f* pendant l'échappée *f*

3 le casque de protection *f* en cas *m* de chute *f*

4 la direction de la course:

5 le juge à l'arrivée *f*

6 le compteur de tours *m*;

7 la cabine des coureurs *m* cyclistes;

8-10 la course cycliste sur route *f*:

8 le coureur sur route *f*, un coureur cycliste de fond *m*; *anal.*: le sprinter dans les courses *f* de sprint *m*

9 le maillot du coureur

10 le bidon de rafraîchissement *m*;

11-15 les courses *f* de fond *m*:

11 l'entraîneur *m*, un motocycliste

12 la motocyclette de l'entraîneur *m*

13 le rouleau, un dispositif de protection *f*

14 le coureur de fond *m*, un coureur professionnel

15 la bicyclette de course *f* de fond *m*, un vélo de course *f*;

16 le vélo de course *f* pour courses *f* sur route *f*:

17 la selle du vélo de course *f*, une selle sans ressort *m*

18 le guidon du vélo de course *f*

19 le boyau

20 la chaîne du dérailleur

21 le serre-pied

22 la courroie

23 le boyau de rechange *m*;

24-50 courses *f* d'engins *m* à moteurs *m*,

24-28 les courses *f* sur piste *f* de sable *m*, une course de motocyclettes *f*; *anal.*: course sur gazon *m* et sur route *f*:

24 la piste de sable *m*

25 le coureur motocycliste

26 l'équipement *m* de protection *f* en cuir *m* (la combinaison en cuir)

27 la moto de course *f*, une motocyclette monoplace

28 le numéro de départ *m*;

29 l'attelage *m* moto-side-car dans un virage;

30 le side-car;

31 la moto de course *f* entièrement carénée pendant le record de vitesse *f*

32 le gymkhana, une épreuve d'adresse *f*; *ici*: le motocycliste en train de sauter

33 une course tout terrain *m* (le cross-country), une épreuve d'endurance *f*;

34-45 la course automobile:

34 la piste (l'autodrome *m*)

35 le départ et l'arrivée *f*

36 le starter

37 le fanion du départ

38 la voiture de course *f*

39 le coureur automobile

40 le ballot de paille *f*

41 les boxes (le box)

42 le changement d'une roue:

43 le mécanicien de la course;

44 la tente du médecin

45 la tribune des spectateurs *m*;

46-50 les bateaux *m* (les canots *m*) de course *f* [en coupe *f*]:

46 le canot à propulsion *f* longitudinale et transversale:

47 le moteur du canot;

48 le canot à moteur *m* hors-bord; *anal.*: le glisseur:

49 le moteur hors-bord

50 la dérive de stabilisation *f*

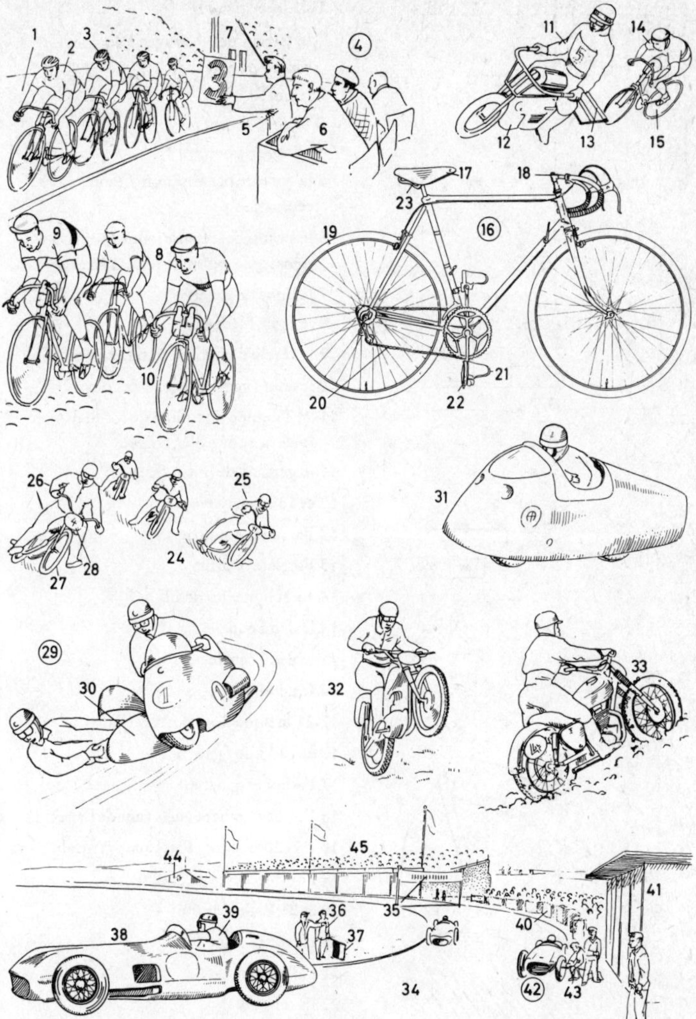
1
2
3
7
4
11
14
5
6
12
13
15
17
18
23
9
16
19
8
10
21
20
22
26
25
31
24
28
27
29
32
33
30
44
45
41
35
39
36
40
38
37
34
42
43
47
46
48
49
50

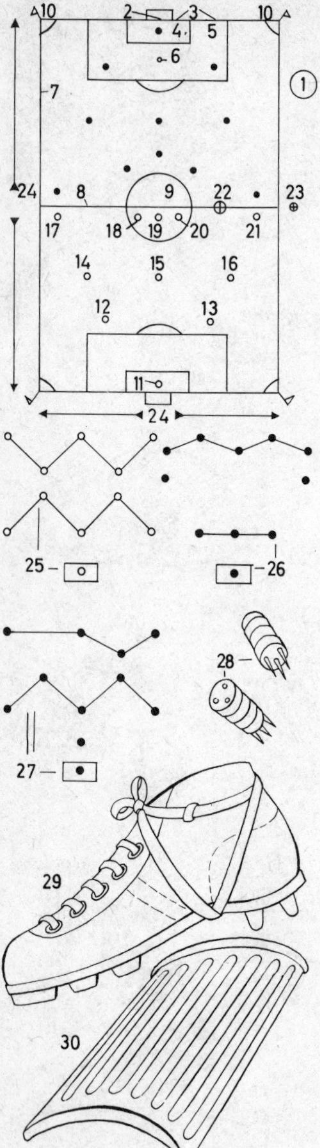

1-63 le football

1 le terrain de jeu *m* avec l'équipe *f* en place *f* pour le match:

2 le but

3 la ligne de but *m*

4 la zone de but *m*

5 la zone de pénalisation *f* (zone de réparation *f*)

6 le point de réparation *f* (point de pénalty *m*, point de onze mètres *m*)

7 la ligne de touche *f*

8 la ligne médiane

9 le cercle d'envoi *m* (cercle central;

10 le coin avec le drapeau de coin;

11-21 l'équipe *f* (équipe de football *m*, le onze) au coup d'envoi *m*:

11 le gardien de but *m* (le goal)

12 et 13 les arrières *m*:

12 l'arrière *m* gauche

13 l'arrière *m* droit;

14-16 la ligne des demis *m*:

14 le demi gauche

15 le demi centre

16 le demi droit;

17-21 la ligne des avants *m* (l'attaque *f*),

17 et 18 l'aile *f* gauche:

17 l'ailier *m* gauche

18 l'inter *m* gauche, un avant de liaison *f*;

18, 19, 20 la ligne d'attaque *f* centrale

19 l'avant-centre *m*

20 et 21 l'aile *f* droite:

20 l'inter *m* droit

21 l'ailier *m* droit;

22 l'arbitre *m*

23 le juge de touche *f* (l'arbitre *m* de touche)

24 les dimensions *f* du terrain de jeu *m* (90–110 × 64–75 m);

25 le système WM (la disposition dans la forme WM)

26 le verrou suisse
27 le verrou brésilien
28 les crampons *m*
29 le soulier de football *m*
30 le protège-tibia
31 la tribune des spectateurs *m*:
32 les gradins *m* de places *f* assises
33 la barrière;
34 le fanion du club
35 le mât du haut-parleur
36 la barre de but *m* (barre transversale)
37 le poteau du but
38 le filet du but
39 le coup au but (le shot)
40 le rejet *m* du ballon d'un coup de poing *m* par le gardien de but *m*
41 le coup de renvoi *m* du ballon
42 le coup franc
43 le mur (mur de joueurs *m*)
44 l'entraîneur *m*
45 les joueurs *m* remplaçants (joueurs en réserve *f*)
46 le fanion de la ligne médiane
47 l'arbitre *m* de touche *f* (le juge de touche *f*)
48 le fanion à main *f*
49 la rentrée du ballon à partir de la touche
50 le ballon hors-jeu *m*
51 la faute de jeu *m*, une infraction à la règle
52 le ballon de football *m*, un ballon creux avec une chambre à air *m*
53 la retraite par un shot arrière
54 les chaussettes *f* (les bas *m* de sport *m*)
55 le maillot de sport *m*
56 la tête (envoyer le ballon avec la tête, le coup donné avec le front)
57 le hors-jeu
58 le coup de pied *m* de coin *m* (coup de coin)
59 l'obstruction *f* (le blocage)
60 l'arrêt *m* du ballon avec la semelle de la chaussure
61 la passe
62 la réception du ballon avec le côté intérieur du pied
63 une percée, un dribble (dribbler)

1-8 le hand-ball:

1 le but
2 la limite
3 la zone de but *m*
4 la ligne des treize mètres *m*
5 la ligne de coup *m* franc
6 le coin de pénalisation *f*
7 le coin
8 le joueur de hand-ball *m* au lancer du ballon;

9-18 le hockey:

9 la ligne latérale
10 la ligne
11 la ligne de but *m*
12 la zone du but
13 le but
14 le gardien de but (le goal)
15 la jambière (la genouillère)
16 le joueur de hockey *m*
17 la crosse de hockey *m* (le stick)
18 la balle de hockey *m*, une balle gainée de cuir *m*;

19-27 le rugby:

19 la mêlée
20 le ballon ovale (ballon de rugby *m*)
21-27 le terrain de rugby *m*, un terrain de jeu *m*:
21 la ligne de but *m*
22 le terrain d'en-but
23 la ligne de touche *f*
24 le but
25 la ligne de milieu *m*
26 la ligne des neuf mètres *m*
27 la ligne de ballon *m* mort;

28-30 le jeu de football *m* américain:

28 le joueur de football *m*
29 le casque
30 le rembourrage des épaules *f*;

31-38 le basket-ball:

31 le ballon de basket *m*
32 le panneau de but *m*
33 le panier de basket-ball *m* (le filet)
34-36 le terrain de jeu *m*:
34 la ligne de touche *f*
35 la zone de coup *m* franc
36 la limite de tir *m* du coup franc;
37 le joueur de basket *m* en train de shooter
38 le joueur de réserve *f*;

39-54 le base-ball,

39-45 le terrain de jeu *m*:
39 le carré de jeu *m*
40 le point de battage *m*
41 la zone de battage *m*
42 la borne (la base)
43 la tablette du lanceur
44 la ligne de réception *f* du preneur
45 la limite des joueurs *m*;
46 le batteur, un joueur de la partie «batteurs»
47 le preneur avec vêtement *m* de protection *f* et gants *m* de prise *f*
48 l'arbitre *m*
49 la course d'un batteur vers la base
50 le baseman, un joueur de la partie «preneurs»
51 le coussin de base *f*
52 la batte
53 le lanceur
54 la balle de base-ball *m*;

55-61 le cricket:

55 le but de cricket *m* avec les traverses *f* de bois *m* (la barre)
56 la ligne de but *m*
57 la ligne de la place d'envoi *m*
58 le gardien de but *m* de la partie «preneurs»
59 le batteur de la partie «défense»
60 la batte, une palette en bois *m*
61 le chasseur;

62-67 le croquet:

62 le piquet de but *m*
63 l'arceau *m* de croquet *m*
64 le piquet de retour *m*
65 le joueur de croquet *m*
66 le maillet
67 la boule de croquet *m*

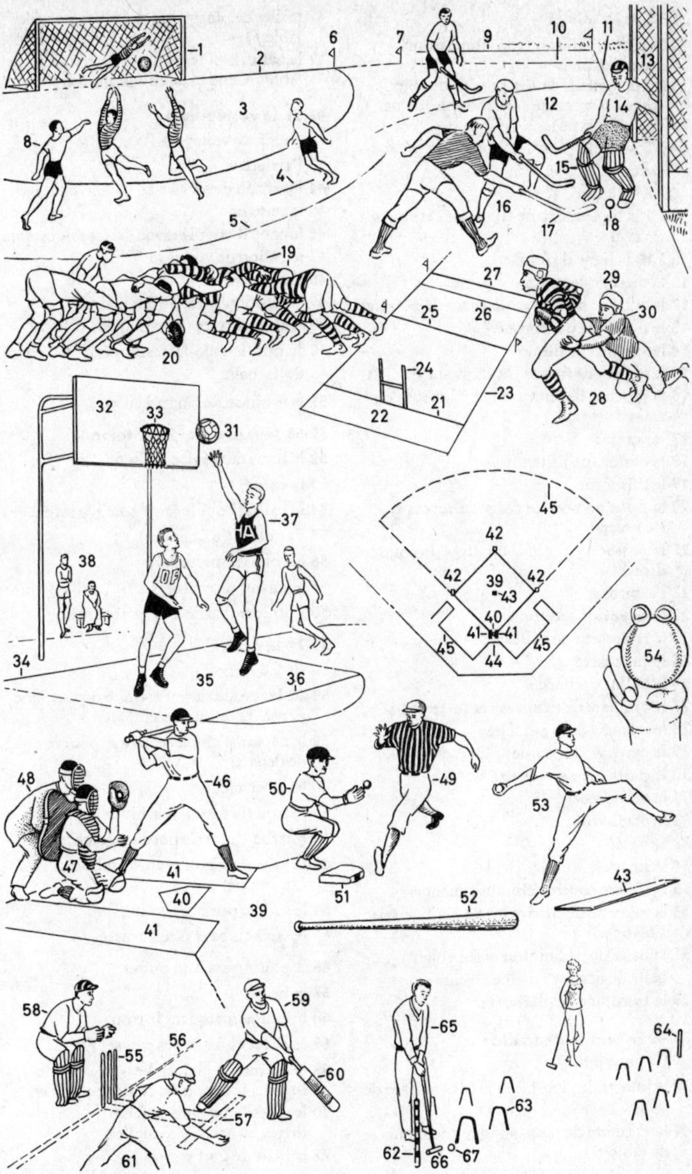
1
2
3
4
5
6
7
8
9
10
11
12
13
14
15
16
17
18
19
20
21
22
23
24
25
26
27
28
29
30
31
32
33
34
35
36
37
38
39
40
41
42
43
44
45
46
47
48
49
50
51
52
53
54
55
56
57
58
59
60
61
62
63
64
65
66
67

1-35 le tennis,

1 le court (le terrain) de tennis *m*, un terrain damé:

2 à **3** la ligne de côté *m* pour le double (double messieurs *m*, double dames *f*, double mixtes)

4 à **5** la ligne pour le simple (simple messieurs *m*, simple dames *f*)

6 à **7** la ligne de service *m*

8 à **9** la ligne médiane (ligne de service *m* du centre)

3 à **10** la ligne de fond *m*

11 la marque centrale

12 la zone de service *m* (le carré de service)

13 le filet (filet de tennis *m*)

14 le support de filet *m*

15 le poteau de filet *m* (le montant du filet)

16 la joueuse de tennis *m*; *ici*: joueuse en train de servir

17 le service

18 le partenaire de tennis *m*

19 le relanceur

20 la position pour le coup de revers *m* (le revers)

21 la position pour le coup droit (le coup droit)

22 l'arbitre *m*

23 le siège de l'arbitre *m*

24 le ramasseur de balles *f*

25 le juge de touche *f*

26 la balle de tennis *m*

27 la raquette de tennis *m* (raquette):

28 le manche de la raquette

29 le cordage (les cordes *f*);

30 le cadre presse-raquette *m*:

31 la vis de tension *f*;

32 la demi-volée

33 la volée

34 le smash

35 la visière contre l'éblouissement *m*;

36 la raquette de **badminton** *m* (le jeu de volant *m*)

37 la balle de badminton *m* (le volant), une balle de liège *m* revêtue de cuir *m*:

38 la couronne de plumes *f*;

39-42 le tennis de table *f* (le ping-pong):

39 le joueur de ping-pong *m* (de tennis *m* de table *f*)

40 la raquette de ping-pong *m* (de tennis *m* de table *f*)

41 le filet de ping-pong *m* (de tennis *m* de table *f*)

42 la balle de ping-pong *m* (de tennis *m* de table *f*), une balle en celluloïd *m*;

43-51 le volley-ball (le jeu de volley-ball):

43 l'arrière *m*

44 le terrain de service *m*

45 le servant

46 le coup d'envoi *m* avec l'arête *f* de la main

47 le ballon de volley *m*

48 l'avant *m*

49 la position correcte des mains *f*

50 et **51** le service du ballon de volley *m*:

50 la position de la main pour le renvoi de la balle

51 la position de lancement *m*;

52-58 le jeu à poing *m* fermé:

52 la ligne de service *m* (ligne d'envoi *m*)

53 la corde

54 le ballon pour le jeu à poing *m* fermé

55 l'avant *m* (le frappeur)

56 le coup de marteau *m*

57 le joueur de centre *m*

58 le joueur d'arrière *m* (l'arrière *m*);

59-71 le golf, (le jeu de golf),

59-62 le terrain de jeu *m* (les trous *m*), une partie du terrain de golf *m*:

59 le départ (l'emplacement *m* pour le coup de départ)

60 les obstacles *m*

61 le trou (la fosse) de sable *m*

62 l'herbe *f* rase (le putting-green);

63 le joueur de golf *m* au «dribbling» (au frappé)

64 le caddie portant les clubs *m*

65 le sac à clubs *m* (sac à crosses *f*)

66 le putting avec un putter:

67 le trou

68 le fanion marquant le trou;

69 et **70** les clubs *m* (les crosses *f*):

69 le driver, un club en bois *m*; *anal.*: le brassie, le spoon (la cuiller de golf *m*)

70 le mashie, un club en fer *m*; *anal.*: le driver en acier *m*, le niblick

71 la balle de golf *m*

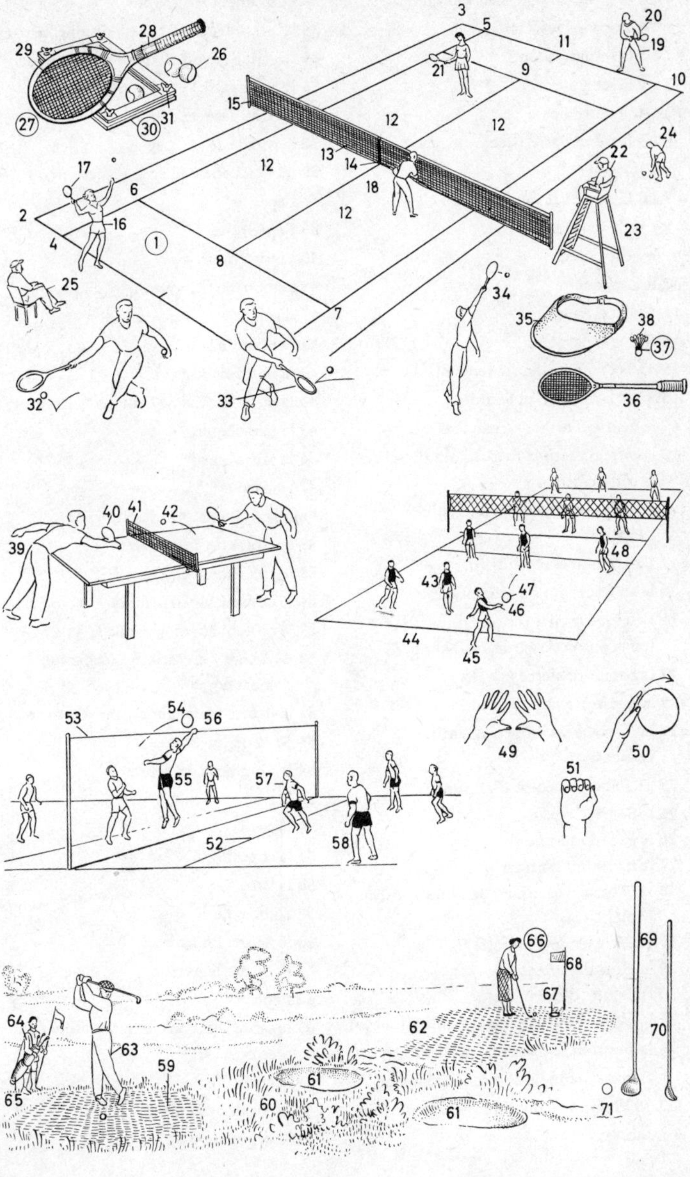
1
2
3
4
5
6
7
8
9
10
11
12
13
14
15
16
17
18
19
20
21
22
23
24
25
26
27
28
29
30
31
32
33
34
35
36
37
38
39
40
41
42
43
44
45
46
47
48
49
50
51
52
53
54
55
56
57
58
59
60
61
62
63
64
65
66
67
68
69
70
71

1-66 le sport (l'art *m*) de l'escrime *f*,
1-14 les coups *m* de taille *f*:
1 à 2 la prime (la tête)
2 à 1 la seconde
3 à 4 la tierce haute
5 à 6 la tierce basse (tierce au ventre), un coup de flanc *m*
7 à 8 la tierce à la figure
9 à 10 la tierce moyenne
11 le côté tierce
12 le côté quarte
13 coups *m* hauts
14 coups *m* bas;
15-43 la compétition (la rencontre),
15-32 la rencontre au fleuret:
15 le maître d'armes *f* (maître d'escrime *f*)
16 la piste d'escrime *f* (le terrain d'escrime, la salle d'armes *f*)
17 et 18 les escrimeurs *m* au fleuret à l'assaut *m*
19 l'attaquant *m* se fendant
20 le coup droit, un mouvement
21 l'attaqué *m* en position *f* de parade *f* (en position de garde, de défense *f*)
22 la parade de tierce *f*
23 la distance avant le combat *m*
24 la distance variable pendant le combat
25-31 l'équipement *m* d'escrime *f*:
25 le fleuret
26 le gant d'escrime *f*
27 le masque d'escrime *f*
28 la bavette d'escrime *f* rembourrée (le protège-cou)
29 et 30 la tenue d'escrime *f*:
29 la veste d'escrime *f*;
30 la culotte d'escrime *f*;
31 les sandales *f* d'escrime *f* sans talons *m*;
32 la position réglementaire du salut (position du grand salut) avant le combat;
33-38 l'escrime *f* au sabre (la rencontre au sabre):
33 l'escrimeur *m* au sabre
34 le sabre léger (sabre d'entraînement *m*)
35 le gant à crispin *m* (gant pour sabre *m*)
36 le masque de l'escrimeur *m* au sabre
37 le coup à la tête dehors
38 la parade de quinte *f*;
39-43 la recontre à l'épée *f* (l'escrime *f* à l'épée):
39 l'épéiste *m*
40 l'épée *f* d'estoc *m*
41 la mouche (le bouton, la pointe d'arrêt *m*)
42 la pointe à la tête
43 la position de garde *f*;
44 la leçon d'escrime *f* sur mannequin *m*
45 le mannequin
46 le sabre lourd
47 le masque;
48 les croisements *m* des armes *f*:
49 le croisement en quarte *f*
50 le croisement en tierce *f*
51 le croisement en prime *f*
52 le croisement en seconde *f*;
53-66 armes *f* d'escrime *f* (armes de combat *m*),
53 le fleuret italien, une arme d'estoc *m*,
54-57 la poignée:
54 le pommeau du fleuret
55 la fusée
56 la garde
57 la coquille;
58 la lame
59 la mouche;
60 le fleuret français:
61 la garde (la lunette);
62 l'épée *f*
63 le sabre léger, une arme de taille *f* et d'estoc *m*:
64 la corbeille
65 le passant de cuir *m*;
66 le dague (le stylet)

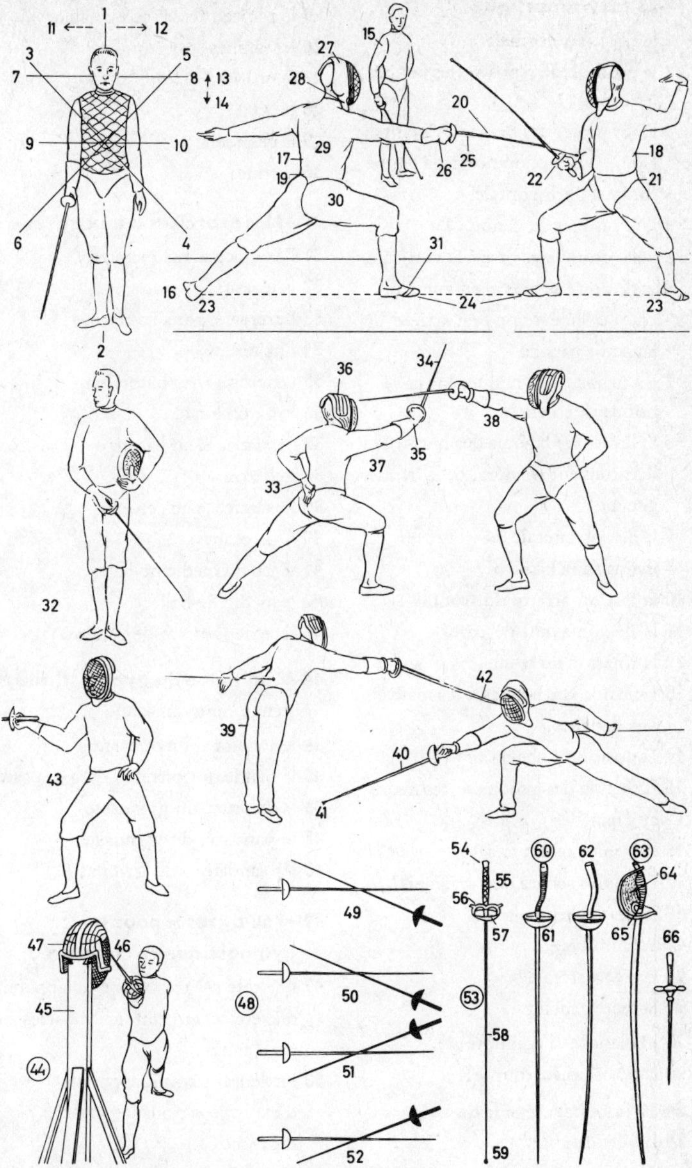
1
2
3
4
5
6
7
8
9
10
11
12
13
14
15
16
17
18
19
20
21
22
23
24
25
26
27
28
29
30
31
32
33
34
35
36
37
38
39
40
41
42
43
44
45
46
47
48
49
50
51
52
53
54
55
56
57
58
59
60
61
62
63
64
65
66

1-23 la gymnastique:

1 la position normale
2 la position de repos *m* (les jambes *f* écartées)
3 l'élévation *f* des bras *m* en avant et l'élévation simultanée de la jambe droite à l'horizontale *f*
4 l'élévation *f* du genou
5 l'élévation *f* des bras à la verticale
6 la flexion des bras *m* en vue d'un coup et l'élévation *f* en arrière de la jambe gauche
7 les mains *f* à la nuque, sur la pointe des pieds *m*
8 l'élévation *f* latérale des bras *m* et l'écartement *m* latéral de la jambe gauche
9 la flexion latérale du tronc, les mains *f* aux hanches *f*
10 la flexion arrière du tronc
11 la flexion avant du tronc
12 la rotation du tronc
13 la flexion des jambes *f*, les mains aux hanches *f*
14 la position à cheval *m*
15 la flexion des genoux *m*, les mains *f* aux hanches *f*
16 l'appui *m* tendu facial
17 l'appui *m* sur les bras *m* fléchis
18 l'appui *m* tendu latéral
19 la fente avant
20 la fente latérale
21 la fente gauche
22 la planche (l'équilibre *m*)
23 la position accroupie;

24-30 les exercices *m* au sol:

24 la verticale
25 le rouleau (le saut de brochet *m*):
26 les jambes écartées
27 le poirier;
28 le pont
29 la chandelle
30 la roue;

31-43 les exercices *m* aux agrès *m*:

31 l'exercice *m* aux massues *f*:
32 la massue;
33 l'exercice *m* aux haltères *m*:
34 l'haltère *m*;
35 l'exercice *m* au bâton long:
36 le bâton long;
37 l'exercice *m* au bâton:
38 le bâton
39 l'exercice *m* au cerceau:
40 le cerceau;
41 le jeu du medicine-ball:
42 le medicine-ball;
43 les extenseurs *m* (le sandow);

44-48 la tenue de gymnastique *f*: (tenue du gymnaste):

44 le maillot du gymnaste
45 la bande de poitrine *f* du gymnaste
46 la ceinture du gymnaste
47 le pantalon du gymnaste
48 les sandales *f* du gymnaste;

49 et 50 agrès *m* pour la gymnastique en chambre *f*:

49 l'haltère *m* à ressorts *m*, un appareil d'exercice *m* pour les muscles *m* de la main
50 l'extenseur *m*, un appareil d'exercice *m* pour les muscles *m* du tronc

1
2
3
4
5
6
7
8
9
10
11
12
13
14
15
16
17
18
19
20
21
22
23
24
25
26
27
28
29
30
31
32
33
34
35
36
37
38
39
40
41
42
43
44
45
46
47
48
49
50

1-56 les exercices *m* de gymnastique *f* aux agrès *m* dans le gymnase,

1-48 la leçon de gymnastique *f* dans la salle du gymnase,

1 l'échelle *f* suédoise (l'espalier *m*)

2 l'échelon *m*;

3 l'extension *f* dorsale

4 l'échelle *f* verticale (échelle murale)

5 la corde lisse

6 l'ascension *f* et la descente de la corde lisse sans se servir des jambes *f*

7 grimper à la perche:

8 la perche à grimper;

9 la barre fixe:

10 la traverse de la barre fixe;

11 et **12** les exercices *m* à la barre fixe:

11 le petit élan

12 le soleil (le grand élan)

13 le tapis (la natte, le matelas)

14 la table à sauter

15 la culbute

16 l'aide *m* du gymnaste

17 le tremplin à ressorts *m*

18 sauter par-dessus le mouton:

19 le mouton (le chevalet)

20 l'écartement *m* des jambes *f*

21 le tremplin sans ressorts *m* pour prendre son élan *m*

22 le montant du sautoir

23 la ficelle (la corde) du sautoir

24 le sachet de sable *m*

25 le tremplin d'appel *m* (grand tremplin)

26 le chevalet (le support) du tremplin d'appel *m*

27 les barres *f* parallèles:

28 la barre;

29 l'appui *m* renversé sur les épaules *f*

30 la planche libre

31 et **32** la section de gymnastes *m*:

31 le gymnaste, un gymnaste aux agrès *m*

32 le moniteur, un chef de section *f*;

33 les ciseaux (le croisé)

34-38 le grand cheval d'arçons *m*:

34 le cou

35 la selle

36 la croupe

37 l'arçon *m* de cou *m*

38 l'arçon *m* de dos *m*;

39 le professeur de gymnastique *f*

40 la poutre horizontale carrée (la poutrelle d'équilibre *m*); *anal.*: poutrelle d'équilibre suédoise

41 l'exercice *m* d'équilibre *m*

42 la poutre horizontale ronde

43 le cheval de bois (le plint)

44 le saut de face *f* avec passement *m* de jambes *f*

45 le trapèze

46 l'appui *m* à l'allemande *f*

47 les anneaux *m*

48 la croix de fer *m*;

49-52 sauts *m* au cheval d'arçons *m*:

49 saut *m* latéral dorsal

50 saut *m* latéral ventral (saut latéral facial)

51 saut *m* costal

52 le saut de face *f* avec passement *m* des jambes *f* entre les bras *m*

53-56 prises *f* à la barre fixe:

53 la préhension (la prise dorsale, prise directe)

54 la supination (la prise palmaire)

55 la supination croisée (la prise cubitale)

56 la prise mixte

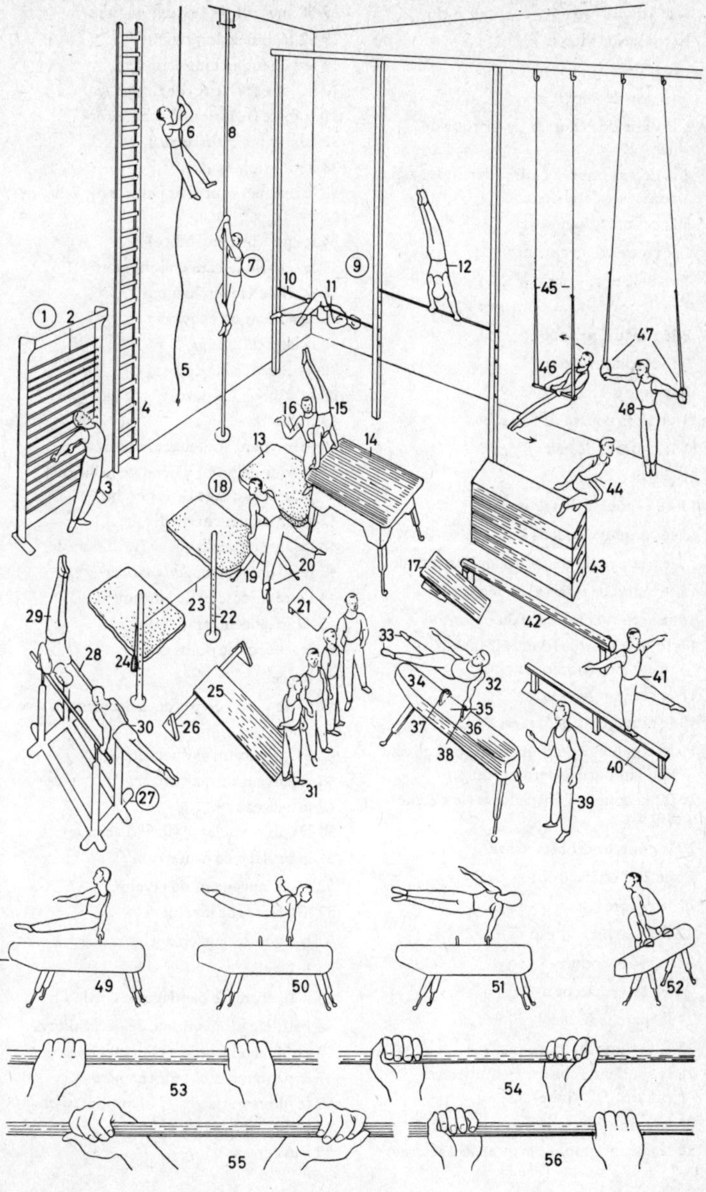
1
2
3
4
5
6
7
8
9
10
11
12
13
14
15
16
17
18
19
20
21
22
23
24
25
26
27
28
29
30
31
32
33
34
35
36
37
38
39
40
41
42
43
44
45
46
47
48
49
50
51
52
53
54
55
56

1-28 la course
(course de vitesse *f*):
1 le starter
2 le trou de départ *m*
3 la ligne de départ *m* (la marque de départ)
4 le départ pour la course de vitesse *f* et la course de demi-fond *m*
5 la cendrée, une piste
6 le coureur, un sprinter
7 et **8** le but:
7 la ligne de but *m* (l'arrivée *f*)
8 le ruban d'arrivée *f*;
9 le chronométreur
10 le juge d'arrivée *f*
11 et **12** la course de haies *f*:
11 le coureur de haies *f*
12 la haie;
13-16 la course de relais *m*:
13 le coureur de relais *m*
14 le passage (la transmission) du témoin
15 le bâton de relais *m* (le témoin)
16 la zone d'échange *m* du bâton;
17-19 la course de fond *m* [3000 m jusqu'au marathon inclus]:
17 le coureur de fond *m*
18 le numéro de départ *m*
19 le compteur de tours *m* avec la cloche qui annonce le dernier tour;
20-22 la course d'obstacles *m* (le steeple-chase):
20 le coureur d'obstacles *m*
21 et **22** l'obstacle *m*:
21 la poutre
22 le fossé plein d'eau *f*;
23 le cross-country
24 et **25** la marche:
24 le marcheur
25 la marque du tournant;
26 le soulier de course *f* (soulier à pointes *f*, le spike):
27 la pointe du soulier de course *f*;
28 le chronographe (la montre à arrêt *m*)

29-55 le saut, le lancer et le jet,
29-32 le saut en longueur *f*:
29 le sauteur en longueur *f*:
30 la ligne (la barre) de départ *m*
31 la fosse (le terrain de chute *f*)
32 la marque d'un record;
33-35 le triple saut:
33 le premier saut (l'appel *m*, saut à cloche-pied)
34 les pas (une enjambée)
35 le saut final (saut en longueur *f*);
36 et **37** le saut en hauteur *f*:
36 le sauteur en hauteur *f*
37 la latte de saut *m*;
38-41 le saut à la perche:
38 le sauteur à la perche
39 la perche
40 le montant soutenant la barre
41 le trou (le point d'arrêt *m*, le butoir) pour le piquage de la perche;
42-44 le lancement du disque:
42 le lanceur de disque *m* (le discobole)
43 le disque, un disque à lancer
44 l'aire (le cercle) de lancement *m*;
45-47 le lancement du poids:
45 le lanceur de poids *m*
46 le poids
47 l'aire *f* (le cercle) de lancement *m* avec butée *f*;
48-51 le lancement du marteau:
48 le lanceur de marteau *m*
49 le marteau:
50 le câble d'acier *m* (le fil d'acier *m*);
51 le grillage de protection *f*;
52-55 le lancement du javelot:
52 le lanceur de javelot *m*
53 la ligne de lancement
54 le javelot:
55 la ligature (le bandage de corde *f*);
56 l'athlète *m*, un athlète de décathlon *m*:
57 et **58** la tenue d'entraînement *m*:
57 le pantalon d'entraînement *m*
58 le blouson (la veste, le jumper) d'entraînement *m*
59 l'insigne *m*

1
2
3
4
5
6
7
8
9
10
11
12
13
14
15
16
17
18
19
20
21
22
23
24
25
26
27
28

29
30
31
32
33
34
35
36
37
38
39
40
41
42
43
44
45
46
47
48
49
50
51
52
53
54
55
56
57
58
59

1-6 les poids *m* et haltères *f*:

1 l'haltérophile *m*

2 l'arraché *m* à un bras

3 l'haltère *f*

4 l'épaulé *m* (l'arraché *m* à deux bras *m*)

5 l'haltère à disques *m*

6 le développé à deux bras *m*;

7-14 la lutte,

7-10 la lutte gréco-romaine:

7 le lutteur, un lutteur amateur

8, 9, 11 la lutte au tapis (lutte à terre *f*):

8 le pont, une attitude de défense *f*

9 le banc, une position d'attente *f*

10 et 12 la lutte debout:

10 la double clé à la nuque;

11 et 12 la lutte libre (le catch):

11 la clé de bras *m* et le levier de jambe *f*

12 la double clé de jambes *f*;

13 le tapis pour la lutte

14 la ceinture (la lutte à la ceinture);

15-17 le judo

(le jiu-jitsu), une manière japonaise de propre défense *f*:

15 la clé au bras

16 l'étranglement *m*

17 les ciseaux *m*;

18-46 la boxe,

18-26 l'entraînement *m* à la boxe:

18 le punching-ball

19 le boxing-ball

20 le point-ball

21 le sac de sable *m*

22 le boxeur, un boxeur professionnel

23 le gant de boxe *f*

24 le sparring-partner

25 le coup direct (le direct)

26 l'esquive *f* et l'inclinaison *f* de côté *m*;

27 le corps-à-corps; *ici*: le clinch

28 le swing

29 l'uppercut *m* (le coup de bas en haut)

30 le crochet

31 le coup bas [coup défendu]

32 le ring:

33 les cordes *f* (cordes du ring)

34 le coin neutre

35 le vainqueur

36 le vaincu par knock-out *m* (vaincu par K.O.)

37 l'arbitre *m*

38 le comptage (comptage des secondes *f*);

39 le juge de boxe *f*

40 le second (l'assistant *m*)

41 le manager (l'organisateur *m*)

42 le chronométreur

43 le gong

44 le greffier

45 le reporter (le journaliste)

46 le photographe de presse *f*

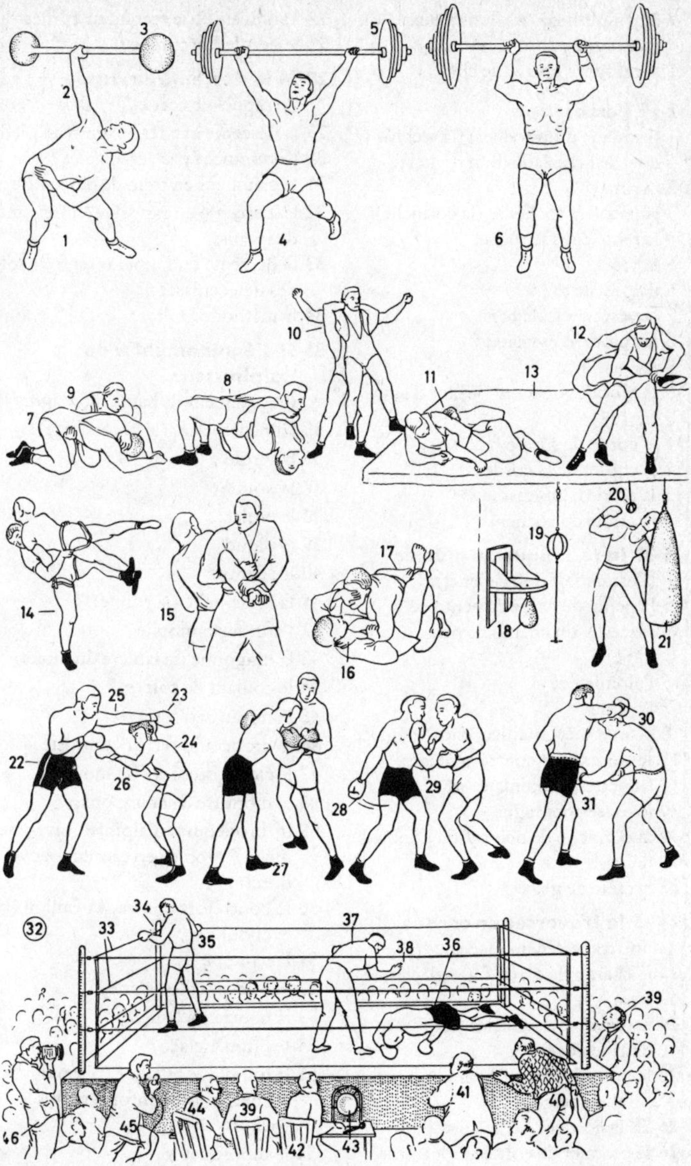
1
2
3
4
5
6
7
8
9
10
11
12
13
14
15
16
17
18
19
20
21
22
23
24
25
26
27
28
29
30
31
32
33
34
35
36
37
38
39
40
41
42
43
44
45
46

1-56 l'alpinisme *m* (l'ascension *f* de montagne *f*)
1 le refuge (l'abri *m*, le chalet)

2-14 l'escalade *f*
(escalade d'un rocher) [la technique de l'escalade d'un rocher]:
2 la rimaye
3 la paroi de rocher *m* (la corniche)
4 la fente dans le rocher
5 la vire
6 l'alpiniste *m*
7 la veste d'escalade *f*
8 la culotte d'escalade *f*
9 la cheminée
10 le bloc de rocher *m* (le bloc d'assurance *f*)
11 la corde de sûreté *f*
12 le collier de la corde
13 la corde d'alpinisme *m*
14 la saillie du rocher;

15-22 la technique du glacier
(l'escalade *f* de glacier *m*):
15 la pente de neige *f* (pente de glace *f*), un champ de neige (un névé)
16 l'alpiniste *m*
17 le piolet
18 la marche entaillée dans la glace
19 les lunettes *f* contre la neige (lunettes d'alpiniste *m*)
20 le passe-montagne
21 la corniche de neige *f* (la gonfle de neige)
22 la crête de glace *f*;

23-25 la traversée en cordée *f*,
une traversée du glacier:
23 le champ de glace *f* (le glacier, le sérac)
24 la crevasse du glacier (crevasse dans le névé)
25 le pont de glace *f* (pont de névé *m*, pont de neige *f*);
26-28 la cordée:
26 le premier de cordée *f* (le guide)
27 l'alpiniste *m* (le second de cordée *f*)
28 le dernier de cordée *f*;

29-34 la descente en rappel *m*
(le rappel de corde *f*):
29 la descente avec freinage *m* au pied
30 l'assurance *f* par les épaules *f*
31 le grimpeur en train de descendre
32 la descente en rappel *m* en freinant de la cuisse
33 la descente en rappel *m* en freinant des deux cuisses *f*
34 la méthode Dulfer;

35-56 l'équipement *m* **de l'alpiniste** *m*
(équipement de haute montagne *f*):
35 l'alpenstock *m* (le bâton ferré):
36 la virole
37 la pointe;
38 le piolet:
39 la pique
40 les dents *f*
41 la houe-pelle (la panne)
42 l'anneau *m* mobile
43 la dragonne (la lanière du piolet)
44 le coulant de cuir *m*
45 l'anneau *m* d'arrêt *m*;
46 le brodequin ferré d'alpiniste *m*:
47 le clou à oreilles *f* (la mouche)
48 la monture de crampons *m*;
49 le brodequin d'alpiniste avec semelle *f* profilée en caoutchouc *m* durci:
50 le contrefort contre les cailloux *m* et éboulis *m*;
51 la varappe
52 le marteau d'escalade *f*:
53 la boucle (la lanière);
54 le piton à glace *f*
55 le piton d'escalade *f* (piton de rocher, piton à enfoncer dans le rocher)
56 le mousqueton

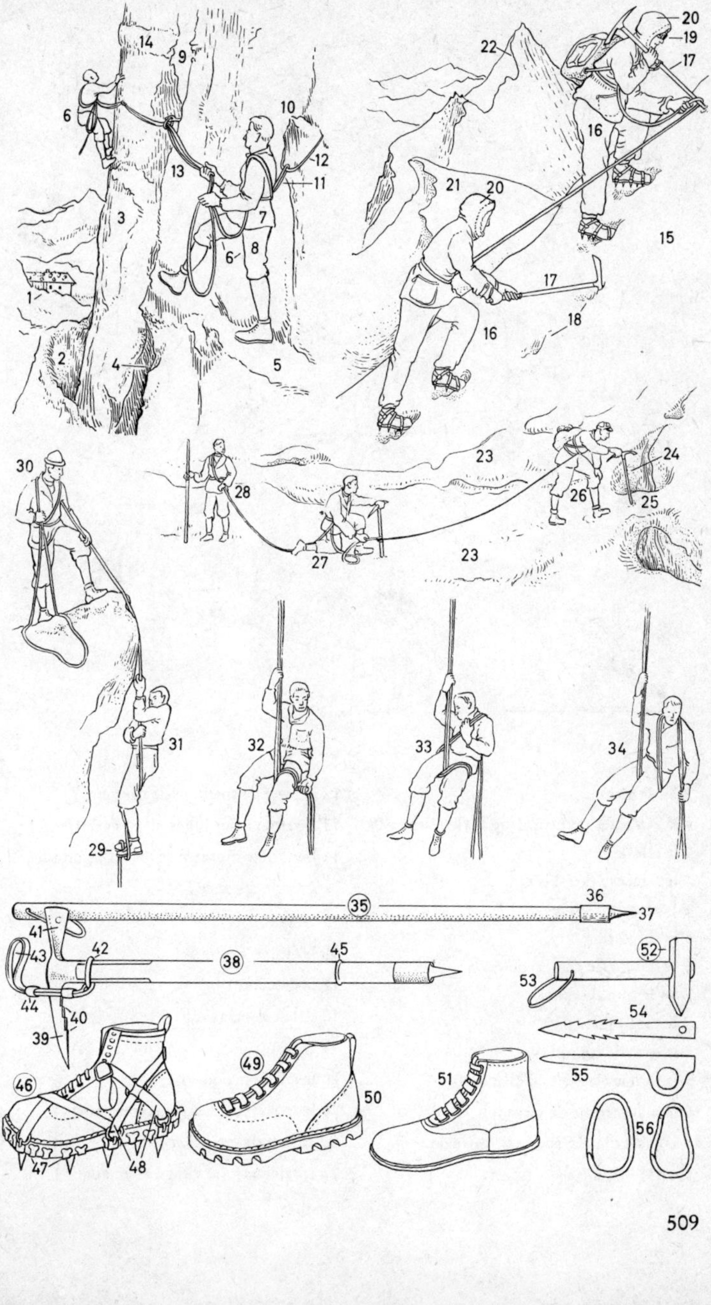
14
9
6
10
12
13
11
7
3
8
6
1
2
4
5
22
20
19
17
16
21
20
15
17
18
16
30
28
23
24
26
25
27
23
31
32
33
34
29
35
36
37
41
42
43
38
45
52
53
44
40
54
39
55
49
46
50
51
56
47
48

1-34 le ski:

1 la remonte-pente à siège *m* (le télésiège)

2 le téléski

3 les traces *f* des skis *m*

4 la chute en ski *m*

5 le ski-jœring

6 le refuge (le chalet) de ski *m*

7-14 le saut de ski *m*,

7 le tremplin:

8 la tour de tremplin *m*

9 la rampe (la piste) d'élan *m*

10 la plate-forme du tremplin;

11 la piste d'atterrissage *m* (piste de réception *f*)

12 la piste de sortie *f* (de descente *f*)

13 la tribune des juges *m* (des arbitres *m*)

14 l'envol *m* du sauteur de ski *m*, un saut à grande distance *f*;

15 le slalom:

16 le fanion de but *m*;

17 la descente:

18 l'élan *m*, en avant

19 la piste;

20 le chasse-neige

21 le saut en biais *m* (saut tournant)

22 le saut de terrain *m*

23 le télémark (le virage télémark)

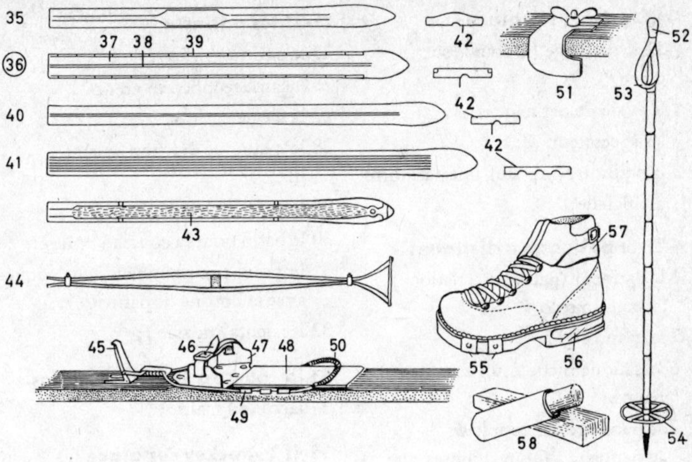

24-27 la montée,

24 la montée en escalier *m*:

25 le ski amont

26 le ski aval;

27 le pas (la montée) en ciseaux *m*;

28 le pas de patineur *m*:

29 le ski qui glisse;

30 le skieur, un skieur de fond *m* à la course de fond *m* (course plate)

31 la volte-face (le retour)

32 le christiania, (le virage christiania, christiania parallèle), un virage en ski *m*

33 le stemmbogen:

34 la prise de carres *f*;

35-58 l'équipement *m* de ski *m*,

35-41 les skis *m*:

35 le ski de tourisme *m*

36 le ski de slalom *m*:

37 le plat du ski

38 la rainure

39 la carre an acier *m*;

40 le ski de fond *m*

41 le ski de saut *m*;

42 les profils *m* des figures *f* 35, 36, 40 et 41

43 la peau de phoque *m* (la garniture de peau)

44 le presse-skis

45-50 la fixation, une fixation Kandahar:

45 le levier tendeur à l'avant

46 les courroies *f* d'avant-pied *m*

47 l'étrier *m*

48 la semelle (la plaque métallique de fixation *f*)

49 les crochets *m* de tension *f*

50 le ressort à boudin *m*;

51 le couteau à glace *f*

52-54 le bâton de ski *m*:

52 la poignée de cuir *m*

53 la lanière (la dragonne)

54 la rondelle (la raquette, le disque);

55-57 le brodequin (le soulier) de ski *m*:

55 le garde-semelle

56 l'éperon *m* du talon (éperon du ski)

57 la guêtre;

58 la cire (le fart) à ski *m*

1-48 le sport sur glace *f*,
1-32 le patinage (la course sur glace *f*),
1 le stade de patinage *m*:
2 les spectateurs *m*
3 la patinoire (la piste), une patinoire artificielle;

4-22 le patinage artistique:
4 le patineur (patineur artistique) faisant un solo
5 le grand aigle
6 le saut de biche *f*, un saut de patinage *m*
7 le patinage par couple *m*, le patinage à figures *f* libres
8 la spirale, une figure de danse *f* sur glace *f*
9 la courbe
10 le pied de soutien *m*
11 le pied d'évolution *f*
12 la pirouette
13-20 les figures *f* fondamentales imposées du patinage
13 le huit
14 le changement de carre *f*
15 le trois
16 le double trois
17 la boucle
18 le bracket
19 le rocker
20 le contre-rocker;
21 les lunettes *f* dans le patinage à figures *f* libres
22 le bec, une figure de freinage *m* dans le patinage à figures *f* libres;

23 le patinage de course *f*:
24 le patineur de vitesse *f*;

25-32 les patins *m*,
25 le patin à griffes *f*:
26 la lame rectifiée en creux
27 la clé de patin *m*
28 le patin de hockey *m* sur glace *f*
29 le patin de course *f*
30 le patin pour la course à voile *f*
31 le patin pour patinage *m* artistique avec la bottine de patinage *m*:
32 les dents *f* de scie *f*;

33 la course à voile *f* **sur patins** *m*:
34 la voile à main *f*;

35-41 le hockey sur glace *f*:
35 le joueur de hockey *m* (le hockeyeur) sur glace *f*
36 le gardien de but
37 et 38 la crosse (la canne) de hockey *m* sur glace *f*:
37 le manche de la crosse
38 la lame de la crosse (la pale);
39 le palet (le puck), un disque de caoutchouc *m* dur
40 la jambière
41 la bordure de bois *m*;

42 le curling:
43 le joueur de curling *m*
44 le palet de curling *m*
45 le but;

46 le yachting sur glace *f*,

47 et 48 le yacht à patins *m* (yacht à glace *f*):
47 le patin de yacht *m*
48 le bout-dehors

1
2
3
4
5
6
7
8
9
10
11
12
17
19
13
14
15
16
17
18
19
20
21
22
23
24
25
26
27
28
29
30
31
32
33
34
35
35
36
37
38
39
40
41
42
43
44
45
46
47
47
48
02

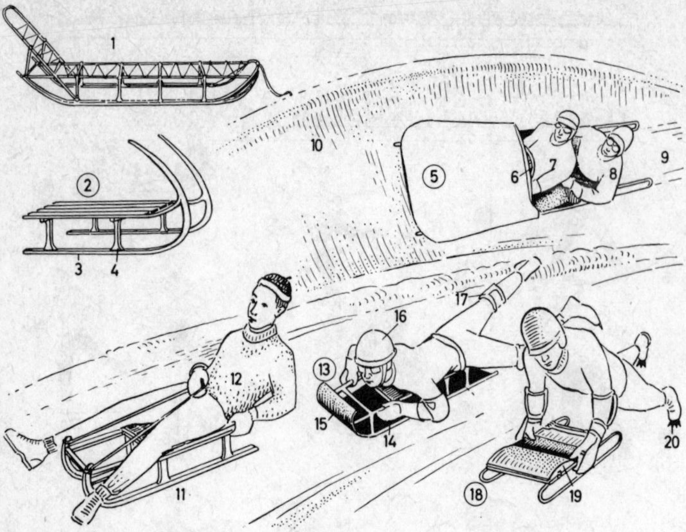

1 le traîneau Nansen, un traîneau polaire
2 le traîneau à cornes *f* (la schlitte):
3 le patin de traîneau *m*
4 l'étrésillon *m*;

5-20 la luge, un sport de neige *f*,

5-10 le bobsleigh,
5 le bob à deux, un bobsleigh-traîneau (bob à volant *m* de direction *f*):
6 la commande par volant *m*; *autre système*: commande par rênes *f*;
7 le pilote de bobsleigh *m*
8 le freineur se penchant au dehors
9 la piste de bob *m* (de bobsleigh *m*)
10 le virage surélevé;
11 et **12** la luge (le traîneau):
11 la luge sur la piste de luge
12 le lugeur;
13 le toboggan, une luge sans patin *m*:
14 le plancher
15 le pare-choc;
16 le casque protecteur
17 le protège-genou
18 le skeleton:
19 la planche d'appui *m*;
20 la griffe en fer *m* pour diriger et pour freiner

1 l'avalanche *f* de neige *f*; *var.*: la poudreuse, la frontale
2 le briseur d'avalanche *f*, un mur de déviation *f*
3 la galerie pare-avalanche
4 la tourmente de neige *f* (le blizzard)
5 l'amas *m* de neige *f*
6 la barrière pare-neige
7 le camion de voirie *f*:
8 l'élément *m* chasse-neige
9 la chaîne à neige *f*
10 le capot
11 le volet aérateur et la housse du volet;
12 le bonhomme de neige *f*
13 la raquette de neige *f*
14 la bataille de boules *f* de neige *f*:
15 la boule de neige *f*;
16 le glisseur sur patins *m*
17 la glissoire:
18 le garçonnet en train de faire une glissade
19 le verglas;
20 la couche de neige *f* sur le toit
21 le glaçon
22 le balayeur de neige *f*:
23 la pelle à neige *f*;
24 le tas de neige *f*
25 le traîneau à cheval *m*:
26 le grelot *m* (la sonnaille);
27 la chancelière
28 le protège-oreilles
29 le petit traîneau; *var.*: traîneau à pousser, le fauteuil à patins *m*

287 Divers genres de sport

1 le jeu de quilles *f*:
2 l'allée *f* de quillier *m* (la piste de quilles *f*), une piste goudronnée
3 la boule (boule de quilles *f*)
4 la tranchée
5 le heurtoir (le pare-boules, le butoir)
6 l'abri *m* du servant
7 le garçon redressant les quilles *f*
8 le quillier (le plateau) [en damier *m*]
9-14 les quilles *f*:
9 la quille de tête *f* (quille coin *m* avant)
10 la quille passage *m* avant
11 la quille de coin *m*
12 le roi
13 la quille passage *m* arrière
14 la quille coin *m* arrière;
15 la gouttière pour le renvoi
16 le guide-boules (le renvoi des boules *f*)
17 le tableau indicateur des coups *m*
18 le rebord du jeu (la bande)
19 la piste de départ *m* de lancement *m*
20 le joueur de quilles *f*;
21 le jeu de boules *f*; *anal.*: la boccia italienne, les bowls anglais:
22 le joueur de boules *f*
23 le cochonnet
24 la boule de jeu *m* à rainures *f*
25 le groupe du jeu (la quadrette);
26 le polo à cheval *m*; *anal.*: le polo à bicyclette *f*:
27 le joueur de polo *m*, un assaillant
28 le maillet de polo *m* (le batteur);
29 le cyclo-polo [cyclo-polo à deux joueurs *m*]:
30 le cycliste joueur de polo *m*;
31 le cyclisme acrobatique:
32 la bicyclette de démonstration *f*;
33 le patinage à roulettes *f*; *autres genres de patinage à roulettes*: la course à roulettes, le hockey à roulettes:
34 la patineuse à roulettes *f* faisant le grand écart;
35 le patin à roulettes *f*:
36 la roulette en métal *m*;
37-47 le tir à l'arc *m*:
37 l'archer *m*
38 l'arc *m*:
39 le bois cintré
40 la corde;
41 la flèche:
42 la pointe de la flèche
43 la hampe de la flèche
44 l'empenne *f*
45 le talon (les cornettes *f*);
46 le carquois
47 la cible;
48 la balle suédoise:
49 la balle à lancer
50 la ligne de lancement *m* (ligne de jet *m*);
51 la pelote basque; *anal.*: la chistera:
52 le joueur de pelote *f* basque
53 la chistera;
54 la roue américaine (roue vivante):
55 la poignée
56 l'attache *f* à pieds *m*;
57 le combat de taureaux *m* (la corrida, la course de taureaux); *anal.*: le rejonas portuguais:
58 l'arène *f*
59, 61, 63 et 65 les toréadors *m*:
59 l'écarteur *m* (le capeador)
60 l'étoffe *f* rouge (la cape)
61 le picador
62 la pique
63 le banderillero (celui qui pose les banderilles *f*)
64 la banderille
65 le matador (l'espada *m*);
66 la muleta
67 le taureau de combat *m* (le toro)

1
15
16
17
6
20
7
13
11
12
18
10
5
3
9
2
14
8
19
4
13
11
10
2
21
25
24
22
26
27
28
27
24
23
24
28
29
30
30
31
32
34
33
35
36
40
39
38
47
37
48
49
52
53
51
46
45
44
43
42
41
50
62
61
60
59
55
56
65
64
63
67
66
67
55
54
58
57

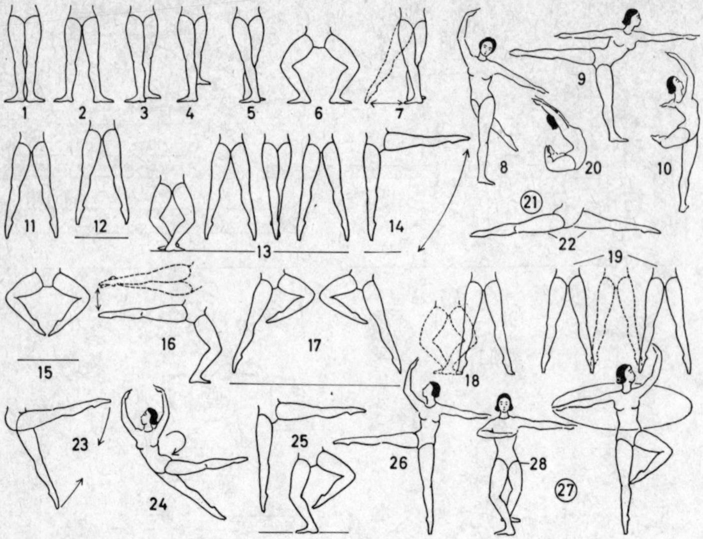

1-10 les exercices *m*
de danse *f* classique,
1-5 les positions *f* des pieds *m*:
1 la première position
2 la deuxième position
3 la troisième position
4 la quatrième position
5 la cinquième position;
6 le plié en seconde *f*
7 le battement
8 le dégagé croisé derrière
9 l'arabesque *f*
10 l'attitude *f* ouverte;

11-28 les pas *m* **d'école** *f*:
11 l'échappé *m*
12 l'échappé *m* sauté en seconde *f*
13 l'entrechat *m* quatre
14 l'assemblé *m*
15 le saut retiré
16 la cabriole
17 le pas de chat *m*
18 l'échappé sur la demi-pointe
19 la seconde position sur pointes *f*
20 le saut de caractère *m*
21 le grand jeté:
22 le grand écart de face *f*;
23 le jeté passé
24 le grand jeté en tournant

25 le sauté à la seconde et détiré; *anal.*: la révoltade

26 la seconde sur la pointe, bras *m* en quatrième *f*

27 la pirouette en dehors:

28 préparation *f* en quatrième *f* pour pirouette *f* en dedans;

29-41 la danse d'expression *f*,

29-34 la danse classique (le ballet classique),

29 le corps de ballet *m*:

30 la danseuse de ballet *m* (la ballerine);

31-34 le pas de trois:

31 la danseuse étoile, une danseuse classique

32 le danseur étoile

33 le tutu

34 les chaussons *m* de danse *f*, des chaussons pour la danse sur la pointe;

35 la danse de style *m* grotesque, une danse de caractère *m*:

36 le danseur de caractère *m*;

37 la pantomime:

38 le mime;

39 le boléro, une danse nationale, une danse à deux:

40 la danseuse;

41 la danse moderne;

42 la sabotière, une danse populaire

43 le fox-trot, une danse de société *f* (danse de salon *m*):

44 et 45 le couple de danseurs *m*:

44 le cavalier

45 la cavalière

1-48 le bal masqué (bal costumé, bal travesti, la mascarade):

1 la salle de bal *m* (salle de danse *f*)

2 l'orchestre *m* de jazz *m*, un orchestre de danse *f*

3 le joueur de jazz *m*

4 le lampion (la lanterne vénitienne)

5 la guirlande

6-48 les déguisements *m* (les travestis *m*) de la mascarade,

6 la sorcière:

7 le masque de carnaval *m*;

8 le trappeur

9 la jeune apache:

10 le bas de filet *m*;

11 le gros lot de la tombola, une corbeille contenant le lot en nature *f*

12 Pierrette:

13 le demi-masque (le loup);

14 le diable

15 le domino

16 l' Hawaiienne *f*:

17 le collier de fleurs *f*

18 la jupe de raphia *m*;

19 Pierrot:

20 la collerette;

21 la midinette:

22 la robe Louis-Philippe

23 la capote (le bonnet)

24 le grain de beauté *f* (la mouche);

25 la bayadère (la danseuse indienne)

26 le Grand d'Espagne en costume *m* Henri II

27 Colombine

28 le maharajah

29 le mandarin, un dignitaire chinois

30 la femme exotique

31 le cow-boy; *anal.*: le gaucho

32 la vamp en costume *m* de fantaisie *f*

33 le dandy (le fat, le gommeux, le petit maître), un masque de caractère *m*:

34 la rosette de bal *m* (l'insigne *m* du bal);

35 l'Arlequin *m*
36 la bohémienne (la tzigane)
37 la cocotte (la demi-mondaine)
38 l'espiègle *m*, un fou (le bouffon):
39 le bonnet de fou *m* (bonnet à grelot *m*);
40 la claquette
41 l'odalisque *f*, une esclave de harem *m*:
42 le pantalon turc (le chalvar);
43 le pirate:
44 le tatouage;
45 le bonnet en papier *m*
46 le nez en carton *m*
47 la crécelle
48 la batte (batte de fou *m*);
49-54 accessoires *m* de feu *m* d'artifice *m* (pièces *f* d'artifice *m*):
49 l'amorce *f* fulminante
50 le pétard fulminant (la papillote)
51 le pois fulminant
52 le pétard à répétition *f*
53 la fusée (la bombe)
54 la fusée volante (fusée d'artifice *m*);
55 la boule de papier *m*
56 la boîte à surprise *f* (l'attrape *f*)
57-70 le cortège du carnaval:
57 le char de carnaval *m*
58 le prince Carnaval:
59 la marotte (le sceptre de fou *m*)
60 l'ordre *m* de fou *m* (la décoration du carnaval);
61 la princesse Carnaval
62 les confetti *m*
63 le colosse, une caricature
64 la reine de beauté *f*
65 un personnage de contes *m* de fées *f*
66 le serpentin
67 la marquise
68 le garde du prince
69 le bouffon (le paillasse)
70 le tambour de lansquenet *m*

1-63 le cirque ambulant:
1 le chapiteau (la tente du cirque)
2 le mât du chapiteau
3 le projecteur
4 l'électricien *m*
5 le trapèze de repos *m*
6 le trapèze (trapèze volant)
7 l'acrobate *m* en l'air *m* (le trapéziste, l'homme *m* volant)
8 l'échelle *f* de corde *f*
9 la tribune de l'orchestre *m*
10 l'orchestre *m* du cirque
11 l'entrée *f* du manège
12 le pesage (l'endroit *m* où l'on monte à cheval *m*)
13 l'étai *m* (le support) de tente *f*
14 le filet de saut *m*, un filet de sécurité *f*
15 les gradins *m*
16 la loge de cirque *m*
17 le directeur de cirque *m*
18 l'imprésario *m*
19 l'accès *m* (l'entrée *f* et la sortie)
20 la montée
21 le manège (l'arène *f*, la piste)
22 le rebord de la piste
23 le clown musicien
24 le clown (le bouffon, le paillasse)
25 le numéro comique, un numéro de cirque *m*
26 les écuyers *m* de voltige *f* (écuyers de cirque *m*)
27 le garçon de manège *m*, un garçon de cirque *m*
28 la pyramide:
29 l'acrobate *m* porteur;
30 et **31** le dressage en liberté *f*:

30 le cheval de cirque *m* debout (la pesade)
31 le dresseur, un maître de manège *m*;
32 le voltigeur
33 la sortie de secours *m*
34 la roulotte d'habitation *f* (la voiture foraine)
35 l'acrobate *m* de balançoire *f*
36 la balançoire
37 le lanceur de couteaux *m*
38 l'artiste *m* tireur
39 la comparse
40 la danseuse de corde *f*
41 le câble métallique
42 le balancier (le bâton à tenir l'équilibre *m*)
43 le numéro de lancer
44 le numéro d'équilibre *m*:
45 l'artiste *m* porteur
46 la perche en bambou *m*
47 l'acrobate *m*;
48 l'équilibriste *m*
49 la cage aux fauves *m*, un cage circulaire
50 la grille de la cage aux fauves *m*
51 le passage des fauves *m* (la galerie des fauves *m*)
52 le dompteur (le dresseur)
53 la cravache (le fouet de dressage *m*)
54 la fourche de garde *f*
55 le piédestal
56 le tigre
57 le socle
58 le cerceau
59 la bascule
60 la boule roulante
61 le village de toile *f*
62 le wagon-cage
63 la ménagerie

291 Parc d'attractions

1-67 la foire:

1 la place des fêtes *f* (le champ de foire *f*)

2 le carrousel (le manège de chevaux *m* de bois *m*)

3 le débit de boissons *f*

4 le carrousel volant (le manège volant)

5 les montagnes *f* russes (le train fantôme)

6 la baraque de foire *f*

7 la caisse

8 le crieur public

9 le médium

10 le bonimenteur (les forains *m*)

11 le dynamomètre

12 le camelot (le forain) ambulant

13 le ballon

14 le serpentin à gonfler

15 le tourniquet, une roue à vent *m* (roue éolienne)

16 le pickpocket

17 le vendeur

18 le nougat

19 le cabinet des monstres *m*

20 le géant

21 la femme géante

22 les lilliputiens *m*

23 la tente à bière *f*

24 la baraque foraine

25-28 les forains *m* (les artistes) ambulants:

25 l'avaleur *m* de feu *m*

26 l'avaleur *m* de sabre *m*

27 l'athlète *m* (l'homme *m* fort)

28 le briseur de chaînes *f*;

29 les spectateurs *m*

30 le marchand de crème *f* glacée (marchand de glaces *f*)

31 la gaufrette (le cornet) de glace *f*

32 le débit de saucisses *f*:

33 le gril à saucisses *f*

34 la saucisse grillée

35 la pince à saisir les saucisses *f*;

36 la cartomancienne (la tireuse de carte *f*), une diseuse de bonne aventure *f*

37 la grande roue

38 l'orgue *m* de Barbarie (le limonaire), un instrument de musique automatique

39 le grand huit (les montagnes *f* russes)

40 le toboggan

41 la balançoire de bateaux *m*

42 le cabinet de figures *f* de cire *f*

43 la figure en cire *f*

44 la baraque de loterie *f*

45 la roue de la fortune (roue du hasard, roue de la chance)

46 la roue infernale

47 l'anneau *m* à lancer

48 les lots *m*

49 l'homme *m* sandwich monté sur des échasses *f*

50 le panneau-réclame

51 le vendeur de cigarettes *f*, un marchand ambulant

52 l'éventaire *m* portatif

53 l'étalage *m* de fruits *m*

54 le coureur motocycliste de la mort

55 le cabinet du rire à miroirs *m* déformants

56 le miroir concave

57 le miroir convexe

58 la baraque de tir *m*

59 l'hippodrome *m*

60 le bric-à-brac

61 la tente de secours *m* médical

62 la piste d'autos *f* tamponneuses

63 l'auto *f* tamponneuse

64-66 le marché de poteries *f*:

64 le camelot (le charlatan)

65 la femme de la halle (la marchande des quatre-saisons *f*)

66 les objets *m* de poterie *f*;

67 les flâneurs *m* de la foire

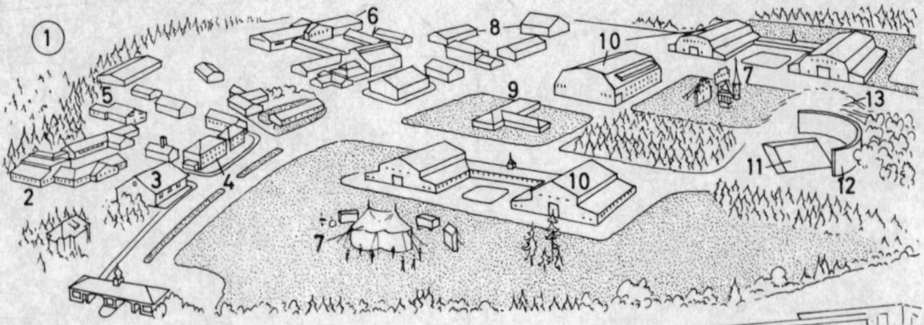

1-13 les studios,

1 l'aire *f* (le terrain) de tournage *m* à l'extérieur *m*:

2 les laboratoires *m* de tirage *m*

3 la salle de montage *m*

4 les bâtiments *m* administratifs

5 la filmothèque

6 les ateliers *m*

7 les décors *m* montés

8 la station génératrice

9 les laboratoires *m* techniques et de recherches *f*

10 les ateliers *m* annexes

11 le bassin en béton *m* pour les scènes *f* nautiques

12 le cyclorama

13 la colline de fond *m*;

14-61 les prises *f* de vues *f*,

14 le studio d'enregistrement *m* musical (l'auditorium *m*):

15 les parois *f* acoustiques

16 l'écran *m* (écran de synchronisation *f*)

17 l'orchestre *m* du film;

18 les extérieurs *m*:

19 la caméra sur grue *f* (la Dolly-caméra)

20 le praticable

21 la perche avec le microphone

22 la voiture de prise *f* de son (voiture du son)

23 la caméra (non insonore) pour prise *f* de vue *f* muette sur trépied *m* de bois *m*

24 l'assistant *m*

25 le chef-opérateur;

26-61 le tournage en studio sonorisé:

26 le directeur de production *f*

27 la vedette féminine (l'actrice *f* de cinéma *m*, la star)

28 la vedette masculine (l'acteur *m* de cinéma, le star)

29 le figurant (l'acteur *m* de complément *m*, le comparse)

30 la perche-microphone
31 le microphone de studio *m*
32 le câble du microphone
33 la coulisse et l'arrière-plan *m*
34 le battman (le clackman)
35 la claquette avec le titre du film, le numérotage des plans *m* et la date de tournage *m*
36 le maquilleur
37 l'électricien-machiniste *m*
38 le projecteur à filtre *m* de gélatine *f*
39 la script-girl
40 le metteur en scène *f* (le réalisateur)
41 l'opérateur (le chef-opérateur)
42 le cadreur (l'aide-opérateur *m*)
43 le décorateur de cinéma *m*
44 le directeur de la photographie
45 le script (le scénario)
46 l'assistant de régie *f*
47 la caméra insonorisée
48 le blindage insonorisant (le blimp)
49 la grue
50 le socle sur levier *m* pneumatique
51 l'écran *m* anti-halo
52 le projecteur (le spot)
53 la passerelle de projecteurs *m*
54 la cabine de prise *f* de son *m*:
55 le pupitre de mixage *m*
56 la caméra d'enregistrement *m* du son
57 la table de la caméra d'enregistrement *m* du son
58 le haut-parleur
59 l'amplificateur *m*;
60 l'ingénieur *m* du son
61 l'assistant *m* de prise *f* de son *m*

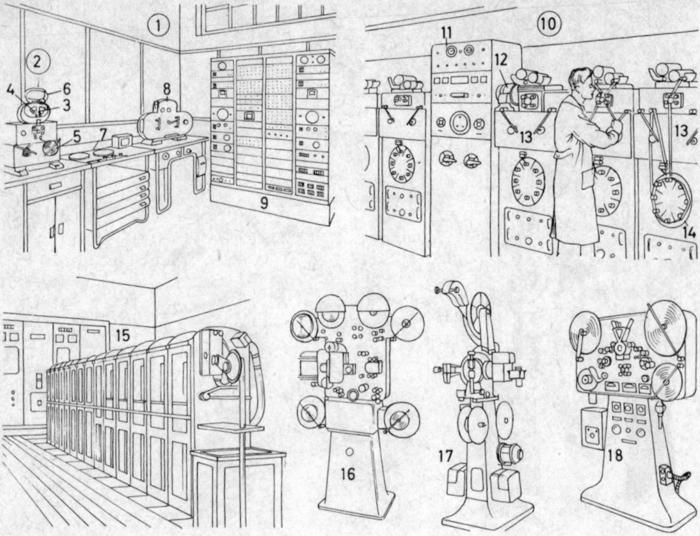

1-34 la production de films *m* **sonores,**

1 la cabine d'enregistrement *m*

2 le magnétophone (la caméra-son) pour prise *f* de son *m* électromagnétique:

3 la tête d'enregistrement *m* magnétique

4 la tête de lecture *f* magnétique

5 la bobine de la bande magnétique

6 le couvercle-écran antimagnétique;

7 l'appareil *m* enregistreur magnétique sur bande *f* étroite (le magnétophone)

8 la caméra de prise *f* de son *m* photographique

9 le socle de l'amplificateur *m*;

10 le studio de mixage *m*:

11 le tableau de commande *f*

12 le moteur de commande *f* et de synchronisation *f*

13 les appareils *m* de reproduction *f* sonore (les magnétophones *m*) pour dialogues *m*, musique *f* et bruitage *m*

14 le support de la bobine;

15-18 l'atelier *m* de développement *m* et de reproduction *f* de films *m*:

15 les machines *m* à développer à chambre *f* noire pour le développement des négatifs *m* et des positifs *m* image *f* et son *m*

16-18 les machines *f* à tirer les copies *f*:

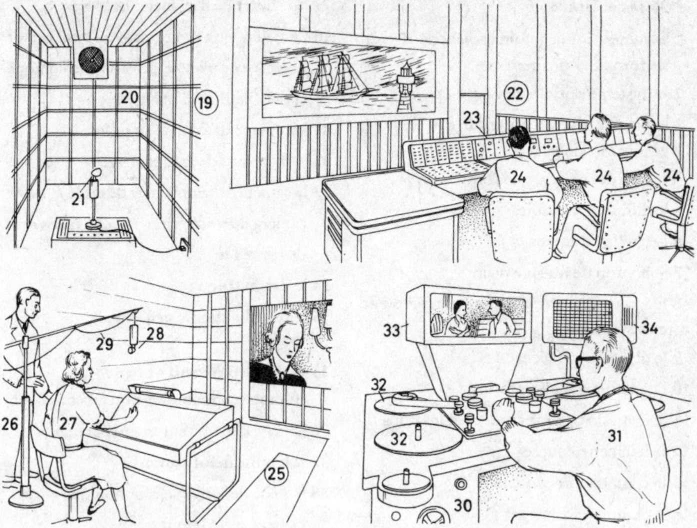

16 la machine de reproduction *f* par contact *m* pour l'image *f* et le son ou les deux combinés
17 l'appareil *m* de reproduction *f* optique pour truquage *m* et réduction *f* à partir du format normal
18 la machine de reproduction *f* optique du son pour format *m* réduit;
19 le studio d'ambiance *f* sonore:
20 le haut-parleur du studio d'ambiance *f* sonore
21 le micro du studio d'ambiance *f* sonore;
22-24 le mixage du son (mixage de plusieurs bandes *f* de son *m*),
22 le studio de mixage *m*:
23 le tableau de mixage *m* pour le monaural ou le son stéréophonique
24 les techniciens de mixage *m* du son;
25-29 la post-synchronisation (le doublage),
25 le studio de post-synchronisation *f*:
26 le régisseur (le pademan)
27 l'actrice *f* de post-synchronisation *f*
28 le micro-perche
29 le câble de prise *f* de son *m*;
30-34 le découpage:
30 la table de montage *m* et de lecture *f* de contrôle *m*
31 le monteur (le cutter)
32 les platines *f* pour les bandes *f* de son *m* et d'images *f*
33 la projection de l'image *f*
34 le haut-parleur

1-35 les caméras *f*,

1 la caméra louurde, un caméra de film *m* de format *m* normal:

2 le système optique de la caméra

3 le parasoleil avec porte-filtre *m* et pinces *f* de gaze *f*

4 le soufflet réglable de contre-jour *m*

5 le diffuseur variable

6 l'échelle *f* d'intensité *f*

7 le bouton de réglage *m* fin

8 le viseur télémétrique, un écran pivotant en verre *m* dépoli

9 le dispositif de sécurité *f*

10 l'oculaire *m* d'observation *f*

11 le magasin opaque contenant les films *f*

12 le télémètre couplé

13 le compteur de séquences *f*

14 le compteur d'images *f*

15 le réglage d'une partie du diaphragme

16 l'échelle *f* de secteur *m*

17 le viseur latéral

18 la porte rabattante de la caméra

19 le commutateur

20 l'entraînement *m* du film

21 le levier excentrique avec double crochet *m*;

22 la caméra légère

23 la caméra sonorisée (caméra de reportage *m*) pour prise *f* de vue *f* et prise de son *m*

24 la caméra de film *m* de format *m* réduit (caméra d'amateur *m*):

25 le viseur

26 le compteur de tours *m* de métrage *m*

27 l'entraînement *m* par moteur *m* ou par ressort *m*;

28-35 caméras *f* spéciales,

28 la caméra électronique à prise *f* de vue *f* au ralenti (le ralentisseur), une caméra à haute fréquence *f*:

29 la montre de déclenchement *m*;

30 l'accélérateur *m*, une caméra pour prise *f* sélective de plan *m*, prise de vue *f* unique et dispositif *m* d'arrêt *m*:

31 le réglage de la mise au point;

32 le dispositif de truquage *m*:

33 la caméra de truquage *m* de table *f*; *aussi*: caméra de prise *f* de vue *f* des titres *m* et des textes *m*

34 le dessin truqué

35 le titre du film (le générique);

36-44 le film grand écran *m* (film stéréophonique, film cinémascope)

36 la prise de vue *f* sur grand écran *m*:

37 la lentille déformante

38 la prise de son *m* stéréophonique à trois canaux *m* phoniques

39 la caméra stéréophonique

40 les trois microphones *m*

41 l'enregistreur *m* de son *m*

42 l'appareil *m* de projection *f* sur grand écran *m*:

43 la lentille de redressement *m*;

44 les trois haut-parleurs *m* incorporés à l'écran *m*;

45-52 le film panoramique,

45 la prise de son *m* panoramique:

46 les cinq microphones *m*

47 la caméra 3 D;

48 les appareils *m* de projection *f* 3 D

49 l'image *f* panoramique (l'écran *m* incurvé)

50 les cinq haut-parleurs *m*

51 le haut-parleur d'ambiance *f* dans la salle de cinéma *m*

52 le diffuseur multiple de son *m*

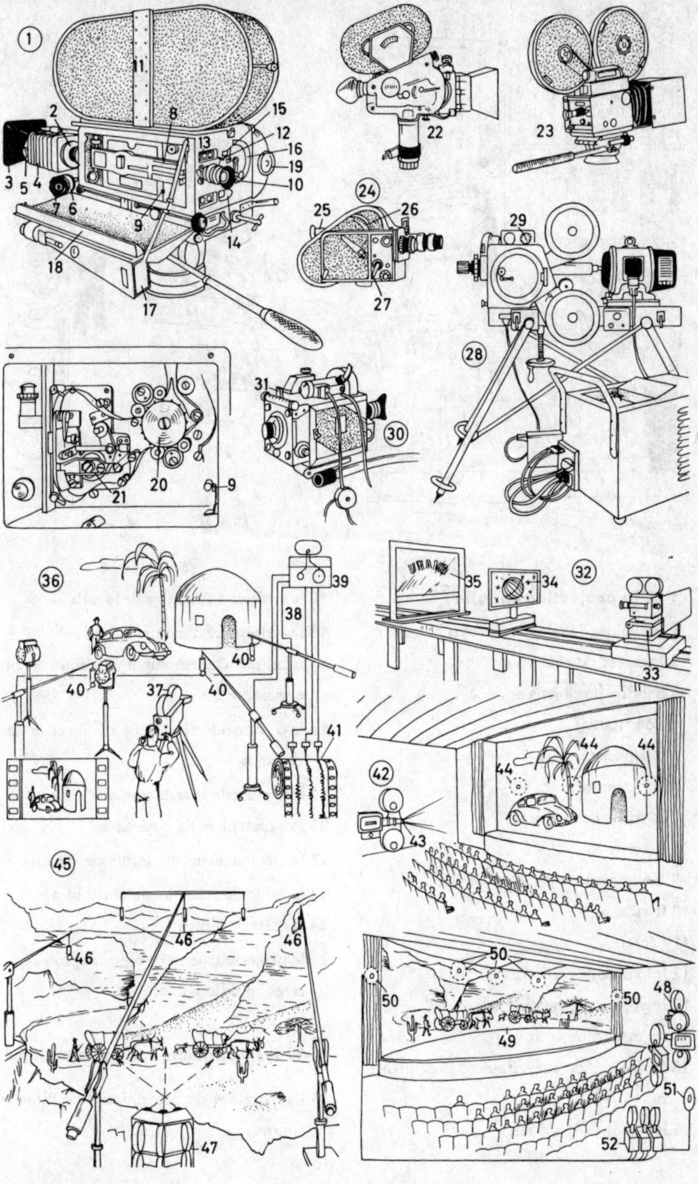
1
2
3
4
5
6
7
8
9
10
11
12
13
14
15
16
17
18
19
20
21
22
23
24
25
26
27
28
29
30
31
32
33
34
35
36
37
38
39
40
41
42
43
44
45
46
47
48
49
50
51
52

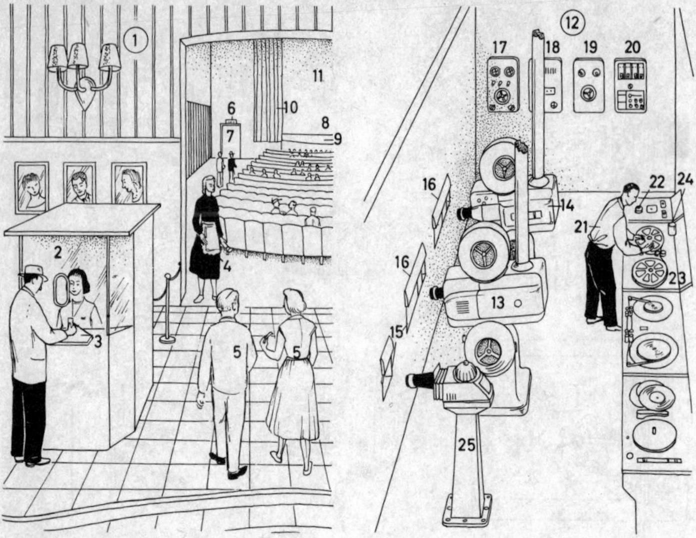

1-25 la projection en salle *f*,

1 le cinéma (la salle de cinéma):

2 la caisse de cinéma *m*

3 le billet de cinéma *m*

4 l'ouvreuse *f*

5 les spectateurs *m*

6 la veilleuse

7 la sortie de secours *m*

8 la scène

9 la rampe de scène *m*

10 le rideau

11 l'écran *m*;

12 la cabine de projection *f*:

13 le projecteur gauche

14 le projecteur droit

15 la fenêtre de surveillance *f* et de projection *f*

16 les trappes *f* pare-feu

17 le tableau d'éclairage de la salle

18 le redresseur d'intensité *f*, un œil magique (redresseur à sélénium *m* ou à mercure *m*)

19 la commande électrique de lever *m* de rideau *m*

20 l'amplificateur *m* de son *m*

21 l'opérateur *m* de cinéma *m*

22 le déclencheur du gong de cinéma *m*

23 la table de rebobinage *m* du film

24 la colle de film *m*

25 le projecteur-diascope pour diapositives *f* publicitaires;

26-53 les appareils *m* **de projection** *f*,

26 l'appareil *m* de projection *f* de films *m* sonores,

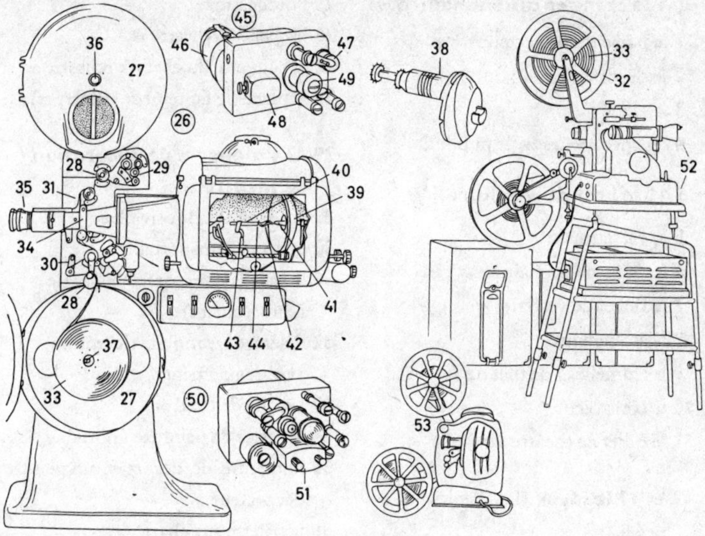

27-38 le mécanisme convoyeur de la pellicule:
27 les bobines *f* à pellicule *f* ignifugées, refroidies par un circuit d'huile *f*
28 les molettes *f* dentées du début et de la fin de la bobine
29 la poulie de guidage *m* et de centrage *m* de l'image *f*
30 le galet absorbe-boucles pour préstabiliser la pellicule et la tendre; *aussi:* le contact de rupture *f* du film
31 l'amenée *f* de la pellicule
32 le dévidoir (la bobine) de la pellicule
33 le rouleau de la pellicule
34 la fente (la fenêtre) de projection *f* avec soufflerie *f* d'aération *f*
35 l'objectif *m* de l'appareil *m* de projection *f*
36 l'axe *m* de déroulement *m*
37 l'axe *m* de rebobinage *m* à friction *f*
38 le mécanisme (l'engrenage *m*) en croix *f* de Malte;
39-44 le magasin des lampes *f*:
39 la lampe à arc à réflecteur *m* concave non-sphérique et aimant *m* de soufflage *m* pour la stabilisation de l'arc *m* électrique
40 le charbon positif
41 le charbon négatif
42 l'arc *m* électrique
43 le porte-charbon
44 le cratère de charbon *m*;
45 l'enregistreur *m* optique de sons *m* [équipé aussi pour l'enregistrement *m* optique stéréophonique à canaux *m* multiples et le tracé en va-et-vient (push-pull *m*)]:
46 l'objectif *m* de l'enregistreur *m* optique de sons *m*
47 le chercheur acoustique
48 la lampe (le tube) acoustique dans le boîtier
49 la cellule photoélectrique dans l'axe *m* creux;
50 le chercheur magnéto-acoustique additionnel à quatre canaux *m* (le balayeur magnéto-acoustique):
51 la tête enregistreuse magnétique à quadruple aimant *m*;
52 l'appareil *m* de projection *f* portatif de films *m* réduits, pour cinéma *m* ambulant
53 l'appareil *m* de projection *f* d'appartement *m*

1-4 la scène en amphithéâtre *m*:

1 la herse du projecteur
2 le décor
3 la scène
4 les spectateurs *m* (le public);

5-11 le hall du vestiaire:

5 le vestiaire
6 la dame du vestiaire
7 le ticket de vestiaire *m*
8 le spectateur
9 les jumelles *f* de théâtre *m*
10 le contrôleur
11 le billet de théâtre *m*;

12 et 13 le foyer (la salle des pas *m* perdus):

12 l'ouvreur *m* (le placeur)
13 le programme;

14-28 le théâtre:

14 la scène
15 l'avant-scène *f*

16-19 la salle de spectacle *m*:

16 les galeries *f* (*fam :* «le poulailler»)
17 le deuxième balcon
18 le premier balcon
19 le parquet (l'orchestre *m*);

20 la répétition:

21 le chœur
22 le chanteur
23 la cantatrice
24 la fosse d'orchestre *m*
25 l'orchestre *m*
26 le chef d'orchestre *m*
27 la baguette du chef d'orchestre *m*
28 la place (le fauteuil de théâtre *m*);

29-42 l'atelier *m* **de décoration** *f* **de théâtre** *m*:

29 la passerelle de travail *m*
30 le décor transportable
31 le cadre de renforcement *m* (le renforcement)
32 l'élément *m* mobile (le tréteau avec revêtement *m*)
33 la toile de fond *m*
34 le casier de peinture *f* portable
35 le peintre de décors *m*, un peintre décorateur
36 la palette sur chariot *m*
37 le dessinateur de décors *m*
38 le dessinateur de costumes *m*
39 le projet de costumes *m*
40 le croquis
41 la maquette de la scène
42 la maquette des décors *m*;

43-52 la loge d'artiste *m*:

43 le miroir à maquillage *m*
44 la serviette de maquillage *m*
45 la table de maquillage *m*
46 le bâton de fard *m*
47 le maquilleur, un visagiste
48 le perruquier (le coiffeur) de théâtre *m*
49 la perruque
50 les accessoires *m* de théâtre *m*
51 le costume de théâtre *m*
52 la lampe d'appel *m* en scène *f*

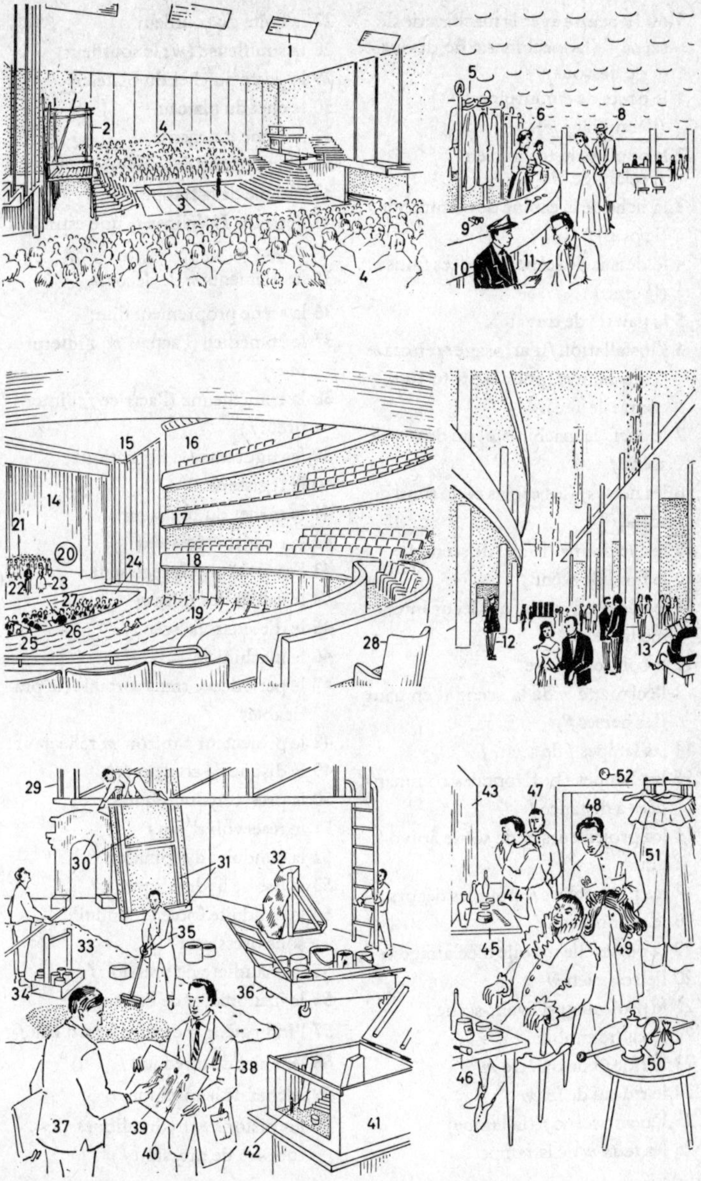
1
2
3
4
4
5
6
7
8
9
10
11
12
13
14
15
16
17
18
19
20
21
22
23
24
25
26
27
28
29
30
31
32
33
34
35
36
37
38
39
40
41
42
43
44
45
46
47
48
49
50
51
52

1-60 la scène avec la machinerie de scène *f* (la machinerie de dessus et de dessous),
1 le poste de commande *f* (l'aiguillage *m*):
2 le pupitre du technicien d'éclairage *m*
3 la fiche de la cabine de commande *f* (le plan);
4 le dessus de scène *f* avec ses filins *m* (le cintre)
5 la galerie de travail *m*
6 l'installation *f* d'arrosage *m* en cas *m* d'incendie *m* (pour la protection contre le feu)
7 le chef (le machiniste) du dessus de scène *f*
8 les herses *f* (les câbles *m* du fond de scène *f*)
9 le cyclorama (le ciel de scène *f*)
10 le fond de scène *f*
11 le décor en arc *m*, un décor intermédiaire
12 le soffite (la frise)
13 l'éclairage *m* de la scène d'en haut (les herses *f*)
14 les lampes *f* de scène *f*
15 les lampes *f* horizontales commandées à distance *f*
16 les projecteurs *m* de scène *f* pivotants
17 les projecteurs *m* pour les décors *m*
18 le canon à eau *f*
19 la passerelle mobile d'éclairage *m*
20 l'électricien *m*
21 le projecteur d'avant-scène *f*
22 le cadre mobile
23 le rideau de théâtre *m*
24 le rideau de fer *m*
25 l'avant-scène *f* (la rampe)
26 les feux *m* de la rampe
27 la boîte du souffleur
28 la souffleuse (*m*: le souffleur)
29 le poste du chef du plateau
30 le chef du plateau
31 la scène tournante
32 l'ouverture *f* de la trappe
33 la table de la trappe
34 l'estrade *f* à éclipse *f*, une estrade à étages *m*
35 les éléments *m* de décor *m*
36 la scène proprement dite:
37 le comédien (l'acteur *m*, l'interprète *m*)
38 la comédienne (l'actrice *f*, l'interprète *f*)
39 les figurants (la figuration);
40 le régisseur
41 le carnet du régisseur
42 la table du régisseur
43 l'assistant *m* du régisseur
44 le cahier des rôles *m*
45 le directeur de scène *f*
46 le machiniste
47 le petit décor transportable (le praticable)
48 le projecteur à miroir *m* réflecteur:
49 le disque de couleur *f*;
50 la presse hydraulique:
51 le réservoir d'eau *f*
52 la conduite d'aspiration *f*
53 la presse hydraulique
54 la conduite forcée (conduite sous pression *f*)
55 la chaudière de pression *f*
56 le manomètre de contact *m*
57 l'indicateur *m* de niveau *m* d'eau *f*
58 le levier de direction *f*
59 le chef de la machine
60 les pistons *m* hydrauliques (les tubes *m* de pression *f*)

1
2
3
4
5
6
7
8
9
10
11
12
13
14
15
16
17
18
19
20
21
22
23
24
25
26
27
28
29
30
31
32
33
34
35
36
37
38
39
40
41
42
43
44
45
46
47
48
49
50
51
52
53
54
55
56
57
58
59
60

1-3 le cabaret (*anc.*: le café-concert):

1 l'accompagnateur, un pianiste
2 le présentateur, un artiste de cabaret *m*
3 la diseuse (la chanteuse), une chanteuse-vedette;

4-8 le théâtre de variétés *f* (le music-hall):

4 la danseuse étoile *f* de revue *f*
5 le danseur étoile *f*, un danseur à claquettes *f*
6 la troupe des girls *f*:
7 la girl de revue *f*;
8 la girl qui présente le numéro d'attraction *f*;

9-22 le spectacle de variété *f* **et de cirque** *m*:

9 l'acrobate *m* au sol, un acrobate de vitesse *f*
10 le sauteur sur les mains *f*
11 les exercices de souplesse *f*:
12 la contorsion arrière
13 la contorsion avant;
14 la danseuse exotique, une danseuse serpentine
15 les exercices *m* de force *f*:
16 l'équilibriste *m*;
17 le jongleur, un artiste exécutant des tours *m* d'adresse *f*
18 les prestidigitateurs *m*:
19 l'opérateur *m* (le manipulateur)
20 l'illusionniste *m*;
21 le jeu icarien (le sauteur de haut-vol)
22 le diabolo, un jeu d'adresse *f*;

23 le guignol:

24 la grand-mère du diable, une marionnette à doigt *m*
25 le guignol
26 le crocodile
27 le diable;
28 le jeu des ombres *f* chinoises

29-40 le théâtre de marionnettes *f*,

29 la marionnette à fil *m* (le fantoche):
30 la croix de manœuvre *f*
31 le fil de suspension *f*
32 le fil de commande *f*
33 l'articulation *f*
34 le tronc
35 le membre;
36 le joueur de marionnettes *f*
37 la passerelle d'évolution *f*
38 la scène miniature, une scène de poupée *f*
39 l'encadrement *m* de la scène
40 le lecteur

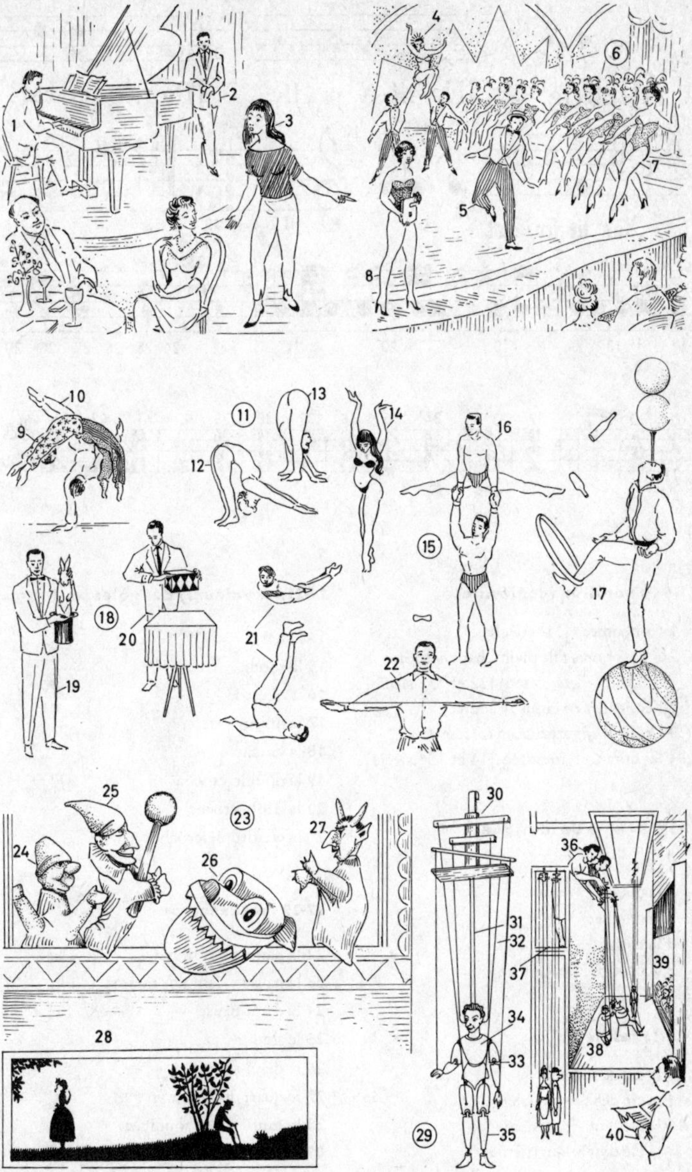
1
2
3
4
5
6
7
8
9
10
11
12
13
14
15
16
17
18
19
20
21
22
23
24
25
26
27
28
29
30
31
32
33
34
35
36
37
38
39
40

1-4 la notation médiévale:

1 les neumes *f* [11ᵉ siècle]
2 et 3 les notes *f* de plain-chant *m* (notes de chant *m* grégorien) [12 et 13° siècle]:
2 l'écriture *f* en clous *m* à ferrer
3 l'écriture *f* vaticane en carrées *f*;
4 la notation mesurée [14 et 15° siècle];

5-9 la note de musique *f*:

5 la tête
6 la queue
7 le crochet
8 la barre
9 la note pointée;

10-13 les clés *f*:

10 la clé de sol *m*
11 la clé de fa *m* quatrième
12 la clé d'ut *m* troisième
13 la clé d'ut *m* quatrième;

14-21 les valeurs *f* des notes *f*:

14 la brève
15 la ronde
16 la blanche
17 la noire
18 la croche
19 la double-croche
20 la triple-croche
21 la quadruple-croche;

22-29 les silences *m*:

22 la pause pour brève *f*
23 la pause valant une mesure
24 la demi-pause
25 le soupir
26 le demi-soupir
27 le quart de soupir *m*
28 le huitième de soupir *m*
29 le seizième de soupir *m*;

30-44 la mesure:

30 la mesure à deux-huit
31 la mesure à deux-quatre
32 la mesure à deux-deux
33 la mesure à quatre-huit
34 la mesure à quatre-quatre
35 la mesure à quatre-deux
36 la mesure à six-huit
37 la mesure à six-quatre
38 la mesure à trois-huit
39 la mesure à trois-quatre
40 la mesure à trois-deux
41 la mesure à neuf-huit
42 la mesure à neuf-quatre
43 la mesure à cinq-quatre
44 la barre de mesure *f*;

45 et 46 la portée:

45 la ligne
46 l'interligne *m*;

47-50 les gammes *f*:

47 la gamme d'ut *m* majeur; notes *f* fondamentales: ut (do), ré, mi fa, sol, la, si, ut
48 la gamme d'ut *m* mineur [harmonique]
49 la gamme chromatique
50 la gamme en quarts *m* de ton *m*;

51-59 les altérations *f*,

51 et 52 les signes *m* d'élévation *f*:
51 le dièse (l'élévation *f* d'un demi-ton)
52 le double-dièse (l'élévation *f* de deux demi-tons *m*);
53 et 54 les signes *m* d'abaissement *m*:
53 le bémol (la baisse d'un demi-ton)
54 le double-bémol (la baisse de deux demi-tons *m*);
55 le bécarre
56-59 les signes *m* de transposition *f* en quarts *m* de ton *m*:
56 l'élévation *f* d'un quart de ton *m*
57 l'élévation *f* de trois quarts *m* de ton *m*
58 la baisse d'un quart de ton *m*
59 la baisse de trois quarts *m* de ton *m*

1-15 les tonalités *f*

(modes *m* majeurs et modes mineurs, tons *m* relatifs ayant la même armure), en progression *f* de quinte *f*:

1 ut majeur (la mineur)
2 sol majeur (mi mineur)
3 ré majeur (si mineur)
4 la majeur (fa dièse mineur)
5 mi majeur (ut dièse mineur)
6 si majeur (sol dièse mineur)
7 fa dièse majeur (ré dièse mineur)
8 ut dièse majeur (la dièse mineur)
9 fa majeur (ré mineur)
10 si bémol majeur (sol mineur)
11 mi bémol majeur (ut mineur)
12 la bémol majeur (fa mineur)
13 ré bémol majeur (si bémol mineur)
14 sol bémol majeur (mi bémol mineur)
15 ut bémol majeur (la bémol mineur);

16-18 l'accord *m*,

16 et 17 accords *m* parfaits:
16 l'accord *m* parfait majeur
17 l'accord *m* parfait mineur;
18 l'accord *m* de septième;
19 l'unisson *m*

20-27 les intervalles *m*:

20 la seconde majeure
21 la tierce majeure
22 la quarte
23 la quinte
24 la sixte majeure
25 la septième majeure
26 l'octave *f*
27 la neuvième majeure;

28-38 les ornements *m*:

28 l'appogiature *f* longue
29 l'appogiature *f* brève
30 l'appogiature *f* double
31 le trille simple
32 le trille avec résolution *f*
33 le trille pincé
34 le mordant inférieur
35 le coulé
36 l'arpège *m* ascendant

55 p 56 pp 57 ppp 58 f 59 ff 60 fff 61 fp

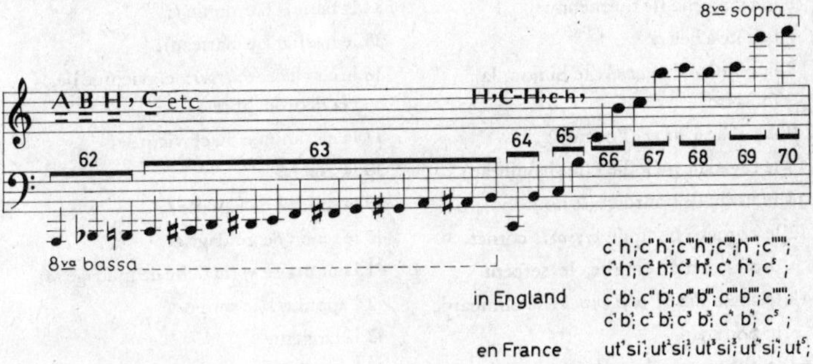

37 l'arpège *m* descendant

38 le triolet; *anal.*: duolet, quartolet, tolet, sixtolet, septolet;

39-45 la syncope:

39 l'anacrouse *f*

40 la liaison

41 marcato, un signe d'accentuation *f*

42 le point d'orgue *m*, un signe *m* de durée *f*

43 le signe de reprise *f*

44 et 45 les signes *m* d'octave *f*:

44 une octave plus haut

45 une octave plus bas;

46-48 le canon:

46 la première voix

47 la deuxième voix

48 le tempo (l'indication *f* du mouvement);

49 crescendo (en augmentant)

50 decrescendo (en diminuant)

51 lié *m*

52 portamento

53 tenu

54 staccato (détaché)

55-61 indications *f* de nuances *f*:

55 piano (doucement)

56 pianissimo (très doucement)

57 pianissimo possibile (le plus doux possible)

58 forte (fort)

59 fortissimo (très fort)

60 fortissimo possibile (le plus fort possible)

61 fortepiano (commencer fort, continuer doucement);

62-70 la division habituelle de l'étendue *f* du son:

62 la double contre-octave

63 la contre-octave

64 première octave

65 deuxième octave

66 troisième octave

67 quatrième octave

68 cinquième octave

69 sixième octave

70 septième octave

1 la loure, une trompe de bronze *m*
2 la flûte de Pan (le syrinx), une flûte de berger *m*
3 la diaule (l'aulos *m* double), un chalumeau (une flûte) double:
4 l'aulos *m* (la flûte)
5 la phorbéia;
6 la cromorne (le tournebout)
7 la flûte à bec *m*
8 la cornemuse; *anal.*: le biniou, la musette:
9 la poche à air *m* (l'outre *f*)
10 le tuyau de mélodie *f* (le chalumeau)
11 le tuyau de bourdon (le bourdon);
12 le cornet à bouquin *m*; *var.*: cornet droit, cornet courbe, le serpent
13 le chalumeau; *plus grands*: la bombarde, le pommer
14 la cithare; *anal. et plus petite*: la lyre:
15 le bras de joug *m* (le montant)
16 le cordier
17 le chevalet
18 la caisse de résonance *f* sonore
19 le plectre, une baguette à toucher les cordes *f*;
20 la pochette (la poche, le violon de poche)
21 le cistre, un instrument à cordes *f* pincées; *anal.*: la pandore:
22 la rose (la rosace), une ouïe;
23 la viole, une basse de viole; *plus grands*: la viole de gambe, le violone (la contrebasse de viole):
24 l'archet *m* de viole *f* (archet);
25 la vielle (vielle à roue *f*, vielle de ménétrier *m*, vielle de mendiant *m*, la chifonie, l'organistrum *m*):
26 la roue de basse *f*
27 la bande de protection *f*
28 le clavier
29 la caisse de résonance *f*
30 la corde de mélodie *f* (corde mélodique)
31 la corde de bourdon (le bourdon);
32 le tympanon (le cymbalum, le csimbalum, le tzimbalom, le cymbalon); *anal.*: le psaltérion;
33 la caisse de résonance *f* sonore
34 la table d'harmonie *f*;
35 le maillet (le marteau);
36 le clavicorde; *types*: clavicorde lié, clavicorde libre
37 la mécanique du clavicorde:
38 la touche
39 la sellette de bascule *f*
40 le tenon de guidage *m*
41 la mortaise *m* (la fente de guidage *m*)
42 l'appui *m* (le support)
43 la tangente
44 la corde;
45 le clavecin (le clavicembalo, le cembalo, le clavicymbalum), un clavecin à griffes *f*; *anal.*: l'épinette *f*, le virginal (la virginale):
46 le clavier supérieur
47 le clavier inférieur;
48 la mécanique du clavecin:
49 la touche
50 le sautereau
51 la mortaise
52 l'âme *f* (la languette)
53 le bec de plume *f*
54 l'étouffoir *m*
55 la corde;
56 le portatif, un orgue portatif; *autre forme*: le régale (*parfois :* la régale); *plus grande*: l'orgue positif (le positif) [orgue, masculin au singulier, est féminin au pluriel]:
57 le tuyau
58 le soufflet

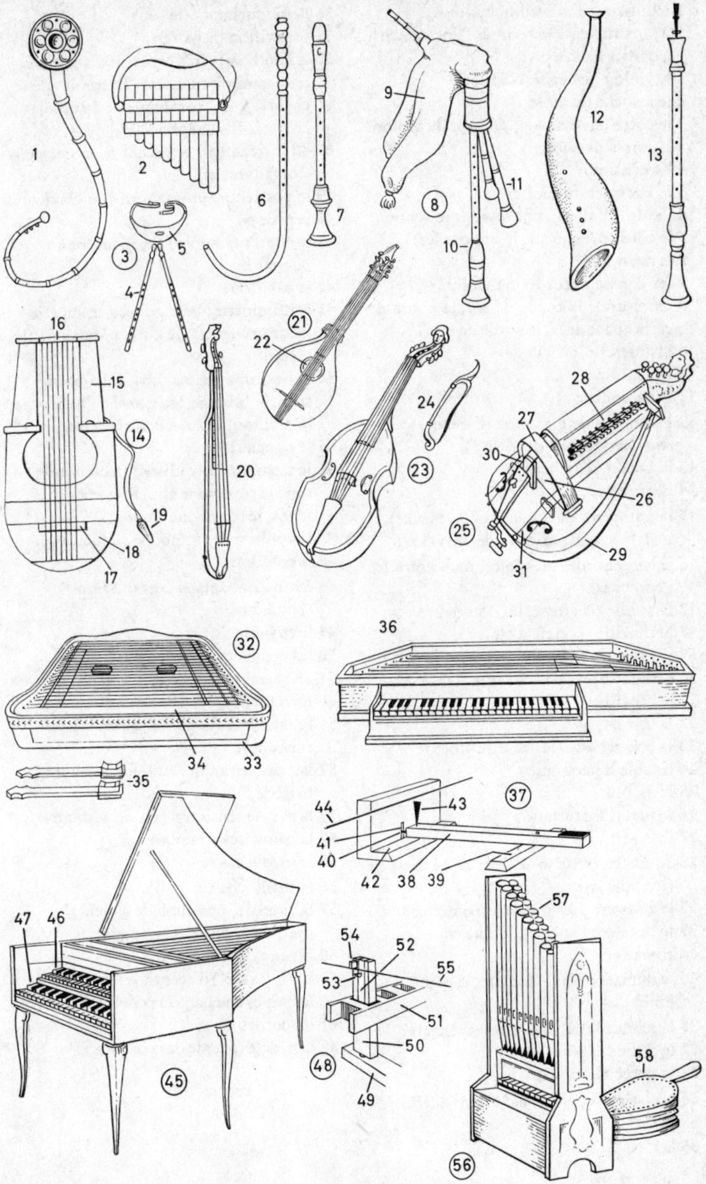
1
2
3
4
5
6
7
8
9
10
11
12
13
14
15
16
17
18
19
20
21
22
23
24
25
26
27
28
29
30
31
32
33
34
35
36
37
38
39
40
41
42
43
44
45
46
47
48
49
50
51
52
53
54
55
56
57
58

1-62 instruments *m* d'orchestre *m*,
1-27 instruments *m* à cordes *f*, instruments à cordes frottées,
1 le violon (*autrefois*: la vièle):
2 le manche du violon
3 le corps de résonance *f* (corps du violon, la caisse du violon)
4 les éclisses *f*
5 le chevalet du violon
6 l'ouïe *f* (l'«f» *m*), une ouverture sonore
7 le cordier (la queue, le tire-cordes)
8 la mentonnière
9 les cordes *f* (cordes de violon *m*, la garniture): la corde de sol, la corde de ré, la corde de la, la corde de mi (la chanterelle);
10 la sourdine
11 la colophane
12 l'archet *m* de violon *m* (l'archet *m*; *autrefois* l'archet de vièle *f*):
13 la hausse d'archet *m*
14 la baguette
15 la garniture de l'archet *m* (la mèche), une mèche de crins *m* de cheval *m*;
16 le violoncelle, un violon tenu entre les genoux *m*:
17 la volute (la crosse, la coquille)
18 la cheville (la clef, la clé)
19 le sillet
20 l'emboîture *f* de la cheville
21 le chevillier
22 la touche;
23 la contrebasse (la basse, le violone):
24 la table d'harmonie *f*
25 la moulure
26 le filet (l'incrustation *f*);
27 l'alto *m*;
28-38 instruments *m* à vent *m* en bois *m* (les bois *m*):
28 le basson; *plus grand*: le contrebasson:
29 le bec avec l'anche *f* double en roseau *m*;
30 la flûte piccolo (le piccolo, la petite flûte)
31 la grande flûte, une flûte traversière:
32 la clef de la flûte
33 la perce (le trou);
34 la clarinette; *plus grande*: la clarinette basse:
35 la clef
36 l'embouchure *f* (le bec)
37 le pavillon (la patte);
38 le hautbois; *var.*: hautbois d'amour *m*; les hautbois ténors: hautbois de chasse *f*, le cor anglais; hautbois baryton (heckelphone *m*);
39-48 instruments *m* à vent *m* en cuivre *m* (les cuivres *m*),
39 le cor ténor, un saxhorn (un clavicor):
40 le piston;
41 le cor d'harmonie *f* (cor), un cor à pistons *m*:
42 le pavillon;
43 la trompette; *plus grande*: trompette basse; *plus petit*: le cornet à pistons (le piston)
44 le basstuba (basse-tuba, tuba basse, tuba, le bombardon); *anal.*: l'hélicon *m*, le pelliton, le tuba contrebasse:
45 le poucier;
46 le trombone à coulisse *f* (trombone); *var.*: le trombone alto, le trombone ténor, le trombone basse:
47 la coulisse de trombone *m* (coulisse)
48 le pavillon;
49-59 instruments *m* à percussion *f* (la percussion):
49 le triangle
50 les cymbales *f* (cymbales turques)
51-59 membranophones *m* (instruments *m* à membranes *f*),
51 le tambour (la petite caisse, caisse roulante):
52 la peau (peau de tambour, peau de batterie *f*)
53 la vis de tension *f* (vis de serrage *m*);
54 la baguette de tambour *m*
55 la grosse caisse
56 le mailloche (le maillet)
57 la timbale, une timbale à clefs *f*; *anal.*: la timbale mécanique:
58 la peau de la timbale
59 la vis (la clef) d'accord *m*;
60 la harpe, une harpe à pédales *f*;
61 les cordes *f*
62 la pédale (pédale de la harpe)

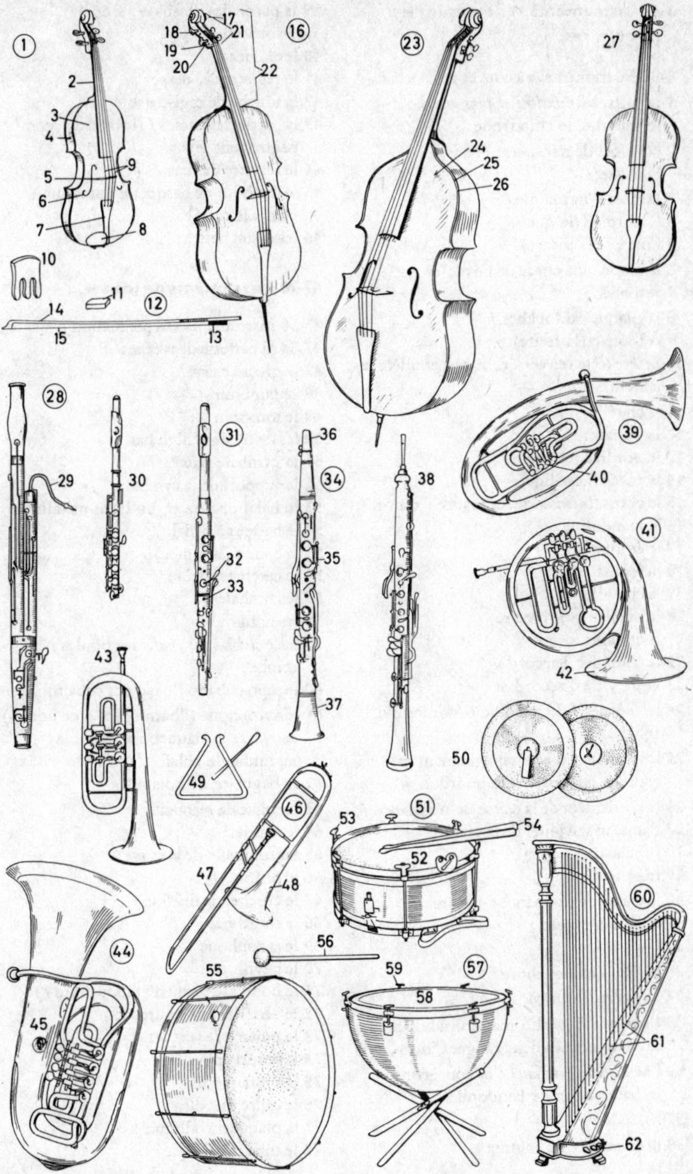
1
2
3
4
5
6
7
8
9
10
11
12
13
14
15
16
17
18
19
20
21
22
23
24
25
26
27
28
29
30
31
32
33
34
35
36
37
38
39
40
41
42
43
44
45
46
47
48
49
50
51
52
53
54
55
56
57
58
59
60
61
62

1-46 instruments *m* de musique *f* populaires,

1-31 instruments *m* à cordes *f*,
1 le luth; *plus anciens et plus grands*: le théorbe, le chitarrone:
2 la caisse de résonance *f* (caisse, la donte)
3 la table d'harmonie *f*
4 le cordier (la queue)
5 l'ouïe *f* (la rosace)
6 la corde, une corde de boyau *m*
7 le manche
8 la plaque de touches *f*
9 la touche (la frette)
10 la tête (tête renversée, brisée, coudée, le chevillier)
11 la cheville;
12 la guitare:
13 le cordier (la queue)
14 la corde métallique
15 le corps (la caisse de résonance *f* sonore);
16 la mandoline:
17 le couvre-cordes
18 la feuille
19 le chevillier;
20 le médiator (le plectre)
21 la cithare:
22 le sommier d'accord *m*
23 la cheville d'accord *m*
24 les cordes *f* de mélodie *f* (cordes de touche *f*)
25 les cordes *f* d'accompagnement *m* (cordes de basse *f*, de bourdon *m*)
26 le renflement de la caisse de résonance *f*;
27 l'anneau *m* à jouer de la cithare
28 la balalaïka
29 le banjo:
30 la caisse de résonance *f* sonore
31 la peau (la table);
32 l'ocarina *m*:
33 le bec (l'embouchure *f*)
34 la perce (le trou);
35 l'harmonica *m* chromatique à bouche *f*, un harmonica à deux rangées *f* de trous *m*
36 l'accordéon *m*; *anal.*: la concertina, le bandonéon, le bandonika:
37 le soufflet
38 la fermeture du soufflet
39 la partie des dessus *m* (le côté de mélodie *f*)
40 le clavier
41 le registre des dessus *m*
42 la touche de registre *m*
43 la partie des basses *f* (le côté d'accompagnement *m*)
44 le registre des basses *f*;
45 le tambour de basque *m* (tambour à cymbalettes *f*)
46 les castagnettes *f*;

47-78 instruments de jazz *m*,

47-58 instruments *m* à percussion *f*,
47-54 la batterie de jazz *m*:
47 la grosse caisse
48 le tambour
49 le tom-tom
50 les cymbales *f* high hat
51 la cymbale fixe
52 le support de la cymbale
53 le balai de jazz *m*, un balai métallique
54 le batteur à pédale *f*;
55 la conga (la tumba):
56 le cercle tendeur;
57 les timbales *f*
58 les bongos *m*
59 les maracas *m*; *anal.*: les boules *f* de rumba
60 le sapo cubano (le racleur cubain)
61 le xylophone (l'harmonica *m* de bois *m*); *autrefois*: le claquebois; *anal.*: la marimba, le balafon:
62 la baguette de bois *m*
63 la caisse de résonance *f*
64 le maillet;
65 la trompette de jazz *m*:
66 le piston
67 le crochet de fixation *f*
68 la sourdine;
69 le saxophone:
70 le pavillon
71 le bocal (le tuyau d'embouchure *f*)
72 le bec (l'embouchure *f*);
73 la guitare de jazz *m*:
74 le côté d'appui *m*;
75 le vibraphone:
76 le cadre métallique
77 la plaque métallique
78 le tube métallique

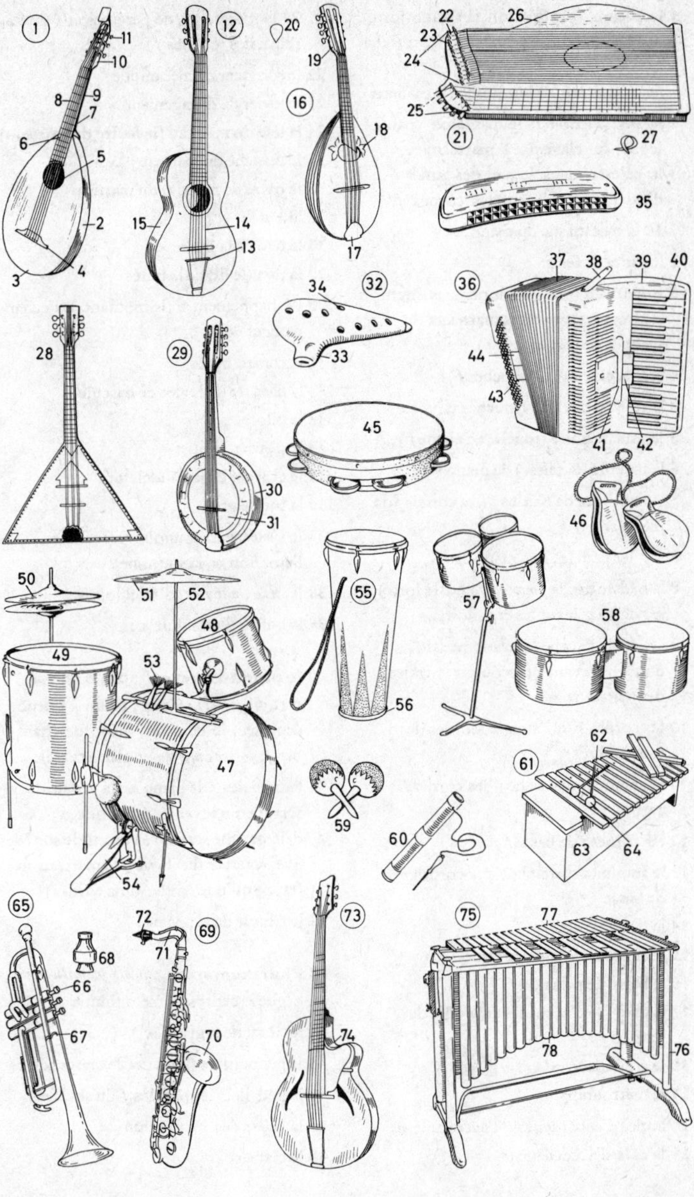
1
2
3
4
5
6
7
8
9
10
11
12
13
14
15
16
17
18
19
20
21
22
23
24
25
26
27
28
29
30
31
32
33
34
35
36
37
38
39
40
41
42
43
44
45
46
47
48
49
50
51
52
53
54
55
56
57
58
59
60
61
62
63
64
65
66
67
68
69
70
71
72
73
74
75
76
77
78

1 le piano (piano droit, le piano-forte), un instrument à touches *f* (instrument à clavier *m*);
formes plus petites: le pianino (la pianette);
formes antérieures: le pantalon (pantaléon), le clavecin à marteaux *m*, le célesta, dans lequel des lames *f* d'acier *m* remplacent les cordes *f*,

2-18 la mécanique du piano:

2 le cadre de fer *m*

3 le marteau (marteau de piano *m*, marteau feutré); *l'ensemble*: les marteaux (le système de percussion *f*)

4 et **5** le clavier (les touches *f*):

4 la touche blanche (touche en ivoire *m*)

5 la touche noire (touche en ébène *f*);

6 le meuble (la caisse) de piano *m*

7 la garniture de cordes *f* (les cordes *f* de piano *m*)

8 et **9** les pédales *f* de piano *m*:

8 la pédale droite (*inexact*: pédale forte) servant à relever les étouffoirs *m*

9 la pédale gauche (*inexact*: pédale douce), servant à raccourcir le trajet des marteaux *m*;

10 les cordes *f* de l'aigu *m* (cordes des tons *m* aigus)

11 le sommier d'attache *f* des cordes *f* aiguës

12 les cordes *f* de basse *f*

13 le sommier d'attache *f* des cordes *f* de basse *f*

14 la pointe d'attache *f*

15 le support de la mécanique

16 la barre de pression *f*

17 la cheville d'accord *m* (cheville de tension *f*)

18 le trou d'accordage *m*;

19 le métronome

20 la clef d'accordeur *m* (l'accordoir *m*)

21 la cale d'accordage *m*

22-39 la mécanique de percussion *f* (mécanique des touches *f*):

22 le sommier de mécanique *f*

23 le levier de dégagement *m*

24 la tête du marteau (le feutre du marteau)

25 le manche du marteau

26 la barre de repos *m* du marteau

27 la butée

28 la tête de la butée

29 la tige (le fil) de la butée

30 l'échappement *m* (le montant de l'échappement *m*)

31 la contre-butée

32 la bascule (le levier de bascule)

33 le pilote

34 le pousse-pilote

35 le crochet de la bandelette

36 la bandelette

37 le système d'étouffoirs *m* (le feutre, l'étouffoir *m*, la sourdine)

38 le bras (le levier) d'étouffoir *m*

39 le butoir d'étouffoir *m*;

40 le piano à queue *f* (piano de concert *m*; *formes réduites*: piano à queue écourtée, le crapaud, piano de chambre *f*; *forme antérieure*: piano carré):

41 les pédales *f* de piano *m*; la pédale droite servant à relever les étouffoirs *m*; pédale gauche servant à amortir le son (déplacement *m* du clavier: le marteau ne frappe qu'une corde, «una corda»)

42 la tringle de la pédale;

43 l'harmonium *m*, *appelé primitivement*: orgue *m* expressif, mélodium *m*:

44 le tirant de registre *m*

45 la genouillère (levier *m* de crescendo *m*)

46 le pédalier (les pédales *f* du soufflet)

47 la caisse de l'harmonium *m*

48 le clavier

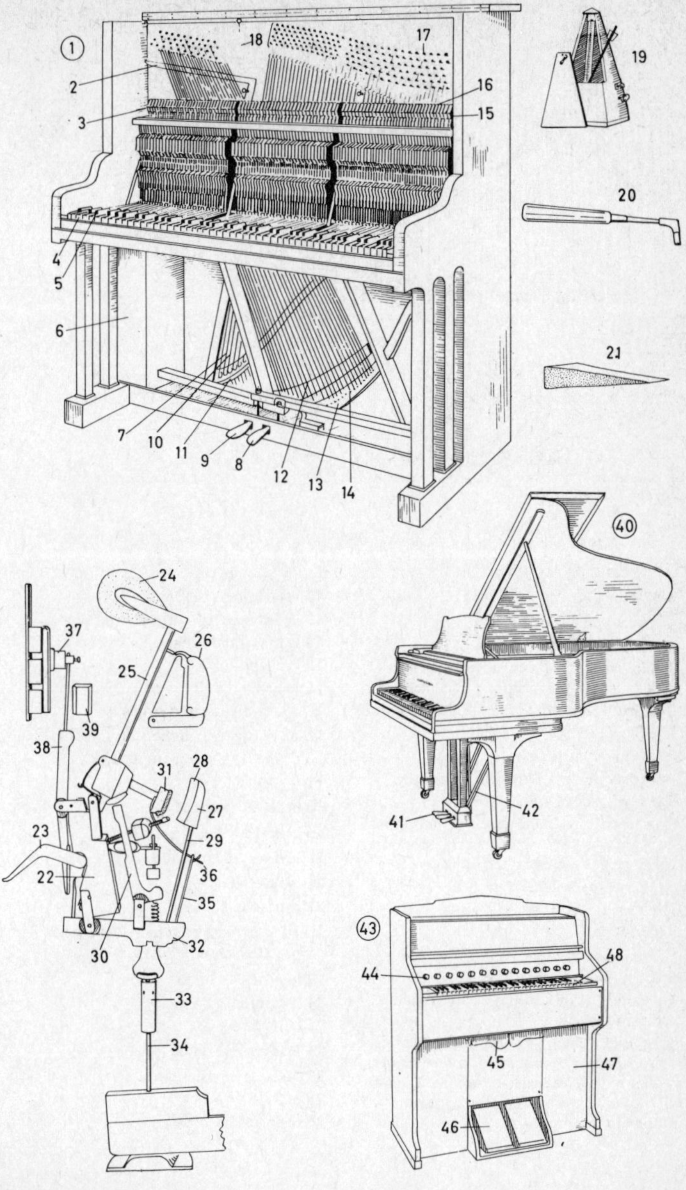
1
2
3
4
5
6
7
8
9
10
11
12
13
14
15
16
17
18
19
20
21
22
23
24
25
26
27
28
29
30
31
32
33
34
35
36
37
38
39
40
41
42
43
44
45
46
47
48

305 Instruments de musique V

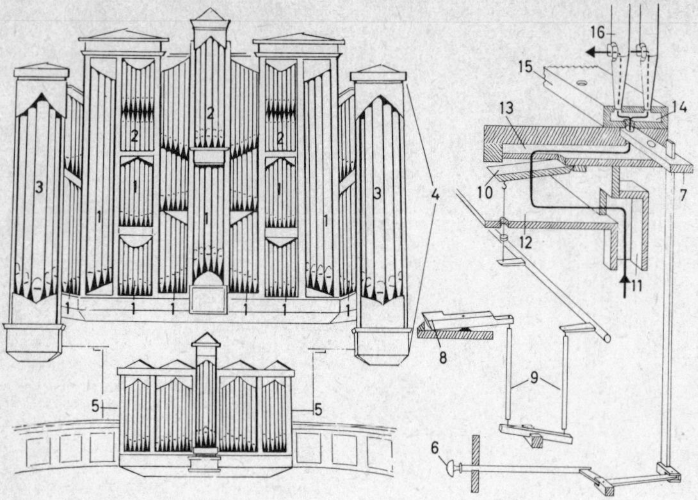

1-52 l'orgue
sing. m; *pl. f* (l'orgue d'église *f*),
1-5 le buffet (buffet d'orgue),
1-3 les tuyaux *m* (la tuyauterie, les jeux *m*) de façade *f* (de montre *f*), (la montre):
1 le jeu de grand-orgue (le grand-orgue)
2 le jeu de récit *m* (le récit)
3 les jeux *m* de pédale *f*;
4 la tourelle de pédale *f* (la trompe)
5 le positif de dos *m*;
6-16 la traction mécanique (la mécanique de jeu *m*); *autres formes*: la traction pneumatique, traction électrique:
6 le bouton de registre *m*
7 le registre coulissant
8 la touche
9 les vergettes *f*
10 la soupape (soupape de jeu *m*)
11 la conduite de soufflage *m* (l'alimentation *f* en air *m*)
12-14 le sommier, un sommier à registres *m* (sommier à coulisses *f*); *autres formes*: sommier à caisse *f*, sommier à ressorts *m*, sommier à pistons *m*, sommier à membranes *f*:
12 la laie (le porte-vent)
13 la gravure (gravure de sommier *m*)
14 la gravure de chape *f*;
15 la chape
16 le tuyau d'un registre;
17-35 les tuyaux *m* d'orgue,
17-22 le tuyau à anche *f* en métal *m* (jeu *m* d' anches), une trompette:
17 le pied
18 la rigole (l'anche *f*)
19 la languette
20 le noyau de plomb *m*
21 la rasette
22 le pavillon;
23-30 le tuyau à bouche *f* ouvert en métal *m*, un salicional:
23 le pied
24 la lumière
25 la bouche
26 la lèvre inférieure
27 la lèvre supérieure (le biseau)
28 le fond
29 le corps du tuyau

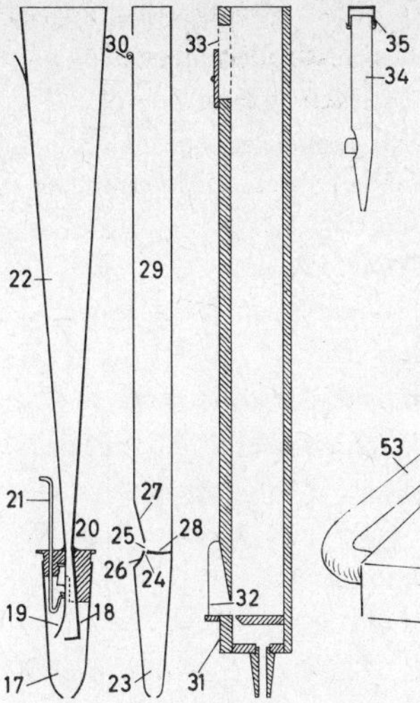

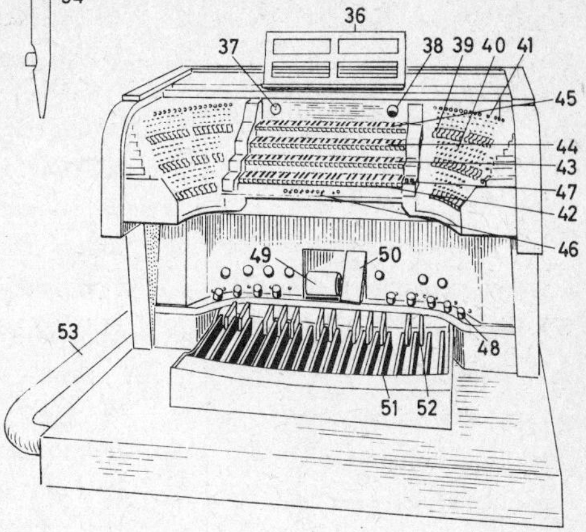

30 le rouleau d'accordage *m* (rouleau d'entaille *f*), un dispositif d'accord *m*;

31-33 le tuyau à bouche *f* ouvert en bois *m*, un principal (un prestant):

31 la lèvre inférieure

32 le frein

33 la fenêtre d'accordage *m* avec coulisse *f*;

34 le tuyau à bouche *f* fermé (tuyau à bouche couvert, tuyau à bouche bouché)

35 la calotte métallique

36-52 la console d'un orgue à commande *f* électrique:

36 le pupitre à musique *f*

37 le cadran de contrôle *m* de la position des rouleaux *m*

38 le cadran de contrôle *m* de la tension du courant

39 la touche de registre *m*

40 la touche de combinaison *f* libre

41 les interrupteurs *m* (les annulateurs *m*) pour les jeux *m* d'anches *f*, l'accouplement *m* etc.

42 le premier clavier manuel (clavier du positif de dos *m*)

43 le deuxième clavier manuel (clavier de grand-orgue)

44 le troisième clavier manuel (clavier de récit *m*)

45 le quatrième clavier manuel (clavier de bombarde *f*)

46 les boutons-poussoirs *m* et les boutons de combinaison *f* (les combinaisons) pour les registres *m* à main *f*, les combinaisons libres et fixes et les combinaisons de jeux *m* composés.

47 les commutateurs *m* pour vent *m* et courant *m*

48 la tirasse pour l'accouplement *m* (la pédale d'accouplement)

49 le rouleau de crescendo *m* (la pédale de crescendo de registres *m*),

50 la pédale d'expression *f*

51 la touche inférieure du pédalier (touche du clavier de pédales, la pédale inférieure)

52 la touche supérieure du pédalier (touche du clavier de pédales, la pédale supérieure);

53 le câble

1-10 instruments *m* de musique *f* mécaniques,
1 la boîte à musique *f* (l'horloge *f* à carillon *m*):
2 le cylindre à pointes *f* (cylindre)
3 le peigne métallique
4 la languette métallique
5 le mouvement (la mécanique), un mouvement d'horlogerie *f*
6 la pointe
7 le déclic;
8 l'automate *m* à musique *f*:
9 le disque métallique (disque, la feuille perforée, feuille notée)
10 la caisse (le boîtier);
11 le trautonium, un instrument de musique *f* électrique:
12 le clavier (les touches *f*);
13 l'appareil *m* enregistreur sur bande *f* magnétique, un magnétophone portatif:
14 la bande magnétique sonore
15 la bobine de bande *f*
16 l'axe *m* d'enroulement *m* (l'axe de bobinage *m*)
17 le bouton de réglage *m*
18 les sélecteurs *m* d'entrée *f*
19 l'indicateur *m* d'équilibrage *m*
20 la touche d'arrêt *m* momentané
21 la touche d'enregistrement *m*
22 la touche de reproduction *f* (touche d'écoute *f*)
23 la touche d'arrêt *m*
24 la touche de rebobinage *m*
25 la touche de trucage *m* (*ou* truquage) (touche de surimpression *f*)
26 le registre de tonalité *f*
27 le bouton de réglage *m* de la puissance sonore et l'interrupteur *m* principal
28 le microphone;
29 le tourne-disque automatique:
30 le boîtier
31 la fente d'introduction *f*;
32 le tourne-disque, un changeur de disque *m* automatique:
33 l'axe *m* du changeur de disque *m*
34 le disque
35 la tête de pick-up
36 et 37 le clavier de commande *f* à trois touches *f*:
36 la touche pour disques *m* normaux
37 la touche pour disques *m* à microsillon *m* (pour microsillons *m*);
38 la manette de répétition *f*
39 la manette de pause *f*
40 le dispositif de correction *f* de tonalité *f*, un correcteur de tonalité à deux étages *m*
41 le plateau à disque *m* (le tourne-disque);
42 l'amplificateur *m* musical, un dispositif d'amplification *f*:
43 le haut-parleur
44 le dispositif de commande *f* à distance *f* (dispositif de télécommande *f*);
45 le combiné
46 le récepteur radiophonique
47 le tourne-disque

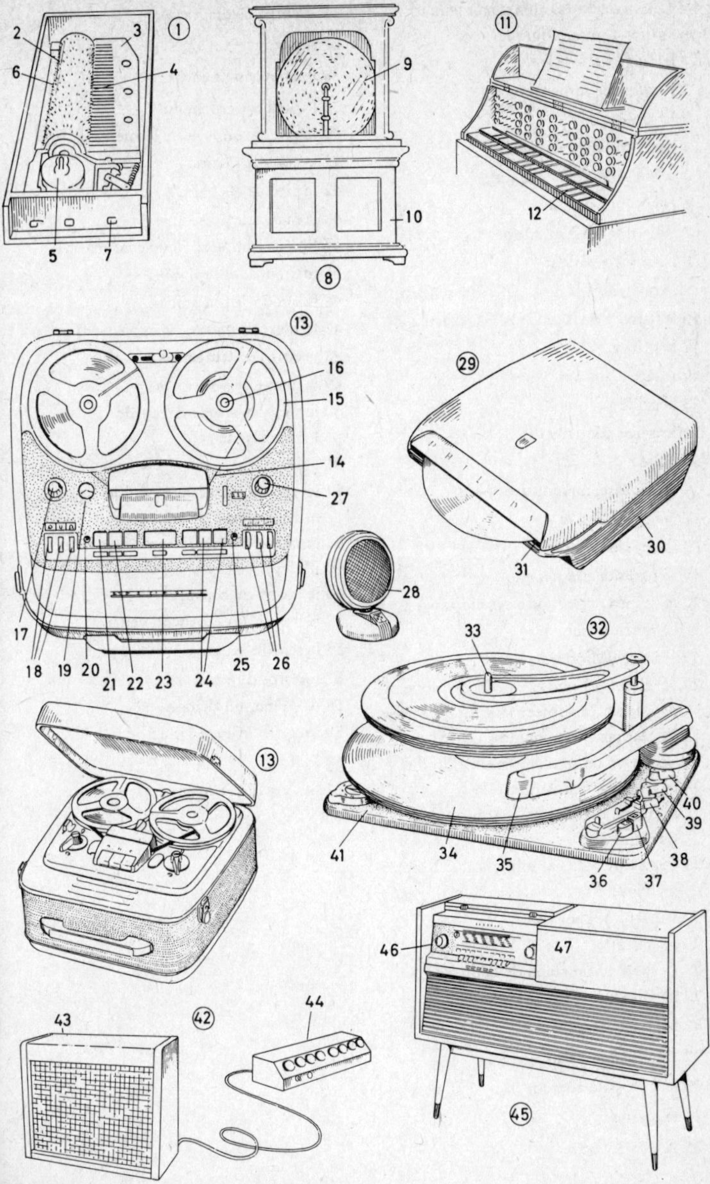
1
2
3
4
5
6
7
8
9
10
11
12
13
14
15
16
17
18
19
20
21
22
23
24
25
26
27
28
29
30
31
32
33
34
35
36
37
38
39
40
41
42
43
44
45
46
47

1-61 animaux *m* fabuleux, animaux et figures *f* mythologiques,
1 le dragon:
2 le corps de serpent *m*
3 la griffe
4 l'aile *f* de chauve-souris *f*
5 la gueule à deux langues *f*
6 la langue fourchue;
7 la licorne (le symbole de virginité *f*):
8 la corne tortillée;
9 le phénix:
10 la flamme ou la cendre de la résurrection;
11 le griffon:
12 la tête d'aigle *m*
13 la griffe
14 le corps de lion *m*
15 l'aile *f*;
16 la chimère, un monstre:
17 la tête de lion *m*
18 la tête de chèvre *f*
19 le corps de dragon *m*;
20 le sphinx, une figure symbolique:
21 la tête humaine
22 le torse de lion *m*;
23 la sirène (l'ondine *f*, la nymphe, la naïade, la fée de mer *f*); *anal.*: la néréide, l'océanide *f* (nymphes de la mer, déesses *f* de la mer); *masc.*: l'ondin *m*:
24 le corps de jeune fille *f*
25 la queue de poisson *m* (queue de dauphin *m*);
26 Pégase (le cheval ailé); *anal.*: l'hippogriffe *m*:
27 le corps de cheval *m*
28 les ailes *f*;
29 Cerbère *m* (le chien de l'enfer *m*):
30 le corps de chien *m* à trois têtes *f*
31 la queue en serpent *m*;
32 l'hydre *f* de Lerne:
33 le corps de serpent *m* à neuf têtes *f*;
34 le basilic:
35 la tête de coq *m*
36 le corps de dragon *m*;
37 le géant (le titan):
38 le morceau de rocher *m*
39 le pied en serpent *m*;
40 le triton, un être de la mer:
41 la conque marine
42 le pied de cheval *m*
43 la queue de poisson *m*;
44 l'hippocampe *m* (le cheval marin):
45 le torse de cheval *m*
46 la queue de poisson *m*;
47 le taureau marin, un monstre:
48 le corps de taureau *m*
49 la queue de poisson *m*;
50 le dragon à sept têtes *f* de l'Apocalypse *f*:
51 l'aile *f*;
52 le centaure, un être moitié homme *m*, moitié cheval *m*:
53 le corps d'homme *m* avec arc *m* et flèche *f*
54 le corps de cheval *m*;
55 la harpie, un esprit du vent:
56 la tête de femme *f*
57 le corps d'oiseau *m*;
58 la sirène, un démon:
59 le corps de jeune fille *f*
60 l'aile *f*
61 la serre d'oiseau *m*

1
2
3
4
5
6
7
8
9
10
11
12
13
14
15
16
17
18
19
20
21
22
23
24
25
26
27
28
29
30
31
32
33
34
35
36
37
38
39
40
41
42
43
44
45
46
47
48
49
50
51
52
53
54
55
56
57
58
59
60
61

1 Zeus (Jupiter), le père des dieux *m* (dieu olympien),
2-4 ses attributs *m*:
2 la foudre
3 le sceptre
4 l'aigle *m*;
5 Héra (Junon):
6 la patère
7 le voile
8 le sceptre;
9 Arès (Mars), dieu *m* de la guerre:
10 le casque à cimier *m*
11 la cuirasse;
12 Artémis (Diane), déesse *f* de la chasse:
13 le carquois
14 la biche;
15 Apollon, dieu *m* de la lumière et chef *m* des muses *f*:
16 l'arc *m*;
17 Athénée (Minerve), déesse *f* de la sagesse et des arts *m*:
18 le cimier
19 le casque corinthien *m*
20 la lance;
21 Hermès (Mercure), messager *m* des dieux *m*, dieu des routes *f* et du commerce:
22 les sandales *f* ailées
23 le chapeau ailé
24 la bourse
25 la caducée (la baguette ailée, baguette de Mercure);
26 Eros (Cupidon, Amour), dieu *m* de l'amour *m*:
27 l'aile *f*
28 la flèche (flèche de l'amour *m*);
29 Poseidon (Neptune), dieu *m* de la mer:
30 le trident
31 le dauphin;
32 Dionysos (Bacchus), dieu *m* du vin:
33 le thyrse
34 la peau de panthère *f*;
35 la Ménade (la Bacchante):
36 le flambeau;
37 la Fortune, déesse *f* du hasard et de la chance:
38 le diadème à tours *f*
39 la corne d'abondance *f*;
40 Pan (Faunus), dieu *m* des bergers *m*:
41 la flûte de Pan
42 le pied de bouc *m*;
43 Niké (Victoire), déesse *f* de la victoire:
44 la couronne de la victoire;
45 Atlas, un géant:
46 la sphère céleste;
47 Janus, gardien *m* de la maison:
48 la tête de Janus;
49 la Méduse, une des trois Gorgones:
50 la tête de Méduse *f* (tête de Gorgone *f*);
51 l'Erinnye (la Furie), déesse *f* de la vengeance:
52 les serpents *m*;
53-58 les Parques (Moires), déesses *f* du destin:
53 Clotho:
54 le fuseau;
55 Lachesis:
56 le rouleau d'écriture *f*;
57 Atropos:
58 les ciseaux *m*;
59-75 les Muses *f*:
59 Clio [muse *f* de l'histoire *f*]:
60 le rouleau d'écriture *f*;
61 Thalie [muse *f* de la comédie]:
62 le masque comique;
63 Erato [muse *f* de la poésie]:
64 la lyre;
65 Euterpe [muse *f* de la musique]:
66 la flûte;
67 Polymnie [muse *f* du chant et des hymnes *m*]
68 Calliope [muse *f* de la poésie épique]:
69 la tablette;
70 Terpsichore [muse *f* du chant, du chœur et de la danse]:
71 la cithare;
72 Uranie [muse *f* de l'astronomie *f*]:
73 le globe céleste;
74 Melpomène [muse *f* de la tragédie]:
75 le masque tragique

1
2
3
4
5
6
7
8
9
10
11
12
13
14
15
16
17
18
19
20
21
22
23
24
25
26
27
28
29
30
31
32
33
34
35
36
37
38
39
40
41
42
43
44
45
46
47
48
49
50
51
52
53
54
55
56
57
58
59
60
61
62
63
64
65
66
67
68
69
70
71
72
73
74
75

1-40 objets *m* de fouilles *f* préhistoriques,

1-9 le paléolithique et le mésolithique:

1 le coin en silex *m*

2 la pointe de javelot *m*

3 le harpon en os *m*

4 la pointe de flèche *f*

5 le javelot en bois *m* de renne *m*

6 la pierre commémorative, une pierre peinte

7 la tête de cheval *m*, une sculpture

8 l'idole *f* paléolithique, une statuette en ivoire *m*

9 le bison, une image rupestre (image de caverne *f*) [la peinture rupestre];

10-20 le néolithique:

10 l'amphore *f* [la céramique lisérée]

11 le cratère [la céramique incisée]

12 le vase à col *m* [la céramique mégalithique]

13 le vase décoré de spirales *f* [la céramique rayée]

14 le vase-cloche [la céramique en zones *f*]

15 la maison sur pilotis *m*; *anal.*: la terramare italienne, le crannog britannique

16 le dolmen, une tombe mégalithique; *autre forme*: l'allée couverte; *anal.*: le tumulus

17 le sarcophage de pierres *f*, une tombe où le mort est placé les jambes fléchies

18 le menhir; *anal.*: le bautastein du Nord, le hinkelstein allemand, un monolithe

19 la hache en forme *f* de barque *f*, une hache de pierre *f*

20 l'idole *f* en terre *f* cuite, une idole (simulacre *m*);

21-40 l'âge *m* du bronze et du fer; l'ère *f* de Halstatt, l'ère de la Tène:

21 la pointe de lance *f* en bronze *m*

22 le poignard de bronze *m*

23 la hache à douille *f*, une hache de bronze *m*

24 le fermoir de ceinture *f*

25 le collier

26 le collier d'or *m*

27 la fibule en archet *m*

28 la fibule serpentine; *var.*: fibule en barque *f*, fibule en arbalète *f*

29 l'épingle *f* à tête ronde *f*, une épingle de bronze *m*

30 la fibule à deux spirales *f* (fibule à lunettes *f*); *anal.*: fibule à plaques *f*

31 le couteau de bronze *m*

32 la clé de fer *m*

33 le soc

34 le cratère funéraire en tôle *f* de bronze *m*

35 le pot à anse *f* sculpté [céramique *f* sculptée]

36 le chariot-chaudron, un chariot de culte *m* en miniature

37 la pièce d'argent *m* celte

38 l'urne *f* anthropomorphe contenant les cendres *f*; *var.* urne maison, urne bosselée

39 la tombe à urne *f*:

40 l'urne *f* à collerette *f*

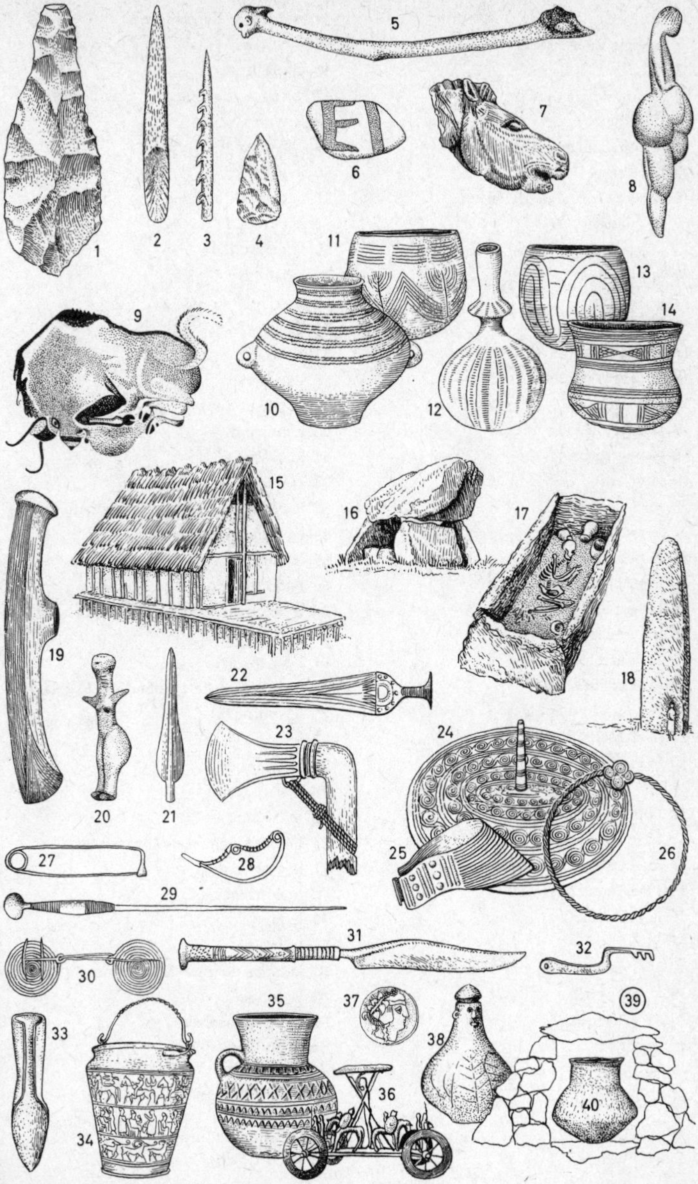
1
2
3
4
5
6
7
8
9
10
11
12
13
14
15
16
17
18
19
20
21
22
23
24
25
26
27
28
29
30
31
32
33
34
35
36
37
38
39
40

1 le château fort:
2 la cour intérieure
3 le puits
4 le donjon (le beffroi):
5 l'oubliette *f*
6 le couronnement crénelé
7 le créneau
8 la plate-forme de défense *f*;
9 le guetteur
10 le gynécée (le logis des femmes *f*)
11 la lucarne
12 le balcon
13 le grenier
14 la tour d'angle *m*
15 le mur d'enceinte *f*
16 le bastion
17 la tour du guet
18 la meurtrière
19 la courtine
20 la bretèche
21 la parapet
22 la porte fortifiée:
23 le mâchicoulis
24 la herse;
25 le pont-levis
26 le contrefort
27 les communs *m*
28 la tourelle d'angle *m* (la poivrière)
29 la chapelle du château
30 le logis du châtelain
31 les lices *f*
32 la porte du château
33 le fossé
34 le chemin d'accès *m*
35 l'échauguette *f*
36 la palissade
37 la douve;
38-65 l'armure *f* du chevalier,
38 l'armure *f*,
39-42 le casque:
39 le timbre
40 la visière
41 la mentonnière
42 la jugulaire;
43 le gorgerin
44 la crête de l'épaulière *f*
45 l'épaulière *f*
46 le plastron
47 le canon d'avant et d'arrière bras *m*
48 la cubitière
49 la braconnière
50 le gantelet
51 la cotte de mailles *f*
52 le cuissard
53 la genouillère
54 la jambière,
55 le soleret en pied *m* d'ours *m*;
56 l'écu *m* long
57 le bouclier rond:
58 l'umbo *m*;
59 le pot de fer *m*
60 le morion
61 le bassinet
62 la cuirasse:
63 la cotte de mailles *f* en chaînettes *f*
64 la cotte en écailles *f*
65 la cotte en écus *m*;
66 l'adoubement *m*:
67 le seigneur, un chevalier, un châtelain
68 l'écuyer *m*
69 l'échanson *m*
70 le trouvère (le troubadour, le baladin);
71 le tournoi:
72 le croisé
73 le templier
74 le caparaçon
75 le héraut;
76 l'équipement *m* de tournoi *m*:
77 le casque de joute *f*
78 le panache
79 la targe
80 le faucre
81 la lance de joute *f* (une lance)
82 la rondelle;
83-88 le harnachement:
83 le garde-encolure
84 le chanfrein
85 la barde de poitrail *m*
86 le flançois
87 la selle de tournoi *m*
88 la barde de dos *m*

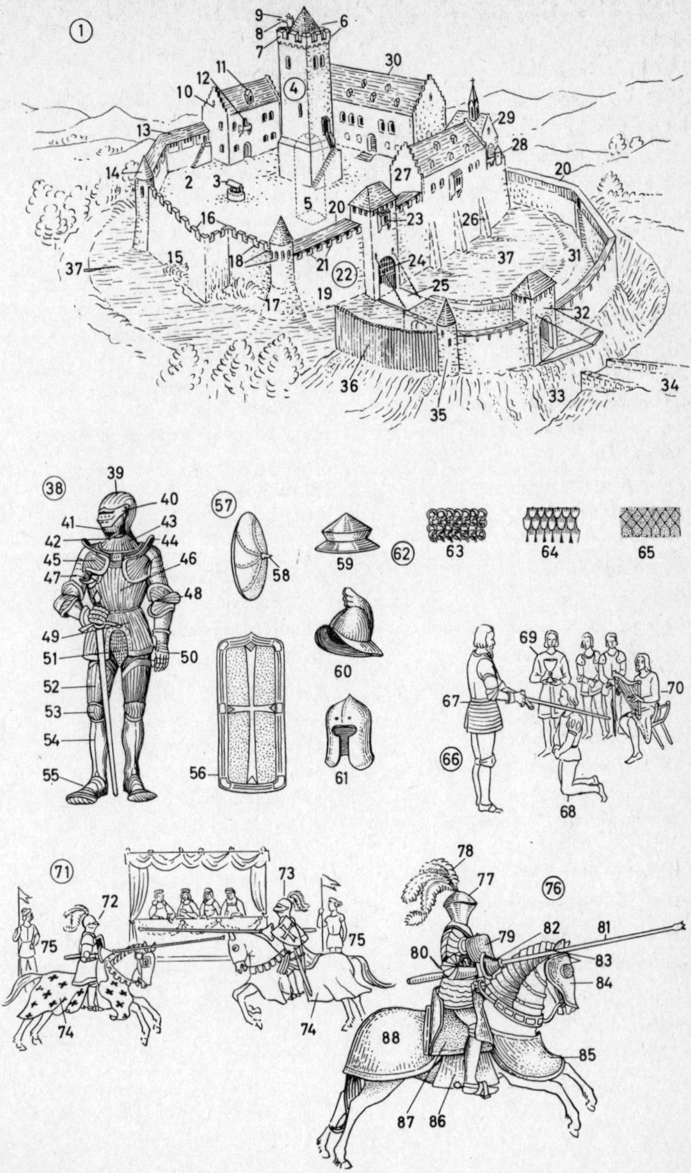
1
2
3
4
5
6
7
8
9
10
11
12
13
14
15
16
17
18
19
20
21
22
23
24
25
26
27
28
29
30
31
32
33
34
35
36
37
38
39
40
41
42
43
44
45
46
47
48
49
50
51
52
53
54
55
56
57
58
59
60
61
62
63
64
65
66
67
68
69
70
71
72
73
74
75
76
77
78
79
80
81
82
83
84
85
86
87
88

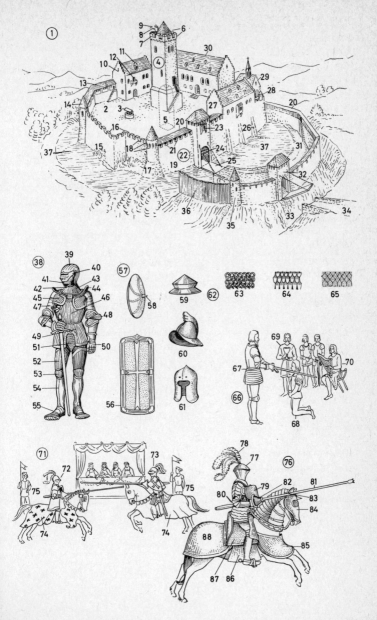

311 Église I

1-30 un temple protestant:

1 le chœur
2 les fonts *m* baptismaux
3 la cuve baptismale
4 le lutrin
5 le siège du chœur
6 le tapis d'autel *m*
7 l'autel *m*:
8 les marches *f* de l'autel *m*
9 la nappe d'autel *m*;
10 le cierge
11 la custode
12 la patène
13 le calice
14 la Bible (l'Écriture *f* sainte)
15 le tableau de l'autel *m*, un Christ
16 le vitrail:
17 le verre peint;
18 la porte de sacristie *f*
19 l'escalier *m* de chaire *f*
20 la chaire
21 l'abat-voix *m*
22 le prédicateur (le pasteur) en surplis *m*
23 l'appui *m* de la chaire
24 le tableau indicateur de cantiques *m*
25 la tribune (la galerie)
26 le sacristain (le bedeau)
27 l'allée *f* centrale
28 le banc d'église *f*
29 le fidèle; *ens.*: l'assemblée *f* des fidèles (la communauté)
30 le psautier (le livre de cantiques *m*);

31-65 une église catholique:

31 les marches *f* du maître-autel
32 la grille du chœur
33 le banc de communion *f*
34 les stalles *f*
35 le déambulatoire
36 le chœur (le sanctuaire)
37 le maître-autel
38 les canons d'autel *m*
39 le tabernacle
40 le crucifix
41 le cierge
42 le triptyque (le tableau d'autel *m* à deux volets *m*)
43 le volet;
44 la lampe du Saint-Sacrement (lampe éternelle)
45 l'autel *m* latéral
46 la statue d'un Saint
47 le côté de l'épître *f*
48 le côté de l'évangile *m*
49 le prêtre célébrant la sainte messe (messe basse)
50 le lutrin et le missel
51 la nappe d'autel *m*
52 le servant (l'enfant *m* de chœur *m*)
53 la chaire
54 l'ange *m*
55 la trompette
56 l'escalier *m* de la chaire
57 la station du chemin de croix *f*
58 le fidèle en prière *f*, un croyant
59 le livre de prières *f*
60 le cierge
61 le tronc
62 le sacristain
63 la bourse à sonnette *f*
64 le don (l'offrande *f*)
65 la dalle funéraire

1
2
3
4
5
6
7
8
9
10
11
12
13
14
15
16
17
18
19
20
21
22
23
24
25
26
27
28
29
30

31
32
33
34
35
36
37
38
39
40
41
42
43
44
45
46
47
48
49
50
51
52
53
54
55
56
57
58
59
60
61
62
63
64
65

1 **l'église** *f*:
2 le clocher
3 le coq du clocher *m*
4 la girouette
5 le bulbe de la flèche
6 la flèche (la pointe) du clocher
7 l'horloge *f* du clocher
8 la baie du clocher
9 la cloche mue électriquement
10 la croix de faîte *m*
11 la toiture d'église *f*
12 la chapelle votive
13 la sacristie, une annexe
14 l'épitaphe *f* (la plaque commémorative, la pierre commémorative)
15 l'entrée *f* latérale
16 le portail;
17 le fidèle
18 le mur du cimetière (mur d'enceinte *f* de l'église *f*)
19 le portail du cimetière (portail de l'enceinte *f* de l'église *f*)
20 le presbytère (la cure)

21-41 le cimetière:

21 la chapelle funéraire (chapelle des morts *m*, chapelle mortuaire, la morgue)
22 le fossoyeur
23 la tombe (le tombeau, l'emplacement *m* funéraire):
24 le tertre funéraire
25 la croix tombale;
26 la pierre tombale (le monument funéraire, la pierre commémorative)
27 le caveau de famille *f*
28 la chapelle du cimetière
29 le thuya (l'arbre *m* de vie *f*)
30 la tombe d'enfant *m*
31 la sépulture à urne *f*:
32 l'urne *f*;
33 la tombe militaire
34-41 l'enterrement *m* (l'inhumation *f*, les funérailles *f*, les obsèques *f*):
34 la fosse
35 le cercueil
36 le récipient pour la pelletée de terre *f*
37 l'officiant *m* (le prêtre, l'ecclésiastique *m*)
38 les parents *m* du défunt
39 le voile de deuil *m*
40 les croque-morts *m*
41 la civière;

42-50 la procession:

42 la croix de procession *f*
43 le porteur de croix *f*
44 la bannière, une bannière d'église *f*
45 l'enfant *m* de chœur *m*
46 le porteur de dais *m*
47 le prêtre
48 l'ostensoir *m* avec le Saint-Sacrement
49 le dais (le baldaquin)
50 les participants *m* à la procession;

51-61 l'exposition *f* (la mise en bière *f*) **du mort:**

51 le cercueil (la bière)
52 le catafalque
53 le drap mortuaire (le linceul)
54 le mort (le cadavre, le défunt)
55 le cierge funèbre (cierge mortuaire)
56 le candélabre, un chandelier
57 la couronne mortuaire:
58 le ruban de la couronne
59 la dédicace;
60 le laurier:
61 le cuveau de la plante ornementale;

62 les catacombes *f*, une ancienne sépulture chrétienne souterraine:

63 la niche de sépulture *f*
64 la dalle de pierre *f*

1
2
3
4
5
6
7
8
9
10
11
12
13
14
15
16
17
18
19
20
21
22
23
24
25
26
27
28
29
30
31
32
33
34
35
36
37
38
39
40
41
42
43
44
45
46
47
48
49
50
51
52
53
54
55
56
57
58
59
60
61
62
63
64

1 le baptême:
2 le baptistère
3 le pasteur (le ministre du culte protestant):
4 la robe du pasteur
5 le rabat
6 le col;
7 le baptisé
8 la robe de baptême *m*
9 le voile de baptême *m*
10 les fonts *m* baptismaux:
11 la cuve baptismale;
12 le parrain et la marraine;

13 la bénédiction nuptiale (le mariage, les noces *f*),
14 et 15 les jeunes mariés:
14 la jeune mariée
15 le jeune marié;
16 l'anneau *m* nuptial (l'alliance *f*)
17 le bouquet de la mariée
18 la couronne de myrte *m* (*en France*: couronne de fleurs *f* d'oranger *m*)
19 le voile de la mariée
20 le coussin
21 le brin de myrte *m*
22 l'officiant *m*
23 les témoins *m* des mariés *m*;

24 la communion: (la Sainte-Cène):
25 les communiants *m*
26 l'hostie *f*
27 le calice (le ciboire);
28 le chapelet (le rosaire):
29 le gros grain (le grain de pater)
30 le petit grain d'Ave; 10: la dizaine de chapelet *m*
31 le petit écusson
32 le crucifix

33-48 objets *m* de culte *m* catholique (objets liturgiques, objets saints),
33 l'ostensoir *m* (la custode):
34 la grande hostie consacrée (le Saint Sacrement)
35 la lunule
36 le soleil;
37 l'encensoir *m* pour encensements *m* liturgiques:
38 la chaîne de l'encensoir *m*
39 le couvercle de l'encensoir *m*
40 la cassolette;
41 la navette à encens *m*:
42 la cuiller à encens *m*;
43 la sonnette d'autel *m*
44 le calice
45 le bénitier portatif
46 le ciboire avec les petites hosties *f* pour la communion des fidèles *m*
47 la clochette liturgique
48 le goupillon (l'aspersoir *m*);

49-66 formes *f* de croix *f*:
49 la croix latine (croix de la Passion)
50 la croix grecque
51 la croix russe
52 la croix de Saint-Pierre
53 la croix en tau (croix en T, croix de Saint-Antoine)
54 la croix de Saint-André
55 le pairle (la croix en forme d'i grec)
56 la croix de Lorraine
57 la croix égyptienne
58 la croix pastorale double
59 la croix cardinalice
60 la croix papale
61 le monogramme du Christ (le chrisme)
62 la croix répétée
63 la croix ancrée
64 la croix potencée
65 la croix tréflée
66 la croix de Jérusalem

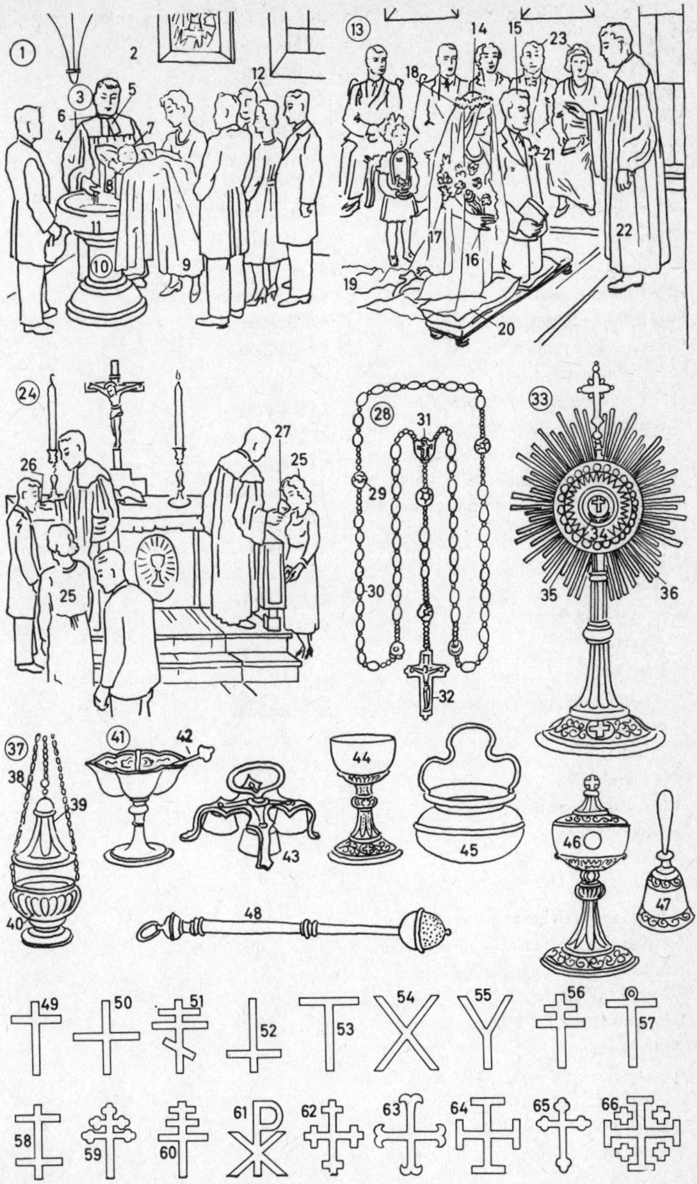
1
2
3
4
5
6
7
8
9
10
11
12
13
14
15
16
17
18
19
20
21
22
23
24
25
26
27
25
28
29
30
31
32
33
34
35
36
37
38
39
40
41
42
43
44
45
46
47
48
49
50
51
52
53
54
55
56
57
58
59
60
61
62
63
64
65
66

1-12 le couvent (le monastère):
1 le cloître
2 la cour du couvent
3 le moine
4 la cellule:
5 le lit
6 le crucifix
7 l'image *f* sainte
8 le froc
9 le prie-Dieu
10 la table de travail *m*
11 le tabouret (l'escabeau *m*)
12 l'étagère *f* à livres *m*;
13-58 habits *m* religieux,
13 le moine bénédictin (le bénédictin), un moine; *autres ordres monacaux*: franciscains *m* et frères *m* mineurs, capucins *m*, cisterciens *m* et bernardins *m*, trappistes *m* (cisterciens *m* réformés), jésuites *m*
14-16 l'habit *m* monacal:
14 le froc
15 le scapulaire
16 le capuchon (le froc);
17 la tonsure
18 le bréviaire
19 le dominicain, un frère prêcheur d'un ordre mendiant; *en Angleterre*: Black Friar:
20 le cingulum (la ceinture)
21 le rosaire (le chapelet);
22 une nonne:
23 la guimpe
24 le voile;
25-31 prêtres *m* en habits *m* sacerdotaux
25 le prêtre orthodoxe russe (le pope):
26 la tunique *anal.*: le sticharion
27 l'étole *f* (l'épitrachelion *m*)
28 les manchettes *f* (l'épimanikion *m*)
29 la ceinture
30 la phelonion (la risa)
31 le kamilafkion [une sorte de tiare];
32-53 les prêtres *m* catholiques (le clergé catholique),
32 le prêtre en habit *m* de chœur *m*:
33 la soutane
34 le surplis
35 l'étole *f*
36 la barrette;
37 le prêtre en tenue d'officiant *m*:
38 l'aube *f*
39 la chasuble
40 l'amict *m*
41 la pale
42 le manipule;
43 l'évêque *m*:
44 la tunique
45 la dalmatique
46 la mitre
47 l'anneau *m* pastoral
48 la crosse;
49 le cardinal en habit *m* de cérémonie *f*:
50 le rochet (le surplis)
51 la chape
52 la croix pectorale
53 la calotte;
54 le pape (le souverain Pontife) en tenue *f* pontificale:
55 le fanon
56 le pallium
57 le gant orné d'une croix
58 l'anneau *m* du pêcheur (anneau papal)

1 2 3
4 5 6 7 8 9 10 11 12
13 14 15 16 17 18
19 20 21
22 23 24
25 26 27 28 29 30 31
32 33 34 35 36
37 38 39 40 41 42
43 44 45 46 47 48
49 50 51 52 53
54 55 56 57 58

1-18 art *m* égyptien,

1 la pyramide, une pyramide pointue, un tombeau royal:

2 la chambre du roi

3 la chambre de la reine

4 la cheminée d'aération *f*

5 la chambre funéraire;

6 la disposition générale de la pyramide:

7 le temple des morts *m*

8 le temple de la vallée

9 le pylône (la façade)

10 les obélisques *m*;

11 le sphinx égyptien

12 le disque solaire ailé

13 la colonne en lotus *m*:

14 le chapiteau en bouton *m* de lotus *m*;

15 la colonne en papyrus *m*:

16 le chapiteau campanulé;

17 la colonne en palmier *m*

18 la colonne à figure *f*;

19 et 20 art *m* babylonien,

19 la frise babylonienne:

20 le bas-relief en briques *f* vernissées;

21-28 art *m* perse,

21 le tumulus:

22 la pyramide à gradins *m*;

23 la colonne taurine:

24 la retombée de feuilles *f*

25 le chapiteau à palmettes *f*

26 la volute

27 le fût

28 le chapiteau orné de deux taureaux *m*;

29-36 art *m* assyrien,

29 le palais de Sargon, la disposition des bâtiments *m* du palais:

30 la muraille de la ville

31 la muraille du palais

32 la tour du temple (le Zigourat), une tour à gradins *m*

33 le perron (l'escalier *m* monumental)

34 le grand portail;

35 l'ornementation *f* du grand portail:

36 la figurine du grand portail;

37 art *m* de l'Asie *f* mineure:

38 le tombeau rupestre

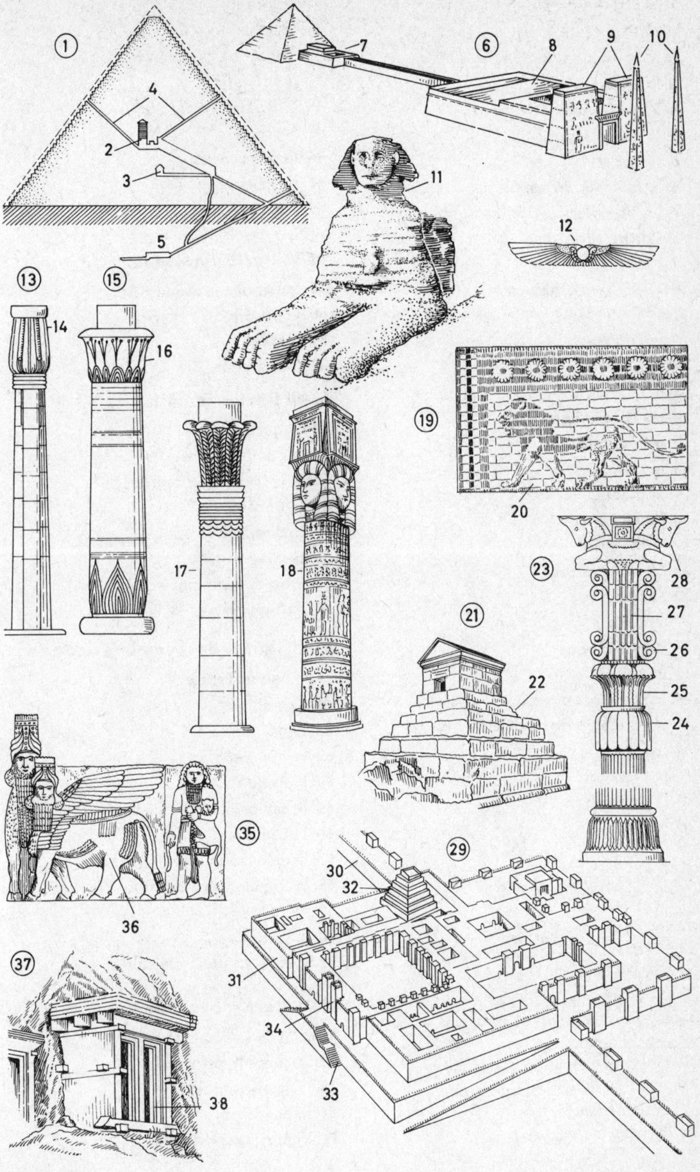
1
2
3
4
5
6
7
8
9
10
11
12
13
14
15
16
17
18
19
20
21
22
23
24
25
26
27
28
29
30
31
32
33
34
35
36
37
38

1-48 l'art *m* grec,

1-7 l'Acropole *f*,
1 le Parthénon, un temple dorique:
2 le péristyle
3 le fronton avec le tympan
4 le soubassement;
5 la statue
6 la muraille du temple
7 les propylées *m* (les portiques *m*);
8 l'ordre *m* dorique
9 l'ordre *m* ionique,
10 l'ordre *m* corinthien,
11-14 la corniche:
11 le rampant
12 le larmier
13 le modillon
14 les denticules *m*;
15 le triglyphe
16 la métope
17 la rainure
18 l'architrave *f*
19 le kymation
20-25 le chapiteau:
20 l'abaque *m*
21 l'échine *f*
22 l'annelet *m*
23 la volute
24 le coussinet de volute *f*
25 la couronne de feuilles *f*;
26 le fût
27 la cannelure
28-31 la base:
28 le tore
29 le trochyle (la scotie)
30 la base ronde
31 la plinthe;
32 le stylobate
33 la stèle:
34 l'acrotère *m*;
35 l'hermès *m*
36 la cariatide; *masc.*: l'atlante *m*
37 le vase grec,
38-43 l'ornementation *f* grecque:
38 le collier de perles, une bande ornementale
39 la bande de vagues *f*
40 la foliole
41 la palmette
42 l'ove *m*
43 le méandre;
44 le théâtre grec:
45 la scène
46 le proscenium
47 l'orchestre *m*
48 l'autel *m*;

49-52 l'art *m* étrusque,

49 le temple étrusque:
50 le portique
51 la cella
52 la charpente;

53-60 l'art *m* romain,

53 l'aqueduc *m*:
54 la conduite d'eau *f*;
55 la construction centrale:
56 le portique
57 la corniche
58 la coupole;
59 l'arc-de-triomphe *m*:
60 l'attique *m*;

61-71 l'art *m* des premiers siècles *m* chrétiens,

61 la basilique:
62 la nef centrale
63 le bas-côté
64 l'abside *f*
65 le campanile
66 l'atrium *m*
67 la colonnade
68 la fontaine aux ablutions *f*
69 l'autel *m*
70 la baie
71 l'arc *m* en plein cintre *m*;

72-75 l'art *m* byzantin,

72 et 73 le système de coupole *f*:
72 la coupole principale
73 la semi-coupole;
74 le pendentif
75 l'œil *m*, une lunette

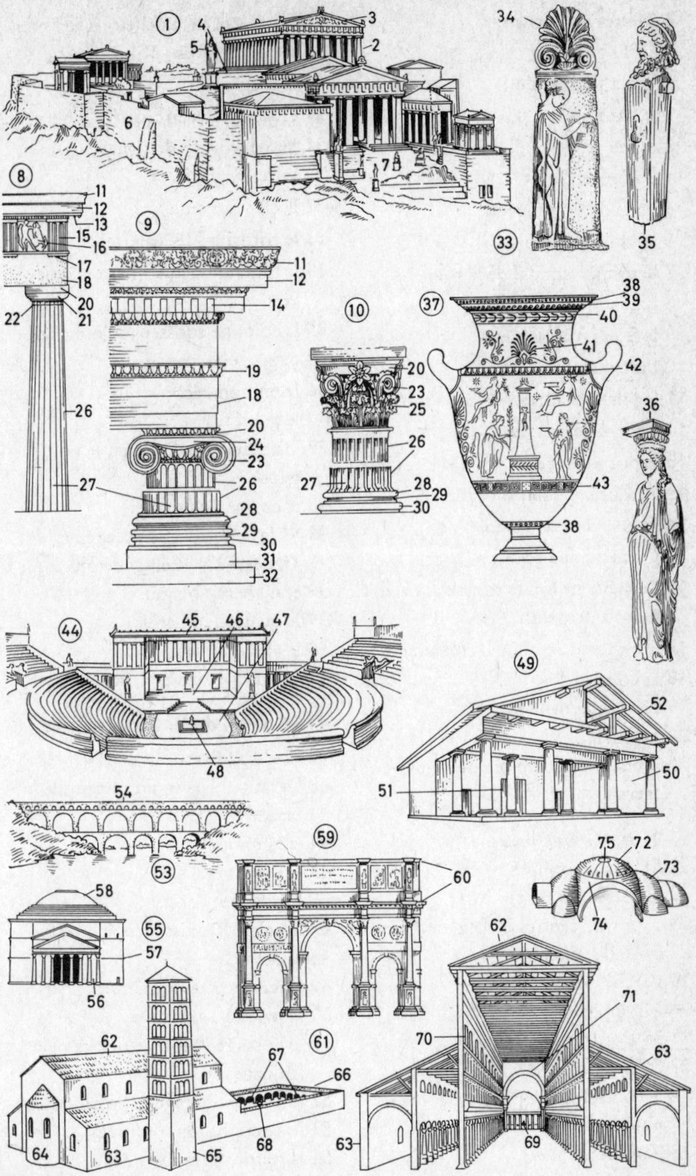
1
2
3
4
5
6
7
8
9
10
11
12
13
14
15
16
17
18
19
20
21
22
23
24
25
26
27
28
29
30
31
32
33
34
35
36
37
38
39
40
41
42
43
44
45
46
47
48
49
50
51
52
53
54
55
56
57
58
59
60
61
62
63
64
65
66
67
68
69
70
71
72
73
74
75

1-21 art *m* roman,
1-13 l'église *f* romane:
1 la nef principale
2 le bas-côté
3 le transept
4 le chœur
5 l'abside *f* (le chevet)
6 la tour de la croisée:
7 le toit pyramidal de la tour
8 l'arcature *f*;
9 la frise en arceau *m*
10 l'arcature *f* aveugle
11 le pilastre en ressaut *m* (le saillant)
12 l'œil *m* de bœuf *m*
13 le portail latéral;
14-16 l'ornementation *f* romane:
14 l'ornement *m* à damier *m*
15 l'ornement à écaille *f*
16 l'ornement à chevrons *m* (l'ornement à dentelure *f*);
17 le système de voûte *f* romane:
18 la voussure
19 l'arc *m* en orbe-voie *f*
20 le pilier;
21 le chapiteau cubique nu à quatre faces *f*;

22-41 art *m* gothique,
22 l'église *f* gothique:
23 la rosace (la rose)
24 le portail central de l'église *f*, un portail à lancis *m*
25 l'archivolte *f*
26 le tympan;
27-35 l'ordre *m* gothique,
27 et 28 les contreforts *m*:
27 le contrefort (le pilier de contre-boutant *m*)
28 l'arc-boutant *m*;
29 le pinacle (le clocheton), un couronnement de contrefort *m*
30 la gargouille
31 et 32 la voûte en croisée *f* d'ogives *f*:
31 les nervures *f* de voûte *f* (nervures en croix *f*)
32 la clef de voûte *f*;
33 le triforium (la galerie)
34 le pilier fasciculé (pilier en faisceau *m*)
35 la colonne adossée (colonne engagée, colonne liée);
36 le pignon décoré (pignon fleuri, le gâble):
37 le fleuron (le bouquet, le bourgeon)
38 la crosse (le crochet)
39-41 la fenêtre à remplage *m* (fenêtre à dentelle *f* de pierre *f*),
39 et 40 le remplage:
39 le quatre-feuilles
40 le cinq-feuilles;
41 les pied-droits *m* de fenêtre *f*;

42-54 art *m* de la Renaissance,
42 l'église *f* Renaissance *f*:
43 l'avant-corps *m*, un ressaut de la façade
44 le tambour
45 la lanterne
46 le pilastre;
47 le palais Renaissance *f*:
48 la corniche
49 la fenêtre à fronton *m*
50 la fenêtre à arceau *m*
51 le bossage (bossage rustique, le jambage)
52 le cordon d'étage *m* (le bandeau);
53 le sarcophage (la tombe):
54 le feston (la guirlande)

14
16
15
17
18
19
20
6
7
1
8
9
2
12
21
5
10
4
3
11
13
22
36
37
32
31
38
28
29
39
40
27
35
33
30
23
25
24
26
41
53
54
34
42
45
48
44
47
51
49
50
52
46
43

1-8 l'art *m* baroque,
1 l'église *f* baroque:
2 l'œil-de-bœuf *m*
3 la lanterne
4 la lucarne
5 le fronton à arceaux *m*
6 les colonnes *f* jumelées;
7 le cartouche:
8 l'enroulement *m*;

9-13 l'art *m* rococo,
9 la paroi rocaille *f*:
10 la voussure, une cimaise
11 la garniture de volutes *f*
12 l'imposte *f* (le dessus de porte *f*)
13 la rocaille, un ornement style *m* rococo;
14 la table **Louis XVI**
15 l'édifice *m* **style *m* classique,** un bâtiment en forme de portail *m*
16 la table **Empire** (table style *m* Empire)
17 le canapé **Louis-Philippe**
18 le fauteuil **Jugendstil**

19-37 formes *f* d'arcs *m*,
19 l'arc *m*:
20 la portée
21 l'architrave *f* (le sommier)
22 le claveau d'arc *m*, une pierre taillée en forme *f* de coin *m*
23 la clef de voûte *f*
24 la culée
25 l'intrados *m*
26 l'extrados *m*;
27 l'arc *m* en plein cintre *m*
28 l'arc *m* surbaissé *m*
29 l'arc *m* elliptique
30 l'arc *m* outrepassé
31 l'arc *m* en ogive *f*
32 l'arc *m* trilobé
33 l'arc *m* épaulé
34 l'arc *m* convexe
35 l'arc *m* zigzagué (infléchi, lobé)
36 l'arc *m* en dos *m* d'âne *m*
37 l'arc *m* Tudor;

38-50 formes *f* de voûtes,
38 la voûte en berceau *m*:
39 la coiffe
40 l'extrados *m*;
41 la voûte cloisonnée
42 la voûte d'arête *f*
43 la voûte biaise
44 la voûte en étoile *f*
45 la voûte à nervures *f* rayonnantes
46 la voûte en éventail *m*
47 la voûte en ogive *f* surbaissée:
48 la dépression;
49 la voûte à pan *m* sur plan *m* carré:
50 le plan carré

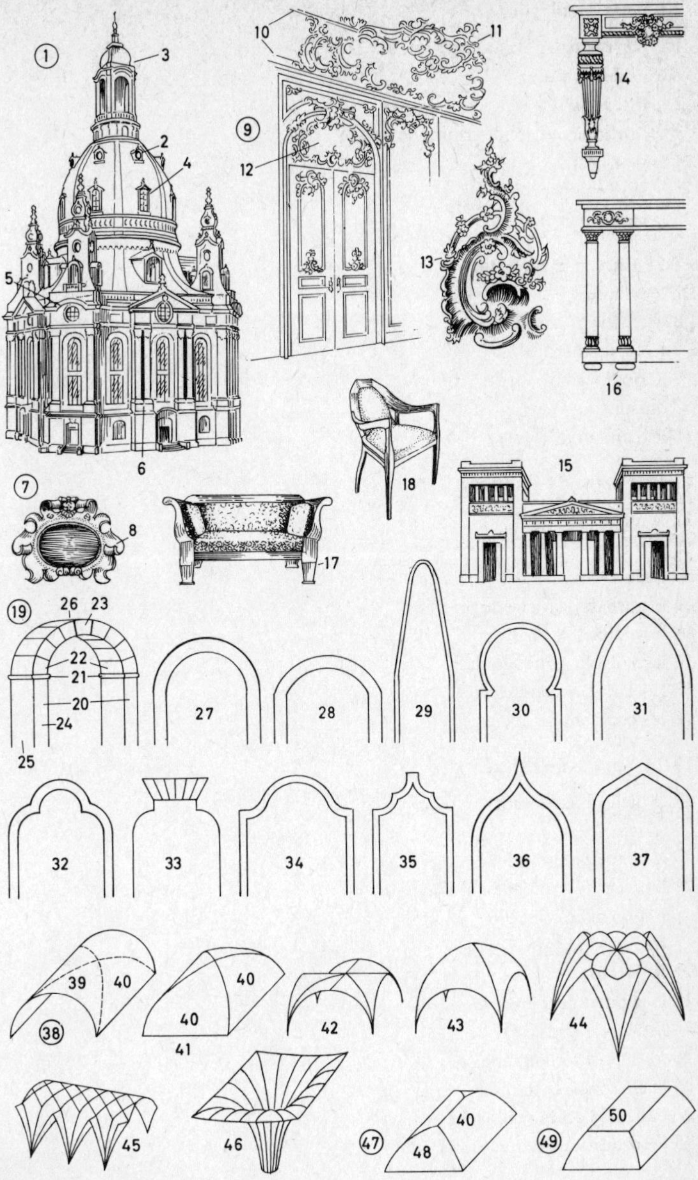

1
2
3
4
5
6
7
8
9
10
11
12
13
14
15
16
17
18
19
20
21
22
23
24
25
26
27
28
29
30
31
32
33
34
35
36
37
38
39
40
41
42
43
44
45
46
47
48
49
50

1-6 l'art *m* chinois,

1 la pagode (pagode à étages *m*), une tour de temple *m*:

2 le toit à gradins *m*;

3 le portique, un arc de triomphe *m*;

4 le passage;

5 le vase en porcelaine *f*

6 la laque marquetée;

7-11 l'art *m* japonais:

7 le temple

8 le clocher:

9 la charpente;

10 le Bodhisattva, un saint bouddhiste

11 le torii, un portique;

12-18 l'art *m* de l'Islam,

12 la mosquée:

13 le minaret, une tour d'une mosquée;

14 le mirhab (la niche de prières *f*)

15 le mimbar (la chaire)

16 le mausolée, une sépulture

17 la voûte à stalactites *f*

18 le chapiteau arabe;

19-28 l'art *m* de l'Inde:

19 le dieu Çiva dansant, un dieu indien

20 la statue de Bouddha

21 le stoupâ (la pagode indienne), un bâtiment en coupole *f*, un sanctuaire bouddhiste:

22 le parasol

23 le parapet de pierres *f*

24 la porte d'entrée *f*;

25 la disposition du temple:

26 le chikhara (la tour de temple *m*);

27 l'allée *f* d'accès *m* à la tchaitya:

28 la tchaitya, un petit stoupâ

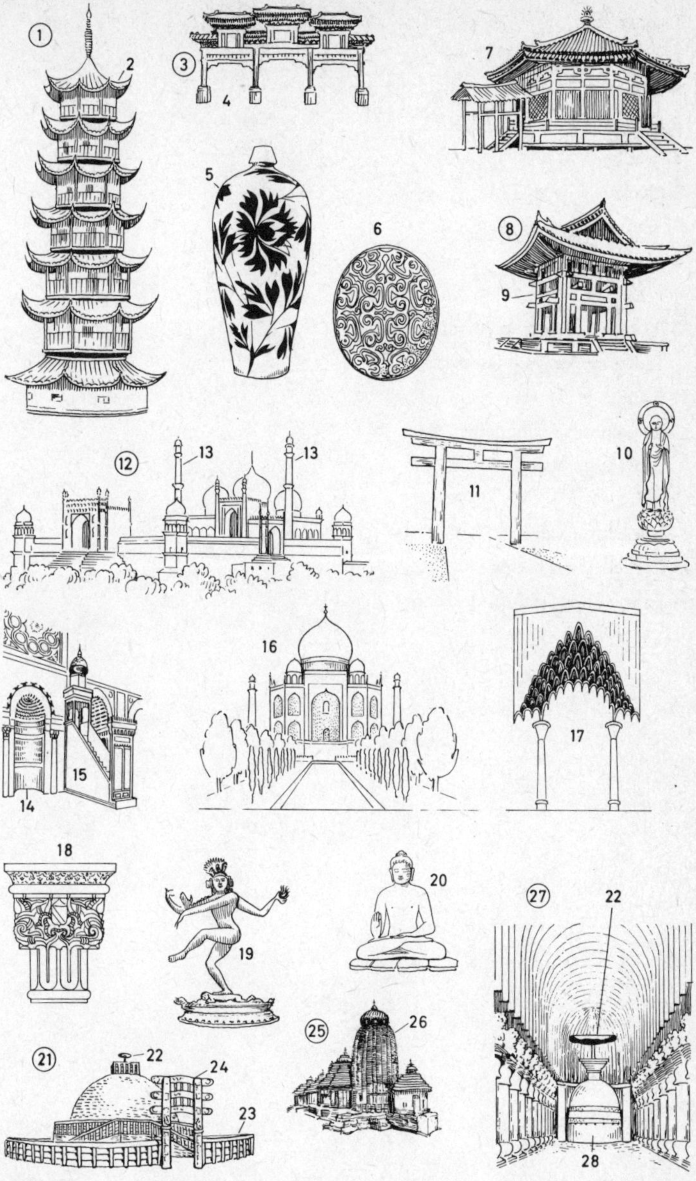
1
2
3
4
5
6
7
8
9
10
11
12
13
13
14
15
16
17
18
19
20
21
22
23
24
25
26
27
22
28

1 rouge
2 jaune
3 bleu
4 rose
5 brun
6 bleu ciel
7 orange
8 vert
9 violet
10 les couleurs *f* complémentaires additionnées jusqu'au blanc:
11 blanc;
12 les couleurs *f* complémentaires soustraites jusqu'au noir:
13 noir;
14 le spectre solaire
15 l'échelle *f* des gris *m*
16 les tonalités *f* d'incandescence *f*

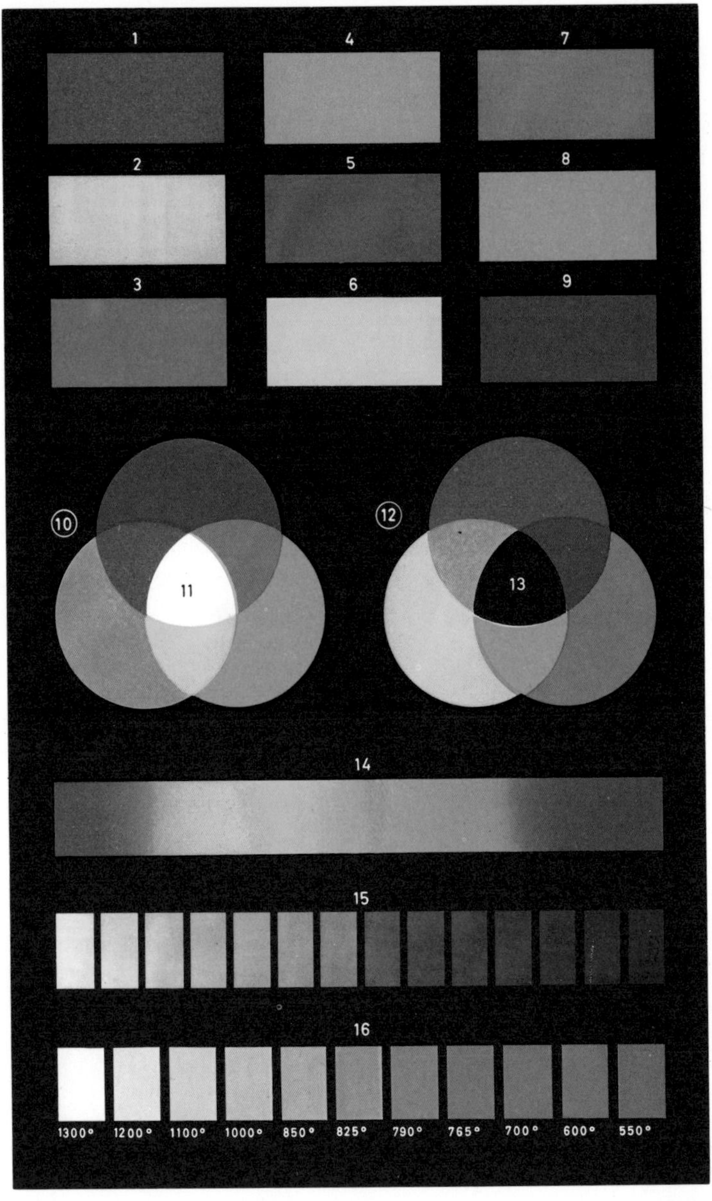
1
4
7
2
5
8
3
6
9
10
11
12
13
14
15
16
1300°
1200°
1100°
1000°
850°
825°
790°
765°
700°
600°
550°

321 Atelier de peinture et de dessin

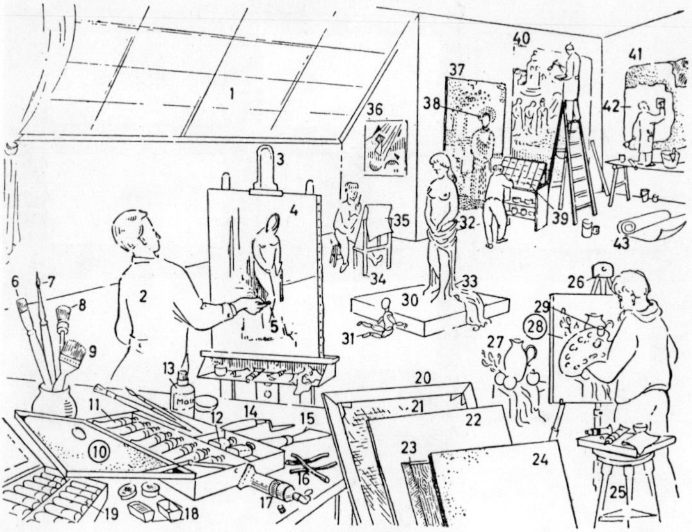

1-43 l'atelier *m* (le studio):
1 la fenêtre inclinée
2 le peintre, un artiste
3 le chevalet d'atelier *m*
4 l'esquisse *f* à la craie
5 le crayon noir
6-19 le matériel de peinture *f*:
6 la brosse plate
7 la brosse effilée (le pinceau)
8 la brosse ronde
9 la brosse à fond *m*
10 la boîte à couleurs *f*:
11 le tube de couleur *f* à l'huile *f*,
12 le vernis;
13 le délayant
14 le couteau à palette *f*
15 la spatule
16 le fusain
17 la gouache
18 la couleur à l'aquarelle *f*
19 le pastel;
20 le cadre
21 la toile à peindre
22 la carte apprêtée avec surface *f* à peindre
23 la planche de bois *m*
24 le contreplaqué
25 le tabouret
26 le chevalet portatif
27 la nature morte, un sujet
28 la palette à main *f*:
29 le support du pinceau;
30 le socle
31 le mannequin
32 le nu (le modèle)
33 le drapé
34 le chevalet de dessin *m*
35 le bloc à dessin *m* (bloc à croquis *m*)
36 l'étude *f* à l'huile *f*
37 la mosaïque
38 la figure en mosaïque *f*
39 les pierres *f* mosaïques
40 la fresque (la peinture murale)
41 le sgraffite (la carte grattée)
42 l'enduit *m*
43 l'esquisse *f*

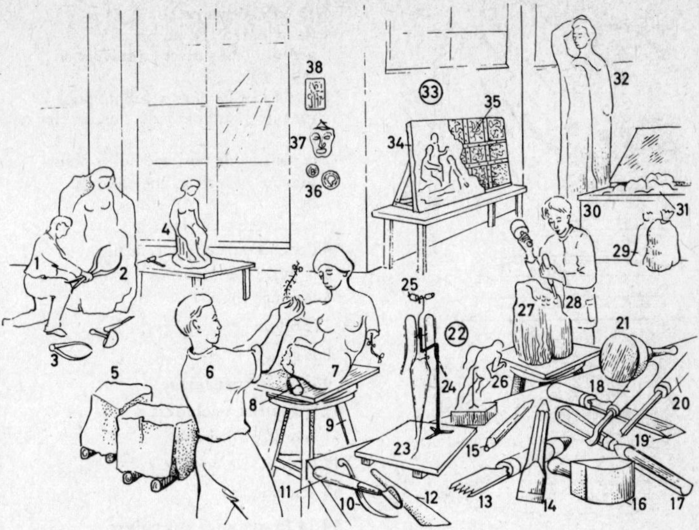

1 le sculpteur

2 le compas de proportion *f*

3 le compas d'épaisseur *f*

4 la maquette en plâtre *m*, un modèle en plâtre

5 le bloc de pierre *f* (la pierre brute)

6 le modeleur

7 la figure d'argile *f*, un torse

8 le rouleau d'argile *f*, une pâte à modeler

9 la sellette à modelage *m*

10 l'ébauchoir *m*

11 le lacet à modeler

12 le battoir

13 le grattoir dentelé

14 la laie large (le ciseau à bord *m*)

15 le fer à pointiller

16 le marteau de fer *m* (marteau à main *f*)

17 la gouge

18 le fer courbé

19 le ciseau en biseau *m*, un ciseau fort

20 la gouge triangulaire

21 le maillet

22 le montage:

23 le socle

24 la tige métallique

25 le garrot (le cavalier);

26 la cire

27 le bloc de bois *m*

28 le sculpteur sur bois *m*

29 le sac de plâtre *m*

30 la caisse à glaise *f*

31 la glaise à modeler (l'argile *f*)

32 la statue, une sculpture

33 le bas-relief:

34 la planche à modeler

35 le treillage, un treillis en fil *m* de fer *m*;

36 le médaillon circulaire (le médaillon)

37 le masque

38 la plaquette

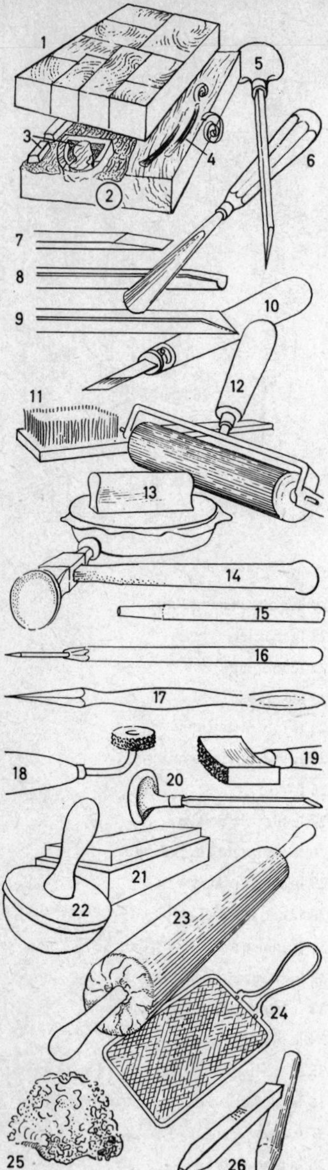

1-13 la sculpture sur bois *m* (la xylographie), un procédé de gravure *f* en surface *f* (gravure en relief *m*):
1 la planche de bois *m* debout pour gravure *f* sur bois *m* debout, un bloc de bois
2 la planche de bois *m* de fil *m* pour gravure *f* sur fil *m*, une pièce de bois *m*:
3 la gravure positive
4 l'attaque *f* dans le sens du fil;
5 le burin à contours *m*
6 la gouge ronde
7 le biseau
8 la gouge
9 la gouge triangulaire
10 le couteau à contours *m*
11 la brosse à main *f*
12 le rouleau à gélatine *f*
13 le tampon;

14-24 la gravure sur cuivre *m* (la chalcographie), un procédé de gravure *f* en creux *m*; *genres*: l'eau-forte *f*, le lavis (le mezzo-tinto), l'aquatinte, la litho:
14 le marteau à ciseler
15 le poinçon
16 la pointe pour taille-douce (pointe plate)
17 l'ébarboir *m* et son brunissoir
18 la roulette à pointiller
19 le berceau à lisser
20 le burin rond, un traceret
21 la queue à huile *f*
22 le tampon (tampon encreur)
23 le rouleau à encrer en cuir *m*
24 le tamis à pulvérisation *f*;

25 et 26 la lithographie, une gravure à plat *m*:
25 l'éponge *f* pour humidifier la pierre lithographique
26 la craie lithographique (craie grasse);

27-64 l'atelier *m* **graphique,** une imprimerie:
27 la feuille tirée (l'impression *f* d'une page)

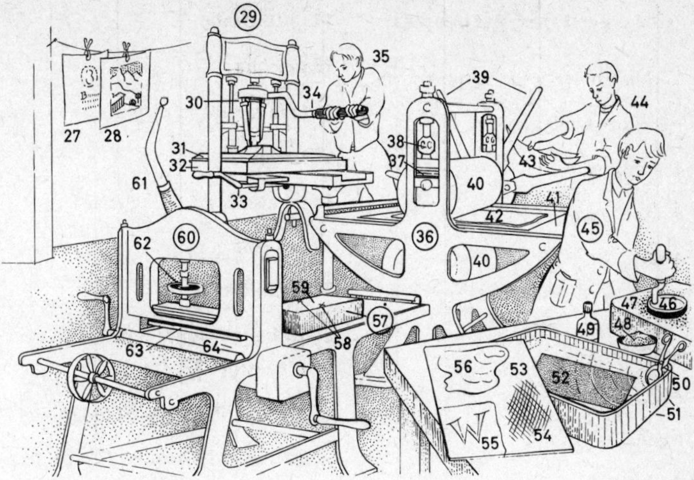

28 la polychromie (l'impression *f* en couleurs *f*, la chromolithographie)
29 la presse à platine *f*, une presse à main *f*:
30 l'articulation *f* (la genouillère)
31 la platine, une plaque de presse *f*
32 la forme à impression *f*
33 la manivelle
34 le levier;
35 l'imprimeur *m*
36 la presse pour impression *f*:
37 la garniture en carton *m*
38 le régulateur de pression *f* (la vis de serrage *m*)
39 le levier à quatre bras *m* (levier étoilé)
40 le rouleau
41 le marbre
42 la garniture de feutre *m*;
43 l'épreuve *f*
44 l'imprimeur *m* chalcographe
45 l'imprimeur *m* lithographe ponçant la pierre:
46 le polissoir
47 la granulation
48 la poudre émeri;
49 la dissolution de gomme
50 la pince
51 le baquet à bain *m* corrosif
52 la plaque de zinc *m*
53 la plaque de cuivre *m* poli
54 les incisions *f* en croix *f*
55 la couche de vernis *m*
56 la couche protectrice
57 la pierre lithographique:
58 les signes *m* de marge *f*
59 la plaque avec son image *f*;
60 la presse lithographique:
61 le levier d'impression *f*
62 la vis de serrage *m*
63 la molette *f*
64 la pierre d'imprimerie *f*

1-20 les écritures *f* des peuples *m*:

1 les hiéroglyphes *m* égyptiens, une écriture symbolique

2 arabe

3 arménienne

4 géorgienne

5 chinoise

6 japonaise

7 hébraïque

8 cunéiforme

9 sanscrite

10 siamoise

11 tamoule

12 tibétaine

13 sinaïque

14 phénicienne

15 grecque

16 latine (romaine) capitale

17 onciale

18 minuscule *f* carolingienne

19 runique

20 cyrillique;

21-26 instruments *m* anciens d'écriture *f*,

21 le stylet d'acier *m* hindou pour écrire sur les feuilles *f* de palme *f*

22 le poinçon égyptien en jonc *m*

23 la plume creuse de roseau *m*

24 le pinceau

25 la plume métallique romaine

26 la plume d'oie *f*

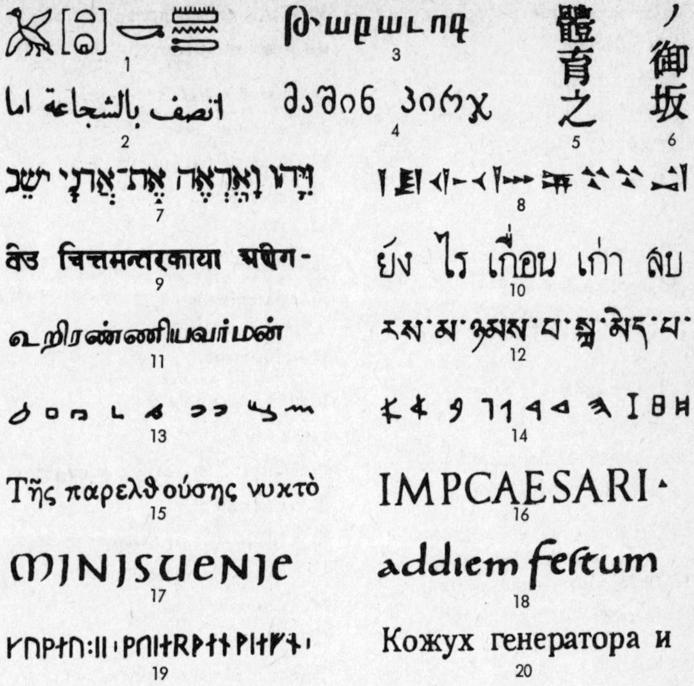
體育之
ノ御坂
انصف بالشجاعة اما
ยัง ไร เกือน เก่า สบ
Τῆς παρελθούσης νυκτὸ
IMPCAESARI·
addiem festum
Кожух генератора и

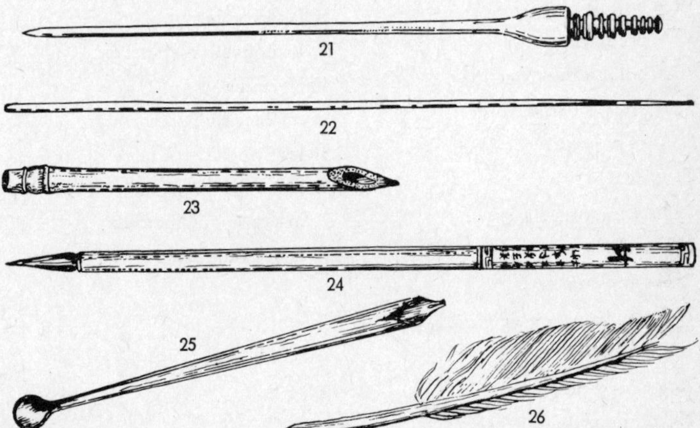
21
22
23
24
25
26

1-15 les caractères *m*:

1 la gothique
2 le Schwabach
3 l'antique *f* (la fracture) allemande
4 l'antique *f* médiévale
5 le garamond
6 le Didot
7 le bâton
8 l'égyptienne *f*
9 le caractère machine
10 l'anglaise *f*
11 l'allemande
12 la latine
13 le caractère sténographique
14 la transcription phonétique
15 le braille;

16-29 les signes *m* **de ponctuation** *f*:

16 le point
17 les deux points *m*
18 la virgule
19 le point-virgule
20 le point d'interrogation *f*
21 le point d'exclamation
22 l'apostrophe *f*
23 le tiret
24 les parenthèses *f*
25 les crochets *m*
26 les guillemets *m*
27 les guillemets *m* de l'orthographie *f* française
28 le trait d'union *f*
29 les points de suspension *f*;

30-35 signes *m* **d'accentuation** *f* **et de prononciation** *f*:

30 l'accent *m* aigu
31 l'accent *m* grave
32 l'accent *m* circonflexe
33 la cédille
34 le tréma
35 le tilde;
36 le paragraphe

37 le journal:

38 le titre (l'entête *f*)
39 la notice
40 l'éditorial *m* (l'article *m* de tête *f*)
41 le chapeau
42 la manchette (le titre en vedette *f*)
43 la séparation des colonnes *f*
44 la photo de presse *f*
45 la légende
46 le titre de paragraphe *m*
47 la colonne
48 la caricature
49 les nouvelles *f* sportives
50 le feuilleton
51 et 52 les annonces *f*:
51 les avis *m* (le carnet du jour *m*)
52 l'annonce publicitaire, une insertion commerciale;
53 la nouvelle brève

Duden	Duden	Duden	Duden
1	2	3	4
Duden	Duden	Duden	Duden
5	6	7	8
Duden	Duden	dudrn	Duden
9	10	11	12

13

ɔ:l pi:pl

14

15

.	:	,	;	?	!	’	—	()	[]	„“
16	17	18	19	20	21	22	23	24	25	26
» «	-	...	é	è	ê	ç	ë	ñ	§	
27	28	29	30	31	32	33	34	35	36	

①	I	II	III	IV	V	VI	VII	VIII	IX	X
②	1	2	3	4	5	6	7	8	9	10
①	XX	XXX	XL	L	LX	LXX	LXXX	XC	XCIX	C
②	20	30	40	50	60	70	80	90	99	100
①	CC	CCC	CD	D	DC	DCC	DCCC	CM	CMXC	M
②	200	300	400	500	600	700	800	900	990	1000

③ 9658 ④ 5 kg. ⑤ 2 ⑥ 2. ⑦ +5 ⑧ -5

1-26 l'arithmétique *f*,

1-22 le nombre:

1 les chiffres *m* romains

2 les chiffres *m* arabes

3 le nombre non défini, un nombre à quatre chiffres *m* [8 = chiffre des unités *f*, 5 = chiffre des dizaines *f*, 6 = chiffre des centaines *f*, 9 = chiffre des milliers *m*]

4 la quantité spécifiée

5 le nombre cardinal

6 le nombre ordinal [graphie *f* allemande]

7 le nombre positif [précédé du signe plus]

8 le nombre négatif [précédé du signe moins]

9 les symboles *m*

10 le nombre fractionnaire [3 = le nombre entier, $\frac{1}{3}$ = la fraction]

11 les nombres *m* pairs

12 les nombres *m* impairs

13 les nombres *m* premiers

14 les nombres *m* complexes [3 = le nombre réel, $2\sqrt{-1}$ = nombre imaginaire]

15 et **16** fractions *f* ordinaires:

15 la fraction simple [2 = le numérateur, la barre de fraction, 3 = le dénominateur]

(9) a, b, c ... (10) $3\frac{1}{3}$ (11) 2, 4, 6, 8 (12) 1, 3, 5, 7

(13) 3, 5, 7, 11 (14) $3+2\sqrt{-1}$ (15) $\frac{2}{3}$ (16) $\frac{3}{2}$

(17) $\frac{\frac{5}{6}}{\frac{3}{4}}$ (18) $\frac{12}{4}$ (19) $\frac{4}{5}+\frac{2}{7}=\frac{38}{35}$ (20) 0,357

(21) $0{,}6666.... = 0{,}\overline{6}$ (22) (23) $3+2=5$

(24) $3-2=1$ (25) $3 \cdot 2=6$ (26) $6:2=3$

16 l'expression *f* fractionnaire, en même temps *m* la valeur inverse de la précédente;

17 la double fraction

18 la fraction improprement dite (qui donne à la réduction un nombre entier)

19 les fractions à des dénominateurs *m* différents [35 = le dénominateur commun]

20 la fraction décimale définie avec virgule *f* et chiffres *m* décimaux [3 = le dixième, 5 = le centième, 7 = le millième]

21 la fraction décimale périodique indéfinie

22 la période;

23-26 le calcul

(les quatre opérations *f*):

23 l'addition *f*; [3 et 2 en sont les termes *m*, + = le signe plus (signe d'addition *f*), 5 = la somme (le résultat)]

24 la soustraction; [3 = le nombre duquel on soustrait, — = le signe de soustraction *f*, 2 = le nombre à soustraire, 1 = le reste (la différence)

25 la multiplication; [3 = le multiplicande, · = le signe de multiplication, 2 = le multiplicateur, 6 = le produit]

26 la division; [6 = le dividende, : = le signe de division, 2 = le diviseur, 3 = le quotient]

① $3^2 = 9$ ② $\sqrt[3]{8} = 2$ ③ $\sqrt{4} = 2$

④ $3x + 2 = 12$

⑤ $4a + 6ab - 2ac = 2a(2 + 3b - c)$

⑥ $^{10}\log 3 = 0{,}4771$ oder $\lg 3 = 0{,}4771$

⑦ $$\frac{k[\mathrm{NF}1000] \cdot p[5\%] \cdot t[2 \text{ ans}]}{100} = z[\mathrm{NF}100]$$

1-24 l'arithmétique *f*,
1-10 opérations *f* **d'arithmétique** *f* **supérieure:**

1 l'élévation *f* à la puissance; [3 puissance 2 = la formule à développer, 3 = le nombre, 2 = l'exposant *m*, 9 = la valeur de la puissance]

2 l'extraction *f* de la racine; [la racine cubique de 8,8 = le nombre (la quantité radicale), 3 = le degré de la racine, $\sqrt{\ }$ = le signe radical, 2 = la valeur de la racine]

3 la racine carrée

4 et **5** le calcul algébrique (l'algèbre *f*):

4 l'équation *f* du premier degré à une inconnue [3 et 2 sont les coefficients *m*, x = l'inconnue *f*];

5 l'équation *f* d'identité *f* [a, b, c = les symboles *m* algébriques];

6 le calcul logarithmique; [log = le symbole logarithmique, 3 = le nombre dont on cherche le logarithme, 10 = la base, 0 = la caractéristique, 4771 = la mantisse, 0,4771 = le logarithme]

7 le calcul des intérêts *m* simples; [k = le capital (la valeur de base *f*), p = le taux, t = le temps de placement, z = l'intérêt *m* (le rapport, le gain), % = le symbole du pourcentage]

8-10 une règle de trois:

8 la mise en équation *f* de l'inconnue *f* x

(8) $$\begin{array}{l} 2 \text{ ans} = \text{NF } 50 \\ 4 \text{ ans} = \text{NF } x \end{array}$$

(9) $2 : 50 = 4 : x$

(10) $x = \text{NF } 100$

(11) $2 + 4 + 6 + 8 \ldots$

(12) $2 + 4 + 8 + 16 + 32 \ldots$

(13) $\frac{dy}{dx}$

(14) $\int ax\,dx = a \int x\,dx = \frac{ax^2}{2} + C$

(15) ∞ (16) $\equiv$ (17) $\approx$ (18) $\neq$ (19) $>$

(20) $<$ (21) $\parallel$ (22) $\sim$ (23) $\measuredangle$ (24) $\triangle$

9 l'équation *f*

10 la solution;

11-14 les mathématiques *f* **supérieures:**

11 la progression arithmétique avec les termes 2, 4, 6, 8

12 la progression géométrique

13 et 14 le calcul infinitésimal:

13 la dérivée (le quotient différentiel) [dx, dy = les différentielles *f*, d = le signe de différentiation *f*]

14 l'intégrale *f* (l'intégration *f*); [x = la variable, C = la constante d'intégration *f*, ∫ = le signe d'intégration, dx = la différentielle];

15-24 les symboles *m* **mathématiques:**

15 l'infini *m*

16 identique à (le signe d'identité *f*)

17 approximativement égal à

18 inégal à (l'inégalité *f*)

19 plus grand que (la supériorité)

20 plus petit que (l'infériorité *f*)

21-24 les symboles *m* **géométriques:**

21 parallèle à (le parallélisme)

22 ressemblant à (la ressemblance)

23 l'angle *m* [graphie *f* allemande]

24 le triangle

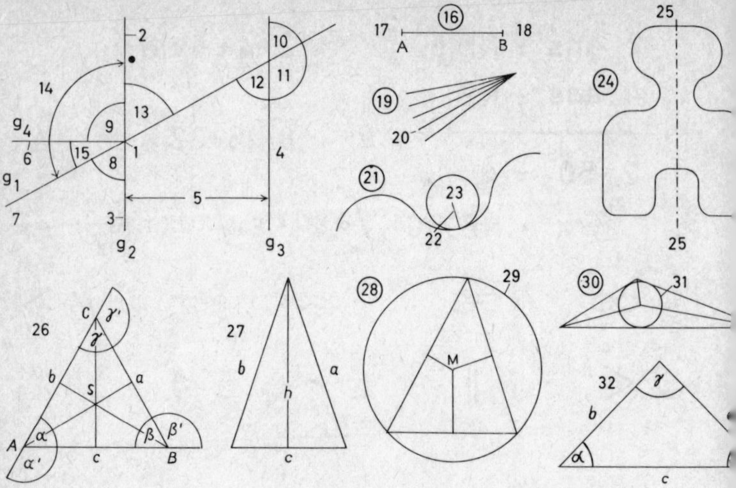

1-58 la géométrie plane

(géométrie élémentaire, géométrie euclidienne),

1-23 le point, la ligne, l'angle *m*:

1 le point [l'intersection *f* de G1 et G 2], sommet *m* de l'angle *m* 8

2 et **3** la droite G 2

4 la parallèle à G 2

5 la distance entre les droites *f* G 2 et G 3

6 la perpendiculaire (G 4) sur G 2

7 et **3** les côtés *m* de l'angle *m* 8

8 l'angle *m*

8 et **13** les angles *m* opposés au sommet

9 l'angle *m* droit [90 °]

10 l'angle *m* aigu correspondant à l'angle 8

11 l'angle *m* obtus

10, 11 et **12** les angles *m* surobtus

12 l'angle *m* opposé à 8

13, 9 et **15** forment un angle de 180 °

14 l'angle *m* contigu; *ici*: angle supplémentaire à 13

15 l'angle *m* complémentaire à 8

16 la distance AB:

17 le point d'extrémité *f* A

18 le point d'extrémité *f* B;

19 le faisceau de droites *f*:

20 le rayon du faisceau;

21 la courbe:

22 le rayon de courbure *f*

23 le centre de courbure *f*;

24-58 les surfaces *f* **planes,**

24 la figure symétrique:

25 l'axe *m* de symétrie *f*;

26-32 triangles *m*,

26 le triangle équilatéral; [A,B,C, les points *m*; a, b, c, les côtés *m*; α, β, γ, les angles *m* intérieurs; α', β', γ', les angles extérieurs; S = le centre]

27 le triangle isocèle; [*a* et *b* les côtés *m*, *c* = la base, *h* = la hauteur]

28 le triangle acutangle et les trois apothèmes *m*:

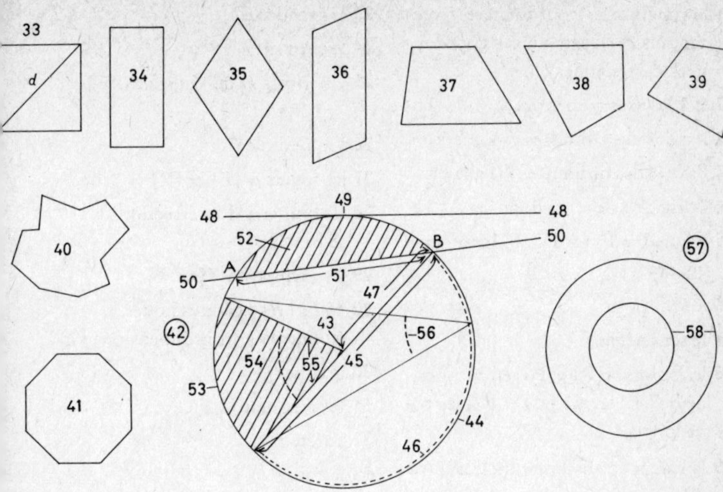

29 le cercle circonscrit;

30 le triangle obtusangle et les trois bissectrices *f*:

31 le cercle inscrit;

32 le triangle rectangle et les fonctions *f* trigonométriques de ses angles *m*; [a et b = les côtés *m*; c = l'hypoténuse *f*; γ =l'angle droit; a : c = sin α (sinus α); b : c = cos α (cosinus); a : b = tg α (tangente); b : a= cgt α (cotangente)]

33-39 quadrilatères *m*,

33-36 parallélogrammes *m*:

33 le carré; [d, une diagonale]

34 le rectangle

35 le losange (le rhombe)

36 le rhomboïde;

37 le trapèze

38 le deltoïde

39 le quadrilatère irrégulier;

40 le polygone irrégulier

41 le polygone régulier

42 le cercle:

43 le centre

44 la circonférence (la périphérie)

45 le diamètre

46 le demi-cercle

47 le rayon (r)

48 la tangente

49 le point de contact *m* (P)

50 la sécante

51 la corde AB

52 le segment de cercle *m*

53 l'arc *m* de cercle *m*

54 le secteur du cercle

55 l'angle *m* au centre

56 l'angle *m* périphérique;

57 la couronne:

58 les cercles *m* concentriques

1 le système des coordonnées *f* rectangulaires (système des coordonnées cartésiennes),

2 et **3** les axes *m* en croix *f*:

2 l'axe *m* des abscisses *f* (l'axe x)

3 l'axe *m* des ordonnées *f* (l'axe y);

4 l'origine *f* des coordonnées *f*

5 le quadrant [I à IV = 1er à 4ème quadrant]

6 le sens positif

7 le sens négatif

8 les points *m* [P1 et P2] en coordonnées *f*; x1 et y1 [x2 et y2] les coordonnées

9 la valeur en abscisses *f* [x1, x2] (l'abscisse *f*)

10 la valeur en ordonnées *f* [y1, y2]; (les ordonnées *f*);

11-29 les sections *f* coniques,

11 les courbes *f* dans le système des coordonnées *f*:

12 courbes *f* linéaires [a = l'ascension *f* de la courbe, b = l'intersection *f* de la courbe et de l'ordonnée *f*, c = l'origine *f* de la courbe]

13 courbes *f* gauches;

14 la parabole, une courbe du second degré:

15 les branches *f* de la parabole

16 le sommet

17 l'axe *m* de la parabole;

18 une courbe du troisième degré:

19 le maximum de la courbe

20 le minimum de la courbe

21 le point d'inflexion *f*;

22 l'ellipse *f*:

23 le grand axe

24 le petit axe

25 les foyers *m* de l'ellipse *f* [F1 et F2];

26 l'hyperbole *f*:

27 les foyers *m* [F1 et F2]

28 les points *m* d'intersection *f* [S1 et S2]

29 les asymptotes *f* [a et b];

30-46 figures *f* géométriques (solides *m* à trois dimensions *f*),

30 le cube:

31 le carré, une face

32 l'arête *f*

33 le coin;

34 le prisme (le parallélépipède rectangle):

35 la base;

36 le parallélépipède rectangle

37 le prisme à base *f* triangulaire

38 le cylindre, un cylindre droit:

39 la base, une surface circulaire

40 la surface latérale;

41 la sphère

42 l'ellipsoïde *m* de révolution *f*

43 le cône:

44 la hauteur du cône;

45 le tronc de cône *m*

46 la pyramide quadrangulaire

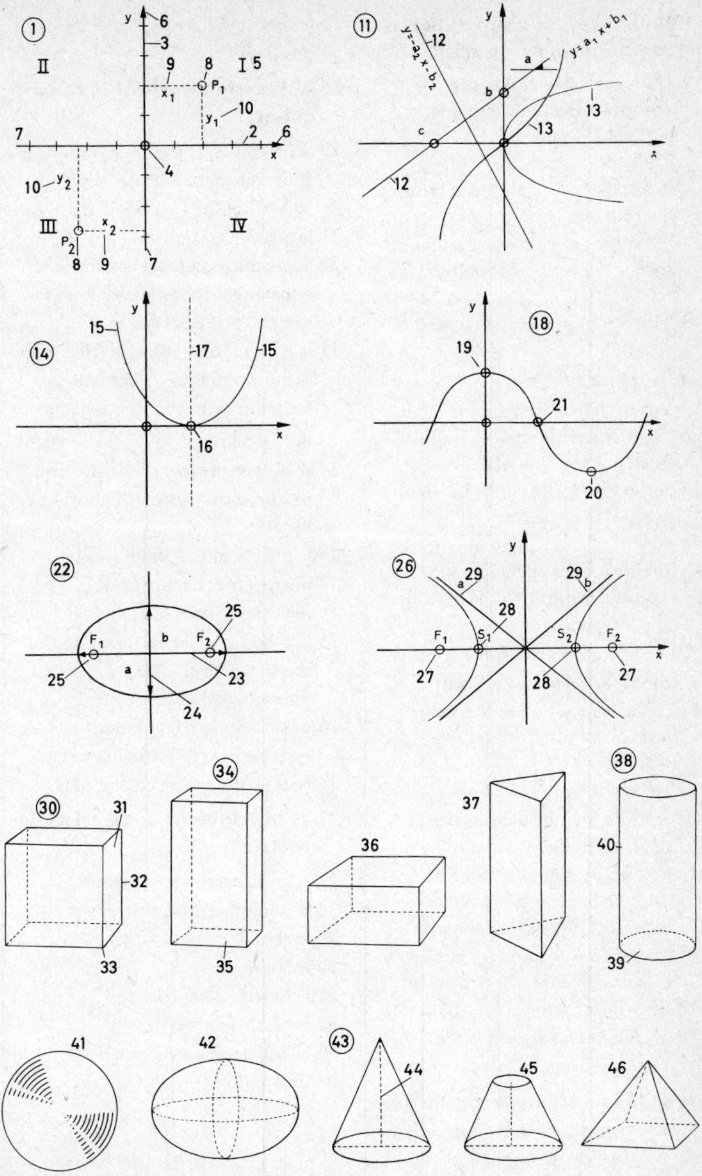
1
y
6
3
II
9
8
I 5
x
P
y
10
7
2
6
x
4
10
III
IV
P
8
9
7
11
y
12
a
b
13
c
13
12
14
y
15
17
15
16
x
18
y
19
21
x
20
22
25
F
b
F
25
a
23
24
26
y
29
a
29
b
28
F
S
S
F
x
27
28
27
30
31
32
33
34
35
36
37
38
40
39
41
42
43
44
45
46

1-26 formes *f* **fondamentales et combinaisons** *f* **de cristaux** *m*,

1-17 le système cristallin régulier (système cubique, système isométrique, système isomère):

1 le tétraèdre (le solide à quatre faces *f*) [*type :* le cuivre gris]

2 l'hexaèdre *m* (le cube, le solide à six faces *f*), un holoèdre [*type*: le sel marin]:

3 le centre de symétrie *f* (centre du cristal)

4 l'axe *m* de symétrie *f*

5 le plan de symétrie *f*;

6 l'octaèdre *m* (le solide à huit faces *f*) [*type*: l'or *m*]

7 le rhombododécaèdre (le rhomboèdre) [*type*: le grenat]

8 le dodécaèdre pentagone (dodécaèdre à faces *f* pentagonales, l'hexadièdre *m*) [*type*: la pyrite]:

9 le pentagone;

10 la pyramide octaédrique (l'octotrièdre *m*) [*type*: le diamant]

11 l'icosaèdre *m* (le solide à vingt faces *f*), un polyèdre (polygone *m* régulier)

12 l'icositétraèdre *m* (le trapézoèdre, le solide à vingt-quatre faces *f*) [*type*: la leucite]

13 l'hexakisoctaèdre *m* (le dodécatétraèdre, le solide à quarante-huit faces *f*) [*type*: le diamant]

14 l'octaèdre *m* à facettes *f* cubiques [*type*: la galène]:

15 l'hexagone *m*;

16 le cube à octaèdre *m* [*type*: le spath]:

17 l'octogone *m*;

18 et 19 le système cristallin quadratique (système tétragonal):

18 la pyramide tétragonale

19 le protoprisme à protopyramide *f* [le zircon];

20-22 le système cristallin hexagonal:

20 le protoprisme à protopyramide *f* et deutéropyramide de base *f* [*type*: l'apatite *f*]

21 le prisme hexagonal

22 le prisme hexagonal (prisme ditrigonal) avec rhomboèdre *m* [*type*: le carbonate de chaux *f*];

23 la pyramide rhombique (pyramide orthorhombique, le système cristallin orthorhombique) [*type*: le soufre]

24 et 25 le système cristallin monoclinique (système clinorhombique):

24 le prisme monoclinique à clinopinacoïde et hémipyramide (l'hémièdre *m*) [*type*: le gypse]

25 l'orthopinacoïde *m* (la macle ou le cristal macle en queue *f* d'aronde *f*) [*type*: le gypse];

26 pinacoïdes *m* tricliniques (le système cristallin triclinique) [*type*: le sulfate de cuivre *m*];

27-33 instruments *m* **de cristallométrie** *f*:

27 le goniomètre de contact *m*

28 le goniomètre de réflexion *f*:

29 le cristal

30 le collimateur

31 la lunette d'approche *f*

32 le cercle gradué

33 la loupe pour la lecture de l'angle *m* de rotation *f*

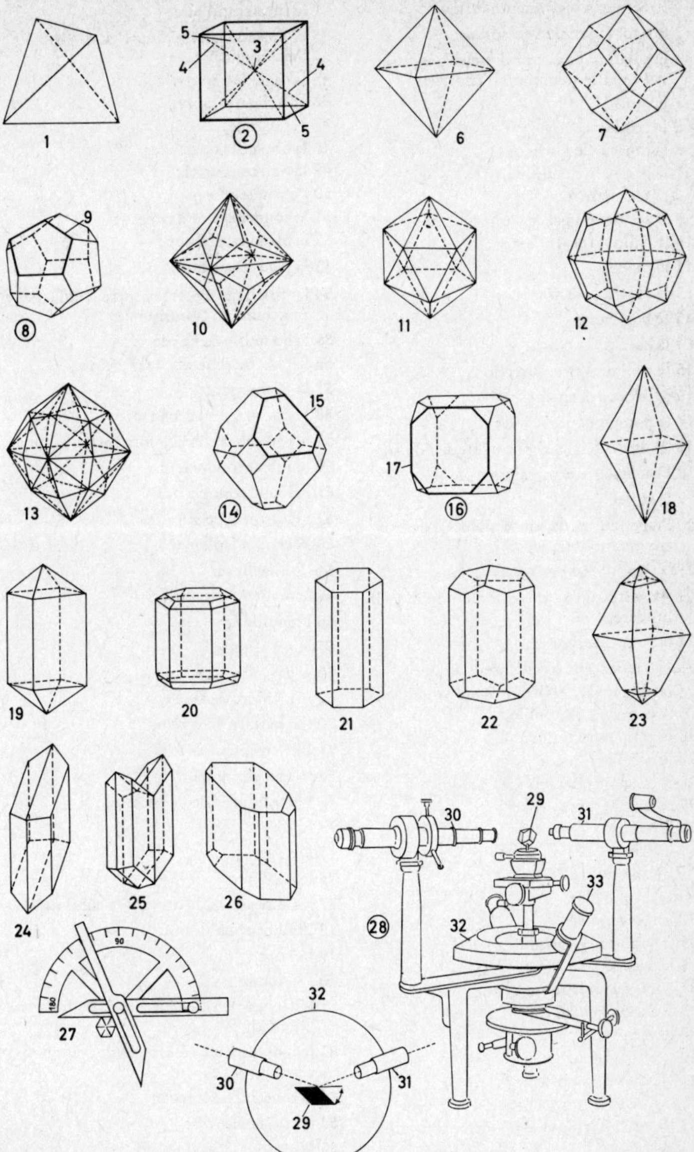
1
5
3
4
4
5
2
6
7
9
8
10
11
12
13
15
14
17
16
18
19
20
21
22
23
24
25
26
27
90
180
30
29
31
33
28
32
32
30
31
29

1 le vernier à vis *f* micrométrique
2 le dynamomètre à ressort *m*
3 le palan pour élever des charges *f* lourdes avec le minimum d'effort *m*:
4 la poulie
5 la corde;
6 la toupie (le giroscope)
7 la presse hydraulique
8 l'aréomètre *m*
9 la seringue à gaz *m*
10 le ballon à peser l'air *m*:
11 la pince;
12 la cloche à air *m*:
13 le bouchon;
14 la base de la cloche à air *m*:
15 le robinet à trois directions *f*;
16 le tuyau à décharge *f*
17 la pompe à faire le vide
18-21 instruments *m* pour l'étude *f* du son:
18 l'ondemètre *m* mécanique
19 le sifflet
20 l'émetteur *m* de son *m* (haut-parleur *m* ou microphone *m*)
21 le pendule de résonance *f*;
22-41 instruments *m* pour l'étude *f* de la lumière,
22 la lampe de Reuter:
23 le condenseur (condenseur simple);
24 la lampe à arc *m* (lampe à arc voltaïque):
25 le condenseur double;
26 la lampe spectrale
27 le banc optique:
28 la lampe de Reuter
29 le diaphragme
30 la lentille
31 le prisme
32 l'écran *m*;
33 le miroir plan
34 le spectromètre:
35 le support du prisme
36 le prisme
37 la vis de réglage *m*
38 le cercle gradué
39 le vernier
40 le collimateur
41 la lunette d'approche *f*;
42 les vases *m* communicants
43 l'appareil *m* pour démontrer la capillarité:
44 le tuyau capillaire;
45-85 instruments *m* pour l'étude *f* de l'électricité *f*:
45 la cage de Faraday
46 la bille d'essai *m*:
47 la poignée;
48 la bouteille de Leyde:
49 la tige conductrice
50 l'excitateur *m*;
51 le condensateur à lames *f*:
52 la plaque métallique
53 la plaque isolante;
54 la machine électrostatique à influence *f* (machine de Wimshurst):
55 la bouteille de Leyde
56 la couche en feuilles *f* d'étain *m*
57 le déchargeur;
58 le générateur à ruban *m*:
59 le rouleau d'entraînement *m*
60 le ruban conducteur
61 la boule conductrice;
62 l'électroscope *m*:
63 l'écran *m* isolateur
64 l'isolateur *m*
65 le pivot de l'aiguille *f*
66 l'aiguille *f*;
67 la pile Bunsen:
68 le charbon
69 le cylindre de zinc *m*;
70 l'appareil d'induction *f*:
71 l'interrupteur *m*
72 le transformateur
73 l'amplitude *f* de l'étincelle *f*;
74 le rotor:
75 l'axe *m*
76 le tambour
77 les anneaux *m* de courant *m* continu;
78 l'induit *m* en double T:
79 l'axe *m*
80 l'induit *m*
81 les anneaux collecteurs *m* de courant *m* alternatif
82 les anneaux *m* collecteurs de courant *m* continu;
83 la résistance coulissante:
84 la résistance
85 le curseur

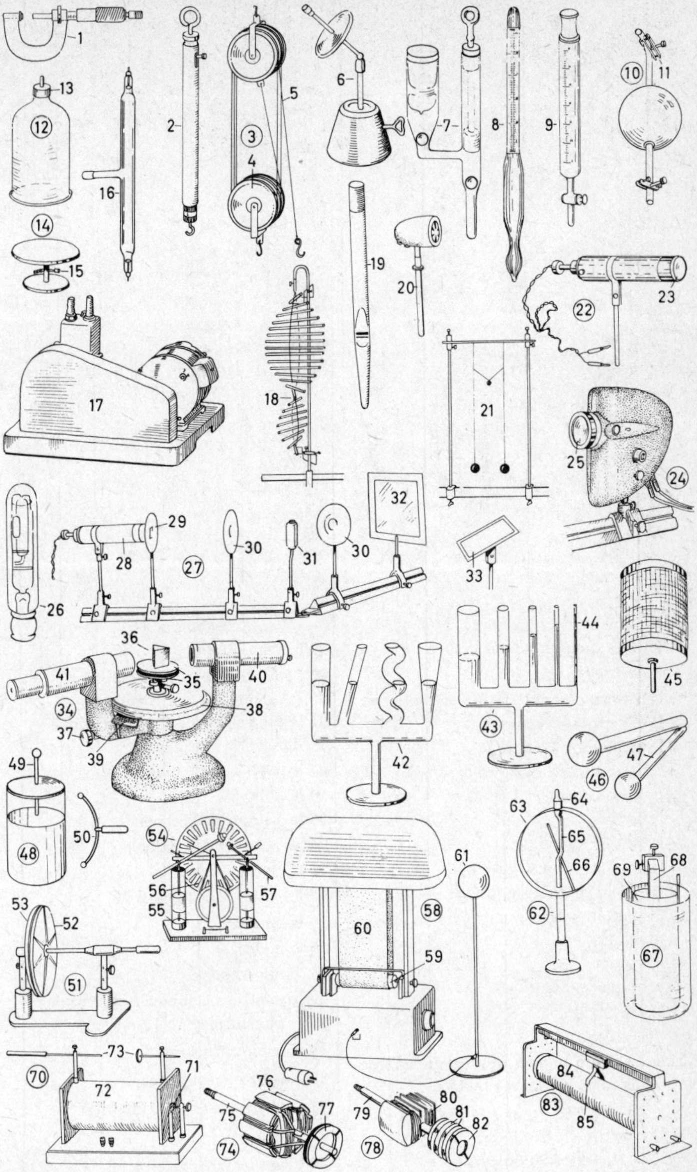
1
2
3
4
5
6
7
8
9
10
11
12
13
14
15
16
17
18
19
20
21
22
23
24
25
26
27
28
29
30
31
32
33
34
35
36
37
38
39
40
41
42
43
44
45
46
47
48
49
50
51
52
53
54
55
56
57
58
59
60
61
62
63
64
65
66
67
68
69
70
71
72
73
74
75
76
77
78
79
80
81
82
83
84
85

332 Appareils de manipulations de physique II

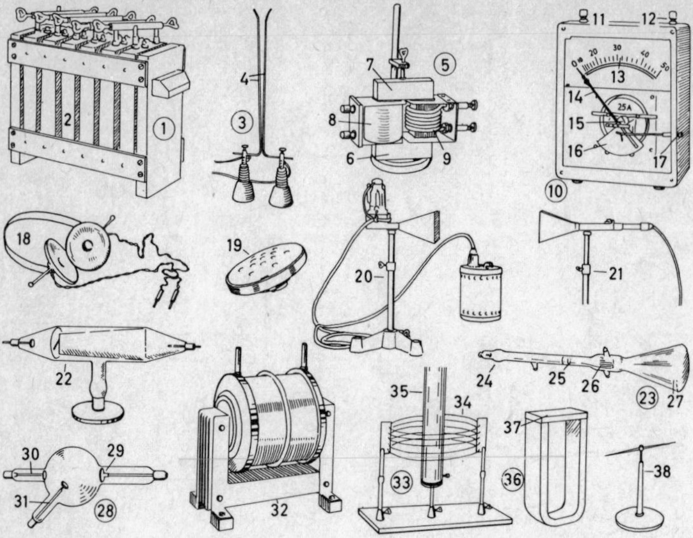

1-35 instruments *m* pour l'étude *f* de l'électricité *f*:

1 la batterie d'accumulateurs *m* en acier *m*:

2 l'élément *m* (la cellule);

3 le parafoudre à cornes *f*:

4 les électrodes *f* à cornes *f*;

5 le transformateur d'essais *m*:

6 le noyau

7 le couple (la culasse)

8 la bobine de basse tension *f*

9 la bobine de haute tension *f*

10 l'appareil *m* de mesure *f* à bobine *f* mobile:

11 le boîtier

12 la borne de raccord *m*

13 la graduation

14 l'aiguille *f*

15 le dispositif de mesure *f* (le mécanisme de mesure) à bobine *f* mobile

16 le stabilisateur

17 le tarage;

18 le casque à deux écouteurs *m*

19 le microphone

20 l'émetteur *m* à micro-onde

21 le récepteur à micro-onde

22 le tube à rayons *m* cathodiques à diffraction *f* magnétique

23 le tube de Braun:

24 la cathode

25 le cylindre de Wehnelt

26 les pôles de diffraction *f*

27 l'écran *m*;

28 les tubes *m* à rayons *m* X:

29 la cathode

30 l'anode *f*

31 l'anticathode *f*;

32 le transformateur de haute tension *f*

33 le transformateur Tesla:

34 la bobine primaire

35 la bobine secondaire;

36 l'aimant *m* en fer *m* à cheval *m*:

37 l'ancre *f*

38 l'aiguille *f* magnétique

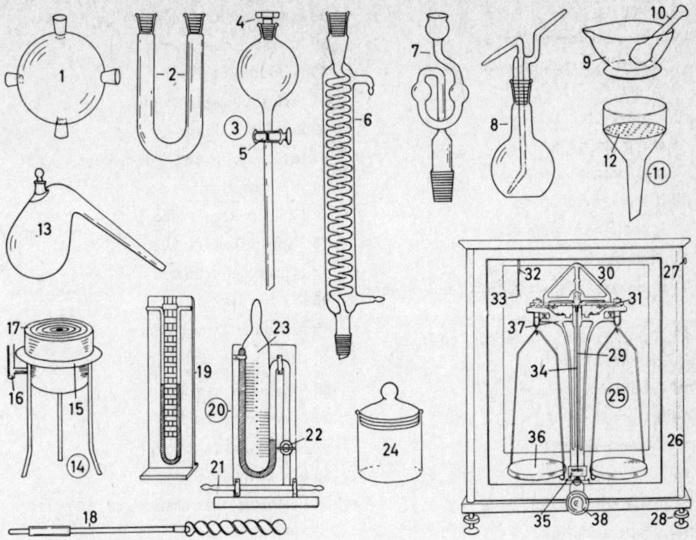

1 le ballon de Scheidt
2 le tube en U
3 l'entonnoir *m* séparateur:
4 le bouchon octogonal de sécurité *f*
5 le robinet;
6 le réfrigérateur à serpentin *m*
7 le tube de sûreté *f* (la soupape)
8 la pissette
9 le mortier
10 le pilon
11 l'entonnoir *m* de Büchner:
12 le filtre;
13 la cornue (l'alambic *m*)
14 le bain-marie:
15 le trépied
16 l'indicateur *m* de niveau *m* d'eau *f*
17 les cercles *m* (les rondelles *f*);
18 l'agitateur *m*
19 le manomètre à minimum *m* et à maximum *m* de pression *f*
20 le manomètre en verre *m* pour petites pressions *f*:
21 le tuyau de succion *f*
22 le robinet
23 la graduation mobile;
24 le flacon à pesée *f*
25 la balance d'analyse *f* (le trébuchet):
26 le boîtier
27 la paroi antérieure amovible
28 la fixation en trois points *m*
29 le fléau
30 le bras du balancier
31 le rail du curseur
32 la manette du curseur
33 le curseur
34 l'aiguille *f*
35 la graduation
36 le plateau
37 le dispositif d'arrêt *m*
38 le bouton d'arrêt *m*

1 le bec Bunsen:
2 le tuyau d'amenée *f* du gaz
3 la virole de réglage *m* de l'air *m*;
4 le bec Teclu:
5 l'ajutage *m*
6 le réglage du gaz
7 la cheminée
8 le réglage de l'air *m*;
9 le chalumeau à souder:
10 le manteau
11 le raccord d'alimentation *f* en oxygène *m*
12 le raccord d'alimentation *f* en hydrogène *m*
13 la buse à oxygène *m*;
14 le trépied
15 l'anneau *m*
16 l'entonnoir *m*
17 le triangle de terre *f* cuite
18 la toile métallique
19 la plaque d'amiante *m*
20 le bécher (le gobelet)
21 la burette graduée pour mesurer des liquides *m*
22 le porte-burette:
23 la pincette;
24 la pipette graduée
25 la pipette renflée
26 l'éprouvette *f* graduée
27 le matras gradué
28 le flacon mélangeur
29 la capsule de refroidissement *m* en porcelaine *f*
30 la pince à tuyaux *m*
31 le creuset de terre *f* réfractaire et son couvercle
32 la pince à creuset *m*
33 la pincette
34 le tube à essai *m*
35 le râtelier à tubes *m* à réaction *f*
36 le ballon à fond *m* plat:
37 le goulot à l'émeri *m*;
38 le ballon à long col *m*
39 le vase d'Erlenmeyer
40 la bouteille à filtrer
41 le filtre en papier *m* plié
42 le robinet simple
43 le tube à chlorure *m* de calcium *m*:
44 le bouchon-robinet;
45 l'éprouvette *f* à pied *m*
46 l'appareil *m* à distiller:
47 le flacon à distiller
48 le refroidisseur
49 le robinet à deux sens *m*, un robinet à deux orifices *m*;
50 le ballon à distiller
51 le dessiccateur:
52 le couvercle à tube *m*
53 le robinet de fermeture *f*
54 l'élément *m* du dessiccateur en porcelaine *f*;
55 le flacon à trois embouchures *f*
56 le tube de liaison *f*
57 la bouteille à trois cols *m*
58 l'épurateur *m* à gaz *m*
59 l'appareil *m* pour la production de gaz *m*:
60 le récipient de trop-plein *m*
61 le récipient à produit *m* chimique
62 le récipient à acide *m*
63 la prise de gaz *m*

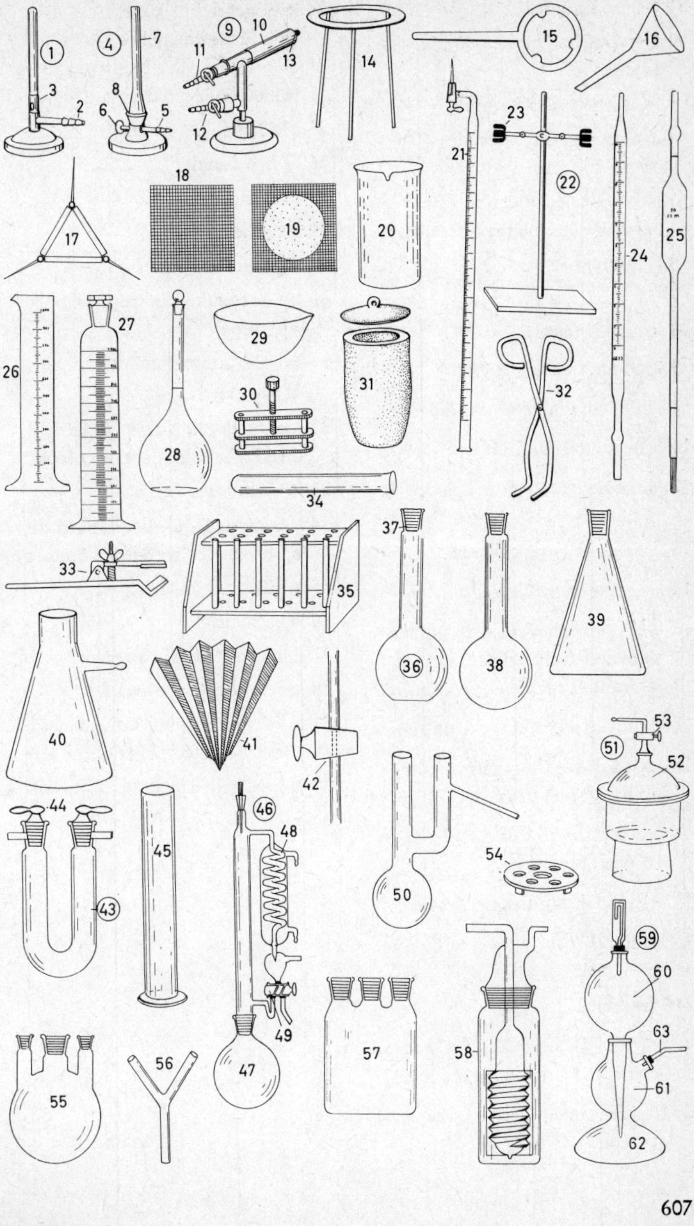
1
2
3
4
5
6
7
8
9
10
11
12
13
14
15
16
17
18
19
20
21
22
23
24
25
26
27
28
29
30
31
32
33
34
35
36
37
38
39
40
41
42
43
44
45
46
47
48
49
50
51
52
53
54
55
56
57
58
59
60
61
62
63

1 le mât totem:

2 le totem, une figure sculptée et peinte;

3 l'Indien *m* de la Prairie

4 le mustang, un cheval des steppes *f*

5 le lasso, une lanière de cuir *m* terminée par un nœud coulant

6 le calumet de paix

7 la tente (le wigwam);

8 le mât de tente *f*

9 le conduit de fumée *f*;

10 la squaw, une femme indienne

11 le chef de tribu *f*, un peau-rouge:

12 la parure de tête *f*, une parure de plumes *f*

13 le maquillage de guerre *f*

14 le collier en griffes *f* d'ours *m*

15 le scalp (la chevelure de l'adversaire *m* détachée du crâne avec la peau), un trophée de victoire *f*

16 le tomahawk, une hache de guerre *f*

17 les leggins *m* (les guêtres *f*, les jambières *f* en daim *m*)

18 le mocassin, une chaussure basse en peau *f* et liber *m*;

19 le canoë des Indiens *m* des forêts *f*

20 le temple maya, une pyramide à gradins *m*

21 la momie

22 le quipu (la cordelette à nœuds *m*, l'écriture *f* à nœuds *m* des Incas)

23 l'Indien *m* de l'Amérique centrale et du Sud:

24 le poncho, une espèce de manteau *m* sans manches *f* fait d'une couverture *f* ayant un trou au milieu pour y passer la tête;

25 l'Indien *m* des forêts *f* tropicales:

26 la sarbacane;

27 le carquois

28 la flèche:

29 la pointe de flèche *f*;

30 la tête réduite, un trophée de victoire *f*

31 la bola, un instrument à lancer et à attraper:

32 les boules *f* de pierre *f ou* de métal *m* enveloppées de cuir *m*;

33 la hutte sur pilotis *m*

34 le danseur Douk-douk, partisan *m* d'une société secrète d'hommes *m*

35 la pirogue à balancier *m*:

36 le balancier;

37 l'aborigène *m* d'Australie:

38 la ceinture de cheveux *m*

39 le boomerang, une arme de jet *m* (bois *m* à lancer, bois-flèche *m*)

40 la fronde de lances *f* avec les lances

1
2
3
4
5
6
7
8
9
10
11
12
13
14
15
16
17
18
19
20
21
22
23
24
25
26
27
28
29
30
31
32
33
34
35
36
37
38
39
40

1 l'Esquimau *m*
2 le chien de traîneau *m* (chien d'Esquimau *m*)
3 le traîneau à chien *m*
4 l'igloo *m*, une hutte de neige *f* en coupole *f*:
5 le bloc de neige *f*
6 le tunnel d'accès *m*;
7 la lampe à huile *f* de phoque *m*
8 le javelot
9 le harpon
10 le harpon à un épieu
11 la vessie
12 le kayak, une petite embarcation à une place
13 l'armature *f* de bois *m* ou d'os *m* recouverte de peau *f*
14 la pagaie;
15 l'attelage *m* de rennes *m*:
16 le renne
17 l'Ostiak *m*
18 le traîneau à dossier *m*;
19 l'iourte, une tente d'habitation *f* des tribus *f* nomades de l'Asie *f* occidentale et centrale:
20 le toit de feutre *m*
21 la cheminée;
22 le Kirghiz:
23 le bonnet en peau *f* de mouton *m*;
24 le chaman:
25 la parure à franges *f*
26 le tambour du chaman (tambour en cadre *m*);
27 le Tibétain:
28 le fusil à baguettes *f*
29 le moulin à prières *f*
30 la botte feutrée;
31 la maison flottante (le sampan)
32 la jonque:
33 la voile de natte *f*;
34 le pousse (le pousse-pousse, le rickshaw)
35 le coolie de rickshaw *m*
36 le lampion
37 le samouraï:
38 l'armure *f* ouatinée;
39 la geisha:
40 le kimono
41 l'obi *f*
42 l'éventail *m*;
43 le coolie
44 le kriss, un poignard malais
45 le charmeur de serpent *m*:
46 le turban
47 la flûte
48 le serpent dansant

1
2
3
4
5
6
7
8
9
10
11
12
13
14
15
16
17
18
19
20
21
22
23
24
25
26
27
28
29
30
31
32
33
34
35
36
37
38
39
40
41
42
43
44
45
46
47
48

1 la caravane de chameaux *m* [à deux bosses *f*]:
2 la bête de selle *f*
3 la bête de somme *f*;
4 l'oasis *f*:
5 la palmeraie;
6 le Bédouin:
7 le burnous;
8 le guerrier massaï:
9 la coiffure
10 le bouclier
11 la peau de bœuf *m* peinte
12 la lance à longue lame *f*;
13 le noir (le nègre):
14 le tambour de danse *f*;
15 le poignard de jet *m*
16 le masque de bois *m*
17 l'idole *f* des ancêtres *m*
18 le tambour à signaux *m* (le tam-tam):
19 la baguette;
20 la pirogue, une barque faite d'un tronc d'arbre *m* creusé
21 la hutte de nègre *m*
22 la négresse (la noire):
23 le plateau de lèvres *f*
24 le mortier
25 la femme herero:
26 la coiffe de cuir *m*
27 la calebasse;
28 la hutte en ruche *f*
29 le Boschiman:
30 la rondelle (le disque) d'oreille *f*
31 le cache-sexe
32 l'arc *m*
33 le kirri, une massue à grosse tête *f* ronde;
34 la femme boschiman en train de faire du feu par friction *f*
35 le paravent
36 le Zoulou en costume *m* de danse *f*:
37 le bâton de fête *f*
38 l'anneau *m* jambier;
39 le cor de guerre *f* en ivoire *m*
40 le collier d'amulettes *f* et de dés *m*
41 le Pygmée:
42 le sifflet magique à conjurer les mauvais esprits *m*;
43 le fétiche

1
2
3
4
5
6
7
8
9
10
11
12
13
14
15
16
17
18
19
20
21
22
23
24
25
26
27
28
29
30
31
32
33
34
35
36
37
38
39
40
41
42
43

1 une Grecque:
2 le péplum;
3 un Grec:
4 le pétase (le chapeau thessalien)
5 le chiton, un vêtement *m* de dessous en lin *m*
6 l'himation *m*, un manteau *m* de laine *f*;
7 une Romaine:
8 le toupet
9 la stola
10 la palle, un châle *m* de couleur *f*;
11 un Romain:
12 la tunique
13 la toge
14 la bande prétexte;
15 une impératrice byzantine:
16 le diadème en perles *f*
17 le pendentif
18 le manteau de pourpre *f*
19 la robe;
20 une princesse germanique [13e siècle]:
21 le diadème
22 la mentonnière
23 la boucle
24 la cordelière à manteau *m*
25 la robe serrée à la taille
26 le manteau;
27 un Allemand en costume *m* espagnol [vers 1575]:
28 la toque
29 le collet (la cape)
30 le pourpoint rembourré
31 le haut-de-chausses rembourré à crevés *m* doublés;
32 un lansquenet [vers 1530]:
33 le pourpoint tailladé
34 le haut-de-chausses bouffant;
35 une Bâloise [vers 1525]:
36 la cotte
37 la robe à la Gretchen;
38 une Nurembergeoise [vers 1500]:
39 la collerette (le fichu, le collet);
40 un Bourguignon [15e siècle]:

41 le pourpoint court
42 les souliers *m* à la poulaine
43 les semelles *f* de bois *m*;
44 un noble jouvenceau [vers 1400]:
45 la jaquette courte
46 la manche festonnée
47 les chausses *f*;
48 une patricienne d'Augsbourg [vers 1575]:
49 la manche à gigot *m*
50 la marlotte;
51 une dame française [vers 1600]:
52 la fraise godronnée
53 la taille serrée (taille de guêpe *f*);
54 un gentilhomme [vers 1650]:
55 le chapeau mou suédois
56 la cravate en toile *f*
57 la doublure d'étoffe *f* blanche
58 la botte évasée à revers *m*;
59 une dame [vers 1650]:
60 la manche bouffante;
61 un gentilhomme [vers 1700]:
62 le tricorne
63 l'épée *f* de parade *f*;
64 une dame [vers 1700]:
65 la fontange
66 la mantille de dentelle *f*
67 la broderie de lisière *f*;
68 une dame [vers 1880]:
69 la tournure;
70 une dame [vers 1858]:
71 le bonnet (la coiffe)
72 la crinoline;
73 un bourgeois sous Louis-Philippe:
74 le faux-col
75 le gilet à fleurs *f*
76 l'habit *m* à basques *f*;
77 la perruque à queue *f*:
78 le nœud de la queue;
79 des dames en robes *f* de cour *f* [vers 1780]:
80 la traîne
81 la haute-coiffure style *m* Louis XV
82 la parure
83 la robe à paniers *m* sans plis *m*

339 Jardin zoologique (zoo)

1-15 la fauverie [vue intérieure],
1 la cage aux fauves *m*:
2 la grille en fer *m*, une grille protectrice
3 l'arbre *m* à grimper (arbre à aiguiser les griffes *f*)
4 la glissière
5 la climatisation;
6 le fauve (la bête féroce)
7 le seau à pitance *f*
8 le gardien des bêtes *f*
9 l'écuelle *f* à eau *f*
10 la barrière de protection *f*
11 la rigole d'écoulement *m* pour désodoriser
12 la cage aux soins *m* médicaux et aux opérations *f*, un couloir grillé:
13 la fenêtre opératoire
14 le dispositif de levage *m*
15 la porte à coulisse *f*;
16 l'installation *f* à ciel *m* ouvert:
17 le rocher naturel
18 le fossé, une douve
19 le mur de protection *f*
20 les animaux *m* exposés; *ici*: une troupe de lions *m*
21 le visiteur
22 le tableau de défense *f*;
23 la volière, une grande cage aux oiseaux *m*
24 la loge de la girafe; *anal.*: loge des éléphants *m*, loge des singes *m*
25 la cage extérieure (cage d'été *m*)
26 l'aquarium *m*:
27 le tuyau d'amenée *f* d'eau *f*
28 le dispositif d'oxygénation *f*
29 la valve magnétique
30 la valve de fermeture *f*
31 le purgeur
32 la soupape de mélange *m*
33 le vase mélangeur
34 l'indicateur *m* de niveau *m* d'eau *f*
35 le thermostat
36 le double vitrage
37 le bassin;
38 l'aquarium *m* de reptiles *m*:
39 la vitrine
40 la ventilation
41 l'évacuation *f* de l'air *m*
42 le chauffage du sol;
43 le terrarium:
44 la notice;
45 le paysage tropical

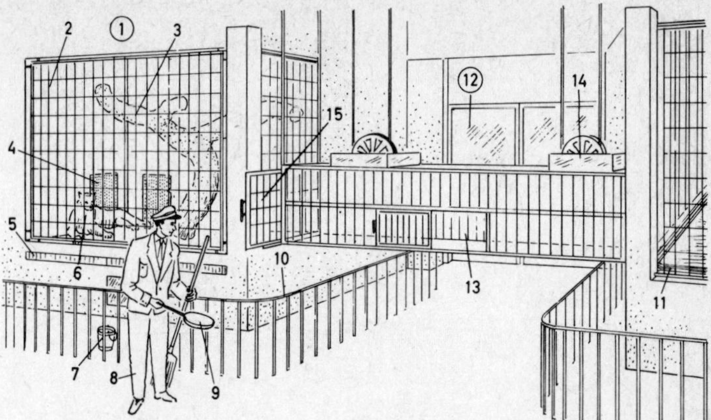
1
2
3
4
5
6
7
8
9
10
11
12
13
14
15

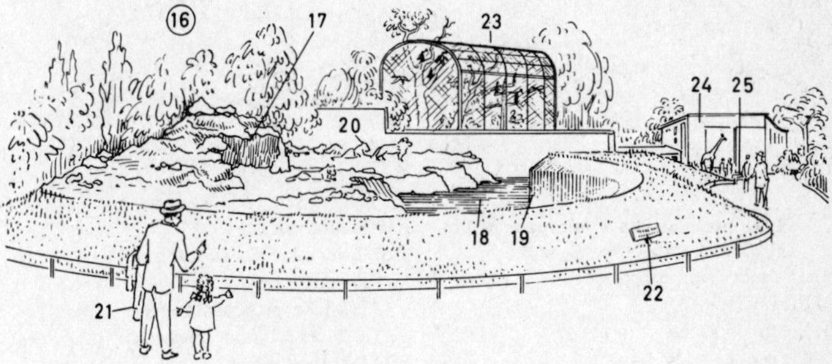
16
17
18
19
20
21
22
23
24
25

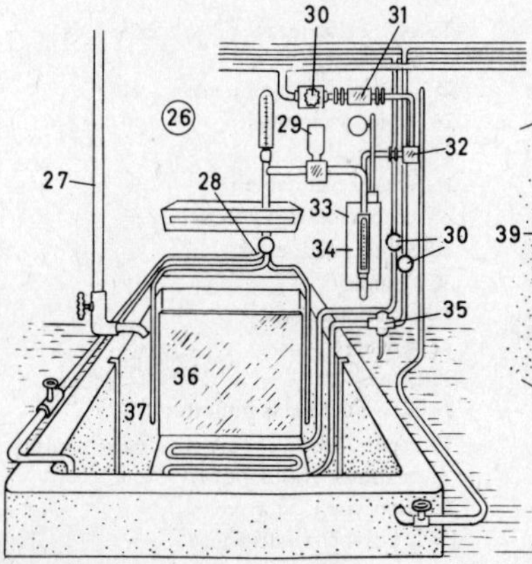
26
27
28
29
30
31
32
33
34
30
35
36
37

38
39
40
41
42
43
44
45

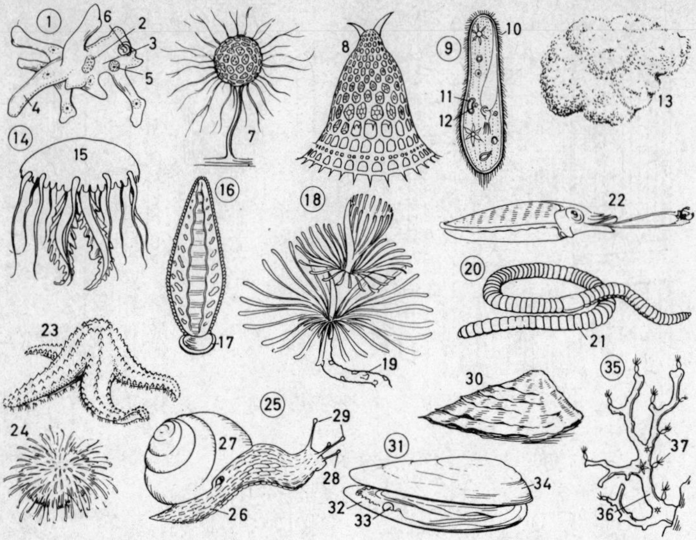

1-12 les protozoaires *m* (animaux *m* unicellulaires, infusoires *m*),
1 l'amibe *f*, un rhizopode:
2 le nucléus
3 le protoplasme
4 le pseudopode
5 la vacuole contractile
6 la vacuole nutritive;
7 l'héliozoaire *m*
8 le radiolaire, *ici :* le squelette silicieux
9 la paramécie, un infusoire à cils *m*:
10 les cils *m* vibratiles;
11 le macronucléus
12 le micronucléus;
13-37 métazoaires *m* (animaux *m* multicellulaires):
13 l'éponge *f*, un spongiaire
14 la méduse (méduse à ombrelle *f*, le venin de mer *f*, la gelée de mer *f*), un cœlentéré:
15 l'ombrelle *f*;
16-21 vers *m*:
16 la sangsue, un annélide (ver *m* à segments *m*):
17 la ventouse;
18 le spirorbe, un ver à filaments *m*:
19 le tube calcaire;
20 le ver de terre *f* (le lombric):
21 le segment;
22 la seiche, un céphalopode
23 et **24** les échinodermes *m*:
23 l'étoile *f* de mer *f*
24 l'oursin *m*;
25-34 mollusques *m* (*aussi :* crustacés *m*),
25 l'escargot *m*, un limaçon:
26 le pied abdominal
27 la coquille
28 le tentacule oculaire
29 les tentacules *m* antérieurs;
30-34 coquillages *m*:
30 l'huître *f*
31 la mulette perlière:
32 la nacre
33 la perle
34 la coquille de la mulette;
35 le corail naturel, un coralliaire (anthozoaire *m*, zoophyte *m*):
36 le polypier calcaire
37 le polype coralligène

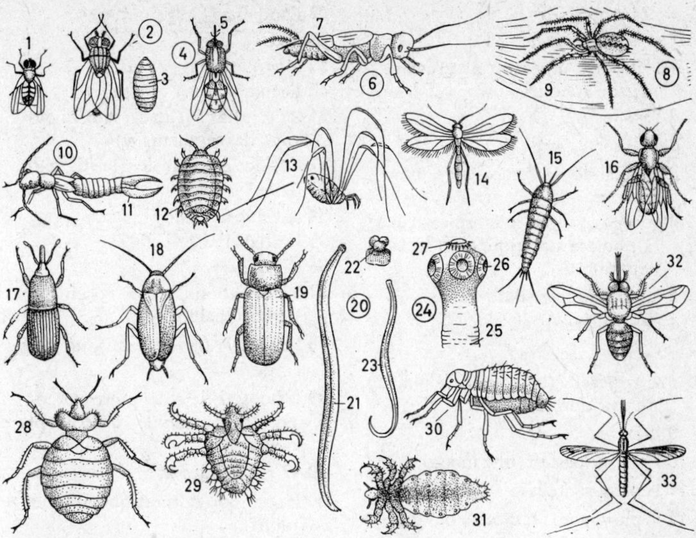

1-13 insectes *m* domestiques:
1 la mouche caniculaire
2 la mouche domestique:
3 la chrysalide (la nymphe);
4 la mouche piqueuse:
5 l'antenne *f* à trois branches *f*;
6 le grillon domestique:
7 l'élytre *f* sonore;
8 l'araignée *f* domestique:
9 la toile d'araignée *f*;
10 le perce-oreille (le pince-oreille, la forficule, le dermoptère, le dermatoptère):
11 la pince abdominale;
12 le cloporte, un crustacé
13 le faucheur (le faucheux);
14 et 15 insectes nuisibles aux textiles *m*:
14 la mite (la teigne des vêtements *m*)
15 le lépisme saccharin (le petit poisson d'argent *m*), un thysanoure;
16-19 insectes *m* nuisibles:
16 la mouche à asticot *m*
17 le charançon du blé (la calandre du blé)
18 la blatte orientale (blatte des cuisines *f*, le cafard, le cancrelat, la bête noire)
19 le ténébrion-meunier (le ver de farine *f*);
20-31 parasites *m* de l'homme *m*,
20 l'ascaride *m*:
21 la femelle
22 la tête
23 le mâle;
24 le ver solitaire (le ténia), un ver plat:
25 le scolex, un organe suceur
26 la ventouse buccale
27 les crochets *m*;
28-33 vermine *f*:
28 la punaise
29 le morpion
30 la puce
31 le pou;
32 la mouche tsé-tsé
33 l'anophèle *m*

1-23 arthropodes *m*,
1 et **2** crustacés *m*:
1 la dromie, un crabe, un crustacé à telson *m* court
2 l'asellus *m*;
3-23 insectes *m*:
3 la libellule (la demoiselle), un insecte
4 la nèpe cendrée (le scorpion d'eau *f*, la punaise aquatique), un insecte hémiptère:
5 la patte préhensile;
6 l'éphémère *m*:
7 l'œil *m* à facettes *f*;
8 la sauterelle (le criquet, la locuste), un orthoptère sauteur:
9 la larve
10 l'insecte parfait, une imago
11 la patte sauteuse;
12 la phrygane, un insecte névroptère
13 le puceron, un insecte hémiptère aphidien:
14 le puceron aptère
15 le puceron ailé;
16-20 diptères *m*,
16 le moustique (le cousin, la tipule), un moucheron, un longicorne:
17 le dard (la trompe);
18 la mouche à viande *f* (mouche bleue), un muscidé:
19 la larve
20 la nymphe;
21-23 hyménoptères *m*,
21 et **22** la fourmi:
21 la reine (la femelle ailée)
22 l'ouvrière *f*;
23 le bourdon;
24-39 coléoptères *m*,
24-38 gloutons *m*,
24 le cerf-volant (le lucane), un scarabéidé:
25 les mandibules *f*
26 les mâchoires *f*
27 l'antenne *f* (le palpe)
28 la tête
29 le pronotum
30 l'écusson *m*
31 les tergites *m* (les arceaux *m* dorsaux des segments *m*)
32 l'orifice respiratoire (le stigmate)
33 l'aile *f*
34 la veine de l'aile *f*
35 le pli de l'aile *f*
36 l'élytre *m*;
37 la bête à bon Dieu (la coccinelle), un coccinellidé
38 l'ergate *m* (le forgeron), un longicorne;
39 le bousier (le coléoptère stercoraire), un carabidé, un coléoptère ravisseur;
40-47 arachnides *m*,
40 le scorpion domestique, un scorpion:
41 la mandibule (la patte-mâchoire)
42 l'antenne *f* maxillaire
43 l'aiguillon caudal;
44-46 araignées *f*:
44 la tique (l'ixode *m*), un acarien
45 l'araignée *f* porte-croix (l'épeire *f* diadème), une araignée:
46 la glande à liquide *m* gommeux;
47 la toile d'araignée *f*;
48-56 papillons *m*,
48 le bombyx du mûrier, un bombyx:
49 les œufs *m*
50 le ver à soie *f* (la chenille)
51 le cocon;
52 le machaon (le grand porte-queue), un papillon diurne:
53 l'antenne *f*
54 la tache oculée;
55 le sphinx du troène (sphinx à tête de mort *m*, l'achérontia *m*), un papillon nocturne:
56 la trompe

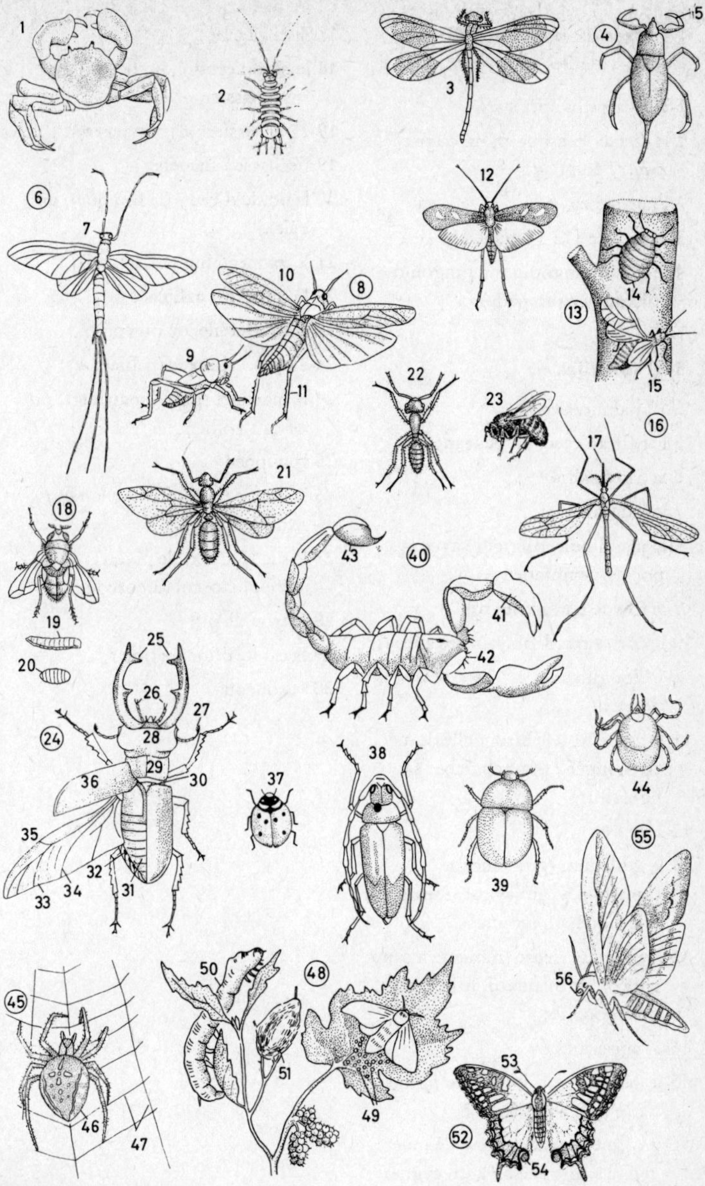
1
2
3
4
5
6
7
8
9
10
11
12
13
14
15
16
17
18
19
20
21
22
23
24
25
26
27
28
29
30
31
32
33
34
35
36
37
38
39
40
41
42
43
44
45
46
47
48
49
50
51
52
53
54
55
56

1-4 oiseaux *m* non-volatiles (non-volatiles *m*),

1-3 les struthionidés *m*:

1 le casoar à casque *m*, un casoar; *anal.:* l'émou *m*

2 l'autruche *f*

3 la couvée [12-14 œufs *m*] ;

4 le grand pingouin, un pingouin (oiseau *m* palmipède);

5-30 volatiles *m*,

5-10 palmipèdes *m*,

5 le pélican rose, un pélican;

6 la patte palmée

7 la palmure

8 la mandibule inférieure avec la poche membraneuse;

9 le fou de Bassan, un fou

10 le cormoran déployant ses ailes *f*;

11-14 longipennes *m* (oiseaux *m* de mer *f*):

11 la goélette, une hirondelle de mer *f*, en plongée *f* pour chercher sa nourriture

12 le pétrel

13 le guillemot (guillemot à capuchon *m*, guillemot à miroir *m*), une alque, un lumme

14 la mouette rieuse (mouette à capuchon *m*, le miaulard, le goéland), une mouette;

15-17 ansérinés *m*:

15 le harle (harle bièvre, le grand harle), un anatidé

16 le cygne sauvage *m* (cygne muet, cygne à caroncule *f*), un cygne:

17 la caroncule;

18 le héron cendré, un héron, un échassier

19-21 échassiers *m* (pluviers *m*):

19 l'échasse *f* blanche

20 la poule d'eau *f* (la foulque), un râle

21 le vanneau huppé (le kiwi);

22 la caille, un gallinacé

23 la tourterelle, un pigeon

24-29 passereaux *m* (rolliers *m*):

24 le martinet (grand martinet), un oiseau voilier

25 la huppe:

26 la huppe (la touffe de plumes *f*) mobile;

27 le pic (pic vert, le pivert) ; *genre voisin:* le torcol (le torcou):

28 le trou du nid

29 la cavité d'incubation *f*;

30 le coucou

1
2
3
4
5
6
7
8
9
10
11
12
13
14
15
16
17
18
19
20
21
22
23
24
25
26
27
28
29
30

1, 3, 4, 5, 7, 9 oiseaux *m* chanteurs:

1 le chardonneret, un passereau

2 le guêpier

3 le rouge-queue (le rossignol des murailles *f*), un turdidé

4 la mésange bleue, une mésange, un oiseau non-migrateur

5 le bouvreuil

6 la corneille bleue (corneille mantelée)

7 le merle doré (la grive dorée, le loriot), un oiseau de passage *m* (oiseau migrateur)

8 le martin pêcheur

9 la bergeronnette (la lavandière), un hochequeue

10 le pinson

1
2
3
4
5
6
7
8
9
10
S. Vogel

345 Oiseaux exotiques

1 le cacatoès à huppe *f* jaune, un perroquet

2 l'ara *m* (ara ararauna)

3 le paradisier bleu (l'oiseau *m* de paradis *m*)

4 le colibri sapho *f* (l'oiseau-mouche *m*)

5 le cardinal huppé

6 le toucan (le toucan à bec *m* rouge), un oiseau grimpeur

1
2
3
4
5
6
S. Vogel

1-20 oiseaux *m* chanteurs,

1-3 corvidés *m*:

1 le geai

2 le corbeau (le freux, le choucas), une corneille

3 la pie;

4 l'étourneau *m* (le sansonnet)

5 le moineau (le pierrot)

6-8 pinsons *m*,

6 et 7 bruants *m*:

6 le bruant commun (le citrin, le verdier)

7 l'ortolan *m*;

8 le serin (le tarin);

9 la mésange charbonnière, une mésange

10 le roitelet (roitelet d'hiver *m*, roitelet à tête *f* dorée); *anal.:* roitelet d'été *m*

11 la sittelle (le grimpereau, le pic bleu)

12 le troglodyte mignon (troglodyte d'Europe *f*)

13-17 grives *f* (les turdidés *m*);

13 le merle

14 le rossignol (*poét.*: Philomèle *f*)

15 le rouge-gorge

16 la grive

17 le grand rossignol;

18 et 19 les alouettes *f* (les alaudidés *m*):

18 l'alouette *f* des champs *m*

19 l'alouette *f* commune (alouette huppée);

20 l'hirondelle *f* (hirondelle rustique, hirondelle de cheminée *f*, hirondelle de fenêtre *f*), une hirondelle

1-19 rapaces *m* diurnes,

1-4 faucons *m*:

1 l'émouchet *m*

2 le faucon pèlerin:

3 les jambes *f* emplumées (le plumage de cuisse *f*)

4 la jambe;

5-9 aigles *m*,

5 l'aigle *m* de mer *f* (l'orfraie *f*):

6 le bec crochu

7 la serre (la patte)

8 la queue;

9 la buse;

10-13 falconidés *m*:

10 l'autour *m* (autour des palombes *f*)

11 le milan (le milan royal)

12 l'épervier *m*

13 le busard des marais *m* (busard harpayé);

14-19 rapaces *m* nocturnes (hiboux *m*):

14 le hibou commun (le moyen duc, hibou des forêts *f*)

15 le grand duc (le hibou):

16 l'oreille *f* à aigrettes *f*;

17 l'effraie *f*:

18 l'auréole *f* de plumes *f*;

19 la chevèche commune (le chat-huant, la hulotte)

1
2
3
4
5
6
7
8
11
10
9

1-11 papillons *m*,

1-6 papillons *m* **diurnes:**

1 la vanesse vulcain (l'amiral *m*)

2 la vanesse paon du jour

3 l'aurore *f*

4 le papillon citrin

5 le morio

6 le lycène argus;

7-11 papillons *m* **nocturnes:**

7 la trimène

8 le callimorphe

9 le sphinx tête *f* de mort *m*, un sphinx:

10 la chenille

11 la chrysalide (la nymphe)

1
2
3
4
5
6
7
8
9
10
11
12
13
14
15
16
17
18
19
20

1 le gigantocypris Agassizi (le crabe géant)
2 le macropharynx longiqueue
3 le pentacrinus, un lis de mer *f*, un échinoderme
4 le thaumatolampas diadema (la «lampe miraculeuse»), une seiche [luminescent]
5 l'atolla *m*, une méduse des eaux *f* profondes, un cœlentéré
6 le melanocétus, un brachioptère [luminescent]
7 le lophocalyx philippensis, une éponge
8 le mopsea, un polype [colonie *f*; luminescent]
9 l'hydrallmania *f*, un polype hydroïde, un polype, un cœlentéré [colonie *f*]
10 le malacosteus indicus, un stomiadé [luminescent]
11 le brisinga endecacnemos, un ophiuride, un échinoderme [luminescent quand il est stimulé]
12 la pasiphée, une crevette, un crustacé
13 le stomias boa, un stomiadé, un poisson [luminescent]
14 l'umbellula encrinus, une pennatule, un cœlentéré [colonie *f*]
15 le pentacheles, un crabe
16 le lithodes, un crabe
17 l'archaster *m*, une étoile de mer *f*, un échinoderme
18 l'oneirophanta *f*, une courge de mer *f*, un échinoderme
19 le palaeopneustes niasicus, un hérisson de mer *f*, un échinoderme
20 la chitonactis, une anémone de mer *f*, un cœlentéré

1-17 poissons *m*,
1 le requin bleu, un scale:
2 la gueule
3 la fente branchiale;
4 la carpe (carpe d'étang *m*), une carpe miroitée:
5 l'opercule *m*
6 la nageoire dorsale
7 la nageoire pectorale
8 la nageoire abdominale
9 la nageoire anale
10 la nageoire caudale
11 l'écaille *f* à miroir *m*;
12 le silure (le poisson-chat):
13 le barbillon;
14 le hareng
15 la truite commune (truite des lacs *m*, truite saumonée, truite arc-en-ciel), une truite
16 le brochet commun
17 l'anguille *f* (anguille commune)
18 l'hippocampe *m* (le cheval marin):
19 les lophobranches *m*;

20-26 batraciens *m* (amphibiens *m*),
20-22 urodèles *m*,
20 le triton à crête *f*, un triton des étangs *m*:
21 la crête dorsale;
22 la salamandre terrestre, une salamandre;
23-26 anoures *m*:
23 le crapaud terrestre, un crapaud
24 la grenouille verte (la rainette):
25 le sac vocal
26 la ventouse;

27-41 reptiles *m*,
27 et **31-37** sauriens *m*:
27 le lézard des souches *f*
28 la tortue (le caret):
29 la carapace;
30 le basilic
31 le varan du désert, un varan
32 l'iguane *m* vert, un iguane
33 le caméléon, un reptile saurien:
34 le pied préhensile
35 la queue préhensile;
36 le gecko des murailles *f* (la tarente), un gecko à lamelles *f* adhésives aux doigts *m*
37 l'orvet *m* (le serpent de verre *m*, serpent aveugle, l'anguis *m*);
38-41 serpents *m*,
38 la couleuvre à collier *m* (le serpent d'eau *f*), un tropidonote:
39 les taches *f* de lune *f*;
41 et 41 les vipères *f*:
40 la vipère commune (vipère péliade, vipère bénus), un serpent venimeux
41 la vipère aspic

1
2
3
4
5
6
7
8
9
10
11
12
13
14
15
16
17
18
19
20
21
22
23
24
25
26
27
28
29
30
31
32
33
34
35
36
37
38
39
40
41

1 l'ornithorynque *m*, un animal des marais *m* (monotrème *m*, animal *m* ovipare)

2 et 3 marsupiaux *m*:

2 l'oppossum *m* de l'Amérique du Nord, un marsupial

3 le kangourou rouge géant, un kangourou;

4-7 insectivores *m*:

4 la taupe

5 le hérisson:

6 le piquant;

7 la musaraigne, un soricidé;

8 le tatou

9 la chauve-souris à grandes oreilles *f* (le vespertilion), un chiroptère

10 le pangolin, un animal à écailles *f*

11 le bradype (le paresseux, l'aï *m*)

12-19 rongeurs *m*:

12 le cobaye (le cochon d'Inde *f*)

13 le porc-épic

14 le castor

15 la souris des steppes *f*

16 le hamster

17 le campagnol

18 la marmotte

19 l'écureuil *m*;

20-31 mammifères *m* ongulés:

20 l'éléphant *m* d'Afrique, un animal à trompe *f*

21 la trompe

22 la défense;

23 le lamantin, un sirénien (sirène *f*)

24 la marmotte d'Afrique, un dugong

25-27 périssodactyles *m*:

25 le rhinocéros bicorne d'Afrique, un rhinocéros

26 le tapir

27 le zèbre;

28-31 artiodactyles *m*,

28-30 ruminants *m*:

28 le lama

29 le chameau (chameau à deux bosses *f*)

30 le guanaco;

31 l'hippopotame *m*

1
2
3
4
5
6
7
8
9
10
11
12
13
14
15
16
17
18
19
20
21
22
23
24
25
26
27
28
29
30
31

1-10 ongulés *m*, ruminants *m*:
1 l'élan *m*
2 le wapiti
3 le chamois
4 la girafe
5 l'antilope *f*
6 le mouflon
7 le bouquetin
8 le buffle domestique
9 le bison
10 le bœuf musqué;
11-17 carnassiers *m*,
11-13 canidés *m*:
11 le chacal
12 le renard roux
13 le loup;
14-16 martres *f*:
14 la fouine
15 la zibeline
16 la belette;
17 la loutre de mer *f*, une loutre;
18-22 phoques *m* (pinnipèdes *m*):
18 le phoque
19 l'otarie *m* (le lion marin)
20 le morse:
21 la moustache
22 la défense;
23-29 cétacés *m*:
23 le marsouin
24 le dauphin
25 le cachalot:
26 le naseau
27 l'aileron *m* dorsal
28 l'aileron *m* pectoral
29 l'aileron *m* caudal

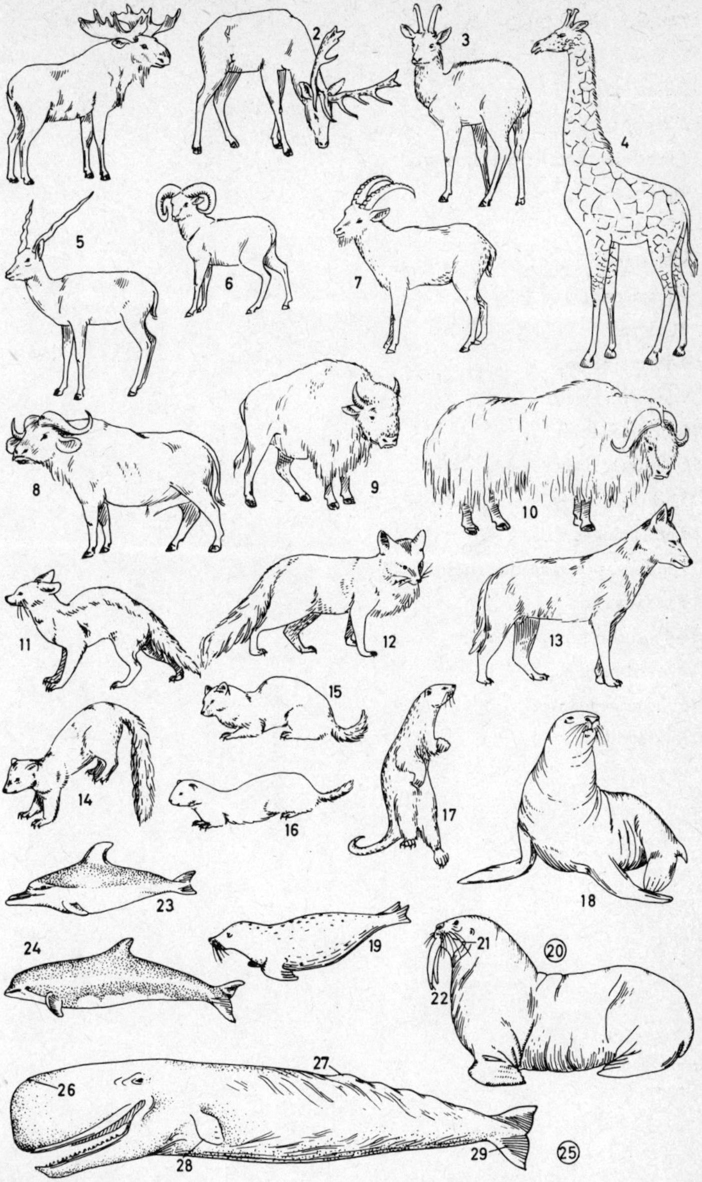
2
3
4
5
6
7
8
9
10
11
12
13
14
15
16
17
18
19
20
21
22
23
24
25
26
27
28
29

1-11 carnassiers *m*:
1 l'hyène *f* rayée, une hyène
2-8 félidés *m*,
2 le lion:
3 la crinière (crinière de lion *m*)
4 la patte;
5 le tigre
6 le léopard
7 le guépard
8 le lynx;
9-11 ursidés *m*:
9 le raton laveur
10 l'ours *m* brun
11 l'ours *m* blanc;
12-16 primates *m*,
12 et **13** singes *m*:
12 le rhésus (le macaque rhésus)
13 le babouin
14-16 anthropomorphes *m*:
14 le chimpanzé
15 l'orang-outan *m*
16 le gorille

1
3
2
4
5
6
7
8
9
10
11
14
12
15
16
13

1 l'arbre *m*:
2 le tronc
3 la couronne de l'arbre *m*
4 la cime
5 la branche
6 le rameau;
7 le tronc [coupe transversale]:
8 l'écorce *f*
9 le liber
10 le cambium
11 les rayons *m* médullaires
12 l'aubier *m*
13 le cœur du bois
14 le vaisseau médullaire;
15 la plante,
16-18 la racine:
16 la racine principale
17 la racine secondaire
18 la radicelle;
19-25 la pousse:
19 la feuille
20 la tige
21 la pousse latérale
22 le bourgeon terminal
23 la fleur
24 le bouton floral
25 l'aisselle *f* de la feuille avec le bourgeon axillaire,
26 la feuille:
27 le pétiole
28 le limbe
29 la nervure secondaire
30 la nervure principale;
31-38 formes *f* de feuilles *f*:
31 rubannée
32 lancéolée
33 arrondie
34 en aiguille
35 en cœur *m*
36 ovoïde
37 sagittée
38 peltée;
39-42 feuilles *f* composées :
39 composée palmée (digitée)
40 composée pennée
41 composée paripennée
42 composée imparipennée;
43-50 divers bords *m* du limbe:
43 feuille *f* à bord *m* entier
44 sciée
45 sciée double
46 vallonnée
47 dentée
48 lobée
49 ciliée:
50 le cil;
51 la fleur:
52 le pédoncule
53 le réceptacle
54 l'ovaire *m*
55 le style
56 le stigmate
57 l'étamine *f*
58 le sépale
59 le pétale;
60 l'ovaire *m* et l'étamine *f* [coupe]:
61 la paroi de l'ovaire *m*
62 la cavité de l'ovaire *m*
63 l'ovule *m*
64 le sac embryonnaire
65 le grain de pollen (le pollen)
66-77 inflorescences *f*:
66 le tube pollinique;
67 l'épi *m*
68 la grappe
69 le panicule
70 la cyme bipare
71 le spadice
72 l'ombelle *f*
73 le capitule
74 le capitule convexe
75 le capitule concave
76 la cyme unipare scorpioïde
77 la cyme unipare hélicoïde;
78-82 les racines *f*:
78 les racines *f* adventives
79 la racine pivotante (racine à réserve *f*)
80 les crampons *m*
81 les épines sur racine *f*
82 les racines *f* aériennes;
83-85 le brin d'herbe *f*:
83 la gaine
84 la ligule
85 le limbe;
86 le germe:
87 le cotylédon
88 la radicule
89 la tigelle
90 la gemmule;
91-102 fruits *m*,
91-96 fruits *m* déhiscents (fruits secs):
91 le follicule
92 la gousse
93 la silique
94 la capsule loculaire
95 la capsule operculée
96 la capsule poreuse;
97-102 les fruits non-déhiscents-charnus:
97 la baie
98 la cupule (la noix)
99 le fruit à noyau *m* (la drupe)
100 le faux fruit
101 le fruit composé
102 le fruit à pépins *m* (la pomme)

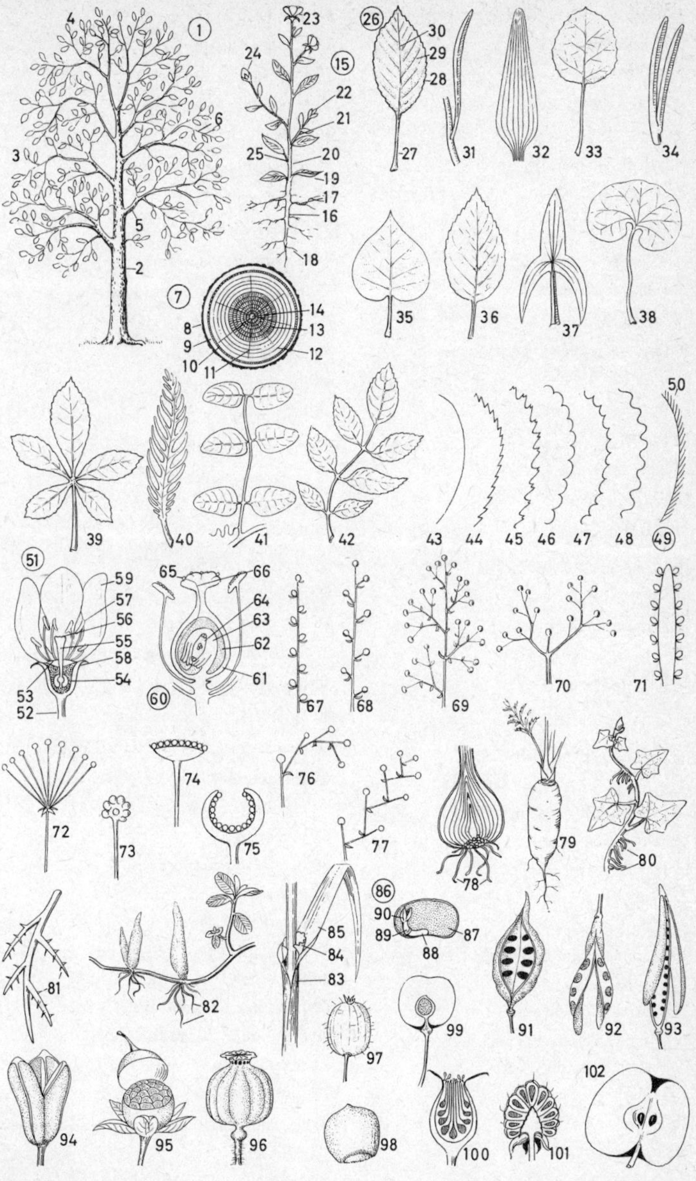
1
2
3
4
5
6
7
8
9
10
11
12
13
14
15
16
17
18
19
20
21
22
23
24
25
26
27
28
29
30
31
32
33
34
35
36
37
38
39
40
41
42
43
44
45
46
47
48
49
50
51
52
53
54
55
56
57
58
59
60
61
62
63
64
65
66
67
68
69
70
71
72
73
74
75
76
77
78
79
80
81
82
83
84
85
86
87
88
89
90
91
92
93
94
95
96
97
98
99
100
101
102

355 Feuillus (arbres à feuilles caduques)

1-73 les feuillus *m* (les arbres *m* à feuilles *f* caduques),
1 le chêne:
2 le rameau en fleurs *f*
3 le rameau fructifère
4 le fruit (le gland)
5 la cupule
6 la fleur femelle
7 la bractée
8 l'inflorescence *f* mâle;
9 le bouleau:
10 le rameau avec ses chatons *m*, un rameau en fleurs *f*
11 le rameau fructifère
12 la samare
13 la fleur femelle
14 la fleur mâle;
15 le peuplier:
16 le rameau en fleurs *f*
17 la fleur
18 le rameau fructifère
19 le fruit
20 la graine
21 la feuille du tremble
22 la disposition du fruit
23 la feuille du peuplier argenté;
24 le marsault (le saule des chèvres *f*):
25 le rameau en boutons *m*
26 le chaton avec fleur *f*
27 le rameau feuillu
28 le fruit
29 la branche feuillue de l'osier *m*;
30 l'aulne *m* (aune):
31 le rameau fructifère
32 le rameau en fleurs *f* avec le cône de l'année *f* précédente;
33 le hêtre (le fayard):
34 le rameau en fleurs *f*
35 la fleur
36 le rameau fructifère
37 la faine (le fruit du hêtre)
38 le frêne:
39 le rameau en fleurs *f*
40 la fleur
41 le rameau fructifère;
42 le sorbier:
43 l'inflorescence *f*
44 la disposition des fruits *m*
45 le fruit [coupe longitudinale];
46 le tilleul:
47 le rameau fructifère
48 l'inflorescence *f*;
49 l'orme *m*:
50 le rameau fructifère
51 le rameau en fleurs *f*
52 la fleur;
53 l'érable *m*:
54 le rameau en fleurs *f*
55 la fleur
56 le rameau fructifère
57 la disamare (deux samares *f*) à ailettes *f*;
58 le marronnier d'Inde:
59 le rameau avec jeunes fruits *m*
60 le marron (la graine de marronnier *m*)
61 le fruit mûr
62 la fleur [coupe longitudinale];
63 le charme:
64 le rameau fructifère
65 la graine
66 le rameau en fleurs *f*;
67 le platane:
68 la feuille
69 la disposition des fruits et le fruit;
70 le robinier (le faux acacia):
71 le rameau en fleurs *f*
72 disposition *f* des fruits *m*
73 le point d'attache *f* du pétiole avec les stipules *f*

1-71 conifères *m*,
1 le sapin blanc:
2 le cône, un fruit
3 le rachis
4 le cône femelle
5 l'écaille *f*
6 l'inflorescence *f* mâle
7 l'étamine *f*
8 l'écaille *f* du cône
9 la graine ailée
10 la graine [coupe longitudinale]
11 l'aiguille *f* de sapin *m*;
12 l'épicéa *m*:
13 le cône d'épicéa *m*
14 l'écaille *f* du cône
15 la graine
16 le cône femelle
17 l'inflorescence *f* mâle
18 l'étamine *f*
19 l'aiguille *f* d'épicéa *m*;
20 le pin sylvestre:
21 le pin des montagnes *f*
22 le cône femelle
23 la pousse courte à deux aiguilles *f*
24 les inflorescences *f* mâles
25 le surgeon de l'année *f*
26 le cône de pin *m* (la pomme de pin)
27 l'écaille *f* du cône
28 la graine
29 la pomme du pin cembre
30 la pomme du pin Weymouth
31 la pousse [coupe transversale];
32 le mélèze:
33 le rameau en fleurs *f*
34 l'écaille *f* du cône femelle
35 l'anthère *f*
36 le rameau avec pomme *f* de mélèze *m*
37 la graine
38 l'écaille du cône;
39 le thuya:
40 le rameau fructifère
41 le cône
42 l'écaille *f*
43 le rameau et les tiges *f* à pousses *f* de sexes *m* différents
44 la pousse mâle
45 l'écaille *f* avec sacs *m* polliniques
46 la pousse femelle;
47 le genévrier:
48 la pousse femelle [coupe longitudinale]
49 la pousse mâle
50 l'écaille *f* avec sacs *m* polliniques
51 le rameau fructifère
52 la baie de genièvre *m*
53 le fruit [coupe transversale]
54 la graine;
55 le pin pignon:
56 la pousse mâle
57 le cône (la pomme) avec ses pignes *f* [coupe longitudinale];
58 le cyprès:
59 le rameau fructifère
60 la graine;
61 l'if *m*:
62 les pousses *f* de sexes *m* différents
63 le rameau fructifère
64 le fruit [coupe longitudinale];
65 le cèdre:
66 le rameau fructifère
67 l'écaille *f*
68 les pousses *f* de sexes *m* différents;
69 le séquoia:
70 le rameau fructifère
71 la graine

1
2
3
5
4
8
9
10
6
7
11
6
12
13
19
14
15
16
17
18
31
25
23
24
30
20
26
♀
33
♂
35
34
36
38
27
28
22
29
21
32
37
37
55
57
56
60
47
42
41
40
51
52
58
53
59
54
52
45
48
49
50
39
♂
44
♀
43
46
64
61
70
66
67
69
63
64
♂
65
70
♀
62
♀
♂
68
71

1 la forsythie:
2 le pistil et les étamines *f*
3 la feuille;
4 le jasmin jaune:
5 la fleur [coupe longitudinale] avec le style, l'ovaire *m* et les étamines *f*;
6 le troène:
7 la fleur
8 les fruits *m* (la grappe de fruits);
9 le seringa
10 la boule de neige *f* (la viorne obier):
11 la fleur
12 les fruits *m*;
13 le laurier-rose:
14 la fleur [coupe longitudinale];
15 le magnolia:
16 la feuille;
17 le cognassier du Japon:
18 le fruit;
19 le buis:
20 la fleur femelle
21 la fleur mâle
22 le fruit [coupe longitudinale];
23 le weigelia
24 le yucca [partie de l'inflorescence]:
25 la feuille;
26 le rosier des chiens *m*, un églantier:
27 le fruit;
28 la kerrie (la spirée du Japon):
29 les fruits *m*;
30 le cornouiller:
31 la fleur
32 le fruit (la cornouille), une drupe;
33 le galé (le myrica)

1
2
3
4
5
6
7
8
9
10
11
12
13
14
15
16
17
18
19
20
21
22
23
24
25
26
27
28
29
30
31
32
33

1 le tulipier:
2 les carpelles *m*
3 l'étamine *f*
4 les fruits *m*;
5 l'hysope *f*:
6 la fleur [vue de face]
7 la fleur
8 le calice et le fruit;
9 le houx commun:
10 la fleur hermaphrodite
11 la fleur mâle
12 le fruit et ses noyaux *m* mis à découvert;
13 le chèvrefeuille:
14 les boutons *m*
15 la fleur [coupe];
16 la vigne vierge:
17 la fleur épanouie
18 la disposition des fruits *m* (l'infructescence *f*)
19 le fruit [coupe longitudinale];
20 le genêt à balais *m*
21 la fleur privée de ses pétales *m*
22 la jeune gousse;
23 la spirée:
24 la fleur [coupe longitudinale]
25 les fruits *m*
26 le carpelle;
27 le prunier sauvage (le prunellier, l'épine *f* noire):
28 les feuilles *f*
29 les fruits *m* (les prunelles *f*)
30 l'aubépine *f* (l'épine *f* blanche):
31 le fruit;
32 le cytise (le faux ébénier)
33 la grappe de fleurs *f*
34 les fruits *m* (les gousses *f*);
35 le sureau noir:
36 les fleurs *f* de sureau *m*, des fleurs réunies en un corymbe *m*
37 les fruits *m* de sureau *m*

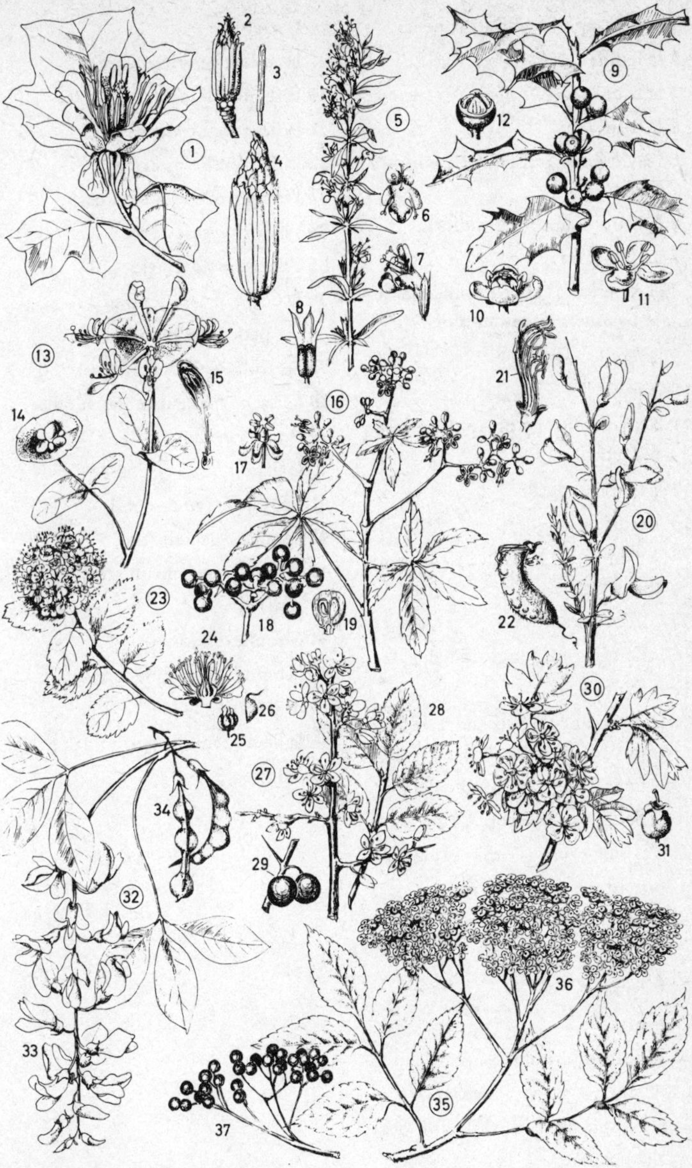
1
2
3
4
5
6
7
8
9
10
11
12
13
14
15
16
17
18
19
20
21
22
23
24
25
26
27
28
29
30
31
32
33
34
35
36
37

1 la saxifrage à feuilles *f* rondes:
2 la feuille
3 la fleur
4 le fruit;
5 l'anémone *f* pulsatille (la pulsatille):
6 la fleur [coupe longitudinale]
7 les fruits; *m*
8 la renoncule âcre (le bouton-d'or, le bassinet, le bassin-d'or *m*):
9 la feuille radicale
10 le fruit (l'akène *m*);
11 la cardamine des prés *m* (le cresson des prés):
12 la feuille radicale
13 le fruit (la silique);
14 la campanule à feuilles *f* rondes (la clochette):
15 la feuille radicale
16 la fleur [coupe longitudinale]
17 le fruit;
18 le gléchome (le faux-lierre, le lierre terrestre, l'herbe *f* de Saint-Jean):
19 la fleur [coupe longitudinale]
20 la fleur [vue de face];
21 l'orpin *m* âcre (l'orpin brûlant, le poivre des murailles *f*)
22 la véronique:
23 la fleur
24 le fruit
25 la graine;
26 la lysimaque nummulaire (la nummulaire, l'herbe *f* aux écus *m*):
27 la capsule ouverte (scabieuse des champs *m*):
28 la graine;
29 la scabieuse colombaire:
30 la feuille radicale
31 la fleur zygomorphe
32 la fleur actinomorphe
33 l'involucelle *m* avec la barbe
34 l'ovaire *m* et le calice
35 l'akène *m* (le fruit);
36 la ficaire fausse-renoncule (la petite chélidoine):
37 les fruits *m* (les akènes *m*)
38 l'aisselle *f* foliaire et la bulbille;
39 le pâturin annuel:
40 la fleur
41 l'épillet *m* [vu de côté]
42 l'épillet *m* [vu de face]
43 le caryopse (un fruit sec indéhiscent);
44 la touffe d'herbe *f*
45 la grande consoude (consoude officinale):
46 la fleur [coupe longitudinale]
47 le fruit

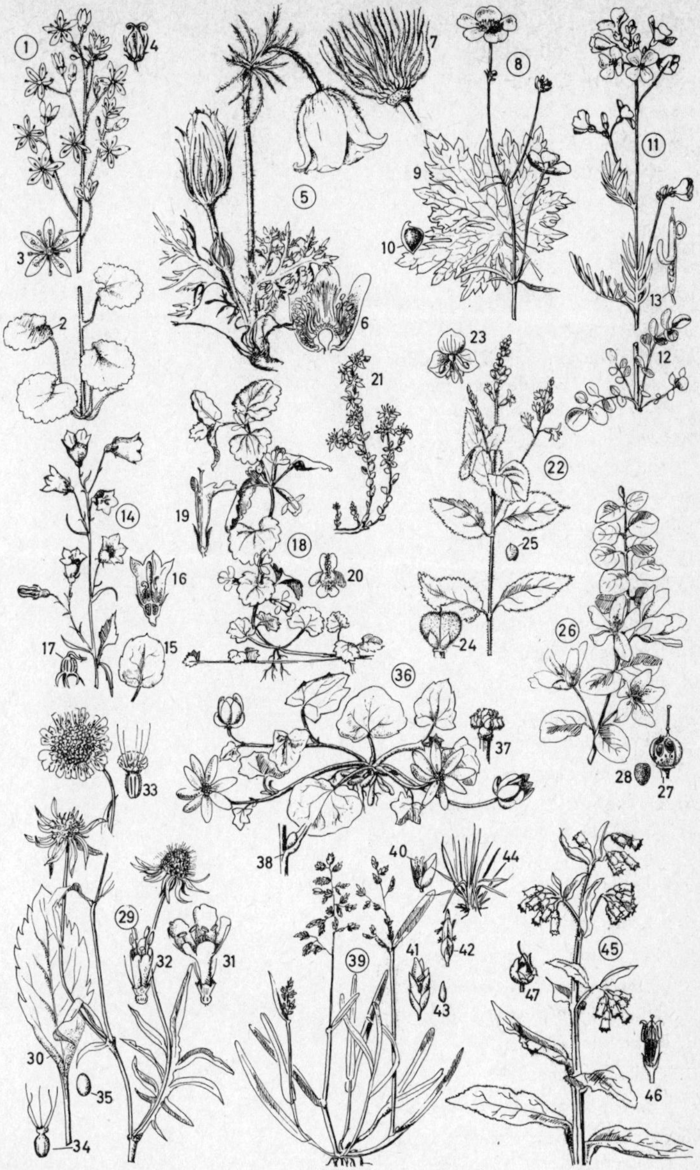
1
2
3
4
5
6
7
8
9
10
11
12
13
14
15
16
17
18
19
20
21
22
23
24
25
26
27
28
29
30
31
32
33
34
35
36
37
38
39
40
41
42
43
44
45
46
47

1 la pâquerette vivace (pâquerette, la petite marguerite):
2 la fleur (le fleuron)
3 le fruit;
4 la marguerite des prés *m* (la grande marguerite, le leucanthème vulgaire):
5 le fleuron (la fleur)
6 le fruit;
7 l'astrance *f* (la radiaire)
8 la primevère
9 la molène commune (le bouillon-blanc, l'herbe *f* de Saint-Pierre, le cierge de Notre-Dame)
10 la renouée bistorte (la bistorte, la serpentaire):
11 la fleur;
12 la centaurée jacée
13 la mauve:
14 le fruit;
15 l'achillée *f* (la millefeuille)
16 la brunelle vulgaire
17 le lotier corniculé
18 la prèle des champs *m* (la queue-de-cheval) [une tige]:
19 l'épi *m* sporangifère;
20 la lychnide (le lychnis) viscaire
21 la lychnide (le lychnis) fleur *f* de coucou (la fleur de coucou)
22 l'aristoloche *f*:
23 la fleur;
24 le géranium (le bec-de-grue)
25 la chicorée sauvage (chicorée amère) [les feuilles *f* étiolées: la barbe - de - capucin]
26 le silène penché
27 le cypripède (le sabot de Vénus)
28 l'orchis *m*, une plante de la famille des orchidacées *f* (orchidées *f*)

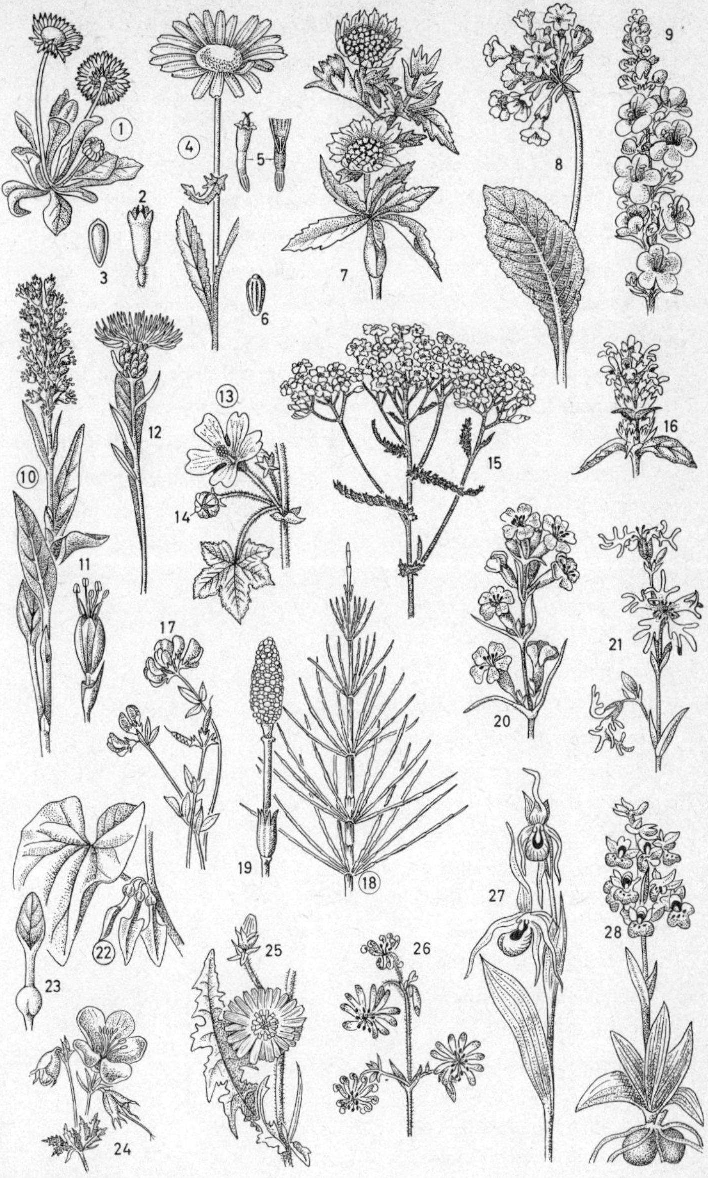
1
2
3
4
5
6
7
8
9
10
11
12
13
14
15
16
17
18
19
20
21
22
23
24
25
26
27
28

1 l'anémone *f* sylvie (la pâquette), une anémone

2 le muguet (muguet de mai *m*, muguet des bois *m*)

3 le pied-de-chat (le gnaphale dioïque, l'herbe *f* blanche, l'antennaire *f* dioïque); *anal.* : l'immortelle *f* blanche

4 le lis martagon

5 la spirée (la barbe-de-bouc)

6 l'ail *m* des ours *m* (l'ail des bois *m*)

7 la pulmonaire (l'herbe *f* aux poumons *m*)

8 la corydalle bulbeuse (le bec-d'oie, la damotte)

9 l'orpin *m* reprise (l'herbe *f* à la coupure, la reprise)

10 le daphné morillon (le mézéréon, le bois-joli, le faux garou)

11 la balsamine des bois *m* (l'impatiente *f* n'y-touchez-pas)

12 le lycopode en massue *f* (la patte-de-loup)

13 la grassette commune, une plante carnivore

14 le rossolis (la rosée du soleil, l'herbe *f* à la rosée), une plante carnivore; *anal.* : la dionée, l'attrape-mouche *m* de Vénus

15 le raisin d'ours *m* (la busserolle, l'arbousier *m* traînant)

16 le polypode vulgaire (la réglisse des bois *m*), une fougère; *anal.* : la fougère mâle, fougère femelle, fougère aigle, fougère royale

17 le polytric commun, une mousse

18 la linaigrette (l'herbe *f* à coton *m*, le lin des marais *m*, le chevelu des pauvres *m*)

19 la bruyère (bruyère cendrée); *anal.* : la callune vulgaire (la brande, bruyère commune)

20 l'hélianthème *m* (l'herbe *f* d'or)

21 le lédon des marais *m* (le romarin sauvage)

22 l'acore *m* (le jonc odorant, le roseau odorant)

23 l'airelle *f* (la myrtille); *anal.* : la brimbelle, la vigne du Mont-Ida (la myrtille rouge), l'airelle des marais *m*, la canneberge

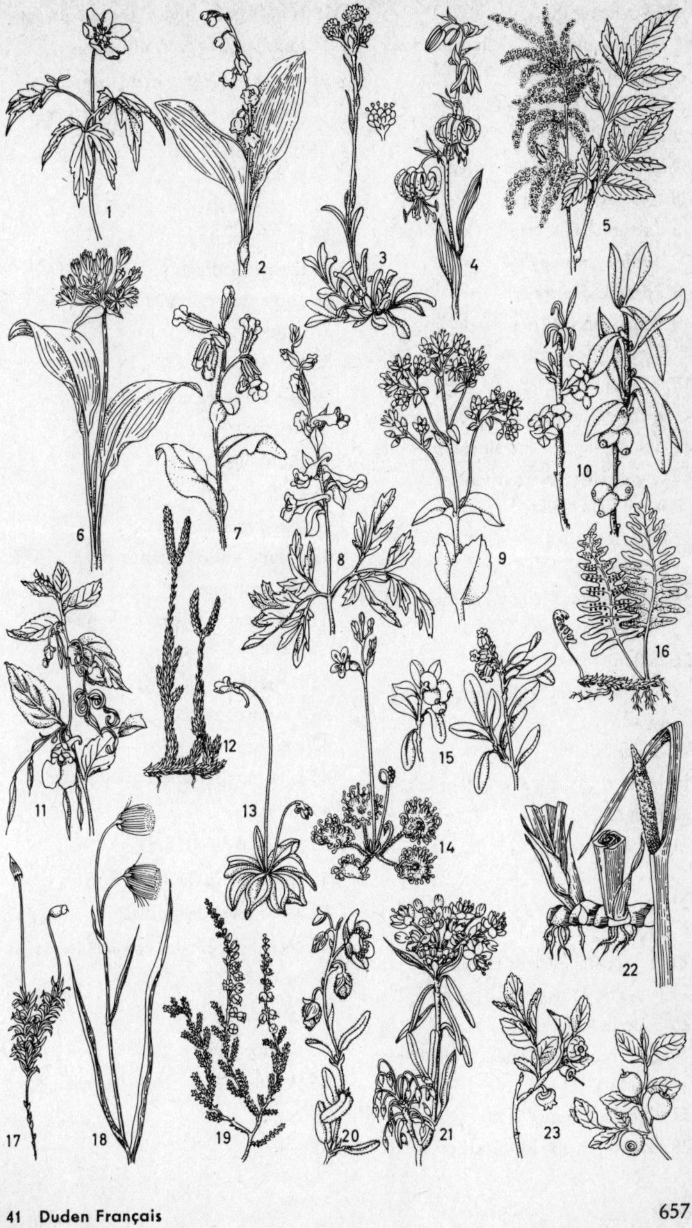
1
2
3
4
5
6
7
8
9
10
11
12
13
14
15
16
17
18
19
20
21
22
23

1-13 flore alpine,
1 le rhododendron (le laurier-rose des Alpes):
2 le rameau en fleurs *f*;
3 la soldanelle:
4 la corolle fendue et étalée
5 la capsule et le style;
6 l'armoise *f* mutelline (le génépi):
7 l'inflorescence *f* (le capitule);
8 l'oreille-d'ours *f*
9 l'edelweiss *m* (le pied-de-lion, l'immortelle *f* des neiges *f*):
10 les types *m* de fleurs *f*
11 le fruit (l'akène) avec son aigrette *f*
12 une partie de l'involucre *m*;
13 la gentiane; *ici*: gentiane acaule à grandes fleurs *f*;
14-57 la flore des eaux *f* et des marais *m*,
14 le nénuphar blanc (le nymphéa):
15 la feuille
16 la fleur;
17 le victoria regia (la reine des eaux *f*):
18 la feuille
19 la face inférieure de la feuille
20 la fleur;
21 le typha (la massette, la quenouille, la canne de jonc *m*):
22 la partie mâle de l'épi *m* (l'épi staminé)
23 la fleur mâle (fleur staminée)
24 la partie femelle de l'épi *m*
25 la fleur femelle;
26 le myosotis (le «ne m'oubliez pas»);
27 la tige en fleur *f*
28 la fleur [coupe longitudinale];
29 la morrène (l'hydrocharis *f* des grenouilles *f*, la grenouillette)
30 le cresson (cresson de fontaine *f*):
31 la tige en fleurs *f* et en fruits *m* non mûrs
32 la fleur
33 la gousse avec les graines *f*
34 deux graines *f*;
35 la lentille d'eau *f*:
36 la plante en fleurs *f*
37 la fleur
38 le fruit;
39 le butome en ombelle *f* (le jonc fleuri):
40 l'ombelle *f*
41 les feuilles *f*
42 le fruit;
43 l'algue verte (la laitue de mer), une algue de mer *f*
44 le flûteau (l'alisma *m*, le plantain d'eau *f*):
45 la feuille
46 l'inflorescence *f*
47 la fleur;
48 la laminaire, une algue brune:
49 le thalle
50 les sporophylles *m*;
51 la sagittaire (la flèche d'eau *f*):
52 les types *m* de feuilles *f*
53 les fleurs *f* [mâles en haut, femelles en bas];
54 la zostère:
55 l'inflorescence *f*;
56 l'élodée *f* du Canada (la peste des eaux *f*):
57 la fleur

1
2
3
4
5
6
7
8
9
10
11
12
13
14
15
16
17
18
19
20
21
22
23
24
25
26
27
28
29
30
31
32
33
34
35
36
37
38
39
40
41
42
43
44
45
46
47
48
49
50
51
52
53
54
55
56
57

1 l'aconit *m*
2 la digitale pourpre (le gant de Notre-Dame, le doigt de la Vierge, le gant de bergère *f*)
3 le colchique d'automne *m* (le safran des prés *m*, le tue-chien, la veillotte, la veilleuse)
4 la ciguë tachetée (grande ciguë, ciguë)
5 la morelle noire (l'herbe *f* aux magiciens *m*), un solanum
6 la jusquiame noire (l'herbe-aux-chevaux *f*)
7 la belladone (la belle-dame), une plante de la famille des solanacées *f*
8 la stramoine (le datura stramoine, la pomme épineuse)
9 l'arum *m* tacheté (le gouet, le pied-de-veau)
10-13 champignons *m* vénéneux:
10 la fausse oronge (l'amanite *f* tue-mouches), un champignon de la famille des agaricacées *f* (champignon à lamelles *f*)
11 l'amanite *f* phalloïde
12 le bolet Satan
13 le lactaire toisonné (lactaire à toison *f*)

363

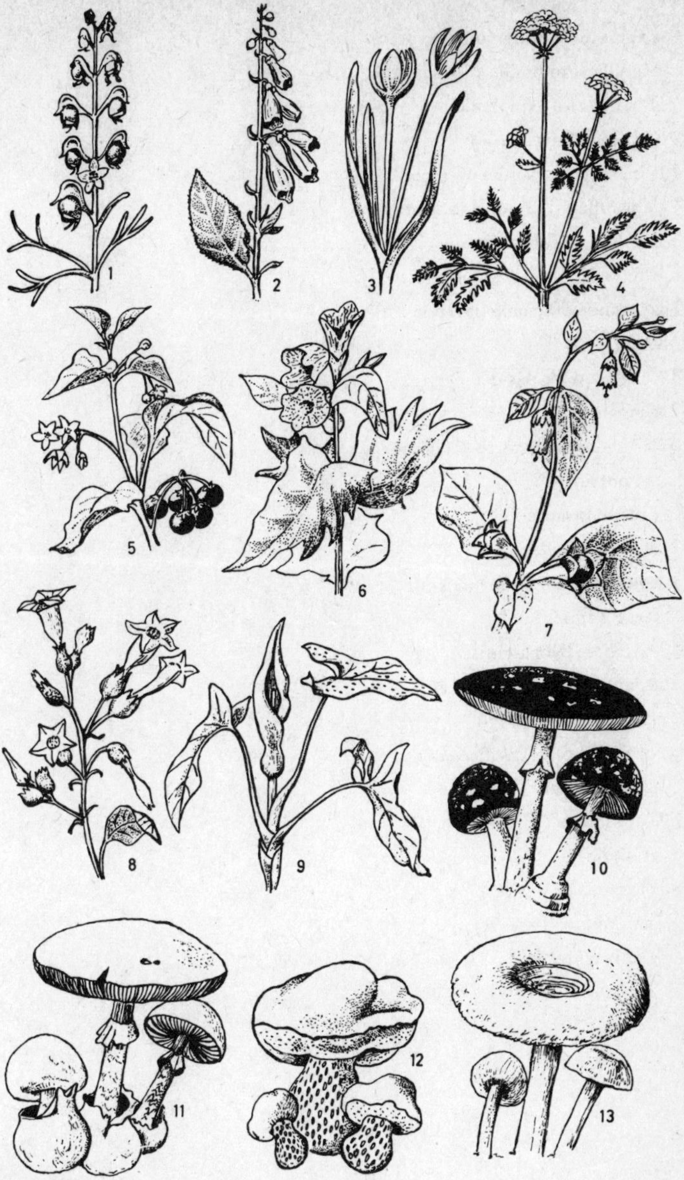

1 la camomille commune (petite camomille, camomille d'Allemagne, la matricaire camomille)
2 l'arnica *f* (l'arnique *f*)
3 la menthe (la menthe poivrée)
4 l'absinthe *f* (l'armoise *f* absinthe)
5 la valériane (l'herbe *f* aux chats *m*)
6 le fenouil
7 la lavande officinale (lavande vraie)
8 le tussilage (le pas-d'âne *m*)
9 la tanaisie
10 l'érythrée *f* centaurée (la petite centaurée)
11 le plantain lancéolé
12 la guimauve
13 le nerprun bourdaine (la bourdaine, l'aune *m* noir)
14 le ricin (le palma-christi)
15 le pavot somnifère (pavot à opium *m*, l'œillette *f*)
16 le séné (la casse); *les folioles f séchées:* le séné
17 le quinquina (l'arbre *m* à quinquina)
18 le camphrier
19 l'aréquier *m* (l'arec *m*);
20 la noix d'arec *m*

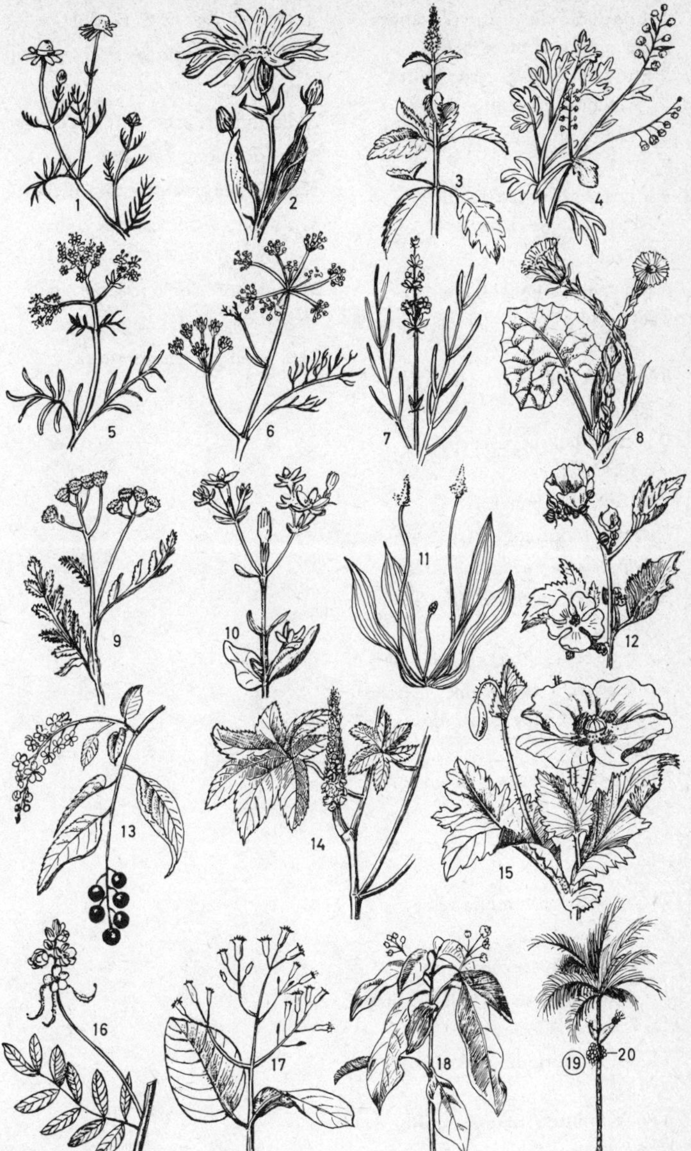
1
2
3
4
5
6
7
8
9
10
11
12
13
14
15
16
17
18
19
20

1 le psalliote champêtre (l'agaric *m* champêtre, la pratelle):
2 le mycelium et les carpophores *m* (le blanc de champignon *m*)
3 le champignon [coupe longitudinale]
4 le chapeau avec ses feuillets *m* (ses lames *f*, ses lamelles *f*)
5 le voile
6 la lamelle (le feuillet) [coupe]
7 les basides *f* portant les basidiospores *f*
8 les spores *f* en germination *f*;
9 la truffe:
10 la truffe [son apparence *f* extérieure]
11 la truffe [en coupe]
12 coupe *f* montrant les asques *m*
13 deux asques *m* avec les spores *f*;
14 la chanterelle comestible (la girolle)
15 le cèpe bai (le bolet châtain)
16 le cèpe (cèpe comestible, le bolet comestible, cèpe de Bordeaux, le gros pied):
17 la couche de tubes *m*; *vulg.*: le foin
18 le pied;
19 le lycoperdon ovale (la vesse-de-loup ovale)
20 le lycoperdon rond (la vesse-de-loup ronde)
21 le bolet jaune (le cèpe jaune)
22 le bolet raboteux (le bolet scabre)
23 le lactaire délicieux
24 l'hydne imbriqué *m* (le hérisson gris)
25 le gyromitre (la fausse morille, la morille brune)
26 la morille jaune comestible
27 la morille conique; *esp.*: la morille vulgaire
28 l'armillaire *m* couleur *f* de miel *m*
29 le tricholome équestre
30 la lépiote élevée (la coulemelle)
31 l'hydne *m* sinué (le pied-de-mouton)
32 la clavaire dorée [*esp. non comestible*: la clavaire élégante]
33 la pholiote changeante

1
2
3
4
5
6
7
8
9
10
11
12
13
14
15
16
17
18
19
20
21
22
23
24
25
26
27
28
29
30
31
32
33

1 le caféier:
2 le rameau en fruits *m*
3 le rameau en fleurs *f*
4 la fleur
5 le fruit avec ses deux graines *f* [coupe longitudinale]
6 le grain de café; *après préparation*: le café;
7 le théier:
8 le rameau en fleurs *f*
9 la feuille de thé; *après préparation*: le thé
10 le fruit;
11 l'arbre *m* à maté [feuille *f* et boisson *f*: le maté] (le thé du Paraguay):
12 le rameau en fleurs *f* avec les fleurs hermaphrodites
13 la fleur mâle
14 la fleur hermaphrodite
15 le fruit;
16 le cacaoyer (le cacaotier):
17 le rameau en fleurs *f* et en fruits *m* [*le fruit*: la cabosse]
18 la fleur [coupe longitudinale]
19 les fèves *f* de cacao; *après préparation*: le cacao)
20 la graine [coupe longitudinale]
21 la plantule;
22 le cannelier:
23 le rameau fleuri
24 le fruit
25 l'écorce *f* du cannelier; *broyée*: la canelle;
26 le giroflier:
27 le rameau fleuri
28 le bouton floral; *séché*: le clou de girofle *m*
29 le fruit (la girofle-mère);
30 le muscadier:
31 le rameau fleuri
32 la fleur femelle [coupe longitudinale]
33 le fruit mûr
34 le macis, un arille entourant la noix de muscade *f* (la graine)
35 la noix [coupe *f* transversale]; *séchée*: noix de muscade *f*;
36 le poivrier:
37 le rameau en fruits *m*
38 l'inflorescence *f*
39 le fruit [coupe longitudinale], avec la graine (le grain de poivre *m*); *moulu*: le poivre;
40 le tabac de Virginie:
41 le rameau en fleurs *f*
42 la fleur
43 la feuille de tabac; *après préparation*: le tabac
44 le fruit mûr (la capsule mûre)
45 la graine;
46 le vanillier:
47 le rameau en fleurs *f*
48 la gousse de vanille; *après préparation*: la vanille;
49 le pistachier:
50 le rameau en fleurs *f* avec les fleurs femelles
51 la pistache;
52 la canne à sucre *m*:
53 la plante en fleurs *f* (le port)
54 l'inflorescence *f* (la panicule)
55 la fleur

1
2
3
4
5
6
7
8
9
10
11
12
13
14
15
16
17
18
19
20
21
22
23
24
25
26
27
28
29
30
31
32
33
34
35
36
37
38
39
40
41
42
43
44
45
46
47
48
49
50
51
52
53
54
55

1 le colza:
2 la feuille basilaire
3 la fleur [coupe longitudinale]
4 la silique mûre
5 la graine oléagineuse;
6 le lin:
7 la tige fleurie
8 le fruit (la capsule);
9 le chanvre:
10 la plante femelle en fruits *m*
11 l'inflorescence *f* femelle
12 la fleur
13 l'inflorescence *f* mâle
14 le fruit
15 le chènevis;
16 le cotonnier:
17 la fleur
18 le fruit
19 les poils *m* séminaux [le coton];
20 le kapokier:
21 le fruit
22 le rameau en fleurs *f*
23 la graine
24 la graine [coupe longitudinale];
25 le jute:
26 le rameau en fleurs *f*
27 la fleur
28 le fruit;
29 l'olivier *m*:
30 le rameau en fleurs *f*
31 la fleur
32 le fruit [l'olive *f*];
33 l'hévéa *m* (l'arbre *m* à caoutchouc *m*, le figuier à caoutchouc):
34 la tige fructifère
35 la figue
36 la fleur;
37 l'arbre *m* à gutta-percha *f* (le palaque):
38 le rameau en fleurs *f*
39 la fleur
40 le fruit;
41 l'arachide *f*:
42 le rameau en fleurs *f*
43 la racine et les fruits *m*
44 le fruit (la gousse) [coupe longitudinale];
45 le sésame:
46 le rameau avec fleurs *f* et fruits *m*
47 la fleur [coupe longitudinale]
48 le cocotier:
49 l'inflorescence *f*
50 la fleur femelle
51 la fleur mâle [coupe longitudinale]
52 le fruit [coupe longitudinale]
53 la noix de coco *m*;
54 le palmier à huile *f*:
55 l'inflorescence *f* (le spadice mâle et la fleur mâle)
56 le régime de fruits *m*
57 la semence et ses pores *m* germinatifs;
58 le sagoutier:
59 le fruit;
60 le bambou:
61 le rameau feuillu
62 l'épi *m* de fleurs *f*
63 la tige avec ses nœuds *m*;
64 le papyrus (le souchet à papier *m*):
65 l'inflorescence *f* (l'ombelle *f* d'épillets *m*)
66 l'épillet *m*

1
2
3
4
5
6
7
8
9
10
11
12
13
14
15
16
17
18
19
20
21
22
23
24
25
26
27
28
29
30
31
32
33
34
35
36
37
38
39
40
41
42
43
44
45
46
47
48
49
50
51
52
53
54
55
56
57
58
59
60
61
62
63
64
65
66
♀
♂

1 le dattier (le palmier dattier):
2 le dattier en fruits *m*
3 la feuille (la palme)
4 le spadice mâle
5 la fleur mâle
6 le spadice femelle
7 la fleur femelle
8 un rameau d'un régime de dattes *f*
9 la datte
10 la graine de datte *f* (le noyau de datte);
11 le figuier:
12 le rameau et ses pseudo-fruits *m*
13 la figue [coupe longitudinale] avec les fleurs *f*
14 la fleur femelle
15 la fleur mâle;
16 le grenadier:
17 le rameau en fleurs *f*
18 la fleur [coupe longitudinale après supression *f* de la corolle]
19 le fruit (la grenade)
20 la graine (le pépin)[coupe longitudinale]
21 la graine [coupe transversale]
22 l'embryon *m*;
23 le citron (le limon); *variétés du genre citrus*: la mandarine, l'orange *f*, le pamplemousse:
24 le rameau en fleurs *f*;
25 la fleur d'oranger *m* [coupe longitudinale]
26 le fruit
27 l'orange *f* [coupe transversale]
28 le bananier:
29 la touffe de feuilles *f*
30 la fausse tige formée par les gaines *f* foliaires
31 l'inflorescence *f* et les jeunes fruits *m*
32 le régime
33 la banane
34 la fleur de bananier *m*
35 la feuille de bananier *m* [schéma];
36 l'amandier *m*:
37 le rameau en fleurs *f*
38 le rameau en fruits *m*
39 le fruit (l'amande *f* verte)
40 la coque avec la graine [l'amande *f*];
41 le caroubier:
42 le rameau à fleurs *f* femelles
43 la fleur femelle
44 la fleur mâle
45 le fruit
46 la gousse [coupe transversale]
47 la graine;
48 le châtaignier:
49 le rameau en fleurs *f*
50 l'inflorescence *f* femelle
51 la fleur mâle
52 la cupule entourant les graines *f* [les marrons *m*, les châtaignes *f*];
53 la noix de Para (noix du Brésil, la berthollétie);
54 le rameau en fleurs *f*
55 la feuille
56 la fleur [vue de dessus]
57 la fleur [coupe longitudinale]
58 la coquille ouverte avec les graines *f*
59 la noix de Para [coupe transversale]
60 la noix [coupe longitudinale];
61 l'ananas *m*:
62 le pseudo-fruit surmonté d'une couronne de feuilles *f*
63 l'épi *m* de fleurs *f*
64 la fleur d'ananas *m*
65 la fleur [coupe longitudinale]

1
2
3
4
5
6
7
8
9
10
11
12
13
14
15
16
17
18
19
20
21
22
23
24
25
26
27
28
29
30
31
32
33
34
35
36
37
38
39
40
41
42
43
44
45
46
47
48
49
50
51
52
53
54
55
56
57
58
59
60
61
62
63
64
65

AVERTISSEMENT

Guide du Livre

Dans le texte le genre de tous les noms est donné, lorsque l'article ne l'indique pas.

Sur les images les chiffres entourés d'un cercle se rapportent à des objets composés, dont les parties sont également énumérées et désignées.

La ponctuation suit la règle de l'ordre logique des groupes d'images se rapportant soit à des objets composés, dont les nombres sont entourés de cercles sur les tableaux, soit à une succession de termes dans le texte (p. ex. 17–24).

Nous avons utilisé les abréviations suivantes:

anal.	analogue
anc.	ancien
égal.	également
esp.	espèce
f	féminin
fam.	familier
m	masculin
var.	variétés

NOTICE SUR L'EMPLOI DE L'INDEX

Les chiffres en caractères gras renvoient aux numéros des tableaux qui figurent en haut de chaque page.

Pour éviter la répétition du même mot, nous avons utilisé un tilde (~) qui remplace soit le mot entier qui le précède, soit une partie de ce mot qui est alors suivie d'un point (·).

L'ordre alphabétique ignore les prépositions telles que de, à, pour, avec, sans, etc., mais tient compte des deuxièmes parties des mots composés (exemple: pied-de-biche).

Nous avons utilisé dans l'index les abréviations suivantes:

Agr.	Agriculture	*Just.*	Justice
app.	appareil	*m*	masculin
Arithm.	Arithmétique	*mach.*	machine
Astron.	Astronomie	*Math.*	Mathématiques
Bal.	Balistique	*Méc.*	Mécanique
Bot.	Botanique	*Météor.*	Métérologie
Ch. de fer	Chemin de fer	*Myth.*	Mythologie
constr.	construction	*n.*	nom
Cout.	Couture	*Nav.*	Navigation
dispos.	dispositif	*Opt.*	Optique
Égl.	Église	*Pât.*	Pâtisserie
égl.	église	*Patin.*	Patinage
Él.	Électricité	*Peint.*	Peinture
Équit.	Équitation	*pl*	pluriel
f	féminin	*Techn.*	Technique
Géogr.	Géographie	*Télégr.*	Télégraphie
Géol.	Géologie	*Tiss.*	Tissage
Géom.	Géométrie	*Typ.*	Typographie
Gymn.	Gymnastique	*ust.*	ustensile
Hér.	Héraldique	*véh.*	véhicule
instr. méd.	instrument médical	*Vêt.*	Vêtement
instr. de mus.	instrument de musique	*Zool.*	Zoologie

A

abaisse **97** 15
abaque **316** 20
abat-carré **123** 9
~-jour **47** 52
~-voix **311** 21
abattage du charbon **138** 12
~ à la hache **85** 19
~ à la scie **85** 19
~ d'une veine **138** 8
abattant **111** 9
~ de W.-C. **51** 38
abatteur *[de bétail]* **94** 1
~ *[carrier]* **150** 5
abattoir **94** 11-15
abattoirs **252** 51
abattre un arbre **84** 27
abdomen **18** 35-37, **82** 9
~ de l'ouvrière *[abeille]* **78** 10-19
abducteur du gros orteil **20** 49
abeille **78** 1-25
abîme *[blason]* **246** 17
à bord entier *[feuille]* **354** 43
aborigène d'Australie **335** 37
abrasion éolienne **13** 42
abreuvoir **64** 28
~ automatique **76** 35
~ à poussins **75** 37
abri **86** 9, **193** 7, **282** 1
~ de bascule **202** 44
~ du mécanicien **205** 51
~ du servant **287** 6
~ contre le vent **54** 12
abricot **61** 35
abricotier **61** 33-36
abscisse **329** 9
abside **316** 64, **317** 5
~ de la tente **266** 35
absinthe *[Bot.]* **364** 4
absorbe-boucles **295** 30
Abyssinie **14** 36
acacia **355** 70
acacia blanc **54** 11
acarien **342** 44
accélérateur *[auto]* **185** 39
~ *[caméra]* **294** 30
accent aigu **325** 30
~ circonflexe **325** 32
~ grave **325** 31
accentuation **300** 41, **325** 30-35
acceptation **242** 12, 23
accès *[sortie]* **117** 24, **290** 19
~ *[marche]* **118** 18
~ au garage **39** 52
~ aux quais **200** 23
~ aux W. C. souterrains **194** 20
accessoires de chasse **87** 41-48
~ de feu d'artifice **289** 49-54
~ de l'habillement **37** 1-27
~ photographiques **111** 31-59
~ de théâtre **296** 50
~ du tour **142** 35-42
accident de la circulation **253** 58-69
accidenté **253** 68
accompagnateur **298** 1
accord **300** 16-18
~ parfait **300** 16 et 17
~ parfait majeur **300** 16
~ parfait mineur **300** 17
~ de septième **300** 18
accordéon *[instr. de mus.]* **303** 36
~ *[soufflet]* **204** 7
accordoir **304** 20
accorné **246** 32
accotement gazonné **196** 56
accouchée **29** 2
accoucheur **29** 3
accoudoir **47** 60, **203** 47
accouplement **189** 48
~ de chauffage **203** 38
~ élastique **207** 10
~ de frein **203** 39
~ à vis **206** 24

accrochage **137** 27, **138** 1
accroche-serviette **183** 28
accrocheur **138** 5
~ de flamme **227** 43
accu **138** 56, **192** 38
accumulateur **111** 55, **138** 56
~ de gaz **148** 56-64
accusé **248** 29
~ de réception **232** 6
acétylène **135** 60
acheminement de la bande de papier **176** 8
~ du courrier **231** 31-46
achérontia **342** 55
acheteur **256** 55
acheteuse **98** 45, **256** 16
achillée millefeuille **360** 15
acide à graver **176** 4
acier de décolletage **142** 45
~ dégrossisseur **142** 43
~ à fileter **142** 46
~ à finir **142** 44
~ de tournage à charioter **142** 43-47
aciérie **140** 20-62
aconit **363** 1
acore **361** 22
acrobate **290** 47
~ en l'air **290** 7
~ de balançoire **290** 35
~ porteur **290** 29
~ au sol **298** 9
~ de vitesse **298** 9
acrobatie aérienne **271** 17
Acropole **316** 1-7
acrotère **316** 34
acte d'accusation **248** 28
acteur **297** 37
~ de cinéma **292** 28
~ de complément **292** 29
~ dans le studio de télévision **237** 11
action *[titre]* **243** 11
activité au fond de la mine **137** 14-40
~ au jour **137** 3-11
actrice **297** 38
~ de cinéma **292** 27
~ de post-synchronisation **293** 27
addition **326** 23
adieux **201** 59
adjonction d'acide sulfurique **164** 23
~ de filler **196** 52
~ d'hydroxylamine **164** 21
administration de l'aéroport **230** 5
~ du canal **212** 24
admission **227** 5
~ de l'air comprimé **147** 53
~ d'air frais **166** 24
~ de la vapeur **3** 8
adoubement **310** 66
adresse **239** 4
~ du destinataire **232** 37
aération **204** 8
aérien d'avion **226** 44
aérium **29** 21-25
aérodrome **230** 1
aérogare **230** 5
~-fret **230** 21
aérographe **171** 51
aéronaute **226** 64
aéronef **226** 65
aéroport **230** 1
affiche **98** 2, **231** 26, **253** 22
~ électorale **251** 12
~ publicitaire **98** 2
~ touristique **256** 25
~ de vente-réclame **256** 65
affiloir de boucher **96** 30
affinoir **125** 5
affouillement de la berge **211** 5
affranchissement p. l'expédition hors frontière (locale, lointaine) **232** 40
affût au grand duc **86** 47-52
~ à la murette **86** 14-17
affûteuse électrique **149** 51
affûtoir **51** 73
afghan *[chien]* **71** 23
Afrique **14** 35-38, **15** 14
agaric champêtre **365** 1
agaricacées **363** 10
age **68** 9
âge du bronze **309** 21-40
~ du fer **309** 21-40
agent assurant la protection **198** 9
~ en bourse **243** 7
~ de change **243** 4
~ de la circulation **253** 64
~ de police **247** 1, 11, **248** 6, **253** 64
~ de police de la gare **201** 22
~ préposé aux bagages **200** 9
~ de renseignements **200** 49
~ de la sûreté **248** 3
~ technique des Eaux et Forêts **84** 35
aggloméré **114** 24
agitateur **92** 29, **333** 18
~ excentrique **172** 5
agneau **74** 13
agrafe **26** 38, **37** 23, **240** 40
~ à coudre **124** 7
~ à lustres **120** 40
agrafer **240** 41
agrafeuse de bureau **240** 36
agrandissement **112** 51
agrandisseur **112** 28
agrès p. la gymnastique en chambre **278** 49, 50
agriculteur **64** 21
agriculture **65**
aï **351** 11
aide **17** 20, **250** 7
~ conducteur **206** 30
~-forgeron **132** 13
~ du gymnaste **279** 16
~-jardinier **79** 50
~-opérateur **292** 42
~ opératrice **28** 16
~-vendangeur **80** 14
aigle **308** 4, **347** 5-9
~ de mer **347** 5
Aigle **5** 9
aigrette *[Bot.]* **362** 11
~ *[plume]* **36** 35, **88** 78
aiguillage **138** 6, **199** 56-72, **297** 1
~ aérien **193** 30
~ électromagnétique **193** 25
aiguille *[à coudre]* **102** 56
~ *[indicateur]* **10** 9, **136** 74, **331** 66
~ *[montre]* **107** 4-6
~ *[ch. de fer]* **198** 47, 58
~ *[poteau]* **116** 68
~ *[Bot.]* **356** 11
~ à coudre **102** 56
~ courbe **123** 29
~ à crochet **160** 12, 61
~ à deux pointes **124** 10
~ d'épicéa **356** 19
~ à filet **101** 26, **125** 28
~ à garnir **123** 30
~ du gicleur **183** 55
~ de harnacheur **123** 31
~ des heures **107** 5
~ p. machine à coudre **102** 55
~ magnétique **332** 38
~ manœuvrée à distance **198** 58
~ manœuvrée à main **198** 47
~ manœuvrée à pied d'œuvre **198** 47
~ des minutes **107** 4
aiguille à ourler **123** 32
~ à ponction **26** 41 et 42
~ à ranguiller **123** 33
~ p. le réglage du spiral **107** 26
~ à remailler **102** 61
~ à repriser **102** 57
~ de sapin **356** 11
~ des secondes **107** 6
~ de sellier **123** 28-33
~ de sonnerie **107** 43
~ à suture **26** 36
~ trotteuse **107** 6
aiguillette baronne **95** 26
aiguillon *[Bot.]* **60** 30, **62** 18
~ *[Zool.]* **78** 11
~ caudal **342** 43
ail des bois **361** 6
~ des ours **361** 6
aile *[Zool.]* **307** 15, 28, **342** 33
~ *[avion]* **271** 35
~ *[auto]* **185** 3
~ *[cornière]* **136** 2
~ *[filet]* **90** 16
~ arrière **185** 2, **187** 21
~ basse **225** 12
~ cantilever **225** 17
~ de chauve-souris **307** 4
~ couverte **261** 32
~ en croissant **225** 68
~ (en) delta **225** 30, 54
~ de dérive **215** 7
~ droite *[avion]* **225** 11
~ droite *[football]* **274** 20 et 21
~ à fente **225** 58
~ en flèche **225** 28
~ gauche **274** 17 et 18
~ haute **225** 2
~ latérale *[profilé]* **136** 5
~ en M **225** 20
~ médiane *[avion]* **225** 19
~ médiane *[profilé]* **136** 4
~ membraneuse **82** 11
~ du moulin à vent **91** 1
~ ovale **225** 23
~ portante **271** 51
~ propulsive **226** 29
~ de quarantaine **220** 2
~ rectangulaire **225** 25
~ rotative **226** 28
~ semi-haute **225** 1

aile trapézoïdale à bout carré **225** 13
~ trapézoïdale à saumon arrondi **225** 18
~ triangulaire **225** 30, 54
~ de ventilation **158** 49
~ volante **225** 29
aileron *[Zool.]* **90** 48
~ *[avion]* **228** 46
~ *[navire]* **221** 55
~ d'arbre d'hélice **218** 53
~ caudal **352** 29
~ dorsal **352** 27
~ de gauchissement **271** 52
~ d'oiseau **36** 52
~ de passerelle **218** 16
~ pectoral **352** 28
ailette de broche **157** 25
~ hydrométrique **254** 53
~ de refroidissement du carter **187** 29
ailier droit **274** 21
~ gauche **274** 17
aimant **2** 51, **91** 49, **106** 32
~ d'attraction **193** 32
~ de commande **193** 31
~ de démarrage de frein **136** 100
~ en fer à cheval **332** 36
~ permanent **107** 40
~-piège à ions **236** 17
~ de rappel **136** 100
~ de soufflage **295** 39
aine **18** 38
air frais **184** 75
~ raréfié **10** 11
~ à recompression interne **227** 20
aire *[grange]* **64** 38
~ d'atterrissage p. hélicoptères **230** 15
~ d'extinction **148** 17
~ du fumier **64** 52
~ de lancement **280** 44, 47
~ d'un pavé **194** 15
~ en plâtre **53** 68
~ de ravitaillement **190** 13
~ de tournage à l'extérieur **292** 1
airelle des marais **361** 23
ais **169** 10
aisceau **126** 12
aisseau **126** 12
aisselière **126** 12
aisselle de la feuille **354** 25
~ foliaire **359** 38
aissette creuse **126** 12
ajustage d'air de ralenti **183** 59
ajutage **334** 5
akène **60** 23, **362** 11
~ aigretté **63** 15
~ à aigrettes **63** 15
alaise **23** 22
alambic **333** 13
alaudidé **346** 18 et 19
Albanie **14** 1
album à colorier **50** 25
~ de musique **44** 27
~ photo **112** 52
~ à photos **47** 14
~ de photographies **47** 37
albumen **75** 51
alcool à brûler **52** 32
~ à nettoyer **99** 21
Alcor **5** 29
Aldébaran **5** 25, **6** 33
alêne à brédir **123** 26
~ p. les clous **99** 63
~ p. le fil **99** 62
alésage **136** 84
~ du diffuseur **183** 62
~ du gicleur de ralenti **183** 58
aléseur de soupapes **192** 55
alésoir **129** 17, **134** 25
~ coudé **119** 10
alèze **28** 3, **30** 4
alfa **130** 26
algèbre **327** 4 et 5
algue brune **362** 48
~ de mer **362** 43
~ verte **362** 43
alidade **219** 4, 30
alignement **170** 43
alimentation d'agents refroidisseurs **142** 25
~d'(en) air **140** 16, **305** 11
~ automatique du creuset **169** 40
~ de betteraves **67** 34
~ en courant **145** 15
~ du creuset **169** 26
~ fine **98**
~ du four **153** 13
~ en hydrogène **334** 12
~ du mélange propulsif **229** 11
~ en oxygène **334** 11
~ de la vapeur **166** 21
alisma **362** 44
alkylation **139** 31
allaitement maternel **30** 30
allée d'accès à la tchaitya **319** 27
~ cavalière **257** 41
~ centrale **311** 27
~ du parc **257** 38
~ de quillier **287** 2
~ de la source **262** 11
allège *[fenêtre]* **113** 12, **115** 33
~ *[navire]* **220** 22, 30
~ de décharge **221** 67
~ de la fenêtre **39** 24
Allemagne **14** 5
Allemand en costume espagnol **338** 27
allemande *[Typ.]* **325** 11
aller et retour **203** 48
alliance *[anneau]* **313** 16
alluchon **91** 9
allumage **227** 4
allume-gaz **41** 87
allumette **105** 26
~ au fromage **45** 61
~ salée **45** 61
allumeur du chalumeau **135** 55
allure *[cheval]* **73** 39-44
aloès **56** 13
alouette **346** 18 et 19
~ des champs **346** 18
~ commune **346** 19
~ huppée **346** 19
aloyau **95** 32
alpenstock **282** 35
alpinisme **282** 1-56
alpiniste **282** 6, 16, 27
alque **343** 13
Altaïr **5** 9
altération *[Mus.]* **299** 51-59
alternateur **146** 23, **147** 23-30
~ triphasé **147** 26
altimètre de précision **228** 9
~ simple **228** 9
altise des crucifères **81** 39
altitude de vol **4** 38
alto **302** 27
altocumulus **8** 15
~ castellanus **8** 16
~ floccus **8** 16
altostratus **8** 8
~ praecipitans **8** 9
alun **51** 80
alvéole *[Zool.]* **78** 26-30
~ *[Bot.]* **61** 18
~ à couvain **78** 31
~ de mâle **78** 36
alvéole à miel operculé **78** 33
~ nectarifère **61** 18
~ operculé **78** 32
~ d'ouvrière **78** 34
~ à réserve de pollen **78** 35
alysse **63** 17
alysson **63** 17
amalgame **27** 17
amande **46** 41, **61** 8, **368** 40
~ salée **45** 50
~ verte **368** 39
amandier **368** 36
amanite phalloïde **363** 11
~ tue-mouches **363** 10
amarantacées **62** 21
amarante **62** 21
amaryllidacée **56** 8
amas d'étoiles ouvert **5** 26
~ de neige **286** 5
amateur *[cavalier]* **272** 49
~ d'aquaplane **267** 14
amble **73** 40
ambulance **253** 58, **255** 19
ambulancier **255** 21
âme *[câble]* **125** 23, **135** 22
~ *[clavecin]* **301** 52
~ du canon **87** 38
~ du rail **198** 34
amenée d'air **133** 5
~ d'air froid **92** 20
~ de l'air de soufflage **140** 61
~ des cartes **241** 53
~ de courant **145** 15
~ d'eau **92** 31
~ des fiches **241** 49
~ du gaz **334** 2
~ de gravier **141** 33
~ du moût **93** 7
~ de la pellicule **295** 31
~ de sable **141** 33
Amérique **14** 29-34, **15** 12 et 13
~ centrale **14** 31
~ du Nord **14** 29 et 30, **15** 12
~ du Sud **14** 32-34, **15** 13
amibe **340** 1
amict **314** 40
amidon **53** 57
amiral *[Zool.]* **348** 1
ammoniaque **52** 31, **164** 24
à moitié couvert **9** 22
amont **283** 25
amorce **86** 21, **87** 59
~ fulminante **289** 49
amorçoir **143** 32

amortisseur de chocs **185** 29
~ de direction **182** 25
~ à lame **179** 15
~ magnétique **11** 40
~ de nacelle **226** 70
~ d'oscillations **209** 55
~ à ressort **209** 50
~ télescopique **183** 46
~ de vibrations **171** 17
Amour **257** 20, **308** 26
amourette *[Bot.]* **70** 26
ampèremètre indiquant l'intensité du courant de la caténaire **206** 43
amphibien **350** 20-26
amphithéâtre *[auditorium]* **250** 1
amphore **309** 10
amplificateur **235** 17, **292** 59
~ acoustique de moyenne fréquence **236** 16
~ d'image à moyenne fréquence **236** 7
~ musical **306** 42
~ de son **295** 20
~ vidéo **236** 11
amplitude de l'étincelle **331** 73
ampoule **26** 51
~ à filament **120** 56
~ flash **111** 53
~ à gaz **111** 58
~ à incandescence **24** 10
~ de sérum **26** 32
~ de vaccin **26** 32
~ de verre **120** 57
amulette **337** 40
amygdale **21** 23
anacrouse **300** 39
ananas **368** 61
anatidé **343** 15
anatomie humaine **18-22**
anche **305** 18
~ double en roseau **302** 29
ancolie **62** 10
ancrage **211** 13
~ du câble porteur **209** 59
~ des câbles **210** 26
~ des chaînes **210** 26
ancre *[horloge]* **107** 23
~ *[aimant]* **332** 37
~ de ballon **226** 62
~ et chaîne **218** 44-46
~ à jas **217** 76
~ sans jas **217** 75
andain **65** 40
andouiller de fer **88** 7
~ moyen **88** 8
andouiller d'œil **88** 6
Andromeda **5** 24
Andromède **5** 24
âne **74** 3
anémogame **61** 44-51
anémomètre **10** 27, **230** 19
anémone **361** 1
~ de mer **349** 20
~ pulsatille **359** 5
~ sylvie **361** 1
anéroïde **10** 6
anesthésie du nerf **27** 54
anesthésiste **28** 30
ange **311** 54
anglaise *[Typ.]* **325** 10
angle *[Géom.]* **328** 1-23, 8
~ *[signe]* **327** 23
~ aigu **328** 10
~ de 180° **328** 13, 9, 15
~ au centre **328** 55
~ de chute **87** 78
~ complémentaire **328** 15
~ contigu **328** 14
~ correspondant **328** 10
~ droit **328** 9
~ d'élévation **87** 76
~ extérieur **328** 26
~ intérieur **328** 26
~ au niveau **87** 75
~ obtus **328** 11
~ opposé **328** 12
~ opposé au sommet **328** 8 et 13
~ périphérique **328** 56
~ supplémentaire **328** 14
~ surobtus **328** 10, 11, 12
anguille commune **350** 17
anguillule de la betterave **81** 51
anguis **350** 37
animal articulé **342**
~ en caoutchouc **30** 41, **267** 33
~ domestique **74**
~ à écailles **351** 10
~ en étoffe **49** 5
~ exposé **339** 20
~ fabuleux **307** 1-61
~-jouet **49** 17
~ des marais **351** 1
~ multicellulaire **340** 13-37
~ mythologique **307** 1-61
~ ovipare **351** 1
~ à trompe **351** 20
~ unicellulaire **340** 1-12
anneau *[bague]* **38** 20
~ *[cercle]* **107** 10
~ *[clé]* **134** 45
~ d'arrêt **282** 45
anneau en caoutchouc **267** 32
~ circulaire de transmission **180** 72
~ collecteur de courant alternatif **331** 81
~ collecteur de courant continu **331** 82
~ de courant continu **331** 77
~ de cuvelage **138** 30
~ de déclenchement **228** 53
~ p. la dentition **30** 40
~ de départ **89** 21
~ à filer **157** 54
~ intérieur à billes **180** 68
~ jambier **337** 38
~ à jouer **303** 27
~ à lancer **291** 47
~ de levage **157** 37
~ mobile **282** 42
~ nuptial **313** 16
~ papal **314** 58
~ paragoutte **269** 40
~ pastoral **314** 47
~ du pêcheur **314** 58
~ porteur **161** 27
~ de recul **72** 27
~ (à)-ressort **107** 13, **136** 32
~ de Saturne **7** 17
~ de suspension **226** 58
~ de suspension rapporté **161** 42
anneaux *[Gymn.]* **279** 47
annelet **316** 22
annélide **340** 16
annexe **53** 1, **312** 13
~ de chimie **3** 38
annonce **325** 51 et 52
~ publicitaire **325** 52
~ des retards des trains **200** 51
~ de sortie **197** 50
annuaire téléphonique **233** 3
annulaire *[doigt]* **21** 67
annulateur p. l'accouplement **305** 41
~ p. les jeux d'anches **305** 41
anode **332** 30
~ de cuivre **172** 2
anophèle **341** 33
anorak **34** 67
~ de fille **31** 42
~ de garçon **31** 46
anoure **350** 23-26
anse *[portant]* **41** 72, **79** 27, **249** 56
~ *[baie]* **13** 7
~ de sacoche **249** 70
ansérine **63** 25
ansériné **343** 15-17
antennaire dioïque **361** 3
antenne *[Zool.]* **342** 27
~ *[Techn.]* **237** 39, 40
~ à ailettes **237** 39
~ bipôlaire **237** 40
~ de bord **226** 44
~ émettrice **237** 39
~ fouet **222** 22
~ incorporée **235** 4
~ maxillaire **342** 42
~ p. la modulation de fréquence **235** 4
~ orientable **219** 9
~ parabolique **230** 40
~ parabolique radar **230** 52
~ (de) radar **218** 8, **230** 52
~ radar à couverture panoramique **230** 37
~ radar p. la navigation en plongée **223** 16
~ radar p. la navigation en surface **223** 15
~ radio-goniométrique **218** 5
~ de réception **234** 21
~ réceptrice **237** 40
~ réflectrice **219** 9
~ rotative incorporée **235** 5
~ de terre **233** 52
~ tournante à faisceau directionnel **230** 40
~ en treillage métallique **230** 52
~ à trois branches **341** 5
anthère **356** 35
~ de l'étamine **61** 10
anthonome du pommier **81** 10
anthozoaire **340** 35
anthropomorphe **353** 14-16
anthyllide **70** 6
anti-balançant **193** 45
~-ballon **157** 43
~cathode **332** 31
~ chambre **43** 1-34
~clinal **12** 16
~cyclone **9** 6
~-dérailleur **209** 75
~-halo **292** 51
antilope **352** 5
anti-maculage **175** 10
~poussière **180** 57, 82
antique allemande **325** 3
~ médiéval **325** 4
anti-recul **128** 16, **149** 6
~septique **104** 16

anti-vol **180** 49, **186** 12
anus **22** 62
aorte **20** 10, **22** 54
~ abdominale **20** 16
apache **289** 9
apatite **330** 20
apiculteur **78** 57
apiculture **78**
Apollon **308** 15
apostrophe **325** 22
apothème **328** 28
appareil d'acidification **77** 27
~ acoustique **108** 22
~ d'antimaculage **175** 10
~ à appliquer l'onglet **177** 42
~ d'arrosage **79** 19
~ automatique **233** 24
~ à bercement **177** 40
~ en boîtier **111** 1
~ à brosses d'air **168** 34
~ à caillebotte **77** 41
~ de charge **111** 55
~ de commande **140** 59, **254** 47
~ de conduit de fumée **113** 66
~ de contrôle **140** 59, **237** 19
~ de contrôle de la vitesse **184** 46
~ à couder les tuyaux **120** 33
~ à croisettes **113** 65
~ p. démontrer la capillarité **331** 43
~ de dépoussiérage **152** 7
~ désinfecteur pour le traitement à sec **83** 13
~ direct **2** 1
~ à distiller **334** 46
~ d'éclairage à haut voltage **138** 34
~ à encollage **177** 40
~ à endosser l'onglet **177** 42
~ p. enduire le papier **168** 34
~ enregistreur sur bande magnétique **306** 13
~ enregistreur magnétique **293** 7
~ d'exercice p. les muscles de la main **278** 49
~ d'exercice p. les muscles du tronc **278** 50
apparail de filtrage rapide **254** 9
~ fumigène **83** 38
~ à gaz **119** 65-67
~ grossissant **108** 31-34
~ p. l'indication de la direction du vent **10** 30
~ p. l'indication de la vitesse du vent **10** 28
~ d'induction **331** 70
~ de jeu de hasard **260** 48
~ lance-fusée **224** 52 et 53
~ de levage **221** 13
~ lieur **65** 33
~ de manipulations de physique **331, 332**
~ ménager **42** 1-66
appareil de mesure **147** 7
~ à bobine mobile **332** 10
~ de l'effort de traction des moteurs **206** 44
~ de radiation **2** 1-23
~ p. repérer la longueur de la robe **256** 40
appareil p. mesurer les précipitations **10** 37
~ p. mesurer la pression atmosphérique **10** 1-18
~ p. mesurer le vent **10** 27
~ monobloc **111** 18
~ morse **233** 52-64
~ à mousse toxique **83** 44
~ à narcose **28** 34-41
~ à ondes courtes **24** 12
~ ophtalmologique **109** 11-15
~ à permanente **103** 25
~ de petit format monobloc **111** 18
~ photo **111** 1-27
~ de photo stéréo **111** 27
~ à photocopier **241** 18
~ photographique **111** 1-27
~ de physique **331, 332**
~ pliant **111** 2
~ à poser les traverses **198** 19
~ de préparation de la levure **93** 15
~ de pression p. débit de bière **260** 1
~ p. la production de gaz **334** 59
appareil de projection **6** 14, **295** 26-53
appareil de projection d'appartement **295** 53
~ p. cinéma ambulant **295** 52
~ de films sonores **295** 26
~ sur grand écran **294** 42
~ portatif de films réduits **295** 52
appareil radar **222** 75
~ radiographique **27** 19
~ radioscopique **29** 39
~ à rayons X **29** 30, 39-47
~ à rayons X p. la vérification du métal **145** 26
~ de réanimation **255** 20
~ reflex **111** 15
~ de réglage des phares **192** 58
~ de reproduction optique p. truquage **293** 17
~ à reproduction photomécanique **112** 27
~ de reproduction sonore **293** 13
~ respiratoire **17** 27, **255** 39
~ p. la retouche **171** 51
~ Röntgen **29** 39
~ servant à la destruction des parasites **83** 1-48
~ simple **113** 62
~ sonore **219** 45
~ à soufflet **111** 2
~ à sous **260** 48
~ télégraphique **241** 32
~ tendeur **203** 36
~ à tirer les bleus **241** 13
~ p. le traitement par ondes courtes **24** 12
~ de transfusion **29** 29
~ à vérifier les injecteurs **192** 51
~ vulnérant **78** 10-14
appareillage latéral **195** 15
appareils de projection 3 D **294** 48
appât **86** 21
~ artificiel **89** 36-43
appeau p. attirer le gibier **87** 43-47
~ p. la caille **87** 45
~ p. le cerf **87** 46
appeau p. le chevreuil **87** 43
~ p. le lièvre **87** 44
~ p. la perdrix **87** 47
appel *[saut]* **280** 33
~ de police **253** 14
~ en scène **296** 52
appelant **86** 48
appendice *[Anat.]* **22** 18
~ de remplissage **226** 55
appentis **53** 47, **116** 7
applique **48** 1, **261** 9
~ florale **44** 23
appogiature brève **300** 29
~ double **300** 30
~ longue **300** 28
appontement **16** 59, **220** 32-36
apport d'hydrogène **164** 15
~ d'hydroxylamine **164** 21
apprenti **238** 44
~ cordonnier **99** 13
~ pâtissier **261** 6
apprêt **158** 44
apprêtage des matières textiles **162**
approche *[chasse]* **86** 1-8
approximativement égal à **327** 17
appui *[support]* **301** 42
~ *[poteau]* **115** 56
~ à l'allemande **279** 46
~ sur les bras fléchis **278** 17
~ de la chaire **311** 23
~ de (la) fenêtre **113** 12, **39** 24
~-pied(s) **179** 7 **104** 32
~ du pont **210** 33
~ du rail auxiliaire **198** 14
~ des rames **269** 29
~ renversé sur les épaules **279** 29
~ tendu facial **278** 16
~ tendu latéral **278** 18
~-tête **104** 30
~-tête réglable **204** 35
aquaplane **267** 13
aquarelle **44** 19
aquarium **339** 26
~ de reptiles **339** 38
Aquarius **6** 42
aquatinte **323** 14-24
aqueduc **316** 53
Aquila **5** 9
ara **345** 2

ara ararauna **345** 2
arabe *[écrit.]* **324** 2
arabesque *[danse]* **288** 9
arachide **367** 41
arachnide **342** 40-47
araignée **342** 44-46
~ domestique **341** 8
~ porte-croix **342** 45
arasement **117** 39
~ sanitaire **118** 4
araucaria **56** 16
arbalétrier **116** 56, 74, 80
arbitre **274** 22, **275** 48, **276** 22, **281** 37
~ de touche **274** 23, 47
arbousier traînant **361** 15
arbre *[Bot.]* **354** 1
~ *[Techn.]* **136** 59
~ d'accouplement **141** 53
~ à aiguiser les griffes **339** 3
~ d'ailerons **228** 34
~ des ailes **91** 5
~ en boule **257** 12
~ à came en dessous **182** 1, 61
~ à cames dans le carter **184** 59
~ à cames en tête **182** 46, **187** 26
~ à caoutchouc **367** 33
~ cardan **185** 52
~ à cardans **185** 52
~ de commande **212** 49
~ de commande des battes **156** 24
~ creusé **337** 20
~ de direction **185** 49, **186** 41
~ du distributeur **184** 21
~ d'entraînement **227** 31
~ en espalier détaché **55** 16
~ en espalier mural **55** 17
~ d'excentrique **159** 56
~ à feuillage persistant **356**
~ à feuilles caduques **355** 1-73
~ du frein **136** 97
arbre fruitier en espalier **55** 1, 2, 16, 17, 29
~ à haute tige **55** 30
~ nain **55** 1, 2, 16, 17, 29
~ taillé en pyramide **55** 16
arbre à grimper **339** 3
~ à gutta-percha **367** 37
arbre incliné par le vent **13** 43
~ à maté **366** 11
~ moteur **207** 5
~ à palettes **172** 26
~ de la pompe à huile **184** 21
~ porte-hélice **218** 55
~ porte-lames **149** 58
~ porte-outils **128** 19, 23
~ porte-scies **149** 24
~ de poussée **145** 75
~ primaire **186** 55
~ principal **159** 50
~ pyramidal **257** 19
~ en quille **257** 13
~ à quinquina **364** 17
~ de renvoi **157** 42
~ de la roue **91** 5
~ royal **91** 34
~ secondaire **186** 56
~ de sortie **186** 56
~ support de trame **159** 37
~ de la table de secouage **67** 53
~ taillé **55** 1, 2, 16, 17, 29
~ de toupillage **128** 19
~ de transmission **185** 52, **197** 13
~ de vie **312** 29
arbrisseau ornamental **54** 4
~ de pose des becs droits **86** 47
arbuste à baies **55** 19
~ à baies à haute tige **55** 11
~ en fleurs **55** 9
~-nain **261** 42
arc *[arme]* **287** 38, **308** 16, **337** 32
arc *[Art]* **318** 19
~-boutant **317** 28
~ de cercle **328** 53
~ convexe **318** 34
~-de-triomphe **316** 59, **319** 3
~ en dos d'âne **318** 36
~ électrique **135** 7, **295** 42
~ elliptique **318** 29
~ épaulé **318** 33
~ infléchi **318** 35
~ lobé **318** 35
~ en ogive **318** 31
~ en orbe-voie **317** 19
~ outrepassé **318** 30
~ en plein cintre **316** 71, **318** 27
~ surbaissé **318** 28
~ trilobé **318** 32
~ Tudor **318** 37
~ zigzagué **318** 35
~ zigzagué infléchi lobé **318** 35
arcade *[lunettes]* **108** 15
~ et branches **108** 19
arcasse **217** 67 et 68, **270** 18
arcature **317** 8
~ aveugle **317** 10
arceau de croquet **275** 63
~ dorsal des segments **342** 31
~ en espalier **55** 12
archaster **349** 17
arche du pont **210** 16
archer **287** 37
archet de frottement **193** 15
~ métallique **85** 40
~ de vièle **302** 12
~ de viole **301** 24
~ de violon **302** 12
architrave **316** 18, **318** 21
archives **247** 21
~ comptables **238** 59
archivolte **317** 25
arçon d'arrière **72** 39
~ d'avant **72** 38
~ de cou **279** 37
~ de dos **279** 38
Arcturus **5** 30
ardoise *[toit]* **117** 85
~ *[tablette]* **249** 32
~ de départ **117** 77
~ d'égout **117** 76
~ de faîte **117** 79
~ de rive **117** 80
~ de toiture **117** 78
ardoisier **117** 71
arec **364** 19
arène **287** 58, **290** 21
aréole **18** 29
aréomètre **331** 8
aréquier **364** 19
Arès **308** 9
arête *[Bot.]* **69** 12
~ *[Géom.]* **329** 32
~ dorsale **225** 52
arêtier **116** 12, 62, **117** 8
argent *[monnaie]* **244**
~ *[Hér.]* **246** 25
Argentine **14** 32
argile **151** 2, **322** 31
~ damée **254** 39
~ homogénéisée **151** 14
Argo **5** 45
Aries **6** 32
arille **366** 34
aristoloche **360** 22
arithmétique **326** 1-26, **327** 1-24
~ supérieure **327** 1-10
Arlequin **289** 35
arlequin *[outil]* **130** 34
armature *[aimant]* **233** 55
~ *[lunettes]* **108** 14-61
armature *[renforcement]* **114** 68, **118** 37
~ de béton **114** 54-76
~ de bois **336** 13
~ de dock **217** 34 et 35
~ de feuillard **147** 50
~ de fil d'acier **147** 50
~ d'os **336** 13
arme de chasse **87** 1-40
~ de combat **277** 53-66
~ d'escrime **277** 53-66
~ d'estoc **277** 53
~ à feu portative **87** 2
~ de jet **335** 39
~ à plusieurs coups **87** 2
~ sportive **87** 1-40
~ de taille et d'estoc **277** 63
Armée du Salut **257** 61-63
arménienne *[écrit.]* **324** 3
armes **246** 1-6
~ des pays **244** 14
armillaire couleur de miel **365** 28
armoire **238** 5
~ aux archives comptables **238** 59
~ à balais **52** 15
~ de la chambre à coucher **48** 40
~ de classe **249** 25
~ de cuisine **41** 1, 8
~ à dessins **144** 27
~ à dossiers **238** 3
~ aux épices **41** 10
~ fichier **250** 22
~ à huile **190** 11
~ aux instruments **26** 18, **27** 23
~ à linge **48** 40
~ de la machine à coudre **102** 13
~ aux médicaments **26** 19
~ à nettoyer les chaussures **52** 26
~ à outils **127** 10-31
~ à outils de graissage **191** 12
~ plombée **29** 51
~ porte-balais **52** 15
~ à radium **29** 51
armoire à sécher les films **171** 56
~ les plaques **171** 56
~ les plaques offset **173** 24
armoire à usages multiples **44** 25
~ à vêtements **48** 40
armoiries nationales **244** 12

armoise absinthe **364** 4
~ mutelline **362** 6
armon **131** 7
armure **310** 38
~ du chevalier **310** 38-65
~ ouatinée **336** 38
arnica **364** 2
arnique **364** 2
arpège ascendant **300** 36
~ descendant **300** 37
arrache-clous **115** 75
arraché à deux bras **281** 4
~ à un bras **281** 2
arracheur **156** 71
~ de pommes de terre **68** 41
arracheuse de betteraves **67** 38
~ à crible convoyeur **67** 38
~ de pommes de terre **67** 38
arrestation **248** 1
arrêt **233** 28
~ du ballon **274** 60
~ du gyrobus **188** 11
~ de la machine **157** 6
~ momentané **306** 20
arrière *[navire]* **217** 63-69, **270** 1
~ *[Sport]* **268** 50, **274** 12 et 13 **276** 43, 58
~ de canoë **270** 13
~ carré **222** 77, **270** 17
~-cour **53** 1-49
~ de croiseur pointu **270** 14
~ droit **274** 13
~ gauche **274** 12
~-main **73** 33-37
~-plan **292** 33
~ à plateau **222** 77
~-port **220** 26
~ rond **213** 25
~-tableau **270** 18
~ de voilier **270** 11-18
~ de la voiture **186** 25-38
~ du yacht **270** 11
arrimage du canot de sauvetage **224** 33
arrimeur **221** 8
arrivée *[Sport]* **270** 59, **273** 35, **280** 7
~ d'air **168** 36
~ d'air comprimé **138** 44, **191** 6
~ de l'air frais **184** 75
~ du carburant **227** 13
~ de la couleur **161** 66
arrivée du courant électrique **229** 35
~ d'eau **3** 31, **89** 55, **212** 40
~ d'eau chaude **3** 36
~ de l'eau réfrigérée **93** 8
~ d'essence **184** 10
~ de gaz **133** 59, **134** 21
~ du mélange propulsif **229** 15
~ de l'orge **92** 6
~ de la pâte **168** 7
arroche **63** 24
arrondi **354** 33
arroseur *[homme]* **195** 40
~ fixe **58** 40
~ rotatif **58** 41, **79** 19
arroseuse **195** 3
~ automobile **195** 36
arrosoir **54** 17, **195** 39
~ à anse **79** 26
~ de jardin **54** 17
art **315-319**
~ de l'Asie mineure **315** 37
~ assyrien **315** 29-36
~ babylonien **315** 19 et 20
~ baroque **318** 1-8
~ byzantin **316** 72-75
~ chinois **319** 1-6
~ égyptien **315** 1-18
~ de l'escrime **277** 1-66
~ étrusque **316** 49-52
~ gothique **317** 22-41
~ grec **316** 1-48
~ de l'Inde **319** 19-28
~ de l'Islam **319** 12-18
~ japonais **319** 7-11
~ perse **315** 21-28
~ des premiers siècles chrétiens **316** 61-71
~ de la Renaissance **317** 42-54
~ rococo **318** 9-13
~ romain **316** 53-60
~ roman **317** 1-21
Artémis **308** 12
artère **20** 1
~ fémorale **20** 19
~ frontale **20** 5
~ iliaque **20** 17
~ pulmonaire **20** 11, **22** 55
~ radiale **20** 21
~ sous-clavière **20** 7
~ temporale **20** 3
~ tibiale **20** 20
arthropode **342** 1-23
artichaut **59** 41
article de confiserie **98** 80
~ de fantaisie **256** 62
~ p. fumeur **105**
~ du jour **256** 64
article de tête **325** 40
articulation **111** 32, **298** 33, **323** 30
articulé **342**
artillerie **213** 50
~ de bord **222** 32-35
~ légère **222** 34
~ lourde **222** 32
~ moyenne **222** 33
artiodactyle **351** 28-31
artiste **321** 2
~ ambulant **291** 25-28
~ de cabaret **298** 2
~ exécutant des tours d'adresse **298** 17
~ porteur **290** 45
~ tireur **290** 38
arum tacheté **363** 9
ascaride **341** 20
ascenseur p. avions **222** 67, 74
~ p. bateaux **212** 29-38
~ patenôtre **164** 36
~ p. personnes **256** 45
ascension de la corde lisse **279** 6
~ de la courbe **329** 12
~ de montagne **282** 1-56
asclépiadacée **56** 15
asellus **342** 2
Asie **14** 39-54, **15** 16
aspect du cheval **73** 1-38
asperge **59** 14
aspersoir **313** 48
aspirateur **52** 2, **91** 48
~ d'air **206** 20
~-balai électrique **52** 9
~ p. barges **211** 59
~ de poussière **128** 50
aspiration de l'air d'aval **227** 34
~ de la couche-limite **225** 55
~ des fils rognés de coupe **162** 43
~ des poussières **156** 10
~ de la vapeur de repassage **166** 40
asque **365** 12, 13
assaillant **268** 51, **287** 27
assaut **277** 17 et 18
assemblage du bois **116** 84-98
~ de bois taillé **115** 24
~ des cylindres **141** 49 et 50
~ longitudinal **217** 41-53
~ à mi-bois à queue d'aronde **116** 89
~ oblique à trait de Jupiter simple **116** 88
assemblage par recouvrement **136** 54
~ par rivets **136** 54
~ à simple embrèvement **116** 90
~ à trait de Jupiter droit **116** 87
~ à trait de Jupiter simple **116** 88
assemblé **288** 14
assemblée **251** 8
~ des fidèles **311** 29
assembleur **169** 23
assesseur **248** 22, **251** 2, 17
assette **117** 21
assiette *[couvert]* **46** 3
~ à bouillie **30** 18
~ en carton **201** 51
~ chauffante **30** 18
~ creuse **46** 5
~ à dessert **45** 9, **46** 6
~ en étain **262** 28
~ avec globe en verre **107** 64
~ plate **46** 4
assise rocheuse **13** 70
assistant **250** 6, **281** 40, **292** 24
~ chirurgien **28** 29
~ de prise de son **292** 61
~ de régie **292** 46
~ du régisseur **297** 43
assistante du dentiste **27** 26
~ radiologiste **29** 38
assurance par les épaules **282** 30
astérisque **178** 61
astéroïde **6** 26, **7** 28
astrance **360** 7
astronome **6** 10
astronomie **5-7**
astrophotographie **6** 3
asymptote **329** 29
atelier *[logement]* **39** 74
~ *[studio]* **321** 1-43
~ de l'aéroport **230** 9
~ annexe **292** 10
~ de bourrelier-sellier **123** 1-33
~ de broyage **150** 18
~ de charpentier **115** 4
~ de cordonnerie **99** 1-37
~ de décoration de théâtre **296** 29-42
~ de dessin **321**
~ de développement de films **293** 15-18
~ d'ébarbage **141** 33-40
~ d'entretien **230** 7
~ graphique **323** 27-64

atelier d'impression **175** 1-65
~ des machines **217** 8
~ du matelassier **124** 1-27
~ de menuisier **127** 1-65
~ de montage **145** 1-45
~ de peinture **321**
~ de reliure **178** 1-35
~ de reliure à la main **177** 1-38
~ de réparation **199** 7
~ p. la réparation du matériel volant **230** 9
~ de réparations **230** 7
~ de reproduction de films **293** 15-18
~ p. la révision du matériel volant **230** 9
~ de sculpture **322**
~ de serrurier **134** 1-34
~ de théâtre **296** 29-42
~ de tourneur **129** 1-26
~ de l'usine **145** 1-45
~ de vérification **145** 1-45
~ de vitrerie **122** 1
~ de vitrier **122** 1
ateliers *[Film]* **292** 6
Athénée **308** 17
athlète **280** 56, **291** 27
~ de décathlon **280** 56
athlétisme **280**, **281**
atlante **316** 36
Atlantique **15** 20
Atlas **308** 45
atmosphère **4** 11-15
atoll **13** 32
atolla **349** 5
atome **1-3**
atomiste **1** 40
âtre **132** 5
atrium **316** 66
Atropos **308** 57
attache **122** 23
~ à bille **181** 21
~ de bureau **238** 42
~ des câbles tendeurs **210** 40
~ de chaîne **51** 47
~ parisienne **238** 43
~ à pieds **287** 56
~ de sûreté **181** 29
attacher **240** 41
attaquant se fendant **277** 19
attaque *[Escr.]* **274** 17-21
~ dans le sens du fil **323** 4
attaqué *[Escr.]* **277** 21
attelage **131** 8 et 9, **179** 1-54, **205** 2
~ de bœufs **65** 16
~ à deux chevaux **179** 36
~ en flèche **179** 50
~ moto-side-car **273** 29
~ à quatre chevaux **257** 54
~ de rennes **336** 15
~ russe **179** 45
~ en tandem **179** 50
~ à trois chevaux **179** 45
~ de tuyaux **203** 35-39
~ à un cheval **179** 18, 29
~ de wagons **203** 35-39
attelles **17** 10
attention priorité **253** 56
atterrissage aux instruments **230** 11
~ par mauvaise visibilité **230** 22-38
~ sans visibilité sous contrôle radar **230** 34
atterrisseur avant **225** 49
~ principal **226** 48
attique **316** 60
attitude de défense **281** 8
~ ouverte **288** 10
attrape **289** 56
~-mouche de Vénus **361** 14
~-mouches **83** 3
attribut **308** 2-4
aube *[Vêt.]* **314** 38
~ d'amenée d'air **183** 19
~ cintrée **91** 38
~ courbée **91** 38
~ rectiligne **91** 40
aubépine **358** 30
auberge **260** 1-29
aubier **115** 85, **354** 12
audience **251** 8
auditorium **250** 2, **292** 14
auge **64** 27, **76** 43
~ à mortier **113** 20, 84
~ des rouleaux de nappe **156** 15
~ à teinture **161** 8, 19
auget **91** 36, **117** 22
augmentation du volume de l'air **227** 23
au jour **137** 3-11
aulne **355** 30
aulos **301** 4
~ double **301** 3
aunaie **13** 18
aune **355** 30
aune noir **364** 13
auréole de plumes **347** 18
auréus **244** 3
auriculaire *[doigt]* **21** 68
Auriga **5** 27
aurore *[Zool.]* **348** 3
~ australe **4** 35
~ boréale **4** 35
~ polaire **4** 35
aussière **90** 4, **212** 23
Australie **14** 27, **15** 17
autel **311** 7, **316** 48
~ latéral **311** 45
auto **185** 1-65
~ remorqueuse **271** 3
~ tamponneuse **291** 63
autobus **188** 5
~ Diesel **188** 5
~ à impériale **188** 6
~ avec moteur à l'arrière **188** 5
~ rail-route **208** 45
~ de transport urbain **188** 7
autocar **188** 1
~ articulé long courrier **188** 2
~ de grand tourisme **188** 2
autoclave **164** 12
autocompresseur **133** 8
autodrome **273** 34
auto-générateur *[réacteur]* **3** 20-23
autogire **225** 69
auto-jouet **49** 23
automate à musique **306** 8
automobile **185**, **186**
~ endommagée **253** 60
~ à pédales **258** 2
~ roulante sur rails **208** 35
~ sanitaire **255** 19
automotrice **196** 41
~ à accumulateurs **206** 58
~ à adhérence forcée **209** 1
~ Diesel p. le service des marchandises **207** 39
~ électrique **206** 55
autopompe **255** 5
autorail **201** 27
~ Diesel **207** 28-40
~ Diesel mécanique en alliage léger **207** 28
~ Diesel mécanique en aluminium **207** 25
~ léger **207** 25
~ panoramique **207** 40
autoroute **16** 16, **197** 32-50
auto-sauvetage **17** 33
auto-transformateur **146** 39
autour des palombes **347** 10
Autriche **14** 16
autruche **343** 2
auvent **39** 67, **266** 34
~ latéral **266** 32
aval **283** 26
avalanche de neige **286** 1
avaleur de feu **291** 25
~ de sabre **291** 26
avancement de la bobine **111** 4
avançon **89** 30
avant *[navire]* **217** 71-73
~ *[Sport]* **268** 51, **276** 48, 55
~-bec brise-glace **210** 29
~-bec du pont **210** 15
~-bras *[homme]* **18** 46
~-bras *[cheval]* **73** 21
~-centre **274** 19
~-corps **317** 43
~-creuset basculant **141** 5
~ à cuiller **270** 2
~ du fuselage **271** 46
~ de liaison **274** 18
~-port **212** 26
~-scène **296** 15, **297** 25
~-toit **266** 37
~-train **68** 14-19
avarie **224** 4
avé **313** 30
aveline **61** 49
avers **244** 8
averse **8** 19, **9** 37
avertissement **199** 41
avertisseur **180** 4, **182** 39, **206** 45
~ d'incendie **253** 55
~ lumineux **241** 47
~ de police **253** 14
~ de pression **254** 47
~ sonore **186** 4
aveugler une voie d'eau **224** 1 et 2
aviculteur **75** 11
avicultrice **75** 7
aviculture **75**
avion **225**, **226**
avion à aile basse **225** 12
~ en croissant **225** 67
~ en delta **225** 53
~ en flèche **225** 27
~ haute **225** 1, 21
~ médiane **225** 19
~ semi-haute **225** 1
avion à ailes rotatives **226** 28
~ amphibie **225** 32
~ en approche **230** 36
~ bimoteur **226** 3
~-canard **225** 36

avion'-citerne **226** 26
~ composite **226** 22
~ à deux moteurs **226** 3
~ à double fuselage **225** 39
~ à fuseau-fuselage **226** 19
~ à grande vitesse **225** 42
~ à hélice **226** 1-8
~ hexamoteur **226** 8
~ p. le largage en vol **226** 22
~ de ligne **226** 30
~ monomoteur **226** 1
~ à moteur propulseur **226** 1
~ à moteur tracteur **226** 5
~ multiréacteur **226** 12
~ de passagers **226** 30
~ avec plusieurs turbopropulseurs **226** 12
~ porté **226** 24
~ porteur **226** 23
~ propulsé par turbo-réacteur **225** 70
~ avec propulseur à hélice **226** 1-8
~ à propulsion atomique **225** 71
~ à pulso-réacteur **226** 21
~ quadrimoteur **226** 7
~ à quatre moteurs **226** 7
~ sans queue **225** 29
~ rapide **225** 42
~ ravitaillé **226** 27
~ ravitailleur **226** 26
~ remorqueur **271** 8
~ à six moteurs **226** 8
~ à statoréacteur **226** 19-21
~ à statoréacteur annulaire **226** 19
~ stratosphérique **226** 30
~ terrestre **225** 32
~-tonneau **226** 19
~ trimoteur **226** 5
~ à trois moteurs **226** 5
~ avec turbine à hélice **226** 9-12
~ à turbo-hélice **226** 9-12
~ à turbopropulseur **226** 9-12
~ à turboréacteur **226** 13-18
~ avec un seul turbopropulseur **226** 9
avion à voilure annulaire **225** 70
aviron *[rame]* **269** 14, 17, 35-38
~ *[sport]* **269** 1-66
~ en ponton **269** 20-22
avis **325** 51
avivage **163** 22
avocat de l'accusation **248** 25
~ de la défense **248** 30
avoine **69** 27
~ élevée **70** 22
axe *[Techn.]* **136** 59, **180** 61, 76, **331** 75, 79
~ *[Opt.]* **108** 10
~ des abscisses **329** 2
~ de l'anticlinal **12** 17
~ de l'arbre de direction **186** 42
~ avant **186** 49
~ de bobinage **306** 16
~ à broche **182** 40
~ à cardans **182** 5
~ du changeur de disques **306** 33
~ creux **295** 49
~ creux du piston **184** 71
~ de(s) déclinaison(s) **6** 6, **109** 22
~ du défibreur **167** 17
~ de déroulement **295** 36
~ d'enroulement **306** 16
~ d'essieu **204** 64
~ du frein **136** 97
~ horaire **6** 5, **109** 20
~ du navire **222** 52
~ des ordonnées **329** 3
~ d'oscillation à cardans **182** 5
~ de la parabole **329** 17
~ de pédale **180** 81
~ de rebobinage à friction **295** 37
~ repère de cordes **113** 70
~ repère de piquetage **113** 70
~ de sélection **233** 43
~ de suspension **209** 72
~ de symétrie **328** 25, **330** 4
~ du synclinal **12** 19
~ x **329** 2
~ y **329** 3
axes en croix **329** 2 et 3
azalée **56** 12
azote comprimé **229** 5
azur *[Hér.]* **246** 28

B

babeurre **77** 12
babine **71** 32
bâbord amure **270** 52
babouin **353** 13
baby-parc **49** 4
bac *[bateau]* **211** 11, **220** 24
~ *[récipient]* **178** 32
~ d'accumulateur **183** 22
~ d'accus **192** 41
~ p. l'alevin **89** 57
~ à bobines **158** 16
~ à câble **211** 1
~ à chaîne **211** 1
~ à charbon **41** 46
~ à chutes **135** 42
~ à colle **158** 45, **177** 46
~ collecteur **93** 9
~ collecteur de lait **77** 6
~ à eau **79** 29, **132** 8
~ à eau de refroidissement **135** 44
~ de fermentation de la crème **77** 28
~ de ferraille **135** 42
~ de fleuve **211** 10
~ à gaffe **211** 15, **269** 1
~ d'incubation **89** 61
~ à laver **174** 29
~ à mortier **113** 39
~ à moteur **211** 6
~ mouillé **211** 10
~ p. passagers **211** 1
~ à piétons **16** 60
~ récepteur **51** 17
~ de réception des billes **173** 31
~ p. refroidir préalablement **93** 1
~ refroidisseur **93** 1
~ roulant p. le transport du linge **166** 17
~ à traille **211** 1
~ de trempage **130** 13
~ à voitures **16** 47, **211** 10
~ volant **211** 10
Bacchante **308** 35
Bacchus **308** 32
bâche **189** 15
badminton **276** 36
baffle **234** 50
bagage **201** 4-12
bague *[anneau]* **38** 20
~ *[Techn.]* **240** 71
~ *[couteau]* **46** 55
~ à brillant **38** 24
bague extérieure **136** 69
~ du frein **180** 70
~ intérieure **136** 70
~ à poule **75** 42
~ de serrage du plateau d'entraînement **142** 40
baguette *[listel]* **43** 26, **122** 3
~ *[osier]* **130** 15
~ *[bâton]* **249** 22
~ *[archet]* **302** 14
~ *[tambour]* **49** 22, **337** 19
~ ailée **308** 25
~ d'angle **118** 64
~ de bois **303** 62
~ de brasure **135** 39
~ de changement de direction **157** 17
~ du chef d'orchestre **296** 27
~ couvre-joint **118** 64
~ de Mercure **308** 25
~ de métal d'apport **135** 6
~ de nettoyage **87** 61
~ d'osier **130** 15
~ de protection du nez de marche **118** 20
~ à rainure p. sertir le plomb **122** 13
~ de rive **117** 26
~ à saisir le cerceau **261** 30
~ de tambour **302** 54
~ à taper sur le cerceau **258** 22
~ à toucher les cordes **301** 19
baguier **106** 27
baie *[golfe]* **13** 7
~ *[Bot.]* **60** 1-30, **354** 97
~ *[Art]* **316** 70
~ du clocher **312** 8
~ de fenêtre **115** 30
~ de genièvre **356** 52
~ vitrée **39** 68
baigneur *[baignant]* **267** 30
~ *[poupée]* **50** 4
baignoire **25** 6
~ p. bébés **30** 25
~ en bois **262** 38
~ de boue **262** 38
~ de caoutchouc pliante **30** 25
~ à eau froide **25** 14
~ encastrée **51** 5
~ sabot **51** 50, **262** 46
baille **216** 56
bain d'air **268** 4
~ de blanchiment **161** 47
~ de boue **262** 37-49
~ de boue partiel **262** 46

bain complet de boue **262** 43
~ corrosif **323** 51
~ d'eau **262** 1-7
~ de filage **163** 15
~ finnois **25** 7-16
~ galvanique **172** 1
~-marie **127** 38, **333** 14
~ p. les oiseaux **54** 15
~ public **25** 1-5
~ de rinçage **262** 47
~ de soleil **268** 4
~ de sulfate d'ammoniaque **164** 26
~ turc **25** 7-16
~ de vapeur **25** 7-16
baiser **201** 60
baisse-aiguilles **160** 58
~ de deux demi-tons **299** 54
~ de trois quarts de ton **299** 59
~ d'un demi-ton **299** 53
~ d'un quart de ton **299** 58
bajoyer **212** 80
bal costumé **289** 1-48
~ masqué **289** 1-48
~ travesti **289** 1-48
baladeur **142** 8
baladin **310** 70
balafon **303** 61
balai **52** 20, **195** 9
~ p. battre la peau **25** 13
~ de bouleau **25** 13
~ de brindilles **64** 39
~-brosse **52** 25
~ à franges **52** 11
~ de jazz **303** 53
~ à manche **40** 36
~ métallique **303** 53
~ de paille **52** 78
~ en paille de riz **53** 45
~ W.-C. **51** 33
balalaïka **303** 28
balance **26** 22
~ d'analyse **333** 25
~ automatique **98** 12
~ automatique à aiguille **200** 5
~ à céréales **91** 46
~ de cuisine **41** 59
~ à écrevisses **89** 15
~ à paquets **231** 2
~ à pâte **97** 77
~ pèse-lait **77** 5
~ à poids curseur **41** 59
~ romaine **97** 77
Balance **5** 19, **6** 38
balancier *[montre]* **107** 24
~ *[canot]* **335** 36
~ *[d'artiste]* **290** 42
~ compensateur **107** 37
balancier compensé **107** 37
~ à deux galets **209** 69
~ de la pompe **139** 49
balancine **214** 47
~ de gui **214** 48
balançoire **54** 25, **258** 58
~ de bateaux **291** 41
balatum **121** 44
balayage du carter de vilebrequin **181** 49
~ à l'horizontale des faisceaux **237** 17
~ vertical **236** 22
~ à la verticale des faisceaux **237** 17
balayette **52** 16
~ W.-C. **51** 33
balayeur **195** 8
~ magnéto-acoustique **295** 50
~ de neige **286** 22
~ de rues **253** 47
balayeuse-arroseuse **195** 31
~-ramasseuse automatique **195** 12
~ à trois roues **195** 6
balcon *[maison]* **39** 69, **252** 9
~ *[château]* **310** 12
~ *[théâtre]* **296** 17, 18
baldaquin **312** 49
baleine *[Vêt.]* **33** 17
~ franche **90** 44
~ harponnée **90** 49
~ marquée **90** 44
~ soufflant **90** 50
~ tuée **90** 44
Baleine **5** 11
baleinier **90** 30-33
baleinière **90** 38-43, 46
balisage vert **219** 59
balise **16** 10
~ de chenal **219** 43-58
~ flottante **219** 55
~ lumineuse et sonore **219** 43
~ du pont isolée **210** 14
~ radio **230** 12
~ p. vif **89** 54
balistique **87** 73
ballast **223** 19
~ criblé **198** 7
balle *[jouer]* **258** 11
~ *[paquet]* **202** 12, **221** 34
~ de base-ball **275** 54
~ en celluloïd **276** 42
~ de coton pressée **156** 3
balle de fibres de perlon **164** 62
~ gainée de cuir **275** 18
~ de golf **276** 71
~ de hockey **275** 18
~ de laine de cellulose **163** 34
~ à lancer **287** 49
~ de liège **276** 37
~ de paille **65** 29, **202** 29
~ de ping-pong **276** 42
~ pleine **87** 55
~ suédoise **287** 48
~ de tabac brut **83** 11
~ de tennis **276** 26
~ de tennis de table **276** 42
~ à tête de plomb **87** 56
~ de tourbe **79** 31
ballerine **288** 30
ballet classique **288** 29-34
ballon **258** 11, **268** 49, **291** 13
~ annonciateur de tempête **220** 6
~ de basket **275** 31
~ avec chambre à air **274** 52
~ creux **274** 52
~ dirigeable **226** 51
~ à distiller **334** 50
~ d'eau **146** 17
~ à fond plat **334** 36
~ de football **274** 52
~ hors-jeu **274** 50
~ à hydrogène **10** 60
~ à jouer dans l'eau **267** 18
~ libre **226** 51
~ à long col **334** 38
~ ovale **275** 20
~ à peser l'air **331** 10
~ Picard **4** 40
~ à poing fermé **276** 54
~ de rugby **275** 20
~ de Scheidt **333** 1
~ sonde *[Météor.]* **4** 42 et 43
~ sonde *[instr.]* **28** 40
~ stratosphérique **4** 41
~ de volley **276** 47
ballonnet à gaz **226** 75
ballot **221** 34
~ de paille **273** 40
Bâloise **338** 35
balsamine des bois **361** 11
balustrade **39** 19
balustre *[rampe]* **118** 51
balustre *[compas]* **144** 38
bambou **130** 31, **290** 46, **367** 60
banane **368** 33
~ de pare-choc **186** 37
bananier **216** 8, **368** 28
banc *[lutte]* **281** 9
~ de baleines **90** 52
~ à broches à grand étirage **157** 19
~ de coin **262** 32
~ de communion **311** 33
~ de connecteurs **233** 39
~ d'église **311** 28
~ d'étirage **106** 2, **156** 60
~ d'étirage élevé **157** 14
~ d'étirage à quatre cylindres **157** 9
~ à étirer **106** 2
~ p. le façonnage des douves **126** 31
~ à grand étirage **157** 19
~ inter-fine **157** 27
~ intermédiaire à broches **157** 27
~ de jardin **54** 18, **257** 16
~ à limer **134** 15
~ de la machine **162** 15
~ milieu **219** 66
~ milieu à bâbord **219** 63
~ milieu à tribord **219** 67
~ optique **331** 27
~ de pieds **44** 36
~ de pose **162** 37
~ de quai **201** 43
~ de quart **218** 12-18, **222** 45
~ du rameur **269** 28
~ des témoins **248** 38
~ à tirer **106** 2
~ de tour **142** 31
~ de tréfilerie **106** 2
~ du verrier **155** 21
bandage *[bande]* **23** 47
~ *[p. cheval]* **272** 48
~ *[Techn.]* **180** 77
~ de corde **280** 55
~ herniaire **23** 38
~ plâtré **29** 25
~ de roue **131** 30
bande *[imprimé]* **232** 24
~ *[bord]* **264** 16, **287** 18
~ abrasive **128** 47
~ d'arçon **72** 41
~ dans l'atmosphère de Saturne **7** 18

bande d'attaches **240** 40
~ en caoutchouc **264** 16
~ de cartouches **87** 19
~ de crêpe **23** 47
~ élastique **33** 65
~ du frein **136** 103
~ de gaze hydrophile **23** 55
~ à lettres **231** 36
~ magnétique sonore **306** 14
~ médiane **197** 37, **222** 52
~ de mousseline **147** 46
~ ombilicale **30** 44
~ ornementale **316** 38
~ de papier **168** 19, 26, **233** 61, **240** 57
~ de papier collant **238** 79
~ de papier refendue **176** 9
~ passante de moyenne fréquence **235** 15
~ de pellicule **112** 21
~ perforée **169** 34
~-piège **83** 24
~-piège de glu **83** 26
~ plâtrée **26** 8
~ de poitrine **278** 45
~ prétexte **338** 14
~ de protection **301** 27
~ sans fin **220** 63
~ sonore **306** 14
~ stérilisée **28** 10
~ transporteuse **77** 20, **220** 39
~ transporteuse de galerie **138** 15
~ transporteuse à lettres **231** 36
~ de vagues **316** 39
bandeau *[Arch.]* **118** 56, **317** 52
~ sur les yeux **50** 6
bandelette **304** 36
banderille **287** 64
banderillero **287** 63
banderole du livre des signaux **245** 29
bandes zébrées **194** 4
bandonéon **303** 36
bandonika **303** 36
banjo **303** 29
banlieue **252** 11
banne **79** 42
banneton en osier **97** 80
bannière **245** 12
~ d'église **312** 44
~ du soleil **245** 20
banque *[maison]* **242**
~ *[jeu]* **263** 11
banque d'émission **244** 30
banquet **259** 40-43
banquette *[banc]* **44** 35
~ *[digue]* **211** 38
~ arrière **185** 57
~ en béton **197** 47
~ coffre **51** 24
~ de coin **260** 38, **261** 10
~ garnie de matière plastique **203** 40
~ garnie de moleskine **203** 40
~ du poêle **260** 36
~ rembourrée **44** 1, **261** 10
baptême **313** 1
baptisé **313** 7
baptistère **313** 2
baquet à bain corrosif **323** 51
~ en bois **91** 27
~ à claire-voie **80** 43
~ à mélanger **96** 43
~ de ménage en tôle **52** 59
~ à plante **79** 47
~ de sable **150** 29
~ à vendange **80** 8
~ de vidange des huiles usées **191** 32
bar **204** 26, **259** 54
~ express **261** 45-51
~ de l'hôtel **259** 51
~ de salon **47** 39
baraque de foire **291** 6
~ foraine **291** 24
~ de loterie **291** 44
~ de tir **291** 58
baraquement **114** 44
baratteuse de crème acide **77** 29
~ douce **77** 30
barbe *[cheveux]* **35**
~ *[Bot.]* **69** 12, 34, **359** 33
~ *[Zool.]* **88** 73
~ *[dents]* **90** 54
~ de bouc **35** 9
~ carrée **35** 15
~-de-bouc **361** 5
~-de-capucin **360** 25
~ Henri IV **35** 8
~ longue **35** 14
~ de plumes **88** 73
~ en pointe **35** 8
~ de trois jours **35** 23
barbeau **63** 1
barbelure **78** 10
barbet **71** 14
barbette **222** 59, **223** 61
barbiche *[homme]* **35** 9
~ *[chèvre]* **74** 15
barbichon **71** 14
barbillon *[cheval]* **74** 24
~ *[poisson]* **350** 13
barboteuse **31** 5
~ à jambes longues **31** 19
barbotin **189** 38
barcasse **220** 19
bardage **116** 75
barde de dos **310** 88
~ de poitrail **310** 85
baril de stockage à vide **163** 11
barillet **107** 16
~ de goudron **148** 12
bar'maid **259** 63
~man **259** 62
barographe d'une station **10** 4
baromètre anéroïde **10** 8
~ enregistreur **10** 4
~ à liquide **10** 1
~ à mercure **10** 1
~ à siphon **10** 1
baroque **318** 1-8
barque à gaffe **269** 1
~-goélette à trois mâts **215** 20
~ de Nydam **213** 1-6
~ de pêche **89** 1
barrage **16** 66
~ à clapets **212** 65-72
~ à cylindres **212** 65-72
~ du fleuve **211** 49
~ à hausses **212** 73-80
~ de vallée **212** 57-64
~ à vannes **212** 73-80
barre *[barrière]* **248** 35
~ *[gouvernail]* **269** 26, 51-53
~ *[Gymn.]* **279** 28
~ *[cricket]* **275** 55
~ *[note]* **299** 8
~ d'accouplement **186** 44
~ à aiguille **102** 29
~ des aiguilles **160** 28
~ d'appui **269** 47
~ d'appui p. les pieds **259** 52
~ à battre les tapis **39** 51, **53** 46
~ de bouchage **141** 10
~ de but **274** 36
~ de caractère **241** 59
~ de chargement **1** 39
~ de combustible nucléaire **3** 17
~ conductrice **2** 42, **133** 40, **146** 29
~ de connexion **186** 44
~ de contrôle **1** 45, **3** 4
~ de coulée **141** 9
~ de coupe **68** 52
barre de départ **280** 30
~ d'espacement **240** 23
~ fixe **279** 9
~ fixe-plaques **173** 33
~ de fraction **326** 15
~ de frottement **193** 26
~ du gouvernail **213** 13
~ de la main courante **261** 41
~ de mesure **299** 44
~ de pied **269** 47
~ porte-anode **172** 2
~ porte-empreinte **172** 3
~ porte-plaque **173** 8
~ presse-papier **178** 4
~ de pression **304** 16
~ de protection **84** 8
~ à la rame **269** 35
~ de remorquage **224** 34
~ de repos du marteau **304** 26
~ de retournement **176** 10
~ à souder **106** 38
~ de suspension **210** 23, **256** 31
~ des témoins **248** 34
~ de traction **68** 18, 30
~ transversale **274** 36
~ de traverse **217** 15
~ d'uranium **1** 39
~ de la vis **134** 14
barreau **40** 17, **44** 13, **118** 51
~ de fer **118** 22
~ de la grille **257** 34
barres parallèles **279** 27
barrette **31** 3, **36** 55, **314** 36
barreur **269** 11
barrière **198** 68, **272** 28, **274** 33
~ de décrochage **225** 55
~ de la douane **220** 42
~ frontalière **247** 13
~ pare-neige **286** 6
~ à poste d'appel **198** 75
~ de protection **339** 10
barrique **80** 23
barrot de pont **217** 54
barysphère **11** 5
bas *[Météor.]* **9** 5
~ *[chaussette]* **33** 32
~-côté **316** 63, **317** 2
~ fantaisie de laine **33** 34
~ de femme **33** 32

bas de (en) filet **33** 33, **289** 10
~ jacquard **33** 34
~ de ligne **89** 30
~ de nylon **33** 32
~ de rayonne **33** 32
~-relief **322** 33
~-relief en brique vernissée **315** 20
~ de soie **33** 32
~ de sport **274** 54
~ à tricoter **258** 16
~-ventre **18** 37
bascule *[balance]* **164** 29, **272** 3
~ *[Méc.]* **304** 32
~ *[jeu]* **258** 55, **290** 59
~ centésimale **145** 88
~ p. les marchandises en colis **202** 36
~ mobile automatique **92** 5
~ à wagons **202** 45
basculeur arrière **196** 7
~ de wagons **148** 2
base *[fondement]* **143** 40
~ *[colonne]* **316** 28-31
~ *[Math.]* **327** 6, **328** 27, **329** 35, 39
~ *[base-ball]* **275** 42
base-ball **275** 39-54
~ de la cloche à air **331** 14
~ de cuvelage en maçonnerie **138** 32
~ cylindrique **172** 11
~ de la machine **143** 40
~ de la queue **73** 34
~ ronde **316** 30
baseman **275** 50
baside **365** 7
basidiospore **365** 7
basilic *[Zool.]* **350** 30
~ *[Myth.]* **307** 34
basilique **316** 61
basket-ball **275** 31-38
basse **302** 23
~-cour **74** 18-36
~-tuba **302** 44
~ de viole **301** 23
basset allemand **71** 33
~ teckel **71** 33
bassin *[réservoir]* **339** 37
~ *[fontaine]* **257** 24
~ *[Anat.]* **19** 18-21
~ de l'abreuvoir **76** 36
~ d'amortissement **212** 61
~ des bateaux **212** 33
~ en béton **292** 11
~ de charge **212** 40
~ à débordement **257** 23
bassin de décantation **252** 65
~-d'or **359** 8
~ d'eau **54** 19
~ de lit **23** 24
~ p. nageurs **268** 23
~ de natation **25** 2, **268** 1-32
~ p. non-nageurs **268** 21
~ p. les oiseaux **54** 15
~ à patauger **39** 44, **258** 10
~ à pétrole **220** 59-62
~ en plein air **268** 1-32
~ de plongée **268** 11
~ de la pompe **64** 27
~ de radoub **217** 33-40
~ de repos **212** 61
~ de retenue **212** 57
~ de la roulette **263** 29
~ p. les scènes nautiques **292** 11
~ à tourbillonnement **212** 61
~ de W.-C. **51** 36
bassine électrique à fritures **97** 69
~ d'entrée **77** 33
~ de lavage **112** 43
~ lessiveuse **53** 69
~ à mélanger la pâte **42** 60
~ de ménage en tôle **52** 59
bassinet *[rein]* **22** 31
~ *[armure]* **310** 61
~ *[Hér.]* **246** 7
~ *[Bot.]* **359** 8
basson **302** 28
basstuba **302** 44
bastingage ouvert **217** 63
bastion **310** 16
bastringue **126** 18
bât **74** 4
bat-flanc **76** 14
bataille de boules de neige **286** 14
batardeau de moulin **91** 42
~ de palplanches **114** 17
bateau bordé à clin **269** 18
~-citerne **216** 22
~ en construction **217** 26
~ de course **273** 46-50
~ endommagé **224** 3
~ d'excursion **220** 18
~-feu **16** 13, **219** 56
~ germanique à rames **213** 1-6
~ de guerre romain **213** 9-12
~ naufragé **224** 47
bateau de pêche **89** 1, **90** 24
~ de pêche à moteur **90** 11
~-pilote **216** 15
~ de plaisance **216** 45-66, **220** 18, **269** 1
~-pompe **224** 5-8, **255** 65
~ qui a subi des avaries **224** 3
~-releveur **224** 9
~ remorqué **211** 25
~ de sauvetage **224** 31-43
~-scaphandre **224** 13
~-soute **220** 23
~ de sport **269** 9-16
~ à tête de dragon **213** 13-17
~ transbordeur **216** 16, **221** 69 et 70
~ viking à tête de dragon **213** 13-17
~ à voiles **214**, **215**
batholite **11** 29
bâti **160** 33, **199** 49, **221** 59
~ de la bascule **221** 33
~ de base **162** 54
~ du châssis pneumatique **173** 14
~ en col de cygne **170** 50
~ d'ensouple de l'ourdissoir **158** 27
~ de forge **132** 5
~ de fourche **180** 12
~ du siège **185** 42
~ supérieur **133** 38
~ transversal **133** 26
bâtiment administratif **212** 24, **217** 1, **292** 4
~ auxiliaire **222** 1-8
~ de combat léger **222** 14-17
~ de combat lourd **222** 18-64
~ en colombage **64** 3
~ en coupole **319** 21
~ de l'exposition **252** 6
~ en forme de portail **318** 15
~ de graduation **262** 1
~ historique **252** 45
~ des machines **145** 67
~ à multiples étages **252** 13
~ des pompes **217** 30
~ des P.T.T. **252** 19
~ public **16** 54, **252** 19
~ de téléchauffe **3** 37
~ des treuils **212** 71
~ des turbines **212** 43
bâtiment à un mât **215** 6-8
~-usine **216** 6
~ des vannes **212** 42
~ des voyageurs **199** 2
bâtiments du palais **315** 29
bâtis de placage **127** 35
bâton *[à filer]* **125** 27
~ *[Gymn.]* **278** 38
~ *[caractères]* **325** 7
~ *[Hér.]* **246** 31
~ à bourrer **124** 14
~ de fard **296** 46
~ ferré **282** 35
~ de fête **337** 37
~ à filet **101** 25
~ de foc **213** 51
~ long **278** 36
~ de pavillon de beaupré **218** 47
~ de relais **280** 15
~ à remplir **124** 14
~ de rouge à lèvres **103** 19
~ à signaux **201** 40
~ de ski **283** 52-54
~ à tenir l'équilibre **290** 42
bâtonnet au fromage **45** 61
~ odorant **47** 28
~ salé **45** 61
batracien **350** 20-26
battant *[filet]* **90** 21
~ *[Tiss.]* **159** 41
batte *[maillet et sim.]* **68** 58, **130** 36, **150** 36
~ *[Sport]* **275** 52, 60
~ de fou **289** 48
battement *[danse]* **288** 7
batterie **185** 33
~ d'accumulateurs **192** 38
~ d'accumulateurs en acier **332** 1
~ d'alimentation **233** 53
~ de cuisine p. camper **266** 43
~ de galets du câble tracteur **209** 60
~ de jazz **303** 47-54
~ de la moto **182** 54
~ de rectification **92** 34
~ starter **183** 22
batteur *[batte]* **67** 47, **68** 57, **158** 49
~ *[Sport]* **275** 46, **287** 28
~ double **156** 14
~ électrique à crème **42** 38
~-mixeur **42** 30
~ de la partie défense **275** 59
~ à pédale **303** 54
batteuse **67** 44

battman **292** 34
battoir *[fléau]* **66** 28
~ *[outil]* **322** 12
~ à viande **41** 4
battue **86** 34-39
baudrier rouge **203** 14
bautastein du Nord **309** 18
bavette d'aloyau **95** 35
~ de culotte **31** 51
~ d'escrime **277** 28
~ rembourrée **277** 28
bavoir **30** 14
bayadère **289** 25
beaupré **213** 20, **214** 1
bébé **30** 26
bec *[oiseau]* **88** 84
~ *[pot]* **45** 16
~ *[sonde]* **26** 54
~ *[instr. de mus.]* **301** 29, 36, **303** 33, 72
~ *[Patin.]* **284** 22
~ d'amarrage **226** 67
~ d'âne **127** 63
~ brûleur **40** 60
~ Bunsen **334** 1
~ de canne **43** 14
~ du chalumeau **135** 54
~ crochu **347** 6
~-d'âne **134** 19
~-de-grue **360** 24
~-d'oie **361** 8
~ de gaz **39** 62, **133** 3
~ de plume **301** 53
~ de la poche de coulée **140** 42
~ Teclu **334** 4
~ verseur **29** 20
bécarre **299** 55
bécasse **88** 83
bêche **66** 9
~ à dents **58** 5
~ à retourner la terre **58** 1
~ semi-automatique **58** 31
bécher **334** 20
bédane **127** 63, **134** 19
bedeau **311** 26
bedlington **71** 18
Bédouin **337** 6
beffroi **310** 4
bégonia **56** 10
bégoniacée **56** 10
belette **352** 16
Belgique **14** 2
bélier **74** 13
Bélier **6** 32
belladone **363** 7
Bellatrix **5** 13
belle-dame **63** 24, **363** 7
belvédère **16** 68, **252** 52
bémol **299** 53
bénédictin **314** 13
bénédiction nuptiale **313** 13
bénéficiaire **242** 19
bénitier portatif **313** 45
benne basculante **189** 21, **195** 2, **209** 34
~ basculante en tôle d'acier **196** 8
~ à béton **114** 38, **197** 27
~ p. la collecte de la boue **195** 27
~ collectrice des agrégats **197** 23
~ de creusement **138** 29
~ preneuse **220** 68
~ racleuse **196** 13, 17
~ racleuse sur chenilles **196** 16
~ en tôle d'acier **196** 8
~ traînante **211** 59
~-trémie **140** 5
~ universelle **150** 13
~-verseuse de la machine à faire les pistes **197** 6
benzine **52** 30
béquille avant aux roues orientables **226** 36
~ basculante de la moto **182** 38
~ de queue d'avion **225** 6
~ à roue **189** 34
~ du vélo **180** 34
berceau de canon **223** 69
~ à lisser **323** 19
~ de poupée **50** 15
béret basque **31** 43, **36** 54
~ de marin **31** 32
~ transformable **36** 53
~ tricoté **36** 53
berger allemand **71** 31
bergerie **64** 47
bergeronnette **344** 9
berline *[voiture]* **179** 1
~ *[mine]* **137** 18, 29, **138** 48
berme **211** 38
berthollétie **368** 53
besaiguë **115** 72
bétail **74** 1 et 2
~ de boucherie **94** 2
bête à bon Dieu **342** 37
~ à cornes **74** 1
~ féroce **339** 6
~ noire **88** 51, **341** 18
~ de selle **337** 2
~ de somme **337** 3
~ de trait **202** 17
Bételgeuse **5** 13
béton **114** 72
~ armé **114** 1, 2
~ compact **114** 72
béton coulé **114** 7
~ damé **113** 1
~ de fondation **118** 13
~ lourd **114** 72
bétonnier **114** 9
bétonnière **114** 29, **196** 13, **197** 22
bette à carde **59** 28
betterave fourragère **70** 21
~ à sucre **69** 44
beurre **98** 22
~ de coco **98** 23
~ végétal **98** 23
beurrier **46** 36
BF **236** 31
biberon **30** 46
Bible **311** 14
bibliothécaire *f* **250** 14
~ *m* **250** 19
bibliothèque **47** 4, **218** 25
~ de consultation **250** 17
~ universitaire **250** 11-25
biceps **20** 37
~ crural **20** 61
biche **88** 1, **308** 14
~ adulte **88** 1
biconcave **108** 2, 7
bicyclette **180, 181**
~ de course de fond **273** 15
~ p. dame **181** 8
~ de démonstration **287** 32
~ p. enfant **181** 13
~ p. homme **180** 1
~ de tourisme **180** 1
bidet **51** 51
bidon à eau **190** 23
~ à essence **191** 22
~ à (de) lait **76** 34, **77** 2
~ de laque **121** 10
~ mélangeur **190** 22
~ de mixage **190** 22
~ de rafraîchissement **273** 10
~ à térébenthine **121** 8
~ de vernis **121** 7
bief (d')amont **91** 41, **212** 25, 37
~ (d')aval **91** 44, **212** 17, 29
~ du moulin **91** 44
bielle **184** 55
~ d'accouplement **205** 11
~ de frein **180** 66
~ de guidage **206** 12
~ pendante **186** 40
~ de poussée **182** 48
~ du sommier **159** 52
bière *[boisson]* **93** 40
~ *[cercueil]* **312** 51
~ en bouteille **93** 40
bière d'exportation **93** 45
bi-focal **108** 11
~-forces **108** 11
~moteur **226** 3
~place **187** 11, **209** 17, **269** 61
~plan **225** 7
bifteck **96** 20
bifurcation **199** 23, **219** 64
bigarreau **61** 5
bigorne **119** 47, **132** 11, 18
~ p. façonner les bourrelets **119** 9
bigoudi **103** 35
bijou **38** 1-33
bijouterie **256** 62
bilboquet **30** 29
billard **264** 1-19
~ allemand **264** 7
~ anglais **264** 7
~ à carambolage **264** 7
~ français **264** 7
~ à trous **264** 7
bille *[arbre]* **84** 21
~ *[Techn.]* **180** 56
~ *[stylo]* **239** 29
~ *[jeu]* **258** 57
~ d'acier **136** 68
~ d'essai **331** 46
~ de ponçage **173** 32
billet **200** 36, **203** 48
~ aller et retour **203** 48
~ de banque **244** 29-39
~ de chemin de fer **203** 48
~ de cinéma **295** 3
~ de théâtre **296** 11
billon de chargement **85** 5
billot **53** 9, **64** 18, **119** 18
binette **58** 12
~ sarcleuse **66** 33
bineuse **68** 45
biniou **301** 8
binocle **108** 28
bisaiguë **115** 72
biscotin **97** 20
biscotte **97** 43
biscuit **97** 42
biseau *[outil]* **323** 7
~ *[tuyau d'orgue]* **305** 27
bison **309** 9, **352** 9
bissectrice **328** 30
bistorte **360** 10
bistrot **260** 1-29
bitte **212** 12
~ en double croix **212** 14
~ d'enroulement en croix **212** 13
bitume **139** 47
biveau **115** 82
Black Friar **314** 19
blaireau *[Zool.]* **88** 48

blaireau *[à savonner]* **104** 35
~ *[de peintre]* **121** 20
blanc *[couleur]* **320** 11
~ *[Hér.]* **246** 25
~ *[linge]* **256** 57
~ *[Typ.]* **169** 8
~ de champignon **365** 2
~ de chaux **121** 3
~ du grand fond **178** 57
~ d'œuf **75** 51
~ du petit fond **178** 55
~ de pied **178** 58
~ de tête **178** 56
blanche *[note]* **299** 16
blanchet en caoutchouc **174** 9, 42
blanchiment *[peinture]* **121** 1-3
~ *[Tiss.]* **163** 21
~ de la chaîne d'ensouple **161** 40
~ des fibres textiles **161**
blanchissage **166**
blanchisserie **166** 1-40
blanchisseuse **53** 67
blason **246** 1-6
~ d'alliance **246** 10-13
~ double **246** 10-13
~ de ville **246** 46
blatte des cuisines **341** 18
~ orientale **341** 18
blé **69** 1, 23
~ d'Espagne **69** 31
~ à grains vêtus **69** 24
~ noir **70** 20
~ de Turquie **69** 31
blessé **253** 68
~ sans connaissance **17** 18
bleu *[couleur]* **320** 3
~ *[Hér.]* **246** 28
~ ciel **320** 6
~ de lessive **53** 58
bleuet des blés **63** 1
blimp **292** 48
blindage **236** 23
~ frontal **223** 59
~ insonorisant **292** 48
~ pare-éclats **222** 42
~ de protection de béton **1** 31
~ de protection contre les rayons **2** 31
~ du transformateur **146** 40
blizzard **286** 4
bloc **241** 38
~ d'accord **235** 18
~ d'agrafes **178** 21
bloc d'assurance **282** 10
~ de bois **322** 27, **323** 1
~ caoutchouc **180** 85
~ cartes **241** 36
~ de chauffage **177** 27
~ de commande à arbres à cames **206** 8
~-couronne **139** 2
~ à croquis **321** 35
~ des cylindres **184** 25
~ de départ **268** 27
~ à dessin **321** 35
~ échelonné **12** 8
~ des fiches d'arrivée **259** 12
~ à galets **139** 55
~ d'habitation **39** 77-81
~ d'immeubles locatifs **252** 49
~ moteur **182** 6
~ de neige **336** 5
~-note de caisse **238** 54
~-notes **238** 17
~ passerelle **216** 23
~ de pierre **322** 5
~ de rocher **282** 10
~ de section **199** 62
~ de serrage **127** 41
~ sténo **238** 11
blocage *[football]* **274** 59
~ des aiguilles **199** 58
~ à came **67** 61
~ du chariot **171** 15
~ du pivotement de la base **171** 8
blochet **116** 50
blocs faillés **12** 4-11
blouse **32** 19, **50** 2
~ du dessinateur **144** 24
~ du médecin **26** 13
~ mouchetée **31** 60
~ de l'opérateur **28** 21
~ de travail **144** 24
blouson **34** 23
~ de cuir **190** 16
~ d'entraînement **280** 58
~ de sport p. filles **31** 40
bluet **63** 1
blutoir horizontal **91** 58
~ trieur **91** 59
bob à deux **285** 5
bobinage **163** 25
bobine **102** 35, **156** 2, **233** 60
~ d'allumage **184** 8
~ de bande **306** 15
~ de la bande magnétique **293** 5
bobine de basse tension **332** 8
~ à câble **255** 55
~ de carte brute **168** 32
~ conique à fil croisé **161** 52, **163** 27
~ de continu **158** 15
~ croisée **157** 58
~ croisée à fil croisé **158** 8
~ cylindrique à fil croisé **161** 52
~ de déviation **236** 25
~ de fil **102** 20, **178** 18
~ à fil croisé **158** 24
~ en forme de bouteille **160** 4
~ de haute tension **332** 9
~ d'induction **11** 44
~ de papier **175** 46
~ de papier brut **168** 32
~ à (de la) pellicule **295** 27, 32
~ à pellicule ignifugée **295** 27
~ primaire **332** 34
~ refroidie par un circuit d'huile **295** 27
~ du ruban **240** 18
~ secondaire **332** 35
~ de self-induction **234** 25
~ de soie à coudre **102** 50
bobineur **141** 69
bobineuse **163** 26
~ double **168** 43
bobinoir à fil croisé **158** 1
bobinot **157** 23
bobsleigh **285** 5-10
~-traîneau **285** 5
~ à volant de direction **285** 5
bocal *[instr. de mus.]* **303** 71
~ à conserves **41** 66
~ de couvée **89** 56
~ à miel **78** 63
boccia italienne **287** 21
bock *[verre]* **260** 3
Bodhisattva **319** 10
bœuf **74** 1, **94** 2
~ *[viande]* **95** 14-37
~ musqué **352** 10
boggie **204** 3, 61
~ porteur **226** 48
~ suspendu sur caoutchouc **193** 5
bohémienne **289** 36
bois *[forêt]* **84** 1-34
~ *[instruments]* **302** 28-38
~ *[gibier]* **88** 5-11, 29-31
bois d'allumage **52** 61, **53** 8
~ d'arbres feuillus **16** 4
~ avivé **115** 10
~ de bâtis **127** 35
~ de brin **115** 87
~ de cerf **262** 27
~ cintré **287** 39
~ de conifères **16** 1
~ de construction **115** 83-96
~ coupé en croix **115** 90
~ debout **115** 92
~ à enfonçures **130** 8
~ équarri **115** 10
~ d'équarrissage **115** 88
~-flèche **335** 39
~-joli **361** 10
~ à lancer **335** 39
~ de lit **48** 3-5
~ de long **115** 2
~ mi-plat **115** 88
~ non travaillé **129** 21
~ d'œuvre **115** 10, 83-96
~ parfait **115** 84, **149** 41
~ précieux **127** 34
~ refendu **115** 88
~ rond **115** 35
boîte d'alimentation **156** 9
~ d'alimentation de betteraves **67** 34
~ d'allumettes **105** 25
~ de bière **93** 39
~ à biscuits **45** 35
~ de bonbons **98** 79
~ à bornes **147** 60
~ des broches d'alésage (de perçage) **143** 34
~ à case **99** 17
~ de changement de vitesse **142** 7
~ p. chevilles de bois **99** 17
~ de cigares **105** 1
~ à cigarettes **47** 32
~ de classement **238** 25
~ à clous **99** 17
~ de conserves de fruits **98** 16
~ de conserves de légumes **98** 17
~ à coton **30** 49
~ à couleurs **321** 10
~ à coupes obliques **127** 50
~ de culasse **87** 16
~ de cure-dents **260** 23
~ de dérivation étanche **120** 15
~ de développement **112** 13

boîte d'essieu **204** 66, **205** 10
~ à étoupe **205** 32
~ p. l'expédition des poussins **75** 40
~ à l'expédition de la reine **78** 44
~ à feu **205** 64
~ à gants **186** 21
~ à gâteaux **97** 4
~ inférieure **141** 21
~ à instruments **10** 62, **144** 10
~ aux lettres **43** 33, **231** 27
boîte aux lettres-avion **231** 28
~ de la gare **200** 52
~ de quai **201** 46
~ du wagon-poste **203** 20
boîte métallique fermée **10** 11
~ de mitre **127** 50
~ à moule fermée **141** 19
~ à moule ouverte **141** 25
~ à musique **306** 1
~ à navettes **159** 9
~ Norton **142** 8
~ à œufs **75** 36
~ à onglets **127** 50
~ à onguent **30** 43
~ à outils **144** 10, **192** 37
~ à pain **41** 6
~ de peinture **50** 31
~ de pharmacie **266** 15
~-piège **86** 20
~ à pilules **23** 8
~ à poinçons **106** 30
~ portoir de semis **79** 51
~ postale **231** 8
~ à poudre **30** 38
~ de protection isolante en bois **10** 51
~ à raclures **106** 47
~ de sardines **98** 19
~ du souffleur **297** 27
~ supérieure **141** 20
~ à surprise **289** 56
~ à tabac **259** 50
~ à tartes **97** 4
~ de vanne **212** 54
~ à vaseline **30** 43
~ à vers **89** 19
~ de viande en conserve **98** 20
~ de vitesses **186** 55-62, **207** 2
~ de vitesse synchromesh **186** 60
boîtier **10** 43, **147** 37, **306** 10, **333** 26
~ de l'appareil **2** 5
~ de la batterie **111** 50
~ de bielles **205** 31
boîtier des canettes vides **159** 21
~ des commutateurs **162** 25
~ d'évacuation de la vapeur **161** 4
~ en fonte **120** 17
~ de fusible **120** 38
~ à glaçons **42** 6
~ de l'instrument **2** 22
~ de la lampe **112** 29, 56
~ de renvoi de direction **186** 39
~ du téléphone **233** 25
~ de visée **111** 16
~ de vitesse **156** 57
bol à punch **45** 44
~ p. tremper les doigts **103** 2
bola **335** 31
boléro *[danse]* **288** 39
~ *[Vêt.]* **32** 29
bolet châtain **365** 15
~ comestible **365** 16
~ jaune **365** 21
~ raboteux **365** 22
~ Satan **363** 12
~ scabre **365** 22
bombarde **301** 13
bombardement par un neutron **1** 14, 23
bombardon **302** 44
bombe *[attrape]* **289** 53
~ atomique **1** 47
~ au cobalt **2** 28
~ glacée **261** 34
bombyx disparate **81** 1
~ à livrée **81** 13
~ du mûrier **342** 48
bôme **214** 44
bon bout **99** 56
~ de caisse acquitté **256** 7
bonbon **98** 75
~ au cognac **98** 83
~ aux fruits **98** 76
~ praliné **98** 80
bonbonne **202** 14
bonde **126** 29
~ siphoïde d'évacuation **51** 18
~ de trop-plein **51** 18
bondon **126** 28
bondonnière **126** 1
bongos **303** 58
bonhomme de neige **286** 12
bonimenteur **291** 10
bonne **41** 32
~ d'enfant(s) **30** 9, **49** 1, **258** 12
~ à tout faire **45** 54
bonnet **36** 29, **289** 23, **338** 71
~ de bain **267** 29, 44
~ de daim **36** 44
bonnet de fou **289** 39
~ de fourrure **32** 46
~ à grelot **289** 39
~ jacobin **36** 2
~ de meunier **36** 2
~ de nuit **36** 2
~ en papier **289** 45
~ de pâtissier **97** 34
~ en peau de mouton **336** 23
~ phrygien **36** 2
~ à pointe **36** 2
bonneterie **256** 56
bonnette **213** 34
~ à œuf **45** 39
~ à théière **45** 51
boomerang **335** 39
Bootes **5** 30
borax à souder **106** 40
bord *[chapeau]* **36** 15
~ *[montagne]* **12** 43
~ apparent **117** 86
~ de la couche **13** 21
~ cubital de la main **21** 70
~ escarpé **12** 43
~ du limbe **354** 43-50
~ radial de la main **21** 69
~ recouvert **117** 88
~ de traverse **210** 3
~ du trottoir **194** 8
bordage en carvelle **270** 22
~ à clin **269** 33
~ extérieur **269** 33, 48
bordé **270** 19-26
~ de carène **217** 41-46
~ à clins **270** 19-21
~ extérieur **226** 74
~ à franc-bord **270** 22
~ à franc-bord en diagonale **270** 25
~ imbriqué **270** 19-21
~ intérieur **270** 26
~ à rivolins **221** 51
bordure *[Cout.]* **102** 5
~ *[chapeau]* **36** 16
~ *[panier]* **130** 17
~ d'arceaux **79** 37
~ du bassin **257** 25
~ de (en) béton **197** 38, **284** 41
~ en bois **197** 38
~ de briques **79** 39
~ en caoutchouc **43** 29
~ de ciment **55** 20
~ du haut **121** 33
~ en paille tressée **36** 37
~ de papier **121** 33
~ de la pompe **254** 65
~ de protection **43** 29, **197** 38
~ du quai **201** 21
~ du sentier **257** 37
bordure tricotée **36** 45
~ du trottoir **194** 9
borne *[pierre]* **53** 22
~ *[Base-ball]* **275** 42
~ à basse tension **146** 44
~ cadastrale **65** 2
~ d'éclairage **190** 30
~ à haute tension **146** 43
~ hectométrique **198** 83
~ d'incendie **255** 35
~ kilométrique **16** 109, **198** 82
~ à pôle **192** 39
~ de raccord **332** 12
Boschiman **337** 29
bosquet **257** 4
bossage rustique **317** 51
bosse frontale **18** 5
~ de triage **202** 49
bossoir **216** 45, **218** 20
~ d'embarcation **222** 12
bostryche de l'épicéa **82** 22
botanique générale **354**
botte *[chaussure]* **100** 15
~ d'équitation **272** 54
~ évasée à revers **338** 58
~ feutrée **336** 30
~ de marche **100** 28
~ de motocycliste **190** 19
~ de paille **76** 9
~ à tige haute **100** 15
bottine **99** 38-55, **100** 8
~ à élastiques **100** 26
~ de patinage **284** 31
~ à tirant **100** 26
bouc **74** 14
bouche *[Anat.]* **18** 13, **21** 14-37, **73** 9
~ *[tuyau d'orgue]* **305** 25
~ d'accès **254** 51
~ d'aération **51** 49, **145** 51
~ à air chaud **44** 16, **47** 2
~ d'amenée d'air froid **92** 20
~-bouteilles **80** 27
~ de coulée **172** 17
~ d'égout **194** 22, **253** 49
~ du métro(politain) **252** 25
~ d'incendie souterraine **255** 25
~ de sortie de la soufflante **158** 5
boucher **94** 1
~-charcutier **96** 9
boucherie **96** 1-28
~-charcuterie **96**

bouchon **331** 13
~ de bouteille **93** 41
~ p. bouteilles **80** 29
~ de champagne **259** 58
~ enjoliveur du radiateur **187** 3
~ glisseur **89** 53
~ de (en) liège **80** 29, **89** 52
~ de madriers **224** 2
~ octogonal de sécurité **333** 4
~ de poutres **224** 2
~ de prélart **224** 2
~ de radiateur **185** 10
~-robinet **334** 44
~ de sécurité **333** 4
~ toupie **89** 52
~ de verre **112** 11
boucle *[fermeture]* **249** 44, **338** 23
~ *[corde]* **117** 68
~ *[courroie]* **282** 53
~ *[cheveux]* **35** 3
~ *[Patin.]* **284** 17
~ *[looping]* **271** 17
~ de ceinture **37** 14
~ de chaussure **38** 10
~ d'oreille **38** 2, 7
~ du soulier **100** 38
bouclier *[armure]* **213** 17, **337** 10
~ *[taloche]* **113** 57
~ latéral **212** 67
~ rond **310** 57
Bouddha **319** 20
boudin de pâte **154** 8
~ de roue **204** 63
boudineuse **151** 11
boue **11** 51
~ préparée **262** 39
~ thérapeutique **262** 39
bouée **90** 2, **219** 46,
~ de bâbord **219** 70
~ en cône tronqué **219** 52
~-culotte **224** 51
~ à espar **219** 54
~ à fuseau **219** 54
~ lumineuse à cloche **219** 49
~ lumineuse de nuit **216** 63
~ de nuit **216** 63
~ de sauvetage **224** 45, **267** 3
~ à sifflet **219** 45
~-sphère conique **219** 51
~ de tribord **219** 71
~ de virage **270** 55
boueur **257** 67
bouffon **289** 38, 69, **290** 24
bougeoir **47** 27
bougie *[chandelle]* **47** 24
bougie *[moteur]* **184** 4
~ de cire **78** 66
~ de démarrage **227** 15
~ à incandescence de préchauffage **184** 64
bougnou **137** 30
bougran **102** 67
bouilleur **3** 15
bouillie **83** 15
bouilloire **41** 73
~ électrique **42** 15
~ à thé **45** 49
bouillon-blanc **360** 9
~ cube **98** 27
bouillotte en caoutchouc **23** 27
~ en métal **23** 14
boulangerie **97**, **253** 52
~-pâtisserie **97** 1-56
boule *[roulette]* **263** 33
~ *[quilles]* **287** 3
~ à bas **102** 63
~ de Berlin **97** 7
~ de billard **264** 1
~ blanche à jouer **264** 11
~ blanche à pointer **264** 13
~ à compter **249** 39
~ conductrice **331** 61
~ de cordonnier **99** 25
~ de croquet **275** 67
~ enveloppée de cuir **335** 32
~ à graver **106** 34
~ en ivoire **264** 1
~ de jeu à rainures **287** 24
~ en matière synthétique **264** 1
~ de métal **335** 32
~ de neige **286** 15
~ de neige *[Bot.]* **357** 10
~ de papier **289** 55
~ de pierre **335** 32
~ de quilles **287** 3
~ à repriser **102** 63
~ rouge **264** 12
~ roulante **290** 60
~ de rumba **303** 59
~ de tempête **220** 6, **267** 4
~ à thé **41** 81
~ de verre **99** 25
bouleau **257** 40, **355** 9
bouledogue **71** 1
boulet *[ramoneur]* **40** 32
~ *[cheval]* **73** 24
boulevard extérieur **252** 3
boulier **249** 38
boulin **113** 27, **114** 49
bouline **213** 35
boulon **94** 5, **116** 98
boulon d'assemblage d'escalier **118** 46
~ central d'articulation **186** 47
~ d'éclisse **198** 44
~ hexagonal **136** 13
~ de jumelage **198** 46
~ à œil de fermeture **161** 62
bouquet *[Art]* **317** 37
~ de faîtage **115** 8
~ de fleurs **259** 37
~ de la mariée **313** 17
~ parfait **62** 6
bouquetin **352** 7
bouquin *[Zool.]* **74** 18, **88** 59
bourdaine **364** 13
bourdon *[Zool.]* **342** 23
~ *[instr. de mus.]* **301** 11, 31
bourgeois **338** 73
bourgeon *[Bot.]* **57** 26, **61** 22
~ *[Art]* **317** 37
~ axillaire **354** 25
~ à feuilles **61** 47
~ terminal **354** 22
Bourguignon **338** 40
bourrage **147** 45
bourre **87** 52
bourrée **84** 16
bourrelet **246** 2
~ en caoutchouc **204** 54
bourrelier-sellier **123** 16
bourrellerie-sellerie **123**
bourreuse de traverses **198** 26
bourriquet à effacer (à grainer) **173** 26
bourron **105** 42
bourse *[portemonnaie]* **308** 24
~ *[maison]* **243** 1-10
~ *[chasse]* **86** 27
~-à-pasteur **63** 9
~ à sonnette **311** 63
~ des valeurs mobilières **243** 1-10
bourses *[Anat.]* **22** 71
boursette **63** 9
bousculade **258** 40
bouse de vache **76** 22
bousier **342** 39
boussole **219** 23-30
bout *[vis]* **136** 23
~ *[cigarette]* **105** 15
~ en attente **113** 61
~ bombé **99** 38
~ de chevron **116** 45
~ coupé **105** 4
~-dehors **284** 48
~-dehors de beaupré **213** 51
~ du doigt **21** 79
bout doré **105** 15
~ dur **99** 38
~ d'entrait **116** 33
~ en escalier **113** 61
~ de fer **99** 58
~-filtre **105** 15
~-liège **105** 15
~ renforcé **99** 38
~ de saucisse **96** 57
~ sphérique **136** 20, 48
boutée **233** 28
bouteille **260** 16
~ d'acétylène **135** 60
~ en acier **229** 5
~ d'air comprimé **223** 31
~ à bière **93** 40
~ à compte-gouttes **112** 12
~ de décapant **127** 12
~ d'eau distillée **192** 45
~ d'éther **28** 38
~ à filtrer **334** 40
~ de gaz carbonique **28** 35
~ de gaz hilarant **28** 34
~ de jus de fruit **98** 18
~ de Leyde **331** 48, 55
~ de limonade **261** 15
~ à (d')oxygène **28** 36, **135** 32, **196** 40
~ de produits chimiques **112** 10
~ remplie de bière **93** 40
~ à trois cols **334** 57
~ de vernis **127** 12
~ à vin **80** 33
~ de vin **260** 43
~ de whisky **47** 44
bouteilles *[vaisseau]* **213** 57
~ à nettoyer **77** 15
bouterolle **132** 12, **134** 69
~ d'abattage **94** 10
~ à manche **132** 33
~ à œil **132** 33
boutique d'angle **253** 40
~ de brocanteur **253** 54
~ de fleurs **253** 24
~ du marché **252** 46
~ de modiste **36** 27-57
~ de vente des légumes **79** 40
boutisse **113** 60
boutoir *[sanglier]* **88** 53
~ *[Techn.]* **198** 16
~ à lame **196** 28
bouton *[Bot.]* **62** 16
~ *[Vêt.]* **32** 51
~ *[pot]* **45** 14

bouton *[épée]* **277** 41
~ *[Techn.]* **234** 41-45
~ d'accord **234** 27
~ d'appel d'essence **183** 63
~ d'appel d'essence du carburateur **182** 31
~ d'arrêt **333** 38
~ de l'avertisseur **182** 24
~ de l'avertisseur sonore **186** 4
~ en bâtonnet **34** 38
~ de capiton **124** 5
~ de chemise **33** 52
~ de col rigide **33** 61
~ de col à tête amovible **33** 61
~ de combinaison **305** 46
~ de commande **41** 37, **147** 6, **172** 15
~ de culotte **34** 29, **37** 27
~ du cylindre **240** 17
~-d'or **359** 8
~ d'éclairage **120** 2
~ à effacer **256** 4
~ d'encrage **241** 7
~ de fleur **60** 27
~ floral **354** 24, **366** 28
~ floral attaqué **81** 11
~ de gilet **34** 45
~ d'interligne variable **240** 31
~ à linge **37** 26
~ de manchette **33** 60
~ de manteau **34** 50
~ du micromètre **15** 52
~ de porte **120** 2
~-poussoir **199** 70, **305** 46
~-poussoir de réenclenchement **120** 19
~-pression **37** 20
~ à pression **239** 27
~ de rebobinage **111** 23
~ de registre **305** 6
~ de réglage **15** 58, **144** 22, **234** 32
bouton de réglage fin **294** 7
~ de la période du pendule **11** 41
~ de la puissance sonore **306** 27
bouton de rose **62** 16
~ rotatif du cylindre **240** 17
~ de sonnerie **120** 2
~ soufré **105** 27
~ de starter **186** 6
~ de la syntonisation **234** 41
bouton de veste **34** 6
boutonnière **34** 7
bouturage par boutures d'œil **57** 22
~ dans l'eau **57** 19
~ de la vigne **57** 22
bouture **57** 20
~ anglaise **57** 22
~ ligneuse **57** 25
~ d'œil **57** 23
~ semée **57** 22
Bouvier **5** 30
bouvreuil **344** 5
bouwette **137** 35
boviné **74** 1
bowls anglais **287** 21
box *[écurie]* **76** 7, **272** 2
~ *[cabane]* **273** 41
~ *[caméra]* **111** 1
~ *[Techn.]* **172** 22
~ individuel **190** 33
boxe **281** 18-46
boxer **71** 10
boxeur professionnel **281** 22
boxing-ball **281** 19
boyau *[pneu]* **180** 30, **273** 19
~ de rechange **273** 23
~ rempli de chair à saucisses **96** 56
bracelet articulé **38** 21
~ en boucles **38** 23
~ en caoutchouc **23** 4
~ d'esclave **38** 15
~ filigrané **38** 16
~-gourmette **38** 18
~ métallique **107** 8
~ de monnaies **38** 5
~ de montre **107** 8
~ plat **38** 15
brachioptère **349** 6
bracket **284** 18
braco **86** 29
braconnier **86** 29
braconnière **310** 49
bractéate **244** 4
bractée **355** 7
bradype **351** 11
braguette **34** 30
braille **325** 15
bramant **86** 12
brame brute **141** 43
brancard *[bière]* **255** 23
~ de caisse **131** 14
~ improvisé **17** 23
~ à roulettes **28** 33
brancardier secouriste **255** 21
brancards **179** 30
branche *[Bot.]* **354** 5
~ *[lunettes]* **108** 16
~ à batterie **108** 24
~ feuillue **355** 29
~ inférieure de la fourche arrière **180** 20
branche à microphone **108** 23
~ de l'osier **355** 29
~ de la parabole **329** 15
~ supérieure de la fourche arrière **180** 19
branchement **199** 22, 25
~ aux abonnés **148** 55
~ de la prise de force **67** 40
~ vers l'usager **254** 52
branches et armature **108** 14-16
brande **361** 19
braque allemand **71** 40
bras *[Anat.]* **18** 43-48, **19** 12-14
~ *[filet]* **90** 14
~ *[roue]* **136** 86
~ *[voilier]* **214** 67
~ amovible **27** 21
~ artificiel **23** 49
~ d'artimon **213** 28
~ du balancier **333** 30
~ de contact **188** 10, **233** 44
~ de coupe oblique **143** 50
~ de direction **189** 46
~ d'embouchure **13** 2
~ d'étouffoir **304** 38
~ de fleuve **13** 2
~ haveur **138** 42
~ d'inclinaison **143** 50
~ inférieurs **193** 17
~ de joug **301** 15
~ libre de la machine **102** 26
~ du manège **64** 59
~ mort **16** 75, **211** 17
~ orientable **47** 50, **192** 62
~ oscillant **185** 27
bras oscillant arrière **182** 5
~ avant **182** 3
~ transversal parallèle **187** 23
bras pétrisseur **97** 75
~ porte-lampes pivotant **171** 23
~ de pression **239** 41
~ réglable **142** 7
~-robot d'un manipulateur jumelé (master-slave) **2** 47
~ en spirale **6** 45
~ supérieurs **193** 16
~-support **161** 68
~ de timon **131** 7
~ de transmission **2** 42, **27** 13
~ transversal **146** 37
~ à ventouses **177** 48
~ du volant **91** 2
brassard **195** 10, **251** 11, **255** 22
brasse *[nager]* **268** 33
~ papillon **268** 34
brasserie **92, 93**
brasseur **92** 32
brassie **276** 69
brassière **31** 17
break **179** 2, 33
brebis **74** 13
brèche de matière éruptive **11** 27
breloque **38** 32
Brésil **14** 33
bretèche **310** 20
bretelle **33** 12
bretelles **31** 52
bretzel **97** 48
brève **299** 14
bréviaire **314** 18
bric-à-brac **52** 73, **291** 60
brick **215** 17
bricolage **50** 20-31
bricole **72** 24
bride **72** 7-13
~ de fixation de la boîte de vitesse **186** 57
~ de raccord **135** 9
bridge **27** 29
brigadier de manœuvre **202** 48
~ de manutention **202** 34
brigantin **215** 14
brigantine d'artimon **213** 29
brillant **38** 26
brillantine **104** 10
~ liquide **104** 12
brimballe de la vis **134** 14
brimbelle **361** 23
brin *[osier]* **130** 14
~ de chanvre **125** 20
~ de clôture **130** 5
~ d'herbe **354** 83-85
~ moteur **139** 6
~ de myrte **313** 21
~ de rempli **130** 5
~ de trame **130** 5
brioche **97** 6
brique cellulaire **151** 28
~ en conduits de cheminée **151** 28
~ creuse **151** 21 et 22
~ de hourdis **151** 26
~ non cuite **151** 16
~ de pavement **151** 27
~ pleine **151** 20
~ pleine calibrée **113** 58
~ pontée de plancher **151** 24
~ poreuse treillisée **151** 23
~ radiale **151** 25
~ réfractaire **135** 43
~ à trous longitudinaux **151** 22

brique à trous transversaux **151** 21
~ vernissée **315** 20
briquet **105** 29
briqueterie **151**
brise-copeaux **149** 57
~-glace **222** 5
~-glace isolé **210** 14
~-lames **13** 37, **212** 16
~-lames de plage avant **222** 46
briseur **156** 53
~ d'avalanche **286** 2
~ de chaînes **291** 28
brisinga endecacnemos **349** 11
brize **70** 26
broc **126** 9
~ de mordant **176** 6
~ à punch **45** 44
~ de toilette **30** 24
brocard **86** 17, **88** 28
brochage **177** 8, 32
broche *[bijou]* **38** 17
~ d'alésage **143** 36
~ d'avance **142** 33
~ de changement de marche **142** 34
~ de chariotage **142** 33
~ d'établi **127** 42
~ du fumoir **96** 48
~ de manœuvre de la table **143** 56
~ nue **157** 52
~ de perçage **143** 25
~ porte-fraise **170** 60
~ réglable **127** 33
~ standard **157** 45
~ de transport **142** 33
brochet commun **350** 16
brochoir **132** 42
brodequin d'alpiniste **282** 49
~ ferré d'alpiniste **282** 46
~ de ski **283** 55-57
broderie **50** 30
~ anglaise **101** 11
~ à la fourche **101** 28
~ de lisière **338** 67
~ sur tulle **101** 15
bronches **22** 5
brosse *[ust.]* **52** 14, **106** 33
~ *[cheveux]* **35** 10
~ *[abeille]* **78** 7
~ d'air **168** 31, 34, 35
~ du balai **52** 22
~ balayeuse **195** 32
~ à blanchir **121** 1
~ de caoutchouc **52** 43
~ à chaussures **52** 40-43
~ à cheveux **51** 76, **104** 8
brosse à chien **71** 28
~ à cils **103** 9
~ à cirage **52** 41
~ cylindrique **195** 32
~ à daim **52** 43
~ à dents **51** 57
~ p. le dos **51** 26
~ à écorcer **83** 30
~ effilée **321** 7
~-émoussoir **58** 21
~ à encoller **121** 37
~ à enduit **121** 1
~ à étendre **52** 41
~ à fond **321** 9
~-grain **91** 56
~ à habits **52** 66
~ à laver **52** 49, **53** 59
~ à main **323** 11
~ à massage **51** 27
~ métallique **135** 13, 56
~ à (de) nettoyage **52** 40, **240** 35
~ de nuque **104** 18
~ à onduler **103** 37
~ à ongles **51** 67
~ de pansage **72** 55
~ de pâtissier **42** 59
~ à plafond **121** 24
~ plate **321** 6
~ à pocher **121** 24
~ à polir **106** 45
~ à reluire **52** 42
~ ronde **321** 8
~ rotative **162** 46
~ de table **45** 58
~ à tamponner **121** 13
~ à tapis **52** 60
brou **61** 42
brouette **113** 37, **114** 42
~ du balayeur **195** 7
~ à fumier **64** 46, **76** 47
~ de jardin **58** 30
brouillard **9** 31
~ élevé **8** 4
broussailles **16** 15
broyage du ciment **152** 14
~ du vieux papier **167** 11
broyeur **153** 6
~ à billes **153** 25
~ à boules **153** 25
~ à (de) charbon **146** 4, **148** 7
~ à cylindres lisses **151** 9
~ cylindrique **154** 1
~ à fourrage **66** 34
~ à mâchoires **150** 20
~ à meules **151** 8
~ à meules verticales **167** 11
bruant **346** 6 et 7
~ commun **346** 6
brucelles **107** 30
bruine **9** 33
brûleur à gaz **41** 36, **133** 3, 53
~ à mazout **40** 58-60
brun **320** 5
brunelle vulgaire **360** 16
brunissoir **323** 17
bruyère **16** 5, **361** 19
~ cendrée **361** 19
~ commune **361** 19
buanderie **53** 50-73, **166** 11
bûche **52** 62, **53** 7, **64** 19
bûcheron **84** 27
bûchette **53** 8
buffet *[armoire]* **45** 42
~ *[restaurant]* **260** 1-11
~ *[gare]* **200** 13
~ d'orgue **305** 1-5
buffle domestique **352** 8
buggy américain **179** 49
~ anglais **179** 48
buis **357** 19
buisson **84** 5
~ d'ornement **257** 14
buissons **16** 15
bulbe *[Bot.]* **57** 28
~ *[Anat.]* **19** 47
~ *[dôme]* **216** 11
~ de la flèche **312** 5
~ rachidien **20** 24
bulbille **359** 38
Bulgarie **14** 3
bulldozer **196** 28, **198** 16
bulletin de bagages **200** 8
~ de notes **249** 53
~ de prêt **250** 25
~ de vote **251** 20
bull-terrier **71** 16
bure **137** 17
bureau *[chambre]* **47** 1-61
~ *[comptoir]* **238-241**
~ *[table]* **47** 11, **238** 12
~ des achats à crédit **256** 27
~ de change **200** 31
~ du chef de district **199** 55
~ du commissaire de marine **218** 40
~ d'études **144**, **217** 2
~ des expéditions **202** 32
~-fumoir **47**
~ de location p. les concerts **256** 26
~ de location p. les théâtres **256** 26
~ du pompiste **190** 9
~ du receveur **231** 23
bureau de renseignements **200** 29
~ de réservation de chambres d'hôtel **200** 28
~ de service de la voie **199** 55
~ de tabac **200** 47
~ de vote **251** 16
~ des voyages **256** 24
burette graduée **334** 21
~ à graisse **192** 50
~ à huile **46** 42, **102** 48
~ d'huile de graissage **191** 14
~ de précision à huile **107** 31
~ à vinaigre **46** 42
burg **80** 20
burin **107** 28
~ à air comprimé **141** 40
~ à contours **323** 5
~ ordinaire **134** 18
~ à os **27** 50
~ rond **323** 20
~ de tourneur **129** 24
burineur **135** 25
burnous **337** 7
burquin **137** 17
bus **188** 5
busard harpaye **347** 13
~ des marais **347** 13
buse *[Zool.]* **347** 9
~ *[Techn.]* **83** 33, 36, **171** 53
~ d'aérage **138** 35
~ d'arrosage **195** 33
~ d'aspiration **221** 57
~ d'aspiration des copeaux **134** 2
~ du chalumeau **135** 54
~ de chargement **221** 58
~ de filage **163** 14
~ à jet horizontal **195** 33
~ à oxygène **334** 13
~ de tuyère d'aspiration **68** 67
busserolle **361** 15
but **270** 59, **274** 2, **275** 1, 13, 24, **280** 7 et 8
~ de cricket **275** 55
~ de water-polo **268** 47
butée **87** 70, **128** 4, **304** 27
~ de basculage **209** 35
~ parallèle **128** 8
~ de toupie **128** 20
butoir *[trottoir]* **53** 22
~ *[ch. de fer]* **199** 40

butoir *[téléférique]* **209** 56
~ *[pare-boules]* **287** 5
~ *[métier]* **159** 44
~ du bras de chasse **159** 65
~ d'étouffoir **304** 39
~ du frappeur **159** 65
~ p. le piquage de la perche **280** 41
butome en ombelle **362** 39
butte de triage **202** 49
butteur **66** 4
butteuse **66** 4
buttoir **67** 16
buvard **249** 50
buvette de quai **201** 48

C

cab anglais **179** 29
cabane **55** 3, **113** 48
~ du vigneron **80** 2
cabaret *[Théâtre]* **298** 1-3
cabas **52** 48, **253** 13
cabestan **212** 22, **255** 56
~ à baleines **90** 31
cabine *[cabane]* **114** 44
~ *[ascenseur]* **256** 46
~ de bain **262** 40, **268** 1
~ circulante **209** 20
~ de commande **196** 2
~ du conducteur **145** 11, **189** 40, **196** 11
~ de conduite **201** 63
~ de conduite de la locomotive électrique **206** 27
~ de contrôle **237** 31-34
~ des coureurs cyclistes **273** 7
~ à deux couchettes **218** 29
~ double **262** 34
~ à douches **51** 14
~ d'enregistrement **293** 1
~ d'essayage **256** 32
~ à grande capacité **209** 52
~ du grutier **114** 35, **217** 16
~ de l'hôtesse **226** 42
~ des juges à l'arrivée **272** 19
~ de la locomotive **205** 40-65
~ de luxe **218** 30
cabine de mixage du son **237** 16
~ d'officier **218** 21, **223** 47
~ panoramique **221** 5
~ aux (des) passagers **209** 28, 52, **226** 45
~ du premier maître **223** 48
~ de prise de son **234** 1-6, **292** 54
~ de projection **295** 12
~ de réalisation technique **234** 18-20
~ du routier **189** 40
~ de séchage **158** 64
~ suspendue **145** 55
~ de téléférique **209** 52
~ téléphonique **231** 24, **243** 10
cabine téléphonique publique **200** 46, **233** 1
~ de quai **201** 44
cabine à une couchette **218** 41
cabinet de consultation **26** 1-25
~ de figures de cire **291** 42
~ des monstres **291** 19
~ du rire **291** 55
~ de toilette **28** 42-45, **51** 29-82, **204** 13
câble **125** 19, **147** 41
~ d'acier **280** 50
~ d'allumage **184** 5
~ d'ancre **213** 18
~ d'arrivée du courant électrique **229** 35
~ auxiliaire **209** 47
~ à baleine **90** 40
~ Bowden **181** 41
~ de caméra **237** 2
~ de commande **256** 53
~ de commande de l'air **182** 30
~ de commande du gaz **182** 29
~ de connexion **111** 51, **241** 51
~ de contact **135** 10
~ p. courant triphasé **147** 42
~ de déclenchement **111** 42
~ diagonal **210** 38
~ électrique **29** 34, **194** 25
~ d'équilibre **209** 46
~ d'extraction **137** 4
~ flexible Bowden **181** 41
~ du fond de scène **297** 8, 13
~ de (du) frein **159** 61, **182** 14
câble de (la) grue **145** 8, **217** 13
~ de guidage **197** 7
~ de halage **138** 43
~ à haute tension **146** 33, **147** 42
~ lest **209** 46
~ de levage **145** 58, **224** 11
~ métallique **189** 29, **290** 41
~ du micro **237** 8
~ du microphone **292** 32
~ de plongée **224** 17
~ porteur **145** 59, **206** 2, **209** 27, 38, 44, **256** 52
câble porteur auxiliaire **193** 42
~ principal **228** 52
~ et tracteur **209** 21
câble principal **194** 25
~ de prise de son **293** 29
~ reliant deux fiches **233** 11
~ de remorque en acier **189** 55
~ de retenue de toit **183** 10
~ sans fin **209** 21, **224** 50
~ de sauvetage **224** 49
~ de serrage **149** 54
~ de soudage à l'arc **135** 12
~ de sûreté **113** 30
~ téléphonique **194** 35, **224** 20
~ tendeur **210** 38
~ tracteur **209** 14, 26, 37, 45
~ de transmission **233** 65, **237** 34
câble de transmission des images **237** 18
~ de l'impulsion cathodique **237** 24
~ du signal vidéo **237** 28
~ du son **237** 23
câble de transport **114** 37
~ de transport à haute tension **146** 32
~ du treuil de chargement **85** 4
câblogramme **232** 13
cabosse **366** 17
caboteur à moteur **216** 38
cabrade **72** 4
cabriole *[danse]* **288** 16
~ *[Equit.]* **72** 5
cabriolet *[coche]* **179** 29, 34
~ *[auto]* **187** 13
cacao *[fève]* **366** 19
~ *[poudre]* **98** 66
cacaotier **366** 16
cacaoyer **366** 16
cacatoès à huppe jaune **345** 1
cachalot **352** 25
cache-cache **258** 1
~-couture **102** 54
~-moyeu **189** 24
~-poussière **32** 42
~-sexe **337** 31
caches **112** 22
cachet d'affranchissement **232** 17
~ d'affranchissement imprimé **232** 3
~ antinévralgique **23** 62
~ du bureau d'origine **232** 39
~ de cire **232** 27
~ postal **231** 49-52, **232** 17
~ de la poste **232** 39
~ au rouleau **231** 49
cadavre **312** 54
caddie **276** 64
cadenas **40** 21, **53** 4
cadette de l'Armée du Salut **257** 63
cadran **107** 2, **235** 21, **241** 34
~ d'appel **233** 18, 26
~ du compteur d'eau **254** 58
~ de contrôle **305** 37, 38
~ des gammes d'ondes **234** 37-40
~ des longueurs d'ondes **234** 37-40
~ de mesure **2** 6
~ solaire **58** 39
cadre **91** 3, **114** 64, **321** 20
~ d'agrandissement **112** 34
~ de bois **249** 33
~ en carton **112** 47
~ de chargement **131** 2
~ de châssis **185** 60
~ de coffrage réglable **114** 78
~ à deux tubes **181** 9
~ de diapositive **112** 49
~ à diapositives **112** 57
~ de fer **304** 2
~ Ferrit **235** 5
~ à filet **101** 25
~ gonio **218** 5
~ métallique **303** 76
~ mobile **297** 22
~ mobile à diapositives **112** 57
~ à photo **112** 47
~-pochoir mobile **162** 60
~ porte-film **171** 58
~ porte-lames **149** 12

cadre porte-plaque **171** 58
~ porteur **158** 6, **160** 33, **185** 60
~ presse-raquette **276** 30
~ de protection des pales **221** 54
~ de recouvrement **112** 34
~ de renforcement **296** 31
~ avec réservoir **181** 46
~ de scie **149** 16
~ de serrage **177** 4
~ sur socle **47** 16, **112** 50
~-support **162** 15
~ de tableau **48** 17
~ à tube ovale **181** 46
~ tubulaire **183** 29
~ tubulaire à suspension indépendante **182** 2
~ du vélo **180** 14-20
~ à vis **114** 74
cadreur **292** 42
caducée **308** 25
cæcum **22** 17
cælostat **6** 15-18
cafard *[Zool.]* **341** 18
café *[grain]* **366** 6
~ *[denrée]* **98** 67
~ *[lieu public]* **261** 1-26
~-concert **298** 1-3
~ express **261** 1-26
~-jardin **261** 27-44
~ de malt **98** 65
~ en plein air **261** 27-44
caféier **366** 1
cafetière **45** 12-17
~ à filtre **42** 17
cage de l'ascenseur **256** 51
~ circulaire **290** 49
~ d'escalier **39** 72
~ d'été **339** 25
~ extérieure **339** 25
~ d'extraction **137** 18, 19
~ de Faraday **331** 45
~ aux fauves **290** 49, **339** 1
~ de laminoir **141** 51-55, 68
~ aux oiseaux **339** 23
~ aux opérations **339** 12
~ du roulement à aiguilles **136** 73
~ aux soins médicaux **339** 12
~ de tambour de hissage **221** 42
~ thoracique **19** 8-11
cageot de fruits **202** 11
~ de légumes **79** 45, **202** 11
cagnard **221** 47
cahier **249** 46
~ de devoirs **249** 30
~ de musique **44** 33
~ de papier **177** 12
~ des rôles **297** 44
~ scolaire **249** 30
~ de timbres-poste **231** 13
caïeu **57** 29
caille **343** 22
caillebotis **25** 5, **113** 79, **219** 17
cailloutis **150** 24
caisse *[monnaie]* **242** 1, **263** 2, **291** 7
~ *[boîte]* **306** 10
~ *[instr. de mus.]* **302** 51, 55, **303** 2
~ aspirante **168** 14
~ d'assiette **223** 43
~ p. l'assortiment de petites pièces **192** 35
~ de bouteilles de bière **93** 35
~ à cadres verticaux **78** 45-50
~ du change **242** 1
~ à charbon **52** 55
~ de chargement **113** 35
~ de cinéma **295** 2
~ à claire-voie **202** 19
~ contenant l'argent **238** 55
~ de coupé **179** 5
~ des effets **242** 1
~ enregistreuse électrique **256** 2
~ d'expédition **202** 25
~ à glaise **322** 30
~ du guichet **231** 16
~ de l'harmonium **304** 47
~ des meules **91** 20
~ à monnaie **260** 47
~ à outils **115** 20
~ p. les petits colis **202** 21
~ de piano **304** 6
~ p. régler les paris **272** 8
~ de résonance **301** 29, **303** 2, 63
~ de résonance sonore **301** 18, 33, **303** 15, 30
~ roulante **302** 51
~ du tympan **19** 60
~ des valeurs **242** 1
~ du violon **302** 3
~ de voiture **204** 4
caissier **242** 2
caissière **256** 1, **260** 46
caisson anti-torpilles **222** 58
~ de chargement **151** 7
~ d'épandage **67** 8
caisson à presser **167** 16
~ ramasseur de boue **194** 23
~ de semence **67** 25
~ à torpilles de réserve **223** 29
cake **97** 45
calandrage chauffé **166** 26
calandre **185** 12
~ du blé **341** 17
~ à chaud **166** 25
~ finisseuse **168** 23
calandreuse **166** 28
calcaire **13** 71-83
calcanéum **19** 27
calcul **326** 23-26
~ algébrique **327** 4 et 5
~ infinitésimal **327** 13 et 14
~ des intérêts simples **327** 7
~ logarithmique **327** 6
cale *[navire]* **224** 33
~ *[clavette]* **114** 15
~ d'accordage **304** 21
~ d'assemblage **122** 31
~ de construction **217** 11-26
~ à échafaudage **217** 19-21
~ étalon combinable **142** 47
~ de freinage **189** 51
~ de halage **217** 11-26
~ à poncer **127** 11
~ à portique **217** 11-18
~ sèche **217** 27-30
calebasse **337** 27
calèche **179** 35
caleçon de bain **267** 43
~ court **33** 56
~ long **33** 58
calendreur **156** 37
calendrier-mémorandum **238** 31
~ mural **238** 2
calibre *[Techn.]* **141** 54, 63, **154** 14, **155** 19
~ *[canon]* **87** 40
~ *[à corder]* **125** 16
~ d'alésage **134** 63
~ à coulisse d'épaisseur **134** 53
~ à coulisse de profondeur **134** 54
~ d'épaisseur **134** 62
~ de filetage **145** 41
~ limite extérieure **142** 49
~-mâchoire double **142** 49
~ de perçage **134** 63
calibre de profondeur **142** 48
~ de tolérance **142** 49
~ à trous **134** 63
calice *[ciboire]* **311** 13, **313** 27, 44
~ *[Bot.]* **60** 8, 22, **61** 50, **358** 8
~ *[rein]* **22** 30
calicule **60** 22
caliorne **216** 4
callimorphe **348** 8
Calliope **308** 68
callune vulgaire **361** 19
calme *[Météor.]* **9** 11
~ équatorial **9** 46
~ subtropical **9** 47
calotte *[chapeau]* **36** 5, **314** 53
~ *[Techn.]* **126** 36
~ antipoussière **180** 82
~ chauffante **126** 35
~ de la cuve **92** 28
~ de gaz **12** 30
~ de grand-père **36** 5
~ métallique **305** 35
~ d'obturation **139** 53
~ de l'opérateur **28** 18
~ de parachute **228** 49
~ pivotante du moulin **91** 30
~ polaire de Mars **7** 14
calumet de paix **335** 6
calvaire **80** 19
calvitie totale **35** 22
cambium **354** 10
cambrure **99** 53
cambuse **218** 37, **223** 38
came **182** 45, **184** 60
camée en broche **38** 22
caméléon **350** 33
camelot **253** 5, **291** 64
~ ambulant **291** 12
caméra **111** 1-27, **294** 1-35
~ d'amateur **294** 24
~ p. l'astrophotographie **6** 3
~ avec dispositif d'arrêt **294** 30
~ électronique **294** 28
~ d'enregistrement du son **292** 56
~ de film de format normal **294** 1
~ de film de format réduit **294** 24
~ sur grue **292** 19
~ à haute fréquence **294** 28
~ insonorisée **292** 47
~ légère **294** 22
~ lourde **294** 1

caméra du microscope **110** 21
~ non-insonore **292** 23
~ p. la photographie des étoiles **6** 3
~ p. prise sélective de plan **294** 30
~ de prise de son photographique **293** 8
caméra à (de, p.) prise de vue muette **292** 23
~ au ralenti **294** 28
~ et de son **294** 23
~ des textes **294** 33
~ des titres **294** 33
~ unique **294** 30
caméra de reportage **294** 23
~ de reproduction **171** 1
~ de reproduction verticale superautomatique **171** 33
~-son **293** 2
~ sonorisée **294** 23
~ spéciale **294** 28-35
~ stéréophonique **294** 39
~ de télévision **237** 1
~ 3 D **294** 47
~ de truquage de table **294** 33
~ verticale superautomatique **171** 33
caméraman **237** 3
camion *[pot]* **121** 27
~ *[à chevaux]* **202** 18
~ d'arrosage **247** 20
~ basculant d'arrière **195** 12
~ de brasseur **93** 38
~ de déménagement **189** 41
~ de dépannage **189** 52
~ dragueur de boue à pompe aspirante **195** 28
~ d'enlèvement des immondices **195** 1
~ d'enlèvement des ordures ménagères **195** 1
~ épandeur de sable **195** 16
~ gadoue-ménagère **195** 1
~ à grande capacité **189** 39
~ de gros tonnages **189** 39
~-grue **189** 52
~-grue p. les poseurs de la voie **208** 36
~ grue-rail-route **208** 36
camion avec grue p. la collecte de la boue **195** 25
~ lourd **196** 7
~ p. le nettoyage des égouts **195** 25
~ poids-lourd **189** 14-50
~ ramasse-neige **195** 13
~ à ridelles **189** 14
~ à six roues **189** 44
~-tracteur **189** 45
~ à triple mouvement de bascule hydraulique de la benne **189** 18
~ de vidange des fosses d'aisance **195** 34
~ de voirie **286** 7
camionnette **189** 1-13
~ d'exposition **189** 9
~ fermée **189** 7
~-plateau **189** 10
~ publicitaire **189** 9
~ à quatre roues motrices **189** 11
~ surbaissée **189** 6
~ p. le transport des bestiaux **189** 8
camionneur **202** 16
camomille d'Allemagne **364** 1
~ des champs **63** 8
~ commune **364** 1
camp des pilotes de vol à voile **271** 39
campagne *[pays plat]* **65** 17
campagnol **351** 17
campanile **316** 65
campanule à feuilles rondes **359** 14
camphrier **364** 18
camping **266**
Canada **14** 29
canal **16** 57, **212** 15-28, **268** 22
~ des aiguilles **160** 15
~ d'aspiration des poussières **156** 22
~ de la cheminée **40** 40
~ cholédoque **22** 37 et 38
~ cystique **22** 38
~ de décharge du tissu **161** 33
~ des eaux de trop-plein **254** 23
~ d'écoulement **65** 45
~ d'éruption **11** 17
~ hépatique **22** 37
~ de Mars **7** 15
~ p. le nettoyage des grumes **149** 36
~ du port **220** 27
canal aux radeaux **269** 60
~ son **236** 16
~ de travail **155** 6
canali **117** 58
canalisation d'air **133** 5
~ d'air chaud **133** 57
~ d'alimentation **155** 2
~ circulaire **140** 46
~ de gaz **194** 26
canapé Louis-Philippe **318** 17
canard *[Zool.]* **74** 35
~ *[avion]* **225** 36
~ *[planeur]* **271** 42
~ à bascule **49** 15
~ sauvage **86** 41
Cancer **6** 35
cancrelat **341** 18
candélabre **312** 56
cane **74** 35
caneton **74** 35
canette **156** 2, **159** 7, 30
~ p. le fil de dessous **102** 39
~ vide p. le fil de dessous **102** 36
caniche nain **71** 14
canidé **352** 11-13
canine **21** 17
Canis major **5** 14
~ minor **5** 15
caniveau **194** 7, **198** 63
~ d'écoulement **196** 63
canne *[Bot.]* **130** 27
~ *[badine]* **43** 15
~ *[pêche]* **89** 20-30
~ en bambou (noir) **89** 26
~ en bambou refendu **89** 20-23
~ à deux mains **89** 22
~ en fibres de verre **89** 24
~ de hockey sur glace **284** 37 et 38
~ de jonc **362** 21
~ à lancer **89** 23
~ à lancer à une main **89** 20
~ à mouche **89** 23
~ parapluie **43** 11
~ à pêche en bambou **89** 26
~ p. la pêche au coup **89** 22
~ du porion **138** 53
~-siège de chasse **86** 10
~ à sucre **366** 52
~ à une main **89** 20
canneberge **361** 23
cannelier **366** 22
cannelle **98** 44, **366** 25
cannelure **149** 14, **316** 27
canoë canadien **269** 3
~ des Indiens des forêts **335** 19
canon *[pièce d'artillerie]* **90** 41
~ *[tube]* **223** 68
~ *[clé]* **134** 46
~ *[cheval]* **73** 23
~ *[Mus.]* **300** 46-48
~ à âme lisse **87** 27
~ à âme rayée **87** 26
~ d'arrière-bras **310** 47
~ d'autel **311** 38
~ d'avant-bras **310** 47
~ à balles **87** 26
~ à eau **297** 18
~ à grande puissance **255** 66
~ lance-harpons **90** 53-59
~ lisse **87** 27
~ à plombs **87** 27
~ porte-amarre **224** 52 et 53
~ de 88 à tir rapide **223** 45
~ rayé **87** 34
canon **13** 45
canot **257** 51
~ automobile **267** 13, **269** 2
~ de course **269** 9-16, **273** 46-50
~ de course à huit rameurs **269** 10
~ de course à moteur **269** 6
~ démontable **269** 54-66
~ à deux rameurs **269** 15
~ à franc-bord **269** 9
~ à moteur hors-bord **269** 6, **273** 48
~ pliant **269** 54-66
~ pneumatique **222** 76
~ à propulsion longitudinale **273** 46
~ à quatre rameurs sans barreur **269** 9
~ à rames **269** 9-15
~ à rowlock **269** 26-33
~ de sauvetage **218** 19, **224** 44
~ à un rameur avec barreur **269** 18
canotage **269** 1-66
canotier *[chapeau]* **36** 22
cantatrice **296** 23
cantine *[malle]* **201** 12
canton *[blason]* **246** 18-23
cantonnier **198** 20
cantre **158** 25
canule **26** 31

caoutchouc *[galoche]* **100** 27
~ de bocal **41** 68
~ mousse **51** 75
capacité gazométrique **148** 58
~ de refoulement **135** 34
caparaçon **310** 74
cape *[manteau]* **338** 29
~ *[toréador]* **287** 60
~ *[cigare]* **105** 5
capeador **287** 59
capeline **36** 39, **257** 64
Capella **5** 27
capillarité **331** 43
capitaine **219** 22
capital **327** 7
capitale *[lettre]* **170** 11, **324** 16
capiteret **116** 17
capitule **63** 14, **354** 73, **362** 7
~ concave **354** 75
~ convexe **354** 74
capot *[prélart]* **216** 51
~ *[auto]* **286** 10
~ de cheminée **222** 40
~ du collecteur de poussière **128** 51
~ d'évacuation des copeaux **128** 17
~ du moteur **185** 8, **187** 2
~ du transformateur **146** 40
capote *[bonnet]* **258** 15, **289** 23
~ *[bâche]* **30** 35, **258** 32
~ pliante **179** 52
~ rabattable **187** 14
~ de la voiture **179** 42
câpre **98** 42
Capricorne **5** 36, **6** 41
Capricornus **5** 36, **6** 41
capro-lactame **164** 28
capselle **63** 9
capsulage des bouteilles **77** 13-22
capsule de bouteille **93** 43
~ de coquelicot **63** 5
~ du cotonnier **156** 1
~ en étain **93** 44
~ loculaire **354** 94
~ à membrane **26** 15
~ mûre **366** 44
~ operculée **354** 95
~ ouverte **359** 27
~ en porcelaine **334** 29
~ poreuse **354** 96
capsule de refroidissement **334** 29
~ surrénale **22** 29
~ témoin à œillets **154** 2
capsuleuse **77** 22
captage d'une source **254** 24-39
capuche **32** 43, **179** 32
capuchon *[Vêt.]* **31** 26, **314** 16
~ *[stylo]* **239** 24
~ de fusible **120** 37
~ de valve **180** 32
~ de ventilateur **218** 36
capucine *[Bot.]* **56** 4
car de voyage **188** 1
carabidé **342** 39
carabine **86** 4, 30, **87** 1
~ à air comprimé **258** 3
~ à répétition **87** 2
caractère *[Typ.]* **169** 7, **240** 19, **325** 1-15
~ demi-gras **170** 3
~ gras **170** 9
~ gras étroit **170** 10
~ italique **170** 7
~ machine **325** 9
~ maigre **170** 8
~ sténographique **325** 13
~ trois-quart gras **170** 2
caractéristique *[Math.]* **327** 6
carafe en étain **262** 30
~ de vin **260** 32
carafon à liqueur **46** 48
carambole **264** 12
caramel **98** 77
carapace **350** 29
caravane de chameaux **337** 1
caravelle **213** 27-43, **215** 37
carbonate de chaux **330** 22
carborundum **27** 38
carburant chauffé **3** 16
~ Diesel **139** 43
~ léger **139** 38
carburateur **184** 2
~ de motos **183** 53-69
~ de scooters **183** 53-69
~ à tiroir unique **183** 53-69
carcal en pyramide **65** 43
~ à traverses **65** 42
carcasse du canot **269** 66
cardamine des prés **359** 11
cardan **185** 53
carde à chapeaux **156** 34
cardeuse à crin végétal **124** 2
~-dévrillonneuse **124** 1
~ à kapok **124** 2
~ à main **124** 17
~ de table **124** 2
cardia **22** 41
cardigan **32** 39
cardinal *[Égl.]* **314** 49
~ *[Zool.]* **345** 5
~ huppé **345** 5
carénage **217** 27-30
~ en tôle d'acier **181** 47
Carène **5** 46
carène de dirigeable **226** 73
caret **350** 28
cargaison **218** 67
cargo p. distances moyennes **216** 13
~ fruitier **216** 8
~ lourd **216** 1
~ mixte passagers-marchandises **218** 1-71
~ à moteur **216** 13
cargue-fond **213** 36, **214** 71
cariatide **316** 36
caricature **289** 63, **325** 48
Carina **5** 46
carlin **71** 9
carlingue **271** 47
~ centrale **217** 50
~ latérale **217** 49
~ de pilotage **226** 37
carnassier **86** 22, **352** 11-17, **353** 1-11
carnassière **86** 3
carnaval **289**
carnet de billets **201** 55
~ du jour **325** 51
~ de notes **249** 53
~ du régisseur **297** 41
~ de tickets circulaires **201** 55
~ de timbres-poste **231** 12
carnivore **361** 13, 14
caroncule **343** 17
carotide **20** 1
carotte *[chique]* **105** 23
~ grelot **59** 18
~ à racine courte **59** 18
~ à racine longue **59** 17
~ ronde **59** 18
caroubier **368** 41
carpe *[Anat.]* **19** 15
~ *[Zool.]* **350** 4
~ d'étang **350** 4
~ miroitée **350** 4
carpelle **358** 2, 26
carpette **45** 64
~ autour du lit **48** 33
~ en caoutchouc mousse **51** 75
carpocapse **60** 62, **81** 9
carpophore **365** 2
carquois **287** 46, **308** 13, **335** 27
carre en acier *[ski]* **283** 39
carré *[Géom.]* **328** 33, **329** 31
~ *[profilé]* **136** 9
~ de jeu **275** 39
~ de service **276** 12
carreau *[verre]* **122** 16
~ *[navire]* **217** 41
~ *[jeu]* **265** 41
~ p. murs **41** 51
~ de poêle en faïence **260** 35
carrefour **253** 9
carrelage **51** 28, **118** 26
carrelet *[pêche]* **89** 17
~ *[aiguille]* **123** 29
carrier **150** 5
carrière **150** 1
~ à chaux **153** 1
~ de pierre **16** 87
carrosse du capitaine **213** 45
carrosserie de l'auto **185** 1-58
~ monobloc emboutie **185** 1
~ tout acier **185** 1
carrousel *[foire]* **291** 2
~ *[table]* **177** 36
~ volant **291** 4
cartable **249** 41
carte *[menu]* **260** 21
~ allemande **265** 42
~ apprêtée **321** 22
~ céleste **5** 1-35
~ du ciel étoilé du nord **5** 1-35
~ des climats **9** 40-58
~ de contrôle **145** 86
~ deux volets **232** 4
~ d'électeur **251** 19
~ de l'Europe **249** 21
~ de fil à repriser **102** 51
~ géographique **15**, **16**
~ grattée **321** 41
~ de l'hémisphère nord **5** 1-35
~ à jouer **265** 36
~-lettre **232** 1
~ météorologique **9** 1-39
~ du monde **15** 10-45, **249** 20

carte murale
249 20 et 21
~ perforée **241** 61
~ postale **232** 2
~ postale illustrée
232 5
~ radar **230** 51
~-réponse **232** 4
~ schématique des lignes **200** 33
~ du temps **9** 1-39
~ de la terre
15 10-45
~ des vins **260** 31
~ de visite **43** 22
carter **136** 77, **166** 7, **180** 37
~ de l'aspirateur
52 6
~ d'aspiration
157 44
~ de boîte à vitesses
133 36
~ de chaîne **181** 51
~ des cônes **156** 30
~ contenant l'eau de rinçage **166** 4
~ contenant la lessive **166** 4
~ des engrenages
129 4, **157** 2, 33, 39, **162** 10
~ à huile **143** 6
~ inférieur à huile
184 23, 49
~ du mécanisme de commande
162 32
~ de pédale **180** 80
~ de protection
198 66
~ de protection de la courroie **161** 11
~ des tambours tamiseurs **156** 21
cartilage costal **19** 11
~ thyroïde **22** 3
cartomancienne
291 36
carton bitumé **117** 90
~ à chapeau(x)
36 21, **201** 11
~ feutre **121** 43
~ ondulé **83** 25
~ de table **46** 13
cartothèque **238** 6
cartouche *[Art]*
318 7
~ *[tir]* **87** 54, **150** 27
~ *[stylo]* **239** 28
~ d'acide carbonique **47** 42
~ du dessin **144** 64
~ à gaz **83** 39
~ de papier à cigarettes **105** 19
~ à plombs **87** 49
~ de sûreté **120** 35
cartouchière **247** 7
carval **116** 94
caryophyllacées **62** 6
caryopse **69** 13, 25, **359** 43
casaque en soie
272 57
cascade **257** 9
case *[compartiment]*
259 2
~ blanche **265** 2
~ de germination
92 8
~ noire **265** 3
caserne **252** 47
~ des sapeurs-pompiers **255** 2
casier-armoire **238** 5
~ p. les billets de banque **256** 6
~ à bouteilles **42** 10, **80** 32
~ à bouteilles de lait
77 23
~ à briquettes **52** 57
~ de classement des liasses **231** 38
~ clos **231** 7
~ p. la composition conservée **169** 9
~ du courrier **259** 2
~ à journaux **47** 7, **250** 16
~ à légumes **42** 12
~ à linge **48** 41
~ à œufs **42** 9
~ de peinture portable **296** 34
~ p. les pièces de monnaie **256** 6
~ postal **231** 8
~ de poste restante
231 21
~ à revues **250** 15
~ à volet roulant
238 5
casino **262** 8, **263** 1-33
casoar à casque
343 1
casque *[armure]*
310 39-42
~ *[écouteurs]*
233 13, 15
~ antifeu **255** 38
~ à cimier **308** 10
~ corinthien **308** 19
~ de cuir **190** 18
~ à deux écouteurs
234 34, **332** 18
~ de joute **310** 77
~ en matière plastique **138** 54
~ de mineur **138** 54
~ protecteur **285** 16
~ de protection
150 10, **273** 3
~ de scaphandrier
224 22
~ de séchage **103** 23
~ à visière **246** 9
casquette de chasseur
272 50
~ d'écolier **31** 59
casquette d'employé de chemin de fer
203 15
~ d'étoffe **36** 18
~ de marin **36** 23
~ de montagnard
36 26
~ pare-poussière
183 40
~ à rabat **31** 47
~ rouge **201** 42
~ de skieur **36** 26
~ en soie **272** 57
~ de sport **31** 58, **36** 18
~ de voyage **36** 18
~ de yacht **36** 23
casse *[Typ.]* **169** 3
~ *[Bot.]* **364** 16
~-noix **46** 49
casseau contenant les lettres debout **169** 4
casserole **41** 75
~ à rôti **42** 40
casseur de bois **53** 10
Cassiopée **5** 33
Cassiopeia **5** 33
cassolette **313** 40
cassure **12** 4
~ en degrés **12** 8
~ en forme de fossé
12 11
castagnette **303** 46
castor **351** 14
Castor et Pollux
5 28
catacombes **312** 62
catafalque **312** 52
catalogue principal
250 21
cataphote **180** 45
catapulte **222** 73
~ d'avion **222** 28
~ fixe **222** 49
catch **281** 11 et 12
catégories des abeilles **78** 1, 4 et 5
caténaire **206** 2
cathédrale **252** 37
cathode **172** 3, **332** 24, 29
cautère **104** 22
cavalier *[Équit.]*
272 49
~ *[en société]*
288 44
~ *[échecs]* **265** 11
~ *[fichier]* **238** 74
~ *[garrot]* **322** 25
~ en promenade
257 42
cavalière **288** 45
cave à bouteilles
80 31
~ à vins **80** 21
caveau de famille
312 27
caverne **16** 85
caviste **80** 35
cavité d'incubation
343 29
~ de l'ovaire **354** 62
cavité utérine **22** 80
cayeu **57** 29
cécidomie destructive
81 40
cédant **242** 27
cédille **325** 33
cèdre **356** 65
ceinture *[Vêt.]* **33** 54
~ *[moine]* **314** 20, 29
~ *[Sport]* **281** 14
~ *[défense]* **221** 50
~ de cheveux **335** 38
~ de cuir **37** 16
~ du gymnaste **278** 46
~ de jupe **33** 27
~ de liège **224** 58
~ de natation en liège **268** 19
~ de pantalon **34** 28
~ de protection de l'arbre **113** 80
~ de sauvetage
224 45, 58
~ scapulaire
19 6 et 7
~ tressée **37** 13
~ tricotée **34** 25
ceinturon à crochets
255 44
~ à mousquetons
255 44
céleri-rave **59** 27
cella **316** 51
cellier **80** 21
cellule *[couvent]*
314 4
~ *[batterie]* **332** 2
~ de l'abeille
78 26-30
~ photoélectrique
111 38, **178** 5, **295** 49
~ de prison **248** 11
~ de reine mère
78 37
~ rétinienne **78** 22
celluloïd **276** 42
cellulose alcaline
163 7
~ de hêtre en feuilles
163 1
~ de pin en feuilles
163 1
cembalo **301** 45
cément *[dent.]* **21** 29
cendre de la résurrection **307** 10
cendrée *[piste]* **280** 5
cendrier *[de table]*
47 31
~ *[boîte]* **41** 45, **67** 57, **146** 8, **204** 39
~ à couvercle rabattant **203** 46
~ sphérique **260** 5
~ à ventilation
205 6
~ de voiture **186** 19
cent *[monnaie]*
244 19, 33
centaine **326** 3
centaure **307** 52

centaurée **63** 1, **364** 10
~ bleuet **63** 1
~ jacée **360** 12
Centaurus **5** 39
centavo **244** 23
centesimo **244** 20
centième **326** 20
centime **244** 15, 16
centimo **244** 22
centrage de l'image **295** 29
central téléphonique **233** 24-41
~ téléphonique non automatique **233** 1-17
centrale électrique **146**, **147**, **212** 64
~ d'énergie **152** 19
~ de force motrice **145** 67
centre *[cercle]* **328** 43
~ *[triangle]* **328** 26
~ *[blason]* **246** 17
~ d'accueil **200** 53
~ de courbure **328** 23
~ du cristal **330** 3
~ de symétrie **330** 3
~ de la ville **252** 33
centreur d'images **236** 24
centrifugeur de filage **163** 17
centrifugeuse **166** 18
cep **80** 3-6
cèpe **365** 16
~ bai **365** 15
~ de Bordeaux **365** 16
~ comestible **365** 16
~ jaune **365** 21
céphalopode **340** 22
céramique incisée **309** 11
~ lisérée **309** 10
~ mégalithique **309** 12
~ rayée **309** 13
~ sculptée **309** 35
~ en zones **309** 14
Cerbère **307** 29
cerceau *[cercle]* **261** 29, **290** 58
~ *[jeu]* **258** 20, 21
~ *[Gymn.]* **278** 40
cercle *[Géom.]* **328** 42
~ en bois **126** 7
~ central **274** 9
~ circonscrit **328** 29
~ de déclinaison **109** 23
~ d'envoi **274** 9
~ en fer **156** 5
~ fermé **259** 40-43
~ gradué **330** 32, **331** 38
~ inscrit **328** 31
cercle de lancement **280** 44, 47
~ limite **5** 5
~ polaire **15** 11
~ de position horaire **109** 21
~ de roue **131** 30
~ tendeur **303** 56
~ du tonneau **126** 26
~ de traînoir brise-mottes **67** 6
cercles concentriques **328** 58
cercleur **126** 5
cerco **90** 25
cercueil **312** 35, 51
céréale panifiable **69** 1
céréales **64** 43, **69** 1-37
cerf **88** 4
~ bramant **86** 12
~ mâle **88** 4
~ en rut **86** 12
~-volant **342** 24
~-volant en papier **258** 50
cerise acerbe **61** 5
~ sauvage **61** 5
cerisier **61** 1-18
cerne **84** 23
cerveau **19** 42, **20** 22
cervelet **19** 45, **20** 23
cervidé à bois palmé **88** 40
cessionnaire **242** 26
cétacé **352** 23-29
Cetus **5** 11
chabotte **133** 21, 29, 45
chacal **352** 11
chai **80** 21
chaînage **115** 34
chaîne *[lien]* **51** 46, **76** 31, **90** 18
~ *[Tiss.]* **158** 46, **159** 39, **160** 24
~ à aiguilles **162** 24
~ d'amenage **149** 23
~ d'ancrage **210** 19
~ d'ancre **217** 74, **218** 45
~ d'attache **76** 4
~ d'attelage **68** 13
~ d'avancement **149** 23
~ de barrage **253** 29
~ de bouée **219** 47
~ des chapeaux **156** 45
~ à chenille **189** 37
~ de crochet de traction **68** 17
~ du dérailleur **273** 20
~ de l'encensoir **313** 38
~ d'entraînement **181** 52
~ de flèche **72** 20
~ à (des) godets **211** 57, **221** 63
~ de la grue **161** 59
chaîne-guide **68** 13
~ des hauteurs **13** 60
~ de haveuse **138** 42
~ des isolateurs **234** 22
~ de levage **133** 39
~ à maillons cylindriques **180** 36
~ modèle **160** 19
~ de montagnes **12** 39
~ de montre **38** 33, **107** 11-13
~ à mortaiser sans fin **128** 30
~ à neige **286** 9
~ de l'ourdissoir **158** 41
~ du palan **133** 33
~ porteuse **210** 24
~ à raclettes **162** 24
~ sans fin **92** 17, **149** 33
~ de (la) scie **85** 46, **115** 16
~ de sûreté **38** 19, **43** 32, **119** 32
~ de traction **68** 23
~ transporteuse **167** 20
chaînette de sûreté **113** 30
chair à saucisse **96** 44
chaire *[école]* **249** 12, **250** 4
~ *[église]* **311** 20, 53, **319** 15
chais **80** 21
chaise *[siège]* **44** 9
~ *[voiture]* **179** 54
~ *[construction]* **113** 69
~ de bureau **238** 34
~ de cuisine **41** 52
~ d'enfant **49** 27
~ de jardin **39** 49
~ longue **39** 47, **54** 10, **262** 13
~ longue de jardin **58** 38
~ longue roulante **58** 38
~ mobile **29** 44
~ percée **23** 25
~ de poste **179** 54
~ à sérancer **125** 3
~ tournante **238** 34
chaland **211** 25, **220** 20, 30
chalaze **75** 52
chalcographe **323** 44
chalcographie **323** 14-24
châle de couleur **338** 10
chalet **282** 1
~ en rondins **262** 25
~ de ski **283** 6
châlit **48** 3-5
chaloupe de passage d'eau **211** 15
chalumeau *[instr. de mus.]* **301** 10, 13
~ chauffeur-braseur **135** 64
~ découpeur spécial **135** 47
~ double **301** 3
~ de paille **261** 36
~ de plastique **261** 36
~ à souder **334** 9
~ soudeur **135** 37, 49
chalutier **90** 11
~ de pêche **216** 7
chalvar **289** 42
chaman **336** 24
chambre d'accouchement **29** 1
~ à air *[œuf]* **75** 50
~ à air *[pneu]* **180** 30, **189** 22
~ de bobinage **111** 3
~ des cartes **218** 14
~ de chauffe **92** 19
~ de chauffe de l'air **140** 29
~ de chauffe du gaz **140** 27
~ claire **171** 33
~ à collecter l'eau de source **254** 24
~ de combustion **184** 26, **227** 17, 29, 60-63
chambre de combustion de la fusée **229** 22
~ du propulseur principal **227** 62
~ du propulseur p. vol de croisière **227** 60
chambre du commandant **223** 46
~ de commande **29** 37
~ de compression **184** 67
~ de condensation **2** 24
~ de contrôle de définition **237** 20-24
~ à coucher **48**
~ à courant d'air chaud forcé **168** 40
~ de déplacement du contrepoids **209** 40
~ de détente de Wilson **2** 24
~ à deux lits **29** 8-20, **259** 27-38
~ d'écluse **212** 20
~ d'enfants **49** 1-29
~ d'étuve **25** 7
~ de fermentation **97** 57
~ du four **140** 23
~ froide **218** 50
~ funéraire **315** 5
~ d'hôtel **259** 27-38
~ d'ionisation **2** 2, 17
~ des machines **216** 26

chambre de mélange **227** 16
~ de mesure en série **15** 63
~ du moteur **221** 46
~ noire **112** 1-61
~ noire p. la reproduction **171** 1
~ photographique **109** 10
~ de poupée **49** 9
~ de précombustion **184** 66
~ de la reine **315** 3
~ du roi **315** 2
~ avec salle de bains **259** 27-38
~ de séchage **97** 57, **112** 5, **164** 49
~ silo **220** 45
~ de transmission **222** 62
~ à turbulence **184** 78
~ de vaporisation **227** 58
~ à vide **83** 12, **151** 12
chameau à deux bosses **351** 29
chamois *[Zool.]* **352** 3
champ *[terre]* **65** 4
~ *[chevaux]* **272** 14
~ d'aviation **230** 1
~ d'avoine **65** 19
~ de bataille **16** 93
~ de blé **65** 19
~ de céréales **65** 19
~ de course **272** 1-35
~ de course d'obstacles **272** 23
~ de course p. trotteurs **272** 36
~ d'épandage **252** 66
~ de foire **291** 1
~ de glace **282** 23
~ de neige **12** 48, **282** 15
~ d'observation **171** 26
~ opératoire **28** 25
~ d'orge **65** 19
~ de raves **65** 46
~ de seigle **65** 19
champagne **98** 63
champignon *[Bot.]* **365** 3
~ *[support]* **36** 51
~ *[mèche]* **127** 16
~ *[soupape]* **184** 31
~ comestible **365**
~ à lamelles **363** 10
~ du rail **198** 33
~ à repriser **102** 64
~ vénéneux **363** 10-13
chancelière **286** 27
chandelier **44** 24, **312** 56
~ de table **46** 16
chandelle *[construction]* **114** 13, 59, **116** 81
~ *[Gymn.]* **278** 29
~ de cire **78** 66
~ à crémaillère **114** 86
chanfrein *[cheval]* **73** 6
~ *[armure du cheval]* **310** 84
~ *[Techn.]* **136** 60
changement de carre **284** 14
~ de marche **142** 34
~ de route au vent **270** 52-54
~ de route sous le vent **270** 56-58
~ d'une roue **273** 42
~ de vitesse **182** 36
~ de vitesse automatique (hydraulique) **207** 4
changeur de disque automatique **306** 32
chanlatte **117** 43
chanterelle *[violon]* **302** 9
~ comestible **365** 14
chanteur **296** 22
~ des rues **53** 24
chanteuse **298** 3
~-vedette **298** 3
chantier d'abattage d'une veine **138** 8
~ d'assemblage **115** 1-59
~ à (de) bois **149** 30, **220** 57
~ de construction **113, 114**
~ de construction navale **217** 1-40
~ de démolition **252** 26
~ à flot **217** 31-40
~ à grue **217** 23-26
~ à grumes **149** 30
~ de montage **115** 1-59
~ à rondins **149** 30
~ de ruines **252** 26
chanvre **367** 9
~ brut **125** 1
~ peigné **125** 6
~ sérancé **125** 6
chape *[habit]* **314** 51
~ *[orgue]* **305** 15
~ d'égalisation **118** 39
~ de finition lissée **118** 40
~ lissée **118** 14
~ de mortier **118** 27
~ du palan **145** 20
chapeau *[champignon]* **365** 4
~ *[journal]* **325** 41
~ *[mine]* **138** 26
chapeau *[outil]* **114** 61
~ des aiguilles **160** 56
~ ailé **308** 23
~ d'artiste **36** 9
~ du battant **159** 6
~ de charpentier **115** 13
~ de chasse **86** 5
~ claque **36** 20
~ de dame **36** 48
~ de deuil **36** 46
~ d'enfant **31** 38
~ d'étoffe **36** 1, 28
~ d'évacuation d'air **226** 72
~ en feutre **36** 10
~ en fibre **36** 57
~ en fibre de ramie **36** 8
~ de fillette **31** 38
~ de gendarme *[toit]* **116** 23
~ haut de forme **36** 20, **179** 25
~ d'homme **36** 11
~ à larges bords **36** 17
~ mou **36** 19
~ mou d'artiste **36** 9
~ mou en feutre **36** 10
~ mou suédois **338** 55
~ du moyeu **185** 14
~ de nettoyage **157** 22
~ de paille **36** 6, 22
~ de paille d'Italie **36** 39
~ de paille à larges bords **36** 39
~ de plage **36** 57, **267** 20
~ de soie **36** 48
~ de taffetas **36** 20
~ thessalien **338** 4
~ de tulle **36** 48
~ de veneur **86** 5
chapelet **313** 28, **314** 21
chapelle **16** 61
~ du château **310** 29
~ du cimetière **312** 28
~ funéraire **312** 21
~ des morts **312** 21
~ mortuaire **312** 21
~ votive **312** 12
chapellerie **36** 1-26
chaperon du faucon **86** 44
chapiteau *[Art]* **316** 20-25
~ *[cirque]* **290** 1
~ *[maille]* **177** 21
~ arabe **319** 18
~ en bouton de lotus **315** 14
~ campanulé **315** 16
~ cubique nu **317** 21
chapiteau orné de deux taureaux **315** 28
~ à palmettes **315** 25
~ à quatre faces **317** 21
chapitre **178** 60
chaploir **66** 23, **131** 34
chapon **74** 21, **98** 6
char à bancs **179** 33
~ de carnaval **289** 57
charançon **81** 49
~ du blé **341** 17
~ du pin **82** 41
charbon **331** 68
~ actif **255** 58
~ négatif **295** 41
~ positif **295** 40
charbonnage **137** 1-40
charbonnier **253** 27
charcuterie **96**
charcutier **96** 9
chardon argenté **63** 32
~ des champs **63** 32
chardonneret **344** 1
charge **74** 5, **202** 53
~ explosive **150** 27
~ du four **153** 14
~ de plombs **87** 51
~ de poudre **87** 57
~ propulsive **227** 47
~ d'uranium en solution **3** 26
~ de verre fondu **155** 8
chargé de cours **250** 3
chargement du coke **148** 24
~ du four **140** 44
chargeur *[fusil]* **87** 15
~ *[accu]* **192** 42
~ *[bétonnière]* **113** 35
~-élévateur **196** 14
~ à godets **197** 24
chariot *[d'enfant]* **30** 32
~ *[mach. à écrire]* **240** 2-17
~ *[métier]* **160** 51
~ agricole **131** 1
~ à bagages **201** 33
~ à billes **149** 27
~ à bords **64** 53
~ de la caméra **171** 14
~ de charge **221** 15
~-chaudron **309** 36
~ de commande des bobines **157** 30
~ de culte **309** 36
~ de David **5** 29
~ électrique **202** 38
~ électrique de quai **201** 29
~ élévateur **145** 27, **151** 18
~ élévateur à fourche **202** 20, **221** 12
~ d'enfant **257** 56

chariot de farine **97** 73
~ à foin **65** 41
~ à fourrage **131** 1
~ à fumier **64** 53
~ à grumes **149** 27
~ hollandais **145** 80
~ imprimeur **200** 42
~ longitudinal **142** 24, **143** 4
~ à main **145** 80
~ de manœuvre **133** 49
~ en miniature **309** 36
~ mobile **160** 39
~ p. la moisson **64** 44
~ à ordures **195** 1
~ à outils **192** 68
~ à plate-forme **202** 38
~ de rectification **143** 8
~ répartiteur de béton **197** 5
~ à ridelles **64** 44
~ à rondins **149** 27
~ roulant **80** 44, **140** 3, **145** 56
~ de roulement **146** 41, **209** 36
~ de serrage à griffes **149** 17
~ suspendu **217** 14
~ transbordeur **145** 76
~ p. transport de bouteilles **135** 59
~ de transport p. canot **269** 63
~ p. transport de long bois **84** 15
~ transporteur **161** 53
~ à tuyau **58** 36
charlatan **291** 64
charme *[Bot.]* **355** 63
charmeur de serpent **336** 45
charnière **108** 41, **134** 57
~ de capote **187** 15
charpente **115**, **130** 25, **316** 52, **319** 9
~ en acier **209** 77
~ de combles **116** 27-83
~ de la grue **221** 41
~ en treillis du pont **210** 48-54
charpentier **115** 12
charretée de fumier **65** 15
charrette **115** 6
~ à bras **53** 49
~ de fruits **253** 10
charron **131** 25
charronnerie **131**
charrue **65** 6, **68** 1-34
~ araire **68** 24, 27
~ araire à sabot **68** 1
charrue à avant-train **68** 1
~-balance **68** 20
~ à bascule **68** 20
~ brabançonne **68** 1
~ à butter **68** 1
~ monosoc **68** 1
~ réversible **68** 1
~ à un corps **68** 1
chas **102** 58
chasse *[vénerie]* **86**
~ *[marteau]* **132** 31
~ *[Typ.]* **170** 48
~ à la baleine **90** 44-62
~ au canard **86** 40
~ au chaudron **86** 34-39
~ à courre **272** 58-64
~ devant soi **86** 1-8
~ d'eau **51** 40, **119** 39
~ aux engins **86** 19-27
~ au faucon **86** 42-46
~ au gibier d'eau **86** 40
~ au grand duc **86** 47-52
~ en hutte **86** 47-52
~ au lapin **86** 23
~ au lièvre **86** 34-39
~ pendant la parade nuptiale **86** 9-12
~ à parer **132** 31
~ à percer **132** 33
~ aux pièges **86** 19-27
~ au renard **272** 58-64
~ en rond **86** 34-39
~ pendant le rut **86** 9-12
~ au sanglier **86** 31
~ à la sauvagine **86** 40
~de tonnelier **126** 32
~ à la traîne **272** 58-64
chasse-neige *[ski]* **283** 20
~ *[mach.]* **195** 1-40
chasse-neige bilatéral **195** 20
~ p. le déneigement des routes **195** 21
~ à éjecteurs **195** 21
~ à étrave **195** 20
~ à fraise à grand rendement **195** 21
~ à fraise latérale **195** 15
~ à lames en dièdre **195** 20
~ à main à moteur **195** 30
~ rotatif **208** 43
~ p. trottoirs **195** 4
~ unilatéral **195** 30
~ p. les voies ferrées **208** 43
chasse-pierres **205** 34
chasseur *[tireur]* **86** 1
chasseur *[cricket]* **275** 61
~ *[groom]* **259** 18
~ à courre **272** 58
~ sous-marin **267** 37
châssis *[wagon]* **204** 2
~ *[scie]* **127** 7
~ *[Typ.]* **175** 38
~ d'aiguille **198** 65
~ de l'auto **185** 1-58
~ central embouti **182** 33
~ de la chaise **44** 12
~ à copier **173** 13
~ de couche **79** 17
~ d'étalage **97** 29
~ du métier **159** 24
~ de la pédale **180** 83
~ à plaquer **127** 32
~ pneumatique à copier **173** 13
~ porte-lames **149** 12
~ porte-matrices **169** 42, 46
~ porte-original **171** 22
~-presse **112** 25
~ profilé en U **185** 60
~ à rideaux **171** 5
~ roulant **114** 32
~ de scie **149** 16
~ de voie **198** 12
chassoir **126** 5
chasuble **314** 39
chat **74** 17
~ angora **74** 17
~-huant **347** 19
châtaigne *[Bot.]* **368** 52
~ du cheval **73** 27
châtaignier **368** 48
château *[édifice]* **16** 96, **252** 54
~ *[bateau]* **213** 10
~ d'apparat **213** 55-57
~ arrière **213** 23
~ avant **213** 19
~ d'eau **16** 81, **199** 48
~ d'eau ammoniacale **148** 37
~ fort **310** 1
~ de goudron **148** 36
~ en ruine **80** 20
~ de sable **267** 35
~ en style baroque **257** 7
châtelain **310** 67
chatière **117** 7
~ de gendarme **116** 23
chaton **38** 25, **355** 26
~ de fleurs mâles **61** 45
~ de fleurs staminifères **61** 39, 45
~ mâle **61** 39
chaudière **41** 40, **146** 5, **203** 3
~ basculante **67** 60
chaudière du chauffage central **40** 57
~ à coke **40** 38
~ p. la cuisson de la trempe **92** 27
~ à goudron **196** 47
~ à houblon **92** 35
~ de locomotive **205** 2-37
~ à mazout **40** 57
~ de pression **297** 55
~ à rayonnement **146** 5
~ à saucisses **96** 49, **201** 52
~ tubulaire **205** 16
~ à tuyauterie **146** 5
chaudronnerie **217** 9
chauffage à l'air chaud **186** 24
~ d'appartement **44** 16
~ de l'auto **186** 22-24
~ central à eau **40** 38-81
~ électrique **169** 45
~ à grande distance **194** 30
~ à mazout **40** 44-60
~ du sol **339** 42
~ urbain **194** 30
chauffe-bain à charbon **51** 3
~-bière **260** 7
~-colle à bain-marie **127** 38
~-eau **40** 68
~-eau instantané **27** 27, **119** 66
~-eau p. saucisses **96** 15
~-liquide **41** 83
~-plats électrique **46** 45
chaufferie **40** 38-43, **79** 7, **146** 1-21
chauffeur **187** 6, **189** 47
~-braseur **135** 64
~ de la locomotive **203** 10
~ de taxi **253** 37
chaume **65** 20
chaussée **194** 10, **253** 34
chausse-pied **100** 19
chausses **338** 47
chaussette **33** 62, **274** 54
~ montante **31** 39
chausson **30** 16, **31** 18
~ de danse **288** 34
~ p. la danse sur la pointe **288** 34
chaussure **100**
~ de bal **100** 32
~ basse en peau et liber **335** 18
~ de bébé **100** 14
~ de bois **100** 6
~ boutonnée **100** 9
~ de camping **266** 13

chaussure de caoutchouc **28** 22
~ de cuir **100** 1
~ en daim **100** 2
~ de dame **100** 44
~ d'enfant **31** 45, **100** 9
~ de feutre **100** 11
~ d'homme **100** 2
~ de jeune fille **100** 23
~ de luxe **100** 33
~ orthopédique **99** 34
~ en peau chamoisée **100** 2
~ en peau et liber **335** 18
~ en peau de serpent **100** 33
~ de plage **100** 34, **267** 23
~ à semelle de corde **100** 7, **117** 75
~ à semelle de paille **100** 7
~ de sport **100** 22
~ de toile **100** 4
~ de travail **100** 21
~ de ville **100** 20
chauve-souris à grandes oreilles **351** 9
chaux *[engrais]* **65** 14
~ anhydre **153** 16
~ éteinte **153** 27
~ marneuse **153** 10
~ vive **153** 16
chef *[ardoise]* **117** 87
~ *[Hér.]* **246** 18 et 19
~ arrimeur **221** 8
~-brasseur **92** 32
~ de bureau **238** 1
~ de canton **198** 30
~ de chantier **84** 30, **149** 25
~ cuisinier de wagon-restaurant **204** 23
~ du dessus de scène **297** 7
~ d'entrepôt **221** 22
~ d'équipe **198** 30
~ de la machine **297** 59
~ des muses **308** 15
~ de nage **269** 12
~-opérateur **292** 25, 41
~ d'orchestre **262** 21, **296** 26
~ de partie **263** 3
~ du plateau **297** 30
~ de poste **255** 36
~ de rayon **256** 60
~ de la réception **256** 33, **259** 7
~ de salle **263** 7
~ du scrutin **251** 28
~ de section **279** 32
~ de train **203** 13
~ de tribu **335** 11
chélidoine **359** 36
chemin *[carpette]* **48** 32
~ d'accès **310** 34
~ carrossable **16** 99
~ de croix **311** 57
~ dallé **54** 22
~ entretenu **16** 99
~ escarpé **12** 46
~ forestier **84** 3
~ de halage **211** 30
~ de jardin **55** 23
~ en madriers **113** 79
~ de roulement **269** 45
~ de roulement de la grue **145** 14
~ de table **44** 6
~ de travail **115** 36
~ vicinal **65** 18
chemin de fer· aérien **252** 4
~ à crémaillère **209** 4 et 5
~ d'intérêt local **199** 19
~ métropolitain **252** 4
~ de montagne **209** 1-14
~ de port **220** 47
~ secondaire **199** 19
~ vicinal **16** 25
~ à voie démontable **196** 23
~ à voie étroite **151** 4
cheminée *[coin du feu]* **259** 23
~ *[tuyau]* **39** 10, **113** 21, **218** 1, **336** 21
~ *[locomotive]* **205** 22
~ *[hotte]* **132** 6
~ *[Phys.]* **334** 7
~ *[volcan]* **11** 17
~ *[montagne]* **282** 9
~ d'aération **158** 63, **315** 4
~ du convertisseur **140** 60
~ de réfrigération **145** 61
~ de l'usine **145** 46
~ du volcan éteint **11** 28
chemise **33** 36
~ amidonnée de cérémonie **33** 41
~-culotte **33** 13
~ de cylindre **160** 13
~ de dossiers **238** 13
~ de jour de fille **31** 4
~ à manches courtes **266** 8
chemise de nuit· de fille **31** 1
~ d'homme **33** 50
~ sans manches **33** 1
chemise de plomb **147** 39
chemise de refroidissement· de la chambre de combustion **229** 23
~ du propulseur de croisière **227** 61
~ du propulseur principal **227** 63
chemise rotative de la colonne de direction **143** 26
~ de sport **31** 49, **33** 39, **266** 8
chemisier **32** 6, **33** 9
chemosphère **4** 15
chenal **13** 34, **211** 21
~ de coulée **141** 3
~ principal **219** 68
~ des scories **141** 12
~ secondaire **219** 69
chêne **355** 1
chéneau **117** 83
~ de gouttière **39** 11
chènevis **367** 15
chenille *[Zool.]* **82** 20, 31, 44, **342** 50, **348** 10
~ *[Techn.]* **196** 3
~ arpenteuse **60** 5
~ de la noctuelle **81** 44
~ processionnaire **82** 16
~ de soudure **135** 8
chénopode **63** 25
chèque postal· d'assignation **232** 11
~ payable au comptant **232** 11
~ de virement **232** 11
chercheur *[Opt.]* **109** 19
~ acoustique **295** 47
~ magnéto-acoustique additionnel quatre canaux **295** 50
chermès **82** 38
cheval **72**, **73**, **74** 2, **76** 5
~ ailé **307** 26
~ d'arçons **279** 34-38
~ d'attelage **179** 28
~ à bascule **49** 13
~ de bois **279** 43
~ de cirque debout **290** 30
~ de côté **179** 47
~ entier **74** 2
~ de front **179** 46
~ marin **307** 44, **350** 18
~ d'obstacles **272** 24
~ de poste **179** 43
~ de relais **179** 43
~ de selle **272** 47
~ des steppes **335** 4
~ de trait **202** 17
~ de voiture **179** 28
chevalement du puits **137** 5
chevalerie **310**
chevalet *[support]* **15** 50, **130** 10
~ *[sellier]* **123** 22
~ *[instr. de mus.]* **301** 17
~ *[Gymn.]* **279** 19
~ d'atelier **321** 3
~ de dessin **321** 34
~ à faner **65** 39
~ de manœuvre **198** 48
~ portatif **321** 26
~ portatif du vitrier **122** 9
~ de poseur de papier peint **121** 41
~ de séchage **112** 40
~ à sécher le foin **65** 39
~ de tonnelier **126** 18
~ du tremplin d'appel **279** 26
~ du violon **302** 5
Chevalet du Peintre **5** 47
chevalier **310** 67
chevalière **38** 28
chevaux de course **272** 14
chevèche commune **347** 19
chevelu des pauvres **361** 18
chevelure **18** 3
chevet *[lit]* **48** 3
~ *[Art]* **317** 5
chevêtre **114** 56, **115** 41, **116** 71
cheveu **10** 24
cheveux **35**
~ bouclés **35** 33
~ en chignon **35** 28
~ courts **35** 34
~ longs **35** 1, 27
cheville *[instr. de mus.]* **302** 18, **303** 11
~ *[clou]* **116** 92
~ d'accord **303** 23, **304** 17
~ d'arrêt **134** 51
~ en caoutchouc **180** 84
~ interne **21** 60
~ percutante **94** 5
~ de tension **304** 17
~ à tourniquet **127** 2
chevillier **302** 21, **303** 10, 19
chèvre *[Zool.]* **74** 14
~ *[ust.]* **53** 6
~ feuille **358** 13
chevrette adulte **88** 34
~ vierge **88** 34
chevreuil **88** 28-39
~ femelle **88** 34
chevrillard **88** 39
chevron **116** 28, 36, **117** 19
~ de la croupe **116** 63

chevron de faîte **116** 55
~ intermédiaire **116** 56
chianti **98** 61
chibouk **105** 32
chibouque **105** 32
chiche **70** 19
chicorée **59** 40
~ amère **360** 25
~ frisée **59** 40
~ sauvage **360** 25
chicot retaillé **27** 30
chien **71**, **74** 16
~ d'arrêt **71** 40, 43
~ berger **74** 16
~ de chasse **71** 40-43, **86** 7
~ de la chasse à courre **272** 63
~ courant **71** 25, **272** 63
~ dressé à la chasse du sanglier **86** 33
~ de l'enfer **307** 29
~ esquimau **71** 22
~ d'Esquimau **336** 2
~ de garde **64** 24, **71** 31
~ de meute **86** 33
~ de police **71** 31
~ policier **248** 8
~ de traîneau **336** 2
chiendent des chiens **63** 30
~ rampant **63** 30
chienne **74** 16
chiffon **249** 5
~ à reluire **52** 36, 45
chiffre **107** 3
~ arabe **326** 2
~ des centaines **326** 3
~ décimal **326** 20
~ des dizaines **326** 3
~ des milliers **326** 3
~ romain **326** 1
~ des unités **326** 3
chifonie **301** 25
chignole **134** 29
chignon **35** 29
chikhara **319** 26
Chili **14** 34
chimère **307** 16
chimie **333**, **334**
chimpanzé **353** 14
Chine **14** 48, 49
~ nationaliste **14** 49
chinoise *[écrit.]* **324** 5
chiot **74** 16
chique *[tabac]* **105** 23
chiroptère **351** 9
chirurgien **28** 17
chistera **287** 53
chiton **338** 5
chitonactis **349** 20
chlore **164** 7
chloruration du benzol **164** 8
chlorure de benzol **164** 9
chœur *[Théâtre]* **296** 21
~ *[église]* **311** 1, 36, **317** 4
choix d'émission **236** 4
chope **260** 6, 27
chou **59** 32
~ blanc **59** 32
~ de Bruxelles **59** 30
~ cabus **59** 32
~ à la crème **97** 50
~-fleur **59** 31
~ de Milan **59** 33
~ non pommé **59** 34
~ pommé **59** 32
~-rave **59** 26
~ rouge **59** 32
~ de Savoie **59** 33
~ vert **59** 34
choucas **346** 2
chouette **244** 2
chow-chow **71** 21
chrisme **313** 61
Christ **311** 15
christiania **283** 32
~ parallèle **283** 32
chromolithographie **323** 28
chronographe **112** 32, **280** 28
chronométrage **272** 21
chronomètre **107** 51
~ de bord **228** 8
~ du temps de pose **241** 16
chronométreur **268** 24, **280** 9, **281** 42
chrysalide **341** 3, **348** 11
chrysanthème des moissons **63** 7
chute d'eau **11** 45
~ d'eau à gradins **257** 9
~ de neige **8** 18
~ en ski **283** 4
chutes d'étoffe **102** 81
cible **287** 47
ciboire **313** 27, 46
ciboulette **59** 22
cicéro **170** 26
ciel **6** 1
~ étoilé *[firmament]* **6** 1
~ étoilé *[pavillon]* **245** 18
~ étoilé du nord **5** 1-35
~ de lit **50** 9
~ de scène **297** 9
cierge **311** 10, 41, 60
~ funèbre **312** 55
~ mortuaire **312** 55
~ de Notre-Dame **360** 9
cigare **105** 2
cigarette **105** 14
~ de soie à coudre **102** 50
cigarillo **105** 3
cigogne **64** 7
ciguë tachetée **363** 4
cil *[œil]* **21** 41
~ *[feuille]* **354** 50
~ vibratile **340** 10
cilié **354** 49
cimaise **318** 10
cime *[montagne]* **11** 6, **12** 40
~ *[arbre]* **354** 4
cimenterie **152**
cimetière **16** 106, **312** 21-41
~ des automobiles **252** 70
cimier *[cerf]* **88** 18, 35
~ *[casque]* **308** 18
~ *[Hér.]* **246** 1, 30-36
cinéma **292-295**
cinémascope **294** 36-44
cingulum **314** 20
cinq·-feuilles **317** 40
~-mâts **215** 32-34
~-mâts à voiles carrées **215** 35
cinquième octave **300** 68
~ roue **185** 54
cintre *[Théâtre]* **297** 4
~ à pantalon **48** 46
cintreuse **126** 34, **131** 35
cirage **52** 38
circonférence **328** 44
circonflexe **325** 32
circuit benzol **148** 43
~ d'huile **295** 27
~ imprimé **236** 9
~ de méridien **109** 24
~ orbital **109** 24
~ d'oscillations de haute fréquence **234** 25-28
~ du réacteur **3** 24-42
circulation du gaz **83** 22
~ sanguine **20** 1-21
cire *[plastique]* **322** 26
~ d'abeilles **78** 67
~ à cacheter **232** 27
~ à ski **283** 58
ciré **34** 35
cirés **224** 54-56
cireur **200** 11
cireuse **52** 13
~-brosseuse **52** 9
cirque **290**
~ ambulant **290** 1-63
cirro·-cumulus **8** 14
~-stratus **8** 7
cirrus **8** 6
cisaille *[à os]* **26** 40
~ à ardoise **117** 84
~ articulée **114** 87
~ à banc à levier **119** 43
~ à blooms **141** 47
~ à carton **177** 16
cisaille à chantourner coudée **119** 2
~ circulaire à carton **177** 56
~ coudée **119** 2, 33
~ coupe-câble à levier **120** 49
~ droite à tôle **119** 1
~ à guillotine **119** 15
~ à haies **58** 14
~ à main **114** 22
~ à tôle(s) **119** 1, **106** 23
~ universelle **119** 33
cisailles à levier **120** 49
~ à volaille **42** 64
cisailleur **66** 36
ciseau *[outil]* **132** 37, **115** 71
~ à air comprimé **141** 40
~ en biseau **322** 19
~ en biseau à brides **127** 65
~ à biseaux **127** 62
~ à bord **322** 14
~ fort **322** 19
~ de menuisier **127** 62
~ plat **134** 18
~ pointu **134** 19
~ de tourneur **129** 24
ciseaux *[outil]* **127** 25, **308** 58
~ *[judo]* **281** 17
~ *[Gymn.]* **279** 33
~ à boutonnières **102** 66
~ coupe-cigares **105** 8
~ p. couper les cheveux **104** 17
~ courbes **28** 48
~ à effiler **103** 39
~ d'électricien **120** 45
~ à gazon **58** 24
~ à ongles **103** 5
~ à ongles p. bébés **30** 45
~ à papier **238** 76
~ à peau **103** 6
~ à tailler **102** 70
~ de tailleur **102** 65
cistre **301** 21
cité **252** 34-45
~ ouvrière **39** 54-57
citerne *[wagon]* **208** 12
~ à décantation **148** 36 et 37
~ p. l'eau non filtrée **254** 4
~ à vin **80** 24
cithare **301** 14, **303** 21, **308** 71
citrin **346** 6
citron **368** 23
citronnat **98** 10
citrouille **59** 23
Civa **319** 19
cive **59** 22
civette **59** 22

civière **255** 23, **312** 41
clackman **292** 34
claie **53** 72, **93** 35
~ p. la descente du bain **262** 48
~ à sécher le malt **92** 13-20
clair **9** 21
claire-voie **262** 48
clairière **16** 2
clameau **116** 97
clapet d'admission **227** 14
~ d'épandage **196** 42
~ de ventilation **249** 24
clapette d'aération **40** 52
claquebois **303** 61
claquet de ventilation **226** 72
claquette *[film]* **292** 35
~ *[baguette]* **289** 40
clarinette basse **302** 34
classe *[école]* **249** 1
~ des abeilles **78** 1, 4 et 5
classement *[archives]* **238** 37-80
~ du coke **148** 17-24
~ final **272** 22
~ des liasses **231** 38
classeur **238** 4
~ à dessins **144** 27
~ dossier **238** 14
~ à musique **44** 26
~ rapide **238** 26
~ p. timbres-poste **238** 49
clause de pénalités **244** 32
clavaire dorée **365** 32
~ élégante **365** 32
claveau d'arc **318** 22
clavecin à griffes **301** 45
clavette **131** 24, **136** 71 et 72
~ encastrée **136** 71
~ mobile **181** 53
~ plate **136** 71
~ à talon **136** 72
clavicembalo **301** 45
clavicor **302** 39
clavicorde **301** 36
~ libre **301** 36
~ lié **301** 36
clavicule **19** 6
clavicymbalum **301** 45
clavier **169** 32, **240** 25, **241** 33, **304** 4 et 5
~ alphabétique-numérique **241** 44
~ de bombarde **305** 45
~ de commande à trois touches **306** 36 et 37
~ de grand-orgue **305** 43
clavier inférieur **301** 47
~ manuel **305** 42-45
~ p. la perforation alphabétique et numérique **241** 44
~ du positif de dos **305** 42
~ de récit **305** 44
~ p. la sélection des gammes d'ondes **234** 47
~ supérieur **301** 46
~ à touches **234** 47
clayonnage **211** 54
clé *[serrure]* **134** 44
~ *[Mus.]* **299** 10-13
~ *[violon]* **302** 18
~ Allen **192** 29
~ anglaise **119** 52, 53, **192** 9
~ à bougies **192** 8
~ au (de) bras **281** 15, 11
~ en col de cygne **192** 2
~ en croix **191** 13
~ dynamométrique **192** 25
~ à ergots **192** 7
~ de fa quatrième **299** 11
~ de fer **309** 32
~ de l'horloge **107** 44
~ de jambes **281** 12
~ à molette **119** 51-53, **192** 3
~ multiple **191** 13
~ à la nuque **281** 10
~ de patin **284** 27
~ plate **134** 52
~ de serrage **142** 39
~ de sol **299** 10
~ à tube **192** 10
~ d'ut quatrième **299** 13
~ d'ut troisième **299** 12
clef *[serrure]* **134** 44
~ *[violon]* **302** 18
~ *[Arch.]* **318** 23
~ d'accord **302** 59
~ d'accordeur **304** 20
~ d'anti-vol **180** 50
~ du banc de menuisier **127** 41
~ de la chambre **259** 9
~ de contact **182** 11, **186** 13
~ à deux encoches **192** 1
~ à douille **191** 16
~ à écrous **191** 15
~ de fermeture **119** 27
~ de la flûte **302** 32
~ à fourche(s) **191** 15, **192** 1
~ d'ouverture **87** 25
~ plate **191** 15, **192** 1
~ de la prise d'eau **255** 27
clef de sûreté **134** 52
~ de voûte **317** 32, **318** 23
clergé catholique **314** 32-53
cliché **172** 31, **239** 46
~ de la chambre à brouillard **2** 26
~ au trait **172** 35
clicheur **172** 4
client **253** 38, **256** 55, **260** 25
~ de la banque **242** 3
~ du bar **259** 55
~ de l'hôtel **259** 14
~ des vacances **262** 24
cliente **98** 45, **253** 12, **256** 16
clignotant **186** 27, **193** 20
~ avant **185** 16
climat boréal **9** 56
~ équatorial **9** 53
~ des forêts **9** 56
~ de la gelée pérenne **9** 58
~ des neiges **9** 56
~ polaire **9** 57 et 58
~ de la terre **9** 53-58
~ de la toundra **9** 57
climatisation **339** 5
~ de l'auto **186** 22-24
~ du papier **174** 32
climatiseur à l'air frais **186** 22
clinch **281** 27
clinfoc **214** 23, **270** 30
~ de cutter **270** 37
clinopinacoïde **330** 24
Clio **308** 59
clip **2** 18
~ p. la chevelure **38** 4
~ d'oreille **38** 2
~ p. la robe **38** 9
clipper anglais **215** 36
cliquet **127** 23, **192** 20
~ d'arrêt **107** 18, **145** 25
~ interversible **192** 21
~ de retenue **145** 25
clitoris **22** 88
clivia **56** 8
clivie **56** 8
cloche *[calotte]* **126** 36
~ à air **331** 12
~-avertisseur **145** 13
~ de bouée **219** 50
~ de feutre **36** 33
~ à fromage **45** 63
~ du gueulard **140** 6
~ mue électriquement **312** 9
clocher **312** 2, **319** 8
clocheton **317** 29
clochette *[Bot.]* **359** 14
~ d'hiver **62** 1
~ liturgique **313** 47
cloison de bois **40** 19
~ étanche **222** 54
cloison étanche longitudinale **222** 56
~ de frises **116** 75
~ de planches **114** 25, **115** 9
~ transversale **222** 54
~ ventriculaire **22** 52
cloître **314** 1
cloporte **341** 12
Clotho **308** 53
clôture **39** 53, **84** 7
~ de chantier **113** 44
~ à claire-voie **55** 10
~ en fil de fer **16** 39
~ de fond **130** 20
~ latérale **130** 18
~ en lattes **53** 44
~ en lattis **55** 10
clou **136** 49
~ à ardoise **117** 74
~ d'assemblage rivé **270** 21
~ à brodequin **99** 59
~ décoratif **124** 6
~ forgé **116** 94
~ de girofle **81** 11, **366** 28
~ de la hampe **245** 8
~ à oreilles **282** 47
~ de tapissier **124** 6
~ à tête large **117** 96
cloutage **99** 33
cloutière **132** 34
clown **290** 24
~ musicien **290** 23
club *[golf]* **276** 69 et 70
~ de bois **276** 69
~ en fer **276** 70
cluse **12** 44
coach **179** 1-3
cobalt radioactif **29** 55
cobaye **351** 12
cocarde **247** 4
~ de guidon **201** 41
coccinelle **342** 37
coccinellidé **342** 37
coccyx **19** 5, **22** 60
coche *[véh.]* **179** 1-3
~ *[signe]* **9** 10
cochenille **81** 35
cocher **179** 32
~ de la diligence **179** 40
Cocher **5** 27
cochon *[truie]* **74** 9
~ *[sanglier]* **86** 32
~ d'Inde **351** 12
~ de touraille **92** 19
cochonnet *[jeu de boules]* **287** 23
cockpit **269** 8, **270** 7
cocon **342** 51
cocose **98** 23
cocotier **367** 48
cocotte **289** 37
code des voleurs **247** 25
coefficient **327** 4
cœlentéré **340** 14, **349** 5, 9, 14, 20

cœur *[Anat.]* **20** 14, **22** 8, 24 et 25, 45-57
~ *[jeu]* **265** 40, 44
~ *[blason]* **246** 17
~ *[bois]* **115** 84, **149** 41
~ *[fruit]* **60** 36, 59
~ *[charrue]* **68** 34
~ d'aiguille **198** 55
~ du bois **354** 13
~-de-Jeannette **62** 5
~-de-Marie **62** 5
~ d'entraînement **142** 42
~ de France **97** 52
cofferdam **216** 29
coffin **66** 20
coffrage de béton **114** 54-76
~ d'une corniche **114** 55
~ de fourche **183** 24
~ horizontal **39** 84
~ latéral **114** 55
~ du pilier **114** 73
~ du plancher **114** 12
~ du poteau **114** 11, 73
~ en tôle **183** 34
coffre *[auto]* **185** 23
~ *[serrure]* **134** 36
~ à bagages **185** 23, **187** 5
~ à charbon **52** 55
~ à compteurs **43** 17
~ à fusibles **159** 23
~ d'horloge **107** 33
~ à jouets **50** 12
~ à outils de la moto **182** 41
~ de séchage **162** 28
coffret articulé **102** 74
~ à bijoux **38** 11
~ en bois **234** 36
~ de cigares **47** 33
~ de la commande automatique **161** 69
~ à gants **43** 7
~ de la machine à coudre **102** 49
~ en matière plastique **234** 36
~ des réglages automatiques **161** 13
cognac **98** 59
cognassier **60** 46
~ du Japon **357** 17
cognée **131** 31
~ à branches **85** 13
cognoir **126** 5
coiffe *[chapeau]* **45** 56, **338** 71
~ *[Arch.]* **318** 39
~ *[Techn.]* **254** 56
~ de cuir **264** 10, **337** 26
~ de la nurse **30** 10
~ de la queue **264** 10
~ de la racine **21** 28
~ du tube à rayons X **29** 31
coiffeur **104** 11
coiffeur de théâtre **296** 48
coiffeuse **103** 28
coiffure *[chapeaux]* **36**
~ de (p.) dames **35** 27-38, **103**
~ en diadème **35** 31
~ féminine **35** 27-38
~ de jeune fille **35** 27-38
~ à macarons **35** 37
~ masculine **35** 1-26
~ p. messieurs **104**
~ de page **35** 35
~ style Louis XV **338** 81
coin *[cale]* **114** 15, **127** 56, **150** 7
~ *[vitrier]* **122** 24
~ *[Géom.]* **329** 33
~ *[poinçon]* **244** 40 et 41
~ *[football]* **274** 10
~ à abattre **85** 24
~ en bois dur **116** 96
~ enfoncé **85** 23
~ p. l'entretien des valves **192** 11
~ du feu **259** 22
~ inférieur **244** 41
~ neutre **281** 34
~ de pénalisation **275** 6
~ de (la) rue **194** 5, **253** 15
~ en silex **309** 1
~ supérieur **244** 40
coing-poire **60** 50
~-pomme **60** 49
coke de pétrole **139** 45
cokerie **164** 2
col *[Vêt.]* **313** 6
~ *[Géol.]* **12** 47
~ amidonné **33** 55
~ de la broche **157** 50
~ cassé amidonné **33** 55
~ cassé dur **33** 55
~ châle **32** 20
~ de chemise **33** 51
~ de la crosse **87** 7
~ de dentelle **37** 6
~ détachable **33** 37
~ dur **33** 55
~ de fourrure **32** 53, **34** 68
~ de manteau **34** 49
~ marin **31** 30
~ mou **33** 37
~ à parement **179** 22
~ roulé **32** 13
~ tenant **33** 40
~ de veston **34** 15
colchique d'automne **363** 3
coléoptère *[Zool.]* **82** 26, **342** 24-39
~ *[avion]* **225** 70
~ lamellicorné **82** 1
~ ravisseur **342** 39
coléoptère sauteur **81** 37
~ stercoraire **342** 39
colibri sapho **345** 4
colifichet **36** 49, **38** 1-33
colin-maillard **50** 5
colis **231** 3
~ de détail **202** 4
~ p. l'expédition par petite vitesse **202** 33
~ express **200** 2
collage **50** 28
collant **31** 27
colle *[apprêt]* **158** 44
~ de bureau **238** 46
~ de film **295** 24
~ forte **127** 39
~ de Lyon **127** 39
~ d'os **127** 39
~ en plaques **127** 39
~ à tapisser **121** 30
collecteur **68** 66
~ d'admission **184** 15
~ de boue **205** 28
~ de lait **76** 24
~ de pluie **10** 38, 44
~ de poussières **140** 14
~ de retour **68** 64
~ de vapeur **205** 21
collection d'insectes **47** 35
~ de monnaies **47** 38
~ de naturaliste **47** 34-36
~ de papillons **47** 34
~ de pierres **47** 36
collectrice **197** 23
collerette **289** 20, **338** 39
collet *[manteau]* **338** 29, 39
~ *[Techn.]* **136** 62
~ *[viande]* **95** 6, 20
~ de butée **131** 12
~ de la rame **269** 37
collier *[parure]* **31** 61, **38** 8
~ *[harnais]* **72** 15
~ *[Techn.]* **114** 53, **117** 31, **119** 26
~ d'amulettes **337** 40
~ de brillants **38** 8
~ de cheval **76** 6
~ de chien **71** 13
~ de la corde **282** 12
~ de dés **337** 40
~ de fleurs **289** 17
~ en griffes d'ours **335** 14
~ d'or **309** 26
~ de perles *[bijouterie]* **316** 38
~ de perles *[Art]* **316** 38
collimateur **330** 30, **331** 40
colline **13** 66
~ contournée **13** 12
~ de fond **292** 13
colombage **64** 4
colombe *[banc]* **126** 31
Colombine **289** 27
côlon ascendant **22** 19
~ descendant **22** 21
~ transverse **22** 20
colonie *[Zool.]* **349** 8, 9
~ de pucerons **81** 34
colonnade **262** 9, **316** 67
colonne *[livre]* **178** 65
~ *[journal]* **325** 47
~ *[Techn.]* **133** 40, **143** 26, 43
~ adossée **317** 35
~ d'affiches **253** 21
~ des appareils de contrôle **161** 55
~ ascendante **271** 19
~ centrale **91** 34
~ de concrétion calcaire **13** 82
~ de direction **185** 48
~ de direction articulée **183** 44
~ de direction pivotante **183** 44
~ engagée **317** 35
~ à figure **315** 18
~ fixe de direction **183** 51
~ liée **317** 35
~ en lotus **315** 13
~ de mercure **10** 2
~ montante **139** 12
~ montante de pompage **139** 51
~ en palmier **315** 17
~ en papyrus **315** 15
~ de pâte **154** 8
~ pivotante **221** 1
~ portante **2** 29
~ du pot tournant **156** 36
~ de prise d'air **190** 27
~ taurine **315** 23
~ vertébrale **19** 2-5
~ des volants de la double commande **228** 34
colonnes jumelées **318** 6
colophane **302** 11
colorant en poudre **52** 44
colosse **289** 63
colporteur **53** 30, **253** 53
colposcope **110** 11
colza **367** 1
combat de coqs **258** 40
~ de taureaux **287** 57
combinaison *[orgue]* **305** 46
~ du benzol et du chlore **164** 8
~ courte **33** 11
~ de cristaux **330** 1-26
~ en cuir **273** 26

combinaison-gaine
33 23
~ libre **305** 40
~ longue **33** 28
combiné *[récepteur]*
306 45
~ *[écouteur]* **233** 30
~ radio-phono
44 28 et 29
comble **115** 7
~ sur chandelles
116 72
~ conique **116** 24
~ à croupe faîtière
116 16
~ en dents de scie
116 20
~ à deux versants
116 1
~ mansardé **116** 18
~ en pavillon **116** 22
~ à plancher
suspendu **116** 65
~ polygonal **116** 52
~ à quatre arêtiers
116 10
~ rigide à croupe
116 60
~ Shed **116** 20
~ à un seul versant
116 7
combles **39** 4, **40** 12
comburant **229** 8
combustible nucléaire
3 3
~ du réacteur **1** 39
combustion du
mélange d'air et de
carburant **227** 36
comédien **297** 37
comédienne **297** 38
comète **7** 25
comité **251** 1 et 2
commande d'aiguille
198 66
~ de l'air **182** 30
~ d'air chaud **186** 16
~ d'air frais **186** 16
~ des alternateurs
147 1
~ des archets **206** 38
~ de l'ascenseur
265 48
~ d'avance
à dépression **184** 16
~ de l'avance de la
table **143** 22
~ des avances et des
pas **142** 2
~ de l'avion
228 39-47
~ par bielle à excentrique **182** 43
~ par bouton-poussoir **176** 28
~ des broches
157 31
~ des clignotants
186 8
~ du climatiseur
186 16
~ des commutateurs
147 5
commande du convoyeur **138** 38
~ à coulisse **212** 53
~ par courroie
158 33, 61
~ par courroies
plates **156** 49
~ à courroie
trapézoïdale **174** 13
~ des dérivations de
haute tension **147** 4
~ de déverrouillage
de la roue du train
avant **228** 33
~ directe **161** 24
~ de direction
186 40
~ du disjoncteur
ultrarapide **206** 39
~ à distance **306** 44
~ électrique de lever
de rideau **295** 19
~ d'élévation de la
plaque **173** 23
~ d'essuie-glaces
186 5
~ de l'étouffoir
228 32
~ de l'extincteur
228 22
~ par fils **198** 61
~ de frein **182** 26
~ du frein à air
193 38
~ de la fusée **229** 3
~ du gaz **182** 29
commande du gouvernail de direction
223 41, **228** 35
~ de plongée **223** 42
~ de profondeur
228 35
commande d'inversion du sens de
marche **206** 33
~ de lever de rideau
295 19
~ à main de cyclomoteur **181** 34-39
~ à main sur guidon
181 34-39
~ à manivelle **185** 20
~ manuelle du
disjoncteur principal **206** 53
~ manuelle des
ventilateurs des
moteurs **206** 34
~ de mise en marche
142 2
~ de mise au point
précise **171** 12
~ d'ouverture **2** 32
~ des pantographes
206 38
~ de la pompe
à main **228** 23
~ du rabot à charbon
138 38
~ réglable **161** 24
~ à réglage sans
graduation **156** 29
~ par rênes **285** 6
commande de la
sablière **193** 36
~ du sifflet à air
206 50
~ de la timonerie
d'admission **207** 19
~ du train
d'atterrissage **228** 29
~ par transmission
158 61
~ des ventilateurs
206 34
~ par volant **285** 6
commencement
de l'automne **5** 7
~ du printemps **5** 6
commensal **259** 42
commerce d'antiquités
253 57
commère **53** 29
commis **79** 50,
221 24
~ aux expéditions
202 40
commissure des lèvres
18 14, **21** 19
communauté **311** 29
communiant **313** 25
communication
automatique
233 24-41
~ de voies **199** 33
communion **313** 24
communs **310** 27
commutateur **52** 5,
294 19
~ d'antenne **235** 3
~ de contrôle **147** 2
~ p. courant **305** 47
~ d'embrayage
162 40
~ de prise de haute
tension **147** 13
~ rotatif **48** 52
~ de secteur **235** 6
~ de sens de marche
206 33
~ p. vent **305** 47
compagnon **99** 1
~ à la cuve **168** 44
~ forgeron **132** 13
comparateur à cadran
145 40
~ d'interférence
110 29
comparse *m* **292** 29
~ *f* **290** 39
compartiment
[train] **204** 27
~ *[navire]* **222** 55
~ des accumulateurs
223 40
~ des auxiliaires
218 60
~ à bagages **207** 32
~ du bar **204** 26
~ de classement
241 54
~ de conférence
204 50
~ de cuisine **204** 52
~ p. dames
et enfants **201** 58
compartiment à l'eau
de ballast
223 19
~ des fumeurs **203** 27
~ à gaz **226** 75
~ de grande capacité
204 56
~ à grande
réfrigération **42** 4
~ des groupes
électrogènes **223** 28
~ des instruments
229 3-5
~ à linge **259** 31
~-lit **204** 15
~ des machines
207 31
~ des machines
auxiliaires **216** 27,
223 2
~ des moteurs
222 60
~ des moteurs
électriques **218** 58,
223 33
~ des moteurs
principaux **218** 62
~ des mutilés **203** 28
~ des non-fumeurs
203 29
~ panoramique
204 50
~ des passagers
226 68
~ de la porte **42** 8
~ poste **207** 33
~ radio **223** 14
~ réfrigérant **42** 5
~ réservé à la ponte
78 46
~ des réservoirs
du mélange
propulsif **229** 6-11
~ de service **201** 57
~ du tambour
intérieur **166** 3
~ des torpilles
arrière **223** 28
~ à torpilles avant
223 49
~ à vêtements **259** 30
compas *[instr.
à tracer]* **144** 28-47
~ *[Nav.]* **219** 23-30
~ d'alésage **129** 23
~ d'avion **228** 11
~ coupe-verre
122 22
~ d'épaisseur **129** 18,
145 38, **322** 3
~ forestier **85** 33
~ gyroscopique
219 28-30
~ d'intérieur **129** 23
~ liquide **219** 23
~ magnétique **219** 23
~-mère **219** 28
~ à pointes interchangeables **144** 28
~ à pompe **144** 38
~ de précision **144** 44
~ de proportion
322 2

compas de réduction **144** 34, 44
~ de relèvement **218** 6
~ répétiteur **219** 30
~ à ressort **144** 44
~ de route **219** 16
~ à trusquin **144** 13
~ à verge **119** 44, **144** 13
compétition **277** 15-43
~ de nage libre **268** 24-32
complet croisé à deux boutons **34** 4
comporte **80** 8
composant **113** 36
composé de cadmium **1** 45
~ imparipenné **354** 42
~ palmé **354** 39
~ paripenné **354** 41
~ penné **354** 40
compositeur à main **169** 5
composition *[Typ.]* **169** 15
~ conservée **169** 9
~ en deux colonnes **178** 64
~ à la main **169** 1
~ mécanique **169** 27
~ typographique **169**, **170**
compost **55** 6, **79** 15
composteur *[Typ.]* **169** 13
~ *[estampille]* **231** 44
compote **46** 30
compotier **46** 28
compound **235** 14
compresse humide **23** 15
compresseur **42** 3, **261** 48
~ d'air **191** 26, **206** 17
~ d'air à plusieurs étages **227** 27
~ à bouchons **80** 28
~ du gaz **148** 49
~ de graissage **191** 4
~ à laver les autos **191** 25
~ mobile à moteur Diesel **196** 39
~ de suralimentation **227** 6
compression de l'air **227** 35
comprimé **23** 11
comptabilité **238** 37-80
comptable **238** 37
comptage des secondes **281** 38
compte-feuilles **174** 37
~-fils pliant **171** 25
~-gouttes **23** 56
~-tours **159** 2, **160** 43, **192** 27
~-tours électrique **207** 15
compteur **156** 61
~ à ailettes hydrométriques **254** 53
~ d'eau **254** 53
~ électrique **43** 18
~ électronique **241** 45
~ des exemplaires **175** 54
~ d'exposition **112** 32
~ à gaz **43** 21, **119** 28
~ à gaz à piston rotatif **146** 45
~ Geiger **2** 19
~ de Geiger-Müller **29** 48
~ d'images **294** 14
~ kilométrique **180** 33, **186** 7
~ métrique du fil **158** 28
~ de poses **111** 19
~ de poussière contenue dans l'air **110** 23
~ de séquences **294** 13
~ de stationnement **253** 51
~ à tambour magnétique **241** 35
~ à tambours **240** 43
~ de tirage **241** 8
~ de tours *[homme]* **273** 6
~ de tours *[app.]* **228** 18, **280** 19
~ de tours de métrage **294** 26
~ de vignettes **239** 52
~ de vitesse **181** 39
~ de vitesse encastré **181** 39
~ volumétrique d'essence **190** 5
comptoir *[table]* **96** 1, **259** 54, **260** 1-11, **261** 1
~ *[guichet]* **242** 9
~ à l'équerre **256** 42
~-vente des billets d'avion **230** 5
~ de (des) vente(s) **79** 44, **256** 61
concassage **91** 57, **153** 18
concasseur **150** 17
~ de charbon **148** 7
~ giratoire **150** 19
~ à mâchoires **153** 6
~ de malt **92** 22
~ à marteaux **152** 2, **153** 18
~-mélangeur **148** 9
~ à rouleaux **153** 6
concave **108** 1-4
~-convexe **108** 8
concentré p. les potages **98** 30
concertina **303** 36
concierge **53** 28
concombre **59** 13
concrétion calcaire **13** 80 et 81
condamné **213** 48
condensateur de goudron **148** 31
~ à lames **331** 51
~ à ruissellement **145** 63
~ variable **234** 26, **235** 19
condenseur **3** 10, **164** 5, **331** 23
~ double **331** 25
~ à éclairage incident **110** 14
~ à filtre teinté **110** 4
~ postérieur de gaz brut **148** 33
~ simple **331** 23
~ à surface **146** 24
conditionneur **91** 55
conducteur *[auto]* **187** 6, **189** 47
~ *[sulky]* **272** 37
~ *[Él.]* **147** 34, 43
~ de l'arroseuse **195** 40
~ électricien **206** 28
~ de la grue **145** 12
~ de kayak pliant **269** 55
~ mécanicien **113** 32
~ du scooter **183** 38
~ de la voiture **253** 65
~ de tramway **193** 21
conduit d'admission de la vapeur **3** 8
~ d'aération **40** 51
~ d'alimentation **40** 74
~ aspirant **40** 55
~ d'aspiration **212** 51, **254** 5
~ d'aspiration de l'air **47** 3
~ d'aspiration de la pompe **161** 71
~ auditif **19** 34, 58
~ de chargement **195** 14
~ d'eau réfrigérante **146** 27
conduit d'évacuation de fumée **132** 6
~ des gaz résiduels **216** 12
~ de la vapeur **153** 22
conduit de fumée **40** 81, **113** 21, **335** 9
~ de mazout **40** 53
~ presseur **65** 34
~ principal ascendant **40** 71
~ principal descendant **40** 80
~ de refoulement de la pompe **161** 71
~ de retour **40** 56
~ séminal **22** 74
~ de trop-plein **40** 69
~ de vapeur principal **223** 7
conduite d'adduction de gaz au consommateur **148** 55
~ d'aération **161** 34
~ d'air **1** 33
~ d'air de soufflage **141** 2
~ d'alimentation de la vapeur **166** 21
conduite d'amenée d'antenne **223** 13
~ d'eau **92** 31
~ du moût **93** 7
conduite d'arrivée de l'eau réfrigérée **93** 8
~ ascendante **119** 24
~ d'aspiration **254** 41, **297** 52
~ de chauffage à grande distance **194** 30
~ de chauffage urbain **194** 30
~ d'eau **162** 11, **176** 7, **316** 54
conduite d'eau sous pression **254** 16
~ principale **194** 29
~ salée **262** 4
conduite d'échappement de l'air **166** 30
~ d'évacuation de l'eau de condensation **166** 22
~ d'évacuation des eaux ammoniacales **148** 35
~ forcée **212** 41, **297** 54
~ de gaz **119** 24-30, **140** 17, **194** 26
conduite de gaz à basse pression **148** 53
~ brut **148** 13
~ à grande distance **194** 33
~ à haute pression **148** 54
~ sous pression **148** 53 et 54
conduite intérieure **187** 1
~ du mélange propulsif **227** 56
~ de passage de la vapeur **147** 28
~ sous pression **254** 49, **297** 54
~ principale de gaz **148** 47, **194** 34
~ de refoulement **93** 3, **255** 31
~ de sortie **254** 12
~ de sortie de l'eau réfrigérée **93** 8
~ de soufflage **305** 11
~ de trop-plein **254** 20
~ en tuyau flexible **255** 30
~ de vent chaud **140** 18

conduite de vidange **119** 62
cône *[Géom.]* **329** 43
~ *[Techn.]* **136** 65, **180** 58
~ *[Bot.]* **355** 32, **356** 2
~ d'alluvions **13** 9
~ de boue **11** 51
~ émoussé **12** 35
~ d'enclume **132** 28
~ d'épicéa **356** 13
~ femelle **356** 4, 16, 22
~ de fil **178** 18
~ de forge **132** 22
~-frein **180** 71
~ du frein **180** 67, 71
~ normal **143** 29
~ d'obturation **140** 6
~ de perlon **164** 51, 52
~ de pin **356** 26
~ de pliage **175** 53
~ de Seger **154** 6
~ de talus **197** 34
~ de vase **11** 51
confetti **289** 62
confiserie *[boutique]* **97** 1-56, **253** 19
~ *[marchandise]* **98** 75-86
confiture **98** 51
conga **305** 55
conifère **56** 16, **356** 1-71
conimètre **110** 23
connaissement **221** 25
connaisseur en vins **80** 40
connecteur final **233** 41
conque marine **307** 41
conservateur de cap **228** 7
conserve **98** 15-20
~ de fruits **98** 16
~ de légunes **98** 17
~ de poisson **98** 19
consigne automatique à libre-service **200** 21
~ à petits bagages **200** 27
console **51** 43, **119** 29, **193** 44
~ d'orgue **305** 36-52
consoude officinale **70** 13, **359** 45
constante d'intégration **327** 14
constellation d'étoiles **5** 9-48
constructeur **144** 23
construction des autoroutes **197** 1-27
~ d'un bâtiment **113** 1-49
~ en béton armé **114** 1-89
~ centrale **316** 55
~ en couple couture **270** 23
construction fluviale **211**
~ de modèles de planeurs **271** 40-63
~ navale **217**
~ des routes **196**, **197**
~ des routes en béton **197** 1-27
~ séparée **185** 59
~ de la voie ferrée **198** 1-31
contact auxiliaire **147** 57
~ de déclencheur automatique **111** 47
~ de flash **11** 46
~ par frottement **193** 27
~ isolant **193** 28
~ de rupture du film **295** 30
~ de sûreté **206** 35
~ du tâteur de navette **159** 31
contacteur **172** 20, 29, **176** 28, **233** 23
~ à électrode **135** 24
container **202** 25, **208** 47
contenu de la lettre **239** 9
continent **15** 12-18
contorsion arrière **298** 12
~ avant **298** 13
contradicteur **251** 15
contre·-batteur **68** 59
~-boutant **317** 27
~-butée **304** 31
~-cacatois **215** 32
Contre-courant Équatorial **15** 33
contre·-écrou **136** 28, **180** 54
~-écrou de bielle **180** 64
~-effet **264** 6
~-fiche **114** 63, **116** 41, 57, 82, **271** 34
~-filet **95** 25
~-marche **118** 33, 48
~-octave **300** 63
~-pédalage **180** 63
~-plaqué **127** 34 et 35, **321** 24
~-poinçon **170** 41
~-pointe **129** 7, **142** 26
~-rail **198** 54
~-rivure **136** 57
~-rocker **284** 20
~-sanglon porte-traits **72** 19
~-torpilleur **222** 16, 17
contrebande **247** 17
contrebandier **247** 16
contrebasse **302** 23
~ de viole **301** 23
contrebasson **302** 28
contrefort **99** 39, **310** 26, **317** 27 et 28
contrefort contre les cailloux **282** 50
~ contre les éboulis **282** 50
contremaître **149** 25
contrepoids **114** 33, **210** 69, **212** 76
~ du câble porteur **209** 41
~ du câble tracteur **209** 42
contrepoint de liage **165** 28
contrevent **39** 30
contreventement **116** 30, **210** 11
~ supérieur **210** 53
contrôle des alternateurs **147** 1
~ de l'ascension de l'avion **228** 4
~ de l'assiette **228** 4
~ de la descente de l'avion **228** 4
~ de l'état d'équilibre **228** 5
~ d'exécution **147** 7
~ du feu arrière **181** 44
~ de la frontière **247** 12
~ des passeports **247** 14 et 15
~ de la position des rouleaux **305** 37
~ à la réception **77** 4
~ de la respiration **28** 39
~ de la richesse du mélange **228** 31
~ de la tension du courant **305** 38
~ des variations de l'altitude du vol **228** 6
contrôleur **221** 27, **296** 10
~ des billets **200** 25
~ de bougies **192** 56
~ de gonflage **190** 28
~ de réglage de l'allumage **192** 59
~ des roues **201** 36
~ de route **201** 54, **203** 17
~ de wagons-lits **204** 16
convalescent **29** 24
convergent **108** 5-8
~ supersonique **227** 21
convertisseur de couple **207** 4
~ Thomas **140** 48-62
convexe-concave **108** 3
convive **259** 40-43
convoi *[camion]* **189** 44
convoyeur à bandes en caoutchouc **138** 15
convoyeur p. les bidons **77** 3
~ des bouteilles **77** 17
~ à chaîne à raclettes **138** 37
~ à double chaîne **138** 14
~ à godets **221** 64
~ incliné à godets **148** 8
~ de levage **163** 32, **164** 36
~ en matière plastique **138** 15
~ à rouleaux **77** 3
~ de taille **138** 24
coolie **336** 43
~ de rickshaw **336** 35
coordonnée **329** 8
~ cartésienne **329** 1
~ rectangulaire **329** 1
~ terrestre **15** 1-7
copeau **115** 80, **127** 47, **130** 12
~ de bois **167** 1
~ de tournage **129** 26
copie *[manuscrit]* **169** 6
~ *[photo]* **112** 9
~ héliographique **241** 17
~ offset **173**
co-pilote **226** 39
coq **74** 21, **75** 9
~ des bouleaux **88** 66
~ de bruyère **86** 11, **88** 66, 72
~ châtré **98** 6
~ du clocher **312** 3
~ engraissé **98** 6
coqué *[Bot.]* **368** 40
~ *[bordage]* **269** 48
~ sur couples **217** 25
~ de l'hydravion **225** 61
~ résistante à la pression **223** 21
~ de voilier **270** 1-10
coquelicot **63** 2
coquetier **45** 38
coquillage **340** 30-34
coquille *[escargot]* **340** 27
~ *[œuf]* **75** 48
~ *[Bot.]* **368** 58
~ *[fleuret]* **277** 57
~ *[violon]* **302** 17
~ *[Techn.]* **140** 36
~ de la mulette **340** 34
cor **302** 41
~ anglais **302** 38
~ de chasse **87** 60, **272** 60
~ de guerre **337** 39
~ d'harmonie **302** 41
~ en ivoire **337** 39
~ à pistons **302** 41
~ du postillon **179** 41
~ ténor **302** 39

corail naturel **340** 35
coralliaire **340** 35
corbeau *[Zool.]* **346** 2
~ *[Arch.]* **114** 6
corbeille *[panier]* **130** 16
~ *[sabre]* **277** 64
~ *[Bourse]* **243** 3
~ à détritus **253** 46, **257** 69
~ à fleurs **260** 29
~ à marchandises **256** 15
~ à pain **46** 20
~ à papier **39** 63, **238** 28, **253** 46
~ à pollen **78** 6
cordage *[raquette]* **276** 29
~ *[toit]* **117** 67
~ de sauvetage **255** 45
corde *[cordon]* **125** 18, 19, **331** 5
~ *[arc]* **287** 40
~ *[Sport]* **276** 53
~ *[instr. de mus.]* **301** 44, 55, **302** 9
~ *[Géom.]* **328** 51
~ d'accompagnement **303** 25
~ de l'aigu **304** 10
~ d'alarme **224** 19
~ d'alpinisme **282** 13
~ d'appendice **226** 57
~ de basse **303** 25, **304** 12
~ de bourdon **301** 31, **303** 25
~ de boyau **303** 6
~ du cerf-volant **258** 52
~ de déchirure **226** 54
~ de fermeture de la queue **90** 23
~ de halage **271** 5
~ de la **302** 9
~ à linge **40** 23, **53** 36
~ lisse **279** 5
~ de mélodie **301** 30, **303** 24
~ mélodique **301** 30
~ métallique **303** 14
~ de mi **302** 9
~ de piano **304** 7
~ de ré **302** 9
~ de remontée **115** 37
~ du ring **281** 33
~ à sauter **258** 54
~ du sautoir **279** 23
~ de sauvetage **255** 45, **267** 2
~ à sécher **53** 36
~ de sol **302** 9
~ de sûreté **282** 11
~ de suspension **226** 56
~ de tension **127** 3, **266** 30
corde de tête **90** 7, 17
~ de tir **224** 52
~ de ton aigu **304** 10
~ de touche **303** 24
~ de traction **271** 2
~ de violon **302** 9
cordeau p. aligner les bordures **58** 19
~ de jardinier **58** 19
cordée **282** 26-28
~ du personnel **137** 19
cordelette à nœuds **335** 22
cordelière à manteau **338** 24
corderie **125** 1-18
cordes *[raquette]* **276** 29
~ *[ring]* **281** 33
cordier *[artisan]* **125**
~ *[instr. de mus.]* **301** 16, **302** 7, **303** 4, 13
cordon d'allumage **150** 28
~ de l'éponge **249** 37
~ d'étage **317** 52
~ horizontal à deux bras **55** 17
~ horizontal simple **55** 29
~ de nettoyage **87** 64
~ de raccordement **102** 15
~ de rallonge p. appareils **120** 23
~ de tirage de l'interrupteur **120** 13
~ vertical **55** 2
cordonnerie **99** 1-37
cordonnier **99** 23
Corée **14** 51, 52
~ du Nord **14** 51
~ du Sud **14** 52
corinthien **316** 10
cormoran **343** 10
corne *[gibier]* **88** 29-31
~ *[Él.]* **147** 61
~ d'abondance **308** 39
~ d'artimon **214** 45
~ de buffle *[Hér.]* **246** 34
~ ronde **119** 16
~ de signal **198** 10
~ de tente **213** 14
~ tortillée **307** 8
~ de la vache **76** 38
cornée **21** 47
corneille **346** 2
~ bleue **344** 6
~ mantelée **344** 6
cornemuse **301** 8
cornet à bouquin **301** 12
~ courbe **301** 12
~ droit **301** 12
cornet de glace **291** 31
~ de papier **98** 49
~ à piston **302** 43
cornette *[couteau]* **123** 7
~ *[flèche]* **287** 45
corniche *[Art]* **316** 11-14, 57, **317** 48
~ *[toit]* **117** 36
~ *[rocher]* **282** 3
~ à chevrons **39** 9
~ de neige **282** 21
~ de toit **40** 11
cornichon au vinaigre **98** 29
cornière annulaire **141** 66
cornouille **357** 32
cornouiller **357** 30
cornue *[vase à col]* **333** 13
~ *[four]* **148** 11
corolle *[Bot.]* **362** 4
~ *[lampe]* **47** 51
corona **7** 22
Corona Borealis **5** 31
corps *[instr. de mus.]* **303** 15
~ *[Typ.]* **170** 46
~ *[turbine]* **147** 23-25
~-à-corps **281** 27
~ arrière de la caméra **171** 4
~ de l'aspirateur **52** 6
~ de ballet **288** 29
~ basse pression **147** 25
~ de la cafetière **45** 12
~ calleux **19** 44
~ d'un caractère **170** 18-31
~ du carburateur **183** 54
~ de la charrue **68** 4-8
~ de la cheminée **145** 48
~ de cheval **307** 27, 54
~ de chien à trois têtes **307** 30
~ de cylindre **160** 13
~ deux (à vingt) points **170** 19-31
~ de dragon **307** 19, 36
~ extérieur du moyeu **180** 69
~ haute pression **147** 23
~ d'homme **307** 53
~ humain **18** 1-54
~ de jeune fille **307** 24, 59
~ de lance **83** 34
~ de lion **307** 14
~ du livre cousu sur mousseline **177** 32
~ moyenne pression **147** 24
corps à neuf têtes **307** 33
~ d'oiseau **307** 57
~ du refroidisseur **77** 38
~ de résonance **302** 3
~ de serpent **307** 2
~ de serpent à neuf têtes **307** 33
~ de taureau **307** 48
~ thyroïde **22** 1
~ du tonneau **126** 25
~ à trois têtes **307** 30
~ du tuyau **305** 29
~ du violon **302** 3
~ de volée **131** 8
~ du volume **178** 28
correcteur de tonalité à deux étages **306** 40
correction de la déviation du compas **228** 12
~ de tonalité **306** 40
corrida **287** 57
corridor **222** 58
corsage *[Vêt.]* **31** 60
~ *[cerf]* **88** 27
corselet *[Vêt.]* **31** 6
~ *[coléoptère]* **82** 4
cortège du carnaval **289** 57-70
corvette **222** 13
corvidé **346** 1-3
corydalle bulbeuse **361** 8
corymbe **358** 36
cos **328** 32
cosinus **328** 32
cosmotron **2** 49
cosse *[Bot.]* **59** 6
~ de câble **184** 6
costume bavarois **32** 21
~ de chasse **86** 2
~ de danse **337** 36
~ espagnol **338** 27
~ de fantaisie **289** 32
~ Henri II **289** 26
~ marin **31** 28
~ de petit garçon **31** 53
~ sport de tweed **32** 58
~-tailleur **32** 1
~ de théâtre **296** 51
~ tyrolien **32** 21
~ tyrolien p. filles **31** 36
costumes **338**
cotangente **328** 32
cote de la bourse **243** 8
~ des devises **242** 5
~ *[vis]* sur plats **136** 21
côte *[Anat.]* **19** 9, 10
~ *[avion]* **271** 54
~ plate **13** 35-44
côté *[triangle]* **328** 26
~ d'accompagnement **303** 43

côté de l'angle **328** 3 et 7
~ d'appui **303** 74
~ sur aubier **149** 43
~ bâbord **221** 49
~ sur bois parfait **149** 40
~ de la caisse **131** 16
~ de chargement **1** 37
~ du cou **73** 15
~ entre **142** 50
~ de l'épître **311** 47
~ de l'évangile **311** 48
~ du lit **48** 5
~ de mélodie **303** 39
~ n'entre pas **142** 51
~ du pignon **39** 15
~ quarte **277** 12
~ tierce **277** 11
~ tribord **221** 52
coteaux **80** 1-20
côtelette de porc **95** 46
~ de veau **95** 3
côtes *[Anat.]* **19** 9
~ *[viande]* **95** 47
~ flottantes **19** 10
~ de porc **95** 47
cothurne **100** 43
coton **367** 19
~ d'essuyage **192** 69
~ hydrophile **27** 25, **28** 9
cotonnier **367** 16
cotre **215** 8, **270** 37-40
cottage **39** 84-86
cotte *[jupe]* **338** 36
~ en écailles **310** 64
~ en écus **310** 65
~ de mailles **310** 51
~ de mailles en chaînettes **310** 63
cotylédon **354** 87
cou *[Anat.]* **18** 19-21
~ *[arçon]* **279** 34
~ du cheval **73** 14
~-de-pied **21** 61
couard **86** 35
couchage simple **57** 11
couche *[lange]* **30** 6
~ d'air **1** 32, **4** 11-15
~ annuelle d'accroissement **84** 23
~ d'argile damée **254** 39
~ basse **8** 4
~ de charbon vif **137** 22
~ chaude **79** 16
~ D **4** 16
~ E **4** 17
~ électronique **1** 4
~ en feuilles d'étain **331** 56
~ F_2 **4** 19
~ de flanelle **30** 8
~ de freinage en graphite **1** 26
~ à fumier **79** 16
~ F_1 **4** 18
couche imperméable **12** 28
~ imperméable à l'eau **254** 36
~ inférieure de béton **197** 45
~ intermédiaire **11** 4
~ isolante horizontale **118** 4
~-limite **225** 55
~ marécageuse **13** 15
~ de neige **286** 20
~ de nuages **8** 3
~ nuageuse **8** 8, 9
~ nuageuse homogène **8** 4
~ perméable **12** 22, **254** 2, 38
~-point **99** 52
~ poreuse **12** 29
~ de protection contre le gel **196** 60, **197** 44
~ protectrice **323** 56
~ de réflexion **4** 16-19
~ rocheuse imperméable **13** 78
~ stratifiée **8** 3
~ supérieure en béton **197** 43
~ de tourbe de mousse **13** 22
~ de tubes **365** 17
~ d'usure en béton **197** 43
~ au-dessous de la veine **138** 21
~ au-dessus de la veine **138** 20
~ de vernis **323** 55
couchette **25** 16
coucheur **168** 47
coucou *[Zool.]* **343** 30
~ *[horloge]* **107** 54
coude *[Anat.]* **18** 45
~ *[cheval]* **73** 20
~ du tuyau **53** 51
coulant *[Bot.]* **57** 16, **60** 20
~ de cuir **282** 44
coulé *[Mus.]* **300** 35
~ *[billard]* **264** 3
coulée **140** 47
~ de boue **11** 51
~ de la fonte brute **140** 11
~ du laitier **140** 9
~ de lave **11** 18
~ de vase **11** 51
coulemelle **365** 30
couleur *f* **320**
~ *[cartes à jouer]* **265** 38-45
~ *[Hér.]* **246** 24-29
~ à l'aquarelle **321** 18
~ à l'huile **321** 11
~ phosphorescente **89** 50
~ en poudre **121** 9
~ *m [ouvrier]* **141** 8
couleurs complémentaires· additionnées **320** 10
~ soustraites **320** 12
couleuvre à collier **350** 38
coulisse *[porte]* **75** 22
~ *[Film]* **292** 33
~ *[instr. de mus.]* **302** 47, **305** 33
~ du train baladeur Norton **142** 10
~ de trombone **302** 47
coulisseau *[viseur]* **87** 69
~ *[Techn.]* **143** 53, **160** 45
~ vertical **143** 54
couloir *[piscine]* **268** 31
~ central **203** 45
~ grillé **339** 12
~ latéral **204** 10
coup *[échecs]* **265** 14
~ avec l'arête de la main **276** 46
~ bas *[boxe]* **281** 31
~ bas *[Escr.]* **277** 14
~ de bas en haut **281** 29
~ en bas **264** 4
~ de billard **264** 2-6
~ au but **274** 39
~ de coin **274** 58
~ de contre-effet **264** 6
~ défendu **281** 31
~ direct **281** 25
~ donné avec le front **274** 56
~ droit *[Escr.]* **277** 20
~ droit *[tennis]* **276** 21
~ d'effet **264** 5
~ d'envoi **274** 11-21 **276** 46
~ de flanc **277** 5 à 6
~ franc **274** 42
~ haut **277** 13
~ en haut **264** 3
~ de marteau *[Sport]* **276** 56
~ du milieu horizontal **264** 2
~ de pied de coin **274** 58
~ de renvoi du ballon **274** 41
~ de revers **276** 20
~ de taille **277** 1-14
~ à la tête dehors **277** 37
coupe *[dessin]* **144** 59
~ *[nage]* **268** 37
~ *[verre]* **46** 86
~ en biais **128** 10
~ à blanc **84** 4-14
~ à blanc-étoc **84** 13
~ de la chaîne **165** 14
~ de cheveux **104** 2
coupe de crème glacée **261** 37
~ en exploitation **84** 15-34
~ du fil **164** 60
~ fine **105** 20
~ à fleurs **44** 18
~ à fruits **46** 40
~ de la lampe **45** 31
~ marine **105** 20
~ en travers d'une rue **194**
coupe·-asperges **58** 27
~-câble à levier **120** 49
~-cigare **105** 10
~-circuit **228** 27
~-circuit à bouchon **120** 35
~-circuit de sécurité **162** 19
~-copeaux **149** 57
~-cuir **123** 18
~-écorce **85** 25
~-filets inférieur **223** 52
~-filets supérieur **223** 53
~-fourrage **66** 34
~-œufs **41** 86
~-papier **238** 47
~-papier rapide **178** 1
~-rivets **132** 37
~-tube **119** 54
~-verre **122** 25 et 26
~-verre à diamants **122** 25
~-verre à molettes en acier **122** 26
coupé *[carrosse]* **179** 3
~ *[auto]* **187** 10
couperet **96** 46
~ à verdure **75** 41
coupeuse **102** 75
couplage de la prise de réglage **147** 18
~ du transformateur **147** 19
couple *[paire]* **259** 46
~ *[Él.]* **332** 7
~ *[navire]* **217** 55, **269** 49, **270** 20, 24
~ d'amoureux **257** 44
~ en bois contreplaqué **271** 48
~ couture **270** 24
~ longitudinal **270** 24
~ transversal **270** 20
coupoir **106** 23
coupole **316** 58
~ blindée tournante **223** 58-60
~ à bulbe **116** 25
~ fixe **6** 12
~ pivotante **6** 8
~ principale **316** 72
coupon de contrôle **145** 84
~ de dividende **243** 18

coupon-réponse international **232** 20
cour *[maison]* **53** 1-49
~ *[damier]* **265** 27
~ de la caserne **252** 47
~ du couvent **314** 2
~ intérieure **310** 2
~ aux poules **75** 18
~ des silos **64** 11
~ vitrée **252** 22
courant *[Météor.]* **9** 25-29
~ d'air chaud **271** 19
~ central **211** 9
~ chaud **9** 28
~ d'eau souterraine **254** 3
~ froid **9** 29
~ du golfe **15** 30
~ marin **15** 30-45
~ marin chaud **15** 28
~ marin froid **15** 27
Courant Agulka **15** 37
~ Austral Est **15** 38
~ Austral Ouest **15** 45
~ Benguella **15** 43
~ du Brésil **15** 35
~ de Californie **15** 39
~ des Canaries **15** 41
~ Équatorial Nord **15** 32
~ Équatorial Sud **15** 34
~ de Humboldt **15** 42
~ du Labrador **15** 40
~ du Pérou **15** 42
~ de la Somalie **15** 36
courbe *[Géom.]* **328** 21, **329** 11
~ *[Patin.]* **284** 9
~ balistique **87** 79
~ du fleuve **211** 42
~ gauche **329** 13
~ hypsométrique **11** 6-12
~ linéaire **329** 12
~ de niveau **16** 62
~ de profondeur **16** 11
~ du second degré **329** 14
~ de la surface de la terre **11** 6-12
~ de température **29** 16
~ du troisième degré **329** 18
courbette **72** 6
courbure d'extrémité **271** 49
coureur **280** 6
~ automobile **273** 39
~ cycliste de fond **273** 8
~ de fond **273** 14, **280** 17
coureur de haies **280** 11
~ motocycliste **273** 25
~ motocycliste de la mort **291** 54
~ d'obstacles **280** 20
~ sur piste **273** 2
~ professionnel **273** 14
~ de relais **280** 13
~ sur route **273** 8
~ des six jours **273** 2
courge de mer **349** 18
couronne *[diadème]* **246**
~ *[soleil]* **7** 22
~ *[dent]* **27** 31, 36
~ *[Géom.]* **328** 57
~ *[Techn.]* **136** 91
~ *[monnaie]* **244** 24-27
~ antipoussière **180** 57
~ de l'arbre **354** 3
~ de baron **246** 44
~ de chevalier **246** 43
~ comtale **246** 45
~ dentée **136** 88, **210** 63, **221** 6
~ de dignitaire **246** 43-45
~ ducale **246** 39
~ de feuilles *[Bot.]* **368** 62
~ de feuilles *[Hér.]* **246** 12
~ de feuilles *[Art]* **316** 25
~ de fleurs d'oranger **313** 18
~ de galets **223** 64
~ impériale **246** 38
~ mortuaire **312** 57
~ murale **246** 46
~ de myrte **313** 18
~ d'or **27** 81
~ à pivot **27** 34
~ de pivotement **210** 57
~ de plumes **276** 38
~ des princes **246** 40
~ de remontoir **107** 14
~ de rotation de la lame **196** 22
~ royale anglaise **246** 42
~ solaire **7** 22
~ de la victoire **308** 44
Couronne Boréale **5** 31
couronnement **212** 59
~ de contrefort **317** 29
~ crénelé **310** 6
~ de digue **211** 39
courre le sanglier **86** 31
courrier **231** 35
courroie **111** 59, **273** 22
~ d'avant-pied **283** 46
~ à boucle **249** 43
~ du cartable **249** 45
~ de commande **157** 16
~ de commande du frappeur **159** 22
~ de fermeture **249** 43
~ de sacoche **248** 70
~ de transmission **102** 45, **125** 10
~ trapézoïdale **184** 14
cours *[leçons]* **250** 1
~ de l'eau **211** 9
~ d'eau navigable **16** 45
~ de la lune **7** 1
~ des planètes **6** 21-31
course automobile **273** 34-45
~ vers la base **275** 49
~ de canots **269** 1-18
~ de chevaux **272** 1-29, 36-46
~ cycliste **273** 1-23
~ cycliste sur route **273** 8-10
~ du cylindre **184** 70
~ de demi-fond **280** 4
~ aux échasses **258** 37
~ d'engins à moteurs **273** 24-50
~ de fond *[cyclistes]* **273** 11-15
~ de fond *[coureurs]* **280** 17-19
~ de fond *[ski]* **283** 30
~ au galop **272** 1-29
~ sur gazon **273** 24-28
~ sur glace **284** 1-32
~ de haies *[coureurs]* **280** 11 et 12
~ de haies *[Équit.]* **272** 23-29
~ hippique **272** 1-29, 36-46
~ de motocyclettes **273** 24-28
~ d'obstacles *[coureurs]* **280** 20-22
~ d'obstacles *[Équit.]* **272** 23-29
~ à obstacles et fossés **272** 31-34
~ sur piste de sable **273** 24-28
~ plate **283** 30
~ de relais **280** 13-16
~ à roulettes **287** 33
~ sur route **273** 24-28
~ en sac **258** 7
course des six jours **273** 2-7
~ de sprint **273** 8
~ de taureaux **287** 57
~ tout terrain **273** 33
~ au trot attelé **272** 36-46
~ de vitesse **280** 1-28
~ à voile sur patins **284** 33
coursier *[moulin à eau]* **91** 41
~ *[galère]* **213** 46
coursive **39** 73
court de tennis **276** 1
courtier assermenté **243** 4
~ libre **243** 5
courtine **310** 19
couseuse à fil **178** 16
cousin *[Zool.]* **342** 16
cousoir **177** 9
coussin **30** 2, **44** 2
~ de base **275** 51
~ de belle-mère **56** 14
~ en cuir **159** 64
~ électrique **23** 52
~ de la jeune mariée **313** 20
~ en mousse de caoutchouc **266** 24
~ à or **177** 6
~ p. les pieds **47** 20
~ pneumatique **23** 28
~ en résine synthétique **159** 64
coussinet *[coussin]* **17** 13
~ *[rail]* **198** 53
~ *[écarteur]* **114** 81
~ de cuir **106** 29
~ de filière **134** 65
~ de volute **316** 24
couteau **46** 50, **80** 10, **178** 29
~ à beurre **46** 73
~ de boucher **94** 9
~ de bronze **309** 31
~ à caviar **46** 81
~ de chasse **87** 42
~ circulaire **177** 58
~ circulaire de refente **176** 12
~ à contours **323** 10
~ p. couper les joints **197** 17
~ de cuisine **41** 56
~ à détailler **96** 32
~ à deux mains **115** 79
~ à écorcher **96** 33
~ de ferblantier **119** 15
~ à fromage **46** 72
~ à fruits **46** 71
~ à glace **283** 51
~ à linoléum **121** 46
~ à mastiquer **122** 27
~ de monteur **120** 63
~ à or **177** 7
~ à pain **41** 54
~ à palette **321** 14

couteau à pied **66** 37, **123** 6
~ à plomb **122** 12
~ de poche **266** 17
~ à poisson **46** 64
~ à quart-de-lune **123** 7
~ de relieur **177** 13
~ du saigneur **94** 9
~ à sangles **123** 19
~ à saucisses **96** 31
~ à servir **46** 69
~ à tailler **126** 17, **195** 23
~ p. tailler la neige durcie **195** 23
~ de tonnelier **126** 17
coutelas **87** 41
coutre *[charrue]* **68** 10
~ *[fendoir]* **126** 11
~ circulaire **68** 25
~ à disque **68** 25
~ rayonneur **67** 26
couture **102**, **177** 8, 34
~ à la machine **102** 1-12
~ piquée **101** 1
~ rabattue double **102** 4
couturier *[Anat.]* **20** 45
couturière **102** 75
couvée **343** 3
couvent **16** 63, **314** 1-12
couvercle **2** 14, **45** 13, **208** 18
~ de l'appareil **161** 65
~ en bois **53** 54
~ de carter **136** 78
~ de chapelle **184** 12
~ à clapet **23** 17
~ du coffre **185** 7
~ coulissant **173** 2
~ de la cuve **172** 30
~ du dôme **40** 48
~-écran anti-magnétique **293** 6
~de l'encensoir **313** 39
~ des ensouples **161** 44
~ de l'essoreuse-centrifuge **162** 18
~ de la lessiveuse **53** 54
~ de la pipe **105** 37
~ du puits **40** 46
~ rabattant **53** 33, **120** 15
~ du regard **194** 21
~ à tube **334** 52
~ en verre incassable **42** 23
~ à vis de fixation **161** 44
~ vitré **254** 56
~ de W.-C. **51** 39
~ *[ciel]* **9** 24
couvert *[cuiller etc.]* **46** 7
couvert à café **261** 18
~ pliant **266** 20
~ à poisson **46** 8
~ à salade **46** 24
~ à servir **46** 69 et 70
~ p. une personne **46** 3-12
couverture *[toit]* **40** 1, **117**
~ de l'album **112** 53
~ allemande en ardoise **117** 76-82
~ du cartable **249** 42
~ chauffante **48** 51
~ contre l'eau giclante **269** 56
~ en écailles droites chevauchantes **117** 2
~ feutrée **30** 7
~ en fibrociment ondulé **117** 90-103
~ à joints rompus **117** 50
~ de laine **23** 21, **48** 11
~ lestée **272** 17
~ du livre **178** 26
~ de la machine à coudre **102** 40
~ en papier goudronné **117** 90-103
~ de plume **48** 11
~ de protection **178** 37
~ publicitaire **178** 37
~ de selle **72** 44, **272** 17
~ de sortie **258** 31
~ de terre végétale **196** 64
~ en tuiles **117** 45-60
~ de voyage **48** 55, **201** 8
couveuse **75** 17, 27
~ artificielle **75** 28
couvoir **75** 30
couvre-cafetière **45** 41
~-chaîne en tôle **180** 37
~-chefs **36**
~-cordes **303** 17
~-cuvette **180** 55
~-joint **114** 65, **118** 57
~-lame **66** 18
~-nuque **255** 38
~-œil **23** 37
~-pieds **48** 11
~-théière **45** 51
couvreur **117**
~-ardoisier **117** 71
cow-boy **289** 31
cowper **140** 15
coyau **116** 31
crabe **342** 1, **349** 15, 16
~ géant **349** 1
crachoir **23** 16, **27** 7, **51** 64
~ de poche **23** 32
cracking **139** 33
~ catalytique **139** 63
craie **249** 6
~ grasse **323** 26
~ lithographique **323** 26
~ (de) tailleur **102** 82, **256** 39
crampon *[racine]* **354** 80
~ *[fer]* **114** 58
~ *[soulier]* **274** 28
~ à vis **198** 41
cran *[griffe]* **149** 35
~ *[Typ.]* **170** 47
~ d'arrêt du marteau **133** 47
~ de mire **87** 66
crâne **18** 1, **19** 1, 30-41
~ chauve **35** 21
crannog britannique **309** 15
crapaud *[plaque]* **198** 40
~ *[piano]* **304** 40
~ d'ancrage **219** 48
~ terrestre **350** 23
crapaudine **91** 10
~ de pivot de boggie **204** 65
craquelin *[pain]* **97** 48
crassier **137** 9
cratère *[vase]* **309** 11
~ *[volcan]* **11** 16
~ de charbon **295** 44
~ funéraire **309** 34
~ de l'impact **11** 49
~ lunaire **7** 12
~ provoqué par une météorite **7** 30
~ en tôle de bronze **309** 34
~ du volcan **11** 16
~ d'un volcan éteint **11** 25
cravache **272** 53, **290** 53
cravate **31** 31, **33** 45
~ de cavalier **272** 51
~ de fourrure **32** 48
~ en toile **338** 56
crawl **268** 38
crayon **239** 31, **249** 60
~ d'ardoise **249** 57
~ de charpentier **115** 77
~ de couleur **50** 24
~ de maçon **113** 51
~ noir **321** 5
~ à sourcils **103** 16
crécelle *[moulinet de bois]* **289** 47
~ *[Techn.]* **127** 23
crédence **45** 57
crémaillère **79** 18, **145** 22, **212** 69
~ à dents **209** 9
~ double horizontale **209** 11
~ d'inclinaison **171** 32
crème de beauté **103** 11
crème capillaire **104** 9
~ fouettée **97** 11, **261** 5
~ de jour **103** 11
~ à massage **103** 11
~ de nuit **103** 11
~ nutritive **103** 11
~ à raser **51** 70
créneau **86** 52, **310** 7
crêpe **104** 4
crépi **117** 38, **118** 6
crépine **254** 6, 14, 43
crépuscule **4** 26
crescendo **300** 49
cresson de fontaine **362** 30
~ des prés **359** 11
crête *[coq]* **74** 22
~ *[Géol.]* **12** 36
~ dorsale **350** 21
~ de l'épaulière **310** 44
~ de glace **282** 22
~ de montagne **12** 36
creuset **106** 9
~ de terre réfractaire **334** 31
~ de vitrification **155** 22
creux de l'aisselle **18** 26
~ après l'éboulement **11** 48
crevasse **11** 52
~ de (du) glacier **12** 50, **282** 24
~ dans le névé **282** 24
crevette **349** 12
~ artificielle **89** 37
criblage du coke **148** 22
crible à béquille **79** 13
~ convoyeur **67** 42
~ de menues pailles **68** 65
~ rond **91** 26
~ à terreau **79** 13
~ vibrant **153** 9
~ vibreur **150** 21
cric **192** 47
~ à crémaillère **145** 21
~ à crochet **145** 21
~ rouleur **192** 66
cricket **275** 55-61
crieur public **291** 8
crin de cheval **124** 23
~ végétal **124** 23
crinière du cheval **73** 13
~ de lion **353** 3
crinoline **338** 72
criquet **342** 8
cristal **330** 29
~ de glace **8** 6
~ macle en queue d'aronde **330** 25
cristallin **21** 48, **78** 21
cristallographie **330**
cristallométrie **330** 27-33

cristaux **41** 28
croc **78** 55
~ à fumier **66** 10
~ à incendie **255** 15
~ à pommes de terre **66** 6
~ à viande **94** 16
croche **299** 18
crochet *[petit croc]* **53** 39, **99** 45
~ *[Zool.]* **341** 27
~ *[note]* **299** 7
~ *[parenthèse]* **325** 25
~ *[tuile]* **117** 51
~ *[Art]* **317** 38
~ *[boxe]* **281** 30
~ d'amarrage **133** 34
~ d'attelle **72** 14
~ d'auget **117** 23
~ de la bandelette **304** 35
~ à bottine **100** 10
~ de la broche **157** 49
~ de la corde à linge **40** 22
~ à corder **125** 12
~ de couvreur **40** 6
~ double **145** 10
~ à écarter les lèvres de la plaie **28** 56
~ d'échelle **117** 15
~ de faîtage **117** 65
~ à filer **125** 12
~ de fixation **303** 67
~ p. fixer le volet **39** 31
~ de la forme **99** 11
~ à la fourche **101** 29
~ du garde-neige **117** 16
~ de gouttière **117** 32
~ de (la) grue **221** 21, **145** 10
~ interchangeable **23** 50
~ à lard **90** 60
~ à main **221** 16
~ mural **124** 4
~ porte-charge **145** 10
~ de rallonge **117** 64
~ de remorque **224** 35
~ de service **117** 15, 69
~ de suspension **133** 34
~ de suspension de la grue **161** 41
~ à tableaux **124** 4
~ de tension **283** 49
~ à tirer la forme **99** 11
~ de traction **68** 19, **139** 8, **206** 25
~ X **124** 4
crocodile **298** 26
croisé *[chevalier]* **310** 72
~ *[Gymn.]* **279** 33
~ de fond **130** 21
croisement *[animaux]* **74** 8
~ des armes **277** 48
~ à dés **165** 11
~ de (du) drap **165** 24, 1
~ du drap anglais **165** 11
~ à gaufres **165** 29
~ longitudinal **165** 13
~ Panama **165** 11
~ en prime **277** 51
~ en quarte **277** 49
~ de rues **253** 9
~ en seconde **277** 52
~ en tierce **277** 50
~ dans les tissus **165**
~ de la toile de lin **165** 1
~ du tricot longitudinal **165** 26
~ de voies **199** 31
croiseur **222** 21-30
~ de bataille **222** 26
~ léger **222** 21
~ lourd **222** 23
croisillon **113** 88, **191** 2
~ de manœuvre **143** 5
croissant *[pain]* **97** 41
~ *[pavillon]* **245** 19
~ lunaire **7** 3, 7
croix **313** 49-66
~ ancrée **313** 63
~ cardinalice **313** 59
~ égyptienne **313** 57
~ de faîte **312** 10
~ de fer *[Gymn.]* **279** 48
~ en forme d'i grec **313** 55
~ grecque **313** 50
~ en i grec **313** 55
~ de Jérusalem **313** 66
~ latine **313** 49
~ de Lorraine **313** 56
~ de manœuvre **298** 30
~ à neige **10** 41
~ papale **313** 60
~ de la Passion **313** 49
~ pastorale double **313** 58
~ pectorale **314** 52
~ potencée **313** 64
~ de procession **312** 42
~ répétée **313** 62
~ russe **313** 51
~ de Saint-André **313** 54
~ de Saint-Antoine **313** 53
~ de Saint Pierre **313** 52
~ en T **313** 53
~ en tau **313** 53
~ tombale **312** 25
~ tréflée **313** 65
Croix du Sud **5** 44
cromorne **301** 6
croquante **98** 85
croque-mort **312** 40
croquet **275** 62-67
croquis **296** 40
cross-country **273** 33, **280** 23
crosse *[évêque]* **314** 48
~ *[golf]* **276** 69 et 70
~ *[fusil]* **87** 3
~ *[violon]* **302** 17
~ *[Art]* **317** 38
~ de l'aorte **20** 10
~ de hockey **275** 17
~ de hockey sur glace **284** 37 et 38
~ de piston **205** 27
~ de pointage **90** 58
crottin de cheval **76** 6
crottoir **75** 15
croupe *[cheval]* **73** 31
~ *[arçon]* **279** 36
~ *[toit]* **116** 11, **117** 10
croupier **263** 4
~ de tête **263** 6
croupière **72** 34
croupon **99** 50
croûte *[pain]* **97** 23
~ terrestre **11** 1
croûton **97** 24
croyant **311** 58
cruche **80** 17
~ en étain **262** 29
cruchon **80** 17
crucifère **63** 16
crucifix **311** 40, **313** 32, **314** 6
crustacé **340** 25-34, **341** 12, **349** 12
~ à telson court **342** 1
Crux **5** 44
csimbalum **301** 32
cube *[cristal]* **330** 2
~ *[Géom.]* **329** 30
~ à octaèdre **330** 16
cubilot **141** 1
cubital postérieur **20** 58
cubitière **310** 48
cubitus **19** 14
cueille-fruit **58** 7
cuiller *[pêche]* **89** 40, 43
~ de bois **42** 57
~ de bois percée **42** 61
~ à café **45** 11
~ de coulée **141** 24
~ à encens **313** 42
~ à entremets **46** 66
~ de golf **276** 69
~ à légumes **46** 74
~ Léman **89** 43
~ Nymphe **89** 40
~ à œuf **45** 40
~ à pommes de terre **46** 75
cuiller à punch **45** 45
~ à salade **46** 67
~ à sauce **46** 18
~ à servir **46** 74
~ à soupe **46** 61
~ à thé **45** 11
cuillère à glace **261** 39
cuilleron **46** 63
cuir *[d'orfèvre]* **106** 21
~ *[sanglier]* **88** 56
~ à aiguiser **104** 24
cuirasse **308** 11, **310** 62
~ latérale **222** 57, **223** 60
cuirassé **222** 31-64
~ d'escadre **222** 31
cuisine **41**, **42** **218** 37, **223** 38
~ de bord **226** 43
~ de poupée **49** 7
~ de train **204** 21
~ de wagon-restaurant **204** 21
cuisinier de wagon-restaurant **204** 23
cuisinière *[bonne]* **41** 32
~ à charbon **41** 39
~ électrique **42** 26
~ à gaz **41** 35
~ de poupée **49** 8
cuissard **310** 52
cuisse *[Anat.]* **18** 49
~ *[bœuf]* **95** 14
~ *[cheval]* **73** 35
cuisson **92** 25-36
~ des baleines **90** 30-33
~ du moût **92** 35
cuissot **88** 21, 37, **95** 1
cuivre gris **330** 1
cuivres *[instruments]* **302** 39-48
cul *[filet]* **90** 22
~ brun **81** 28
culasse *[fusil]* **87** 9
~ *[cylindre]* **182** 7, **184** 53
~ *[Él.]* **147** 14, **332** 7
~ mobile **87** 20
culbutage **140** 43
culbute **258** 6, **279** 15
culbuteur **140** 43, **184** 58
~ de wagons **148** 2
culbuteuse-essoreuse **166** 6
culée **210** 28, **318** 24
~ de l'arc **210** 13
~ de voûte **210** 42
culot **87** 58, **119** 62
~ de l'ampoule **120** 60
~ de fusible **120** 39
culotte *[abeille]* **78** 3
~ *[viande]* **95** 34
~ de caoutchouc **30** 15
~ de cheval **34** 27
~ courte **31** 54, **266** 9
~ d'escalade **282** 8

culotte d'escrime **277** 30
~ de gymnastique **31** 13
~ de peau **31** 50
cultivateur *[paysan]* **64** 21
~ *[mach.]* **68** 31
~ à main **79** 21
culture forcée **79** 21
~ de la levure pure **93** 15-18
~ sarclée **69** 38-45
cumulo-nimbus **8** 17
cumulus **8** 1, **271** 16
~ congestus **8** 2
~ humilis **8** 1
~ à mouvement ascendant **8** 2
cunéiforme *[écrit.]* **324** 8
Cupidon **308** 26
cupule **354** 98, **355** 5, **368** 52
curculionidé **81** 49
cure *[presbytère]* **312** 20
~ d'inhalation **262** 6 et 7
~ de plein air **29** 21-25
~ de repos **262** 12-14
cure-dents **260** 23
~-ongles **103** 8
~-pipe **105** 40
curette *[instr. méd.]* **26** 60, **28** 58
~ *[pipe]* **105** 41
curiste **262** 18
curling **284** 42
curseur **87** 69, **157** 55, **331** 85, **333** 33
custode **311** 11, **313** 33
cutter *[bateau]* **270** 37-40
~ *[film]* **293** 31
cuve **80** 24, **91** 20, **167** 13, **168** 45
~ d'affinage **155** 4
~ d'alimentation de la couleur **161** 70
~ du bain de blanchiment **161** 47
~ baptismale **311** 3, **313** 11
~ à bouillie **83** 15
~ de clarification **92** 33
~ de développement **112** 1
~ de fermentation **93** 12
~ de finition **155** 4
~ à grainer **173** 30
~ à graver **172** 24
~ de haut fourneau **140** 7
~ à laitier **140** 10
~ de lavage **112** 4
~ à laver la vaisselle **41** 22
cuve de malaxage **113** 34
~-matière p. la cuisson de la trempe **92** 27
~ mouilloire **92** 2
~ à moût **80** 15, **92** 35
~ moyenne **220** 60
~ à niveau constant **183** 66
~ de préparation de la couleur **161** 70
~ de réception de la coulée **140** 33
~ au révélateur **112** 1
~ à rinçage **112** 2
~ à rincer **41** 20
~ à scories **140** 10
~ à teinture **161** 63
~ du transformateur **146** 40
~ de travail **155** 5
~ de trempage **130** 13
~ de trempe **92** 2, **161** 32
~ de vitrification **155** 3
cuveau de la plante ornementale **312** 61
cuvelage **138** 28
cuvette **180** 58
~ en ciment **54** 15
~ de compas **219** 26
~ de développement **112** 13
~ du frein **180** 67
~ intérieure à billes **180** 68
~ mélangeur **168** 1
~ à mitraille **140** 25
~ à sublimé corrosif **28** 31
~ de toilette **30** 23
~ de W.-C. **51** 37
cuvier à pâte **167** 3
cyclamen **56** 5
cyclisme acrobatique **287** 31
cycliste **253** 31
~ joueur de polo **287** 30
cyclohexanol pur **164** 18
cyclomoteur **181** 33
cyclone **9** 5
cyclo-polo **287** 29
cyclorama **292** 12, **297** 9
cygne **257** 46, **343** 16
~ à caroncule **343** 16
~ muet **343** 16
~ sauvage **343** 16
Cygne **5** 23
Cygnus **5** 23
cylindre *[Géom.]* **329** 38
~ *[Techn.]* **134** 49, **196** 37, **240** 10
cylindre d'acier **174** 9
~ à aiguilles **160** 8, 11
~ d'alimentation **156** 27, 52
~ d'amenage **131** 37
~ d'appel **161** 16
~ arracheur **156** 71
~ aspirant **168** 14
~ basse pression **147** 25
~ bobineur **141** 69
~ calendreur **156** 37
~ cannelé **159** 47
~ de compaction **197** 21
~ compresseur à trois roues à moteur **196** 36
~ contacteur **157** 4
~ coupeur des fils de chaîne **158** 53
~ de cuivre copié **176** 2
~ de cuivre poli **176** 24
~ décatisseur **162** 50
~ de direction **162** 12
~ droit **329** 38
~ encolleur **128** 55
~ encreur **175** 64
~ entraîné **141** 76
~ d'entraînement **158** 32
~ entraîneur inférieur **162** 6
~ d'entrée **241** 15
~ essoreur **158** 43
~ d'excentrique **159** 67
~ de fonte durcie **168** 24
~ de fonture **160** 25
~ de frein à air comprimé **204** 5
~ de frein de la roue **186** 52
~ garni de matière plastique **157** 11
~ gravé **176** 15, 33
~ de guidage **149** 13, **158** 47
~-guide **162** 5
~ haute pression **147** 23
~ hélio **176** 2
~ d'impression **175** 2, 44, 59 **176** 33
~ inférieur **141** 50, **157** 10
~ d'insertion **161** 60
~ des lisses **159** 36
~ de manœuvre **133** 24
~ de manœuvre du convoyeur **138** 39
~ moteur **133** 24
~ moyenne pression **147** 24
~ en papier de laine comprimé **168** 25
cylindre peigneur **156** 42
~ à plat **182** 1
~ plongeur **158** 42
~ à pointes **306** 2
~ de la pompe **64** 26
~ porte-caoutchouc **174** 9, 18, 42
~ porte-clichés **175** 51, 60
~ porte-plaque **174** 8, 17
~ porte-recouvrement **177** 47
~ de presse **174** 19
~ à presser **167** 15
~ presseur **176** 20, 29
~ de pression **156** 20, **157** 18, **158** 32
~ de pression en bois **156** 32
~ à rainures **158** 10
~ refroidisseur **168** 18-20
~ de relevage **161** 16
~ revêtu de caoutchouc **176** 20
~ de roulement de l'ensouple **158** 58
~ sécheur **168** 18
~ de secteur **160** 25
~ de serrage **158** 39
~ de soutènement **223** 62
~ supérieur **141** 49, **157** 11
~ de table **128** 15
~ tendeur de fils **158** 39
~ tendeur des fils de chaîne **158** 53
~ de triage **67** 50
~ de verre **26** 30, **163** 16
~ vibrant p. chantiers routiers **197** 19
~ de Wehnelt **332** 25
~ de zinc **174** 8, **331** 69
cymbale **302** 50
~ fixe **303** 51
~ high hat **303** 50
~ turque **302** 50
cymbalon **301** 32
cymbalum **301** 32
cyme bipare **354** 70
~ unipare hélicoïde **354** 77
~ unipare scorpioïde **354** 76
cynips du chêne **82** 33
cypéracée **56** 17
cypérus **56** 17
cyprès **356** 58
cypripède **360** 27
cyrillique *[écrit.]* **324** 20
cystoscope **26** 50
cytise **358** 32

D

dachshund 71 33
dactyle pelotonné 70 25
dada 50 7
dague 277 66
daguet 88 4
dahlia pompon 62 23
daim mâle 88 40
daine 88 40
dais 312 49
dallage 118 26
dalle 39 77
~ de béton 197 41
~ de béton armé 114 8, 118 28
~ funéraire 311 65
~ lumineuse 171 30
~ de pierre 312 64
~ du plancher 118 38
~ pleine 118 28
~ de revêtement de la table 135 43
dalmatique 314 45
dame *[femme]* 338 59, 64 etc.
~ *[échecs]* 265 9
~ *[Techn.]* 114 83, 194 17, 196 33
~ du comptoir 261 7
~ française 338 51
~ à moteur 196 26
~ en robe de cour 338 79
~ du vestiaire 296 6
damier *[jeu]* 265 17, 23, 26
~ *[dessin]* 165 4
damier p. le jeu de halma 265 26
~ de trictrac 265 22
damoir à air comprimé 141 31
~ à main 141 32
damotte 361 8
damper 185 29
dandy 289 33
danebrog 245 17
Danemark 14 4, 245 17
danse 288
~ de caractère 288 35
~ classique 288 1-10, 29-34
~ à deux 288 39
~ d'expression 288 29-41
~ sur glace 284 8
~ moderne 288 41
~ nationale 288 39
~ populaire 288 42
~ de salon 288 43
~ de société 288 43
~ de style grotesque 288 35
danseur de caractère 288 36
~ à claquettes 298 5
~ Douk-douk 335 34
~ étoile 288 32, 298 5
danseuse 288 40
~ de ballet 288 30
~ classique 288 31
~ de corde 290 40
~ étoile 288 31
~ étoile de revue 298 4
~ exotique 298 14
~ indienne 289 25
~ de revue 298 4
~ serpentine 298 14
daphné morillon 361 10
dard *[Zool.]* 78 11, 342 17
darsouins 90 5
date de la lettre 239 6
~ de tirage 242 14
~ de tournage 292 35
datte 368 9
dattier 368 1
~ en fruits 368 2
datura stramoine 363 8
dauphin *[Zool.]* 308 31, 352 24
dauphinelle 62 13
davier 27 48
D.C.A. 222 35
dé *[jeu]* 265 31
~ en ciment 149 44
~ à coudre 102 53
déambulatoire 311 35
débarcadère 220 17, 269 19
débardeur 221 23
débarquement par canots 216 35
débarras 39 32, 52
débats judiciaires 248 18
débenzolage 148 43
débit de boissons 291 3
~ de crèmes glacées 261 45-51
~ goutte à goutte 26 47
~ de saucisses 291 32
~ de vin 260 30-44
débite-rations 96 55
déblai 113 78
déblais 198 8
débordoir 126 15
débourreur 156 39
débrayeur du margeur 174 37
débris de porcelaine 154 21
~ de verre 122 10
début d'un alinéa 170 16
décapant 127 12
décapsuleur 46 47
décathlon 280 56
décatisseur 162 50
décatisseuse 162 49
décentrement latéral du corps arrière 171 6
~ vertical du corps arrière 171 7
décharge *[carrière]* 150 4
~ *[poteau]* 115 27
~ à charbon 220 50, 66-68
~ de fond 254 34
déchargeur 331 57
déchets 41 34
déchiqueteur 167 8
déclaration d'expédition 202 35
déclencheur 111 5
~ automatique 111 24
~ automatique chronométrique 111 37
~ du gong de cinéma 295 22
~ d'ouverture du soufflet 111 14
~ de pose 111 14
déclic 306 7
décognoir 126 5
décolleté profond 32 26
décor 237 10, 296 2
~ en arc 297 11
~ intermédiaire 297 11
~ monté 292 7
~ transportable 296 30, 297 47
décorateur de cinéma 292 43
décoration du carnaval 289 60
~ de l'étalage 253 25
~ du rayonnage 256 67
~ de table 46 19
décortiqueur 85 32
décortiqueuse 91 52
découpage *[film]* 293 30-34
~ des bobines 168 28
découpages *[feuille]* 50 21
découper le porc tué 94 11-14
découpeur spécial 135 47
découpeuse à charcuterie 96 19
décrasseur 107 60
decrescendo 300 50
décrochement du terrain 11 50
décrochoir 96 10
décrotteur de betteraves 67 33
~ à lame 67 33
décrotteuse 52 40
dédicace 312 59
~ manuscrite 178 50
déesse des arts 308 17
~ de la chance 308 37
~ de la chasse 308 12
~ du destin 308 53-58
~ du hasard 308 37
~ de la mer 307 23
déesse de la sagesse 308 17
~ de la vengeance 308 51
~ de la victoire 308 43
défense *[Escr.]* 277 21
~ *[Zool.]* 88 54, 351 22, 352 22
~ arrière 224 5
~ en bois 213 26
~ mobile 221 50
défenseur *[Just.]* 248 30
~ *[Sport]* 268 50
déferlement des vagues 13 27
défibreur en continu 167 18
~ à trois presses 167 14
défilé *[Géol.]* 12 47, 16 84
déflecteur 183 20
~ de jet 229 27
défonceuse 128 22, 196 20
défournage 97 62
défunt 312 54
dégagé croisé derrière 288 8
dégagement de la bobine croisée 158 13
~ du chariot 240 2
~ de l'étreinte 17 34
~ de la marge 240 28
~ du papier 240 16, 58
~ du rouleau 240 4
~ du tabulateur 240 3
dégarnisseuse 198 3
dégauchisseuse 128 11
dégazéification du charbon 148 10-12
dégazeur 146 16
dégazolinage 139 21
dégivreur 185 35
dégorgeoir 132 32
dégradation *[Géol.]* 211 5
degré de latitude 15 6
~ de longitude 15 7
~ de la racine 327 2
dégrossisseur 142 43
déguisement de la mascarade 289 6-48
dégustateur 80 40
dégustation de vin 80 36
déjection de renard 272 64
délayant 321 13
delco 184 7
délivrance des colis express 200 1
~ de la marchandise 256 14
delta *[Géol.]* 13 1

deltoïde *[Géom.]* **328** 38
~ *[muscle]* **20** 35
déluteur **148** 18
demandeur **233** 4
démarrage par treuil **271** 4
démarreur **183** 26, **184** 50
~ électrique **227** 55
~ au pied encastré **181** 50
~ de turbine **227** 26
demi *[football]* **274** 14-16
~ centre **274** 15
~ droit **274** 16
~ gauche **274** 14
demi-ballon **181** 10
~-barrière **198** 74
~-cercle **328** 46
~-gras **170** 3
~-lune **7** 4, 6
~-masque **289** 13
~-mondaine **289** 37
~-pâte **167** 25
~-pâte à chiffons **167** 21
~-pause **299** 24
~-rond **123** 6
~-soupir **299** 26
~-sphère creuse **10** 29
~-volée **276** 32
démodulateur par inversion **237** 35
~ de son **236** 18
demoiselle *[libellule]* **342** 3
~ *[Techn.]* **194** 17
~ du comptoir **261** 7
démon **307** 58
démonte-pneu **192** 5
~-pneu à fourchette **192** 6
démultiplicateur **233** 6-12
Deneb **5** 23
dénominateur **326** 15
~ commun **326** 19
denrées **98** 35-39
~ coloniales **98** 66-68
dent *[Anat.]* **21** 28-37
~ *[fourchette]* **46** 60
~ *[Techn.]* **136** 81, **149** 35, **282** 40
~ de bois **91** 9
~-de-lion d'automne **63** 13
~ de fouille du godet **196** 6
~ du peigne **160** 52
~ à pivot **27** 34
~ de porcelaine **27** 32
~ de râteau **67** 23
~ réglable **68** 51
~ de scie **85** 36
~ de scie *[patin]* **284** 32
denté **354** 47
dentelé *[muscle]* **20** 42
dentelle à l'aiguille **101** 30
~ d'Alençon **101** 30
~ de Bruxelles **101** 18
~ de chemise **33** 2
~ décorative **37** 3
~ aux fuseaux **101** 18
~ au lacet **101** 31
~ de pierre **317** 39-41
~ de tulle **101** 15
~ de Valenciennes **101** 18
denticules **316** 14
dentiste **27** 1
dents contournées **127** 6
~ du mécanisme de distribution **169** 30
denture *[dents]* **21** 16-18
~ contournée **127** 6
~ extérieure **136** 94
~ intérieure **136** 93
dépanneuse **189** 52, **255** 47
déparaffinage **139** 34
départ *[Sport]* **270** 51, **273** 35, **276** 59
~ *[marche]* **118** 18
~ p. la course de vitesse **280** 4
~ lancé dans le vol à voile **271** 1-12
département postal **232** 38
dépassant **112** 46
dépêche **232** 13
dépendance **53** 1
déplacement circulaire **15** 62
~ du clavier **304** 41
~ de gibier **86** 16
~ latéral de la table **128** 38
~ longitudinal de la table **128** 38
~ vertical de la broche de perçage **128** 41
dépoli **171** 2, 34
dépose alternée du tissu **162** 35
~ des rubans peignés **156** 62
dépôt d'alluvions **211** 52
~ des autobus **199** 8
~ de charbon **148** 3, **199** 42
~ des machines **199** 6 et 7
~ de matériaux **197** 51
~ de planches **149** 1
~ sablonneux **211** 52
~ sédimentaire **13** 69
~ des tramways **252** 17
dépoussiérage **152** 7, **153** 20, **231** 34
dépoussiéreur **128** 50
~ de fumée **146** 13
dépoussiéreuse de coton **156** 7
dépression *[voûte]* **318** 48
~ *[Géol.]* **13** 72
~ *[Météor.]* **9** 5
dérivateur de surtension **146** 35
dérivation **119** 25
~ de chaleur **1** 28
dérive *[avion]* **225** 3, **228** 41
~ avec arête dorsale **225** 52
~ basse **225** 22
~ à faible allongement **225** 22
~ à grand allongement **225** 24
~ haute **225** 24
~ latérale **215** 7
~ relevable **270** 10
~ de stabilisation **273** 50
~ triple **225** 48
~ du vent d'ouest **15** 44
~ sur voilure **225** 31
dérivée **327** 13
dériveur *[voilier]* **90** 1, **270** 6-10
dermatoptère **341** 10
dermoptère **341** 10
dernier de cordée **282** 28
~ étage à ailes **4** 56
~ quartier **7** 6
dernière douzaine **263** 27
dérouleuse à placage **128** 52
derrick **139** 1
derrière de l'enfant **30** 39
dés **265** 29
désacidification **163** 19
descente **283** 17
~ d'antenne **218** 4
~ de la corde lisse **279** 6
~ avec freinage au pied **282** 29
~ de lit **48** 35
~ d'une maille **160** 66
~ des mineurs **137** 14
~ en rappel **282** 29-34
descente en rappel en freinant de la cuisse **282** 32
~ des deux cuisses **282** 33
descente de sable **205** 15
~ de tissu **162** 47
~ en zinc **39** 13
désert **9** 54
déshabillé **48** 16
déshydrogénation **164** 19
désignation de la case de l'échiquier **265** 6
désinfecteur **83** 13
désinfection des grains **83** 13-16
~ au mouillé **83** 15
désintégration d'un atome **1** 9-12
~ du noyau **4** 28
désodorisant **51** 29
dessablage **141** 33-40
desserte *[table]* **45** 53 *[wagon-restaurant]* **204** 19
~ roulante **46** 32
dessiccateur **334** 51
dessiccation **163** 24
dessin **144** 26
~ de la construction **144** 57
~ d'enveloppe **189** 13
~ à gaufres **165** 29
~ de la lettre **169** 31
~ mis en carte **165** 4
~ technique **144** 6
~ technique en coupe **144** 17
~ truqué **294** 34
dessinateur de costumes **296** 38
~ de décors **296** 37
~ industriel **144** 9
dessous de bock **260** 26
~ de la chaussure **99** 50-54
~-de-bras **33** 31
~ d'étampe **132** 30
~ de plat **45** 18
~ de rive en voliges **117** 27
dessus de la chaussure **99** 38-49
~ d'étampe **132** 36
~ de porte **318** 12
~ de scène **297** 4
destinataire **232** 37, **239** 5
destroyer **222** 16
~ de gros tonnage **222** 17
destructeur de parasites **83** 18
destruction des moisissures **83** 12
~ des parasites **83** 1-48
désulfurisation **148** 40, **163** 20
~ du gas-oil **139** 65
détachant **53** 56
détaché *[Mus.]* **300** 54
détacheur **156** 39
détecteur **234** 29-32
~-vision à moyenne fréquence **236** 10
détection **230** 34
~ par radar **10** 61

détective de la maison **263** 16
~ privé **263** 16
détendeur **135** 31, **148** 52
détente **87** 12, **90** 59
détenu **248** 5
détérioration **224** 4
détonateur à retardement **1** 49
Détroit de Gibraltar **15** 24
deutéropyramide de base **330** 20
deutsche mark **244** 7
deux *[canot]* **269** 15
~-mâts **215** 11-17, **270** 28-32
~-pièces **32** 9
~ points **325** 17
deuxième balcon **296** 17
~ classe **203** 26
~ clavier manuel **305** 43
~ étage *[fusée]* **4** 47
~ octave **300** 65
~ orteil **21** 53
~ voix **300** 47
dévaloir **96** 38
devanture **253** 41
développé à deux bras **281** 6
développement des négatifs (positifs) image et son **293** 15
déverrouillage de la roue du train avant **228** 33
déversoir **91** 43
~ de crues **212** 60
déviateur de gaz d'éjection **229** 30
~ de jet **229** 30
dévideuse-teigneuse **161** 1
dévidoir-chariot **58** 36
~ mobile p. tuyaux souples **255** 28
~ oval **161** 6
~ de la pellicule **295** 32
~ pivotant **168** 33
~ rond **161** 6
~-tambour **58** 35
dévisse-bouchon de réservoir **192** 26
devon **89** 39
dévrillonneur **124** 11
dévrillonneuse **124** 1
dextre **246** 18, 20, 22
diable *[démon]* **289** 14, 27
~ *[chariot]* **202** 15 **221** 18
~ transporteur **161** 53
diablotin **214** 28
diabolo *[jeu]* **258** 24, **298** 22
~ *[toupie]* **258** 25
diadème *[parure]* **38** 6, **338** 21
diadème *[cheveux]* **35** 32
~ en perles **338** 16
~ à tours **308** 38
diagonale **328** 33
diagramme **144** 15
diamant **330** 10, 13
~ de vitrier **122** 25
diamètre **328** 45
~ du cylindre **160** 16
~ de la nébuleuse spirale **6** 46
Diane **308** 12
diaphragme *[Anat.]* **22** 9, 26
~ *[Techn.]* **241** 29, **331** 29
~ à lamelles **2** 33
diapositive **112** 48
diaule **301** 3
dicentra **62** 5
dictaphone **241** 24
dictionnaire **250** 17
Didot **325** 6
dièse **299** 51
Diesel **218** 63
dieu de l'amour **308** 26
~ des bergers **308** 40
~ Çiva **319** 19
~ du commerce **308** 21
~ de la guerre **308** 9
~ indien **319** 19
~ de la lumière **308** 15
~ de la mer **308** 29
~ olympien **308** 1
~ des routes **308** 21
~ du vin **308** 32
différence **326** 24
différentiel **184** 36, **189** 27
~ compensateur **158** 59
différentielle **327** 13, 14
diffraction magnétique **332** 22
diffuseur de gaz toxiques **83** 40
~ multiple de son **294** 52
~ variable **294** 5
digitale pourpre **363** 2
digité **354** 39
dignitaire chinois **289** 29
digue de crue **211** 32
~ d'été **211** 48
~ d'hiver **211** 32
~ maîtresse **211** 32
~-réservoir **212** 65-72
~ de sécurité **220** 62
~ submersible **211** 48
diligence **179** 39
~ anglaise **179** 53
dimension **144** 17
~ du terrain de jeu **274** 24
dinar **244** 28
dinde **74** 28
dindon **74** 28
dionée **361** 14
Dionysos **308** 32
diplôme de maîtrise **124** 20
diptère *[Zool.]* **342** 16-20
~ gallicole **81** 40
direct *[coup]* **281** 25
directeur de cirque **290** 17
~ d'école **249** 23
~ de l'hôtel **259** 19
~ de la photographie **292** 44
~ de production **292** 26
~ de scène **297** 45
direction *[Techn.]* **68** 54, **181** 26, **271** 56
~ *[Géol.]* **12** 2
~ de l'aéroport **230** 5
~ de chute **12** 3
~ vers les côtés **271** 57
~ de la course **273** 4
~ en hauteur **271** 58
~ du port **220** 13
~ du vent **9** 9, **270** 60
~ de vol **4** 50
dirigeable rigide **226** 65
disamare à ailettes **355** 57
discobole **280** 42
diseuse **298** 3
~ de bonne aventure **291** 36
disjoncteur à air comprimé **206** 4
~ à huile **206** 4
~ instantané à air comprimé **146** 34
~ miniature automatique et vissable **120** 18
~ principal **206** 4
~ de protection du moteur **254** 46
~ rapide à air comprimé **147** 51-62
~ ultrarapide **206** 39
dispositif d'accord **305** 30
~ d'accouplement **189** 48
~ p. l'affûtage des lames **149** 51
~ d'allumage **227** 4
~ d'amenée **65** 32
~ d'amplification **306** 42
~ antidérailleur **209** 75
~ anti-éblouissant **183** 15
~ d'antimaculage **175** 34
~ d'arrêt **294** 30, **333** 37
~ d'avancement **68** 55
dispositif à barre de retournement **176** 8
~ à bascule **67** 59
~ de blocage **2** 43
~ p. bobiner la canette **102** 16
~ central de réglage **108** 39
~ de chargement du coke **148** 24
~ de circulation du gaz **83** 22
~ code **186** 3
~ de commande à distance **306** 44
~ de contrôle **147** 52
~ de correction de tonalité **306** 40
~ de coupe **68** 52, **168** 29
~ de culbutage **140** 43, 52
~ de débrayage automatique **158** 19
~ de déclenchement **51** 45
~ de découpage **135** 64
~ de dégazéification du charbon **148** 10-12
~ de départ à froid **184** 45
~ p. déplacer la marge **241** 6
~ de dépose alternée du tissu **162** 35
~ de dépoussiérage **124** 1
~ à diviser **96** 54
~ d'égalisation de la charge des essieux **206** 11
~ électrique p. l'affûtage des lames **149** 51
~ élévateur des jambes **29** 11
~ d'élimination des produits toxiques **148** 41
~ à encartage **175** 11
~ d'enclenchement **175** 32
~ d'encrage **174** 15, 34, 39, **175** 19, 28, 50
~ d'encrage de la rotative **175** 57
~ d'enregistrement **10** 46
~ d'ensachage **91** 67
~ d'évacuation étanche **195** 2
~ de fermeture **90** 27
~ de fixation **143** 48
~ de fonte **169** 25
~ d'homme mort **206** 35
~ hydraulique à manipuler **133** 32
~ d'impression du recto **175** 48

dispotitif d'impression du verso **175** 49
~ indicateur p. le réglage grossier **141** 60
~ d'introduction **238** 61
~ de levage **29** 22, **212** 34, **339** 14
~ de levage de la porte **133** 60
~ à ligaturer **96** 54
~ à marquer le milieu du cylindre **176** 26
~ de mélange **196** 15
~ de mesure à bobine mobile **332** 15
~ de mise en marche **141** 56-59
~ de mouillage **174** 16, **211** 13
~ à mouture intégrale **91** 62
~ de nettoyage des chapeaux **156** 44
~ d'ouverture **125** 15
~ d'oxygénation **339** 28
~ pendulaire **2** 35
~ de pesage **91** 67
~ à polir les grains **91** 56
~ de postcombustion **227** 44
~ de postcombustion du réacteur **226** 14
~ de protection **128** 7, 12, **273** 13
~ à quatre crochets **125** 8
~ de radionavigation aérienne **230** 22-38
~ de réception à pile **174** 10
~ réduisant le nombre de phones **182** 42
~ de refente **176** 11
~ de réglage **68** 29
dispositif de (p. le) réglage· du chauffage **204** 40
~ du parallélisme des roues **192** 34
~ de la racle **176** 19
~ du ressort **10** 15
~ de la température **203** 41
dispositif de relevage **224** 32
~ de relevage de la fenêtre **161** 3
~ p. la réparation des câbles **209** 80
~ de séchage **174** 26
~ de sécurité **178** 5, **294** 9
~ de serrage **2** 43, **143** 48, **149** 55
~ de serrage du bois **128** 31, 36
dispositif de suspension **94** 12
~ de synchronisation **147** 32
~ de télécommande **306** 44
~ de tension **125** 11
~ de tension du câble auxiliaire **209** 48
~ de transport du coke **148** 19
~ de tri du courrier **231** 37
~ du troisième pli **178** 14
~ de truquage **294** 32
~ de verrouillage **210** 60
~ de versement **140** 38
~ de visée **87** 30
disposition des bâtiments du palais **315** 29
~ des cylindres **141** 75
~ dans la forme WM **274** 25
~ du fruit **355** 22
~ des fruits **355** 44, 69, **358** 18
~ générale de la pyramide **315** 6
~ du temple **319** 25
disque *[à lancer]* **280** 43
~ *[bâton de ski]* **283** 54
~ *[gazomètre]* **148** 59
~ *[Mus.]* **306** 34
~ d'argent **10** 49
~ du but **272** 18
~ butteur **67** 13
~ de caoutchouc dur **284** 39
~ de carborundum **27** 38
~ de couleur **297** 49
~ de dispersion du sable **195** 19
~ d'émeri **27** 39
~ de l'ensouple **158** 30
~ filtrant en ouate **77** 37
~ de fonture **160** 26
~ du frein **136** 96, **159** 60
~ de herse **68** 36
~ à lancer **280** 43
~ magnétophonique **241** 25
~ métallique **306** 9
~ d'oreille **337** 30
~ de ponçage **173** 28
~ de refente **176** 12
~ de refente du papier **175** 42
~ solaire **7** 19
~ solaire ailé **315** 12
disque à souder **106** 17
~ tendeur du fil **158** 21
~ tournant **263** 31
~ à trous **233** 27
~ volant **184** 34
dissolution de caoutchouc **181** 3
~ de gomme **323** 49
~ du xanthogénate **163** 10
dissolvant du vernis à ongles **103** 13
distance *[Géom.]* **328** 16
~ avant le combat **277** 23
~ pendant le combat **227** 24
~ entre les droites **328** 5
~ variable *[Escr.]* **277** 24
distillateur d'eau **28** 63
distillation **164** 17
~ étagée du goudron **164** 4
~ sèche du charbon **164** 2
distributeur *[pompe à essence]* **190** 2
~ d'allumage **184** 7
~ automatique **253** 50
distributeur automatique· d'aliments **260** 49
~ de billets de quai **200** 22
~ de boissons **260** 52
~ de timbres-poste **231** 29
distributeur de billets **200** 37
~ de blé empoisonné **83** 1
~ d'eau **262** 17
~ d'huile **191** 31
~ de monnaie **200** 37
~ d'oxygène **229** 17
~ de papier hygiénique **51** 30
~ de tracts **251** 9
distribution des billets **200** 34
~ du courant de haute tension **146** 29-35
~ d'eau potable **254** 1-66
~ de vapeur **205** 18
divan **48** 53, **124** 21
~ d'auscultation **26** 6
~-lit **47** 46
~ Louis-Philippe **318** 17
~ de traitement **29** 36
divergent à recompression subsonique **227** 22
divers titres **178** 43-47
dividende **326** 26
diviseur **326** 26
diviseur de chaumes **68** 49
division *[Math.]* **326** 26
~ décimale périodique indéfinie **326** 21
~ de l'écu **246** 17-23
~ de l'étendue du son **300** 62-70
~ des mesures **249** 68
~ de la voûte céleste **5** 1-8
dixième **326** 20
dizaine **326** 3
~ de chapelet **313** 30
DM **244** 7
do **299** 47
dobermann **71** 26
dock **222** 2
~ affranchi **217** 40
~ de carénage **217** 27-30
~ chargé d'eau **217** 38
~ flottant **217** 31-40
~ en forme de navire **222** 1
~ lège **217** 40
docker **221** 23
document permettant le passage de la frontière **247** 14
dodécaèdre à faces pentagonales **330** 8
~ pentagone **330** 8
dodécatétraèdre **330** 13
dog-cart **179** 18
dogue danois **71** 34
doigt en caoutchouc **23** 30
~ de la Vierge **363** 2
doigtier **23** 31
doline **13** 71
dollar **244** 33
Dolly-caméra **292** 19
dolmen **309** 16
domaine agricole **16** 94
dôme **216** 11
~ à bulbe **116** 25
~ à couvercle rabattant **195** 37
~ de la cuve **92** 28
~ de vapeur **205** 12
domestique *m* **259** 17
~ *f* **45** 54
domiciliation **242** 22
dominicain **314** 19
domino *[costume]* **289** 15
~ *[jeu]* **265** 34
~ bipolaire **120** 40
dompteur **290** 52
don **311** 64
donjon *[château]* **310** 4
~ *[navire]* **222** 43
donneur de sang **29** 27
donte **303** 2
doreur **177** 2

dorique **316** 8
dormeur **257** 66
dorsal **20** 59
dorure du dos du livre **177** 1
doryphore **81** 52
dos *[Anat.]* **18** 22-25
~ *[couteau]* **46** 56
~ *[filet]* **90** 19, 20
~ d'âne *[Techn.]* **202** 49
~ du cheval **73** 29
~ de la main **21** 83
~ du volume **178** 41
doseur de démarrage **182** 22
dosimètre **2** 8-23, **28** 37
~ à film **2** 8
~ à film en forme de bague **2** 11
~ de poche **2** 15
dosse **115** 96, **149** 39
dossier *[siège]* **47** 58, **104** 29
~ *[documents]* **248** 21
~ amovible **29** 9, 23
~ canné **43** 23, **44** 10
~ rabattable **185** 56
dossière *[harnais]* **72** 17
douane **247** 13
~ du port **220** 34
douanier **247** 15
doublage **293** 25-29
~ des rubans de carde **157** 5
double balancier **209** 68
~ barrière **272** 33
~-bémol **299** 54
~ bitte d'amarrage **212** 11
~ clé de jambes **281** 12
~ clé à la nuque **281** 10
~ concave **108** 2
~ contre-octave **300** 62
~ convexe **108** 7
~-croche **299** 19
~ dames **276** 2 à 3
~ dérive **225** 14
~-dièse **299** 52
double empennage· cruciforme **225** 66
~ à flasque terminal **225** 15
~ vertical **225** 14
double·-fond **217** 57
~ fraction **326** 17
~ machine à préparer la viande **96** 36
~ messieurs **276** 2 à 3
~ mixtes **276** 2 à 3
~ porte **259** 27
~ queue *[planeur]* **271** 43
~ rangée de gerbes **65** 22
double· trois **284** 16
~ vitrage **339** 36
doubles *[tennis]* **276** 2 à 3
doublet **265** 35
doublier **162** 56
doublure **34** 18, **102** 69
~ d'étoffe blanche **338** 57
~ fourrée **34** 66
~ du gilet **34** 43
~ de tige **99** 43
doucement **300** 55
doucette **59** 38
douche **104** 37, **268** 2
~ articulée **51** 4
~ à main **51** 4, **262** 45
~ murale **51** 16
~ plafonnière **51** 15
douchette **173** 7
douille **83** 33, **180** 59, 79
~ de canette **159** 30
~ en carton **87** 50
~ à prises de courant multiples **120** 64
~ voleuse **120** 64
Douk-douk **335** 34
douve *[fossé]* **310** 37, **339** 18
~ de tonneau **126** 21
douzaine intermédiaire **263** 26
douze *[Typ.]* **170** 28
~ derniers **263** 27
~ du milieu **263** 26
~ premiers **263** 25
drachme **244** 39
Draco **5** 32
dragée **23** 13
dragon **307** 1
~ de l'Apocalypse **307** 50
~ à sept têtes **307** 50
Dragon **5** 32
dragonne **282** 43, **283** 53
drague **221** 63-68
~ à chaîne à godets **211** 56
~ flottante **211** 56
~ à godets **221** 63-68
~ suceuse **211** 59
dragueur à aspiration **211** 59
~ de mines **222** 11
drain **28** 53, **65** 44
~ de ciment **196** 62
draisine **208** 42
~ de contrôle des voies **208** 38
drakkar **213** 13-17
drap **48** 9
~ de bien **25** 17
~ de dessus **48** 12
~ humide **23** 20
~ mortuaire **312** 53
~ de sauvetage **255** 18
~ de toile **48** 9
drapé **321** 33
~ à nœud **32** 27
drapeau *[bannière]* **14**, **245** 7-11
~ *[avion]* **225** 56
~ de coin **274** 10
drayoire **123** 24
dressage en liberté **290** 30 et 31
dresse-bordure **58** 33
dresseur **290** 31, 52
dressoir **45** 57, **46** 44, **260** 41
dribble **274** 63
dribbler **274** 63
dribbling **276** 63
drille **129** 22
drilling **87** 23
drisse de pavillons **218** 10
driver **276** 69
~ en acier **276** 70
droguerie **253** 23
droit de l'abdomen **20** 44
droite **328** 2 et 3
dromie **342** 1
drupe **61** 1-36, 43, **354** 99, **357** 32
duc *[hibou]* **347** 14, 15
~ d'Albe **220** 37
~ d'Albe de défense **217** 32
duffel-coat **31** 57, **34** 36
dugong **351** 24
dundee **215** 9
dune en croissant **13** 40
~ mouvante **13** 39
dunette **218** 33
duodénum **22** 14, 43
duplicateur **241** 1
duramen **149** 41
durillon **73** 27
durite **185** 11
dynamo **180** 8, **184** 44, **204** 22
~ d'éclairage **204** 6
dynamomètre **291** 11
~ à ressort **331** 2
dynastart **183** 26

E

eau de la baignoire **51** 9
~ de ballast **218** 68
~ de Cologne **103** 20
~ dentifrice **51** 60
~-de-vie **98** 56
~ distillée **192** 45
~ douce **161** 50
~ dure **161** 49
~ d'évacuation **224** 8
~ faciale **103** 14
~ filtrée **254** 12
~-forte **323** 14-24
~ gazeuse **98** 87
~ karstique **13** 77
~ de lavande **103** 21
~ de la mine **137** 30
eau minérale de table **98** 87
~ de pluie **64** 15
~ de refroidissement **135** 44
~ de rinçage **41** 21
~ de Seltz **47** 41, **98** 87
~ sous-jacente **12** 32
~ souterraine **254** 3
~ de trop-plein **254** 23
ébarbage **141** 33-40
ébarbeur **67** 48
ébarboir **132** 37, **323** 17
ébauchoir **125** 4, **322** 10
ébénier **358** 32
ébéniste **127** 45
éboulement **11** 46
~ de la berge **211** 5
éboulis **11** 47
ébourroir **99** 18
ébrasement **115** 32
écaille **356** 5
~ du cône **356** 8, 14, 27, 38
~ du cône femelle **356** 34
~ droite **117** 46
~ à miroir **350** 11
écart **213** 32
~ de face **288** 22
écartement des jambes **279** 20
~ latéral de la jambe **278** 8
écarte-pneu **192** 31
écarteur **114** 81, **287** 59
ecclésiastique **312** 37
échafaudage **113** 86-89, **117** 34, **217** 18
~ de cale **217** 19
~ de montage p. grandes fusées **229** 32
~ de tubes d'acier **114** 46
échalas **80** 7
échangeur de chaleur **3** 7, **152** 6
échanson **310** 69
échantillon sans valeur **231** 17
échantillonnage de la couleur **161** 67
échappé **288** 11
~sur la demi-pointe **288** 18
~ sauté en seconde **288** 12
échappée **273** 2
échappement *[moteur]* **185** 64, **223** 36, **227** 7
~ *[horloge]* **107** 22 et 23
~ *[piano]* **304** 30
~ d'air **186** 23

échappement des gaz de la combustion **227** 24
~ de la soufflante **158** 5
~ de la vapeur épuisée **205** 22
~ des vapeurs de solvants **176** 38
échardonnoir **58** 25
écharpe *[drapeau]* **245** 9
~ *[poteau]* **115** 27, **116** 30
échasse *[bâton]* **258** 38
échasse *[échafaudage]* **114** 47, **115** 35
~ blanche **343** 19
échassier **343** 18, 19-21
échauguette **310** 35
échéance **242** 16
échecs **265** 1-16
échelle *[app.]* **212** 8
~ *[mesure]* **144** 58
~ *[légende]* **15** 29
~ *[échafaudage]* **113** 86
~ en acier **255** 10
~ d'avance de coupe **149** 8
~ à barreaux **40** 15
~ de chariot **131** 20 et 21
~ colorimétrique **4** 58
~ de corde **216** 14, **290** 8
~ coulissante **255** 14
~ de coupée **216** 34
~ de couvreur **40** 4
~ à crochets **255** 16
~ de descente **216** 41
~ double **121** 4
~ d'épaisseur de débit **149** 5
~ d'étiage **16** 29
~ graduée **109** 25, **241** 22
~ des gris **320** 15
~ de hauteur de trait **149** 9
~ d'intensité **294** 6
~ de jardin **55** 8
~ de lecture du pupitre lumineux **200** 41
~ des marges **240** 7
~ mécanique **255** 10
~ de mesure **142** 54
~ murale **279** 4
~ du nettoyeur **201** 15
~ d'obliquité **143** 51
~ de peintre **121** 4
~ pivotante automobile **255** 9
~ plate **117** 63
~ pliante **52** 1
~ à poissons **89** 13
~ à saumons **89** 13
~ de sauvetage **224** 16
échelle de secours **138** 33
~ de secteur **294** 16
~ suédoise **279** 1
~ de tangon **216** 14
~ des températures **4** 58
~ de tirant d'eau **217** 70
~ verticale **279** 4
échelon **40** 17, **131** 21, **279** 2
~ en fer **254** 28
échenilloir **58** 6
échine *[Art]* **316** 21
~ du cheval **73** 29
échinocactus **56** 14
échinoderme **340** 23 et 24, **349** 3, 11, 17-19
échiquier **47** 48, **265** 1
écho **219** 41
~-sonde **219** 38
échoppe **107** 28, **170** 33
éclair de chaleur **9** 39
éclairage **205** 47
~ d'angle **43** 24
~ de la cour **53** 16
~ de l'escalier **43** 24
~ à haut voltage **138** 34
~ de jardin **39** 38
~ mural **51** 53
~ au néon **256** 23
~ de plaque **186** 37
~ de la scène d'en haut **297** 13
~ de la station-service **190** 8
éclaireur **266** 40
éclat de verre **253** 63
éclateur **147** 62
écliptique **5** 2
éclisse *[éclat de bois]* **117** 48
~ *[vannerie]* **130** 23
~ *[premier secours]* **17** 12
~ *[rail et sim.]* **114** 60, 65, **181** 30, **198** 43
~ *[violon]* **302** 4
~ de Braun **23** 43
écluse **137** 16
~ accolée **212** 17-25
~ de refoulement **16** 69
~ à sas **16** 58
~ à vanne de digue **211** 34
école **249**
écolier **249** 28
économie forestière **84**, **85**
écope **53** 64
écoperche **113** 23, **114** 47
~ horizontale **114** 48
écorce **115** 86, **354** 8
~ du cannelier **366** 25
écorce de rouvre **84** 29
écoulement **28** 32
~ d'alcool **28** 45
~ d'eau **89** 58
~ de l'eau de lessive **166** 16
~ du moût **93** 11
~ du purin **76** 44
~ des scories **140** 9
écoute *[voilier]* **214** 68
~ d'artimon **214** 69
écouteur *[téléphone]* **233** 30
~ *[radio]* **29** 17
~ du téléphone **233** 15
écouteurs **26** 16
écoutille **217** 61 et 62
écouvillon **41** 25
~ de nettoyage **87** 62
écran *[cinéma]* **295** 11
~ *[projection]* **331** 32
~ acoustique **234** 50
~ anti-éblouissant **205** 62
~ anti-halo **292** 51
~ antimagnétique **293** 6
~ de béton **1** 30
~ fluorescent **230** 50
~ incurvé **294** 49
~ isolateur **331** 63
~ pare-soleil **208** 16
~ pivotant **294** 8
~ de plomb **1** 30, **2** 46
~ de poêle **52** 65
~ protecteur **29** 43
écran de protection de la cabine **189** 19
~ contre les radiations **2** 46
écran radioscopique **29** 41
~ de synchronisation **292** 16
~ de toile **68** 63
~ en verre dépoli **294** 8
écrémeuse **77** 24
~ centrifuge chauffante **77** 25
écriture **324**, **325**
~ arabe **342** 3
~ arménienne **324** 3
~ chinoise **324** 5
~ en clous à ferrer **299** 2
~ cunéiforme **324** 8
~ cyrillique **324** 20
~ géorgienne **324** 4
~ grecque **324** 15
~ hébraïque **324** 7
~ des Incas **335** 22
~ japonaise **324** 6
~ latine capitale **324** 16
~ morse **233** 62
~ à nœuds **335** 22
écriture onciale **324** 17
~ phénicienne **324** 14
~ romaine capitale **324** 16
~ runique **324** 19
~ sanscrite **324** 9
~ siamoise **324** 10
~ sinaïque **324** 13
~ symbolique **324** 1
~ tamoule **324** 11
~ tibétaine **324** 12
~ vaticane en carrées **299** 3
Écriture sainte **311** 14
écritures des peuples **324** 1-20
écrou **180** 53
~ à calage **136** 33
~ à créneaux **136** 24, 75
~ de fixation **136** 33
~ à oreilles **136** 40
~ papillon **180** 29, **183** 13
~ de réglage de la barre de connexion **186** 45
~ de sécurité **180** 64
~ à six pans **136** 18
~ tendeur **198** 62
écu *[armure]* **246** 5
~ *[Hér.]* **310** 56
écubier **217** 72
écueil **13** 25
écuelle **71** 36
~ à battre **42** 31
~ à eau **339** 9
~ de laboratoire **168** 2
écumer la mousse **93** 14
écumoire **41** 2, **96** 51
écureuil **351** 19
écurie **76** 1-16, **272** 1
écusson *[Zool.]* **82** 5, **342** 30
~ *[rosaire]* **313** 31
~ de col **247** 5
~ de marque **180** 15, **182** 20
~ à la roue ailée **201** 64
écussonnoir **58** 26
écuyer *[chevalerie]* **310** 68
~ de cirque **290** 26
~ de voltige **290** 26
edelweiss **362** 9
édifice style classique **318** 15
édition spéciale **253** 45
éditorial **325** 40
édredon de plume **48** 13
effacement **240** 53
effet *[billard]* **264** 5
~ du tremblement de terre **11** 45-54
effigie de la monnaie **244** 12

effilochage des
feuilles de cellulose
163 6
effondrement
11 32-38
effraie **347** 17
égaliseuse **197** 3
églantier **357** 26
église **312** 1
~ baroque **318** 1
~ catholique
311 31-65
~ à deux clochers
16 53
~ gothique **317** 22
~ grecque-orthodoxe
252 2
~ Renaissance **317** 42
~ romane **317** 1-13
~ de village **16** 107
~ de ville **252** 28
Église **311-313**
égoïne **115** 60,
127 27, 51
égout mixte **194** 36
~ du purin **76** 45
égouttoir *[planche percée]* **41** 19,
42 7, **260** 2
~ *[porte-parapluies]* **43** 9
égratigneuse **162** 31
Égypte **14** 35
égyptienne *[écrit.]*
325 8
éjecteur hydraulique
de sable **211** 62
~ de neige pivotant
195 24
~ de paille **68** 70
~ de sable **211** 62
~ de sablière **205** 19
éjection d'eau de
refroidissement
3 29
~ des gaz de la
combustion **227** 37
élaboration de la
cellulose alcaline
163 7
~ de la solution de
viscose **163** 10
~ textile **163** 27
~ de la viscose
163 1-34
élagueur **58** 6
élan *[Gymn.]*
279 11, 12
~ *[Zool.]* **352** 1
~ en avant **283** 18
élargisseur **143** 32
élastique **33** 22,
238 75
élatéridé **81** 37
électeur **251** 24
élection **251** 16-30
électrice **251** 22
électricien *[artisan]*
120 1,
~ *[Théâtre]* **290** 4,
297 20
~-machiniste **292** 37
électricité **331** 45-85
électro-aimant·
d'ascension **233** 49
~ d'attraction **193** 32
~ de commande
193 31
~ de démarrage de
frein **136** 100
~ pivotant **233** 48
~ de rappel **136** 100
électro-gyro **188** 8
électro·cardiogramme
24 16
~cardiographe **24** 15
électrode **24** 13,
135 20
~ actif **27** 46
~ à corne **332** 4
~ interne **2** 3
~ de platine iridié
27 46
électrodes disposées
en cercle **140** 45
électrofiltre **146** 13
électron **1** 3, 7, **4** 33
électroscope **331** 62
élément *[batterie]*
332 2
~ à aiguilles **160** 57
~ chasse-neige **286** 8
~ de chauffage
électrique **173** 3
~ chauffant **149** 46
~ de construction
217 41-58
~ du croisement
165 12
~ de décor **297** 35
~ du dessiccateur
334 54
~ d'impression
172 32, **176** 27
~ p. l'impression en
couleur **175** 52
~ d'impression
réversible **176** 36
~ imprimeur d'une
rotative hélio
176 14
~ de mesure **10** 22
~ mobile **296** 32
~ mural **41** 1
~ opératoire **27** 6
~ en porcelaine
334 54
~ propulseur du vélo
180 35-42
~ du radiateur **40** 77
~ raidisseur transversal **210** 31
~ rotatif **233** 46
~ séparateur
160 6, 40
~ du séparateur
160 14
éléphant d'Afrique
351 20
élevage piscicole
89 55-67
~ des poules **75** 1-46
élévateur **67** 51,
113 31, **220** 66
~ à bananes
220 63 et 64
élévateur p. bateaux
212 29-38
~ de filler **196** 51
~ de fosse **191** 30
~ à godets **164** 36,
196 49
~ à godets oscillants
145 70
~ à grains **221** 56-58
~ à un piston
191 30
~ pneumatique de
fosse **191** 30
élévation en arrière
de la jambe **278** 6
élévation des bras·
en avant **278** 3
~ à la verticale
278 5
élévation de deux
demi-tons **299** 52
~ de face **144** 60
~ du genou **278** 4
~ de la jambe à
l'horizontale **278** 3
~ latérale **144** 61
~ latérale des bras
278 8
~ à la puissance
327 1
~ de trois quarts de
ton **299** 57
~ d'un demi-ton
299 51
~ d'un quart de ton
299 56
élève **44** 34, **249** 28
~ au coin **249** 19
~ du cours préparatoire **249** 9
~ débutant **249** 9
~ du pensionnat de
jeunes filles **257** 28
~ pilote de vol à
voile **271** 30
~ puni **249** 19
~ en train de nager
268 17
éleveur *[piscicole]*
89 65
élimination des produits toxiques
148 41
élingue **221** 11
ellipse **329** 22
ellipsoïde de révolution **329** 42
élodée du Canada
362 56
élongis d'artimon
214 54
~ de grand'hune
214 52
~ de grand
perroquet **214** 53
~ de hune de
misaine **214** 50
~ de petit perroquet
214 51
élyme des sables **16** 7
élytre **82** 10, **342** 36
~ sonore **341** 7
émail *[dent]* **21** 30
emballage **98** 46-49
~ étanche **97** 28
~ de jute **156** 4
embarcadère **211** 7,
220 17
~ à bateaux à
moteur **211** 7
embarcation **211** 11
~ à une place **336** 12
embase *[vis]* **136** 31
~ conique **136** 65
~ de raccord d'eau
du radiateur **184** 11
embauchoir **52** 46,
99 10, **119** 58
emblavage **65** 10-12
emblème du mineur
137 1 et 2
emboîtement **114** 53
emboîture de la
cheville **302** 20
embossoir **192** 19
embouchure *[instr. de mus.]* **151** 13,
302 36, **303** 33, 72
~ du fleuve **13** 1
embrasure **39** 26,
115 32
embrayage **133** 37,
185 41, **240** 44
~ électrique **162** 58
embrayeur du
margeur **174** 37
embrèvement **165** 10
~ à double épaulement **116** 91
embryon *[Bot.]*
69 16, **368** 22
émeri **27** 39
émetteur Aldis **219** 39
~ de bord **230** 27
~ à micro-onde
332 20
~ d'ondes courtes
10 62
~-phonie du contrôle radar **230** 35
~ radar **230** 45
~-récepteur
230 32, 33
~-récepteur de bord
230 31
~ de son **331** 20
éminence du gros
orteil **21** 58
~ thénar **21** 75
émission parlée
234 7-12
~ radiophonique
234 1-20
~ spéciale **232** 21
~ de télévision
237 12-39
émou **343** 1
émouchet **347** 1
émoussoir **58** 16, 21
empannon de croupe
116 63
~ de long pan
116 61
empattement **189** 4
empeigne **99** 40
empennage **226** 80-83

empennage de l'avion **228** 39-47
~ cruciforme **225** 66
~ à flasque terminal **225** 15
~ en forme de T **225** 59
~ frontal **225** 37
~ horizontal rectangulaire **225** 41
~ horizontal trapézoïdal **225** 35
~ de stabilisation **229** 25
~ vertical **225** 14
empenne **287** 44
empiècement **31** 2, **33** 2
empierrage **211** 51
empierrement **118** 12
~ consolidé **211** 55
Empire *[Art]* **318** 16
emplacement *[Hér.]* **246** 17-23
~ p. le coup de départ **276** 59
~ de cuisine **266** 48
~ funéraire **312** 23
emploi du temps **249** 26
employé **238** 1
~ de banque **242** 8, **243** 7
~ de guichet **231** 10
~ des postes de chemin de fer **203** 21
~ responsable **201** 39
empoise de laminoir **141** 56
emporte-pièces **119** 45, **123** 25
empreinte **172** 7
~ dans la cire à cacheter **232** 27
~ digitale **247** 23
~ de pied **86** 8
emprunt d'État **243** 11-19
~ hypothécaire **243** 11-19
en aiguille **354** 34
~ augmentant **300** 49
~ berne **245** 6
~ cœur *[Bot.]* **354** 35
~ diminuant **300** 50
~ rut **86** 12
~ train de servir **276** 16
encadrement en béton armé **114** 2
~ du boutoir **196** 30
~ extérieur de fenêtre **113** 10
~ intérieur de fenêtre **113** 11
~ de la scène **298** 39
encadreur **122** 8
encageur **138** 5
encartage **175** 11
encarteuse-piqueuse **177** 52
encaustique **52** 37
encensoir **313** 37
enchevêtrure **115** 41
enclenchement **240** 46
~ de la machine **156** 17
encliquetage **127** 23, **145** 24 et 25
enclume *[Techn.]* **119** 19, **132** 16, **133** 15, 22, 28
~ *[Anat.]* **19** 61
~ à aiguilles **107** 66
enclumette **119** 20, **192** 19
~ à battre les faux **66** 23
~ à rebattre les faux **131** 34
encoche **169** 48
~ du fusil **87** 66
encollage du dos **177** 14
encolleur **178** 27, 33
encolleuse **128** 54, **178** 31
~ p. lisser le fil **158** 40
encolure **73** 12
encorbellement **222** 66
~ vitré **39** 70
encrage **174** 39
~ cylindrique **175** 7
~ à plat **175** 8
~ de la rotative **175** 57
encre de Chine **144** 55
~ à cils **103** 9
~ hélioliquide **176** 17
~ solide **239** 28
encreur **175** 64
encrier *[vase]* **249** 29
~ *[Techn.]* **175** 50, 65, **176** 16
~ à couvercle rabattant **249** 63
~ de la rotative **175** 57
encyclopédie **250** 17
endive **59** 39
endossé **242** 26
endossement **242** 25
endosseur **242** 27
enduit **117** 38, **118** 5, **321** 42
enfaîteau **117** 3, 52
enfant **45** 3 et 4, **50** 3
~ de chœur **311** 52, **312** 45
enfilage automatique **158** 18
enfonçure **130** 9
enfourchement **116** 85
enfournage **97** 61
enfumoir **78** 59
engin *[fusée]* **229** 1
engin de desserte à double chaîne **138** 14
engin de desserte à raclettes **138** 14
~ de manutention **133** 32
engrais artificiel **65** 14
~ azoté **65** 14
~ de chaux **65** 14
~ chimique **65** 14
~ phosphaté **65** 14
~ potassique **65** 14
engravement alluvial **13** 10
engrenage **136** 80-94, **141** 58
~ d'angle **91** 25
~ de changement de vitesse **207** 2
~ conique **91** 25
~ conique hélicoïdal **136** 90 et 91
~ en croix de Malte **295** 38
~ du différentiel **185** 50
~ hélicoïdal **136** 87
~ du moulin à vent **91** 11
~ planétaire **136** 92
engreneur automatique **67** 45
enjambée **280** 34
enjoliveur **189** 24
~ de garde-boue **181** 42
~ de roue **185** 14
enlèvement du benzol **164** 6
~ de terre **113** 78
enregistrement des bagages **200** 4
~ sur bande magnétique **234** 1 et 2
~ optique stéréophonique **295** 45
enregistreur sur bande étroite **293** 7
enregistreur de gaz à basse pression **148** 51
~ à haute pression **148** 50
enregistreur du loch **219** 34
~ optique de sons **295** 45
~ des tremblements de terre **11** 39
enrobage **135** 21
enroulement *[Arch.]* **318** 8
enroulement du circuit basse tension **147** 16
~ haute tension **147** 15
~ primaire **147** 15
~ secondaire **147** 16
enroulement des fils de perlon **164** 44
enrouleur **141** 69
enrouleuse **168** 22
ensachage **153** 28
ensacheuse de ciment **152** 18
enseigne d'entreprise **113** 47
~ de la maison **79** 41
enseignement de la natation **268** 16-20
~ scolaire **249** 1-31
ensemble *[Vêt.]* **32** 35, 39, **34** 1
~ *[auto]* **185** 59
~ de l'entrée d'air **227** 20
~ des fiches **238** 71
~ porte-original **171** 20
ensemencement **57** 1, **65** 10-12
ensouple **161** 45
~ arrière **159** 48
~ de la chaîne **160** 24
~ de la chaîne encollée **158** 57
~ de devant **159** 16, 46
~ d'enroulement du tissu **159** 20
~ de l'ourdissoir **158** 29
~ sur pivots **158** 41
entaille *[coupure]* **85** 20
~ *[mire]* **87** 66
~ à mi-bois **116** 86
~ à trait droit **116** 86
ente **57** 37
enterrement **312** 34-41
entête *[journal]* **325** 38
en-tête *[lettre]* **239** 3
entoilage **226** 74
~ du fuselage **271** 55
entoir **58** 26
entonnoir **41** 89, **334** 16
~ de Büchner **333** 11
~ d'éboulement **11** 49, **13** 71
~ d'entrée des mèches **157** 15
~ de remontée **141** 23
~ séparateur **333** 3
~ p. la soudure alumino-thermique **198** 28
~ en verre **112** 14
entraînement **107** 14-17, **209** 2, **241** 57
~ à la boxe **281** 18-26
~ du film **294** 20
~ par moteur **294** 27
~ de la pièce à travailler **143** 9
~ par ressort **294** 27
~ par volant d'inertie **188** 8
entraîneur **269** 20, **273** 11, **274** 44

entrait **114** 3, **116** 29, 53
~ retroussé **116** 35, 38, 59
~ suspendu **116** 66
entrave **263** 30
entraxe **136** 58
entrebâillement de la porte **52** 68
entrechat quatre **288** 13
entrecôte **95** 18
entrée **53** 19, **64** 1, **290** 19
~ d'air **227** 2, **255** 60
entrée d'air latérale du réacteur **226** 15
~ du réacteur **226** 13
~ à recompression interne **227** 20
entrée de l'autoroute **197** 36
~ en cale d'un navire **217** 38-40
~ du canal **212** 15 et 16
~ de capot **216** 41
~ de la clé d'allumage **207** 18
~ des coffre-forts **242** 4
~ de la coulée **141** 22
~ de la douane **220** 42 et 43
~ de l'eau chaude **145** 66
~ de l'égout **194** 21
~ des fiches **241** 41
~ latérale **312** 15
~ du manège **290** 11
~ des mèches **157** 15
~ du métro(politain) **252** 25
~ du parc **257** 32
~ des passagers **226** 34
~ des rubans **157** 21, **161** 38
~ et sortie **290** 19
~ du tissu **161** 38
~ du tissu plissé **162** 26
~ de la vapeur **167** 23
entrelacement **130** 1, 2, 3
~ en croisé **130** 2
~ en diagonale **130** 3
~ en torsade **130** 1
entremets en poudre **98** 50
entrepont **218** 66
entrepôt **202** 54, **220** 38
~ à bananes **220** 35
~ à bois **220** 56
~ de charbon **152** 13
~ de clinker **152** 10
~ frigorifique **220** 40
entrepôt à fruits **220** 36
~ de marchandises diverses **220** 28
~ de matériaux bruts **152** 3
~ de plâtre **152** 15
entreprise horticole **79** 1-51
~ maraîchère **79** 1-51
entretien des véhicules **191**
entretoise **115** 26, 55, **131** 3, **210** 50
~ en fer **114** 51
enveloppe *[boîtier]* **3** 25
~ *[cigare]* **105** 6
~ *[pneu]* **180** 30, **189** 22
~ *[dirigeable]* **226** 74
~ *[gazomètre]* **148** 57
~ *[de la terre]* **11** 3
~ *[Bot.]* **59** 6
~ affranchie **239** 13
~ du ballon **226** 52
~ de caoutchouc **269** 58
~ de chèque postal **232** 10
~ à dragées **23** 12
~ électorale **251** 21
~ extérieure **61** 42
~ à fenêtre **239** 13
~ métallique **159** 31
~ parcheminée **60** 36
enveloppement total **23** 19
envol du sauteur de ski **283** 14
éolienne **16** 73, **79** 34
épagneul allemand **71** 42
épaisseur **6** 50
~ de charbon **138** 22
épaississeur de pâte **167** 6
épandeur **83** 43
~ d'engrais **67** 7
~-régleur-dameur **196** 31
~ de sable **195** 16
épandeuse centrifuge de sable **195** 18
~ de gravillons automotrice **196** 41
~ de sable **195** 5
épar **131** 3, 21
épaule *[homme]* **18** 22
~ *[animal]* **88** 17, 38, **95** 5, 42
~ rocheuse **12** 41
épaulé **281** 4
épaulement **118** 49
épaulette **247** 6
épaulettes **102** 80
épaulière **310** 45
épave **219** 59
épave arrimée avec haussières **224** 12
~ à bâbord **219** 61
~ à tribord **219** 60
épeautre **69** 24
épée **277** 40, 62
~ d'estoc **277** 40
~ de parade **338** 63
épeire diadème **342** 45
épéiste **277** 39
éperon **72** 50 et 51, **272** 55
~ d'abordage **213** 9
~ à la chevalière **72** 51
~ à pointe **72** 50
~ du ski **283** 56
~ du talon **283** 56
épervier *[Zool.]* **347** 12
~ *[filet]* **89** 6
éphémère **342** 6
épi *[Bot.]* **69** 2, **354** 67
~ *[toit]* **117** 9
~ *[constr. fluviale]* **211** 19
~ femelle **69** 32
~ de fleurs **367** 62, **368** 63
~ de maïs **69** 36
~ sporangifère **360** 19
~ staminé **362** 22
Épi **5** 18
épice tropical **366**
épicéa **356** 12
épicentre **11** 33
épicerie fine **98** 1-87
épiderme de la pomme **60** 57
épididyme **22** 73
épiglotte **19** 51
épillet **69** 3, 10, **359** 41, 42, **367** 66
épimanikion **314** 28
épinard **59** 29
épine *[Bot.]* **62** 18
~ blanche **358** 30
~ dorsale **19** 2-5
~ noire **358** 27
~ sur racine **354** 81
épinette **301** 45
épingle **102** 78, **123** 28, **124** 8
~ de bronze **309** 29
~ à chapeau **36** 50
~ de cravate **38** 31
~ de nourrice **37** 25, **102** 60
~ de sûreté **37** 25, **102** 60
~ à tête ronde **309** 29
épitaphe **312** 14
éplucheur **41** 55
épluchoir **130** 38
épois d'empaumure **88** 10
époinçon **46** 52
éponge *[Zool.]* **340** 13, **349** 7
~ *[à nettoyer]* **249** 4
~ p. l'ardoise **249** 36
~ artificielle **112** 16
~ naturelle **112** 15
~ de toilette **51** 12
~ végétale **51** 13
~ à vitres **190** 26
épontille de cale **217** 58
épouvantail **55** 27
épreuve **323** 43
~ d'adresse **273** 32
~ d'endurance **273** 33
~ positive **112** 45
éprouvette graduée **334** 26
~ à pied **334** 45
épuisette **89** 10
~ à deux manches **89** 14
épurateur de (à) gaz **135** 33, **334** 58
~ d'orge **92** 1
~ de pâte **168** 9
épuration **148** 41
épuration des eaux résiduaires **252** 64
~ résiduelles **148** 27
équarrisseur **150** 37
équateur **15** 1
~ céleste **5** 3
équation **327** 9
~ d'identité **327** 5
~ du premier degré **327** 4
équerre **177** 17
~ en acier **106** 28
~ arrière **178** 6
~ d'avancement **178** 6
~ de biais à mitre **115** 81
~ à chapeau **145** 35
~ à chapeau d'ajusteur **115** 69
~ coupe-verre **122** 20
~ à dessin **144** 5
~ épaulée **127** 15
~ à lame d'acier **115** 69
~ à main en T **144** 20
~ de menuisier **127** 15
~ métallique **115** 78
~ mobile **127** 13
~ en T **144** 8
équilibrage de la commande du dépoli **171** 3
équilibre *[Gymn.]* **278** 22
équilibriste **290** 48, **298** 16
équinoxe **5** 6 et 7
~ d'automne **5** 7
~ du printemps **5** 6

équipage d'avion **226** 38-41
équipe *[mineurs]* **137** 19
~ *[football]* **274** 11-21
~ de coulée **141** 13
~ de deux hommes **84** 20
~ d'extinction **255** 34
~ de football **274** 11-21
~ de la locomotive **203** 9 et 10
~ en place **274** 1
~ de pont **224** 14
~ de soudure **198** 27
équipement de l'alpiniste **282** 35-56
~ du chien **71** 27-30
~ d'escrime **277** 25-31
~ de flash électronique **111** 54
~ de haute montagne **282** 35-59
~ mécanique p. chantiers routiers **196** 1-54
~ du mineur **138** 54-58
~ moteur **222** 60-63
~ de pneus **189** 22
~ de protection en cuir **273** 26
~ du scaphandrier **224** 20-30
~ de ski **283** 35-58
~ de tournoi **310** 76
équitation **72** 1-6, **272**
érable **355** 53
Érato **308** 63
ère de Halstatt **309** 21-40
~ de la Tène **309** 21-40
ergate **342** 38
ergot *[Zool.]* **74** 26, **88** 23, 57, 82
~ *[Bot.]* **69** 4
~ *[Techn.]* **136** 27
~ guidant le verrou **134** 41
éricacée **56** 12
Éridan(us) **5** 12
Érinnye **308** 51
Éros **308** 26
érosion **211** 5
erse **216** 62
érythrée centaurée **364** 10
escabeau *[siège]* **44** 36, **314** 11
~ *[échelle]* **52** 1, **119** 31
escalade de glacier **282** 15-22
~ d'un rocher **282** 2-14
escalier **118**
escalier d'accès au quai **201** 2
~ en bois **40** 25
~ des cabines **218** 24
~ de (la) cave **118** 16, **53** 3
~ de (la) chaire **311** 19, 56
~ d'écluses **212** 17-25
~ extérieur de la cave **113** 4
escalier en hélice à noyau creux **118** 76
~ plein **118** 77
escalier en matériau dur **118** 16
~ monumental **315** 33
~ en paliers **118** 42-44
~ à quartier tournant **118** 75
~ rompu **118** 42-44
~ roulant **226** 33, **256** 22
escargot *[Zool.]* **340** 25
~ *[escalier]* **118** 77
~ à noyau plein **118** 77
escarpement **13** 28, 57
escarpin **100** 40
esclave **213** 48
~ de harem **289** 41
escorteur **222** 13
escrime **277**
~ à l'épée **277** 39-43
~ au sabre **277** 33-38
escrimeur au fleuret **277** 17 et 18
~ au sabre **277** 33
escudo **244** 23
espace cosmique **4** 48-58
~ entre deux mots **170** 17
~ vert **39** 76, **252** 10
espacement **240** 23
espaces-bandes **169** 24
espada **287** 65
espadrille **100** 7
~ de corde **117** 75
Espagne **14** 23
espalier *[jardin]* **39** 33
~ *[Gymn.]* **279** 1
~ vertical **55** 2
espar **214** 32-45
esparcette **70** 10
espargoute **70** 12
espèce **244** 1-28
espiègle **289** 38
espion *[jauge]* **134** 62
esplanade de l'exposition **252** 5
~ de la foire **252** 5
esprit de sel **52** 35, **119** 8
~ du vent **307** 55
Esquimau **336** 1
esquisse **144** 59-63, **321** 43
~ à la craie **321** 4
esquive **281** 26
essai de plongée **4** 9
essaim d'abeilles **78** 53
esse d'essieu **131** 24
essence d'avion **139** 37
essences diverses **16** 14
essieu **131** 11
~ arrière **185** 51
~ coudé **85** 28
~ couplé **205** 36
~ de direction **68** 72
~ full-floating **182** 40
~ monté **204** 62-64
~ moteur **205** 37
~ porteur **205** 35
~ rigide **183** 47
essorage **163** 23
~ du tissu **162** 14
essoreuse **42** 24, **53** 61
~-centrifuge oscillante **162** 14
essuie-glaces **186** 10
~-lunette **51** 32
~-plumes **249** 51
~-verres **41** 14
estacade **220** 37
estampeuse d'onglets **122** 7
estampillage à la main **231** 40
estampille **221** 35
~ commémorative **231** 51
~ à main **231** 49-52
~ publicitaire du lieu **231** 50
~ de tri gare **231** 52
esthéticienne **103** 33
estomac **18** 35, **22** 13, 41 et 42, **78** 16
estrade **99** 28, **113** 17, **249** 11
~ à éclipse **297** 34
~ à étages **297** 34
estrope **216** 62
étable **64** 47, **76** 17-38
~ à cochons **76** 41
établi **107** 56 **119** 11, **122** 15, **134** 15
~ de menuisier **127** 40-44
établissement de bain **25** 1-6
~ de cure **262** 8
~ de pisciculture **89** 55-67
étage *[maison]* **39** 3, **113** 14
~ *[mine]* **137** 26
~ d'exploitation **137** 26
étage de la fusée **229** 36, 37, 39, 42
~ préliminaire de la fusée **229** 36
~ principal de la fusée **229** 37
~ supérieur **39** 3
étagère à bouteilles **260** 10
~ à huile **190** 11
~ à journaux **261** 8
~ à livres **314** 12
~ à verres **260** 9, **262** 16
étai *[toit]* **116** 58, 69
~ *[voilier]* **214** 10
~ arrière **270** 47
~ avant **270** 48
~ de bout dehors **214** 14
~ de cacatois **214** 13
~ de chouque **218** 11
~ du coffrage **114** 13
~ à crémaillère **114** 86
~ frontal **114** 59
~ de mât de flèche **214** 11
~ de mât de hune **214** 11
~ de perroquet **214** 12
~ de signalisation **218** 11
~ de tente **290** 13
étain **262** 28-31
étal **96** 45
étalage **253** 4, 41
~ de fruits **291** 53
~ de la vitrine **98** 1
étalon *[cheval]* **74** 2
~ *[compas]* **219** 28
étambot **213** 1, **217** 67 et 68
~ arrière **217** 67
~ avant **217** 68
~ de gouvernail **217** 67
étamine **60** 45, **354** 57, 60 **356** 7, 18
étampe p. le dressage **134** 11
~ d'enclume **132** 28-30
~ p. l'estampage **134** 11
~ inférieure **132** 30, **133** 15, 28, 43
~ p. le pliage **134** 11
~ supérieure **132** 36, **133** 12, 27, 42
~ universelle **134** 11
étanchéité hydraulique **148** 62
étançon **68** 8
~ en acier **138** 25
étançon en métal léger **138** 25
~ de mine **138** 25
étang **16** 79, **257** 50
état de l'atmosphère **8** 1-19

États-Unis d'Amérique **14** 30, **245** 18
étau **127** 41
~ d'établi à pied **134** 24
~ à hautes mâchoires **134** 24
~-limeur **134** 16, **143** 52
~ à main **134** 16
~ parallèle **134** 12
~ à pied **134** 24
~ p. les tubulures **119** 12
~ à vis **134** 16
étendard de la cavalerie **245** 13
~ du Président **245** 14
étendue du son **300** 62-70
éther **28** 38
Éthiopie **14** 36
ethnographie **335-337**
étiqueteuse **93** 33
étiquette *[bouteille]* **93** 42
~-adresse **200** 7
~ à coller **231** 4
~ de dénomination **57** 4
~ d'hôtel **201** 6
~ de réservation de places **204** 34
~ volante des colis express **200** 3
étirage *[Tiss.]* **157** 1, **164** 55
~ du verre **155** 7
étoffe de garniture du divan **124** 26
~ rouge **287** 60
étoile *[Théâtre]* **298** 4, 5
~ circumpolaire **5** 5
~ double **5** 29
~ filante **7** 28
~ de fond **130** 19
~ de mer **340** 23, **349** 17
~ du nord **5** 1
~ polaire **5** 1, 34
~ de première grandeur **5** 14
~ principale **5** 9
~ variable **5** 11
étole **314** 27, 35
~ de fourrure **32** 48
étouffoir **301** 54, **304** 37
étoupe **87** 63, **125** 7
étourneau **346** 4
étranglement **281** 16
étrave **213** 4, **217** 71
~ brise-glace **222** 8
~ à cuiller **270** 2
~ droite **270** 9
être fabuleux **307**
~ de la mer **307** 40
~ moitié homme, moitié cheval **307** 52
être mythologique **307**
étreinte **201** 61
étrésillon **113** 88, **115** 27, **285** 4
~ d'échafaudage **113** 25
~ de l'étai avant **270** 49
étrésillonnage **114** 14
étrier *[cavalier]* **72** 43
~ *[Anat.]* **19** 61
~ *[ski]* **283** 47
~ *[charrue]* **68** 14
~ *[constr.]* **114** 70
~ du couvercle **161** 68
~ d'échafaudage **117** 66
~ de l'échasse **258** 39
~ de réduction **23** 45
~ de la scie à chantourner **106** 12
étrille **72** 54
étrivière **72** 42
étude de l'électricité **331** 45-85
~ à l'huile **321** 36
~ de la lumière **331** 22-41
~ du son **331** 18-21
étudiant **250** 9
étudiante **250** 10
étui **201** 10
~ à cigares **105** 11
~ à cigarettes **105** 12
~ à lunettes **108** 25
~ à revolver **247** 8
étuve **25** 7-16
~ à désinfection **83** 21
~ à fourrage **67** 55
~ mobile **83** 21
Eurasie **15** 15 et 16
Europe *[continent]* **14** 1-26, **15** 15
~ *[pavillon]* **245** 4
Euterpe **308** 65
évacuation de l'acide carbonique **93** 17
~ de l'air **339** 41
~ de charbon **146** 3
~ des déchets **67** 52
~ de l'eau de condensation **166** 22
évacuation des eaux ammoniacales **148** 35
~ d'infiltration **211** 37
évacuation de fond **212** 62
~ du fumier **76** 30
~ des gaz du four **140** 46
~ de la vapeur **153** 22
évaporateur **42** 3
évaporation du chlorure de benzol **164** 11
évaporation de la soude caustique **164** 11
évent **147** 10
éventail **336** 42
éventaire portatif **291** 52
évêque **314** 43
évidement du tâteur de navette **159** 32
évier **41** 17
examen de la finesse du moût **92** 34
excavateur de morts-terrains **151** 3
excavation **113** 69-82
excavatrice **151** 3
~ à pelle **153** 2
excentrique **159** 57, **182** 47
~ du bras de chasse **159** 66
excitateur **331** 50
excrément **76** 22
exercice aux agrès **278** 31-43
~ à la barre fixe **279** 11 et 12
~ au bâton **278** 37
~ au bâton long **278** 35
~ au cerceau **278** 39
~ de danse classique **288** 1-10
~ d'échelle **255** 1-46
~ d'écriture **249** 7 et 8
~ d'équilibre **279** 41
~ d'escalade **255** 1-46
~ d'extinction **255** 1-46
~ de force **298** 15
~ de gymnastique aux agrès **279** 1-56
~ aux haltères **278** 33
~ de lutte contre le feu **255** 1-46
~ aux massues **278** 31
~ des sapeurs-pompiers **255** 1-46
~ de sauvetage **255** 1-46
~ au sol **278** 24-30
~ de souplesse **298** 11
exhaussement **211** 33
ex-libris **178** 51
exosphère **4** 14
expéditeur **232** 36, **239** 15
expédition sous bande **232** 24
~ collective **202** 4
~ du courrier **231** 34-39
~ des marchandises **202** 32
expert auprès du tribunal **248** 36
expiration **17** 26
exploitation à ciel ouvert **150** 1
~ au fond **137** 14-40
~ par grandes tailles **137** 39, **138** 12
~ houillère **137** 39
~ rurale **64** 1-60
exposant **327** 1
exposition du mort **312** 51-61
expression fractionnaire **326** 16
extenseur *[Anat.]* **23** 41
~ *[Gymn.]* **278** 43, 50
~ commun **20** 57
~ commun crural **20** 63
extension dorsale **279** 3
extérieurs *[film]* **292** 18
extincteur d'incendie à main **255** 61
~ à main **190** 34
~ mobile **255** 63
~ à mousse **207** 24
extinction de la chaux **153** 21
~ du deuxième étage **229** 43
~ du premier étage **229** 40
extra-fort **102** 54
extracteur **164** 37
~ centrifuge **78** 61
~ de gaz **148** 30
~ de racines **27** 49
extraction de l'acide sulfurique **164** 24
~ du benzol **164** 6
~ de la racine **327** 2
extrados **318** 26, 40

F

f *[violon]* **302** 6
fa **299** 47
~ dièse majeur **300** 7
~ dièse mineur **300** 4
~ majeur **300** 9
~ mineur **300** 12
fabricant de voitures **131** 25
fabrication de bas p. dames **160** 18
~ des clichés **172** 23-30
~ du filet **125** 24
~ de la laine de cellulose **163** 1-34
~ des lettres **170** 32-37
~ manuelle du papier **168** 44-50
~ du papier **167**, **168**

fabrication de la pâte· chimique **167** 1-10
~ mécanique **167** 14-20
fabrication du perlon **164** 1-62
~ de la porcelaine **154**
~ de la rayonne **163** 1-34
~ de la soie artificielle **163** 1-34
~ de tricots tubulaires **160** 1-66
fabrication du verre· en feuilles **155** 1-11
~ plat de vitrification **155** 1-11
fabrique de bas **160** 1-66
~ de filets **220** 8
façade **315** 9
face *[dent]* **27** 35
~ *[Géom.]* **329** 31
~ *[monnaie]* **244** 8
~ d'abattage **150** 3
~-à-main **108** 29
~ inférieure de la feuille **362** 19
~ latérale **187** 21
facette *[brillant]* **38** 27
~ *[œil]* **78** 20
façonnage des céréales **91** 57-67
fac-similé **244** 34
facteur **231** 47
facture **238** 50
~ de l'hôtel **259** 11
facule **7** 20
fagot **84** 17
faille **13** 50
~ en pupitre **12** 9
~ de la veine **137** 24
faine **355** 37
faire la barbe **104** 11
~ du feu par friction **337** 34
faisan ordinaire **88** 77
faisceau **211** 53
~ de droites **328** 19
~ de voies de garage **199** 27
faîtage **39** 7, **115** 7, **116** 2, 48, **117** 93
faîte **116** 2, 48, **117** 93
faîtière **117** 99
fait-tout **41** 70
falaise **13** 25-31
falconidé **347** 10-13
famille **45** 1-4
fanal **16** 49, **213** 44, **219** 44
faneuse **67** 29
fanion **266** 44
~ auxiliaire **245** 30-32
~ de but **283** 16
~ du club **269** 25, **274** 34
fanion dentelé **245** 22
~ du départ **272** 13, **273** 37
~ douane **245** 35
~ indicateur **272** 29
~ de la ligne médiane **274** 46
~ à main **274** 48
~ marquant le trou **276** 68
~ rectangulaire **245** 28
~ de tournoi **246** 33
~ triangulaire **245** 30-32
~ de virage **272** 34
fanoir en pyramide **65** 43
~ de Suède **65** 38
~ à traverses **65** 42
fanon **314** 55
fantoche **298** 29
faon **88** 1, 39
~ femelle **88** 39
~ mâle **88** 4, 39
fard **103** 15, **296** 46
fardier **84** 15
farine **91** 28, **97** 18 et 19
~ de froment **97** 18
~ de pierre **150** 22
~ de seigle **97** 19
fart à ski **283** 58
farthing **244** 37
fasce ondée **246** 6
fascine **211** 53
~ de prunelliers **262** 2
faséyer la voile **270** 53
fat **289** 33
faubourg **252** 11
fauchet **58** 4
fauchette à lame cintrée **58** 29
faucheur **341** 13
faucheuse **67** 27
faucheux **341** 13
faucille **58** 28, **66** 25
~ et marteau **245** 21
faucilles **88** 68
~ de la queue **74** 25
faucon **347** 1-4
~ mâle **86** 46
~ pèlerin **347** 2
fauconnerie **86** 42-46
fauconnier **86** 42
faucre **310** 80
faune des eaux profondes **349**
Faunus **308** 40
fausse batterie **215** 27
~ côte **19** 10
~ équerre **115** 82, **127** 13
~ morille **365** 25
~ oronge **363** 10
~ tige **368** 30
fausses rênes **272** 41
faute de jeu **274** 51
fauteuil **256** 35
fauteuil de bureau **47** 18
~ club **259** 26
~ de coiffeur **104** 28
~-guérite **267** 36
~ de jardin **54** 7
~ Jugendstil **318** 18
~ de massage **103** 34
~ à oreillettes **47** 57
~ à patins **286** 29
~ de pont **216** 54
~ à roulettes **23** 51
~ de théâtre **296** 28
fauve **339** 6
fauverie **339** 1-15
faux *n. [instr.]* **66** 12
~ *adj.* acacia **54** 11, **355** 70
~ bourdon **78** 5
~-col **338** 74
~ collier **123** 1
~ ébénier **358** 32
~ étambot **217** 68
~ filet **95** 31
~ foc **214** 21
~ fruit **354** 100
~ garou **361** 10
~-lierre **359** 18
~-limon **118** 45
~ mantelet **215** 27
~ narcisse **62** 3
~ oïdium **81** 20
~ puits **137** 17
~ quartier **72** 48
~ titre **178** 44
favori **272** 15
favoris **35** 11, 24
fayard **355** 33
fée de mer **307** 23
feeder **146** 32, **148** 47
fêle de soufflage **155** 14
félidé **353** 2-8
felle de soufflage **155** 14
femelle **341** 21
~ ailée **342** 21
~ du cerf **88** 1
femme boschiman **337** 34
~ de chambre **48** 48
~ chirurgien assistant **28** 28
~ en couches **29** 2
~ en déshabillé **48** 16
~ exotique **289** 30
~ géante **291** 21
~ de la halle **291** 65
~ herero **337** 25
~ indienne **335** 10
~ de ménage **52** 52
~ en saut de lit **48** 16
~ de service ambulante **201** 38
fémur **19** 22
fenaison **65** 35-43
fence d'aile **225** 55
fendoir **126** 11, **130** 35
fenêtre *[enveloppe]* **239** 16
fenêtre d'accordage **305** 33
~ d'aération **79** 10
~ à arceau **317** 50
~ de la buanderie **113** 5
~ de cabinet **53** 13
~ de la cage d'escalier **53** 14, **118** 65
~ de contrôle **158** 50
~ de contrôle du J-Box **161** 35
~ coulissante **204** 58
~ sans courant d'air **204** 58
~ à déflecteur **185** 19
~ à dentelle de pierre **317** 39-41
~ à deux vantaux **39** 22
~ de l'escalier **39** 81
~ d'étable **64** 48
~ fleurie **44** 21
~ à fronton **317** 49
~ grillagée **248** 17
~ inclinée **321** 1
~ mansardée **116** 19
~ opératoire **339** 13
~ de projection **295** 15, 34
~ à quatre vantaux **39** 86
~ à rabat **75** 2
~ à remplage **317** 39-41
~ de surveillance **295** 15
~ à un vantail **39** 23
~ vitrée **161** 2
fenouil **364** 6
fente acoustique **234** 49
~ d'admission **184** 73
~ d'aération **183** 14
~ avant **278** 19
~ branchiale **350** 3
~ p. le croisement du fil **158** 11
~ du dégivreur **186** 11
~ p. le développement **241** 20
~ d'échappement **184** 74
~ p. l'exposition **241** 19
~ gauche **278** 21
~ de guidage **301** 41
~ d'introduction **306** 31
~ latérale **278** 20
~ p. monnaie **260** 50
~ d'observation **6** 9
~ de la porte **52** 67
~ de projection **295** 34
~ dans le rocher **282** 4
~ de serrage **136** 36, 47
~ de l'urne **251** 30

fente en V **158** 11
~ en zigzag **158** 11
fer *[hache]* **85** 16
~ d'angle **136** 1
~ d'armature **114** 23
~ à béton **114** 23
~ à cheval *[perdrix]* **88** 71
~ à cintrer **130** 34
~ à clous **132** 34
~ à contourner **127** 49
~ cornière **136** 1
~ à couder **114** 77
~ courbé **322** 18
~ à donner le cordonnet **244** 44
~ à écrou **134** 28
~ électrique à repasser **166** 33
~ à encoche **132** 32
~ inférieur **166** 37
~ à jointer **123** 24
~ à lisser **99** 30
~ oligiste **106** 49
~ à onduler **103** 38
~ plat **136** 10
~ à pointiller **322** 15
~ de rabot **127** 57
~ de raccord **114** 10, 71
~ de répartition **114** 69
~ de reprise **114** 10
~ rond **114** 80, **136** 8
~ de roue **131** 30
~ à souder **106** 39, **119** 6
fer à souder à essence **119** 5
~ à gaz **119** 50
~ à marteau **119** 5
fer supérieur **166** 36
~ du talon **99** 57
~ à toron **114** 82
~ à trous **132** 34
ferme *[métairie]* **16** 94, **64** 1-60
~ *[toit]* **115** 7, **116** 27-83
~ à colombage **116** 78
~ à entrait relevé **116** 34
~ à entrait retroussé **116** 37
~ isolée **16** 101
~ à poinçon de fond **116** 42
~ à poinçons latéraux et jambettes **116** 46
fermentation de la crème **77** 28
~ du moût **93** 12-19
fermeture à attache **181** 29-31
~ automatique de la porte **75** 26
~ à bouchon **140** 30
~ à glissière **34** 24, **37** 21
fermeture de la porte **75** 26
~ du soufflet **303** 38
fermier **64** 21
fermière **64** 22
fermoir **37** 12
~ à bouton **37** 17
~ de ceinture **309** 24
~ électrique **115** 17
ferraille **135** 42
Ferrit **235** 5
ferry-boat **16** 12, **216** 16, **221** 69 et 70
fesse **18** 40
fessier **20** 60
feston **317** 54
fétiche **190** 35, **337** 43
fétuque des prés **70** 24
feu arrière **180** 45, **186** 29
~ arrière électrique **180** 46
~ d'artifice **289** 49-54
~ avertisseur **255** 6
~ de bâbord **218** 15
~ de bois **266** 50
~ de circulation **253** 39
~ code **185** 17
~ de côté **218** 15
~ découvert **259** 25
~ d'entrée de port **220** 58
~ de freinage **186** 28
~ latéral **182** 65
~ de port **220** 58
~ de position **182** 65, **226** 46
~ de la rampe **297** 26
~ rouge **180** 45, **182** 18
~ de route **185** 17
~ stop **186** 28, **193** 9
~ de tribord **218** 15
feuillage persistant **356**
feuillard *[fer]* **136** 11
~ d'emballage **202** 5
feuille *[Bot.]* **354** 19, 26
~ *[papier]* **239** 1
~ *[jeu]* **265** 43
~ *[instr. de mus.]* **303** 18
~ d'abricotier **61** 36
~ de l'album **112** 54
~ de bananier **368** 35
~ basilaire **367** 2
~ de blé **69** 19
~ à bord entier **354** 43
~ de cellulose **163** 2, 4, 6
~ de cerisier **61** 2
~ du cognassier **60** 47
~ composée **354** 39-42
feuille du compte **238** 62, 67
~ de coupon de dividende **243** 17
~ de débit **134** 60
~ d'étain **331** 56
~ de fer-blanc **134** 60
~ imparipennée **61** 40
~-journal **238** 66
~ de noisetier **61** 51
~ notée **306** 9
~ de notes **238** 18
feuille de papier à lettres **239** 1
~ ligné **249** 40
~ puisée à la main **168** 50
feuille de pêcher **61** 32
~ pennée **59** 3
~ perforée **306** 9
~ du peuplier argenté **355** 23
~ de placage **127** 34, **128** 53
~ de pomme de terre **69** 41
~ de prunier **61** 21
~ radicale **359** 9, 12, 15
~ de salade **59** 37
~ de tabac **366** 43
~ à tartes **97** 30
~ de température **29** 16
~ de thé **366** 9
~ de timbres-poste **231** 14
~ tirée **323** 27
~ du tremble **355** 21
~ trifoliolée **60** 19
~ de verre **155** 11
~ de vigne **80** 5
~ volante **112** 54
feuillées du chantier **113** 49
feuillet *[champignon]* **365** 4, 6
~ de garde **178** 49
~ du livre **178** 53
~ du titre **178** 45
feuilleton **325** 50
feuillu **355** 1-73
feutre **168** 49, **304** 37
~ humide sans fin **168** 16
~ du marteau **304** 24
~ sécheur **168** 18-20
fève de cacao **366** 19
~ des marais **70** 15
féverolle **70** 15
fiacre **179** 26
fibre de cellulose plastique **163** 15
~ cellulosique **163** 30
~ du nerf optique **78** 23
~ de perlon **164** 61
fibrociment ondulé **117** 97
fibule en arbalète **309** 28
~ en archet **309** 27
~ en barque **309** 28
~ à deux spirales **309** 30
~ à lunettes **309** 30
~ à plaques **309** 30
~ serpentine **309** 28
ficaire fausse-renoncule **359** 36
ficelage **202** 13
ficelle **98** 47, **177** 10
~ p. aligner les bordures **58** 19
~ à ligoter la composition **169** 16
~ du sautoir **279** 23
fiche **120** 24, **233** 9
~ d'arrivée **259** 12
~ banane **234** 33
~ de la cabine de commande **297** 3
~ directrice **238** 73
~ d'enregistrement **238** 72
~ femelle de ralonge **120** 22
~ mâle **120** 21
~ de paiement **232** 14
fiche de prise de courant mâle **120** 21
~ de sûreté **120** 7
fiche tétrapolaire de prise de courant **120** 9
~ triple **120** 16
fichier **238** 6, 71, **250** 23
~ criminel **247** 22
~ électoral **251** 18
~ de l'Identité Judiciaire **247** 22
~ des malades **26** 5
fichu **37** 9, **338** 39
fidèle **311** 29, 58, **312** 17
figue **367** 35, **368** 13
figuier **368** 11
~ à caoutchouc **367** 33
figurant *[Théâtre]* **297** 39
~ *[Film]* **292** 29
figuration **297** 39
figure d'argile **322** 7
~ en cire **291** 43
~ de danse sur glace **284** 8
~ fondamentale de patinage **284** 13-20
~ de freinage **284** 22
~ géométrique **329** 30-46
~ en mosaïque **321** 38
~ mythologique **307** 1-61
~ peinte **335** 2
~ de proue **213** 16
~ sculptée **335** 2
~ symbolique **307** 20

figure symétrique **328** 24
figurine du grand portail **315** 36
fil **157** 53, **160** 17, 36
~ *[canne]* **89** 29
~ d'acier **280** 50
~ d'argent **106** 3
~ de la butée **304** 29
~ à (de) chaîne **158** 46, **159** 39, **165** 2, 17, 18
fil de chaîne· baissé **165** 8
~ levé **165** 7
fil de commande **298** 32
~ conducteur de l'omnibus **252** 24
~ de contact **193** 43, **206** 2
~ à coudre **102** 21
~ de dessous **102** 36
~ de dessus **102** 21
~ enroulé **157** 56
~ à faufiler **102** 52
~ de fer **136** 12
~ à filet **101** 24
~ isolé au caoutchouc sous tube **120** 43
~-jarretière isolant **234** 28
~ de latex **124** 23
~ d'or **106** 3
~ d'ouvrage **125** 26
~ à piquer **99** 3
~ à plomb **113** 50
~ à plomb optique **110** 34
~ poissé **99** 19
~ à poix **99** 19
~ de rayonne **163** 27
~ de réduction **23** 44
~ retors **157** 60
~ à souder **135** 6, 22
~ de suspension **298** 31
~ à suture **28** 51
~ de trame **165** 3
fil de trame· baissé **165** 15
~ levé **165** 16
filage du coton **156**, **157**
filament incandescent **120** 58
filet *[ouvrage à l'aiguille]* **101** 22
~ *[chasse]* **86** 27
~ *[basket-ball]* **275** 33
~ *[tennis]* **276** 13
~ *[violone]* **302** 26
~ *[viande]* **95** 7, 24
~ à bagages **203** 42
~ à balles **258** 43
~ du ballon **226** 53
~ de bœuf **95** 24
~ du but **274** 38
~ carré **142** 32
~ de charge **221** 14
~ à cheveux **103** 24
filet circulaire **90** 25
~ coulissant **90** 25
~ dérivant **90** 2-10
~ à dorer **177** 3
~ à essaim **78** 54
~ garde-jupes **181** 11
~ du nerf optique **78** 23
~ de pêche **89** 3
~ de ping-pong **276** 41
~ de porc **95** 44
~ à provisions **52** 71
~ de rayure **87** 37
~ de réception **224** 40
~ de saut **290** 14
~ de sécurité **290** 14
~ de tennis **276** 13
~ de tennis de table **276** 41
~ tournant **90** 25
~ de veau **95** 7
~ vertical **90** 8
filetage **136** 16, 66
~ à bois **136** 45
fileteur à cylindres **106** 1
filière **106** 15, **163** 14, **164** 42
~ brisée **134** 27
~ simple **134** 28
~ à tarauder les tuyaux armés **120** 48
filigrane *[billet de banque]* **244** 31
filin **297** 4
~ d'appel **224** 19
~ de jute **147** 49
~ de tir **224** 52
fille **45** 4
~ de ferme **64** 31
film cinémascope **294** 36-44
~ grand écran **294** 36-44
~ panoramique **294** 45-52
~ petit format **112** 21
~ stéréophonique **294** 36-44
filmothèque **292** 5
filochage **125** 24
filon **11** 31
~ de roche **138** 23
fils croisés **87** 32
filtrage rapide **254** 9
filtre **42** 18, **182** 32, **333** 12
~ à air **184** 17
~ antipoussière **255** 59
~ aspirateur d'air **206** 20
~ à bière **93** 26
~ à café **41** 64
~ à carburant **184** 42
filtre à combustible **184** 42
~ de couleur **111** 48
~ à eau de l'épurateur **205** 29
~ à huile **184** 48
~ d'image à moyenne fréquence **236** 6
~ infra R **111** 48
~ interchangeable **112** 18
~ du masque à gaz (antigaz) **255** 57
~ à moyenne fréquence **235** 18
~ en papier plié **334** 41
~-presse **154** 12, **163** 12
~ à ruban **235** 18
~ UV **111** 48
fin d'un alinéa **170** 15
~ de machine **168** 21 et 22
~ de la trajectoire **4** 34
fincelle **90** 7
finissage des étoffes **162** 1-65
~ des matières textiles **162**
~ des textiles **162** 1-65
finisseur **197** 1
finisseuse de revêtements souples **196** 43
Finlande **14** 6
firmament **6** 1
~ artificiel **6** 13
fission nucléaire **1** 13-17
fissure **11** 52
fixatif à cheveux **103** 29
fixation *[ski]* **283** 45-50
~ de la boîte de vitesses **186** 62
~ Kandahar **283** 45-50
~ des outils **128** 19
~ des ressorts **185** 24
~ en trois points **333** 28
fixe·-carte **240** 11
~-chaussette **33** 63
~-majuscules **240** 27
~-plaques **173** 33
flache **115** 89
flacon d'alcool à nettoyer **99** 21
~ compte-gouttes **23** 56
~ de désinfectant **27** 22
~ à distiller **334** 47
~ d'encre de Chine **144** 55
flacon de médicament **26** 11
~ mélangeur **334** 28
~ de parfum **48** 27
~ à pesée **333** 24
~ à trois embouchures **334** 55
flambe **62** 8
flambeau **308** 36
flamme *[banderole]* **267** 11
~ de la bougie **47** 26
~ du livre des signaux **245** 29
~ de nombre **245** 33 et 34
~ de la résurrection **307** 10
~ triangulaire **267** 10
flan **244** 43
flanc *[Anat.]* **18** 32
~ *[cerf]* **88** 26
~ *[blason]* **246** 18-23
~ de la digue **211** 40
flanchet **95** 15 et 16
flançois **310** 86
flâneur de la foire **291** 67
flash **111** 49-59
~ à ampoule **111** 49
~ électronique **111** 54
fléau *[instr.]* **66** 27
~ *[balance]* **333** 29
flèche *[arme]* **287** 41, **335** 28
~ *[signe]* **9** 9
~ *[Bal.]* **87** 77
~ *[grue]* **114** 36, **220** 53, **221** 2
~ *[chariot]* **72** 21, **131** 14
~ *[charrue]* **68** 9
~ de l'amour **308** 28
~ du clocher **312** 6
~ d'eau **362** 51
~ de (la) grue **221** 37, **145** 17
~ indicatrice **189** 46
~ orientable **192** 62
~ de la pelle **196** 4
~ de la tour **252** 42
fleur **70** 14, **354** 23, 51
~ d'abricotier **61** 34
~ actinomorphe **359** 32
~ d'ananas **368** 64
~ artificielle **36** 36
~ de bananier **368** 34
~ de cerisier **61** 3
~ des champs **359**, **360**
~ de coquelicot **63** 4
~ en corymbe **358** 36
~ de coucou **360** 21

fleur épanouie **358** 17
~ fanée **60** 55
~ féconde **61** 38
~ femelle **61** 38, 46, **355** 6, 13, **357** 20
~ forcée **79** 24
~ du framboisier **60** 26
~ de haricot **59** 9
~ hermaphrodite **358** 10, **366** 12, 14
~ de jardin **62**
~ de lis **246** 13
~ mâle **61** 39, **355** 14, **357** 21, **366** 13
~ d'oranger **368** 25
~ de la Passion **56** 2
~ de pêcher **61** 27
~ du poirier **60** 38
~ de pois **59** 2
~ de pommier **60** 54
~ précoce **79** 24
~ staminée **362** 23
~ de sureau **358** 36
~ de trèfle **70** 7
~ zygomorphe **359** 31
fleuret **277** 25
~ français **277** 60
~ italien **277** 53
fleuron *[Bot.]* **360** 2, 5
~ *[Art]* **317** 37
fleuve **13** 61, **16** 76, **211**
~ canalisé **211** 31
~ navigable **16** 45
flexion arrière du tronc **278** 10
~ avant du tronc **278** 11
~ des bras **278** 6
~ des genoux **278** 15
~ des jambes **278** 13
~ latérale du tronc **278** 9
flocon d'avoine **98** 37
flore alpine **362** 1-13
~ aquatique **362**
~ des eaux **362** 14-57
~ des marais **362** 14-57
florin *[anglais]* **244** 37
~ *[hollandais]* **244** 19
flotte *[flotteur]* **90** 6
flotteur **89** 4, **119** 60, **212** 34
~ à antenne **89** 51
~ de bois **90** 6
~ du bout d'aile **225** 64
~ en bout d'aile **225** 33
flotteur du carburateur **183** 65
~ de liège **268** 32
~ de natation **268** 18
~ vibrant **114** 89
flûte *[instr. de mus.]* **301** 4, **302** 30, 31, **336** 47
~ *[verre]* **46** 85
~ à bec **301** 7
~ de berger **301** 2
~ double **301** 3
~ de Pan **301** 2, **308** 41
~ piccolo **302** 30
flûte saupoudrée de graines· de cumin **97** 56
~ de pavot **97** 55
flûte au sel **97** 54
~ traversière **302** 31
flûteau **362** 44
flux **267** 7
foc **214** 22
~ d'artimon **214** 27
focomètre **108** 35
foie **22** 10, 34 et 35
~ de porc **96** 28
foin *[champignon]* **365** 17
foine **67** 30
foinette **67** 30
foire **252** 5, **291** 1-67
folio *[pagination]* **178** 63
foliole **316** 40
follette **63** 24
follicule *[Anat.]* **22** 84
~ *[Bot.]* **354** 91
fonçage **138** 36
~ d'un puits **138** 27
fonction trigonométrique des angles **328** 32
fonctionnaire des postes **231** 39
fonctionnement du bassin de radoub **217** 33-40
fond *[chapeau]* **36** 12, 24
[tuyau d'orgue] **305** 28
~ du boîtier **111** 26
~ de cire **78** 43
~ de coffre **114** 54
~ de culotte **34** 34
~ de culotte renforcé **34** 32
~ en dentelle **101** 16
~ de la denture **136** 82
~ du filtre **254** 11
~ intermédiaire **115** 43
~ marin **4** 10
~ de scène **297** 10
~ de tulle **101** 16
~ à tuyères **140** 62
fond de la vallée **13** 67
~ de la voiture **185** 57
fondation **194** 14
~ sur pilotis **211** 8
fonderie de fer **141** 1-40
fondeur **141** 7
fondeuse monotype **169** 39
fondoir de bitume **196** 46
~ de goudron **196** 46
fontaine **257** 21
~ aux ablutions **316** 68
~ à eau potable **201** 31
~ jaillissante **12** 26
~ du marché **252** 44
~ murale **257** 15
fontange **338** 65
fonte liquide **141** 11
fonts baptismaux **311** 2, **313** 10
fonture **160** 21
football **274** 1-63
~ américain **275** 28-30
forage de pétrole **4** 6
~ pétrolier **139** 1-20
forain **291** 10
~ ambulant **291** 12
forains ambulants **291** 25-28
force centrifuge **4** 51
~ centripète **4** 52
~ de corps **170** 46
~ du vent **9** 10
forceps **28** 59
forcerie **79** 4
foret **106** 5, **127** 19, **134** 64
~ de finissage **143** 32
~ à fraiser **127** 16
~ hélicoïdal **143** 32
~ normal **143** 32
~ de tonnelier **126** 1
forêt **84** 1-34
~ d'essences diverses **16** 14
~ mixte **16** 14
foreuse **134** 29
~ électrique **115** 21
forficule **341** 10
forge *[atelier]* **132**
~ *[fourneau]* **132** 5
~ artisanale **132** 1-42
~ industrielle **133**
~ de plein air **134** 4
~ portative **134** 4
~ p. le travail à la main **134** 4
~ à un feu **134** 4
forgeron *[artisan]* **132** 10
~ *[Zool.]* **342** 38
formage *[verre]* **155** 13-15
formation de cyclohexanon **164** 20
~ de cyclohexanonoxime **164** 22
~ d'huile lactame **164** 25
~ karstique **13** 71-83
~ d'une maille **160** 65
forme *[chaussure]* **99** 10
~ *[moule]* **36** 32, **168** 46
~ *[chapeau]* **36** 31
~ *[lit de sable]* **118** 8
~ d'arc **318** 19-37
~ p. collier **123** 4
~ de cristal **330** 1-26
~ de croix **313** 49-66
~ à découper **42** 62
~ de feuille **354** 31-38
~ à impression **323** 32
~ métallique **99** 27
~ p. le pied de la flûte **155** 18
~ de précipitation **8** 18 et 19
~ p. prise d'empreinte dentaire **27** 56
~ serrée **175** 36
~ de texte **175** 36
~ du toit **116** 1-26
~ de vallée **13** 52-56
~ de voile **215** 1-5
~ de voûte **318** 38-50
formulaire d'envoi de paquet **232** 15
~ postal **232** 6-15
formule à développer **327** 1
~ finale **239** 11
forsythie **357** 1
fort *[forteresse]* **16** 74
~ *[Mus.]* **300** 58
forte **300** 58
fortepiano **300** 61
forteresse **16** 74
fortissimo **300** 59
~ possibile **300** 60
Fortune **308** 37
forure **150** 12
fosse *[tombe]* **312** 34
~ *[mine]* **137** 1-40
~ *[dépôt]* **151** 6
~ *[départ]* **280** 31
~ aux cendres **199** 51

fosse de chargement **145** 72
~ de déplacement du contrepoids **209** 40
~ d'écoulement à l'égout **194** 22
~ de la forme **217** 33
~ de graissage **191** 27
~ jugulaire **18** 20
~ nasale **19** 53
~ d'orchestre **296** 24
~ à piquer **199** 51
~ à purin **64** 54
~ à remplir **145** 72
~ de réparation **192** 63
~ de sable **276** 61
~ sous-marine **11** 12
~ de visite **199** 50
~ de la voie **145** 78
fossé **272** 26, **310** 33, **339** 18
~ de drainage **196** 61, **211** 36
~ d'eau **272** 31
~ d'évacuation **211** 37
~ plein d'eau **280** 22
~ souterrain de drainage **196** 61
~ de la ville **252** 38
fossette de la lèvre supérieure **18** 12
~ du menton **18** 16
fossoyeur **312** 22
fou *[bouffon]* **289** 38
~ *[Zool.]* **343** 9
~ *[échecs]* **265** 10
~ de Bassan **343** 9
foudre **308** 2
foudrier **126** 16
fouet *[de cheval]* **272** 38
~ *[de cuisine]* **42** 32
~ de cheval **272** 53
~ à dépoussiérer **124** 18
~ de dressage **290** 53
~ en lanières de feutre **124** 18
~ à œufs **42** 55
~ à toupie **258** 19
fougère aigle **361** 16
~ mâle **361** 16
~ royale **361** 16
fouille *[excavation]* **113** 69-82
~ *[visite]* **247** 9
fouilleur rotatif **68** 41
fouine **67** 30, **352** 14
foulage **80** 41
foulard **37** 9, **266** 47
~ triangulaire **17** 2
fouleuse à tambour **162** 1
fouloir à lessive **53** 73
~ à raisins **80** 16
foulque **343** 20
four *[cuisinière]* **41** 38
~ atomique **1** 31-46
~ de boulanger **97** 57-63
~ à briques **151** 19
~ à chambre inclinée **148** 11
~ à chaux **16** 86, **153** 12
~ circulaire **151** 19
~ Claus **139** 61
~ à cuve **140** 1, **153** 12
~ à cuve basse **140** 44-47
~ cylindrique **154** 3
~ électrique Siemens à cuve basse **140** 44-47
~ d'estampage à la barre **133** 1
~ d'établi **134** 20
~ d'étirage **155** 9
~ fixe **140** 22
~ à flammes de réchauffage **133** 1
~ de forge à fentes **133** 1
~ de forge à gaz **133** 52, **134** 20
~ de fusion **106** 8, **141** 1, **172** 19
~ à moufle **134** 20
~ à pain **97** 57-63
~ pit **141** 41
~ à récupération **133** 1
~ rotatif **152** 8
~ à sécher **92** 18
~ Siemens **140** 44-47
~ Siemens-Martin **140** 20-29
~ de trempe **134** 20
~ tubulaire **139** 25, 32
~ tunnel **154** 5
~ à vitrification **155** 1
fourche *[arracheur]* **68** 44
~ *[canot]* **269** 29, 41
~ arracheuse à betteraves **66** 35
~ à bêcher **58** 5, **66** 30
~ de branche **57** 13
~ à faner **67** 30
~ à foin **66** 11
~ à fumier **66** 7
~ de garde **290** 54
~ interruptrice **233** 29
~ à paille **76** 13
~ à pierres **150** 33
fourche de la poche **141** 15
~ à pommes de terre **66** 8
~ à quatre dents **66** 11
~ de la roue avant **180** 10-12
~ du surcol **72** 29
~ télescopique **182** 52
~ à trois dents **66** 7
~ à tubercules **66** 8
fourchette **46** 58
~ à homard **46** 79
~ à huîtres **46** 80
~ à poisson **46** 65
~ à salade **46** 68
~ à sandwich **46** 76
~ à sardines **46** 78
~ à servir **46** 70
fourgon *[camion]* **189** 7
~ à bagages **203** 11
~ de déménagement **189** 41
~ à deux étages **208** 39
~ p. les envois de détail **202** 6
~ d'outillage **255** 53
~-tonne **255** 51
~ à tuyaux **255** 53
fourmi **342** 21 et 22
fourneau *[forge]* **132** 5
~ *[pipe]* **105** 36
~ de cuisine **41** 39
fournil **97** 57-80
fournitures scolaires **249** 32-70
fourragère **131** 5
~ de derrière **131** 23
fourre-tout **37** 8
fourreau de la broche **142** 27
fourrure *[Vêt.]* **32** 44
~ *[constr.]* **118** 67
fox à poil dur **71** 15
~-terrier **71** 15
~-trot **288** 43
foyer *[Techn.]* **97** 58, **132** 5, 7, **203** 5, **205** 4
~ *[pipe]* **105** 36
~ *[Géom.]* **329** 27
~ *[théâtre]* **296** 12 et 13
~ de l'ellipse **329** 25
~ du tremblement de terre **11** 32
fraction *[Math.]* **326** 10
~ décimale définie **326** 20
~ improprement dite **326** 18
fraction ordinaire **326** 15 et 16
~ simple **326** 15
fractions à dénominateurs différents **326** 19
fracto·-cumulus **8** 12
~-stratus **8** 11
fracture allemande **325** 3
fragment de planète **6** 26
frai de poisson **89** 67
fraisage sur gabarit **128** 27
fraise *[Techn.]* **170** 51
~ *[Bot.]* **60** 21
~ en bout à surface **143** 19
~-couteau **107** 28
~ cylindrique **143** 19
~ de dentiste **27** 12-15
~ flammée **27** 41
~ godronnée **338** 52
~ à queue **143** 17
~ à rainer **143** 16
~ sphérique **106** 7
~ striée **27** 42
fraiseuse à chaîne **115** 17
~-raboteuse **143** 18
~ à table **128** 18
fraisier des bois **60** 16
~ des jardins **60** 16
~ perpétuel **60** 16
framboise **60** 28
framboisier **60** 25
franc **244** 15-18
France **14** 7, **245** 16
frange *[balai]* **52** 12
~ *[cheveux]* **35** 36
franges de la trompe **22** 82
frappe·-devant **132** 23
~ de la monnaie **244** 40-44
frappé *[golf]* **276** 63
frappeur *[forgeron]* **132** 13
~ *[Sport]* **276** 55
~ *[métier]* **159** 17
~ à trois battes **156** 25
frein *[Méc.]* **136** 95-105, **179** 16
~ *[tuyau d'orgue]* **305** 32
~ automatique de la bobine de papier **175** 47
~ avant **180** 5, **181** 43
~ à bande **136** 102
~ de la bobine de papier **175** 47
~ de câble porteur **209** 71

frein combiné
189 43
~ à commande hydraulique
183 49
~ par contre-pédalage **180** 63
~ électrique **193** 35
~ de l'ensouple arrière **159** 59
~ à glissement
189 43
~ à mâchoires
136 95
~ à main **180** 5,
181 25
~ à pédale **173** 12,
182 16
~ à pédale blocable
67 31
~ à pied **182** 16
~ de la roue **91** 8
~ à sabots **136** 95
~ de secours
209 3, 71
~ tambour à câble
181 43
~ de voie **202** 51
~ de la voiture
186 50-54
freinage automatique **162** 20
~ au pied **282** 29
~ de la voiture
186 50-54
freineur **285** 8
frêne **355** 38
fréquence **4** 20-23
~ maximale **4** 23
~ modulée **234** 40
frère prêcheur
314 19
fresque **321** 40
fret **218** 67
frette **303** 9
~ de raccord **135** 9
freux **346** 2
fricandeau *[veau]*
95 12
friction **24** 3
frisage du fil **164** 59
frise *[soffite]* **297** 12
~ en arceau **317** 9
~ babylonienne
315 19
frivolité *[ouvrage à l'aiguille]* **101** 19
froc **314** 8, 14, 16
fromage **98** 5
froment **69** 23
fromental **70** 22
fronde *[jouet]* **258** 9
~ de lances **335** 40
front *[face]*
18 4 et 5
~ *[Météor.]* **9** 25-29
~ d'abattage **138** 13
~ chaud **8** 5, **9** 26
~ froid **8** 13, **9** 27
~ du glacier **12** 51
~ d'orage **271** 21
~ de taille **137** 26,
138 13
frontal *[Anat.]*
19 30, **21** 4
~ *[harnais]* **72** 9
frontale *[avalanche]*
286 1
fronto-focomètre
108 35
fronton à arceaux
318 5
~ avec le tympan
316 3
frotteur balai
233 34
frottoir *[boîte d'allumettes]*
105 28
~ *[brosse]* **52** 25
fruit **354** 91-102,
357 22
~ charnu **354** 97-102
~ charnu à pépins
60 31-61
~ complexe **60** 21
~ composé **354** 101
~ composé de drupes **60** 28
~ à coque **61** 37-51
~ déhiscent
354 91-96
~ exotique **368**
~ en forme de bourse **63** 11
~ du hêtre **355** 37
~ du mahaleb **61** 5
~ méridional **368**
~ mûr **355** 61,
366 33
~ non-déhiscent-charnu **354** 97-102
~ à noyau **61** 1-36,
354 99
~ à pépin(s) **60**,
354 102
~ sec **354** 91-96
~ sec indéhiscent
359 43
~ de sureau **358** 37
fuchsia **56** 3
fuel-oil **139** 42
fumariacées **62** 5
fume-cigare **105** 9
~-cigarette **105** 17
fumées de renard
272 64
fumier **55** 6, **64** 51
fumigateur **83** 18
fumigation **83** 17
fumigène **83** 38
fumoir *[chambre]*
47
~ *[boucher]* **96** 47
fune **90** 12
funérailles **312** 34-41
funiculaire **16** 67,
209 12
furet **86** 24
furetage **86** 23
fureteur **86** 25
Furie **308** 51
fusain **321** 16
fuseau *[bobine]*
156 2, **308** 54
~ *[câble]* **147** 36
fuseau garni de fil retors **157** 60
~-moteur de l'avion
226 6
~-réacteur **226** 18
fusée *[projectile]*
224 53, **229**
~ *[feu d'artifice]*
289 53
~ *[fleuret]* **277** 55
~ d'artifice **289** 54
~ à combustible liquide **229** 1
~ d'essieu **131** 13,
186 54
~ à étages **229** 34
~ à hypergol **227** 49
~ à liquide **227** 49
~ à plusieurs étages
229 34
~ à poudre **227** 46
~ volante **289** 54
fuselage **271** 31, 47
~ allongé de l'avion-canard
225 38
~ d'avion à aile cantilever **225** 17
~ bipoutre **225** 40
~ court et trapu
225 44
~ en dos de chameau **225** 47
fuselage en forme de delta **225** 57
~ de grenade **225** 44
~ de têtard **225** 65
~ de torpille **225** 16
fuselage nu du modèle **271** 44
~-poutre **225** 34
fuselage à section circulaire **225** 50
~ cylindrique **225** 26
~ polygonale **225** 46
fusible **43** 20, **235** 12
fusil à baguettes
336 28
~ de boucher **96** 30
~ de chasse **86** 4,
87 1-40
~ à détente automatique **87** 23
~ à deux canons
87 33
~ à double canon
87 33
~ à magasin **87** 2
~ à trois canons
87 23
fusion du polyamide
164 35
fût *[colonne]* **315** 27,
316 26
~ *[tonneau]* **80** 37,
126 24
~ *[fusil]* **87** 13
~ *[rabot]* **127** 58
~ de dépôt **93** 20
~ d'expédition
93 45
futaie **84** 4
futailler **126** 16

G

gabare **220** 22
gabarit **170** 55,
196 34, 44
~ de chargement
202 27
~ de tonnelier
126 33
gabieu *[à corder]*
125 16
gâble **317** 36
gâchette **87** 11,
134 38
gaffe *f* **89** 5, **211** 16,
255 15
~ à crochet **89** 12
gaillard d'avant
218 43
gaillarde **62** 19
gaillardie **62** 19
gain *[intérêts]* **327** 7
~ d'énergie **1** 28
gaine *[Bot.]*
69 9, 21, **354** 83
~ *[Vêt.]* **33** 16
~ de l'aiguillon
78 12
~ en bois **239** 32
~ foliaire **368** 30
~ de fumée **146** 12
~ de plomb
147 39, 47
~ de protection
66 18
Galaxie **5** 35, **6** 47
galé **357** 33
galée **169** 12, 44
galène **234** 30, **330** 14
galère **213** 44-50
galerie *[église]*
311 25, **317** 33
~ *[maison]* **262** 23
~ *[plate-forme]* **1** 42
~ *[cavité]* **60** 63
~ d'aérage **137** 37,
138 10
~ des câbles **146** 20
~ creusée sous l'écorce **82** 23 et 24
~ en direction au rocher **137** 34
~ des fauves **290** 51
~ de la larve **82** 24
~ de la mère **82** 23
~ pare-avalanche
286 3
~ de poupe **213** 56
~ de recoupe **137** 35
~ supérieure **213** 55
~ de travail **297** 5
galeries *[théâtre]*
296 16
galet *[pierre]* **25** 12
~ absorbe-boucles
295 30
~ d'amenage **128** 43
~ du câble tracteur
209 32
~ d'évacuation
128 44
~ de guidage **197** 4,
240 8

galet de la plage **13** 29
~ p. préstabiliser la pellicule **295** 30
~ de renvoi **139** 3
~ de roulement **202** 43, **209** 70
~ support **255** 50
~-support du câble tracteur **209** 49
~ tendeur **156** 46
~ p. tendre la pellicule **295** 30
~ de trolley **188** 14
galette **163** 16
galhauban **214** 19
galinsoge **63** 31
galinsogée **63** 31
galle de l'ananas **82** 40
~ du chêne **82** 34
~ du hêtre **82** 37
gallinacé **343** 22
galoche **100** 27
galop **73** 42
~ forcé **73** 43 et 44
galvanomètre enregistreur **11** 44
galvanotypeur **172** 4
galvanotypie **172**
gamin **53** 11
gamme *[Mus.]* **299** 47-50
~ chromatique **299** 49
~ de la fréquence modulée **234** 40
~ des grandes ondes **234** 39
gamme des ondes· courtes **234** 37
~ ultra-courtes **234** 40
gamme des petites ondes **234** 38
~ en quarts de ton **299** 50
~ d'ut majeur **299** 47
~ d'ut mineur **299** 48
ganache **73** 11
ganglion lymphatique **21** 10
gant en amiante **135** 4
~ de bergère **363** 2
~ de boxe **281** 23
~ de caoutchouc **28** 20
~ à crispin **277** 35
~ en cuir **135** 4
~ d'escrime **277** 26
~ de manutention **221** 17
~ de Notre-Dame **363** 2
~ de prise **275** 47
~ protecteur **29** 47
~ de protection **135** 28
~ p. sabre **277** 35
~ de soudeur **135** 4, 28
gant de toilette **30** 27, **51** 7, 74
gantelet **310** 50
garage **39** 32, **190** 32
~ des canots **269** 24
~ en hauteur **252** 62
~ à multiples étages **252** 62
~ p. les véhicules **255** 1
garamond **325** 5
garant *[chaussure]* **99** 46
~ du palan **216** 50
garçon *[fils]* **45** 3
~ *[restaurant]* **259** 47, **260** 30
~ d'ascenseur **256** 47
~ boucher **94** 3
~ boulanger **97** 1
~ à la bourse **243** 9
~ de bureau **238** 8
~ de cirque **290** 27
~ de comptoir **260** 8
~ d'écurie **76** 10
~ d'hôtel **200** 17
~ de manège **290** 27
~ redressant les quilles **287** 7
~ de service **259** 33
~ du service **259** 17
~ de wagon-restaurant **204** 44
garçonnet **286** 18
garde *[livre]* **178** 49
~ *[Escr.]* **277** 21
~ *[fleuret]* **277** 56, 61
~ champêtre **65** 13
~ forestier **84** 35
~ du parc **257** 30
~ du prince **289** 68
~ au sol **189** 5
garde·-barrière **198** 70
~-boue **185** 3, **187** 19
garde-boue· arrière **180** 43
~ avant **180** 13
garde·-chiourme **213** 47
~-corps **114** 43, **117** 35
~-côtes **222** 64
~-encolure **310** 83
~-fou **84** 33, **113** 24, 89, **210** 10
~-jupes **181** 11
~-malade *f* **23** 23
~-poussière **107** 61
~-semelle **283** 55
gardes *[sanglier]* **88** 57
gardien *[pompiste]* **190** 10
~ des bêtes **339** 8
~ de but **268** 48, **274** 11, **275** 14, **284** 36
~ de but de la partie preneurs **275** 58
gardien de digue **211** 46
~ de la maison **308** 47
~ de manœuvre **202** 44-54
~ du parc **257** 68
~ de la plage **267** 34
~ de prison **248** 14
~ de la saline **262** 5
~ du système de ruissellement **262** 5
gare **16** 41
~ d'autobus **199** 5
~ centrale **252** 30
~ du chemin de fer secondaire (à voie étroite) **199** 4
~ en cul-de-sac **199** 1
~ destinataire **201** 24
~ de marchandises **202**
~ de passage **199** 36
~ principale **252** 30
~ routière **199** 5
~ secondaire **252** 56
~ tête de ligne **199** 1
~ de triage **202** 44-54
gargouille *[Art]* **317** 30
~ du ventilateur **137** 11
garniture *[navire]* **217** 59 et 60
~ *[violon]* **302** 9
~ de l'archet **302** 15
~ de bobines **157** 41
~ en carton **323** 37
~ du collier **72** 16
~ de cordes **304** 7
~ à crayon **144** 29, 42
~ de cuir **269** 36
~ de dentelle **33** 29, **37** 3
~ à encre de Chine **144** 43
~ de feutre **323** 42
~ de fourrure **32** 53
~ de frein **136** 104, **186** 51
~ fusible **120** 35
~ du hourdis **115** 44
~ de peau **283** 43
~ de roues **204** 62-64
~ de la tartine **46** 38
~ de volutes **318** 11
~ du W.-C. **51** 34
garou *[faux]* **361** 10
garrot *[animal]* **71** 11, **73** 17
~ *[dispositif]* **17** 16, **127** 2, **322** 25
~ p. le blocage du fourreau de la broche **142** 28
gas oil **139** 40
gâteau *[abeille]* **78** 31-43
~ à la crème **97** 35
gâteau sur la feuille à tartes **97** 30
~ de Noël **97** 6
~ de pâte **154** 13
gaucho **289** 31
gaufre **97** 47
~ glacée **261** 38
gaufrette de glace **291** 31
gaufrier électrique **42** 13
gaz **148**
~ brûlé **184** 76
~ carbonique **28** 35
~ de chauffage **139** 36, **148** 1-46
~ d'échappement **184** 76, **227** 11, 24
~ d'éclairage **148** 1-46
~ hilarant **28** 34
~ insecticide **83** 41
~ minéral **12** 30
~ résiduel **184** 76
gazage sous vide **83** 10
gaze **28** 11
~ hydrophile **23** 55
~ stérilisée **17** 6
gazogène de gaz à l'eau **148** 25 et 26
~ principal **148** 16
gazomètre·-ballon **148** 64
~ à cloche **148** 61
~ de gaz à l'eau **148** 26
gazomètre humide· de gaz à l'eau **148** 26
~ télescopique **148** 61
gazomètre sec à disque **148** 56
~ télescopique à trois levées **148** 61
~ variable de gaz **148** 56-64
gazon **54** 21, **257** 36
geai **346** 1
géant *[homme]* **291** 20
~ *[Myth.]* **307** 37, **308** 45
géante **291** 21
gecko à lamelles adhésives aux doigts **350** 36
~ des murailles **350** 36
geisha **336** 39
gelée de mer **340** 14
~ pérenne **9** 58
gélinotte des bois **88** 69
Gémeaux **5** 28, **6** 34
Gemini **5** 28, **6** 34
gemmule **354** 90
gencive **21** 15
gendarmerie **247** 9-11
génépi **362** 6
générateur **147** 26
~ d'acétylène **135** 29

générateur de gaz acétylène **135** 30
~ à ruban **331** 58
~ de vapeur **223** 8, **229** 20
génération de courant autonome **204** 22
génératrice principale **207** 7
générique **294** 35
genêt à balais **358** 20
genévrier **356** 47
genièvre **356** 52
genou *[Anat.]* **18** 50
~ *[crâne chauve]* **35** 21
genouillère *[armure]* **310** 53
~ *[cheval]* **272** 46
~ *[Sport]* **275** 15
~ *[Méc.]* **323** 30
~ *[levier]* **304** 45
genre de sport **287**
gentiane acaule **362** 13
gentilhomme **338** 54, 61
géodésie **15** 46-62
géographie générale **11-13**
géologie **12** 1-33
géométridé **82** 28
géométrie **328**, **329**
~ élémentaire **328** 1-58
~ euclidienne **328** 1-58
~ plane **328** 1-58
géorgienne *[écrit.]* **324** 4
géraniacée **56** 1
géranium **56** 1, **360** 24
gerbe **65** 23
gerbier **65** 22
germanium **234** 30
germe *[Bot.]* **69** 16, **354** 86
~ *[Zool.]* **75** 55
germination de l'orge **92** 8-12
gesnériacée **56** 7
gesse **70** 19
geyser **11** 21
gibecière **86** 3
gibier **88**
~ gros-pied **88** 1-27
~ à plumes **86** 41
~ à poil **86** 35
gibus **36** 20
gicleur à aiguille **183** 56
~ secondaire **183** 57
gigantocypris Agassizi **349** 1
gilet bariolé **34** 42
~ blanc **34** 59
~ bord à bord **32** 41
~ ciré **224** 55
~ de fantaisie **34** 42
~ à fleurs **338** 75
~ de sauvetage **224** 57
girafe **352** 4
girl qui présente le numéro d'attraction **298** 8
~ de revue **298** 7
girofle **366** 28
~-mère **366** 29
giroflier **366** 26
girolle **365** 14
giroscope **331** 6
girouette **10** 31, **64** 5, **116** 26, **312** 4
gisement de charbon vif **137** 22
~ de minerai **11** 31
~ de pétrole **12** 27
gîte à la noix· **95** 13, 37, 54
gîte-gîte **95** 33
glace *[montre]* **107** 7
~ de l'armoire **48** 43
~ à barbe **51** 81
~ de copie **171** 50
~ frontale **26** 4
~ à main **104** 1
~ de la porte **48** 43
~ de toilette **48** 24, **51** 52
~ de vestibule **43** 5
glacier **12** 48-56, **282** 23
~ de la vallée **12** 49
glacière *[réfrigérateur]* **262** 35
~ *[vitrine]* **98** 74
~ *[boîte]* **261** 45
~ *[sorbetière]* **97** 31
glaçon *[glace flottante]* **90** 35
~ *[chandelle de glace]* **286** 21
glaïeul de Gand **62** 11
~ à grandes fleurs **62** 11
glaise à modeler **322** 31
~ non homogène **151** 2
glaisière **16** 88, **151** 1
gland *[Bot.]* **355** 4
~ *[Anat.]* **22** 69
~ *[jeu]* **265** 42
glande de Cowper **22** 75
~ à liquide gommeux **342** 46
~ parotide **21** 9
~ sous-maxillaire **21** 11
~ de la tête **21** 1-13
~ à venin **78** 14
gléchome **359** 18
glissade *[sur glace]* **286** 18
glissement de terre **11** 46
glisseur *[canot]* **273** 48
~ sur patins **286** 16
glissière *[rail]* **170** 54, **171** 13, **269** 45
glissière *[coulisse]* **75** 31, **339** 4
~ *[plan incliné]* **67** 41, **221** 66
~ du banc **129** 2
~ de la banquette **269** 31
~ du guide parallèle **128** 9
~ de pommes de terre **67** 14
~ de la soufflante **158** 3
glissoir **84** 32
glissoire *[glissade]* **286** 17
~ *[jeu]* **258** 36
globe céleste **308** 73
~ d'éclairage **259** 4
~ solaire **7** 19
~ terrestre *[Terre]* **7** 8
~ terrestre *[modèle]* **249** 14
~ en verre **107** 61, 64
~ de verre dépoli **259** 4
gloriettte **55** 14
glouton **342** 24-38
gloxinie **56** 7
glumelle inférieure **69** 11
glycérine **52** 33, **103** 22
gnaphale dioïque **361** 3
go **234** 39
goal **274** 11, **275** 14
gobelet **260** 3, **266** 41
~ en carton **201** 50
~ à dés **265** 30
godet **211** 58
~ d'abreuvoir automatique **64** 30
~ de drague **221** 65
~ d'(de l')élévateur **220** 64, **145** 71
~ de la pelle **196** 5
goéland **343** 14
goélette *[Zool.]* **343** 11
~ carrée **215** 11-13
golf **276** 59-71
gomme *[à effacer]* **249** 52
~ à crayon **144** 53
~ à encre de Chine **144** 54
~ p. machine à écrire **240** 33
gommeux **289** 33
gonfle de neige **282** 21
gong **281** 43
goniomètre **15** 52-62
~ de contact **330** 27
~ de réflexion **330** 28
goret **74** 9
gorge *[Anat.]* **18** 19, 30
~ érodée par le ressac **13** 30
gorge étroite **13** 52
~ de guidage de la hausse **212** 75
gorgerin **310** 43
Gorgone **308** 49
gorille **353** 16
gosier **21** 24
gosse **53** 11
gothique *[Typ.]* **325** 1
gouache **321** 17
goudronneuse **196** 46
gouet **363** 9
gouge **127** 64, **322** 17, **323** 8
~ p. le dégrossissage **129** 15
~ ronde **323** 6
~ de tourneur **129** 15
~ triangulaire **322** 20, **323** 9
gougelhof **97** 44
goujon *[Méc.]* **136** 22, **197** 46
~ de maçon **136** 41
goujonnière **89** 18
goulot à l'émeri **334** 37
goulotte à charbon **220** 50
~ hélicoïdale **137** 33
goupille **131** 24, **136** 76
~ conique **136** 35
~ cylindrique **136** 38
~ à encoche **136** 38
~ fendue **136** 19
~ de verrouillage **228** 56
goupillon *[aspersoir]* **313** 48
gourde **266** 41
gourdin **94** 8
gourmette *[bracelet]* **38** 18
~ *[harnais]* **72** 12
gousse **70** 16, **354** 92, **362** 33
~ de vanille **366** 48
gousset *[constr.]* **114** 6
goûter p. la récréation **249** 65
goutte **45** 34
~ de lait **62** 1
~ de valériane **23** 57
gouttière **39** 6, **116** 4, **117** 28
~ p. le renvoi **287** 15
gouvernail **223** 25, **269** 26, 51-53, **270** 4
~ d'altitude **271** 36
~ de direction **213** 6, **226** 83, **271** 37
~ d'étambot **213** 24
~ Oertz **217** 66 et 67
gouvernail de plongée· arrière **223** 26
~ avant **223** 51
gouvernail de profondeur **226** 82, **228** 44

gouvernail relevable **270** 6
~ tribord **270** 52
gouvernante **257** 27, **258** 34
gouverne aérodynamique **229** 26
~ de direction delta **225** 56
~ en graphite réfractaire **229** 27
gradin de places assises **274** 32
~ de strate **13** 49
gradins **290** 15
graduateur **206** 9
graduation **30** 47, **87** 68, **332** 13
~ en millibars **10** 3
~ en millimètres **10** 3, **128** 9
~ mobile **333** 23
grain *[Bot.]* **69** 13
~ *[rosaire]* **313** 29, 30
~ d'Ave **313** 30
~ de beauté **289** 24
~ de blé **69** 25
~ de café **366** 6
~ contenant l'albumen **69** 15
~ desséché **81** 21
~ germé **69** 14
~ de maïs **69** 37
~ parasité **69** 4
~ de pater **313** 29
~ de poivre **366** 39
~ de pollen **354** 65
~ de raisin **80** 6
~ de riz **69** 30
~ vert des potages **69** 25
graine **57** 3, **356** 10. **359** 25, 28
~ ailée **356** 9
~ de datte **368** 10
~ de marronnier **355** 60
~ oléagineuse **367** 5
~ de semence **65** 12
grainoir à billes **173** 29
grains **69** 1-37
graissage automatique de carter sec **182** 21
graisse **52** 39
graisseur à chapeau **180** 65
~ à main **192** 50
~ mécanique **205** 43
~ à pression **136** 79
graminée **130** 26
grand aigle *[Patin.]* **284** 5
~ axe **329** 23
~ cacatois **214** 66
~ cheval d'arçons **279** 34-38
~ compas de réduction **144** 34
~ container **208** 26
grand coq de bruyère **88** 72
~ dentelé **20** 42
~ dos *[filet]* **90** 19
~ droit de l'abdomen **20** 44
~ duc **86** 48, **347** 15
~ écart **287** 34
~ écart de face **288** 22
~ élan **279** 12
~ fessier **20** 60
~ foc **214** 22
~ fond **178** 57
~ gibier **88** 1-27
~ harle **343** 15
~ huit **291** 39
grand hunier· fixe **214** 62
~ volant **214** 63
grand jeté **288** 21
~ jeté en tournant **288** 24
~ livre **238** 64
~ magasin **252** 18, **256**
~-maman **258** 14
~ martinet **343** 24
~ mât **213** 40, **214** 5, **215** 22
grand mât· central **215** 33
~ de hune **214** 6
~ de perroquet **214** 7
grand mère· **258** 14
~ du diable **298** 24
grand oblique **20** 43
~ omnibus d'excursion **179** 33
~-orgue **305** 1
~ pavois **216** 37
~ pectoral **20** 36
~ perroquet **213** 53
grand perroquet· fixe **214** 64
~ volant **214** 65
grand pignon **180** 35
~ pingouin **343** 4
~ portail **315** 34
~ porte-queue **342** 52
~ rond **20** 55
~ rossignol **346** 17
~ salut **277** 32
~ soleil **55** 7
~ tétras **88** 72
~ titre **178** 46
~ tremplin **279** 25
grand'vergue **213** 21, 37, **214** 38
grand·-voile **214** 61, **215** 11, **270** 28
~-voile carrée **213** 33
~ zygomatique **21** 6
Grand Chien **5** 14
~ d'Espagne **289** 26
grande aiguille **107** 4
~ brioche **97** 6
~ cabine **209** 52
~ ciguë **363** 45
~ consoude **359** 45
grande écoute serrée **270** 52
~ fenêtre **261** 33
~ flûte **302** 31
~ fourchette **46** 70
~ hostie consacrée **313** 34
~ ligne de chemin de fer **16** 21
~ marguerite **360** 4
~ moyenne **107** 19
~ onde **4** 20, **234** 39
~ pinnule **219** 6
~ rotative hélio plusieurs couleurs **176** 35
~ roue **291** 37
~ route **197** 28
~ rue **252** 1, **253** 8
~ ville **252** 1-70
Grande·-Bretagne **14** 9, **245** 15
~ Ourse **5** 29
grange **64** 34
~ ouverte **65** 26
granulation **323** 47
graphique **144** 15
graphite **3** 18
grappe **354** 68
~ d'épillets **69** 35
~ de fleurs **60** 15, **358** 33
~ de fruits **60** 11, **357** 8
~ de groseilles **60** 11
~ de raisin **80** 6
grappin d'abordage **213** 11
~ à deux mâchoires **145** 57
gras *[porc]* **95** 50
~ *[Typ.]* **170** 9
~ étroit **170** 10
~ du jambon **95** 50
grasset **73** 33
grassette commune **361** 13
gratte·-bosse **106** 48
~-casseroles **41** 24
~-ciel **39** 82
~-pieds **261** 44
grattoir **134** 67, **144** 56, **171** 55
~ creux **192** 16
~ dentaire **27** 47
~ dentelé **322** 13
graveur hélio **176** 3
~ de poinçons **170** 32
gravier **261** 43
~ de concassage **150** 23
~ de filtrage **254** 10
gravure *[graphique]* **323**
~ *[orgue]* **305** 13
~ sur bois debout **323** 1
~ de chape **305** 14
~ en creux **323** 14-24
~ sur cuivre **323** 14-24
~ du cylindre hélio **176** 1
gravure décorative **87** 28
~ sur fil **323** 2
~ à plat **323** 25 et 26
~ positive **323** 3
~ en relief **323** 1-13
~ de sommier **305** 13
~ en surface **323** 1-13
Grec **338** 3
Grèce **14** 8
grecque *[écrit.]* **324** 15
Grecque **338** 1
gréement de sloop **270** 45-50
~ supérieur **270** 31, 36, 38
~ d'un trois-mâts barque **214** 1-72
greffe **57** 30-39
~ anglaise **57** 39
~ en écusson par œil détaché **57** 30
~ en fente **57** 36
greffier *[cour de justice]* **248** 24
~ *[boxe]* **281** 44
greffoir **57** 31, **58** 26
greffon **57** 24, 34
grêle **9** 36
grelin **212** 23
grelot *[sonnaille]* **286** 26
~ *[cartes à jouer]* **265** 45
grenade *[Bot.]* **368** 19
~ *[projectile]* **90** 53
grenadier *[Bot.]* **368** 16
grenat **330** 7
grenier *[comble]* **40** 1-29
~ *[magasin]* **310** 13
~ à moteur **196** 26
~ verte **350** 24
grenouillette **362** 29
grésil **9** 35
griffe *[Zool.]* **307** 3, 13
~ *[Méc.]* **149** 35
~ *[établi]* **127** 43
~ p. accessoires **111** 21
~ à chaîne **218** 46
~ p. diriger **285** 20
~ double **78** 8
~ d'entraînement **102** 34
~ en fer **285** 20
~ p. freiner **285** 20
~ inférieure **156** 65
~ d'ours **335** 14
~ à pommes de terre **66** 24
~ sarcleuse **58** 17
~ de serrage **142** 37, **149** 18
~ supérieure **156** 66
~ à tracer **123** 15
griffon *[être fabuleux]* **307** 11
~ *[terrier]* **71** 18

griffon ratier **71** 37
gril **42** 14
~ à saucisses **291** 33
~ à toasts **42** 33
grillage **75** 23
~ contre le gibier **84** 7
~ à glissière **231** 15
~ de protection **231** 15, **280** 51
~ à remblais **138** 17
grille **42** 11, **191** 11, **254** 11, **257** 31
~ à barreaux **156** 26
~ basculante **205** 5
~ du briseur **156** 54
~ de la cage aux fauves **290** 50
~ du chœur **311** 32
~ de coupage **135** 41
~ de cuisson **41** 77
~ de la douane **220** 41
~ d'égout **194** 24, **253** 49
~ d'épuration **156** 26
~ en fer **339** 2
~ à flammèches **205** 24
~ gratte-pieds **261** 44
~ de nettoyage **67** 35
~-panier **68** 60
~ du parc **257** 33
~ de protection **113** 90, **128** 28, **162** 45
~ de protection contre les pierres **185** 12
~ protectrice **339** 2
~ protectrice de la réception du papier **175** 24
~ rabattable **191** 28
~ à retenir la neige **40** 8
~ de séparation **78** 47
~ du tambour **156** 55
~ tubulaire **153** 5
grilloir électrique **42** 29
grillon domestique **341** 6
grimper à la perche **279** 7
grimpereau **346** 11
grimpeur **282** 31, **345** 6
griotte **61** 5
grippe **85** 29
~-genoux **182** 53
gris **320** 15
grive **346** 13-17
~ dorée **344** 7
groin **74** 10, **88** 53
groom **179** 27, **259** 18
gros bétail **74** 1 et 2
gros bloc **150** 8
~ fer **91** 12
~ gibier **88** 1-27
~ grain **313** 29
~ intestin **22** 17-22
~ lot de la tombola **289** 11
~ œuvre **113** 1-49
~ orteil **21** 52
~ peigne **125** 4
~ pied **365** 16
~ ruban **157** 12
groschen **244** 13
groseille **60** 12
~ à maquereau **60** 9
groseillier à grappes **60** 10
~ à maquereau **60** 1
grosse caisse **302** 55, **303** 47
~ taille **132** 35
grotte **257** 1
~ à concrétion calcaire **13** 79
~ de stalactites **13** 79
groupe d'aiguilles **199** 15
~ automatique de séchage et de mélange **196** 48
~ de charge **192** 42
~ génératrice **218** 64
~ du jeu **287** 25
~ des machines **241** 40-61
~ de mélange de béton bitumineux **196** 48
groupe moteur· principal **209** 63
~ de réserve **209** 64
groupe moto-pulvérisateur p. arbres fruitiers **83** 45
~ de séchage de béton bitumineux **196** 48
~ de soudage à génératrice **135** 15
~ de villas **16** 28
gruautage **91** 57
grue *[à caméra]* **292** 49
~ arrière **224** 10
~ de l'atelier **145** 1-19
~ automobile **255** 47
~ p. avions **222** 51
~ de cale de construction **217** 23
~ à charbon **199** 43
~ à console **145** 16
~ de dépannage **189** 53, **255** 48
~ du dock **222** 4
~ d'embarcations **222** 47
~ de façade **114** 31
~ flottante **221** 37-46
~ du four pit **141** 42
~ hydraulique **199** 52
grue murale **145** 16, **221** 19
~ pivotante **145** 16, **195** 26
~ pivotante en console **217** 29
~ à portique **198** 15, **217** 20, 31
~ à potence **133** 32, **221** 19
~ de quai **217** 31
~ de repêchage d'avions **222** 29
~ roulante **145** 1
~ à tenailles **141** 42
~ en tête de marteau **217** 7
~ en tour pivotante **114** 31
grue tournante· à benne preneuse **148** 5
~ à colonne **221** 1-7
~ à fût **221** 1-7
~ à griffes **148** 5
grue trapézoïdale **217** 7
~ tripode **217** 6
~ à volée variable orientable **217** 23
Grue **5** 42
grugeoir **134** 61
grume **85** 6, **115** 83, **149** 31
Grus **5** 42
guanaco **351** 30
gué **54** 22
~ de pierres **39** 45
guépard **353** 7
guêpier **344** 2
guéridon à fleurs **259** 36
guérite *[wagon]* **208** 7
~ de l'agent de la circulation **247** 18
~ de l'ascenseur **39** 83
~ d'attente **193** 7
~ du conducteur de grue **221** 40
~ de la sortie de l'escalier **39** 83
guerrier massaï **337** 8
guêtre **283** 57, **335** 17
~ de cuir **100** 30
~ de ville **100** 31
guetteur **310** 9
gueule *[Zool.]* **71** 3, **88** 13, 45, **350** 2
~ *[ouverture]* **86** 27
~ à deux langues **307** 5
~ noire **137** 1 et 2
~ de la presse à paille **65** 31
gueules *[Hér.]* **246** 27
gueuse *[acier]* **140** 39
guichet **45** 62
~ d'affranchissement **231** 9
guichet de délivrance des billets **200** 35
~ de dépôt **231** 19
~ des dépôts **242** 7
~ des espèces en monnaies étrangères **242** 10
~ aux paquets **231** 1
~ passe-plats **248** 16
~ à poules **75** 3
~ de retrait **231** 19
~ de télégramme **231** 20
~ des valeurs **242** 6
guichetier **200** 39, **242** 8
guidage automatique des chaînes **68** 12
~ à colonne **133** 30
~ de l'image **295** 29
~ tangentiel **148** 63
guide *m [cordée]* **282** 26
~ d'entrée **177** 59
~ à onglets **128** 10
~ parallèle **128** 8
guide du rouleau de nappe du batteur **156** 48
~ à roulettes **135** 64
~ de toupie **128** 20
~*f [rêne]* **72** 25, 33, **179** 31
guide·-boules **287** 16
~-caractères **240** 12
~-chaîne **85** 47
~-champ du tissu **159** 13
~-fil **102** 23, **158** 18, **160** 3, 37, 54
~-lame **128** 3
~-nappe **156** 19
~-papier **240** 8
~-rope **226** 63
~-ruban **128** 3
~-ruban par cellule photoélectrique **168** 41
~-tiges à coulisses **159** 3
guidon *[vélo]* **180** 2
~ *[fusil]* **87** 71
~ *[bâton]* **201** 40
~ de randonnée **180** 2
~ sport **181** 12
~ du vélo de course **273** 18
guigne **61** 5
guignette **86** 52
guignol *[marionnette]* **298** 25
~ *[théâtre]* **298** 23
guillaume **127** 59
guillemets **325** 26
~ de l'orthographie française **325** 27
guillemot à capuchon **343** 13
~ à miroir **343** 13
guillochage **244** 38
guimauve **364** 12

guimbarde **127** 60
guimpe **314** 23
guinche **99** 31
guindeau **90** 15, **218** 44
~ à baleines **90** 31
guirlande *[Art]* **317** 54
~ *[de papier]* **289** 5
guitare **303** 12
~ de jazz **303** 73
Gulf Stream **15** 30
gymkhana **273** 32
gymnase **279** 1-56
gymnaste **279** 31
~ aux agrès **279** 31
gymnastique **278**, **279**
~ aux agrès **279** 1-56
~ en chambre **278** 49 et 50
gynécée **310** 10
gypse **330** 24, 25
gyrobus **188** 8
gyromitre **365** 25
gyroscope **229** 4

H

habit à basques **338** 76
~ de cérémonie **34** 57, **314** 49
~ de chœur **314** 32
~ monacal **314** 14-16
~ régulier **314**
~ religieux **314** 13-58
~ sacerdotal **314** 25-31
~ de soirée **34** 61
~ de valet **179** 21
habitation **39**
habitué **260** 40, **261** 24
hache **64** 20, **115** 73
~ d'abattage **85** 13
~ arrondie **126** 8
~ de bronze **309** 23
~ de charpentier **115** 70
~ de charron **131** 32
~ à douille **309** 23
~ dresse-bordure **58** 33
~ en forme de barque **309** 19
~ de guerre **335** 16
~ de pierre **309** 19
~-viande **96** 4
hachette de sapeur **255** 43
hachoir **96** 39
~ berçoir **41** 58
~ électrique à viande **42** 37
~ à légumes **42** 36
haie **39** 59, **272** 27, **280** 12
~ taillée **257** 37
~ de thuyas **54** 13
~ de verges **272** 26
halage **211** 27
halage des baleines **90** 33
halde **137** 9
haler **244** 27
haléfu **244** 27
half-truck **189** 36
hall d'armement **220** 12
~ central **252** 22, **256** 11
~ de construction navale **217** 3 et 4
~ d'emballage **220** 10
~ de gare **199** 3, **200**, **201** 1
~ de l'hôtel **259** 18-26, 44-46
~ aux machines **212** 21, **217** 30
~ de montage **217** 4
~ du vestiaire **296** 5-11
hallali **272** 59
halle à marchandises **202** 8, 31
~ municipale **252** 7
~ au poisson **220** 11
~ de recette **137** 7
~ p. la vente aux enchères des poissons **220** 11
~ de la ville **252** 7
halles principales **252** 50
halma **265** 26-28
haltère **278** 34, **281** 3
~ à disques **281** 5
~ à ressorts **278** 49
haltérophile **281** 1
hamac **266** 38
hameçon **89** 31, **90** 29
~ double **89** 32
~ triple **89** 33
hampe **90** 55, **245** 7
~ de la flèche **287** 43
hamster **351** 16
hanche *[Anat.]* **18** 33
~ *[cheval]* **73** 32
hand-ball **275** 1-8
hangar **230** 6
~ à avions **222** 30
~ du club **269** 23
~ de fret **220** 38
~ à marchandises **202** 8
~ à planeurs **271** 39
~ de quai **221** 30-36
~ de la scierie-raboterie **149** 29
~ séchoir **151** 17
hanneton **82** 1
hansom **179** 29
harde **86** 15
hareng **350** 14
harenguier **90** 1
haricot *[plante]* **59** 8
~ *[fruit]* **59** 11
~ *[écuelle]* **26** 62
~ commun **59** 8
~ d'Espagne **59** 8
~ nain **59** 8
~ à rames **59** 8
haricot vert **59** 8
harle bièvre **343** 15
harmonica de bois **303** 61
~ chromatique à bouche **303** 35
~ à deux rangées de trous **303** 35
harmonium **304** 43
harnachement *[harnais]* **72** 7-25
~ *[armure du cheval]* **310** 83-88
~ de poitrail **72** 26-36
~ de tête **72** 7-11
harnais **72** 7-25
~ du parachutiste **228** 54
harpaille **86** 15
harpe à pédales **302** 60
harpie *[Myth.]* **307** 55
~ *[Hér.]* **246** 35
harpon **90** 53-55, **336** 9
~ à main **267** 40
~ en os **309** 3
~ à un épieu **336** 10
harponneur **90** 43
hase **88** 59
hasenquäke **87** 44
hauban **214** 16
~ de hune **214** 17
~ de perroquet **214** 18
~ tendeur **216** 46
hausse *[barrage]* **212** 77
~ d'archet **302** 13
haussière **224** 12
haut *[Météor.]* **9** 6
hautbois **302** 38
haut-de-chausses· bouffant **338** 34
~ rembourré **338** 31
haut·-de-forme **36** 20
~ fond **219** 62
~ fond hors chenal **219** 72
~ fourneau **140** 1
~ du mixeur **42** 35
~-parleur **292** 58, **306** 43
haut-parleur· des aigus **235** 23
~ de contrôle **234** 5
~ électrodynamique **235** 22
~ incorporé à l'écran **294** 44
~ normal principal **235** 22
~ du quai **201** 28
~ du studio d'ambiance sonore **293** 20
haut-parleurs montés en son relief **235** 22 et 23
haute-coiffure **338** 81
haute école **72** 1-6
~ fréquence **4** 22
~ futaie **84** 4
~ montagne **12** 39-47
hauteur *[colline]* **13** 66
~ *[triangle]* **328** 27
~ de chute **12** 6
~ du cône **329** 44
~ d'élévation **210** 70
~ de moule **170** 45
~ en papier **170** 44
~ typographique **170** 44
hauts fûts **84** 12
havée **138** 45
haveuse **138** 41
havresac du kayak **269** 65
Hawaiienne **289** 16
hayon **131** 5, 23
heaume **246** 4, 7-9
~ grillé **246** 8
hebdomadaire **47** 10
hébraïque *[écrit.]* **324** 7
heckelphone **302** 38
Heidelberg *[presse]* **175** 29
hélianthème **361** 20
hélice **212** 52
~ aérienne **226** 10, 78, **227** 40
~ du loch **219** 32
~ de navire **217** 69
~ de propulsion **217** 69
~ propulsive **226** 2
~ tractive **226** 4
hélicon **302** 44
hélicoptère **83** 47, **225** 69
hélio *[impression]* **176**
héliozoaire **340** 7
hématite rouge **106** 49
hémièdre **330** 24
hémiptère **342** 4
hémipyramide **330** 24
hémisphère céleste austral **5** 36-48
~ nord **5** 1-35
hémorragie **17** 14-17
hémostatique **104** 22
Héra **308** 5
héraldique **246**
héraut **310** 75
herbe-aux·-chantres **63** 16
~-chevaux **363** 6
herbe blanche **361** 3
~ aux chats **364** 5
~ à coton **361** 18
~ à la coupure **361** 9
~ aux écus **359** 26
~ aux magiciens **363** 5
~ d'or **361** 20
~ aux poumons **361** 7
~ rase **276** 62
~ à la rosée **361** 14

herbe de Saint-Jean **359** 18
~ de Saint-Pierre **360** 9
Hercule **5** 21
Hercules **5** 21
hère **88** 4
herero **337** 25
hérisson *[Zool.]* **351** 5
~ *[ramoneur]* **40** 32, 35
~ *[constr. de rue]* **194** 14, **196** 59
~ gris **365** 24
~ de mer **349** 19
hermaphrodite *[fleur]* **358** 10
Hermès **308** 21
hermès *[Art]* **316** 35
héron cendré **343** 18
herse *[Agr.]* **68** 35
~ *[château]* **310** 24
~ *[Théâtre]* **297** 8
~ du projecteur **296** 1
hêtre **355** 33
heure **107** 3
~ de départ **201** 25
~ de flux **267** 7
~ de reflux **267** 7
heurtoir *[métier]* **159** 44
~ *[quilles]* **287** 5
hexadièdre **330** 8
hexaèdre **330** 2
hexagone **330** 15
hexakisoctaèdre **330** 13
hexamoteur **226** 8
hévéa **367** 33
hibernie **81** 16
hibou **347** 14-19
~ commun **347** 14
~ des forêts **347** 14
hie **194** 17
hiéroglyphe égyptienne **324** 1
high-hat **303** 50
hile du foie **22** 34
hiloire **269** 30, 59
himation **338** 6
hinkelstein allemand **309** 18
hippocampe **307** 44, **350** 18
hippodrome **291** 59
hippogriffe **307** 26
hippopotame **351** 31
hirondelle **346** 20
~ de cheminée **346** 20
~ de fenêtre **346** 20
~ de mer **343** 11
~ rustique **346** 20
hochequeue **344** 9
hochet **30** 42
hockey **275** 9-18
~ sur glace **284** 35-41
~ à roulettes **287** 33
hockeyeur sur glace **284** 35
holoèdre **330** 2
homme de barre **213** 2, **219** 18, **224** 39
~ sans connaissance **255** 24
~ d'équipe **201** 30, **202** 37
~ fort **291** 27
~ sandwich monté sur des échasses **291** 49
~ volant **290** 7
hongre **74** 2
Hongrie **14** 25
hôpital **28**, **29**
~ du port **220** 1
horaire *[d'élève]* **249** 26
horizon artificiel **228** 4
~ gyroscopique **228** 4
horizontale de l'ouverture **87** 74
horloge de caisse **107** 32
~ à carillon **306** 1
~ du clocher **312** 7
~ à coucou **107** 54
~ double **265** 16
~ d'échecs **265** 16
~ de gare **200** 30
~ de parquet **107** 32
~ de pointage **145** 85
~ du quai **201** 53
~ régulatrice **200** 30, **234** 11
~ p. les tournois d'échecs **265** 16
horloger **107** 69
horlogerie **107**
hors-bord **269** 6
~-jeu **274** 50, 57
horst **12** 10
horticulteur **79** 20
horticulture **79**
hostie **313** 26, 34
~ p. la communion des fidèles **313** 46
~ consacrée **313** 34
hôtel **259**
~ de ville **252** 41
Hôtel de la monnaie **244** 9
hôtesse de l'air **226** 32
hotte *[panier]* **64** 40
~ *[cuvette]* **80** 12
~ *[cheminée]* **96** 50, **97** 59
~ *[chariot]* **132** 6
~ d'aspiration des poussières **156** 10
~ de pommes de terre **67** 15
houari **270** 46
houblonnière **16** 114
houe **58** 10, **66** 32
~-pelle **282** 41
houillère **137** 1-40
houpette **48** 30
houppe de la queue **74** 7
hourdis **115** 43, **118** 61
~ préfabriqué **118** 68
~ de remplissage **118** 69
housse *[Apiculture]* **78** 45-50
~ étanche **48** 44
~ de selle **182** 19
~ du volet **286** 11
houssoir **52** 24
houx commun **358** 9
hoyau **58** 10
hublot **216** 21
huile **98** 24
~ animale **102** 48
~ de graissage **139** 44
~ lactame **164** 25
~ lourde **139** 43
~ à massage **24** 6
~ d'olive **98** 24
~ à salade **98** 24
~ de table **98** 24
huit *[Patin.]* **284** 13
~ de course **269** 10
huitième de soupir **299** 28
huître **340** 30
hulotte **347** 19
humérus **19** 12
humeur vitrée **21** 46
hunier **213** 38
hunter **272** 24
huppe *[oiseau]* **343** 25
~ *[plumes]* **343** 26
~ mobile **343** 26
hutinet **126** 6
hutte d'affût **86** 51
~ p. les appareils enregistreurs **10** 53
~ en coupole **336** 4
~ de nègre **337** 21
~ de neige **336** 4
~ sur pilotis **335** 33
~ en ruche **337** 28
hydne imbriqué **365** 24
~ sinué **365** 31
Hydra **5** 16
hydrallmania **349** 9
hydrate de calcium **153** 27
hydrateur **92** 25
hydravion **225** 32
~ à coque **225** 60
hydre de Lerne **307** 32
Hydre **5** 16
hydrocarbure gazeux **139** 41
hydrocharis des grenouilles **362** 29
hydrogénation des carbures **139** 64
~ du phénol **164** 16
~ du soufre **139** 65
hydroplan **271** 24
hyène rayée **353** 1
hygiaphone **200** 38
hygiène corporelle **25**
hygrographe **10** 54
hygromètre **10** 23, **25** 10, **166** 10, **171** 59
~ à cheveux **10** 23
hyménoptère **342** 21-23
hyperbole **329** 26
hypocentre **11** 32
hyponomeute du pommier **81** 5
hypophyse **19** 43
hypothénuse **328** 32
hysope **358** 5

I

i grec **313** 55
iceberg **90** 34
icosaèdre **330** 11
icositétraèdre **330** 12
identification *[radar]* **230** 34
identique à **327** 16
identité **327** 16
idole **309** 20
~ des ancêtres **337** 17
~ en ivoire **309** 8
~ paléolithique **309** 8
~ en terre cuite **309** 20
if **356** 61
igloo **336** 4
iguane vert **350** 32
île **13** 6
~ fluviale **211** 4
iléon **22** 16
illusionniste **298** 20
illustré **47** 10
îlot **211** 4
~ de maisons **252** 49
~ de porte-avions **222** 68
ILS **230** 11, 13, 14
image de caverne **309** 9
~ à décalquer **50** 17
~ panoramique **294** 49
~ radar **219** 12, 13
~ rupestre **309** 9
~ sainte **314** 7
imago **342** 10
immersion **163** 4
immeuble à bureaux **252** 15
~ commercial **252** 15
~ à coursive **39** 72-76
~ en hauteur **252** 13
~ locatif **252** 49
immortelle blanche **361** 3
~ des neiges **362** 9
Impair **263** 23
imparipenné **354** 42
impasse **252** 40

impatiente n'y-touchez-pas **361** 11
impératrice byzantine **338** 15
impériale **35** 12
imperméable **32** 42
~ caoutchouté **34** 39
~ de popeline **34** 40
imposte **318** 12
~ à croisillon **39** 35
imprésario **290** 18
impression en couleurs **323** 28
~ hélio en creux **176**
~ du modèle **141** 27
~ offset **174**
~ d'une page **323** 27
~ du recto **175** 49
~ des tissus au pochoir **162** 59
~ typographique **175**
~ du verso **175** 48
imprimé **232** 16
~ à taxe réduite **232** 24
imprimerie **323** 27-64
imprimeur **323** 35
~ chalcographe **323** 44
~ lithographe **323** 45
imprimeuse à cylindres **162** 53
impulsion émise d'ondes sonores **219** 40
incandescence **320** 16
incinération des ordures ménagères **252** 67
incision en coin **57** 38
~ en T **57** 32
incisions en croix **323** 54
incisive **21** 16, 34
inclinaison de côté **281** 26
inclinomètre **228** 5
inconnue **327** 4
incrustation **302** 26
incubateur **89** 59
Inde **14** 46
index *[doigt]* **21** 65
~ altimétrique **110** 33
~ articulé **149** 7
indicateur **230** 48
~ à cadran **145** 40
~ de changement de direction **186** 27
~ de courant **211** 43
~ de destination **193** 23
~ de direction **228** 3
~ de direction oscillant **189** 46
~ d'équilibrage **306** 19
~ des étages **256** 49
indicateur de flux **211** 43
~ de la gare destinataire **201** 24
~ de hauteur des eaux **220** 14
~ de l'heure de départ **201** 25
~ hydrostatique de hauteur des eaux **220** 14
indicateur de niveau· d'eau **205** 46, **297** 57, **333** 16
~ d'essence **186** 14
indicateur officiel **200** 50
~ de pente **228** 5
~ de poche **200** 44
~ de position du graduateur **206** 32
~ de pression **178** 7
indicateur de pression· d'huile **149** 15, **207** 14
~ des pneus **190** 28
indicateur p. le réglage fin (grossier) **141** 60
~ de résultat **240** 61
~ de retard du train **201** 26
~ télégraphique de manœuvre **219** 21
indicateur de température· de l'eau de refroidissement **207** 13
~ extérieure **228** 14
indicateur de tension **147** 8
~ de vide **76** 29
~ de virage **228** 5
~ de vitesse **180** 33, **186** 7, **206** 54
indicateur de (la) vitesse· ascensionnelle **228** 13
~ de descente **228** 13
~ de vol **228** 16
indicatif du département **186** 35
~ du lieu de frappe **244** 9
~ de la ville **186** 35
indication de la direction du vent **9** 9
~ de la force du vent **9** 10
~ du mouvement **300** 48
~ de nuance **300** 55-61
~ de la pression atmosphérique **9** 4
~ du prix **190** 6
~ de la température **9** 8
~ du vent **9** 9-19
~ de la vitesse du vent **9** 10
Indien de l'Amérique centrale **335** 23
~ des forêts tropicales **335** 25
~ de la Prairie **335** 3
Indonésie **14** 53
induit **331** 80
~ en double T **331** 78
inégal à **327** 18
inégalité **327** 18
infériorité **327** 20
infiltration **11** 30
infini **327** 15
infirmière **23** 23, **28** 1, **200** 54
~ de la salle d'opération **28** 16
inflorescence **354** 66-77, **362** 7
~ femelle **61** 46, **367** 11
~ mâle **61** 39, **367** 13
infraction à la règle **274** 51
infructescence **358** 18
infusoire **340** 1-12
~ à cils **340** 9
ingénieur **144** 23
ingénieur du son **234** 3, **237** 15, **292** 60
inhalateur **23** 33
~ à oxygène **24** 19, **255** 20
inhalatorium en plein air **262** 6
inhumation **312** 34-41
initiale **170** 1
injecteur **184** 39, 65, **205** 42, **229** 21
~ d'air chaud **27** 10
~ de carburant **227** 14, 28
~ d'huile **102** 48
~ de sulfure de carbone **83** 4
injection de l'agglomérant **196** 53
~ d'eau froide **3** 9
~ d'eau de refroidissement **3** 28
~ d'essence **187** 27
inscripteur **241** 58
inscription marginale **244** 11
insecte **342** 3-23
~ ailé **82** 35
~ domestique **341** 1-13
~ domestique nuisible **341**
~ hémiptère **342** 4
~ hémiptère aphidien **342** 13
~ névroptère **342** 12
~ nuisible **341** 16-19
insecte nuisible· aux forêts **82**
~ aux textiles **341** 14 et 15
insecte parfait **82** 26, 42, **342** 10
insecticide **83** 41
insectivore **351** 4-7
insertion commerciale **325** 52
~ de la fleur **61** 28
insigne **280** 59
~ du bal **289** 34
~ d'un chef d'État **245** 14
~ de col **247** 5
~ du policier criminel **247** 24
inspecteur de police **248** 3
~-vérificateur **145** 44
inspiration **17** 25
installateur **119** 23
~-électricien **120** 1
installation d'appel de police **253** 14
~ d'arrosage **297** 6
~ de bitume **139** 35
installation de blanchiment· de la chaîne d'ensouple **161** 40
~ en continu **161** 31
installation à brosses d'air **168** 31, 35
~ de broyage du ciment **152** 14
~ de câbles téléphoniques **194** 28
~ de la cale de construction **217** 11-26
~ de capsulage des bouteilles **77** 13-22
~ de centrifugeuse **139** 61
~ à ciel ouvert **137** 3-11, **339** 16
~ de compas gyroscopique **219** 28-30
~ de concassage **153** 19
~ de contrôle par transparence **77** 19
~ p. coucher des papiers **168** 31
~ de coupe **163** 30
~ p. couper les rubans de fils **163** 30
~ de cracking **139** 33
~ de cracking catalytique **139** 63
~ de criblage **153** 19
~ de criblage du coke **148** 22
~ de débenzolage **148** 43
~ de dépoussiérage **231** 34
~ de distillation **139** 57

installation de distribution· du courant de haute tension **146** 29-35
~ du courant en plein air **146** 29-35
~ d'eau **254** 40-52
installation de dosage **197** 22
~ de douche **25** 1
~ d'écoulement **212** 44
~ à égaliser l'enduit **168** 35
~ électrique **120**
~ d'enregistrement sur bande magnétique **234** 1 et 2
~ d'épuration **139** 30, **252** 64
~ ferroviaire **199**
~ de four Claus **139** 61
~ frigorifique à vitrine **96** 2
~ de gazage sous vide **83** 10
~ gazogène **148** 14-16
~ de haut fourneau **140** 1-19
~ d'impression des tissus au pochoir **162** 59
~ individuelle de distribution d'eau **254** 40-52
~ de lancement de la fusée **229** 28-31
~ de lavage **164** 56
~ de lavage par arrosage **163** 29
~ de mélange **197** 22
~ de pulvérisation du charbon **152** 12
~ de radar **219** 9-13
~ de rayons **24** 9
~ de reforming catalytique **139** 64
~ de remplissage des bouteilles **77** 13-22
~ à répandre l'enduit **168** 35
~ de rinçage des bouteilles **77** 13-22
~ sanitaire **119**
~ de séchage de bois **149** 46
~ de séparation des gaz **139** 62
~ de soutirage de la bière **93** 29
~ de stabilisation **139** 29
~ de teinture **161** 21-26
installation de teinture· de bobines à fil croisé **161** 58
~ de matières textiles en vrac **161** 58
installation de triage **153** 8
~ à ultrasons **24** 14
installations hydrauliques **212**
institut de beauté **103** 1-34
~ d'émission **244** 9
~ de médecine tropicale **220** 3
instituteur **249** 10
institutrice **257** 27
instructeur de vol à voile **271** 29
instrument agricole **66**
~ astronomique **109** 16-26
~ à attraper **335** 31
~ d'auscultation **26** 14
~ chirurgical **28** 46-59
~ à clavier **304** 1
~ à cordes **302** 1-27, **303** 1-31
instrument à cordes· frottées **302** 1-27
~ pincées **301** 21
instrument de cristallométrie **330** 27-33
~ à dessiner **144** 28-48
~ p. écrire **239** 17-36
~ d'écriture **324** 21-26
~ enregistreur **147** 30
instrument p. l'étude· de l'électricité **331** 45-85, **332** 1-35
~ de la lumière **331** 22-41
~ du son **331** 18-21
instrument géodésique **110** 30-38
~ de jardinage **58**
~ de jazz **303** 47-78
~ à lancer **335** 31
~ landing system **230** 11
~ de levage **85** 31
~ médical **26** 26-62
~ à membranes **302** 51-59
~ de mesure **85** 33, **142** 48-56
instrument de mesure· optique **110** 24-29
~ de précision **145** 38-43
instrument à mesurer **221** 29
instrument p. mesurer· l'humidité de l'air **10** 23
~ l'intensité du rayonnement solaire **10** 48
instrument météorologique **10**
instrument de musique **301-306**
instrument de musique· automatique **291** 38
~ électrique **306** 11
~ mécanique **306** 1-10
~ populaire **303** 1-46
instrument de nettoyage **87** 61-64
~ d'optique **109**, **110**
~ d'orchestre **302** 1-62
~ à percussion **302** 49-59, **303** 47-58
~ de soudure **119** 5-8
~ stérilisé **28** 14
~ p. la technique microscopique **110** 1-23
~ topographique **110** 30-38
~ à touches **304** 1
instrument à vent· en bois **302** 28-38
~ en cuivre **302** 39-48
intégrale **327** 14
intégrateur **29** 49
intégration **327** 14
inter droit **274** 20
~ gauche **274** 18
intercalaire **198** 37
intercirculation **204** 57
intérêt *[Math.]* **327** 7
interféromètre p. l'étude des gaz **110** 25
intérieur *[cigare]* **105** 7
~ de la sécheuse **171** 57
~ de la voiture **203** 40-47
~ du wagon **203** 40-47
interligne *[Typ.]* **170** 5
~ *[portée]* **299** 46
~ *[mach. à écrire]* **240** 30
interphone **198** 76, **199** 72
interprète *m* **297** 37
~ *f* **297** 38
interrupteur **120** 3 et 4, **171** 31, **331** 71
~ p. l'accouplement **305** 41
~ d'allumage **228** 28
~ d'amplitude du son **241** 28
~ automatique de sécurité **42** 25
~ à bascule **120** 3
~ à bouton **145** 19
~-code **182** 23
~ de contact à ressort **233** 7
interrupteur·-disjoncteur **147** 51-62
~ d'éclairage **181** 38
~ d'effacement **241** 27
~ étanche à boîtier en fonte **120** 17
~ p. l'exposition **241** 21
~ p. les jeux d'anches **305** 41
~ à pédale **52** 10
~ au pied **52** 10
~ à poussoir **120** 4
~ principal **43** 19, **306** 27
interrupteur rotatif à bouton· encastré **120** 11
~ en saillie **120** 10
interrupteur de service **145** 19
~ à tirette **120** 12
intersection **328** 1
~ de la courbe et de l'ordonnée **329** 12
intervalle **300** 20-27
intestin **22** 14-22, **78** 15
~ grêle **22** 14-16
intrados **318** 25
introduction de la mitraille **140** 58
~ du papier **240** 15
~ des pièces à réchauffer **133** 4
invalide de guerre **257** 55
inverseur **87** 24, **233** 12
~ de direction **205** 58
~ d'interférences **236** 13
invertébrés **340**
involucelle avec la barbe **359** 33
involucre **362** 12
ionique **316** 9
ionosphère **4** 13
iourte **336** 19
ipidé **82** 22
Irak **14** 45
Iran **14** 44
iridacées **62** 8
iris *[Anat.]* **21** 42
~ flambe **62** 8
~ germanique **62** 8
Irlande **14** 10
irrigateur **23** 46
ischion **19** 19
Islande **14** 11
isobare **9** 1
~ au-dessous de 1 000 mb **9** 3
~ au-dessus de 1 000 mb **9** 2
isobathe **16** 11
isocèle **328** 27
isochimène **9** 42
isohélie **9** 44

isohyète **9** 45
isohypse **16** 62
isolateur **331** 64
~ à barre **193** 46
~ à capot et tige **147** 54
~ à chaîne **147** 54
~ creux **147** 54
~ d'entrée **206** 5
~ de passage **147** 12
~ de passage en porcelaine **147** 35
~ de porcelaine **233** 67
~ suspendu **146** 38
~-tendeur **234** 23
isolation **40** 72
~ en laine de verre **229** 9
isolement thermique **161** 33
isoligne **11** 37
isoloir **251** 23
isosiste **11** 37
isothère **9** 43
isotherme **9** 40
~ 0 **9** 41
isotope **1** 5-8
~ d'uranium **1** 48
Israël **14** 39
Italie **14** 12
italique *[Typ.]* **170** 7
ivoire *[dent]* **21** 31
ivraie **63** 29
ixode **342** 44

J

jable **126** 30
jablière **126** 30
jabloir **126** 30
jabloire **126** 30
jabot *[poule]* **74** 20
~ *[abeille]* **78** 18
jachère **65** 1
jacinthe des Indes **62** 9
jack **233** 7
jacket crown **27** 31
jalon **110** 37
~ d'annonce de sortie **197** 50
jalousie *[Bot.]* **62** 6
jambage **317** 51
jambages de marteau **133** 44
jambe *[Anat.]* **18** 49-54, 52, **19** 22-25
~ *[Vêt]* **33** 59
~ artificielle **23** 48
~ avant **71** 5, **73** 22-26
~ cassée **17** 11
~ de derrière **88** 22
~ de devant **88** 25
~ emplumée **347** 3
~ de force **116** 58, **271** 34
~ du pantalon **34** 11
jambe postérieure **71** 7
jambes écartées **278** 2, 26
jambette **116** 47
jambier antérieur **20** 47
jambière *[armure]* **310** 54
~ *[Vêt.]* **100** 30
~ *[Sport]* **275** 15, **284** 40
~ *[cheval]* **272** 44
~ en daim **335** 17
~ du sommier **159** 53
jambon **95** 38
~ cru **96** 26
~ cuit **96** 18
~ roulé **96** 27
jambonneau **95** 38, 42, 49
jamborée **266** 40-52
jante **131** 29, **180** 28, **185** 30
Janus **308** 47
Japon **14** 50, **245** 20
japonaise *[écrit.]* **324** 6
jaquette *[Vêt.]* **34** 55
~ *[livre]* **178** 37
~ courte **338** 45
jarbière **126** 1
jardin d'agrément **54**
~ alpin **54** 1
~ botanique **252** 57
~ du château **252** 55
~ d'enfants **50**
~ fruitier **55** 1-31
~ de la maison **39** 57
~ ouvrier **252** 68
~ potager **55** 1-31
~ de villa **252** 61
~ zoologique **339**
jardinet **39** 58, **55** 1-31
jardinier **79** 20
~ amateur **55** 24
~ du dimanche **55** 24
~ municipal **257** 68
jardinière *[femme]* **79** 49
~ *[caisse]* **39** 20, **53** 18
~ *[table]* **44** 17
~ d'enfants **50** 1
jarosse **70** 19
jarret *[cheval]* **73** 37
~ de derrière **95** 1, 10, 33
~ de devant **95** 5, 8, 22, 28
jarretelles **33** 19
jars **74** 34
jasmin jaune **357** 4
jauge **15** 47, **150** 26, **221** 28
~ à ballots **221** 29
~ de combustible **228** 21
~ conique **106** 25
jauge de consommation d'essence **192** 36
~ d'épaisseur **134** 62, **145** 38
~ d'essence **186** 14
~ de hauteur **145** 29
~ d'huile **147** 11, **184** 18
~ de profondeur **142** 48
jaune *[couleur]* **320** 2
~ *[œuf]* **75** 57
~ *[Hér.]* **246** 24
javelot **280** 54, **336** 8
~ en bois de renne **309** 5
jazz *[instrument]* **303** 47-58
J-Box **161** 31, 33
jeannette blanche **62** 4
jeep **195** 3
jéjunum **22** 15
jerrycan **191** 22
jet *[Sport]* **280** 29-55
~ *[Techn.]* **147** 29
~ *[Bot.]* **57** 16, **60** 20
~ de la coulée **141** 22
~ d'eau **11** 22, **54** 20, **257** 22
~ de vapeur **11** 22
jeté passé **288** 23
~ en tournant **288** 24
jetée **220** 32
~ en pierre **16** 48
jeton **263** 12
jette-feu **205** 5
jeu **258** 1-59
~ d'adresse **258** 24, **298** 22
~ d'anches **305** 17-22
~ de l'anneau **267** 31
~ de balles **258** 42
~ de ballon **274-276**
~ de billard **264** 1-19
~ de billes **258** 56
~ de boules **287** 21
~ de cache-cache **258** 1
~ de cartes françaises **265** 37
~ du cerceau **258** 20
~ de colin-maillard **50** 5
~ de combinaison **265** 1-16
~ de construction **49** 19
~ de cubes **50** 13
~ de dames **265** 17-19
~ de dés **265** 29
~ du diabolo **258** 24
~ de domino **265** 33
~ d'enfant **258** 1-59
~ de façade **305** 1-3
~ de football américain **275** 28-30
~ de golf **276** 59-71
~ de grâces **261** 28
~ de grand-orgue **305** 1
jeu de halma **265** 26-28
~ de hasard **263** 1-33
~ icarien **298** 21
~ de lames de scie **149** 3
~ de la marelle assise **265** 23-25
~ du medicine-ball **278** 41
~ de montre **305** 1-3
~ de mosaïque **50** 18
~ de mouvement **258** 23
~ des ombres chinoises **298** 28
~ du paradis et de l'enfer **258** 13
~ de patience **50** 14
~ de pédale **305** 3
~ à poing fermé **276** 52-58
~ de positions **265** 1-16
~ de quilles **287** 1
~ de récit **305** 2
~ royal **265** 1-16
~ de salta **265** 20
~ de société **265**
~ du tambourin **258** 45
~ du tampon **258** 4
~ de la toupie **258** 17
~ de volant **276** 36
~ de volley-ball **276** 43-51
~ du yo-yo **258** 48
jeune biche **88** 1
~ fille **261** 23
~ homme **261** 22
~ larve **78** 28, **81** 54
~ marié **313** 15
~ mariée **313** 14
~ peuplement **84** 10 et 11
~ plant repiqué **79** 23
jeunes mariés **313** 14 et 15
jeux d'eau **257** 8
Jeux olympiques *[pavillon]* **245** 5
Jigger à tamis **161** 12
jiu-jitsu **281** 15-17
jockey **272** 56
joint *[Méc.]* **108** 41
~ de basculage **144** 31, 37
~ de cardan **185** 53
~ de dilatation thermique **197** 39 et 40
~ d'écartement **144** 32
~ d'étanchéité **148** 60
~ longitudinal **197** 39
~ des rails **198** 42
~ à ressort **11** 42
~ de soudure **135** 8
~ spécial **119** 35, 36

joint transversal **197** 40
jonc **130** 28
~ fleuri **362** 39
~ d'Inde **130** 32
~ odorant **361** 22
jonction **219** 65
~ de voies **199** 33
jongleur **298** 17
jonque **336** 32
jonquille **62** 3
Jordanie **14** 42
joue *[Anat.]* **18** 9
~ *[fusil]* **87** 4
~ *[éclisse]* **181** 30
~ du banc **129** 2
~ du chevalet **123** 21
~ mobile **134** 13
jouer au cerceau **261** 28
~ à quatre mains **44** 34
jouet **49** 5-29
joueur d'arrière **276** 58
~ de basket **275** 37
~ de billard **264** 8
~ de boules **287** 22
~ de centre **276** 57
~ de croquet **275** 65
~ de curling **284** 43
~ d'échecs **261** 17
~ de football **275** 28
~ de golf **276** 63
~ de hand-ball **275** 8
~ de hockey **275** 16
~ de hockey sur glace **284** 35
~ de jazz **289** 3
~ de marionnettes **298** 36
~ d'orgue de barbarie **53** 27
joueur de la partie· batteurs **275** 46
~ preneurs **275** 50
joueur de pelote basque **287** 52
~ de ping-pong **276** 39
~ de polo **287** 27
~ de quilles **287** 20
~ remplaçant **274** 45
~ de (en) réserve **274** 45, **275** 38
~ à la roulette **263** 15
~ de tennis de table **276** 39
joueuse de tennis **276** 16
~ en train de servir **276** 16
joug *[charrue]* **68** 14
~ *[support]* **85** 8
~ de la barre **269** 51
~ du gouvernail **269** 51
~ à seaux d'eau **76** 11
jour échelle **102** 10
journal **47** 8, **261** 25, **325** 37
~ de mode(s) **102** 71, **256** 36
~ plié **175** 56
journalier **65** 5
journaliste **281** 45
joute des cavaliers **258** 44
jouvenceau **338** 44
joyau **38** 1-33
judas **43** 31, **248** 15
judo **281** 15-17
juge à l'(d')arrivée **268** 25, **272** 20, **280** 10
~ assesseur **248** 22
~ de boxe **281** 39
~ profane **248** 23
~ de touche **268** 26, **274** 23, 47 **276** 25
Jugendstil **318** 18
jugulaire **310** 42
jumeau *[muscle]* **20** 62
jumelles de campagne **86** 6
~ de chasse **108** 38
~ de théâtre **296** 9
~ p. la vision nocturne **108** 38
jument **74** 2
jumper d'entraînement **280** 58
Junon **308** 5
jupe à bretelles **32** 11
~ plissée à bretelles **31** 34
~ de raphia **289** 18
~ de tailleur **32** 4
Jupiter *[Myth.]* **308** 1
~ *[Astr.]* **6** 27
jupon **33** 26
juré **248** 23
jus de fruit **98** 18
~ de raisin **80** 45
jusquiame noire **363** 6
justice **248**
jute **367** 25

K

kaléidoscope **50** 19
kamilafkion **314** 31
Kandahar *[fixation]* **283** 45-50
kangourou rouge géant **351** 3
kapok **124** 23
kapokier **367** 20
kayak **269** 4, **336** 12
~ biplace **269** 5
~ pliant **269** 54-66
kayak pliant· biplace **269** 61
~ monoplace **269** 54
kayak de sport monoplace **269** 54
képi **247** 3
kerrie **357** 28
kessel **86** 34-39
ketch **215** 9, **270** 41-44
~ à voiles d'étai **270** 44
kick **182** 35
kimono **48** 56, **336** 40
kiosque *[sous-marin]* **223** 23
~ de la barre **224** 36
~ de fleurs **200** 48
~ à musique **262** 19, **272** 9
~ aux rafraîchissements **257** 58
~ roulant **201** 17
Kirghiz **336** 22
kirri **337** 33
kiwi **343** 21
klaxon **186** 4, **255** 7
knickerbockers **34** 22
knock-out **281** 36
K. O. **281** 36
kogge **213** 18-26
koruna **244** 27
kougelhof **97** 44
kouglof **97** 44
Kouro Sivo **15** 31
Krapfen **97** 7
kriss **336** 44
krona **244** 25
krone **244** 24, 26
kugelhoff **45** 29
Kursaal **262** 8
kymation **316** 19

L

la *[Mus.]* **299** 47
~ bémol majeur **300** 12
~ bémol mineur **300** 15
~ dièse mineur **300** 8
~ majeur **300** 4
~ mineur **300** 1
laboratoire photographique **112** 1-61
~ de recherche(s) **6** 20, **292** 9
~ technique **292** 9
~ de tirage **292** 2
labyrinthe *[Anat.]* **19** 62
~ bordé de haies **257** 5
lac **13** 3
~ de rivage **13** 44
laçage **33** 25
laccolithe **11** 30
lacet **99** 47
~ à modeler **322** 11
Lachesis **308** 55
lactaire délicieux **365** 23
~ à toison **363** 13
~ toisonné **363** 13
lagune **13** 33
laiche **13** 17
laie *[route]* **16** 112, **84** 1
~ *[sanglier]* **86** 32, **88** 51
~ *[orgue]* **305** 12
~ large **322** 14
laine de cellulose **163** 1-34
~ cellulosique en viscose **163** 1-34
~ de verre **229** 9
laineur **162** 34
laisse **71** 30
lait de chaux **121** 3
~ condensé **98** 15
~ de consommation **77** 10
laitance **89** 66
laiterie **77**
laitier **140** 9
laitue de mer **362** 43
~ pommée **59** 36
lama **351** 28
lamantin **351** 23
lambourdage **118** 73
lambourde **115** 45
lambrequin **246** 3
lambris de bois **260** 37
lambrissage **260** 37
lame *[couteau etc.]* **46** 54, **68** 47, **178** 29, **277** 58
~ *[poinçon]* **123** 27
~ *[vannerie]* **130** 24
~ *[champignon]* **365** 4
~ additionnelle **165** 20
~ d'aiguillage **193** 33
~ d'aiguille **198** 52
~ assurant le pli croisé **178** 12
~ du boutoir **196** 29
~ du bulldozer **196** 29
~ de champ **165** 23
~ p. la coupe en ciseaux **178** 3
~ p. coupe droite **178** 3
~ de la crosse **284** 38
~ de demi-ressort **183** 45
~ d'étrave **218** 71
~ de fauchage **67** 28
~ de faux **66** 13
~ niveleuse **196** 21
~ plate **149** 50
~ de rasoir **51** 72
~ rectifiée en creux **284** 26
~ de rideau du diaphragme **111** 45
~ de rive **165** 22
~ sans fin **128** 2
~ de scie **85** 35, **115** 62, **149** 11

lame de [la] scie· à chantourner **106** 13
~ circulaire **128** 6, **149** 21
~ à découper **129** 13
~ à métaux **143** 47
~ à ruban **128** 2
~ sans fin **128** 2
lame du scraper **196** 18
~ supérieure **177** 19
lamelle *[constr.]* **91** 3
~ *[champignon]* **365** 4, 6
~ de débrayage **158** 37
~ du fil de chaîne **159** 34
~ de fusible **120** 36
lamellicorné **82** 1
laminage **141** 41-76
laminaire **362** 48
laminoir **106** 1
~ à bandages de roues **141** 61
~ à centres de roues **141** 61
~ deux cylindres **141** 48
~ duo **141** 48
~ finisseur **168** 21
~ à froid **141** 67
~ à plusieurs cylindres **141** 74
~ Sendzimir **141** 67
lampadaire **47** 49, **194** 19
lampe acoustique **295** 48
~ ajustable **144** 19
~ à alcool **27** 57
~ d'appel en scène **296** 52
~ à arc **331** 24
lampe à arc· p. le photocalque **173** 20
~ à réflecteur concave **295** 39
~ de reproduction **171** 24
~ voltaïque **331** 24
lampe baladeuse **191** 20
~ buccale **27** 44
~ de bureau **47** 17, **238** 23
~ de cadran **235** 20
~ de chambre noire **112** 18
~ de chapeau **138** 55
~ de chevet **48** 1
~ commandée à distance **297** 15
~ compound **235** 14
~ de contraste **236** 12
~ de contrôle **157** 8, **241** 47
~ de contrôle du chargement de la batterie **207** 21
lampe désodorisante **47** 30
~ p. écheniller **58** 20
~ d'éclairage **102** 47
~ à éclats morse **218** 7
~ d'écurie **76** 1
~ éternelle **311** 44
~ à filament de charbon **173** 20
~ de fond **138** 57 et 58
~ à gaz d'éclairage **194** 19
~ horizontale commandée à distance **297** 15
~ à huile de phoque **336** 7
~ à incandescence **120** 56
~ d'irradiation **27** 20
~ p. la lecture **204** 32
~ p. lumière diffuse **171** 47
~ du microscope **110** 22
~ de mine **138** 57 et 58
~ de mineur **138** 57
~ miraculeuse **349** 4
~ à mirer les œufs **75** 46
~ orientable **47** 17
~ à pétrole **76** 16, **99** 26
~ photo flood **112** 61
~ de piano **44** 38
~ à pied **47** 49
~ de la planche à dessin **144** 19
~ de poche **120** 26
~ ponctuelle **171** 49
~ portative **76** 1
~ à rayons ultraviolets **24** 17
~ de refuge **190** 30
~ réservée aux cadres **138** 58
~ de Reuter **331** 22, 28
~ rouge de sécurité **171** 48
~ du Saint-Sacrement **311** 44
~ de scène **297** 14
lampe à souder· à alcool **120** 32
~ à essence **119** 49
lampe spectrale **331** 26
~ à suspension **44** 22, **48** 23
~ de table **44** 7
~ témoin **157** 8
~ tempête **76** 16
~-torche **120** 26
~ de travail **107** 67
lampes à arc jumelées **171** 37
lampion **55** 15, **289** 4, **336** 36
lance *[arme]* **308** 20
~ *[Techn.]* **255** 33
~ d'incendie à grande puissance **255** 66
~ d'injection **83** 6
~ de joute **310** 81
~ à longue lame **337** 12
~ Monitor **255** 66
~ de soudo-brasure **135** 64
lance·-diffuseur **94** 18
~-fusée **224** 52 et 53
~-harpons **90** 53-59
~-torpilles **222** 15, **223** 27, 50
lancement du disque **280** 42-44
~ de la (d'une) fusée **229** 28-31 **4** 45-47
~ du javelot **280** 52-55
~ du marteau **280** 48-51
~ d'une pente **271** 12
~ du poids **280** 45-47
lancéolé **354** 32
lancer **280** 29-55
~ le ballon **275** 8
lancette **28** 49
lanceur **275** 53
~ de couteaux **290** 37
~ de disque **280** 42
~ de javelot **280** 52
~ de marteau **280** 48
~ de poids **280** 45
lancoir **84** 32
landau **179** 36
~ de poupée **49** 12
landaulet **179** 36
lande **16** 5
lange **30** 3
~ de flanelle **30** 5
langer le bébé **30** 37
langue *[Anat.]* **19** 52, **21** 25
~-de-chat **98** 84
~ de femme **70** 26
~ fourchue **307** 6
languette *[chaussure]* **99** 48
~ *[instr. de mus.]* **301** 52, **305** 19
~ métallique **306** 4
lanière **282** 53, **283** 53
~ de cuir **335** 5
~ de jonc **130** 28
~ du piolet **282** 43
lansquenet **338** 32
lanterne *[lampe]* **179** 9
~ *[Art]* **317** 45, **318** 3
~ d'aiguille **198** 50, 64
lanterne d'écurie **64** 37
~ de jardin **54** 8
~ p. observer la bière **93** 27
~ vénitienne **55** 15, **289** 4
lanterneau **116** 14
lapin **74** 18, **88** 65
lapine **74** 18
laquais **179** 20
laque **121** 10
~ marquetée **319** 6
lard **96** 11
~ du dos **95** 40
~ de jambon **95** 53
largage d'un avion par un autre en vol **226** 22-24
largeur *[Typ.]* **170** 48
~ de chaussée **197** 49
~ du tricot tubulaire **160** 16
larme *[pipette]* **26** 47
larmier *[Zool.]* **88** 14
~ *[Art]* **316** 12
larve **60** 64, **78** 29
~ femelle **81** 36
~ mâle **81** 36
~ prête à la nymphose **81** 53
laryngophone **255** 41
laryngoscope **26** 61
larynx **22** 2 et 3
las *[compartiment]* **64** 42
lassière **64** 42
lasso **335** 5
latine *[Typ.]* **325** 12
~ capitale **324** 16
latrines **266** 39
latte **161** 30
~ de garde **113** 29
~ de mesure **110** 37
~ de saut **280** 37
lattis **117** 17, **118** 70
~ porte-charge **118** 71
laurier **312** 60
~-rose **357** 13
~-rose des Alpes **362** 1
lavabo **28** 42, **51** 52-68
~ double **259** 32
lavage par arrosage **163** 29
~ des bobines **164** 48
lavande officinale **364** 7
~ vraie **364** 7
lavandière *[Zool.]* **344** 9
lave **11** 18
lave-grain **91** 53
lavette **41** 30
~ à vaisselle **41** 26
laveur à ammoniaque **148** 34
~ à benzol **148** 42

laveur à naphtaline **148** 32
~-scrubber du gaz à l'eau **148** 25
laveuse·-armoire **166** 12
~ mécanique à grande largeur **162** 8
~ à vapeur **166** 1
lavis **323** 14-24
lavoir **137** 8
layette **30**, **31** 1-60
layon **84** 1
le plus doux possible **300** 57
~ fort possible **300** 60
lé **117** 91
~ de papier peint **121** 36
~ vertical **117** 95
leçon d'escrime sur mannequin **277** 44
~ de gymnastique **279** 1-48
~ de piano **44** 32-37
lecteur *[lisant]* **250** 24
~ *[professeur]* **250** 3
~ *[Théâtre]* **298** 40
~ de journaux **261** 24
lecture de voyage **201** 18
lédon des marais **361** 21
légende *[explication]* **325** 45
~ *[carte géographique]* **15** 27-29
legging **100** 30
leggins **335** 17
légume **59**
légumier **46** 25
légumineuse **59** 1-11
lentille *[Opt.]* **111** 10, **171** 27
~ biconcave **108** 2
~ biconvexe **108** 7
~ bifocale **108** 11
~ concave **108** 1-4
~ concave-convexe **108** 8
~ convergente **108** 5-8
~ convexe-concave **108** 3
~ déformante **294** 37
~ divergente **108** 1-4
~ double concave **108** 2
~ double convexe **108** 7
~ d'eau **362** 35
~ plan-concave **108** 1
~ plan-convexe **108** 5
~ de redressement **294** 43
~ sphérique **108** 1-8
lentilles interchangeables **111** 25
Leo **5** 17, **6** 36
léontodon d'automne **63** 13
léopard **353** 6
lépiote élevée **365** 30
lépisme saccharin **341** 15
lepton **244** 39
lessive **53** 55
lessiveur de chiffons **167** 21
~ de pâte **167** 2
~ sphérique **167** 21
lessiveuse **53** 53
lest **226** 61
lettre *[écrit.]* **249** 49
~ *[Typ.]* **169** 7, **170** 38
~ *[feuille]* **239** 1-12
~ d'affaires **239** 1-12
~-avion **232** 18
~ bas de casse **170** 12
~ de change **242** 12
lettre de change· acceptée **242** 12
~ tirée **242** 12
lettre chargée **232** 25
~ commerciale **239** 1-12
~ express **232** 34
~ du lieu de frappe **244** 9
~ majuscule **170** 11
~ minuscule **170** 12
~ petite capitale **170** 14
~ recommandée **232** 35
~ de voiture **202** 35
lettres espacées **170** 13
~ ligaturées **170** 6
lettrine **170** 1
leucanthème vulgaire **360** 4
leucite **330** 12
leurre **89** 36-43
levage de la porte **133** 60
lève·-ligne **169** 14
~-soupape **192** 12
levée *[gazomètre]* **148** 56, 61
~ du courrier **231** 31
~ des quatre fers **73** 44
levier *[serrure]* **134** 38
~ *[barre]* **150** 32
~ d'aiguille **199** 58, 65
~ d'armement **87** 22
~ d'arrêt **156** 40
levier d'arrêt· du banc **157** 32
~ de la machine **157** 6
levier p. baisser le cylindre **175** 3
~ de bascule **304** 32
levier de blocage des aiguilles **199** 58
~ de la bonde **51** 65
~ de buse **171** 52
~ de caractère **240** 19
~ de changement **142** 10
~ de changement de vitesse **186** 9, **207** 12
~ de cloche **119** 64
~ de commande **128** 38, **197** 8
levier de commande· de changement de vitesse **185** 45
~ de direction **186** 40
~ p. marche à droite **142** 11
~ de la sablière **193** 36, **206** 40, **207** 20
~ du sifflet à air **206** 50
levier de correction **240** 62
~ coudé **102** 14
~ à coude **96** 53
~ de crescendo **304** 45
~ de culasse mobile **87** 22
~ de débrayage **158** 65, **159** 8, **239** 53
~ p. débrayer le mécanisme **174** 43
~ de dégagement **240** 44, **304** 23
levier de dégagement· du chariot **240** 2
~ du papier **240** 16, 58
~ du rouleau **240** 4
~ p. le totalisateur **240** 54
levier démonte-pneus **192** 4
~ de direction **297** 58
~ p. l'écrou embrayable **142** 19
~ d'effacement p. le résultat **240** 52
~ d'embrayage **158** 65, **159** 8, **181** 36
~ p. embrayer le mécanisme **174** 43
~ d'enclenchement **156** 17, **240** 46
~ étoilé **323** 39
~ d'étouffoir **304** 38
~ excentrique avec double crochet **294** 21
~ p. le filetage **142** 4
~ de fixation **2** 40
levier de (du) frein **182** 13, **159** 62
~ de frein à main **181** 37, **186** 18
~ général d'effacement **240** 53
~ inscripteur **10** 7, 21
~ d'interligne **240** 30
~ p. l'introduction du papier **240** 15
~ d'itinéraire **199** 61
~ de jambe **281** 11
~ à main **128** 41, **177** 31
~ de manœuvre **68** 39, **158** 13, **197** 12
~ p. le mécanisme de renversement de marche **142** 5
levier de mise· au point **112** 31
~ à zéro **240** 62
levier p. le mouvement· longitudinal **142** 17
~ transversal **142** 17
levier oscillant de commande **182** 44
~ de palette **233** 56
~ à pédale **156** 28
~ à pédale de l'excentrique **159** 58
~ à pied **144** 14
~ du pied-de-biche **102** 25
~ plus-moins **240** 60
~ pneumatique **292** 50
~ presse-étoffe **102** 33
~ de pression **156** 16, **239** 42
~ de propulsion **181** 24
~ à quatre bras **323** 39
~ de réglage **239** 48
levier de (p. le) réglage· de l'avance de vis **142** 9
~ d'interligne **240** 5, 67
~ du pas de vis **142** 9
~ p. le ruban encré **240** 29
~ du siège avant **185** 58
~ de régulateur **205** 49
levier régulateur d'alimentation **156** 28
~ de renvoi **186** 46
~ de signal **199** 59, 65
levier p. soulever le cylindre **175** 3

levier p. soulever la plaque **173** 18
~ de sûreté **2** 40
~ tendeur à l'avant **283** 45
~ de tension **240** 70
levier tournant de changement de vitesse **181** 35
~ des gaz **181** 34
levier de verrouillage **171** 45
~ verrouilleur de changement de vitesse **142** 3
lèvre inférieure *[Anat.]* **21** 26, **73** 10
~ inférieure *[tuyau d'orgue]* **305** 26, 31
~ supérieure *[Anat.]* **21** 14, **73** 8
~ supérieure *[tuyau d'orgue]* **305** 27
lèvres *[Anat.]* **22** 87
lévrier **71** 24
~ afghan **71** 23
levure pure **93** 15-18
lexique **250** 17
lézard des souches **350** 27
liaison *[Mus.]* **300** 40
~ anglaise **113** 62
~ croisée **113** 65
~-panneresse **113** 59
~ radar terre-lune **4** 23
liant **114** 26
liasse de dossiers **238** 9
Liban **14** 41
libellé **240** 45
libellule **342** 3
liber **354** 9
Libéria **14** 37
Libra **5** 19, **6** 38
librairie **253** 3
~ de gare **200** 26
lices **310** 31
licorne *[Myth.]* **307** 7
~ *[Hér.]* **246** 16
lié **300** 51
lien d'osier **84** 26
~ de paille **65** 24
lierre terrestre **359** 18
lieu d'aisance du chantier **113** 49
~ d'émission **242** 13
~ de frappe **244** 9
~ de paiement **242** 15
lieux d'aisance **266** 39
lièvre **86** 35
~ de plaine **88** 59
lift **256** 45
liftier **256** 47
ligature **83** 28, **280** 55
~ de raphia **57** 35
ligne *[Géom.]* **328** 1-23
ligne *[Typ.]* **170** 4, 43, **249** 35
~ *[portée]* **299** 45
~ *[pêche]* **89** 29
~ aérienne **233** 66
~ aérienne double (bifilaire) **188** 16
~ d'attaque centrale **274** 18, 19, 20
~ des avants **274** 17-21
~ de ballon mort **275** 27
~ de but **274** 3, **275** 11, 21, 56, **280** 7
~ de cassure **12** 5
~ de cœur **21** 74
~ de connexion **233** 37, 40
~ de contact tripolaire **145** 15
~ de côté **276** 2 à 3
~ de coton **90** 29
~ de coup franc **275** 5
~ des demis **274** 14-16
~ de départ **280** 3, 30
~ à double voie **199** 20
ligne d'égale pression atmosphérique **9** 1
~ température moyenne **9** 40, 42
ligne d'envoi **276** 52
~ à flotteurs de liège **268** 32
~ de foi **219** 25
~ de fond **276** 3 à 10
~ fondue **169** 27
~ fondue en lettres séparées **169** 44
~ de haute tension **16** 113
~ des hauteurs **13** 60
~ de jet **287** 50
~ de lancement **280** 53, **287** 50
~ latérale **275** 9
~ de la main **21** 72-74
~ médiane **274** 8, **276** 8 à 9
ligne de même durée d'insolation **9** 44
~ somme des précipitations **9** 45
~ température moyenne **9** 43
ligne de milieu **275** 25
~ munie d'hameçons **90** 29
~ des neuf mètres **275** 26
ligne de la place d'envoi **275** 57
~ principale **199** 20
~ principale à double voie **199** 20
~ de pureau **117** 89
~ de réception du preneur **275** 44
~ de recouvrement **117** 89
~ reliant les points de même poussée sismique **11** 37
~ renfoncée **239** 10
~ secondaire **16** 23
~ de sécurité **117** 81
~ de service **276** 6 à 7, 52
~ de service du centre **276** 8 à 9
~ p. le simple **276** 4 à 5
~ de sonde **219** 37
~ téléphonique **233** 32
~ de tête **21** 73
~ de texte **169** 15
~ de touche **274** 7, **275** 23, 34
~ des treize mètres **275** 4
~ tripolaire **145** 15
~ de vie **21** 72
~ à voie unique **199** 26
ligot **52** 61
ligule **69** 22, **354** 84
liliacée **56** 13
liliacées **62** 12
lilliputien **291** 22
limaçon *[Zool.]* **340** 25
~ *[Anat.]* **19** 63
limbe *[compas]* **219** 2
~ *[Bot.]* **69** 20, **354** 28, 85
lime *[outil]* **106** 22
~ en aiguille **106** 50
~ bâtarde à taille mi-fine **134** 8
~ à bois **127** 29
~ à bras **132** 35
~ à dégrossir **132** 35
lime fraiseuse à dresser **134** 8
~ plate à taille demi-douce **134** 8
lime à grosse taille **132** 35
~ à ongles **103** 7
~ au paquet **132** 35
~ plate **134** 23
~-râpe **127** 31
~ ronde **127** 31, **134** 22
~ à scies **127** 26
~ à taille douce **134** 23
~ triangulaire **127** 26
limeur **143** 52
limeuse à bande **134** 1
limier **71** 25
limite *[Sport]* **275** 2
~ d'arrondissement **16** 103
~ des bas-fonds **16** 9
~ de canton **16** 103
~ du champ **65** 3
~ du crépuscule **4** 26
~ des joueurs **275** 45
~ de la marée montante **13** 35
~ du port franc **220** 41-43
~ de tir du coup franc **275** 36
limon *[argile]* **151** 2
~ *[escalier]* **40** 26
~ apparent **118** 44
~ de béton **118** 30
limonaire **291** 38
limousine à deux portes **187** 1
~ de luxe **187** 9
~ à toit ouvrant **187** 8
lin **367** 6
~ des marais **361** 18
linaigrette **361** 18
linceul **312** 53
linge **53** 35
~ de literie **256** 57
~ de protection **104** 26
~ stérilisé **28** 6
~ de table **256** 57
lingerie féminine **33** 1-34
lingot *[barre]* **244** 1
~ *[Typ.]* **175** 40
~ d'acier **140** 32
~ d'acier brut **141** 43
lingotière **140** 31, 36
linoléum **121** 42
linotype **169** 19
linteau *[fenêtre]* **39** 25, **115** 57
~ *[cheminée]* **259** 24
~ de béton armé **113** 13
~ de fenêtre **113** 9
lion **339** 20, **353** 2
~ marin **352** 19
Lion **5** 17, **6** 36
liqueur **98** 58
liquide homogène du réacteur **3** 14
~ à inhaler **23** 35
~ obturant **148** 60
~ pulvérisé **83** 37
~ de refroidissement **184** 69
lira **244** 20, 21
lis blanc **62** 12
~ martagon **361** 4
~ de mer **349** 3
liseron des champs **63** 26

liseuse **33** 30
lisière **65** 3
~ du tissu **159** 11
lissage **114** 9
lisse *[corde]* **125** 21
~ *[chariot]* **131** 22
~ métallique **159** 27
lisseuse p. machines à papier **168** 21
lissoir *[chariot]* **131** 15
~ *[chaussure]* **99** 30
~ *[outil]* **121** 38
~ de frottement **131** 6
listeau **122** 3
listel **122** 3
liston de défense **221** 48
lit **48** 3-15
~ d'accouchement **29** 5
~ de camp **266** 7
~ de crue **211** 41
~ à deux **48** 3-15
~ à deux places **259** 38
~ d'enfant **49** 2
~ d'enfant ajustable **30** 11
~ escamotable **262** 33
~ du fleuve **13** 68
~ de galets **254** 37
~ d'hôpital **29** 8
~ majeur **211** 41
~ de malade **29** 8
~ de poupée **50** 8
~ de repos **262** 44
~ à roulettes **29** 8
~ de sable **118** 8
liteau à virgule **240** 49
litho **323** 14-24
lithodes **349** 16
lithographe **323** 45
lithographie **323** 25 et 26
lithosphère **11** 1
litière **75** 16
~ de paille **76** 12
~ aux poussins **75** 29
livre **178** 36
~ d'adresses **238** 35
~ ancien **253** 3
~ de caisse **238** 58
~ de cantiques **311** 30
~ de comptes **238** 52
~ de cuisine **41** 7
~ d'images **50** 16
~ de lecture **249** 31
~ d'occasion **253** 3
~ ouvert **178** 52
~ de prières **311** 59
~ sterling **244** 37
livrée **179** 21
livret de dépôt **231** 11
~ de marche **205** 54
lobe *[Anat.]* **19** 57
~ *[Bot.]* **60** 8
lobe du foie **22** 35
~ supérieur du poumon **22** 7
lobé **354** 48
local frigorifique **94** 16-18
~ des pompes **216** 31, **224** 7
~ de service **201** 13, 45
~ à température constante **6** 19
loch breveté **219** 31
~ à hélice **219** 31
locomotive à accumulateur de vapeur **205** 69
~ à adhérence **205** 1
~ articulée **205** 39
~ à chasse-neige **208** 44
~ à condensation **205** 70
~ Diesel **207** 1-43
locomotive Diesel· p. chemin de fer à voie étroite **196** 24
~ double p. trains de marchandises **207** 42
~ télécommandée p. trains rapides **207** 41
locomotive élec-trique· à crémaillère **209** 4
~ à fil aérien **206** 1
~ de grand parcours **206** 1
~ de manœuvre **206** 59
~ de mine **137** 28
~ de mines à ciel ouvert **206** 56
locomotive Garratt **205** 39
~ de grand parcours **206** 1
~ de manœuvre **202** 46
~ de manœuvre sans foyer **205** 69
~ mixte d'usine Diesel-électrique **207** 43
~ à moteur à gaz **207** 45
~ à piston **205** 1
~-tender **205** 66
~ à tender séparé **205** 38, **208** 1
locomotive p. trains· omnibus **203** 2
~ rapides **205** 38
locomotive de travail **198** 6
~ à turbine à gaz **207** 44
~ à vapeur **203** 2, **205** 1
locomotive à vapeur p. trains de marchandises **208** 1
locotracteur à accumulateurs **138** 46
~ électrique du fond **138** 46 et 47
~ remorquant **211** 29
~ à trolley **138** 47
locuste **342** 8
log **327** 6
logarithme **327** 6
loge *[Bot.]* **60** 36, 59
~ d'artiste **296** 43-52
~ de cirque **290** 16
~ de contrôle des billets **200** 24
~ des éléphants **339** 24
~ de la girafe **339** 24
~ du portier **145** 83
~ de la reine *[abeille]* **78** 37
~ des singes **339** 24
logement p. les pieds **181** 23
loggia **39** 18, **53** 17
logis du châtelain **310** 30
~ des femmes **310** 10
lombes **18** 24
lombric **340** 20
long bois **84** 21, **85** 6
~ cours **216** 1, 33
~ péronnier **20** 64
~ supinateur **20** 39
longe **86** 45
~ de la croupière **72** 32
longeron **131** 14
~ du pont **210** 7
~ principal du train de roulement **209** 67
longicorne **342** 16, 38
longipenne **343** 11-14
longrine **115** 2
longue-vue **15** 60, **219** 7
longueur d'onde **234** 37-40
looping **271** 17
lophobranche **350** 19
lophocalyx philippensis **349** 7
loquet de déflecteur **186** 1
lorgnon **108** 29
~ monocle **108** 30
loriot **344** 7
lorry p. le transport de traverses **198** 23
losange **328** 35
lot **291** 48
lot de la tombola **289** 11
loterie **291** 44
lotier corniculé **360** 17
lotion capillaire **104** 13
~ faciale **103** 14
~ p. la permanente à froid **103** 31
~ après rasage **104** 14
louche *[cuiller]* **41** 5, **46** 14
louchet de drague **221** 65
lougre **90** 1
Louis· d'or **244** 5
~-Philippe *[Art]* **318** 17
~ XVI *[Art]* **318** 14
loulou **71** 19
loup *[Zool.]* **352** 13
~ *[masque]* **289** 13
loupe **108** 31-34, **170** 34, **330** 33
~ en boîte **108** 32
~ de contact **108** 33
~ d'horloger **107** 70
~ à manche **108** 31
~ sur pied **108** 34
~ de réflexion **109** 9
~ serre-tête binoculaire **109** 13
loure **301** 1
loutre de mer **352** 17
louvoyer **270** 52-54
lucane **342** 24
lucarne **40** 2, 7, **310** 11, **318** 4
~ à croupe **116** 13
~ rampante **116** 6
luette **21** 22
luge **285** 5-20
~ sans patin **285** 13
lugeur **285** 12
lumière *[tuyau d'orgue]* **305** 24
~ bleue **253** 59
~ diffuse **171** 47
luminaire à plusieurs lumières **259** 21
lumme **343** 13
lunaison **7** 2-7
lune **7** 1-12
~ croissante **7** 3
~ décroissante **7** 7
Lune **6** 24
lunette *[Art]* **316** 75
~ *[fleuret]* **277** 61
~ *[W.-C.]* **51** 38
~ d'approche **15** 60, **330** 31, **331** 41
~ d'approche p. l'observation du ciel **108** 44
~ arrière **185** 21
~ monoculaire **108** 42
~ de pointage **87** 29

lunette télescopique
108 43
~ de visée **2** 34,
15 48, **87** 29
lunettes **108** 12-24
~ *[Patin.]* **284** 21
~ d'alpiniste **282** 19
~ sans armature
108 18
~ p. aveugle **108** 21
~ à monture
d'écaille **108** 12
~ de motocycliste
190 17
~ contre la neige
282 19
~ de plongée
267 38
~ de protection
24 18
~ protectrices
29 46
~ de soleil **108** 20
~ de soudeur
135 58
~ de théâtre **108** 40
lunule *[ongle]* **21** 81
~ *[ostensoir]*
313 35
lupin jaune **70** 17
lustre **45** 30, **259** 21
~ opératoire **28** 26
~ orientable **27** 18
lut **148** 62
luth **303** 1
lutrin **311** 4, 50
lutte **281** 7-14
~ à la ceinture
281 14
~ à la corde **258** 35
~ debout
281 10 et 12
~ contre le feu **255**
~ gréco-romaine
281 7-10
~ libre **281** 11 et 12
~ contre les
parasites **83**
~ au tapis
281 8, 9, 11
~ à terre
281 8, 9, 11
lutteur amateur
281 7
Luxembourg **14** 14
luzerne **70** 9
lycène argus **348** 6
lychnide viscaire
360 20
lychnis fleur de
coucou **360** 21
~ viscaire **360** 20
lycoperdon ovale
365 19
~ rond **365** 20
lycopode en massue
361 12
lynx **353** 8
Lyra **5** 22
lyre *[instr. de
mus.]* **301** 14,
308 64
~ *[Zool.]* **88** 67
Lyre **5** 22
lysimaque nummu-
laire **359** 26

M

macaque rhésus
353 12
macaron *[Pâtiss.]*
97 51
~ *[cheveux]* **35** 38
macaroni **98** 33
macérateur **92** 26
machaon **342** 52
mâche **59** 38
mâchefer **115** 44
mâchicoulis **310** 23
Machina Pictoris
5 47
machine p. addition
240 55
~ à additionner
240 55
~ à adresser **239** 37
~ à affranchir
239 45
~ à affranchir
postale **231** 46
~ à agrafer les
dossiers **240** 37
~ agricole **67**, **68**
~ à aiguiser **134** 31
~ à aléser hori-
zontale **143** 33
~ à appliquer le
papier charbon
insolé **176** 23
machine de
l'atelier· d'im-
pression **175** 1-65
~ de reliure
178 1-35
machine automatique
Owen **155** 12
~ auxiliaire **218** 61
~ à boucher **80** 27
~ à boudiner **119** 21
~ à broyer le plâtre
152 16
~ de bureau
240 1-72, **241** 1-61
~ à calculer **240** 42
~ à calculer
électronique **241** 35
~ à carder **124** 1
~ à cartes perforées
241 35-61
~ de chargement
140 24
~ p. le cintrage des
fers de roue **131** 35
~ à cintrer **119** 22,
131 35
~ à cintrer les
douves **126** 34
machine à composer·
les caractères par
lignes d'un seul
bloc **169** 19
~ des lignes en
caractères séparés
169 32-45
machine à composer
standard mono-
type **169** 32
~ comptable
238 60
~ à copier **128** 22
~ à corder **125** 8
~ à coudre
102 14-47
machine à coudre·
électrique
102 14-40
~ à pédale **123** 23
~ à petits points
99 24
~ de sellier **123** 23
machine à couler·
les gueuses
140 33-43
~ les saumons
140 33-43
machine coupe-cuir
123 18
machine à couper·
les bobines **168** 28
~ les joints **197** 16
~ le pain **41** 78
machine à cribler
le ballast **198** 3
~ à damer **196** 26
machine à découper·
les dés de lard
96 41
~ les nouilles **97** 78
~ la viande **96** 37
machine à défoncer
128 22
~ à dégauchir **128** 11
~ à dérouler le
bois **128** 52
~ à dessiner
articulée **144** 16
~ à détordre les
écheveaux **124** 1
~ p. le développe-
ment des négatifs
(positifs) image
et son **293** 15
~ à développer à
chambre noire
293 15
~ à doler les
tonneaux **126** 37
~ à dresser à
rouleaux **141** 72
~ à écorcer **149** 49
~ à écrire **240** 1
~ à élargir les
chaussures **99** 20
machine électrique·
coupe-cuir **123** 18
~ à diviser la pâte
97 64
~ à faire la crème
glacée **261** 47
~ à tamiser les
farines **97** 65
machine électronique
à trier les cartes
241 52
~ électrostatique
à influence **331** 54
~ d'élévation **137** 6
machine à emboîter
les livres **178** 25
~ à empaqueter le
beurre **77** 31
~ à équilibrer les
roues **192** 57
~ p. l'estampage
133 1-6
~ d'étirage du verre
155 7
~ d'exhaure **137** 32
~ express **261** 50
~ d'extraction **137** 3
machine p. la fabri-
cation· des frises
de plancher **149** 56
~ des tonneaux
126 34-38
machine à fabri-
quer· les
alliances **106** 24
~ les bouteilles
155 12
machine de
façonnage des
céréales **91** 57-67
machine à faire
le café express
261 50
~ les couvertures
177 43
~ les poquets **67** 18
machine à fermer
les bouteilles
93 32
~ à filer **125** 8
~ à fondre les
stéréos demi-
cylindriques **172** 13
~ à forcer les
chaussures **99** 20
~ p. le forgeage
133 1-6
~ p. le formage des
fers de roue
131 35
~ à fouetter **97** 79
machine à fraiser·
les baguettes
128 42
~ les métaux **143** 18
machine à graver
172 23
machine à graver·
les poinçons **170** 49
~ spéciale **170** 49
machine à honer
192 53
~ hydraulique à
raboter à double
colonne **143** 41
machine à imprimer·
les billets **200** 40
~ au moyen de
plaques métal-
liques **239** 37
machine d'impri-
merie **175** 1-65
~ italienne à faire
le café express
261 50
~ à jabler les
tonneaux **126** 38

machine à joindre **128** 11
~ à laver **42** 20
machine à laver· les autos **191** 25
~ les rouleaux mouilleurs **174** 25
machine à mélanger **97** 79
~ de menuiserie **128** 1-59
~ à mettre en pains le beurre **77** 31
~ de mine **138** 37-53
~ à monter les matelas **124** 3
~ p. multiplication **240** 55
machine à nettoyer· la farine **91** 63
~ le gruau **91** 60
~ la recoupe **91** 60
machine à oblitérer **231** 45
machine offset· à piles **174** 33
~ une couleur **174** 14
machine à papier **168** 6
~ à parer le cuir **123** 3
~ à piquer **99** 2
~ à planer les métaux **143** 41
~ à plusieurs magasins **169** 19
~ à préparer la viande **96** 36
~ à raboter **149** 56
~ à raboter les métaux **143** 41
~ à rainurer **123** 2
~ à ramer **269** 22
~ à râper **41** 79
machine à rectifier· à air comprimé **141** 39
~ les pièces cylindriques **143** 7
~ les surfaces **143** 7
~ les surfaces planes **143** 10
machine à refendre le cuir **123** 3
~ à relier par collage sans couture **177** 39
~ de reliure **177** 39-59
~ à remplir **124** 1
machine à remplir· les bouteilles **80** 26, **93** 32
~ les boyaux à saucisses **96** 52
~ les matelas **124** 3
machine de reproduction· par contact **293** 16
~ p. l'image **293** 16
~ optique du son **293** 18
machine de reproduction p. le son **293** 16
~ à river les pignons **107** 62
~ à rogner les épreuves **112** 42
~ rotative de vitrification **154** 16
~ à sertir **119** 21
~ p. soustraction **240** 55
~ à suager **119** 21
~ à tailler les crayons **240** 69
~ de terrassement **197** 1
machine à tirer· les copies **293** 16-18
~ d'épaisseur **128** 14
machine à totaliser **240** 55
~ à toupiller **128** 18
~ à trancher le pain **41** 78
machine à travailler· le bois **128** 1-59
~ les métaux **142** 1-47, **143** 1-57
machine de vitrification **154** 16
~ de Wimshurst **331** 54
machinerie **212** 74, **222** 60-63
~ de scène de dessous (de dessus) **297** 1-60
machines-outils **142**, **143**
machiniste **255** 13, **297** 46
~ du dessus de scène **297** 7
mâchoire *[Anat.]* **18** 17
~ *[Techn.]* **241** 5
~ à cordonner **244** 44
~ à empiler **241** 10
~ de frein **186** 51
~ mobile **134** 13
~ supérieure **21** 27
macis **366** 34
macle **330** 25
maçon **113** 18
macramé **101** 21
macreuse **95** 29
macronucléus **340** 11
macropharynx longiqueue **349** 2
macule **121** 31
madrier **114** 16, **192** 64
~ du pont **210** 21
magasin *[dépôt]* **220** 31
~ *[fusil]* **87** 17
~ d'alimentation **98** 1-87
~ des caractères **240** 20
~ de cartes **241** 56
magasin de cartouches **87** 17
~ chargeur avec changement des canettes **159** 5
~ de chocolats **253** 19
magasin contenant· les films **294** 11
~ les matrices **169** 21
magasin à copeaux **240** 72
~ à couvertures en carton **177** 44
~ d'enfant **50** 10
~ d'entrée des plaques **239** 44
~ en étage **253** 1
~ de fourrures **253** 1
~ des lampes **295** 39-44
~ à miel **78** 45
~ opaque **294** 11
~ portatif **259** 50
~ de sortie des plaques **239** 38
~ de transit **221** 30-36
~ variable de gaz **148** 56-64
magazine **47** 9
~ hebdomadaire **47** 10
magma des profondeurs **11** 29-31
magnétophone **234** 1, **237** 13, **293** 2, 7, 13
~ portatif **306** 13
magnolia **357** 15
maharajah **289** 28
maie **97** 76
maigre *[Typ.]* **170** 8
mail-coach **179** 53
maille **101** 23, **125** 25, **160** 62
maillet *[outil]* **119** 14, **124** 15, **150** 36, **322** 21
~ *[instr. de mus.]* **301** 35, **303** 64
~ *[croquet]* **275** 66
~ en caoutchouc **192** 17
~ carré **127** 9
~ lourd **150** 38
~ de menuisier **127** 9
~ percuteur **26** 27
~ plat **127** 9
~ de polo **287** 28
~ de tonnelier **126** 6
~ du tueur **94** 7
mailloche **302** 56
maillon **107** 11, **181** 32
~ de chaîne **181** 29-31
~ avec fermeture à attache **181** 29-31
maillot **30** 31
~ de bain **267** 42
~ de bain deux-pièces **267** 26
maillot de corps **33** 48
~ du coureur **273** 9
~ du gymnaste **278** 44
~ de gymnastique **31** 12
~ de sport **274** 55
main **18** 47, **19** 15-17, **21** 64-83
~ courante **48** 38, **118** 53, 79, **160** 22
~ levée p. prêter serment **248** 33
~-robot **2** 44
mains croisées **17** 21
~ aux hanches **278** 9, 13, 15
~ à la nuque **278** 7
mairie **252** 41
maïs **69** 31
maison en bois **39** 84-86
~ de campagne **39** 84-86, **262** 25
~ en colombage **252** 48
~ p. deux familles **39** 64-68
~ donnant sur la cour **53** 1
~ p. l'été **262** 25
~ flottante **336** 31
~ forestière **16** 3
~ de garde-barrière **198** 72
~ du gardien des digues **211** 45
~ de lotissement **39** 54
~ à multiples étages **39** 82
~ du passeur **211** 45
~ sur pilotis **309** 15
~ de poupée **49** 6
~ de rapport **53** 12
~-tour **39** 82
~ des vannes **212** 63
~ voisine **53** 23
~ de week-end **262** 25
maisonnette-jouet **49** 16
maisons de rapport **252** 49
maître *[chasse]* **272** 61
~ d'armes **277** 15
~-autel **311** 31, 37
~-baigneur **262** 42
~-brasseur **92** 32
~ de chai **80** 39
~-coiffeur **104** 11
~ de conférence **250** 3
~-cordonnier **99** 23
~ d'école **249** 10
~ d'équipage **216** 57
~ d'escrime **277** 15
~-forgeron **132** 10
~ de maison **47** 55
~ de manège **290** 31

mascotte **190** 35
mashie **276** 70
masque *[Art]* **322** 37
~ *[Escr.]* **277** 47
~ antigaz **255** 40
~ de bois **337** 16
~ Bruneau **94** 4
~ de caractère **289** 33
~ de carnaval **289** 7
~ comique **308** 62
~ d'escrime **277** 27
~ de l'escrimeur au sabre **277** 36
~ à gaz **83** 19, **255** 40
~ à main **135** 2, 26
~ mortuaire **44** 31
~ opératoire **28** 19
~ serre-tête **135** 16
~ de soudeur **135** 16
~ tragique **308** 75
massage **24** 1
~ facial **103** 33
massaï **337** 8
masse *[plomb]* **224** 18
~ *[marteau]* **132** 23, **137** 1
~ d'argile **154** 10
~ de crème glacée **261** 46
~ destinée au filage **163** 18
~ de gaz éjectés **227** 24
~ molle du volcan **11** 19
~ du pendule **11** 43
~ du quai **212** 2
~ stationnaire **11** 43
~ tombante **133** 10, 20, 41, **221** 60
~ de tourbe de mousse **13** 20
~ de viscose **163** 19-27
masselotte **141** 23
massepain **98** 82
masséter **21** 7
massette *[Bot.]* **362** 21
~ *[marteau]* **113** 54, **150** 35
masseuse **24** 2
massicot **112** 42, **178** 1
massif *[montagnes]* **12** 39
~ *[yacht]* **270** 15
~ d'écoutille **217** 61
massue *[gourdin]* **94** 8
~ *[Sport]* **278** 32
~ à grosse tête **337** 33
master-slave **2** 47
mastic **122** 17
~ p. linoléum **121** 45
mat de cavalier **265** 15
mât **214** 1-9
~ d'amarrage **226** 66
~ AR. **215** 9 et 10
~ arrière de tape-cul **215** 34
~ d'artimon **213** 31, **215** 23, 24, **270** 34, 42
~ AV. **215** 9 et 10
~ du chapiteau **290** 2
~ de charge **188** 11
~ p. charges lourdes **216** 3
~ et demi-mât **270** 33-36
~ d'éclairage **75** 12
~ de faîtage **115** 8
~ de halage **211** 28
~ du haut-parleur **274** 35
~ de misaine **213** 42, **214** 2, **215** 16, 21
~ de misaine d'artimon **215** 30
~ de pavillon **218** 31, **245** 1
~ de perruche **214** 9
~-phare **219** 57
~ radar **219** 10
~ de signalisation **15** 51
~ de signaux **220** 5
~ de la station **193** 2
mât-support· des câbles d'alimentation **229** 31
~ des tuyauteries **229** 31
mât de (la) tente **335** 8, **266** 31
~ totem **335** 1
~ en treillis **222** 7
~ tripode **222** 25
matador **287** 65
match **274** 1
maté *[arbre]* **366** 11
matelas **48** 10, **279** 13
~ de natation **267** 17
~ pneumatique **266** 36
matelasserie **124**
matelassier-tapissier **124** 19
mâtereau de charge **216** 2, **218** 35
matériau dur **118** 16
~ léger **118** 58
matériaux bruts **152** 3
~ d'emballage **98** 46-49
~ en vrac **196** 12
matériel de chasse **87**
~ de pêche sportive **89** 20-54
~ de peinture **321** 6-19
matériel de protection de la digue **211** 50-55
~ de renforcement de la digue **211** 50-55
~ scolaire **249** 32-70
mathématiques **326**, **327**
~ supérieures **327** 11-14
matière éruptive **11** 27
~ isolante **147** 38
~ plastique **29** 55
~ poreuse **83** 20
~ première **36** 31, **163** 1, **167** 25
~ de rembourrage **124** 23
~ synthétique **135** 23
matou **74** 17
matraque **94** 8
~ en caoutchouc **248** 10
matras gradué **334** 27
matricaire **63** 8
~ camomille **364** 1
matrice *[Anat.]* **22** 79
~ *[Typ.]* **169** 47
~ *[mach. à écrire]* **240** 38, **241** 2
~ du casseau **169** 28
~ frappée **170** 37
~ inférieure **133** 43
~ linotype **169** 29
~ à main **169** 28
~ supérieure **133** 42
~ suspendue **169** 22
maturation de la bière **93** 20-28
mausolée **319** 16
mauvaise herbe **63**
mauve **360** 13
maxillaire inférieur **19** 35
~ supérieur **19** 36
maximum de la courbe **329** 19
mazout **40** 50, **139** 42
mb **9** 4
méandre **316** 43
~ du fleuve **13** 11
mécanicien d'auto **192** 65
~ de la course **273** 43
~ de la locomotive **203** 9
~ navigant **226** 41
mécanique *n.* **306** 5
~ du clavecin **301** 48
~ du clavicorde **301** 37
~ de jeu **305** 6-16
~ de percussion **304** 22-39
mécanique du piano **304** 2-18
~ des touches **304** 22-39
mécanisme **212** 48 **261** 48
~ de bascule **189** 20
~ de commande **133** 18
mécanisme de commande· de la fusée **229** 3
~ à genouillère **175** 16
~ hydraulique **207** 4
mécanisme compteur **256** 9
mécanisme compteur· extérieur **254** 59
~ intérieur **254** 55
mécanisme convoyeur de la pellicule **295** 27-38
~ en croix de Malte **295** 38
~ de démarrage **162** 20
~ dépoussiéreur **143** 15
~ de distribution **169** 20
~ d'échelle **255** 11
~ d'embrayage **207** 2
~ d'encrage **174** 6
~ d'entraînement **210** 59, **230** 41
~ de freinage automatique **162** 20
~ inscripteur **241** 58
~ de locomotive **205** 2-37
~ de mesure à bobine mobile **332** 15
~ d'orientation **221** 4
~ de pression **177** 18, 50
~ de réception **177** 53
~ du régulateur d'amenage **149** 59
~ p. le résultat **240** 48
~ de roulement p. le chariot **145** 4
~ tendeur **162** 13
mèche *[à flamme]* **105** 31, **157** 29
~ *[fibre]* **163** 30
~ *[bout]* **36** 3
~ *[archet de violon]* **302** 15
~ *[outil]* **128** 34, **129** 14, 15, 24
~ anglaise **127** 18
~ de la bougie **47** 25
~ conique **127** 16
~ à une coupe de finissage **143** 32
~ de crins de cheval **302** 15

mèche à cuiller **129** 16
~ du gouvernail **217** 65
~ hélicoïdale **127** 17
~ normale **143** 32
~ à trois pointes **127** 18, **129** 11
~ p. le vilebrequin **127** 16-18
médaillon **38** 14, **322** 36
~ de ceinture **38** 1
~ circulaire **322** 36
médecin **26** 12
~ d'accident **253** 69
~ dentiste **27** 1
~ légiste **248** 37
médiator **303** 20
médicament **28** 7
medicine-ball **278** 42
médiéval *[Typ.]* **325** 4
Méditerranée **15** 25
médium **291** 9
méduse **340** 14
~ des eaux profondes **349** 5
~ à ombrelle **340** 14
Méduse **308** 49
meeting **251** 1-15
~ en plein air **257** 48
mélange deux temps **190** 22
~ des feuilles de cellulose **163** 2
~ huile-essence **190** 22
~ de pierre à chaux et de coke **153** 14
~ vidéo **237** 25
mélangeur *[cuisine]* **42** 61
~ *[cocktail]* **47** 40
~ *[Techn.]* **227** 16
~ à deux arbres **151** 10
~ d'eau **119** 38
~ par gravitation **113** 33
~ d'images **237** 29
~ à spirale **261** 49
mélangeuse de farine **91** 64
melanocétus **349** 6
mêlée *[rugby]* **275** 19
mélèze **356** 32
mélodium **304** 43
melon *[Bot.]* **59** 23
~ *[chapeau]* **36** 7
Melpomène **308** 74
membrane coquillère **75** 49
~ pulsante **76** 25
~ vitelline **75** 53
membranophone **302** 51-59
membre **18** 43-54, **298** 35
~ de la bourse **243** 6
~ viril **22** 66
membrure *[constr.]* **114** 66
membrure *[navire]* **217** 55
~ inférieure **210** 49
~ supérieure **210** 48
Ménade **308** 35
ménagère **260** 22
ménagerie **290** 63
mendiant **253** 20
menhir **309** 18
ménisque concave **108** 4
menottes **248** 9
menthe poivrée **364** 3
menton **18** 15
mentonnet **127** 43
mentonnière *[bonnet]* **338** 22
~ *[armure]* **310** 41
~ *[violon]* **302** 8
menu de jour **260** 21
menuiserie **127** 1-65
~ mécanique **128**
menuisier **127** 45
méplat **180** 64
mer **13** 26, **90** 37
~ bordière **15** 26
~ de glace **90** 36
~ intérieure de l'Europe **15** 25
~ lunaire **7** 11
~ du monde **15** 19-26
~ du Nord **15** 26
Mercure *[Myth.]* **308** 21
~ *[Astron.]* **6** 22
mère *[maman]* **45** 2
~ *[abeille]* **78** 4
~ *[Bot.]* **57** 15
~-étoupe **125** 7
méridien **15** 4, 7
~ zéro **15** 5
meringue **97** 17, **261** 5
merise **61** 5
merle **346** 13
~ doré **344** 7
merlin allemand **94** 8
~ de bûcheron **85** 26
merrain **88** 11, 30
mesa **13** 59
mésange bleue **344** 4
~ charbonnière **346** 9
mésolithique **309** 1-9
méson μ **4** 32
méson π **4** 31
messager des dieux **308** 21
messe basse **311** 49
mesure *[Mus.]* **299** 30-44
~ *[échelle]* **144** 58
~ à cinq-quatre **299** 43
~ à deux-deux **299** 32
~ à deux-huit **299** 30
~ à deux-quatre **299** 31
mesure à distance des hauteurs **15** 54
~ dans le sens latéral **15** 56
mesure géométrique des hauteurs **15** 46
~ à neuf-huit **299** 41
~ à neuf-quatre **299** 42
~ de la pression artérielle **23** 1
~ à quatre-deux **299** 35
~ à quatre-huit **299** 33
~ à quatre-quatre **299** 34
~ de radiation **2** 1-23
~ à six-huit **299** 36
~ à six-quatre **299** 37
~ à trois-deux **299** 40
~ à trois-huit **299** 38
~ à trois-quatre **299** 39
métacarpe **19** 16
métairie **64** 1-60
métal *[Hér.]* **246** 24 et 25
~ fondu **3** 14
~ liquéfié **3** 22, 23
métatarse **19** 28
métazoaire **340** 13-37
météore **4** 37, **7** 28
météorite **7** 29
météorologie **8**, **9**
méthode Dulfer **282** 34
métier automatique **159** 1, 35
~ à chaîne d'arrêt **160** 23
~ circulaire **160** 1
~ continu à filer à anneaux **157** 34
~ Rachel **160** 23
~ de surface **162** 53
~ système Cotton **160** 18
~ à tiges **159** 1
métope **316** 16
mètre **221** 28
~ cube de bois **84** 24
~ pliant **115** 76
~-ruban **256** 38
~ à ruban **102** 73
~ à ruban p. le pied **99** 12
métro **252** 25
métronome **304** 19
métropolitain **252** 25
metteur *[Typ.]* **169** 5
~ en scène **292** 40
meuble à ais **169** 9
~ p. la composition conservée **169** 9
~ par éléments **44** 25, **47** 53
meuble de l'émetteur-récepteur **230** 44
~ de jardin **54** 3
~ p. les lingots **169** 8
~ métallique tubulaire **43** 23
~ de piano **304** 6
~ de poupée **49** 10
~ à rayonnages **47** 53
~ à usages multiples **44** 25
meule *[Techn.]* **91** 16, **143** 11, **167** 12
~ *[gibier]* **88** 11
~ de céréales **65** 27
~ courante **91** 22
~ dormante **91** 23
~ d'ébauchage **134** 34
~-émeri **134** 34
~ de foin **65** 36
~ gisante **91** 23
~ de paille **65** 28
meuleton en grès **167** 12
meulette **65** 21
meunerie **91**
meunier **91** 15
meurtrière **86** 52, **310** 18
meute **86** 33
~ de chiens **272** 62
Mexique **14** 31
mézéréon **361** 10
mezzo-tinto **323** 14-24
mi **299** 47
~ bémol majeur **300** 11
~ bémol mineur **300** 14
~ majeur **300** 5
~ mineur **300** 2
miaulard **343** 14
miche **97** 26
micro d'ambiance **234** 13
~ à condensateur électro-statique **237** 5
~-onde **332** 20, 21
~-perche **293** 28
~ du studio d'ambiance sonore **293** 21
~ suspendu **234** 7
~ suspendu par trois fils **234** 13
~ de table **234** 8
microlépidoptère **60** 62
micromètre **142** 53
~ électrique avec cadran indicateur **145** 42
~ oculaire **145** 43
~ à planimètre **110** 38
micronucléus **340** 12
microphone **306** 28
~ dynamique **241** 31

microphone à manche **241** 31
~ sur mentonnière **233** 14
~ de studio **292** 31
microphotographie **110** 19
microphotomètre **110** 26
microscope **26** 2
~ binoculaire **110** 9
~ chirurgical **110** 9
~ à échelle **110** 31
~ à éclairage incident **110** 13
~ électronique **109** 1
~ p. l'examen de la cornée **109** 14
~ de lecture **109** 26
~ à mesurer l'outillage **145** 43
~ monoculaire **110** 1
~ photographique **110** 19
~ de tests stéréo **110** 17
microscopie **110** 1-23
midinette **289** 21
mie **97** 22
miel expulsé des rayons **78** 62 et 63
~ en rayon **78** 64
migrateur **344** 7
milan royal **347** 11
mildiou de la grappe **81** 21
~ de la vigne **81** 20
milieu du chenal **219** 73
millefeuille **360** 15
millet **69** 28
millibare **9** 4
millième **326** 20
millier **326** 3
mimbar **319** 15
mime **288** 38
minaret **319** 13
mine *[miner]* **16** 34, **137**, **138**
~ abandonnée **16** 35
~ de crayon **239** 36
~ en graphite **239** 36
~ de houille **137** 1-40
~ interchangeable **144** 50
Minerve **308** 17
mineur à front **138** 13
minimum de la courbe **329** 20
ministre du culte protestant **313** 3
minoterie **91** 45-67
minuscule **170** 12
~ carolingienne **324** 18
minuterie de contact automatique **171** 43
miobare **9** 3
Mira **5** 11
mirabelle **61** 25
mire à la lunette d'approche **87** 31 et 32
mirhab **319** 14
mirliton **198** 86
miroir **6** 4, 15
~ concave **108** 36, **111** 52, **291** 56
~ convexe **291** 57
~ déformant **291** 55
~ d'éclairage **15** 59
~ inférieur **6** 18
~ à maquillage **296** 43
~ parabolique **6** 4
~ plan **331** 33
~ de projection à dessiner **110** 7
misaine **214** 55
~-goélette **215** 12
~ volante **215** 13
mise *[jeu]* **263** 13
~ en bière du mort **312** 51-61
~ en bouteilles **80** 25
~ en équation de l'inconnue **327** 8
~ en fûts de la bière **93** 20-28
~ en joue **86** 34
~ au point **112** 31
mise au point· de basse fréquence **236** 30
~ du balayage vertical **236** 28
mise à zéro **2** 7, **240** 62
missel **311** 50
mite **341** 14
miton **37** 1
mitraille légère **140** 57
mitrailleuse antiaérienne **223** 44
~ D. C. A. **222** 35
~ de défense antiaérienne **222** 35
mitre **314** 46
mitron **97** 1
mixage de bandes de son **293** 22-24
~ de l'image **237** 25
~ du son **237** 12, 16, **293** 22-24
mixeur **42** 34
Mizar **5** 29
mobilophone **255** 41
mocassin **100** 12, 42, **335** 18
mode de chasse **86** 1-52
~ d'entrelacement **130** 1-4
~ de liaison **113** 58-68
~ majeur **300** 1-15
~ mineur **300** 1-15
~ de tressage **130** 1-4
modelage **141** 25-32
modèle *[nu]* **321** 32
~ *[matrice]* **241** 2
~ de baguette p. encadrement **122** 2
~ canard **271** 42
~ captif **271** 62
modèle à commande à distance **271** 60
~ courant **271** 41
~ double queue **271** 43
~ fusée **271** 61
~ fusée à poudre **271** 61
~ jumelé **172** 23
~ à moteur **271** 59-63
~ à moteur caoutchouc **271** 59
~ de moulure p. encadrement **122** 2
modèle de planeurs· sans moteur **271** 40-58
~ à moteur auxiliaire **271** 59-63
modèle en plâtre **322** 4
~ à propulsion par réaction **271** 63
~ sans queue **271** 40
modeleur **141** 30, **154** 9, 19, **322** 6
modérateur **1** 26, 34, **107** 24-26
modillon **316** 13
modiste **36** 30
modulateur de fréquence **235** 16
~ du son **237** 37
~ de transformation **237** 33, 36
moelle épinière **19** 48, **20** 25
moignon **117** 30
moine *[religieux]* **314** 3
~ *[Zool.]* **82** 17
~ bénédictin **314** 13
moineau **53** 43, **346** 5
moins *[Math.]* **326** 8
Moire **308** 53-58
moise **116** 59
moisson **65** 19-24
moissonneuse-batteuse **68** 48
molaire **21** 18, 35
môle **212** 15, **220** 32
~ en pierre **16** 48
molène commune **360** 9
molette **323** 63
~ du début de la bobine **295** 28
~ dentée **295** 28
~ de dynamo **180** 9
~ de la fin de la bobine **295** 28
~ de réglage **111** 30, 39
mollet **18** 53
molletière **100** 30
mollusque **340** 25-34
momie **335** 21
monastère **314** 1-12
moniteur **279** 32
monitor **222** 64
monnaie **244** 1-28
monobloc **111** 18
monochromateur à réflecteur **110** 28
monocle **108** 27
monogramme **37** 4
~ du Christ **313** 61
monolithe **309** 18
monomoteur **226** 1
monoplace **209** 16, **269** 54, **273** 27
monoplan **225** 1
monoréacteur **226** 9
monotrème **351** 1
monotype **169** 32-45
~-fondeuse **169** 39
monstre **307** 16, 47
mont en forme de remblai **11** 24
montage **322** 22
~ en delta **147** 21
~ en étoile **147** 20
~ de fusée **229** 32
~ des lames **165** 9
montage des lames· de champ **165** 23
~ de rive **165** 22
montage du transformateur **147** 19
~ en triangle **147** 21
montagne **12** 34, 39-47
~ à plis faillés **12** 20
~ plissée **12** 12-20
montagnes russes **291** 39
montant *[support]* **143** 43, **144** 12
~ *[charrue]* **68** 8
~ *[échelle]* **40** 16
~ *[vannerie]* **130** 6
~ *[harnais]* **72** 8
~ de cage **141** 52
~ de l'échappement **304** 30
~ enregistré **256** 8
~ de filet **276** 15
~ de la lettre de change **242** 18
~ de renvoi **157** 42
~ soutenant la barre **280** 40
~ du tableau noir **249** 3
~ de tente **216** 60
montants **113** 86, **130** 25, **173** 19
~ du sautoir **279** 22
monte·-aiguille **160** 59
~-charge **113** 31, **201** 62
monte-charge· p. le coke **140** 2
~ p. les fondants **140** 2
~ incliné **150** 16, **151** 5
~ p. le minerai **140** 2
~ à plan incliné **140** 2

monte-charge à poulie **113** 91
montée *[ascension]* **283** 24-27
~ *[entrée]* **290** 20
~ du ballon **4** 40
~ du cerf-volant **258** 49
~ en ciseaux **283** 27
~ en escalier **283** 24
~ de fusée **4** 44
monteur **293** 31
montre *[orgue]* **305** 1-3
~ à arrêt **280** 28
~ de bord **186** 15, **193** 37, **228** 8
~-bracelet à remontage automatique **107** 1
~ de contrôle **176** 5, **264** 17
~ de déclenchement **294** 29
~ de poche **107** 9
monture *[vannerie]* **130** 22, 25
~ *[fusil]* **87** 3, 4, 6, 13
~ *[lunettes]* **108** 14
~ de crampons **282** 48
~ d'écaille **108** 12
~ métallique **108** 17
~ oscillante à poisson mort **89** 45
monture à poisson· mort **89** 44
~ vivant **89** 34
monture du tube compteur **2** 20
~ à vif **89** 34
monument **16** 92, **257** 10
~ funéraire **312** 26
mopse **71** 9
mopsea **349** 8
moquette **47** 61, **259** 35
moraillon **53** 5
moraine latérale **12** 53
~ médiane **12** 54
~ terminale **12** 55
morceau de culotte de bœuf **96** 20
~ de glace **260** 44
~ de pack **90** 35
~ de rocher **307** 38
~ de verre **122** 10
~ de viande **86** 43
mordant inférieur **300** 34
morelle noire **363** 5
morgue **312** 21
morille brune **365** 25
~ conique **365** 27
~ jaune comestible **365** 26
~ vulgaire **365** 27
morio **348** 5
morion **310** 60
morpion **341** 29
morrène **362** 29
mors *[cheval]* **72** 13, 52
~ *[Techn.]* **142** 37
morse *[Zool.]* **352** 20
~ *[Télégr.]* **233** 52-64
mort **312** 54
~-terrain **150** 2
mortaise **301** 41, 51
mortaiseuse à chaîne **128** 29
~ à mèche **128** 32
mortier **27** 52, **333** 9, **337** 24
morts-terrains **137** 20
mosaïque *[Art]* **321** 37
~ *[jeu]* **50** 18
mosquée **319** 12
mot **249** 8
moteur **141** 59
~ à (avec) arbre à cames en tête **182** 50, **187** 25
~ d'avion **227**
~ de la barre de contrôle **1** 46
~ du brise-copeaux **149** 57
~ de la broche porte-fraise **143** 21
~ du canot **273** 47
~ à carburation **184** 1-36
moteur à carburation· à deux temps **184** 32
~ à quatre temps **184** 1
moteur de châssis **206** 10
~ de commande **156** 12, 23, **170** 61
~ du coupe-copeaux **149** 57
~ à courant polyphasé à collecteur **157** 35
~ de cyclomoteur **181** 49
~ à deux cylindres quatre temps **182** 1
~ à deux temps **181** 49, **184** 32
~ Diesel **184** 37-80, **218** 63, **222** 61
moteur Diesel· à chambre dans le piston **184** 37
~ à chambre de précombustion **184** 63
~ avec chambre à turbulence **184** 77
~ à deux temps **184** 72
~ à injection directe **184** 37
~ à quatre temps **184** 37
~ sans soupape **184** 72
moteur en double étoile **227** 1
~ électrique **40** 59, **173** 11, **218** 59
~ d'entraînement **143** 21, **212** 47
~ à essence **184** 1
~ à explosion **184**
~ de frein **206** 13
~-fusée **229** 12-24
~ (à) hors-bord **269** 7, **273** 49
~ à huile lourde **184** 37-80
~ incorporé **157** 2
~ de levage **143** 27
~ monocylindrique **182** 21
moteur monocylindrique· à deux temps **181** 49
~ à quatre temps **182** 61
moteur Otto oblique **187** 25
~ à plat sous plancher **189** 26
moteur de pointage· en direction de la tourelle **223** 65
~ en hauteur **223** 66
moteur de la pompe **161** 73
~ principal **218** 63
~ propulseur **226** 1
~ p. relever le frein **206** 13
~ de synchronisation **293** 12
~ tourne-table **177** 38
~ tracteur **226** 5
~ de traction **206** 10, **207** 8
~ à usages multiples **83** 43
moto de compétition amateur **182** 59
~ de course **273** 27
moto de course· p. amateurs **182** 59
~ carénée **273** 31
~ pendant le record de vitesse **273** 31
moto avec moteur monocylindrique **182** 21
~ avec nacelle parallèle **182** 60
~-pulvérisateur **83** 45
~ avec side-car **182** 60
~-solo **182** 1-59
motocyclette **182**
~ de l'entraîneur **273** 12
~ monoplace **273** 27
~ renversée **253** 61
~ à side-car **182** 60
motocycliste **190** 15, **253** 68, **273** 11
~ de la mort **291** 54
motocycliste en train de sauter **273** 32
motopompe **255** 5, 8
~ portative **255** 52
motrice **193** 8
motte **65** 7
mouchard **43** 31
mouche *[grain de beauté]* **289** 24
~ *[barbe]* **35** 16
~ *[clou]* **282** 47
~ *[épée]* **277** 41, 59
~ artificielle **89** 36
~ à asticot **341** 16
~ bleue **342** 18
~ caniculaire **341** 1
~ des cerises **81** 18
~ domestique **341** 2
~ de Hesse **81** 40
~ à miel **78** 1-25
~ piqueuse **341** 4
~ tsé-tsé **341** 32
~ à viande **342** 18
moucheron **342** 16
mouchettes **47** 29
mouchoir **31** 8
~ de poche **37** 2
mouette à capuchon **343** 14
~ rieuse **343** 14
moufle en amiante **135** 4
~ en cuir **135** 4
~ de protection **135** 28
~ de soudeur **135** 4, 28
mouflon **352** 6
mouillage de l'orge **92** 1-7
mouille-grain **91** 54
mouilleur **174** 16
~ de bureau **238** 77
moulage **141** 25-32
moule *m [forme]* **36** 32, **198** 29
~ *[empreinte]* **172** 7
~ *[cordier]* **125** 27
~ p. la barbotine **154** 15
~ en bois **42** 63
~ à cake **42** 49
~ de chauffe **154** 4
~ à cigarettes **105** 18
~ démontable **42** 48
~ distributeur **97** 32
~ d'essai cubique **114** 84
~ fermé **155** 22
~ à filet **101** 25
~ fixe **172** 22
~ à gâteau **42** 48 et 49
~ en plâtre **154** 15
~ p. le soufflage de la paraison **155** 23
mouleur **141** 30
moulin *[jeu]* **265** 23-25
~ à café **41** 62
~ à café turc **41** 63

moulin concasseur **91** 57
~ à cylindres **91** 45-67
~ à désagréger le gruau et la recoupe **91** 61
~ à double cylindre **91** 57
~ à eau **16** 77, **91** 35-44
~ électrique à café **98** 69
~ hydraulique **91** 35-44
~ à légumes **41** 80
~ p. la mouture **152** 4
~ sur pile **91** 31
~ à prières **336** 29
~ de scierie **149** 1-59
~ p. le séchage **152** 4
moulin de type allemand **91** 31
~ hollandais **91** 29
moulin à vent **16** 31, **91** 1-34
moulinet *[app.]* **10** 29
~ p. la pêche à la mouche **89** 28
~ à tambour mobile **89** 27
moulure **122** 3, **183** 16, **302** 25
moulurière **128** 42
mouron des champs **63** 27
~ rouge **63** 27
mousqueton **282** 56
mousse *m* **216** 55
~ *f [Zool.]* **361** 17
~ de la bière **260** 4
~ de savon **104** 27
mousseline **147** 46, **177** 33, **178** 20
moussoir **42** 58
mousson d'été **9** 52
moustache *[barbe]* **35** 18
~ *[Zool.]* **352** 21
~ en brosse **35** 26
~ Henri IV **35** 8
moustique **342** 16
moût **80** 14, **93** 5
moutarde des champs **63** 18
~ sauvage **63** 18
~ en tube **98** 28
mouton *[Zool.]* **74** 13
~ *[Techn.]* **221** 60
~ *[Gymn.]* **279** 19
~ à courroie **133** 16
~ électrique rapide **133** 35
mouture plus fine **91** 57
mouvement *[entraînement]* **306** 5
~ *[Escr.]* **277** 20
mouvement *[Mus.]* **300** 48
~ d'horlogerie **107** 14-26, **306** 5
~ parallèle **144** 8
~ de terrain **12** 4-20
moyen duc **347** 14
moyenne fréquence **4** 21
~ montagne **12** 34
moyeu **131** 27, **180** 26
~-frein **182** 27
~ de frein **182** 12
~ de la roue avant **180** 52
~ à roue libre **180** 63
mufle **71** 4
muguet des bois **361** 2
~ de mai **361** 2
mule *[pantoufle]* **48** 34
~ de bain **100** 48
mulet **74** 8
muleta **287** 66
mulette perlière **340** 31
multiplicande **326** 25
multiplicateur **326** 25
multiplication **326** 25
~ par caïeux **57** 27
~ des plantes **57**
multiprise **119** 57
multiréacteur **226** 12
munition en parc **223** 72
mur **16** 95
~ *[mine]* **138** 21
~ d'agglomérés **113** 15
~ d'arase **116** 47
~ de barrage **212** 58
~ en béton **118** 1
~ de béton coulé **114** 7
~ de briques **113** 8
~ de cave **118** 1
~ de la chambre **254** 25
~ du cimetière **312** 18
~ de la cour **53** 25
~ de culée **211** 35
~ de déviation **286** 2
~ d'échiffre **118** 15
~ en élévation du rez-de-chaussée **118** 29
~ d'enceinte **252** 34, **310** 15
~ d'enceinte de l'église **312** 18
~ extérieur **115** 29, **116** 32, **117** 37
~ de faille **150** 15
~ de joueurs **274** 43
~ de la maison **115** 29
~ mitoyen **53** 25
~ pare-feu **116** 9
~ de parpaings **113** 15
mur porteur extérieur **116** 77
~ de protection **339** 19
~ de quai **212** 1-14
~ en retour **210** 28
~ de soubassement **118** 1
~ de soutien **116** 83
~ de terre **272** 25
~ de la ville **252** 34
muraille du palais **315** 31
~ du temple **316** 6
~ de la ville **315** 30
murette **39** 16
~ de briques **64** 13
~ de la cour **64** 13
~ dallée **39** 37
mûrier sauvage **60** 29
musaraigne **351** 7
muscadier **366** 30
muscidé **342** 18
muscle **20** 34-64
~ de l'éminence thénar **20** 41
~ frontal **21** 4
~ oculaire **21** 44
~ oculo-moteur **21** 44
~ du pied **20** 49
~ sterno-cléido-mastoïdien **20** 34
~ temporal **21** 3
~ de la tête **21** 1-13
muse de l'astronomie **308** 72
~ du chant **308** 67, 70
~ du chœur **308** 70
~ de la comédie **308** 61
~ de la dance **308** 70
~ de l'histoire **308** 59
~ des hymnes **308** 67
~ de la musique **308** 65
~ de la poésie **308** 63
~ de la poésie épique **308** 68
~ de la tragédie **308** 74
Muse **308** 59-75
museau **71** 3, **73** 6-10, **88** 53
~ de tanche **22** 85
musée **252** 21
muselière **71** 27
muserolle **72** 7
~ à œillère **272** 43
musette **301** 8
music-hall **298** 4-8
mustang **335** 4
mutilé de guerre **257** 55
mycelium **365** 2
myosotis **362** 26
myrica **357** 33
myrtacée **56** 11
myrte **56** 11
myrtille rouge **361** 23
mythologie classique **308**

N

nacelle *[moto]* **182** 62
~ arrière **226** 77
~ de ballon **226** 60
~ de commandement **226** 69
~ latérale **226** 76
~ à moteur de l'avion **226** 49
~ des passagers **226** 68
~ de pilotage **226** 69
nacre **340** 32
nage sur le côté **268** 37
~ debout **268** 40
~ sur le dos **268** 36
~ sous l'eau **268** 39
~ libre **268** 24-32
~ en plongée **268** 39
~ à sec **268** 20
nager **268** 17
nageoire abdominale **350** 8
~ anale **350** 9
~ caudale **350** 10
~ dorsale **350** 6
~ pectorale **350** 7
nageur *[Techn.]* **93** 13
~ de compétition **268** 28
naïade **307** 23
naissance *[gouttière]* **117** 30
napolitain *[soulier]* **100** 37
nappe **45** 6
~ de l'autel **311** 9, 51
~ damassée **46** 2
~ d'eau karstique **13** 77
~ de lave **11** 14
~ stérilisée **28** 13
narcisse **62** 3, 4
~ des poètes **62** 4
~ polyanthe **62** 4
narghileh **105** 39
narguilé **105** 39
narine **18** 11
naseau *[cheval]* **73** 7
~ *[baleine]* **352** 26
nasse **89** 16
natation **268**
Nations unies **14** 55
Nations-Unies **245** 1-3
natte *[tissu]* **279** 13
~ *[cheveux]* **35** 30
nature morte **321** 27
naufragé **224** 46
navet **59** 16

navette *[mach. à coudre]* **125** 28
~ *[métier]* **159** 26
~ *[ouvrage à l'aiguille]* **101** 20, 26
~ centrale **102** 38
~ circulaire **102** 38
~ droite **102** 37
~ à encens **313** 41
~ vibrante **102** 38
navigation **219**
~ côtière **216** 38
~ aux instruments **228** 3-16
~ interplanétaire **4** 57
~ en plongée **223** 16
~ en surface **223** 15
navigraphe **228** 7
navire de charge au long cours **216** 1
~ de combat **222** 11-13, 31
~ p. croisières **216** 36
~ échoué **224** 47
~ d'excursion **216** 45-66
~ de guerre **222, 223**
~ historique **213**
~ météorologique **9** 7
~ à moteur **218**
~ à passagers **216** 32
~ de port spécial **221** 37-70
~ de sauvetage à moteur **224** 31-43
~ spatial **4** 57
~ spécialisé **216** 40
Navire **5** 45
ne m'oubliez pas **362** 26
nebka **13** 42
nébuleuse gazeuse **6** 51
~ obscure **6** 49
~ d'Orion **6** 51
~ spirale **6** 44-46
nébulosité **9** 20-24
nécessaire **266** 26
~ de (p. la) réparation **181** 1, 2
~ de voyage **201** 9
nectaire **61** 18
nef centrale **316** 62
~ à deux châteaux **213** 18-26
~ de la Hanse **213** 18-26
~ principale **317** 1
négatif *[Photographie]* **112** 41
nègre **337** 13
négresse **337** 22
neige **9** 34
nématode **81** 51
nénuphar **266** 1
~ blanc **362** 14
néolithique **309** 10-20
néon **256** 23
nèpe cendrée **342** 4
Neptune *[Myth.]* **308** 29
~ *[Astr.]* **6** 30
néréide **307** 23
nerf auditif **19** 64
~ crural **20** 31
~ cubital **20** 28
~ optique **21** 51, **78** 24
~ radial **20** 29
~ sciatique **20** 30
~ sciatique poplité externe **20** 33
~ thoracique **20** 26
~ tibial **20** 32
nerprun bourdaine **364** 13
nervure *[couture]* **102** 3
~ *[avion]* **271** 54
~ principale **354** 30
~ de renforcement **196** 9, **212** 78
~ secondaire **354** 29
~ de voûte **317** 31
nervures en croix **317** 31
nettoyage **68** 67, 68
~ des chapeaux **156** 44
~ des chaussées **195**
~ de l'orge **92** 1-7
~ des rues **195**
nettoyeur **141** 38
~ de bougies **192** 56
~ préalable **91** 48
~ de vitres **253** 42
~ de voitures **201** 14
nettoyeuse **67** 49
~ des bouteilles **77** 13
~ de chaussée **195** 1-40
~ de coton **156** 7
~ de grains **91** 45-56
~ de malt **92** 21
neumes **299** 1
neutre *[abeille]* **78** 1
neutron **1** 2, 6, **4** 30
~ libéré **1** 16, 21
neuvième majeure **300** 27
névé **12** 48, **282** 15
nez **18** 10
~ en carton **289** 46
~ de la fusée **229** 2
~ du fuselage **226** 13
~ de marche **118** 20
niblick **276** 70
niche **212** 70
~ d'amarrage **212** 10
~ à chien(s) **64** 23, **203** 12
~ des cygnes **257** 47
~ de prières **319** 14
~ de sépulture **312** 63
~ de toilette **48** 39
nid **82** 36
~ de cigognes **64** 6
~ de feuilles **81** 31
nid d'hibernation **81** 31
~ à poules **75** 6
nielle des blés **63** 6
nifé **11** 5
Niké **308** 43
nimbo-stratus **8** 10
niveau *[instr.]* **15** 48
~ à bulle **198** 31
~ à bulle d'air **15** 61, **113** 55
~ de la mer **4** 8, **11** 11
niveau de la nappe d'eau **254** 42, 63
~ d'eau karstique **13** 77
~ d'eau souterraine **254** 1
niveau de précision à bulle d'air **145** 39
~ du retour d'air **137** 25
niveleuse **196** 19
nivellement **15** 46
noces **313** 13
noctuelle des moissons **81** 42
~ du pin **82** 46
noctuidé **81** 42
nodosité en forme de galle **81** 27
nœud *[mesure]* **9** 12-19
~ *[fil]* **101** 23, **117** 68
~ *[paille]* **69** 7
~ de la charpente **210** 52
~ coulant **335** 5
~ de cravate **33** 46
~ du doigt **21** 82
~ droit **125** 29
~ d'échafaudage **113** 30
~ de filet **125** 29
~ marin **31** 31
~ papillon **33** 44
nœud papillon blanc **34** 60
~ noir **34** 64
nœud de la queue **35** 7, **338** 78
~ de ruban **31** 35
noir *[couleur]* **320** 13
~ *[nègre]* **337** 13
~ *[Hér.]* **246** 26
Noir **263** 21
noire *[négresse]* **337** 22
~ *[note]* **299** 17
noisetier **61** 44-51
noisette **61** 49
noix *[Bot.]* **61** 43, **354** 98
~ *[serrure]* **134** 43
~ *[veau]* **95** 11
~ d'arec **364** 20
~ du Brésil **368** 53
~ de coco **367** 53
~ d'entraînement de la broche **157** 48
~ de galle **82** 34
noix de jambon **95** 52
~ de muscade **366** 35
~ de Para **368** 53, 59
~ avec trou carré **134** 43
nolet **116** 15
nom d'étoile **5** 9-48
~ du parti **251** 20
~ de la rue **253** 2
~ du yacht **270** 16
nombre **326** 1-22, **327** 1, 2
~ cardinal **326** 5
~ complexe **326** 14
~ entier **326** 10
~ fractionnaire **326** 10
~ imaginaire **326** 14
~ impair **326** 12
~ négatif **326** 8
~ non défini **326** 3
~ ordinal **326** 6
~ pair **326** 11
~ positif **326** 7
~ premier **326** 13
~ à quatre chiffres **326** 3
~ réel **326** 14
~ à soustraire **326** 24
~ duquel on soustrait **326** 24
nombril **18** 34
nomenclature **144** 64
non-migrateur **344** 4
~-volatile **343** 1-4
nonne *[Zool.]* **82** 17
~ *[religieuse]* **314** 22
noria à gargousses **223** 71
~ à projectiles **223** 70
Norvège **14** 15, **244** 26
notation médiévale **299** 1-4
~ mesurée **299** 4
~ musicale **299, 300**
~ des parties d'échecs **265** 6
note *[école]* **249** 54
~ de chant grégorien **299** 2 et 3
~ fondamentale **299** 47
~ marginale **178** 68
~ de musique **299** 5-9
~ placée en pied de la page **178** 62
~ de plain-chant **299** 2 et 3
~ pointée **299** 9
notice *[explication]* **339** 44
~ *[livre]* **325** 39
noue *f* **116** 15, 64, **117** 11, 82
nougat **98** 81, **291** 18
nouille **98** 34
nourrisson **30** 26
nouveau-né **29** 6, **30** 26

nouvelle brève **325** 53
~ lune **7** 2
~ reine *[abeille]* **78** 38
Nouvelle-Zélande **14** 28
nouvelles sportives **325** 49
noyau *[Bot.]* **61** 7
~ *[escalier]* **118** 78
~ *[moulage]* **141** 29
~ *[Él.]* **147** 17, **332** 6
~ atomique **1** 1 et 2, 9, 13
~ de la cité **252** 34-45
~ de la comète **7** 26
~ de coulée **172** 18
~ creux **118** 76
~ de datte **368** 10
~ d'un élément **1** 22
~ d'hélium **1** 10
~ de la nébuleuse spirale **6** 44
~ de plomb **305** 20
~ de prune **61** 23
~ du système de la Galaxie **6** 47
~ terrestre **11** 5
noyé **17** 35
noyer **61** 37-43
nu *n.* **321** 32
nuage **4** 7, **8** 1-19
~ de beau temps **8** 1
~ déchiqueté **8** 11, 12
~ à développement vertical **8** 17
~ étendu horizontalement **8** 1
~ formé de cristaux de glace **8** 6
nuage du front chaud **8** 5-12
~ froid **8** 13-17
nuage gazeux **7** 23
~ lumineux nocturne **4** 36
~ moutonné **8** 14, 15
~ à mouvement ascendant **8** 1
~ nocturne **4** 36
~ de pluie **8** 10
~ de poudre insecticide **83** 48
nuageux **9** 23
nuance *[Mus.]* **300** 55-61
nucléus **340** 2
nuisible *n.* **86** 22
numérateur **326** 15
numéro d'attraction **298** 8
~ du bateau **90** 45
~ de la bicyclette **180** 51
~ de la chambre **259** 10
~ de cirque **290** 25
~ du classement final **272** 22
~ comique **290** 25
numéro de départ **273** 28, **280** 18
~ du département postal **232** 38
~ électoral **251** 19
~ d'équilibre **290** 44
~ de fabrique **180** 51
~ d'immatriculation **186** 32, 34
~ de lancer **290** 43
~ de la ligne de tramway **193** 22
~ de la locomotive **203** 6
~ de lot **156** 6
~ minéralogique **186** 32
~ de mise en service **186** 34
~ d'ordre **243** 13
~ de la page **243** 14
~ de la place réservée **204** 30
~ de la région postale **232** 38
~ de série **203** 6, **244** 36
~ un **269** 13
numérotage des plans **292** 35
numéroter **84** 30
numéroteur **85** 43
nummulaire **359** 26
nuque **18** 21
Nurembergeoise **338** 38
nurse **30** 9, 37, **258** 12
nursery **30** 1-52, **49** 1-29
nymphe *[Myth.]* **307** 23
~ *[Zool.]* **78** 30, **341** 3, **348** 11
~ de la mer **307** 23
~ de source **257** 2
nymphéa **362** 14
n'y-touchez-pas **361** 11

O

oasis **337** 4
obélisque **315** 10
obi **336** 41
objectif **111** 10-14
~ de l'appareil de projection **295** 35
~ p. l'astrophotographie **6** 3
~ de l'enregistreur optique de sons **295** 46
~ glissant **110** 5
~ p. la photographie des étoiles **6** 3
~ de visée **111** 17
objet de culte catholique **313** 33-48
~ façonné **129** 19
~ de fouilles préhistoriques **309** 1-40
objet liturgique **313** 33-48
~ de poterie **291** 66
~ saint **313** 33-48
~ servant à la destruction des parasites **83** 1-48
~ tourné **129** 19
obligation communale (industrielle) **243** 11-19
~ convertible **243** 11-19
oblique *[muscle]* **20** 43
obsèques **312** 34-41
observatoire **6** 2-11
~ surélevé **86** 14
obstacle **272** 25, **276** 60, **280** 21 et 22
obstruction *[football]* **274** 59
obturateur central synchronisé **111** 44
~ à instantanés **111** 44
~ à rideau **111** 44
OC **234** 37
ocarina **303** 32
occipital **19** 32, **20** 50
occiput **18** 2
occlusion **9** 25
Océan Atlantique **15** 20
Océan Glacial Nord **15** 21
~ Sud **15** 22
Océan Indien **15** 23
~ Pacifique **15** 19
océanide **307** 23
ocellation **74** 32
ocelle **78** 2
octaèdre **330** 6
~ à facettes cubiques **330** 14
Octan(s) **5** 43
octave **300** 26
~ plus bas **300** 45
~ plus haut **300** 44
octogone **330** 17
octotrièdre **330** 10
oculaire **26** 52, **110** 2
~ de l'écran fluorescent **109** 8
~ de lecture **110** 32
~ du microscope **15** 53
~ d'observation **294** 10
odalisque **289** 41
œil *[Anat.]* **18** 7, **21** 38-51
~ *[Art]* **316** 75
~ *[hache]* **85** 18
~ de l'aiguille **102** 58
~ de bœuf *[Art]* **317** 12, **318** 2
~ de bœuf *[pendule]* **107** 49
~ composé **78** 20-24
œil p. étampes **132** 20
~ à facettes **78** 20-24, **342** 7
~ de la lettre **170** 42
~ magique **234** 48, **295** 18
~ de la matrice **169** 31
~ de paon **74** 32
~ simple **78** 2
œillard de meule **91** 19
œillère *[vase]* **23** 40
~ *[cheval]* **72** 26, **272** 42
œillet **37** 24, **99** 46
~ d'accrochage **146** 48
~ à bouquets **62** 7
~ des fleuristes **62** 7
~ d'Inde **62** 20
~ de la lisse **159** 28
~ de la navette **159** 29
~ de poète **62** 6
œilleton **26** 55, **42** 27
œillette *[pavot]* **364** 15
œnothéracée **56** 3
œsophage **19** 49, **22** 23, 40, **78** 19
œuf **75** 47, **78** 26
~ de poisson **89** 67
~ pondu **78** 27
office *[wagon]* **204** 20
~ *[bateau]* **218** 38
~ du boucher-charcutier **96** 29-57
officiant **313** 22
officier de chargement **221** 8
~-mécanicien navigant **226** 41
~ de quart **216** 65
~ de route **219** 19
offrande **311** 64
offset **173**, **174**
ogive de la fusée **229** 2-5
oïdium **81** 20
oie **74** 34
oignon **59** 24
oiseau **343-345**, **347**
~ appât **86** 48
~ chanteur **344** 1, 3, 4, **346** 1-20
~ empaillé **249** 16
~ exotique **345**
~ grimpeur **345** 6
~ indigène **344**
~ de mer **343** 11-14
~ migrateur **344** 7
~-mouche **345** 4
~ non-migrateur **344** 4
~ non-volatile **343** 1-4
~ palmipède **343** 4
~ de paradis **345** 3
~ de passage **344** 7

oiseau de proie **347**
~ de la ville d'Athènes **244** 2
~ voilier **343** 24
oison **74** 34
oléoduc **139** 56
olive **367** 32
~ anglaise **89** 46
~ à spirales **89** 46
olivier **367** 29
ombelle **354** 72, **362** 40
~ d'épillets **367** 65
ombrelle *[parasol]* **32** 34
~ *[Zool.]* **340** 15
ombres chinoises **298** 28
omnibus à chevaux **179** 37
~ d'excursion **179** 33
~ d'hôtel **179** 33
omoplate **18** 23, **19** 7
onciale **324** 17
onde *[radio]* **234** 37-40
~ courte **4** 22, **234** 37
~ moyenne **4** 21
~ radio **4** 16-19
~ de séisme **11** 36
~ sismique **11** 36
~ de surface **11** 36
~ ultra-courte **4** 23, **234** 40
ondemètre mécanique **331** 18
ondes de rayonnement électromagnétique **230** 42
~ réfléchies **230** 43
~ sonores **219** 40
ondin **307** 23
ondine **307** 23
oneirophanta **349** 18
ongle du doigt **21** 80
~ de l'orteil **21** 57
onglet **122** 4
ongulé **352** 1-10
onze *[football]* **274** 11-21
Opéra **252** 20
opérateur **28** 17, **292** 41, **298** 19
~ de cinéma **295** 21
opération *[Math.]* **326** 23-26
~ d'arithmétique supérieure **327** 1-10
opérations de chargement **221** 1-36
~ de déchargement **221** 1-36
~ de fusion **141** 1-12
~ à quai **221** 1-21
opercule *[couvercle]* **78** 39
~ *[poisson]* **350** 5
ophiuride **349** 11
ophtalmomètre **109** 15
ophtalmoscope **26** 33
oppossum de l'Amérique du Nord **351** 2
optique *n.* **108**
~ microscopique **110** 1-23
or *[métal]* **330** 6
~ *[Hér.]* **246** 24
~ en feuilles **177** 5
orage **9** 38
orange *[Bot.]* **368** 27
~ *[couleur]* **320** 7
orangeat **98** 11
orangerie **257** 3
orang-outan **353** 15
orateur **257** 49
~ électoral **251** 5
~ de la fête **257** 40
orbiculaire des lèvres **21** 8
~ des paupières **21** 5
orbite électronique **1** 4, 8
~ lunaire **7** 1
~ du satellite terrestre **4** 49
~ de la station spatiale **4** 55
orchestre *[théâtre grec]* **316** 47
~ *[parquet]* **296** 19
~ *[musiciens]* **296** 25
~ de l'Armée du Salut **257** 61
~ de bar **259** 44
~ du cirque **290** 10
~ de danse **289** 2
~ du film **292** 17
~ de jazz **289** 2
~ de la station **262** 20
orchidacées **360** 28
orchidées **360** 28
orchis **360** 28
ordonnance *[recette]* **23** 6
ordonnée **329** 10
ordre *m [banque]* **242** 19
~ corinthien **316** 10
~ dorique **316** 8
~ de fou **289** 60
~ gothique **317** 27-35
~ ionique **316** 9
~ mendiant **314** 19
ordure de la rue **253** 48
öre **244** 24
oreillard **86** 35, **88** 59
oreille **18** 18
~ à aigrettes **347** 16
~-d'ours **362** 8
~ externe **19** 56-58
~ interne **19** 62-64
~ moyenne **19** 59-61
~ pendante **71** 2
oreiller **30** 13, **48** 6
oreillette *[Anat.]* **22** 24, 45
~ *[fauteuil]* **47** 59
oreillon **74** 23
orfèvre **106** 19
orfèvrerie **106**
orfraie **347** 5
organe de l'audition **19** 56-65
~ de contrôle **147** 5
~ de direction de l'automobile **186** 39-49
~ de l'équilibre **19** 56-65
~ du filage **157** 51
~ interne **22** 1-57
~ de roulement de la cabine **209** 66
organe sexuel féminin **22** 79-88
~ masculin **22** 66-77
organe suceur **341** 25
organisateur **281** 41
organistrum **301** 25
orge **69** 26
~ germante **92** 11
~ perlé **98** 35
~ queue-de-rat **63** 28
~ des rats **63** 28
orgue **305** 1-52
~ de barbarie (Barbarie) **53** 26, **291** 38
~ à commande électrique **305** 36-52
~ d'église **305** 1-52
~ expressif **304** 43
~ portatif **301** 56
~ positif **301** 56
orifice d'alimentation **96** 42
~ de chargement **1** 38
~ du dégivreur **186** 11
~ d'échantillonnage de la couleur **161** 67
~ extérieur de l'utérus **22** 85
~ d'inspection **141** 4
~ d'introduction **109** 3
~ de nettoiement **93** 21
~ de prélèvement de la couleur **161** 67
~ de remplissage **192** 40
orifice de remplissage d'essence **186** 30
~ d'huile **186** 58
orifice respiratoire **342** 32
oriflamme **213** 22
origine des coordonnées **329** 4
~ de la courbe **329** 12
orin de la bouée **90** 3
Orion **5** 13
orme **355** 49
ornement *[Mus.]* **300** 28-38
~ de ceinture **38** 1
~ de chaussure **38** 10
~ de cheveux **38** 4
~ à chevrons **317** 16
~ à damier **317** 14
~ à dentelure **317** 16
~ à écaille **317** 15
~ style rococo **318** 13
ornementation du grand portail **315** 35
~ grecque **316** 38-43
~ romane **317** 14-16
ornithope **70** 11
ornithorynque **351** 1
oronge **363** 10
orpin âcre **359** 21
~ brûlant **359** 21
~ reprise **361** 9
orteil **21** 52, 56
orthopinacoïde en queue d'aronde **330** 25
orthoptère sauteur **342** 8
ortie brûlante **63** 33
ortolan **346** 7
orvet **350** 37
os *[Anat.]* **19** 1-29, **71** 35
~ *[cerf]* **88** 23
~ carpien **19** 15
~ cunéiforme **19** 38
~ ethmoïde **19** 39
~ hyoïde **22** 2
~ iliaque **19** 18
~ jugal **19** 37
~ lacrymal **19** 40
~ métacarpien **19** 16
~ à moelle **96** 8
~ nasal **19** 41
~ p. le pot-au-feu **96** 8
~ zygomatique **19** 37
oscillateur **235** 16, **236** 5
oscillographe cathodique **237** 32
oscilloscope cathodique **230** 49
osier **355** 29
ossature *[Anat.]* **19** 1-29
~ de béton armé **114** 1
osselet **19** 61
ostensoir **312** 48, **313** 33
ostéotome **28** 57
Ostiak **336** 17
otarie **352** 19
otoscope **26** 59
ouate **27** 25, **30** 50
oubliette **310** 5
ouïe *[instr. de mus.]* **301** 22, **302** 6, **303** 5
~ d'aération **187** 20
ourdisseuse **158** 22

ourdissoir **158** 22
ourlage **102** 11
ourlet **102** 2
~ à jour **101** 14
ours blanc **353** 11
~ brun **353** 10
~ en peluche **49** 5
Ourse **5** 29, 34
oursin **340** 24
outeau **117** 7
outil **128** 24
~ d'abattage à cheville percutante **94** 10
~ de l'abatteur **94** 4-10
~ agricole **66**
~ de boucher **96** 29
~ de coupe **134** 61
~ de l'horloger **107** 27-31
~ de jardin **58** 1-29
~ du maçon **113** 50-57
~ de menuisier **127** 10-31
~ de montage des segments de piston **192** 13
~ à piquer à la main **123** 20
~ à queue p. enclume **132** 28-30
~ à rainer **99** 66
~ du saigneur **94** 4-10
~ de tourneur **129** 14, 15, 24
~ à tracer **145** 29-35
~ p. travailler la terre **58** 1-29
~ du tueur **94** 4-10
outillage **114** 77-89
~ de l'abatteur **94** 4-10
~ automobile **192**
~ du boucher **96** 29-35
~ du charpentier **115** 60-82
~ d'installation **119** 33-67
~ de mine **138** 37-53
~ du saigneur **94** 4-10
~ du tailleur de pierre **150** 35-38
~ du tueur **94** 4-10
outre **301** 9
outrigger *[canot]* **269** 9-16
~ *[dispos.]* **269** 42
outsider **272** 16
ouverture d'évacuation des fumées **199** 11
~ du four **153** 13
~ p. l'introduction des pièces **133** 54
~ p. introduire les détergents **166** 14
~ sonore **302** 6
ouverture de la trappe **40** 14, **297** 32
~ utile **212** 56
ouvrage à l'aiguille **50** 30
~ de référence **250** 17
~ tressé **130** 4
~ de vannerie **130** 16
ouvre-boîte **266** 18
~-porte de foyer **205** 65
ouvreur **296** 12
ouvreuse **295** 4
~ mécanique des balles de coton **156** 7
ouvrier agricole **65** 5
~ bétonnier **114** 9
~ carrier **150** 5
~ chargé de l'entretien **191** 10
~ cordonnier **99** 1
~ coudant les barres **114** 21
~ au fonçage **138** 36
~ forestier **84** 18, 27
~ forgeron **132** 13
~ scieur **149** 19
~ de la station-service **191** 10
~ des transports **145** 82
ouvrière *[abeille]* **78** 1
~ *[fourmi]* **342** 22
ovaire *[Anat.]* **22** 83
~ *[Bot.]* **60** 40, **354** 54, 60
~ central **61** 14
~ infère **60** 7
ove **316** 42
oviducte **22** 81
ovipare **351** 1
ovoïde **354** 36
ovule *[Anat.]* **22** 84
~ *[Bot.]* **60** 39, **61** 14, **354** 63
oxer **272** 33
oxydation du bitume **139** 58
oxygénation **339** 28
oxygène **135** 61

P

Pacifique **15** 19
pack **90** 35, 36
paddy **69** 30
pademan **293** 26
pagaie **213** 8, **336** 14
~ double **269** 39
~ simple **269** 34
pagayage **269** 1-66
page d'écriture **249** 48
~ du faux titre **178** 43
~ de garde **178** 49
~ du livre **178** 53
~ de texte **175** 37
~ de titre **178** 45
pagination **178** 63
pagode à étages **319** 1
~ indienne **319** 21
paillasse *[clown]* **289** 69, **290** 24
paillasson *[à pieds]* **43** 34, **118** 25, **261** 44
~ *[jardin]* **79** 6
paille *[brin]* **69** 6
~ *[botte]* **130** 30
~ comprimée **65** 29
~ à siroter **261** 86
paillet **224** 1
pain **97** 22-24
~ bis **97** 26
~ blanc **97** 27
~ de blé égrugé **97** 21
~ complet **97** 21
~ croustillant **97** 21
~ d'épice **97** 5
~ de froment et de seigle **97** 25
~ long **97** 25
~ de mie **97** 27, 46
~ noir de Westphalie **97** 28
~ rond **97** 26
~ de savon **53** 60
Pair **263** 20
paire de jumelles **108** 37
~ de meules **91** 21
pairle **313** 55
paisseau **80** 7
Pakistan **14** 47
pal injecteur **85** 4
palaeopneustes niasicus **349** 19
palais *[Anat.]* **21** 20
~ de justice **252** 8
~ Renaissance **317** 47
~ de Sargon **315** 29
palan **192** 60, **216** 48, **331** 3
~ auxiliaire du pont roulant **140** 54
~ électrique **145** 18
~ de force-moufle **216** 4
~ de garde d'artimon **214** 70
~ mobile **139** 7
palangre dérivante **90** 28
palaque **367** 37
palastre **134** 36
pale *[calice]* **314** 41
~ *[rame]* **269** 38
~ *[lame]* **284** 38
palée du pont **210** 46
paléolithique **309** 1-9
paleron **95** 21
palet **284** 39
~ de curling **284** 44
~ p. le trictrac **265** 18
paletot **34** 48
~ de laine **31** 20
palette *[container]* **202** 21
palette en bois **275** 60
~ sur chariot **296** 36
~ cintrée **91** 38
~ courbée **91** 38
~ à main **321** 28
~ à poisson **42** 66
palier *[escalier]* **118** 23
~ *[crapaudine]* **91** 10
~ de butée **218** 57, **223** 4
~ du câble porteur **209** 33
~ de direction **183** 23
~ du pédalier **180** 42
~-porteur transversal **136** 67
~ du racleur **156** 41
~ de repos **118** 34-41, 52-62
~ à roulement **141** 55
~ supérieur **128** 21
~ de turbine **227** 32
palissade **53** 44, **114** 25, **310** 36
~ de planches **113** 44
palle **338** 10
palma-christi **364** 14
palmaire **20** 40
palme **368** 3
palmé **354** 39
palmer **142** 53
palmeraie **337** 5
palmes *[à plonger]* **267** 41
palmette *[Art]* **316** 41
~ candélabre **55** 1
palmier *[Pât.]* **97** 52
~ dattier **368** 1
~ à huile **367** 54
palmipède **343** 5-10
palmure **74** 36, **343** 7
palonneau **131** 9
palonnier **131** 9
~ de direction **228** 37
palpe **342** 27
palpeur **170** 57
palplanche **84** 33, **114** 17
~ en acier **212** 6
pan **34** 58
Pan **308** 40
panache *[plumes]* **310** 78
~ *[sanglier]* **88** 58
~ de fumée **4** 4
panama **36** 6
pancréas **22** 44
pandore **301** 21
pangolin **351** 10
panicule **354** 69, **366** 54
panier de basket-ball **275** 33
~ à bois **52** 63
~ à bouteilles **77** 16, **80** 34

panier en copeaux **130** 11
~ grillagé **66** 38
~ à linge **48** 49, **53** 41
~ d'osier **64** 40, **202** 11
~ de petits pains **97** 2
~ à plants **66** 26
~ à poissons **89** 9
~ à pommes de terre **66** 38
panne *[marteau]* **132** 26
~ *[houe]* **282** 41
~ *[constr.]* **116** 39, 76
~ *[tuile]* **117** 54
~ *[viande]* **95** 45
~ de béton **114** 4
~ faîtière **116** 43
~ intermédiaire **116** 51
~ du marteau **66** 22
~ en travers **134** 17
panneau **90** 13
~ d'accès **51** 6
~ d'aération coulissant **79** 11
~ d'arrêt **193** 2
~ d'avertissement **194** 18
~ du bloc **199** 63
~ du but **275** 32
~ de cage d'escalier **113** 22
~ de capitonnage **124** 27
~ carré de capitonnage **124** 27
~ de commande par bouton-poussoir **176** 28
~ de déchirure **226** 54
~ de distribution **174** 37
~ d'écoutille **217** 62
~ électoral **251** 13
~ d'embarquement des torpilles **223** 30
~ des enseignes des entreprises **113** 47
~ indicateur de direction **201** 23
~ jack **233** 8
~ mobile de la caisse **131** 17
~ de pieds **48** 4
~ publicitaire **113** 45
~ de publicité **252** 14
~-réclame **291** 50
~ de réglage **160** 42
~ de réparation **51** 6
~ de sabord **213** 60
~ de signalisation **253** 56
~ à tabatière **79** 10
~ de tête **48** 3
~ à tirer **48** 21
panneton **134** 47
panonceau réclame **181** 18
panse *[viande]* **95** 2
pansement **28** 8-11
~ adhésif **17** 5
~ brachial **17** 1
~ garrot **17** 17
~ du pied **17** 4
~ de la tête **17** 3
~ d'urgence **17** 1-13
pantalon **34** 10
~ de camping **266** 12
~ corsaire **32** 57
~ d'entraînement **280** 57
~ de femme **33** 8
~ de fille **31** 41
~ de golf **34** 22
~ du gymnaste **278** 47
~ de plage **267** 22
~ de pyjama **33** 5
~ rayé **34** 56
~ de ski de fille **31** 44
~ de sport **34** 3
~ turc **289** 42
pantin *[Hér.]* **246** 11
pantographe *[à dessiner]* **15** 65, **170** 58
~ *[Tech.]* **193** 15-19, **206** 3
pantoire de pic **214** 49
pantomime *f* **288** 37
pantoufle **48** 34, **100** 45
paon **74** 30
Paon **5** 41
papa **45** 1
papavéracées **63** 2
pape **314** 54
papier bitumé **117** 62
~-calque **144** 2
~ charbon insolé **176** 25
~ à cigarettes **105** 19
~ collant **238** 78, 79
~-couleur **238** 68
~ à écrire **238** 27
~ d'emballage **98** 46
~ émeri **129** 25
~ filtre **41** 65
~ gluant **83** 3
~ goudronné **147** 48
~ imprimé **174** 12
~ à imprimer **174** 2
~ à lettre **239** 1
~ métallisé **147** 44
~-monnaie **244** 29-39
~ non imprimé **174** 24
~ peint **121** 32
~ photographique **112** 24
~ puisé à la main **168** 50
~ sensible **112** 24
~ de verre **129** 25, **181** 7
~ vierge **176** 31
papiers du véhicule **253** 66
papilionacée **59** 1
papillon **342** 48-56, **348** 1-11
~ citrin **348** 4
~ diurne **342** 52, **348** 1-6
~ femelle **82** 30
~ des gaz **183** 61
~ mâle **82** 29
~ nocturne **342** 55, **348** 7-11
~ de nuit **82** 14
~ de petite taille **60** 64
papillote *[pétard]* **289** 50
papiros **105** 16
papyrus **367** 64
paquebot à fret et passagers **216** 33
~ au long cours **216** 33
~ mixte **216** 33
pâquerette vivace **360** 1
paquet *[plongeon]* **268** 14
~ de bleu de lessive **53** 58
~ de cigarettes **105** 13
~-poste **231** 3
~ de tabac **105** 20
pâquette **361** 1
par avion **232** 32
para **244** 28
parabole **329** 14
parachute **228** 48
parade *[Escr.]* **277** 21
~ de quinte **277** 38
~ de tierce **277** 22
paradis et enfer **258** 13
paradisier bleu **345** 3
paraffine **139** 46
parafoudre à cornes **332** 3
paragoutte **269** 40
paragraphe **325** 36
paraison **155** 15
parallèle *[Géom.]* **328** 4
~ *[Géogr.]* **15** 2, 6
~ à **327** 21
parallélépipède rectangle **329** 34, 36
parallélisme **327** 21
parallélogramme **328** 33-36
~ de commande de frein **182** 26
~ conducteur **144** 16
paramécie **340** 9
parapet **310** 21
~ de pierre **319** 23
parapheur **238** 15
parapluie **43** 10-14, **201** 10
~ de dame **43** 12
~ d'homme **43** 13
~ pliant **43** 10
parasite des cultures **81**
~ des fruits **81** 1-19
~ de l'homme **341** 20-31
parasol *[ombrelle]* **266** 6
~ *[Arch.]* **319** 22
~ articulé **54** 9
~ de jardin **39** 48
parasoleil **294** 3
paratonnerre **40** 30
paravent **48** 47, **54** 12, **337** 35
parc *[jardin]* **16** 97, **257**
~ *[p. enfants]* **49** 4
~ à l'anglaise **257** 41-69
~ d'attractions **291**
~ baroque **257** 1-40
~ à bestiaux **202** 7
~ à bois **149** 30
~ à (de) charbon **220** 48, **148** 3
~ de château **257** 1-40
~ à coke **148** 20
~ à combustible **199** 42
~ à la française **257** 1-40
~ à grumes **149** 30
~ municipal **252** 10
~ naturel **257** 41-69
~ p. petits animaux **202** 7
~ à rondins **149** 30
~ de la station balnéaire **262** 1-21
~ à voitures **252** 27
parcelle *[forêt]* **84** 2
parcours **199** 71
pardessus **34** 48
pare·-avalanche **286** 3
~-boue **179** 6
~-boules **287** 5
~-brise **182** 58, **183** 5, **218** 17
pare-brise panoramique **185** 18
~ du side-car **182** 66
pare·-choc **185** 13, **285** 15
~-choc arrière **186** 36
~-chocs du side-car **182** 63
~-éclats protecteur **134** 33
~-feu **52** 65
~-neige **286** 6
~-poussière **106** 44
~-soleil **187** 4
parenthèse **325** 24
parents **45** 1 et 2
~ du défunt **312** 38
paresseux *[Zool.]* **351** 11
pariétal **19** 31
pariétale **56** 2
paripenné **354** 41

paroi **25** 9
~ acoustique **292** 15
~ antérieure amovible **333** 27
~ du canon **87** 35
~ du dock **222** 3
~ du four **153** 17
~ insonorisée **234** 6
~ intérieure du canon **87** 39
~ latérale **196** 35
~ latérale de l'escalier **40** 26
~ de l'ovaire **354** 61
~ de palplanches **212** 5
~ de plomb isolante **223** 10
~ de protection **3** 1
~ réglable **234** 12, 16
~ p. le réglage de l'ambiance sonore **234** 12
~ rocaille **318** 9
~ de rocher **282** 3
~ de la soute **199** 45
~ vitrée **260** 45
~ vitrée d'observation **234** 4
parotide **21** 9
Parque **308** 53-58
parquet *[plancher]* **118** 62
~ *[Théâtre]* **296** 19
~ à lames à rainure et languette **118** 74
parrain **313** 12
partenaire de tennis **276** 18
parterre de fleurs en bordure **55** 18
~ rond **54** 6
Parthénon **316** 1
participant à la procession **312** 50
particule alpha **2** 27
~ cosmique **4** 27
particulier **243** 6
partie arrière de la fusée **229** 12-27
~ des basses **303** 43
~ batteurs **275** 46
~ défense **275** 59
~ des dessus **303** 39
~ d'échecs **261** 17
~ élastique **33** 24
~ élévatrice **233** 47
~ femelle de l'épi **362** 24
~ gravée en creux **172** 36
~ humide **168** 10-17
~ de l'involucre **362** 12
partie latérale arrière **185** 2
~ de l'empeigne **99** 41
partie mâle de l'épi **362** 22
~ médiane **223** 1
partie non imprimante **172** 36
~ preneurs **275** 50
~ des presses **168** 14-17
~ des tamis **168** 10-13
~ de tension **168** 42
~ du toit **116** 1-26
partisan d'une société secrète **335** 34
parure **38**, **338** 82
~ à franges **336** 25
~ de plumes **335** 12
~ de tête **335** 12
pas *[homme]* **280** 34
~ *[cheval]* **73** 39
~ d'âne **72** 53
~ de chaîne **159** 40
~ de charge **73** 43 et 44
~ de chat **288** 17
~ en ciseaux **283** 27
~-d'âne **364** 8
~ d'école *[Équit.]* **72** 2
~ d'école *[Danse]* **288** 11-28
~ de géant **258** 41
~ de patineur **283** 28
~ de trois **288** 31-34
~ de vis **120** 60
pasiphée **349** 12
passage *[chemin couvert]* **53** 19, **319** 4
~ *[Équit.]* **72** 3
~ p. affourager **76** 33
~ de l'aiguille **160** 63
~ de l'arbe de transmission **185** 44
~ de canards sauvages **86** 41
~ clouté **194** 3, **253** 33
~ de contrôle des fils secs **158** 55
~ en-dessous **16** 22
~ d'évacuation du fumier **76** 30
~ des fauves **290** 51
passage du fil dans les lames **165** 5
~ dans les lames de champ **165** 21
~ dans les lames de rive **165** 20
~ dans le ros **165** 6
passage de gibier **86** 16
~ inférieur **16** 44, **201** 2
~ inférieur de l'autoroute **197** 33
~ à niveau **16** 26, **198** 67-78
~ à niveau du quai **201** 20
~ non gardé **198** 77
passage p. piétons **194** 3, **253** 33
~ d'une route en-dessus **16** 40
~ supérieur **145** 52
~ supérieur de l'autoroute **197** 32
~ du témoin **280** 14
~ de la voie ferrée en-dessus **16** 42
passager **187** 7, **216** 52, **226** 31
passant *[piéton]* **253** 32
~ *[Techn.]* **85** 47
~ de ceinture **37** 15
~ de cuir **277** 65
passavant **216** 24
passe *[football]* **274** 61
~-corde **123** 26
~-fil **102** 22
~-film **112** 30
~-lacet **102** 59
~-montagne **282** 20
~-partout *[clef]* **134** 10
~-partout *[cadre]* **48** 18, **112** 46 et 47
~-partout *[scie]* **115** 68
~-plats **248** 16
~ à poissons **89** 13
~-thé **42** 43, **45** 48
~-vues **112** 57
Passe **263** 19
passée de gibier **86** 16
passepoil **32** 7, **102** 6
passeport **247** 14, **259** 13
passereau **343** 24-29, **344** 1, **346**
passerelle **79** 22, **145** 5, **267** 9
~ abattante **203** 33
~ de commande **221** 43
~ d'éclairage **297** 19
~ d'évolution **298** 37
~ de manœuvre **216** 17
~ mobile d'éclairage **297** 19
~ de navigation **218** 4-11, **222** 45
~ pipe-line **220** 59
~ de projecteurs **292** 53
~ de service **212** 72
~ de travail **296** 29
~ des treuils **212** 73
passeur **211** 2
passiflore **56** 2
passoire **42** 47, **45** 25, 48
~ à café **42** 44
~ fine **77** 34
~ à gros trous **77** 36
~ moyenne **77** 35
~ à thé **42** 43
pastel *[crayon]* **321** 19
pasteur **311** 22, **313** 3
pastille cellulosique **83** 20
~ collante carrée **181** 5
~ collante ronde **181** 4
~ imprégnée d'acide cyanhydrique **83** 20
pât **86** 43
pâte alimentaire **98** 32-34
~ d'amandes **98** 82
~ chimique **167** 4
~ décapante **135** 45
~ dentifrice **51** 58
~ mécanique **167** 14-20
~ à modeler **50** 22, **322** 8
~ à nettoyer les caractères **240** 34
~ à papier **167** 24-27
~ à papier finie **168** 3
~ à souder **135** 45
pâté feuilleté **97** 13
~ de foie **96** 16
~ de maisons **252** 49
~ de viande **96** 16
patène **311** 12
patenôtre **164** 36
patère *[coupe]* **308** 6
~ *[portemanteau]* **43** 3
~ à chapeaux **260** 13
~ à vêtement **260** 14
patient **26** 17, **27** 2
patin *[Patin.]* **284** 25-32
~ *[échafaudage]* **114** 50
~ *[cheville]* **180** 84
~ d'atterrissage **225** 43
~ de course **284** 29
~ p. la course à voile **284** 30
~ de frein **136** 98
~ à griffes **284** 25
~ de hockey de glace **284** 28
~ p. patinage artistique **284** 31
~ de ponçage **128** 48
~ du rail **198** 35
~ à roulettes **287** 35
~ de traîneau **285** 3
~ de yacht **284** 47
patinage **284** 1-32
~ artistique **284** 4-22
~ par couple **284** 7
~ de course **284** 23
~ à figures libres **284** 7
~ à roulettes **287** 33
patinette **258** 8
patineur artistique **284** 4

patineur de vitesse **284** 24
patineuse à roulettes **287** 34
patinoire artificielle **284** 3
pâtisserie **97** 1-56, **261** 1-26
~ allemande **97** 14
~ de pâte à levain **97** 7
pâtissier **97** 33
patricienne d'Augsbourg **338** 48
patron *[maître]* **99** 23, **104** 11
~ *[marin]* **224** 38
~ *[dessin]* **102** 68, **165** 4
patron p. le croisement· à dés **165** 11
~ du drap anglais **165** 11
~ Panama **165** 11
patron du croisement de tricot longitudinal **165** 27
patron p. le reps· de trame **165** 13
~ transversal irrégulier **165** 19
patrouille motorisée de la circulation **247** 19
patte *[Zool.]* **82** 6-8, **88** 46, 50, 81, **347** 7, **353** 4
~ *[Vêt.]* **34** 9
~ *[agrafe]* **119** 26
~ *[instr. de mus.]* **302** 37
~ d'accouplement **111** 41
~ antérieure **82** 6
~ de boutonnage **31** 15
~-de-loup **361** 12
~ de derrière **71** 8, **88** 63
~ de devant **71** 6, **88** 64
~ d'écartement **78** 41
~ de l'enveloppe **239** 14
~-d'oie **63** 25
~ de fourche **180** 12
~ de lièvre **198** 56
~-mâchoire **342** 41
~ médiane **82** 7
~ palmée **343** 6
~ postérieure **78** 6-9, **82** 8
~ préhensile **342** 5
~ sauteuse **342** 11
pâturin annuel **359** 39
paturon **73** 25
paume **21** 71
paumure **88** 41
paupière inférieure **21** 40
paupière supérieure **21** 39
pause p. brève **299** 22
~ valant une mesure **299** 23
pavage en briques à plat **118** 7
pavé **194** 12
pavés **194** 11
paveur **194** 16
pavillon *[bannière]* **245**
~ *[Anat.]* **19** 56
~ *[instr. de mus.]* **302** 37, 42, 48, **303** 70, **305** 22
~ de beaupré **218** 48
~ en berne **245** 6
~ p. deux familles **39** 64-68
~ de douane **245** 35-38
~ double à quatre logements **39** 69-71
~ d'épidémie **245** 25
~ de l'Europe **245** 4
~ familial **39** 1-53
~ des Jeux Olympiques **245** 5
~ à lettre **245** 22-28
~ national **245** 15-21
~ des Nations-Unies **245** 1-3
~ de la poudre **245** 38
~ de quarantaine **245** 27
~ de signalisation **245** 22-34
~ à signaux **218** 9
~ de la source **262** 15
~ de l'Union Européenne **245** 4
Pavo **5** 41
pavois **217** 64
pavot des champs **63** 2
~ coquelicot **63** 2
~ à opium **364** 15
~ somnifère **364** 15
Pays-Bas **14** 14
paysage **47** 6
~ d'hiver **286**
~ de rivière **13** 1-13
~ tropical **339** 45
~ de la vallée fluviale **13** 57-70
paysagiste **54** 23
paysan **64** 21
paysanne **64** 22
peau *[instr. de mus.]* **303** 31
~ de batterie **302** 52
~ de bœuf peinte **337** 11
~ de chamois **52** 28, **190** 25
~ épaisse **88** 55
~ de l'épaule **88** 55
~ de panthère **308** 34
~ de phoque **283** 43
peau de la pomme **60** 57
~-rouge **335** 11
~ de tambour **302** 52
~ de la timbale **302** 58
~ du ventre **95** 39
peaucier du cou **21** 12
peausserie **99** 55
pêche *[Bot.]* **61** 31
~ à la baleine **90** 30-43
~ au chalut **90** 11-23
~ côtière **90** 24-29
~ à la dandinette **89** 42
~ en eau douce **89**
~ au filet **89** 1-6
~ au filet dérivant **90** 1-10
~ en haute mer **90** 1-23
~ à la ligne **89** 7-12
~ maritime **90**
~ à la mouche **89** 28
~ à la palangre **90** 28 et 29
~ à la seine **90** 11-23
~ sportive en eau douce **89**
pêcher **61** 26-32
pêcheur **89** 2
~ à la ligne **89** 7
pectoral **20** 36
pédale **102** 42, **180** 40, **185** 39-41
~ à abaisser le plateau **28** 24
~ d'accouplement **305** 48
~ d'admission **207** 22
~ à blocs en caoutchouc **180** 78
~ de changement de vitesse **182** 36
~ de contact **133** 46
~ de crescendo de registres **305** 49
~ de démarrage **181** 50
~ de descente du siège **27** 4
~ de direction **228** 38
~ douce **304** 9
~ droite **304** 8, 41
~ d'embrayage **158** 35, **185** 41, **207** 23
~ d'enclenchement **175** 12
~ d'expression **305** 50
~ de fonctionnement **27** 12
~ forte **304** 8
~ du frein **185** 40
~ de frein au pied **185** 40
~ gauche **304** 9, 41
pédale de gaz **185** 39
~ de la harpe **302** 62
~ d'inclinaison du siège **27** 5
~ inférieure **305** 51
~ de lancement du moteur **182** 35
~ à lever le plateau **28** 24
~ lumineuse **180** 78
~ de manœuvre **133** 11
~ de montée du siège **27** 4
~ d'ouverture **41** 12
~ de piano **304** 8 et 9, 41
~ p. raccourcir le trajet des marteaux **304** 9
~ à réflecteur **180** 78
~ p. relever les étouffoirs **304** 8
~ de service **166** 39
~ du soufflet **304** 46
~ starter **181** 50
~ supérieure **305** 52
~ de vélo **180** 78
pédalier **180** 42, **304** 46
pédalo **267** 12
pédicure *f* **25** 18
~ *m* **25** 19
pédoncule **60** 34, **61** 4, **354** 52
~ de la pomme **60** 61
Pégase *[Myth.]* **307** 26
~ *[Astron.]* **5** 10
Pegasus **5** 10
peigne **51** 77
~ *[cordier]* **125** 4, 5
~ *[Tiss.]* **159** 10
~ à chien **71** 29
~ circulaire **156** 68
~ à compression **158** 26
~ de la corde sèche **158** 56
~ p. la coupe de cheveux **104** 3
~ débourreur **156** 39
~ à démêler les cheveux **104** 3
~ détacheur **156** 39
~ diviseur **158** 56
~ à expansion et à contraction **158** 26
~ à faux bois **121** 17
~ à fileter **129** 14
~ fin **104** 36, **125** 5
~ fixe **156** 67
~ métallique **306** 3
~ mobile **158** 26
~ de parure **38** 13
~ ramasseur **158** 56
~ à retenir les cheveux **104** 3
peigneuse **156** 56
peignoir **104** 5, **267** 25

peignoir de coiffure **103** 26
peintre **121** 2, 28, **321** 2
~ décorateur **296** 35
~ de décors **296** 35
~ sur porcelaine **154** 17
peinture **121**
~ en bâtiments **121** 1-28
~ à chaux **121** 3
~ à la colle **121** 11
~ murale **321** 40
~ rupestre **309** 9
pékinois **71** 20
pélargonium **56** 1
pèlerine **31** 25
pélican rose **343** 5
pelisse **34** 65
pelle *[excavatrice]* **153** 3, **195** 11
~ à asperges **46** 77
~ en bois **91** 24
~ à charbon **40** 43, **41** 47
~ à écorcer **85** 32
~ à enfourner **97** 66
~ équipée en butte **196** 1
~ excavatrice **151** 3
~ fouilleuse **113** 82
~ à gâteaux **45** 28
~ mécanique **113** 81
~ à neige **286** 23
~ à poussière **52** 17
~ preneuse **113** 82
~ ramasse-miettes **45** 59
~ à sable **258** 28
~ à tarte **45** 28
~ à terreau **79** 14
pelleterie **253** 1
pelleteuse excavatrice **113** 81
pellicule *[lamelle de peau]* **103** 27
~ ignifugée **295** 27
~ petit format **112** 21
pelliton **302** 44
pelote *[brayer]* **23** 39
~ *[coussinet]* **102** 77
~ basque **287** 51
~ de fil **177** 11
pelouse **39** 46, **197** 37, **257** 36
~ p. la cure d'air **262** 12
Pelouze **148** 31
pelté **354** 38
pénalité **244** 32
pence **244** 37
pendant d'oreille **38** 7
pendentif *[coupole]* **316** 74
~ *[parure]* **38** 14, **338** 17
pendule *m* **107** 36
~ *[câble]* **193** 41, **206** 2
pendule en acier-nickel **107** 39
~ compensateur **107** 53
~ à gril **107** 53
~ de résonance **331** 21
~ tournant **107** 46
pendule *f* **107** 32
~ annuelle **107** 45
~ de cuisine **42** 19, **107** 50
~ électrique **107** 37
~ murale **107** 52
~ de précision **107** 37
~ ronde **107** 49
~ sonnante **107** 47
~ à sonnerie **107** 47
pêne du demi-tour **134** 37
~ dormant **134** 39
péniche **211** 25, **220** 20
~ de débarquement **222** 9
pennatule **349** 14
penne rectrice **88** 68
~ rémige **88** 76
penné **354** 40
pensée de jardin **62** 2
pension de famille **262** 22
pensionnaire **262** 24
pentacheles **349** 15
pentacrinus **349** 3
pentagone **330** 9
pente **12** 3, **13** 65
~ de glace **282** 15
~ de lancement **271** 11
~ de neige **282** 15
~ plate **13** 58
~ transversale **196** 57, **197** 48
penture droite **134** 56
~ en équerre **134** 58
~ simple **134** 56
pépin **60** 37, 60, **368** 20
pépinière **16** 111, **79** 3, **84** 6
péplum **338** 2
perce *[instr. de mus.]* **302** 33, **303** 34
perce·-neige **62** 1
~-oreille **341** 10
percée *[coulée]* **140** 47
~ *[football]* **274** 63
percement d'une galerie **137** 34
perceuse **115** 21, **192** 52
~-défonceuse **128** 22
~ à dénoder **128** 39
~ électrique **106** 6
~ à enlever les nœuds **128** 39
perceuse longitudinale **128** 32
~ à main **106** 4
~ radiale **143** 23
perche *[bois long]* **89** 5
~ *[sport]* **280** 39
~ *[charrue]* **68** 9
~ *[gibier]* **88** 11
~ de bâbord **219** 74
~ en bambou **290** 46
~ de contact de trolleys **188** 9
~ de la corde à linge **53** 37
~ d'échafaudage **113** 23
~ à grimper **279** 8
~ à linge **53** 37
~ du micro **237** 7
~-microphone **292** 30
~ avec le microphone **292** 21
~ pivotante du trolley **188** 13
perchlorure de fer **176** 4
perchoir **75** 14, **86** 49
perçoir **106** 5
percolateur **261** 2
~ à moka **42** 17
percussion *[instruments]* **302** 49-59
percuteur **87** 21
perdrix **88** 70
père **45** 1
~ des dieux **308** 1
perforateur **238** 80, **241** 40
pergola **39** 80, **54** 5, **257** 17
péricarpe **59** 6, **61** 42, **70** 8
périnée **22** 64
période *[Math.]* **326** 22
périodique mensuel **47** 9
périphérie *[Géom.]* **328** 44
~ de la ville **252** 31
périscope **223** 17
~ d'observation **223** 55
~ panoramique **223** 56
périssodactyle **351** 25-27
péristyle **316** 2
péritoine **22** 58
perle **50** 20, **340** 33
~ de verre **50** 20
perlure **88** 30
péroné **19** 24
péronnier **20** 64
perpendiculaire **328** 6
perron **39** 66, **315** 33
perroquet *[Zool.]* **345** 1
~ *[Agr.]* **65** 38
perruche **213** 54
perruque **296** 49
~ bouclée **35** 2
~ à bourse **35** 4
~ longue bouclée **35** 2
~ à queue **35** 5, **338** 77
perruquier de théâtre **296** 48
Perse **14** 44
persienne **39** 30, **45** 64
persil **59** 19
personnage de contes de fées **289** 65
personne en ligne **233** 31
perturbation complexe **12** 8-11
pervibrateur **114** 88
pesade **290** 30
pesage *[turf]* **272** 4, **290** 12
pèse·-acide **192** 44
~-bébé **30** 28
~-lait à voyant lumineux **77** 5
~-lettre **231** 22, **238** 38
~-œuf **75** 39
~-personne **26** 22, **51** 1
peseta **244** 22
peste des eaux **362** 56
pétale **60** 43, **61** 11, **354** 59
pétard fulminant **289** 50
~ à répétition **289** 52
pétase **338** 4
pétiole **354** 27
petit axe **329** 24
~ barbet **71** 14
~ bonnet **31** 21
~ cacatois **214** 60
~ car de voyage **188** 1
~ chapeau d'étoffe **36** 28
~ chariot **5** 34
~ cigare **105** 3
~ col **31** 24
~ compotier **46** 29
~ container **202** 25
~ coq de bruyère **88** 66
~ dos **90** 20
~ écusson **313** 31
~ élan **279** 11
~ enfant **30** 26, **49** 26
~ foc **214** 20
~ fond **178** 55
~ grain d'Ave **313** 30
petit hunier· fixe **214** 56
~ volant **214** 57
petit·-lait **77** 11
~ maître **289** 33

petit mât de cacatois **214** 4
~ de hune **214** 3
petit navire de combat **222** 11-13
~ orteil **21** 56
~ pain **46** 21, **97** 37-40
petit pain blanc **97** 37
~ fendu **97** 38
~ long **97** 39
~ aux raisins **97** 49
~ rond **97** 37, 40
petit paquet **231** 6
~ peigne **103** 36
~ perroquet **213** 52
petit perroquet fixe **214** 58
~ volant **214** 59
petit pétrin **97** 76
~ pois **59** 7
~ poisson d'argent **341** 15
~ pot de crème **261** 21
~ rond **20** 54
~ sucrier **261** 20
~ tétras **86** 11, **88** 66
~ traîneau **286** 29
Petit Chien **5** 15
petite aiguille **107** 5
~ arroseuse **195** 3
~ bigorne **119** 47
~ caisse **302** 51
~ camomille **364** 1
~ capitale **170** 14
~ carabine **86** 30
~ centaurée **364** 10
~ chélidoine **359** 36
~ encoche **170** 47
~ ferme **116** 27
~ ferme à poinçon de fond **116** 42
~ flûte **302** 30
~ flûte au sel **97** 54
~ fréquence **4** 20
~ hostie **313** 46
~ lampe **26** 51
~ machine offset à piles **174** 33
~ marguerite **360** 1
~ noue **116** 15
~ onde **234** 38
~ ortie **63** 33
~ pinnule **219** 6
~ planète **6** 26
~ saucisse **96** 14
~ ville **252** 1-70
~ voiture **183** 41
petits pains ronds en série **97** 40
pétrel **343** 12
pétrin **97** 72
~ à viande **96** 43
pétrisseur **97** 75
pétrisseuse électrique **97** 74
pétrole **12** 31, **139**
~ lampant **139** 39
~ ordinaire **139** 39
pétrolier **216** 22
pétunia **56** 6
peuplement *[forêt]* **84** 4, 10 et 11
~ après élagage naturel **84** 12
~ de quinze années **84** 11
peuplier **355** 15
~ argenté **355** 23
~ pyramidal **257** 53
pfennig **244** 7
phaéton **179** 38
phalange *[doigt]* **21** 77
~ *[os]* **19** 17, 29
phalène défeuillante **81** 16
~ du groseillier **60** 5
~ du pin **82** 28
phare *[tour]* **16** 8
~ *[mât]* **219** 57
~ *[auto]* **185** 17
~ de motocyclette **182** 10
~ de recul **186** 38
~ du vélo **180** 7
pharmacie **253** 28
~ de famille **23** 54-63, **51** 82
~ de ménage **51** 82
pharyngoscope **27** 43
pharynx **21** 14-37
phase lunaire **7** 2-7
phelonion **314** 30
phénicienne *[écrit.]* **324** 14
phénix **307** 9
phénol **164** 14
phénomène météorologique **9** 30-39
Philippines **14** 54
Philomèle **346** 14
phlox **62** 14
pholiote changeante **365** 33
phonendoscope **26** 14
phoque *[Zool.]* **352** 18-22
~ *[à ski]* **283** 43
phorbéia **301** 5
phoscar **216** 64
photo **47** 15, **112** 45
~-copieur **112** 27
~ flood **112** 61
~ de presse **325** 44
photocopie **241** 23
photogrammétrie **15** 63-66
photographe **112** 20
~ amateur **257** 43
~ de presse **281** 46
photographie **111, 112**
~ des étoiles **6** 3
photogravure **171**
photomètre rapide **110** 26
phrase détachée **239** 10
phrygane **342** 12
phylloxera **81** 26
physicien nucléaire **1** 40
physique **331, 332**
piaffement **72** 1
pianette **304** 1
pianino **304** 1
pianissimo **300** 56
~ possibile **300** 57
pianiste **298** 1
piano *[instr. de mus.]* **44** 32, **304** 1
~ *[nuance]* **300** 55
~ de chambre **304** 40
~ de concert **304** 40
~ droit **304** 1
~-forte **304** 1
~ à queue (écourtée) **304** 40
pic *[outil]* **85** 31, **137** 2, **150** 31
~ *[montagne]* **12** 40
~ *[voile]* **214** 31
~ *[Zool.]* **343** 27
~ bleu **346** 11
~ de haveuse **138** 42
~ du marteau-piqueur **138** 52
~ du porion **138** 53
~ vert **343** 27
picador **287** 61
piccolo **302** 30
pichet à vin **80** 30
pickpocket **291** 16
pie **346** 3
pièce *[monnaie]* **244**
~ d'acier à laminer **141** 46
~ d'argent celte **309** 37
~ d'artifice **289** 49-54
~ blanche **265** 4
~ de bois **323** 2
~ à braser **135** 63
~ brute **129** 21
~ de cuir **99** 49
~ d'eau **54** 19, **257** 50
~ d'eau aux poissons rouges **257** 57
~ d'embranchement de tuyau **255** 32
~ d'étoffe **256** 59
~ de fonte coulée **141** 37
~ forgée **132** 21
~ à forger **133** 31
~ d'installation **119** 33-67
pièce du jeu de construction **49** 19
~ de couleurs diverses **265** 28
pièce justificative **238** 51
~ de liaison **10** 12
~ de liaison réglable **10** 17
~ de machine **136**
~ montée **97** 10
~ noire **265** 5
~ de rechange **144** 30
~ de rechange de chaîne **181** 28
pièce à teindre **161** 7
~ de tissu **256** 59
~ à travailler **134** 59, **143** 49
~ à usiner **134** 59, **143** 49
pièces du procès **248** 21
pied **19** 26-29, **21** 52-63, **88** 24, **95** 48
~ *[champignon]* **365** 18
~ *[tuyau d'orgue]* **305** 17, 23
~ abdominal **340** 26
~ en acier **171** 16
~ d'aiguille **160** 60
~ de bouc **308** 42
~ à centrer **110** 35
~ de la chaise **44** 14
~ de cheval **307** 42
~ du corps d'arbre **85** 22
~ à coulisse **85** 33
~ à coulisse d'épaisseur **134** 53
~-d'alouette **62** 13
~-de-biche **102** 28, **107** 27, **115** 75
~-de-chat **361** 3
~-de-lion **362** 9
~-de-mouton **365** 31
~-de-veau **363** 9
~-d'oiseau **70** 11
~-droit de fenêtre **317** 41
~ de l'enclume **132** 17
~ d'évolution **284** 11
~ de lampe **44** 8
~ du lit **48** 4
~ sur pile **91** 33
~ de porc **96** 24
~ préhensile **350** 34
~ presseur **102** 28
~ en serpent **307** 39
~ de soutien **284** 10
~ de table **47** 22
~ de tour **142** 12
~ du trépied **111** 36
~ de vigne **80** 3-6
piédestal **290** 55
piège à animaux nuisibles **83** 7-9
~ à campagnols **83** 8
~ à carnassiers **86** 20
~ col de cygne **87** 48
~ à ions **236** 17
~ à mâchoires **87** 48
~ à mouches **83** 3
~ à mulots **58** 44
~ à parasites **83** 7-9
~ à rats **83** 7
~ à souris **83** 9
~ à taupes **58** 43, **83** 8
piégeage des carnassiers **86** 19
~ des nuisibles **86** 19

piéride du chou **81** 47
~ de la rave **81** 48
pierraille **150** 24, **194** 13
pierre à aiguiser **66** 19
~ d'alun **51** 80, **104** 22
~ ammoniacale **119** 7
~ à briquet **41** 88
~ brute **322** 5
~ calcaire **153** 11
~ à chaux **153** 11
~ commémorative **309** 6, **312** 14, 26
~ équarrie **150** 30
~ extraite du champ labouré **65** 9
~ à faux **66** 19
~ en forme de coin **318** 22
~ à fusil **105** 30
~ d'imprimerie **323** 64
~ lithographique **323** 57
~ mosaïque **321** 39
~ naturelle **194** 12
~ peinte **309** 6
~ à polir **127** 10
~ ponce **51** 78
~ ponce à polir **127** 10
~ précieuse **38** 6
~ précieuse à facettes **38** 26
~ à souder **119** 7
~ de taille **39** 85
~ taillée **318** 22
~ tombale **312** 26
Pierrette **289** 12
pierrot **346** 5
Pierrot **289** 19
~ bleu **245** 26
piétage **217** 70
piéton **253** 32
pieu **84** 25, **118** 11
~ d'accostage **212** 9
~-défense **212** 9
pige d'écartement **117** 18
pigeon **74** 33, **343** 23
~ domestique **64** 10
pigeonne **74** 33
pigeonnier **64** 8
pigne **356** 57
pignon *[toit]* **39** 15, **116** 5, **117** 25
~ *[roue dentée]* **136** 80-94, **161** 17, **180** 38
~ de l'arbre d'excentrique **159** 55
~ d'attaque **136** 90
~ de change **159** 19
~ à chevrons **136** 85
~ de commande **160** 31
~ décoré **317** 36
~ du démarreur **184** 33
~ à denture hélicoïdale **186** 59
pignon d'embrayage **162** 40
pignon à engrenage· conique **136** 89
~ droit **136** 80
~ hélicoïdal **136** 87
pignon fleuri **317** 36
~ menant **136** 90
~ mitoyen **116** 9
~ de réglage d'azimut **223** 67
~ de renvoi sur arbre intermédiaire **186** 61
~ de vilebrequin **159** 51
pilan à air comprimé **141** 31
pilastre *[Art]* **317** 46
~ *[escalier]* **118** 43
~ palier **118** 54
~ en ressaut **317** 11
pile *[tas]* **221** 36
~ d'assiettes **260** 11
~ atomique **1** 31-46
~ d'avion **225** 71
~ blanchisseuse **167** 7
~ de bois **53** 31
~ de bois équarri **149** 28
~ de briques **113** 40
~ Bunsen **331** 67
~ de cahiers **177** 37
~ hollandaise **167** 24, 27
~ p. lampe de poche **120** 27
~ de linge **48** 42
~ de palançons **113** 41
pile de papier· imprimé **174** 12, **175** 25
~ à imprimer **174** 2
~ non imprimé **174** 24, **175** 30, 23
pile de pivotement **210** 58
~ de planches **149** 1, 48
~ du pont **210** 32, 43
~ raffineuse **167** 24
~ à ralentisseur en graphite **1** 31-46
~ de réception du papier imprimé **175** 9
~ sèche **120** 27
~ de vaisselle **260** 11
pilier **317** 20
~ en acier **212** 4
~ de concrétion calcaire **13** 82
~ de contre-boutant **317** 27
~ en faisceau **317** 34
~ fasciculé **317** 34
~ du pont **210** 32
pilon *[mortier]* **27** 53, **333** 10
pilon *[demoiselle]* **114** 83
~ presse-purée **41** 3
pilotage des avions **228**
pilote *[avion]* **226** 38, **271** 29
~ *[piano]* **304** 33
~ de bobsleigh **285** 7
pilotis **211** 8, 18
~ à foncer **221** 62
pilule **23** 9
~ purgative **23** 61
piment **59** 42
pimprenelle **70** 28
pin cembre **365** 29
~ des montagnes **356** 21
~ pignon **356** 55
~ sylvestre **356** 20
~ Weymouth **356** 30
pinacle **317** 29
pinacoïde triclinique **330** 26
pinasse **215** 6
pince *[outil]* **26** 35, **331** 11
~ *[chapeau]* **36** 13
~ abdominale **341** 11
~ anesthésiante électrique **94** 6
~ à becs minces allongés **192** 24
~ en bois **112** 8
~ à brûleur **119** 55
~ de contrôle **201** 56
~ corbeau **119** 56
~ de cordonnier **99** 67
~ à couder **114** 77
~ coupante **127** 21, **130** 37
pince coupante· articulée **134** 71
~ devant **134** 73
~ à plat **192** 15
pince coupe-tubes **120** 51
~ à creuset **106** 10, **334** 32
~ p. dater **201** 56
~ à dénuder **120** 51
~ à écartement variable **192** 14
~ à évaser les tuyaux de plomb **119** 58
~ p. fer d'armature **114** 85
~ à feu **132** 2
~ à fil **134** 70
~ à fixer la nappe **261** 40
~ p. fusibles **192** 22 et 23
pince p. fusibles· extérieurs **192** 23
~ intérieurs **192** 22
pince à gâteaux **45** 36, **97** 8
~ à gaz **134** 72
~ de gaze **294** 3
pince à gruger **122** 19
~ des hauteurs **15** 55
~ hémostatique **26** 37, **28** 55
~ inférieure **156** 65
~ à ligature **28** 50
~ à linge **53** 42
~ des mesures latérales **15** 57
~ métallique **112** 6
~ de montage **99** 67
~ à monter **123** 10
~ multiprise **119** 57
~ à œillets **120** 52, **123** 12
~ plate **134** 70
~ plate réglable **192** 14
~ p. poinçonner **201** 56
~ porte-électrodes **135** 5
~ à rails **198** 21
~ à ressort de frein **192** 28
~ à saisir les saucisses **291** 35
~ p. le séchage des négatifs **112** 6
~ à séquestre **28** 52
~ de serrage **149** 18
~ à souder **135** 5
~ à sucre **45** 23
~ supérieure **156** 66
~ à tendre les sangles **123** 11
~ tire-carton **177** 45
~ à tuile **117** 33
~ à tuyaux **334** 30
~ universelle **120** 53
~ à vide du bocal **41** 67
pince·-canette **159** 33
~-étoffe **102** 33
~-nez **108** 28
~-oreille **341** 10
~-précelles **155** 20
~-revolver **123** 13
pinceau **321** 7, **324** 24
~ à air **171** 51
~ à beurrer **97** 70
~ à colle **50** 27
~ p. dorure **121** 23
~ à lettres **121** 18
~ à marbrer **121** 14
~ à radiateurs **121** 16
~ rond **121** 15
pinces **169** 18
~ à chaîne **174** 11
~ à couder les tubes **120** 47
~ manipulatrices **2** 44
~ rondes **120** 50
pincettes **107** 30, **334** 23
~ à feu **41** 48
pingouin **343** 4
ping-pong **276** 39-42
pinnipède **352** 18-22
pinnule **219** 6

pinson **344** 10, **346** 6-8
pintade **74** 27
piocheur multiple **79** 21
piolet **282** 17, 38
pion *[échecs]* **265** 13
~ blanc **265** 18
~ noir **265** 19
~ du salta **265** 21
pipe *[à fumer]* **105** 32-39
~ d'admission **277** 9
~ d'apiculteur **78** 59
~ arabe **105** 32
~ droite **105** 33
~-line **139** 56
~ longue **105** 35
~ de soufflage **155** 14
~ en terre **105** 34
~ turque **105** 32
pipette **26** 44, **80** 38, **192** 43
~ graduée **334** 24
~ renflée **334** 25
piquant **351** 6
pique *[arme]* **287** 62
~ *[pic]* **282** 39
~ *[carte à jouer]* **265** 39
pique-feu **40** 41, **41** 49
piquet *[pieu]* **86** 49, **118** 11, **266** 28
~ de but **275** 62
~ de retour **275** 64
~ de vigne **80** 7
piqueur *[ouvrier]* **150** 9
~ *[chasse]* **272** 59
~ p. le dispositif d'arrêt **159** 43
piqûre **102** 3
piqûres **32** 55
pirate **289** 43
pirée **60** 31-61
pirogue **213** 7, **337** 20
~ à balancier **335** 35
pirouette *[Patin.]* **284** 12
~ en dehors **288** 27
pirsch **86** 1-8
pis **76** 19
Pisces **6** 43
pisciculteur **89** 65
pisciculture **89** 55-67
piscine **218** 23, **268** 1-32
pissenlit **63** 13
pissette **333** 8
pistache **366** 51
pistachier **366** 49
piste *[Sport]* **272** 1-35, **280** 5
~ *[arène]* **290** 21
~ *[p. avions]* **222** 70, **230** 2, 3
~ *[trace]* **86** 8
~ d'atterrissage **283** 11
~ d'atterrissage forcé **230** 3
piste d'autos tamponneuses **291** 62
~ de bob(sleigh) **285** 9
~ de course cycliste **273** 1
piste p. les courses· plates **272** 10
~ au trot **272** 30
~ au trot attelé **272** 36
piste de départ de lancement **287** 19
~ de descente **283** 12
~ dure **272** 36
~ d'élan **283** 9
~ p. l'équitation **272** 30
~ d'escrime **277** 16
~ d'exercise **272** 30
~ de glissement **84** 32
~ goudronnée **287** 2
~ libre **272** 10
~ de luge **285** 11
~ avec obstacles **272** 23
~ de quilles **287** 2
~ de réception **283** 11
~ de sable **273** 24
~ p. les sauts **272** 30
~ de sortie **283** 12
pistil **61** 13, **357** 2
pistolet *[règle]* **144** 49
~ à air comprimé **191** 21
~ à peinture **121** 12
~ pulvérisateur **175** 34, **191** 19
~ à souder **106** 14
piston *[moteur]* **184** 54
~ *[seringue]* **26** 29
~ *[stylo]* **239** 22
~ *[instr. de mus.]* **302** 40, **303** 66
~ *[cornet]* **302** 43
~ d'arrêt **134** 51
~ d'élévateur **191** 3
~ hydraulique **297** 60
~ de la masse tombante **133** 14
pit aux scories **146** 8
piton à enfoncer dans le rocher **282** 55
~ d'escalade **282** 55
~ à glace **282** 54
~ de rocher **282** 55
pivert **343** 27
pivot *[pont]* **210** 64
~ *[charrue]* **68** 22
~ *[dent]* **27** 37
~ de l'aiguille **331** 65
~ de réglage **221** 39
~ de roue **185** 32
placard à huile **190** 11
place *[théâtre]* **296** 28
~ de coin **204** 42
~ d'envoi **275** 57
~ de fêtes **291** 1
~ du marché **16** 52, **252** 43
~ ronde **252** 12
placeur **296** 12
placeuse des bobinots **157** 24
plafond **118**
~ de ballast **217** 51
~ construit en dur **113** 16
~ cuirassé **223** 58
~ à entrevous **115** 43
~ revêtu de panneaux **234** 17
~ translucide **28** 27
plafonnet **117** 27
plage **13** 35-44, **218** 32, 42, **267**
~ arrière **218** 32
plage arrière· p. avions **222** 50
~ relevable **224** 31
plage avant **218** 42
~ en terrasse **11** 54
plaid **48** 55, **201** 8
plaie **17** 8
plaine sans eau **7** 11
plan *adj.* **108** 6
~ *n. [dessin]* **144** 26, 57, 62, 63
~ *[notice]* **297** 3
~ *[aile]* **271** 35
~ carré **318** 50
~-concave **108** 1
~-convexe **108** 5
plan fixe· horizontal **225** 62, **226** 81, **228** 43
~ de stabilisation **226** 80 et 81
~ vertical **226** 80, **228** 41
plan de fondation **144** 63
~ de gauchissement **228** 46
~ de symétrie **330** 5
~ de la ville **200** 15
planche *[constr.]* **115** 91
~ *[Gymn.]* **278** 22
~ des aiguilles **160** 55
~ d'angle **41** 33
~ d'appui **285** 19
~ d'aquaplane **267** 15
~ à arêtes vives **115** 95
~ d'asperges **55** 25
~ de bois **321** 23
planche de bois· debout **323** 1
~ de fil **323** 2
planche de bord **228** 3-16
~ de bordé extérieur **270** 19
planche à border **119** 3
~ de cœur **115** 93
~ de coffrage **114** 18, 76
~ de coffrage latéral **118** 10
~ debout **144** 1
~ à dessin **144** 1
~ à dresser **119** 3
~ d'échafaudage **117** 70
~ à écrire **231** 30
~ à égoutter **41** 18
~ d'envol **64** 9
~ équarrie **115** 95
~ flacheuse **115** 96, **149** 37
~ de fleurs **79** 36
~ de garde **113** 29, **157** 7
~ guide-nappe **156** 19
~ à hacher **41** 57
~ de hausse **87** 67
~ à laver **53** 70
~ de légumes **55** 26, **79** 38
~ libre **279** 30
~ à modeler **50** 23, **322** 34
~ de moelle **115** 93
~ non équarrie **115** 94
~ à outils **106** 20
~ à patrons **102** 72
~ à piquer **171** 21
~ de plantes vivaces **55** 22
~ de recouvrement **79** 9
~ à repasser **52** 72, **166** 34
~ de sortie **162** 7
~ de travail **41** 33, **106** 20, **130** 7
~ de vol **78** 49
plancher **85** 9, **118**
~ allumant automatiquement la cabine **231** 25
~ de béton à poutres apparentes **118** 35
~ hourdé **118** 68 et 69
~ du pont **210** 21
~ tôlé **185** 46
~ de travail **115** 36
plane **115** 79, **126** 14 et 15
~ p. l'écorçage blanc **85** 42
~ à genoux **126** 13
~ à lame droite **126** 14
planétarium **6** 12-14
planète **6** 22-31, **7** 13-18
planétoïde **6** 26
planeur **271** 24-37
~ cargo **271** 25
~ école **271** 28

planeur de haute performance **271** 26
~ à moteur **271** 27
~ remorqué **271** 9
planigraphe stéréoscopique **15** 66
plans d'échelle **255** 10
plansichter **91** 58
plant **57** 6
~ repiqué **79** 23
plantain d'eau **362** 44
~ lancéolé **364** 11
plantation **84** 6
~ sur digue **211** 40
~ après repiquage **84** 10
plante **354** 15
~ anémogame **61** 44-51
~ d'appartement **56**
~ en baquet **79** 46
~ des bois **361**
~ carnivore **361** 13, 14
~ enracinée **57** 17
plante de la famille· des amarantacées **62** 21
~ des caryophyllacées **62** 6
~ des fumariacées **62** 5
~ des iridacées **62** 8
~ des orchidacées **360** 28
~ des papavéracées **63** 2
~ des polémoniacées **62** 14
~ des renonculacées **62** 13
~ des solonacées **363** 7
~ des violacées **62** 2
plante femelle en fruits **367** 10
~ à feuilles comestibles **59** 28-34
~ en fleurs **60** 17, **366** 53
~ fourragère **70** 1-28
~ en fruits **60** 17
~ grimpante **55** 5, **59** 8
~ industrielle **367**
~ des landes **361**
~ légumineuse **59** 1-11
~ médicinale **364**
~-mère **57** 15
~ ornementale **357**, **358**
~ du pied **21** 62
~ en pot **79** 25
~ potagère **59**
~ des tourbières **361**
~ vénéneuse **363**
~ vivace **55** 9
~ volubile **55** 5, **63** 26
planteuse des pommes de terre **67** 11
plantoir **57** 7, **58** 2
~ circulaire **67** 19
plantule **69** 14, **366** 21
plaque à aiguille **102** 32
~ d'amiante **42** 16, **334** 19
~ d'antenne **236** 3
~ arrière **186** 31
~ d'assise **141** 51, **167** 28
plaque d'assise· du bâti **160** 34
~ du moteur **157** 36
plaque d'avertissement **204** 37
~ de base **10** 14
~ de capacité **145** 6
~ de cellulose **163** 1
~ chauffante **42** 28
~ de cheminée **151** 25
~ cirière **78** 25
~ commémorative **312** 14
~ de connexion **236** 21
~ de connexion d'antenne **236** 3
~ de contrôle **145** 84
~ de couche **87** 14
~ de cuivre poli **323** 53
~ dentelée à détacher la bande **240** 59
~ diapositive **111** 29
~ p. le dressage **134** 11
~ à dresser **145** 28
~ d'égout **194** 21
~ p. l'estampage **134** 11
~ à fileter **134** 28
~ de fondation **167** 28
~ de fourneau **41** 41
~ de garde **118** 21
~ glissante à diapositives **112** 57
~ de glissement **198** 53
~ avec l'image **323** 59
~ d'immatriculation avant **185** 43
~ d'impression **173** 9
~ incandescente en charbon de bois **106** 37
~ isolante **117** 44, **331** 53
~ isolante en matériau léger **118** 58
~ d'itinéraire **201** 34
~ de limite de poids **145** 6
~ de marbre **261** 12
plaque en matériau léger **118** 58
~ métallique **303** 77, **331** 52
plaque métallique· estampée **239** 43
~ de fixation **283** 48
plaque minéralogique avant **185** 43
~ de nationalité **186** 33
~ avec le nom de yacht **270** 16
~ numérotée **259** 10
~ ondulée **117** 98
~ percée **134** 11
~ photographique **112** 41
~ à planer **119** 4
~ p. le pliage **134** 11
~ de plomb **272** 17
~ de presse **323** 31
~ de protection **174** 13
~ à ramasser la monnaie **261** 3
~ de recouvrement **102** 27, **133** 38
~ p. régler le lignage **240** 13
~ de rue **253** 2
~ de séparation **157** 43
~ de serrage **198** 40
~ des sonneries **259** 28
~ de touches **303** 8
~ tournante **199** 10, **221** 44
~ tournante de la tourelle **223** 63
~ à tracer **145** 28
~ du type **182** 51
~ de verre **26** 3, **57** 10, **173** 15
~ de verre de montage **173** 36
~ de zinc **172** 25, **173** 9, **323** 52
plaque de zinc· gravée **172** 33
~ reproduite **173** 25
plaquette **322** 38
~ p. les corrections **240** 32
plastiline **50** 22
plastron *[chemise]* **33** 42
~ *[armure]* **310** 46
plat *[mets]* **260** 17
~ *[profilé]* **136** 10
~ à barbe **104** 23
~-bord **269** 30, 43, 57
~ de côtes **95** 30
~ en étain **262** 31
~ à fromage **46** 35
~ à gâteaux **45** 26, **97** 36
~ de légumes **46** 33
~ à pommes de terre **46** 31
plat du recto **178** 40
~ à rôti **46** 26
~ du ski **283** 37
platane **355** 67
plate·-bande **55** 18, **257** 39
~-bande porte-anneaux **157** 54
plate-forme *[rue]* **194** 15
~ *[panne]* **116** 44
plate-forme· d'accès **193** 13
~ de l'astronome **6** 10
~ à l'avant **213** 49
~ basculante **145** 73
~ de chargement **189** 25
~ de chargement surbaissée **208** 41
~ de cinq mètres **268** 8
~ de culbutage **145** 74
~ de cuvelage **138** 31
~ de défense **310** 8
~ de dix mètres **268** 7
~ d'élévateur **220** 66
~ fermée **204** 9
~ du gueulard **140** 4
~ intermédiaire **139** 4
~ de lancement de la fusée **229** 29
~ de levage **221** 70
~ de madriers **113** 28
~ de manœuvre **139** 4, **220** 49
~ d'observation **6** 10, **226** 71
~ ouverte **203** 31
~ pontée **213** 49
~ de projecteur **222** 38
~ de service **162** 23
~ de travail **115** 11
~ du tremplin **283** 10
plateau *[Géol.]* **13** 46
~ *[à servir]* **260** 19
~ *[balance]* **333** 36
~ *[table]* **47** 23
~ *[échafaudage]* **114** 52
~ *[gazomètre]* **148** 59
~ *[roue]* **180** 35
~ amovible **29** 15
~ de balance **41** 60
~ basculant **189** 21
~ de la bascule **221** 32
~ de cœur **149** 42
~ de compression **2** 25
~ en damier **287** 8
~ de dessiccation **92** 14
~ à disque **306** 41
~ élévateur **1** 42

plateau fixe **177** 25
~ inférieur **174** 36
~ de lèvres **337** 23
~ de la machine **102** 46
~ porte-bouteilles **77** 14
~ de pression **177** 24
~ avec rainures **142** 35
~ réfrigéré **96** 3
~ du repas complet **260** 54
~ à ridelles à traction avant **189** 25
~ de serrage à aimant **143** 12
~ à servir **45** 60, **261** 14
~ supérieur **174** 35
~ supérieur de presse **128** 58
~-support d'ensouple **161** 46
~ support de segments de frein **186** 50
~ à toc **142** 41
~ de torréfaction **92** 15
~ de tour **142** 35, **154** 11
~ tournant **200** 37
platelage **113** 28, 87
platine *[Typ.]* **175** 15, **323** 31
~ *[base]* **110** 6, **174** 41
~ p. la bande d'images (de son) **293** 32
~ inférieure **177** 29
~ supérieure à glissière **177** 28
plâtre **322** 29
plâtrier **113** 83
plectre **301** 19, **303** 20
Pléiades **5** 26
pleine lune **7** 5
plexiglas **183** 43
plexus brachial **20** 27
pli *[Vêt.]* **32** 5, 38, **34** 12, **102** 1
~ *[livre]* **178** 54
~ de l'aile **342** 35
~ de l'aine **18** 42
~ par bouclage **178** 10
~ couché **12** 15
~ du coude **18** 44
~ creux **32** 10
~ debout **12** 12
~ du genou **18** 51
~ incliné **12** 13
~ renversé **12** 14
pliant **266** 14
plié en seconde **288** 6
plieuse **175** 55, **176** 37
~ combinée à lames et à poches **178** 8
plint **279** 43
plinthe *[Art]* **316** 31
~ *[listel]* **118** 63, **121** 34, **259** 52
pliobare **9** 2
plissé **32** 33
plomb **89** 46 et 47, **113** 71, **203** 44
~ de bure **137** 12 à 13
~ de descente **224** 18
~ de lest **90** 10
~ de sonde **219** 36
~ sphérique **89** 47
plombage **27** 33
plombier **119** 13
~-installateur **119** 23
plongée **224** 13-19, **343** 11
plongeoir **268** 5-10
plongeon **268** 41-46
~ accroupi **268** 14
~ arrière face au tremplin **268** 43
~ artistique **268** 41-46
plongeon avant· face à l'eau **268** 41
~ face au tremplin **268** 42
plongeon de départ **268** 29
~ en extension **268** 12
~ par les pieds **268** 13
~ par la tête **268** 12
plongeur **135** 46, **144** 39
~ de haut vol **268** 5
plot *[sciages]* **149** 38
~ de contact **120** 62
plots de contact **233** 35
pluie **9** 32
~ générale **8** 18
~ tropicale **9** 53
plumage de cuisse **347** 3
plume *[p. écrire]* **239** 18, **249** 59
~ en acier **239** 18
~ d'autruche *[Hér.]* **246** 30
~ de coq **36** 42
~ creuse de roseau **324** 23
~ à dessiner **144** 65
~ d'écriture **144** 66
~ de faisan **36** 56
~ de héron **36** 35
~ lumineuse **89** 49
~ métallique romaine **324** 25
~ d'oie **324** 26
~ en or **239** 20
~ de paon **74** 31
~ de paon *[pêche]* **89** 48
~ de revêtement **144** 67
plume de stylo **239** 20
plumeau *[lit]* **30** 33
~ *[à poussière]* **52** 18
plumetis **101** 10
plumier **238** 69, **249** 66
plus *[signe]* **326** 7, 23
~ grand que **327** 19
~ petit que **327** 20
Pluton **6** 31
plutonium **1** 48, **3** 40-42
pluvier **343** 19-21
pluviomètre **10** 37
~ enregistreur **10** 42
pneu **180** 30, **185** 31
~ *[lettre]* **232** 29
~ à air **180** 30
~ à air comprimé **180** 30
~ ballon **181** 14
~ à basse pression **181** 10
~ sans chambre à air **191** 23
~ demi-ballon **181** 10
~ à haute pression **180** 30
~ profilé tout-terrain **67** 2
~ tous-terrains **189** 12
~ tubeless **191** 23
pneumatique *[lettre]* **232** 29
~ basse pression **189** 49
pneus jumelés **189** 33
PO **234** 38
poche *[Vêt.]* **31** 10, **34** 31
~ *[filet]* **86** 27
~ *[Techn.]* **178** 10
~ *[violon]* **301** 20
~ à acier en fusion **140** 30
~ à air **301** 9
~ d'air **75** 50
~ appliquée **32** 3
~ à bras **141** 14
~ sur chariot **140** 12
~ à clous **117** 72
~ de contrôle de la respiration **28** 39
~ de coulée **140** 12, 20, 30, 41
~ de coulée suspendue **140** 53
~ coupée **32** 59
~ d'eau **13** 16
~ à fonte brute **140** 12, 20, 41
~ à fourche **141** 14
~ garnie de fourrure **32** 53
~ de gilet **34** 44
~ intérieure **34** 19
~ latérale **34** 14
~ à main **141** 24
~ de manteau **34** 51
~ membraneuse **343** 8
poche plaquée **34** 37
~ à pochette **34** 8
~ revolver **34** 33
~ de tablier **32** 18
~-tambour sur roues **141** 6
~ de la voiture **258** 33
~ volcanique souterraine **11** 20
pochette *[violon]* **301** 20
~ brodée **34** 63
pochoir **121** 25, **162** 62
~ à linge **37** 5
~ à marquer le linge **37** 5
poêle *[fourneau]* **25** 11
~ *[pot]* **41** 84
~ en faïence **260** 34
~ en fonte **52** 64
~ à frire **42** 41
~ à queue **42** 41
poids **23** 42, **77** 40
~ *[Sport]* **280** 46
~ de charge **162** 2
~ p. comprimer le moule **141** 18
~ curseur **41** 61
~ du frein **159** 63
~ et haltères **281** 1-6
~ incliné **238** 39
~ lourd **189** 14-50
~ de la marche **107** 35
~ de serrage **160** 32
~ de sonnerie **107** 34
~ tendeur **160** 50
~ de tension **112** 7
poignard **87** 42, **266** 46
~ de bronze **309** 22
~ de jet **337** 15
~ malais **336** 44
poignée **43** 14, **127** 4, 55, **179** 12, **277** 54-57
~ de coffre **186** 26
poignée de commande· de l'extincteur **228** 22
~ de la pompe à main **228** 23
poignée coudée **27** 15
~ du couvercle de coffre **186** 26
~ de cuir **283** 52
~ d'embrayage **181** 36
~ de fermeture du toit **183** 11
~ de frein à main **181** 37
~ isolante **120** 54
~ de manœuvre **219** 8
~ de manutention **160** 41
~ en matière synthétique **135** 23
~ ouverte **127** 28

poignée de pistolet **87** 6
~ de portière **185** 5
~ à régler la hauteur **44** 5
~ revolver **89** 25
~ de selle **183** 33
~ à tirage **97** 60
~ tournante de changement de vitesse **181** 35, **183** 27
poignet **21** 76
~ de chemise **33** 53
poils absorbants **69** 18
~ de l'aisselle **18** 27
~ séminaux **367** 19
poinçon *[outil]* **38** 30, **101** 12, **105** 43, **134** 61, 69
~ *[poteau]* **116** 40
~ en acier **170** 36
~ p. les clous **99** 63
~ égyptien en jonc **324** 22
~ d'enclume **132** 28
~ p. le fil **99** 62
~ en jonc **324** 22
~ à river **107** 63
poinçonneur-calculateur électronique **241** 45-51
~ de fiches **241** 48
poinçonneuse **123** 17
~ à levier **134** 30
~ à main **134** 30
poing **18** 48
point *[ponctuation]* **325** 16
~ *[Géom.]* **328** 1-23, 26
~ *[dé]* **265** 32
~ d'arrêt **102** 9
point d'arrêt p. le piquage de la perche **280** 41
~ du tramway **193** 4
point d'attache **111** 56, **125** 29, **355** 73
~ d'attache des câbles tendeurs **210** 40
~-ball **281** 20
~ de battage **275** 40
~ bord à bord **102** 7
~ de bourdon **101** 8
~ de boutonnière **101** 3
~ de casse **150** 12
~ de chaînette **101** 2
~ de chausson **101** 9
~ de chausson en broderie **102** 12
~ de contact **328** 49
~ de cordonnet **101** 8
~ de croix **101** 5
~ équinoxial **5** 6 et 7
point d'évitement du canal **212** 27
~ d'exclamation **325** 21
~ d'extrémité **328** 17, 18
~ de fantaisie **101** 3, **102** 8
~ de feston **101** 6
~ de flanelle **102** 12
~ géodésique **16** 64
~ d'inflexion **329** 21
~ d'interrogation **325** 20
~ d'intersection **329** 28
~ de languette **101** 6
~ natté **101** 7
~ neutre **147** 22
~ de nœuds **101** 13
~ noué **101** 13
~ de onze mètres **274** 6
~ d'orgue **300** 42
~ de penalty **274** 6
~ de recoupement **137** 36
~ de réparation **274** 6
~ de reprise **101** 17
~ russe **102** 12
~ de simili **172** 32
~ de soudure **120** 61
~ de souris **102** 12
~ de surface **11** 33
~ de suspension **325** 29
~ de tige **101** 4
~ trigonométrique **15** 49, **16** 71
~ typographique **170** 18
~ de Venise **101** 30
~ vernal **5** 6
~-virgule **325** 19
~ zig-zag **102** 7
pointe *[bout]* **282** 37
~ *[clou]* **116** 95, **136** 52, **233** 58, **306** 6
~ *[outil]* **169** 17
~ *[Hér.]* **246** 22 et 23
~ d'arrêt **277** 41
~ d'attache **304** 14
~ du clocher **312** 6
~ collante **238** 45
~ du compas **144** 47
~ à copier **128** 27
~ du crayon **239** 33
~ détectrice à ressort **234** 31
~ de fer **136** 49
~ de (la) flèche **287** 42, **309** 4, **335** 29
~ galvanisée **117** 74
~ de hampe **245** 10
~ de javelot **309** 2
~ de lance en bronze **309** 21
~ métallique de la navette **159** 25
pointe à papier bitumé **136** 53
~ de pipette **26** 47
~ plate **323** 16
~ de poupée **129** 8
~ des seins **18** 29
~ de la sonnette **254** 61
~ du soulier de course **280** 27
~ p. taille-douce **323** 16
~ à la tête **277** 42
~ de traçage **145** 34
pointeau **134** 68, **145** 32
~ d'arrêt **134** 51
~ du carburateur **183** 69
pointer **71** 25, 43
pointerolle **137** 2
pointeur **221** 27
~ de justification **169** 36
points en coordonnées **329** 8
poire *[Bot.]* **60** 33
~ en caoutchouc **23** 3, **30** 20
~ à injection p. enfants **23** 59
~ à lavements **30** 20
poireau **59** 21
poirée **59** 28
poirier *[Bot.]* **60** 31
~ *[Gymn.]* **278** 27
~ sauvage **60** 31
pois **59** 7
~ cassé **70** 19
~ chiche **70** 19
~ fulminant **289** 51
~ potager **59** 1
poisson **350** 1-17
~ d'argent **341** 15
~-chat **350** 12
~ cuillère **89** 41
~ d'étain **89** 42
~ femelle **89** 66
~ laité **89** 66
~ luminescent **349** 13
~ nageur **89** 39
~ rogué **89** 66
~ rouge **257** 57
poissonnerie **253** 40
Poissons **6** 43
poitrail *[cheval]* **73** 19
poitrine *[Anat.]* **18** 28-30
~ *[viande]* **95** 23, 41
~ de bœuf **95** 23
poitrinière *[harnais]* **72** 28
~ *[métier]* **159** 16, 46
poivre **366** 39
~ d'Espagne **59** 42
~ des murailles **359** 21
poivrier **366** 36
poivrière **310** 28
poivron **59** 42
poix **99** 16
pôle *[Géogr.]* **15** 3
~ céleste **5** 1
~ de décharge électrique **146** 47
~ de diffraction **332** 26
~ négatif **192** 39
~ positif **192** 39
~ terrestre **15** 3
Pôle Nord **15** 3
polémoniacées **62** 14
police **247**
~ de la circulation **247** 18 et 19
~ criminelle **247** 21-24
~ de la gare **201** 22
~ mobile **247** 1-8
polichinelle *[jouet]* **49** 14
policier **247** 1, 11
polisseuse à bande **128** 46
~-racleuse **106** 43
polissoir **106** 52, **323** 46
~ de talon **99** 64
poljé **13** 72
pollen **354** 65
~ recueilli **78** 3
Pollux **5** 28
polo *[Sport]* **268** 47-51
~ *[chemise]* **31** 49
~ à cheval **287** 26
Pologne **14** 17
polychromie **323** 28
polyèdre **330** 11
polygone irrégulier **328** 40
~ régulier **328** 41, **330** 11
polymérisation **164** 33, 54
Polymnie **308** 67
polype **349** 8
~ coralligène **340** 37
~ hydroïde **349** 9
polypier calcaire **340** 36
polypode vulgaire **361** 16
polytric commun **361** 17
pommade **26** 10
~ anti-venimeuse **78** 68
pomme *[Bot.]* **60** 56, **354** 102
~ *[pavillon]* **245** 1
~ d'Adam **21** 13
~ d'amour **59** 12
~ d'arrosage **195** 39
~ d'arrosoir **79** 28
~ de la douche **104** 38
~ épineuse **363** 8
~ de mélèze **356** 36
~ de pin **356** 26
pomme du pin cembre **356** 29
~ Weymouth **356** 30

pomme de terre *[plante]* **69** 38
~ de terre *[tubercule]* **69** 40
pommeau *[selle]* **72** 46
~ du fleuret **277** 54
pommer **301** 13
pommette **18** 8
pommier **60** 51
~ sauvage **60** 51
pompe à air **180** 48
pompe à air· à main **192** 48
~ à moteur **206** 17
~ p. motocyclette **182** 17
~ à pédale **192** 49
pompe d'alimentation· du carburant **184** 40
~ de la chaudière **146** 18
~ en eau **205** 9
pompe aspirante **26** 57, **211** 62
~ à bicyclette **180** 48
~ à bière **260** 1
~ à boue **139** 15
~ centrifuge **161** 72, **168** 4, **255** 8
~ à circulation d'huile **146** 45
~ à combustible **229** 14
~ à compression et à faire le vide **195** 35
~ à eau **64** 25
pompe à eau· à moteur **254** 7
~ de refroidissement **184** 43
pompe d'eau refoulante **211** 60
~ électrique **23** 36
~ à essence **184** 9, **190** 2
~ à faire le vide **2** 52, **173** 16, **331** 17
~ à filage **163** 13
~ goudron-eaux ammoniacales **148** 29
~ de graissage **191** 8
~ à graisse **191** 17, **192** 50
~ hélice **212** 47-52
~ à huile **184** 22, **190** 12
~ à huile p. engrenages **191** 8
~ hydraulique de presse **172** 12
~ à (d')injection **187** 28, **184** 38
pompe d'injection· de combustible **228** 24
~ d'huile **228** 25
pompe à main **254** 66
~ à moteur **190** 27
~ à oxygène liquide **229** 16
~ pneumatique **175** 6
~ pneumatique p. l'aspiration (p. la soufflerie) **175** 35
~ principale à moteur **254** 15
~ à puits profond **139** 50
~ à purin **64** 55
~ rotative **254** 44
~ à rotor **212** 47-52
~ à roue-hélice **212** 47-52
~ à salive **27** 8
~ sonnette **254** 60
~ à vide **76** 28
~ à vide à moteur **254** 8
pompier **255** 37
pompiste **190** 10
pompon **100** 47
ponce **51** 78
poncer la pierre **323** 45
ponceuse-polisseuse à bande **128** 46
poncho **335** 24
ponctuation **325** 16-29
pondeuse **75** 45
pont *[constr.]* **210**
~ *[bateau]* **223** 22, **224** 37
~ *[Gymn.]* **278** 28, **281** 8
~ *[Anat.]* **19** 46
~ A **218** 28-30
~ A semi-couvert **218** 28
~ en acier **210** 47
~ en arc **210** 12
~ à arc-corde **210** 35
~ arrière **185** 51, **218** 32
~ d'atterrissage **222** 6, 69
~ B **218** 32-42
~ basculant **210** 61
pont-bascule· au sol **221** 32 et 33
~ à voitures **145** 88
~ à wagon **202** 45
pont de bateaux **16** 46, **210** 17
~ en béton **210** 12
~ de bois **210** 45
~ à câbles **210** 22
~ à câbles diagonaux **210** 37
~ à chaînes **210** 22
~ de chargement **208** 30
~ p. chemins de fer **210** 47
~ de découpage **90** 30
pont de départ accéléré **222** 72
~ élévateur p. moto **191** 33
~ des embarcations **218** 19-21
~ d'ensoleillement **218** 22
~ d'envol **222** 69-74
~ étanche en dos de tortue **224** 43
~ en fer **16** 56
~ fixe **210** 1-54
~ flottant **210** 17
~ de fortune **210** 17
~ de glace **282** 25
~ de la grue **145** 7
~ à haubans **210** 37
~ à lard **90** 32
~ levant **210** 65
~-levis **310** 25
~ de manutention du coke **148** 21
~ métallique **210** 35
~ mobile **210** 55-70
~ de neige **282** 25
~ de névé **282** 25
~-passerelle **218** 12-18
~ en pierre **16** 50
~ pivotant **210** 55
~ plat **210** 30
~ à poutres droites **210** 30
~ à poutre en treillis métallique **210** 47
~ principal **218** 32-42
~-promenade **218** 22-27
~ provisoire à éléments **210** 17
~ roulant **140** 40, **145** 1, 76, **199** 47
~ roulant orientable **217** 21
~-route **16** 55
~ suspendu **210** 22
~ à tenailles **141** 42
~ transbordeur **216** 18
~ volant **211** 10
~-voûte **210** 12
~ sur voûtes **210** 41
ponte des œufs **81** 2, 30
pontée **220** 55
pontet **87** 10
Pontife **314** 54
ponton **210** 18, **269** 19, 22
~ d'accostage **220** 33
~ bique **221** 37-46
~ flottant **221** 45
~-porte **217** 28
~-sonnette **221** 59-62
pontuseau inférieur **168** 11
popcorn **69** 31
pope **314** 25
porc **95** 38-54
porc-épic **351** 13
porcelaine **154**
porcelet **76** 40
porcherie **76** 39-47
pore germinatif **367** 57
porreau **59** 21
porse-feutre **168** 48
port **220**, **221**
~ *[Bot.]* **366** 53
~ au bois **220** 56 et 57
~ de l'écluse **212** 26
~ franc **220** 25-62
~ d'hivernage **211** 14
~ industriel **139** 68
~ de navigation intérieure **220** 26
~ de pêche **220** 8-12
~ pétrolier **139** 68
~ de transbordement **220** 28-31
portail **53** 20, **221** 30, **312** 16
~ du cimetière **312** 19
~ central de l'église **317** 24
~ de l'enceinte de l'église **312** 19
~ de hangar **221** 30
~ à lancis **317** 24
~ latéral **317** 13
~ du pont **210** 25
portamento **300** 52
portatif **301** 56
porte d'accès arrière **193** 12
~ d'aérage **137** 16
~ d'aération **41** 44
~ d'alimentation **40** 61
~ de l'atelier **115** 5
~ du balcon **48** 22
~ de bief **212** 31
~ de la buanderie **53** 65, **113** 6
~ busquée **212** 19
~ de la caisse à fumée **205** 26
~ des cales à fret **226** 35
~ du camp **266** 52
~ de la cave **53** 2
~ du cendrier **40** 39
~ centrale à deux vantaux **204** 55
~ de la chambre d'écluse **212** 32
~ du château **310** 32
~ commandée à distance **193** 14
~ de communication **76** 46
~ du compartiment **204** 28
~ du corridor **43** 30
~ coulissante **212** 18, **256** 50
porte coulissante commandée à distance **193** 14

porte coulissante· du compartiment **204** 28
~ et pivotante **207** 35
porte à coulisse **202** 41, **339** 15
~ de la cour **53** 15, **64** 1
~ de déchange **148** 12
~ à défournage **97** 62
~ démontable **113** 46
~ à deux battants **39** 21
~ à deux parties **64** 49
~ de dock **217** 28
~ d'écluse **212** 18, 19
~ à enfournage **97** 61
~ d'entrée **319** 24
~ d'entrée de la maison **118** 24
~ d'étable **64** 49
~ d'étrave **222** 10
~ d'extrémité **204** 59
~ en fer forgé **257** 31
~ fortifiée **310** 22
~ de (du) foyer **205** 63, **41** 43
~ frontale **183** 42
~ à glissière **92** 30, **221** 31
~ de grange **64** 36
~ grillagée **75** 25
~ à guillotine **133** 56
~ de la halle **202** 41
~ p. l'introduction des pièces **133** 54
~ latérale **64** 2
~ latérale pivotante **208** 3
~ de la loggia **39** 21
~ de la maison **39** 65
~ de la mansarde **40** 20
~ du parc **257** 31
~ en planches **39** 34
~ pliante commandée à distance **193** 14
porte rabattante· de la caméra **294** 18
~ à suspension télescopique **187** 30
porte à relevage **212** 31, 38
~ de sacristie **311** 18
~ de service **53** 15, **166** 8
~ des soutes à fret **226** 35
~ téléguidée **193** 14
porte à un vantail **204** 59
~ va-et-vient **204** 12
~ de la ville **252** 39
~ vitrée à glissière **45** 43
~ de la voiture **185** 4
porte·-adresse **201** 5
~-allumettes **260** 24
~-amarre **224** 52 et 53
~-anode **172** 2
~-avions **222** 65-77
~-bagage **180** 44
~-bagages *[filet]* **204** 33
~-bagages *[wagon]* **203** 42
~-bagages avant **181** 16
~ bague **48** 25
~-balais **52** 15
~-bobine **176** 40
~-bobines **161** 54
~-bonheur *[trèfle]* **70** 5
~-bonheur *[porte-veine]* **190** 35
~-bouteille **45** 52
~-bouteilles **77** 14
~-bretelle **87** 5
~-burette **334** 22
~-cannes **43** 8
~-chapeau **43** 4
~-charbon **295** 43
~-charge **145** 10
~-cigares **105** 11
~-cigarettes **47** 32, **105** 12
~-clichés **172** 28
~-cônes **178** 17
~-containers **208** 25
~-couteau **46** 11
~-crayon **239** 34
~-document **171** 29
~-électrodes **135** 23
~-empreinte **172** 3
~-en-dehors **269** 42
~-éprouvettes **26** 7
~-étiquette **166** 15
~-fenêtre **48** 22
~-filières **119** 42
~-film **112** 30
~-filtre **294** 3
~-foret **143** 30
~-forets **134** 29
~-forme **175** 17
~-fourches **68** 42
~-fraise **143** 21
~-gabarit **170** 56
~-hélice **218** 55, **223** 3
~-jambe **29** 4
~-jarretelles **33** 18
~-lames **149** 12, 58
~-lampes **171** 23
~-lance **255** 34
~-matrice **133** 41
~-mine **144** 29, 50
~-mine rentrant **239** 35
~-mousqueton **107** 12
porte·-mousseline **178** 19
~-objectif **171** 19
~-original **171** 39
~-outil **129** 5, **142** 21, **143** 2, 57
~-outils **143** 3
~-outils avec ajustage latéral **143** 45
~-palan **145** 2
~-parapluies **43** 8
~-phare **224** 42
~-plaque **171** 58
~-plume **239** 17, **249** 58
~-plume à réservoir **239** 19
~-pneus **190** 31
~-queue *[papillon]* **342** 52
~-rails **198** 11
~-rubans **161** 27-30
~-savon **30** 22, **51** 10, **53** 71
~-scies **149** 24
~-serviettes **51** 22, 61
~-stylo **239** 30
~-timbres **238** 21
~-traits **72** 19
~-tube **110** 15
~-vent **305** 12
~-vêtements **52** 69
~-voix **269** 21
portée *[Art]* **318** 20
~ *[Techn.]* **136** 63
~ *[notes]* **299** 45 et 46
~ de l'étincelle **147** 62
~ entre parements **210** 34
~ de tir **86** 15
portefeuille à gravures **47** 54
portemanteau **260** 12
~ *[bossoir]* **218** 20
portemanteaux **43** 1
porteur **201** 32
~ de croix **312** 43
~ de dais **312** 46
portier **145** 87, **256** 44, **259** 1
~ de gare **200** 49
portière **179** 11, **185** 4
~ rabattable en treillis **203** 32
portillon du foyer **67** 58
portique *[Art]* **316** 50, 56, **319** 3, 11
~ *[Techn.]* **209** 24
~ de cale **217** 11
~ de chargement **220** 52
~ d'embarquement **221** 69
~ de grue **221** 7
~ des isolateurs **146** 31
portique du pont **210** 25
~ à signaux **199** 17
~ terminal **210** 54
portrait en filigrane **244** 31
Portugal **14** 18
pose du fil sur l'aiguille **160** 64
~ du papier peint **121** 29-41
~ des pieds avant **73** 43
Poséidon **308** 29
posemètre **111** 38
poseur de papier peint **121** 35
~ de rails **198** 20
positif *[Photographie]* **112** 9
~ de dos **305** 5
position *[danse]* **288** 1-5
~ accroupie **278** 23
~ d'attente **281** 9
position de chargement· p. la chaux **140** 49
~ p. la fonte liquide **140** 48
position à cheval **278** 14
~ de déchargement **140** 51, **195** 12
~ de défense **277** 21
~ de départ **265** 1
~ de fonctionnement **140** 50
~ de garde **277** 21, 43
~ du grand salut **277** 32
~ de lancement **276** 51
~ normale **278** 1
~ de parade **277** 21
~ des pieds **288** 1-5
~ de repos **278** 2
~ du salut **277** 32
~ de soufflage **140** 50
post·-brûleur du réacteur **226** 14
~-synchronisation **293** 25-29
postcombustion **266** 14
poste *f* **231**, **232**
~ ambulante **203** 18
~ de chemin de fer **203** 18
~ restante **231** 21
poste *m* **86** 9
~ d'accostage **211** 14
~ d'aiguillage **138** 6, **199** 16
poste d'aiguillage· électrique **199** 64
~ mécanique **199** 56
poste d'amarrage **211** 14
~ amiral **213** 27
~ appelé **233** 17
~ de bifurcation **199** 24

poste de cantonnement **16** 24
~ central **223** 24
~ du chef du plateau **297** 29
~ de commande **140** 59, **209** 65, **297** 1
~ de commandement **222** 44
~ de commutation **212** 45
~ de conduite **193** 34
~ de débranchement **202** 47
~ de découpage à l'acétylène **135** 29
~ de la douane **220** 43
~ d'équipage **223** 49
~ d'essence **190** 1
~ de feu **255** 1-3
~ de frein à main **208** 7
~ à galène **234** 21-34
~ intermédiaire de bloc **199** 24
~ de manœuvre électrique **212** 45
~ permanent de feu **255** 1-3
~ de pilotage **228** 1-38
~ de pilote **226** 69
~ des quartiers-maîtres **223** 39
~ (de) radio **44** 29, **218** 12
~ du receveur **193** 10
~ de recharge **192** 42-45
~ de secours **200** 54
~ de soudage à l'arc **135** 11
~ de soudure oxy-acétylénique **135** 29
~ à tableau de contrôle optique **199** 68
~ de télévision **237** 41
~ de transformation **212** 46
~ de T. S. F. **234** 35
~ de T. S. F. p. automobiles **186** 17
Postes-Télégraphes-Téléphones **252** 19
postillon **179** 40
pot à anse sculpté **309** 35
~ à (de) carde **156** 35, **157** 3
~ de chambre **30** 17
~ à chocolat **45** 32
~ à colle **177** 15, **231** 5
pot de colle forte **127** 39
~ à tapisser **121** 29
pot de crème **261** 21
~ d'échappement **182** 8, **185** 62
pot d'étirage **157** 20
~ de fer **310** 59
~ à fleurs **57** 9
~ à lait **45** 19
~ à lait doseur **45** 20
~ à miel en verre **78** 63
~ à peinture **121** 27
~ de pommade **26** 10
~ à savon **104** 34
~ à semis **57** 9
~ silencieux **185** 62
potage en cube **98** 26
poteau **53** 38, **115** 25
~ d'angle **115** 52
~ d'arrivée **272** 18
~ de bâbord **219** 76
~ de baie **115** 51
~ du but **274** 37
~ cornier **115** 52
~ de filet **276** 15
~ du grillage **75** 24
~ indicateur **16** 110
~ de ligne aérienne **233** 66
~ de portique **217** 12
~ de rampe **40** 29
~ de refend **115** 53
~ de réverbère **253** 17
~ de soupente **116** 68
~ télégraphique **233** 66
~ de tribord **219** 75
~ vertical du pont **210** 51
potence *[en-dehors]* **220** 67, **221** 2
~ *[faux]* **66** 16
~ du pylône **209** 80
potentillée **60** 16
poterie **291** 66
potiron **59** 23
pou **341** 31
~ de San-José **81** 35
poubelle **41** 11, **53** 32
~ à pansements **26** 23
pouce **21** 64
poucier **302** 45
poudre brute **152** 5
~ dentifrice **51** 59
~ émeri **323** 48
~ faciale **103** 17
~ sans fumée **87** 53
~ insecticide **83** 48
~ noire **87** 53
~ à récurer **41** 27
~ soufrée **103** 18
~ à teinter **121** 9
poudreuse *[avalanche]* **286** 1
poudrier **48** 29
~ à antibiotique **23** 60
pouf de toilette **48** 31
poulailler **75** 13
~ *[galeries]* **296** 16
~ p. la ponte **75** 1
poulain **74** 2
poulaine **213** 57
poularde **98** 7
poule **74** 19, **75** 20
~ des bois **88** 69
~ des coudriers **88** 69
~-couveuse **75** 17
~ d'eau **343** 20
~ engraissée **98** 7
~ pondeuse **75** 45
poulet **74** 19-26
~ de Bantam **75** 44
~ nain **75** 44
pouliche **74** 2
poulie **145** 9, **216** 49, **331** 4
~ du câble de tension **209** 43
~ de centrage de l'image **295** 29
~ de commande **162** 4, **174** 21
~ à corde **129** 9
~ à cordon **125** 9
~ de déroulement **233** 59
~ de déviation du câble tracteur **209** 61
~ de l'ensouple arrière **159** 49
~ d'entraînement **210** 67
~ d'entraînement du câble tracteur **209** 62
~ de guidage de l'image **295** 29
~ mouflée **216** 4
~ principale de commande **156** 50
~ de renvoi **158** 62
~ de transmission **125** 13
~ du treuil de chargement **85** 4
poumon **20** 13, **22** 6 et 7
~ d'acier **24** 8
~ droit **22** 6
pound sterling **244** 37
poupe **217** 63-69, **270** 1
~ du dirigeable **226** 79
poupée fixe **142** 2
~ mobile **129** 7, **142** 29
~ porte-bonheur **190** 35
pourcentage **327** 7
pourpoint court **338** 41
~ rembourré **338** 30
~ tailladé **338** 33
poursuite **258** 23
pourtour de la lune **7** 24
~ du soleil **7** 22
pousse *[Bot.]* **80** 3, **354** 19-25, **356** 31
~ *[véh.]* **336** 34
~ courte **356** 23
~ femelle **356** 48
pousse latérale **354** 21
~ mâle **356** 44, 49
~-pilote **304** 34
~-pousse **336** 34
poussée débordante **12** 7
pousses de sexes différents **356** 43, 62, 68
poussin **75** 33
poussoir **184** 68, **240** 49
~ de chargement **240** 39
~ du ruban encreur **239** 50
~ de soupape **184** 27
poutre **114** 5, **118** 36, **280** 21
~ en acier **212** 3
~ à âme pleine **210** 30
~ d'appui **208** 9
~ en arc **210** 36
~ de bordure **115** 40
~ dameuse **197** 2
~ égaliseuse **197** 3
~ de fond **208** 9
poutre horizontale carrée **279** 40
~ ronde **279** 42
poutre lisseuse **197** 14
~ longitudinale du pont **210** 7
~ maîtresse **115** 38
~ maîtresse palière **118** 66
~ palière **118** 34, 55
~ du plafond **115** 38
~ de pont **210** 20
~ porte-cloison **115** 39
~ principale **145** 7, **210** 5
~ de rigidité **210** 27
~ de support des rails de roulement **197** 15
~ en treillis **145** 7
~ sur tréteau **115** 19
~ verticale du pont **210** 51
poutrelle d'armature **221** 59
~ d'équilibre **279** 40
~ de la grue **145** 7
~ de pont **210** 20
prairie **13** 13, **16** 18
~ en bordure du fleuve **13** 62
~ humide **16** 19
~ trempée **16** 19
praline **98** 80
prame **221** 45
pratelle **365** 1
praticable **292** 20, **297** 47
praticien **26** 12
pré **65** 35
préallumage **229** 36
préamplificateur **235** 17

préamplificateur à basse fréquence **236** 18
~ à haute fréquence (H F) **236** 2
préchauffage **184** 64
préchauffeur à basse pression **146** 25
~ d'eau **146** 10
~ à haute pression **146** 26
précipitation **8** 18 et 19, **9** 30
~ intermittente **8** 19
~ partielle **8** 19
~ uniforme **8** 18
préclasseur **238** 53
précombustion **184** 66
précondenseur **148** 28
prédateur des cultures **81**
prédicateur **311** 22
préhension **279** 53
préhistoire **216** 51, **221** 47, **224** 1
prèle des champs **360** 18
prélèvement **26** 3
~ de la couleur **161** 67
~ d'échantillon **93** 10
~ des radio-isotopes **1** 44
premier balcon **296** 18
~ clavier manuel **305** 42
~ concassage **153** 18
~ concasseur **150** 17
~ de cordée **282** 26
~ étage *[maison]* **113** 14
~ étage *[fusée]* **4** 45
~ quartier **7** 4
~ radial **20** 56
~ saut **280** 33
~-secours **255** 5
première *[semelle]* **99** 51
~ douzaine **263** 25
~ enveloppe **105** 6
~ ligne **90** 47
~ octave **300** 64
~ voix **300** 46
prendre les mesures **256** 37
preneur *[Sport]* **275** 47
~ *[Techn.]* **169** 22
préparatif **269** 1-18
préparation **164** 57, **249** 18
~ de la boue **262** 37
~ de la levure **93** 15
~ du malt **92** 1-21
~ de la pâte **167** 5 et 6
~ de la pâte à papier **167** 24-27
~ en quatrième **288** 28
préposé *[facteur]* **231** 47
préposé à la bascule **221** 26
~ à la cave **93** 24
~ à la fermentation **93** 14
~ à la mouture **92** 23
prépuce **22** 70
presbytère **312** 20
présélecteur **42** 21, **233** 33
présentateur **298** 2
président **248** 20
~ de la réunion **251** 1
presqu'île **13** 5
presse à arrêt de cylindre **175** 20
~ p. le bottelage des dosses **149** 53
~ à botteler **149** 53
~ à briques **151** 11
~ à contre-épreuve **174** 38
~ à deux tours **175** 1
~ à dorer **177** 4, 26
~ électrique à sécher **112** 44
~ à emballer **177** 20
~ d'établi **127** 40
~ d'extrusion **154** 7
~ à forger à vapeur **133** 48
~ à former un boudin **154** 7
~ à fromage à balancier **77** 39
~ à gaufrer **177** 26
~ à genouillère **177** 26
~ humide **168** 17
~ hydraulique **80** 42, **297** 50, 53, **331** 7
presse hydraulique· à forger **133** 23
~ à mouler **172** 8
presse p. impression **323** 36
~ d'imprimerie rapide à deux tours **175** 1
~ à levier à main **177** 26
~ à lisser **177** 20
~ lithographique **323** 60
~ à main **323** 29
presse offset· à plat **174** 38
~ une couleur **174** 1, 14
presse à paille **65** 30, **67** 54, **68** 71
~ à paqueter **177** 20
~ à pâte de vulcanisation à froid **191** 24
~ à percussion **177** 20
~ de placage **127** 32
~ de placage rapide **128** 56
presse à platine **175** 13, 29, **323** 29
~ postérieure **127** 44
~ de raccord **135** 9
~ rotaprint **174** 33
~ à sécher **112** 44
~ serre-joint **127** 36
~ à vide **154** 7
presse·-balles **163** 33
~-citron **42** 42
~-étoffe **102** 33
~-étoupe **218** 54
~-fruits **42** 39
~-levure **93** 19
~-papier **178** 4, **238** 30
~-purée **41** 3
~-raquette **276** 30
~-repasseuse **166** 35
~-repasseuse à auge **162** 38
~-skis **283** 44
presseur **176** 20
pressoir **80** 42
~ à raisins **80** 42
~ à vin **80** 42
pressurage de la soude caustique **163** 5
prestant **305** 31-33
prestation de serment **248** 31
prestidigitateur **298** 18
prêt des livres **250** 18
prêtre **311** 49, **312** 34, 47
~ catholique **314** 32-53
~ orthodoxe russe **314** 25
prie-Dieu **314** 9
primate **353** 12-16
prime *[Escr.]* **277** 1 à 2
primevère **360** 8
primulacée **56** 5
prince Carnaval **289** 58
princesse Carnaval **289** 61
~ germanique **338** 20
principal *[chef]* **249** 23
~ *[orgue]* **305** 31-33
principe du banc d'étirage élevé **157** 14
~ opérationnel de la peigneuse **156** 63
principe de travail· de la carde **156** 51
~ du chariot **160** 51
prise d'air du réacteur **226** 13
prise d'antenne· extérieure **235** 7
~ p. grandes ondes **235** 8
~ p. modulation de fréquence **235** 7
~ p. petites ondes **235** 8
prise à la barre fixe **279** 53-56
~ de carres **283** 34
prise de clichés· en relief **111** 27
~ en trois dimensions **111** 27
prise de courant **52** 7
prise de courant· p. allume-cigare **186** 20
~ p. baladeuse **186** 20
~ double **120** 29
~-force **120** 8
~ murale **120** 5
~ de plancher **120** 31
~ de sûreté **120** 6
~ triple **120** 14
prise cubitale **279** 55
~ directe **279** 53
~ dorsale **279** 53
~ d'eau **199** 52, **255** 26
prise d'eau· souterraine **255** 25
~ de surface **255** 35
prise de garrot **17** 14, 15
~ de gaz **133** 7, **135** 52, **334** 63
~ p. haut-parleur supplémentaire **235** 11
~ lombaire **17** 38
~ de magnétophone **235** 10
~ mâle **52** 7
~ mixte **279** 56
~ d'oxygène **135** 51
~ palmaire **279** 54
~ du papier **241** 9
~ de pick-up **235** 9
~ scapulaire **17** 37
~ sélective de plan **294** 30
~ de son **292** 54
prise de son· électromagnétique **293** 2
~ panoramique **294** 45
~ stéréophonique **294** 38
~ à trois canaux phoniques **294** 38
prise de terre parafoudre **234** 24
~ de transport **17** 37
~ de vue **292** 14-61
prise de vue· sur grand écran **294** 36
~ unique **294** 30
prisme **145** 31, **329** 34, **331** 31, 36
~ à base triangulaire **329** 37
~ ditrigonal **330** 22
~ hexagonal **330** 21, 22
~ monoclinique **330** 24

prisme tournant **200** 42
prisonnier **248** 12
prix courant **79** 43, **98** 73
~ à payer **190** 6
procédé de gravure· en creux **323** 14-24
~ en surface **323** 1-13
procédé de sécurité aérienne (en vol) **230** 22-38
procès **248** 18
procession **312** 42-50
processionnaire du chêne **82** 14
Proche-Orient **14** 39-45
proclamation **251** 14
procureur d'État **248** 25
Procyon **5** 15
producteur de télévision **237** 30
production du benzol **164** 6
~ de chaleur **1** 16, 27
~ d'énergie **3** 40-42
~ de films sonores **293** 1-34
~ du gaz **148** 1-46
~ de gaz d'éclairage (de chauffage) **148** 1-46
~ du goudron **164** 3
~ du moût **92** 22-36
~ pétrolière **139** 48-55
~ du phénol **164** 3
produit *[Math.]* **326** 25
~ d'addition **167** 25
~ agricole **69**
~ d'entretien **52** 29
~ fini **91** 65
~ p. laver la vaisselle **41** 29
~ maraîcher **79** 43
~ de nettoyage **52** 29
~ pétrolier **139** 36-47
~ p. tenir la mise en plis **103** 29
~ de la terre **69** 1-45
professeur de gymnastique **279** 39
~ de natation **268** 16
~ d'université **250** 3
professionnel **272** 56, **281** 22
profil *[ski]* **283** 42
~ anti-dérapant **189** 13
~ du pneu **189** 13
profilé **136** 3-7, **141** 73
~ en H **136** 6
~ en T **136** 3
~ en U **136** 7
profondeur du foyer **11** 34
~ marine **11** 10
profondeur du puits **137** 12 à 13
programme **296** 13
progression arithmétique **327** 11
~ géométrique **327** 12
~ de quinte **300** 1-15
projecteur **222** 39, **290** 3
~ d'aérimousse **255** 64
~ d'avant-scène **297** 21
~ p. cyclomoteur **181** 40
~ p. les décors **297** 17
~ en diapositif **237** 20
~ p. diapositives publicitaires **295** 25
~-diascope **295** 25
~ droit **295** 14
~ d'eau **255** 64
~ p. film sonore **237** 21
~ à filtre de gélatine **292** 38
~ à flots de lumière **199** 46
~ en format normal **237** 21
~ gauche **295** 13
~ à miroir réflecteur **297** 48
~ de mousse d'air **255** 64
~ en petit format **237** 22
~ à pied **28** 15
~ de plateau **237** 9
~ portatif **255** 42
~ de scène pivotant **297** 16
~ de signalisation **224** 41
~ p. vues fixes **112** 55
projection *[Géogr.]* **15** 8 et 9
~ *[dessin]* **144** 59-63
~ conique **15** 8
~ cylindrique **15** 9
~ horizontale **144** 63
~ de l'image **293** 33
~ en salle **295** 1-25
projet de costumes **296** 39
prolifération **81** 33
promenade **218** 27
~ à dos d'âne **257** 45
~ de la station balnéaire **262** 10
promeneur **257** 26
promenoir **262** 9
prononciation **325** 30-35
pronotum **342** 29
propergol **227** 47
propre défense **281** 15-17
propulseur **226** 10, **227** 40
~ d'air **171** 61
~ de dirigeable **226** 78
~ à hélice **226** 1-8
propulseur à hélice· avec moteur à piston **227** 1
~ avec turbocompresseur à gaz d'échappement **227** 8
propulseur à pales verticales **221** 53
~ à réaction **229** 12-24
~ Voith-Schneider **221** 53
propulsion atomique **223** 6-10
~ à chaîne **180** 35-39
~ électrique Diesel **218** 58-64
~ par torsion de fils de caoutchouc **271** 59
~ V 1 **227** 12
propylées **316** 7
proscenium **316** 46
prostate **22** 76
protection anti-recul **128** 16, **149** 6
~ des arbres fruitiers **83** 24-45
~ contre les crues **211** 33
~ de la digue **211** 50-55
~ contre la dispersion des particules de sable **141** 35
~ contre les explosions **135** 34
~ contre le feu **297** 6
~ des forêts **83** 46
~ par mise à la terre **188** 10
~ des plantations **83** 46
~ des végétaux **83**
protège·-boulet **272** 45
~-cabine **196** 10
~-cou **277** 28
~-genou **285** 17
~-jupe **102** 43
~-mains **183** 4
~-mine **249** 62
~-oreilles **286** 28
~-poussière **256** 30
~-tibia **274** 30
prothèse **23** 48-50
~ dentaire **27** 28
prothorax **82** 4
proton **1** 1, 5, **4** 29
protoplasme **340** 3
protoprisme **330** 19, 20
~ à deutéropyramide de base **330** 20
protoprisme à protopyramide **330** 19, 20
protopyramide **330** 19, 20
protozoaire **340** 1-12
protubérance **7** 23
~ frontale **18** 4
~ de Varole **19** 46
proue **217** 71-73
~ à cuiller **270** 2
~ du fuselage **271** 46
proviseur **249** 23
prune **61** 20
~ jaune **61** 25
pruneau **61** 20
prunelle **358** 29
~ de l'œil **21** 45
prunellier **358** 27
prunier **61** 19-23
~ sauvage **358** 27
psalliote champêtre **365** 1
psaltérion **301** 32
psautier **311** 30
pseudo-fruit **368** 12, 62
pseudopode **340** 4
psychromètre **10** 56
~ à aspiration **10** 32
P. T. T. **252** 19
pubis **18** 39, **19** 20
public **296** 4
puce **341** 30
~ de terre **81** 39
puceron **81** 32, **342** 13
~ ailé **342** 15
~ aptère **342** 14
~ lanigère **81** 32
~ des racines de la vigne **81** 26
~ du sapin **82** 28
~ au stade ailé **82** 39
puck **284** 39
puisard **137** 30
puiseur **168** 44
puisoir à purin **58** 42
puissance *[Math.]* **327** 1
~ de la veine **138** 22
puits **254** 40, **310** 3
~ d'accès **40** 45
~ d'accès à l'égout **194** 21
~ d'aération **137** 15, **194** 31
~ d'amour **97** 12
~ artésien **12** 26
~ p. la circulation de l'air frais **137** 15
~ d'extraction **137** 14
~ du flotteur **212** 35
~ de forage **12** 33
~ intérieur **137** 17
~ p. la lumière **6** 17
~ de mine **4** 5
~ à poulie **16** 100
~ principal **137** 14
~ de sondage **12** 33

puits de sortie de l'air vicié **137** 15
~ de visite **254** 26
pull-over **32** 12, 40
pull-over et cardigan **32** 39
pulmonaire **361** 7
pulpe **60** 24, 35, 58, **61** 6
~ dentaire **21** 32
~ de la phalangette **21** 78
pulsatille **359** 5
pulsographe **29** 19
pulsoréacteur **226** 21, **227** 12
pulvérisateur **23** 34
~ p. arbres fruitiers **83** 34-37
~ de désinfection **94** 17
~ à deux roues **83** 42
~ à diaphragme **83** 31
~ de peinture **83** 34-37
~ à piston **83** 34-37
~ à poudre **104** 19
~ de produits d'imprégnation **83** 34-37
pulvérisation du charbon **152** 12
~ de produits toxiques **83** 46
pulvériseur à disques **68** 35
pulvillus **78** 9
Pumpernickel **97** 28
punaise *[Zool.]* **341** 28
~ *[clou]* **144** 52
~ aquatique **342** 4
punching-ball **281** 18
pupe **81** 25
pupille **21** 43
pupitre **231** 30, **242** 11, **249** 27
~ de commande **147** 1-6, **168** 27, **176** 39
~ de commande principal **173** 10
~ de conduite **207** 11
~ de contrôle de la turbine **147** 30
~ de manœuvre **176** 39, **199** 69
~ de mixage **292** 55
pupitre de mixage· de l'image **237** 25
~ du son **237** 12
pupitre mural **295** 16
~ à musique **44** 30, **305** 36
~ de retouche **171** 28
~ du service de prêt **250** 20
~ à station debout **242** 11
pupitre du technicien d'éclairage **297** 2
purgeur **205** 60, **339** 31
~ du fil **158** 20
push-pull **295** 45
putter **276** 66
putting **276** 66
~-green **276** 62
puzzle **50** 14
Pygmée **337** 41
pyjama de femme **33** 3
~ de garçonnet **31** 14
~ d'homme **33** 35
pylône *[Art]* **315** 9
~ *[Techn.]* **114** 34, **146** 36
~ d'appui **209** 23
~ en béton **193** 24
~ de haubanage **146** 36
~ intermédiaire **209** 29, 76
~ levant **210** 66
~ métallique en treillis **209** 77
~ de palan **192** 61
~ du pont **210** 25
~ de téléférique **209** 76
~ en treillis **146** 36, **209** 31
~ de T.S.F. **16** 33
~ en tubes d'acier **209** 78
pylore **22** 42
pyrale des pommes **60** 62, **81** 9
pyramide *[Art]* **315** 1
~ *[acrobates]* **290** 28
~ à gradins **315** 22, **335** 20
~ horizontale double **55** 16
~ octaédrique **330** 10
~ orthorhombique **330** 23
~ pointue **315** 1
~ quadrangulaire **329** 46
~ rhombique **330** 23
~ tétragonale **330** 18
pyrhéliomètre à disque d'argent **10** 48
pyrite **330** 8
pyromètre **97** 63, **172** 16
pyrosphère **11** 2

Q

quadrant **329** 5
quadrette **287** 25
quadrilatère **328** 33-39
~ irrégulier **328** 39
quadrillage **114** 69
quadrimoteur **226** 7
quadruple-croche **299** 21
quai **217** 5, **220** 32-36
~ d'armement **217** 5-9
~ à charbon **220** 46-53
~ de charbonnage **220** 49-51
~ de chargement **16** 91, **202** 10, 24, 28
~ latéral **202** 24
~ aux marchandises en vrac **220** 44-53
~ des passagers **220** 16
~ à pétrole **220** 59-62
~ de réparations **217** 10
~ de la station inférieure **209** 51
quantité radicale **327** 2
~ spécifiée **326** 4
quart de rond **118** 64
~ de soupir **299** 27
quarte *[Mus.]* **300** 22
quartier *[selle]* **72** 40, 47
~ des affaires **252** 33
~ d'habitation **252** 11
~ industriel du port **220** 25
~ de jambon **95** 51
~ de lard **96** 11
~ du port **220** 7
~ tournant **118** 52
~ de villas **252** 59
~ de la ville **252** 16
quatre sans barreur **269** 9
~-feuilles **317** 39
~-mâts **215** 28-31
quatre-mâts· barque **215** 29
~ carré **215** 31
~ avec grands mâts avant et arrière **215** 28
quatre opérations **326** 23-26
quatrième clavier manuel **305** 45
~ octave **300** 67
~ orteil **21** 55
quenouille **362** 21
quetsche **61** 20
queue *[Zool.]* **73** 38, **88** 19, 47, 49, 62, 80
~ *[Bot.]* **60** 34, **61** 4
~ *[coiffure]* **35** 6
~ *[filet]* **90** 22
~ *[note]* **299** 6
~ *[instr. de mus.]* **302** 7, **303** 4, 13
~ *[moulin]* **91** 32
~ *[planeur]* **271** 56
~ *[billard]* **264** 9
queue du cerf-volant **258** 51
~ du cheval **73** 38
~ de cheval *[coiffure]* **31** 62
~ de chien **71** 12
~ de la comète **7** 27
~ de dauphin **307** 25
~-de-cheval **360** 18
~-de-rat **127** 31, **134** 22
~-de-renard **62** 21, **70** 27
~ en éventail **88** 75
~ à huile **323** 21
~ de morue **121** 19
~ du moulin **91** 32
~ de paon *[Hér.]* **246** 36
~ de la poche **141** 16
~ de poisson **307** 25, 43, 46, 49
~ préhensile **350** 35
~ en serpent **307** 31
~ de soupape **184** 30
~ en tire-bouchon **88** 58
~ en trompette **74** 12
~ tronquée **71** 12
~ de vache *[chevron]* **116** 45
~ de vache *[toit]* **117** 41
quille *[navire]* **269** 32, 50, **270** 3
~ *[jeu]* **287** 9-14
~ de ballast **270** 3
~ de bouchain **217** 44
~ de coin **287** 11
quille coin· arrière **287** 14
~ avant **287** 9
quille extérieure **269** 32
~ sur forme **217** 22
~ intérieure **269** 50
quille passage· arrière **287** 13
~ avant **287** 10
quille plate **217** 46
~ de plomb **270** 5
~ de roulis **217** 44, **270** 3
~ de tête **287** 9
quillier en damier **287** 8
quinquina **364** 17
quinte *[Mus.]* **300** 23
quipu **335** 22
quittance **238** 51
quotient **326** 26
~ différentiel **327** 13

R

r *[Géom.]* **328** 47
raban de cul **90** 23
rabat *[collet]* **313** 5
~ de l'abreuvoir **76** 37

rabat de poche **34** 9
rabatteur *[Chasse]* **86** 37
~ *[voile]* **270** 33
~ *[Techn.]* **68** 50
rabot **115** 64
~ à charbon **138** 40
~ à contre-fer **127** 53
~ à corniche **127** 59
~ denté **127** 54
~ à dents **127** 54
~ à éclisses **130** 39
~ gorget **127** 60
~ à lames **130** 39
~ à main **127** 52-61
~ plat **127** 52
~ à quatre mains **126** 10
~ à racler **127** 61
raboteuse **149** 56
~ à cylindre **128** 14
raccord **114** 53, **117** 94, **119** 40
~ d'air comprimé **171** 54
raccord d'alimentation· en hydrogène **334** 12
~ en oxygène **334** 11
raccord p. l'aspirateur de copeaux **128** 17
~ coudé **39** 12
raccord fileté· de graissage **191** 18
~ de graissage à pression **136** 79
raccord de gaz carbonique **171** 54
~ à griffes p. tuyau souple **255** 29
~ de tuyau en T **255** 32
raccordement de câbles **147** 60
race de chien **71**
rachis **356** 3
racine *[Bot.]* **57** 21, **69** 17, **354** 16-18, 78-82
~ *[dent]* **21** 36
~ *[canne]* **89** 29
~ adventive **354** 78
~ aérienne **354** 82
~ carrée **327** 3
~ cubique **327** 2
~ pivotante **69** 45, **354** 79
~ principale **354** 16
~ à réserve **354** 79
~ secondaire **354** 17
racle **176** 18, 34
raclette **40** 33, 42, **42** 51
~ de bébé **30** 19
~ à écorcer **83** 29
~ p. films **112** 39
racleur **162** 61
~ cubain **303** 60
racloir **68** 37, **171** 55
~ p. enlever les soies de porc **96** 34
racloir d'huile **184** 80
raclure de viande crue **96** 25
radar **219** 9-13, **222** 75
~ d'approche de précision **230** 10
~ d'atterrissage de précision **230** 38
~ panoramique **230** 39
~ panoramique d'aérodrome **230** 4
radeau **266** 2
~-flotteur **267** 17
radiaire **360** 7
radial *[muscle]* **20** 56
radiateur *[chauffage]* **40** 76
~ *[auto]* **185** 9
~ à air **47** 1
~ à gaz **119** 67
~ d'huile **184** 51
~ mural à gaz **119** 65
radicelle **354** 18
radicule **354** 88
radier du bassin **217** 27
radio **234**, **235**
~ d'automobile **186** 17
~-compas **228** 10
~-isotope **1** 36
~ navigant **226** 40
~-phono **44** 28 et 29
~-télégraphiste de bord **226** 40
radioactivité **1** 9-12
radiodiffusion **234** 1-20
radiogonomètre à ondes ultra-courtes **230** 20
radiographie **29** 39-47
radiolaire **340** 8
radiologue **29** 45
radionavigation aérienne **230** 22-53
radiophare de l'aérodrome **230** 12 et 18
~ d'alignement (type) ILS **230** 11, 14
~ p. le guidage de l'avion **230** 14
~ tournant **230** 18
~ type ILS **230** 11
radiorepérage **230** 22-33
radiosonde **10** 59
radiothérapie **29** 48-55
radis rose **59** 15
radium **29** 52
radius **19** 13
raffinerie de lubrifiants **139** 60
~ de pétrole **139** 56-67
raffineur **167** 9
~ conique **167** 10
raglan **34** 41
rai **131** 28
raidisseur **210** 31
raie de côté **35** 13
~ des fesses **18** 41
~ au milieu **35** 19
raifort **59** 20
rail **92** 4, **198** 32, **209** 10
~ auxiliaire **198** 13
~ circulaire **6** 11
~ conducteur **256** 54
~ coudé **198** 56
~ du curseur **333** 31
~ de glissement **93** 30
~ de guidage **191** 29, **221** 61
~ intermédiaire **198** 57
~ mobile **198** 52
~ plat **92** 10
~ de retour **209** 22
~ de roulement **2** 37, **145** 54, **202** 42
~ de la soufflante **158** 3
rails en dos d'âne **220** 51
rainette **350** 24
rainure *[colonne]* **316** 17
~ *[ski]* **238** 38
~ de clavetage **136** 64, 83
~ et languette **118** 74
~ p. les porte-plumes **249** 64
~ de serrage **142** 36
raisin **80** 6
~ de Corinthe **98** 9
~ d'ours **361** 15
~ sec **98** 8
râle **343** 20
ralentissement **270** 56
ralentisseur **294** 28
ralingue de fermeture **90** 26
~ au pied du filet **90** 9
rallonge **44** 4, **120** 20, **138** 26
~ de crayon **239** 34, **249** 61
rallye-paper **272** 58-64
ramassage de l'étoffe **162** 9
~ du tissu **162** 9
ramasse·-gouttes **45** 33
~-miettes **45** 58 et 59, **52** 70
~-neige **195** 13
ramasseur de balles **276** 24
~ de boue **194** 23
ramasseuse automatique **195** 12
rambarde **210** 10, **213** 49
rame **213** 5, **269** 14, 17, 35-38
rame articulée Diesel à transmission hydro-mécanique **207** 37 et 38
~ automotrice de grandes lignes **207** 29
~ électrique triple **206** 60
~ de haricots **55** 28
~ mobile **162** 60
~ de séchage p. tissus **162** 21
~ p. le service de jour **207** 37
~ de wagons au garage **199** 28
~ de wagons-lits **207** 38
rameau **354** 6
~ d'abricotier **61** 33
~ en boutons **355** 25
~ de cerisier **61** 1
~ avec chatons **355** 10
~ feuillu **355** 27, **367** 61
~ fleuri **366** 23
~ en fleurs **61** 26, **366** 3
~ à fleurs femelles **368** 42
~ fructifère **355** 3, 11
~ en fruits **61** 19, 30, **368** 38
~ de noisetier **61** 44
rameur **213** 3, **257** 52, **269** 12
~ à la pointe **269** 13
ramoneur **40** 31
rampant **316** 11
rampe *[escalier]* **40** 25
~ *[échelle]* **75** 4
~ *[théâtre]* **297** 25
~ d'accès **16** 16, **114** 41, **202** 1
~ aux bestiaux **202** 1
~ de chargement **221** 10
~ de déchargement **221** 10
~ de digue **211** 47
~ de distribution **133** 61
~ d'élan **283** 9
~ d'escalier **118** 22, 50
~ hélicoïdale **137** 33
~ de réception **77** 1
~ de scène **295** 9
~ de service **161** 37
ramponneau **124** 12
~ mi-fin **124** 13
ramure **88** 5-11
ranche **131** 10
rancher **85** 3, **131** 10
~ en acier **208** 6
~ amovible **208** 8
ranchet **131** 10

rang *[briques]* **113** 67, 68
~ *[Typ.]* **169** 2
~ d'aiguilles **160** 27
~ boutisse **113** 64
~ d'égout **117** 49
~ de faîtage **117** 47
~ inférieur d'aiguilles **160** 47
~ panneresse **113** 63
~ de rames **213** 12
~ supérieur d'aiguilles **160** 46
rangée de gerbes **65** 22
~ de livres **47** 5
~ de maisons échelonnées **39** 58-63
rapace diurne **347** 1-19
~ nocturne **347** 14-19
râpe *[instr. de cuisine]* **41** 85
~ à bois **127** 30
~ en cuiller **99** 36
~ de ménage **41** 79
~ plate **99** 22
~ à sabot **132** 41
raphia **130** 29
rappel du chariot **240** 22
~ de corde **282** 29-34
~ de note **178** 61
rapport *[intérêts]* **327** 7
~ *[tissu]* **165** 12
~ d'armure **165** 12
~ du gibier **86** 36
rapporteur *[reporter]* **248** 39
~ *[d'angle]* **144** 4
raquette *[horloge]* **107** 26
~ *[bâton de ski]* **283** 54
~ de badminton **276** 36
~ de neige **286** 13
~ de ping-pong **276** 40
~ de tennis **276** 27
~ de tennis de table **276** 40
rasette *[charrue]* **67** 12, **68** 11
~ *[tuyau d'orgue]* **305** 21
rasoir **51** 71, **104** 25
~ électrique **51** 79
rat-de-cave *[cire]* **78** 65
rate **22** 12, 27
râteau *[croupier]* **263** 5
~ de bois **58** 4
~ à bras **66** 31
~ courbe **67** 22
~ à faner **66** 31
~ faneur **67** 21
~ de fer **58** 3
râteau à feuilles **54** 16
~ à foin **66** 31
~ métallique à lamelles plates **54** 16
râtelier *[mangeoire]* **76** 2
~ *[Tiss.]* **157** 41, 58
~ à bicyclettes **253** 43
~ des bobines **158** 9, 25
~ des bobines alimentaires **157** 28
~ à fourrage **86** 28
~ à fourrage p. l'hiver **86** 28
~ à outils **64** 41
~ p. les queues **264** 19
~ de rouleaux **174** 31
~ à tubes à réaction **334** 35
ratière **83** 7
ratissoire **58** 12, **66** 3
raton laveur **353** 9
ravageur des champs **81** 37-55
~ des cultures **81**
~ de la vigne **81** 20-27
ravalement **118** 5
ravaleur **113** 83
ravenelle **63** 21
ravitaillement en vol **226** 25
ravillateur *[navire]* **222** 1-8
~ *[avion]* **226** 26
~ en eau **220** 29
ray-grass **63** 29
rayon *[Géom.]* **328** 47
~ *[roue]* **180** 27
~ *[abeille]* **78** 31-43
~ des articles de fantaisie **256** 62
~ d'articles p. hommes **256** 12
~ artificiel **78** 42
~ des bas **256** 17
~ bibliothèque **47** 53
~ de la bijouterie **256** 62
~ des chaussettes **256** 17
~ de la confection p. dames **256** 28
~ de courbure **328** 22
~ à couvain **78** 46
~ des étoffes **256** 58
~ du faisceau **328** 20
~ de livres **250** 12
~ de livres anciens **253** 3
~ lumineux **219** 58
~ aux marchandises **98** 14
~ médullaire **354** 11
~ métallique **250** 12
~ à miel **78** 45
rayon naturel **78** 60
~ de poussée **11** 35
~ des rideaux **256** 66
~ de roue **131** 28
~ solaire **7** 9
~ des tissus **256** 58
~ des verres **259** 65
rayonne **163** 1-34
rayonnement alpha **1** 10
~ bêta **1** 11
~ cosmique **4** 27-34
rayonnement cosmique de jour **4** 18
~ de nuit **4** 19
rayonnement gamma **1** 12, 17
~ hertzien normal **4** 16
~ infrarouge **4** 25
~ modulé **4** 17
~ de Roentgen **1** 12
~ ultraviolet **4** 24
rayonneur butteur **66** 4
~ multiple **58** 32
~ simple **58** 11
rayons ultra-violets **24** 17
~ X **1** 12
rayure *[fusil]* **87** 36
raz de marée **11** 53
ré *[Mus.]* **299** 47
~ bémol majeur **300** 13
~ dièse mineur **300** 7
~ majeur **300** 3
~ mineur **300** 9
réacteur **3** 12
~ d'aile **226** 16
~ atomique **1** 31-46, **3** 1-23
~ en bout d'aile **226** 20
~ dorsal **226** 17
réacteur à eau bouillante **3** 1-11
~ sous pression **3** 24, **223** 9
réacteur expérimental auto-générateur **3** 20-23
~ homogène **3** 12-16
~ nucléaire **1** 31-46
~ au sodium-graphite **3** 17-19
réaction en chaîne **1** 18-21
~ en chaîne contrôlée **1** 22-30
reale **244** 22
réalisateur **292** 40
réanimateur électrique **17** 27
rebobinage **164** 50
~ du film **295** 23
~ à friction **295** 37
rebord *[fenêtre]* **39** 24
~ de fenêtre **44** 20
~ du jeu **287** 18
rebord de la piste **290** 22
~ à pluie **10** 45
récépissé postal **232** 9
réceptacle *[Bot.]* **354** 53
~ charnu **60** 24
récepteur Aldis **219** 42
~ d'automobile **186** 17
~ de bord **230** 25
~ de contrôle des signaux vidéo **237** 31
~ de douches **51** 17
~ de l'image retenue **237** 27
~ à micro-onde **332** 21
~ de montage **237** 26
~ morse **233** 54-63
~ radar **219** 11, **230** 46
~ radio **44** 29, **234** 35, **235** 1-23
~ radiophonique **306** 46
~ de sang **29** 28
~ de télévision **236** 1-31, **237** 41
réception du ballon **274** 62
~ des colis **231** 1
~ des colis express **200** 1
~ des marchandises **202** 32
~ en morse **233** 52-64
~ du papier **175** 14
~ radiophonique **234** 21-50
~ de télévision **237** 40 et 41
~ des volumes **178** 23
recette *[mine)* **137** 27, **138** 1
~ de la journée **256** 10
receveur **200** 39
~ de tramway **193** 11
recharge **192** 42-45
réchaud à alcool **266** 19
~ de camping **266** 19
~ électrique **41** 82
~ à essence **266** 19
~ à gaz **41** 35
réchauffeur d'air **133** 2, 58, **146** 11
~ d'eau d'alimentation **205** 23
~ à plaques **77** 8
~ à surface **205** 22
~ de vent **140** 15
recherche des stations **234** 41
récif corallien **13** 32
~ à lagunes **13** 32

récipient à acide **334** 62
~ à alcool **28** 44
~ collecteur des précipitations **10** 39
~ d'eau refroidie **145** 65
~ humide **239** 30
~ à miel **78** 62
~ p. la pelletée de terre **312** 36
~ à produit chimique **334** 61
~ de trop-plein **334** 60
récit *[orgue]* **305** 2
récolte de blé **65** 19-24
~ de céréales **65** 19-24
~ des raisins **80** 9
recompression interne **227** 20
recoupage *[mine]* **137** 35
recoupe de front **137** 36
recoupement *[mine]* **137** 36
recouvrement **117** 100, **161** 5
rectangle **328** 34
rectifieuse cylindrique **143** 7
rectum **22** 22, 61
récupérateur **140** 15
récupération des gaz **133** 2
redingote **32** 52, **34** 53
redistillation de l'essence **139** 59
redresseur de distorsions **236** 26
~ d'intensité **295** 18
~ à mercure **295** 18
~ à (au) sélénium **295** 18, **236** 14
réducteur à engrenage droit **207** 9
~ d'hélice **227** 39
~ de vitesse **167** 19
réfection de la voie ferrée **198** 1-31
référence *[lettre]* **239** 7
réflecteur **3** 13, **107** 68, **111** 52
~ en béryllium **1** 50
~ concave non-sphérique **295** 39
réflecteur à éclairage direct **112** 59
~ indirect **112** 60
réflecteur p. la photographie d'intérieur **112** 59
reflux **267** 7
reforming catalytique **139** 64
réfracteur **109** 16
réfractomètre d'immersion **110** 24
réfrigérant antérieur **148** 28
~ de cheminée **145** 60
~ hydraulique d'huile **146** 46
~ du moût **93** 6
~ postérieur **148** 14
~ de retour **145** 60
réfrigérateur **42** 1, **261** 48
~ à compresseur **42** 1
~ à serpentin **333** 6
refroidissement à air **183** 17
~ du polyamide **164** 34
~ du tambor **133**-17
refroidisseur **93** 6, **139** 27, **334** 48
~ du clinker **152** 9
~ compact **77** 26
~ de crème **77** 26
~ d'huile à serpentins **206** 19
~ à hydrogène **147** 27
~ de lait frais **77** 32
refuge *[cabane]* **282** 1
~ *[rue]* **253** 30
~ de ski **285** 6
regain **65** 35-43
régale **301** 56
regard *[voyant]* **93** 16
~ p. observer la bière **93** 27
régate d'aviron **269** 1-18
~ à voiles **270** 51-60
régénération des gaz **133** 2
~ par la graine **84** 9
régime *[Bot.]* **368** 32
~ de bananes **220** 65
~ de dattes **368** 8
~ de fruits **367** 56
région de basse pression **9** 5
~ de haute pression **9** 6
~ postale **232** 38
~ de précipitation **9** 30
~ vinicole **80** 1-20
régisseur *[Film]* **293** 26
~ *[Théâtre]* **297** 40
~ du son **234** 20
registre des basses **303** 44
~ de classe **249** 13
~ de commande (de contrôle) des alternateurs **147** 1
~ coulissant **305** 7
~ des dessus **303** 41
registre d'enclenchement **199** 66
~ des frais de port **238** 48
~ des messages personnels **200** 10
~ de tonalité **306** 26
~ des voyageurs **259** 8
réglage de l'admission du combustible **228** 32
~ de l'aigu **234** 45
~ de l'air **334** 3, 8
~ de l'air d'échappement (air frais) **166** 23
~ de l'allumage **192** 59
~ de l'antenne incorporée **234** 43
~ automatique **161** 13
~ de l'avance de vis **142** 9
~ de la barre de connexion **186** 45
~ du cadre Ferrit **234** 43
~ du châssis **171** 10
~ du chauffage **204** 40
~ des coïncidences **110** 33
~ des contrastes de phases **110** 8
~ du cylindre presseur **176** 22
~ du diaphragme **111** 12
~ de distance focale **111** 13
~ d'exposition **111** 11
~ du gaz **334** 6
~ du grave **234** 44
~ de la grosseur des mailles **160** 42
~ en hauteur **128** 37
~ de l'intensité lumineuse **173** 22
~ d'interligne **240** 5, 67
~ de la largeur de débit **149** 22
~ à main **236** 12
~ de marche **241** 12
~ de la mise au point **294** 31
~ du nombre de tours **142** 6
~ d'une partie du diaphragme **294** 15
~ du pas de vis **142** 9
~ de la période du pendule **11** 41
~ des phares **192** 58
~ de la platine **109** 6
~ du porte-objectif **171** 9
réglage de précision **128** 8
~ de la pression **174** 44
~ de puissance **234** 42
~ de la puissance sonore **306** 27
~ du ressort **10** 15
~ du siège avant **185** 58
~ de la température **203** 41
~ de vitesse **142** 6
règle *[p. tracer]* **249** 67
~ *[coupe-verre]* **122** 21
~ d'arrêt de la feuille **178** 11
~ à calcul **144** 7
~ coulissante **173** 37
~ à dessiner **144** 21
~ graduée triangulaire **144** 51
règle de niveau inférieur **113** 74
~ supérieur **113** 73
règle de réduction **144** 51
~ de trois **327** 8-10
règlement électoral **251** 25
~ du parc **257** 29
régleur de l'intensité **241** 30
réglisse des bois **361** 16
régulateur *[montre]* **107** 24-26
~ *[pendule]* **107** 52
~ d'amenage **149** 59
~ automatique **146** 39
~ automatique de tension **147** 31
~ de balayage **237** 17
~ centrifuge **184** 41
~ de chauffage **158** 51
~-détendeur **148** 48
~ du filage **157** 38
~ p. groupe d'abonnés **148** 48
~ de largeur **159** 13
~ du mélange propulsif **227** 57
~ de pression **323** 38
~ de régime **211** 36
~ de tension **147** 31
~ de traction **68** 28
~ de vapeur **205** 13
~ de vitesse **106** 46
~ à volant **219** 33
Régulus **5** 17
rein droit **22** 28
~ gauche **22** 30 et 31
reine *[abeille]* **78** 4
~ *[fourmi]* **342** 21
~ de beauté **289** 64
~-claude **61** 24
~ des eaux **362** 17

reins *[Anat.]* **18** 25
~ *[cheval]* **73** 30
rejet **57** 16
~ du ballon **274** 40
~ de la veine **137** 24
rejeton **57** 16
rejonas portuguais **287** 57
relais *[Sport]* **268** 24-32
~ de chaîne **159** 40
relanceur **276** 19
relevage d'une épave **224** 9-12
relèvement de bord **230** 22
~ de sol **230** 26
~ de virage **197** 30
releveur de démarrage de frein **206** 14
~ d'épis **68** 52
relief **322** 33
relieur **177** 2
religieuse **29** 18
reliure **177, 178**
~ du livre **178** 40-42
~ à la main **177** 1-38
remarque **178** 62
remblai **137** 23, 40, **138** 16, **254** 29
~ de la route **197** 35
~ de tuf **11** 26
remblayage **137** 23, 40, **138** 16
rembourrage de cuir **47** 19
~ des épaules **275** 30
remède **26** 11, **28** 7
remise **252** 17
~ aux locomotives électriques **199** 18
~ à machines **199** 6
~ p. le matériel **255** 1
~ à outils **79** 1
remonte·-pente à siège **283** 1
~-pentes **209** 15
remontée de boue **139** 16
~ des mineurs **137** 14
remorquage par auto **271** 1
remorque **189** 50, **202** 39
~ d'autorail **207** 26
~ du camion de déménagement **189** 42
~ de camping **183** 36, **266** 4
~ de car **188** 3
~ p. cycle **181** 20
~ de dépanneuse **189** 54
~ à deux roues **189** 35
~ fourgon d'autorail à un essieu **207** 27
remorque p. grumes **85** 2
~ de la locomotive à crémaillère **209** 5
~ à pneus **64** 33
~ routière **208** 40
~ du scooter **183** 36
~ à six essieux **208** 40
~ du tracteur électrique **202** 3
~ du tramway **193** 6
~ de trolleybus **188** 15
~ p. vélo **181** 20
remorqueur **220** 21
~ en action **217** 39
~ à cabine **211** 24
~ fluvial **211** 23
~ de haute mer **221** 47-50
~ de port **221** 51-55
~ de sauvetage **224** 5-8, 9
rempart **252** 35
remplage **317** 39 et 40
rempli de fond **130** 20
remplissage **212** 7
~ des bouteilles **77** 13-22
~ en briques **115** 59
~ du mélange propulsif **229** 12
~ d'oxygène liquide **229** 13
remplisseuse des bouteilles **77** 21
~ de tonneaux **93** 29
Renaissance **317** 42-54
renard commun **88** 42
~ roux **88** 42, **352** 12
renarde **88** 42
rencontre **277** 15-43
~ à l'épée **277** 39-43
~ au fleuret **277** 15-32
~ au sabre **277** 33-38
rendez-vous **257** 44
rêne **72** 25, 33, **179** 31
renflement **303** 26
renflouement d'une épave **224** 9-12
renforcement **296** 31
~ diagonal **210** 50
~ de la digue **211** 50-55
~ sous les œillets **99** 44
~ transversal **210** 31
reniflard d'aération du carter **184** 20
~ de la culasse **184** 3
renne **336** 16
renonculacées **62** 13
renoncule âcre **359** 8
renouée bistorte **360** 10
rente à revenu fixe **243** 11-19
rentrée du ballon **274** 49
renvoi de la balle **276** 50
~ des boules **287** 16
répartiteur téléphonique **230** 16
répartition de la teinture **161** 28
repas complet **260** 54
~ de fête **259** 40-43
repassage **166** 31
repasseuse **166** 32
~ à auge **162** 38
répétiteur de compas gyroscopique **219** 29
répétition **296** 20
repiquage **57** 5
reporter **281** 45
repose·-pied **182** 37
~-pied du passager **182** 57
repousse-peau **103** 3
représentant de la liste opposante **251** 27
représentation des échos **230** 51
reprise *[Bot.]* **361** 9
reproduction photomécanique **112** 27
~ sonore **293** 13
reps de trame **165** 13, 14
~ transversal irrégulier **165** 19
reptile **350** 27-41
~ saurien **350** 33
République Argentine **14** 32
~ populaire de Chine **14** 48
requin bleu **350** 1
réseau de canalisations **148** 53 et 54
~ de coordonnées terrestres **15** 1-7
réseau de distribution· aux consommateurs **148** 53 et 54
~ du gaz **148** 47-55
réseau de soie **81** 7
~ urbain **148** 53 et 54
réservation de chambres d'hôtel **200** 28
réserve *[forêt]* **84** 10
~ d'encre solide **239** 28
~ de livres **250** 11
réservoir **216** 30
~ à air **254** 17, 50
~ à air comprimé **147** 51
~ d'alcool éthylique **229** 6
~ d'alimentation **156** 33
réservoir d'alimentation de la couleur **161** 70
~ à babeurre **77** 12
~ de barrage **212** 39
~ en berceau **220** 46
~ à (de) carburant **181** 45, **226** 47
~ de chasse d'eau **51** 42, **119** 59
~ de comburant **227** 51
~ de combustible **227** 52, **229** 6
~ de côté **217** 34
~ de distillation **139** 57
~ d'eau **3** 2, **146** 17, **297** 51
réservoir d'eau· élevé **254** 18
~ filtrée **254** 13
~ oxygénée **299** 19
~ potable **218** 69
~ de refroidissement **227** 50
réservoir d'encre **239** 21
~ à essence **185** 65
~ à essence de la moto **182** 28
~ d'expansion d'huile **146** 42, **147** 9
~ de fixatif **112** 3
~ de fond **217** 35
~ de fusion **164** 30
~ de gaz **216** 10
~ à graisse **204** 66
~ d'hélium **229** 7
~ d'huile **182** 34
~ à lait de consommation **77** 10
~ à mazout **40** 44, **218** 70, **223** 37
~ mélangeur **164** 53
~ d'oxygène liquide **229** 8
~ de permanganate de potassium **229** 18
~ à petit-lait **77** 11
~ de préparation de la couleur **161** 70
~ sous pression **164** 33
~ principal **220** 61
~ à produits toxiques **83** 32
~ à réaction **164** 12
~ aux rognures **164** 40
~ à sable **199** 54
~ de séchage **164** 38
~ sphérique **139** 67
~ sphérique à gaz à haute pression **148** 64
~ de stockage **139** 22, 66

réservoir de stockage du lait **77** 10-12
~ surélevé **79** 2
~ de la teinture **161** 21
~ des tricots tubulaires **160** 10
~ à vénin **78** 13
~ à vide **164** 54
résidus des noyaux désintégrés **1** 20
résille **103** 24
résistance **331** 84
~ coulissante **331** 83
~ de démarrage **129** 3
~ de renversement du sens de rotation **206** 21
~-self **236** 8
respiration artificielle **17** 24-27
ressac **13** 27
ressaut de la façade **317** 43
ressemblance **327** 22
ressemblant à **327** 22
resserre à outils **113** 48
ressort **10** 10, **134** 50, **179** 15
~ d'apport **87** 18
~ de l'archet **193** 19
~ du balancier **107** 25
~ de barillet **107** 17
~ à boudin **124** 22, **283** 50
~ de contact **120** 28
~ à déclic **181** 29
~ hélicoïdal **185** 26, **187** 24
~ à lames **183** 45, **185** 25
~ de montée **193** 18
~ de pression de la pompe **169** 41
~ de rappel **166** 38, **186** 53, **233** 22, 51, 57
ressort de rappel des crochets **125** 14
~ du sabre chasse-navettes **159** 68
ressort de selle **180** 23
~ de soupape **184** 61
~ spiral **107** 25
~ spiral de protection **120** 25
~ en spirale **10** 18, **134** 42
~ de suspension de l'essieu **204** 68
~ de tiroir **183** 53
~ du titillateur **183** 64
~ de traction **52** 77
~ de verrouillage **134** 42
restaurant **259** 20, **260, 261**
~ de l'aéroport **230** 5
~ automatique **260** 45-54
~ p. libre service **260** 45-54
~ à service rapide **260** 45-54
reste *[Math.]* **326** 24
résultat **240** 48, **326** 23
retaille **91** 17
retard du train **201** 26
retenue **90** 26
~ de chasse **211** 34
réticule *[mirée]* **87** 32
Réticule **5** 48
Reticulum **5** 48
rétine **21** 49
rétinoscope **109** 12
retombée de feuilles **315** 24
~ du premier étage **229** 41
retordage-étirage **164** 46
~ de finition **164** 47
~ préliminaire **164** 45
retordeuse à anneaux **157** 57
retoucheur **154** 19
retour **283** 31
~ des berlines vides **138** 7
~ d'eau de refroidissement **3** 11
retourneur de malt **92** 16
~ à malt vert **92** 9
retrait *[billard]* **264** 4
retraite *[football]* **274** 53
~ de digue **211** 38
rétroviseur **185** 38
~ de motocyclette **190** 14
réunion des électeurs **251** 1-15
~ électorale **251** 1-15
réveil **107** 41
~ de voyage **107** 58
réveille-matin **107** 41
réverbère **39** 62, **194** 19, **253** 16
revers *[Vêt.]* **34** 16, **100** 46
~ *[monnaie]* **244** 10
~ *[tennis]* **276** 20
~ de dentelle **37** 6
~ de l'enveloppe **232** 26
~ de la manche **32** 53
~ de soie **34** 54
revêtement **118** 5, 41
revêtement bitumineux **196** 58
~ de (la) chaussée **194** 11, **212** 1
~ du fuselage **271** 55
~ en miroirs **259** 66
~ mural **118** 60
~ des murs **113** 83-91
~ de (du) plafond **118** 59, 72, **234** 17
~ du puits terminé **138** 28
~ routier de béton **197** 42
~ de la table **135** 43
révoltade **288** 25
revolver *[microscope]* **110** 5
~ à objectifs **110** 16
revue *[journal]* **250** 15
rez-de-chaussée **39** 2, **113** 7
rhagoletis cerasi **81** 18
rhéostat de démarrage **129** 3
~ de réglage de la lumière diffuse **171** 46
rhésus **353** 12
rhinocéros bicorne d'Afrique **351** 25
rhizome **60** 18
rhizopode **340** 1
rhododendron **362** 1
rhombe **328** 35
rhombododécaèdre **330** 7
rhomboèdre **330** 7, 22
rhomboïde **328** 36
rhum **98** 57
ricin **364** 14
rickshaw **336** 34
rideau **48** 19, **79** 42, **295** 10
~ d'air chaud **256** 43
~ de chaînes **133** 55
~ de cuisine **41** 13
~ à enroulement **39** 28
~ de fer **297** 24
~ à glissière **48** 36
~ en plastique **51** 19
~ de soudage **135** 18
~ de théâtre **297** 23
ridelle de chariot **131** 20 et 21
~ de dessus **131** 20
~ à récolte **131** 1
~ supérieure **189** 16
~ surélevée **189** 17
rièse **84** 32
riflard **127** 53, **132** 35
rifloir **106** 51
Rigel **5** 13
rigole *[rue]* **194** 7
~ *[tuyau d'orgue]* **305** 18
~ d'alimentation **140** 21
rigole d'amenée de la fonte liquide **140** 34
~ de coulée **140** 47
~ de distribution **145** 62
~ p. l'eau salée **262** 3
~ d'écoulement **339** 11
~ à purin **76** 21
~ de répartition **262** 3
rimaye **282** 2
rinçage des bouteilles **77** 13-22
rince-doigts **103** 2
~-plaque circulaire **173** 6
rinceuse de bouteilles **93** 31
ring **281** 32
ris *[voilier]* **214** 72
risa **314** 30
rive *[rivière]* **13** 4
~ *[Tiss.]* **165** 24
~ de pignon **39** 8
~ plate **13** 58
~ en saillie **116** 3
river **240** 41
rivet **136** 55-58, **181** 31
rivetage **136** 54
rivière du canon **13** 51
~ de la grotte **13** 83
~ souterraine **13** 83
riz **69** 29, **98** 38
roadster **187** 11
robe *[juge]* **248** 27
~ *[cigare]* **105** 5
~ d'après-midi **32** 28
~ de baptême **313** 8
~ de chambre **33** 6, **34** 46, **48** 56
~ de cocktail **32** 28
~ de confection **256** 29
~ de cour **338** 79
~ d'enfant **31** 22
~ d'été **32** 31
~ à la Gretchen **338** 37
~ d'intérieur **32** 15
~ de lainage **32** 37
~ Louis-Philippe **289** 22
~-manteau **32** 8
~ à paniers sans plis **338** 83
~ du pasteur **313** 4
~ serrée à la taille **338** 25
~ du soir **32** 25
~ de soirée **32** 25
~ toute faite **256** 29
robinet **333** 5, 22
~ additionnel du frein de secours **206** 51
~ d'arrêt **51** 41

robinet d'arrêt· de gaz **135** 53
~ d'oxygène **135** 50
robinet d'arrosage **39** 41
~ à bec orientable **119** 37
~ de chasse d'eau **119** 39
~ à commande cubitale **28** 43
~ de la conduite d'air du frein **206** 26
robinet à deux· orifices **334** 49
~ sens **334** 49
~ soupapes **119** 35
robinet d'écoulement **166** 16, **172** 27
~ de fermeture **334** 53
~ de frein **205** 55, **206** 22
~ de frein du mécanicien **206** 52
~ du frein de secours **205** 59
~ p. le freinage automatique **206** 52
~ de lavabo **119** 36
~ ordinaire **119** 34
~ pivotant **41** 23
~ de remplissage **40** 65
~ de réserve **182** 32
~ de la sablière **205** 57
~ du sifflet à vapeur **205** 53
~ simple **334** 42
~ p. soutirer la bière **93** 22
robinet à trois· directions **331** 15
~ voies **29** 29
robinet de vidage **40** 65
robinetterie de température et de pression **77** 18
robinier **54** 11, **355** 70
robot **2** 44, 47
rocaille *[jardin]* **39** 40
~ *[Art]* **318** 9, 13
~ fleurie **54** 1
~ roulée **12** 45
roche imperméable **12** 23
~-magasin **12** 29
~ plutonienne **11** 29
rocher naturel **339** 17
rochet **314** 50
~ d'échappement **107** 22
rocker **284** 19
rococo **318** 9-13
rognure sèche de polyamide **164** 39
roi *[échecs]* **265** 8
roi *[quille]* **287** 12
roitelet d'été **346** 10
~ d'hiver **346** 10
~ à tête dorée **346** 10
rôle *[chique]* **105** 23
roll **158** 24
Rolleiflex **111** 15
rollier **343** 24-29
Romain **338** 11
Romaine **338** 7
romaine *[levier]* **156** 16
~ capitale **324** 16
romarin sauvage **361** 21
romsteck **96** 20
ronce **60** 29
rond *[muscle]* **20** 54, 55
~ *[profilé]* **136** 8
~ *[fourneau]* **41** 42
~ de serviette **46** 10
ronde *[note]* **299** 15
~ *[jeu]* **258** 29
rondelle *[vis etc.]* **117** 102, 103, **136** 17, **333** 17
~ *[bâton de ski]* **283** 54
~ *[armure]* **310** 82
~ élastique **198** 39
~ d'épaulement **131** 12
~ à ergot **180** 54
~ d'étanchéité de plomb **117** 103
~ galvanisée **117** 102
~ Grower **136** 32
~ d'oreille **337** 30
rondin *[bois]* **149** 31
~ en acier **114** 80
rongeur **351** 12-19
ros **159** 10
rosace *[Art]* **317** 23
~ *[instr. de mus.]* **301** 22, **303** 5
~ murale **53** 52
rosaire **313** 28, **314** 21
rosbif **95** 17
rose *[couleur]* **320** 4
~ *[Bot.]* **62** 15
~ *[Art]* **317** 23
~ *[instr. de mus.]* **301** 22
~ des chiens **357** 26
~ de Chine **62** 15
~ double **62** 17
~ d'Inde **62** 15
~ des vents **219** 24
roseau **130** 27, **266** 3
~ odorant **361** 22
rosée du soleil **361** 14
rosette de bal **289** 34
rosier en buisson **55** 13
~ grimpant **55** 12
~ à haute tige **55** 21
rosier nain **55** 13
rossignol *[Zool.]* **346** 14, 17
~ *[clef]* **134** 10
~ des murailles **344** 3
rossolis **361** 14
rotacteur **236** 27
rotang **130** 32
rotaprint **174** 33
rotation du tronc **278** 12
rotative hélio **176** 14
~ hélio multicolore **176** 27, 35
~ typo p. journaux **175** 41
rôti **46** 27
rotin **130** 32
rotogravure **176**
rotonde **199** 6
rotor *[hélice]* **212** 52
~ *[ventilateur]* **183** 18
~ *[aimant]* **331** 74
~ de sustentation **225** 69
rotule *[Anat.]* **19** 23
~ *[Techn.]* **2** 41
~ d'orientation **111** 33
rouage **107** 19-21
roue *[dindon]* **74** 29
~ *[Gymn.]* **278** 30
~ ailée **201** 64
~ américaine **287** 54
~ d'ancre **107** 22
~ arrière **179** 17
~ à augets **91** 35
~ dans une avalaresse **138** 32
~ avant **179** 4, **180** 26-32
roue avant· orientable **226** 36
~ surbaissée **181** 17
roue d'avion avant **225** 49
~ de basse **301** 26
~ caoutchoutée **30** 36
~ de centre **107** 19
~ de la chance **291** 45
~ de chariot **131** 26
~ à cuillères **67** 19
~ dentée **136** 80-94
roue dentée· d'arrière **180** 38
~ avant **180** 35
~ motrice **209** 8
~ à rochet **145** 24
roue à dents de bois **91** 7
~ en dessus **91** 35
~ directrice **180** 26-32, **181** 27, **186** 2
~ d'échappement **107** 22
~ d'entraînement **173** 34, **233** 19
~ éolienne **291** 45
~ de la fortune **291** 45
roue de gouvernail **219** 15
~ du hasard **291** 45
~-hélice **212** 52
~ des heures **107** 38
~ hydraulique **91** 35
roue hydraulique· de côté **91** 37
~ en dessous **91** 39
~ à palettes **91** 39
roue infernale **291** 46
~ p. le lapping **134** 32
~ libre **184** 35
roue à main du gouvernail· de direction **223** 41
~ de plongée **223** 42
roue motrice **167** 22
~ de moulin **91** 35
~ moyenne **107** 20
~ à palettes **79** 35
~ à percussion **177** 23
~ polisseuse **134** 32
~ portante **209** 7
~ porte-fourches **68** 42
~ de queue **225** 8
~ à rayons **183** 12
~ de rechange **189** 30
~ de remontage **107** 15
~ de rencontre **107** 22
~ de roulement **145** 77
~ du scooter **183** 35
~ de seconde **107** 21
~ de secours **183** 37, **185** 54, **189** 30
~ du side-car **182** 64
~ de sillon **68** 16
~ support **68** 26
~ de support **68** 15
~ de transport **68** 40
~ trotteuse **107** 21
~ à vent *[jouet]* **291** 15
~-ventilateur de refroidissement du tambour de frein **187** 22
~ vivante **287** 54
~ à voile plein **185** 15
~ de voiture **204** 62
rouf de cabine **270** 8
~ du pont **218** 34
rouge *[couleur]* **320** 1
~ *[Hér.]* **246** 27
~ *[carte à jouer]* **265** 44
~-gorge **346** 15
~ à lèvres **103** 19
~-queue **344** 3
Rouge **263** 24
roulade de bœuf **96** 22

roule-cigarettes **105** 18
rouleau *[compresseur]* **196** 37
~ *[à couleur]* **121** 6
~ *[Gymn.]* **278** 25
~ d'accordage **305** 30
~ agricole **67** 9
~ d'alimentation **149** 13
~ alvéolé **24** 5
~ d'amenage **149** 4
~ d'appel **156** 37
~ d'argile **322** 8
~ d'avancement de la bobine **111** 4
~ de balayeuse à brosse métallique **195** 32
~ de (en) caoutchouc **112** 37, **176** 25
~ p. chasser l'eau **112** 37
~ à cigarettes **105** 18
~ cisailleur **66** 36
~ compresseur de ballast **198** 18
~ de coton hydrophile **27** 25
~ de crescendo **305** 49
~ directeur **197** 20
~ de direction **145** 81
~ distributeur **175** 7, 62
~ d'écriture **308** 56, 60
~ encolleur **178** 27, 33
~ à encrer en cuir **323** 23
~ encreur **174** 5, 15, 40, **239** 47
~ enrouleur **141** 69
~ d'entaille **305** 30
~ d'entraînement **331** 59
~ entraîneur **131** 37
~ d'entrée **128** 43
~ à gélatine **323** 12
~ guide **141** 65, **168** 12
~ guide-papier **176** 32
rouleau-guide· de feutre **168** 15
~ de papier **168** 20
rouleau de laminage **141** 62
~ laveur **174** 30, **195** 32
~ à lisser les coutures **121** 40
~ mouilleur **174** 7, 28
rouleau de nappe· du batteur **156** 47
~ d'étirage **156** 58
rouleau à oblitérer **231** 43
rouleau d'ouate **27** 25
~ de pansement **17** 9
~ de papier **240** 56
rouleau de papier· collant **238** 78
~ hygiénique **51** 31
~ peint **121** 36
~ vierge **233** 63
rouleau à pâte **42** 54
~ à pâtisserie **97** 67
~ de la pellicule **295** 33
~ p. pellicule petit format **112** 26
~ à pochoir **121** 26
~ preneur **175** 63
~ pressant l'eau **174** 27
~ presseur **141** 64
~ de registre **176** 32
~ sécheur **174** 27
~ de sortie **128** 44
~ souple **255** 54
~ tendeur mobile **175** 45
~ de tête **168** 10
~ de timbres-poste **231** 18
~ toucheur **175** 7, 18, 27, 61
~ de travail **141** 62
~ p. les travaux de route **196** 36
roulement *[Techn.]* **180** 68
~ à aiguilles **182** 49
~ à billes **136** 67
~ à galets **136** 67
~ à rouleaux **157** 47
roulette *[roue]* **29** 12
~ *[jeu]* **263** 1-33
~ *[plateau]* **263** 10, 28
~ de contact **188** 14
~ de couturière **102** 62
~ en métal **287** 36
~ à pointiller **323** 18
~ de queue **225** 8
~ de réglage **219** 3
~ de sellier **123** 14
roulotte de forain **202** 26
~ d'habitation **290** 34
Roumanie **14** 19
roussin **86** 35
route d'accès **197** 36
~ départementale **16** 36
~ encaissée **16** 84
~ maritime **15** 24
~ nationale **16** 17, 83, **197** 28
~ à revêtement bitumineux **196** 55
~ secondaire **16** 30
~ de trafic à grande distance **16** 17
routier **189** 47
rowlock pivotant **269** 41
roze **88** 36
ruban **36** 14, **161** 29
~ d'arrivée **280** 8
~ de béret **31** 33
~ de carde **156** 38, 64
~ de carte couchée **168** 37
~ conducteur **331** 60
~ de la couronne **312** 58
~ encré **240** 14
~ encreur **239** 39
~ étiré **157** 13
~ de fils **163** 28
~ isolant **120** 34
~ à lingotières **140** 35
~ métrique **102** 73
~ de moire **36** 41
~ de nuque **36** 38
~ de papier **168** 19, 26, 30, **175** 43, 58, **176** 13, 21
ruban de papier· couché **168** 37
~ gluant **83** 3
~ imprimé **176** 30
~ vierge **176** 31
ruban peigné **156** 72
~ de soie **36** 41
~ de tablier **32** 24
~ de velours **36** 41
rubanné **354** 31
ruche *[Vêt.]* **37** 18
~ *[Apicult.]* **78** 45-50
~ en paille **78** 52
rucher d'ancien modèle **78** 51
~ moderne **78** 56
rue **194** 1
~ commerçante **252** 32
~ à grand trafic **252** 32
~ latérale **194** 2, **253** 7
~ menant vers la banlieue **252** 1
~ principale **253** 8
~ du quai **220** 15
~ secondaire **253** 7
~ transversale **253** 7
ruelle **252** 40
rugby **275** 19-27
ruine **16** 72
ruisseau **13** 8, **16** 80
~ à truites **89** 8
ruminant **74** 1, **351** 28-30, **352** 1-10
runique *[écrit.]* **324** 19
rupture de la glace **17** 28-33
rustique *[maillet]* **150** 38

S

sable **16** 6
~ *[Hér.]* **246** 26
~ broyé **150** 22
~ de moulage **141** 26
sablé **97** 15
sablier **42** 46, **107** 48, **168** 8
sablière *[à épandre]* **195** 17
~ *[constr.]* **115** 49, **205** 14
~ à air comprimé **205** 19
~ portée **195** 17
~ supérieure **115** 58
sabord de batterie **213** 59
~ de muraille **216** 43
~ de pavois **216** 44
sabot *[chaussure]* **53** 63
~ *[animal]* **73** 26, **88** 24
~ *[Techn.]* **128** 7
~ d'aile **187** 16
~ d'appui **209** 79
~ de câble **209** 33
~ de (du) câble porteur **209** 58, 79
~ d'enrayage **202** 52
~ de frein **136** 98, **179** 16, **204** 67
~ de la trémie **91** 14
~ de Vénus **360** 27
sabotière *[danse]* **288** 42
sabre *[métier]* **159** 17
~ d'entraînement **277** 34
~ léger **277** 34, 63
~ lourd **277** 46
sac *[à main]* **37** 10, **253** 13
~ amniotique **75** 56
~ p. la carcasse du canot **269** 64
~ de ciment **113** 43
~ à clubs **276** 65
~ à crosses **276** 65
~ à dos **266** 42
~ à eau **266** 16
~ d'écolier **249** 41
~ embryonnaire **354** 64
~ extérieur du parachute **228** 51
~ de farine **91** 66
~ de grains **83** 16
~ à huile **224** 48
~ intérieur du parachute **228** 57
~ de lettres plombé **203** 22
~ à main **37** 10
~ d'oreiller **48** 8
~ de papier **98** 48
~ de paquets-poste **203** 23
~ de petits pains **97** 3

sac à pinces à linge **53** 40
~ de plage **267** 24
~ de plâtre **322** 29
~ pollinique **356** 45, 50
~ postal de levée **231** 32
~ à poussière(s) **52** 8, **140** 14
~ à provisions **52** 48
~ de sable **211** 50, **281** 21
~ de semeur **65** 11
~ de sport **266** 22
~ à suie **40** 34
~ à vent **230** 17
~ vocal **350** 25
~ de voyage **201** 7
sachet *[enveloppe]* **231** 17
~ de sable **279** 24
sacoche **266** 23, 45
~ en bandoulière **249** 69
~ de facteur **231** 48
~ latérale à bagages **181** 19
~ de moto **190** 21
~ postale **231** 48
~ de selle **180** 25
sacristain **311** 26, 62
sacristie **312** 13
sacrum **19** 21, **22** 59
safran *[gouvernail]* **217** 66, **269** 53
~ des prés **363** 3
sage-femme **29** 7
sagittaire *[Bot.]* **362** 51
Sagittaire **5** 37, **6** 40
Sagittarius **5** 37, **6** 40
sagitté **354** 37
sagou **98** 39
sagoutier **367** 58
saharienne **31** 55
saignée *[sang]* **94** 15
~ *[mine]* **138** 45
saillie *[Arch.]* **116** 3, **317** 11
~ de l'assise **118** 3
~ du rocher **282** 14
saindoux **96** 5
sainfoin **70** 10
saint bouddhiste **319** 10
Saint·-Bernard *[chien]* **71** 38
~ Sacrement **313** 34
sainte messe **311** 49
Sainte-Cène **313** 24
saisine **213** 32
salade **59** 36-42
~ de viande **96** 21
saladier **46** 23
salamandre terrestre **350** 22
salami **96** 13
salicional **305** 23-30
salière **45** 37
saline **16** 32, **262** 1-7
salle d'armes **277** 16
~ d'attente **200** 14
~ de bains **51** 1-28
~ de bal **289** 1
~ de banquet **259** 39
~ de billard **264** 7-19
~ de bobinage **163** 25
~ de la bourse **243** 1
~ de brassage **92** 25-36
~ du café express **261** 1-26
~ des catalogues **250** 18
~ des chaudières **145** 68
~ de chauffe **79** 7
~ de cinéma **295** 1
~ de classe **249** 1
~ de commande **147** 1-8
~ des commandes **146** 19
~ de contrôle **146** 28
~ de cours **250** 2
~ de danse **204** 25, **289** 1
~ de fête **259** 39
~ des gabarits **217** 3
~ de graissage **191** 1
~ des guichets **231** 1-30, **242** 1-11
~ du gymnase **279** 1-48
~ des jeux **263** 1
~ de lecture **250** 13
~ des machines **146** 22
~ à manger **45**, **204** 18, **259** 20
~ de montage **292** 3
~ de musique **44**
~ d'opération **28** 1-45
~ des pas perdus **296** 12 et 13
~ de préparation de la boue **262** 37
~ de prêt **250** 18
~ publique **234** 15
~ de réception **259** 1-26
~ de repos **25** 15
~ de la roulette **263** 1
~ de séchage **163** 24
~ de séjour **44**
~ de société **204** 25, **259** 39
~ de spectacle **296** 16-19
~ à tracer **217** 3
~ de triage **137** 8
~ du tribunal **248** 19
~ des turbines **146** 22
salon *[navire]* **218** 26
~ *[voiture]* **204** 50
salon de coiffure p. dames **103** 1-34
salon de coiffure p. messieurs **104** 1-38
~ du commandant **218** 13
~ de thé **261** 1-26
salopette **31** 9
salsifis **59** 35
salta **265** 20
salut **277** 32
samare **355** 12
~ à ailettes **355** 57
samouraï **336** 37
samovar **45** 49
sampan **336** 31
sanctuaire **311** 36
~ bouddhiste **319** 21
sandale **100** 29
~ ailée **308** 22
~ emboutie **100** 43
~ d'escrime **277** 31
~ du gymnaste **278** 48
~ sans talon **277** 31
sandalette **100** 44
sandow **278** 43
sandwich **46** 39
sang artériel **20** 12
~ veineux **20** 11
sangle **124** 16, **271** 50
~ de commande en cuir **157** 16
~ de freinage **222** 71
~ d'ouverture du parachute **228** 55
sangles **30** 12
sanglier **86** 32, **88** 51
~ mâle **88** 51
sangsue **340** 16
sans nuages **9** 20
sanscrite *[écrit.]* **324** 9
sansonnet **346** 4
sanve **63** 18
sapeur **255** 17
~-pompier **255** 37
sapi **85** 31
sapin blanc **356** 1
sapo cubano **303** 60
sarbacane **335** 26
sarcleuse **66** 33
sarcophage **317** 53
~ de pierres **309** 17
sardine **98** 19
sarment **80** 3
sarrasin **70** 20
sas **91** 26
~ à farine **97** 68
sassoire **131** 15
satellite **6** 24, 25, 27-30
~ d'exploration **4** 48
~ d'exploration avec des animaux **4** 53
~ terrestre **4** 49
Saturne **6** 28, **7** 16
sauce anglaise **46** 43
saucière **46** 17
saucisse à bouillir **96** 14
~ dure **96** 13
~ grillée **291** 34
~ à griller **96** 23
saucisse longue en anneau **96** 7
~ à rôtir **96** 23
saucisson **96** 17
~ sec **96** 13
saule des chèvres **355** 24
saumon *[acier]* **140** 39
saurien **350** 27, 31-37
saut **280** 29-55
~ acrobatique **268** 41-46
~ de l'ange **268** 12
~ d'Auerbach **268** 42
~ en biais **283** 21
~ de biche **284** 6
~ de brochet **268** 41, **278** 6
~ de caractère **288** 20
~ au cheval d'arçons **279** 49-52
~ à cloche-pied **280** 33
~ à la corde **258** 53
~ costal **279** 51
~ avec départ en appui renversé **268** 46
saut de face avec passement· de jambes **279** 44
~ des jambes entre les bras **279** 52
saut final **280** 35
~ à grande distance **283** 14
~ en hauteur **280** 36 et 37
~ en hauteur et en longueur **272** 33
saut latéral· dorsal **279** 49
~ facial **279** 50
~ ventral **279** 50
saut en longueur **280** 29-32, 35
~ de mouton **72** 5
~ de patinage **284** 6
~ à la perche **280** 38-41
~ périlleux **268** 43
~ retiré **288** 15
~ de ski **283** 7-14
~ de terrain **283** 22
~ tournant **283** 21
~ en vrille **268** 45
saute-en-bas **272** 52
sauté à la seconde et détiré **288** 25
sautereau **301** 50
sauterelle *[Zool.]* **342** 8
~ *[outil]* **115** 81
sauteur de haut-vol **298** 21
~ en hauteur **280** 36
~ en longueur **280** 29

sauteur sur les mains **298** 10
~ par-dessus le mouton **279** 18
~ à la perche **280** 38
~ de ski **283** 14
sauvageon **57** 33
sauvegarde **216** 47
sauvetage d'épaves **224**
~ de naufragés **224**
sauveteur **17** 29, 36
savon à barbe **51** 69, **104** 21
~ mou **41** 31
~ en poudre **53** 55
~ de toilette **51** 11, 68
savonnette **30** 22, **51** 68
saxhorn **302** 39
saxifragacée **60** 1-15
saxifrage à feuilles rondes **359** 1
saxophone **303** 69
scabieuse des champs **359** 27
~ colombaire **359** 29
scale **350** 1
scalp **335** 15
scalpel **26** 39
scaphandre **224** 27
scaphandrier **135** 46, **224** 20-30
scapulaire **314** 15
scarabéidé **342** 24
scarole **59** 40
scénario **292** 45
scène *[théâtre grec]* **316** 45
~ *[planches]* **296** 14
~ *[cinéma]* **295** 8
~ en amphithéâtre **296** 1-4
~ avec machinerie **297** 1-60
~ miniature **298** 38
~ de poupée **298** 38
~ proprement dit **297** 36
~ du studio d'émission **234** 14
~ tournante **297** 31
sceptre **308** 3, 8
~ de fou **289** 59
schablon **170** 55
schéma **156** 51
~ d'un atome **1** 1-4
~ d'un isotope **1** 5-8
schilling **244** 13
schiste intercalaire stérile **138** 23
schlitte **85** 7, **285** 2
schnorchel **223** 11
schooner **270** 27
~ à voiles d'étai **270** 32
Schwabach **325** 2
sciage hollandais **115** 90
~ sur mailles **115** 90
sciages alignés **149** 1
sciages avivés **149** 1
~ flacheux **149** 37
~ en plots **149** 38
scie alternative à châssis **149** 10
~ à araser **127** 8
~ à arc **85** 39
~ à archet **130** 40, **134** 9
~ à bûches **85** 39
~ à chaîne **85** 44, **115** 14
~ à chantourner **106** 11, **126** 3, **129** 12
~ à chariot **143** 46
~ à châssis **115** 61, **127** 1-8
~ circulaire **114** 19, **128** 5
scie circulaire de débit en lattes **149** 2
~ de délignage **149** 2
~ double p. bois de construction **149** 20
~ à métaux **143** 46
scie à couteau **127** 27
~ à découper **129** 12
~ à deux mains **85** 34
~ à dosseret **127** 51
~ d'élagage **58** 9
~ électrique à os **96** 40
~ forestière **85** 34-41
~ à guichet **115** 63
~ d'horloger **107** 65
~ individuelle **85** 44
~ à jabler **126** 23
~ à main **85** 38, **127** 1
~ à manche d'égoïne **85** 38
~ mécanique **85** 44
~ à métaux **134** 9
~ à monture **127** 1-8
~ à onglet **122** 30
~ à os **96** 35
~ passe-partout **85** 34, **115** 68, **127** 27
~ à pendule **143** 46
~ à refendre **127** 1
~ à ruban **128** 1
~ à tronçonner **115** 14
~ verticale à lames multiples **149** 10
scié **354** 44
~ double **354** 45
science du blason **246** 1-36
~ héraldique **246** 1-36
scierie **115** 3, **149** 1-59
~-raboterie **149** 1-59
scieur **149** 19
sclérotoscope **109** 11
scolex **341** 25
scooter **183** 1-37
~ caréné à trois roues **183** 6
~ lourd **183** 1
scootériste **183** 38
scope radar **219** 12
scorpion **342** 40
~ domestique **342** 40
~ d'eau **342** 4
Scorpion **5** 38, **6** 39
Scorpius **5** 38, **6** 39
scorsonère **59** 35
scotie **316** 29
scottish-terrier **71** 17
scout **266** 40
scraper **196** 17
~ sur chenilles **196** 16
script **234** 10, **292** 45
~-girl **292** 39
scrotum **22** 71
scrubber du gaz à l'eau **148** 25
sculpteur **322** 1
~ sur bois **322** 28
sculpture **309** 7, **322** 32
~ sur bois **323** 1-13
se fendant **277** 19
seau **52** 50, **75** 35, **216** 56
~ p. le champagne **259** 59
~ à charbon **52** 56
~ à frapper **259** 59
~ à frapper le vin **260** 42
~ de graissage p. engrenages **191** 9
~ à huile p. engrenages **191** 9
~ de mine **138** 29
~ p. le nettoyage des vitres **190** 24
~ à ordures **41** 11
~ de peinture à la colle **121** 11
~ à pitance **339** 7
~ à puiser **126** 9
~ à sable **258** 27
~ à traire **76** 26
~ p. le transport des poissons **89** 64
~ à vifs **89** 18
sécante **328** 50
sécateur **58** 15
séchage des fils **164** 58
sèche-cheveux **103** 30
sécherie **168** 18-20
sécheur de fibres à bande multiple **163** 31
sécheuse **171** 56
séchoir *[linge]* **53** 35-42
~ *[cheveux]* **103** 30
~ *[Techn.]* **164** 38
~ à bois à air humide **149** 46
~ à chambre unique **166** 19
séchoir à écorces **84** 28
second *[boxe]* **281** 40
~ canot de sauvetage **224** 44
~ de cordée **282** 27
seconde *[Escr.]* **277** 2 à 1
~ majeure **300** 20
~ sur la pointe **288** 26
~ position sur pointes **288** 19
secoueur **67** 46
~ de paille **68** 62
secouriste **17** 19
secours en cas de rupture de la glace **17** 28-33
~ aux noyés **17** 34-38
secrétaire *m* **251** 26
~ *f* **238** 10
secteur *[Hér.]* **246** 18-23
~ du cercle **328** 54
~ de travail **160** 21
section de carte **219** 13
~ conique **329** 11-29
~ de gymnastes **279** 31 et 32
~ de passage **212** 56
~ de réseau **241** 38
~ d'un revêtement routier en béton **197** 43-46
~ d'une route à revêtement bitumineux **196** 55
~ transversale **196** 55
~ transversale d'un pont **210** 1
sectionneur de toiture **206** 6
sectionneuse de briques **151** 15
sédimentation du sang **26** 7
segment *[Zool.]* **340** 21
~ d'aiguille **156** 70
~ de cercle **328** 52
~ de compression **184** 79
~ en cuir **156** 69
~ denté **186** 42
~ du piston **184** 79
~ racleur d'huile **184** 80
seiche **340** 22, **349** 4
seigle **69** 1
sein **18** 28 et 29
séismographe horizontal **11** 39
séismologie **11** 32-38
seizième de soupir **299** 29
sel **98** 40
~ de cuisine **164** 13
~ marin **330** 2
sélecteur **233** 36

sélecteur de canaux **236** 4
~ à deux mouvements **233** 42
~ d'entrée **306** 18
~ de lignes groupées **233** 38
~ à main **183** 27
~ de vitesses **182** 36
sélection des gammes d'ondes **234** 47
~ des stations **234** 47
sélénium **234** 30
self de choc **236** 19
~-induction **234** 25
selle *[Géol.]* **12** 16
~ *[arçon]* **279** 35
~ *[tonnelier]* **126** 22
~ anglaise **72** 45-49
~ d'armes **72** 37-44
~ biplace du scooter **183** 2
~ de chasse **72** 45-49
~ d'enfant **180** 21
~ d'équitation **72** 37-49
~ hongroise **72** 37-44
~ de montagne **12** 42
~ sans ressort **273** 17
~ du scooter **183** 2
~ souple **180** 22
~ suspendue **182** 19
~ à suspension centrale **181** 48
~ de tonnelier **126** 18
~ de tournoi **310** 87
~ du vélo **180** 22
~ du vélo de course **273** 17
sellerie **123**
sellette **72** 17, 31
~ de bascule **301** 39
~ de frottement **131** 6
~ à modelage **322** 9
~ de remorque **189** 32
sellier **123** 16
sels de toilette **51** 25
semailles **65** 10-12
sémaphore **220** 5
~ principal **199** 37
semelle *[chaussure]* **99** 50 et 51
~ *[charrue]* **68** 6
~ *[ski]* **283** 48
~ *[plancher]* **85** 9, **118** 38
semelle de caoutchouc· mousse **99** 7
~ profilée **99** 37
semelle compensée **100** 35
~ de corde **100** 7
~ crêpe **100** 3
~ de croupon **99** 50
~ de cuir **99** 50 et 51
~ de feutre **99** 6
~ intérieure **99**, 4, 51
semelle de liège **99** 8, **100** 36
~ mobile **99** 4
~ de paille **99** 5, **100** 7
~ profilée en caoutchouc durci **282** 49
~ de rail **198** 36
~ tressée en bois de tilleul **99** 9
semelles de bois **338** 43
semence **57** 3, **367** 57
semences **65** 12
semeur **65** 10
semi·-coupole **316** 73
~-remorque **189** 35
~-remorque à plate-forme surbaissée **208** 46
semis **84** 9
semoir **65** 11
~ en ligne **67** 24
~ mécanique **67** 24
~ mécanique à bras **66** 39
~ p. le trèfle **66** 39
~ à la volée **67** 7
semoule **98** 36
séné **364** 16
séneçon commun **63** 12
sénestre **246** 19, 21, 23
sénevé **63** 18
sens négatif **329** 7
~ positif **329** 6
~ de rotation **210** 56
sentier **16** 102
~ des piétons **16** 43
~ recouvert de gravier **257** 18
sépale **60** 8, 44, **61** 12, **354** 58
séparateur **167** 5
~ à air **153** 24
~ de boues **194** 23
~ des cendres volantes **145** 50
~ d'épuration **77** 7
~ de gaz **139** 21
~ de goudron **148** 31
~ d'interférences **236** 15
séparation des colonnes **325** 43
~ d'un étage **4** 46
~ des étages **229** 39-42
~ des gaz **139** 62
septième majeure **300** 25
~ octave **300** 70
sépulture **319** 16
~ chrétienne souterraine **312** 62
~ à urne **312** 31
séquoia **356** 69
sérac **282** 23
séran fin **125** 5
~ grossier **125** 4
sérançage **125** 1-7
séranceur **125** 2
serfouette **58** 18
sergent *[outil]* **127** 37
série de contacts **233** 45
~ de poêles **41** 84
serin **346** 8
seringa **357** 9
seringue d'arrosage **58** 8
~ auriculaire **26** 58
~ à eau chaude et froide **27** 11
~ à gaz **331** 9
~ à injection **26** 28
~ à injection anesthésique **27** 54
~ insecticide **58** 8
~ à main **58** 8
serpe p. couper **85** 30
~ p. élaguer **85** 30
Serpens **5** 20
serpent *[Zool.]* **308** 52, **350** 38-41
~ *[instr. de mus.]* **301** 12
~ aveugle **350** 37
~ dansant **336** 48
~ d'eau **350** 38
~ venimeux **350** 40
~ de verre **350** 37
Serpent **5** 20
serpentaire **360** 10
serpentin *(de papier]* **289** 66
~ à gonfler **291** 14
~ réfrigérant **3** 27
serpette **58** 23, **80** 10
serpillière **52** 51
serradelle **70** 11
serrage *[Typ.]* **175** 39
~ des rubans de nappe **156** 59
~ du tissu **162** 24
serre *[Zool.]* **347** 7
~ *[Techn.]* **217** 47
~ chaude **79** 4
~ froide **79** 33
~ d'oiseau **307** 61
~ en sous-sol **79** 33
~ tempérée **79** 32
serre·-aiguille **102** 30
~-joint **115** 66, **135** 9
~-joint à coller **127** 37
~-lange **17** 24
~-matrice **170** 59
~-nœud cautérisant **26** 49
~-pied **273** 21
serrière **141** 10
serrure du couvercle de coffre à bagages **186** 25
~ cylindrique **134** 48
~ à goupilles **134** 48
~ à mortaise **134** 35
~ de porte **134** 35, **185** 6
~ de sûreté **134** 48
serrurerie **134** 1-34
serrurier **134** 7
sertissure **38** 25
servant *[Église]* **311** 52
~ *[Sport]* **276** 45
servante **45** 54
serveur de comptoir **260** 8
~ de wagon-restaurant **204** 44
serveuse **260** 18, **261** 13
service *[tennis]* **276** 17
~ anthropométrique **247** 21
~ du ballon de volley **276** 50 et 51
~ à café **45** 7-21
~ à cocktail **47** 40-43
~ des colis express **220** 1
~ à découper **42** 65
~ des eaux **254**
~ d'expédition du courrier **231** 34-39
~ météorologique **220** 4
~ des opérations aériennes **230** 5
~ d'ordre **251** 10
~ de prêt des livres **250** 18
~ de la voie **199** 55
serviette *[à essuyer]* **51** 62, **104** 26
~ *[portefeuille]* **238** 36
~ *[cerf]* **88** 20, 36
~ de bain **51** 23
~ p. compresses faciales **103** 10
~ d'écolier **249** 55
~ du garçon **259** 48
~ hygiénique **23** 63
~ de maquillage **296** 44
~ périodique **23** 63
~ de table **46** 9
sésame **367** 45
sesquiplan **225** 4
setter **71** 41
sextant **219** 1
sgraffite **321** 41
shaker à cocktails **259** 61
shake **247** 3
shampooing **104** 15
shilling **244** 37
shooter **275** 37
shot **274** 39
~ arrière **274** 53
si *[Mus.]* **299** 47
~ bémol majeur **300** 10
~ bémol mineur **300** 13
~ majeur **300** 6
~ mineur **300** 3
sial **11** 1
siamoise *[écrit.]* **324** 10
siccateur en pyramide **65** 43

siccateur à traverses **65** 42
side-car *[nacelle]* **182** 62
~-car du scooter **183** 3
siège **44** 11, **72** 37, 45, **269** 8
~ amovible **189** 3
~ de l'arbitre **276** 23
~ arrière **183** 8, **185** 57
~ avant **183** 7, **185** 55
~ du barreur **269** 27
~ à bascule **49** 15
~ biplace **209** 17
~ biplace à attelage **209** 18
~ canné **43** 23
~ du chauffeur **205** 40
~ du chœur **311** 5
~ du cocher **179** 8
~ du commandant de bord **228** 1
~ du conducteur **185** 55
~ du conducteur électricien **206** 29
~ du co-pilote **228** 2
~ à coulisse **269** 41-50, 44
~ double **182** 55
~ élastique **67** 3
~ du mécanicien **205** 61
~ métallique tubulaire **43** 23
~ monoplace **209** 16
~ monté sur lame **68** 38
~ opératoire **27** 3
~ du passager **183** 32
~ du pilote **228** 1, **271** 32
~ pivotant **204** 45
~ pliant **266** 11
~ rabattable **185** 55, **204** 11
~ rembourré extensible **204** 41
~ de réserve **187** 12
~ à roulette **269** 41-50, 44
~ du scooter p. enfant **183** 30
~ du second pilote **228** 2
~ de téléphérique **209** 16
~ p. le traitement par rayons **24** 11
~ de W.-C. **51** 38 et 39
sifflet **331** 19
~ à conjurer **337** 42
~ magique **337** 42
~ à roulette **203** 16
~ à signaux **203** 16
~ à vapeur **41** 74
signal acoustique **206** 45
~ d'alarme **203** 43, **204** 36
~ d'appel **233** 6
signal d'appel de la douane **245** 37
~ lumineux **259** 6
~ du pilote **245** 23
signal avancé **199** 38
~ avertisseur **199** 38
signal avertisseur lumineux **198** 78
~ de passage à niveau **198** 71
signal de bloc **199** 41
~ de branchement de voie **193** 29
~ de brume **218** 3
~ de cantonnement **199** 41
~ clignotant **255** 6
~ de départ *[ch. de fer]* **201** 35
~ de départ *[pavillon]* **245** 26
~ de direction **199** 39
~ de la fin de la chasse **272** 59
~ horaire **267** 5
~ lumineux **233** 6
signal lumineux de branchement de voie **193** 29
~ de jour **201** 35
signal d'obligation **253** 56
~ de position d'aiguille **198** 50, 64
~ principal **199** 37
~ principal ILS **230** 13
~ stationnement interdit **253** 18
~ de taquet d'arrêt **198** 84
signalisation par balises **219** 43-76
~ par boules **267** 4
~ du chenal **279** 59-76
~ par feux **219** 43-76
~ maritime **219** 43-76
~ des virages **197** 29
signature *[par écrit]* **239** 12
~ *[livre]* **177** 37
~ en fac-similé **244** 34
~ de feuille **178** 69
~ du président **243** 15, 16
signe d'abaissement **299** 53 et 54
~ d'accentuation *[ponctuation]* **325** 30-35
~ d'accentuation *[Mus.]* **300** 41
~ d'addition **326** 23
signe d'appel du médecin **245** 27
~ de code des voleurs **247** 25
~ de différentiation **327** 13
~ de division **326** 26
~ de durée **300** 42
~ d'élévation **299** 51 et 52
~ d'identité **327** 16
~ d'intégration **327** 14
~ de marge **323** 58
~ moins **326** 8
~ de multiplication **326** 25
~ d'octave **300** 44 et 45
~ plus **326** 7, 23
~ de ponctuation **325** 16-29
~ de prononciation **325** 30-35
~ radical **327** 2
~ radio de position **230** 12
~ de reprise **300** 43
~ de soustraction **326** 24
~ topographique **16** 1-114
~ de transposition en quarts de ton **299** 56-59
~ du Zodiaque **6** 32-43
signet fixe **178** 70
~ mobile **178** 71
silence *[pause]* **299** 22-29
silencieux **182** 42
~ d'échappement **185** 62
silène penché **360** 26
silex **309** 1
silicule en forme de bourse **63** 11
silique **63** 20, 23, **354** 93
~ mûre **367** 4
sillage **218** 52
sillet **302** 19
sillomètre **219** 31
sillon *[champ]* **65** 8
~ du vent **13** 41
silo **220** 44, **221** 56
~ d'alimentation en poudre brute **152** 5
~ de betteraves **64** 12
~ de bois **64** 17
~ à charbon **146** 2
~ à (de) ciment **152** 17, **197** 25, **114** 30
~ de classement **148** 22
~ d'extinction **153** 23
~ à fourrage **64** 45
~ à fourrage vert **75** 19
silo d'hydratation **153** 26
~ de pommes de terre **64** 12
silphe de la betterave **81** 45
silure **350** 12
sima **11** 2
simili **172** 31
simple dames **276** 4 à 5
~ messieurs **276** 4 à 5
~ nœud droit **125** 29
simulacre **309** 20
sin **328** 32
sinaïque *[écrit.]* **324** 13
singe **353** 12 et 13
sinople **246** 29
sinuosité du fleuve **211** 42
sinus *[Géom.]* **328** 32
~ frontal **19** 55
~ sphénoïde **19** 54
siphon *[tube]* **10** 47
~ *[égout]* **119** 41
~ d'eau de Seltz **47** 41
sirène *[Zool.]* **351** 23
~ *[Myth.]* **307** 23, 58
~ *[sifflet]* **218** 3
~ d'alerte au feu **255** 4
~ de la fabrique **145** 69
sirénien **351** 23
Sirius **5** 14
sisal **44** 15
sisymbre officinal **63** 16
sittelle **346** 11
sixième octave **300** 69
sixte majeure **300** 24
skeleton **285** 18
ski **283** 35-41
~ *[Sport]* **283** 1-34
~ amont **283** 25
~ d'atterrissage **225** 9
~ aval **283** 26
~ de fond **283** 40
~ qui glisse **283** 29
~ de glissement **271** 33
~-jœring **283** 5
~ du modèle **271** 45
~ nautique **267** 16
~ de saut **283** 41
~ de slalom **283** 36
~ de tourisme **283** 35
skieur de fond **283** 30
skiff à un rameur **269** 16
slalom **283** 15
slip *[Vêt.]* **33** 20
~ *[cale]* **224** 33
~ de bain **267** 27
~ de halage des baleines **90** 33
~ d'hommes **33** 57
sloop **270** 45
~ baltique **270** 50

smash **276** 34
smoking **34** 61
soc **66** 5, **68** 7, **309** 33
~ d'arrachage **67** 43
~ de buttage **67** 17
socle *[base]* **6** 7, **67** 56, **322** 23
~ *[mur]* **118** 2
~ *[piédestal]* **290** 57, **321** 30
~ amovible **221** 13
~ de l'amplificateur **293** 9
~ de barre **219** 14
~ de béton **113** 2
~ de la chaudière **40** 66
~ de la cheminée **145** 47
~ du cireur **200** 12
~ continental **11** 8
~ double à formes métalliques **99** 27
~ fixe **177** 25
~ sur levier pneumatique **292** 50
~ du pylône **209** 81
~ de la statue **257** 11
~ à stylo **47** 13
~ de travail **99** 27
~ de travail du cireur **200** 12
socque **100** 6
~ de bain **51** 20
socquette **31** 56, **33** 64
sodium fondu **3** 19
sœur **29** 18
soffite *[Théâtre]* **297** 12
~ *[constr.]* **116** 67
soie *[balai]* **52** 23
~ artificielle **163** 27
~ artificielle en viscose **163** 1-34
~ à coudre **102** 50
soies *[sanglier]* **88** 52
soins au bétail **76**
~ en cas d'hémorragie **17** 14-17
~ dentaires **27** 2
~ des mains **103** 1-8
~ médicaux **23**, **24**
~ aux nourissons **30**
~ des ongles **103** 1-8
~ d'urgence **17**
sol *[terre]* **118** 9
~ *[Mus.]* **299** 47
~ bémol majeur **300** 14
~ dièse mineur **300** 6
~ majeur **300** 2
~ mineur **300** 10
solanacée **56** 6
solanum **363** 5
soldanelle **362** 3
soldat de l'Armée du Salut **257** 62
~ d'étain **49** 25
~ de plomb **49** 25
sole de barrage **212** 79
sole de la cale de construction **217** 17
~ du canal **212** 30
soleil *[Astronomie]* **6** 21, **7** 19-23
~ *[ostensoir]* **313** 36
~ *[fleur]* **55** 7
~ *[Gymn.]* **279** 12
soleret en pied d'ours **310** 55
solide à huit faces **330** 6
~ à quarante-huit faces **330** 13
~ à quatre faces **330** 1
~ à six faces **330** 2
~ à trois dimensions **329** 30-46
~ à vingt faces **330** 11
~ à vingt-quatre faces **330** 12
solidification des fils de perlon **164** 43
solin de faîtage **117** 55
~ de la souche **117** 14
solitaire *[bague]* **38** 24
~ *[sanglier]* **88** 51
solive **114** 57, **118** 36
~ d'assemblage à tenon **115** 42
~ intermédiaire du plancher **116** 54
solo *[Patin.]* **284** 4
solonacées **363** 7
solstice d'été **5** 8
solution *[Math.]* **327** 10
~ de viscose **163** 28-34
sombrero **36** 17
somme *[Math.]* **326** 23
~ à payer **256** 8
sommet *[Géom.]* **329** 16
~ de l'angle **328** 1
~ de l'arche **210** 44
~ du guidon **87** 72
~ de la trajectoire de la fusée **229** 44
~ de la vanne **212** 66
sommier *[matelas]* **52** 75
~ *[orgue]* **305** 12-14
~ *[voûte]* **318** 21
~ *[constr.]* **113** 26, **114** 54
~ *[Tiss.]* **159** 42
~ d'accord **303** 22
sommier d'attache des cordes aiguës **304** 11
~ de basse **304** 13
sommier de chambrée **115** 50
sommier à coulisses **305** 12-14
~ de mécanique **304** 22
~ à registres **305** 12-14
~ roulant **192** 67
son stéréophonique **293** 23
sonde *[instr. méd.]* **26** 43
~ *[Nav.]* **219** 35-42
~ à bout rond **28** 46
~ cannelée **28** 47
~ creuse **28** 47
~ à main **219** 35
~ de Politzer **26** 53
sondeur acoustique **219** 38
sonnaille **286** 26
sonnerie **107** 42
~ avertisseuse **145** 13
~ de pré-avertissement **198** 69
~ p. le temps de développement **112** 19
sonnette **23** 18, **251** 4
~ d'alarme **262** 41
~ d'autel **313** 43
sorbetière-glacière **97** 31
sorbier **355** 42
sorcière **289** 6
soricidé **351** 7
sorte de pain **97** 25-28
~ de valeur **243** 11-19
sortie **290** 19
~ de l'autoroute **197** 36
~ d'eau **166** 5
~ de l'eau réfrigérée **93** 8
~ des fiches **241** 42
~ de la fumée **205** 22
~ des gaz du gueulard **140** 13
~ des livres **178** 35
~ du mélange bitumineux **196** 54
~ du plat **260** 51
~ de la rame **162** 30
~ sur sangles des pils parallèles **178** 13
~ de secours **290** 33, **295** 7
~ après le troisième pli **178** 15
~ de la vapeur **3** 35
soubassement **39** 17, **115** 28, **316** 4
~ en béton damé **113** 1
~ peint à l'huile **121** 5
~ en pierres de taille **39** 85
souche *[arbre]* **84** 14
~ *[cheminée]* **39** 10
souchet *[Bot.]* **56** 17
~ à papier **367** 64
soucoupe **45** 8
soudage sous l'eau **135** 46-48
soude **41** 28
~ caustique **163** 3, **164** 10
soudeur à l'arc **135** 1
~ autogène **135** 38
~ oxy-acétylène **135** 38
~ à oxygène **135** 62
soudo-brasure **135** 64
soudure *[activité]* **135**
~ *[alliage]* **106** 36
~ alumino-thermique **198** 28
~ à l'arc **135** 1-28
~ autogène **135** 29-64
~ électrique **135** 1-28
~ par fusion **135** 1-28
~ oxy-acétylénique **135** 29-64
soufflage automatique de jet de sable **141** 34
~ à la bouche **155** 13-15
~ du verre **155** 13-15
soufflante à air primaire **152** 11
~ mobile **158** 2
souffle *[baleine]* **90** 51
soufflerie d'aération **295** 34
~ d'air frais **223** 12
~ à commande par moteur électrique **132** 9
~ à pédale **106** 16
~ de réception **175** 33
soufflet *[app.]* **266** 25, **301** 58
~ *[ch. de fer]* **201** 47, **204** 7
~ *[caméra]* **111** 7, **171** 18, 36
~ *[instr. de mus.]* **303** 37
~ *[chaussure]* **99** 48
~ d'accouplement **188** 4
~ de contre-jour **294** 4
souffleur *[Théâtre]* **297** 28
~ *[Techn.]* **205** 25
~ de verre **155** 13
souffleuse **297** 28
soufre **330** 23
souillardière **90** 9
soulier bas **100** 1
~ à boucle **100** 37
~ à bride **100** 9, 39
~ de caoutchouc **100** 5
~ Charles IX **100** 9, 39
~ de course **280** 26
~ décolleté **100** 40

soulier découvert **100** 40
~ de football **274** 29
~ de golf **100** 25
~ à lacets **100** 13
~ à patte **100** 23
~ de plomb **224** 30
~ à pointes **280** 26
~ à la poulaine **338** 42
~ Richelieu **100** 2
~ de scaphandrier **224** 30
~ de ski **283** 55-57
~ de tennis **100** 24
~ tyrolien **100** 23
soupape **184** 57, **333** 7
~ d'admission **184** 29
~ d'admission d'air comprimé **138** 50, **147** 53
~ d'alimentation **205** 20
~ automatique **229** 10
~ d'échappement **147** 29, **184** 29
soupape d'évacuation· d'air **224** 24
~ de la teinture **161** 26
soupape de fermeture **254** 30, 48
~ du fond du réservoir **40** 49
~ hydraulique **135** 34
~ d'injection **83** 5
~ de jeu **305** 10
~ de mélange **339** 32
~ pistolet **255** 62
~ réductrice **135** 31
~ de soulagement **185** 10
~ de sûreté **40** 70, **205** 3
~ p. surpression de vapeur **205** 3
~ de vidange **119** 61, **254** 31
soupière **46** 15
soupir *[pause]* **299** 25
soupirail **39** 27, **113** 3
soupirant **261** 22
source **16** 82, **262** 15-17
~ d'électrons **109** 2
~ à flanc de coteaux **12** 38
~ jaillissante **11** 21
~ karstique **13** 74
~ lumineuse verticale **110** 20
~ minérale **262** 15-17
~ des ondes sismiques **11** 32
sourcil **21** 38
sourdine **302** 10, **303** 68, **304** 37
souricière **83** 9
souris **52** 74
~ des steppes **351** 15
sous·-barbe de beaupré **214** 15
~-bock **260** 26
~-bois **84** 5
~-cape **105** 6
~-couche **196** 60
~-épineux **20** 53
~-garant **99** 44
~-gorge **72** 11
~-main **238** 16, 65
~-marche **118** 31
sous-marin· **222** 18-20, **223** 18
~ atomique **222** 20, **223** 1
~ de croisière **222** 19
~ de faible tonnage **222** 18
sous·-produit **164** 13
~-sol **39** 1
~-titre **178** 47
~-titre courant **178** 67
~-ventrière **72** 18, 36
~-vêtement **33**
~-vêtement masculin **33** 35-65
soustraction **326** 24
soutane **314** 33
soute arrière **218** 49
~ avant **218** 65
~ des câbles **146** 21
~ à charbon **199** 44
~ à mazout **216** 28
~ à scories **199** 53
~ aux vivres **218** 51
soutien-gorge· **267** 28
~ à bretelles **33** 14
~ sans bretelles **33** 15
souverain Pontife **314** 54
spadice **69** 32, **354** 71
~ femelle **368** 6
~ mâle **367** 55, **368** 4
spaghetti **98** 32
sparadrap **17** 7, **23** 54
spardeck **218** 19-21
sparmannia **56** 9
sparring-partner **281** 24
sparte **130** 26
spath **330** 16
spathe **69** 33
spatule **27** 51, **42** 56, **321** 15
~ à modeler **154** 20
speaker **234** 9
spécialiste **26** 12
spectacle de variété et de cirque **298** 9-22
spectateur **291** 29, **284** 2, **295** 5
spectre solaire **320** 14
spectromètre **331** 34
spergule **70** 12
sphère **329** 41
~ céleste **6** 1, **308** 46
sphincter **78** 17
~ anal **22** 63
sphingidé **82** 27
sphinx *[Myth.]* **307** 20
~ *[Zool.]* **348** 9
~ égyptien **315** 11
~ du pin **82** 27
~ (à) tête de mort **342** 55, **348** 9
~ du troène **342** 55
sphygmographe **29** 19
sphygmomanomètre **23** 1
sphygmotensiomètre **23** 1
spider **187** 12
spike **280** 26
spinnaker **270** 39
spiral **107** 25
spirale *[Patin.]* **284** 8
spirée **358** 23, **361** 5
~ du Japon **357** 28
spiritueux **98** 56-59
spirorbe **340** 18
splénius **20** 51
spongiaire **340** 13
spongieux **81** 1
spoon **276** 69
spore **365** 13
~ en germination **365** 8
sporophylle **362** 50
sport de l'escrime **277** 1-66
~ sur glace **284** 1-48
~ d'hiver **283-285**
~ nautique **269**, **270**
~ de neige **285** 5-20
sport routier· de cycles **273**
~ de moteurs **273**
spot **292** 52
sprinter **280** 6
squame de cire **78** 25
squaw **335** 10
squelette **19** 1-29
~ silicieux **340** 8
stabilisateur **221** 55, **332** 16
~ avant **225** 37
~ horizontal **236** 29
~ latéral **225** 63
~ transversal **184** 13
~ vertical **236** 28
stabilisation de l'arc électrique **295** 39
staccato **300** 54
stade *[Sport]* **252** 53
~ ailé **82** 39
~ de patinage **284** 1
stalactite **13** 80
stalagmite **13** 81
stalle **76** 7
~ aux porcelets **76** 39
stalles **311** 34
stand d'huile **191** 31
standard **233** 5
standardiste **233** 16
stapélia **56** 15
stapélie **56** 15
star *m* **292** 28
~ *f* **292** 27
starter *[Sport]* **268** 30, **272** 12, **280** 1
~ *[moteur]* **181** 50, **186** 6
starting gate **272** 11
station *[ch. de fer]* **199** 36
~ d'abonné au télétype **241** 32-34
~ d'accumulation par pompage **212** 39-44
~ balnéaire **262** 1-49
~ centrale de mélange **197** 22
~ du chemin de croix **311** 57
~ de chemin de fer **16** 27
~ électrique **3** 33
~ d'épuration **252** 64
~ d'épuration des eaux résiduelles **148** 27
~ génératrice **292** 8
~ inférieure **209** 39
~ de marge **177** 55
~ de mélange **197** 22
~ météorologique **9** 7, **220** 4
~ météorologique de l'aéroport **230** 8
~ de pompage **139** 23
~ de pompes **212** 43
~ de sauvetage **267** 46
~-service **190** 1
~ spatiale équipée **4** 54
~ supérieure **209** 57
~ des taxis **253** 35
~ thermale **262** 1-49
stationnement **252** 27
~ du corps **255** 2
~ interdit **253** 18
statoréacteur **226** 19-21, **227** 19
statue **257** 2, 10, **316** 5, **322** 32
~ de Bouddha **319** 20
~ d'un Saint **311** 46
statuette en ivoire **309** 8
steeple-chase **272** 23-29, **280** 20-22
stèle **316** 33
stemmbogen **283** 33
sténo-dactylo **238** 10
steppe **9** 54
stère de bois empilé **84** 24
stéréo demi-cylindrique **172** 21
stéréoscope **111** 28
stéréotopographe **15** 64
stérilisateur **28** 60
~ à sec **28** 61

stérilisateur à seringues **28** 62
sterling **244** 37
sterno-cléido-mastoïdien **20** 34, **21** 1
sternum **19** 8
stéthoscope en bois **26** 26
~ à membrane **26** 14
steward **216** 53
sticharion **314** 26
stick **275** 17
stigmate *[Bot.]* **60** 41, **69** 34, **354** 56
~ *[Zool.]* **342** 32
stimulant tropical **366**
stipulation de la lettre de change **242** 17
stipule **59** 5, **60** 48
stock de charbon **148** 3
stockage du gaz **148** 46
~ du lait **77** 10-12
~ en raffinerie **139** 24
stola **338** 9
stolon **57** 16, **60** 20
stomiadé **349** 10, 13
stomias boa **349** 13
stop **253** 56
stoppeur de chaîne **218** 46
store **39** 71, **48** 21, **79** 42
~ roulant **39** 28
stoupâ **319** 21, 28
stramoine **363** 8
strapontin **204** 11
strate **13** 48
strates **12** 45
stratification des roches sédimentaires **12** 1
strato-cumulus **8** 3
stratoliner **226** 30
stratosphère **4** 12
stratus **8** 4
structure des couches d'air **4** 11-15
~ en couches de la terre **11** 1-5
struthionidé **343** 1-3
studio *[artiste]* **321** 1-43
~ *[Film]* **292** 1-13
~ d'ambiance sonore **293** 19
~ d'annonce **234** 7-12
~ des émissions parlées **234** 7-12
~ d'émissions publiques **234** 13-17
~ d'enregistrement **234** 1-6
~ d'enregistrement musical **292** 14
~ de mixage **293** 10, 22
studio des pièces radiophoniques **234** 7-12
~ de post-synchronisation **293** 25
~ des représentations radiophoniques **234** 7-12
~ sonorisé **292** 26-61
~ de télévision **237** 1-11
stump **105** 4
style *[Bot.]* **60** 42, **61** 15, **354** 55
~ classique **318** 15
~ dauphin **268** 35
~ Empire **318** 16
~ de natation **268** 33-40
~ rococo **318** 13
stylet **277** 66
~ d'acier hindou **324** 21
stylo à bille **239** 26
~ à piston **239** 19
stylobate **316** 32
sublimé corrosif **28** 31
submersible **223** 18
subraclette **66** 1
sucette *[à bébé]* **30** 51
~ *[bonbon]* **257** 59
suceur **52** 3
sucre **98** 53-55
~ cristallisé **98** 55
~ en morceau **45** 22, **98** 53
~ en poudre **98** 54
~ raffiné **98** 55
sucrier **45** 21, **261** 20
~ doseur **45** 24
Suède **14** 20
suidé artiodactyle **74** 9
suif de bœuf **96** 6
Suisse **14** 21
sujet *[Peint.]* **321** 27
~ *[greffe]* **57** 33
sulcature antérieure **22** 25
sulfate de cuivre **330** 26
sulfuration **163** 9
sulfure de carbone **163** 8
~ de plomb **234** 30
sulky **272** 39
sun-deck **218** 22
supériorité **327** 19
superstructure **210** 68
~ de cabine **270** 8
~ de la chambre des machines **216** 25
~ de porte-avions **222** 68
supinateur **20** 39
supination **279** 54
~ croisée **279** 55
support *[Hér.]* **246** 15 et 16
support d'antenne parabolique rotatif **230** 53
~ du bac refroidisseur **93** 2
~ de baleine **37** 19
~ des barres d'alésage **143** 38
~ de base **162** 54
~ de batterie **185** 34
~ de la bobine **293** 14
~ du bois **149** 52
~ à brosses à dents **51** 56
~ de cannes **89** 11
~ de cliché en bois **172** 34
~ de col **37** 19
~ de la cuve oscillante **162** 16
~ de cuvette **26** 24
~ de la cymbale **303** 52
~ des dames **196** 32
~ de l'élévateur **191** 2
~ d'essai des gants **256** 20
~ de filet **276** 14
~ de la fusée d'essieu **185** 28
~ de garde-fou **210** 9
~ de lame **178** 2
~ de lignes aériennes **146** 36
~ longitudinal **142** 22
~ en matière plastique **37** 19
~ de la mécanique **304** 15
~ de micro **237** 6
~ orthopédique **99** 29
~ d'outils **142** 16
~ du pantographe **170** 53
~ de pédale **102** 41
~ de phare **180** 6
~ plafonnier **29** 33
~ du prisme **331** 35
~ de rambarde **210** 9
~ de rancher **131** 22
~ du ressort **10** 13
~ de selle **180** 24, **183** 31
~ de soc **68** 33
~ de soutien **116** 83
~ de tente **290** 13
~ transversal **142** 23, **143** 2
~ du tremplin d'appel **279** 26
~ du tuyau d'aspiration **195** 29
~ à verres **51** 54
suppositoire **23** 7
suralimentation **227** 6
surbau **217** 61
surbille **84** 22
surcharge de bienfaisance **232** 23
surchauffeur **146** 9
surdos **72** 30
sureau noir **358** 35
sûreté *[police]* **247** 21-24
surface arasée par le ressac **13** 31
~ du billard **264** 15
~ circulaire **329** 39
~ à écrire **249** 34
~ élevée **13** 46
~ du glacier **12** 56
~ imprimée **178** 59
~ à jouer **264** 15
~ latérale **329** 40
~ de la lune **7** 10
~ de Mars **7** 13
~ à peindre **321** 22
~ plane **108** 6, **328** 24-58
surgeon de l'année **356** 25
surimpression **306** 25
surlonge **95** 19
suroît **34** 35, **224** 54
surplis **314** 34, 50
surveillant **201** 39
~ de la voie **198** 73
surveillante **250** 14
suspect **247** 10
suspension **94** 12, **209** 54
~ des canots de sauvetage **216** 45-50
~ à la cardan **219** 27
~ de feuilles **174** 32
~ du fil de contact **193** 39
~ du pendule **11** 42
~ à ressorts **185** 24
~ télescopique **182** 4
~ de la voiture **185** 24-29
suspente de filet **226** 56
~ de nacelle **226** 59
~ du parachute **228** 50
swing *[boxe]* **281** 28
syllabe **249** 7
symbole *[Arithm.]* **326** 9
~ algébrique **327** 5
~ géométrique **327** 21-24
~ logarithmique **327** 6
~ mathématique **327** 15-24
~ des pièces **265** 7
~ de planète **6** 21-31
~ du pourcentage **327** 7
~ de virginité **307** 7
symphyse pubienne **22** 65
synagogue **252** 29

synchromesh **186** 60
synchronisateur **236** 15
synchroniseur **186** 60
synchronoscope **147** 32
synclinal **12** 18
syncope **300** 39-45
syntonisation **234** 41
Syrie **14** 43
syrinx **301** 2
système amortisseur de démarrage **209** 50
~ d'appel **157** 59
~ artésien **12** 21
~ d'attache **240** 41
~ d'attache à bille **181** 21
~ d'atterrissage aux instruments **230** 11
~ caverneux **13** 76
~ de chemins de fer à crémaillère **209** 7-11
~ clinorhombique **330** 24 et 25
~ des coordonnées **329** 1
~ de coupe à blanc **84** 4-14
~ de coupole **316** 72 et 73
système cristallin hexagonal **330** 20-22
~ monoclinique **330** 24 et 25
~ orthorhombique **330** 23
~ quadratique **330** 18 et 19
~ régulier **330** 1-17
~ triclinique **330** 26
système cubique **330** 1-17
~ de drainage des voies **194** 32
~ d'étirage **157** 22
~ d'étouffoirs **304** 37
~ de filtrage **172** 6
~ de la Galaxie **6** 47
~ à genouillère **177** 30
~ hexagonal **330** 20-22
~ hydraulique **133** 24
~ isomère **330** 1-17
~ isométrique **330** 1-17
~ de leviers **156** 31
~ monoclinique **330** 24 et 25
~ nerveux **20** 22-33
~ optique **108** 9
~ optique de la caméra **294** 2
~ orthorhombique **330** 23
~ de percussion **304** 3
système de pinces **174** 11, 20
~ planétaire **6** 21-31
~ de propulsion **229** 12-24
~ quadratique **330** 18 et 19
~ régulier **330** 1-17
~ de réticule **87** 31
~ solaire **6** 21-31
~ tétragonal **330** 18 et 19
~ triclinique **330** 26
~ des vents **9** 46-52
~ de voûte romane **317** 17
~ WM **274** 25

T

tabac **105**, **366** 43
~ brut **83** 11
~ à chiquer **105** 23
~ en coupe fine **105** 20
~ granulé **105** 20
~ à mâcher **105** 23
~ à priser **105** 24
~ roulé **105** 22
~ de Virginie **366** 40
tabatière *[boîte]* **105** 24
~ *[fenêtre]* **116** 8, **117** 12
tabernacle **311** 39
table *[peau]* **303** 31
~ aciérée **132** 19, 25
~ d'allongée **29** 14
~ d'ardoise **264** 14
~ à assembler **177** 36
~ à bagages **200** 45
~ basculante **29** 42
~ de billard **264** 14
~ du café **261** 11
~ de la caméra d'enregistrement du son **292** 57
~ à carreaux de faïence **47** 21
~ p. les cartes **241** 43
~ de chevet **48** 2
~ de cintrage **114** 20
~ du comité **251** 3
~ de commande **29** 40
~ de comptabilité **238** 63
~ de consultation gynécologique **26** 25
~ continentale **11** 7
~ de contrôle **234** 19
~ de cuisine **41** 53
~ de dégauchissage **128** 13
~ à dessin **144** 1, 25
~ de déviation **228** 12
~ dressée **46**
table dressée p. le goûter **45** 1-29
~ échancrée **177** 57
~ à élévation **241** 4
~ Empire **318** 16
~ à empoter **79** 12
~ d'enfant **49** 28
~ d'essai des produits **145** 37
~ d'estampillage **231** 41
~ de fabrication **168** 10-13
~ de fumeur **47** 21
~ à graver **170** 52
~ à habiller le radium **29** 54
~ des habitués **260** 39
~ d'harmonie **301** 34, **302** 24, **303** 3
~ d'impression **162** 63
~ aux instruments **26** 20, **27** 24, **28** 12
~ d'introduction **178** 34
~ d'irradiation **2** 36
~ de jardin **39** 50
~ à jeu d'échecs **47** 47
~ à langer **30** 1
~ de lecture de contrôle **293** 30
~ à linge **166** 29
~ Louis XVI **318** 14
~ lumineuse p. le montage des films **173** 35
~ à machine à écrire **238** 32
~ à manger debout **260** 53
~ de maquillage **296** 45
~ de marbre **264** 14
~ de marge **174** 4, 22, **175** 4, 21, 30, **241** 4, 14
~ de marge échancrée **177** 57
~ de massage **24** 4
~ p. matériaux de recouvrement **177** 49
~ de mélange vidéo **237** 25
~ de montage **293** 30
~ à mouler **172** 10
~ de nuit **48** 2
~ d'opération **28** 23
~ à opérer la main **28** 4
~ à ouvrage **134** 15
~ ovale **204** 46
~ de perçage **128** 35, **143** 24
~ à pétrir **97** 71
~ à pile **174** 36
~ pivotante **177** 36
~ pliante **266** 5
~ de ponçage **128** 49
table porte-gabarit **170** 56
~ de pressage **128** 57
~ de la presse **248** 40
~ des profondeurs marines **11** 10
~ rabattable **204** 38
~ de rabotage **128** 15
~ à raboter **143** 42
~ de radiothérapie **29** 35
~ de rebobinage du film **295** 23
~ de réception **175** 31, **177** 51
~ du régisseur **297** 42
~ de rotation **139** 14
~ rotative **177** 36
~ roulante **103** 4
~ de la salle à manger **45** 5, **46** 1
~ à sauter **279** 14
~ de serrage **143** 13, 20
~ de service **177** 49
~ de soins de beauté **103** 4
~ de soudage **135** 19
~ à souder **135** 40
~ style Empire **318** 16
~ de suture **28** 2
~ des témoins **248** 34
~ de toilette **48** 26
~ tournante **141** 34, 36
~ transformable **44** 3
~ de la trappe **297** 33
~ de travail **102** 46, **143** 13, 20, 37
~ à usages multiples **44** 3
~ de vérification **145** 37
~ de vestibule **43** 6
tableau *[fenêtre]* **115** 31
~ d'acuité visuelle **26** 1
~ d'affichage des prix **79** 43
~ d'affiches **145** 45
~ d'annonce des retards des trains **200** 51
~ arrêt **198** 80
~ arrière **213** 58
~ des arrivées **200** 19
~ attendre **198** 81
~ de l'autel **311** 15
~ d'autel à deux volets **311** 42
~ avertisseur **259** 5, **267** 6
~ de bord **40** 67, **174** 37
~ de bord de l'automobile **186** 1-21

tableau de chasse **86** 38
~ des chiffres à enclencher **240** 47
~ des clefs **259** 3
~ de commande **77** 18, **171** 38, 42, **293** 11
tableau de (la) commande· automatique **161** 69
~ du scooter **183** 25
~ sélectif **147** 4
tableau de contrôle **147** 7
~ de défense **339** 22
~ des départs **200** 20, **272** 6
~ à deux volets **311** 42
~ de distribution escamotable **241** 50
~ d'éclairage de la salle **295** 17
~ p. l'enseignement **250** 8
~ de fiches **233** 10
tableau horaire· mural **200** 32
~ tournant **200** 16
tableau à l'huile **47** 6
~ indicateur **198** 79-86, **241** 26
tableau indicateur· de cantiques **311** 24
~ des coups **287** 17
~ de limite de vitesse **198** 79
tableau d'indication des trains (voies) **200** 18
~ p. inscrire les points **264** 18
~ du jeu **263** 9
~ kilométrique **211** 44
~ p. la leçon de choses **249** 17
~ de lecture **249** 15
~ lumineux indicateur de tension **147** 8
~ des marées **267** 7
~ de mixage **234** 2, **293** 23
~ noir **145** 45
~ noir mural **249** 2
~ des numéros **272** 6
~ de numérotage des places réservées **204** 29
~ des points **102** 18
~ de pose **111** 20
~ des prix **256** 19
~ de la roulette **263** 17
~ de service **241** 39
~ siffler **198** 85
~ des valeurs **144** 3
~ du yacht **270** 12
tablette *[à écrire]* **308** 69
tablette des bouteilles **259** 64
~ cellulosique **83** 20
~ de chocolat **98** 78
~ à encoches **2** 45
~ imprégnée d'acide cyanhydrique **83** 20
~ aux instruments **27** 16
~ du lanceur **275** 43
~ de la table **47** 23
~ p. la vente d'articles du jour **256** 64
tablier *[Vêt.]* **32** 17
~ *[tour]* **142** 16
~ *[pare-boue]* **179** 6
~ en acier **210** 2
~ d'alimentation **156** 8
~ d'amiante **135** 3
~ d'asbeste **135** 3
~ en béton **210** 2
~ brodé **45** 55
~ collecteur de sortie **156** 13
~ de cuir **132** 14
~ de cuir à bavette **135** 3
~ décoré **32** 23
~ élévateur **68** 55
~ d'enfant **31** 48
~ mobile **178** 24
~ du pont **210** 2
~ de semeur **65** 11
~ de service **45** 55
~ de tender **205** 2
~ tyrolien **32** 23
tabouret *[siège]* **48** 50, **51** 2
~ *[à pieds]* **314** 11
~ *[petite table]* **321** 25
~ du bar **259** 53
~ de cordonnier **99** 14
~ de décoration **48** 31
~ d'enfant **50** 11
tabulateur **240** 21
tabulatrice **241** 55
tache blanche **88** 74
~ d'encre **249** 47
~ de Mariotte **21** 50
~ oculée **342** 54
~ solaire **7** 20
tachéomètre de réduction à double image **110** 30
taches de lune *[Zool.]* **350** 39
tachymètre **175** 54, **181** 39, **228** 18
~ électrique **207** 15
~ enregistreur **205** 56
tacot du bras de chasse **159** 64
~ de chasse-navettes **159** 64
tagète **62** 20
taie **48** 14
~ d'oreiller **48** 7
taille *[Anat.]* **18** 31
~ *[coupe]* **104** 2
~ *[mine]* **138** 13
~ de barbe **35** 1-26
~ chassante **137** 39, **138** 12
~-crayon **240** 68
~ demi-douce **134** 8
~ douce **134** 23
~ de guêpe **338** 53
~ mi-fine **134** 8
~ serrée **338** 53
tailleur *[homme]* **256** 37
~ *[costume]* **32** 1
~ de pierre **150** 34
talc **30** 38
taloche **113** 56, 57
talon *[pied]* **21** 63
~ *[chaussure]* **99** 54
~ *[charrue]* **68** 5
~ *[tuile]* **117** 51
~ *[vis]* **136** 27
~ *[flèche]* **287** 45
~ d'arrêt **136** 42
~ de caoutchouc **99** 56
~ de collier **95** 27
~ de faux **66** 15
~ de la hache **85** 17
~ haut **100** 41
~ Louis XV **100** 41
~ de renouvellement **243** 19
talus *[pente]* **113** 72
~ *[Typ.]* **170** 40
~ du cliché **172** 37
~ de rive **212** 28
tambour *[instr. de mus.]* **302** 51, **303** 48
~ *[Art]* **317** 44
~ *[Techn.]* **10** 5, 20, **156** 43, **241** 37, **331** 76
~ en acier **157** 10
~ de basque **303** 45
~ de bétonnière **196** 15
~ de broyage **167** 26
~ en cadre **336** 26
~ de calandrage chauffé **166** 26
~ cannelé **157** 10
~ de centrage **155** 10
~ du chaman **336** 26
~ de coupe **67** 36
~ à cymbalettes **303** 45
~ de danse **337** 14
~ à désinfecter **83** 14
~ d'enfant **49** 21
~ entraîneur supérieur **162** 3
~ essoreur **166** 7
~ extérieur **166** 4
~ à fentes **158** 10
~ de fraise rotatif **195** 22
tambour gradué **142** 55
~ de guidage de la paille **68** 61
~ de justification **169** 35
~ laineur **162** 34
~ à lames **167** 26
~ de lansquenet **289** 70
~ laveur **42** 22
~ laveur rotatif **166** 2
~ de malaxage de l'asphalte **196** 50
~-mélangeur **113** 34
~ de nettoyage **67** 37
~ de pression chauffé **162** 41
~ refroidi à air **155** 10
~ de refroidissement **164** 27
~ rotatif intérieur **162** 17
~ de séchage **158** 48
~ à signaux **337** 18
~ de sortie **174** 20
~ stérilisateur **28** 5
~ de stockage à vide **163** 11
~ tamiseur **156** 21
~ tondeur **162** 44
~ de torréfaction **98** 71
~ à tuyau **58** 35
tambourin **258** 47
tamis **79** 13, **113** 85
~ de couverture **161** 28
~ à farine **42** 52, **97** 68
~ oscillant **153** 9
~ à pulvérisation **323** 24
~-tambour perforé **161** 61
~ vibrant **153** 9
tamoule *[écrit.]* **324** 11
tampon *[gaze]* **28** 8
~ *[outil]* **116** 93, **150** 36, **323** 13
~ *[jeu]* **258** 4, 5
~-buvard **238** 19
~ encreur **238** 20, **323** 22
~ à oblitérer **231** 42
~ presseur **239** 40
~ à tolérance **142** 52
tamponnoir **121** 22
~ mural **120** 55
tam-tam **337** 18
tanaisie **364** 9
tandem **179** 50
tangente *[Géom.]* **328** 32, 48
~ *[Mus.]* **301** 43
tangon de spinnaker **270** 40
tank **216** 30

tanker p. gaz liquides **216** 9
tan-sad **183** 32, **190** 20
tantième **243** 18
tapette **52** 19
tapir **351** 26
tapis **279** 13
~ d'autel **311** 6
~ de bain **51** 21, **262** 49
~ de caoutchouc **171** 41
~ d'escalier **43** 27
~ d'évacuation de charbon **146** 3
~ p. la lutte **281** 13
~ de la machine à écrire **238** 29
~ roulant **113** 77, **153** 7, **231** 36
~ en sisal **44** 15
~ de sol **266** 33
~ vert **264** 15
tapisserie faite à la main **47** 45
tapissier **124** 19
tapissière **179** 33
taquet d'arrêt du marteau **133** 47
~ du bras de chasse **159** 64
~ de chasse-navettes **159** 64
~ de marge **240** 6
tarage **2** 7, **332** 17
tarare **67** 49, **91** 45-56
taraud **129** 14, **134** 64
~ mécanique **143** 32
~ tire-goujon **192** 33
tare dorsale **224** 26
~ lombaire **224** 29
~ pectorale **224** 25
tarente **350** 36
targe **310** 79
tarière **115** 65
tarif postal **231** 26
tarin **346** 8
tarse **19** 26
tarte **45** 27, **261** 4
~ aux fruits **97** 16
tartelette **45** 10
tartine garnie **46** 37
tas *[pile]* **221** 36
~ *[enclume]* **119** 20
~ d'agrégats **197** 51
~ de bois **53** 31, **64** 16
~ à chapler **131** 34
~ de charbon **148** 3
~ de compost **55** 6
~ de foin **65** 37
~ de fumier **55** 6
~ de gerbes **65** 21
~ de gravillons **197** 51
~ de neige **286** 24
~ de planches **115** 1, **149** 1
~ de sable **75** 21, **197** 51, **258** 26
~ de terre **79** 15
tas de terreau **55** 6
tasse **45** 7
~ à bec verseur **29** 20
~ de café **261** 19
~ p. malades **29** 20
~ de moka **261** 51
tasseau **119** 17
~ d'entraînement **149** 34
~ pivotant **233** 21
tâte-vin **80** 38
tâteur électrique de fil **159** 14
~ de tension **158** 60
tatou **351** 8
tatouage **289** 44
taupe **351** 4
taupière **58** 43, **83** 8
taupin des moissons **81** 37
taureau **74** 1, **246** 15
~ de combat **287** 67
~ marin **307** 47
Taureau **5** 25, **6** 33
Taurus **5** 25, **6** 33
taux **327** 7
taverne **260** 30-44
taxe réduite **232** 24
taxi **253** 35
~-billard **264** 17
taximètre **253** 36
tchaitya **319** 28
Tchécoslovaquie **14** 24
té **144** 20
~ à mouvement parallèle **144** 8
technicien **1** 41, **144** 23
~ de mixage du son **293** 24
technique de l'escalade d'un rocher **282** 2-14
~ du glacier **282** 15-22
~ microscopique **110** 1-23
teckel **71** 33
tégole **117** 57
tégument d'œuf **75** 48
teigne des vêtements **341** 14
teigneuse large à tamis **161** 12
~ à rubans **161** 20
teinture de bobines à fil croisé **161** 58
~ capillaire **103** 32
~ des fibres textiles **161**
~ d'iode **23** 58
~ de matières textiles en vrac **161** 58
télécabine **209** 19
téléchauffe **3** 37
télécommande **236** 21, **306** 44
téléférique **209** 15-38
~ bicâble **209** 25
~ monocâble **209** 15-24
télégramme **232** 13
télégraphe **233** 52-67
~ *[biveau]* **115** 82
télégraphiste de bord **226** 40
télémark **283** 23
télémètre **111** 40
télémètre d'artillerie lourde **222** 36
~ moyenne **222** 37
télémètre couplé **294** 12
téléobjectif **111** 43
téléphérique **16** 67
~ à câble sans fin **209** 15-24
téléphone **233** 1-51
~ automatique **233** 24
~ de la chambre **259** 34
~ à jeton **233** 2
~ de table **47** 12, **238** 24
télescope **108** 37-44
~ double **108** 37
~ à réflecteur **6** 2-7
télésiège **209** 16-18, **283** 1
téléski **209** 15, **283** 2
téléthermomètre **166** 9, **205** 50
télétype **241** 32
télévision **236**, **237**
témoin *[Justice]* **248** 32
~ *[cadre]* **114** 64
~ *[bâton]* **280** 15
~ du feu arrière **180** 47
~ des mariés **313** 23
~ oculaire **253** 67
tempe **18** 6
température de l'air **267** 8
~ de l'eau **267** 8
temple **319** 7
~ dorique **316** 1
~ étrusque **316** 49
~ maya **335** 20
~ des morts **315** 7
~ protestant **311** 1-30
~ de la vallée **315** 8
templier **310** 73
tempo **300** 48
temporal *[muscle]* **21** 3
~ *[os]* **19** 33
temps de placement **327** 7
~ de pose **241** 16
tenaille **99** 35, **127** 21
~ à bras **132** 2
~ à crochet **132** 1
~ de forge plate **135** 14
~ à forger **132** 1-4
~ de forgeron **132** 1-4
~ à gueule de loup **132** 4
tenaille ronde **132** 3
~ à saisir **132** 3
tenailles **99** 35, **127** 21
tenant *[Hér.]* **246** 15 et 16
tender **203** 8
~ à combustible **205** 68
tendeur **111** 8, **266** 29
~ d'appendice **226** 57
~ d'attelage **206** 24
~ à l'avant **283** 45
~ de botte **100** 16
~ de chaîne **180** 39, **181** 53
~ de fil **102** 24, **160** 5
tendeur du fil de lisse **159** 54
~ de trame **159** 54
tendeur de largeur **161** 14
~ de matrice **27** 55
~ de store **39** 29
tendon d'Achille **20** 48
tendron **95** 16
~ de veau **95** 4
ténébrion-meunier **341** 19
ténia **341** 24
tennis **276** 1-35
~ de table **276** 39-42
tenon **136** 29
~ de guidage **301** 40
~ simple **116** 84
tentacule antérieur **340** 29
~ oculaire **340** 28
tente **266** 27, **335** 7
~ *[bateau]* **213** 15
~ à bière **291** 23
~ du cirque **290** 1
~ à deux pans **266** 27
~ d'habitation **336** 19
~ du médecin **273** 44
~ de plage **267** 45
~ de pont **216** 59
~ ronde **266** 51
~ de secours médical **291** 61
~ de soudage **135** 17
tenture de protection **43** 25
tenu **300** 53
tenue aux couleurs de l'écurie **272** 57
~ d'entraînement **280** 57 et 58
~ d'escrime **277** 29 et 30
~ du gymnaste **278** 44-48
~ de gymnastique **31** 11, **278** 44-48
~ d'officiant **314** 37
~ de plage **267** 19-23
~ pontificale **314** 54

tenue de service **216** 66
~ de sport **34** 20
~ de week-end **32** 56
térébenthine **52** 34, **121** 8
tergite **342** 31
terme **326** 23, **327** 11
Terpsichore **308** 70
terrain de camping **266** 4-52
~ carbonifère **137** 21
~ de chasse **86** 1-8
~ de chute **280** 31
~ de couverture **150** 2
~ damé **276** 1
~ d'en-but **275** 22
~ d'escrime **277** 16
~ de golf **276** 59-62
~ industriel **252** 58
~ de jeu **274** 1, **275** 21-27, 34-36, 39-45, **276** 59-62
~ de jeux **261** 31
~ de jeux p. enfants **258**
~ de recouvrement **150** 2
~ de rugby **275** 21-27
~ de service **276** 44
~ de tennis **276** 1
~ au toit d'une veine **137** 20
~ de tournage à l'extérieur **292** 1
~ de vol à voile **271** 38
terramare italienne **309** 15
terrarium **339** 43
terrasse **39** 36, **261** 27
~ de galets **13** 64
~ de repos **39** 75
~ de rocher **13** 47
~ rocheuse **13** 63
~ de stalagmites **11** 23
terrassier **113** 76
terre *[planète]* **4** 1-10, **7** 8
~ *[champ]* **65** 4
~-neuve **71** 39
~-plein **197** 34
~ végétale **79** 15, **196** 64
Terre **6** 24
terreau **55** 6, **79** 15
terrier **71** 15-18, **86** 26
~ de lapin **86** 26
terril **137** 9
terrine à semis **57** 2
tertre funéraire **312** 24
tesson **122** 10, **154** 21
testicule droit **22** 72
tête *[Anat.]* **18** 1-18, **19** 42-55
~ *[vis etc.]* **117** 87, **136** 14, 50, **144** 33
tête *[instr. de mus.]* **303** 10
~ *[note]* **299** 5
~ *[Escr.]* **277** 1 à 2
~ *[football]* **274** 56
~ *[viande]* **95** 43
~ d'aigle **307** 12
~ de l'aile **91** 6
~ d'amont **212** 25
~ d'aval **212** 17
~ bouclée **35** 17
~ de brise-lames **13** 38
~ brisée **303** 10
~ de la butée **304** 28
~ en caoutchouc **26** 45
~ chauve **35** 20
~ de la cheminée **145** 49
~ de (du) cheval **309** 7, **73** 1-11
~ de cheval sculptée **213** 14
~ de chèvre **307** 18
~ de chevron **116** 45
~ de chien *[Techn.]* **93** 23
~ de chou **59** 32
~ de la comète **7** 26
~ de coq **307** 35
~ coudée **303** 10
~ de cylindre **184** 53
~ du dessin de la lettre **170** 39
~ de dragon **213** 16
~ d'écorçage **149** 50
~ d'enregistrement magnétique **293** 3
~ enregistreuse magnétique à quadruple aimant **295** 51
~ d'épi **211** 20
~ d'épingle **102** 79
~ de femme **307** 56
~ de filet **180** 75
~ foreuse **139** 20
~ de fourche **180** 11
~ fraisée **136** 44
~ de Gorgone **308** 50
~ du guide de la masse tombante **133** 13
~ humaine **307** 21
~ d'injection **139** 9
~ de Janus **308** 48
~ de lecture magnétique **293** 4
~ de la lettre **170** 39
~ de lion **307** 17
~ du marteau **304** 24
~ de Méduse **308** 50
~ de mort *[Zool.]* **348** 9
~ de moulurage **128** 45
~ de pick-up **306** 35
~ de la pipe **105** 36
~ de pipette **26** 45
~ de piquage **177** 54
~ de piston **205** 27
tête de porc **95** 43
~ de poulie **216** 5
~ réduite **335** 30
~ de remorquage **67** 39
~ renversée **303** 10
~ revolver **128** 26
~ de rivet **136** 55
~ de la selle **126** 20
~ soufrée **105** 27
~ de soupape **184** 31
~ du trépied **111** 34
téterelle en caoutchouc **76** 23
têtière *[harnais]* **72** 10
~ *[Techn.]* **157** 2, **160** 21, **162** 10, 32
~ du banc **157** 33
~ en bout **158** 14
~ des pignons de change **157** 40
tétine **30** 48
tétradrachme **244** 1
tétraèdre **330** 1
tétras **86** 11, **88** 66, 72
~-lyre **88** 66
~ à queue fourchue **88** 66
teugue **218** 43
texte *[manuscrit]* **234** 10
~ *[lettre]* **239** 9
~ composé **170** 1-17
~ du volet **178** 39
textiles synthétiques **163**, **164**
tg **328** 32
thaler **244** 6
Thalie **308** 61
thalle **362** 49
thaumatolampas diadema **349** 4
thé **98** 68, **366** 9
~ à cinq heures **259** 44-46
~ du Paraguay **366** 11
théâtre **296-298**
~ grec **316** 44
~ de marionnettes **298** 29-40
~ de nature **257** 6
~ de variétés **298** 4-8
théier **366** 7
théière **45** 47
thénar **21** 75
théodolite **15** 52-62
thermo-plongeur **41** 83
thermocautère **26** 48, **27** 45
thermographe **10** 55
~ d'une station **10** 19
thermomètre **10** 50, **173** 4, **186** 14
~ de bain **30** 21, **51** 8
~ de la chaudière **40** 64
~ à extrema **10** 57 et 58
thermomètre d'huile **228** 19
~ humide **10** 34
~ à maxima **10** 57
~ à minima **10** 58
~ mural **23** 26
~ plongeur **92** 36
~ sec **10** 33
thermorupteur **236** 20
thermostat **23** 53, **40** 78, **77** 9, **339** 35
thibaude **121** 43
thorax **19** 8-11
thuya **54** 13, **356** 39
thyrse **308** 33
thysanoure **341** 15
tiare pontificale **246** 37
Tibétain **336** 27
tibétaine *[écrit.]* **324** 12
tibia **19** 25
ticket du casino **263** 14
~ circulaire **201** 55
~ de vestiaire **296** 7
tierce basse **277** 5 à 6
~ à la figure **277** 7 à 8
~ haute **277** 3 à 4
~ majeure **300** 21
~ moyenne **277** 9 à 10
~ au ventre **277** 5 à 6
tiercelet **86** 46
tiers-point **127** 26
tige *[Bot.]* **354** 20, **360** 18
~ *[clé etc.]* **134** 46, **136** 51
~ *[métier]* **159** 4
~ *[chaussure]* **99** 38-49
~ d'appui **255** 12
~ de la broche **157** 46
~ de la butée **304** 29
~ conductrice **331** 49
~ de contrôle **196** 27
~ à crasses **141** 17
~ du culbuteur **184** 28
~ d'entraînement **139** 13
~ épineuse **60** 30
~ filetée de réglage **142** 15
~ fleurie **367** 7
~ en fleurs **362** 31
~ de forage **139** 5
~ de (la) fourche **68** 43, **180** 10
~ de frein **131** 18
~ fructifère **367** 34
~ en fruits **362** 31
~ grimpante **59** 10
~ de guidage **196** 27
~ du guidon **180** 10
~ de liaison **136** 99
~ lisse **136** 15
~ métallique **322** 24

tige palpeuse **142** 56
~ avec le pied-de-biche (pied presseur) **102** 28
~ de piston **205** 33
~ de pointes détachables **122** 28
~ polie de pompe **139** 54
~ de pompe **139** 52
~ à pousses de sexes différents **356** 43
~ principale de la grappe **60** 13
~ de réglage **104** 31
~ de rivet **136** 56
~ de sondage **139** 17
~ de soupape **184** 30
~ p. soutenir le papier **240** 9
~ tallée **69** 5
~ de tiroir **205** 30
~ de transmission **180** 73
tigelle **354** 89
tigre **290** 56, **353** 5
tilbury **179** 44
tilde **325** 35
tiliacée **56** 9
tilleul **355** 46
~ nain **56** 9
timbale *[instr. de mus.]* **302** 57
~ *[tasse]* **49** 29
~ à clefs **302** 57
timbales **303** 57
timbre *[instr.]* **238** 22
~ *[casque]* **310** 39
~ *[Hér.]* **246** 10, 11-13
~ à affranchir **239** 46
~ avertisseur **180** 4
~-avion **232** 19
~ de bienfaisance **232** 21
~ de la comptabilisation **238** 57
~ de contrôle **244** 35
timbre de contrôle· antitrichine **94** 13
~ sanitaire **94** 14
timbre dateur **238** 41
~ de l'effet **242** 24
~ de la femme **246** 11-13
~ du mari **246** 10
~ postal **232** 40
~-poste **232** 40
~ p. pneumatique **232** 30
~ réglable **238** 41
~ à surcharge **232** 21
~ de la tenue des comptes **238** 56
~ U. S. **232** 19
~ de vélo **180** 4
timon *[véh.]* **72** 21, **131** 7, **179** 19
~ *[charrue]* **68** 9
timon *[bateau]* **213** 6, 13, 24
timonerie **218** 18, **219** 14-22, **224** 36
~ de frein arrière **182** 15
~ de gauchissement **228** 40
~ de profondeur **228** 36, 39
timonier **213** 2, **219** 18
tin de bouchain **217** 37
~ de dock **217** 36
~ de quille **217** 36
tinéidé **81** 5
tipule **342** 16
tique **342** 44
tir à l'arc **287** 37-47
~ de bordée **213** 59
tirage *[Phot.]* **112** 9
tirant *[chaussure]* **99** 42
~ *[tige]* **136** 99
~ *[constr.]* **114** 3, 48, **116** 73, 79
~ d'air **210** 70
~ de brancard **208** 10
~ haut **116** 49
~ moisé **116** 50
~ de registre **304** 44
tirasse p. l'accouplement **305** 48
tire·-botte **52** 47
~-bouchon **46** 46, **266** 17
~-bouchon avec élan **268** 44
~-carton **177** 45
~-chasse-d'eau **51** 45
~-cordes **302** 7
~-crin **124** 9
~-fil **102** 22
~-fil en acier **120** 30
~ fond **198** 38
~-goujon **192** 33
~-ligne **144** 48
~-ligne du compas à encre **144** 41
~-pied **99** 15
~-veilles **269** 52
~-vieille **216** 47
tiré **242** 20
tirer la corde **258** 35
tiret **325** 23
tirette **37** 22, **238** 33
tireur **290** 38
~ *[lettre de change]* **242** 21
tireuse de carte **291** 36
~ à vide **171** 40
tiroir de la caisse **256** 5
~ contenant le fichier **238** 70
~ de contrôle **98** 72
~ à couverts **41** 9
~ des gaz **183** 61
tisonnier **41** 49
tissage **158**, **159**
tissu **159** 12, **162** 39, 51, **245** 3
~ du drapeau **245** 11
~ égratigné **162** 36
~ encollé **162** 64
~ érectile **22** 67
~ p. filets **160** 29
~ imprimé **162** 57
~ lainé **162** 36
~ à mailles Rachel **160** 29
~ mouillé **162** 22
~ non égratigné **162** 33
~ non imprimé **162** 64
~ p. rideaux **160** 29
titan **307** 37
titillateur **183** 63
~ du carburateur **182** 31
titre *[livre etc.]* **178** 43-47, **239** 8, **325** 38
~ *[action]* **243** 11
~ de chapitre **178** 60
~ courant **178** 66
~ du film **292** 35, **294** 35
~ intercalaire **178** 67
~ d'or **38** 30
~ de paragraphe **325** 46
~ au porteur **243** 11
~ en vedette **325** 42
toast *[pain]* **46** 34
~ *[discours]* **259** 40
toboggan *[luge]* **285** 13
~ *[glissoire]* **258** 36, **291** 40
toc **142** 42
~ d'entraînement **129** 9
toge **338** 13
toile abri de pavois **221** 47
~ d'araignée **341** 9, **342** 47
~ d'embourrure **124** 24
~ de fond **296** 33
~ forte **124** 25
~ métallique **334** 18
~ de passerelle **218** 17
~ à peindre **321** 21
~ de protection **181** 6
~ de sac **124** 24
~ de soie **81** 7
~ à tamis sans fin **168** 13
toise **26** 21
toit *[maison]* **40**
~ *[recouvrement]* **161** 5, **196** 38
~ *[mine]* **138** 20
~ en appentis **39** 55, 56, 78
~ d'ardoise **117** 61-89
toit de chaume **64** 35
~ en croupe **39** 64
~ à deux pentes inégales **39** 5
~ à éclisse **117** 45
~ de feutre **336** 20
~ en fibrociment ondulé **117** 97
~ fixe **179** 14
~ à gradins **319** 2
~ du mur **64** 14
~ ouvrant **208** 5
~ plat **39** 77
~ à potence **39** 78
~ protégeant du soleil **75** 10
~ pyramidal de la tour **317** 7
~ rabattable **183** 9
~ de roseau **64** 35
~ de la station-service **190** 7
~-terrasse **39** 75
~ de tuiles **117** 1
~ vitré **79** 5
toiture **116**
~ en carton bitumé **117** 90
~ d'église **312** 11
~ flamande **117** 53
~ à pannes **117** 53
~ en papier goudronné **117** 90
~ romaine **117** 56
tôle de ballast **217** 48
~ de bronze **309** 34
~ centrale **217** 52
~ de coffrage **185** 47
~ de côté **217** 48
~ p. la détection par radar **10** 61
~ d'égouttage **161** 15
~ de flanc **217** 48
~ de gabarit **196** 34
~ à gâteau **42** 53
~ paravent **203** 4
~ pare-soleil **208** 16
~ de pont **217** 53
~ de protection **161** 22
~ de sécurité du banc **157** 26
~ type carrosserie **141** 70
tom·-pouce **43** 10
~-tom **303** 49
tomahawk **335** 16
tomate **59** 12
tombe **312** 23, **317** 53
~ d'enfant **312** 30
~ mégalithique **309** 16
~ militaire **312** 33
~ à urne **309** 39
tombeau **312** 23
~ royal **315** 1
~ rupestre **315** 38
tomberau de transport des ordures **195** 1
ton d'artimon **214** 8 et 9

ton de grand mât **214** 5 et 6
~ de hunier **214** 2-4
tonalité **300** 1-15
~ d'incandescence **320** 16
tondeur **162** 44
tondeuse **66** 36, **104** 7
~ électrique **104** 33
~ à gazon **58** 34
~ mécanique de tissus **162** 42
tonne à (d')eau de pluie **55** 4, **64** 15
~ flottante **219** 46
~ à purin **64** 56
tonneau *[fût]* **126** 24
~ sur chantier **80** 23
~ d'expédition **93** 45
~ Leduc **226** 19
~ à purin **64** 57
~ rempli de bière **93** 34
~ de transport **80** 13
~ de vigie **90** 39
~ à vin **80** 37
tonnelet à poissons **89** 63
tonnelier **126** 16
tonnelle **54** 2
tonnellerie **126** 1-33
tonsure **314** 17
toque **36** 27, **248** 26, **338** 28
~ d'astracan **36** 4
~ de brocart **36** 34
~ de Cosaque **36** 4
~ de fourrure **36** 4
~ de plumes **36** 43
~ de prince électeur **246** 41
~ p. la soirée **36** 34
torchon à assiettes **41** 16
~ à couverts **41** 15
~ de cuisine **41** 14-16
~ à laver **52** 51
~ à poussière **52** 27
~ à verres **41** 14
torcol **343** 27
torcou **343** 27
tordeuse de la grappe **81** 22
~ verte du chêne **82** 43
tore **316** 28
toréador **287** 59
torii **319** 11
toro **287** 67
toron **125** 22
~ cordé **125** 17
~ du milieu **125** 23
torpille **223** 32
~ de réserve **223** 29
torpilleur **222** 14
torréfacteur à café **98** 70
torrent **12** 52
torse **322** 7
~ de cheval **307** 45
~ de lion **307** 22
tortricidé **82** 43
tortue **350** 28
totalisateur *[turf]* **272** 8
~ *[Techn.]* **148** 45, **239** 51
totem **335** 1, 2
toucan à bec rouge **345** 6
touche *[instr. de mus.]* **301** 38, 49, **302** 22, **305** 8
~ *[mach. à écrire]* **240** 26
~ d'arrêt **306** 23
~ d'arrêt momentané **306** 20
~ blanche **304** 4
~ de chiffre **256** 3
~ du clavier **169** 37
~ du clavier de pédales **305** 51, 52
~ de combinaison libre **305** 40
~ de dégagement de la marge **240** 28
touche p. disques à microsillon **306** 37
~ normaux **306** 36
touche en ébène **304** 5
~ d'écoute **306** 22
~ d'enregistrement **306** 21
~ de glissage **240** 50
~ inférieure du pédalier **305** 51
~ en ivoire **304** 4
~ des majuscules **240** 26
~ p. la marche à vide **240** 24
~ p. microsillons **306** 37
~ de multiplication **240** 66
~ d'un nageur **268** 28
~ noire **304** 5
~ de rappel du chariot **240** 22
~ de rebobinage **306** 24
~ de registre **303** 42, **305** 39
~ de reproduction **306** 22
~ de service **241** 46, 60
~ de la somme intermédiaire **240** 63
~ supérieure du pédalier **305** 52
~ de surimpression **306** 25
~ du total **240** 64
~ de trucage **306** 25
~ de truquage **306** 25
~ du zéro **240** 65
touches **304** 4 et 5
touffe de feuilles **368** 29
~ d'herbe **359** 44
~ de plumes **343** 26
toundra **9** 57
toupet **31** 7, **35** 2, **73** 2, **338** 8
toupie *[jeu]* **258** 17, 18
~ *[Techn.]* **128** 18, **164** 41, **331** 6
~ *[pince]* **119** 58
~ *[fil à plomb]* **113** 50, 71
~ ronflante **49** 24
toupin **125** 16
tour *f* *[échecs]* **265** 12
~ d'angle **310** 14
~ de l'antenne émettrice de télévision **237** 38
~ de bifurcation **219** 64
~ de bois **6** 16
~ du champ de course **272** 35
~ de la croisée **317** 6
~ de dégazolinage **139** 21
~ Einstein **6** 15-20
~ d'exercice **255** 3
~ d'extraction **139** 48
~ de forage **139** 1
~ de fractionnement **136** 26
~ à gradins **315** 32
~ du guet **310** 17
~ de jonction **219** 65
~ des juges à l'arrivée **272** 35
~ de montage de fusée **229** 32
~ d'une mosquée **319** 13
~ d'observation **16** 68
~ à papier **169** 33
~ pneumatique **169** 43
~ du puits **137** 6
~ de réfrigération **145** 60
~ du rempart **252** 36
~ de saut **268** 6
~ de (du) temple **319** 1, 26, **315** 32
~ de tremplin **283** 8
tour *m* **142** 1, **154** 14
~ à dégauchir **129** 1
~ à dresser le bois **129** 1
~ d'horloger **107** 55
~ Jacot **107** 57
~ à métaux **142** 1
~ à pivoter **107** 57
~ de potier **154** 11
~ rapide **142** 1
~ revolver **143** 1
~ semi-automatique **143** 1
tour p. travaux de précision mécanique **107** 55
touraille à sécher le malt **92** 13-20
tourbe **79** 31
~ d'aunaie **13** 18
~ de laiches **13** 17
~ de mousse **13** 20, 22
~ de roseaux **13** 17
tourbière bombée **13** 19
~ émergée **13** 19
~ de plaine **13** 14
tourbillon **7** 21
tourelle *[Techn.]* **128** 26
~ d'angle **310** 28
~ de l'artillerie lourde de bord **223** 57
~ à base ronde **116** 24
~ blindée **222** 24
~ de commandement **222** 44
~ jumelle **222** 24
~ de pédale **305** 4
~ revolver **143** 3
~ supérieure **222** 41
~ triple **222** 27, **223** 57
~ triple blindée tournante **223** 57
touret **134** 31
~ hydraulique **139** 9
tourie **202** 14
tourillon **131** 13, **136** 22, 61
tourmente de neige **286** 4
tournage à l'extérieur **292** 1
~ en studio sonorisé **292** 26-61
tourne-à-gauche **127** 49, **134** 26
~-bille **84** 19
~-disque *[plateau]* **306** 41
~-disque *[app.]* **306** 32, 47
~-disque automatique **306** 29
~-table **177** 38
tournebout **301** 6
tournerie **129** 1-26
~ sur bois **129**
tournesol **55** 7
tournette p. sensibiliser les plaques offset **173** 1
tourneur **129** 20
tournevis **107** 29, **120** 46, **134** 66
~ coudé **192** 30
tourniquet *[p. artère]* **28** 54
~ *[arrosoir]* **39** 43, **79** 19
~ *[jouet]* **291** 15

tourniquet à crin **124** 11
~ en forme de croix **263** 32
tournoi **310** 71
tournure *[Vêt.]* **338** 69
tournures **129** 26
tourte allongée **97** 9
tourterelle **343** 23
tout-terrain **67** 2
trace **86** 8
~ de freinage **253** 62
tracé de coupe **102** 68
~ en va-et-vient **295** 45
traceret **145** 34, **323** 20
traces des skis **283** 3
traceur **145** 36
~ de hauteur **145** 30
trachée-artère **19** 50, **22** 4
tracteur **65** 25
~ électrique **202** 2
~-porteur **67** 1
~ à roues **85** 1
~ p. semi-remorque **189** 31
~ universel **67** 1
traction électrique **305** 6-16
~ mécanique **305** 6-16
~ du planeur par un avion à moteur **271** 7
~ pneumatique **305** 6-16
trafic à sens giratoire **252** 12
train d'argile homogénéisée **151** 14
~ arrière **73** 35-37
train d'atterrissage· entretoisé **225** 5
~ escamotable (relevable) **225** 51
train automoteur de grandes lignes **207** 29
~ avant **73** 18-27
~ baladeur Norton **142** 8
~ de berlines **137** 28 et 29
~ de la cokerie **148** 23
~ dégrossisseur **141** 45
~ d'engrenage **107** 19-21
~ fantôme **291** 5
~ jouet **49** 20
~ omnibus **203** 1
~ de péniches **211** 22
~ de remorqueur **211** 22
~ à rouleaux **141** 45
~ de roulement **209** 53
~ de touage **211** 22
train de travaux **198** 1, 11
~ de traverses **198** 25
~ de voyageurs **201** 27, **203** 1
~ de wagons vides **199** 28
traînard *[pinceau]* **121** 21
~ *[tour]* **143** 39
traîne *[Vêt.]* **338** 80
~ *[Chasse]* **272** 64
traîneau *[Sport]* **285** 11 et 12
~ *[Techn.]* **67** 5
~ à cheval **286** 25
~ à chien **336** 3
~ à cornes **285** 2
~ à dossier **336** 18
~ Nansen **285** 1
~ polaire **285** 1
~ à pousser **286** 29
traînée de condensation **229** 38
traînoir **67** 5
trait *[harnais]* **72** 22, 35
~ de scie **85** 21
~ d'union **325** 28
traite *[lettre de change]* **242** 12
traitement **26** 17
~ du charbon **148** 10-12
~ du coke **148** 17-24
~ du gaz brut **148** 28-46
~ des huiles lourdes **139** 21-35
~ par inhalation **262** 7
~ de maladies de la peau **29** 48-55
~ de la masse de viscose **163** 19-27
~ au mouillé **83** 15
~ du pétrole brut **139** 21-35
~ par rayonnement gamma **29** 48-55
~ par rayons ultraviolets **24** 17
~ par rayons X **29** 30-38
~ à sec **83** 13
trajectoire **87** 79
~ annuelle du soleil **5** 2
~ de brouillard **2** 27
~ des électrons **4** 34
~ de retombée **229** 41
trajet du charbon **148** 1-9
trame circulaire **171** 35
~ à lignes croisées **171** 35
tramway **193**
~ de grande capacité **193** 1
tranchant *[couteau etc.]* **46** 57, **66** 14, **85** 15
~ *[meule]* **91** 18
~ coupe-écorce **85** 25
tranche *[marteau]* **132** 37
~ à chaud **132** 37
~ à froid **132** 37
~ grasse **95** 36
~ de pain **46** 22
tranche·-lard **90** 61
~-œufs **41** 86
tranchée *[pare-boules]* **287** 4
~ de fondation **113** 75
tranchefile **177** 35, **178** 42
tranchet **99** 60
~ d'enclume à queue **132** 29
~ à faire les bords **99** 65
~ recourbé **99** 61
transatlantique *[bateau]* **216** 32
~ *[fauteuil]* **216** 54
transbordement **220** 63-68
transbordeur **148** 19, **220** 24
transcripteur sur feuilles **241** 32
transcription phonétique **325** 14
transept **317** 3
transformateur **147** 9-18
~ d'alimentation **235** 1
~ basse fréquence **235** 2
~ de courrant **147** 58
~ d'essais **332** 5
~ p. force motrice **146** 30, 39
~ de haute tension **332** 32
~ mobile **146** 30, 39
~ principal **206** 7
~ sur rail **146** 30
~ de sortie **236** 22
~ de sortie du son **236** 31
~ de soudage à l'arc **135** 11
~ de tension **147** 59
~ Tesla **332** 33
transformation de la cellulose alcaline **163** 9
transformation de gaz· de cracking en essence **139** 31
~ naturel **139** 28
transformation du papier **168** 23-43
transfusion sanguine **29** 26
transmetteur d'ordres **199** 72, **219** 20
transmission **68** 73, **197** 11, **223** 5
transmission Diesel· électrique **207** 6
~ hydraulique **207** 3
~ mécanique **207** 1
transmission funiculaire **198** 61
~ des images **237** 12-39
~ de l'impulsion cathodique·**237** 24
~ en morse **233** 52-64
~ motrice **222** 63
~ de la puissance des moteurs Diesel **207** 1-10
~ du signal vidéo **237** 28
~ des signaux vidéo **237** 24
~ du témoin **280** 14
transmutation du plutonium **3** 40-42
transplantation de fleurs **57** 8
transplantoir **58** 13, 22
transport du benzol **164** 6
~ à bétail **216** 40
~ de la bière **93** 34-38
~ d'un blessé **17** 18-23
~ de bois *[bateau]* **220** 54
~ de produits extraits **137** 18
~ routier de grumes **85** 1-6
transporteur *[mach. à écrire]* **102** 31
~ aérien **209** 15-38
~ aérien bicâble **209** 30
~ par chaîne **168** 39
~ à charbon **146** 1
~ à godets **145** 70
~ de grumes **149** 32
~ de rondins **149** 32
~ à traverses **198** 24
transposition des molécules **164** 23
trapèze *[Géom.]* **328** 37
~ *[Anat.]* **20** 52
~ *[Gymn.]* **279** 45, **290** 6
~ de repos **290** 5
~ volant **290** 6
trapéziste **290** 7
trapézoèdre **330** 12
trappe *[porte]* **40** 13
~ *[Théâtre]* **297** 33
~ de fond de cendrier **205** 7
~ à œufs **75** 5
~ pare-feu **295** 16
trappeur **289** 8
trautonium **306** 11

travail agricole **65** 1-46
~ à l'aiguille **101**
~ des champs **65** 1-46
~ de filigrane **101** 30
~ à jour **101** 14, 27
~ à jour en échelle **102** 10
~ sur monture **130** 22-24
~ à la navette **101** 19
~ en plein simple **130** 4
~ préliminaire du tissage **158** 1-65
~ de vannerie **130** 4
~ du verre **155**
~ du verre aux pièces **155** 16-21
travée *[charrue]* **68** 14
travelling de caméra **237** 4
travers-banc principal **137** 35
traverse **115** 26, **131** 3, **146** 37, **271** 53
~ d'attelage **68** 12
~ de la barre fixe **279** 10
~ de béton **198** 87
~ de blocage à came **67** 61
~ de bois **275** 55
~ d'écartement **94** 11
~ d'échafaudage **113** 25
~ de fer **198** 89
~ de frein **131** 18
~ de frottement **131** 15
~ de joint **198** 45
~ jumelée **198** 45, 88
~ du pont **210** 6
~ de pylônes **210** 39
~ avec réglage vertical **143** 44
~ de la scie **115** 15
~ de la selle **126** 19
~ tournante **131** 15
traversée à basse tension **146** 44
~ en cordée **282** 23-25
~ du glacier **282** 23-25
~ à haute tension **146** 43
~-jonction **199** 32
traversin **48** 15, 54
~ de tente **216** 61
travesti de la mascarade **289** 6-48
trayeuse électrique **76** 23-29
trayon **76** 20
trébuchet **106** 35, **107** 59, **333** 25
tréfiloir **106** 2
trèfle *[couleur]* **265** 38
~ blanc **70** 2
~ hybride **70** 3
~ incarnat **70** 4
~ jaune **70** 6
~ des prés **70** 1
~ à quatre feuilles **70** 5
~ rampant **70** 2
~ rouge **70** 1
~ du Roussillon **70** 4
treillage **322** 35
~ métallique **230** 52
treillis de bois **115** 48
~ de (en) fil de fer **84** 7, **322** 35
tréma **325** 34
tremble **355** 21
tremblement macrosismique **11** 38
~ de mer **11** 53
~ tectonique **11** 32-38
~ de terre **11** 32-38
~ volcanique **11** 32-38
trémie **91** 13
~ d'alimentation **148** 10
~ automatique **75** 8
~ à chaux **140** 55
~-égouttoir d'extinction **148** 17
~ d'escalier **115** 46
~ à sable **195** 17
~ de stockage **196** 35, 45
trempe de l'orge **92** 1-7
tremplin **283** 7
~ d'appel **279** 25
~ à ressorts **279** 17
~ sans ressorts **279** 21
~ de trois mètres **268** 9
~ d'un mètre **268** 10
trépan à carotte **139** 20
~ à molettes **139** 20
~ à queue de poisson **139** 20
~ de sondage **139** 20
trépied **111** 31, **266** 49, **333** 15
~ de bois **292** 23
~ de cordonnier **99** 32
trépointe **99** 52
très doucement **300** 56
~ fort **300** 59
tressage **50** 29, **130** 1, 2, 3
~ en croisé **130** 2
~ en diagonale **130** 3
~ en torsade **130** 1
tresse *[pâtiss.]* **97** 53
tréteau **115** 18
~ avec revêtement **296** 32
tréteaux **113** 17
treuil **139** 10, **212** 74
~ d'amarrage **212** 22
~ à baleines **90** 31
~ à câble **189** 28
~ de halage **271** 6
~ de levage **145** 3
~ roulant **140** 3
tri du courrier **231** 34-39
triage **202** 44-54
triangle *[Géom.]* **328** 26-32
~ *[signe]* **327** 24
~ *[instr. de mus.]* **302** 49
~ acutangle **328** 28
~ austral **5** 40
~ équilatéral **328** 26
~ isocèle **328** 27
~ obtusangle **328** 30
~ rectangle **328** 32
~ de référence **110** 36
~ de terre cuite **334** 17
~ de voies **199** 13
Triangulum Australe **5** 40
tribord amure **270** 52-54
triboulet **106** 26
tribunal **248** 19
tribune *[église]* **311** 25
~ *[pupitre]* **251** 6
~ des arbitres **283** 13
~ couverte **272** 7
~ des juges **283** 13
~ de manœuvre **161** 36
~ de l'orchestre **290** 9
~ des spectateurs **273** 45, **274** 31
triceps **20** 38
tricholome équestre **365** 29
tricoises **127** 21, **132** 40
tricolore **245** 16
tricorne **338** 62
tricot **160** 48
~ de corps **33** 49
~ tubulaire **160** 9
tricotage **160**
tricoteuse mécanique circulaire **160** 1
~ rectiligne **160** 35
trictrac **265** 22
tricycle d'enfant **258** 59
~ p. malades **181** 22
trident **308** 30
trière **213** 9-12
trieur *[du courrier]* **231** 39
trieur p. séparer les mauvais grains **91** 50
~-toboggan **91** 51
~ à vis sans fin **91** 51
trieuse à œufs **75** 39
trifoliolé **60** 19
triforium **317** 33
triglyphe **316** 15
trille pincé **300** 33
~ avec résolution **300** 32
~ simple **300** 31
trimène **348** 7
trimoteur **226** 5
tringle **43** 2
~ d'appui **198** 60
~ de changement de direction **157** 17
~ diviseuse de fils **158** 54
~ d'effacement du butoir **159** 45
~ à journaux **261** 26
~ de manœuvre **198** 51
~ mobile **158** 38
~ de la pédale **304** 42
~ de plafond **48** 37
~ de protection **158** 31
~ à rideaux **48** 20, **52** 54
~-support des guide-fils **160** 2, 38
~ de tapis **43** 28
~-tendeur **160** 48
~ à vêtements **48** 45
trinquette faséye **270** 57
trio du bar **259** 44
triolet **300** 38
tripe *[cigare]* **105** 7
triplan **225** 10
triple-croche **299** 20
~ dérive **225** 48
~ saut **280** 33-35
triporteur de levée **231** 33
triptyque **311** 42
triqueballe **85** 27
trirème **213** 9-12
triton *[Myth.]* **307** 40
~ à crête **350** 20
~ des étangs **350** 20
trocart courbe **26** 42
~ droit **26** 41
trochure **88** 9
trochyle **316** 29
troène **357** 6
troglodyte d'Europe **346** 12
~ mignon **346** 12
troïka **179** 45
trois *[Patin.]* **284** 15
~-mâts **215** 18-27
trois-mâts barque **214** 1-72, **215** 21-23
~ carré **215** 24-27

trois-mâts goélette à voiles· auriques **215** 18
~ carrées **215** 19
trois·-ponts **213** 51-60
~-quart gras **170** 2
troisième clavier manuel **305** 44
~ octave **300** 66
~ orteil **21** 54
trolleybus **188** 12
~ à remorque **188** 12-16
trombone à coulisse **302** 46
trompe *[Zool.]* **342** 17, 56, **351** 21
~ *[cor]* **87** 60
~ *[orgue]* **305** 4
~ de bronze **301** 1
~ d'Eustache **19** 65
trompette *[instr. de mus.]* **302** 43, **311** 55
~ *[tuyau d'orgue]* **305** 17-22
~ d'enfant **49** 18
~ de jazz **303** 65
tronc *[arbre]* **84** 21, **354** 2, 7
~ *[corps]* **18** 22-41, **298** 34
~ *[collection]* **257** 65, **311** 61
~ d'arbre évidé **213** 7
~ de cône **329** 45
~ de faîte **85** 12
~ de garde **85** 10
~ numéroté **84** 31
~ supérieur **85** 11
tronçonneuse **85** 44
~ circulaire **149** 45
trop-plein **51** 66, **254** 33
tropéolée **56** 4
trophée de chasse **262** 26
~ de victoire **335** 15, 30
tropidonote **350** 38
tropique **15** 10
~ du Cancer **5** 4
troposphère **4** 11
trot **73** 41
trotte-bébé **49** 3
trotteur **272** 40
~ p. enfants **49** 3
trotteuse **107** 6
trottinette **257** 60
trottoir **39** 60, **210** 4, **253** 6
~ du passage **53** 21
trou *[instr. de mus.]* **302** 33, **303** 34
~ *[golf]* **276** 67
~ d'accordage **304** 18
~ du charançon **81** 50
~ à cheville **115** 22
~ de la cheville **126** 27
~ de départ **280** 2
trou du fausset **126** 27
~ du fosset **126** 27
~ à goujon **115** 22
~ à goujon tracé **115** 23
~ de goupille **136** 25
~ de graissage **180** 62
~ d'homme **93** 21, **254** 51, **269** 8
~ du nid **343** 28
~ d'observation **93** 16
~ p. le piquage de la perche **280** 41
~ de ponte **81** 12
~ de prélèvement **1** 44
~ de sable **276** 61
~ de la serrure **134** 40
~ de sonde **139** 18
~ de sortie **86** 27
~ du ver **60** 65
~ de visite **93** 21
~ de vol **78** 48
troubadour **310** 70
troupe des girls **298** 6
~ de lions **339** 20
troupeau de biches **88** 1
troupes de police **247** 1-8
trous *[golf]* **276** 59-62
trousse à outils **180** 25
~ de réparation **181** 2
troussequin **72** 49
trouvère **310** 70
trucage **306** 25
trudgeon **268** 38
truelle de maçon **113** 52
truffe **365** 9-11
~ de chocolat **98** 86
truie **74** 9, **76** 42
truite arc-en-ciel **350** 15
~ commune **350** 15
~ des lacs **350** 15
~ saumonée **350** 15
truquage **294** 32
trusquin **119** 44, **127** 20, **145** 33
tsé-tsé **341** 32
tuba basse **302** 44
~ contrebasse **302** 44
tubage **139** 19
tube **28** 41, **180** 60, **223** 68
~ d'acier **114** 46
~ acoustique **295** 48
~ à air **76** 23
~ d'alimentation du réservoir **229** 33
tube amplificateur· d'extrémité **235** 13
~ de haute fréquence **235** 15
tube amplificateur de moyenne fréquence **235** 15
~ arrière **223** 27
~ d'arrivée de la couleur **161** 66
~ aspirant **10** 36
~ avant **223** 50
~ binoculaire incliné **110** 18
~ de Braun **332** 23
~ calcaire **340** 19
~ du canon **87** 35, **90** 56
~ caoutchouté intérieur **180** 31
~ de chaudière **205** 17
~ à chlorure de calcium **334** 43
~ à claire-voie **6** 2
~ de comprimés **23** 10
~ compteur **2** 21
~ du compteur Geiger **29** 50
~ de couleur à l'huile **321** 11
~ digestif **78** 15-19
~ de direction **180** 14
~ d'eau **146** 7
~ d'éclairage au néon **256** 23
~ d'écran d'eau **146** 7
~ électronique **111** 58, **234** 48
~ à essai **334** 34
~ d'évacuation d'air **162** 29
~ fluorescent **204** 47
~ de la fourche **180** 10
~ à fumée **205** 8
~ de l'image **236** 1
~ incliné **110** 3
~ inférieur du cadre **180** 17
~ isolant **120** 44
~ isolateur de radiations **10** 35
~ à lait **76** 23
~ lance-torpilles **222** 15
tube lance-torpilles· arrière **223** 27
~ avant **223** 50
tube de liaison **334** 56
~ mélangeur **236** 5
~ métallique **303** 78
~ du microscope **109** 2-10
~ modulateur de fréquence **235** 16
~ monoculaire droit **110** 10
~ du pédalier **180** 17
~ photographique **109** 17
~ de platine **29** 52
~ pollinique **354** 66
~ porte-selle **180** 24
tube de pression **297** 60
~ de protection **234** 29
~ p. les radio-isotopes **1** 36
~ de rallonge **83** 35
~ à rayons cathodiques **236** 1, **332** 22
~ à rayons X **332** 28
~ de refroidissement **1** 35, **93** 13, 25
~ de selle **180** 18
~ supérieur du cadre **180** 16
~ de sûreté **333** 7
~ en U **333** 2
~ de (en) verre **26** 46, **234** 29
~ de visée **109** 18
tubeless **191** 23
tubercule *[Bot.]* **69** 38, 40
~ mère **69** 39
tubéreuse **62** 9
tubulure d'aspiration **182** 9
~ d'eau **162** 11
tubulure d'eau· douce **161** 50
~ dure **161** 49
tubulure d'échappement **227** 7
~ de remplissage **40** 47
tubulure de remplissage· d'huile **184** 47
~ du mélange propulsif **229** 12
~ d'oxygène liquide **229** 13
tubulure de la vapeur **161** 64
tue·-chien **363** 3
~-mouches **83** 2
tueur **94** 1
tuf **11** 19
tuile **117** 45-60
~ arêtière **117** 8
~ en écaille **117** 6
~ d'égout **117** 5
~ faîtière **117** 3, 52
~ faîtière du dernier rang **117** 4
~ flamande **117** 54
tuile mécanique· à emboîtement **117** 59
~ à recouvrement **117** 60
tuile plate **117** 46
tuilerie **16** 89
tulipier **358** 1
tulle **101** 16
tumba **303** 55
tumbler **166** 6
tumulus **309** 16, **315** 21
tunique *[romaine]* **338** 12
~ *[prêtre]* **314** 26, 44
~ *[uniforme]* **216** 58

tunique d'oignon **59** 25
tunnel **16** 70, **209** 6
~ d'accès **336** 6
~ d'air chaud **168** 38
~ de l'arbre porte-hélice **218** 56
~ divisé en sections **168** 38
~ de séchage **168** 38
turban **336** 46
turbine électrogène **3** 32
~ p. l'entraînement des pompes **229** 20
~ à vapeur **147** 23-30, **227** 54, **229** 20
turbo-alternateur à vapeur **147** 23-30
turbocompresseur à gaz d'échappement **227** 10
turbo-générateur **3** 6, **223** 6
turbopropulseur **227** 38
turboréacteur **226** 50, **227** 25, 30
~ classique **227** 41
~ à postcombustion **227** 42
turbo-transmission **207** 4
turdidé **344** 3, **346** 13-17
turf **272** 1-35
Turquie **14** 40, **245** 19
tussilage **364** 8
tuteur **55** 31, **83** 27
tutu **288** 33
tuyau *[orgue]* **301** 57, **305** 17-35
tuyau d'accouplement· de chauffage **203** 38
~ de frein **203** 39
tuyau à acétylène **135** 35
~ d'aération **185** 36
~ à air **190** 29, **224** 21
~ à air comprimé **138** 44, **169** 38
~ d'air respirable **135** 48
~ d'amenée **119** 30
tuyau d'amenée· de l'air **140** 28
~ d'air frais **138** 35
~ de l'air de soufflage **140** 61
~ d'eau **92** 3, **339** 27
~ du gaz **334** 2
~ des remblais pneumatique **138** 18
tuyau à anche en métal **305** 17-22
tuyau d'arrivée· d'air **183** 68
~ d'air comprimé **191** 6
tuyau d'arrosage **39** 42, **58** 37
~ d'aspiration **156** 11, **183** 68, **254** 14
~ d'aspiration d'air frais **223** 35
tuyau à bouche· bouché **305** 34
~ couvert **305** 34
~ fermé **305** 34
~ ouvert en bois **305** 31-33
~ ouvert en métal **305** 23-30
tuyau de bourdon **301** 11
~ capillaire **331** 44
~ de chauffage **79** 8
~ de chute **140** 56
~ de conduite du frein **203** 39
~ à décharge **331** 16
~ du dégivreur **185** 35
~ à dépression **184** 15
~ de descente **40** 10, 79, **140** 56, **254** 21
~ de descente de sable **205** 15
~ d'eau **79** 30, **113** 38
~ d'échappement **176** 38, **184** 62, **185** 63
~ d'échappement des gaz de fumée **53** 50
~ d'embouchure **303** 71
~ à essence **190** 3
~ de façade **305** 1-3
~ flexible d'aspiration **255** 67
~ en fonte **39** 14
~ à gaz **135** 35
~ de gaz de combustion **135** 48
~ de graissage sous pression **191** 5
~ à huile **191** 7
~ de mélodie **301** 10
~ métallique souple **52** 4
~ de montée **254** 19
~ de montre **305** 1-3
~ d'orgue **305** 17-35
~ à oxygène **135** 36
~ de la pipe **105** 38
~ de plongée **267** 39
~ de poêle **41** 50, **53** 50
~ de poêle *[chapeau]* **36** 20
~ de la pompe **254** 64
~ principal **168** 5
~ de prise d'eau **255** 26
~ de protection **135** 48
tuyau du puits **12** 25
~ de refoulement **212** 50
~ d'un registre **305** 16
~ stomacal **26** 9
~ de succion **333** 21
~ de terre cuite **254** 35
~ vertical **168** 5
tuyauterie d'admission **227** 5
~ d'alimentation du mélange propulsif **229** 11
~ de chauffage à la vapeur **158** 52
~ de distribution **133** 6
~ de façade **305** 1-3
~ de montre **305** 1-3
tuyère **147** 55
~ divergente **227** 48
~ d'éjection **226** 11, **227** 18, **229** 24
tuyère d'éjection· à aiguille mobile **227** 33
~ à section variable **227** 45
tuyère de postcombustion **227** 44
~ à réaction **226** 29
~ de soufflerie à air **133** 6, 61
~ à vent **140** 19
tweeter **235** 23
tympan *[Art]* **317** 26
~ *[Anat.]* **19** 59
tympanon **301** 32
type d'arrière de voilier **270** 11-18
~ d'autorail **207** 28-40
~ d'avion **225**, **226**
~ de coque de voilier **270** 1-10
~ de feuille **362** 52
~ de fleur **362** 10
~ de gréement de sloop **270** 45-50
~ de maison **39**
~ de navire **216**
~ de navire historique **213**
~ de planeur **271** 24-37
~ de réacteur **227** 38-45
~ Unimog **189** 11
~ de véhicule de transport en commun **188** 1-16
~ de voiture **187** 1-30
~ de yacht **270** 27-50
typha **362** 21
typographe metteur **169** 5
tzigane **289** 36
tzimbalom **301** 32

U

ultrason **24** 14
umbellula encrinus **349** 14
umbo **310** 58
una corda **304** 41
uniforme **247** 2
~ de police **247** 2
~ de la prison **248** 13
Unimog **189** 11
Union Européenne **245** 4
~ Jack **245** 15
~ des républiques socialistes soviétiques **14** 22
~ sud-africaine **14** 38
unisson **300** 19
unité **326** 3
université **250** 1-25
uppercut **281** 29
Uranie **308** 72
uranium **3** 20, 21
~ en solution **3** 26
Uranus **6** 29
uretère **22** 32
urètre **22** 68
urinal **29** 13
urne **312** 32
~ anthropomorphe **309** 38
~ bosselée **309** 38
~ à collerette **309** 40
~ électorale **251** 29
~ maison **309** 38
urodèle **350** 20-22
Ursa major **5** 29
~ minor **5** 34
ursidé **353** 9-11
U.R.S.S. **14** 22, **245** 21
U.S.A. **14** 30
usager de la bibliothèque **250** 24
usine **16** 37, **145**
~ de conserves de poissons **220** 9
~ à gaz **148**
~ d'incinération des ordures ménagères **252** 67
~ de séparation des isotopes **3** 39
~ sidérurgique **140**
~ thermique à vapeur **146** 1-28
ustensile ménager **42** 1-66
~ de toilette **51** 52-68
ut **299** 47
~ bémol majeur **300** 15
~ dièse majeur **300** 8
~ dièse mineur **300** 5
~ majeur **300** 1
~ mineur **300** 11

V

vache *[Zool.]* **74** 1, **76** 18
~ *[sac]* **266** 16
vachère **76** 17
vacuole contractile **340** 5
~ nutritive **340** 6
vacuomètre **171** 44
va-et-vient **209** 25, **224** 50
vagin **22** 86
vague de la côte **13** 36
vagues artificielles **25** 3
vaigrage **217** 59 et 60
~ de fond **217** 60
~ latéral **217** 59
vaincu par knock-out (K. O.) **281** 36
vainqueur **281** 35
vaironnette **89** 44
vaisseau de bataille **222** 31
~ de ligne **213** 51-60
~ médullaire **354** 14
~ sanguin **21** 33
vaisselle en étain **262** 28-31
~ de poupée **49** 11
valériane *[Bot.]* **364** 5
~ *[médicament]* **23** 57
valet de chambre **259** 33
~ d'écurie **76** 10, **179** 27
~ de ferme **64** 60
~ de serrage **128** 36
valeur **243** 11-19
~ en abscisses **329** 9
~ d'affranchissement **232** 22
~ de base **327** 7
~ inverse **326** 16
~ nominale **232** 22 et 23
~ nominale de l'action **243** 12
~ de note **299** 14-21
~ en ordonnées **329** 10
~ de la puissance **327** 1
~ de la racine **327** 2
~ de surcharge **232** 23
valise **201** 4
~ légère **259** 15
~ p. voyage par avion **259** 15
vallée en auge **13** 53
~ en cuvette **13** 56
~ en entaille ouverte **13** 54
~ fluviale **13** 57-70
~ à fond plat **13** 55
~ à sec **13** 75
~ synclinale **13** 56
vallon **12** 18
vallonné **354** 46
valve *[cœur]* **22** 48
~ *[Techn.]* **40** 73
~ brevetée à bille **180** 31
~ de (la) chambre à air **189** 23, **180** 31
~ de fermeture **339** 30
~ magnétique **339** 29
~ de pied **254** 6, 14, 43
~ de réglage **40** 75
valvule du cœur **22** 46 et 47
~ mitrate **22** 47
valvule sigmoïde· de l'aorte **22** 49
~ de la veine pulmonaire **22** 50
valvule tricuspide **22** 46
vamp **289** 32
vanesse paon du jour **348** 2
~ vulcain **348** 1
vanille **98** 43, **366** 48
vanillier **366** 46
vanne **212** 53-56
~ d'alimentation **161** 48
~ d'arrêt **212** 53-56
~ cylindrique **212** 65
~ immergée **212** 68
~ de lavage **211** 61
~ du mélange propulsif **227** 59
~ de remplissage **223** 20
~ à vapeur **205** 49
vanneau huppé **343** 21
vannerie **130** 1-40
vannier **130** 33
vapeur d'eau **3** 5
~ sous haute pression **3** 30
~ de solvants **176** 38
~ venant de la turbine **3** 34
vaporisateur **48** 28, **83** 43, **227** 58
~ d'ammoniaque **261** 48
~ d'antimaculage **175** 10
~ à parfum **104** 20
vaporisation du chlorure de benzol **164** 11
~ de la soude caustique **164** 11
varan du désert **350** 31
varangue **217** 56
varappe **282** 51
vareuse **216** 58
~ de sport **34** 2
variable **327** 14
variateur continu **156** 29
variation du débit-matières **156** 31
variété *[théâtre]* **298** 4-8
~ de tarares **91** 45-56
variomètre **228** 13
~ statoscopique **228** 6
varlope **127** 46
vase *m* applique **44** 23
~-cloche **309** 14
~ à col **309** 12
~ décoré de spirales **309** 13
~ d'Erlenmeyer **334** 39
~ d'expansion du chauffage **40** 24
~ grec **316** 37
~ mélangeur **339** 33
~ de nuit en faïence (en verre) **30** 17
~ peint à la main **154** 18
~ de pierre **257** 35
~ en porcelaine **319** 5
vase *f* **11** 51, **221** 68
vaseline **30** 43
vases communicants **331** 42
vaste externe **20** 46
~ interne **20** 46
vastringue **123** 8, **127** 61
Vatican **14** 26
veau **74** 1, **95** 1-13
vedette *[barcasse]* **220** 19
~ *[chanteuse]* **298** 3
~ de la douane **216** 39
~ féminine **292** 27
~ masculine **292** 28
Véga **5** 22
véhicule **179** 1-54
~ automobile de transport de marchandises **189**
~ caréné **183** 41-52
~ de commandement **198** 2
~ de direction des travaux **198** 2
~ électrique de transport en commun **188** 8-16
~ ferroviaire **203-208**
~ de livraison à trois roues **189** 1
~ mixte **189** 2
~ de petit transport **189** 1-13
~ semi-chenillé **189** 36
~ spécial rail-route **208** 35-47
véhicule de transport en commun à moteur **188** 1-7
veilleuse *[éclairage]* **295** 6
~ *[Bot.]* **363** 3
veillotte **363** 3
veine de l'aile **342** 34
veine cave· inférieure **20** 15, **22** 57
~ supérieure **20** 9, **22** 53
veine de charbon vif **137** 22, **138** 9
~ exploitée **137** 23
~ frontale **20** 6
~ iliaque **20** 18
~ jugulaire **20** 2
~ porte **22** 39
~ pulmonaire **20** 12, **22** 56
~ sous-clavière **20** 8
~ temporale **20** 4
~ thoracique externe **73** 28
vélar **63** 16
vélo **180** 1
~ de course **273** 15
~ de course p. courses sur route **273** 16
~ d'enfant **181** 13
~ de femme **181** 8
~ de livraison **181** 15
~ de sport **181** 8
~ de transport **181** 15
vélodrome **273** 1
velte p. jauger les tonneaux **126** 2
vendange **80** 1
vendanger **80** 9
vendangeur **80** 18
vendangeuse **80** 9
vendeur **98** 13, **291** 17
~ de billets de loterie **260** 20
~ de cigares **259** 49
~ de cigarettes **259** 49, **291** 51
~ de journaux **201** 19
vendeuse **98** 31, **256** 18
~ de nouveautés **256** 63
vénerie **86** 1-52
veneur **86** 1
venin de mer **340** 14
venir au tent **270** 52
vent alizé· du nord-est **9** 48
~ du sud-est **9** 49
vent ascendant **271** 13
~ polaire **9** 51
~ variable **9** 50
vente-réclame **256** 65

ventilateur **112** 17, **158** 4, **183** 17
~ d'air frais **40** 58
~ axial réversible **149** 46
~ brassant l'air **166** 20
~ à commande par moteur électrique **132** 9
~ de mine **137** 10
~ de moteur de traction **206** 16
~ mural **260** 15
~ de tirage par aspiration **146** 14
~ du transformateur **206** 18
ventilation **145** 51, **339** 40
ventouse *[Zool.]* **340** 17, **350** 26
~ *[instr. méd.]* **26** 56
~ adhésive **78** 9
~ buccale **341** 26
ventre *[Anat.]* **18** 36
~ *[porc]* **95** 41
ventricule **22** 51
ventrière de secours **72** 23
Vénus **6** 23
ver **81** 19, **340** 16-21
~ artificiel **89** 38
~ blanc **82** 12
~ de farine **341** 19
~ fil de fer **81** 38
~ à filaments **340** 18
~ plat **341** 24
~ des pommes **60** 64
~ à segments **340** 16
~ à soie **342** 50
~ solitaire **341** 24
~ de terre **340** 20
véranda vitrée **39** 70, **261** 32
verdier **346** 6
verge d'osier **130** 14
verger **16** 108
vergette **305** 9
verglas **286** 19
vergue d'artimon **213** 30
~ barrée **215** 25
~ brigantine **214** 44
~ à corne **270** 46
vergue de grand· cacatois **214** 43
~ hunier fixe **214** 39
~ hunier volant **214** 40
~ perroquet fixe **214** 41
~ perroquet volant **214** 42
vergue de hunier **213** 39
~ de misaine **214** 32
vergue de petit· cacatois **214** 37
~ hunier fixe **214** 33
~ hunier volant **214** 34
vergue de petit· perroquet fixe **214** 35
~ perroquet volant **214** 36
vérificateur **145** 44
~ de surface **110** 27
vérin mécanique **212** 36
~ de serrage **126** 4
~ à serrer **126** 4
vermine **341** 28-33
vermouth **98** 62
vernier **134** 55, **219** 5, **331** 39
~ à vis micrométrique **331** 1
vernis **321** 12
~ à ongles **103** 12
~ à polir les meubles **127** 12
véronique **359** 22
verrat **74** 9
verre *[fabrication]* **155**
~-ballon **46** 88
~ à bière **46** 91, **260** 6, 27
~ à champagne **46** 85 et 86
~ à cocktail **47** 43, **259** 56
~ à confiture **41** 69
~ de contact **108** 26
~ coulé **122** 6
~ à dents **51** 55
~ dépoli **171** 2, 34, **259** 4
~ à eau-de-vie **46** 90
~ en feuille **122** 5
~ fondu **155** 8
~ en forme de flûte **155** 17
~ gradué **42** 45, **112** 35, **259** 60
~ à limonade **261** 16
~ à liqueur **46** 89
~ de lunettes **108** 13
~ à madère **46** 84
~ p. mesurer la pluie **10** 40
~ de montre **107** 7
~ d'orangeade **261** 35
~ pare-feu **173** 21
~ peint **311** 17
~ plat en feuille **122** 5
~ à punch **45** 46
~ réflecteur **180** 86
~ soufflé à la bouche **155** 17
~ à vin **46** 12, **260** 33
verre à vin· blanc **46** 82
~ du Rhin **46** 87
~ rouge **46** 83
verre à whisky **259** 57
verres bi-forces **108** 11
~ combinés **108** 22
verrier **122** 8, **155** 13, 16
verrou **134** 39, **199** 60
~ d'aiguille **198** 59
~ anti-vol de guidon **183** 21
~ brésilien **274** 27
~ s'engageant dans les rayons **180** 49
~ magnétique **233** 50
~ de la porte **53** 66
~ suisse **274** 26
~ de sûreté **87** 8, **180** 49
verrouillage **210** 60
verrouilleur **142** 3
versant **12** 37
~ continental **11** 9
~ vitré **116** 21
Verseau **6** 42
verseur **45** 15
versoir **67** 20, **68** 4
vert *[couleur]* **320** 8
~ *[Hér.]* **246** 29
~ *[carte à jouer]* **265** 43
vertèbre cervicale **19** 2
~ lombaire **19** 4
~ thoracique **19** 3
verticale *[Gymn.]* **278** 24
verveux **89** 16
vesce cultivée **70** 18
vésicule biliaire **22** 11, 36
~ germinative **75** 54
~ séminale **22** 77
~ à vénin **78** 13
vespertilion **351** 9
vesse-de-loup· ovale **365** 19
~ rond **365** 20
vessie *[Anat.]* **22** 33, 78
~ *[aéroport]* **336** 11
~ à glace **23** 29
veste **34** 5
~ bavaroise **34** 26
~ de cuir **190** 16
~ d'entraînement **280** 58
~ d'escalade **282** 7
~ d'escrime **277** 29
~ de fourrure **32** 45
~ d'intérieur **33** 10, **34** 47, **47** 56
~ pare-poussière **183** 39
~ à parement **179** 23
~ de plage **267** 21
~ de pyjama **33** 4
~ de smoking **34** 62
~ de sport **34** 21
~ de tailleur **32** 2
vestiaire **268** 3, **296** 5
vestibule **43** 1-34, **259** 1-26
veston droit **34** 13
~ d'équitation **272** 52
vêtement en amiante **255** 46
~ antifeu **255** 46
~ de bébé **31** 16
~ p. dames **32**
~ de dessous en lin **338** 5
~ p. enfants **31**
~ de fille **31** 1-60
~ de garçon **31** 1-60
~ p. homme **34**
~ d'intérieur **33**
~ de plage **267** 19
~ de protection **275** 47
~ en toile métallisée **255** 46
vétérinaire **76** 15
viande boucanée **96** 12
~ de boucherie **95**
~ en conserve **98** 20
~ crue **96** 25
~ fumée **96** 12
~ hachée **96** 25
~ séchée **96** 12
viander **86** 13
vibraphone **303** 75
vibrateur **24** 7, **206** 45
~ à damer **198** 17
vibro-finisseur **197** 10
Victoire **308** 43
victoria regia **362** 17
vidage des bennes **197** 9
vidange par en bas **140** 30
~ d'eau boueuse **92** 7
~ par en haut **140** 41
videlle **42** 50
vidéo **236** 11
vie au parc **257** 41-69
vieille ville **252** 34-45
vièle **302** 1
vielle **301** 25
~ de mendiant **301** 25
~ de ménétrier **301** 25
~ à roue **301** 25
Vierge **5** 18, **6** 37
vieux peuplement **84** 4
vif *[appât]* **89** 35
vigie **90** 38
vigne **16** 65
~ du Mont-Ida **361** 23
~ vierge **358** 16
vigneron **80** 11
vignette par avion **232** 32
~ fiscale **105** 21
vignette lettre· chargée **232** 28
~ express **232** 31
~ recommandée **232** 33
vignoble **80** 1

vilebrequin **127** 22, **134** 29, **184** 56
villa en ville **252** 60
village **16** 105
~ de toile **290** 61
ville **16** 51, **252**, **253**
~ d'eau **262** 1-49
~ de province **252** 1-70
villégiateur **262** 24
vin blanc **98** 60
~ en bouteille **98** 60-64
~ mousseux **98** 63
~ rouge **98** 64
vinaigre **98** 25
violacées **62** 2
viole **301** 23
~ de gambe **301** 23
violet **320** 9
violette de trois couleurs **62** 2
violon *[instr. de mus.]* **302** 1
~ *[scie]* **130** 40
~ de poche **301** 20
~ tenu entre les genoux **302** 16
violoncelle **302** 16
violone **301** 23, **302** 23
violoniste jouant debout **259** 45
viorne obier **357** 10
vipère **350** 40 et 41
~ aspic **350** 41
~ bénus **350** 40
~ commune **350** 40
~ péliade **350** 40
virage **197** 31
~ christiania **283** 32
~ en ski **283** 32
~ surélevé **285** 10
~ télémark **283** 23
vire *[rocher]* **282** 5
virer de bord **270** 52-54
~ vent arrière **270** 56-58
virginal(e) **301** 45
Virgo **5** 18, **6** 37
virgule **325** 18
virole **43** 16, **46** 53, **244** 42, **282** 36
~ de réglage de l'air **334** 3
virure de bouchain **217** 43
~ de côté **217** 42
~ de fond **217** 45
vis **136** 13-48
~ d'accord **302** 59
~ d'assemblage à embase **136** 30
~ d'attache **38** 3
~ d'attelage **203** 36
~ à bois **127** 48, **136** 43
~ p. la compression du peigne **158** 36
~ d'établi **127** 42
vis d'évacuation de l'air **23** 2
~ p. l'expansion du peigne **158** 36
~ fendue **136** 34
vis sans fin· d'amenée **68** 53
~ de direction **186** 43
~ d'entraînement **142** 18
~ de releveur d'épis **68** 69
~ vers l'ébarbeur **68** 68
vis de fixation **102** 30
~ hélicoïdale **233** 20
~ de hissage **212** 36
~-mère **142** 32
~ de montée **212** 36
~ d'ouverture du diaphragme **109** 5
~ parisienne de fixation **117** 101
~ de presse **128** 59
~ de pression **177** 22
~ de réglage **114** 79, **136** 105, **331** 37
vis de réglage· d'air **183** 60
~ de la distance **144** 40
vis de serrage **111** 35, **144** 30, 36, **302** 53
~ de tension **186** 48, **276** 31, **302** 53
~ sans tête **136** 46
vis à tête· carrée **136** 37
~ cylindrique **136** 34
~ fraisée **136** 26
~ de marteau **136** 39
~ à six pans **136** 13
vis de vidange d'huile **184** 24
visage **18** 4-17
~ glabre **35** 25
visagiste **296** 47
vis-à-vis *[voiture]* **179** 51
viscose **163** 1-12, 13-27
viseur *[fusil]* **87** 65, **90** 57
~ *[caméra]* **111** 6, 22, **294** 25
~ de l'image intermédiaire **109** 7
~ latéral **294** 17
~ télémétrique **294** 8
~ à tube incliné **110** 12
visière *[armure]* **310** 40
~ *[casquette]* **36** 25
~ contre l'éblouissement **276** 35
visiteur **339** 21
~ des roues **201** 36
vitellus **75** 57
vitesse du vent **9** 10
viticulteur **80** 11
viticulture **80**
vitrage *[vitre]* **339** 36
~ *[rideau]* **52** 53
vitrail **122** 14, **311** 16
vitre **179** 10
~ arrière **183** 48
~ arrière à déflecteur **185** 22
~ à crémaillère **187** 17
~ à déflecteur **185** 22
~ d'observation **224** 23
~ panoramique **183** 43
~ de porte **185** 20
~ de protection **135** 27
vitrerie **122**
vitrier **122** 8
~ en bâtiment **122** 8
vitrine **253** 41, **339** 39
~ d'exposition à l'intérieur **256** 13
~ avec les préparations **249** 18
~ réfrigérante **98** 3
vivier **89** 18, 62
~ p. le transport des poissons **89** 64
voie d'arrivée **199** 14
~ de chargement **202** 22
~ de circulation des locomotives **199** 21
~ de départ **199** 14
~ d'écoulement **212** 56
~ d'encagement **138** 2
~ étroite **151** 4
~ d'évitement **199** 34
~ ferrée **198**
voie ferrée· de banlieue **252** 63
~ de berge **211** 30
~ du port **221** 9
~ de roulement **149** 26
voie de fond **137** 38, **138** 11
~ de garage **199** 29, **202** 50
~ de (la) grue **114** 27, **217** 24
~ du haut **137** 37
~ des pleines **138** 2
~ portative **16** 90
~ de préparation des machines **199** 12
voie principale· directe **199** 35
~ électrifiée **199** 25
voie de raccordement **145** 79
~ de remise **199** 9
~ de retour des berlines vides **138** 3
~ de rotonde **199** 9
voie de roulage **137** 38, **138** 11
~ secondaire **194** 2
~ de service **16** 90
~ du service de banlieue **199** 34
~ suspendue **209** 15-38
voie suspendue· électrique **148** 6
~ à monorail **145** 53
voie de tête **137** 37, **138** 10
~ de traverses **114** 39
~ de triage **202** 50
~ de vidange du bois **84** 3
~ des vides **138** 4
Voie lactée **5** 35, **6** 47-50
voile *m* **308** 7, **314** 24
~ *[champignon]* **365** 5
~ d'apiculteur **78** 58
~ de baptême **313** 9
~ de deuil **312** 39
~ de la mariée **313** 19
~ mi-long **36** 47
~ nuageux **8** 7
~ du palais **21** 21
voile *f* d'artimon **214** 30, **270** 33, 41
~ aurique **214** 20-31
~ aurique mi-gréement **215** 15
~ auxiliaire **270** 39
~ ballon **270** 35
~ barrée **215** 26
~ bermudienne **270** 38
~ à bourcet **215** 4
~ carrée **214** 55-66
voile carrée· carguée **213** 21
~ plein-gréement **215** 16
voile à civadière **215** 5
~ à corne **215** 1
~ démontable **213** 34
~ d'étai **215** 2
voile d'étai· de flèche d'artimon **214** 29
~ de grand cacatois **214** 26
~ de grand hunier **214** 24
~ de grand perroquet **214** 25
voile de flèche **214** 31
~-fortune **215** 13
~-goélette **215** 1
~ de kayak pliant **269** 62
~ latine **213** 29, **215** 3
~ à livarde **213** 43, **215** 5
~ à main **284** 34

voile de natte **336** 33
~ pleine **270** 54
~ pleine grand largue **270** 58
~ de schooner **270** 29
voilette courte **36** 40
voilure annulaire **225** 70
~ en dièdre **225** 45
~ fixe d'avion **228** 45
~ de parachute **228** 49
~ d'un trois-mâts barque **214** 1-72
voisin de table **259** 41
voiture en alliage léger **203** 34
~ automobile **185** 1-65
~ biplace de sport **187** 11
~ à bras **53** 49
~ de brasseur **93** 36
~ de camionnage **202** 18
~ cellulaire radio **248** 2
~ à charbon **253** 26
~ de chasse **86** 18
~ à chenilles **189** 36
~ à chevaux **179**
~-cinéma **204** 24
~ à compartiments **203** 24
~ de contrôle des caténaires **206** 57
~-couchettes **204** 48
~ sans couloir **203** 24
~ de course **187** 19-30, **273** 38
~-dancing **204** 24
~ p. délivrer les marchandises **202** 18
~ à deux chevaux **179** 36
~ à deux étages **204** 60
~ d'enfant **258** 30
~ foraine **290** 34
~ de funiculaire **209** 13
~ à gibier **86** 39
~ de grandes lignes **204** 1
~ de grand parcours **204** 48
~ à impériale **206** 57
~ intermédiaire **207** 34
~-lit **204** 14
~ de louage **179** 26
~ p. malades **181** 22
~ motrice **193** 8, **207** 30
~ de petite cylindrée **183** 41
~ à plates-formes ouvertes **203** 26
~ postale **203** 19
~ à poste de conduite **207** 36
voiture de prise de son **292** 22
~ à propulsion à main **181** 22
~ publique **179** 37
~ rail-route **208** 45
~ sur rails **203-208**
~ rapide interurbaine **204** 53
~-restaurant **204** 17
~ à roues caoutchoutées **64** 33
~ russe **179** 45
~-salon **204** 49
~ de secours **255** 19
~ de société **204** 24
~ du son **292** 22
~ de tourisme **187**
~ Touropa **204** 48
~ à turbine **187** 18
~ de voyage **179** 39
voiture à voyageurs· à deux étages **204** 60
~ de 2ème classe **203** 26
voiturette biplace **183** 41
~-buffet de quai **201** 49
~ quadriplace **183** 50
~ quatre places **183** 50
voiturier **93** 37, **202** 16
voix *[Mus.]* **300** 46, 47
vol dans l'atmosphère **4** 38-47
~ de canards sauvages **86** 41
~ de croisière **227** 60
~ dans l'espace cosmique **4** 48-58
~ de front **271** 22
~ de fusées **229**
~ dans les nuages **271** 15
~ ondulé **271** 23
~ dans la pente **271** 14
~ plané **271** 18
~ thermique **271** 20
~ dans le vent du sud **271** 23
~ à voile **271** 1-23
~ à voile acrobatique **271** 17
volaille **64** 32, **74** 19-36
volant *[Vêt.]* **30** 34
~ *[jeu]* **258** 46, **276** 37
~ *[Méc.]* **102** 44, **159** 15
~ *[tracteur etc.]* **67** 4, **205** 58, **228** 35
~ demi-lune **183** 52
~ de direction **186** 2
~ échelonné **32** 30
volant du gouvernail· de direction **223** 41
~ de plongée **223** 42
volant horizontal **177** 23
volant à main· p. l'ajustage en hauteur **143** 35
~ p. ajuster la table **143** 14
~ p. le mouvement du chariot **142** 13
volant du manipulateur **206** 31
~ du moulin à vent **91** 1
~ de position du fourreau de la broche **142** 30
~ p. le réglage en hauteur **128** 37
~ de réglage de la largeur de débit **149** 22
~ à toc **129** 9
~ de vidage des bennes **197** 9
volatile *n.* **343** 5-30
volcan **4** 3
~ en activité **11** 15
~ bouclier **11** 13
~ composé **11** 15
~ éteint **11** 25
volcanisme **11** 13-20
volée *[chariot]* **131** 8
~ *[tennis]* **276** 33
~ de grue **221** 37
~ mobile du pont **210** 62
volet *[fenêtre]* **39** 30
~ *[autel]* **311** 43
~ *[moulin à vent]* **91** 4
~ d'admission d'air frais **166** 24
~ aérateur **286** 11
~ d'aération **93** 4, **185** 37, **204** 31
~ d'atterrissage **228** 47
~ de la caisse **131** 17
~ d'incidence **229** 26
~ de la jaquette **178** 38
~ roulant **238** 7
volière **339** 23
volige de la corniche **117** 42
voligeage **117** 61
volley-ball **276** 43-51
volte-face **283** 31
voltigeur **290** 32
voltmètre **120** 42, **192** 46
voltmètre indiquant la tension du courant· de la caténaire **206** 42
~ chauffage **206** 41
volume cousu **178** 22
~ emboîté **178** 30
~ gazométrique **148** 58
volute *[colonne]* **315** 26, **316** 23
volute *[violon]* **302** 17
vorge **63** 29
voussure **317** 18, **318** 10, 38-50
voûte **80** 22, **318** 38-50
~ d'arête **318** 42
~ en berceau **318** 38
~ biaise **318** 43
~ céleste **5** 1-8
~ cloisonnée **318** 41
~ en croisée d'ogives **317** 31 et 32
~ en étoile **318** 44
~ en éventail **318** 46
~ à nervures rayonnantes **318** 45
~ en ogive surbaissée **318** 47
~ à pan sur plan carré **318** 49
~ romane **317** 17
~ à stalactites **319** 17
voyage d'inauguration **216** 36
voyageur **201** 3
~ de tramway **193** 3
voyant *[viseur]* **111** 6
~ *[observation]* **2** 16, **40** 62, **239** 23
~ de bouée **219** 53
~ du carter de chaîne **182** 56
~ de contrôle **190** 4, **199** 67
voyant de contrôle· des bougies d'allumage **207** 17
~ du feu arrière **181** 44
voyant lumineux **147** 3
~ lumineux du niveau de combustible **228** 26
~ de la tonalité **234** 46
vrille *[outil]* **106** 5, **127** 19
~ foliaire **59** 4
~ de pois **59** 4
~ de vigne **80** 4
vue avant **222** 65
~ de face **222** 65
~ d'en haut **144** 62
~ latérale **6** 47-50, **144** 61
vue en plan· au niveau d'arrimage **222** 53
~ du pont **222** 48
vulcanisation à froid **191** 24
vulnéraire **70** 6
vulpin **70** 27

W

wagon **216** 19
~ en alliage léger **203** 34
~-atelier **208** 33
~ basculant **145** 73

wagon à bennes basculantes **208** 22
~-cage **290** 62
~ à charbon **148** 1
~-citerne **64** 29
wagon-citerne· à benzol **148** 44
~ à eau ammoniacale **148** 39
~ à gaz comprimé **208** 15
~ p. gaz liquéfiés **208** 15
~ à goudron **148** 38
~ à tout usage **208** 13
wagon à citernes **208** 11
~ à citernes p. pulvérulents **208** 17
~ à cloisons à étages **208** 28
~ à compartiments **203** 24
~ couvert **208** 34
~ couvert à déchargement automatique **208** 24
~ de déblais **198** 5
~ déchargeant des deux côtés **208** 23
wagon à déchargement· automatique **208** 17
~ par le fond **208** 14
~ latéral **208** 19
wagon déluteur **148** 18
~ à deux étages **208** 31
~ p. les envois de détail **202** 6
~ fermé **208** 4
~ de funiculaire **209** 13
~-grue p. la construction des voies **208** 37
~-lit **204** 14
~ de marchandises **208** 2-34
wagon à marchandises· couvert **208** 4
~ à deux étages **208** 31
~ fermé **208** 4
wagon p. matières en vrac **208** 24
~ en métal léger **203** 34
wagon ouvert **208** 21
~ ouvert à marchandises **208** 2
~ à plancher en dos d'âne **208** 23
~ plat **208** 6
~ à plate-forme surbaissée **208** 29
~ à plates-formes ouvertes **203** 26
~ p. poids très lourds **208** 29
~ porte-containers **208** 25
~ porte-rails **198** 11
~-poste **203** 19
~ p. produits chimiques **208** 11
~ à quatorze essieux **208** 29
~ à ranchers **202** 30
~ réfrigérant **208** 27
~-restaurant **204** 17, 51
~-salon **204** 49
~ de service **199** 30
~-silo **198** 4
~-tombereau **208** 2, 21
~ de train-express **204** 1
wagon p. le transport· des automobiles **208** 31
~ de ballast **208** 14
~ du bois **208** 20
~ de coke **208** 23
~ de minerai **208** 19
~ des volailles **208** 28
wagon à usages multiples **208** 32
wagonnet actionné à bras d'homme (par moteur) **208** 42
~ basculant **114** 28
~ basculant à lingots **141** 44
~ à benne basculante **153** 4
~ à coke **148** 18
~ de grande capacité **150** 14
~ de mitraille légère **140** 57
~ de remorque **196** 25
wapiti **352** 2
water·-ballast **218** 68
~-closet **51** 35
water-polo **268** 47-51
watt-man **193** 21
W.-C. **51** 35
W.-C. souterrains **194** 20
weigelia **357** 23
wharf **220** 32-36
whisky **47** 44
wigwam **335** 7
WM *[football]* **274** 25

X

xanthogénate **163** 9, 10
xylographie **323** 1-13
xylophone **303** 61

Y

yacht **270** 27-50
~ de course à quille de plomb **270** 5
~ de croisière à quille **270** 1-4
~ à glace (à patin) **284** 47 et 48
~ à moteur **216** 20
~ privé **216** 20
~-schooner **270** 28-32
~ à semelle de dérive **270** 6-10
yachting sur glace **284** 46
~ à voile **270** 1-60
yawl **215** 10, **270** 33-36
yole **270** 6-10
~ à quatre rameurs **269** 26-33
Yougoslavie **14** 13
yo-yo **258** 48
yucca **357** 24

Z

zèbre **351** 27
zeppelin **226** 65
Zéro **263** 18
Zeus **308** 1
zibeline **352** 15
Zigourat **315** 32
zigzag **81** 1
zinc **117** 14
~ *[buffet]* **260** 1-11
zinnia **62** 22
zircon **330** 19
Zodiaque **6** 32-43
zone antarctique **15** 18
~ aride **9** 54
~ de battage **275** 41
~ de (du) but **274** 4, **275** 3, 12
zone des calmes **9** 46 et 47
zone des calmes· équatoriaux **9** 46
~ subtropicaux **9** 47
zone de climat polaire **9** 57 et 58
~ de coup franc **275** 35
~ du crépuscule **4** 26
~ de cuisson **153** 15
~ dangereuse **2** 50
~ d'échange du bâton **280** 16
~ d'écoulement **13** 73
~ d'engravement alluvial **13** 10
~ de l'épicentre **11** 38
~ de flux **11** 2
~ d'habitation à la périphérie de la ville **252** 69
~ industrielle **252** 58
~ infiltrée **13** 24
~ d'inondation **211** 41
~ limite du crépuscule **4** 26
~ des nébuleuses obscures **6** 49
~ de pénalisation **274** 5
~ de pénétration **12** 24
~ des pluies tropicales **9** 53
~ de réduction **140** 8
~ de réparation **274** 5
~ résidentielle **252** 59
~ sensorielle **78** 22
~ de service **276** 12
~ tempérée pluvieuse **9** 55
~ de tremblements macrosismiques **11** 38
zone des vents· polaires **9** 51
~ variables d'ouest **9** 50
zone visqueuse **11** 2
zoo **339**
zoophyte **340** 35
zostère **362** 54
Zoulou **337** 36
zygomatique **21** 6

Nous tenons à remercier les collaborateurs, germanistes et spécialistes et les organismes officiels ou privés qui, de France, de Belgique, et de Suisse, nous ont apporté leur concours, en particulier: MM. – R. Adline, Antoine, Baillaud de l'Institut de Botanique de Besançon, G. Bernaardt, Carreras, Bausinger – Ecole Estienne des Arts Graphiques, le Centre de Documentation de la S.N.C.F., E. Chamoux – Professeur à l'E.N.S. du Génie Maritime, Société Nationale des Chemins de Fer Français, la Coordination Technique & Commerciale, Delpeyroux – Union Technique de l'Automobile, du Motocycle et du Cycle, Dommartin Ingénieur, Dupont, F. Erlinder, E. Guyot – Faculté des Sciences de Neuchâtel, R. Hamille, Institut Geographique National, Koelher, Knaeps, R. Larrieu – S.N.C.F., Lehanneur – Service Documentation des Ponts & Chaussées, P. Marchand, Mme. Mossena, M. Monney, Puppink – le Nord Textile, A. Schiessl – Protection Antiaérienne, Schmidt – Service Documentation Technique du Bâtiment et des Travaux Publics, le Service de Documentation de la Radiodiffusion, le Service de Documentation des Ponts et Chaussées, Serper – Electronic et les techniciens et correcteurs qui, anonymement ont bien voulu contribuer à ce travail.

THE ARRANGEMENT OF THE ENGLISH INDEX

The numbers in heavy type refer to the plate numbers, which are given at the top outer edge of each page.

To avoid repetition of the headwords a tilde (~) has been used; it stands for the whole of the preceding headword, or for that part of it which is followed by a point (·); when a tilde refers to a hyphened headword, only the part of the word preceding the hyphen is meant.

Americanisms are marked with an asterisk(*).

The alphabetical order ignores prepositions such as *of*, *with*, *from*, *under*, and the conjunction *and*, etc. (thus *bridge over railway* is arranged alphabetically as *bridge railway*), but takes into account the second parts of compound words such as *man-of-war*, *built-in*, *hide-and-seek*.

The following abbreviations are used in the index:

Agric.	Agriculture
Anat.	Anatomy
app.	apparatus
Arch.	Architecture
Astr.	Astronomy
Bak.	Bakery
Bot.	Botany
Box.	Boxing
Broadc.	Broadcasting
Build.	Building
Chem.	Chemistry
Cloth.	Clothing
Comm.	Commerce
Danc.	Dancing
Educ.	Education
El.	Electricity
Fenc.	Fencing
Fish.	Fishing
Footb.	Football
f.	for
fr.	from
furn.	furniture
Geol.	Geology
Geom.	Geometry
Gymn.	Gymnastics
Her.	Heraldry
Hunt.	Hunting
Hyg.	Hygiene
instr.	instrument
Just.	Justice
Knitt.	Knitting
loc.	locomotive
mach.	machine
Math.	Mathematics
Mech.	Mechanics
Med.	Medicine
Met.	Meteorology
Mineral.	Mineralogy
Mus.	Music
Mythol.	Mythology
mus. instr.	musical instrument
n.	noun
Nav.	Navigation
newsp.	newspaper
Opt.	Optics
Phot.	Photography
Print.	Printing
Railw.	Railway
rept.	reptile
Skat.	Skating
Sledg.	Sledging
Spinn.	Spinning
subst.	substance
Tech.	Technics
teleph.	telephone
Text.	Textile
T.V.	Television
Typ.	Typography
typewr.	typewriter
w.	with
Weav.	Weaving
Wrestl.	Wrestling
Zool.	Zoology

A

A.A. gun **222** 35, **223** 44
Aaron's rod **360** 9
abacus *[Art]* **316** 20
~ *[School]* **249** 38
abattoir **252** 51
abature **86** 8
abbey **314** 1–12
abbreviated title **178** 44
abdomen **18** 35–37
abdominal aorta **20** 16
~ muscle **20** 43, 44
abele **355** 23
aberdevine **346** 8
A-bomb **1** 47
aborigine **335** 37
about-sledge **132** 24
abruptly pinnate **354** 41
abscissa **329** 9
abscisse **329** 9
abseiling **282** 29–34
absorbent cotton* **28** 9
~ diaper **30** 6
absorption **212** 61
~ plant **139** 28
abstract **304** 33
~ number **326** 3
abutment *[Arch.]* **210** 28, **212** 80, **318** 20
acacia **54** 11
accelerator **185** 39
accent of pronunciation **325** 30–35
~ of stress **325** 30-35
acceptance **242** 12, 23
access manhole **254** 26
accessories **111** 31-59
accessory shoe **111** 21
acciaccatura **300** 29
accident **253** 58–69
~ on ice **17** 28–33
~ victim **253** 68
accidental **299** 51–59
Accipiters **347** 10–13
accolade **310** 66
accomodation bureau **200** 28
~ road **65** 12
~ train **203** 1
accompanist **298** 1
accordeon **303** 36
accordion **303** 36
accountant **238** 37
account book **238** 52
accounting machine **238** 60, **240** 42
accounts department **238** 37–80, **256** 27
account sheet **238** 62, 67
accused **248** 29
acerose **354** 34
acerous **354** 34
acetylene cylinder **135** 60
~ welding **135** 29–64
achaenocarp **60** 23
achene **60** 23
achievement *[Her.]* **246** 1–6
Achilles' tendon **20** 48
acid container **334** 62
acidifying apparatus **77** 27
acidometer **192** 44
acid solution **176** 4
acolyte **312** 45
aconite **363** 1
acorn **355** 4
acrobat **290** 47, **298** 9
acrobatic cycling **287** 31
~ dive **268** 41–46
~ diver **268** 5
acroter(ium) **316** 34
a. c. slip ring* **331** 81
act **290** 25, **298** 11, 15
acting area· **296** 3
~ lamp **297** 14
Actinia **349** 20
Actinophrys sol **340** 7
action **178** 3
~ check head **304** 27
~ of keys **304** 22–39
~ lever **304** 32
active carbon **255** 58
~ game **258** 23
actor **292** 28, **297** 37
actress **292** 27, **297** 38
acute accent **325** 30
~ angle **328** 10
~-angled triangle **328** 28
ad *[fam.]* **325** 51+52
Adam's apple **21** 13
adaption goggles **29** 46
adder **350** 40
adder's wort **360** 10
adding mechanism **256** 9
addition **326** 23
additional brake cock **206** 51
additive mixture of colours **320** 10
additives **167** 25
address **232** 37, **239** 4
addressee **232** 37, **239** 5
addressing machine **239** 37
addressograph **239** 37
A-deck **218** 28–30
adhesion engine **205** 1
~ motor rail coach **209** 1
adhesive disk **350** 26
~ plaster **17** 7
~ tape **23** 54, **238** 79
adjacent angle **328** 14
adjoining house **53** 23
adjunct* **250** 3
adjustable bar **68** 29
~ bow **68** 14
~ comb **158** 26
adjustable fence **128** 10
~ head rest **204** 35
~ knob **144** 22
~ nozzle **227** 45
~ nut **136** 33
~ pipe wrench **119** 57
~ proscenium **297** 22
~ resistance **331** 83
~ rulers **173** 37
~ spanner **119** 51, **192** 3
~ stamp **238** 41
~ table top **29** 15
~ wrench **119** 51
adjuster **176** 19, 22
adjusting device **306** 7
~ equipment **141** 56–59
~ knob **11** 41
~ lever **68** 39
~ rod **104** 31
~ screw **114** 79, **136** 105, **144** 46
~ spindle **221** 39
adjustment plate **142** 7
administration **212** 24
~ building **292** 4
~ of justice **248**
admiral *[Zool.]* **348** 1
admiral's cabin **213** 27
admirer **261** 22
admission ticket **296** 11
adolescent valley **13** 54
adult insect **342** 10
~ scale insect **81** 36
advance-booking office **256** 26
advance signal **199** 38
advancing cylinder **138** 39
adventitious root **354** 78, 80
advertisement **325** 52
~ pillar **253** 21
~ postmark **231** 50
advertising space **252** 14
~ text **178** 39
~ van **189** 9
advocate **248** 30
adze **126** 12
aerated water **47** 41
aeration system **339** 28
aerial **234** 21
~ cableway **209** 15–38
~ connection plate **236** 3
~ contact wire frog **193** 30
~ lead **223** 13
~ lead-in **218** 4
~ line **206** 2
~ photogrammetry
aerial root **354** 80, **15** 63–66
aerobatic figure **271** 17
aerodrome **230** 1
aero engine **227**
aerolite **7** 29
aeronautical radio navigation service **230** 22–53
aeroplane **225, 226**
aero-tow flight **271** 7
Afghan *[dog]* **71** 23
A flat major **300** 12
A flat minor **300** 15
Africa **14** 35–38, **15** 14
African elephant **351** 20
~ hemp **56** 9
after-burner **226** 14, **227** 44
~-burner turbojet power unit **227** 42
~ castle **213** 23
~ deck **218** 32
~ holds **218** 49
~noon dress **32** 28
~-shave lotion **104** 14
~ stay **270** 47
agaric **363** 11, **365** 28, 29
Agaricus mutabilis **365** 33
age **309**
ageing pit **151** 6
agency **256** 24
agent *[broker]* **243** 5
~* *[ticket ~]* **200** 39
aggregate **113** 36, **114** 26
~ fruit **60** 28
agitator motor **172** 5
agricultural machine **67, 68**
~ product **69** 1–45
agriculture **65**
Agulhas Current **15** 37
aid **17**
aileron **228** 46
~ rod **228** 40
aim **86** 34
aiming grip **90** 58
~ telescope* **15** 48, **87** 29
air **184** 75
~ adjusting screw **183** 60
~ blast **133** 6, 61
~-blast circuit-breaker **146** 34, **147** 51–62
~-blower **148** 15
~ brush **121** 12, **171** 51
~ compression chamber **227** 16
~ compression stage **227** 20, 35

air compressor **191** 26, **206** 17, **227** 6
~ compressor switch **206** 37
~-conditioning installation **339** 5
~-conditioning system **186** 22–24
~ container manometer **206** 47, 48
~ control cable **182** 30
~-cooling louvre **183** 14
aircraft **222** 29, 30, 50, 51, 74, **225**, **226**
~ aerial unit **226** 44
~ antenna unit **226** 44
~ cargo hatch **226** 35
~-carrier **222** 65–77
~ clock **228** 8
~ compass **228** 11
~ complement **226** 38–41
~ control **228**
~ control surfaces **228** 39 – 47
~ crane **222** 29
~ crew **226** 38–41
~ elevator* **222** 67, 74
~ engine **227**
~ engine nacelle **226** 6, 49
~ flying-controls system **228** 39–47
~ hangar **222** 30
~ instrument board **228** 3–16
~ instrument panel **228** 3–16
~ kitchen **226** 43
~ lift **222** 67, 74
~ navigation light **226** 46
~ passenger compartment **226** 45, 68
~ reactor **225** 71
~ receiver **230** 25
~ storage position **222** 50
~ tail-wheel **225** 8
~-towed take-off **271** 7
~ transmitter **230** 27
~ wing unit **228** 45
~ wireless operator **226** 40
air·crew* **226** 38–41
~ current **9** 25–29
~ cushion **23** 28
~ door **137** 16
~drome* **230** 1
~ duct **97** 59, **133** 5
~ duct handle **97** 60
~ feed pipe **140** 28
~ field* **230** 1
~ filter **93** 18, **184** 17
~ foam **255** 64
~-fuel-mixture **227** 36
air gun **258** 3
~-heater **133** 2
~-heating chamber **140** 29
~ hose **185** 36
~-impeller blade **183** 19
~ injector **40** 58
~ inlet **255** 60
~-inlet duct **47** 3
~-inlet valve **138** 50
~ intake **227** 2, 21
~ intake duct **47** 3
~ intake stage **227** 34
~ jet **183** 59
~-jet base **140** 62
~-knife **168** 31, 34, 35
~ layer **1** 32
~ letter* **232** 18
~ liner **226** 30
~ lock **137** 16
~ mail box* **231** 28
~-mail label **232** 32
~-mail letter **232** 18
~-mail posting box **231** 28
~-mail stamp *[U.S.A.]* **232** 19
~man* **226** 38
~ mattress **266** 36
~ navigation aid **230** 22–38
~ outlet **162** 29, **186** 23, **339** 41
~ outlet duct **166** 30
~ outlet pipe **166** 30
~ outlet slot **187** 20
~ outlet valve **224** 24
~ passage **315** 4
~ passenger **226** 31
~ pipe **190** 29
airplane* **225** **226**
~ radio operator* **226** 40
airport **230**
~ administration office **230** 5
~ freight hangar **230** 21
~ meteorological station **230** 8
~ operational control **230** 5
~ radio beacon **230** 12 + 18
~ repair hangar **230** 9
~ restaurant **230** 5
~ terminal building **230** 5
air pre-heater **133** 58, **146** 11
~ pump **175** 6
~ pump bell-jar **331** 12
~ pump column **190** 27
~ pump plate **331** 14
~-purifier **51** 29
~ radio **230** 22-53
~ refuelling **226** 25
air-regulating screw **183** 60
~ regulator **334** 3, 8
~ separator **153** 24
~ shaft **1** 33, **92** 20
airscrew **226** 10
~-driven aeroplane **226** 1–8
~ power unit **227** 1, 8
~ reduction gear **227** 39
airship **226** 65
~ anchor mast **226** 66
~ envelope **226** 74
~-mooring mast **226** 66
~ pilot post **226** 69
~ propeller **226** 78
~ screw **226** 78
~ stern **226** 79
~ tail unit **226** 80–83
air sifter **153** 24
~ space **75** 50
airspeed indicator **228** 16
~ meter* **228** 16
air suction filter **206** 20
~ supply **168** 36
~ tanker **226** 26
~ temperature **267** 8
~ thermometer **228** 14
~ top *[toy]* **258** 25
~ traffic control procedure **230** 22–38
~ tube **76** 23, **224** 21
~ valve **180** 31,
~ vessel **254** 17, 50
airway **137** 25
air whistle lever **206** 50
aisle *[church]* **311** 27, **316** 63, **317** 2
~ *[forest]* **84** 1
à-jour-work **101** 27
akene **60** 23
Akropolis **316** 1–7
alarm *[clock]* **107** 41
~ bell **107** 42, **262** 41
~ clock **107** 41, **112** 19
Alaudidae **346** 18 + 19
alb **314** 38
Albania **14** 1
album **112** 52
~ cover **112** 53
albumen **75** 51
albuminous substance **75** 52
album leaf **112** 54
alburnum **115** 85, **354** 12
~ side **149** 43
alcohol **52** 32, **98** 56–59
~ container **28** 44
alcoholic liquor **98** 56–59
alcohol tap **28** 45
Alcor **5** 29
Aldebaran **5** 25
alder **355** 30
~ buckthorn **364** 13
~-fen peat **13** 18
ale-hoof **359** 18
Alençon lace **101** 30
alfalfa **70** 9
~ grass **130** 26
alga **362** 43, 48
algarroba **368** 41
algebra **327** 4 + 5
algebraic symbol **326** 9, **327** 5
alighting board **78** 49
aligning mark **323** 58
alignment guide **240** 13
alinement guide* **240** 13
alining mark* **323** 58
alison **63** 17
alkali cellulose **163** 7
~ and rinsing water casing **166** 4
alkylation **139** 31
~ plant **139** 31
aller **355** 30
alley **252** 40, **287** 2
~way* **252** 40
all-heal *[fam.]* **364** 5
all-in wrestling **281** 11 + 12
allotment **252** 68
all-purpose· excavator* **196** 1
~ table **44** 3
~ tank wagon **208** 13
~ tractor **67** 1
all-round-view·cabin **221** 5
~ windscreen **183** 43
all-steel body **185** 1
alluvial deposit **211** 52
all-weather roof **196** 38
~-wing model **271** 40
almond **45** 50, **368** 36, 40
almonds **46** 41
alms **311** 64
~ basket* **311** 63
~ box **311** 61
aloe **56** 13
alpenstock **282** 35
alphabetical flag **245** 22–28
alphabetic-numerical keyboard **241** 44
alpha particle emission **1** 10
~ radiation **1** 10
alpine climbing **282** 1–56
Alpine goat **352** 3
~ hut **282** 1
~ jacket **282** 7
~ marmot **351** 18
~ plant **362** 1–13
~ rose **362** 1
~ snowbell **362** 3
~ Soldanella **362** 3

Alsatian *[dog]* **71** 31
alsike (clover) **70** 3
Altair **5** 9
altar **311** 7, 37, **316** 48, 69
~ bell **313** 47
~ bells **313** 43
~ candle **311** 10, 41
~ carpet **311** 6
~ cloth **311** 9, 51
~ fire **311** 44
~ picture **311** 15
~ piece **311** 42
~ rails **311** 32
~ step **311** 8
alternating-current slip ring **331** 81
alternator **146** 23, **147** 26
altimeter **228** 6, 9
altitude **328** 27
alto clef **299** 12
alto-cumulus·castellanus **8** 16
~ cloud **8** 15
~ floccus **8** 16
alto-stratus· cloud **8** 8
~ praecipitans **8** 9
alto trombone **302** 46
alum **104** 22
aluminum* see aluminium
aluminium coin **244** 1–28
alyssum **63** 17
A major **300** 4
amalgam **27** 17
amaranth **62** 21
Amaranthus **62** 21
Amaryllis **56** 8
amateur camera **294** 24
~ gardener **55** 24
~ observation telescope **108** 44
~ photographer **257** 43
~ rider **272** 49
Amazon water lily **362** 17
amble **73** 40
ambulance **255** 19
~ attendant **255** 21
~ car **255** 19
~ station **200** 54, **291** 61
ambulatory **311** 35
ambush shed **86** 51
America **14** 29–34, **15** 12 + 13
American bison **352** 9
~ buggy **179** 49
~ football **275** 28–30
~ Organ **304** 43
~ softball **275** 39–54
amice **314** 40
A minor **300** 1
ammonia **164** 24
~-evaporator **261** 48
~ solution **52** 31
~-washer **148** 34
ammonia-water waste pipe **148** 35
ammonium sulphate solution **164** 26
ammunition **223** 72
amoeba **340** 1
amoretto **257** 20
amorino **257** 20
amount of bill **242** 18
~ of moisture **10** 23
~ to be paid **256** 8
amphibian *[Zool.]* **350** 20–26
~ *[aircraft]* **225** 32
amphitheater* **296** 17
amphora **309** 10
amplifier **236** 7, 16, **292** 59, **295** 20
~ rack **293** 9
~ valve **235** 15, 17
amplifying device **306** 42
ampoule **26** 32
ampulla **26** 32
amulet **337** 40
amusement machine **260** 48
anaesthesimeter **28** 37
anaesthetist **28** 30
anaesthetizer **28** 34-41
anaesthetizing apparatus **28** 34–41
anaglyph **322** 33
anal fin **350** 9
analytical balance **333** 25
anamorphic lens **294** 37
anamorphoscope **294** 43
anamorphote front lens **294** 43
anamorphous lens **294** 37
ananas **368** 61
~ flower **368** 64
ancestor **337** 17
'ancestor stone' **309** 6
anchor **217** 75, 76
anchorage **210** 40, **211** 13
anchor cable **213** 18, **217** 74, **218** 45
~ chain **210** 19, **218** 45
~ gear **218** 44–46
~ hawser **213** 18
~ mast **226** 66
androgynous flower **358** 10, **366** 14
Andromeda **5** 24
anemometer **10** 27, **230** 19
anemone *[Bot.]* **359** 5, **361** 1
anemophilous plant **61** 44–51
aneroid **10** 8
~ barometer **10** 8
~ box **10** 6
aneroid chamber **10** 6
anesthetist **28** 30
anesthetizer **28** 34–41
anesthetizing apparatus **28** 34–41
angel **311** 54
~ cake* **97** 44
angle *[Geom.]* **328** 1–23
~ *[iron]* **136** 1
~ brace **116** 57
~ of departure **87** 75
~ of descent **87** 78
~dozer **196** 28
~ drive **91** 25
~ of elevation **87** 76
~ handpiece **27** 15
~ hinge **134** 58
~ iron **136** 1
angler **89** 7
~ fish **349** 6
angle ring **141** 66
~ screwdriver **192** 30
~ shears **119** 2
~ stitch **102** 8
~ symbol **327** 23
~ tie **116** 57
~ tower **310** 14
angling **89** 7–12
Angora cat **74** 17
angular point **328** 1
~ reamer **119** 10
animal **74, 351–353**
~ awaiting slaughter **94** 2
~cule **340** 7, 9
~ glue **127** 39
~ on show **339** 20
~ trainer **290** 52
ankle gaiter **283** 57
~-sock **33** 64
annelid **340** 16
annex **53** 1
announcer **298** 2
annual clock **107** 45
~ fair **291** 1–67
~ meadow grass **359** 39
~ ring **84** 23
annuent muscle **20** 34, **21** 1
annuity **243** 11–19
annular kiln **151** 19
annulus **328** 57
anode **332** 30
~ rod **172** 2
Anopheles **341** 33
anorthic crystal system **330** 26
anserine bird **343** 15–17
ant **342** 21 + 22
Antarctic **15** 18
~ Current **15** 44
~ Drift **15** 44
~ Ocean **15** 22
antarctic sea **90** 37
ant-eater **351** 10
antechamber **184** 66
antelope **352** 5
antenna *[aerial]* **235** 4
~ *[Zool.]* **82** 3, **342** 27
~ switch **235** 3
anther **60** 45, **61** 10, **356** 35
anthozoon **340** 35
anthropoid *n.* **353** 14 – 16
anti-aircraft· defence **222** 35
~ gun **223** 44
anti-cathode **332** 31
~cline **12** 16
~cyclone **9** 6
~-dazzle light **185** 17
~-dazzle shield **205** 62
~-distortion magnet **236** 26
~-friction bearing **136** 67
antique shop **253** 57
anti-roll bar **184** 13
antiseptic **104** 16
anti-set-off spray **175** 10
~-skid tread **189** 13
anti-syphon trap **119** 41
antlers **88** 5–11, 29–31
anuran **350** 23–26
anus **22** 62
anvil *[smith]* **119** 19, **132** 16, **133** 21
~ *[Anat.]* **19** 61
~ bed **133** 29
~ block **133** 21
~ block insert **133** 22
~ body **132** 17
~ chisel **132** 29
~ cutter **132** 29
~ face **132** 19
~ fuller **132** 28-30
~ hardy **132** 28–30
~ plate **132** 19
~ tool **132** 28–30
aorta **20** 10, **22** 54
aortic arch **20** 10
~ valve **22** 49
apache girl **289** 9
apartment hotel* **252** 49
~ house* **53** 12, **252** 49
ape **353** 14–16
Apenodytes **343** 4
aperture diaphragm knob **109** 5
~ f. radio-isotopes **1** 44
apex **87** 77
aphid **82** 38, 39
aphis **342** 13–15
apiarist **78** 57
apiary **78** 56
apiculture **78**
Apocalypse **307** 50
Apollo **308** 15

apostrophe **325** 22
apparatus **331** 22-41, 45-85, **332** 1–35
appendix **22** 18
apple **60** 56
~ blossom **60** 54
~ blossom weevil **81** 10
~ core **60** 59
~ flower **60** 54
~ grub **60** 64
~ of love **59** 12
~ pip **60** 60
~ quince **60** 49
~ skin **60** 57
~ stalk **60** 61
~ tree **60** 51
~ twig **60** 52
appliance **331**, **332**
~ plug **120** 24
~ room **255** 1
appoggiatura **300** 28
appointment book **200** 10
apprentice **238** 44
approach **16** 16, **283** 9, **310** 34
~-radar set **230** 10
~ f. trucks* **202** 9
approximately equal **327** 17
apricot **61** 35
~ blossom **61** 33, 34
~ flower **61** 34
~ leaf **61** 36
~ tree **61** 33–36
~ twig **61** 33
apron *[Cloth.]* **32** 17
~ *[Tech.]* **67** 42, **142** 16
'apron' *[Spinn.]* **157** 16
~ pocket **32** 18
~ string **32** 24
apse **316** 64, **317** 5
aquarelle **44** 19
aquarium **339** 26
Aquarius **6** 42
aquatic plant **362** 14–57
aquatics **269**, **270**
aquatic sports **269**, **270**
aquatint **323** 14–24
aqueduct **316** 53
aquifer **12** 22, **254** 2
Aquila **5** 9
Aquilegia **62** 10
Ara ararauna **345** 2
arabesque **288** 9
Arabian capital **319** 18
Arabic numeral **326** 2
~ script **324** 2
~ writing **324** 2
arachnid **342** 40–47
araneid **342** 40–47
Araucaria **56** 16
arbor* see arbour
arboreal frog **350** 24
arbor vitae **312** 29, **356** 39
arbour **257** 17
arbour(ed) walk **54** 5
arc *[Geom.]* **328** 53
~ *[Tech.]* **135** 7, **295** 42
arcading **317** 8, 10,
arch *[Arch.]* **114** 6, **210** 12, **318** 19–37
~ *[foot]* **21** 61
~ *[lyre]* **301** 15
Archaster **349** 17
arch bridge **210** 41
~ crown **210** 44
arched bridge **210** 12
~ span **210** 16
~ tomb recess **312** 63
archer**287** 37
Archer **5** 37, **6** 40
archery **287** 37–47
Archimedean drill **129** 22
architect **292** 43
architect's plan **144** 57
architrave **316** 18
archives **292** 5
archivolt **317** 25
arch springer **210** 42
~way **266** 52, **319** 3
arcing horn **146** 47, **147** 61
arc lamp **171** 24, **331** 24
arcosolium **312** 63
arc-shaped screen **294** 49
arctic dog **336** 2
Arctic Ocean **15** 21
Arcturus **5** 30
area **9** 5, 6
~ of deposition **11** 47
~ letter box **200** 52
~ mail **231** 38
~ to be operated **28** 25
~ of precipitation **9** 30
arena **287** 58, **290** 21
~ entrance **290** 11
~-type stage **296** 1–4
areola **18** 29
Ares **308** 9
argent *[Her.]* **246** 25
Argentina **14** 32
Argentine Republic **14** 32
Argo **5** 45
Aries **6** 32
arillode mace **366** 34
arista **69** 12
arithmetic **326** 1–26, **327**
arithmetical operation **326** 23–26
~ series **327** 11
arm *[Anat.]* **18** 43–48, **19** 12–14
~ *[horse]* **73** 21
arm *[Tech.]* **220** 53, **221** 2
~ *[Geom.]* **328** 7
~ *[weapon]* **87** 2
armadillo **351** 8
arm armour **310** 47
armature *[magnet]* **233** 55, **331** 80
~ *[device]* **322** 25
~ lever **233** 56
~ support **322** 24
armband **255** 22
~ bandage **17** 1
~chair **47** 57
Armenian script **324** 3
arm-hold **281** 15
~let **38** 23, **251** 11
~-lock **281** 11
armor(ed) * see armour(ed)
armorial bearings **246** 1–6
~ shield of locality **244** 14
armoring * see armouring
armory *[Her.]* **246** 1–36
~* *[Gymn.]* **279** 1–48
armour **308** 11
armoured ship **222** 31–64
armpit **18** 26
~ hair **18** 27
arm prosthesis **23** 49
~-rest **47** 60, **203** 47
arms *[Her.]* **246** 1–6
arms bending upwards **278** 6
arm sling **17** 2
arms-raising sideways **278** 8
arm-stretching upwards **278** 5
arnica **364** 2
arpeggio **300** 36 + 37
arrangement **259** 37
arrangement of rollers **141** 75
arrest **248** 1
arrested person **248** 5
arrester **205** 24
~ wire **222** 71
arresting gear* **222** 71
arrest warrant **248** 4
arrière-bras **310** 47
arrival and departure lines **199** 14
~ indicator **201** 26
~ schedule* **200** 19
~ timetable **200** 19
arrow **287** 41, **308** 28
~ head **287** 42, **309** 4
~head *[Bot.]* **362** 51
~ point **287** 42
~ shaft **287** 43
~ stem **287** 43
arrow tip **287** 42
~-type wing aircraft **225** 27
art **315–319**
~ album **47** 54
~ of Asia Minor **315** 37
~ of the Assyrians **315** 29–36
~ of the Baroque **318** 1–8
~ of dancing **288** 29–41
~ director **292** 43
Artemis **308** 12
arteria* *[road]* **16** 83
arterial avenue **252** 32
~ blood **20** 12
~ road **16** 17
artery *[Anat.]* **20** 1
~ *[road]* **252** 32
~ forceps **28** 55
~ tweezers **28** 55
Artesian well **12** 26
art of fencing **277** 1–66
~ glazier **122** 8
arthropod **342** 1–23
artichoke **59** 41
article *[object]* **129** 19
~ *[newsp.]* **325** 40
articulate *n.* **342**
articulated diesel train **207** 37 + 38
~ locomotive **205** 39
artificial arm **23** 49
~ bait **89** 36–43
~ breathing device* **17** 27
~ falls* **257** 9
~ firmament **6** 13
~ flower **36** 36
~ fly **89** 36
~ honeycomb **78** 42
~ horizon **228** 4
~ ice rink **284** 3
~ leg **23** 48
~ limb **23** 48–50
~ maggot **89** 38
~ respiration **17** 24–27
~ shrimp **89** 37
~ silk **163** 27
~ ski jump *[hill]* **283** 7
~ sponge **112** 16
~ sun **24** 17
~ waterfall **257** 9
~ waves **25** 3
artiodactyl **74** 9
artist **321** 2
artiste **291** 25–28, **298** 19
artistes' agent **290** 18
artistic dance **288** 29–41
artist's hat **36** 9
Art Nouveau style **318** 18
art of the Persians **315** 21–28

art of the Renaissance period **317** 42–54
~ of riding **72** 1–6
~ of the Rococo period **318** 9–13
art of self-defence **281** 15–17
~ of variety **298** 9–22
arum **363** 9
asbestos apron **135** 3
~-cement roof **117** 97
~ mat **42** 16
~ suit **255** 46
~ wire net **334** 19
Ascaris **341** 20
ascending arpeggio **300** 36
ascension* **4** 40
ascent **4** 40
~ of the curve **329** 12
~ of two-step rocket **4** 45–47
asci containing spores **365** 12, 13
ash *[Bot.]* **355** 38, 42
A sharp minor **300** 8
ash box **67** 57
~ box door **40** 39
~ bunker **199** 53
~cake **97** 44
~can* **53** 32, **195** 2
~-catcher **173** 21
ashes of resurrection **307** 10
ashlar **150** 30
ash-pan **41** 45, **205** 6
~-pan drop bottom **205** 7
~ pit **146** 8
~ pit door **40** 39
~-tray **47** 31, **260** 5
~-unloading pit **199** 51
Asia **14** 39–54, **15** 16
asp *[Zool.]* **350** 41
asparagus **59** 14
~ bed **55** 25
~- cutter **58** 27
~ knife **58** 27
~- server **46** 77
~ slice **46** 77
aspen **355** 21
aspergillum **313** 48
asphalt **139** 47
~ alley **287** 2
asphalted paper **147** 48
asphalt ground **323** 56
asphaltic bitumen **139** 47
asphalt-mixing drum **196** 50
~ roofing **117** 90–103
~ surface **196** 58
~-surfacing machine **196** 43
asphodel **70** 13
aspirator **91** 48
ass **74** 3
assailant **277** 19
assault **277** 17+18
assay balance **106** 35
assemblage point **210** 52
assemblé **288** 14
assembler **169** 23
~ box **169** 23
assembly hall **262** 8
~ house **262** 8
~ shop **145** 1–45
~ tower **229** 32
assessor **248** 22
ass-foal **74** 3
assistant **250** 6
~ director **292** 46
~ gardener **79** 50
~ judge **248** 22
~ to medical lecturer **250** 7
~ producer **297** 43
~ radiographer **29** 38
~ sound engineer **292** 61
~ surgeon **28** 29
Assize Court **248** 18
association football **274** 1
asterisk **178** 61
asteroid **6** 26
astrakhan cap **36** 4
Astrantia **360** 7
astride position **278** 2
~ vault **279** 20
a′-string **302** 9
astringent lotion **103** 14
astronautical flight **4** 48–58
astronomer's observing position **6** 10
astronomical instrument **109** 16–26
~ observatory **6** 2–11
astronomy **5–7**
astrophysics **6** 20
asymmetrical fold **12** 13
asymptote **329** 29
Athena **308** 17
Athene **308** 17
athlete **280** 56
athletics **280, 281**
athletic sports **280**
athodyd **227** 19
atlantic liner **216** 32
Atlantic Ocean **15** 20
Atlas **308** 45, **316** 36
atmosphere **4**
atmospheric pressure **9** 4
atoll **13** 32
Atolla **349** 5
atom **1–3**
~ bomb **1** 47
atomic aircraft **225** 71
~ bomb **1** 47
~ fission **1** 13–17
~ fuel **3** 3
~ fuel rod **3** 17
atomic nucleus **1** 1+2, 9, 13, 15
~ physicist **1** 40
~ pile **1** 31–46
~ reactor **1** 31–46, **3** 1–23
atomiser **27** 9, **83** 40, **184** 39
atomising air-intake **183** 62
atrium *[Art]* **316** 66
~ *[heart]* **22** 45
Atropos **308** 57
attached collar **33** 40
attachment bracket **111** 56
attacker **277** 19
attack position **277** 19
attendant **262** 42, **290** 27
attendant's room **190** 9
attenuator **332** 16
attic *[loft]* **40** 1–29
~ storey **316** 60
attitude *[Danc.]* **288** 10
~ effacée **288** 10
attorney and counselor-at-law* **248** 30
attribute *[Mythol.]* **308** 2–4
audience **296** 4
audio amplifier **306** 42
~ detector **236** 18
auditorium **250** 2, **296** 16–19
~ lighting control **295** 17
auditory meatus **19** 34
~ nerve **19** 64
~ tube **19** 65
auger **68** 53, 68, 69, **115** 65, **126** 1
~ feeder **68** 53
auk **343** 13
aulos **301** 4
aural null loop* **218** 5
~ syringe **26** 59
aureus **244** 3
auricle **19** 56, **22** 24
auricularia **362** 8
Auriga **5** 27
auriscope **26** 59
Aurora Australis **4** 35
~ Borealis **4** 35
auscultation apparatus **26** 14
Australia **14** 27, **15** 17
Australian *n.* **335** 37
Austria **14** 16, **244** 13
autobahn **16** 16
~ construction **197** 1–27
autobus* **188** 5
autoclave **28** 60, **164** 12
autocycle engine **181** 49
~ handlebar fittings **181** 34–39
autocycle headlight **181** 40
autodrome **291** 62
autogenous welding **135** 29–64
autogiro **225** 69
autogyro **225** 69
auto highway* **16** 83
automat* **260** 45–54
automatic brake **162** 20
~ camera* **15** 63
~ dryer **42** 24
~ exchange **233** 24–41
~ extending ladder **255** 10
~ feeder **174** 3
~ gears **207** 4
~ linker **96** 54
~ loom **159** 1
~ mixing plant **197** 22
~ musical instrument **291** 38
~ organ **291** 38
~ paper feed **240** 15
~ pilot **228** 7
~ record-changer **306** 32
~ record-player **306** 29
~ restaurant* **260** 45–54
~ sliding door **256** 50
~ stop motion **158** 19
~ synchronizer **147** 32
~ train brake **206** 52
~ trough **76** 35
~ valve **229** 10
~ web guide **168** 41
~ weighing plant **197** 22
automobile **185** 1–65
autopilot **228** 7
auto railcar **208** 35
~ railcar luggage van **208** 39
autorist* **187** 6
auto·timer **111** 24,37
~- tow launch (or take-off)* **271** 1
autumn **5** 7
autumnal point **5** 7
~ equinox **5** 7
auxiliary airfoil **228** 47
~ contact **147** 57
~ crane hoist **140** 54
~ engine **218** 61
~ engine room **216** 27, **218** 60
~ machinery room **223** 2
~ motor drive **271** 59–63
~ scaffold **209** 80
~ vessel **222** 1–8
~ wire **193** 42
avalanche **286** 1
~ barrier **286** 2
~-breaker **286** 2
~ chock **286** 2

avalanche gallery **286** 3
avant-bras **310** 47
Ave bead **313** 30
avenging goddess **308** 51
avenue **262** 11
~ * **252** 32
aviary **339** 23
aviation gasoline **139** 37
~ ground **230** 1
~ spirit **139** 37
awl **123** 27, 32, 33, **124** 9
awn **69** 12
awner **67** 48
awning **39** 71, **79** 42, **213** 15, **216** 59
~crutch **213** 14
~ spar **216** 61
~ stanchion **216** 60
ax* see axe
axe **64** 20, **85** 13, **115** 73, **150** 38
axil *[Bot.]* **354** 25
axillary bud **354** 25
axis *[Bot.]* **356** 3
~ *[Geom.]* **108** 10, **329** 2, 3, 23, 24
~ of abscissae **329** 2
~ of anticline **12** 17
~ of coordinates **329** 2 + 3
~ of ordinates **329** 3
~ of parabola **329** 17
~ of symmetry **328** 25, **330** 4
~ of syncline **12** 19
axle **131** 11, **180** 76
~ * **183** 13
~ arms **131** 13
~ bearing **204** 66, **205** 10
~-pressure equalizer **206** 11
~ shaft **204** 64
~ suspension spring **204** 68
~ tree **131** 11
~-tree bed bolster **131** 6
azalea **56** 12
azimuth **218** 6
azure **246** 28, **320** 6

B

babe in arms **30** 26
babies' clothes **31** 16
~ wear **31** 1–60
baboon **353** 13
babouche **48** 34
baby **30** 26
~ bathtub* **30** 25
~ buggy* **258** 30
~ bus **188** 1
~ car **183** 41
~ carriage **258** 30
~ doll **50** 4
baby enema syringe **23** 59
~ equipment **30**
~ hygiene **30**
Babylonian art **315** 19 + 20
~ frieze **315** 19
baby powder **30** 38
~ rabbit **74** 18
baby's bath **30** 25
~ bonnet **31** 21
~ bootee **31** 18
~ bottle **30** 46
baby scales **30** 28
baby's cap **31** 21
~ coat **31** 20
~ cot **30** 11
~ crib* **30** 11, **49** 2
~ dressing table **30** 1
~ jacket **31** 20
~ nail-scissors **30** 45
~ rattle **30** 42
~ rompers **31** 19
~ shoe **100** 14
~ socks **30** 16
~ vest **31** 17
baby-walker* **49** 3
Bacchante **308** 35
Bacchic staff **308** 33
Bacchus **308** 32
back *[body]* **18** 22–25
~ *[knife]* **46** 56
~ *[windmill]* **91** 2
~ *[Sports]* **268** 50, **276** 58
back·band **72** 19
~-bend **278** 28, **298** 12
~board **275** 32
~-bone **19** 2–5
~ of book **178** 41
~ brush **51** 26
~ building **53** 1
~ of chair **47** 58
~ check **304** 27
~-cloth **297** 10
~-comb **38** 13, **103** 36
~ corner pin **287** 14
~-door **53** 15
~-drop **297** 10
~ fat **95** 40
~ filling **212** 7
~ garden **39** 57
~ gauge **177** 17, **178** 6
~ground **292** 33
~ of hand **21** 83
~-hand stroke **276** 20
~ of head **18** 2
backing *[linen]* **102** 67
~ *[Tech.]* **254** 29
~ gauze **178** 20
~ material **177** 33
~ mull **178** 20
back of knee **18** 51
~ margin **178** 55
~ pad **72** 17, 31
~-pedal brake **180** 63
~ player **276** 43
back pressure valve **135** 34
~ rest **159** 37
~ row pins **287** 13
~-scouring valve **211** 61
~ seat **183** 8, **185** 57
~ shield **350** 29
~side **18** 40
~sight leaf **87** 67
~sight slide **87** 69
~ spacer **240** 22
~ spin **264** 4
~ square **127** 15, **145** 35
~-stage loudspeaker **294** 44
~stay **214** 19
~stiched seam **101** 1
~ stop **304** 31
~ strap **99** 42
~ stroke **268** 36
~ tooth **21** 35
~ trouser pocket **34** 33
~ vault **279** 49
~ weight **224** 26
~ wheel **179** 17
~ wheel brake linkage **182** 15
~ wheel swinging arm **182** 5
~yard **53** 1–49
bacon **96** 11, 26, 27
~-slicer **96** 19
Bactrian camel **351** 29
badge **247** 24, **280** 59
~ f. masked ball **289** 34
badger **88** 48
~-baiter **71** 33
~ dog **71** 33
badgerer **71** 33
badger-hair softener **121** 20
bad land* **65** 1
badminton **276** 36
bad visibility landing **230** 22–38
baffle board **234** 50,
bag *[band~]* **37** 10
~ *[paper~]* **98** 48, 49
~ *[bagpipe]* **301** 9
~ *[booty]* **86** 38
~ of cement **113** 43
baggage* **200** 21
~ car * **203** 11
~ elevator* **201** 62
~ man* **200** 17, **259** 17
~ net* **203** 42
~ rack* **203** 42, **204** 33
baggy breeches **338** 34
bag net **89** 14
~pipe **301** 8
~ f. rods **269** 64
bag of letter mail **203** 22
~ of parcels mail **203** 23
~ of rolls **97** 3
bags **34** 10
bag wig **35** 4
bailey **310** 2
bails **275** 55
bait **83** 1, **86** 21
~ can **89** 18
~ tin **89** 18
baked-clay· crucible **334** 31
~ triangle **334** 17
bakehouse **97** 57–80
bakelite pad **159** 64
baker-boy beret **36** 55
baker's boy **97** 1
~ cap **97** 34
~ oven **97** 61
~ scraper **42** 51
~ shop **253** 52
~ shovel **97** 66
bakery **97**
baking-dish **42** 40
~-sheet **42** 53
~-tin **42** 40
balalaika **303** 28
Balances **5** 19, **6** 38
balance *[scales]* **98** 12
~ *[watch]* **107** 24
~ beam **333** 30
~ book **238** 64
~ bridge **210** 61
~ column **221** 33, **333** 29
~ rail **301** 39
~ spring **107** 25
~ weight **212** 76, **221** 38, **238** 39
~ wheel **102** 17
balancing act **290** 44
~ exercise **279** 41
~ form **279** 40
~ pole **279** 42, **290** 42
balata **121** 44
balcony *[house]* **39** 18, **262** 23
~* *[Theatre]* **296** 18
~ apartment **39** 72–76
~ door **48** 22
~ flat **39** 72–76
~ flower box **39** 20
baldachin **312** 49
baldaquin **312** 49
bald head **35** 22
~ part **35** 21
~ pate **35** 22
bale **202** 12
~-breaker **156** 7
baleen bone **37** 19
bale gauge **221** 29
~ of goods **221** 34
~ of perlon staple **164** 62
~ of rayon staple **163** 34
~ of straw **65** 29, **202** 29, **273** 40
baling press **163** 33

balk **65** 3
ball *[playing]* **258** 11, **274** 52, **275**, **276**
~ *[Danc.]* **289** 1–48
~ *[Tech.]* **136** 68, **180** 56
~-and-socket joint **111** 33
ballast consolidator **198** 17
~ keel **270** 3
~-roller **198** 18
~-tamping machine **198** 26
~ tank **223** 19
~ train locomotive **198** 6
~-washing machine **198** 3
ball bearing **136** 67
~ boy **276** 24
~ cartridge **87** 54
~ coupling **181** 21
ballerina **288** 30, 31
ballerino **288** 32
ballet **288** 29–34
~ dancer **288** 30
~groupe **288** 29
~ shoe **288** 34
~ skirt **288** 33
ball of foot **21** 58
~ game **274–276**
~-headed pin **309** 29
~ housing **180** 68
ballistic line **87** 79
ballistics **87** 73
ball lamp **259** 4
~-mill **154** 1
~ net **258** 43
balloon **10** 60, **226**
~ *[toy]* **291** 13
~ *[sail]* **270** 35
~ anchor **226** 62
~ ascension* **4** 40
~ ascent **4** 40
~ ballast **226** 61
~ basket **226** 60
~ car **226** 60
~ cover **226** 52
ballooner **226** 64
balloonist **226** 64
balloon jib **270** 35
~ nacelle **226** 60
~ netting **226** 53
~ pilot **226** 64
~ rigging **226** 53
~ sail **270** 35
~ sonde **4** 42, 43
~ tyre **181** 14
ballot box **251** 29
~ envelope **251** 21
~ paper **251** 20
ball out of play **274** 50
ball-pane hammer **192** 18
~ pen **239** 26
~ point **239** 29
~ point pen **239** 26
ballroom **289** 1
~ dance **288** 43
ball of sewing thread **177** 11
~-shaped nozzle **26** 47
~ of thumb **21** 75
~valve **119** 63
Baltic Sea sloop **270** 50
baluster **118** 51
~ bend **118** 52
balustrade **40** 25, **118** 50
bamboo **367** 60
~ cane **130** 31
~ pole **290** 46
banana **368** 33
~ boat **216** 8
~ cluster **220** 65
~ elevator **220** 63 + 64
~ flower **368** 34
~ leaf **368** 35
~ plant **368** 28
~ plug **234** 33
~ shed **220** 35
band *[strap]* **72** 18 **136** 103
~ *[Mus.]* **289** 2
bandage **23** 47, **28** 8–11
~ *[horse]* **272** 48
band brake **136** 102
banderilla **287** 64
banderillero **287** 63
bandora **301** 21
band pass filter **235** 18, **236** 6
~ pulley **125** 9
bands *[vestment]* **313** 5
band-saw **128** 1, **134** 1
~ saw blade **128** 2
~stand **262** 19, **272** 9, **290** 9
bandy **275** 9–18
~ ball **275** 9–18
bang **35** 36
banger **289** 51
bangle **38** 15, 16
banister **40** 25
banjo **303** 29
bank *[Comm.]* **242**
~ *[pool]* **263** 11
~ *[Racing]* **272** 25
~ contact **233** 35, 45
~ customer **242** 3
banked bend **285** 10
bank employee **243** 7
~ indicator **228** 5
banking* **196** 57
~ *[street]* **197** 30
~ indicator* **197** 29
bank note **244** 29–39
~ official **242** 8
~ protection **211** 50–55
~ scarp **212** 28
~ slope **212** 28
~ stabilization **211** 50–55
banner *[flag]* **245** 12, 13, **312** 44
banner* *[newsp.]* **325** 42
~ head* **325** 42
~ line* **325** 42
banquet **259** 40–43
banqueting hall **259** 39
~ party **259** 40–43
banquette* **39** 60
bantam **75** 44
baptism **313** 1
baptismal font **311** 2
baptistery **313** 2
bar *[iron]* **136** 8, 10
~ *[Gymn.]* **279** 2, 10, 28
~ *[counter]* **259** 54, **260** 1–11
~ *[room]* **259** 51
barb *[animal]* **78** 10,
~ *[Tech.]* **90** 54, **136** 42
bar band **259** 44
barbed dart **78** 10, **287** 64
barbel **350** 13
bar bell **281** 3
barber **104** 11
barber's assistant **104** 6
~ chair **104** 28
barber shop* **104** 1–38
barber's shop **104** 1–38
barbette **222** 59, **223** 61
bar and blocks **279** 26
bar of cage **290** 50
~ of chocolate **98** 78
~ compartment **204** 26
~ customer **259** 55
bargain counter **256** 64
barge **220** 20
~ board **39** 8
~ course **39** 8
bargee **211** 26
barge·man **211** 26
~ sucker **211** 59
~ in tow **211** 25
baritone oboe **302** 38
bark *[wood]* **115** 86, **354** 8
~ *[ship]* **214** 1–72, **215** 21–23
~ beetle **82** 22
~ brush **58** 21, **83** 30
barkeeper **259** 62, **260** 8
barker **291** 8, 64
barking head **149** 50
~-iron **85** 25
~ machine **149** 49
~-spade **85** 32
bark-scaler **85** 25
~-scraper **58** 16, **83** 29
~ spud **85** 32
bark-stripping machine **149** 49
barley **69** 26
~-bearder* **67** 48
~-cleaner **92** 1
~-cleaning machine **92** 1
~ grass **63** 28
~ inlet **92** 6
~-weighing machine **92** 5
bar line **299** 44
~maid **259** 63
~man **259** 62, **260** 8
~ of milk chocolate **98** 84
barn **64** 34
~-door **64** 36
barnous **337** 7
barn owl **347** 17
~-swallow **346** 20
barograph **10** 4
barometer **10** 1, 4, 8
barometric pressure **9** 4
baronet's coronet **246** 43
baron's coronet **246** 44
Baroque castle **257** 7
~ church **318** 1
~ Latin **325** 5
~ park **257** 1–40
~ Roman *[type]* **325** 5
barouche **179** 35
barque **214** 1–72, **215** 21–23, 29
~ schooner **215** 20 51
barracks **252** 47
barrage **212** 57–64
barred passage **290**
~ rubber sole tread **99** 37
~ window **248** 17
barrel *[cask]* **80** 37, **93** 45
~ *[box]* **45** 35
~ *[syringe]* **26** 30
~ *[watch]* **107** 16
~ *[rifle]* **87** 26, 27
~ casing **87** 35
~-cleaning brush **87** 62
~-filler **93** 29
~-filling machine **93** 29
~-maker **126** 16
~-organ **53** 26
~ for rainwater **55** 4
barrel-shaped· aircraft **226** 19
~ fuselage **225** 26
barrel unit **241** 37
~ vault **318** 38
barret **248** 26
barrier **198** 68, **212** 65, **274** 33
barrister **248** 30
barrow **145** 80
bars *[saddle]* **72** 41

bar screen **153** 5
~ of staples **240** 40
~ stool **259** 53
~tender* **259** 62, **260** 8
~ trio **259** 44
barysphere **11** 5
basal leaf **367** 2
~ pinacoid **330** 20
bascule **210** 62
~ bridge **210** 61
base *[mach.]* **172** 11, **177** 25
~ *[Math.]* **327** 1,6, **328** 27, **329** 35
~ *[Her.]* **246** 22 + 23
~ * **198** 36
~ bag **275** 51
baseball *[ball]* **275** 54
~ *[game]* **275** 39–54
~ bat **275** 52
~ field **275** 39–45
~ park* **275** 39–45
baseboard **111** 9, **112** 33, **118** 21, **285** 14
~ swivel catch **171** 8
base concrete **197** 45
~ line **276** 3 to 10, 52
~ log **85** 9
~ of machine **162** 15
~man **275** 50
basement **39** 1
~ stairs **118** 16
~ wall **118** 1
~ window **39** 27, **113** 3
base paper **168** 32
~-paver **196** 31
~ plate **10** 14, **141** 51, **160** 34, **198** 36
~ plate screw **198** 38
~ wall of house **39** 17
basher **36** 22
basic material **163** 1
~ position **278** 1
basidiospore **365** 7
basidium **365** 7
basilar leaf **359** 12
basilica **316** 61
basilisk *[Zool.]* **350** 30
~ *[Mythol.]* **307** 34
basin **51** 52–68, **217** 33, **311** 3
basinet **310** 61
basin shower **104** 37
~ stand **26** 24
basket **130** 11, 16, **275** 33
~ ball **275** 31–38
~ ball court **275** 34-36
~ baller **275** 37
~ ball player **275** 37
~ cord **226** 59
~ crib on wheels **30** 32
~-maker **130** 33
~-maker's plane **130** 39
~-making **130** 1–40
basket ring **226** 58
~ of rolls **97** 2
~ rope **226** 59
basketry **130** 1–40
basket weave **165** 11
~-work **130** 1–40
bas relief **322** 33
bass **302** 23
~ belly bridge **304** 13
~ bridge **304** 13
~ button **303** 43
~ clarinet **302** 34
~ clef **299** 11
~ drum **302** 55, **303** 47
bassinet on wheels **30** 32
bassoon **302** 28
basso relievo **322** 33
bass register **303** 44
~ stop **303** 44
~ string **303** 24, **304** 12
~ stud **303** 43
~ tone control **234** 44
~ trombone **302** 46
~ tuba **302** 44
~ viol **301** 23
~ violin **302** 16
bast **130** 29
bastard title **178** 44
bast binding **57** 35
~ hat **36** 8
basting thread **102** 52
bast shoe **100** 7, **117** 75
bat **351** 9
batch **81** 2, 30
bateau **210** 18
~ bridge **210** 17
bath **25** 6
~* **51** 1–28
Bath chair **23** 51
bath crystals **51** 25
bather **267** 30
bathing beach **267**
~-cap **267** 29, 44
~-gown **267** 25
~ platform **267** 9
~-shoes **267** 23
~-suit **267** 26
~-trunks **267** 27
~-wrap **267** 25
bath lid **172** 30
~-mat **51** 21, **262** 49
~ mit **51** 7
batholith **11** 29
bathrobe* **33** 6, **48** 56
bathroom **51** 1–28, **262** 40
~ cabinet **51** 82
~ mirror **51** 52
~ scales **51** 1
~ stool **51** 2
baths **25** 1–6, **268** 1–32
bath salts **51** 25
~ slipper **51** 20, **100** 48
~ soap **51** 11
bath sponge *[Zool.]* **340** 13
~ sponge **51** 12
~ thermometer **30** 21, **51** 8
~ towel **25** 17, **51** 23
~ water **51** 9
bathysphere **11** 5
baton *[conductor]* **296** 27
~ *[Sports]* **280** 15
~ *[Police]* **248** 10
~-changing **280** 14
~-exchange area **280** 16
~ roll **97** 38
batrachian **350** 23–26
batsman **275** 46, 59
batsman's lines **275** 40
bat's wing **307** 4
battement **288** 7
batten gauge **117** 18
battens **117** 17, **217** 59, **297** 13
batter's box **275** 41
battery **138** 56, **185** 33, **192** 38
~ bow* **108** 24
~ box **192** 41
~ case **111** 50, **183** 22
~ cell tester **192** 46
~-charger **192** 42–45
~ leg **108** 24
~ locomotive **138** 46
~ master switch **228** 27
~ railcar **206** 58
~ room **223** 40
~ stand **185** 34
~ terminal **192** 39
batting crease **275** 57
~ side **275** 46, 59
battle axe **335** 16
~ cruiser **222** 26
~dore **258** 45
~field **16** 93
~ment **310** 6, 7
~ship **213** 51–60, **222** 31
battue **86** 34–39
baulk **65** 3, **115** 87
Bauta stone **309** 18
Bavarian leathers **31** 50
bay *[lake]* **13** 7
~ *[barn]* **64** 42
~ *[window]* **115** 59
bayadere **289** 25
bay antler **88** 7
B-deck **218** 32–42
B/E **242** 12
beach **13** 35–44, **267**
~ attendant **267** 34
~-bag **267** 24
~-ball **267** 18
~ debris **13** 29
~-guard **267** 1
~-hat **36** 57, **267** 20
~-jacket **267** 21
~ lagoon **13** 44
~ mattress **267** 17
beach rubble **13** 29
~ sandal **100** 34
~ -shoes **267** 23
~-suit **267** 19
~ tent **267** 45
~-trousers **267** 22
~-wear **267** 19–23
beacon **16** 10, 49, **230** 12, 18
bead **50** 20
~ *[abacus]* **249** 39
~ *[rosary]* **313** 29, 30
~ *[antlers]* **88** 30
~ -and-dartmoulding **316** 38
~ buoy **219** 55
beading kammer **119** 46
~ iron **119** 9, 47
~ machine **119** 21
~ swage **119** 46
beagle **272** 63
beak *[Tech.]* **26** 54, **132** 18
~ *[Skat.]* **284** 22
beaker *[cup]* **49** 29
~ *[Chem.]* **334** 20
beak iron **132** 11, 18
beam *[Tech.]* **114** 57
~ *[Weav.]* **158** 41, **159** 48
~ *[antlers]* **88** 11
~ balance **97** 77
~ bearing roller **158** 58
~ bleaching plant **161** 40
~ compass(es) **119** 44, **144** 13
~ flange **158** 30, **159** 49, **160** 26
~ head **116** 33
beaming machine **158** 22
beam of light **219** 58
~ of roof **116** 29
~ ruffle **159** 60
~ trammel* **119** 44, **144** 13
bean *[plant]* **59** 8, **70** 15
~ *[coffee]* **366** 5
~ blossom **59** 9
~ flower **59** 9
~ plant **59** 8
~ pole **55** 28
~ stalk **59** 10
~ stem **59** 10
~ stick **55** 28
bear **353** 9–11
~berry **361** 15
~ claw **335** 14
beard **35**
~ *[animal]* **88** 73
~ *[Bot.]* **69** 12
Bear Driver **5** 30
bearer **312** 40, 43, 46
~ certificate of shares **243** 11
bearing *n.* **116** 83, **136** 67
~ plate ***219** 30

bear's bilberry **361** 15
beast of prey **339** 6, **352** 11-17, **353** 1-11
beat *[Hunt.]* **86** 34-39
~* *[newspaper]* **325** 42
~ board **279** 21
beater *[Hunt.]* **86** 37
~ *[mus. instr.]* **303** 64
~ *[Tech.]* **68** 58, **167** 24
~ roll **167** 26
~ shaft **156** 24
beat forester **84** 35
beating board **279** 21
~ machine **97** 79
~ wood **322** 12
beau **289** 33
beautician* **103** 33
beauty cream **103** 11
~ parlor* **103** 1-34
Beauty Queen **289** 64
beauty salon **103** 1-34
~ shop* **103** 1-34
~ specialist **103** 33
~ spot **289** 24
beaver *[Zool.]* **351** 14
~ *[helmet]* **310** 41
beck **161** 19
~ iron **119** 20, **132** 18
bed *[furn.]* **48** 3-15, **262** 33
~ *[billiards]* **264** 15
~ *[garden]* **55** 18, 25, 26, **79** 16, 36
~ *[street]* **194** 15
Bedawee **337** 6
Bedawi **337** 6
Bedawy **337** 6
bed bolster **131** 6
~ bottle **29** 13
~ bug **341** 28
bedder **91** 23
bed-jacket **33** 30
~ linen **256** 57
Bedlington terrier **71** 18
Bedouin **337** 6
bed pan **23** 24
~ plate **167** 28, **323** 64
~rock **13** 70
bedroom **48**
~ cupboard **48** 40
~ lamp **48** 23
bedside carpet runners **48** 33
~ reading lamp **48** 1
~ rug **48** 35
~ table **48** 2
bed·stead **48** 3-5
~stone **91** 23
~ table **29** 14
~ terrace **13** 49
Beduin **337** 6
bee **78** 1-25
~ cell **78** 26-30
beech **355** 33
~ leaf gall **82** 37
~ marten **352** 14
beech nut **355** 37
bee culture **78**
~-eater **344** 2
beef **74** 1, **95** 14-37
~ fat **96** 6
~ steak **96** 20
beehive **78** 45-50
~-shaped hut **337** 28
bee house **78** 56
~keeper **78** 57
~keeping **78**
~ man **78** 57
~ poison ointment **78** 68
beer **93** 40, **260** 27
~ barrel **93** 34
~ bottle **93** 40
~ bottle lever-stopper **93** 41
~-bottling machine **93** 32
~ cart **93** 36
~ case **93** 35
~ on draught **93** 34
~ filter **93** 26
~ froth **260** 4
~ glass **46** 91, **260** 3
~ lorry **93** 38
~ mat **260** 26
~ mug **260** 6
~ saloon* **260** 1-29
~ tent **291** 23
~ tin **93** 39
~ transport **93** 34-38
~ truck* **93** 38
bee shed **78** 51
~ smoker **78** 59
beeswax **78** 67
beet **69** 45
~ eelworm **81** 51
beetle **342** 24-39
~ collection **47** 35
~ head *[Tech.]* **221** 60
beet-lifter **66** 35
~root **69** 44
bee veil **78** 58
beggar **253** 20
begonia **56** 10
belay **282** 10, 11
belfry window **312** 8
Belgian carrot **59** 18
Belgium **14** 2
believer **311** 58
bell **107** 42, **251** 4
~ *[mus. instr.]* **302** 37, 42, 48
~ *[blast furnace plant]* **140** 6
~ *[cistern]* **119** 61
belladonna **363** 7
Bellatrix **5** 13
bell beaker **309** 14
~boy* **259** 18
~ buoy **219** 49
~ button **120** 2
~ capital **315** 16
~-crank lever **186** 46
~ flower **359** 14
~guard **277** 57
bell heather **361** 19
~hop* **259** 18
~ jar **107** 61, **331** 12
~ morel **365** 27
bellows **111** 7, **132** 9, **171** 18, 36, **303** 37
~ pedal **304** 46
~ strap **303** 38
bell push **23** 18
~ tent **266** 51
~ tower **319** 8
~ type flushing cistern **119** 59
~ and whistle sign **198** 85
belly *[abdomen]* **18** 35-37, **95** 41
~ *[archery]* **287** 39
~ *[pot]* **45** 12
~ *[net]* **90** 20
~ *[cello]* **302** 3, 24
~ band **72** 18, 23, 36
~ bridge **304** 11, 13
belt **33** 54, **278** 46
~ buckle **37** 14
~ conveyor **113** 77, **153** 7
~ decoration **38** 1
~ disk **309** 24
~ drop hammer **133** 16
~ generator **331** 58
~ guard **161** 11
~ line **255** 45
~ loop **37** 15
~ pulley **158** 62
~ sander **128** 46
~-wrestling **281** 14
belvedere **252** 52
bench *[seat]* **260** 36
~ *[table]* **296** 45
~ *[workshop]* **127** 40-44, **134** 15
~ *[Geol.]* **13** 31
~ brush **106** 33
~ hammer **127** 14, **134** 17
~ oven **134** 20
~ pan **106** 21
~ plane **127** 52-61
~ f. taking rest **25** 16
~ shears **119** 43
~ stop **127** 43
bend *[curve]* **13** 11, **197** 31
~ *[shoe]* **99** 50
~ of arm **18** 44
bending bar **108** 41
~ iron **114** 77
~ roller **155** 10
~ table **114** 20
~ tool **130** 34
bend leather **99** 50
~ mark **197** 29
~ sinister undee **246** 6
~ sinister wavy **246** 6
~ of upper thigh **18** 42
Benedictine **314** 13
Benguela Stream **15** 43
benniseed **367** 45
bent chisel **322** 18
~-grass **63** 30
~ snips **119** 2
benzene chlorination **164** 8
~ dispatch **164** 6
~ extraction **164** 6
~ plant* **148** 43
~ truck* **148** 44
~ washer* **148** 42
benzole (recovery) plant **148** 43
~ truck **148** 44
~ washer **148** 42
bereaved **312** 38
beret **31** 43, **36** 54
berlin(e) **179** 1
berm **211** 38
bernouse **337** 7
berry **354** 97
~-bearing bush **55** 19
~ bush **60** 1-30
berth *[bed]* **262** 34
~ *[Tech.]* **217** 11-18
beryllium **1** 50
besom **52** 78, **53** 45, **64** 39
best-end of loin of veal **95** 7
bes tine **88** 7
beta·particle emission **1** 11
~ radiation **1** 11
Betelgeuse **5** 13
betel nut **364** 20
~ (nut) tree **364** 19
between decks **218** 66
bevel **115** 81, **136** 60, **170** 43
~ arm **143** 50
~ gear **91** 25
~ gear wheel **136** 89
~ shoulder notch **116** 90
~ wheel **91** 25, **136** 89
bevelled edge **172** 37
bez tine **88** 7
B flat major **300** 10
B flat minor **300** 13
bib **30** 14
Bible **311** 14
bib tap **119** 34
bi-cable· aerial ropeway **209** 25
~ ropeway **209** 25
biceps **20** 37, 61
~ of thigh **20** 61
bickern **132** 18
bick iron **132** 18
biconcave lens **108** 2
biconvex lens **108** 7
bicycle **180, 181**
~ bell **180** 4
~ frame **180** 14-20
~ frame number **180** 51
~ lamp **180** 7
~ lock **180** 49

bicycle panniers **181** 19
~ pedal **180** 78
~ pump **180** 48
~ rack **253** 43
~ saddle **180** 22
~ speedometer **180** 33
~ stand **253** 43
~ trailer **181** 20
bidet **51** 51
Biedermeier dress **289** 22
~ gentleman **338** 73
~ sofa **318** 17
~ style **318** 17
bier **312** 41
bifocal glass **108** 11
Big Dipper* **5** 29
big dipper **291** 39
bight **13** 7
big toe **21** 52
~ top **290** 1
bijouterie **38** 1–33
bike **180** 1
bilberry **361** 23
bile duct **22** 37 + 38
bilge blocks **217** 37
~ keel **217** 44
~ strake **217** 43
bill *[poster]* **253** 22
~ *[~ of exchange]* **242** 12
~* *[invoice]* **238** 50, **256** 7
~* *[note]* **244** 29–39, **256** 6
~ *[bird]* **88** 84
~board* **113** 45, **145** 45
~ clause **242** 17
billet *[Hunt.]* **272** 64
bill of exchange **242** 12
~ of fare **260** 21
~hook **85** 30
billiard ball **264** 1
~ clock **264** 17
~ cloth covering **264** 15
~ player **264** 8
~ room **264** 7–19
billiards **264**
~ w. pockets **264** 7
billiard stroke **264** 2–6
~ table **264** 14
bill of lading **221** 25
billowy cloud **8** 1
bill stamp **242** 24
Billy* **248** 10
billy-cock **36** 7
bi-motor aircraft **226** 3
bin **80** 32, **196** 45, **253** 46
binary stars **5** 29
bind *n. [Mus.]* **300** 41
binder *[book~]* **177** 2
~ *[cigar]* **105** 6
binder *[office]* **238** 13
~ *[app.]* **65** 33
~ *[baby]* **30** 44
~ injector **196** 53
~ jet **196** 53
bindery* **177** 1–38
binding *[book]* **178** 40–42
~ *[trimming]* **102** 5
~ *[ski]* **283** 45–50
~ locking place **165** 28
~ machine **177** 39
bindweed **63** 26
bing **137** 9
binocular inclined twin tube **110** 18
~ microscope **110** 9
binoculars **108** 37
biplane **225** 7
biprism **330** 22
bipyramid **330** 18
birch **257** 40, **355** 9
~ broom **52** 78, **53** 45
~ rod **25** 13
~ twig **25** 13
bird **343–347**
~ bath **54** 15
~ cage **339** 23
~ capable of flight **343** 5–30
~-foot **70** 11
~ house **54** 14
~ of paradise **345** 3
~ of passage **344** 7
~ of prey **347**
bird's body **307** 57
~ claws **307** 61
~-foot **70** 11
~-foot trefoil **360** 17
~-mouth **85** 20
~ talons **307** 61
~ wing **36** 52
bird table **54** 14
biretta **314** 36
birth *[advertisement]* **325** 51
birth-wort **360** 22
biscuit **97** 42
~ barrel **45** 35
bisector **328** 30
bishop *[Church]* **314** 43
~ *[chess]* **265** 10
bishop's crook **314** 48
bison **309** 9, **352** 9
bistort **360** 10
bit *[tool]* **129** 16, **139** 20
~ *[key]* **134** 47
~ *[horse]* **72** 52
bitch **74** 16
~ fox **88** 42
bitter cherry **61** 5
bitumen **139** 47
~ blowing plant **139** 58
~-heater **196** 46
~ layer **196** 58
~ oxidation **139** 58
~ plant **139** 35
bituminous layer **196** 58
~ road **196** 55
black *[colour]* **320** 13
~ *[negro]* **337** 13
Black *[roulette]* **263** 21
black alder **364** 13
~ arches moth **82** 17
~ beetle **341** 18
~berry **60** 29
~bird **346** 13
black-board· **249** 2
~ cloth **249** 5
~ frame **249** 3
~ sponge **249** 4
black bread **97** 26
blackbuck **352** 5
~cock **86** 11, **88** 66
black draughtsman **265** 19
Black Friar **314** 19
black game **88** 66
~ grouse **88** 66
~-headed gull **343** 14
~jack* **248** 10
~ key **304** 5
~-letter **325** 3
~ level clamp **236** 12
~-line block **323** 2
~ martin **343** 24
Black Monk **314** 13
black nightshade **363** 5
~ pieces **265** 5
~ poplar **355** 15
~ salsify **59** 35
blacksmith **132**
blacksmith's tongs **132** 1–4
~ workshop **132** 1–42
black square **265** 3
~thorn **358** 27
~ tuxedo bow tie* **34** 64
bladder *[Med.]* **22** 33, 78
~ *[Zool.]* **350** 25
blade *[axe, etc.]* **46** 54, **115** 62, **196** 21, **282** 41
~ *[Bot.]* **69** 20, **354** 85
~bone **95** 22, 30
~ of the foresight **87** 72
~ of grass **354** 83–85
~-slewing gear **196** 22
blaeberry **361** 23
blaid a chiestera **287** 51
blancmange powder **98** 50
blank *[metal]* **244** 43
~* *[form]* **232** 6–15
blanket **30** 7, **48** 51
~ of snow **286** 20
blanking tool **134** 61
blank sheet **174** 24, **175** 23
~sheet pile **174** 24
blast chamber **227** 60–63
~-deflector **229** 30
blasted rock **150** 4
blaster **150** 25
blast furnace **140** 1
~-furnace plant **140** 1–19
~-furnace shaft **140** 7
~ head **147** 55
blasting cartridge **150** 27
~ position **140** 50
blast main **140** 61, **141** 2
blastoderm **75** 54
blastodisc **75** 54
blast pipe **205** 25
blazonry **246** 1–36
bleaching **163** 21
~ plant **161** 31
bleach vat **161** 47
bleeding-heart **62** 5
~-out **94** 15
blending chest **168** 1
blimp *[Film]* **292** 48
blind *n.* **39** 71
blind alley **252** 40
~ arcading **317** 10
blinder(s)* *[horse]* **72** 26, **272** 42
blind landing **230** 22–38
~man's buff **50** 5
~ person's glasses **108** 21
~ spot **21** 50
~ worm **350** 37
blinker *[light]* **186** 27, **193** 20
~* **16** 49
~ *[horse]* **72** 26
blister **222** 58
block *[piece]* **119** 18, **322** 27
~ *[tackle]* **216** 49
~ *[Print.]* **172** 31
~ *[organ]* **305** 20
~ of apartments* **39** 77–81
~ of balcony flats **39** 72–76
~ brake **136** 95
~ calendar **238** 2
~-etching machine **172** 23
~ of flats **39** 77–81, **252** 49
~ flute **301** 7
blocking oscillator **236** 28
block instrument **199** 62
~ line **139** 6
~-making **172** 23–30
~ mountains **12** 4–11
~ mounting **172** 34

block pedal **180** 78
~ of registration forms **259** 12
~ of rock **150** 8
~ section panel **199** 63
~ signal **199** 41
~ of snow **336** 5
~ of stone **322** 5
~ and tackle **216** 48
~ of wax **78** 67
~ of wood **322** 27
blood **20** 11, 12
~ circulation **20** 1–21
~-donor **29** 27
~-recipient **29** 28
~stone **106** 49
~-stone **154** 20
~ transfusion **29** 26
~ transfusion apparatus **29** 29
~ vessel **21** 33
bloomer* **193** 8
~ loaf **97** 25
bloomers **33** 21
blooming train **141** 45
bloom shears **141** 47
blossom **70** 7
blossoming plant **60** 17
~ twig **60** 32, 52, **61** 26
blot **249** 47
blotter **238** 19
blotting paper **249** 50
blouse **32** 6, **33** 9
blow below the belt **281** 31
blower *[Tech.]* **132** 9, **134** 6,
~ aperture **158** 5
~ chamber **168** 40
~ magnet **295** 39
~-type snow plough **195** 21
blow fly **342** 18
~gun **335** 26
~ gun dart **335** 28
~ hole **352** 26
blowing **155** 13–15
~ assembly **158** 4
~ iron **155** 14
~ machine **162** 49
~ tube **155** 14
blow·lamp **119** 49, **135** 37
~pipe **135** 37, 64 **334** 9, **335** 26
~pipe-lighter **135** 55
~ pit **167** 3
~tube **335** 26
blubber hook **90** 60
~ lamp **336** 7
blue **320** 3
~bell **359** 14
~ bottle *[Zool.]* **342** 18
~bottle *[Bot.]* **63** 1
~-headed tack **136** 53
~ light **253** 59, **255** 6
Blue Peter **245** 26
blue print **241** 17
~-print apparatus **241** 13
~ shark **350** 1
~ tit **344** 4
blunt chisel **132** 37
~ hook **28** 56
~ tool **132** 37
blurb **178** 39
B major **300** 6
B minor **300** 3
boar **74** 9, **86** 32, **88** 51
board *[wood]* **115** 91
~ *[Church]* **311** 24
~ *[diving]* **268** 7
~ *[Exchange]* **243** 8
~ *[Tech.]* **233** 6–12
~ f. backgammon **265** 22
~-cutting machine **177** 56
boarder **257** 28, **262** 24
board feed hopper **177** 44
~ game **265**
boarding **113** 44, **115** 9, **116** 75
~ door **193** 12
~ house **262** 22
~ platform **193** 13
board f. 'Mühle' **265** 23
~ platform **113** 28
~ sucker plates **177** 45
~ to lie on **285** 19
boards **113** 87, **284** 41
boar hound **86** 33
~ hunt **86** 31
boat *[Sports]* **269**
~ *[vessel]* **218** 1–71
~ axe **309** 19
~ carriage **269** 63
~ deck **218** 19–21
~ derrick **222** 47
boater **36** 22
boat ferry **211** 15
~ house **269** 24
boating straw hat **36** 22
boat race **269** 1–18
~ skin **269** 58
boats' davits **222** 12
boat's number **90** 45
boatswain **216** 57
bob *[Sports]* **285** 5
~ *[timber]* **85** 27
~* *[plummet]* **219** 35
bobbed hair **35** 34
bobbin **102** 35, 36, **157** 23
~ creel **157** 28
~ of doubled yarn **157** 60
bobbing **285** 5–10
bobbin lace **101** 18
~- winder **102** 16
bobby **247** 1
bob-rider **285** 7
~sled **285** 5
bobsleigh **285** 5
~ chute **285** 9
~ course **285** 9
bob-sleighing **285** 5–10
bobsleigh run **285** 9
~ for two **285** 5
bob·stay **214** 15
~-steerer **285** 7
~ wig **35** 2
boccia **287** 21
bodhisat(tva) **319** 10
bodhisattwa **319** 10
bodkin **169** 17
~ f. elastic **102** 59
body *[man]* **18** 1–54
~ *[dead]* **312** 54
~ *[mus. instr.]* **302** 3, **303** 2, 15
~ *[Tech.]* **136** 15, **185** 1–58
~ *[casing]* **52** 6, **111** 3
~ *[letter]* **170** 46
~ of airship **226** 73
~ brush **72** 55
~ friction brush **51** 27
~ of letter **239** 9
~ louse **341** 31
~ of pipe **305** 29
~ standard **131** 17
~ of wall **212** 2
bog **13** 14–24, **16** 20
~ asphodel **70** 13
bogie **114** 32, **193** 5, **204** 3
~ bolster wagon **202** 30, **208** 6
~ (centre) pin hole **204** 65
bog plant **361**
~ pool **13** 23
boiled ham **96** 18
~ shirt **33** 41
boiler **40** 68, **203** 3
~ barrel **205** 16
~ casing **205** 16
~ feed pump **146** 18
~ house **146** 1–21
~ lid **92** 28
~ pressure gauge **205** 48
~ room **79** 7, **145** 68
~ shell **205** 16
~ shop **217** 9
~ tube **205** 17
boiling-plate **42** 14
~-ring **41** 82
~-water reactor **3** 1–11
bola(s) **335** 31
bold condensed (letters) **170** 10
~ letters **170** 9
bole **84** 21, **354** 2
bolero *[dance]* **288** 39
~ (jacket) **32** 29
Boletus **365** 15, 16, 21, 22
~ luteus **365** 21
~ satanus **363** 12
bolide **7** 28
boll **367** 18
bollard **212** 12
~ niche **212** 10
bolster *[cushion]* **48** 15, 54
~ *[carriage]* **131** 6
~ *[knife]* **46** 53
~ *[log]* **85** 8
~ *[wagon]* **202** 30, **208** 6
bolt *[screw]* **94** 5, **136** 13–48
~ *[rifle]* **87** 20
~ cover **87** 16
bolter **91** 26
bolt handle **87** 22
~ lever **87** 22
~ w. thumb nut **114** 75
~ring **107** 13
bomb **1** 47
bombard pommer **301** 13
bombardment by neutron **1** 14, 23
bombardon **302** 44
bombed site **252** 26
bonbon **98** 75
bond **243** 11–19
bonding **113** 58–68
bone *[skeleton]* **19** 1–29, **71** 35, **96** 8
~ *[Cloth.]* **33** 17
~ chisel **27** 50
~ cutting forceps **26** 40, **28** 57
~ framework **336** 13
~ harpoon head **309** 3
~ lace **101** 18
~ nippers **28** 57
~ saw **96** 35
~ of upper arm **19** 12
bongoes **303** 58
bonnet *[hat]* **36** 29, **246** 39, 40, 41, **289** 23, **338** 71
~ *[car]* **185** 8, **187** 2
~ *[sail]* **213** 34
book **178** 36, **249** 46, **250** 17
~ of accounts **238** 52
~-back glueing **177** 14
~binder **177** 2
~binder's knife **177** 13
bookbinding **177**, **178**
~ machine **178** 1–35
~ machinery **177** 39–59
~ workshop **177** 1–38
book blade **178** 29
~case **47** 4, **178** 26
~ cover **178** 26, 40
booking clerk **200** 39
~ hall **200**
~ office **200** 34
~ stamp **238** 56
book jacket **178** 37
~-keeper **238** 37

book-keeping department **238** 37–80
~-keeping machine **238** 60
~ kiosk **200** 26
~marker **178** 70, 71
~ plate **178** 51
~ section **177** 12
~seller's shop (store*) **253** 3
~-sewing machine **178** 16
~ shelf **250** 12, **314** 12
~shop **253** 3
~stall **206** 26
~stand* **200** 26
~ stock **250** 11
~store* **253** 3
~ of tickets **201** 55
~ tray **178** 23
~ uncased **178** 23
boom **114** 36, **193** 44, **210** 49, **292** 21
boomerang **335** 39
boom fore sail **215** 12
boot *[shoe]* **99** 38–55, **100** 8
~ *[car]* **185** 23
~ *[organ pipe]* **305** 17
~black* **200** 11
Boötes **5** 30
booth **251** 23, **291** 44
~* **231** 24
boot-jack **52** 47
~lace **99** 47
~-lid **185** 7
~-lid handle **186** 26
~ lock **186** 25
~maker **99** 23
~maker's workshop **99** 1–37
boots **259** 17
boot strap* **99** 42
~-stretcher **100** 16
~string* **99** 47
~ tree **100** 16
border *[rim]* **43** 26, **55** 20, **130** 17
~ *[Theatre]* **297** 12
~ bed **55** 18
~ check **247** 12
~ of concrete-slab **55** 20
bordered white moth **82** 28
border w. perennials **55** 22
~ shears **58** 24
~ zone **6** 49
bore **87** 40, **136** 84
boreal climate **9** 56
bore axis **87** 38
borecole **59** 34
borehole **12** 25, **139** 19, **150** 12
bore surface **87** 39
boring machine **192** 52
borrower's ticket **250** 25
bosk **257** 4
bosket **257** 4
bosom **18** 30
boss *[Arch.]* **317** 32
~ *[shield]* **310** 58
bostryx **354** 76
bosun* **216** 57
botanical gardens **252** 57
botany **354**
bottle **93** 40, **260** 16
~ *[Chem.]* **334** 57, 58
~ basket **45** 52, **80** 34
~-blowing machine **155** 12
~ bobbin **160** 4
~-brush **41** 25
~-capping plant **77** 13 – 22
~ cellar **80** 31
~-cleaning machine **93** 31
~-closing machine **93** 32
~ compartment **42** 10
~ conveyor belt **77** 20
~ cork **80** 29
~ crown cork **93** 43
bottled beer **93** 40
~wine **98** 60–64
bottle extractor **77** 17
~-filling machine **93** 32
~-filling plant **77** 13 – 22
~-holder **77** 16
~ label **93** 42
~ of liquid disinfectant **27** 22
~-nosed dolphin **352** 23
~-opener **46** 47
~ oven **154** 3
~ shelf **259** 64
~-washing machine **77** 13
~-washing plant **77** 13–22
~ of whisk(e)y **47** 44
~ of wine **260** 43
bottling apparatus **80** 26
~ the wine **80** 25
bottom **114** 56, **212** 30, **254** 11
~ *[body]* **18** 40, **30** 39
~ *[shoe]* **99** 50–54
~ bracket bearing axle **180** 42
~ chord **116** 73, **210** 49
~ clip **112** 7
~ cross **130** 21
~ die **132** 30, **133** 15, 28, **244** 41
~ discharge **140** 30
~ discharge tunnel **212** 62
~ film box **295** 27
~ fork **180** 20
~ member **116** 73
bottoming **196** 60
bottom mould **132** 30
~ nipper **156** 65
~ outlet **254** 34
~ platen **177** 29
~ plating **217** 45
~ press plate **128** 57
~ road **137** 38, **138** 11
~ rod **89** 22
~ roller **157** 10
~ rope **90** 9
~ shaft wheel **159** 55
~ sheet **48** 9
~ shutter **114** 54
~ slide **143** 39
~ stone **91** 23
~ swage **132** 30, **133** 15
~ tank **217** 35
~ water outlet valve **254** 31
~ weight **90** 10
bough **354** 5
boulder* **65** 9
boules player **287** 22
boundary ba(u)lk **65** 3
~ layer control **225** 55
~ ridge **65** 3
~ stone **65** 2
bountree **358** 35
bouquet **313** 17
bouquetin **352** 7
bourdon strings **301** 31
bourgeois **170** 26
bourtree **358** 35
bovine animal **74** 1
bow *[curve, etc.]* **134** 45
~ *[violin]* **302** 12
~* *[glasses]* **108** 16
~ *[ship]* **217** 71–73
~ *[Sports]* **287** 38
~ *[rower]* **269** 13
~ *[watch]* **107** 10
~ back **287** 39
Bowden cable **181** 41
bow doors **222** 10
bowel **22** 14–22
bow elevation **222** 65
bower *[pergola]* **257** 17
bow gin **87** 48
bowed instrument **302** 1–27
bowl **26** 62, **42** 31, **54** 15, **262** 31
~ *[spoon]* **46** 63
bowler **36** 7
bowl fitting **45** 31
bowler hat **36** 7
~ w. incised ornaments **309** 11
bowline **213** 35
bowling alley* **287** 2
~ crease **275** 56
~ the hoop **258** 20
bowl lid **105** 37
bowlodrome* **287** 2
bowls **287** 21
~* **287** 1
bowl of sand **312** 36
bow·man **287** 37
~ oarsman **269** 13
bows *[ship]* **218** 43
bow saw **85** 39, **115** 61, **127** 8
~sprit **213** 20, **214** 1
~ stay **270** 48
~ stay jumper strut **270** 49
~-string **287** 40
~-string girder **210** 36
~string girder bridge **210** 35
~-tie **33** 44
~ trap **87** 48
~ tube **223** 50
~ wave **218** 71
box *[receptacle]* **52** 55, **98** 79, **257** 65, **321** 10
~ *[stable]* **76** 7, **272** 2
~ *[Gymn.]* **279** 43
~ camera **111** 1
~ cart **64** 53
~ of cigars **105** 1
boxer *[Sports]* **281** 22
~ *[dog]* **71** 10
box fall **86** 20
~ feeder **151** 7
~ freight car* **208** 4, 34
~ goods wagon **208** 4
~ horse **279** 43
boxing **281** 18–46
~ glove **281** 23
~ match **281** 18–46
~ ring **281** 32
~-ring ropes **281** 33
~ transport **208** 14
box office **295** 2
~-plate pile **212** 6
~ pleat **32** 10
~ of punches **106** 30
~ room **40** 20
~ seat **51** 24
~ spanner **192** 10
~ trap **86** 20
~-tree **357** 19
~-type fuselage **225** 46
boy **45** 3, **259** 18
~ myrtle **357** 33
boys' clothing **31** 1–61
boy scout **266** 40
~-scouts' rally **266** 40–52
boy's leather shorts **31** 50
~ Lederhosen **31** 50
~ sleeper* **31** 14
~ sleeping-suit **31** 14
~ suit **31** 53
boys' wear **31** 1–61

boy's windjacket **31** 46
bra **33** 14, 15, **267** 28
brace *[tool]* **127** 22
~ *[Arch.]* **115** 27, 54, **116**
~ *[ship]* **214** 67
brace bits **127** 16–18
bracelet **38** 5, 18, 21, 23
braces **31** 52, **33** 47
brachial biceps **20** 37
~ plexus **20** 27
~ triceps **20** 38
brachio radialis **20** 39
bracing **210** 11
~ cable **210** 38
bracket *[Tech.]* **111** 41, **119** 26, 29, **180** 77, **258** 39
~ *[Skat.]* **284** 18
~ *[Script]* **325** 24, 25
~-change-bracket **284** 20
~ clock **107** 47
~ crane **145** 16
~ table **27** 16
bract(ea) **355** 7, 73
bracteate **244** 4
bract scale **356** 5
bradawl **99** 63
braid *[hair]* **35** 30
~ *[Cloth.]* **102** 6
braided belt **37** 13
~ coat **179** 23
~ collar **179** 22
~ sleeve **179** 24
Braille **325** 15
brain **19** 42
brake *[Techn.]* **136** 95–105, **179** 16, **185** 40
~ *[windmill]* **91** 8
~ *[vehicle]* **179** 2, 33, **189** 2
~ *[Bot.]* **361** 16
~ actuated by trailer **189** 43
~ air cock **206** 26
~ arm **180** 66
~-arm cone **180** 67
~ axle **136** 97
~ back plate **186** 50
~ band **136** 103
~ block **131** 19, **136** 98, **179** 16
~ cable **182** 14
~ casing **180** 70
~ cheek **136** 98
~ cone **180** 71
~ cylinder **204** 5
~ cylinder manometer **206** 49
~ handle **131** 4
~ lever **182** 13, **193** 38
~-lifter **206** 14
~ lining **136** 104, **186** 51
~ magnet **136** 100
~man's cabin **208** 7
~ motor **206** 13
brake pedal **185** 40
~ pipe manometer **206** 46
~ pressure gauge **205** 52
~ pulley **136** 96
~ roller mill **91** 57
~ shaft **131** 18, **136** 97
~ shoe **131** 19, **136** 98, **179** 16, **186** 51
brakesman **285** 8
brake spring pliers **192** 28
~ strap **136** 103
~ weight **136** 101
braking block **114** 40
~ figure **284** 22
~ shoe **114** 40
bramble **60** 29
~berry **60** 29
branch *[tree]* **354** 5
~ *[Tech.]* **255** 33
~ *[antlers]* **88** 31
~ line **16** 23
~ men **255** 34
~ of parabola **329** 15
brandy **98** 59
~ glass **46** 88
brass **134** 60
brassart **310** 47
brassie **276** 69
brassière **33** 14, 15, **267** 28
brass wind instruments **302** 39–48
~ winds **302** 39–48
Braun cathode-ray tube **230** 49
~ splint **23** 43
~ tube **332** 23
brayer **323** 12
Brazil **14** 33
Brazilian cavy **351** 12
~ cigar **105** 2
~ formation **274** 27
~ tapir **351** 26
Brazil nut **368** 53, 59
~ Stream **15** 35
bread **97** 22–28
~ basket **46** 20
~-bin **41** 6
~ corn **69** 1–37
~ crust **97** 23
breadery* **97** 1–56
bread-knife **41** 54
~ mould **97** 80
~ shelf **97** 29
~-slicing machine **41** 78
breadth indicator **149** 7
~ scale **149** 5
break *[vehicle]* **179** 2, 33
~ *[El.]* **331** 71
breakdown crane **189** 53
~ lorry **189** 52, **255** 47
~ trailer **189** 54
breakdown van **208** 33
breaker *[mach.]* **148** 7
~ *[El.]* **331** 71
breaking through **274** 63
break valve **206** 22
~ water **212** 16, **222** 46
breast *[body]* **18** 28–30
~ beam **159** 46
~-beam board **159** 16
~bone **19** 8, **95** 27
~ collar **72** 28
~ collar ring **72** 27
~ drill **134** 29
~-fin **350** 7
~ harness **72** 26–36
~plate **310** 46
~ pocket **34** 8, 19
~ rail **115** 56
~ roll **168** 10
~ roller **162** 5
breasts **18** 28 + 29
breast spot **88** 71, 74
~ stroke **268** 33
~ of veal **95** 4
~ weight **224** 25
~ wheel **91** 37
breather **147** 10
~ tube **40** 51
breathing apparatus **255** 39
~ device* **17** 27
~ tube **267** 39
breeches **34** 22, 27, **282** 8
~ buoy **224** 51
breeder reactor **3** 20–23
breeding apparatus **89** 59
~ comb **78** 46
~ jar **89** 56
~ of poultry **75** 1–46
~ tank **89** 61
breeds of dogs **71**
bretzel **97** 48
breve **299** 14
~ rest **299** 22
breviary **314** 18
brevier **170** 25
brewer **92** 32
brewer's dray **93** 36
brewery **92, 93**
brewhouse* **92** 25–36
brewing house **92** 25–36
~ process **92** 25–36
brick **151**
~ clay **151** 2
~ edging **79** 39
~ field **151**
~ kiln **151** 19
~layer **113** 18
~layer's hammer **113** 53
~layer's tool **113** 50–57
~ machine **151** 11
~ paving **118** 7
bricks **50** 13
brick wall **64** 13, **113** 8, **118** 29
~work base **118** 15
~works **16** 89, **151**
~yard **151**
bridal bouquet **313** 17
~ couple **313** 14 + 15
~ cushion **313** 20
~ veil **313** 19
~ wreath **313** 18
bride **313** 14
~groom **313** 15
bride's bouquet **313** 17
bridge **210**
~ *[glasses]* **108** 15
~ *[mus.instr.]* **301** 17, **303** 4
~ *[Wrestl.]* **281** 8
~ beam **210** 20
~ bearing **210** 33
~ deck **218** 12–18
~ floor **210** 2
~ flooring **210** 21
~ girder **210** 20
~ lattice work **210** 48–54
~ leaf **210** 62
~ member **210** 17
~ over motorway **197** 32
~ pier **210** 15, 46
~ pile **210** 46
~ portal **210** 25
~ railing **210** 10
~ over railway **16** 22, 40
~ under railway **16** 42, 44
~ strut **210** 43
~ tower **210** 25
~ of violin **302** 5
bridle **72** 7–13, 25, **90** 14
~ path **12** 46
~ tape **304** 36
~ wire **304** 35
brief case **238** 36
briefs **33** 20, 57
brig **215** 17
bright **9** 21
brightener **292** 52
bright light* **185** 17
brig schooner **215** 14
brillantine **104** 10
brilliant **38** 26
~ *[Typ.]* **170** 20
brim **36** 15
~stone butterfly **348** 4
brine pipe **262** 4
briquette box **52** 57
Brisinga endecacnemos **349** 11
brisket **95** 23, 25, 26
~ of beef **95** 23
bristle **52** 23, **88** 52
~-bearing animal **74** 9
bristles **35** 23
bristle tail **341** 15
~-worm **340** 18

bristly beard **35** 23
~ hair **35** 10
broaching tap **93** 22
broach roof **116** 24
broad ax* **131** 32
~ axe **115** 70, **131** 32
~-brimmed hat **36** 17
broadcast **234** 1–20
broadcasting **234**, **235**
broad chisel **150** 37
~cloth coat* **32** 42
~ jump* **280** 29–32
~ tool **150** 37
brocade hat **36** 34
brock **88** 48
broderie anglaise **101** 11
brogue **100** 23
broiled sausage **291** 34
~-sausage stand **291** 32
broiler* **291** 33
broken pottery **154** 21
~-stone layer **194** 13
broker **243** 4
brokers' counter **243** 3
bronchus **22** 5
Bronze Age **309** 21–40
~ axe **309** 23
~ dagger **309** 22
~ knife **309** 31
~ pin **309** 29
~ spearhead **309** 21
~ trumpet **301** 1
brooch **38** 17, 22, **309** 27
brood cell **78** 31
~ chamber **78** 46
brooder **75** 28
~ house **75** 27
broody hen **75** 17
brook **13** 8, **16** 80
~ trout **350** 15
broom *[sweeping]* **40** 36
~ *[Bot.]* **358** 20
~ cupboard **52** 15
~ head **52** 22
~stick **40** 37, **52** 21
broth cube **98** 27
brougham **179** 3
brow antler **88** 6
~ band **72** 9
brown **320** 5
~ alga **362** 48
~ bear **353** 10
~-tail moth **81** 28
brow point **88** 6
~sing **86** 13
~ snag **88** 6
~ tine **88** 6
'brush **51** 76, **52** 16, **321** 6, 7, 8, 9
brush * *[forest]* **16** 15, **84** 5
~ *[fox]* **88** 47
~ f. applying polish **52** 41
brushing boot **272** 44
brush wood **16** 15, **84** 5
Brussels lace **101** 18
~ sprouts **59** 30
bubble-car **183** 41
buck *[animal]* **74** 18, **88** 28
~ *[Gymn.]* **279** 19
~ *[saw ~]* **53** 6
~ *[dandy]* **289** 33
buckers* **84** 20
bucket *[pail]* **52** 50
~ *[Tech.]* **153** 3, **196** 5, **221** 65
~ *[mill]* **91** 36
~ arm **196** 4
~ chain **211** 57, **221** 63
~ conveyor **221** 64
~ dredger **221** 63–68
~ elevator **197** 24
~ elevator feed **196** 49
~ tooth **196** 6
~-topped boot **338** 58
~ yoke **76** 11
buck·eye* **355** 58
~ of fallow deer **88** 40
~hound **272** 63
bucking saw **115** 14
buckle **37** 14, **249** 44
buckled shoe **100** 37
buckle machine **178** 8
buckler **310** 57
buckling strap **249** 43
buckram **102** 67
buckskin shoe **100** 2
buckwheat **70** 20
bud **57** 23, 26, **62** 16
~ capital **315** 14
Buddhistic sacred building **319** 21
budding **57** 30
~ knife **57** 31
buffalo **352** 8
~ horns **246** 34
buffer **209** 50
~ stop **199** 40
buffet **45** 57, **260** 1–11
buffoon **289** 38, 69
buff pad **127** 11
bug **341** 28, **342** 3–23
buggy **179** 48, 49
builder's hoist **113** 31
~ lift **113** 31
~ trough **117** 22
building **252** 19, 45
~ brick **151** 20
~ elevator ***113** 31
~ glazier **122** 8
~ a house **113** 1–49
~ lot* **113**, **114**
~ plan **144** 57
~ site **113**, **114**
building site latrine **113** 49
~ slip **217** 11–26
~ timber **115** 10, 83–96
built-in· balcony **53** 17
~ bath **51** 5
~ motor **157** 2
built-on motor **157** 33
built piece **296** 32
built-up wall **117** 39
bulb *[Bot.]* **57** 28
~ *[El.]* **120** 56, 57
~ flash light **111** 49
~-headed probe **28** 46
bulbiferous plant **69** 38
bulbil **359** 38
bulbous agaric **363** 11
~ plant **69** 38
bulb psychrometer **10** 32
~ thermometer **10** 33, 34
Bulgaria **14** 3
bulge **282** 14
~ of forehead **18** 5
bulk goods wharf **220** 44–53
~head **114** 17, **212** 5, **222** 54
~ material **196** 12
bulky goods **202** 23
bull **74** 1, **287** 67
Bull **5** 25, **6** 33
bull calf **74** 1
~ capital **315** 28
~ column **315** 23
~ dog **71** 1
bulldozer **196** 28, **198** 16
~ blade **196** 29
bullet **87** 55
~ barrel **87** 26
~-shaped fuselage **225** 44
~-shaped shade **47** 51
bull·fight **287** 57
~finch **344** 5
bullock **74** 1
bull ring **287** 58
bull's body **307** 48
bull set **322** 14
bull's-eye **318** 2
bull terrier **71** 16
bulrush **362** 21
bulwark **217** 64
bumble bee **342** 23
bump *[eminence]* **18** 4
bumper **185** 13
~ car **291** 63
~ guard **186** 37
~ steel **159** 44
~ steel spindle **159** 45
bumping post* **199** 40
bun *[roll]* **97** 49
~ *[hair]* **35** 29
bunch of currants **60** 11
~ of fruit **368** 32
~ of grapes **80** 6
~ pink **62** 6
bundle of brushwood **211** 53
~ of firewood **52** 61
~ of serpents **308** 52
~ of straw **76** 9
~ of twigs **84** 17
bung **126** 28
~ hole **126** 29
~ hole borer **126** 1
bunker *[storage]* **148** 3, 20, 22
~ *[golf]* **276** 61
bunkering tanker **220** 23
bunker wall **199** 45
bunks **262** 34
Bunsen burner **334** 1
~ cell **331** 67
bunting *[cloth]* **245** 3
~ *[flags]* **216** 37
~ *[Zool.]* **346** 6+7
buntline **214** 71
buoy **219**
buoyant body **212** 34
buoy bell **219** 50
~ chain **219** 47
~ rope **90** 3
~ stone **219** 48
~ whistle **219** 45
burden **74** 5
bureau* *[office]* **238** 1–36
~ *[desk]* **238** 12
~ lamp* **238** 23
~ telephone* **238** 24
burette **334** 21
~ clamp **334** 23
~ stand **334** 22
burgee **245** 22
burgonet **310** 60
Burgundian **338** 40
~ cross **313** 54
burial **312** 34–41
~ ground **312** 21–41
~ place **312** 62
burin **170** 33, **323** 5
burlap* **124** 24
burlesque dance **288** 35
burner **41** 36, **227** 44
~ jet **40** 60
burnet **70** 28
burning-gas connection **135** 52
~ zone **153** 15
burnisher **154** 19, **323** 17
burnishing box **106** 47
~ brush **106** 48
~ machine **106** 43
burnous(e) **337** 7
burn-out **229** 40, 43
burr *[Tech.]* **88** 5, 29
~ *[Bot.]* **368** 52
burrow **86** 26
~ hole **86** 27

burrowing passage **60** 63
burying ground* **312** 21–42
~ place **312** 23
bus **188** 1–16
~bar **146** 29
~ garage **199** 8
bush *[Bot.]* **55** 13, 19
~ *[socket]* **111** 32
bushed chain* **180** 36
bushing insulator **147** 12
bushman **337** 29
~ woman **337** 34
bush of peacock's feathers **246** 36
~ rose **55** 13
business area **252** 33
~ communication **239** 1–12
~ letter **239** 1–12
~ office **238–241**
~ premises **252** 15
~ section* **252** 33
~-shirt **31** 55
~ street **252** 32
~ suit* **34** 2, 4
busk **33** 17
bus station **199** 5
bust *[breast]* **18** 30
~ *[Her.]* **246** 11
bustle **338** 69
bus trailer **188** 3
~ w. trailer **188** 2
butcher **96** 9
butcher's deck **90** 30
~ findings* **96** 29–35
~ hook **94** 16
~ knife **96** 32
~ shop **96** 1–28
~ tool **96** 29–35
butt *[cask]* **55** 4, **64** 15
~ *[rifle]* **87** 3
~ *[Knitt.]* **160** 60
~ *[meat]* **95** 50
butter **98** 22
~-and-eggs *[Bot.]* **360** 26
~ brush **97** 70
~ churn **77** 30
~cup *[Bot.]* **359** 8
~ dish **46** 36
~flower **359** 8
butterfly **342** 48–56, **348**
~ collection **47** 34
~ nut **136** 40, **180** 29
~ stroke **268** 34
~ valve **183** 61
butter knife **46** 73
~milk tank **77** 12
~-packing machine **77** 31
~-shaping machine **77** 31
~wort **361** 13
buttock of beef **95** 14
buttocks **18** 40, **30** 39
button *[Cloth.]* **34** 6, **37** 27
button *[Tech.]* **120** 2, **147** 6
~ *[sabre]* **277** 41, 59
~ *[watch]* **107** 14
~ *[oar]* **269** 36
~ ball* **355** 67
~-fastening **37** 17
buttonhole **34** 7
~ of myrtle **313** 21
~ scissors **102** 66
~ stitch **101** 6
buttonholing **101** 6
button shoe **100** 9
~ tab **31** 15
~ tree* **355** 67
~-through dress **32** 8
~ wood* **355** 67
butt plate **87** 14
buttress *[Arch.]* **317** 27 + 28
~ *[tree]* **85** 22
buyer **253** 12
buzzard **347** 9
buzzer **206** 45
buzz saw* **114** 19, **128** 5, **149** 2, 20, 21, 45
buzz saw blade* **128** 6
By Air Mail **232** 32
~ Express **232** 31
by-pass **252** 3
~-pass line **199** 34
~-product **164** 13
byre **76** 17–38
by-street **253** 7
Byzantine art **316** 72–75
~ empress **338** 15

C

cab **179** 26
~* **253** 35
cabaret **298** 1–3
~ performer **298** 2
~ singer **298** 3
cabbage **59** 32
~ head **59** 32
~ plant **59** 28–34
~ white butterfly **81** 47, 48
cabby **179** 32
cab-driver **179** 32
~-driver* **253** 37
~ guard **189** 19
~ horse **179** 28
cabin *[dressing~]* **25** 4, **268** 1
~ *[ship]* **218** 13, 29
~ *[cable railw.]* **209** 20
~ * *[house]* **39** 84–86
~ boy **216** 55
~ car **183** 41
~ colony* **39** 54–57, **252** 69
cabinet **26** 19
~ drier **166** 19
~-maker **127** 45
~-maker's workshop **127** 1–65
cabinet respirator **24** 8
~ washing machine **166** 12
cabin pulley system **209** 66
~ scooter **183** 6
~ superstructure **270** 8
~ trunk **200** 6, **201** 12
~ vehicle **183** 41–52
cable **125** 19, **209**
~ anchorage **210** 26
~ box **147** 33
~-braced bridge **210** 37
~ car* **16** 67, **209** 13, 15–24
~ cellar **146** 21
~ chain **218** 45
~ crane berth **217** 11–18
~ drum **255** 55
~ ferry **211** 1
~ guide **197** 7
~ of loading winch **85** 4
~ pole **229** 31
~ railway **209** 15–38
~ release **111** 42
~ shears **120** 49
~ shoe **184** 6
~ slipway **217** 11–18
~ terminal **147** 33
~ thimble **184** 6
~ tunnel **146** 20
~way **16** 67, **209** 15–38
~way support **209** 76
~ winch **189** 28
cabman **179** 32
caboose* **218** 37
cabotage* **216** 38
cab passenger* **253** 38
~ protector **189** 19
cabriole **288** 16
cabriolet **179** 29
cab stand* **253** 35
cacao tree **366** 16
cachalot **352** 25
caddie **276** 64
caddis fly **342** 12
caduceus **308** 25
caecum **22** 17
café **261** 1–26
~ customer **261** 24
~ table **261** 11
cafeteria **260** 45–54
cage *[crane, etc.]* **137** 18, 19, **145** 11, **256** 46
~ *[zoo]* **339** 25
~ f. beasts of prey **339** 1
~ caravan **290** 62
caisson **217** 28
cake *[Bak.]* **97**, **261** 4
~ *[Tech.]* **163** 18, 19–27
~ box **97** 4
~ -brush **42** 59
cake-finishing **163** 22
~ mold* **42** 48 + 49
~ mould **42** 48 + 49
~ plate **45** 26, **97** 36
~ shovel **45** 28
~ slice **45** 28
~ of soap **30** 22
~ -tin **42** 48 + 49
~ tongs **45** 36, **97** 8
calabash **337** 27
calash **179** 35
calcaneal tendon **20** 48
calcaneum **19** 27
calcareous slate stone **323** 57
calcium chloride tube **334** 43
calcographer **323** 44
calculating frame **249** 38
~ machine **240** 42
~ punch **241** 45–51
calculation **327** 6
calculator **240** 42
~ clearance **240** 54
calculus **327** 13 + 14
calendar **238** 2
calender **166** 25, **168** 21, 23,,
~ operator **166** 28
~ roll **166** 26
~ roller **156** 20, 37, 59
calf *[leg]* **18** 53
~ *[animal]* **74** 1, **95** 1–13
caliber* **87** 40
calibrated pipette **334** 24
calibre **87** 40,
~ gauge **142** 52
California Current **15** 39
caliper **23** 45
~ gauge **142** 49
calipers **322** 3
calking chisel **132** 37
~ tool **132** 37
call-box **231** 24
call box* **233** 1
caller **233** 4
calling card* **43** 22
~ game **87** 43–47
~ lamp **233** 6
Calliope **308** 68
calliper gauge **142** 49
call lamp **296** 52
~ f. luring game **87** 43–47
callosity **73** 27
calm *n.* **9** 11
~-zone **9** 46 + 47
calyx *[Bot.]* **60** 8, 22, **354** 58, **359** 33
~ *[Med.]* **22** 30
~ leaf **60** 44
cam **160** 14, **182** 45, **184** 60
Camberwell beauty **348** 5

cambium **354** 10
~ ring **354** 10
cam box **160** 13
cambré **288** 15
cam controller **193** 35
~ for raising the needles **160** 59
came *n.* **122** 13
camel **351** 29
~-back girder* **210** 36
~ caravan **337** 1
Camenae **308** 59–75
cameo brooch **38** 22
camera **111** 1–27, **292** 23, **294** 1–35
~ f. astrophotography **6** 3
~ baseboard **171** 13
~ w. bellows **111** 2
~ cable **237** 2
~ carriage **171** 14 **171** 12
~ crane **292** 49
~ frame **171** 4
~ frame adjustment **171** 10
~ housing door **294** 18
~ man **292** 41
~ microscope **110** 19
~ operator **237** 3, **292** 42
~ precision drive **171** 12
cami-knickers **33** 13
cam f. lifting or lowering the cylinder **175** 3
camomile **364** 1
cam-operated controls **206** 8
camp **266** 4–52, **290** 61
campanile **316** 65
campanula **359** 14
camp archway **266** 52
~ bed **266** 7
~-chair **266** 11
camphor tree **364** 18
camping **266**
~-ground **266** 4–52
~ trailer **183** 36
camporee* **266** 40-52
camp-stool **266** 14
~ stove **266** 19
~-table **266** 5
cam shaft **159** 56
~ shaft wheel **159** 55
can *n.* **54** 17, **191** 22
Canada **14** 29
Canadian canoe **269** 3
~ water weed **362** 56
canal **16** 57, **212** 15–28
~ *[meatus]* **19** 34, 58
~ bottom **212** 30
~ entrance **212** 15 +16
canals of Mars **7** 15
canard aircraft **225** 36
canard model **271** 42
~ nose **225** 38
Canaries Current **15** 41
can of beer* **93** 39
~ buoy **219** 52
cancel **232** 39
~ button **305** 41
cancellation **231** 40
cancelling lever **240** 44
Cancer **6** 35
candelabra **44** 24, **312** 56
candies* **98** 75–86
candle **47** 24, **78** 66, **311** 10, 41
~ flame **47** 26
~ stick **44** 24, **46** 16, **47** 27, **312** 56
candy store* **253** 19
cane *[sugar]* **366** 52
~ *[stick]* **43** 15
~ back **43** 23
~ basket **258** 33
~ pen **324** 23
~ pram **258** 30
~ seat **43** 23
can-holder **156** 36
Canidae **352** 11–13
canine tooth **21** 17
Canis Major **5** 14
~ Minor **5** 15
canister stopper **305** 35
canned* see tinned
cannery **220** 9
cannon **73** 23
~ billiards **264** 7
~ bone **73** 23
cannula **26** 31
canoe **269** 3, 4, 54–66 **335** 19, 35
canoeist **269** 55
canoe stern **270** 13
canon *[Mus.]* **300** 46–48
cañon **13** 45
canonical **311** 22
cañon river **13** 51
canon table **311** 38
can-opener* **266** 18
canopy *[baldachin]* **50** 9, **311** 21, **312** 49
~ *[building]* **39** 67
~ *[parachute]* **228** 49
~-bearer **312** 46
~ of heaven **6** 1
cant *[banking]* **197** 30
canteen *[room]* **114** 45
~* *[bottle]* **266** 41
canter **73** 42
cant hook **84** 19
cantilever crane **217** 29
~ leaf spring **183** 45
~ roof bar **138** 26
~ saddle **181** 48
canting *[skiing]* **283** 34
cantle **72** 39
cantus mensuratus **299** 4
canvas **269** 56, **321** 21
~ cover(ing) **189** 15
~ hull **269** 58
canyon **13** 45
~ river **13** 51
cap *[headwear]* **36**, **247** 3
~ *[cover]* **78** 39, **239** 24
~ *[fungus]* **365** 4
~ *[Geol.]* **12** 30
~ *[letter]* **170** 1
~ *[mus. instr.]* **305** 31
capa **287** 60
capacitance **234** 26
capacity plate **145** 6
~ test **273** 33
caparison **310** 74
cap and bells **289** 39
cape **34** 35, **104** 5
cape* **103** 26
capeador **287** 59
Capella **5** 27
capelline bandage **17** 3
caper **98** 42
capercaillie **88** 72
capercailzie **88** 72
capillarity **331** 43
capillary tubes **331** 44
capital *[Art]* **315**, **316** 20–25, **319** 18
~ *[letter]* **170** 14
~ letter **170** 1, **324** 16
~ ship **222** 31–64
capitulum **63** 14, **354** 73, **362** 12
cap-lamp **138** 55
capon **74** 21, **98** 6
cappa magna **314** 51
cap peak **36** 25
capped blossom **81** 11
~ cell **78** 32
cap ribbon **31** 33
Capricorn(us) **5** 36, **6** 41
capriole **72** 5, **288** 16
capro lactam **164** 28
~ lactam oil **164** 25
cap-sleeve **32** 32
capstan **161** 43, **212** 22
capsule *[cork]* **93** 44
~ *[Bot.]* **354** 95
captain **219** 22
Captain of Prince's Guards **289** 67
captain's cabin **218** 13, **223** 46
~ bridge **222** 45
caption* *[Film]* **294** 33, 35
captive model **271** 62
cap-type insulator **147** 54
car *[motor-~]* **185**
~ *[lift]* **256** 46
~ *[coach, etc.]* **185**, **204**, **208**
car air-conditioning **186** 22
carambole **264** 7
caramel **98** 77
carapace **350** 29
car ashtray **186** 19
carat mark **38** 30
caravan *[camels]* **337** 1
~ *[circus]* **202** 26, **290** 34, 62
~ *[trailer]* **266** 4
caravel **213** 27–43, **215** 37
caravelle **215** 37
caraway roll **97** 56
~ stick **97** 56
car barn* **252** 17
carbine **86** 30, **87** 1
car body* **185** 1–58
carbon **295** 40
~ crater **295** 44
~ disulphide injector **83** 4
~-holder **295** 43
carbonic acid container **28** 35
~ disulphide **163** 8
carbon paper **238** 68
~ rod **331** 68
~ stick **331** 68
~-stick lamp **173** 20
~ tissue **176** 25
~ tissue transfer machine **176** 23
carborundum disc **27** 38
~ wheel **27** 39
carboy **202** 14
car brake **186** 50–54
carburetor* **183** 53–69
carburetted water-gas plant **148** 25+26
carburetter **182** 31, **183** 53-69, **184** 2
~ body **183** 54
~ engine **184** 1–36
~ float **183** 65
~ air lever **182** 22
~ tickler **183** 63
carcass **113** 1-49
car chassis **185** 1–58
~ clock **186** 15
card *[post~, etc.]* **43** 22, **232** 4, 5, **238** 72, **312** 59
~ *[Spinn.]* **156** 34
Cardan joint **185** 53
~ shaft **185** 52
car dashboard **186** 1–21
cardboard **321** 22
~ case **87** 50
~ distance piece **323** 37
card can **156** 35
~ delivery **241** 42
~ feed **241** 41, 49, 53
~-holder **240** 11

cardigan **32** 41
cardinal *[Church]* **314** 49
~ bird **345** 5
~ grosbeak **345** 5
~ number **326** 5
cardinal's cross **313** 59
card index **26** 5, **238** 71
~-index cabinet **238** 5, **250** 22
~-index drawer **238** 6, 70
~-index guide card **238** 73
carding engine **156** 34
card magazine **241** 56
car documents **253** 66
~ door **185** 4
card punch **241** 40, 48
cards **265** 36
card-sorter **241** 52
car dump **252** 70
~ dumper* **208** 22
card unit **241** 36
caretaker **53** 28
car ferry **16** 47, **211** 10
cargo **218** 67
~ barge **211** 25
~ boat **216** 1
~ boom **216** 3
~-checker **221** 27
~ hatch **226** 35
~ hook **221** 16
~ ship **216** 1
Carina **5** 46
car instrument panel **186** 1–21
~ jack **191** 30, **192** 47, 66
carl **367** 10
~ hemp **367** 10
carload* **202** 53
Carlovingian minuscule **324** 18
car maintenance **191**
~ mascot **190** 35
~ mechanic **191** 10, **192** 65
carnation **62** 6, 7
carnival **289**
~ decoration **289** 60
~ float **289** 57
~ parade **289** 57–70
~ prince **289** 58
~ princess **289** 61
~ procession **289** 57–70
~ queen **289** 61
~ truck* **289** 57
carnivores **352** 11–17, **353** 1–11
carnivorous plant **361** 13
carob **368** 41
Caroline (or Carolingian) minuscule **324** 18
carom billiards* **264** 7
carosserie **185** 1–58
carotid artery **20** 1
carousal (carousel or carrousel)* **291** 2
carp **350** 4
carpal bone **19** 15
~ joint **21** 76
car park **252** 27
carpel **358** 2
carpenter **115**
carpenter's findings* **115** 60–82
~ hammer **115** 74
~ hat **115** 13
~ pencil **115** 77
~ tool **115** 20, 60-82
~ workshop **115** 4
~ yard **115** 1–59
carpet **47** 61, **48** 32, 33
~-beater **52** 19
~-beating bar **53** 46
~ brush **52** 60
~ runner **48** 32
~-sweeper **52** 9
carport* **252** 62
carpus **21** 76, **73** 22
car radio* **186** 17
carriage *[vehicle]* **179** 1–54, **203**
~ *[Tech.]* **143** 39, **160** 39, **171** 14, **240** 2–17
~ catch **171** 15
~-cleaner **201** 14
~ drive **171** 11
~ and four **257** 54
~ horse **179** 28
~ release **240** 2
~ step **179** 13
~ and wagon examiner **201** 36
carriageway **16** 99, **253** 34
carrier *[bicycle]* **180** 44
~ *[postman]** **231** 47
~ *[porter]** **201** 32
~ *[carter]* **202** 16
~ *[Mech.]* **68** 33
~ aircraft **226** 23
~ arrangement **226** 22–24
~ bicycle **181** 15
~ equipment **237** 33
carrier's cart **202** 18
carrion beetle **81** 45
carrion flower **56** 15
carrom billiards **264** 7
carrot **59** 17, 18
carrousel* **291** 2
car rug* **48** 55, **201** 8
carryall* **86** 3
carrying axle **205** 35
~ bar **141** 16
~ cable **114** 37, **193** 40, **209** 27, 49
carrying-cable·anchorage **209** 59
~ bearing shoe **209** 33
~ brake **209** 71
~ shoe **209** 58
~ support shoe **209** 79
carrying tensioning weight **209** 41
carrying grip **17** 22
~ and haulage cable (or rope) **209** 21
~ saddle **74** 4
~ strap **249** 45
car slings **221** 11
~ springing system **185** 24–29
~-steering mechanism **186** 39–49
~ suspension system **185** 24–29
cart **64** 29, 33, 53
carte crossing **277** 49
carter **202** 16
cart f. game **86** 39
~ horse **202** 17
cartilage **19** 11
carton **75** 36
cartoon *[design]* **321** 43
~ *[newsp.]* **325** 48
cartouche **318** 7
~ work **318** 8
cartridge **87** 49, 54
~ chamber **87** 15
~ clip **87** 19
~ fuse **120** 35
~ hoist **223** 71
~ magazine **87** 17
~ pouch **247** 7
cartrunk* **187** 5
cart track **84** 3
~-weighing machine **145** 88
~ wheel *[cart]* **131** 26
~ wheel *[Gymn.]* **278** 30
~wright **131** 25
car tyre **185** 31
caruncle **74** 22
carved column **315** 18
carvel **213** 27–43, **215** 37
~-built boat **269** 9
~ planking **270** 22
carver **322** 28
carvers **42** 65
car vibration damper **209** 55
carving **309** 7
~ fork **42** 65, **46** 70
~ knife **42** 65, **46** 69
car-washing compressor machine **191** 25
~ wireless **186** 17
~ wrap* **201** 8
caryatid **316** 36
caryopsis **359** 43
cascade **257** 9
case **143** 34, **201** 9
~ *[book]* **178** 40
~ cabinet **169** 4
cased book **178** 30
case-making machine **177** 43
casement curtain **52** 53
case room **169**, **170**
~ stand **169** 2
cash book **238** 58
~ box **238** 55
~ desk **263** 2, **291** 7
cashier **242** 2, **256** 1
cash-on-delivery form **232** 8
~ register **256** 2, **260** 17
~-report pad **238** 54
casing **10** 43, **136** 77
~ head **139** 53
~ cover **136** 78
~ head **139** 53
~-in machine **178** 25
casino **262** 8, **263** 1
~ entrance-card **263** 14
cask **80** 37, **126** 24
~-adzing machine **126** 37
~ body **126** 25
casket* **312** 35, 51
cask-filler **93** 29
~-filling machine **93** 29
~-maker **126** 16
~-making machine **126** 34–38
~ stave **126** 21
cassia **364** 16
Cassiopeia **5** 33
cassock **314** 33
cassowary **343** 1
castanet **303** 46
caster *[wheel]* **29** 12
cast glass **122** 6
casting **141** 37
casting aperture **172** 17
~ box **141** 25
~ chamber **172** 18
~ crew* **141** 13
~ ladle **140** 41
~ ladle lip **140** 42
~ machine **169** 32–45
~ mechanism **169** 25
~ mould **172** 22
~ net **89** 6
~ off a loop **160** 66
~ rod **89** 23
~ team **141** 13
cast in situ concrete wall **114** 7
~-iron box **120** 17
~-iron pipe **39** 14
castle **252** 54, **310** 1
~ chapel **310** 29
~ garden **252** 55
~ gate **310** 22
~ nut **136** 24, 75
~ ruin **80** 20
cast letters **169** 44
castle wall **315** 31
cast line **169** 27
Castor *[Astr.]* **5** 28
castor *[wheel]* **29** 12, **145** 81
~ *[horse]* **73** 27
Castor *[Zool.]* **351** 14
castor-oil plant **364** 14

cast single letter **169** 44
casual clothes **33** 7
~ suit **32** 58
cat **74** 17, **353** 2–8
catacomb **312** 62
catafalque **312** 52
catalog* see catalogue
catalogue **250** 21
~ room **250** 18
catalytic cracker **139** 63
~ hydrogenation of phenol **164** 16
~ reformer **139** 64
catapult *[aircraft]* **222** 28, 49, 73
~ *[sling]* **258** 9
cataract **11** 45
catch *[device]* **136** 27
~-as-catch-can style **281** 11+12
catcher *[Sports]* **275** 47, **279** 16
catcher's area **275** 44
~ mitt **275** 47
catch-fly **360** 20
catching game **298** 22
~ stick **261** 30
catchment area **12** 24
catchup **46** 43
cat cracker **139** 63
caterpillar **81**, **82** 20
~ grinder **167** 18
~ lamp **58** 20
~ motor lorry **189** 36
~ mounting **196** 3
~ scraper **196** 16
~ track **189** 37
~ truck **196** 3
catgut string **276** 29, **303** 6
cathedral **252** 37, **317** 1–13
catheter **26** 53
cathetus **328** 32
cathode **172** 3
~-ray discharge head **109** 2
~-ray tube **332** 22
Catholic church **311** 31–65
~ clergy **314** 32–58
catkin **61** 39, 45
cat-o'-nine tails **124** 18
cat's-foot **361** 3
~-tail **362** 21
~ tongue **98** 84
catsup* **46** 43
cat's valerian **364** 5
~ whisker **234** 31
cattle **74** 1+2
~ boat **216** 40
~ lorry **189** 8
~man* **76** 10
~ pen **202** 7
~ ramp **202** 1
~ shed **76** 17–38
~ van **189** 8
~ yard **252** 51
catwalk **90** 42, **292** 53, **296** 29
caucus* **251** 1–15
caudal fin **350** 10
~ pincers **341** 11
cauliflower **59** 31
~ cloud **8** 1
caulking chisel **132** 37
~tool **132** 37
caustic soda **163** 3, **164** 10
cautery **26** 48, **27** 45
~ burner **26** 48
~ cords **26** 49
'cavalier hat' **338** 55
cavalry standard **245** 13
cave **13** 79, **16** 85
~ painting **309** 9
cavern **13** 79
cavetto **318** 50
~ vault **318** 49
caviar knife **46** 81
caving riddle **68** 65
~ screen **68** 65
~ spout **67** 52
cavity of mouth **21** 14–37
~ of ovary **354** 62
cavy **351** 12
C clef **299** 13
cedar of Lebanon **356** 65
cedilla **325** 33
ceiling **118**, **217** 60
~ hook **255** 15
~ joist **114** 5, **116** 54
ceiling panelling **234** 17
~ plaster **118** 59, 72
~ shower **51** 15
~ slat **48** 37
celandine **359** 36
celeriac **59** 27
celestial chart **5** 1–35
~ equator **5** 3
~ globe **308** 73
~ pole **5** 1
cell *[convent]* **314** 4
~ *[bee]* **78** 26–30
~ *[Tech.]* **332** 2
cella **316** 51
cellar *[basement]* **39** 1
~ *[Tech.]* **146** 21
~ door **53** 2
cellarer's assistant **80** 35
cellar foreman **93** 24
~man **80** 39
~ steps **53** 3, **113** 4
~ window **39** 27, **113** 3
cell nucleus **340** 2
cello **302** 16
cellular chimney brick **151** 28
~ vest **33** 49
celluloid ball **276** 42
cellulose sheet **163** 2
Celtic silver coin **309** 37
cembalo **301** 45
cembra pine **356** 29
cement **295** 24
~ *[tooth]* **21** 29
~ floor **53** 68
~ grinding mill **152** 14
~ guiding kerb **197** 38
~ hopper **197** 25
~ packing plant **152** 18
~ paving **118** 14
~ pipe **196** 62
~ silo **114** 30, **152** 17, **197** 25
~ tube **196** 62
~ works **152**
cemetery **16** 106, **312** 21-41
~ chapel **312** 28
censer **313** 37
cent **244** 33
Centaur *[Myth.]* **307** 52
~ *[stars]* **5** 39
Centaurea **63** 1
Centaurus **5** 39
centaury **364** 10
centavo **244** 23
center* see centre
center bank to port* **219** 63
centering magnet **236** 24
~ rod **110** 35
centesimal balance **145** 88
centesimo **244** 20
centime **244** 15, 16
centimeter* see centimetre
centimetre scale **249** 68
céntimo **244** 22
central* *n.* **233** 1–17
Central America **14** 31
central area of town **252** 33
~ control panel **173** 10
~ corridor **203** 45
~ effacer **240** 53
Central European dance **288** 41
central gangway **203** 45, **213** 46
~ heating furnace **40** 57
~ heating installation **40** 38–81
centralised building **316** 55
central ovary **61** 14
centrally-planned building **316** 55
central nave **316** 62, **317** 1
~ reserve **197** 37
~ signal box **199** 16
~ station **252** 30
~ tower **317** 6
centre *[Geom.]* **328** 26, 43
centre *[player]* **274** 19, **276** 57
~ angle **328** 55
~ band **276** 14
~ bit **127** 18
~ board **270** 10
~-board yacht **270** 6–10
~ bolt **186** 47
~ of curvature **328** 23
~ entrance **204** 55
~ flag **274** 46
~ forward **274** 19
~ girder **217** 50
~ half **274** 15
~ line **276** 8 to 9
~ mark **276** 11
~ of old town **252** 34–45
~ parting **35** 19
~ pole **131** 14
~ punch **134** 68, **145** 32
~ service line **276** 8 to 9
~ strake **217** 52
~ of symmetry **330** 3
centrifugal cleaner **168** 4
~ cream-heater **77** 25
~ drive **173** 34
~ force **4** 51
~ governor **184** 41
~ pump **161** 72, **254** 44, **255** 8
~ regulator **184** 41
centripetal force **4** 52
centrosphere **11** 5
cep **365** 15
cèpe **365** 15
cephalopod **340** 22
Cerberus **307** 29
cereal-dressing **83** 13–16
cereals **69** 1–37, **98** 35–39
cerebellum **19** 45, **20** 23
cerebrum **19** 42, **20** 22
ceremonial vestments **314** 49
certificate of posting book **231** 11
cervical muscle **21** 12
~ vertebra(e) **19** 2
cesspit emptier **195** 25
cesta **287** 53
cestodes **341** 24
Cetus **5** 11
C flat major **300** 15
chaffinch **344** 10
chain **31** 61, **38** 33, **76** 31, **273** 20
~-adjuster **180** 39, **181** 53
~ f. automatic guiding **68** 13
~ of barges **211** 22
~ barrier **253** 29
~ bracelet **38** 18
~ conveyor **168** 39

chain cover **181** 51
~ curtain **133** 55
~ cutter moulding machine **115** 17
~drive **180** 35–42
chaîné **288** 19
chain of egg insulators **234** 22
~ ferry **211** 1
~ of flowers **289** 17
~ gripper **174** 11
~ guard **180** 37, **181** 51
~ guard inspection plug **182** 56
~ insulator **147** 54
~ link **181** 32
~ of locks **212** 17–25
~ mail **310** 63
~ mortiser **128** 29
~ parts **181** 28
~ pull and handle **51** 45
~ reaction **1** 18–21, 22–30
~ saw **115** 14
~ stay **180** 20
~ stitch **101** 2
~ stop **218** 46
~ transmission **180** 35–39
~ wheel **180** 35
chair **44** 9, **47** 18, **49** 27
~ back **29** 23, **104** 29
~ car* **204** 49
~ commode **23** 25
~ grip **17** 21
~-hoist **209** 16–18, **283** 1
~ leg **44** 14
~-lift **209** 16–18, **283** 1
chairman **251** 1
~ of board of directors **243** 15
~ of executive (managing) committee **243** 16
chair o'plane **291** 4
~ worker **155** 16
chaise **179** 54
~ longue **29** 21
chaitya **319** 28
~ hall **319** 27
chalaza **75** 52
chalcographist **323** 44
chalcography **323** 14–24
chalice **311** 13, **313** 44
~ veil **314** 41
chalk **102** 82, **249** 6
~ crayon **321** 5
~ method **323** 14–24
~ pencil **321** 5
~ sketch **321** 4
Chamaeleontidae **350** 33
chamber *[room, etc.]* **315** 2, 3, 5
chamber *[Tech.]* **94** 16–18, **184** 26, **227** 60–63
'chamber' *[pot]* **30** 17
chamber lock **16** 58
~maid* **45** 54, **48** 48
~-pot **30** 17
~ wall **254** 25
chameleon **350** 33
chamfer **136** 60
chamfering hammer **119** 48
chamfrain **310** 84
chamfron **310** 84
chamois **352** 3
~ leather **52** 28, **190** 25
chamomile **364** 1
chamotte slab **135** 43
champagne **98** 63
~ bucket **259** 59
~-cooler **259** 59
~ cork **259** 58
~ glass **46** 85+86
chancel **311** 1, 36, **317** 4
~ chair **311** 5
chandelier **259** 21
change gears box **142** 7
~ lever **142** 10, **199** 58
changement **288** 13
change-over switch **206** 33, **233** 12
changer spindle **306** 33
change wheel **157** 40
changing the baby('s napkin) **30** 37
~ room **268** 3
channel *[water]* **316** 54
~ *[Tech.]* **136** 7, **140** 34
~ *[Television]* **237** 36
~-cutter **99** 18
~ goose **343** 9
~ iron **136** 7
channelling file **106** 51
channel marks **219** 43–58
~ section **185** 60
~ switch **236** 4
chanson singer **298** 3
chanter **301** 10
chanterelle **365** 14
chantlate **116** 31
chap *[jaw]* **71** 32
chapel **16** 61, **312** 12
chaplet hair style **35** 31
~ of plaited hair **35** 32
chapter **107** 3
~ heading **178** 60
char **52** 52
char-à-banc **179** 33
character dance **288** 35
character dancer **288** 36
~ mask **289** 33
characteristic *n.* **327** 6
charcoal pencil **321** 16
charge **87** 51, 57
charger **87** 19, **192** 42–45
charging apparatus **111** 55
~ gallery **140** 4
~ mast **188** 11
~ mouth **140** 44
~ platform **140** 4
~ pole **188** 11
~ position **140** 48, 49
~ skip **140** 2
Charioteer **5** 27
charity postage stamp **232** 21
~ surtax **232** 23
Charles's Wain **5** 29
Charleston choke cymbals **303** 50
charlock **63** 18, 21
chart **5** 1–35, **144** 15, **219** 13
~ room **218** 14
~ section **219** 13
charwoman **52** 52
chase *[Hunt.]* **86**
~ *[type]* **175** 38
'chase *[Sports]* **272** 23–29
'chaser **272** 24
chasing **87** 28
~ hammer **106** 42
chasm **282** 2
chassis-frame construction **185** 59
~-less construction **185** 1
~ sheet* **141** 70
chasuble **314** 39
Cheap Jack **291** 64
~ John **291** 64
check* *[invoice]* **238** 50
~ *[ticket]* **145** 84
~* **296** 7
~ *[piano]* **304** 27
~ clock **145** 85
checker* **265** 18
~-board* **265** 17
checkered ornament* **317** 14
checkers* **265** 17–19
check felt **304** 28
~ girl* **296** 6
checking instrument **77** 19
~ office* **200** 27
~ shop **145** 1–45
~ table **145** 37
check loudspeaker **234** 5
~ mate **265** 15
~ rail **198** 54
~rein **272** 41
checkroom* **200** 27, **296** 5
checkroomgirl* **296** 6
~ hall* **296** 5–11
check tail **304** 31
~ wire **304** 29
cheek *[face]* **18** 9
~ *[rifle]* **87** 4
~bone **18** 8, **19** 37
~ brake **136** 95
~ piece **72** 8
~ straps **72** 8
cheese *[food]* **98** 5
~ *[Text.]* **161** 52
~ dish **46** 35
~ dish cover **45** 63
~ fly **341** 16
~ frame **161** 54
~-head screw **136** 34
~ knife **46** 72
~-press **77** 39
~ stick* **45** 61
~ straw **45** 61
cheetah **353** 7
chef **204** 23
~ de partie **263** 3
chelicera **342** 41
Chelsea bun **97** 49
chemical plant **3** 38
chemicals **112** 10
chemical wood pulp **167** 1–10
chemise **31** 4, **33** 11
chemistry **333, 334**
chemist's shop **253** 28
chemosphere **4** 15
chequered ornament **317** 14
chequers* **265** 17–19
cheroot **105** 4
cherry *[fruit]* **61** 5, **357** 32
~ *[mach.]* **106** 7
~ blossom **61** 3
~ flower **61** 3
~ fruit fly **81** 18
~ gall wasp **82** 33
~ leaf **61** 2
~ stone **61** 7
~ tree **61** 1–18
~ twig **61** 1
chess **265** 1–16
chessboard **47** 48, **265** 1
~ square **265** 2
chess clock **265** 16
~man **265** 1, 4
~ player **261** 17
~ position **265** 7
~ table **47** 47
chest *[breast]* **18** 28–30, **19** 8–11
~ *[mus. instr.]* **303** 2, 15
~ band **278** 45
~-developer **278** 50
~-expander **278** 50
~ grip **17** 37
chestnut *[Bot.]* **355** 58, 60, **368** 52
~ *[horse]* **73** 27
chestnut boletus **365** 15

chestnut tree **355** 58
chestpiece **26** 15
chevron ornament **317** 16
chew **105** 23
chewing tobacco **105** 23
chianti **98** 61
chibouk **105** 32
chibouque **105** 32
chick **75** 33
~ box **75** 40
chicken **74** 19–26, **75** 20
~ ladder **75** 4
~ run* **75** 18
~ yard* **75** 18
chick hopper **75** 38
~ pea **70** 19
~ trough **75** 34
chicory **360** 25
~ plant **59** 40
chief *[Her.]* **246** 18 + 19
~ camera man **292** 41
~ clerk **238** 1
~ inspector **145** 44
~ judge **248** 20
~ respectionist **259** 7
~ star **5** 9
chignon **35** 29
child **45** 3+4, **50** 3
~ in arms **30** 26
~ carrier seat **180** 21
children's clothing **31**
~ games **258** 1–59
~ nurse **30** 9, **258** 12
~ playground **258**
~ play room **49** 1–29
~ wear **31**
child's bicycle **181** 13
~ bike* **181** 13
~ boot **31** 45
~ buttocks **30** 39
~ chair **49** 27
child under school age **49** 26
child's coat **31** 37
~ cot **49** 2
~ cycle **181** 13
~ dress **31** 22
~ frock **31** 22
~ grave **312** 30
~ hat **31** 38
~ milk-beaker **49** 29
~ overcoat **31** 37
~ rattle **30** 42
~ seat **180** 21
~ shoe **100** 9
~ stool **50** 11
~ table **49** 28
~ tricycle **258** 59
Chile **14** 34
chilled iron roller **168** 24
chimaera **307** 16
chimbre **126** 30
chimera **307** 16
chimney **40** 5, **113** 21, **146** 15, **205** 22
~ *[rock]* **282** 9
~ base **145** 47
chimney bond **113** 66
~ brick **151** 28
~ cleaner* **40** 31
~ cooler **145** 60
~ flashing **117** 14
~ hood **132** 6
~ piece **259** 24
~pot* **36** 20
~ shaft **145** 46
~ stack **145** 48
~-swallow **346** 20
~ sweep **40** 31
~ top **145** 49
chimpanzee **353** 14
chin **18** 15
China **14** 48, 49
china cupboard **41** 1
China-ink attachment **144** 41
china painter **154** 17
China rose **62** 15
~ rush string **130** 27
chinch* **341** 28
chinchona **364** 17
chine bone **22** 59
Chinese art **319** 1–6
~ lantern **55** 15, **336** 36
~ notable **289** 29
~ script **324** 5
~ shadow show **298** 28
chinook wind soaring **271** 23
chin rest **302** 8
chip *[shavings]* **130** 12
~ *[jetton]* **263** 12
~ basket **130** 11
~ container **164** 40
~-extractor opening **128** 17
~ hat **36** 57
chipper motor **149** 57
chipping hammer **135** 25, 57
chippings **150** 23, **197** 51
~-spreader **196** 41
chips *[shavings]* **127** 47, **129** 26
chiropodist **25** 19
Chiroptera **351** 9
chisel **115** 71, **127**, **132** 37, **150** 37
chitarrone **303** 1
chiton **338** 5
Chitonactis **349** 20
chivalry **310**
chives **59** 22
chlorine **164** 7
chock **141** 56, **189** 51, **286** 2
chocolate **98** 78
~ box **98** 79
~ liqueur **98** 83
chocolates **98** 80
choir *[Arch.]* **311** 36, **317** 4
~ organ **305** 5
~ stalls **311** 34
choker **338** 74
choke tube **183** 68
chopped wood **53** 8
chopper *[tool]* **96** 46
~ * *[ticket collector]* **200** 25
~ *[scissors]* **177** 16
chopping block **53** 9, **64** 18
~ board **41** 57, **96** 45
~ hoe **66** 32
choral poetry and dance *[symbol]* **308** 70
~ vestments **314** 32
chord *[Tech.]* **210** 48, 49
~ *[Geom.]* **328** 51
~ *[Mus.]* **300** 16–18
~ of the seventh **300** 18
chorus **296** 21
~ girl **298** 7
chow(-chow) **71** 21
christening **313** 1
~ dress **313** 8
~ robe **313** 8
~ veil **313** 9
Christian baptism **313** 1
~ crosses **313** 49–66
christiania **283** 32
Christian monogram **313** 61
christie **283** 32
Christmas cake **97** 6
christy **283** 32
chromatic scale **299** 49
chromo-board **168** 31
chromolithographic print **323** 28
chrysalis **81** 4, 43, **82** 13
Chrysanthemum **63** 7
chuck **127** 24, **129** 6, 10, **240** 71
~ key **142** 39
~ rib **95** 19
~ slot **142** 36
~ spindle **128** 23
chulo **287** 59
church **311–313**
~ banner **312** 44
~ bell **312** 9
~ clock **312** 7
~ door **312** 16
~-goer **311** 29, **312** 17
~ organ **305** 1–52
~ owl **347** 17
~ pew **311** 28
~ porch **312** 16
~ roof **312** 11
~ spire **312** 6
~ tower **312** 2
~ w. two towers **16** 53
~ window **311** 16
churchyard **312** 21–41
~ gate **312** 19
~ wall **312** 18
churn **76** 34, **77** 2
~ conveyor **77** 3
chute *[Tech.]* **67** 41, **221** 66
~ *[slide, etc.]* **258** 36, **291** 40
~ *[Sledg.]* **285** 11
~ *[parachute]* **228** 48
ciborium **313** 46
cicatricle **75** 55
cicatricula **75** 55
cicatricule **75** 55
Ciconiiformes **343** 18
C. I. D. officer **248** 3
cigar **105** 2
~-box **47** 33
~ case **105** 11
~ and cigarette boy **259** 49
~-cutter **105** 10
cigarette **105** 14, 15
~-box **47** 32
~ case **105** 12
~-holder **105** 17
~-lighter **186** 20
~ machine **105** 18
~ packet **105** 13
~ paper **105** 19
~ seller **291** 51
~ tip **105** 15
~ tray **259** 50
cigar-holder **105** 9
~ scissors **105** 8
ciliate(d) **354** 49
ciliate infusorian **340** 9
cilium **340** 10, **354** 50
cinchona **364** 17
cincinnus **354** 77
cinder oval* **280** 5
~ track **280** 5
cinema **295** 1
~ box office **295** 2
~ car **204** 24
~-goer **295** 5
~ gong **295** 22
~ projector **295** 26
~ stage **295** 8
~ ticket **295** 3
cinerary urn **309** 38
cingulum **314** 20
cinnamon **98** 44
~ bark **366** 25
~ tree **366** 22
cinquefoil **317** 40
cipher *[letter]* **170** 1
~ *[0]* **263** 18
circle **275** 12, **280** 44, 47
~ *[Math.]* **328** 42
~ *[Gymn.]* **279** 12
~ of feathers **276** 38
circling crossing **277** 51
circuit-breaker **120** 18, **147** 51–62
~ diagram **147** 8
circular adjustment **15** 62
~ medallion **322** 36
~ place* **252** 12
~ plane **329** 39
~ saw **128** 5, **143** 46, **149** 45

circular saw blade **128** 6, **149** 21
~ screen **171** 35
~ shed **199** 6
~-ticket book **201** 55
~ wall **252** 34
circulating cable **209** 21
~ oil cooling **295** 27
~ rope **209** 21
~ water pipe **146** 27
circulation of blood **20** 1–21
circulatory system **20** 1–21
circum·circle **328** 29
~ference **328** 44
~ferential angle **328** 56
circumflex **325** 32
~ notation **299** 2
Circumpolar Current **15** 44
circumpolar star **5** 5
circumscribed circle **328** 29
circumscissile seed capsule (or vessel) **354** 95
circus *[place]* **252** 12
~ *[arena]* **287** 58, **290**, **298** 9–22
~ act **290** 25
~ band **290** 10
~ box **290** 16
~ caravan **290** 34
~ compound **290** 12
~ crack shot **290** 38
~ director **290** 17
~ gunman **290** 38
~ horse **290** 30
~ number **290** 25
~ rider **290** 26
~ tent **290** 1
cirro-cumulus cloud **8** 14
~-stratus cloud **8** 7
cirrus cloud **8** 6
cister **301** 21
cistern **51** 42
cithara **308** 71
cither **301** 21
citole **301** 21
cittern **301** 21
city *[inner town]* **252** 33
~* *[town]* **16** 51
~ building* **252** 41
~ gate **252** 39
~ hall* **252** 41
~ railway **252** 4
~ traction* **193**
~ wall **252** 34
Claisen flask **334** 50
clamp *[Tech.]* **134** 16, **177** 18, **284** 25
~ *[Agric.]* **64** 12
~ beam **178** 4
clamping arm **161** 43
~ claw **149** 18
~ device **2** 43
~ handle **142** 28
clamping iron **149** 18
~ section **177** 40
clamp pressure scale **178** 7
~ securing lid **161** 62
clapper **289** 47
~ boy **292** 34
~ w. number **292** 35
clappers **292** 35
clarence **179** 26
Clarendon type **325** 8
clarifying tank **92** 33
clarinet **302** 34
clasp **37** 12, **38** 9
class **78** 1, 4+5
~ cupboard **249** 25
classical ballet **288** 29–34
~ dance **288** 29–34
~ dancer **288** 31
~ dancing **288** 1–50
~ mythology **308**
classicistic Latin **325** 6
~ Roman **325** 6
Classic Revival period **318** 15
class register **249** 13
~ room **249** 1
~ timetable **249** 26
clause **242** 17
clavaria **365** 32
clavicembalo **301** 45
clavichord **301** 36
~ mechanism **301** 37
clavicle **19** 6
claw *[Tech.]* **115** 75
~ *[tree]* **85** 22
~ *[Zool.]* **342** 41
~ head **115** 75
claws **307** 3, 61, **347** 7
claw setting **38** 25
~ tool **322** 13
clay **322** 31
~ box **322** 30
~ column **151** 14, **154** 8
~ figure **322** 7
~ floor block **151** 24
~ pipe **105** 34
~ pit **16** 88, **151** 1
~ seal **254** 39
cleaned ballast (or boxing) **198** 7
cleaner *[Tech.]* **67** 33
~ ***52** 2
~ *[subst.]* **52** 29
~ *[person]* **52** 52, **201** 14, 38
cleaner's ladder **201** 15
cleaning apparatus **107** 60
~ the barley **92** 1–7
~ bars **67** 35
~ bath **262** 47
~ brush **52** 40
~ cloth **52** 51
~ drum **67** 37
~ gasoline* **52** 30
cleaning material **52** 29
~ passage **76** 30
~ petrol **52** 30
~ rod **87** 61
~ shop **141** 33–40
~ tow **87** 63
cleanser **141** 38
clean shave **35** 25
cleansing bath **262** 47
clear *[sky]* **9** 20
clearance *[ground ~]* **189** 5
~ *[typewr.]* **240** 3, 54
~ above road surface **189** 5
clear-felling system **84** 4–14
clearing *[forest]* **16** 2, **84** 13
~ of post box **231** 31
clearstory **316** 70
clear wort taps **92** 34
cleaver **126** 11
cleaving hammer **85** 26
clef **299** 10–13
cleft *[Geol.]* **13** 50
~ in chin **18** 16
~-grafting **57** 36
clenched hand **18** 48
~ nail **270** 21
clencher planking **270** 19–21
clerestory **316** 70
clergy **314** 32–58
~man **311** 22, **312** 37
clerk of court **248** 24
cliché **239** 46
click **107** 18, **145** 25
~ beetle **81** 37
cliff **13** 28
~ notch **13** 30
climate **9** 53–58
~ map **9** 40–58
climatic chart **9** 40–58
climatology **9**
climber *[alpinist]* **282** 6, 16, 27
~ *[bird]* **345** 6
~ *[Bot.]* **55** 5, **59** 8
climb indicator* **228** 13
climbing **282** 1–56, **283** 24–27
~ bird **345** 6
~ boot **282** 46
~ breeches **282** 8
~ equipment **282** 35–56
~ iron **254** 28
~ party **282** 26–28
~ plant **55** 5, **59** 8
~ pole **279** 8
~ the pole **279** 7
~ rope **279** 5
~ the rope **279** 6
~ rose **55** 12
~ technique **282** 2–14
~ work **255** 1–46
clinch **281** 27
clinched nail **270** 21
clincher-built **269** 33
~ planking **270** 19–21
clinching *[stapling]* **240** 41
~ *[Box.]* **281** 27
clinch nail **270** 21
clinker **282** 47
~-built **269** 33
~-built skiff **269** 18
~ cooler **152** 9
~ pit **146** 8
~ planking **270** 19–21
~ store **152** 10
clino-pinacoid **330** 24
Clio **308** 59
clip **38** 3, 9, **102** 34, **198** 40, **239** 25, **261** 40
clipped moustache **35** 26
clipper *[ship]* **215** 36
clitoris **22** 88
clivia **56** 8
cloak **338** 26
~ cord **338** 24
cloakroom **200** 27, **296** 5–11
~ attendant **296** 6
~ hall **296** 5–11
~ ticket **296** 7
cloche **36** 33
clock **107**, **312** 7
~ case **107** 33
clocking-in card **145** 86
clock key **107** 44
~work **306** 5
~work spring motor **294** 27
clod *[earth]* **65** 7
~ *[meat]* **95** 21, 23
~-crusher **67** 5
clog **53** 63
cloister garth **314** 2
~ vault **318** 41
cloisters **314** 1
close *n.* **239** 11
closed car **187** 1
~ cell **78** 32
~ chaise **179** 54
~ helmet **246** 7
~ motor car **187** 1
~ moulding box **141** 19
~ wagon **208** 34
close stool **23** 25
closet *[W.C.]* **51** 35
~ * *[cupboard]* **41** 1
~ seat **51** 38+39
closing gear **90** 27
~ head **136** 57
~ lever **171** 45
~ machine **77** 22
~ pontoon **217** 28
closure rail **198** 57
cloth **159** 12
~ cap **36** 18

clothes-basket **53** 41
~-brush **52** 66
~-drying place **53** 35–42
~ hanger **256** 31
~-line **40** 23, **53** 36
~-line post **53** 38
~ louse **341** 31
~ moth **341** 14
~-peg **53** 42
~-peg bag **53** 40
~-pin **53** 42, **260** 14
~-pin bag **53** 40
~-prop **53** 37
~-rack **43** 1, **52** 69, **260** 12
~ section **259** 30
cloth-finishing **162**
~ gaiter **100** 31
~ hat **36** 1
clothing accessories **37**
~ requisites **37**
Clotho **308** 53
cloth-printing· machine **162** 53
~ operative **162** 65
cloth roller **159** 20
~-shearing machine **162** 42
~ spat **100** 31
~ take-up motion **159** 19
~ take-up roller **159** 47
~ temple **159** 13
cloud **8** 1–19
~ chamber **2** 24
~ chamber photograph **2** 26
~ chamber track **2** 27
cloudiness **9** 20–24
cloudless **9** 20
cloud soaring **271** 15
cloudy **9** 23
clout **116** 94
~ iron **131** 12
~ nail **117** 96
cloven-hoofed animal **74** 9
clover **70** 1–5
clove tree **366** 26
clown **289** 69, **290** 23, 24
club *[Sports]* **276** 69, 70
~ * *[baton]* **248** 10
~ flag **274** 34
~ house **269** 23
~-moss **361** 12
~ rush **130** 28, **362** 21
clubs *[cards]* **265** 38+42
club's flag **269** 25
club-swinging **278** 31
clump of grass **359** 44
clumping machine **99** 24
cluster **368** 32
~ of blossoms **60** 15
~ of eggs **81** 2
~ of flowers **60** 15
cluster of fruits **367** 56
~ of grapes **80** 6
~ of stars **5** 26
clutch **181** 36, **185** 41
~ gear **207** 2
~ hub **186** 60
~ lever **181** 36
~ of ostrich eggs **343** 3
~ pedal **185** 41, **207** 23
clyburn **119** 51
C major **300** 1
C major scale **299** 47
C minor **300** 11
C minor scale **299** 48
coach *[vehicle]* **179**, **204** 1
~ *[Sports]* **269** 20
~ body **179** 5, **204** 4
~ box **179** 8
~ coupling **203** 35–39
~ door **179** 11
~ horse **179** 28
~ kitchen **204** 21
~man **179** 32
~ roof **179** 14
~ top **179** 14
~ wheel **204** 62
~ window **179** 10
~work **185** 1–58
~work sheet **141** 70
coal **164** 1
~-box **41** 46, **52** 55
~-breaker **148** 7
~ bunker **146** 2, **148** 3, **199** 44
~ carbonization **148** 10–12
~ chute **220** 50
~ chute crane **220** 66–68
~ conveyor **146** 1, 3
~-crusher **146** 4, **148** 9
~-crushing plant **148** 9
~-cutting machine **138** 41
~ depot **220** 48
~ distributor **220** 68
~ face **137** 39, **138** 12
~ gas **148** 1–46
~-grinder **146** 4
~ haulage **148** 1–9
~-hod **52** 56
coaling crane **199** 43
~ plant **199** 42
~ station **220** 49–51
coal lorry **253** 26
~man **253** 27
~ measures **137** 21
~ mill **146** 4, **152** 12
~ mine **137** 1–40
~-mixer **148** 9
~-mixing plant **148** 9
~ plough **138** 38, 40
~-processing **148** 10–12
coal pulverising plant **152** 12
~ seam **137** 22, **138** 22
~ separation plant **137** 8
~ separator **152** 11
~shovel **41** 47
~ storage **148** 3
~ store **152** 13
~ trimmer **220** 68
~ truck **148** 1
~ tub **137** 29
~ water-heater **51** 3
~ wharf **220** 46–53
~ winding **137** 14
coarse altimeter **228** 9
~ breaker **153** 6
~ cut **132** 35
~ cut sausage **96** 17
~ hackle **125** 4, 7
~ sieve **77** 36
coast **13** 25-31, 35-44
coastal craft **216** 38
~ fishery **90** 24–29
~ submarine **222** 18
~ trade **216** 38
coaster *[ship]* **216** 38
~ *[Sports]* **285** 12
~ brake **180** 63
coasting *[Sports]* **285** 11+12
~ motorship **216** 38
~ path **285** 11
~ slide **285** 11
coat *[Cloth.]* **31** 20, **32** 36, **34** 36
~ *[Her.]* **246** 1–6
~ of arms **246** 10
~ button **34** 50
~ collar **34** 49
~-dress **32** 8
coated paper **168** 37
coat hook peg **43** 3
coating *[paint]* **118** 5
~ *[Tech.]* **138** 32
coat-of-arms **246** 1–6
~ peg **260** 14
~ pocket **34** 37, 51
~ rack **43** 1
~-tail **34** 58
cob **69** 36
~* **362** 22
cobalt tele-radiation apparatus **2** 28
cobbler **99** 23
cobbler's boy **99** 13
~ knife **99** 60
~ stand **99** 27
~ thread **99** 19
~ wax **99** 16
cob nut **61** 49
~web **342** 47
Coccinellidae **342** 37
coccygeal vertebrae **19** 5
coccyx **19** 5, **22** 60
cochlea **19** 63
cock *[Zool.]* **74** 21, **75** 9, **86** 11
cock *[bay]* **65** 37
cockade **247** 4
cockatoo **345** 1
cockatrice **307** 34
cockchafer **82** 1
~ larva **82** 12
cock-drunks **355** 42
cockerel **74** 21
cocker spaniel **71** 42
cock fight **258** 40
cocking lever **111** 14
cockle **63** 6
cock pigeon **74** 33
cockpit **269** 8, **270** 7
cockroach **341** 18
cockscomb **74** 22
cock's feather **36** 42
cocksfoot grass **70** 25
cockshead **70** 10
cock's head **307** 35
~-head **70** 10
~ plume **36** 42
~ tail **74** 25
cock stopper **334** 44
cock's tread(le) **75** 54
cocktail cabinet **47** 39
~ dress **32** 28
~ glass **47** 43, **259** 56
~ set **47** 40–43
~-shaker **259** 61
cock of the woods **88** 72
cocoa **98** 66
~ bean **366** 19
~ jug **45** 32
~ tree **366** 16
coconut **367** 53
~ fat **98** 23
~ tree **367** 48
cocoon **81** 4, **82** 21, **342** 51
cocotte **289** 37
code **245** 29
cod end **90** 22
C. O. D. form **232** 8
codilla **125** 7
cod line **90** 23
codling moth **60** 62
coefficient **327** 4
coelenterate **340** 14, **349** 9, 14, 20
coelostat **6** 15–18
coffee **98** 67
~ bean **366** 6
~ cosy **45** 41
~ cup **45** 7
~ filter **41** 64
~ garden **261** 27–44
~-grinder **41** 62
~-grinder, el. **98** 69
~house **261** 1–26
~-maker* **41** 64
~-mill **41** 62
~-mill, el. **98** 69
~ plant **366** 1
~ pot **45** 12–17
~-roaster **98** 70
~ set **45** 7–21, **261** 18
~ spoon **45** 11

coffee-strainer **42** 44, **45** 25
~ substitute **98** 65
~ tree **366** 1
~ urn **261** 2
coffer dam **216** 29
coffin **312** 35, 51
~-bearer **312** 40
cog *[Tech.]* **91** 9
~ *[ship]* **213** 18–26
cognac **98** 59
cog wheel **136** 80–94
~wheel railway **209** 4+5
coiffeuse **103** 28
coiffure **35** 27–38
coil **332** 8, 9
~ assembly **235** 18
coiled condenser **333** 6
~ filament **120** 58
coiler top **156** 62
coiling drum **141** 69
coil oil cooler **206** 19
~ spring **185** 26, **187** 24
coin **244** 1–28
coinage *[money]* **244** 1–28
coin box **233** 2
~ bracelet **38** 5
coincidence-setting device **110** 33
coin collection **47** 38
~ image **244** 12
coining die **244** 40+41
coin slot **260** 50
~ stamp **244** 40+41
coke **139** 45
~ bunker **148** 20
~ bunker railway **148** 23
~ crane bridge **148** 21
~-firing system **40** 38
~-grading plant **148** 22
~-heating system **40** 38
~-loading plant **148** 24
~-oven plant **148** 17–24
~ plant **148** 17–24, **164** 2
~-processing **148** 17–24
~-quenching plant **148** 17
~-quenching tower **148** 17
~-quenching truck **148** 18
coker nut **367** 53
coke-sorting plant **148** 22
~ storage **148** 20
~-transporting unit **148** 19
colander **42** 47
cold air current **9** 29
cold-air store **94** 16–18
~ supply **92** 20
cold blast main **140** 16
~ chisel **132** 37
~ front **8** 13, **9** 27
~-house **79** 33
~ rolling mill **141** 67
~ saw **143** 46
~-start device **184** 45
cold-storage chamber **94** 16–18
~ house **220** 40
~ room **218** 50
cold vulcanization **191** 24
~-water bath **25** 14
~-water entry **3** 9
~-wave lotion **103** 31
Coleoptera **342** 24–39
coleopter aircraft **225** 70
colibri **345** 4
collapsible boat **269** 54–66
~ hood **179** 52, **187** 14
~ table **204** 38
~ top **187** 14
collar *[Cloth.]* **33** 37, 40, 55
~ *[coin]* **244** 42
~ *[shoe]* **100** 46
~ *[dog]* **71** 13
~ *[horse]* **72** 15
~ *[rept.]* **350** 39
~ *[stag]* **88** 27
~ *[Tech.]* **136** 31
~ awl **123** 33
~ badge **247** 5
~ beam **116** 35, 38, 70
~-beam roof **116** 34
~ bolt **136** 30
~ bone **19** 6
~-button* **33** 61
collared amphora **309** 12
~ beef **96** 22
collar harness **72** 7–25
~-headed bolt **136** 30
~-stiffener **37** 19
~ stud **33** 61
collecting bin **197** 23
~ box **257** 65
~ jar **10** 39
~ trough **93** 9
~ vessel **10** 39
~ well **254** 4
collection **47** 34–38
~ bag **311** 63
~ box **257** 65
~ of photos **47** 37
~ plate **311** 63
~ fr. post box **231** 31
collective consignment **202** 4
~ drupe **354** 101
~ nut fruit **354** 100
collective shipment **202** 4
~ stone fruit **354** 101
collector *[official]* **200** 25
~ *[El.]* **193** 15-19
colliery **137** 1–40
collimator **330** 30, **331** 40
collision **253** 58–69
cologne* **103** 20
Cologne **103** 20
~ water* **103** 20
colon *[Anat.]* **22** 19, 20, 21
~ *[punctuation]* **325** 17
colonnade **262** 9, **316** 67
colophony **302** 11
color* see colour
Colorado beetle **81** 52
colored* see coloured
colors* *[ship]* **216** 37
colour **320**
~ box **321** 10
coloured cloak **338** 10
~ crayon **50** 24
~ glass **135** 27
~ light **320** 10
~ pencil **50** 24
colour filter **111** 48
~ medium **292** 38
~ print **323** 28
~ ribbon **240** 14
colours of racing stud **272** 57
colposcope **110** 11
colt **74** 2
colter **67** 26, **68** 10, 11
coltsfoot **364** 8
Columbian **170** 30
columbine **62** 10
Columbine **289** 27
column *[Art]* **315**, **316** 8–34
~ *[Tech.]* **143** 26, **170** 50, **221** 1
~ *[Print.]* **178** 65, **325** 47
~ base **316** 28–31
~ heading **325** 46
~ indicator **240** 61
~ line **325** 43
~-setting indicator **240** 45
~ shaft **316** 26
~ sleeve **143** 26
comb *[brush]* **51** 77
~ *[cock]* **74** 22
~ *[Spinn.]* **156** 67
combed material **156** 72
comber **156** 56, 63
~ draw box **156** 60
comb foundation **78** 43
~ f. haircutting **104** 3
combinable two-seat chair **209** 18
combination **96** 36
~ brake **189** 43
~ compasses **144** 28
~ consignment **202** 4
~ furniture **47** 53
~ lever **205** 30
~ pliers **120** 53
~ shipment **202** 4
combinative game **265** 1–16
combine* **68** 48
combined filter and petrol tap **182** 32
~ grip **279** 56
~ sewer **194** 36
~ wardrobe **48** 40
combine harvester **68** 48
combing cylinder **156** 68
combustion chamber **146** 6, **184** 26, **227** 17, **229** 22
~ chamber cooling jacket **227** 63, **229** 23
~ gas valve **135** 53
comedy *[symbol]* **308** 61
~ act **290** 25
~ number **290** 25
comestible **46** 38
comet **7** 25
comet's head **7** 26
~ nucleus **7** 25
~ tail **7** 27
~ train **7** 27
comfortable* **48** 11
comforter *[baby]* **30** 51
~* *[quilt]* **48** 11
comfort station* **194** 20
comfrey **359** 45
comic mask **308** 62
comma **325** 18
commanding officer* **223** 46
commercial advertisement **325** 52
~ aircraft **226** 30
~ motor vehicle **189** 1–13
commère **298** 2
commissaries* **201** 48
commissary* **218** 51
commissionaire **256** 44, **296** 10
committee **251** 1+2
~ member **251** 2
~ table **251** 3
commode **23** 25, **48** 2
~ *[hat]* **338** 65
common anchor* **217** 76
~ bean **59** 8
~ brick **113** 58
~ buckwheat **70** 20
~ chord **300** 16 + 17

common denominator **326** 19
~ flea **341** 30
~ purple trefoil **70** 1
~ rafter **116** 56
~ rock-rose **361** 20
~ salt **164** 13
~ skate **284** 25
~ stocks* **243** 11–19
~ time **299** 34
communicant **313** 25
communicating tubes **331** 42
communication cord **203** 43, **224** 19
communicator* **234** 9
communion **313** 24
~ bench **311** 33
~ cup **311** 13, **313** 27
~ table **311** 7
commutating catch **87** 24
~ resistor **206** 21
~ rheostat **206** 21
commutator switch **206** 33
compact* **48** 29
companion *[ship]* **216** 41
~ way **216** 41, **218** 24
compartment *[wood]* **84** 2
~ *[train]* **204** 27
~ *[ship]* **222** 55
~ *[roulette]* **263** 13
~ coach **203** 24, **204** 1
~ door **204** 28
~ f. women and children **201** 58
compass *[Nav.]* **219** 23–30
~ *[D. F.]* **218** 6
~ bowl **219** 26
~ card **219** 24
compasses **144** 28–47
compass needle **144** 47
~ needle point **144** 47
~ saw **115** 63, **127** 27
compensation pendulum **107** 53
compère **298** 2
competition fencing **277** 15–43
~ in riding ability **273** 32
competitive walking **280** 24+25
competitor **268** 28, **273** 2
competitor's protective leather clothing **273** 26
competitors' pavilion **273** 7
complement **226** 38–41
complementary angle **328** 15
complex fault **12** 8-11
~ fraction **326** 17
~ number **326** 14
complimentary close **239** 11
component **134** 59
composing department **169**, **170**
~ frame *[Phot.]* **112** 34
~ frame *[Typ.]* **169** 3
~ machine **169** 19, 32–45
~ rule **169** 14
~ stick **169** 13
composite aircraft **226** 22
~ volcano **11** 15
composition *[sketch]* **321** 4
~ *[Typ.]* **170** 1–17
~ apron **157** 16
compositor **169** 5
compost earth **79** 15
~ heap **55** 6
compote **46** 30
~ bowl **46** 28
~ dish **46** 29
compound *[balma]* **265** 27
~ eye **78** 20–24, **342** 7
~ fraction **326** 17
~ leaf **354** 39–42
~ valve **235** 14
compress **103** 10
compressed-air· bottle **223** 31
~ connection **147** 53
~ hammer **133** 8
compressed-air·hose **138** 44, **191** 6
~ manometer **207** 16
~ pipe **134** 2
~ receiver **147** 51
~ tube **169** 38
compressed fibre roll **168** 25
compressed-gas· switch **206** 4
~ tank wagon **208** 15
compressed straw **65** 29
~-water reactor **3** 24
compression **227** 35
~ bandage **17** 17
~ chamber **65** 34, **184** 67
~ plate **2** 25
~ ring **184** 79
compressor-type refrigerator **42** 1
compressor unit **196** 39
~ vacuum pump **195** 35
compulsory figures *[ice-sports]* **284** 13–20
concave *n.* **68** 59
~ lens **108** 1–4
concave mirror **6** 4, **108** 36, **111** 52
~ moulding **318** 10
~ tile **117** 57
concavo-convex lens **108** 8
concentric circle **328** 58
concert **262** 20
~ booking agency **256** 26
~ grand **304** 40
~ hall **234** 13–17
concertina connection **188** 4
conch *[Zool.]* **307** 41, **340** 27
Conchylia **340** 25–34
concierge **53** 28
concourse **201** 16
concrete *[Build.]* **114** 72
~ aggregate **113** 36
~ bay **197** 41
~ block **113** 15
~ bowl **54** 15
~ bucket **114** 38, **197** 27
~ joint **197** 39+40
~ lintel **113** 13
~-mixer **113** 33, **114** 29, **196** 13, **197** 26
~-mixing machine **113** 33, **114** 29
~-mixing plant **197** 22
~ number **326** 4
~ pile **149** 44
~ plinth **113** 2
~ post **193** 24
~ purlin **114** 4
~-rammer **114** 83
~-road construction **197** 1–27
~-road surface **197** 42
~ road surfacing **210** 2
~ slab **197** 41
~ sleeper **198** 87
~-spreader **197** 5
~-spreading box **197** 6
~-spreading plant **197** 5
~-tamper **114** 83
~ tank f. water shots **292** 11
~ vibrator **114** 88
~ wall **1** 30, 31 **114** 7, **118** 1
concretor **114** 9
concretor's nippers **114** 85
~ tongs **114** 85
concubine **289** 41
condensate pipe **166** 22
condenser **3** 10, **110** 4, **139** 27, **333** 6, **334** 48
~ locomotive **205** 70
~ microphone **237** 5
conditional equation **327** 9
conditioner **91** 55
conditioning **186** 22
conducting rod **331** 49
conductor *[orchestra]* **262** 21, **296** 26
~* *[train guard]* **201** 54, **203** 13
~ *[El.]* **147** 43
~ engine **206** 1
~ insulation **147** 45
~ knob **331** 61
conductor's baton **296** 27
~ seat **193** 10
conduit *[water]* **316** 54
~ *[El.]* **120** 44
~ *[crater]* **11** 17, 28
~-bender **120** 33
~-bending pincers **120** 47
~ breccia **11** 27
~ sleeve **120** 41
cone *[Geom.]* **329** 43
~ *[Geol., Tech.]* **11** 24, **126** 36, **136** 65, **180** 58
~ *[Bot.]* **356**, **360** 19
~ *[Med.]* **20** 24
~-bearing tree **356** 1–71
~ belt **184** 14
~ in creel **158** 24
~ drum box **156** 30
~ height **329** 44
~-holder **158** 9
~ necked urn **309** 40
~ scale **356** 8
~ of slope **197** 34
~-winding frame **158** 1
~-winding machine **163** 26
confectioner **97** 33
confectioner's **253** 19, **261** 1–26
~ apprentice **261** 6
~ cap **97** 34
~ sugar* **98** 54
confectionery *[Bak.]* **97** 1–56
~ *[sweets]* **98** 75–86
confetti **289** 62
confinement bed **29** 5
~ room **29** 1
confluence **219** 65
conga drum **303** 55
congregation **311** 29
congress boot* **100** 26
conical broach roof **116** 24
~ buoy **219** 51
~ flask **334** 39

conical jet **227** 48
~ morel **365** 27
~ nozzle **227** 48
~ pin **136** 35
~ projection **15** 8
~ refiner **167** 10
~ seat **136** 65
~ tree **257** 13
conic projection **15** 8
~ section **329** 11–29
coniferous forest **16** 1
~ tree **356** 1–71
~ wood **16** 1
conifers **356**
conjugate axis **329** 24
conjurer **298** 18
conjuror **298** 18
conker **355** 60
connecting cord **111** 51, **233** 11
~ flex **102** 15, **111** 51
~ gangway **204** 57
~ link **181** 29-31
~ piece **334** 56
~ rod **114** 71, **184** 55 **205** 11
connection *[Tech.]* **199** 22, 33
~ cable **241** 51
~ plate **236** 21
~ rod **10** 17
connector **111** 51,
conning bridge **221** 43
~ tower **222** 44, **223** 23
connoisseur **80** 40
consignment note **202** 35
console **293** 23, 30, **305** 36–52
consolidating beam **197** 2
consolidator **198** 17
constable **247** 1
Constantinian cross **313** 61
constant level device **333** 16
constellation **5** 9-48
construction laborer* **113** 76, **198** 20
~ railway **196** 23
consulting room **26** 1–25
consumers' lines **148** 55
contact *[Electr.]* **120** 62
~ arm **188** 10, 13
~ bank **233** 39
~-breaker **331** 71
~ copying frame **171** 40
~ goniometer **330** 27
~ lens **108** 26
~ magnifier **108** 33
~ pole **188** 13
~ printing frame **171** 40
contact printing machine **293** 16
~ rod **188** 9
~ sleeve **159** 31
~ slider **193** 26
~ spring **120** 28
~ strip **193** 15
~ wire **188** 16, **193** 43
contact wire· current gauge **206** 43
~ frog **193** 30
~ tension **206** 42
container **202** 25, **208** 47
~* **218** 68
~ flat **208** 25
contents of letter **239** 9
continent **15** 12–18
continental platform **11** 7
~ sausage **96** 13
~ shelf **11** 8
~ slope **11** 9
continuity girl **292** 39
~ secretary **292** 39
continuous bleaching plant **161** 31
~ ropeway **209** 15-24
contortionist act **298** 11
contour **16** 11, 62
~ knife **323** 10
~ line **16** 62
contraband **247** 17
contrabassoon **302** 28
contrabass tuba **302** 44
~ viol **301** 23
contractile muscle (or tissue) **78** 17
contra·fagotto **302** 28
~ octave **300** 63
control **226** 80–83
~ board **174** 37
~ box **149** 47
~ button **147** 6
~ cabin **202** 47
~ cable **256** 53
~ car **207** 36
~ chain **160** 19
~ clock **171** 43, **176** 5, **264** 17
~ column **228** 34, 35
~ cubicle **234** 18
~ desk **140** 59, **147** 1–6, **234** 19, **297** 2
~ element **229** 3
~ engineer **237** 15
~ footboard **162** 48
~ gondola **226** 69
~ handle **162** 52
~ key **241** 46, 60
~ knob **172** 15, **207** 19
~ lamp **207** 21
controller **193** 35
~ handwheel **206** 31
controller switch indicator **206** 32
control lever **160** 44, **197** 8, **297** 58
~ of light **171** 46
controlling desk **176** 39
~ device **230** 47
~ magnet **193** 31
~ panel **147** 4
~ rod **196** 27
control mechanism **175** 26
~ nacelle **226** 69
~ panel **29** 40, **40** 67, **199** 67
~ point **138** 6
~ rod **1** 45, **3** 4
~ rod motor **1** 46
~ room **29** 37, **237** 31–34, **297** 1
~ stamp **244** 35
~ station **212** 45
~ surface **226** 80–83, **228** 39–47
~ switch **145** 19, **147** 2, **171** 31
~ treadle **166** 39
~ truck **198** 2
convalescence **29** 21–25
convalescent **29** 24
convenience outlet* **120** 5
convent **16** 63,
conventional fin **225** 3
~-gage locomotive* **206** 1
~ spindle* **157** 45
convergent lens **108** 5–8
converter **140** 48–62
~ chimney **140** 60
convertible *n.** **187** 13
~ coupé **187** 13
~ hood **187** 14
~ landau* **187** 8
~ loan **243** 11–19
~ sedan* **187** 13
~ top **187** 14
converting of paper **168** 23–43
convex arch **318** 34
~ lens **108** 5–8
~ mirror **291** 57
convexo-concave lens **108** 3
convex tile **117** 58
conveyance **179** 1–54
conveyor **68** 55, 61
~ belt **163** 32, **220** 39
~ belt f. letters **231** 36
~ bucket **220** 64
~ lattice **156** 13
~ truck **198** 24
convict **248** 12
cook **41** 32
~-book* **41** 7
cooked sausage **96** 14
cookery book **41** 7
cookie* **97** 20
cooking-box **262** 36
~ range **41** 39
~ site **266** 48
~ tripod **266** 49
cook room **218** 37
~ stove* **41** 39
coolant supply pipe **142** 25
cooler **77** 38, **139** 27
~ foot **93** 2
coolie **336** 35, 43
cooling box **42** 3
~ chamber **94** 16–18
~ chimney **145** 61
~ cylinder **164** 27, **168** 18–20
~ fin **187** 29
~ jacket **227** 61
~ liquid **184** 69
~ pan **93** 1
~ pipe **93** 13, 25
~ plate **96** 3
~ of polyamide **164** 34
~ tower **145** 60
~ tray **93** 1
~ tube **1** 35
cooling-water· discharge pipes **93** 8
~ inlet **3** 11, 28
~ outlet **3** 29
~ supply pipe **93** 8
~ system **3** 27
~ temperature gauge **207** 13
cool water· hose **185** 11
~ point **184** 11
cooly **336** 35, 43
coon **353** 9
cooper **126** 16
cooperage **126** 1–33
cooper's bench **126** 18
~ knife **126** 17
~ module **126** 33
~ set hammer **126** 32
~ workshop **126** 1-33
coopery **126** 1–33
coot **343** 20
cop *[bobbin]* **178** 18
~ *[policeman]* **247** 1
co-pilot **226** 39
co-pilot's seat **228** 2
coping **39** 37, **64** 14
copper *[vessel]* **53** 53
~ *[policeman]* **247** 1
~ anode **172** 2
~ bit **119** 6
~ coin **244** 1–28
~ cylinder **176** 2, 24
~-engraving **323** 14–24
~ lid **53** 54
~ plate **172** 25, 33, **323** 53
~ plate engraver **323** 44
~ plate press **323** 36

copper skin* **335** 11
~ sulfate* **330** 26
copy block **238** 17
~-board **171** 21
~ book **249** 46
~-holder **171** 22, 39
~-holder frame **171** 20
copying apparatus **241** 13
~ camera **171** 1
~ glass plate **171** 50
copy milling machine **128** 22
coquille **277** 57
Coraciidae **343** 24-29
coral branch **340** 36
~ polyp **340** 37
~ reef **13** 32
~ zoophyte **340** 35
cor anglais **302** 38
corchorus **357** 28
cord **125** 18, **280** 55
cordate **354** 35
corded ware **309** 10
cord-grip pendant **44** 22
cording **202** 13
cordon **55** 1, 2, 17, 29
cord of wood **84** 24
core *[Bot.]* **60** 36, 59
~ *[Earth]* **11** 5
~ *[Tech.]* **141** 29, **147** 17, **332** 6
~ *[bullet]* **87** 56
~ bit **139** 20
~-print impression **141** 28
Corinthian column **316** 10
~ helmet **308** 19
cork **80** 29
~ ball **275** 18, **276** 37
~ belt **268** 19
~ compressor **80** 28
~ float **89** 52, **268** 32
corking machine **80** 27
cork jacket **224** 58
~ life belt **224** 58
~ ring **268** 19
~screw **46** 46
~screw staircase **118** 76
~ sock **99** 8
~ sole **100** 36
~ tip **105** 15
cormorant **343** 10
corn **69** 1–37
~* **69** 31
~ camomile **63** 8
~ chamomile **63** 8
~ cob **69** 36
~ cockle **63** 6
~-dressing **83** 13–16
cornea **21** 47
~ microscope **109** 14
cornel berry **357** 32
~ bush **357** 30
~ cherry **357** 32
corner *[Geom.]* **329** 33
~ *[Footb.]* **274** 10, 58
~ *[balma]* **265** 27
~ area **274** 10
~ bench **260** 38, **262** 32
~ board **41** 33
~ bottom slate **117** 77
~ brace **115** 26
~ bulkhead fitting **43** 24
~ chisel **127** 65, **322** 19
~ flag **274** 10
~ kick **274** 58
~ of mouth **21** 19
~ pin **287** 11
~ seat **204** 42
~ shop **253** 40
~ stile **115** 52
~ store* **253** 40
~ strut **115** 52
~ stud **115** 52
~ tower **310** 14
cornet **302** 43
cornett **301** 12
corn·field **65** 19
~ flower **63** 1
~ husker **91** 52
cornice **39** 9, **115** 34, **282** 14, **316** 11–14
corn leaf **69** 19
~ marigold **63** 7
~ mill **91** 45–67
corno **302** 41
corn-polisher **91** 56
~-polishing machine **91** 56
~ poppy **63** 2
~ rick **65** 27
~ salad **59** 38
~ sheaf **65** 23
~ spurrey **70** 12
~ stack **65** 27
~ stem **69** 5
~ thistle **63** 32
cornucopia **308** 39
corolla **354** 59, **362** 4
corona **7** 22
Corona Borealis **5** 31
corona of sun **7** 22
coronet *[crown]* **246** 43, 44, 45
~ *[jewellery]* **38** 6
~ *[horse]* **73** 25
corps de ballet **288** 29
corpse **312** 54
corpus callosum **19** 44
~ cavernosum and spongiosum **22** 67
correction button **256** 4
corresponding angle **328** 12
corrida **287** 57
corrugated asbestos-cement roofing **117** 90–103
~ paper **83** 25
~ paper band **83** 24
~ sheet **117** 98
corseted waist **338** 53
corvette **222** 13
Corvidae **346** 1–3
corvine bird **346** 1–3
cosmetics trolley **103** 4
cosmic particle **4** 27
~ radiation **4** 27–34
~ ray particle **4** 27
cosmotron **2** 49
Cossack cap **36** 4
costal cartilage **19** 11
coster **253** 11
costermonger **253** 11
costume **32** 1, 58
~-designer **296** 38
~ jacket **32** 2
~ skirt **32** 4
cosy **45** 41, 51
cot **30** 11, **49** 2
~* **266** 7
cottage* **39** 84–86
cotton *[Bot.]* **367** 16, 19
~ *[wool]* **30** 50
~ bale **156** 3
~ bandage **23** 55
~ boll **156** 1
~ disk **77** 37
~ grass **361** 18
Cotton's Patent knitting machine **160** 18
cotton line **90** 29
~ plant **367** 16
~-spinning mill **156, 157**
~ waste **192** 69
~-wool **28** 9, **30** 50
~-wool roll **27** 25
cotyledon **354** 87
couch *[sofa]* **47** 46, **48** 53, **124** 21
~ *[Bot.]* **63** 30
~ covering **124** 26
~ grass **63** 30
couching stitch **101** 8
couch f. massage **24** 4
couchman **168** 47
couch roll **48** 54
coudière **310** 48
coulee* **13** 45
coulter **67** 12, 26, **68** 10, 11
counsel **248** 30
counselor-at-law* **248** 30
counter *[table]* **96** 1, **242**, **260** 1–11, **261** 1
~ *[Tech.]* **2** 21, **240** 43
~ *[ship]* **222** 77
~ *[shoe]* **99** 39
~ *[Skat.]* **284** 19
~ *[letter]* **170** 41
~ *[jetton]* **263** 12
~ *[School]* **249** 39
~ f. brokers **243** 3
~ clerk **231** 10
~ envelope **2** 20
counter drawer **231** 16
~ gear assembly **254** 55
~-jump **284** 6
~poise **212** 76
counters **254** 59
counter·sink **127** 16
~-spin stroke **264** 6
countersunk head **136** 44
~-head bolt **136** 26
counter top **242** 9
~weight **114** 33, **212** 76
counting bead **249** 39
~ detector tube **2** 19
~ frame **249** 38
~ out **281** 38
country road* **197** 28
~ seat **16** 94
count's coronet **246** 45
coupé *[vehicle]* **179** 3, **187** 10, 13
~ *[Railw.]* **204** 27
couple **259** 46, **288** 44+45
~ of dancers **259** 46
coupled axle **205** 36
~ sleeper **198** 45
couple of lovers **257** 44
coupler **305** 48
coupling **133** 37, **189** 48
~ bolt **198** 46
~ device **189** 48
~ hook **117** 64
~ link **203** 35
~ screw **203** 36
~ spindle **141** 53
~ unit **189** 32
coupon **243** 18
~ sheet **243** 17
courbette **72** 6
course *[Arch.]* **113** 63, 64, 67, 68
~ *[windmill]* **91** 21
~ *[Sports]* **272** 1–35, **283** 19
~-counter **160** 43
~ judges' box **272** 35
~ of outer station **4** 55
~ of river **211** 9
~ of rocket **4** 44
~-transmitter **230** 11
court *[yard]* **53** 1–49
~ *[Just.]* **248** 19
~ *[Sports]* **276** 1
court doctor **248** 37
~ dress **338** 79
courting couple **257** 44
Court of Justice **248** 18
~ of Law **248** 18
court room **248** 19
~ shoe **100** 40
courtyard **53** 1–49
~ wall **53** 25
coute **310** 48

cover *[lid]* **45** 63
~ *[tyre]* **180** 30
~ *[Text.]* **161** 5
~ *[table]* **46** 3–12
covered *[sky]* **9** 24
~ bridge **145** 52
~ chaise **179** 54
~ goods wagon **208** 4
~ market **252** 50
~ storage reservoir **254** 13
~ wagon **208** 34
~ walk **54** 5
~ way **39** 73
covering **147** 39
~ board **79** 9
~ a frame **130** 22–24
~ ground **323** 56
~ shutter **79** 9
cover slide **2** 32
coving **318** 10
cow **74** 1, **76** 18
~boy **289** 31
~ calf **74** 1
~-catcher **205** 34
~ chain **76** 31
~ droppings **76** 22
~ dung **76** 22
~hand* **289** 31
~hide whip **124** 18
~ horn **76** 38
~ house **76** 17–38
cowl **314** 16
cowling **185** 47
Cowper's gland **22** 75
cowshed **76** 17–38
cowslip **360** 8
cox **269** 11
~comb **289** 33
coxswain **224** 38, **269** 11
~less four **269** 9
coxswain's seat **269** 27
Crab **6** 35
crab *[Zool.]* **342** 1
~ *[Tech.]* **140** 3, **145** 2, 56, **217** 14
~ guard **196** 10
~ louse **341** 29
~-traversing gear **145** 4
crack **52** 67, **282** 4
cracker* *[rusk]* **97** 43
~ *[firework]* **289** 50
cracking plant **139** 33
crack shot **290** 38
cracowes **338** 42
cradle *[baby]* **50** 15
~ *[teleph.]* **233** 29
~ *[gun]* **223** 69
~ *[tool]* **323** 19
craft *[air~]** **225**
crakeberry **361** 23
cramp **114** 58, **115** 66
~ iron **114** 58
crampon **283** 51
~ strap **282** 48
cranberry **361** 23
Crane **5** 42
crane *[Tech.]* **145** 1-19, **189** 53, **221** 1–7
crane arm **145** 17
~berry **361** 23
~ boom **192** 62
~ bridge **145** 7, **148** 21
~ cable **217** 13
~ camera **292** 19
~ chain **133** 33, **161** 59
~ column **192** 61
~ dolly **292** 19
~-driver **145** 12
~-driver's cabin **114** 35, **217** 16, **221** 40
~ frame **221** 41
~ girder **145** 7
~ gully and cesspit emptier **195** 25
~ hoist **140** 54
~ hook **133** 34, **221** 21
~ jib **145** 17
~ lorry **189** 52
~man **145** 12
~ navvy **196** 1
~-operated ladle **140** 53
~-operator **145** 12
~ portal **221** 7
~ rail **145** 14
~ rope **145** 8
crane's-bill **360** 24
crane slipway **217** 23–26
~ track **114** 27, **217** 24
~ truck* **255** 47
~ wagon **208** 37
cranium **19** 30–41
crank **145** 23, **162** 52, **180** 41, **323** 33
~ axle **85** 28
crankcase scavenging **181** 49
~ ventilation **184** 20
crank-connecting arm **159** 52
~ drive **212** 53
cranked wing **225** 20
crank handle **162** 52, **197** 18
~ shaft **159** 50, **184** 56
~ shaft wheel **159** 51
crannog(e) **309** 15
crap game* (or craps, crap shooting) **265** 29
crash helmet **190** 18, **273** 3, **285** 16
crate **202** 19
crater *[volcano]* **11** 16
~ *[carbon]* **295** 44
craw **74** 20
crawfish net* **89** 15
crawl(ing) **268** 38
crayfish net **89** 15
crayon **50** 24, **321** 5, **323** 26
~ method **323** 14–24
crazy pavement **54** 22
~ paving **54** 22
cream *[milk]* **97** 11
~ *[cosmetic]* **51** 70, **103** 11
~ cake **97** 35
~-cheese machine **77** 41
~-cooler **77** 26
creamer* **261** 21
cream-heater **77** 25
~ jug **45** 19, **261** 21
~-maker **42** 38
~-maturing vat **77** 28
~-pitcher* **261** 21
~ puff **97** 50
~ roll **97** 12
~-separator **77** 24
~-server **261** 21
crease *[fold]* **34** 12
~ *[Cricket]* **275** 56, 57
~ *[dagger]* **336** 44
~ of trousers **34** 12
creek* **13** 8, 13, **16** 80
creel **89** 9, **157** 28, 41
creeper **55** 5, **59** 8
~-type truck* **189** 36
creeping wheat grass **63** 30
~ thistle **63** 32
creese **336** 44
crenate **354** 46
crenel **310** 18
crenellated battle-ments **310** 6
crenellations **310** 6
crepe bandage **23** 47
~ paper **51** 31
~ rubber sole **100** 3
crescendo **300** 49
~ roller **305** 49
Crescent **245** 19
crescent *[moon]* **7** 3, 7
~ * *[croissant]* **97** 41
crescentic dune **13** 40
crescent-shaped· knife **123** 7
~ roll **97** 41
crescent wing **225** 68
~-wing aircraft **225** 67
cress **362** 30
crest *[animal]* **73** 12, **74** 22, **350** 21
~ *[Her.]* **246** 1, 11, 30–36
~ coronet **246** 12
~ crown **246** 12
crested helmet **308** 10
~lark **346** 19
crevasse **12** 50, **282** 24
crew* **84** 20, **141** 13
~ haircut* **35** 10
crib **30** 11, 32, **49** 2
cricket *[Zool.]* **341** 6
~ *[Sports]* **275** 55–61
~ bat **275** 60
~-cap **31** 58
~ shirt **31** 49
crier **291** 8
criminal investi-gation department **247** 21–24
~ records office **247** 21
criminals' photograph register **247** 22
crimping the tow **164** 59
crimson clover **70** 4
crinoline **338** 72
cripple **257** 55
crisp bread **97** 21
criss-cross stitch **102** 9
croaking sac **350** 25
crockery board **41** 18
~ cloth **41** 16
crocket **317** 38
crocodile **298** 26
croisé derrière **288** 8
croissant **97** 41
cro' jack yard **215** 25
cromorne **301** 6
crook of arm **18** 44
~ handle **43** 14
crooner **298** 3
crop *[harvest]* **65** 35–43
~ *[hen]* **74** 20
croquet **275** 62–67
~ ball **275** 67
~ mallet **275** 66
~ player **275** 65
crosier **314** 48
cross *[symbol]* **5** 44, **313** 49–66
~ *[hybrid]* **74** 8
~ ancrée **313** 63
~ arm **146** 37
~ arms* **10** 29
~ bar **44** 13, **76** 14, **131** 3
~ beam **76** 14
~-bearer **312** 43
~ bond **113** 65
~ botonée **313** 65
~ chisel **132** 37
cross-country· path **16** 102
~ race **273** 33, **280** 23
~ racer **283** 30
~ tyre **189** 12
cross crossletted **313** 62
~ w. cups **10** 29
~ cut *[mine]* **137** 35, 36
cross-cut· chisel **134** 19
~ circular saw **149** 45
~ saw **85** 34, 38, **115** 14
cross-cutting **128** 10
cross fall **196** 57
~ feed bar **177** 59
~-fold knife **178** 12
~ gear **295** 38
~-grain timber **115** 92
~ grip **279** 55

cross-hair diopter* **87** 31+32
~ hairs* **87** 32
~ handle **263** 32,
~ hatching **323** 54
~head **133** 26, **205** 27
~-head bollard **212** 14
~ heading **325** 46
crossing *[road, etc.]* **198** 67–78, **253** 9
~ *[Fenc.]* **277** 48–52
~ of blades **277** 48
~ of cords **113** 70
~ of a glacier **282** 23–25
~ at grade* **16** 26, **198** 67–78
~ of legs during jump **288** 13
~ watchman* **198** 70
crossjack sail **215** 26
~ yard **215** 25
cross of Jerusalem **313** 64
cross-leaved heath **361** 19
crosslet **313** 62
cross-line screen **171** 35
~ of Lorraine **313** 56
~ measure drift **137** 35
~ on the tomb **312** 25
crossover **199** 31
cross-over pipe **147** 28
cross pall **313** 55
Cross of the Passion **313** 49
cross piece *[Tech.]* **114** 57, 61, **217** 15
~ piece *[foil]* **277** 56
~ potent **313** 64
~ roads **253** 9
~-section **283** 42
cross-section· of a concrete road **197** 43–46
~ of bituminous road **196** 55
~ of bridge **210** 1
~ of street **194**
cross-shaped bollard **212** 13
~ slide **142** 23, **143** 2, 44
~- slide handwheel **142** 15
~ spider **342** 45
~ stitch **101** 5
~ street **253** 7
~ strut **114** 67
~ tie **116** 30, **210** 6
~ tree **214** 51, 53
~ wires **87** 32
cross-wound· cheese **157** 58, **161** 52, 54
~ cone **158** 8, **157** 58, **161** 52, 54
~ frame **161** 54
crotchet **299** 17
~ rest **299** 25
crouch **281** 9, 26
crouched burial **309** 17
~ jump **268** 14
crouching **278** 23, **281** 26
croup(e) *[horse]* **73** 31
~ *[vaulting horse]* **279** 36
~ dock **72** 34
~ loop **72** 34
~ pommel **279** 38
~ strap **72** 32
croupier **263** 4
croupier's rake **263** 5
croupon strap **72** 32
crow **346** 1–3
~bar **150** 32
~berry **361** 23
crowd **251** 8
~ actor **292** 29
crowfoot **359** 8
crown *[diadem]* **246** 37, 38, 42–46
~ *[vault]* **318** 39
~ *[tooth]* **27** 31
~ *[watch]* **107** 14
~ block **139** 3
~ of Charlemagne **246** 38
~ cork **93** 43
~-cork bottle-opener **46** 47
~ of feathers **276** 38
~ of head **18** 1
~ of Holy Roman Empire **246** 38
~ of hooks **341** 27
~ of orange blossom **313** 18
~ of rank **246** 43–45
~ piece **72** 10
~ platform **139** 2
~ of tree **354** 3
crow quill **301** 53
crow's-nest *[boat]* **90** 39
croze **126** 30
crozer **126** 30
croze saw **126** 23
crozier **314** 48
crozing machine **126** 38
crucible **106** 9, **334** 31
~ tongs **106** 10, **334** 32
crucifer **312** 43
crucifix *[cross]* **311** 40, **313** 32, **314** 6
~ *[Gymn.]* **279** 48
crude-gas main **148** 13
~ iron outlet **140** 11
~ oil **139**
~-oil product **139** 36–47
~-oil production **139** 48–55
cruet stand **260** 22
cruiser **222** 21–30
~ stern **270** 14
~ combustion chamber cooling jacket **227** 61
crumb **97** 22
~ brush **45** 58, **52** 70
~ set **45** 58+59
~ tray **45** 59
crunch **98** 85
crupper **73** 31
~ dock **72** 34
~ loop **72** 34
~ strap **72** 32
crusader **310** 72
crush hat **36** 20
crushed grapes **80** 14, 15
~ limestone **153** 10
~ stone **150** 24
~ stone aggregate **153** 11
crushing the grain **91** 57
~ ring **67** 6
crush room **296** 12+13
crust **97** 23, 24
crustacean **341** 12, **342** 1+2
crustaceous animal **340** 25–34
crusta petrosa **21** 29
crutch **213** 14
Crux **5** 44
crux ansata **313** 57
cryptogear* **136** 92
crystal *[Mineral.]* **234** 30, **330**
~ * *[watch]* **107** 7
~ centre **330** 3
~ combination **330** 1–26
~ cone **78** 21
~ form **330** 1–26
~ glass **46** 86
crystalline lens **21** 48
crystallography **330**
crystallometry **330** 27–33
crystal receiver **234** 21–34
C sharp major **300** 8
C sharp minor **300** 5
'C'spanner **192** 2
cubby-hole **186** 21
cube **98** 26, 27, **329** 30, **330** 2, 16
~-root **327** 2
~ sugar **98** 53
cubic crystal system **330** 1–17
cubicle **25** 4, **268** 1
cubic meter (or metre*) of wood **84** 24
cuckoo **343** 30
~ clock **107** 54
~ flower **359** 11
~-pint **363** 9
cucumber **59** 13
cud-chewing animal **351** 28–30
cuddie **74** 3
cuddly toy **49** 5
cuddy **74** 3
cudweed **361** 3
cue **264** 9
~ ball **264** 11
~ rest **264** 19
~ tip **264** 10
cuff **33** 38, 53
~-link **33** 60
cuffs **248** 9
cuirass **310** 46
cuissart **310** 52
cuisse **310** 52
cul-de-sac **252** 40
culex **342** 16
cullender **42** 47
cultivation of land **65** 1–46
cultivator **58** 17, **68** 31, **79** 21
~* **68** 45
culture *[Hyg.]* **25**
~ *[Biology]* **93** 15-18
cumulo-nimbus cloud **8** 17
cumulus **8** 1
~ cloud **8** 1, **271** 16
~ congestus **8** 2
cuneiform script **324** 8
cup **45** 7, **266** 41
~ *[Bot.]* **355** 5
~-bearer **310** 69
cupboard **48** 40
~ shelf **48** 41
cup of coffee **261** 19
cupid **257** 20
Cupid **308** 26
Cupid's dart **308** 28
cupola *[Art]* **316** 58
~ *[Tech.]* **141** 1
~ furnace **141** 1
cupping glass **26** 56
~ instrument **26** 56
cupule **355** 5, **368** 52
curb **53** 21, **194** 8
~ bit **72** 13
~ chain **72** 12
~ roof **116** 18
~stone **53** 22, **194** 9
Curculionidae **81** 49
cure **29** 21-25
curette **26** 60, **28** 58
curing floor **92** 15
curl **35** 3
curled horsehair **124** 11
curler *[hair]* **103** 35
~ *[Sports]* **284** 43
curling **284** 42
~ irons **103** 38
~ stone **284** 44
~ tongs **103** 38
curly greens **59** 34
~ hair **35** 17
~ kale **59** 34
~ tail **74** 12

currant **60** 12, **98** 9
~ bush **60** 10
~ cake **97** 6
~ twig **60** 14
current-collector **193** 15–19
~-collector valve **206** 38
~ indicator **211** 43
~ lead **145** 15
~ of river **211** 9
~-transformer **147** 58
curry comb **72** 54
curtain **41** 13, **297** 23
~ department **256** 66
~-drawing machine **295** 19
~-rod **48** 20, **52** 54
~ on runners **48** 36
~ wall **310** 15, 19
curve *[bend]* **197** 31
~ *[Geom.]* **329**
~ *[Skat.]* **284** 9
~ *[Tech.]* **144** 49
curved front **285** 15
~ gable **318** 5
~ line **328** 21
~ plate **172** 21
~-plate casting machine **172** 13
~ point **123** 32
~ scissors **28** 48
~ scray **162** 47
~ screen **294** 49
~ sewing needle **123** 29
~ shears **119** 33
~ stool **48** 50
~ surface **329** 40
~ vane **91** 38
curve mark **197** 29
~ of second degree **329** 14
~ of third degree **329** 18
cushion *[couch]* **44** 2
~ *[billiards]* **264** 16
~ capital **317** 21
~ tyre **189** 49
cuspis **22** 48
customer **98** 45, **256** 55, **260** 25
~ at bar **259** 55
customs entrance **220** 42+43
~ fence **220** 41
~ flag **245** 35–38
~ frontier **247** 13
~ house **220** 34, 43
~ launch **216** 39
~ officer **247** 15
~ pennant **245** 35
cut *[file]* **132** 35
~ *[mine]* **138** 45
~ *[meat]* **95**
~ *[Sports]* **276** 46, **277**
~-at-cheek **277** 7 to 8
cut-at-chest **277** 9 to 10
~-at-flank **277** 65 to
~-at-head **277** 1 to 2, 37
~-away **34** 55
~ cloth **297** 11
~ diamond **38** 26
~ in first **277** 1 to 2
cuticle-remover **103** 3
~ scissors **103** 6
cut-in bottom **114** 56
cutlery chest **260** 41
~ cloth **41** 15
~ drawer **41** 9
cut of meat **95**
cut-out· section **177** 57
~ sheet **50** 21
cutter *[Tech.]* **96** 37, **127** 57, **128** 34 **170** 33, 51, **195** 23
~ *[ship]* **215** 8, **270** 37–40
~* *[sleigh]* **286** 25
~ bar **67** 28, **68** 52
~ block **149** 58
~ bowl **96** 38
~ guard **128** 12
~ spindle **128** 19
~ yacht **270** 37–40
cutting *[defile]* **16** 84
~ *[Film]* **293** 30–34
~ *[Bot.]* **57** 20
~ blowpipe **135** 47
~-breadth regulator **149** 22
~ console **293** 30
~ desk **293** 30
~ drum **67** 36
~ edge **66** 14, **85** 15, **90** 62
~ grating **135** 41
~ hair **104** 6
~ head **128** 45
~ jib **138** 42
~ nozzle **135** 64
~ metal-working machine **142, 143**
~-off tool **142** 45
~-out scissors **102** 70
~ out shears **102** 65
~ pick **138** 42
~ point **130** 35
~ roller **175** 42, **176** 12
~ room **292** 3
~ spindle **170** 60
~ table **170** 52
~-off table **151** 15
~ tool **142** 43–47
~ torch **135** 47
~ the tow **164** 60
~ unit **176** 11
~ in water **57** 19
~ weapon **277** 63
~ wheel **163** 30
~ of wood **84** 15–34
cuttlefish **340** 22
cuttling device **162** 35
cutwater **210** 29
cutworm **81** 44
cyclamen **56** 5
cycle **180** 1
~ polo **287** 26, 29
~ racing **273** 1–23
cycling track **273** 1
cyclist **253** 31
cyclo·hexanol **164** 18
~hexanone **164** 20
~hexanonoxime **164** 22
~meter **180** 33
cyclone **9** 5
cyclorama **292** 12, **297** 9
~ floodlights **297** 15
Cygnus **5** 23
cyke **297** 9
cylinder *[Geom.]* **329** 38
~ *[cleaner]* **52** 6
~ *[motor]* **184** 52
~ *[typewr.]* **240** 10
~ block **184** 25
~ bore **184** 70
~ under casing **156** 55
~ diameter **160** 16
~ glass **334** 45
~ head **182** 7, **184** 53
~-inking apparatus **175** 7
~ inlet **227** 5
~ press **175** 20
~ f. removing weed seeds **91** 50
~ f. second colour **175** 52
~ separator **91** 50
~ trolley **135** 59
cylindrical brush **195** 32
~ cutter **143** 17, 19
~ fuselage **225** 50
~ grinding machine **143** 7
~ lens **294** 37
~ pin **136** 38
~ projection **15** 9
cyma **316** 42
cymaticum **316** 11
cymbal **302** 50, **303** 51
~ stand **303** 52
cyme **354** 70, **358** 36
Cyperaceae **56** 17
Cyperus **56** 17
cypress **356** 58
~ tree **356** 58
cystic duct **22** 38
cystoscope **26** 50
Czechoslovakia (or Czecho-Slovakia) **14** 24

D

dabber **323** 22
dachshund **71** 33
dad **45** 1
daddy **45** 1
dado **121** 5
daemon **307** 58
daffodil **62** 3
dagger **309** 22
Dahlia **62** 23
daily newspaper **47** 8
dairy **77**
~maid **76** 17
daisy **360** 1
dalmatic **314** 45
dam *[river]* **212** 57-64
~ *[Zool.]* **74** 2, **88** 1, 34
~ *[draughts]* **265** 18
damage **224** 4
damaged ship **224** 3
damask cloth **46** 2
damboard **265** 17
dambrod **265** 17
dam crest **212** 59
damp course **118** 4
damper **11** 40, **91** 54, **238** 77, **301** 54, **304** 37
~ block **304** 37
~ lever **304** 23, 38
~ pedal **304** 9
~ rail support **304** 15
~ rest rail **304** 39
damping roller **174** 7, 16, 25, 28
~-roller washing machine **174** 25
~ sponge **238** 77
~ unit **174** 7
dampproof course **118** 4
damp-proof junction box **120** 15
dams *[draughts]* **265** 17-19
dam sill **212** 79
~ top **212** 59
dance **288** 29-41
~ band **289** 2
~ band percussion instrument **303** 47–78
~ band player **289** 3
~ drum **337** 14
~ floor **204** 25
~ hall **289** 1
~ orchestra **289** 2
dancer **288** 40
dance f. three **288** 31–34
~ f. two **288** 39
dancing **288**
~ car **204** 24
~ exercise **288** 1–50
~ finery **337** 36
~ partner **288** 44
~ partner **288** 44+45
~ shoe **100** 32
~ snake **336** 48
~-stick **337** 37
~ troupe **298** 6
dandelion **63** 13
dandruff **103** 27
dandy **289** 33
Dannebrog **245** 17

danger area **2** 50
danseuse **288** 31
Daphne **361** 10
darkey **337** 13
darkness **4** 26
darkroom **112** 1–61
darkroom lamp **112** 18
dark slide **171** 5
darky **337** 13
darner **102** 57
darning arm **102** 26
~ ball **102** 63
~ egg **102** 63
~ last **102** 63
~ mushroom **102** 64
~ needle **102** 57
~ stitch **101** 17
~ wool **102** 51
~ yarn **102** 51
dart **78** 10, **287** 64
dash **325** 23
~board **186** 1–21
~-light lever **186** 8
date *[time]* **239** 6
~ *[rendezvous]* **257** 44
~ *[Bot.]* **368** 1
~ book* **200** 10
~ cluster **368** 8
~ of issue **242** 14
~ kernel **368** 10
~ of letter **239** 6
~ of maturity **242** 16
~ palm **368** 1
~ of payment **242** 16
~ punch **201** 56
~ stamp *[postmark]* **232** 39
~ stamp *[office]* **238** 41
~ tree **368** 1
daughter boat **224** 44
davit **216** 45, **218** 20,
day clock **107** 45
~ cream **103** 11
~ fly **342** 6
~light signal **201** 35
~-nursery **49**
~-service diesel train **207** 37
~ sheet **238** 66
day's takings **256** 10
daytime layer **4** 18
d. c. slip ring* **331** 77
dead body **312** 54
~ bolt **134** 39
~ branch of river **211** 17
~ centre **129** 8
~-end station **199** 1
~ end street **252** 40
~ house **312** 21
deadly nightshade **363** 7
dead man **312** 54
~-man's button (or handle) **206** 35
dead wood **270** 15
de-aerator **147** 16
de-airing· brick machine **151** 11
~ pug **154** 7
dealer **243** 7
death *[advertisement]* **325** 51
~ *[Hunt.]* **272** 59
~-cup **363** 11
~ mask **44** 31
death's-head hawk-moth **348** 9
debenture **243** 11–19
debris **13** 29
decade *[rosary]* **313** 30
decanter **46** 48, **260** 32
decathlon competitor **280** 56
decatizing machine **162** 49
~ roller **162** 50
deceased **312** 54
deciduous forest **16** 4
~ tree **355** 1–73
~ wood **16** 4
decimal bar **240** 49
~ fraction **326** 20, 21
~ point **326** 20
deck **210** 20, **218**, **269** 57
~ beam **217** 54
~ brake* **222** 71
~ cargo **220** 55
~-chair **54** 10, **216** 54
~ hand **297** 46
~ house **218** 34
~ load **220** 55
~ plan **222** 48
~ plating **217** 53
~ space **218** 28
~ tennis **267** 31
declination axis **6** 6, **109** 22
~ circle **109** 23
décolletage lowcut **32** 26
decorated bowl **309** 11
decoration **38** 1
decorative fillet **183** 16
~ fringe **336** 25
~ veneer **127** 34
decorator* **121** 35
decorator's hammer* **121** 39
decoy bird **86** 48
decoyed bird **86** 50
decoy-shooting **86** 47–52
decrescendo **300** 50
dedication **178** 50
deep-etched parts **172** 36
~-freezer show case **98** 3
~-freezing compartment **42** 4
~ fryer **97** 69
~ hull **225** 34
~ keel **221** 55
~-loading small lorry **189** 6
~ plate **46** 5
~ pool **268** 23
deep-sea· crab **349** 16
~ descent **4** 9
deep-sea
~ diving **224** 13–19
~ fauna **349**
~ fish **349**
~ fishery **90** 1–23
~ medusa **349** 5
~ platform **11** 10
~ prawn **349** 12
deep-well **254** 4
deer **88** 1–27
~hound **272** 63
~skin shoe **100** 2
~-stalker **86** 1
~-stalking **86** 1–8
defence **274** 12+13
defendant **248** 29
defender **277** 21
defending counsel **248** 30
defensive position **281** 8
defile **16** 84
deflecting coil **236** 25
~ plate **332** 26
~ roller **295** 29
~ wall **286** 2
deflorate flower **60** 55
defroster hose **185** 35
~ louvre **186** 11
degree *[Math.]* **327** 2
~ *[Mus.]* **299** 46
~ of root **327** 2
dehiscent fruit **354** 91–96
deity **307** 23
delicatessen shop **98** 1–87
~ store* **98** 1–87
delivery *[machine]* **177** 53, **178** 35
~ bed **29** 5
~ bicycle **181** 15
~ blower **175** 33
~ board **177** 51, **241** 9
~ box **178** 15
~ cart **202** 18
~ chute **67** 41
~ cylinder **174** 20
~ hose **255** 31
~ jaw **241** 10
~ motor lorry **189** 1
~ pile board **174** 10
~ pipe **254** 16, 52
~ roller **156** 32, **157** 59, **176** 32
~ room **29** 1
~ table **175** 31
~ to folder **175** 53
~ truck* **189** 1
~ van **189** 7
Delphinium **62** 13
delta **13** 1
~ aircraft **225** 53
~ connection **147** 21
~-shaped fuselage **225** 57
~ tail unit **225** 56
~-type aircraft **225** 29
delta wing **225** 30, 54
~-wing aircraft **225** 29
deltoid **328** 38
~ muscle **20** 35
de luxe limousine **187** 9
demesne **16** 94
demi-goat **246** 32
~john **202** 14
~-mondaine **289** 37
~-rep **289** 37
demisemiquaver **299** 20
~ rest **299** 28
demodulator **237** 35
demon **307** 58
den **47** 1–61
Deneb **5** 23
Denmark **14** 4, **245** 17
denominator **326** 15
dent **36** 13
dental bridge **27** 29
~ chair **27** 3
~ engine **27** 12–15
~ pulp **21** 32
~ surgeon **27** 1
~ treatment **27** 2
~ unit **27** 6
dentate **354** 47
dent corn **69** 31
dentifrice **51** 58, 59
dentils **316** 14
dentine **21** 31
denting arrangement **165** 6
~ f. weaver **165** 4
dentist **27** 1
dentist's assistant **27** 26
denture **27** 28
deodorant **51** 29
department **242** 1-11, **247** 18+19
departmental store **256**
department manager **256** 60
~ store **252** 18
departure indicator **201** 25
~ lines **199** 14
~ schedule* **200** 20
~ timetable **200** 20
deposit *[Geol.]* **11** 26, 31
~ counter **242** 7
deposition **11** 47
deposits *[Geol.]* **13** 69
depot **252** 17
~* **200**
depression **9** 5
~ adjustment* **184** 16
depth **6** 50, **137** 12 to 13
~ of focus **11** 34
~ gauge **134** 54, **142** 48

derailment guard **209** 75
derby* [*hat*] **36** 7
Derby brogue **100** 2
~ casual **100** 13
~ tie **100** 1
derivation **327** 13
Dermaptera **341** 10
derrick **12** 33, **139** 1, 48, **216** 3
descant viol **301** 23
descending branch of the aorta **20** 16
~ arpeggio **300** 37
~ climber **282** 31
~ colon **22** 21
~ line **224** 17
~-line weight **224** 18
descent indicator **228** 13
desert belt **9** 54
~ zone **9** 54
deshabille **48** 16
desiccator **334** 51
~ insert **334** 54
designation of series **244** 36
designer **144** 9, **296** 37, 38
designing engineer **144** 23
desk **47** 11, **238** 12, **249** 27, **293** 23
~ chair **47** 18
~ clerk* **259** 7
~ lamp **47** 17, **238** 23
~ microphone **234** 8
~ pad **238** 65
~ scale **200** 41
~ telephone **47** 12, **238** 24
dessert plate **46** 6
destination board **201** 24
~ plate **201** 34
destroyer **222** 14, 16, 17
desulfurization* **163** 20
desulphurizing **163** 20
detachable collar **33** 37
~ piece **303** 71
~ snow plough **286** 8
~ stanchion **208** 8
detached houce **39** 1–53
detaching roller **156** 71
detachment **247** 1–8
detective **248** 3, **263** 16
detective's badge **247** 24
detector **234** 29–32
detent screw **29** 10
detergent **41** 29
~ casing **166** 4
determinant triangle **110** 36
detonating rammer **196** 26
detonator cap **87** 58
detritus **12** 45
deuteropyramid **330** 20
Devanagari **324** 9
developer **278** 49, 50
developing dish **112** 36
~ slot **241** 20
~ tank **112** 1, 13
development **293** 15-18
développé **288** 8
deviation card **228** 12
~ table **228** 12
device [*Tech.*] **335** 31
devil **289** 14, **298** 27
devil's grandmother **298** 24
~ wheel **291** 46
de-waxing plant **139** 34
dew claw **88** 23, 57
~lap **74** 24
dexter **246** 18, 20, 22
D. F. aerial **218** 5
D. F. loop **218** 5
D flat major **300** 13
3D-grouping **235** 22+23
diabolo **258** 24, **298** 22
diadem **38** 6, **338** 21
diaeresis **325** 34
diagonal **328** 33
~ brace **113** 88, **114** 51
diagonal board **114** 63
~ bracing **114** 14
~ cable **210** 38
~-cable anchorage **210** 40
~-cable bridge **210** 37
~ carvel planking **270** 25
~ dip-shear action **178** 3
~ stay **113** 25, 88
~ tie **116** 30
diagram **144** 15
diagrammatic map **200** 33
dial [*watch*] **107** 2
~ [*teleph.*] **233** 18, **241** 34
~ balance **98** 12
~ bench gage* **145** 38–43
~ indicator **145** 42
dialogue tape **293** 13
~ track **293** 13
dial piece **107** 2
~ plate **107** 2
diameter **328** 45
~of fabric **160** 16
~ of spiral nebula **6** 46
diamond [*stone*] **38** 26
~ [*baseball*] **275** 39
~ [*Typ.*] **170** 21
~ bit **139** 20
~ crossing **199** 32
~ disc **27** 38
~ formation **287** 8
~ glass-cutter **122** 25
~ horseshoe* **296** 18
~ necklace **38** 8
~ necklet **38** 8
~ ring **38** 24
~ wheel **27** 39
diamonds [*cards*] **265** 41+45
Diana **308** 12
diapason bass **305** 31–33
diaper **30** 6
diaphragm [*Med.*] **22** 9, 26, **27** 36
~ [*Tech.*] **10** 52, **331** 29
~ blade **111** 45
diaphragmatic shutter **111** 44
diaphragm leaf **111** 45
~ knapsack sprayer **83** 31
~ shutter **111** 44
diapositive projector **295** 25
diary **238** 31
diaulos **301** 3
dibber **57** 7, **58** 2
dibble **57** 7, **58** 2
dibbler **67** 18
~ star **67** 19
dice **265** 31
~ box **265** 30
~ game **265** 29
dicing **265** 29
dick(e)y seats **187** 12
dictaphone **241** 24
dictating machine **241** 24
didelphic marsupial **351** 2
die **106** 15, **151** 13, **244** 40+41
~ hammer **85** 43
~ head **136** 55
dieresis* **325** 34
diesel compressor **196** 39
diesel electric· drive **218** 58-64
~ power transmission **207** 6
~ railcar* **201** 27
~ ship drive **218** 58–64
diesel engine **184** 37–80
~ goods traction rail-car **207** 39
diesel hydraulic· long-distance railcar train **207** 29
~ power transmission **207** 3
diesel mechanical· light-alloy (or light-metal) railcar **207** 28
~ power transmission **207** 1
~ rail omnibus **207** 25
diesel observation railcar **207** 40
~ oil **139** 43
~ railcar **207** 28-40
~ rail coach **207** 28–40
~ railway vehicle **207** 1–43
~ traction railcar **207** 39
~ train **207** 37+38
die-sinking machine* **128** 22
~ stock **120** 48
~ wrench **134** 27
differential [*Math.*] **327** 13,14
differential [*Tech.*] **184** 36, **185** 50
~ gear **185** 50
~ housing **189** 27
~ quotient **327** 13
diffuser **294** 5
digester **167** 2
digger **312** 22
digging fork **58** 5, **66** 30
digit **326** 3
Digitalis **363** 2
digitate(d) **354** 39
dihedral angle **225** 45
dike **211** 32
~ batter **211** 40
~ drainage lock **211** 34
~ drainage sluice **211** 34
~-keeper **211** 46
~-keeper's cottage **211** 45
~ ledge **211** 38
~ ramp **211** 47
~ reeve **211** 46
~ slope **211** 40
~ summit **211** 39
~ top **211** 39
diligence **179** 39
dimension **144** 17
~ line **144** 58
dim light* **185** 17
dimmer* **186** 3
dimple in chin **18** 16
~ at the corner of mouth **18** 14
dimswitch* **186** 3
diminuendo **300** 50
dinar **244** 28
diner* [*car*] **204** 17
~ headwaiter* **204** 44
dining car **204** 17
~ car headwaiter **204** 44
~ chair **204** 45
~ compartment **204** 18, 52

dining room **45, 259** 20
~ saloon **218** 39
~ table **45** 5
dinkel **69** 24
dinner jacket **34** 62
~ plate **46** 4
~ suit **34** 61
~ suit bow tie **34** 64
~ table **46** 1
Dionysus **308** 32
dip *[Geol.]* **12** 3
~ *[notch]* **85** 20
diploma **124** 20
dipole aerial **237** 40
dipole antenna **235** 4
dipper *[car]* **185** 17
~ stick **196** 4
dipping refractometer **110** 24
dip-shear action **178** 3
~switch **182** 23, **186** 3
Diptera **342** 16–20
dipteran **342** 16–20
dipterous insect **342** 16–20
direct-current slip ring **331** 77, 82
direction **7** 9, **9** 9
directional gyro **228** 3
direction of flight **4** 50
~ indicator **186** 27, **189** 46, **228** 3
~ indicator* **185** 16
~ light* **186** 27
~ of rotation **210** 56
~ of sunlight **7** 9
~ of wind **9** 9, **270** 60
~-light lamp **112** 59
director *[Film, etc.]* **293** 26, **297** 30
~ of photography **292** 41
directory **238** 35
direct thrust **277** 20
dirigible *n.* **226** 65
~ balloon **226** 51
~ rigid airship **226** 65
~ sledge* **285** 5
Dirndl apron **32** 23
~ dress **31** 36, **32** 21
dirt bands **138** 23
dirty-linen basket **48** 49
~-water outlet **166** 5
~-water outlet cock **166** 16
disabled ex-service man **257** 55
~ ex-soldier **257** 55
~ veteran **257** 55
disc see disk
discharge **140** 41
~ cone **227** 33
~ opening **212** 56
~ flume **91** 41
discharger **331** 57
discharge structure **212** 44
~ tube **331** 16
discharge tunnel **212** 62
discharging door **148** 12
~ position **140** 51
~ rod **331** 57
~ tongs **331** 50
~ valve **205** 60
discoid flower head **354** 74
discomedusa **340** 14
disconnecting isolating switch **206** 6
~ switch **206** 6
discus **280** 43
~-thrower **280** 42
~-throwing **280** 42–44
disease causing leaf fall **81** 20
disembarkation **216** 35
disengaging device **125** 15
diseuse **298** 3
dish **46**
dishabille **48** 16
dish-cloth **41** 30
dish fitting **45** 31
~-washer **41** 26
disinfectant **27** 22
disintegration of atom **1** 9–12
disk **280** 43
~ cooler **133** 17
~ coulter **68** 25
~ floret **359** 32
~ gear wheel **136** 91
~ harrow **68** 35
~ impregnated w. hydrogen cyanide **83** 20
~ loading bar bells **281** 5
~ weighting **158** 21
~ wheel **185** 15
dispensary **253** 28
displacement of land **11** 50
display **253** 4, 25
~ case **256** 13
~ window **256** 13
dissecting knife **26** 39
dissing mechanism **169** 20
distance **328** 5
~ base **110** 37
~ block **114** 81
~ piece **78** 41, **114** 69
~ runner **280** 17
~ staff **110** 37
~ thermometer **166** 9
distant signal **199** 38
~-signal sign **198** 86
distemper **121** 3, 11
~ roller **121** 6
distempering **121** 1–3
distillation **164** 17
~ apparatus **334** 46
~ column **139** 26
~ plant **139** 57
distilled water **192** 45
distilling apparatus **334** 46
~ flask **334** 47, 50
distorting lens **294** 37
distributary **13** 2
distributing beam **160** 25
~ gutter **145** 62, **262** 3
~ pipe **119** 25
distribution main **254** 22
distributor **169** 20, 22 **175** 7, **184** 7
~ drum **175** 62
~ of election leaflets (or pamphlets) **251** 9
~ shaft **184** 21
district **252** 16, 58, 59
~ attorney* **248** 25
~ border **16** 103
~ heating main **194** 30
ditch and hedge **272** 26
~ reed **362** 21
ditrigonal biprism **330** 22
diurnal bird of prey **347** 1–19
~ Lepidoptera **348** 1–6
divan **48** 53
~ roll **48** 54
dive *n.* **268** 41–46
diver **135** 46, **268** 5
divergent lens **108** 1–4
diverging junction **199** 23
diver's boots **224** 30
~ helmet **224** 22
~ ladder **224** 16
~ outfit **224** 20–30
~ suit **224** 27
divided circle **331** 38
~ door **64** 49
dividend **326** 26
~ coupon **243** 18
divider **96** 55, **97** 64
dividers **144** 34, 44
dividing **326** 26
~ beam **160** 25
~ breeching **255** 32
diving **224** 13–19, **267** 41, **268** 41–46
~ arrangements **268** 5–10
~ board **268** 9
~ boat **224** 13
~ flipper **267** 41
~ goggles **267** 38
~ helmet **224** 22
~ plug **89** 42
~ pool **268** 11
~ suit **224** 27
~ tower **268** 6
division *[Math.]* **326** 26
~ sign **326** 26
divisions of compass **300** 62–70
divisor **326** 26
D-layer **4** 16
D major **300** 3
D-mark **244** 7
D minor **300** 9
Doberman terrier **71** 26
dock basin **217** 33
~ crane **217** 31
docked tail **71** 12
docker **221** 23
dock floor **217** 27
~ gates **217** 28
docking a ship **217** 38–40
~ telegraph **219** 21
dock laborer* **221** 23
~ labourer **221** 23
~ landing ship **222** 1
~ layout **217** 33–40
~ pontoon **217** 28
docks **220** 25–62
dockside activity **221** 1–21
dock stocks **217** 36
~ structure **217** 34+35
~yard **217** 1–40
doctor **26** 12
~ blade **176** 18, 34
~ giving first aid **253** 69
doctor's coat **26** 13
~ overall **26** 13
dodecahedron **330** 7, 8
dodger **218** 17
doe **74** 18, **88** 34, 40, 59
doffer **156** 42
~ comb **156** 39
dog *[Zool.]* **71**
~ *[Tech.]* **114** 58, **116** 97, **149** 17, 35
~ bowl **71** 36
~ box **203** 12
~ brush **71** 28
~- carrier **142** 42
~cart **179** 18
~ collar **71** 13
~ comb **71** 29
~ lead **71** 30
~-leg(ged) staircase **118** 42–44
~ plate **142** 41
~-rose **357** 26
~-sled* **336** 3
~-sledge **336** 3
dog's outfit **71** 27–30
~ tail **71** 12
dog tick **342** 44
doldrum belt **9** 46
doldrums **9** 46
dolina **13** 71
doline **13** 71
dollar **244** 33
doll's bed **50** 8
~ cradle **50** 15
~ furniture **49** 10
~ house **49** 6

doll's kitchen **49** 7
~ kitchen range **49** 8
~ pram **49** 12
~ room **49** 9
~ tableware **49** 11
dolly *[tool]* **53** 73
~ *[camera]* **237** 4, **292** 19
~ operator **292** 24
dolmen **309** 16
dolphin *[Zool.]* **308** 31
~ *[harbour]* **220** 37
dolphin's tail **307** 25
dolphin stroke **268** 35
domain **16** 94
dome *[Arch.]* **319** 21
~ *[Tech.]* **195** 37, **205** 12, **216** 11
~ cover **40** 48
domed roof **116** 25
domestic animal **74**
~ ass **74** 3
~ cat **74** 17
~ dog **74** 16
~ duck **74** 35
~ fowl **74** 19–26
~ goose **74** 34
~ help **45** 54
~ pig **74** 9
~ pigeon **64** 10, **74** 33
~ rabbit **74** 18
~ servant **45** 54
dome system **316** 72+73
dominant seventh **300** 18
Dominican **314** 19
domino *[fancy dress]* **289** 15
~ brick **265** 34
dominoes **265** 33
domino piece **265** 34
donjon **310** 4
donkey **74** 3
~-riding **257** 45
donor **29** 27
door **43** 30, **109** 3, **204** 28, **312** 16
~-bolt **53** 66
~ button **120** 2
~ catch **75** 26
~ chain **43** 32
~ handle **179** 12, **185** 5
~-lifting mechanism **133** 60
~ lock **75** 26, **185** 6
~man **256** 44
~ mat **43** 34
~ of object chamber **109** 3
~ opening **52** 68
~ scraper **118** 25
~ shelf **42** 8
~steps **39** 66
~way **53** 19
~ window **185** 20
~yard* **39** 57, **53**
dor beetle **342** 39
Doric column **316** 8
~ temple **316** 1
dormer **40** 7, **310** 11
~ window **40** 7, **116** 6, 23, **318** 4
dorsal crest **350** 21
~ fin *[Zool.]* **350** 6, **352** 27
~ fin *[aircr.]* **228** 41
~ stabilizer **228** 41
~ vertebra(e) **19** 3
dosimeter **2** 8–23
dosser **64** 40
dot *[Mus.]* **299** 9
~ wheel **102** 62
double aulos **301** 3
~ backward somersault **268** 43
~-barrel gun **87** 33
~ bass **302** 23
~ bassoon **302** 28
~ bed **48** 3–15, **259** 38
~ berth **262** 34
~ bevel shoulder notch **116** 91
~-bladed paddle **269** 39
~ bollard **212** 11
~ bottom **217** 57
~-bottom tank **218** 68
~-breasted suit **34** 4
~ cable suspension railway **209** 30
~ card* **232** 4
~ chair **209** 17
~ claw **78** 8
~ clock **265** 16
~-column type area **178** 64
~-concave lens **108** 2
~ condenser **331** 25
~ contraoctave **300** 62
~-convex lens **108** 7
~ cradle **209** 68
~ cross stitch **101** 5
~-decker **188** 6
double-decker· bus **188** 6
~ luggage van **208** 39
~ passenger coach **204** 60
~ wagon **208** 31
doubled sliver **157** 12
~ yarn **157** 60
double earphone **332** 18
~-ended spanner **191** 15, **192** 1
~-end stern **270** 14
~ flat **299** 54
~ fortissimo **300** 60
~-handed rod **89** 22
~ helical spur wheel **136** 85
~ hook **89** 32, **145** 10
double horizontal cordon **55** 17
~-image rangefinder **110** 30
~ incline* **202** 49
~ ladder **121** 4
~ lath **117** 43
~ leg-lock **281** 12
double letter **170** 6
~-light window **39** 22
~ overarm stroke **268** 38
~ oxer **272** 33
~ pianissimo **300** 57
~-pointed needle **124** 10
~ quotation marks **325** 26
~ rack **209** 11
~ rewind **168** 43
~ rip **160** 23
~ -roller mill **91** 57
~ room **29** 8–20, **259** 27–38
~ rose **62** 17
~ row **265** 25
doubles **276** 2 to 3
double seater **269** 61
~ set of doors **259** 27
~ scutcher **156** 14
~ seat **34** 32
doubles game **276** 2 to 3
double-shaft trough mixer **151** 10
~ row radial engine **227** 1
~ sharp **299** 52
~ shawm **301** 3
double sheet of glass **339** 36
~ shoulder stand **279** 29
~ six **265** 35
~ sleeper **198** 88
~ spacer **240** 23
~ spiral brooch **309** 30
~ stand **99** 27
~ star **5** 29
doublet *[Cloth.]* **338** 30, 33, 41
double thigh rappel **282** 33
~-three **284** 16
~ tie **116** 50
~ tooth **21** 35
~-track main line **199** 20
~-tube frame **181** 9
~ tyre **189** 33
~ wash basin **259** 32
~ wheel **189** 33
~- wire overhead line **188** 16
doubling **293** 25–29
~ frame **157** 57
~ of slivers **157** 5
doubly serrate **354** 45
douche **23** 46, **25** 1
dough brake **97** 78
~ machine **97** 74
~nut **97** 7
~ scales **97** 77
~-scraper **42** 51
Douze dernier **263** 27
~ milieu **263** 26
~ premier **263** 25
dove **74** 33
~cot(e) **64** 8
~tail halving **116** 89
dowel hole **115** 22
~ maker **128** 42
down gate **141** 22
down-hill· racing **283** 18
~ running **283** 17
~ ski **283** 36
down pipe **40** 10, **140** 56
~-pull **283** 49
~ quilt **48** 11
~stream end **212** 17
down·town* **252** 33
~town ticket office* **256** 24
~ tube **180** 17
donwy mildew **81** 20
D-pfennig **244** 7
drachma **244** 39
drachmai **244** 39
Draco **5** 32
draft **165** 4, **242** 12
~ animal* **202** 17
~ beam* **68** 18, 30
~ board **162** 7
~ chain* **68** 23
~ clause **242** 17
~-door * **41** 44
drafter* **202** 17
draft-free window* **204** 58
~ horse* **202** 17
drafting machine **144** 16
~ roller **157** 22
draft numerals* **217** 70
~ of selvedge threads **165** 20
draftsman **144** 9
draftsman's overall **144** 24
draft pad **321** 35
~ of threads **165** 21
drag *[Hunt.]* **272** 64
dragée **23** 13
drageoir **23** 12
drag hook* **72** 14, **255** 49
~ hunt **272** 58–64
~line excavator **113** 81
~ link **186** 44
~ nozzle **211** 59
Dragon **5** 32
dragon **307** 1
~ of Apocalypse **307** 50
~ figure head **213** 16

dragon fly **342** 3
dragon of St. John's revelation **307** 50
dragon's body **307** 19, 36
'dragon' ship **213** 13-17
drag rope **226** 63
drain **28** 32, **211** 37, **253** 49
drainage **196** 61
~ ditch **65** 45, **196** 63
~ tube **28** 53
draining-board **41** 19
~ ditch **211** 36
drain outfall **211** 36
~ outlet **92** 7
~ pipe **40** 10
drake **74** 35
drapery *[Cloth.]* **321** 33, **338** 69
draught *[game]* **265** 18
~ animal **202** 17
~ beam **68** 18, 30
~ beer **93** 34
~board **162** 7, **265** 17
~ chain **68** 23
~-door **41** 44
draughter* **202** 17
draught-free window **204** 58
~ horse **202** 17
~ marks **217** 70
~ pole **131** 7
draughts **265** 17–19
draughtsman **144** 9, **265** 18
drawable curtain **48** 21
drawbar **68** 18,30
~ connection **67** 39
draw beam **68** 18, 30
~ bench **106** 2
~bridge **310** 25
~ chain **68** 23
~ control **168** 42
drawee **242** 20
drawer **242** 21
~* **41** 9
~ roller **162** 12
drawers **33** 58
draw-frame **157** 1, 9
~-frame cover **157** 7
~ hoe **58** 11, 12, **66** 1
~ hook **206** 25, **255** 49
drawing **144** 6, 26, **164** 55
~ awl **123** 33
~ block **321** 35
~ board **144** 1
~-board lamp **144** 19
~ compasses **144** 28–47
~ donkey **321** 34
~ floor **115** 11
~ handle **323** 33
~ hearth **155** 9
drawing instrument **144** 28–48
~ magnet **193** 32
drawing nib **144** 65
~ off beer **93** 20–28
~ office **217** 2
~-off plant **93** 29
~ pen **144** 48
~ pin **144** 52
~-room car* **204** 49
~ ruler **144** 21
~ set **144** 28-48
~ studio **321**
~ table **144** 1
~-table lamp **144** 19
draw knife **85** 42, **115** 79, **126** 14+15
drawn-thread work **101** 14
~-off tap **119** 34
~ plate **97** 62
~ shave **126** 14+15
~ spring **52** 77
~-stop **305** 6
~-string bag **37** 8
~ well **16** 100
~works **139** 10
dray **93** 36
~man **93** 37
dredge **221** 62
dredged material **221** 68
dredger **211** 56
dredging bucket **211** 58
~ tin **30** 38
dress **32**, **34** 57
~ circle **296** 18
dressed stone **150** 30
dress w. jacket to match **32** 35
dresser *[furn.]** **48** 26
~ *[Agr.]* **67** 49
~ guard **102** 43, **181** 11
dressing axe **150** 38
~ cabin **25** 4, **268** 1
~ case **201** 9
~ cubicle **25** 4, **268** 1
~-gown **33** 6, **34** 46
~ mirror **48** 24
~ pouf(fe) **48** 31
~ room **268** 3
~-room mirror **296** 43
~ table **30** 1, **48** 26
~ table mirror **48** 24
dress and jacket ensemble **32** 35
dressmaker **102** 75
dressmaker's chalk **102** 82
~ dress form **102** 76
~ dummy **102** 76
~ shears **102** 65
dress-preserver **33** 31
~-shield **33** 31
dress shirt **33** 41
~ suit **34** 57
~ sword **338** 63
dribble **274** 63
dribbling the ball **274** 63
drier **103** 23
~* **164** 38
~ roller **174** 27
drift **65** 18
~ hammer **132** 33
drifting dune **13** 39
drift net **90** 25
~-net fishery **90** 1–10
drill **58** 32, **67** 24, **106** 5
driller **150** 9
drilling bit **139** 20
~ cable **139** 6
~ line **139** 6
~ machine **128** 22, **170** 49
~ machine, el. **106** 6
~ plant **143** 33
~ rig **139** 1
~ spindle **143** 25, 36
~-spindle case **143** 34
~ table **143** 24
drill-pipe **139** 5, 17
~ tower **255** 3
drinking fountain **201** 31
~ straw **261** 36
~ trough **64** 28
~-water supply **254** 1-66
drink machine **260** 52
drip-catcher **45** 33
~ coffeemaker* **41** 64
~ cup **269** 40
~ installation **145** 63
dripolator* **41** 64
drip-pan **42** 7, **161** 15
~ tin **260** 2
drip-tray **42** 7, **43** 9
drive *[way]* **16** 99
~ *[Tech.]* **167** 22, **294** 27
driver *[person]* **179** 32, **187** 6, **193** 21, **203** 9
driver *[Mech.]* **180** 72
~ *[sail]* **213** 29, **214** 30
~ *[club]* **276** 69
~ plate **142** 41
driver's brake valve **205** 55, **206** 22, 52
~ cab **189** 40, **201** 63, **209** 65
~ cabin **189** 40, **196** 11, **206** 27, **209** 65
~ cage **145** 11
~ mirror **185** 38
~ pantograph valve **206** 38
~ seat **179** 8, **185** 55
drive shaft **227** 31
~ way* **16** 99, **39** 52, **53** 19
driving *[Golf]* **276** 63
~ axle **197** 13, **205** 37, **207** 5
~ barrel **180** 73
~ belt **102** 45, **331** 60
driving chain **181** 52
~ drum **158** 32
~ gear box **162** 32
~ head **133** 18
~ light **185** 17
~ mechanism **306** 5
~ mirror **185** 38, **190** 14
~ motor **143** 21, 28, **212** 47, **293** 12
~ motors' traction power gauge **206** 44
~ plate **129** 9, **142** 41
~ plate packing ring **142** 40
~ pinion **209** 8
~ pulley **156** 50, **162** 4, **210** 67
~ reins **72** 25, 33
~ roller **125** 13, **233** 59, **331** 59
~ rope **125** 10
~ seat **185** 55
~ shaft **186** 55, **212** 49
~ shoe **254** 61
~ unit **229** 12–24, **230** 41
~ wheel **102** 44, **160** 31, **174** 21, **189** 38
drizzle **9** 33
drone *[bee]* **78** 5
~ *[Mus.]* **301** 11
~ pipes **301** 11
drones **301** 31
drones' cell **78** 36
drone tube **301** 11
drop *[drip]* **45** 34
~ *[volley]* **276** 50
~ arm **186** 40
~ board **259** 5
~-bottle **23** 56, **112** 12
~ fire bars **205** 5
~ fire-bars crank **205** 41
~ forging works **133**
~ hammer **133** 16, 35
~ handlebars **273** 18
~-head coupé **187** 13
~ indicator switch-board **233** 5
~ keel **270** 10
dropper **26** 44
drop pin **158** 37
dropping board **75** 15
droppings **76** 8
drop pin roller **158** 39
~ point **145** 34
drops **98** 76
drop-shutter **295** 16
~-sider **189** 25
~-sider truck **189** 14
~-the-handkerchief **258** 4
~ wire **159** 34
dross outlet **140** 9
drowning person **17** 34–38

druggist's shop **253** 23
drug f. inhalation **23** 35
drugstore* **253** 23
drum *[mus. instr.]* **49** 21, **302** 51, 55
~ *[Arch.]* **317** 44
~ *[Tech.]* **10** 20
~ armature **331** 74
~ head **302** 52
~stick **302** 54
~-type ladle **141** 6
drupe **61** 43, **354** 99
drupes **61** 1–36
dry bulb hygrometer **10** 32, 56
~ bulb thermometer **10** 33
~ cell **120** 27
~-cooper **126** 16
~ dock **217** 27–30
~-dressing **83** 13
dryer **42** 24
~ felt **168** 18-20
~ section **168** 18-20
drying **163** 24
~ cabinet **97** 57, **112** 5, **171** 56, **173** 24
~ chamber **158** 64, **162** 28, **171** 57
~ channel **168** 38
~ clip **112** 6
~ cylinder **158** 48, **168** 18
~ device **164** 38, **174** 26
~ drum **166** 7
~ floor **92** 14
~ kiln **92** 13–20
~ machine **163** 31
~ malt **92** 13
~ rack **84** 28, **112** 40
~ shed **151** 17
~ stove **162** 28
~-up cloth **41** 14-16
~ yard **53** 35–42
dry sterilizer **28** 61
~sump lubrication **182** 21
~ valley **13** 75
D sharp minor **300** 7
d'-string **302** 9
dual carriageway **16** 16
~ motor road (or way) **197** 32–50
~ tyre **189** 33
~ wheel **189** 33
dubbing *[shoe]* **52** 39
~ *[Film]* **293** 25–29
~ *[knighting]* **310** 66
~ director **293** 26
~ editor **293** 24
~ machine room **293** 10
~ mixer **293** 24
~ studio **293** 22
~ theatre **293** 22
ducal bonnet **246** 39
duck *[Zool.]* **74** 35
~ *[Box.]* **281** 26
~-bill **351** 1
~boards **25** 5, **53** 72, **262** 48
~-hawk* **347** 2
~-hunting* **86** 40
ducking *[Box.]* **281** 26
duckling **74** 35
duck meat **362** 35
~-mole **351** 1
~pins* **287** 1
ducksfoot tine **68** 34
duck-shooting **86** 40
duck's meat **362** 35
duckweed **362** 35
duct **22** 37, 38
~ roller **175** 64
dude* **289** 33
due date **242** 16
duellist **277** 39
duffle-coat **31** 57 **34** 36, **256** 21
dugong **351** 24
dug-out **213** 7, **337** 20
Duk-duk dancer **335** 34
dulcimer **301** 32
dumb-bell **278** 34
~-bell exercise **278** 33
~-waiter **45** 53
dummy *[baby]* **30** 51
~ *[tailor]* **102** 76, **256** 34
~ *[Fenc.]* **277** 45
dump* **195** 12
dumper* **141** 44
dump fire bars **205** 5
dumping bucket* **209** 34
~ device* **140** 43, 52, **195** 2
~ platform* **145** 74
~ truck* **189** 18
dune **13** 39
dung **65** 15
dung barrow **64** 46, **76** 47
~ beetle **342** 39
~-cart **64** 53
dungeon **310** 5
dung fork **66** 7
~-heap **64** 51
~-heap floor **64** 52
~ hoe **66** 10
~load* **65** 15
~-spreader **67** 7
dunnage **217** 59+60
duodenum **22** 14, 43
duplex house* **39** 64–68
duplicate list **251** 27
duplicating machine **241** 1
duplicator **241** 1
duramen **115** 84, **149** 41, **354** 13
duration of note **299** 14–21
dust **150** 22
~-bag **52** 8
~ bath **75** 21
dustbin **53** 32
~-emptying lorry **195** 1
dust cap **180** 57, 82
~-catcher **106** 44, **140** 14
~ chimney **156** 22
~-coat **32** 42, **183** 39
~ collection plant **146** 13, **152** 7
~ collector **106** 44, **140** 14, **152** 7, **153** 20
~ cover **178** 37, **234** 29, **256** 30
duster *[household]* **52** 18, 27
~* *[coat]* **32** 42, **183** 39
dust extraction fan **156** 10
~-extractor **231** 34
~-extractor duct **128** 50
~-extractor hood **128** 51
~ filter **145** 50, **255** 59
~ guard **2** 48
~ pan **52** 17, **195** 11
~road* **16** 102, **65** 18
Dutch clover **70** 2
~ myrtle **357** 33
~ pipe **105** 34
duty annex **201** 13
~ jacket **216** 66
dwale **363** 7
dwarf **291** 22
~ fruit tree **55** 1, 2, 16, 17, 29
dwarf pine **356** 21
~ rose **55** 13
~ tree **261** 42
dwelling house **39**
~ tent **336** 19
dye beck **161** 19
dyeing machine **161** 1, 20, 58
~ unit **161** 21–26
dye liquor· container **161** 63
~ drip pan **161** 15
~ pipe **161** 66
dye mixing tank **161** 70
~ oat **161** 8
dyke **211** 32
dynamic microphone **241** 31
dynamo **180** 8, **184** 44, **204** 22
~meter **331** 2
dynastarter **183** 26

E

Eagle **5** 9
eagle **347** 5–9, **308** 4
~ owl **86** 48, **347** 15
eagle's head **307** 12
ear *[Med.]* **18** 18
~ *[mus. instr.]* **305** 32
~ *[Bot.]* **69** 2
~ drum **19** 60
~ elevator auger (or screw) **68** 69
~-flap **31** 47
~-lifter **68** 52
~ lobe **74** 23
early-Christian art **316** 61–71
Early Stone Age **309** 1-0
ear peg **337** 30
ear pendant **38** 7
earphone *[hair]* **35** 38
~ *[Tech.]* **233** 15
earphones *[Tech.]* **29** 17, **234** 34
earphone style **35** 37
ear·ring **38** 2, 7
~ of rye **69** 2
~ syringe **26** 58
~ tab **286** 28
Earth **6** 24
earth **4** 1–10, **7** 8
~ cable **135** 10
~ clamp **135** 9
earthenware chamber-pot **30** 17
~ pipe **254** 35
earth moth **81** 42
~ plate **233** 52
~quake **11** 32–38
~ return lead **135** 10
~ satellite **4** 48, 49
earth satellite's course (or path) **4** 49
earth's crust **4** 1, **11** 1
~ surface **11** 6–12
earth-tamper **196** 26
~worm **340** 20
ear-tuft **347** 16
~wig **341** 10
easel **321** 3, 26
East Australian Current **15** 38
easy chair **47** 57, **256** 35, **259** 26
Eau de Cologne **103** 20
eaves **116** 4, **117** 36
~ course **117** 49, 76
~ lining **117** 42
ebonite disk **284** 39
~ sole **282** 49
ebony key **304** 5
eccentric **182** 47
~ lever double claw intermittent motion **294** 21
ecclesiastical vessels **313** 33-48
échappé **288** 11

echinoderm
340 23+24, **349** 3
Echinops **56** 14
echinus **316** 21
Echiostoma **349** 13
echo **219** 41
~ receiver **219** 42
~ sounder **219** 38
~ studio **293** 19
~ studio loudspeaker **293** 20
~ studio microphone **293** 21
ecliptic **5** 2
eddy **7** 21
edelweiss **362** 9
edge *[Geom.]* **329** 32
~ *[knife]* **46** 57
~ *[lace]* **37** 3
~ *[cello]* **302** 25
~ board **113** 73, 74
~-to-edge cardigan **32** 41
~ of hat brim **36** 16
~ of layer **13** 21
~ runner mill **151** 8
~-trimmer **58** 33
edging *[Cloth.]* **32** 7, **102** 6
~ *[lath]* **43** 26
~ iron **244** 44
~ tool **123** 9
edible agaric **365** 23
~ boletus **365** 16
~ chestnut **368** 48
~ fungus **365**
~ morel **365** 26
~ pore mushroom **365** 16
~ snail **340** 25
editing *[Film]* **293** 30–34
~ room **292** 3
edition binding **178**
editor *[Film]* **293** 24, 31
editorial (article) **325** 40
educational picture **250** 8
eelgrass **362** 54
~worm **81** 51
effacer **240** 44
effect of earthquake **11** 45–54
~ loudspeaker **294** 51
E flat major **300** 11
E flat minor **300** 14
eft **350** 20–22
egg *[Med.]* **22** 84
~ *[hen]* **75** 47
~-and-dart cyma **316** 42
~ batch **81** 2, 30
~ box **75** 36
~ carton **75** 36
~ cosy **45** 39
~ cup **45** 38
~ gallery **82** 23
~-grader **75** 39
~ insulator **234** 22
egg integument **75** 48
~ lamp **75** 46
~-laying animal **351** 1
~-laying hole **81** 12
~-rack **42** 9
~-shapedpuffball **365** 19
~shell **75** 48
~-slicer **41** 86
~-sorting machine **75** 39
~ spoon **45** 40
~-tester **75** 46
~-testing lamp **75** 46
~-timer **42** 46
~-weigher **75** 39
~-whisk **42** 55
Egypt **14** 35
Egyptian *[Typ.]* **325** 8
~ art **315** 1–18
~ cross **313** 57
~ hieroglyphs **324** 1
~ sphinx **315** 11
~ writing stamp **324** 22
eiderdown quilt **48** 11
eight *[boat]* **269** 10
~ *[Skat.]* **284** 13
~-faced polygon **330** 17
~-faced polyhedron **330** 6
eighth note* **299** 18
Einstein tower **6** 15–20
Eire **14** 10
elastic *n.* **33** 22, 24
~ bandage **23** 47
~ inset **33** 24
~-sided boot **100** 26
~ top **33** 22, 65
~ washer **136** 32
E-layer **4** 17
elbow *[arm]* **18** 45
~ *[horse]* **73** 20
~ lever **28** 43
~-operated tap **28** 43
elderberry **358** 37
~ flower **358** 36
election **251** 16–30
~ meeting **251** 1–15
~ official **251** 17
~ placard **251** 12, 13
~ regulations **251** 25
~ speaker **251** 5
~ supervisor **251** 28
electoral meeting **251** 1–15
~ register **251** 18
elector's hat **246** 41
electors' meeting **251** 1–15
electric air pump **23** 36
electrically controlled organ **305** 36–52
~ driven portable apparatus **173** 26
~ operated signal box **199** 64
electrical musical instrument **306** 11
electric arc **135** 7
~ precipitation plant **146** 13
~ arc welding **135** 1-28
~ bell **312** 9
~ blanket **48** 51
~ bulb **24** 10, **120** 56
~ bus **188** 8–16
~ cable **29** 34
~ car **291** 63
~ church bell **312** 9
~ clippers **104** 33
~ clock **107** 37
~ cooker **42** 26
~ dividing and moulding mashine **97** 64
~ dough mashine **97** 4
~ drill **115** 21
~ flex **29** 34
~ generator **204** 6
~ hand lamp **138** 57, 58
~ heating **169** 45
electrician **120** 1, **290** 4, **292** 37, **297** 20
electrician's scissors **120** 45
~ knife **120** 63
electric ice-cream machine **261** 47
~ iron **166** 33
electricity **331** 45–85, **332** 1–35
~ cable **194** 25
~ meter **43** 18
~ transmission line **16** 113
electric grinding machine **149** 51
~ locomotive **206** 1
electric locomotive· driver **206** 28
~ driver's assistant **206** 30
~ driver's cab **206** 27
~ driver's cabin **206** 27
~ driver's seat **206** 29
~ shed **199** 18
electric lungs **17** 27
~ mine locomotive **137** 28
~ motor **40** 59, **128** 25, **173** 11
~ motor room **218** 58
~ planing machine **149** 56
~ platform truck **201** 29
~ power cable **229** 35
~ print dryer **112** 44
~ rail coach **206** 55
~ razor **51** 79
~ revolution-counter **207** 15
electric saucepan **42** 15
~ saw **96** 40
~ shears **104** 33
~ shunting locomotive **206** 59
~ starter **227** 55
~ stove **42** 26
~ three-car train **206** 60
~ torch **120** 26
~ tractor **202** 2
~ tractor trailer **202** 3
~ truck **202** 38
~ truck trailer **202** 39
electrified main line **199** 25
electro blocks **145** 18
~cardiogram **24** 16
~cardiograph **24** 15
electrode **135** 20
~-holder **135** 5, 23
electro-dynamic loudspeaker **235** 22
~ gyro **188** 8
~lethaler **94** 6
electrolytic bath **172** 1
electro·magnet **233** 54
~motor **40** 59
electron **1** 3, 7, **4** 33
~-controlled slow-motion camera **294** 28
electronic calculating punch **241** 45–51
~ calculator **241** 45
~ flash unit **111** 54
~ map **230** 50
~ pads **24** 13
~ punched-card sorting machine **241** 52
~ shell **1** 4
electron microscope **109** 1
~ orbit **1** 4, 8
electro pulley blocks **145** 18
~scope **331** 62
~static generator **331** 54
~static microphone **237** 5
~-turbo-generator **3** 32
~typer **172** 4
~ typing **172**
element **1** 22, **120** 35
~ *[Math.]* **327** 11
elementary geometry **328** 1–58
elephant **351** 20
~ house **339** 24
elevated* *n.* **252** 4
~ goal **275** 33
~ railway **252** 4

elevated water tank **79** 2, **199** 48
elevating motor **223** 66
~ spindle **223** 67
elevation *[ship]* **222** 65
~ lock nut **15** 55
elevator *[mach.]* **67** 51, **145** 70, **169** 22
~ *[aircr.]* **226** 82, **228** 44
~ *[lift]* **151** 5, **256** 45
~ boy* **256** 47
~ bucket **145** 71
~ car* **256** 46
~ man* **256** 47
~ platform* **220** 66
~ potato-digger **67** 38
~ push-pull rod **228** 36, 39
~ runner* **256** 47
~ scoop **145** 71
~ shaft* **256** 51
eleven *[Footb.]* **274** 11–21
elk **352** 1
~* **352** 2
ellipse **329** 22
ellipsis **325** 29
ellipsoid of revolution **329** 42
elm **355** 49
~ tree **355** 49
elocutionist **298** 3
elytron **82** 10, **342** 36
elytrum **342** 36
E major **300** 5
embankment **16** 104
embossing platen **177** 29
~ stick **154** 20
embrace **201** 61
embroidery **50** 30 **101** 11, 31
embryo *[Bot.]* **69** 16, **354** 86, **366** 21
~ plant **69** 14
~ sac **354** 64
emcee* **234** 9
emergency bandage **17** 1–13
~ belly band **72** 23
~ brake **204** 36, **209** 71
~ brake valve **205** 59
~ bridge **210** 17
~ cable **209** 47
~-cable tensioning mechanism **209** 48
~ exit **290** 33, **295** 7
~ ladder **138** 33
~ landing runway **230** 3
~ light **295** 6
~ splint **17** 10
~ stretcher **17** 23
~ tender **255** 53
~ tourniquet **17** 15
emery paper **129** 25
~ wheel **134** 34
eminence *[hill]* **13** 66
~ *[Med.]* **18** 4
E minor **300** 2
emission of waves **230** 42
empennage **226** 80–83
emphasized line **239** 10
Empire style **318** 16
~ table **318** 16
employed foot **284** 10
employee **238** 1
empress **338** 15
emptying cock **40** 65
~ faucet* **40** 65
~ of post box **231** 31
~ system **195** 2
empty tubs return **138** 7
emu **343** 1
enamel *[tooth]* **21** 30
enamel remover* **103** 13
encaustum **21** 30
enchasing hammer **106** 42
enclosure **339** 16
encyclopaedia **250** 17
encyclopedia* **250** 17
end *[knife]* **46** 55
~ *[Geom.]* **328** 17, 18
~ crust **97** 24
~ dumping truck* **195** 12
~ dump truck* **196** 7
endemic bird **344**
end-grain block **323** 1
~-grain timber **115** 92
endive **59** 39
~* **59** 40
endless cableway **209** 19
~ chain **149** 33
~ elevator* **164** 36
~ ropeway **209** 15–24
~ track **189** 37
end man **282** 28
~ moraine **12** 55
endorsee **242** 26
endorsement **242** 25
endorser **242** 27
end paper **178** 49
~-piece **303** 4
~ plate **157** 26
~ stage **4** 56
~-tip lorry **196** 7
~ tipper **196** 7
endurance race **273** 11–15
end vice **127** 44
~ wall **211** 35
enema **30** 20
~ syringe **23** 59
engaged column **317** 35
engagement *[Fenc.]* **277** 48
~ calendar **238** 31
engaging dog **149** 35
engine **139** 11, **184**, **205** 1
~ arm **27** 13
engine block **184** 25
~ bonnet **185** 8
~ car **207** 30
~ compartment **207** 31
~ cooling system **183** 17
~ crew **203** 9+10
~-driver **203** 9
~-driver's timetable **205** 54
engineer **144** 23
~* **203** 9
engineering **211**
engineer's cab* **201** 63
engine hood* **185** 8
engine in inclined position **187** 25
~ lifting eye bolt **192** 32
~ line **199** 12, 21
~ nacelle **226** 6
~ oil container **191** 14
~ room **145** 67, **216** 26, 27, **223** 33 **255** 1
~ room superstructure **216** 25
~ room telegraph **219** 20
~ shed **199** 6
~ shed turntable roads **199** 9
~ spur **199** 12
~ staff **203** 9+10
~ superstructure **221** 46
~ workshop **217** 8
English *[Typ.]* **170** 29
~ asphodel **70** 13
~ bond **113** 62
~ buggy **179** 48
~ catch-fly **360** 20
~ daisy* **360** 1
~ handwriting **325** 10
~ horn **302** 38
~ Royal Crown **246** 42
~ setter **71** 41
~ type of park **257** 41–69
engraver **323** 44
engraving *[ring]* **38** 29
~ *[method]* **172** 23–30
~ ball **106** 34
enlargement **112** 51
~ frame **112** 34
enlarger **112** 28
enrockment **211** 51
ensign of head of state **245** 14
~ staff **218** 31
entablature **316** 52
entangling device **335** 31
entertainment car **204** 24
entire *[Bot.]* **354** 43
entrance *[door]* **39** 65
~ *[bridge]* **210** 54
~ *[hive]* **78** 48
~ and exit **290** 19
~ gateway **316** 7
~ hall **43** 1-34
~ hatch **226** 34
~ steps **226** 33
~ to the nest **343** 28
~ tower **319** 24
~ tunnel **336** 6
entrechat (quatre) **288** 13
entry* **43** 1–34
~ stamp **238** 57
envelope *[letter]* **239** 13
~ *[airship]* **226** 74
~ flap **232** 26, **239** 14
~ window **239** 16
epaulet(te) **247** 6
épée **277** 40, 62
~ fencer **277** 39
~ fencing **277** 39–43
~ play **277** 39–43
ephemerid **342** 6
epicentral region **11** 38
epicentre **11** 33
epi-condenser **110** 14
epicontinental sea **15** 26
epicyclic gear **136** 92
epidemic signal **245** 25
epididymis **22** 73
epiglottis **19** 51
epimanikion **314** 28
episcopal ring **314** 47
epistle side **311** 47
epistyle **316** 18
epitaph **312** 14
epitrachelion **314** 27
equalizing magnet **236** 26
equation **327** 4, 5, 9
equator **5** 3
Equator **15** 1
equatorial climate **9** 53
Equatorial Counter Current **15** 33
equestrian **290** 26
equestrianism **72** 1–6
equilateral triangle **328** 26
equilibrist **290** 48, **298** 16
equinoctial *n.* **5** 3
equinox **5** 6+7
equipment of deep-see diver **224** 20–30
~ shed **220** 12
equisetum **360** 18
equitation **72** 1–6
erase cut-out button **306** 25
eraser **144** 56, **171** 55
~ shield **240** 32
~ switch **241** 27

erasing knife **144** 56, **171** 55
Erato **308** 63
erectile crest **343** 26
erection of roof **115** 8
~ shop **145** 1–45, **217** 4
~ spring **193** 18
Ergates faber **342** 38
ergot **69** 4
Ericaceae **56** 12
Eridanus **5** 12
Erinys **308** 51
Erlenmeyer flask **334** 39
erne **347** 5
Eros **308** 26
erosion **211** 5
erotic poetry *[symbol]* **308** 63
errand boy **238** 8
error lever **240** 62
ersatz coffee **98** 65
erupting cloud of gas **7** 23
escalator **256** 22
escape hood **97** 59
escapement *[watch]* **107** 22+23
escape wheel **107** 22
escapologist **291** 28
escort **261** 22
~ vessel **222** 13
escudo **244** 23
esculent fungus **365**
escutcheon **246** 1–6
Eskimo **336** 1
~ dog **71** 22
esophagus **19** 49, **22** 23
espada **287** 65
espalier **55** 16, 17
~ fruit tree **55** 1, 2, 16, 17, 29
esparto grass **130** 26
espresso bar **261** 45–51
~ machine **42** 17, **261** 50
esquire **310** 68
estate **16** 94
estrangler disk **183** 61
e''-string **302** 9
etched zinc plate **172** 33
etching **176** 1, **323** 14–24
~ bath **172** 24, **176** 6, **323** 51
~ ground **323** 55
~ needle **323** 16
ether bottle **28** 38
Ethiopia **14** 36
ethmoid (bone) **19** 39
ethnology **335–337**
ethyl-alcohol tank **229** 6
Etruscan art **316** 49–52
~ temple **316** 49
eucharistic vestments **314** 37
Euclidean geometry **328** 1–58
euphonium **302** 44
Eurasia **15** 15+16
Europe **14** 1–26, **15** 15
European elk **352** 1
~ fox **352** 12
~ roller **344** 6
~ tick **342** 44
Eustachian canal (or tube) **19** 65
Euterpe **308** 65
evaporating basin **334** 29
~ dish **334** 29
evaporator **42** 3
evening dress **32** 25
~ dress vest* **34** 59
~ gown **32** 25
~ hat **36** 34
~ primrose **56** 3
~ sandal **100** 44
~ shoe **100** 32
~ suit **34** 57, 61
even number **326** 11
event *[Sports]* **280**
even-toed ungulate **351** 28–31
ever-burning light **311** 44
~lasting *n.* **361** 3
evolution **327** 2
ewe **74** 13
examination chair **26** 25
~ couch **26** 6
~ of passport **247** 14 + 15
~ wagon **206** 57
excavator *[mach.]* **113** 81, **150** 13, **151** 3, **153** 2, 3
~ * *[worker]* **113** 76
~ bucket **153** 3
excess gauge **333** 19
~ water conduit **254** 23
exchange *[Teleph.]* **233** 1–17
~ *[Comm.]* **243**
~ counter **242** 1
~ line **233** 32
Exchange list **243** 8
~ usher **243** 9
exclamation mark **325** 21
~ point* **325** 21
excrement **76** 22
excretory vacuole **340** 5
excursion boat **216** 45–66, **269** 1
~ steamer **220** 18
~ vehicle **179** 33
~ vessel **216** 36
executive producer **292** 26
exercise **278** 1-23
~ book **249** 30
~ of classical dancing **288** 1–50
exhalation **17** 26
exhaust **185** 64
~ box **182** 8
~ of combustion gases **227** 24
~ cone **227** 33
~ gas deflector **229** 30
~ gases **184** 76, **227** 11
~ gas shaft hood **226** 72
~ manifold **184** 62
~ port **184** 74
~ tail pipe **185** 64
~ tube **120** 59
~ tubing **120** 59
~ turbine **227** 10
~ turbine-driven supercharger **227** 8
~ valve **184** 29, **227** 18
exhibition hall **252** 6
~ grounds **252** 5
exhibitor's projection unit **295** 26
exit **64** 9, **295** 7
ex libris **178** 51
extinct volcano **11** 25, 28
exosphere **4** 14
exotic bird **345**
~ dancer **298** 14
~ woman **289** 30
expander *[Sports]* **278** 50
~ *[tool]* **119** 58
~ exercise **278** 43
~ roller **161** 14
expanding comb **158** 56
~ file f. sorting letters **238** 53
expansion joint **197** 39 + 40
~ tank **40** 24
experimental transformer **332** 5
expert **248** 36
expiration **17** 26
explanatory notice **339** 44
exponent **327** 1
export beer **93** 45
exposition building* **252** 6
~ grounds* **252** 5
exposure-counter **111** 19
~ meter **111** 38
~ regulator **173** 22
~ scale **111** 11
~ slot **241** 19
~ switch **241** 21
~ timer **112** 32, **241** 16
Express **232** 31
express-delivery letter **232** 34
~ diesel locomotive **207** 41
~-mail label **232** 31
expression mark **300** 55-61
express tender locomotive **205** 38
~ train passenger coach **204** 1
expulsion of exhaust gases **227** 37
exquisite *[dandy]* **289** 33
ex-service man **257** 55
exsiccator **334** 51
~ insert **334** 54
ex-soldier **257** 55
extended front **196** 10
extendible upholstered seat **204** 41
extension **205** 33
~ apparatus **23** 41
~ arm **144** 35
~ cord **120** 20
~ cord socket **120** 22
~ divider* **144** 28
~ ladder **255** 14
~ piece **83** 35
extensor carpi radialis longus **20** 56
~ digitorum **20** 63
~ digitorum communis **20** 57
exterior angle **328** 26
~ construction set **292** 7
~ of horse **73** 1–38
~ shooting **292** 18
external calipers **129** 18
~ ear **19** 56–58
~ limit gauge **142** 49
~ plaster **117** 38
~ rendering **117** 38
~ toothing **136** 94
extinguisher **255** 61
extinguishing work **255** 1–46
extra *n.* **292** 29
~ *[newspaper]* **253** 45
extraction forceps **27** 48
~ of heat **1** 28
~ of phenols **164** 3
~ of root **327** 2
~ of tar **164** 3
~ of wort **92** 22–36
extractor **166** 40
~ lid **162** 18
extrados **318** 26
extra sail **270** 39
extremity **18** 43–54
extrusion press **154** 7
eye *[Anat.]* **18** 7, **21** 38–51
~ *[Arch.]* **316** 75
~ *[catheter]* **26** 25
eye *[Tech.]* **37** 24, **102** 58

eye *[Bot.]* **57** 23
~ *[peacock]* **74** 32
~ball **21** 45
~ bath **23** 40
~brow **21** 38
~brow pencil **103** 16
~-cutting **57** 22
~ glass **108** 27
~lash **21** 41
~lash brush **103** 9
eyelet *[Tech.]* **99** 46, **122** 23
~ *[peacock]* **74** 32
~ machine **123** 17
~ pliers **120** 52
~ punch **123** 12
~ reinforcement **99** 44
eye muscle **21** 44
~ of needle **102** 58
~ patch **23** 37
eyepiece **2** 16, **26** 52, **110** 2
~ micrometer **145** 43
~ tube **110** 10, 12
eye shade **276** 35
~ shield **23** 37
~spot **342** 54
~ string **21** 44
~ tooth **21** 17
~ witness **253** 67

F

fabric **160** 29, 48, 62
~ container **160** 10
~ department **256** 58
~ drum **160** 10
~ aft. printing **162** 57
~ shoe **100** 4
fabulous animal **307** 1–61
~ creature **307** 1–61
face *[head]* **18** 4–17
~ *[letter]* **170** 42
~ *[watch]* **107** 2
~ *[hammer]* **132** 25
~ *[mine]* **137** 39, **138** 12, 13
~ *[arch]* **318** 24
~ block **134** 11
~ chuck **142** 35
~-cloth **30** 27, **51** 74
~ conveyer **138** 24
~-flannel **30** 27, **51** 74
~ grinding machine **143** 10
~ mask **255** 40 **289** 7
~ massage **103** 33
~ panel **233** 8
~ plate **142** 35
~ powder **103** 17
~ of rock **13** 28
facet **38** 27
~ *[insect eye]* **78** 20
facetted eye **342** 7
face urn **309** 38
~ value **232** 22, 23
~ vault **279** 50
~ veil **36** 40
facia **79** 41
facial* *n.* **103** 33
~ cloth* **30** 27
~ disk **347** 18
~ massage* **103** 33
~ muscle **21** 6
~ treatment* **103** 33
facing *[tooth]* **27** 35
facsimile signature **244** 34
factory **16** 37, **145**
~ chimney **145** 46
~ number **180** 51
~ -ship **90** 30-33
~ siren **145** 69
~ trawler **216** 6
~ workshop **145** 1–45
fade shutter adjustment **294** 15
fag **105** 14
faggot **84** 17
~-bundling press **149** 53
fagot* **84** 17
fair *[sky]* **9** 21
~ *n.* **291**
faired-in fin and rudder **225** 52
fair-ground **291** 1
fairway **211** 21, **219** 68, 69
~ mark **219** 43–58
fair-weather cloud **8** 1
fairy-tale figure **289** 65
falcon **347** 1–4
falconer **86** 42
falconry **86** 42–46
falcon's hood **86** 44
fall *[tumbling]* **283** 4
~ *[rope]* **331** 5
~* *[water]* **11** 45
falling collar **338** 56
~ off **270** 56
~ star **7** 28
~ track **220** 51
Fallopian tube **22** 81
fallow *n.* **65** 1
~ buck **88** 40
~ deer **88** 40
~ ground **65** 1
fall pipe **140** 56
false acacia **355** 70
~ ceiling **118** 61, 68 + 69
~ floor **115** 43
~ nose **289** 46
~ ribs **19** 10
~ stem **368** 30
family **45** 1–4
~ grave **312** 27
~ medicine chest **23** 54–63, **51** 82
~ tomb **312** 27
fan **336** 42
~ *[Tech.]* **134** 6, **183** 18, **184** 19
~ *[tail]* **88** 75
~ *[ventilator]* **112** 17
~ belt **184** 14
fanciful costume **289** 32
fancy apron **32** 23, **45** 55
~ baker **97** 33
~ bakery **97** 1–56
~ collar **37** 6
~ cuff **37** 7
~ diver **268** 5
~ dress **289** 6–48
~-dress ball **289** 1–48
~ edge **37** 3
~ handkerchief **34** 63
~ lace **37** 3
~ pendant **38** 32
~ pullover **32** 40
~ tabouret **48** 31
~ waistcoat **34** 42
~ work **101**
fan drift **137** 11
~ for circulating hot air **158** 49
fang **21** 36, **352** 22
fanlight **39** 35
fanning section **177** 41
fanon **314** 55
fantail **74** 29
fantoccino **298** 29
fan- tracery vault **318** 46
~ vault **318** 46
Faraday cage **331** 45
fare **260** 21
farinaceous grain **69** 13
~ plant **69** 1–37
farm **64** 1–60
~-cart **64** 33, **131** 1
~ crop **69** 1–45
~ equipment **66**
farmer **64** 21
farmer's girl **64** 31
~ man **64** 60
~ tool **66**
~ wife **64** 22
farm gear* **131** 1
~hand **64** 60
~ house **64** 3
farming **65**
farm labourer **65** 5
~ product **69** 1–45
~ road **65** 18
~stead **64** 1–60
~ tractor **65** 25
~ wagon **131** 1
farrier's hammer **132** 38
~ rasp **132** 41
~ tongs **132** 40
fascia board **113** 47
~ infraspinata **20** 53
fascine **211** 53
fashion in clothes **338**
~ journal* **102** 71, **256** 36
fast and loose driving pulley **156** 50
~ magazine **102** 71, **256** 36
fastener **37** 20, 21
fastening ribbon **23** 31
~ strap **249** 43
fat *n.* **98** 23
Fates **308** 53–58
fat-hen **63** 25
father **45** 1
~ of gods **308** 1
fattened cock **98** 6
~ hen **98** 7
fat woman **291** 21
faucet* **28** 43, **41** 23, **333** 5, 22
~ hole* **126** 29
~ hole borer* **126** 1
fault *[Geol.]* **12** 4, 8-11, **137** 24
~ block **12** 10
~ block mountain **12** 4–11
faulted fold mountains **12** 20
fault·plane **12** 5
~ trough **12** 11
fauna **349**
Faunus **308** 40
faustball **276** 52–58
favourite **272** 15
fawn **88** 1,39
F clef **299** 11
F_1-daytime layer **4** 18
feather *[bird]* **74** 31
~ *[key]* **136** 71
~ bed **48** 13
~-bed cover **48** 14
~-brush **52** 24
~ decoration **335** 12
~-duster **52** 18
feathered ball **276** 37
~ ear **88** 78
~ game **86** 41
feathering **287** 44
feather pillow **48** 6
~ quilt **30** 33
~ shape **36** 43
feed **174** 35, 36
~ bar **102** 33
~ board **175** 4, 21,30, **241** 4, 14
~ box **156** 9
~ chain **167** 20
~ change lever **142** 9
~ control gears **149** 59
~ door **40** 61
feeder *[bottle]* **30** 46
~ *[trough]* **75** 8
~ *[Tech.]* **65** 32, **160** 6
~ road **197** 36
~ selecting bolt **160** 40
feed faucet* **40** 65
~ gate **140** 21
~ gauge **178** 6
~ gear box **142** 8
~ hole **96** 42
feeding apparatus **175** 22
~ the baby **30** 30
~ bottle **30** 46
~ chain **149** 23

feeding cup **29** 20
~-in of roving **157** 15
~ passage **76** 33
~ place **86** 28
~ plate **160** 6
~ roller **149** 4
~ site **81** 50
~ station **177** 55
~ trough **76** 43
feed opening **133** 54, **196** 52
~pawl **241** 3
~ pedal **207** 22
~-pipe **141** 33
~ plate **102** 32
~ point **102** 31
~ roller **149** 13, **241** 15
~ scale **149** 8
~ shaft **142** 33
~ slide **240** 39
~ spring **87** 18
~ table **177** 49, 57, **178** 34
~ tap **40** 65
~ trip **142** 18
~ trough **86** 28
~ valve **205** 20
feed-water tank **146** 17
~ cleaner **205** 29
~ pre-heater **205** 23
~ pump **205** 9
feeler *[Zool.]* **82** 3, **342** 27
~ gauge **134** 62
feller **84** 27
fellies **131** 29
felling axe **85** 13
~ wedge **85** 24
~ of wood **84** 15–34
felloes **131** 29
felt **168** 49
~ blanket **162** 56
~ boot **336** 30
~ buffing wheel **134** 32
~ casual **100** 11
~ cloche **36** 33
~ cloth **323** 42
~-covered buck **166** 37
~ covering **336** 20
~ damper **304** 37
~-drier **168** 18–20
~ guide roll **168** 15
~ hat **36** 7, 19
~ shoe **100** 11
~ sock **99** 6
~ underlining **117** 62
~ wad **87** 52
female bee **78** 1
~ dancing partner **288** 45
~ fish **89** 66
~ flower **61** 38
~ flower cone **356** 4
~ grape-gatherer **80** 9
female moth **82** 30
~ part **362** 24
~ partner **288** 45
~ roe **88** 34
~ secretary **238** 10
~ shoot **356** 46
~ spadix **368** 6
~ vocalist **296** 23
~ voter **251** 22
femoral artery **20** 19
~ biceps **20** 61
~ nerve **20** 31
femur **19** 22
fence **128** 4, 8, 20, **272** 28
fencer **277** 17+18
fencer's salute **277** 32
fencing **277** 1–66
~ breeches **277** 30
~ clothes **277** 29+30
~ cut **277** 1–14
~ distance **277** 23, 24
~ equipment **277** 25–31
~ glove **277** 26
~ instructor **277** 15
~ jacket **277** 29
~ master **277** 15
~ shoe **277** 31
~ terrain **277** 16
~ weapon **277** 53-66
fender **84** 33, **205** 34, **221** 50
~ dolphins **217** 32
~ side* **187** 21
~ skid **85** 10
fennel **364** 6
fen peat **13** 18
fermata **300** 42
fermentation of beer **93** 20–28
~ cellarer **93** 14
~ of wort **93** 12–19
fermenting cabinet **97** 57
~ vessel **93** 12
fern **361** 16
ferrel **43** 16
ferret **86** 24
ferreter **86** 25
ferreting **86** 23
ferris wheel **291** 37
ferrite rod aerial **235** 5
~ antenna control **234** 43
ferroconcrete ceiling **114** 8
~ construction **114** 1–89
~ frame **114** 2
~ skeleton structure **114** 1
ferrule **43** 16, **282** 36
ferry **16** 12, **211**
~ boat **211** 11, **216** 16, **220** 24
~ bridge **216** 16
~ deck **216** 18
~ landing stage **211** 7
~man **211** 2
~man's house **211** 45
ferry rope **211** 3
fertilizer **65** 14
fescue (grass) **70** 24
fess point **246** 17
festoon **289** 5, **317** 54
fetish **337** 43
fetlock **73** 24, 25
feuilleton **325** 50
f-hole **302** 6
fiacre **179** 26
fiber* see fibre
fibre **162** 43
~ of visual nerve **78** 23
fibrous bark **354** 9
fibula **19** 24
fiddle **302** 1
~ bow **302** 12
fiddler **259** 45
fiddlestick **302** 12
fiddle string **302** 9
field *[land]* **65** 4, 19
~ *[Footb.]* **274** 1
~ *[horses]* **272** 14
~ barn **65** 26
~ base **275** 42
~ of beet **65** 46
~ bindweed **63** 26
fielder **275** 61
field event **280**
~ flower **359**, **360**
~ glass **86** 6, **108** 37-44
~ guard **65** 13
~ hockey* **275** 9–18
fielding side **275** 50, 58
field jump **283** 22
~ mangel **70** 21
~ mushroom **365** 1
~ pests **81** 37–55
~ poppy **63** 2
~ produce **69**
~ railway **16** 90, **196** 23
fields **65** 17
field scabious **359** 29
fieldsman **275** 61
field storage tank **139** 22
~ team **275** 8
~ work **65** 1–46
fifth *[Mus.]* **300** 23
~ *[Fenc.]* **277** 38
fight **287** 57
fighting ship **222**, **223**
figure *[Art]* **321** 38, **322** 7
~ *[number]* **107** 3
~ *[Skat.]* **284** 13–20
~ of eight **284** 13
~ fr. fable (or legend) and myth **307**
~ of figure-skating **284** 13–20
~ skate **284** 31
~-skater **284** 4
~-skating **284** 4–24
~ of three **284** 15
filagree work **101** 30
filament bulb **120** 56
~ lamp **120** 56
~ rayon yarn **163** 1–34
filbert **61** 49
file *[office]* **238** 4, 9, **248** 21
~ *[tool]* **134** 3, 8, 22
~ of letters **238** 15
filer **238** 4, 53
file w. records **238** 9
file-stabling machine **240** 37
filet **101** 22
filigree work **38** 16, **101** 30
filing block **132** 28
~ cabinet **238** 3
~ case **238** 13
~ machine **134** 1
~ margin **239** 2
~ pin **106** 22
filler *[cigar]* **105** 7
~ hoist **196** 51
~ opening **196** 52
~ rod **135** 39
fillet *[meat]* **95** 24
~ *[lath]* **115** 45, **118** 57, 67
~ of beef **95** 24, **96** 20
~ of pork **95** 44
filling *[Tech.]* **254** 29
~ *[tooth]* **27** 33
~ *[cigar]* **105** 7
~ appendix **226** 55
~ cloth **124** 25
~ compound **147** 38
~ hole **192** 40
~ machine **77** 21, **124** 1
~ pit **145** 72
~ plant **77** 13–22
~ rod **1** 39
~ sleeve **226** 55
~ sleeve cord **226** 57
~ sleeve line **226** 57
~ station **190** 1
fillister **127** 59
~-head screw **136** 34
filly **74** 2
film **292–295**
~ archives **292** 5
~ break contact **295** 30
~ camera **292** 47, **294** 1–35
~ cement **295** 24
~ clip **112** 6, 8
~-cooling turbo-blower **295** 34
~-counter **294** 26
~-cutter **293** 31
~-developing machine **293** 15
~ director **292** 40
~ dosimeter **2** 8
~ extra **292** 29
~ gate **295** 34
~-goer **295** 5

filming **292** 14–61
~ ground **292** 1
film library **292** 5
~ magazine housing **294** 11
~ operator **295** 21
~ orchestra **292** 17
-printing machine **293** 16–18
~ projection room **295** 12
~ projector **295** 26–53
~ reproduction **295** 1–25
~ run mechanism **295** 27–38
~ rupture contact **295** 30
~-scanning room **237** 20–24
~ script **292** 45
~ spool **293** 5, **295** 32
~ star **292** 27, 28
~ strip **112** 21
~ studio **292** 1-13
~ super **292** 29
~ title **294** 35
~ title camera **294** 33
~-transporting sprocket **294** 20
~-winder **111** 4
~-wiper **112** 39
filter **42** 18, **110** 4, **111** 48, **254** 32
~ bottom **254** 11
~ cake **154** 13
~ gravel **254** 10
~ holder **294** 3
filtering flask **334** 40
~ sheet **205** 29
filter paper **41** 65
~ plant **254** 9
~ press **154** 12, **163** 12
~ sieve **333** 12
~ tip **105** 15
fimble **367** 13
~ hemp **367** 13
fimbria **22** 82
fin *[Zool.]* **350** 6–10
~ *[Tech.]* **225, 226** 80
final drawing **164** 47
~ screen-viewer **109** 8
~ shaft lining **138** 28
~ selector **233** 41
~ shot **86** 17
finback **90** 44
finch **344** 1, **346** 6–8
finder **109** 19
~ lens **111** 17
finding bearings **230** 26
fine adjustment **294** 7
~ coal separator **152** 11
~ cut *[tobacco]* **105** 20
~ hackle **125** 5
~ regulator **206** 9
finery **337** 36
fine screenings **150** 22
~ sieve **77** 34
~-tooth comb **104** 36
fin fish **90** 44
finger *[band]* **21** 65–68
~ board **302** 22, **303** 8
~ board* **16** 110
~ bowl **103** 2
~ car **151** 18
~ cushion **21** 78
~ disk **241** 34
~ hole **302** 33, **303** 34
~ hook **303** 67
~ nail **21** 80
~ plate **233** 27, **241** 34
~ post **16** 110
~print **247** 23
~ ring **38** 20
~-ring film dosimeter **2** 11
~ stall **23** 30, 31
~ stop **233** 28
~ tip **21** 79
finial **317** 37
fining bath **155** 4
finish **280** 7+8
finished product **91** 65
~ punch **170** 36
finisher's spirit lamp **99** 21
finish of hunt **272** 59
finishing **162** 1–65
~ calender **168** 23
~ cutter **143** 32
~ drill **143** 32
~ equipment **168** 21 + 22
~ flag **283** 16
~ floor **92** 15
~ layer **118** 40
~ line **280** 7
~ screed **197** 14
~ spirit lamp **99** 21
~ tape **280** 8
~ tool **142** 44
Finland **14** 6
Finnish hot-air bath **25** 7–16
fin and rudder **271** 57
fipple flute **301** 7
fir **356** 1
~ cone **356** 2
fire alarm **253** 55
~ alarm siren **255** 4
~ arm **87** 2
~ ball **7** 28
~ bars **205** 5
~-bars crank **205** 41
~box **205** 4, 64
~box door **67** 58, **205** 63
~ brick **135** **43**
~ brigade **255**
~ brigade cable **194** 35
fire brigade training **255** 1-46
~clay crucible **334** 31
~ curtain **297** 24
~ department* **255**
~ door **205** 63
~ door handle **205** 65
~-eater **291** 25
~ engine **255** 5
~ extinguister apparatus **255** 63
~-extinguisher **190** 34, **255** 61, 63
~-extinguisher knob **228** 22
~-fighter* **255** 37
~-fighters ax* **255** 43
~-fighter's quarter* **255** 2
~ helmet **255** 38
~man **203** 10, **255** 37
fireman's axe **255** 43
~ quarters **255** 2
~ seat **205** 40
fire pan **132** 7, **134** 5
~place **132** 5, **259** 23
~ plug* **255** 35
~proof partition wall **116** 9
~ protection spool box **295** 27
~ safety drop-shutter **295** 16
~-screen **52** 65
~side corner **259** 22
~ siren **255** 4
~ station **255** 1–3
fire-tongs **41** 48
~ tube **205** 17
~works **289** 49–54
fir forest **16** 1
firing mold* **154** 4
~ pin **87** 21
~ setter **154** 4
firmament **6** 1
firmer chisel **127** 62
~ gouge **127** 64
firm's advertisement **325** 52
~ name-plate **113** 47, **181** 18
firn **12** 48
fir needle **356** 11
firn slope **282** 15
first *[Fenc.]* **277** 1 to 2
~ aid **17**
first-aid-chest **266** 15
~ dressing **17** 5
~ official **17** 19
~ post **291** 61
~ station **200** 54
~ tent **273** 44
first ballerina **288** 31
~-class road **16** 83
~ dozen **263** 25
~ floor **39** 3
~ floor* **39** 2, **113** 7, **118** 29
~ floor brick wall* **118** 29
first-floor shop **253** 1
~-impression printing control **175** 48
~ line **90** 47
~ pilot **226** 38
first point of Aries **5** 6
~ of Libra **5** 7
first position **277** 32
~ quarter **7** 4
~ reduction roller mill **91** 61
fir strobilus **356** 2
first rules of arithmetic **326** 23–26
first solo dancer **288** 31, 32
~ danseuse **288** 31
first-stage rocket **229** 39
~ step **118** 18
~ storey **39** 3
~-year boy **249** 9
fir tree **356** 1
~ wood **16** 1
Fish **6** 43
fish *[Zool.]* **89** 66, **350** 1–17
~ *[jetton]* **263** 12
~ auction market **220** 11
~ bolt **198** 44
~bone stitch **101** 7
~-breeding **89** 55–67
~ cask **89** 63
~ egg **89** 67
fisherman **89** 2
Fisherman's ring **314** 58
fishery **89**
Fishes **6** 43
fish fork **46** 8, 65
~ hook **89** 31
fishing basket **89** 9
~ boat **89** 1, **90** 24
~ harbour **220** 8–12
~ line **89** 29
~ lugger **90** 1
~ net **89** 3
~ port **220** 8–12
~ rod **89** 20-23, 26
~ vessel **90** 11, **216** 7
fish keg **89** 63
~ knife **46** 8, 64
~ ladder **89** 13
~ lance **267** 40
~ raising establishment* **89** 55–67
~ ovum **89** 67
'fichpole' *[Film]* **292** 21
fish shop **253** 40
~-slice **42** 66
~ spawn **89** 67
~ spear **267** 40
fish's tail **307** 25, 43
fishtail bit **139** 20
fish tank **89** 62
~ trap **89** 16
fission **1** 13–17
~ fragment **1** 20

fissure **11** 52
~ bur **27** 42
fist **18** 84
'fist ball' **276** 52–58
fitted body **185** 61
~ coat **32** 52
fitter **119** 23, **134** 7
fitter's trolley **192** 67
fitting **119** 38, 40
~ mark **323** 58
~-out quay **217** 5-9
~ parts **119** 33–67
~ room **256** 32
~ tool **119** 33–67
~ yard **115** 1–59
fivefold cross **313** 66
five-four time **299** 43
~-lift waterless piston gasometer **148** 56
~-line octave **300** 70
~-masted bark (or barque) **215** 32–34
~-mast full-rigged ship **215** 35
~-metre platform **268** 8
~-section waterless piston gasometer **148** 56
~-sided polygon **330** 9
~-times accented octave **300** 70
~-times marked octave **300** 70
fixed furnace **140** 22
~ star **5** 9–48
~ undercarriage **225** 5
fixing bearings **230** 22, 26
~ tank **112** 3
fizz **98** 63
flacon **48** 27
flag *[banner]* **14, 245**
~ *[Bot.]* **62** 8
~ cloth **245** 3, 11
~ of Council of Europe **245** 4
~pole **245** 7
~ signal **218** 9
~staff **245** 1, 7
~ stick **276** 68
~stone paving **118** 26
flail **66** 27
~ handle **66** 29
~ helve **66** 29
~ staff **66** 29
flaked length of hose **255** 54
flame **47** 26
flames of resurrection **307** 10
flame tube **227** 60-63
flan *[cake]* **45** 27, **97** 15
~ *[metal]* **244** 43
flancards **310** 86
flanchards **310** 86
flange **204** 63, **271** 50
~ ring **141** 66
flanging beading **119** 21
flank *[Anat.]* **18** 32, **88** 26, **95** 2
~ *[Arch.]* **114** 6
~ vault **279** 51
flannel diaper* **30** 5
~ napkin **30** 5
flannels **34** 3
flannel square **30** 5
flap *[envelope]* **232** 26, **239** 14
~ *[saddle]* **72** 40, 47
~ *[Fish.]* **90** 21
~ *[aircr.]* **228** 47, **229** 26
~ hinge **134** 7, 57
~jack* **97** 7
~ pantile **117** 60
~ valve **227** 14
flare brush **103** 37
flare fat **95** 45
flash bulb **111** 53
~ contact **111** 46
~ gun **111** 49–59
flashing **117** 14
~ light **255** 6
flash lamp **111** 49–59
flash-light· *[torch]* **120** 26
~ *[Phot.]* **111** 49–59
flashlight* *[blinker]* **193** 20, **255** 6 **186** 8
~ lever* **186** 8
flash plug **227** 43
~ stick **111** 57
~ tube **111** 58
~ unit **111** 49–59
flask **273** 10, **334**
~-shaped puffball **365** 20
flat *[house]* **39** 74
~ *[Mus.]* **299** 53
~* *[Nav.]* **219** 62, 72
~ *[set piece]* **296** 31
~ arch **318** 28
~ bar **136** 10
~ beach **13** 35-44
flat-bed offset· machine **174** 38
~ proofing press **174** 38
flat belt **156** 49
~-bottomed flask **334** 36
~ bridge **210** 30
~ brush **121** 19, **321** 6
~ cake **97** 30
~ chisel **134** 18
~ cleaner **156** 44
~ coast **13** 35–44
~ course **272** 10
~ crown **36** 24
~ file **134** 23
~-glass manufacture **155** 1–11
~-knitting machine **160** 35
flat net **89** 17
~ plate **46** 4
~-plate keel **217** 46
~ pliers **134** 70
~ race **272** 1–29
~ racing **272** 1–29
~ rasp **99** 22
~ rib **95** 21
~ roof **39** 75, 77
flats *[Spinn.]* **156** 45
flat scorper **323** 7
~ seam **102** 4
flat's heating system **44** 16
flat stitch work **101** 10
flattening-out **114** 9
flat tile **117** 46
~-trained fruit tree **55** 1, 2, 16, 17, 29
~ vane **91** 40
~ware drawer* **41** 9
~worm **341** 24
flauto piccolo **302** 30
flax **367** 6
~ plant **367** 6
flea **341** 30
fleecy cloud **8** 14, 15
fleet destroyer **222** 16
flensing deck **90** 32
~ knife **90** 61
flesh *[Bot.]* **60** 24, **61** 6
~ brush **51** 26
~-coloured clover **70** 4
~ fly **342** 18
fleshy spike **354** 71
fleur-de-lis **246** 13
flew **71** 32
flex **120** 23
flexible arm **47** 50
~ conduit **120** 43
~ cord **120** 23
~ metal hose **52** 4
flexor carpi· radialis **20** 40
~ ulnaris **20** 58
flickers* **295** 1
flicks **295** 1
flies *[Theatre]* **297** 1-60
~ *[trousers]* **34** 30
flight into the atmosphere **4** 38–47
~ board **78** 49
~ deck **222** 69–74
~ of duck **86** 41
~ engineer **226** 41
~less bird **343** 1–4
~ of locks **212** 17–25
~ ticket office **230** 5
flint **41** 88, **105** 30
~ axe **309** 1
~ corn **69** 31
~-lock **336** 28
flipper **267** 41, **352** 28
flitch of bacon **96** 11
flitter mouse **351** 9
flivver* **183** 41
float *[cork, etc.]* **89** 4, 52, **119** 60, **212** 34
~ *[aeroplane]* **225** 33
~ *[level]* **113** 56
~ *[Theatre]* **297** 26
~ bowl* **183** 66
~ chamber **183** 66
floater *[volley]* **276** 51
floating bridge **16** 46
~ crane **221** 37–46
~ dredger **211** 56
~ dry dock **217** 31–40
~ ice **90** 35
~ quill **89** 51
~ ribs **19** 10
~ rope **90** 4
~ tube **89** 54
float needle **183** 67
~ shaft **212** 35
~ valve **183** 69
flong **172** 7
flood bank **211** 32
~ bed **211** 41
~ dam **211** 32
~ damage **211** 5
~ dike embankment **211** 32
~gate **212** 77, **217** 28
flooding valve **223** 20
flood·lamp **112** 61
~light **138** 34, **199** 46
~ protection **211** 33
floor *[room]* **118**
~ *[Film]* **292** 26–61
~ *[mine]* **138** 21
~ acrobat **298** 9
~ board **115** 36
~ contact **231** 25
floored *n.* **281** 36
floor-filling **115** 44, **118** 69
~ indicator **256** 49
~ lamp **47** 49
~ plate **217** 56
~-polish **52** 37
~-polisher **52** 9, 13
~-polishing cloth **52** 36
~ panel **185** 46
~ socket **120** 31
~ tank **217** 35
~walker* **256** 33
~ wax **52** 37
~ work **292** 26–61
floppy hat **36** 9
florin **244** 19, 37
florist's **253** 24
~ kiosk **200** 48
flounce **30** 34, **32** 30
flour **91** 28, **97** 18+19
flour beetle **341** 19
~ bin **97** 73
~ mill **91** 45–67
~ milling machine **91** 57-67
~-mixer **91** 64
~-mixing machine **91** 64

flour sack **91** 66
~ sieve **91** 63, **97** 68
~-sifter **42** 52
~-sifting machine **97** 65
~-yielding grain **69** 13
flow **211** 9
flowage zone **11** 2
flower **70** 7, **354** 23, **359**, **360**, **367** 62, 66
~ arrangement **259** 37
~ basket **260** 29
~ bed **55** 18, **79** 36, **257** 39
~ bowl **44** 18
~ bud **354** 24
~ cyme **358** 36
~ garden **54**
~ girl **260** 28
~ head **354** 74, 75
flowering perennial **55** 9
~ stem **362** 2, 27, **366**, **367** 26
~ rush **362** 39
~ spray **367** 30
flower leaf **60** 43
~ panicle **362** 46
~ pot **57** 9
~-seller **260** 28
~ shoot **61** 28
~ shop **253** 24
~ spike **367** 55
~ stalk **61** 4, **354** 52, **367** 7
~ stand **259** 36
~ stem **354** 52, **367** 7
~ table **44** 17
~ tuft **367** 65
~ umbel **362** 40
flow-gate **141** 23
~meter **28** 37
~ pipe **40** 74
~ of river **211** 9
flue **40** 40, 81, **53** 50, **146** 12, **305** 24
~ brush **40** 35
~ lining brick **151** 26
~ tube **205** 8
flügel horn **302** 39
fluid gear **207** 4
fluke *[whale]* **90** 48
fluorescent light **256** 23
~ screen **29** 41
~ tube **204** 47
flushing cistern **119** 59
~ handle **119** 39
~ lever **119** 64
~ system **51** 40
flush pipe **51** 44, **119** 62
~ rotary switch **120** 11
flute *[groove]* **91** 17, **316** 27
flute *[mus. instr.]* **301** 7, **302** 31, **308** 66
fluted roller **131** 37
~ steel roller **157** 10
flute key **302** 32
fluting *[groove]* **149** 14, **316** 27
~ file **106** 51, 52
fly *[Zool.]* **342** 18
~ *[buttons]* **31** 51, **34** 30
~ *[cab]* **179** 26
~ *[tent]* **266** 32
~ agaric **363** 10
~ amanita **363** 10
flyer **157** 25
flyers *[stairs]* **315** 33
fly floor **297** 5
~ frame *[Spinn.]* **157** 19
~ front *[Cloth.]* **31** 15
~ gallery **297** 5
flying buttress **317** 28
~-controls system **228** 39–47
~ ferry **211** 10
~ instructor **271** 29
~ jib **214** 23
~ machine* **225**
~ man **298** 21
'flying wing' **225** 29
fly·man **297** 7
~ nut **136** 40, **180** 29
~ paper **83** 3
~ reel **89** 28
~ rod **89** 23
~ swat **83** 2
~wheel **159** 15, **184** 34
F major **300** 9
F minor **300** 12
F_2-night layer **4** 19
foal **74** 2
foam fire-extinguisher **207** 24
~ gun* **255** 64
~ making branch pipe **255** 64
~-rubber cushion **266** 24
~-rubber mat **51** 75
focal-plane shutter **111** 44
fo'c'sle **213** 19
focus *[Geom.]* **329** 25
~ *[earthquake]* **11** 32
~ of ellipse **329** 25
focusing eyepiece **294** 10
~ lens **111** 17
~ lever **112** 31, **294** 31
~ scale **111** 13, **294** 6
~ screen **171** 2, 34
~ wheel **108** 39
fodder clover **70** 1
~-cutter **66** 34
~-cutting foot iron **66** 37
~-cutting roller **66** 36
~ knife **66** 34
~ plant **70**
fodder roots clamp **64** 12
~ roots pit **64** 12
~ silo **64** 45
~-steamer **67** 55
foehn soaring **271** 23
fog **9** 31
~horn **218** 3
foil *[thin sheet]* **10** 61
~ *[Fenc.]* **277** 25, 53
~ blade **277** 58
~ breeches **277** 30
~ fencing **277** 15–32
~ mask **277** 27
~ play **277** 15–32
~ pommel **277** 54
fold *[plait]* **32** 38, **102** 1
~ *[book]* **178** 54
~ *[Geol.]* **12** 12, 13, 14, 15
folded filter **334** 41
~ mountains **12** 12–20
folder *[mach.]* **175** 55, **176** 37
~ *[office]* **238** 13, 14
folding apparatus **176** 37
~ bed **262** 33
~ boat **269** 54–66
~ camera **111** 2
~ chair **266** 11
~ easel **321** 26
~ exit door **193** 14
~ hood **187** 14
~ iron **123** 24
~ knife **266** 20
~ lens **108** 32
~ mechanism **175** 55
~ plate **178** 10
~ rubber bath **30** 25
~ rule **115** 76
~ screen **48** 47, **54** 12
~ seat **185** 55
~ shutter **39** 30
~ squab **185** 56
~ stool **266** 14
~ table **266** 5
~ top **187** 14
~ tub* **30** 25
~ umbrella **43** 10
folk dance **288** 42
follicle *[Med.]* **22** 84
~ *[Bot.]* **354** 91
follower **134** 43, **170** 57
font *[Church]* **311** 2, **313** 10
fontange **338** 65
font basin **311** 3, **313** 11
food **201** 48
~ bucket **339** 7
~ compartment machine **260** 49
~-cutter **75** 41
~-delivery opening **260** 51
~ mill **41** 80
~ pail **339** 7
~ pest **341** 16–19
food vacuole **340** 6
fool **289** 38
fool's badge **289** 60
~ cap **289** 39
~ mace* **289** 59
~ sceptre **289** 59
~ wand **289** 48
foot *[Anat.]* **18** 54, **19** 26–29, **21** 52–63
~ *[page]* **178** 58
~ *[organ pipe]* **305** 23
footage-counter **294** 26
~ meter **294** 13
football *[game]* **274** 1–63
~ *[ball]* **274** 52
~ boot **274** 29
~ game **274** 1
~ match **274** 1
~ player **274** 11–21, **275** 28
~ team **274** 11–21
foot bandage **17** 4
~ bath **268** 22
~ of bed **48** 4
~ bellows **266** 25
~ blower **106** 16
~board **179** 7, 13, **203** 25
~ brake **67** 31, **185** 40
~bridge **16** 78, **145** 5
~ contact **133** 46
~ controll **27** 12
~ end **29** 11
~-fault judge **276** 25
~ grip **282** 29
~hold **258** 39, **287** 56
footing **118** 2
foot iron **66** 37
~ lever **27** 5, **133** 11, **185** 39–41
~light **297** 26
~man **179** 20
~-measuring tape **99** 12
~ muff **286** 27
~ muscle **20** 49
~note **178** 62
~pump **192** 49
foot-operated· gear lever **182** 36
~ on-off switch **52** 10
foot·path **16** 43, **210** 4
~ *[Australian]* **39** 60
~-placing **278** 21
~ plate **283** 48
~ position **288** 1–5
~ rail **204** 43, **259** 52
~-rest **104** 32, **181** 23, **182** 37, 57, **204** 43
~ rope **90** 9, **214** 46
~-scraper **261** 44
~ stool **44** 36
~ tape measure **99** 12
~ treadle **177** 18

foot valve
40 49, **254** 6
~ winch **145** 21
fop **289** 33
forage crop **70** 1–28
~ frame **131** 5
~ ladder **131** 5, 23
~ plant **70** 1–28
forced flower **79** 24
~ landing runway
230 3
forceps **26** 40, **27** 48,
28 50, 55, 57, **29** 53
force of wind **9** 10
forcing bed **79** 16
~ house **79** 4
fore-and-aft· gangway
216 24
~ line **222** 52
~ sails **214** 20–31
~ schooner **215** 18
forearm *[man]* **18** 46
~ *[horse]* **73** 21
fore·bay **212** 39
~-blade **67** 20
~carriage **68** 14–19
~castle **218** 43
~-clamp **283** 45
~course **213** 41
~ deck **218** 42
foredge margin **178** 57
fore-edge margin
178 57
~finger **21** 65
~ flank **95** 16
~foot **73** 22–26
~ grip **87** 13
~ hammer **132** 23
~ hand **73** 18-27
~-hand stroke **276** 21
forehead **18** 4+5,
73 3
~ mirror **26** 4
~ toupet **338** 8
fore-hearth **141** 5
foreign exchange
counter **242** 10
~ postage **232** 40
fore knuckle **95** 8
~leg **88** 25
~lock **73** 2
~, main and mizzen
stay **214** 10
~, main and mizzen
topmast stay **214** 11
~, main and mizzen
topgallant stay
214 12
~ and main royal stay
214 13
foreman **84** 30,
201 39, **202** 40
foremast **213** 42,
214 2–4, **215** 21
forensic specialist
248 36
fore nuckle **95** 5
~-paw **71** 6
~ plan **90** 30
~ rib **95** 19, 21
~ royal sail **214** 60
~ royal yard **214** 37
fore· sail
213 41, **214** 55
~sight **87** 71
~skin **22** 70
forest **84** 1–34
forestage **297** 25
forest cart track **84** 3
~ labourer **84** 18
~ pest **82**
~ plant **361**
~ protection **83** 46
~ road **84** 3
~ section **84** 2
forestry **84, 85**
~ office **16** 3
fore-tightener **283** 45
~top **214** 50
~ topgallant mast
214 4
~ topgallant sail
213 52, **214** 58, 59
~ topmast **214** 3
~ topmast cross tree
214 51
~ topmast staysail
214 20
~ topsail **214** 56, 57
~ yard **214** 32
forge **132** 1–42, **134** 4
forged piece **132** 21
forget-me-not **362** 26
forge tongs **132** 2
forging furnace
133 1, 52
~ manipulator **133** 49
~ press **133** 23, 48
fork **46** 58, **66** 11,
150 33
~ *[Med.]* **22** 64
~ *[harness]* **72** 29
~ *[game]* **88** 68
~ blade **180** 12
~ carriage **202** 21
~ cover **183** 24
forked mortice
(or mortise) **116** 85
~ tenon **116** 85
~ tongue **307** 6
~ twig **57** 13
fork lift **202** 20, **221** 12
~ truck **202** 20,
221 12
form *[postal ~]*
232 6–15
~ *[Typ.]* **323** 32
~ *[Gymn.]* **279** 40
formation of loop
160 65
forme *[Typ.]* **175** 36,
323 32
~ *[hat]* **36** 31
~ bed **174** 41, **175** 17
forming iron **119** 16
form register **249** 13
~ room **249** 1
~ f. sample cubes
114 84
formwork **114** 11,
54–76
Forsythia **357** 1
forte *[Mus.]* **300** 58
~ pedal **304** 8
forte-piano **300** 61
fortissimo **300** 59
~ possibile **300** 60
fortress **16** 74, **310** 1
Fortuna **308** 37
fortune-teller **291** 36
forward *n.* **268** 51,
274 17–21, **287** 27
~ bridge-building
208 37
~ grand circle **279** 12
~ holds **218** 65
~ hydroplane **223** 51
forwarding container
202 25
forward jack **218** 48
~ lunge **278** 19
foss(e) **310** 37
fossette **18** 16
fossula **18** 16
foster mother **75** 28
fouetté **288** 25
foul *[Footb.]* **274** 51
Fouler's service
355 42
foundation **118** 2,
194 14
~ base **118** 3
~ garment **33** 23
~ plan **144** 63
~ trench **113** 69–82
founder **141** 8
foundry **141**
foundryman **141** 8
~ team **141** 13
fountain **54** 20,
257 21, **316** 68
~ pen **239** 19
~ pen holder **239** 30
'fountain-pen'
monitor **2** 15
fountain pen· nib
239 20
~ rim **257** 25
~ stand **47** 13
fountain syringe **23** 46
four-channel mag-
netic-sound repro-
ducing unit **295** 50
four-cycle* **184** 1
~-cycle diesel
engine* **184** 37
~-cycle motor*
182 61
fourdrinier section
168 10-13
~ wire **168** 13
four-eight time
299 33
~-engined aircraft
226 7
~-faced polyhedron
330 1
~-family house
39 69–71
~-figure number
326 3
~-four time **299** 34
~-in-hand **257** 54
~-leaf clover **70** 5
~-leaved clover **70** 5
~-light window **39** 86
four-line
octave **300** 69
~-masted barque
215 29
~-masted full-rigged
ship **215** 31
~-masted ship
215 28–31
~-master **215** 28–31
~-mast fore and aft
schooner **215** 28
~-mast ship
215 28–31
~-oared gig
269 26–33
~-pin plug **120** 9
~-pole plug
120 9
~-roller draw-frame
157 9
~-seater motor cabin
183 50
~-stroke carburettor
engine **184** 1
~-stroke diesel engine
184 37
fourth *[Mus.]* **300** 22
four-tier letter tray
238 25
~-times accented
octave **300** 69
~-times marked
octave **300** 69
~-two time **299** 35
fourty-eight-faced
polyhedron **330** 13
four-wheel drive
189 11
fowl **74** 19–36
~ tally **75** 43
fox **88** 42, **352** 12
~ droppings **272** 64
~glove **363** 2
~hound **272** 63
~tail grass **70** 27
~ terrier **71** 15
~trot **288** 43
foyer **296** 12+13
fraction *[Math.]*
326 10, 15, 16
fractional quantity
326 10
fractionating column
139 26
fraction inverted
326 16
fracto-cumulus cloud
8 12
~-stratus cloud **8** 11
fractured leg **17** 11
frail **122** 9
frame *[picture, etc.]*
48 17, **85** 40,
160 33
~ *[Spinn.]* **157** 1, 34,
57
~ *[hand-setting]*
169 3
~ *[ship]* **217** 55,
270 20
~ *[hotbed]* **79** 16

frame blocking oscillator top mark **219** 53
~ building* **64** 3
~ f. carpet-beating **39** 51
~ drum **336** 26
~ end plate **157** 26
~ of folding boat **269** 66
~ head plate **133** 38
~ home* **252** 48
~ house* **39** 84–86, **252** 48
frameless construction **185** 1
frame motor **206** 10
~ number **180** 51
~ output stage **236** 28
~ output transformer **236** 22
framer control **295** 29
frame reinforcement **208** 10
~ saw **115** 61, **127** 1–8
~ side **158** 27
~ slipway **217** 19–21
~ timber **114** 64
~ window **79** 17
~ wood **114** 74, **122** 3
framework **19** 1-29, **64** 4, **130** 25
~ substructure **199** 49
~ truss **116** 78
framing chisel **127** 63
~ ornament **318** 11
franc **244** 15, 16, 17, 18
France **14** 7, **244** 5, 16, **245** 16
Frankfort sausage **96** 14
frankfurter* **96** 14
Frankfurter **96** 14
franking **231** 46
~ machine **231** 46 **239** 45
~ value **232** 22, **239** 48
franks* **96** 14
freak show **291** 19
free balloon **226** 51
~ combination button **305** 40
~ foot **284** 11
~ gymnastics* **278** 1–23
freeing port **216** 44
free kick **274** 42
~ port **220** 25–62
~ port boundary **220** 41–43
~ rappel **282** 34
~-skating **284** 7, 21 +22
~-standing espalier **55** 16
~-standing exercise **278** 1–23
~ stock broker **243** 5
free-style swimming race **268** 24-32
~-throw area **275** 35
~-throw line **275** 5, 36
~ wheel **184** 35
~-wheel hub **180** 63
~-wheel ratchet **192** 21
freezer **42** 5, **98** 74
freezing compartment **42** 5
freight **202** 33
~ agency* **202** 32
~barge **211** 25
~ car* **207** 39
~-carrying glider **271** 25
~ depot* **202** 8, 31
~ diesellocomotive* **207** 42
~ engine* **208** 1
~ hangar **230** 21
~ shed **202** 8
~ traction railcar* **207** 39
~ train steam locomotive* **208** 1
~ wagon **202** 18
French billiards **264** 7
~ curve **144** 49
~ foil **277** 60
~ game of boules **287** 21
~ horn **302** 41
~ knot **101** 13
~ lady **338** 51
~ marigold **62** 20
~ park **257** 1–40
~ playing cards **265** 37
~ quotation marks* **325** 27
~ roll **97** 39
~ roof **116** 18
~ window **39** 21
frequency amplifier **235** 15, **236** 7
~ calibration scale **234** 37-40
~-changer **235** 16
fresco **321** 40
fresh air **184** 75
fresh-air· blower **223** 12
~ inductor **223** 35
~ inlet **339** 40
~ lever **186** 16
~ regulator **166** 23
~ shutter **166** 24
fresh-milk cooler **77** 32
~-water eel **350** 17
~water fishing **89**
~water fishing tackle **89** 20–54
~-water pearl mussel **340** 31
~-water tank **218** 69
fret *[mus. instr.]* **303** 9
fretless clavichord **301** 36
fret saw **129** 12
~ saw blade **129** 13
fretted clavichord **301** 36
~ string **303** 25
friar **314** 19
Friar Preacher **314** 19
friction engine **205** 1
~ massage **24** 7
~ tape* **120** 34
~ wheel **301** 26
frieze **315** 19
~ blanket **30** 7
~ ornament **316** 16
~ of round arcading **317** 9
frigate **222** 13
frill **30** 34, **289** 20
fringe **35** 36
~ of darkness **4** 26
fringed tongue **100** 23
Fringillidae **346** 6–8
fringing sea **15** 26
frock **314** 8, 14
~-coat **34** 53, **338** 76
frog *[Zool.]* **350** 24
~ *[Tech.]* **159** 44, **193** 30
~ *[Railw.]* **198** 55
~ *[Agric.]* **68** 8
~bit **362** 29
~ spindle **159** 45
~-type jumping rammer* **196** 26
front *[Met.]* **9** 25–29, **271** 21
frontal artery **20** 5
~ bone **19** 30
~ bump **18** 4
~ eminence **18** 4
~ feeder **155** 2
~ muscle **21** 4
~ sinus **19** 55
~ soaring **271** 22
~ vein **20** 6
front armour **223** 59
~ blinker **185** 16
~ brake **180** 5
~ car **193** 8
~ corner pin **287** 9
~ direction indicator* **185** 16
~ door *[house]* **39** 65, **43** 30, **118** 24
~ door *[car]* **183** 42
~ edge **117** 88
~ elevation **144** 60
~ fender* **180** 13
~ foot **73** 22–26
~ fork **180** 10–12
~ garden **39** 58
~ of house attendant **296** 10
frontier check **247** 12
front jack knife **268** 41
~ lamp visor **183** 15
~ leg **82** 6
~let **72** 9
~ license plate* **185** 43
front luggage-carrier **181** 16
~ matter* **178** 43–47
~ mudguard **180** 13
~ number-plate **185** 43
~ pane **333** 27
~ quarter vent **185** 19
~ quarter vent handle **186** 1
~ row pins **287** 10
~ scale **240** 7
~ seat **183** 7, **185** 55
~ soaring **271** 22
~ support position **278** 16, 17
~ suspension cross-member **186** 49
~ tooth **21** 34
~ vault **279** 50
~ view **144** 60
~ vice **127** 40
~ wheel **179** 4, **180** 26–32
front-wheel·hub **180** 52
~ leading link **182** 3
frontyard* **39** 58
frost blanket **196** 60, **197** 44
frosted-glass globe **259** 4
~ screen **294** 8
froster **42** 3
fruit **63** 15, 20, **354** 91-102
~ barrow **253** 10
~ basket **202** 11
fruit-bearing· plant **60** 17
~ twig **61** 19
fruit bowl **46** 40
~ cake **97** 44
~ capsule **59** 6, **366** 44
~-carrier **216** 8
~ cart **253** 10
~ cone **356** 2, 13, 26
fruiterer **253** 11
fruit flan **45** 27, **97** 16
~ garden **55** 1–31
~-gatherer **58** 7
fruiting female plant **367** 10
~ body **365** 2
~ palm **368** 2
~ stem **366** 2
~ twig **368** 38
fruit juice **98** 18
~ knife **46** 71
~ pest **81** 1–19
~ pie* **97** 16
~ pip **60** 60
~ w. pips **60** 31–61
~ pod **368** 46
fruits *[fructification]* **358** 18
fruit scale **356** 67
~-seller **253** 11
~ shed **220** 36
~-stall **291** 53
~-stand **291** 53

fruit surface eating tortrix moth **81** 9
~ tart **45** 27
~ tree **55** 1, 2, 16, 17, 29
~ tree spraying machine **83** 42
~ twig **368** 38
frustum of cone **329** 45
frying-pan **41** 84, **42** 41
~ sausage **96** 23
fry tank **89** 57
F sharp· major **300** 7
~ minor **300** 4
fuchsia **56** 3
fudge **98** 81
fuel **1** 39
~ cock **228** 32
~ contents gauge **228** 21
fuel feed· control **227** 57, **228** 32
~-pipe **229** 15
~ pump **184** 40
fuel-filler neck **229** 12
~ filter **184** 42
~ injection nozzle **227** 28
~ injection pump **187** 28, **228** 24
~ injection pump feed pedal **207** 22
~ inlet valve **227** 14
~ intake **227** 9
~ jet **227** 28, 59
~ lead **227** 13
~ level visual indicator **228** 26
~ manifold **227** 13
~ nozzle **227** 59
~ oil **40** 50, **139** 42
~ of pile **1** 39
~ pipe **227** 56, **229** 11
~ piping **227** 13
~ pipes from tank **229** 33
~ pressure gauge **228** 20
~ pump **184** 9, **229** 14
~ tank **226** 47, **229** 6
~ tank section **229** 6–11
~ tender **205** 68
full beard **35** 14
~-bottomed wig **35** 2
~- cone indicator **158** 7
~ cop **156** 2
~-dress wig **35** 2
fuller **132** 28–30
full gallop **73** 43+44
~-grown insect **342** 10
~ width hub brake **182** 27
~-jacket ball **87** 55
~-jacket bullet **87** 55
full-jacket projectile **87** 55
~-length bath **51** 5
~ moon **7** 5
~ Nelson **281** 10
~-rigged mast **215** 16
~-rigged ship **215** 24–27, 31, 35
~ stop **325** 16
fulmar (petrel) **343** 12
Fumariaceae **62** 5
fumigating apparatus **83** 38
~ candle **47** 28
fumigation chamber **83** 21
~ pastil(le) **47** 28
~ plant **83** 10
funeral **312** 34–41
funerary candle **312** 55
~ temple **315** 7
~ vessel **309** 34
fungus **363** 10–13, **365**
funicular (railway) **209** 12
~ railway coach **209** 13
funnel **10** 38, 44, **41** 89, **333** 3
~ *[ship]* **218** 1
~ capping **222** 40
~-forming machine **119** 22
~ marking **218** 2
~-shaped cavity **13** 71
~-shaped fissure **11** 49
fur **32** 49
~ bonnet **32** 46
~ cap **32** 46, **36** 4
~ coat **32** 49, **34** 65
~ collar **32** 53, **34** 68
~ cuff **32** 53
~ hat **32** 46
~ jacket **32** 44, 45
~ lining **34** 66
furnace **97** 58, **141** 1, **146** 6
~ bed(ding) **40** 66
~-charger **140** 24
~man **141** 7
~ pot **155** 22
~ room **40**
~ thermometer **40** 64
furniture *[room]* **43** 23, **44** 25
~ *[printing]* **175** 40
~ *[Typ.]* **169** 8
~ polish **127** 12
~-polishing cloth **52** 45
~ truck* **189** 41
~ van **189** 41
~ van trailer **189** 42
furred game **86** 35
furrier's shop **253** 1
furrier store* **253** 1
furring **34** 66
furrow *[field]* **65** 8
~ *[mill]* **91** 17
furrow-closer **67** 13
~ slice **65** 8
~ wheel **68** 16
~-width adjuster **68** 28
fur scarf **32** 48
~ seal **352** 18
~ trapper **289** 8
~ trimming **32** 53
Fury **308** 51
fuse **120** 35, **150** 28, **235** 12
~ body **120** 38
~ box **159** 23
~ cap **120** 37
~ cartridge **120** 35
~ contact **120** 39
~ element **120** 35
fuselage **225**
fuse link **120** 35
~ pliers **192** 22+23
fusible element **120** 35

G

gable **39** 15, **116** 5
~ end **39** 15, **117** 25
~ roof **116** 1
~ slate **117** 80
gaff *[Fish.]* **89** 12
gaffer* **292** 37
gaff-rigged sloop **215** 6
~sail **215** 1
~ topsail **214** 31
gag (bit) **72** 53
gage* see gauge
gage f. pressure* **77** 18
~ f. temperature* **77** 18
gaging rod* **126** 2
gaillardia **62** 19
gain control **236** 12
Gainsborough hat **36** 39
gaiter **100** 30, 31
gaits of horse **73** 39–44
galactic system **6** 47
Galaxy **5** 35
gale **357** 33
galingale **56** 17
galinsoga **63** 31
gall *[on leaf]* **82** 34
~ bladder **22** 11, 36
~ caused by wooly aphid **81** 33
gallery *[church]* **311** 25
~ *[platform]* **1** 42
~ *[theatre]* **296** 16
~ under bark **82** 23+24
galley *[ship]* **213** 44–50
~ *[Typ.]* **169** 12, 44
~ convict **213** 48
~ slave **213** 48
~ of slugs **169** 27
gall midge **81** 40
gallinaceous bird **343** 22
gallooned coat **179** 23
~ collar **179** 22
~ sleeve **179** 24
gallop **73** 42, 44
gall wasp **82** 33, 35
galosh **100** 27
galvanometer **11** 44
gamba **301** 23
gambling game **263** 1–33
~ hall **263** 1
~ spot* **263** 1
~ table **263** 8
gambrel **94** 11
~ roof **116** 18
game *[Zool.]* **88**
~ *[play]* **258** 1-59, **274-276**
~ of ball **258** 42
~ of boules **287** 21
~ cart **86** 18
~ of chance **263** 1–33
~ of chess **261** 17
~ of the devil **258** 24
~ of draughts **265** 17–19
~ of marbles **258** 56
~ path **86** 16
~ of skill **258** 24
~ of tag (or tig, or touch) **258** 23
gamma radiation **1** 12, 17
~-ray treatment **29** 48–55
gamut **299** 47–50
gander **74** 34
gang boarding **40** 3
ganger **198** 30
gang foreman **198** 30
~ mill* **149** 10, 16
~ plank* **216** 24, 34
gangway **40** 3, **140** 37, **201** 47, **204** 7, **216** 24, 34
gangwayed corridor compartment coach **204** 1
gangway plate **203** 33
gannet **343** 9
gantry **146** 31, **199** 17, **220** 52, **221** 7, **292** 53
~ crane **217** 20
~ support **209** 24
gap gage* **142** 49
garage **39** 32, **190** 32, **252** 62
~ approach **39** 52
~ compartment **190** 33
~ man* **190** 10
garbage **253** 48
~ basket **253** 46
~ can* **41** 11, **53** 32, **195** 2
garboard strake **217** 45
garde de bras **310** 48

garden **39** 57, 58, **54**, **79**
~ bench **54** 18
~ café **261** 27–44
~ cart **58** 30
~ chair **39** 49, **54** 7,
gardener **54** 23, **79** 20
garden fence **55** 10
~ flower **62**
~ frame **79** 16
~ furniture **54** 3
~ gravel **261** 43
~ hand* **79** 50
~ hand syringe **58** 8
~ hose **39** 42, **58** 37
gardening tool **58** 1–29
garden ladder **55** 8
~ lamp **39** 38
~ pansy **62** 2
~ parasol **54** 9
~ path **55** 23
~ pests **81**
~ plot **55** 1–31
~ pond **54** 19
~ produce **79** 43
~ shears **58** 14
~ shed **55** 3
~ shovel **79** 14
~ spider **342** 45
~-sprinkler **58** 40
~ strawberry **60** 16
~ suburb **16** 28
~ swing **54** 25
~ table **39** 50
~ tool **58**
~ trowel **58** 13
~ truck **58** 30
~ umbrella **39** 48
~ wall **39** 37
gargoyle **317** 30
garland **289** 17, **317** 54
garneto **330** 7
garret **40** 1–29
~ window **116** 8
garter* **33** 19, 63
~ belt* **33** 18
garth **314** 2
gas **148**
~ *[petrol]* **139** 38, **190**
~ bag **226** 75
~ bulb **331** 10
~ burner **41** 36, **133** 3, 53
~ cap **12** 30
~ cartridge **83** 39
~ cell **226** 75
~ circulattion unit **83** 22
cloud **7** 23
~-cock **41** 37
~ compressor **148** 49
~ conduit*
~ **119** 24–30
consumers' pipe-
~line **148** 53+54
~-cooker **41** 35
~ de-poisoning plant **148** 41
gas-discharge valve **111** 58
~ duct **146** 12
~ engine locomotive **207** 45
gaseous nebula **6** 51
gas escape **53** 50
~-distributing plant **148** 47–55
~-extractor **148** 30
~-fitter **119** 23
~-heating apparatus **119** 65-67
~-heating chamber **140** 27
~holder **148** 56–64
~ hose **135** 35
~-igniter **41** 87
~ inlet **133** 7, **334** 12
~ inlet pipe **334** 2
~ installation **148** 55
gaskin **73** 36
gas-lighter **41** 87
~ main **148** 47, **194** 26, 33, 34
~ main cock **148** 52
~ manufacture **148** 1–46
~ mask **83** 19
~ mask filter **255** 57
~ meter **43** 21, **119** 28, **148** 50, 51
~ oil **139** 40
gasoline* **139** 38, **190**
~ injector* **187** 27
~ level gage* **186** 14
~ motor* **184** 1
~ stove* **266** 19
~ tank* **182** 28, **185** 65
gasometer **148** 56–64
gas outlet **334** 63
gasper* **105** 14
gas pipe **119** 24–30, **133** 59, **140** 17
~ pipe network **148** 53+54
~-pipe tongs **119** 56
~ plant **148**
~ pliers **119** 55, **134** 72
~ pressure main **148** 53+54
~ production **148** 1–46
~ purification **148** 28–46
~-purifier **135** 33
~ radiator **119** 67
~-range* **41** 35
~ regulator **334** 6
~-ring **41** 36
~-separation plan **139** 62
~ separator **139** 21
~ service pipe **148** 53+ 54
~ space **148** 58
~ steam generator **227** 58
~ storage **148** 46
gas-stove **41** 35
~ syringe **331** 9
~ tank **216** 10
~ tank* **148** 56–64
~-tap **41** 37
gastric tube **26** 9
gastrocnemius head **20** 62
gas turbine locomotive **207** 44
~ vent **216** 12
~-washing bottle **334** 58
~ water heater **119** 66
~ water tank **148** 37
~ water truck **148** 39
~ welder **135** 38
~ welding **135** 29–64
~ works **148**
gate **212** 55, **252** 39, **312** 19
~ barrier **198** 68
gated automatic gain control **236** 12
gate house **310** 22
~keeper **145** 87, **198** 70
gatekeeper's box **198** 72
~ cabin **198** 72
gateman* **200** 25
gate valve **212** 53–56
gateway **319** 11
gathering table **177** 36
gaucho **289** 31
gauge **147** 11, **186** 14, **228** 19, 20, 21
~ rail chair **198** 14
gauging rod **126** 2
gauntlet **277** 35, **310** 50
~ cuff **37** 7
gauze **28** 11, **177** 33, **178** 20
~ clamp **294** 3
~ cover **181** 6
~ diaper* **30** 6
~-holder **178** 19
~ square **30** 6
G clef **299** 10
gear **68** 73, **136** 92, **137** 5
~* **161** 17
~ box **129** 4, **133** 36, **142** 2, **157** 2
~ box flange **186** 57
~ box mounting **186** 62
~ case **142** 2, **157** 39
~-change rod **185** 45
geared-down shaft **186** 56
~ rack **212** 69
gearing **107** 19–21, **197** 11, **222** 63
gear lever **182** 36, **186** 9
~ rack **221** 3
~ rim **221** 6
~ ring **221** 6
gear room **222** 62
gears **186** 55–62
~* **136** 80–94
gear selector **207** 12
~ shift* **183** 27
~ twist grip **181** 35
~ wheel **136** 80-94, **161** 17
gecko **350** 36
Geiger counter **2** 19
~-Müller counter **29** 48
~ survey meter **2** 19
~ tube **29** 50
geisha **336** 39
gelatine *[Theatre]* **297** 49
~ roller **323** 12
gelder **74** 2
gelding **74** 2
gelly *[Theatre]* **297** 49
Gemini **5** 28, **6** 34
general merchandise store* **98** 1–87
~ offices **217** 1
~ practitioner **26** 12
~-purpose table **44** 3
~ store* **98** 1–87
generating plant **152** 19
~ station **146** 1–28
generation of heat **1** 16
Genoa jib **270** 35
genouillière **310** 53
gentian **362** 13
Gentianella **362** 13
gentleman **338** 54, 61
~ rider **272** 49
gentleman's shoe **100** 2
~ umbrella **43** 13
gentlemen's hat-shop **36** 1–26
~ underclothing **33** 35–65
~ wear **34**
~ wear department **256** 12
gentle slope **13** 58
gent's bicycle **180** 1
geodesic instrument **110** 30–38
geodesy **15** 46–62
geodetic instrument **110** 30–38
~ surveying **15** 46–62
geographical latitude **15** 2
~ longitude **15** 4
~ pole **15** 3
geography **11–13**
geology **12** 1–33
geometrical series **327** 12
~ symbol **327** 21–24
geometry **328, 329**
Georgian script **324** 4
geranium **56** 1
germ **354** 86, **368** 22
German dance **288** 41
~ Federal Republic **244** 7, 27, **245** 14

German flute **302** 31
~ handwriting **325** 11
germanium **234** 30
German mark **244** 7
~ pointer **71** 40
~ princess **338** 20
~ print **325** 3
~ terrier **71** 37
~ text **325** 1
Germany **14** 5
germinal disk **75** 54
~ vesicle **75** 55
germinating barley **92** 11
~ hole **367** 57
~ spore **365** 8
germination of barley **92** 8–12
~ box **92** 8
Gesneriaceae **56** 7
gesso **322** 29
geyser *[Geol.]* **11** 21
~ *[app.]* **119** 66
geyserite terraces **11** 23
G flat major **300** 14
gherkin **98** 29
ghost train **291** 5
Giant **307** 37
giant **291** 20, **307** 37, **308** 45
~ cypris **349** 1
~ figure **289** 63
~ ostracod **349** 1
~ salamander **350** 22
giant's stride **258** 41
giant stride **258** 41
~ waterlily **362** 17
~ wheel **291** 37
gib **136** 72, **215** 2
~ crane **217** 31
~-headed key **136** 72
gig *[vehicle]* **179** 34
~ *[boat]* **269** 26–33
Gigantocypris Agassizi **349** 1
gilded stern **213** 55-57
gilder **177** 2
gilder's brush **121** 23
gilding **177** 1
~ press **177** 4
~ tool **177** 3
gill *[Zool.]* **74** 24
~ *[Bot.]* **365** 6
~ cover **350** 5
~ slit **350** 3
gilly-flower **62** 7
gimbals **219** 27
gimlet **115** 65, **127** 19
gimp **314** 23
gimping **101** 28
~ needle **101** 29
gimp needle **123** 30
~ pin **124** 6
gingelly **367** 45
gingerbread **97** 5
gin glass **46** 90
gipsy moth **81** 1
~ woman **289** 36
giraffe **352** 4
~ house **339** 24
girder **136** 3–7, **145** 7, **210**
~ bridge **210** 30, 35
girdle **33** 16, **314** 20, 29
girdled robe **338** 25
girl **45** 4, **298** 7
~ assistant **290** 39
~ at counter **261** 7
girls' clothing **31** 1–61
girl's coat **31** 37
~ Dirndl dress **31** 36
girls' hair styles **35** 27–38
girl's hat **31** 38
~ jacket **31** 40
~ night dress **31** 1
~ night gown **31** 1
~ nightie **31** 1
~ nighty **31** 1
~ pinafore **31** 48
~ shoe **100** 23
~ ski trousers **31** 44
~ slacks **31** 41
~ spotted blouse **31** 60
girl student* **250** 10
girl's vest **31** 4
girls' wear **31** 1–60
girl's wind-jacket **31** 42
girth **72** 18
glacier **12** 49
~ covered with névé **282** 23
~ ice **12** 48–56
~ snout **12** 51
~ stream **12** 52
glade **16** 2, 112
gladiolus **62** 11
gland *[Anat.]* **21** 9, 10, 11
~ *[Tech.]* **218** 54
~ of head **21** 1–13
glans penis **22** 69
glare screen **292** 51
glass *[material]* **122** 5, 6, **155**
~ *[objects]* **46** 82–86, 87–91, **108** 31, 37, **296** 9
~ bead **50** 20
~ of beer **260** 27
~-blower **155** 13
~-blower's tongs **155** 20
~-blowing **155** 13–15
~ bowl lid **334** 52
~ bulb **120** 57
~ case **339** 39
~ chamber-pot **30** 17
~-cloth **41** 14
~-cutter **122** 25+26
~ cylinder **10** 40, **26** 30, **93** 27
~-drawing machine **155** 7
~ dropper **26** 44
glasses **108** 12–14
~ case **108** 25
~ and hearing aid **108** 22
glasses finisher **155** 16
glass funnel **112** 14
~ globe **99** 25
~ holder **122** 9
~ lid **42** 23
glass-maker's bench **155** 21
~ chair **155** 21
~ stool **155** 21
glass manufacture **155**
~ melt **155** 8
~ pane **173** 15, 18
~ observation panel **40** 62
~ of orangeade **261** 35
~ paper **129** 25, **181** 7
~ reflector **180** 86
~ rod **89** 24
~ roller **163** 16
~ roof **28** 27, **79** 5
~-roof car **207** 40
~-roofed well **252** 22, **256** 11
~ sand **323** 48
~ sheet **155** 11
~ shelf **259** 65
~ slide **26** 3
~ sponge **349** 7
~ stopper **112** 11
~ top **173** 36
~-towel **41** 14
~ tube **26** 46, **234** 29
~ veranda **261** 32
~ wall **260** 45
~ware **155** 16–21
~ window **161** 2
~ wool insulation **229** 9
glauke **244** 1
glazier **122** 8
glazier's beam compass **122** 22
~ diamond glass-cutter **122** 25
~ hammer **122** 18
~ lath **122** 21
~ pincers **122** 19
~ square **122** 20
~ workshop **122** 1
glazing **321** 42
~ machine **154** 16
glede **347** 11
glen **13** 52
glider *[pilot]* **271** 29
~ *[plane]* **271** 28
~ hangar **271** 39
~ launching methods **271** 1-12
~ pilot **271** 29
~-pilot pupil **271** 30
~ type **271** 24–27
gliding **271** 1–23
~ club **271** 39
~ field* **271** 38
~ flight **271** 18
~ plane **271** 28
~ ring **282** 42
~ site **271** 38
gliding ski **283** 29
~ step **288** 18
glima **281** 14
glissade **288** 18
globe *[Earth]* **249** 14
~ *[glass]* **333** 1
~ lamp **259** 4
~-shaped tree **257** 12
~ stop valve **254** 48
~ thistle **56** 14
globose flower head **354** 75
globular acacia **54** 11
Glossina morsitans **341** 32
glossy paint **121** 10
glove **135** 4
~ compartment* **186** 21
~ w. cross **314** 57
~ drawer **43** 7
~ stand **256** 20
glower plug **184** 64, **207**
~ plug control device **207** 17
gloxinia **56** 7
glue **127** 39
~-dispenser **238** 45
glueing machine **178** 31
~ section **177** 41
glue pot **127** 39, **177** 15, **231** 5
~ rollers **178** 27, 33
~ spreader **128** 54
~ tank **177** 46, **178** 32
~ well **127** 38
glume **69** 11
gluteal muscle **20** 60
glycerine **52** 33, **103** 22
G major **300** 2
G minor **300** 10
gnat **342** 16
goaf packed with dirt **137** 40
goal **274** 2, **275** 1, 13, 24
~ area **274** 4, **275** 3
goaler* **248** 14
goalie **274** 11, **284** 36
~keeper **274** 11, **284** 36
goal kick **274** 41
~ line **274** 3, **275** 2, 11, 21, 34
~ post **274** 37
Goat **5** 36, **6** 41
goat **74** 14
goatee (beard) **35** 9
goat pen **64** 47
goat's beard **74** 15
~-beard *[Bot.]* **361** 5, **365** 32
~ foot **308** 42
~ head **307** 18
goat willow **355** 24
gob packed with dirt **137** 40
gobbler **74** 28

Gobelin tapestry **47** 45
go-cart **49** 3
god of commerce **308** 21
goddess of arts **308** 17
~ of chance **308** 37
~ of destiny **308** 53–58
~ of fortune **308** 37
~ of hunting **308** 12
~ of science **308** 17
~ of victory **308** 43
Godet roller **163** 16
god of light **308** 15
~ of love **308** 26
godparents **313** 12
god of roads **308** 21
God's acre **312** 21–41
god of sea **308** 29
~ of war **308** 9
~ of wine **308** 32
goggles **24** 18, **135** 58
going about **270** 52–54
gold *[Her.]* **246** 24
~ blocking press **177** 26
~ coin **244** 1–28
~crest **346** 10
~ crown **27** 31
~-cup **359** 8
golden-crested wren **346** 10
~ oriole **344** 7
goldfinch **344** 1
~fish pond **257** 57
~ foil **177** 5
~ leaf **177** 5
~-leaf cutting pad **177** 6
~-leaf knife **177** 7
~ nib **239** 20
~-scales **107** 59
gold and silver· scales **106** 35
~ smith **106**
gold·smith **106** 19
~ tip **105** 15
~ wire **106** 3
golf **276** 59–71
~ bag **276** 65
~ ball **276** 71
~ club **276** 69+70
~ course **276** 59–62
golfer **276** 63
golfing outfit **34** 20
golf links **276** 59–62
~ shoe **100** 25
golosh **100** 27
gondola car* **208** 2, 6
gonfalon **245** 12
gong **281** 43
goniometer **330** 27, 28
goods **202** 33
~ clerk **202** 34
~ delivery service **202** 18
~ locomotive **208** 1
~ porter **202** 37
~ shed **202** 8, 31
goods-shed foreman **202** 34
goods-shed platform **202** 10
goods shelf **98** 14
~ station **202**
~ train steam locomotive **208** 1
~ van **202** 6
~ vehicle **207** 39
~ wagon **208** 2–34
goosander **343** 15
goose **74** 34
gooseberry **60** 9
~ blossom **60** 6
~ bush **60** 1
~ flower **60** 6
~ twig **60** 2
goose feather **324** 26
~-foot **63** 25
~gog **60** 9
~neck *[tube]* **47** 50
gorge **13** 52
~ hook **89** 44
gorgerin **316** 22
gorget **310** 43
Gorgon **308** 49
gorilla **353** 16
gos **347** 10
goshawk **347** 10
go-side **142** 50
gosling **74** 34
gospel side **311** 48
gossip *[woman]* **53** 29
Gothic art **317** 22–41
~ cathedral **317** 22
~ church **317** 22
~ pier **317** 34
~ structural system **317** 27–35
~ type **325** 1
gouache colour **321** 17
gouge **129** 15, **322** 17, **323** 6
gourd **337** 27
governess **257** 27
government loan **243** 11–19
governor *[Tech.]* **184** 41, **219** 33
~-tester **192** 59
G. P. **26** 12
grab **145** 57
~ bucket **145** 57
grace *[Mus.]* **300** 28–38
~ note **300** 28–38
grade* *[report]* **249** 54
~ crossing* **198** 67–78
graded coke bunker **148** 22
grade mark **94** 14
~ room* **249** 1
grader ploughshare **196** 21
grading plansifter **91** 59
graduated arc **219** 2
~ circle **330** 32, **331** 38
graduated fence slide rail **128** 9
~ limb **219** 2
~ measure **112** 35, **334** 26
~ measuring glass (or cylinder) **334** 26
~ pipette **334** 24
~ scale **109** 25, **128** 10, **333** 35
~ thimble **142** 55
Graeco-Roman· Mythology **308**
~ wrestling **281** 7-10
graffito drawing **321** 41
graft **57** 37
grafting **57** 30–42
~ knife **58** 26
grain **69** 1–37, **91** 45
~-cleaner **91** 45–56
~ collector **68** 66
~ conveyor **68** 64
~-elevator **221** 56-58
~ husker **91** 52
graining disk **173** 28
~ machine **173** 29
~ marble **173** 32
~ table **173** 30
grain of maize **69** 37
~-polisher **91** 56
~-polishing machine **91** 56
~ weevil **341** 17
~-weighing machine **91** 46
grand *n. [piano]* **304** 40
~ circle **279** 12
grandee **289** 26
grandfather clock **107** 32
grandfather's cap **36** 5
grand jeté en tournant **288** 24
grand·ma **258** 14
~mother **258** 14
~ piano **304** 40
~stand **272** 7, **274** 31
~ total key **240** 64
granny **258** 14
granulated sugar **98** 55
granulating the corn (or grain) **91** 57
granulation **323** 47
grape·fruit **368** 23
~-gatherer **80** 9
~ juice **80** 45
~ moth **81** 22
~ press **80** 16, 42
grapes **80** 6
grape-vine* **80** 3-6
graph **29** 16, **144** 15
graphic art **323**
~ studio **323** 27–64
graphite **3** 18
~ pile **1** 31–46
~ stick **239** 36
~ vane **229** 27
grapnel **213** 11
grapple **213** 11
grappling beam **213** 11
grasp on horizontal bar **279** 53–56
grass **354** 83–85, **359** 44
~ court **276** 1
~hopper **342** 8
~ lot **39** 76, **257** 36
~ plot **39** 76, **257** 36
~ skirt **289** 18
~ snake **350** 38
~ wrack **362** 54
grate **68** 60
grater **41** 85
grate type cooler **152** 9
graticule **87** 31, 32
~-adjuster **87** 30
~ systems **87** 31
grating **25** 5, **191** 11, **194** 24, **254** 11
~ machine **41** 79
~ of slats **262** 48
grave *n. [tomb]* **312** 23
~ *[accent]* **325** 31
~ accent **325** 31
~-digger **312** 22
gravel bottoming **196** 60
~ packing in front of chamber **254** 37
~ path **55** 23, **257** 18
~ terrace **13** 64
grave mound **312** 24
graver **107** 28, **170** 33, **323** 5
grave·stone **312** 26
~yard **16** 106, **312** 21–41
graving dock **217** 27–30
~ tool **323** 20
gravity filter plant **254** 9
~ mixer **113** 33
gravure ink **176** 17
gravy boat **46** 17
~ ladle **46** 18
gray scale* **320** 15
grazing **86** 13
grease compressor **191** 4
~ gun **191** 17, **192** 50
~ gun nipple **191** 18
~ nipple **136** 79
~ paint stick **296** 46
Great Bear **5** 29
~ Britain **14** 9, **244** 37, **245** 15
great cattle **74** 1+2
~coat **34** 48, 65
Great Dane **71** 34
~ Dipper* **5** 29
~ Dog **5** 14
Greater Bear **5** 29
greater than **327** 19
great horned owl **347** 14
~ octave **300** 64

great organ **305** 1
~ tit **346** 9
~ toe **21** 52
~-toe flexor **20** 49
greave **310** 54
Greece **14** 8, **244** 39
Greek art **316** 1-48
~ cross **313** 50
~ lace **101** 30
~ man **338** 3
~ ornamentation **316** 38–43
~-Orthodox church **252** 2
~ point **101** 30
~ script **324** 15
~ theatre **316** 44
~ vase **316** 37
~ woman **338** 1
green **320** 8
~ agaric **365** 29
~ alga **362** 43
~ baize covering **264** 15
~ brick **151** 16
~-cloth covering **264** 15
~ fly **342** 13
~gage **61** 24
~house **79** 33
~ locust **342** 8
~ malt **92** 11
~-malt turner **92** 9
~ oak tortrix **82** 43
~ plover **343** 21
~ spelt **69** 25
green-stuff· cutter **75** 41
~ silage **75** 19
~ silo **75** 19
greeting **239** 8
grenade **90** 53
grey hen **88** 66
~hound **71** 24
~ scale **320** 15
grid **68** 60, **291** 33
~ *[Theatre]* **297** 4
~ bars **156** 26
griddle cake **97** 30
gridiron* *[Sports]* **275** 21-27
grief stem **139** 13
griffin **307** 11
griffin's claws **307** 13
grill **291** 33
grille **166** 27, **185** 12
grilled sausage **291** 34
grinder shaft **167** 17
grinding cylinder **154** 1
~ disk **323** 46
~-dust extractor **143** 15
~ machine **134** 31, **141** 39, **143** 7, 10
~-roller bearing **156** 41
~ stone **337** 24
~ wheel **143** 11
~-wheel head **143** 8
grip *[grasp]* **17** 37, 38, **279** 53-56
grip *[bag]** **201** 7
~ hand* **297** 46
~ on horizontal bar **279** 53–56
gripper carriage **174** 11
gripping arm **2** 47
grip·sack* **201** 7
~-testing dumb-bell **278** 49
grist **92** 24
~mill* **91** 45–67
grit filter **145** 50
~ guard **141** 35
grits-cleaner **91** 60
grit-spreader **195** 5,16
~-spreading attachment **195** 17
grits-reducing roller **91** 61
groats-cleaner **91** 60
~-reducing roller **91** 61
grocer **98** 41
grocer's **98** 1–87
~ assistant **98** 13
~ shop **98**
~ store* **98** 1–87
groceteria* **98** 1–87
groin **18** 38
groined vault **318** 42
groom *[stableman]* **179** 27
~ *[bridegroom]* **313** 15
groove *[body]* **18** 12
~ *[Tech.]* **141** 54
grooved bowl **287** 24
~ pin **136** 38
groove milling tool **143** 16
groover **99** 66
grooving **149** 14
~ tool **129** 24
groschen **244** 13
grotto **257** 1
ground **219** 62, 72
~ avalanche **286** 1
~ clearance **189** 5
grounded plate* **233** 52
ground floor **39** 2, **113** 7
~-floor brick wall **118** 29
~-glass screen **294** 8
~ hog* **351** 18
~ ivy **359** 18
~ mouthpiece **334** 4, 37
~ plan **144** 63
groundsel **63** 12
ground stopper **333** 4
~ water **12** 21
ground-water· level **254** 42, 63
~ stream **254** 3
ground work **278** 24–30
~-wrestling **281** 8, 9, 11
group **241** 40–61, **287** 25
groupe **288** 29
grouping of stars **5** 9–48
group of machines **241** 40–61
~ of players **287** 25
~ selector **233** 38
~ of stages **292** 10
grouse **88** 66, 69, 72
grove **337** 5
groved rod **122** 13
grove of urns **312** 31
growler **179** 26
groyne **13** 37, **211** 19
~ head **211** 20
grub **60** 64, **81** 54, **82** 12
grubber **68** 31
Grus **5** 42
G sharp minor **300** 6
g-string **302** 9
guanaco **351** 30
guard *[protection]* **161** 11
~ *[Railw.]* **201** 54, **203** 13, 17
~ *[watchman]* **310** 9
~ *[Techn.]* **128** 28
~ *[Fenc.]* **277** 43, 57, 64
~ plate **303** 18
~ rail **84** 8, **114** 43, **158** 31
guard's compartment **201** 57
guard tower **310** 17
gudgeon wrist (pin) **184** 71
guelder rose **357** 10
guests at table **259** 40-43
guide *[Tech.]* **133** 13
~ arm **234** 32
~ bar **157** 17, **158** 38, **160** 28
~ cable **2** 30
~ card **238** 73
~-card tab **238** 74
~ column **133** 30
~ groove **212** 75
~ pin **134** 41
~ rail **2** 37, **6** 11, **158** 3, **256** 54
~ rib **133** 40
~ roll **141** 65
~ roller **128** 44, **141** 65, **158** 47, **162** 5
~ roll for paper **168** 20
~ rope **226** 63
~ f. shaft **159** 3
guiding cross **298** 30
~ cross piece **68** 12
~ groove **283** 38, **301** 41
~ handle **173** 27
~ kerb **197** 38
~ pin **301** 40
guiding rod **196** 27
~ roller **149** 13
guillemot **343** 13
guilloche pattern **244** 38
guillotine *[paper-cutter]* **178** 1
~ *[plumber]* **119** 15
guinea fowl **74** 27
~-hen **74** 27
~ pig **351** 12
guitar **303** 12, 73
gulden **244** 19
gules *[Her.]* **246** 27
Gulf Stream **15** 30
gull **343** 14
gullet **18** 19, **19** 49, **22** 23, 40, **88** 12
gull wing **225** 20
'gull-wing' door **187** 30
gully *[drain]* **39** 14, **194** 22
~ *[Geol.]* **12** 44
~ drain **253** 49
~-emptier **195** 25
~ hole **253** 49
gum **21** 15
gummed tape **238** 79
gun *[rifle]* **86** 4, **87** 1–40
~ *[hunter]* **86** 1
~ barrel **90** 56, **223** 68
~ cradle **223** 69
~ dog **86** 7
~man **290** 38
gunnel **269** 30
gunner **90** 43
gun openings **213** 59
~ port **213** 60
gunter gaff **270** 46
gun turret **222** 24, 41
gunwale **269** 30
gutta-percha tree **367** 37
gutter **117** 28, 92, **194** 7
~ bracket **117** 32
~ f. deodorand **339** 11
guttering **40** 9
gutter pipe **117** 29
~ tile **117** 59
guy-rope **266** 30
gym **279** 1–56
~ belt **278** 46
~ clothes **278** 44–48
~ instructor **279** 39
gymkhana **273** 32
gym leader **279** 32
~ mat **279** 13
gymnasium **279** 1–48
gymnast **279** 31
~ on apparatus **279** 31
gymnastic lesson **279** 1–48
gymnastics **278**, **279**
~ w. apparatus **279** 1–56
~ on bar **279** 11+12

gymnastics w. hand apparatus **278** 31–43
gymnastic team **279** 31+32
gymnast standing by to catch **279** 16
gym outfit **31** 11, **278** 44-48
gymp needle **123** 30
gyms w. apparatus **279** 1–56
gym shoe **100** 24, **278** 48
~ shorts **31** 13
~ suit **278** 44–48
~ teacher **279** 39
~ team **279** 31 +32
~ team leader **279** 32
~ trousers **278** 47
~ vest **31** 12, **278** 44
gypsum **322** 29
~ crusher **152** 16
~ powder **322** 29
~ store **152** 15
gypsy moth **81** 1
~ woman **289** 36
gyratory crusher **150** 19
gyro bus **188** 8
~ bus stop **188** 11
~ compass unit **219** 28–30
~-horizon indicator **228** 4
gyroplane **225** 69
gyroscope **229** 4, **331** 6
gyroscopic repeater **219** 30
gyroscopy **331** 6
gyro wheel **287** 54

H

haberdashery **37** 1-27
habit **314**
habits of religious orders **314** 13–24
hack* **179** 26
hacking block **53** 9
hackled hemp **125** 6
hackler *[ropemaker]* **125** 2
hackling **125** 1–7
~ bench **125** 3
hackney carriage **179** 26
~ coach **179** 26
hack saw **134** 9
hafted axe **309** 23
hail **9** 36
hair **18** 3, **35**
hairbell **359** 14
hair bow **31** 35
~ à la brosse **35** 10
~ brush **51** 76, **104** 8, **321** 7
~ clasp **38** 4
~-clipper **104** 7
hair cream **104** 9
~-curler **103** 35
~cut **104** 2
~ dividers **144** 44
~dresser **104** 11
hairdresser's assistant **104** 6
~ chair **104** 28
~ comb **104** 3
hairdresser shop* **103** 1–34, **104** 1–38
hairdresser's shop **104** 1–38
hair-dressing cloak **104** 5
~ dye **103** 32
~ fashion **35** 1–26
~ hygrometer **10** 23
~ moss **361** 17
~ net **103** 24
~ oil **104** 12
~ ornament **38** 4, **338** 82
~ pin **101** 29
~ pin valve spring **182** 46
~-pin work **101** 28
~ ribbon **31** 35
~ scissors **104** 17
~-slide **31** 3
~ spring **107** 25
~ style **35** 27–38
~ stylist **103** 1-34
~ stylist's salon **103** 1—34
~ tonic **104** 13
~ trigger **87** 12
~ of violin bow **302** 15
halcyon **344** 8
halerze **244** 27
hake **68** 19
~ chain **68** 17
half back **274** 14–16
~-barrier **198** 74
~-bellows tongue **99** 48
~-mask **289** 13
~-mast **245** 6
~-moon **7** 4, 6
~ note **299** 16
~ petticoat **33** 26
~-rigged mast **215** 15
~-rip saw **115** 60
~-round steering wheel **183** 52
~-round tile roof **117** 56
~ shaft **317** 46
~-staff* **245** 6
~stuff **167** 25
~ timber **115** 88
~-timbered house **64** 3, **252** 48
~-timber house **64** 3
~-title **178** 44
~-title page **178** 43
~-tone block **172** 31
~-track vehicle **189** 36
~-veil **36** 40, 47
~ volley **276** 32
half-way line **274** 8, **275** 27
Halicore **351** 24
hall *[vestibule]* **43** 1–34, **231** 1–30 **259** 1–26
~ *[building]* **310** 30
~ clock **107** 32
~ w. counter **242** 1–11
~ of Exchange **243** 1
~ manager **263** 7
~ mark **38** 30
~ mirror **43** 5
~ of mirrors **291** 55
~ porter **259** 1
~ of post office **231** 1–30
~ stand **43** 8
~ table **43** 6
~way **43** 1–34
halma **265** 26–28
~ board **265** 26
~ piece **265** 28
halt **16** 27
halter **72** 7–11
halves of screwing die **134** 65
halyard **245** 2
halyards **218** 10
ham *[pork]* **96** 18, 25, 26
~ *[bird]* **346** 6
hames **72** 15
hammer *[tool]* **132** 24
~ *[mach.]* **133** 20, 41
~ *[piano]* **304** 3
~ *[Anat.]* **19** 61
~ *[Sports]* **280** 49
~ *[Zool.]* **346** 6
~ blow **276** 56
~ column **133** 44
~ crusher **150** 20, **152** 2
~ cylinder **133** 14
~ drill **150** 11
~ edge **66** 22
~ guide **133** 13
~ head *[mach.]* **133** 20
~ head *[piano]* **304** 24
~-headed crane **217** 7
~ helve **132** 27
~ mill **152** 2
~ rest rail **304** 26
~ shank **304** 25
Hammer and Sickle **245** 21
hammer stop **133** 47
~-thrower **280** 48
~-throwing **280** 48–51
~-type stamp **231** 42
hammock **266** 38
hamster **351** 16
hand *[body]* **18** 47, **19** 15–17, **21** 64–83
~ *[watch]* **107** 4, 5, 6
~ *[worker]** **113** 19
~ apparatus exercise **278** 31–43
hand-bag **37** 10, **201** 7
~ball **275** 1–8
~ball player **275** 8
~ barrow **145** 80
~-basin **51** 63
~ blotter **238** 19
~ bookbinding workshop **177** 1–38
~ brace **106** 4, **134** 29
~ brake **181** 25, 37
~-brake lever **186** 18
~-brake platform **208** 7
~ brush* **51** 67
~ camera **294** 22
~ cancel **231** 49–52
~ cancellation **231** 40
~ cart **115** 6
~ compositor **169** 5
~ crank **145** 23, **239** 49, **241** 11
~cuffs **248** 9
~ cultivator **79** 21
~-drier **103** 30
~ driver **126** 6
~ feed pump **254** 66
~ gallop **73** 42
~-grip **138** 51
~ grubber **79** 21
~ guard **183** 4
~ gun drill* **106** 4
~ hammer **132** 15
~ harpoon **267** 40
handicrafts **50** 20-31
hand iron-cutters **114** 87
~ ironing **166** 31
~ iron-shears **114** 87
handkerchief **31** 8
hand ladle **141** 24
~ lamp **255** 42
~ lantern **76** 1
handle **66** 17, **138** 51, **239** 49, **287** 55
hand lead **219** 35
handlebar **180** 2
~ fittings **181** 34–39
~ gear change **183** 27
~ grip **180** 3
handlebars *[beard]* **35** 18
~ *[bicycle]* **180** 2
handlebar stem **180** 10
~ windscreen **182** 58
hand lever **177** 31
~-lever press **177** 26
handling of the mail **231** 31-46
handmade paper **168** 44-50
hand massage **24** 3
~-me-down dress* **256** 29
~ microphone **241** 31
~ mirror **104** 1
~ motor snow plough **195** 30

hand-muscle developer **278** 49
~ net **89** 10
~ obliteration **231** 40
hand-operated· add listing machine **240** 55
~ crane **192** 60
~ knitting machine **160** 35
~ lever punch **134** 30
~ point **198** 47
~ switch **198** 47
~ teasing machine **124** 17
~ ticket-printer **200** 43
hand-over-hand swimming **268** 38
~-painted vase **154** 18
~ palette **321** 28
~ piece **27** 14, 15
~ pliers **107** 27
~ postmark **231** 49–52
~ press **323** 29
~-printing machine **323** 29
~-propelled carriage **181** 22
~ property **296** 50
~ pump **254** 66
~ pump lever **228** 23
~ puppet **298** 24
~-rail **40** 28, **118** 53
~-rammer **194** 17
~ rings **279** 47
~ sail **284** 34
~ saw **115** 60
~ screw **127** 36,37
~ scrub* **51** 67
~ set **233** 30
~-setting room **169** 1
~ sewing **177** 8
~ sewing iron **123** 20
~ shank **141** 14
~ shield **135** 2, 26
hands on hips **278** 9, 13, 15
hand shower **51** 4, **173** 7
~ spittoon **23** 16
~-sprayer **58** 8
~spring **279** 15
~ stamp **231** 44
~ stamper **141** 32
~ stamping **231** 40
~stand **278** 24
~stand dive **268** 46
~ switch box **198** 48
~ steel-cutters **114** 22
~ steel-shears **114** 22
~-syringe **58** 8
~-tool rest **129** 5
~ trowel **58** 22, **223** 41, 42
~-truck **53** 49
~ vice **134** 16
~wheel **142** 13, **160** 30
handwork **50** 20-31
~-woven tapestry **47** 45
~writing **325** 10, 11, 12
hangar **230** 6, **256** 31
hanging plant holder **44** 23
hangnail remover* **103** 3
hank **161** 29
~-carrier **161** 27–30
~-dyeing machine **161** 20
hanky **31** 8
Hanse cog (or ship) **213** 18–26
hansom **179** 29
~ cab **179** 29
harbor* see harbour
harbour **220, 221**
~ boat **221** 37–70
~ canal **220** 27
~ customs house **220** 34
~ ferry **220** 24
~ hospital **220** 1
~ industry **220** 25
~ launch **220** 19
~ light **220** 58
~ office **220** 13
~ quarter **220** 7
~ railway **220** 47, **221** 9
~ tug **221** 51–55
~ vessel **221** 37–70
hard·beam **355** 63
~ core **118** 12
~ course **272** 36
~ court **276** 1
~ felt hat **36** 7
~ palate **21** 20
~ roe **89** 67
~rubber **284** 39
~ sausage **96** 13
~-snow remover **195** 23
~-water pipe **161** 49
~-wood cutting **57** 25
~wood wedge **116** 96
hardy **132** 28–30
~ hole **132** 20
hare **88** 59
harebell **359** 14
hare call **87** 44
~-shooting **86** 34–39
harlequin **289** 35
harmonica **303** 35
harmonium **304** 43
~ case **304** 47
~ keyboard **304** 48
harness **72** 7–25
~-maker **123** 16
~-maker's needle **123** 28–33
~-maker's workshop **123** 1–33
~ pad **72** 17, 31
harp **302** 60
harpoon **90** 53–55, **336** 10
harpooner **90** 43
harpoon gun **90** 53–59
harpsichord **301** 45
~ mechanism **301** 48
harpy **307** 55
Harpy **246** 35
harrier **347** 13
harrow **68** 35
hart **88** 4
harvest **65** 19–24
~ of corn **65** 19–24
harvester *[Zool.]* **341** 13
~ combine **68** 48
harvest frame **131** 1
~ of grain **65** 19–24
harvesting-wagon **64** 44
~ of wood **84** 15–34
harvestman *[Zool.]* **341** 13
harvest spider **341** 13
hasp **53** 5
hassock **47** 20
hat **31** 38, **36**
~band **36** 14
~ block **36** 32
~ box **36** 21, **201** 11
~ brim **36** 16
hatch **40** 14, **45** 62, **64** 49
~ coaming **217** 61
~ cover **217** 62
hatchery **89** 55–67
hatchet bit **119** 5
~ soldering iron **119** 5
hatching **323** 54
~ apparatus **89** 59
~ jar **89** 56
~ tank **89** 61
hatchway **217** 61 + 62
hat crown **36** 12
~ mould **36** 32
~ peg **260** 13
~ pin **36** 50, **260** 13
~ rack **43** 4
~-shop **36** 1–26
~-stand **36** 51
hatter's **36** 1–26
~ shop **36** 1–26
hat trimming **36** 49
hauberk **310** 51
haul* **202** 53
haulage **211** 27
~ cable **209** 14, 26, 37
haulage-cable· pulley **209** 32
~ bearings **209** 49
~ tensioning weight **209** 42
haulage level **137** 26
~ road **138** 11
~ rope **138** 43
haulage-rope · guide wheel **209** 61
~ roller battery **209** 60
~ winding disk **209** 62
hauling capstan **212** 22
~ line **224** 50
~ rope **145** 58, **212** 23
haunch *[man]* **18** 33
~ *[animal]* **73** 35, **88** 21, 37
Hauptwerk **305** 1
hautboy **302** 38
Haute Ecole **72** 1–6
Havana cigar **105** 2
haversack **266** 45
haw **358** 31
Hawaii girl **289** 16
hawk **86** 46, **347** 10-13
hawker **53** 30, **253** 5, 53, **291** 12
hawking **86** 42–46
hawk-moth **82** 27 **342** 55, **348** 9
hawk's-bill (turtle) **350** 28
hawse **217** 72
~ pipe **217** 73
hawthorn **358** 30
haycock **65** 37
hay fence **65** 38
~field **65** 35
~ frame **131** 5
~ harvest **65** 35–43
haying season* **65** 35–43
hay ladder **131** 5
~making **65** 35–43
~ mow **65** 36
~ prop **65** 42
~ rack **76** 2
~ rake **66** 31, **67** 21
~rick **65** 36
~stack **65** 36
~ swath(e) **65** 40
~ trailer **65** 41
~ tripod **65** 39
haze cloud **8** 7
hazel grouse **88** 69
~ hen **88** 69
~ leaf **61** 51
~ nut **61** 49
~ tree **61** 44–51
head *[Anat.]* **18** 1–18, **19** 42–55
~ *[screw]* **136** 14, 37, 44, 55
~ *[letter]* **170** 39
~ *[mus. instr.]* **303** 10
~ *[beer]* **260** 4
~ *[window]* **115** 58
~ *[Bot.]* **63** 14, **354** 73
~ *[manager]* **256** 60
~ache tablet **23** 62
~ badge **180** 15
~ band *[book]* **177** 35
~band *[harness]* **72** 10
~ bandage **17** 3
~-band magnifier **109** 13

head beam **177** 21
~ of bed **48** 3
~ of cabbage **59** 32
~ clerk **238** 1
~ croupier **263** 6
~ of department **256** 60
~ dress **335** 12
header *[Footb.]* **274** 56
~ bond **113** 60
~ course **113** 64
head frame **137** 6
~ gear *[harness]* **72** 7–13, 25
~gear *[hats]* **36**
~ of Gorgon **308** 50
~ guard* **203** 13
heading **239** 8, **325** 38
~ chisel **127** 63
~ of letter **239** 3
head·lamp **185** 17
~less screw **136** 46
~ of lettuce **59** 36
headlight **181** 40, **185** 17
~ beam setter **192** 58
head·line **21** 73, **325** 42
~ lock ring **180** 11
~ margin **178** 56
~master **249** 23
~ of Medusa **308** 50
~ muscle **20** 50
~phone **332** 18
~phones **29** 17
~piece *[harness]* **72** 7–11
~piece *[Arch.]* **318** 12
~ pin **287** 12
~ post **115** 53, **118** 54
~race **91** 41
~ receiver **29** 17, **332** 18
~-rest **17** 13, **47** 59, **104** 30
~ rope **90** 7, 17
~ rules **325** 41
~ set **233** 13, **332** 18
~ shield **135** 16
~ stake **119** 17
~stall **72** 7–11
~stand **278** 27
headstock **142** 2, **157** 39
~ spindle **142** 20
head·stone **312** 26
~ strap **72** 10
~ string **298** 31
~ tube **180** 14
~waiter **260** 30
~way structure **212** 44
~wear **36**
~ wheel **91** 7
heald **159** 27
~ eye **159** 28
~ shaft **159** 4
health resort **262** 1–49
heap of branchwood (or brushwood) **84** 16
~ cloud **8** 1, 2
~ of earth **79** 15
~ of snow **286** 24
hearing aid **108** 22
heart *[Anat.]* **20** 14, **22**
~ *[wood]* **149** 41
~ line **21** 74
~ point **246** 17
hearts *[cards]* **265** 40 + 44
~ease **62** 2
heart's-ease **62** 2
heartwood **115** 84, **354** 13
~ plank **115** 93
~ side **149** 40
he-ass **74** 3
heat colours **320** 16
heater plug **184** 64
~ plug control device **207** 17
heat-exchanger **3** 7, **152** 6, **184** 51
heath *[moor]* **16** 5
~ *[Bot.]* **361** 19
~ bird **88** 66
~ cock **88** 66
heather **361** 19
heath hen **88** 66
~land **16** 5
~ plant **361**
heating **339** 42
~ beaker **334** 20
~ blanket **48** 51
~ chamber **92** 19
~ element **173** 3
~ gas **148** 1–46
~ pad **23** 52
~ pipe **79** 8
~ pressure gauge **205** 45
~ system **92** 19
~ tension gauge **206** 41
heat regulator **204** 40
heavens **6** 1, **308** 46
heavy concrete **114** 72
~ dressing axe **150** 38
~-duty boot **100** 21
~-faced letters **170** 2, 9
~ gymnastics **279** 1–56
~ lift cargo ship **216** 1
~ lift derrick **216** 2
~ lorry **196** 7
~-oil engine **184** 37–80
~ sabre **277** 46
~ truck* **196** 7
~ warship **222** 18–64
Hebraic script **324** 7
Hebrew script **324** 7
heckelphone **302** 38
heckler *[meeting]* **251** 15
heckling **125** 1–7
~ bench **125** 3
hectometre post **198** 83
hedge **16** 98, **257** 37
~-clipper **58** 14
~hog **351** 5
~ mustard **63** 16
~row flower **359, 360**
~ shears **58** 14
heel *[Anat.]* **21** 63
~ *[shoe]* **99** 54, 56
~ bone **19** 27
~-clamp **284** 25
~-glazing iron **99** 64
~ grip **283** 56
~ iron **99** 57
~-parer **99** 61
~ protector **100** 18
heels raised **278** 7
heel string **20** 48
'Heidelberg' *[machine]* **175** 29
heifer **74** 1
height-adjustment handle **44** 5
~ of cone **329** 44
~ gauge **145** 29
~-index level **110** 33
~-measuring **26** 21
~ scale **149** 9
~-to-paper **170** 44
helical gearing **136** 87
~ gear wheels **186** 59
~ spring **52** 76, **185** 26
~ spur wheel **136** 87
helicoid cyme **354** 76
helicopter **83** 47
~ landing field **230** 15
~ platform **222** 6
heliozoon **340** 7
helium nucleus **1** 10
~ tank **229** 7
hellbender **350** 22
hell hound **307** 29
helm *[ship]* **213** 13
~ *[Her.]* **246** 4, 7–9
helmet **138** 54, **264** 4
285 16, **310** 39–42
~ affrontée with open visor **246** 9
~ w. bars **246** 8
~ bowl **310** 39
~ plume **308** 18
helmsman **219** 18, **224** 39
helmsman's grating **219** 17
help* **45** 54
helper **17** 20
helter-skelter **291** 40
helve **132** 27
helvella **365** 25
hem **102** 2
hematite* **106** 49
hemicycle **328** 46
hemidemisemiquaver **299** 21
~ rest **299** 29
hemihedron **330** 24
hemipteran **342** 4
hemi·pyramid **330** 24
~sphere **5** 1–35
hem line **256** 37
~-line marker **256** 40
hemlock **363** 4
hemming **102** 11
hemp **125** 6, **367** 9
~ fibre **125** 20
~hard **125** 7
~ seed **367** 15
~ shoe **117** 75
~ tow **125** 7
hemstitch **101** 14, **102** 10
hen **74** 19, **75** 20
~bane **363** 6
~ drunks **355** 42
~ house **75** 13
Henri Quatre beard **35** 8
hen's egg **75** 47
hepatic duct **22** 37
Hera **308** 5
herald of gods **308** 21
heraldic arms **246** 1-6
~ colour **246** 24–29
heraldry **246** 1–36
Hercules **5** 21
herd of deer **86** 15
Herdsman **5** 30
Herero woman **337** 25
here we go round the mulberry bush **258** 29
herma **316** 35
hermaphrodite flower **358** 10, **366** 14
hermes **316** 35
Hermes **308** 21
hero **292** 28
heroine **292** 27
heron **86** 46, **343** 18
heron's feather **36** 35
herring **350** 14
~-bone **283** 27
~ gear **136** 85
~ stitch **101** 9
~ driftnet **90** 2-10
hessian **124** 24
Hessian fly **81** 40
hexagon **330** 15
hexagonal biprism **330** 22
~ crystal system **330** 20–22
~ headed bolt **136** 13
~ nut **136** 18
~ prism **330** 21
hexahedron **330** 2
hexakis-octahedron **330** 13
hexoctahedron **330** 13
H.F. amplifier valve **235** 15
H. F. first stage **236** 2

H. F. input **236** 2
H. F. oscillatory circuit **234** 25–28
hibernation cocoon **81** 31
hickey* **120** 33, 47
hide **88** 56, **337** 11
~-and-go-seek* **258** 1
~-and-seek **258** 1
~ apron **132** 14
hieroglyph **324** 1
high *[Met.]* **9** 6
~ altar **311** 37
~ball glass* **259** 56
~ beam* **185** 17
~ bog **13** 19
~ boot **100** 15
~-breast bucket wheel **91** 35
high-capacity· compartment **204** 56
~ highway snow-sweeper **195** 21
high coast(line) **13** 25–31
~ collar **338** 74
~ cut **277** 13
~ desk **242** 11
~ diving **268** 41–46
high-draft· draw-frame **157** 14
~ speed frame **157** 19
~ system **157** 14
higher mathematics **327** 11–14
high fin **225** 24
~ fog **8** 4
~ forest **84** 4
high-frequency· camera **294** 28
~ first stage **236** 2
~ input **236** 2
high-hat choke cymbal **303** 50
~ head-dress **338** 81
~ heel **100** 41
~ jump **280** 36+37
~-jumper **280** 36
~land Indian **335** 23
~ leg boot **100** 15
~ mountains **12** 39-47
~-performance glider **271** 26
~-pitched roof **117** 50
~-power periscope **223** 56
~ pressure **255** 31
high-pressure·area **9** 6
~ cylinder **147** 23
~ gas main **148** 54
~ gas meter **148** 50
~ grease hose **191** 5
~ pre-heater **146** 26
~ steam **3** 30
~ tyre **180** 30
High School Riding **72** 1–6
high-set wing **225** 2
high-speed· acrobat **298** 9
~ aircraft **225** 42
~ contact printing frame **171** 40
~ drop hammer **133** 35
~ lathe **142** 1
~ planing machine **143** 52
~ press **175** 1
~ printing machine **175** 1
~ shaper* **143** 52
high stand **86** 14
~ taper **360** 9
~-tension transformer **332** 32
~ third **277** 3 to 4
~-tide limit **13** 35
high-voltage· bushing **146** 43
~ cable **147** 42
~ circuit **147** 4
~ overhead conductor **146** 32
~ terminal **146** 43
~ winding **147** 15
highwater embankment **211** 32
highway **197** 28
~ snow-sweeper **195** 21
high-wing monoplane **225** 1
hiking shoe **100** 23
hill **13** 66
~ bog **13** 19
~ climb **273** 33
~ lift **271** 13
~side spring **12** 38
~-top take-off **271** 12
~ up-current **271** 13
hilt **277** 54–57, 64
himation **338** 6
hind *[deer]* **86** 13, **88** 1, **308** 14
~ body **78** 10–19
~ bow **72** 39
~ brisket **95** 25
~ flank **95** 15
~ knuckle **95** 10
~ leg **73** 33–37, **88** 22
~ paw **71** 8
~ quarter *[animal]* **73** 35–37
~ quarters *[man]* **18** 40
hindu dancer **289** 25
hind wheel **179** 17
hinge **193** 16, 17
hinged cap **102** 27
~ joint **298** 33
~ lid **53** 33, **120** 15, **195** 37
~ roof **183** 9
~ stern **224** 31
~ ventilator **79** 10
hip *[body]* **18** 33
~ *[roof]* **116** 12
hip bath **51** 50, **262** 46
~ bone **19** 18
~ cap **117** 9
~ grip **17** 38
~ jack rafter **116** 63
hipped dormer window **116** 13
~ end **117** 11
~ roof **116** 10
Hippocampus *[Zool.]* **350** 18
~ *[Myth.]* **307** 44
Hippocentaur **307** 52
hip pocket **34** 33
hippodrome **291** 59
Hippogriff **307** 26
Hippogryph **307** 26
hippopotamus **351** 31
hip rafter **116** 62
~ roof **39** 64, **116** 10
~ roof w. purlin roof truss **116** 60
~ tile **117** 8
hired carriage **179** 26
~ coach **179** 26
~ girl* **45** 54
~ man* **113** 19
~ woman* **52** 52
historical building **252** 45
~ ship **213**
history *[symbol]* **308** 59
hitch **17** 24
~ pin **304** 14
hit in the shoulder **86** 17
~ singer **298** 3
hive **78** 52
~-bee **78** 1–25
hoarding **113** 44
hobbing foot **99** 32
hobby-horse **50** 7
hobnail **99** 59
hockey **275** 9–18
~ ball **275** 18
~ player **275** 16
~ stick **275** 17
hod **117** 22
~* **52** 56
~ hook **117** 23
hoe **66** 32, **68** 45
~ blade **66** 5, **67** 17, **68** 47
~ and fork **58** 18
~ handle **66** 2
hoeing implement **67** 16
~ machine **68** 45
hog **74** 9
~-pen* **64** 47, **76** 39–47
~shed* **64** 47
hoist **139** 10, **150** 16, **209** 15, 16-18
hoisting cable **139** 6
~ chain **133** 39
~ device **224** 32
~ frame **221** 69
~ gear **145** 3
~ gear bridge **212** 73
~ gear cabin **212** 71
hoisting hook **139** 8
~ motor **143** 27
~ platform **221** 70
~ rope **115** 37
~ skip **196** 14
~ winch cabin **212** 71
holder **239** 30, **303** 4
holdfast **362** 50
hold-fast **115** 66
holding squad **255** 17
hold pillar **217** 58
holds *[ship]* **218** 49, 65
hold stanchion **217** 58
hole **60** 65, **132** 20
~ *[Golf]* **276** 67
~ gauge **132** 34
~ f. split pin **136** 25
holiday-maker **262** 24
~ outfit **32** 56
holing the ball **276** 66
hollander **167** 24
~ section **167** 27
hollow adze **126** 12
~ axle **295** 49
~ ball **274** 52
~ building (or concrete) block **113** 15
~ clay block **151** 22, 23
hollowed-out tree trunk **213** 7
hollow to facilitate fingering **303** 74
hollow-ground blade **284** 26
hollowing knife **126** 15
~ tool **129** 17
hollow of knee **18** 51
~ moulding **316** 29
~-pin insulator **147** 54
~ piston pin **184** 71
~ punch **119** 45, **123** 25
~ sound **28** 47
~ of throat **18** 20
holly **358** 9
holohedron **330** 2
holster **247** 8
Holy Communion **313** 24
~ Mass **311** 49
~ Scripture **311** 14
holy water **313** 26
~-water basin **313** 45
~-water vessel **313** 45
Holy Writ **311** 14
Homburg **36** 10
home* **39** 1–53
~ base **275** 40
~ cinema **295** 53
~ gymnastics **278** 49+50
~ movies **295** 53
~ plate **275** 40
~ projector **295** 53
~ signal **199** 37, 41
~stead* **39** 1–53
~-trade motorship **216** 38

homogeneous reactor
3 12-16
homopterous insect
342 3
hone **66** 19
~ sheath **66** 20
~ stone **66** 19
honey **78** 62+63
~ agaric **365** 28
~ bag **78** 18
~-bee **78** 1–25
~ cell **78** 33
honeycomb **78** 31–43
~ weave **165** 29
honey extractor **78** 61
~ jar **78** 63
~ pail **78** 62
~ pot **268** 14
~ separator **78** 61
~suckle **358** 13
honing machine
192 53
hood *[Cloth.]* **31** 26,
36 31, **314** 16
~ *[tilt]* **179** 42,
189 15
~ * *[car]* **187** 2
~ of anorak **282** 20
hooded jacket **34** 67
hood iron **187** 15
~ stay **187** 15
~ stick **189** 16
hoof **73** 26
hoofed-animal
351 20-31, **352** 1-10
hoof rasp **132** 41
hook **37** 23, **99** 45,
255 15
~ *[Box.]* **281** 30
hookah **105** 39
hook belt **255** 44
~ bolt **198** 41
~ f. case **183** 28
hooked beak **347** 6
~ pole **78** 55,
96 10
~ tongs **132** 1
hook of hame **72** 14
~ f. handbag **183** 28
~ ladder **255** 16
hoop *[cask]* **126** 26
~ *[Sports]* **258** 21,
275 63, **278** 40
~ *[Tech.]* **189** 16
~-bending machine
126 34
~-driver **126** 6
~ edging **79** 37
~ exercise **278** 39
hoopoe **343** 25
hoopoo **343** 25
hoop-setter **126** 6
hooter **182** 39
~ button **182** 24,
186 4
hop *[jump]* **280** 33–35
~ copper **92** 35
~ garden **16** 114
hopper **67** 34, **75** 8,
91 13, **221** 67
~ car* **208** 14
~ feeder **156** 33
hopper truck **198** 4
~ wagon **208** 14
~ window **75** 2
hopscotch **258** 13
hop-step-and-jump
280 33-35
hoptoad* **350** 23
hop yard **16** 114
horizon **297** 9
~ hill **292** 13
horizontal balance
278 22
~ bar **279** 9
~ boarding **39** 84
~ cordon **55** 29
~ cylinder **182** 1
~ drilling plant
143 33
~ jet nozzle **195** 33
~ leg **136** 5
~ line **326** 15
~ line oscillator
236 29
~ rod **130** 5
~ stabilizer* **228** 43,
271 58
~ stand **279** 30
~ stroke **264** 2
horn *[antlers]*
88 29–31
~ *[bird]* **347** 16
~ *[Tech.]* **72** 38,
127 55, **132** 11, 18
~ *[Mus.]* **179** 41,
302 38, 39, 41
~ *[hooter]* **182** 39
~ arrester **332** 3
~beam **355** 63
~ button **182** 24,
186 4
horned animal **74** 1
horn gap electrode
332 4
~ of plenty **308** 39
~-rimmed glasses
108 12
~ rims **108** 12
horse *[animal]* **72, 73,**
272 47
~ *[Gymn.]* **279** 34–38
~ *[trestle]* **115** 18
~ armour **310** 83–88
~back **73** 29
~ blanket **72** 44
~ box **76** 7
~ brush **72** 55
~ bus **179** 37
~ cab **179** 26
~ carriage **179**
~ chain **76** 4
~ chestnut *[Bot.]*
355 58
~ collar **72** 15
~ collar form **123** 4
~ collar pad **123** 1
~-drawn vehicle
179 1–54
~ droppings **76** 8
~-gear **64** 58, 59
horsehair **124** 23,
302 15
~-unraveller **124** 11
horse head **213** 14
~ latitudes **9** 47
~man **257** 42
~manship **72** 1–6,
272
~ manure **76** 8
~ omnibus **179** 37
~ race (or racing)
272 1–29, 36–46
~ radish **59** 20
horse's body **307** 27
~ crest **73** 14
~ croupe **73** 31
~ foot **307** 42
~ harness **72** 7–25
~ head **73** 1–11, **309** 7
horseshoe **88** 71
~ *[shoe]* **99** 57
~ * *[Theatre]* **296** 18
~ arch **318** 30
~ magnet **332** 36
horse's knee cap (or
pan) **73** 33
horse sledge **286** 25
~ sleigh **286** 25
horse's mane **73** 13
horse stall **76** 7
~tail **73** 38
~-tail *[Bot.]* **360** 18
~-tooth *[maize]*
69 31
horst **12** 10
horticulturist **54** 23
hose *[tights]* **338** 47
~ *[tube]* **58** 37,
255 67
~ f. carbon dioxide
171 54
~ f. compressed air
171 54
~ coupling **255** 29
~ faucet* **39** 41
~ frame **195** 29
~-laying tender
255 53
~ reel **58** 35, 36,
255 28
~ tap **39** 41
hosiery department
256 17
hospital **28, 29**
~ and operating cage
339 12
~ bed **29** 8
~ room **29** 8–20
Host **313** 26
hot-air · chamber
92 18
~ blower chamber
168 40
~ control valve
158 51
~ drying channel
168 38
~ duct **133** 57
~ lever **186** 16
~ outlet **47** 2
~ stove **47** 1
~ syringe **27** 10
~ system **186** 24
hotbed **79** 16
~ frame **79** 16
hotbed window **79** 17
hot blast main **140** 18
~ blast stove **140** 15
~ chisel **132** 37
~ conductor **236** 20
hotel **259**
~ bar **259** 51
~ bill **259** 11
~ boy **259** 18
~ check* **259** 11
~ entrance hall
259 1-26
~ entrance lounge
259 18-26
~ guest **259** 14
~ label **201** 6
~ lobby **259** 18–26
~ porter **200** 17
~ register **259** 8
~ restaurant **259** 20
~ room **259** 27–38
~ vestibule **259** 1-26
hot·house **79** 4
~-plate **42** 14, 28,
201 52
~ room **25** 7
hot-water· bottle
23 14, 27
~ heating **40** 38–81
~ inlet **145** 66
~ pipe **3** 36
~ tank **40** 68
hotwell **146** 17
hound **71** 25,
272 62
hound's body **307** 30
hour axis **109** 20
~ circle **109** 21
~ glass **107** 48
~ hand **107** 5
~ plate **107** 2
~ wheel **107** 38
house **39**, **252** 20, 48
~ f. beasts of prey
339 1–15
~ boat **336** 31
~ coat **33** 6
~ construction
113 1–49
~ cricket **341** 6
~ detective **263** 16
~-dress **32** 15
~-frock **32** 15
~hold scales **41** 59
~ insect **341**
~ jacket **33** 10
~ scorpion **342** 40
~-sparrow **53** 43,
346 5
~ spider **341** 8
~ surgeon **28** 29
~ tug **211** 24
~ f. two families
39 64-68
~ wall **115** 29
~ w. two maisonettes
39 64-68
housing **10** 43, **136** 77
~ cover **136** 78
~ estate **39** 54
howler **355** 30

hub **131** 27, **180** 26, **181** 43
~ barrel **180** 69
hubble-bubble **105** 39
hub body **180** 69
~ brake **182** 12 27
~ cap **185** 14, **189** 24
~ shell **180** 69
~ sprocket **180** 38
huckleberry* **361** 23
hula-hula girl **289** 16
hull **217** 25, **222** 3, **226** 73
~ of airship **226** 73
~ shape **270** 1–10
human body **18** 1–54, **307** 53
~ head **307** 21
humble bee **342** 23
hum eliminator **236** 19
humerus **19** 12
hummeller **67** 48, **68** 68
humming-bird **345** 4
~-top **49** 24
hummock **13** 42
humour **21** 46
hump **202** 49
humped fuselage **225** 47
humus covering **196** 64
hundred **326** 3
Hungarian red pepper **59** 42
Hungary **14** 25
hunt **272** 23–29, 58 -64
hunter **272** 24, 58
Hunter **5** 13
hunting binoculars **108** 38
~ cap **272** 50
~ dog **71** 40–43
~ equipment **87**
~ horn **87** 60, **272** 60
~ w. hounds **272** 58–64
~ implements **87** 41–48
~ knife **87** 41, 42
~ preserves **86** 1–8
~ rabbits **86** 23
~ screen **86** 9
~ trophy **262** 26
~ weapon **87**
hunt servant **272** 59
huntsman **272** 58
huntsman's hat **86** 5
~ suit **86** 2
hurdle **272** 27, **280** 12
hurdler **280** 11
hurdle race **272** 23–29, **280** 11+12
hurdy-gurdy **301** 25
'hurling' **287** 48
'hurling ball' **287** 49
hurst **91** 20
husk **61** 50, **69** 33
husking machine **91** 52
husky **71** 22, **336** 2
hut **113** 48, **282** 1
Hyaena **353** 1
hybrid **74** 8
hydra of Lerna **307** 32
Hydrallmania **349** 9
hydrant **255** 35
~ key **255** 27
hydrated lime **153** 27
~ lime silo **153** 26
hydrator **153** 21
hydraulic braking **183** 49
~ car jack **191** 2
~ engineering **212**
~ forging press **133** 23
~ lift **297** 33
~ mechanical articulated diesel train **207** 37+ 38
~ moulding press **172** 8
~ press **192** 54, **297** 53, **331** 7
~ press pump **172** 12
~ system **133** 24
~ three-way tipper **189** 18
hydro·carbon gas **139** 41
~chlorid acid **52** 35
~desulphurization plant **139** 65
~-extracting **163** 23
~extractor **162** 14, **166** 18
~former **139** 64
~fining plant **139** 65
~genation **164** 16
hydrogen balloon **10** 60
~-cooler **147** 27
~ cyanide **83** 20, 21
~ inlet **164** 15, **334** 12
~ peroxide tank **229** 19
hydroid polyp **349** 9
hydro·meter **192** 43, **331** 8
~pathic **262** 8
~plane *[aircr.]* **273** 48
~plane *[boat]* **223** 26, 51
~plane control **223** 42
~stabilizer **225** 63
~xylamine inlet **164** 21
hyena **353** 1
hygiene **30**
hygro·graph **10** 54
~meter **10** 23, 32, **166** 10, **171** 59
Hymenoptera **342** 21–23
hymn board **311** 24
~ book **311** 30
hyoid bone **22** 2
hyperbola **329** 26
hypha **365** 2
hyphen **325** 28
hypocotyl **354** 89
hypodermic (syringe) **26** 28, **27** 54
~ needle **26** 31
hypophysis cerebri **19** 43
hypostasis **26** 7
hypotenuse **328** 32
hypotrachelium **316** 22
hypsographic curve **11** 6-12
hypsometrical curve **11** 6–12
hyssop **358** 5

I

ibex **352** 7
ice axe **282** 17, 38
~ bag **23** 29
~berg **90** 34
~ boat **284** 47+ 48
~ bomb **261** 34
~-box **262** 35
~breaker **210** 29, **222** 5
~-breaking bows **222** 8
~ bridge **282** 25
~-climber **282** 16, 27
~-climbing **282** 15-22
ice-cream **261** 46
ice-cream·bar **261** 45-51
~ cornet **291** 31
~ dish **261** 37
~ freezer **97** 31
~ machine **97** 31, **261** 47
~ man **291** 30
~ spoon **261** 39
ice-crystal· cloud **8** 6
~ haze cloud **8** 7
ice cube **260** 44
~ dance **284** 8
~ drift **90** 35
~ field **90** 36
~ floe **90** 35
~ guard **210** 14
~ hockey **284** 35–41
ice-hockey· player **284** 35
~ skate **284** 28
~ stick **284** 37+38
Iceland **14** 11
Icelandic glima **281** 14
ice·maker **97** 31
~ pail **260** 42
~ piton **282** 54
~ raft **90** 35
~ ridge **282** 22
ice rink **284** 3
~ runner **284** 47
~-sailing **284** 46
~ scooter* **284** 47+48
~ skate **284** 25–32
~ skid **284** 47
~ slope **282** 15
~-sport **284** 1–48
~ stadium **284** 1
~ step **282** 18
~-tray **42** 6
~ yacht **284** 47+48
icicle **286** 21
icing sugar **98** 54
icosahedron **330** 11
icositetrahedron **330** 12
icy ground **286** 19
~ surface **286** 19
identical equation **327** 5
identically equal to **327** 16
identification tally **75** 43
~ mark **221** 35
identity **327** 16
idling control knob **207** 19
~ vent **183** 58
idol **309** 8, 20
igloo **336** 4
igniter **184** 64
~ plug **227** 43
ignition **227** 4, 15
~ cable **184** 5
~ cable pole **229** 31
~ coil **184** 8
~ key **182** 11, **186** 13
~ keyhole **207** 18
~ switch **186** 12, **228** 28
iguana **350** 32
ileum **22** 16
iliac artery **20** 17
~ vein **20** 18
ilia underwing **348** 8
ilium **19** 18
illuminated circuit diagram **147** 8
~ milk balance **77** 5
illuminating mirror **15** 59
illusionist **298** 20
illustrated paper **47** 10
I. L. S.· course-transmitter **230** 11
~ glide-path transmitter **230** 14
~ middle marker **230** 13
imaginary number **326** 14
imago **342** 10
imbricated ornament **317** 15
imitating part **300** 47
imitation of animal calls **87** 43–47

immersion heater
41 83
~ roller **158** 42
immortelle **361** 3
impact crusher
150 20
~ mill wheel **91** 39
Impair **263** 23
imparipinnate leaf
61 40
impeller wing wheel
212 52
imperial *[beard]* **35** 16
~ roof **116** 25
impermeable bed (or layer, or stratum)
12 23
impervious bed (or layer, or stratum)
12 23
implement **155** 18
impost **318** 21
impounded lake
212 57
impregnating agent sprayer **83** 34–37
~ chamber **161** 32
impression cylinder
174 19, **175** 2, 44,
176 20, 29
~ handle **323** 34
~ of model **141** 27
~ of pattern **141** 27
~ of seal **232** 27
~ tray **27** 56
imprint **178** 48,
325 39
imprinted stamp
232 3
improper fraction
326 16, 18
impulse cam **233** 21
~ contacts **233** 23
~ microphone* (or mike) **219** 39
~ mill wheel **91** 39
~-transmitting cable
237 18
impure clay **151** 2
incandescent bulb
120 56
~ lamp **120** 56
incense boat **313** 41
~ spoon **313** 42
inch tape **102** 73
incident-light microscope **110** 13
incisor **21** 16, 34
inclined approach
202 1
~ elevator **148** 8
~ eyepiece tube
110 12
~ fold **12** 13
~ hoist **148** 8,
150 16
~ Otto engine
187 25
~ ramp **202** 1
~ tube **110** 3
inclinometer* **228** 5
increase in air volume
227 23
incubator **75** 30
incus **19** 61
indehiscent fruit
354 97–102,
359 43
indentation **170** 16
indention
170 16
independent broker
243 5
index *[Math.]* **327** 1
~ bar **192** 4
~ cabinet drawer
250 23
~ card **238** 72
~ lever **107** 26
~ mirror and horizon glass **219** 6
~ of root **327** 2
~ scale **241** 26
India **14** 46
Indian *[America]*
335 11, 23, 25
~ art **319** 19–28
~ chief **335** 11
~ club **278** 32
~ club exercise
278 31
~ corn **69** 31
~ cress **56** 4
~ god **319** 19
~ ink **144** 55
~-ink attachment
144 41
~-ink rubber **144** 54
~ macaque **353** 12
~ Ocean **15** 23
~ pagoda **319** 21
~ rose **62** 15
~ steel style **324** 21
~ of tropical forest
335 25
~ woman **335** 10
india rubber **249** 52
India rubber tree
367 33
indication of pace (or tempo) **300** 48
indicator **228** 3, 4,
5, 10
~ board **259** 5
~ lamp **157** 8,
180 47
~ light **259** 6
indictment **248** 28
indigenous birds **344**
Indio **335** 23
indirect-light lamp
112 60
Indonesia **14** 53
indoor clothing **33**
~ display window
256 13
~ gymnastics **278**
49 + 50, **279** 1-56
~ handball **275** 1–8
~ plant **56**
~ swimming pool
25 1–5
~ track **273** 1
indoor wear **33** 1-34
induced draught fan
146 14
inductance **234** 25
induction coil **11** 44,
184 8, **331** 70
~ elbow **184** 15
~ pipe **182** 9
industrial *n.*
243 11–19
~ district
252 58
~ motor vehicle
189 14–50
industry bond
243 11–19
inescutcheon **246** 17
infant **30** 26, **49** 26
~ to be baptized
313 7
infant's outfit **31** 16
inferior purlin **114** 3,
117 40
~ vena cava **20** 15,
22 57
infield **275** 39
infighting **281** 27
infiltration water drain
211 37
infinitesimal calculus
327 13 + 14
infinity *[Math.]*
327 15
inflatable animal
267 33
inflation appendix
226 55
~ neck* **226** 55
~ sleeve **226** 55
inflator **180** 48
inflected curve **329** 13
inflection **299** 51–55
inflorescence **61** 39,
354 67–77
informal wear **34** 1
information bureau*
200 29
~ office **200** 29
~ official **200** 49
infra-red radiation
4 25
infusorian **340** 9
in-goal **275** 22
ingot **140** 32, **141** 43
~ chariot **141** 44
~ mould **140** 31
inhalant **23** 55
inhalation **17** 25
~ cure **262** 6 + 7
~ of oxygen **24** 19
inhalatorium **262** 6
inhaler **23** 33
inhaling apparatus
23 33
initial **37** 4
~ letter **170** 1
~ position **277** 32
injection nozzle
184 39
~ pump **184** 38
~ valve **184** 39
injector head **229** 21
injured person **253** 68
ink barrel **239** 21
~ blot **249** 47
~ bottle **144** 55
~ duct **175** 65,
176 16
inker **174** 5, 18, 27,
233 58
ink feed button **241** 7
~ fountain **174** 6,
34, 39, **175** 57
inking ball **323** 22
~ duct **175** 65
~ roller **175** 18, 27
~ unit **175** 19, 28,
50, 57
ink pad **238** 20
~ recorder **233** 58
~ reservoir **239** 21
~ ribbon **239** 39
~ ribbon feeder
239 50
~ roller **174** 5,
175 7
~ slab **175** 8
~ table **175** 8
~ unit **174** 34, 39
~ well **249** 29
inlaid border **302** 26
~ work **47** 48
inland postage
232 40
inlet **145** 66
~ ballvalve **119** 63
~ pipe **254** 19
~ port **184** 73
~ valve **184** 29
inn **260** 1–29
inner bailey **310** 2
~ ear **19** 62–65
~ harbour **220** 26
~ jamb **113** 11
~ jib **214** 21
~ keel **269** 50
~ lining **269** 31
~ margin **178** 55
~ planking **270** 26
~ pocket **34** 19
~ race **136** 70
~ sole **99** 51
~ string **118** 45
~ title **178** 45
~ top rail **131** 20
~ tube **180** 30
input coil assembly
235 18
~ selector **306** 18
inquiry office **200** 29
inscribed circle **328** 31
inscription **244** 11,
312 14
insect **342** 3–23
~ collection **47** 35
~-eater **351** 4–7
~-eating animal
351 4–7
~ eye **78** 20–24
insecticidal dust **83** 48
~ gas **83** 41
insecticide-dusting
83 46
~-sprayer **58** 8

insectivore **351** 4-7
insert **161** 60
inserted ceiling **118** 61
~ eye **57** 34
~ floor **115** 43
inserting section **177** 40
insertion ring **333** 17
insert f. snow **10** 41
inset pocket **32** 59
inshore fishery **90** 24–29
inside calipers* **129** 23
~ forward **274** 18
~ keel **269** 50
~ left **274** 18
~ margin **178** 55
~ pocket **34** 19
~ right **274** 20
insole *[shoe]* **99** 51
~ *[sock]* **99** 4
inspection glass **190** 4, **239** 23
~ hole **141** 4
~ lamp **191** 20
~ manhole **254** 51
~ panel **51** 6, **158** 50
~ pit **191** 27, **199** 50
~ trolley* **208** 42
~ window **171** 60
inspector **201** 39
inspiration **17** 25
installation **40** 38–81
instalment office **256** 27
instantaneous gas water heater **119** 66
~ shutter **111** 44
instep **21** 61
institute f. tropical diseases (or tropical medicine) **220** 3
instruction **249** 1–31
instructor **279** 39
instrument *[tool]* **26** 26-62, **28**, **109**, **110**
~ *[Mus.]* **301–306**
instrumental music *[symbol]* **308** 65
instrument board* **186** 1-21
~ box **10** 62, **144** 10
~ cabinet **26** 18, **27** 23
~ case **2** 5, 22
instrumented satellite **4** 48, 53
instrument landing **230** 22–38
~ landing system course-transmitter **230** 11
instrument f. measuring· angles **15** 52–62
~ atmospheric pressure **10** 1–18
instrument f. microscopy **110** 1–23
~ panel **77** 18, **183** 25 **186** 1–21, **207** 11
~ section **229** 3–5
~ stand **161** 55
~ table **27** 24, **28** 12
~ trolley **26** 20
insulated handles **120** 54
~ jumper **234** 28
insulating conduit **120** 44
~ contact **193** 28
~ plate **117** 44, **331** 53
~ tape **120** 34
~ tube **120** 44
insulation **40** 72
~-stripping pliers **120** 51
insulator **234** 22, **331** 64
insured registered letter **232** 25, 35
intaglio printing **176**
~-printing method **323** 14–24
~-printing process **323** 14–24
intake **183** 62, **227** 2, 21
~ airway **138** 10
~ chamber **212** 40
integer **326** 10
integral **327** 14
~ collar **136** 31
~ constant **327** 14
~ sign **327** 14
integrating meter **29** 49
integration **327** 14
integrator **29** 49
intensity coil **184** 8
interchangeable filter **112** 18
~ lens **111** 25
~ mount **48** 18, **112** 46+47
interest **327** 7
~ coupon **243** 18
~ formula **327** 7
interference comparator **110** 29
~ inverter **236** 13
interferometer **110** 25
interior angle **328** 26
~ work **292** 26–61
interleaving paper feeder **175** 11
interlinear space **170** 5
interlocking board **199** 66
intermediate drill **143** 32
~ floor **115** 43, **118** 68
~ frame **157** 27
intermediate-frequency·amplifier valve **235** 15
~ filter **235** 18
~ transformer **235** 15
intermediate gear lever **142** 3
~ house **79** 32
~ landing **118** 52–62
~ layer **11** 3
~ mast **209** 29
~ screen-viewer **109** 7
~ support **209** 29
~ tank **220** 60
interment **312** 34–41
intermission* **249** 65
intermittent jet tube **226** 21
~ kiln **154** 3
~ pulse-jet tube **227** 12
intern* **28** 29
internal calipers **129** 23
~ combustion engine **184**
~-combustion punner **196** 26
~ ear **19** 62–65
~ electrode **2** 3
~ organ **22** 1–57
~ toothing **136** 93
interne* **28** 29
interrogation point* **325** 20
intersection **253** 9
~ of curve **329** 12
interstellar craft **4** 57
~ flight **4** 48–58
interurban coach **204** 53
interval **300** 19, 20-27
~ selector **306** 39
intestinal tube **26** 9
intestine **22** 14–22
intrados **318** 25
intrusion **11** 30
intrusive rock **11** 29
inundation area **211** 41
invalid carriage **181** 22
~ chair **23** 51
~ tricycle **181** 22
Inverness **179** 32
invertebrates **340**
inverted bowl fitting **45** 31
~ mordent **300** 34
~ pleat **32** 5
inverter **236** 13
investigation department **247** 21–24
investigator* **263** 16
invoice **238** 50
involucral calyx **359** 33
involution **327** 1
involving **327** 1
ion chamber **2** 2, 17
Ionic column **316** 9
ionization chamber **2** 2, 17
ionosphere **4** 13
ion trap magnet **236** 17
Irak **14** 45
Iran **14** 44
Iraq **14** 45
Ireland **14** 10, **244** 37
iris *[Anat.]* **21** 42
~ *[Bot.]* **62** 8
Iris **62** 8
iron *[metal]* **136**, **141** 11
~ *[stirrup]* **72** 43
~ *[Golf]* **276** 70
Iron Age **309** 21–40
iron band **156** 5
~ bar **339** 2
~ bridge **16** 56
ironer **166** 25, 32
iron foundry **141**
~ frame **304** 2
~-headed hammer **322** 16
~ heel-protector **99** 57
ironing **166** 31
iron in-gate **140** 34
ironing-board **52** 72, **166** 29, 34
~ woman **166** 32
iron key **309** 32
~ last **99** 27
~ lung **24** 8
~ pyrites **330** 8
~ rake **58** 3
~ sleeker **99** 30
~ square **115** 78
~ stove **52** 64
~ tap-hole **140** 11
~ weight **141** 18
~ wire **136** 12
~ works **140**
irradiation chair **24** 11
~ lamp **24** 17
~ table **2** 36
irregular curve **144** 49
~ quadrilateral **328** 39
irrigator **23** 46
isander **268** 42
ischium **19** 19
Islam(it)ic art **319** 12–18
island **13** 6
~ superstructure **222** 68
islet **211** 4
isobar **9** 1
isobaric line **9** 1
isocheim **9** 42
isohel **9** 44
isohyet **9** 45
isolated farm **16** 101
isolating switch **206** 6
isometric crystal system **330** 1–17

isosceles triangle **328** 27
isoseismal **11** 37
isothere **9** 43
isotherm **9** 40
isotope-separating plant **3** 39
Israel **14** 39
issue **232** 21
issuing bank **244** 30
~ counter **250** 20
Italian foil **277** 53
~ mocha machine **261** 50
italic letters **170** 7
italics **170** 7
Italy **14** 12, **244** 20
item-counter **239** 52
itinerant trader **291** 51
ivory ball **264** 1
~ key **304** 4
~ statuette **309** 8
ivy **359** 18

J

jack *[Tech.]* **191** 2, 30, **233** 7, **255** 12
~ *[mus. instr.]* **301** 50, **304** 30
~ *[game]* **287** 23
~ *[toy]* **49** 14
jackal **352** 11
jackanapes **289** 33
jackass **74** 3
jacket *[Cloth.]* **32** 2, 36, **34** 5
~ *[Tech.]* **67** 56
~ base **67** 56
~ button **34** 6
~ collar **34** 15
~ crown **27** 31
~ flap **178** 38
~ lining **34** 18
jack-in-a-box **289** 56
jacking pier **210** 66
jack-in-the-box **289** 56
~ plane **127** 53
~-pudding **289** 69
~ rafter **116** 61, 63
~ spur **72** 50, 51
~ staff **218** 47
Jacobin **314** 19
~ cap **36** 2
Jacob's ladder **216** 14
Jacquard stocking **33** 34
jai alai **287** 51
jailer* **248** 14
jam **98** 51, 52
jamb *[roof]* **116** 47
~ *[leg armour]* **310** 54
~ *[window]* **115** 32
jambart **310** 54
jambe **310** 54
jambeau **310** 54
jamboree **266** 40–52
Jamestown weed* **363** 8
jam nut **136** 28
janitor **53** 28
~* **145** 87, **256** 44
Janus **308** 47
~ head **308** 48
Japan **14** 50, **245** 20
Japanese art **319** 7–11
~ quince **357** 17
~ script **324** 6
japonica **357** 17
jar **41** 66, **78** 63
jasmin(e) **357** 4
javelin **280** 54
~-thrower **280** 52
~-throwing **280** 52–55
jaw *[Anat.]* **18** 17 **19** 35
~ *[Tech.]* **135** 24
~bone **18** 17
~ trap **87** 48
jay (bird) **346** 1
jazz band **289** 2
~ band player **289** 3
~ band instrument **303** 47–78
~ guitar **303** 73
~ percussion instrument **303** 47-54
~ player **289** 3
~ tomtom **303** 49
~ trumpet **303** 65
J-box **161** 33
J-box inspection window **161** 35
jeans **32** 57, **266** 12
jeep **195** 3
jejunum **22** 15
jelly-bag cap **36** 2
~fish **340** 14
jenny-ass **74** 3
~ wren **346** 12
jerboa **351** 15
jerk **281** 4
jerkin **338** 45
jerkwater train* **203** 1
jerry* **198** 20
jessamin(e) **357** 4
jesses **86** 45
jester **289** 69
jet **94** 18, **184** 65
jeté **288** 21
~ passé **288** 23
jet exhaust **226** 11
~ needle **183** 55
~ nozzle **195** 33
~-propelled model **271** 63
~ switch **171** 52
~-tester **192** 51
jetton **263** 12
jetty **211** 19, **220** 32
jet of water **257** 22
jewel **38** 1–33
~-case **38** 11
~-casket **38** 11
jewelled tiara **38** 6
jewellery **38** 1–33
~ department **256** 62
jewelry **38** 1–33
jib *[Tech.]* **114** 36, **145** 17, **221** 2, 27
~ boom **213** 51
~ header rig **270** 31, 36, 38, 43
~ stay **214** 14
~ topsail **270** 30
jig **161** 12
jigger *[yacht]* **215** 34
~ *[Text.]* **161** 12
~ sheet **214** 69
jig-saw puzzle **50** 14
Jim(p)son weed* **363** 8
jingle tambourine **303** 45
jinricksha **336** 34
~ coolie (or cooly) **336** 35
jinrikisha **336** 34
jiu jitsu **281** 15–17
jobber **243** 7
job carriage* **179** 26
jockey **272** 56
~ dress **272** 57
join *[roof]* **117** 94
joiner **127** 45
joiner's bench **127** 40–44
~ tool **127** 10-31
~ workshop **127** 1–65
joint **116** 84-98, **144** 31, 37, **197** 39 + 40
~ bar* **198** 43
~-cutter **197** 16
~-cutting knife **197** 17
jointed fishing rod **89** 20-23
joint knife **197** 17
~ platter* **46** 26
~ vice **106** 34
joist **136** 6
~ shuttering **114** 12
joker **289** 69
jolly boat **270** 6–10
Jordan **14** 42
journal *[newsp.]* **47** 8
~ *[Tech.]* **136** 61
~ bearing **136** 67
~ bearing* **205** 10
~ box* **204** 66
~ sheet **238** 66
journeyman blacksmith **132** 13
~ shoemaker **99** 1
joust **310** 71
joystick **228** 35
judge *[Just.]* **281** 39
~ *[Sports]* **248** 20, 22
judges' box **272** 19
~ stand **283** 13
judo **281** 15-17
jug **30** 24
juggler **298** 17
jugular vein **20** 2
juice **80** 45
~-extractor **42** 39
ju jitsu (or jutsu) **281** 15-17
jump *[jumping]* **268** 13, **288** 12, 21
~ *[obstacle]* **272** 31
jumper *[Sports]* **280** 29, 36, 38
~ *[Cloth.]* **32** 12
~ *[Tech.]* **234** 28
jumping **280** 29–55
~* **258** 53
~ bar **280** 37
~ cracker **289** 52
~ hill **283** 7
~ hoop **290** 58
~ jack **49** 14
~ leg **342** 11
~ net **224** 40, **290** 14
~ pit **280** 31
~ post **279** 22, **280** 40
~ rope **279** 23
~ rope* **258** 54
~ sheet **255** 18
~ ski **283** 41
jump turn **283** 21
junction **313** 31
~ sign **197** 50
~ signal box **199** 24
junior **238** 8
juniper **356** 47
~ berry **356** 52
junk *[boat]* **336** 32
~ shop **253** 54
~ stall **291** 60
Juno **308** 5
Jupiter *[Myth.]* **308** 1
~ *[planet]* **6** 27
juror **248** 23
juryman **248** 23
just *n.* **310** 71
justice **248**
jute **367** 25
~ plant **367** 25
~ serving **147** 49
~ wrapping **156** 4

K

Kaffir lily **56** 8
kail **59** 34
kale **59** 34
kaleidoscope **50** 19
kamelaukion **314** 31
Kandahar binding **283** 45–50
kangaroo **351** 3
kapok **124** 23
~ tree **367** 20
karabiner **282** 56
karst cave **13** 79
~ formation **13** 71–83
kayak **269** 4, **336** 12
Keel **5** 46
keel **217** 22, **269** 32, 50, **270** 3

keel blocks **217** 36
~ in position **217** 22
~ plate **217** 46
keelson **217** 50
keel yacht **270** 1-4, 5
keep *n.* **310** 4
keeper *[zoo]* **339** 8
~ *[Tech.]* **332** 37
~ of wild animals **339** 8
keeping the balance (or equilibrium) **279** 41
~ of fowls **75** 1-46
keg **89** 63
kelly **139** 13
kelson **217** 50, **269** 50
kennel **64** 23
kerb **53** 21, **194** 8, **210** 3
~stone **53** 22, **194** 9
kerchief **266** 47
kerf **85** 20, **138** 45
kernel **61** 8, **69** 13
kernelled fruit **61**
kerosene* **139** 39
~ lamp* **76** 16
kerosine **139** 39
ketch **215** 9, **270** 41–44
ketchup **46** 43
kettle **41** 73
~ cart **309** 36
kettledrum **302** 57
~ skin **302** 58
~ vellum **302** 58
Kevenhuller **338** 62
key *[f. lock]* **134** 44
~ *[rivet]* **136** 71+72
~ *[Build.]* **118** 71
~ *[mus. instr.]* **302** 35, **304** 4, 5, **305** 8
~ *[telephone]* **233** 12
~ *[typewr.]* **240** 26
~ *[Mus.]* **300** 1–15
keyboard **169** 37, **240** 25, **301** 28, **304** 4+5
~ instrument **304** 1
keyed instrument **304** 1
keyhole **134** 40
~ saw **115** 63, **127** 27
key lever **301** 38, 49
~ rack **259** 3
keys **301** 28
key seat **136** 83
keyshelf **233** 10
key slot **136** 83
keysmith vice **134** 24
key·stone **318** 23
~ way **136** 64, 83
kibble **138** 29
kick **274** 53, 58
~-back fingers **128** 16
kicking-sack **30** 31
kick-off **274** 11–21
~ stand **180** 34
kickstarter **181** 50, **182** 35
~ turn **283** 31
kidney **22** 28, 30+31
~ dish **26** 62
~-shaped bowl **26** 62
~ vetch **70** 6
kid's bike* **181** 13
kiln **151** 19
~ charge **153** 14
~-charger **153** 13
~ drying chamber **149** 46
~ shell **153** 17
kilometer* see kilometre
kilometre board **211** 44
~ post **198** 82
kimono **48** 56, **336** 40
kindergarten **50**
~ teacher **50** 1
kindling **53** 8
~ wood **52** 61
king *[chess]* **265** 8
~ *[skittles]* **287** 12
~ carp **350** 4
~-cup **359** 8
~fisher **344** 8
~ penguin **343** 4
~-post roof truss **116** 42
king's chamber **315** 2
~ tomb **315** 1
kiosk **200** 26, 46, 47, 48
Kipp apparatus **334** 59
Kirghiz **336** 22
kiri* **337** 33
Kirschner beater **156** 25
kiss **201** 60
kit *[tools]* **87** 61–64
~ *[mus. instr.]* **310** 20
~-bag **266** 22
kitchen **41, 42**
~ cabinet **41** 8
~ car **204** 51
~ chair **41** 52
~ clock **42** 19, **107** 50
~ cupboard **41** 8
~ department **302** 49–59
~ garden **55**
~ implement **42** 1–60
~-knife **41** 56
~ machine **42** 1–60
~ range **41** 39
~ scales **41** 59
~ table **41** 53
~ utensil **42** 1–66
~ waste **41** 34
~ window curtain **41** 13
kite *[Zool.]* **347** 11
~ *[paper~]* **258** 50
~ *[Geom.]* **328** 38
~ cord **258** 52
~- flying **258** 49
kite's tail **258** 51
kite string **258** 52
kitten **74** 17
kitty wren **346** 12
Kletterschuh **282** 51
knapping hammer **137** 2
knapsack **86** 3, **266** 42
knapweed **70** 10, **360** 12
kneading arm **97** 75
~ machine **42** 30
~ pan **97** 76
~ table **97** 71
~ trough **97** 72
knee *[Anat.]* **18** 50
~ bend **278** 15
~ bending **278** 15
~ breeches **34** 22
~cap *[Anat.[* **19** 23, **73** 33
~ cop *[armour]* **310** 53
~ full-bending **278** 15
~ grip **182** 53
~ lever **102** 14, **304** 45
kneeling desk **314** 9
knee pad **275** 15, **285** 17
~ pan **73** 33
~ piece **310** 53
~-raising **278** 4
~ roll **72** 48
knees full bend **278** 13, 15
knee-sock **31** 39
~ strap **99** 15
~ swell **304** 45
~ swing **279** 11
knickerbockers **34** 22
knickers **33** 13, 21
knife **46** 50, 69, **178** 3
~ beam **177** 19, **178** 2
~ folding machine **178** 8
~ and fork **46** 7
~ rest **46** 11
~-thrower **290** 37
knight *[Chivalry]* **310** 67
~ *[chess]* **265** 11
knighting **310** 66
knight's armour **310** 38–65
~ coronet **246** 43
~ mate position **265** 15
Knight Templar **310** 73
knitted band **36** 45
~ fabric **160** 48
~ hat **36** 53
~ waistband **34** 25
knittie* **32** 12
knitting action **160** 51
~ factory **160** 1–66
~ head **160** 21
~ machine **160** 1, 23, 35
~ mill **160**
knob **45** 14, **234** 41–45
~ on the bill **343** 17
knobkeerie **337** 33
knobkerry **337** 33
knockout **281** 36
~ blow **281** 36
knot *[cord]* **33** 46, **117** 68
~ *[hair]* **35** 29
~ *[measure]* **9** 12–19
~-borer **128** 39
~-boring machine **128** 39
~-driller **128** 39
knotted cords **335** 22
~ record **335** 22
~ work **101** 21
knotter **168** 9
knot of tie **33** 46
knotting point **125** 29
knuckle **21** 82
knurling iron **244** 44
K. O. **281** 36
K. O.'d opponent **281** 36
kohlrabi **59** 26
Kollergang **167** 11
konimeter **110** 23
Korea **14** 51, 52
kris **336** 44
krona **244** 25
krone **244** 24, 26
krum(m)horn **301** 6
Kuro Shio **15** 31
Kursaal **262** 8

L

label **201** 5, **232**
~ f. air mail **232** 32
~ f. express mail **232** 31
labelling machine **93** 33
label f. partly insured registered mail **232** 33
~ f. registered insured mail **232** 28
~ f. reserved seat **204** 34
labial pipe **331** 19
laboratory **6** 20
~ dish **168** 2
labourer **113** 19
Labrador Current **15** 40
laburnum **358** 32
labyrinth *[Anat.]* **19** 62
~ *[maze]* **257** 5
laccolite **11** 30
laccolith **11** 30
lace **101** 18
~ bonnet **338** 65
~ collar **37** 6
~ cuff **37** 7

lace flounce **30** 34
~ frill **30** 34
Lacertidae
350 27, 31–37
lace top **33** 29
~-trimmed cloak
338 66
~ work **101** 30
Lachesis **308** 55
lachrimal bone **19** 40
lacing **33** 25
lackey **179** 20
~ moth **81** 13
lackey's dress **179** 21
lacquered work **319** 6
lacqueur remover*
103 13
lacrimal bone **19** 40
Lactarius torminosus
363 13
lacustrine building
309 15
lad **45** 3
ladder **40** 15, **216** 14,
255 9, **279** 4
~ *[cart]* **131** 20+21
~ hook **117** 15, 69
~ mechanism **255** 11
~-mender **102** 61
~ operator **255** 13
~ post **131** 20
~ scaffold **113** 86–89
~ work **255** 1–46
laddie **45** 3
ladies' hairdresser's
salon **103** 1–34
~ hair style **35** 27-38
~-smock
359 11
~ underclothing
33 1–34
~ wear **32**
~ wear department
256 28
ladle **41** 5, **53** 64,
140 12
~-shaped thermom-
eter **92** 36
~ truck **140** 12
lad's duffle-coat **31** 57
lady **338** 59, 64, 68,
70, 79
~ assistant **28** 28
~bird **342** 37
~bug **342** 37
~ cashier **256** 1,
260 46
~ clock **342** 37
~cow **342** 37
~ customer **256** 16
~-dog **74** 16
~finger **70** 6
~ librarian **250** 14
~ purchaser **256** 16
lady's bag **37** 10
~ bicycle **181** 8
~ chemise **33** 11
~ cycle **181** 8
~-fingers **70** 6
~ hand bag **37** 10
~ hat **36** 48
~ maid **48** 48
lady's pyjamas **33** 3
~ shoe **100** 44
~-slipper *[Bot.]*
360 27
~ stocking **33** 32
~ umbrella **43** 12
lady surgeon **28** 28
lady's vest **33** 11
lagoon **13** 33, 44
lake **13** 3
~ dwelling **309** 15,
335 33
lamantin **351** 23
lamb **74** 13
lambrequin **246** 3
lamb's-tail **61** 45
lambs' tongues **59** 38
lamellar diaphragm
2 33
lamellicorn beetle
342 24
lamina **69** 20, **354** 28
laminated spring
185 25
lamp **28** 26, **44** 7,
253 16
~ arm **171** 23
~ bracket **180** 6
~ cap w. thread
120 60
~-house **112** 29, 56,
295 39–44
lampion **289** 4
lamp post **75** 12,
253 17
~-shade **47** 52
~ shelf **224** 42
~ signal **147** 3,
233 6
~ signalling
switchboard **233** 5
lam rod **159** 54
Lancashire asphodel
70 13
lance *[weapon]* **287** 62,
310 81, **336** 9
~ *[app.]* **83** 34
lanceolate **354** 32
lance rest **310** 80
lancet **28** 49
land *[rifle]* **87** 37
~ aircraft **225** 32
landau **179** 36
landaulette **179** 36
land end of groyne
13 38
landing **118** 34–41
~ beam **118** 34, 55
~ bumper **226** 70
~ craft **222** 9
~ deck **222** 69
~ field **230** 15
~ gearlever
228 29
~ marker* **230** 12
~ net **89** 10
~ pier **220** 17
~ runway **222** 70,
230 3
~ signal **230** 12
~ skid **225** 9, 43,
271 33
landing sled* **225** 9
~-slope **283** 11
~ stage **220** 17, 33,
269 19
~ step **118** 19
land·plane **225** 32
~ practice **268** 20
~ roller **67** 9
landscape **13** 1–13,
47 6
~ architect* **54** 23
~ garden **339** 45
~ gardener **54** 23
~ park **257** 41–69
landside **68** 5
landsknecht **338** 32
land-surveying
15 46–62
~ wheel **68** 15, 26
lane *[Sports]* **280** 5
~ *[forest]* **84** 1
languid **305** 28
lansquenet drum
289 70
lantern *[lamp]* **76** 1,
179 9
~ *[Arch.]* **317** 45
~ cupola **318** 3
~ tower **219** 57
lap *[overlapping]*
117 100
~ *[tape]* **147** 46,
156 64
~-counting apparatus
280 19
lapel **34** 16, 54
lap-holder **156** 48
~-judge **273** 6
lappet **74** 23
lapping plate **119** 4
lap ready f. combing
156 58
~ machine **156** 14
~ rest **156** 15
~-riveting **136** 54
~ robe* **48** 55,
201 8
~-turner **156** 19
~wing **343** 21
larboard **221** 49
larch **356** 32
~ cone **356** 36
~ tree **356** 32
lard **96** 5
large Astrantia **360** 7
large-capacity· cabin
209 52
~ tram and trailer
193 1
~ van **189** 39
large city **252** 1–70
~ compartment
204 25
~ container **208** 26
~ dividers **144** 34
~ hand screw **127** 36
~ Host **313** 34
~ rock **150** 8
~ suitcase* **200** 6,
201 12
~ town **252** 1–70
lark **346** 18, 19
larkspur **62** 13, **361** 8
larmier **88** 14
larva **60** 64, **81** 29,
46, 53, **82** 12, 44, 47,
342 19
~ of feather star **349** 3
larval chamber **82** 368
~ gallery **82** 24
laryngeal mirror **26** 61
laryngoscope **26** 61
larynx **22** 2+3
lashings **213** 32
lass **45** 4
lassie **45** 4
lasso **335** 5
last *n.* **99** 10, 27
~-hook **99** 11
~ man **282** 28
~ quarter **7** 6
latch **102** 34
~ needle
160 12, 27, 61
Lateen sail **213** 29,
215 3
~ yard **213** 30
lateral adjustment
143 45
~ guide **240** 6
~ ligament **22** 34
~ lock nut **15** 57
~ lunge **278** 20
~ moraine **12** 53
~ stay **193** 45
Late Stone Age
309 10–20
lath **117** 26, 43
~ axe **117** 21
lathe **129** 1, **142** 1
~ accessory
142 35–42
~ base **142** 12
~ bed **129** 2, **142** 31
lather **104** 27
lathering dish **104** 23
lathe stand **142** 12
lathing **118** 71
Latin *[type]* **325** 4, 5, 6
~ capital **324** 16
~ cross **313** 49
~ handwriting
325 12
latissimus of the back
20 59
~ dorsi **20** 59
latitude **15** 6
latrine **266** 39
lattice barrier **198** 68
~ bridge **210** 47
~ feeder **156** 8
~ girder **145** 7
~ mast **209** 31,
222 7
~ tube **6** 2
~ work **210** 48–54
laughing gas cylinder
28 34
~ gull **343** 14
launch *[take-off]*
271 1, 4
~ *[boat]* **216** 20
launching **229** 28–31
launder **141** 3

laundress **53** 67
laundry **166** 1–40
~ basket **48** 49
~ centrifuge **166** 18
~-drier **166** 19
~-drying machine **166** 6
~-list holder **166** 15
~ press **166** 35
~ room **166** 11
~ soap* **53** 60
~ trolley **166** 17
laurel **357** 13
~ tree **312** 60
lauter tun **92** 33
lava plateau **11** 14
~ stream **11** 18
lavatory **51** 29–82
~ bowl **51** 36
~ brush **51** 33
~ cover **51** 39
~ lid **51** 39
~ pan **51** 37
~ paper-holder **51** 30
~ seat **51** 38
~ seat-cleaner **51** 32
~ window **53** 13
lavender **364** 7
~ water **103** 21
law courts **252** 8
lawn **54** 21, **257** 36
~-mower **58** 34
~ f. resting **262** 12
~-sprinkler **39** 43, **58** 41
~ tennis **276** 1–35
laxative pill **23** 61
lay-by **212** 26
layer *[Geol.]* **12** 22
~ *[Met.]* **4** 16–19
~ *[Bot.]* **57** 12, **60** 20, **365** 17
~ of atmosphere **4** 11–15
~ cake **97** 9
layering **57** 11
layer above seam **138** 20
~ below seam **138** 21
~ of tubes **365** 17
layette **31** 16
lay figure **321** 31
laying hen **75** 45
~ house **75** 1
~-out plate **145** 28
~ press **177** 4
~ shed **75** 1
lay judge **248** 23
layout **293** 10
layshaft toothed wheel **186** 61
lay sister **23** 23
lead *[sinker]* **89** 46+47, **219** 35–42
~ *[conductor]* **218** 4
~ *[leash]* **71** 30
~ ball **89** 47
~ covering **147** 39
~ cupboard **29** 51
leaded lights **122** 14
leader* *[fishing rod]* **89** 30
leader *[horse]* **179** 46
~ *[newsp.]* **325** 40
~ of Muses **308** 15
lead figure **49** 25
~ hammer **122** 11
lead-in **218** 4
leading article **325** 40
~ lady **292** 27
~ man **292** 28
~ part **300** 46
lead keel **270** 5
~ knife **122** 12
~ line **219** 37
~ pencil **239** 31
~-pipe expander **119** 58
~ safe **29** 51
~ screw **142** 32
~-screw reversing gear lever **142** 5
~-seal wall **2** 46
~ sheath **147** 39, 47
~ shield **223** 10
~ soldier **49** 25
~ sulphide **234** 30
~ wall **1** 30
~ washer **117** 103
leaf *[Bot.]* **354** 19, 26, 31–42
~ *[album]* **112** 54
~ *[bridge]* **210** 62
~ of able **355** 23
~ of aspen **355** 21
~ axil **359** 38
~ blade **69** 20, **354** 28
~ bud **61** 47, **354** 90
~-eating weevil **81** 49
~ in bud **61** 29
~ fat **95** 45
~ gate **212** 19
~let **251** 9
~ margin **354** 43–50
~ midrib **354** 30
~ nectary **61** 18
~ nerve **354** 29
~ ornament **316** 40
~ of poplar **355** 23
~ rib **354** 29
~roller **82** 43
~ rosette **368** 62
~ sheath **69** 9, **354** 83
~ spring **185** 25
~ stalk **354** 27
~ tendril **59** 4
~ vein **354** 29
leafy stipule **59** 5
leak **224** 1
lean-to **53** 47
~-to roof **39** 55, **116** 7
learner **268** 17
lease rod **159** 38
leash **71** 30
leather **99** 38–49
~ 'apron' *[Cloth.]* **132** 14, **135** 3
~ apron *[Spinn.]* **157** 16
~ bag **106** 29
~ belt **37** 16
~ cap **337** 26
leather clothing **273** 26
~ cover **275** 18
~-cutting machine **123** 18
~ gaiter **100** 30
~-grooving machine **123** 2
~ knob **283** 52
~ jacket **190** 16
~ loop **277** 65
~ mitten **221** 17
~ pad **106** 29, **159** 64
~ paring machine **123** 3
~ patch **99** 49
~ pincers **99** 67
~ plane **123** 8
~ pliers **123** 10
~ roller **323** 23
leathers **31** 50
leather shoe **100** 1
~ shorts **31** 50
~ skiving machine **123** 3
~ sole **99** 50+51
~ spat **100** 30
~ tip **264** 10
~ toggle **282** 44
~ upholstery **47** 19
leave-taking **201** 59
Lebanon **14** 41
lectern **311** 4
lector **250** 3
lecture **250** 1
~ desk **250** 4
~ manuscript **250** 5
~ notes **250** 5
lecturer **250** 3
lecture room **250** 2
~ theatre **250** 2
ledge **113** 12
ledger **113** 26, **238** 64
ledge of rock **282** 5
ledger tube **114** 48
lee board **215** 7
leech **340** 16
leek **59** 21
left *[Her.]* **246** 19, 21, 23
~ back **274** 12
~ concert grand pedal **304** 41
~ full back **274** 12
~ half **274** 14
~ half back **274** 14
~-hand projector **295** 13
~-luggage (deposit) office **200** 27
~-luggage withdrawal office **200** 27
~ pedal **304** 9
~-and-right printing unit **176** 36
~ wing **274** 17
leg *[Anat.]* **18** 49–54, **19** 22–25, **88** 63
~ *[triangle]* **328** 27
~ armour **310** 54
legato **300** 51
legend **244** 11
legerdemainist **298** 19
leggings **31** 27, **335** 17
leg w. hind knuckle **95** 1
~-hold **281** 11
~ of mutton piece **95** 22
~ of pants **33** 59
~ piece **310** 54
~ prosthesis **23** 48
~ ring **75** 42, **337** 38
~ support **29** 4
legume **59** 6, **354** 92, 93
leguminous plant **59** 1–11
lemon **368** 23
lemonade **261** 15
~ glass **261** 16
lemon-peel **98** 10
~-squeezer **42** 42
lending library room **250** 18
length of cane **367** 63
~-recorder **158** 28
~ of wallpaper **121** 36
lens *[Anat.]* **21** 48
~ *[Opt.]* **108**, **111** 10–14, **112** 58, **331** 30
~ front **171** 19
~ front adjustment **171** 9
~ mount **111** 10–14
Lent lily **62** 3
Leo **5** 17, **6** 36
Leonberg **74** 16
leopard **353** 7
Lepidoptera **348** 1–11
lepta **244** 39
Lernaean serpent **307** 32
Lesser Bear **5** 34
lesser celandine **359** 36
~ house fly **341** 1
lesson **44** 32-37, **249** 1–31
~ in gymnastics **279** 1–48
less than **327** 20
letter *[communication]* **239** 1–12
~ *[single ~]* **249** 49
~ *[Typ.]* **169** 7, **170**
~ balance **238** 38
~ box **43** 33
~ card **232** 1
~-carrier* **231** 47
~ collection bag **231** 32
~ collector **257** 67
lettered edge **244** 11
letter file **238** 26
~-head **239** 3
lettering brush **121** 18
letter matrix **169** 47
~ perforator **238** 80

letterpress printing **175**
~ printing method **323** 1–13
~ rotary printing press **175** 41
letter punch **238** 80
~ rack **259** 2
~ scales **231** 22
~ seal **232** 27
~ slot **203** 20, **231** 27
~ sorting frame **231** 37
~ tray **238** 25
lettuce **59** 36
~ leaf **59** 37
levade **72** 4
levee **13** 9
~* **16** 104, **211** 49
level *[surface]* **13** 77
~ *[Geodesy]* **15** 48
~ *[Building]* **113** 55
~ area **7** 11
~ crossing **16** 26, **198** 67–78, **201** 20
~ layer **118** 39
levelling **15** 46
~ beam **197** 3
~ staff **15** 47
level road **137** 34
lever **142**, **144** 14
leverage **119** 43
leveret **88** 59
lever f. raising and lowering **157** 42
~ set hand-operated calculator **240** 42
~-stopper **93** 41
~-top collar stud **33** 61
lewis bolt **136** 41
Leyden jar **331** 48, 55
L. F. transformer **235** 2
Liberia **14** 37
liberty cap **36** 2
~ horses **290** 30+31
Libra **5** 19, **6** 38
librarian **250** 14, 19
library **250** 11–25
~ ticket **250** 25
~ user **250** 24
license number* **186** 34
~ plate* **185** 43, **186** 31
lich house **312** 21
licker-in roller **156** 53
lid **45** 13, **208** 18
lidded ashtray **203** 46
~ inkstand **249** 63
lido **268** 1–32
~ deck **218** 22
liege lord **310** 67
lierne vault **318** 44
life-belt **224** 45, 58
~boat **218** 19
~ buoy **216** 63, **224** 45
~-guard *[person]* **267** 1
life guard *[locomotive]* **205** 34
~-guard station **267** 46
~ jacket **224** 57
~ line *[band]* **21** 72
~ line *[rope]* **224** 49, **267** 2
~ mortar **224** 52+53
~-preserver* **224** 58
~ rope **224** 49
~-saver **17** 36
~-saving service at sea **224**
lift **209** 15, **214** 47, **256** 45, **297** 34
~boy **256** 47
~ chair **209** 16
~ controls **256** 48
~ drop hammer* **133** 16
lifter *[Sports]* **281** 1
~ rail **157** 30
lifting blocks **331** 3
~ block and tackle **331** 3
~ chain **133** 39
~ device **221** 13
~ door **133** 56
~ gear **145** 3
~ height **210** 70
~ hook **85** 31
~ motor **143** 27
~ plan **165** 4
~ plant **297** 50
~ platform **1** 42
~ ramp **191** 3
~ rope **224** 11, **256** 52
~ screw **212** 36
~ span **210** 68
~ spindle **212** 36
~ tackle **216** 4, **331** 3
~ truck **145** 27
~ a wreck **224** 9–12
lift operator **297** 59
~ platform **220** 66, **221** 70
~ room **39** 83
~ shaft **256** 51
ligature *[letters]* **170** 6
~ of blood vessel **17** 14–17
~-holding forceps **28** 50
light *n.* **47** 24, **219** 58, **256** 23
~-alloy passenger coach **203** 34
~ alloy prop **138** 25
~-alloy railcar **207** 28
~ aluminium construction **207** 25
~ and bell buoy **219** 49
~ button **120** 2
~ diesel locomotive **196** 24
~-faced letter **170** 8
lighter *[device]* **105** 29
~ *[ship]* **220** 20, 22
~ *[person]* **292** 37
light four **269** 9
~ gun **222** 34
~house **16** 8
lighting aperture **316** 75
~ gas **148** 1–46
~ plot **297** 3
~ rail **292** 53
~ technician **290** 4
light literature **325** 50
~-metal passenger coach **203** 34
~-metal railcar **207** 28
lightning protector earth connection **234** 24
light overcoat **34** 52
~ railway **16** 90, **196** 23
~-railway track **149** 26
~ sabre **277** 34, 63
~ shaft **6** 17
~ship **16** 13, **219** 56
~ switch **181** 38
~-vessel **219** 56
~ visor **2** 34
~ warship **222** 14–17
light-weight· picture camera **294** 22
~ slab **118** 58
~ suitcase **259** 15
light and whistle buoy **219** 43
ligula **354** 84
ligule **69** 22, **354** 84
Liliaceae **56** 13
lily **62** 12
~ of the valley **361** 2
limb *[Anat.]* **18** 43–54
~ *[tree]* **354** 5
~ *[Tech.]* **219** 2
~ *[sun]* **7** 22
lime *[Bot.]* **355** 46
~ brush **121** 24
~ bunker **140** 55
~ crusher **153** 18
~ kiln **16** 86, **153** 12
~light flap* **296** 1
~ slaking plant **153** 21
~stone **153** 10
~ tree **355** 46
~ works **153**
limit gauge **142** 49
limousine **187** 1, 9
linch pin **131** 24
linden **355** 46
~ tree **355** 46
line *[Typ., etc.]* **170** 4, **249** 35, **299** 45
~ *[Geom.]* **328** 1–23
~ *[Railw.]* **198**
~ *[cord]* **89** 29, **125** 18
~ * *[harness]* **72** 25, 33
linear **354** 31
line of azimuth **87** 74
~ block **172** 35
~ dancers **298** 6
~ diagram of the card **156** 51
~ of equal atmospheric pressure **9** 1
~ furrow **18** 11
~ of fault **12** 5
~ fisher **89** 7
~ fishing **89** 7–12
~ of flight **4** 49
~ of geographical latitude **15** 2
~ of geographical longitude **15** 4
~ of hand **21** 72–74
~ of head **21** 73
~ of heart **21** 74
~ inspection car* **208** 38
~ inspection trolley **208** 38
~ inspector **198** 73
~ of latitude **15** 2
~ of life **21** 72
~ of longitude **15** 4
linen **33** 1–34, **48** 42, **256** 57
~ button **37** 26
~ compartment **259** 31
~ cupboard **48** 40
~ goods **256** 57
~ gown **338** 5
~ initials **37** 4
~ lining **338** 57
~ monogram **37** 4
~ sheet **48** 9
~ shelf **48** 41
~ stencil **37** 5
~-tester **171** 25
line-of-battle-ship **213** 51–60
~ oscillator **236** 29
liner *[ship]* **216** 32
liners *[tool]* **121** 21
lines *[Theatre]* **297** 8
line schedule* **200** 32
~-setting composing machine **169** 19
linesman **274** 23, 47
linesman's flag **274** 48
line space· gauge **240** 5
~ lever **240** 30, 67
~ plunger **240** 31
line of terrestrial latitude **15** 2
~ of terrestrial longitude **15** 4
~ timetable **200** 32
~ of type **169** 15
ling **361** 19
lining *[cloth]* **34** 18, **99** 43, **102** 69
~ *[brake]* **136** 104
~ *[Bot.]* **365** 17
~ board **114** 18, **118** 56

link **107** 11, **181** 29–31, 32
linkage **182** 15, **185** 27
link bracelet **38** 21
links *[Golf]* **276** 59-62
lino **121** 42
linoleum **121** 42
~ knife **121** 46
~ lining **121** 43
~ putty **121** 45
linotype **169** 19
~ matrix **169** 29
lint **367** 6, 19
lintel **113** 9
lint hairs **367** 19
Lion **5** 17, **6** 36
lion **353** 2
~ *[symbol of railway]* **201** 64
lion's body **307** 14, 22
~ head **307** 17
~ mane **353** 3
lip *[Anat.]* **21** 14, 26
~ *[organ]* **305** 26, 27
~ plug **337** 23
~stick **103** 19
~-synchronist **293** 27
~-synchronization **293** 25–29
~-synchronization studio **293** 25
~-synking **293** 25–29
~ of vulva **22** 87
liquefied petroleum gas (LPG) **139** 36
liqueur **98** 58
~ decanter **46** 48
~ glass **46** 89
liqueurs **98** 83
liquid-column barometer **10** 1
~-fuel rocket **227** 49, **229** 1
~-gas tanker **216** 9
liquid-manure· cart **64** 56
~ channel **76** 45
~ drain **76** 44
~ gully **76** 45
~ gutter **76** 21, 45
~ pit **64** 54
~ pump **64** 55
~ scoop **58** 42
~ tank **64** 57
liquid seal **148** 60
liquor circulation pipe **161** 71
lira **244** 20
list *[enumeration]* **98** 73, **231** 26
~ *[Weav.]* **159** 11, **165** 24
lister* **68** 31
list of postal rates **231** 26
literature **325** 50
litho chalk **323** 26
~ crayon **323** 26
Lithodes **349** 16
lithographer **323** 45
lithographic press **323** 60
~ stone **323** 57
lithography **323** 25+26
lithosphere **4** 1, **11** 1
litter **75** 29, **76** 12, **253** 46
~ bin **39** 63
Little Bear **5** 34
~ Dipper* **5** 34
~ Dog **5** 15
little finger **21** 68
~ one **30** 26
~ owl **347** 19
liturgical vessels **313** 33–48
~ vestments **314** 25–58
live-bait fish **89** 35
~long **361** 9
~-long **361** 9
liver **22** 10, 34+35
~ paste **96** 16
livery **179** 21
~ servant **179** 20
livestock **76**
living room **44**
lizard **350** 27, 31–37
llama **351** 28
load **74** 5
~ of dung **65** 15
load hook **145** 10, **255** 49
loading aperture **1** 38
~ bridge **220** 52
~ channel **195** 14
~ dock **202** 28
~ door **166** 8
~ driveway **202** 9
~ gauge **202** 27
~ net **221** 14
~ officer **221** 8
~ pipe **221** 58
~ platform **202** 10, 24
~ shelf **77** 14
~ side **1** 37
~ skip **113** 35
~ surface **208** 30
~ vent **195** 14
~ of vessel **221** 1–36
~ well **208** 30
~ wharf **221** 10
~ yard **16** 91
load of pollen **78** 3
~ ring **226** 58
~ rope **145** 59
loaf **97** 22–27
loam **151** 2
~ seal **254** 39
lobby **296** 12+13
lobe of the ear **19** 57
~ of liver **22** 35
~ of lung **22** 7
lobster fork **46** 79
lobule **195** 7
local advertisement postmark **231** 50
~ bond **243** 11–19
~ bye-laws **257** 29
~ postage **232** 40
~ precipitation **8** 19
local railway **16** 25, **199** 19
~ railwaystation **199** 4
~ train* **203** 1
location *[Film]* **292** 1
~ shooting **292** 18
loch **13** 3
lock **134** 35, **212** 20
lockable hamper **52** 58
lock case **134** 36
~ chamber **212** 20
~-chamber gate **212** 32
locked-up forme **175** 36
locket pendant **38** 14
lock gate **212** 18
locking device **127** 23
~ lever **2** 40, **199** 58
~ mechanism **145** 24+25
~ pin **210** 60, **228** 56
~ stopper **140** 30
~ washer **136** 32
lock nut **136** 28, **180** 54
~ pick **134** 10
~ saw **115** 63
locksmith **134** 7
locksmith's shop **134** 1–34
locksmith vice **134** 24
loco **203** 2
locomotive **138** 46+47, **205** 1, **206** 1, **207** 41
~ brake cylinder manometer **206** 49
~ coupling **206** 23
~-driver **203** 9
~ driving gear **205** 2–37
~ pilot* **205** 34
~ shed **199** 6
locust **368** 41
~ tree **355** 70
lodge **145** 83
loft **39** 4, **40** 1–29
log *[wood]* **84** 22
~ *[Nav.]* **219** 31
~ *[Math.]* **327** 6
logarithm **327** 6
logarithmic calculation **327** 6
logarithm sign **327** 6
log cabin **262** 25
~-cleansing **149** 36
~ conveyor **149** 32
loggia **53** 17
logging* **84** 15–34
log house **262** 25
~ register **219** 34
~ ship **219** 32
~ stock yard **149** 30
~ truck **149** 27
~ yard **149** 30
loin *[Anat.]* **18** 24
~ *[meat]* **95** 3, 46
loin cloth **335** 38, **337** 31
loins **18** 24, **73** 30
lollipop **257** 59
Lombardy poplar **257** 53
London hammer **127** 14
long barrow **309** 16
~-bladed spear **337** 12
~ bow **287** 38
long-distance· bus **188** 2
~ cyclist **273** 14
~ cyclist's bicycle **273** 15
~ gas main **194** 33
~ lorry w. trailer **189** 44
~ race **273** 11–15, **280** 17–19
~ railcar train **207** 29
~ road-train **189** 44
~ runner **280** 17
long-eared· bat **351** 9
~ owl **347** 14
long fly and forward roll **278** 25
long-handled· brush* **52** 20
~ hammer **201** 37
~ scrub brush* **52** 25
longicorn beetle **342** 38
longitude **15** 7
longitudinal bulkhead **222** 56
~ frame **270** 24
~ girder **210** 7, 35
~ joint **197** 39
~ slide **142** 24, **143** 4
~ strength **217** 41–53
~ web **210** 7
long jump **280** 29–32
~-jumper **280** 29
~ line **90** 28
~-line fishing **90** 28+29
~ loaf **97** 25
~ log **115** 2
~ mirror **43** 5
~ moustache **35** 18
~-nosed pliers **192** 24
~ pants **33** 58
~ pipe **105** 35
~-playing switch **306** 37
~ pole **278** 36
~-pole exercise **278** 35
~ primer **170** 27
~shoreman* **221** 23
~ sleeve **32** 14
~ trousers **34** 10
~ wave **4** 20
~-wave range **234** 39
~-winged bird **343** 11–14
~ wood **115** 2

loofa(h) **51** 13
lookout *[watchman]* **198** 9, **310** 9
~ *[ship]* **90** 38
look-out tower **252** 52
loom **159** 1
~ framing **159** 24
loop **72** 34, **125** 25, **283** 53
~-absorber **295** 30
~ attachment **293** 14
~-change-loop **284** 17
~ compensation **295** 30
looper caterpillar **60** 5
loophole **86** 52
looping the loop **271** 17
loop-setting device **295** 30
loose box **272**
~ coupling **203** 37
~ hair **35** 1, 27
~ headstock **142** 29
~ leaf **112** 54
~ nib **144** 65
~ play **277** 17+18
~ rock pile **150** 4
Lophobranchia **350** 19
Lophocalyx philippensis **349** 7
lord **310** 67
lords-and-ladies **363** 9
Lord's Supper **313** 24
lorgnette **108** 29
lorgnon **108** 30
lorry **189**
~-driver **189** 47
~ w. trailer **189** 44
~ weighing machine **145** 88
loser **281** 36
lot* *[ground]* **113, 114**
~ *[Film]* **292** 1
~ *[goods]* **221** 36
lotion **103** 29, 31, **104** 14
lot number **156** 6
lottery booth **291** 44
~ ticket seller **260** 20
lotus column **315** 13
loud pedal **304** 8
loudspeaker **292** 58, **294** 44, 51
~ mast **274** 35
louis d'or **244** 5
Louis Seize style **318** 14
lounge **204** 25, **218** 26
louver* see louvre
louvre **93** 4, **183** 14, **312** 8
~ opening **145** 64
~ f. ventilation **93** 4
love apple **59** 12
love-in-idleness **62** 2
love-lies-(a-)bleeding **62** 21
lovers **257** 44
low *[Met.]* **9** 5
~ beam* **185** 17
~ blow **281** 31
~boy* **260** 41
~ cut **277** 14
lower abdomen **18** 37
~ box **141** 21
~ bottom die **244** 41
~-case letter **170** 12
~ chord **116** 73
~ die **244** 41
~ foremast **214** 2
~ head **212** 17
~ hinge **193** 17
lowering a man on the rope **282** 29–34
~ device **224** 32
~ plant **297** 50
lower jaw **73** 11
~ keyboard **301** 47
~ layer **11** 4
~ lid **21** 40
~ lip *[mouth]* **21** 26
~ lip *[organ pipe]* **305** 26
~ mainmast **214** 5
~ manual **301** 47
~ margin **178** 58
~ member **116** 73, 79
~ milling roller **162** 6
~ millstone **91** 23
~ mizzen mast **214** 8
~ reach **212** 29
~ roll **141** 50
~ roller **141** 50
~ ski **283** 26
~ stern **213** 58
~ swage **133** 43
low fourth **277** 9 to 10
~ frequency **4** 20
~-frequency end stage **236** 30
~-frequency· input **236** 18
~ output stage **236** 30
~ transformer **235** 2
low front support position **278** 17
~land bog **13** 14
low loading platform **208** 41
~-level camshaft **184** 59
~-lying meadow **13** 13
low Mass **311** 49
~-platform trailer **208** 46
~-power periscope **223** 55
low-pressure· area **9** 5
~ cylinder **147** 25
~ gas main **148** 53
~ gas meter **148** 51
~ gauge **333** 19
~ pre-heater **146** 25
~ tyre **181** 10
low relief **322** 33
low-shaft furnace **140** 44–47
~ shoe **100** 1
~-slung engine **189** 26
~ third **277** 5 to 6
~-tide **267** 7
~-voltage winding **147** 16
~-wing monoplane **225** 12
lozenge *[Geom.]* **328** 35
~ *[pill]* **23** 11
L-train* **252** 4
lubber line **219** 25
luboil plant **139** 60
lubricant pump **205** 43
lubricating nipple **136** 79
~ oil **139** 44
~ oil plant **139** 60
lubrication workshop **191** 1
lubricator **180** 65
lucern(e) **70** 9
luffing **270** 52
~-boom shovel* **196** 1
~ jib crane **217** 23
luge **285** 13
luggage **201** 4–12
~ barrow **201** 33
~ boot **187** 5
~-carrier **180** 44, **181** 16
~ clerk **200** 9
~ compartment **207** 32
~ in-and-out counter **200** 4
~ label **200** 7
~ lift **201** 62
~ lockers for self-service **200** 21
~ office **200** 4
~ official **201** 30
~ rack **204** 33
~ receipt **200** 8
~ rest **200** 45
lugger **90** 2
lug·sail **215** 4
~ strap **159** 22
lumbar region **73** 30
~ vertebra(e) **19** 4
lumber *[rubbish]* **52** 73
~ *[timber]** **84**
~ car* **84** 15, **208** 20
lumberer* **84** 18
lumbering* **84** 15–34
lumber·jack* **84** 18,27
~ jacket **34** 23
~man* **84** 18, 27
~ wagon* **84** 15
~ wharf* **220** 57
luminous circuit diagram **147** 8
~ paint **89** 50
~ plate **171** 30
~ quill **89** 49
lump hammer **113** 54
~ of ice **260** 44
~ sugar **98** 53
~ of sugar **45** 22
lunar crater **7** 12
~ phase **7** 2–7
~ sea **7** 11
lunation **7** 2–7
lunch counter* **260** 53
lung **22** 6+7
lunge **277** 19, **278** 19, 20
lunging **277** 19
lungs **20** 13
lungwort **361** 7
lunula *[necklace]* **309** 25
lunule **313** 35
lupin(e) **70** 17
lure *[mus. instr.]* **301** 1
~ *[bait]* **89** 35
luring game **87** 43-47
lustre **259** 21
lute **303** 1
Lutheran church **311** 1–30
~ clergyman **313** 3
Luxembourg **14** 14
Luxemburg **14** 14, **244** 18
luxury cabin **218** 30
~ shoe **100** 33
lycaenid butterfly **348** 6
lych·gate **312** 19
~ house **312** 21
lying-in·bed **29** 5
~ patient **29** 2
~ room **29** 1
~-state **312** 51–61
lyme-grass **16** 7
lymph **26** 32
lymphatic gland **21** 10
lynx **353** 8
Lyra **5** 22
Lyre **5** 22
lyre **301** 14, **308** 64
~ flower **62** 5

M

maar **11** 25
macadam-spreader **196** 31
macaque **353** 12
macaroni **98** 33
macaroon **97** 51
macaw **345** 2
mace *[Bot.]* **130** 28, **366** 34
~ *[staff]* **289** 59
machicoulis gallery **310** 23
machine *[bicycle, etc.]* **182** 1-59, **273** 12, 16, 27
~ *[aircr.]** **225**
~ f. adding **240** 55
~ base **143** 40
~ base frame **162** 54

machine f. chipless machining **133** 1-61
~ drum **302** 57
~ f. etching blocks **172** 23
~ fell **102** 4
~ housing **196** 2
~ f. making bottles **155** 12
~ f. multiplying **240** 55
~ part **136**
machinery **261** 48
~ and apparatus for pest control **83** 1–48
~ room **223** 2
machine-starting handle **156** 17
~-stitched seam **102** 1–12
~ f. subtracting **240** 55
~ tap **143** 32
~ tool **142**, **143**
machinist* **113** 32
mackerel cloud **8** 14
mackintosh **34** 39
macramé work **101** 21
macronucleus **340** 11
Macropharynx longicaudatus **349** 2
Madeira cake **97** 10
madonna lily **62** 12
Maenad **308** 35
Mae West **268** 18
magazine *[journal]* **47** 9, **102** 71
~ *[Tech.]* **87** 17, **169** 21
~ creel **158** 25
~ rack **47** 7
~ racks **250** 15
~ rifle **87** 2
~ spring **87** 18
~ stand **47** 7
maggot **60** 64, **81** 41, **342** 19
~ hole **60** 65
~-like larva **78** 28
magic eye **234** 48
magician **298** 18
magic pipe **337** 42
magmatism **11** 29–31
magnet **106** 32, **136** 100, **332** 36
magnetic-barrel calculating machine **241** 35
~ brake **136** 100
~ chuck **143** 12
~ compass **219** 23
~ needle **332** 38
~ recording disk **241** 25
~-sound camera **293** 2
~ soundhead **295** 51
~-sound reproducing unit **295** 50
magnetic sound-scanner **295** 50
~ tape recorder **234** 1
~ valve **339** 29
magnifier **108** 31–34
~ adjustment **294** 12
magnifying glass **108** 31–34
~ glass w. handle **108** 31
~ lens **26** 34, **170** 34
magnolia **357** 15
magpie **346** 3
maharaja **289** 28
maid **45** 54
maiden trip **216** 36
~ voyage **216** 36
maid's apron **45** 55
~ cap **45** 56
mail *[Post]* **231** 35
~ bag* **231** 48
~ belt* **231** 36
~ box* **231** 31, 35
~-carrier* **231** 47
mailcoach **179** 39, 53
~ driver **179** 40
mail collection bag* **231** 32
~ compartment* **207** 33
~ conveyer belt* **231** 36
mailing clerk* **231** 39
mail·man* **231** 47
~-sorting frame* **231** 37
main *n.* **148** 47, 53 +54, **194** 26, 27, 29, 30
~ air pipe manometer **206** 46
~ altar **311** 37
~ arterial road **197** 32–50
~ artery **252** 32
~ beam **115** 38, **116** 66
~ business street **252** 32
~ cable **210** 24
~ carrying rope **228** 52
~ catalogue **250** 21
~ chassis ***226** 48
~ combustion chamber **227** 62
~course **213** 33
~ deck **218** 32–42
~ dike **211** 32
~ distributing pipe **40** 71
~ dome **316** 72
~ drive **209** 63
~ driving pulley **156** 50
~ engine **218** 63
~ engine room **218** 62
~ fairway **219** 68
~ floor* **39** 2, **113** 7
main gate conveyor **138** 15
~ gateway **315** 34
~ generator **207** 7
~ girder **145** 7, **210** 7
~ ground gear* **226** 48
main landing· beam **118** 66
~ gear **226** 48
~ undercarriage **226** 48
main line **199** 20
~ line railway **16** 21
~ market **252** 50
~mast **213** 40, **215** 22
~ outlet road **252** 1
~ portal **315** 34
~ post **91** 34
~ post office **252** 19
~ producer **148** 16
~ pump **254** 15
~ ring **228** 53
~ road **197** 28
~ rocket-stage **229** 37
~ roll bearing **141** 55
~ root **354** 16
main royal· sail **214** 66
~ staysail **214** 26
~ yard **214** 43
main·sail **213** 33, **215** 11, **270** 28
~ screw **141** 57
~ shaft **137** 14
~spring **107** 17
~ station **252** 30
~ stay **214** 10
~ steam piping **223** 7
~ stem **88** 11
mains transformer **235** 1
main street **252** 32, **253** 8
~ swing-tree **131** 8
~ switch **43** 19, **206** 4
~-switch hand release lever **206** 53
~ switch tower* **199** 16
maintenance shop **199** 6+7
main tent **290** 1
~ through-line **199** 35
~ top **214** 52
main topgallant· mast **214** 7
~ sail **213** 53
~ staysail **214** 25
main topmast **214** 6
main topmast· cross tree **214** 53
~ staysail **214** 24
main topsail **214** 62, 63
~ transformer **206** 7
main trunk **88** 11
~ truss **210** 5
~ web **210** 7
~yard **213** 37, **214** 38
maize **69** 31
~ cob **69** 36
~ kernel **69** 37
major chord **300** 16
~ key **300** 1–15
~ ninth **300** 27
~ road **253** 8
~ second **300** 20
~ seventh **300** 25
~ sixth **300** 24
~ third **300** 21
majuscule **170** 11
maker's badge **182** 20
make-up **103** 15
make-up· artist **292** 36, **296** 47
~ expert **292** 36
~ galley **169** 12
~ man **296** 47
~ smock **296** 44
~ table **296** 45
Malacosteus indicus **349** 10
malamute **71** 22
malaria mosquito **341** 33
Malay dagger **336** 44
male *[stag]* **88** 4
~ bee **78** 5
~ catkin **61** 45, **355** 26
~ fish **89** 66
~ flower **61** 39
~ flower spike **367** 55
~ inflorescence **61** 39
~ moth **82** 29
~ partner **288** 44
~ part of spike **362** 22
~ shoot **356** 44
~ spadix **368** 4
~ vocalist **296** 22
malleable iron pipe fitting **119** 40
malleolus **21** 59, 60
mallet **115** 67, **132** 39, **275** 66, **322** 21
Mallet-type locomotive **205** 39
malleus **19** 61
mallow **364** 12
malt-cleaner **92** 21
~-cleaning machine **92** 21
Maltese cross gear **295** 38
malthouse **92**
malting **92** 1–21
malt kiln **92** 13–20
~man **92** 12
~ mill **92** 22
maltster **92** 12
malt-turner **92** 16
mamilla **18** 28
mammae **18** 28 + 29
mammal **351–353**

mammoth tree **356** 69
man **18–22**
manager **256** 60, **263** 7, **297** 30
man under arrest **248** 5
~ asleep **257** 66
manatee **351** 23
manati(n) **351** 23
man controlling loading **138** 5
mandarin *[Bot.]* **368** 23
~ *[notable]* **289** 29
mandible *[Anat.]* **19** 35
~ *[Zool.]* **342** 25, **343** 8
mandolin(e) **303** 16
mandora **303** 1–31
mandrel **142** 20
mane **73** 13, **353** 3
man-eater **350** 1
maneuvring bridge* **216** 17
~ telegraph* **219** 21
mangel **59** 28, **70** 21
~ wurzel **59** 28, **70** 21
manger **76** 3, 32
mangold **59** 28, **70** 21
~ wurzel **59** 28, **70** 21
manhole **40** 45, **93** 21
~ cover **40** 46
manicure *[girl]* **103** 1
~ *[cure]* **103** 1–18
manicurist **103** 1
manifold *n.* **184** 62
manikin **321** 31
maniple **314** 42
manipulating cross **298** 30
~ string **298** 32
manipulator **2** 38, 47, **133** 49
man-like· anthropoid **353** 14–16
~ ape **353** 14–16
mannequin **321** 31
manoeuvring bridge **216** 17
~ telegraph **219** 21
man-of-war **222**, **223**
manometer **93** 28, **205** 44, **333** 19
~ gauge **172** 9
man praying **311** 58
Manque **263** 22
man-riding **137** 14, 19
~ rope **216** 47
mansard roof **116** 18
~ window **116** 19
man's bicycle **180** 1
manse **312** 20
man servant **179** 20
man's hat **36** 11
~ nightshirt **33** 50
~ shirt **33** 36
~ trench coat **34** 40
~ winter coat **34** 65
mantel clock **107** 47
~piece **259** 24
~ shelf **259** 24
mantissa **327** 6
mantling **246** 14
manual **301** 46, 47
Manual **305** 42–45
manual exchange (office) **233** 1–17
manually operated point (or switch) **198** 47
manual signal box (or cabin) **199** 56
manufacture of coins **244** 40–44
manure **65** 14, **79** 15
~ barrow **64** 46
~-broadcaster **67** 7
~-distributor **67** 7
manuscript **169** 6, **250** 5
many-storied pagoda **319** 1
map **15**, **16**
~ of Europe **249** 21
maple seed **355** 57
~ tree **355** 53
map projection **15** 8+9
~ sign **16** 1–114
~ symbol **16** 1–114
~ of town **200** 15
~ of the world **15** 10–45, **249** 20
maracas **303** 59
marathon (race) **280** 17–19
marble **173** 32
marble-catcher **173** 31
marbles **258** 57
marble table **264** 14
~ top **261** 12
marbling brush **121** 14
marcato **300** 40
mare *[horse]* **74** 2
margarine **98** 21
margin **178** 55–58
marginal ground water **12** 32
~ sea **15** 26
~ note **178** 68
margin regulator **241** 6
~ release **240** 28
~ stop **240** 7
marguerite **360** 4
marigold **62** 20
marine diesel engine **218** 63, **222** 61
marionette **298** 29
~ operator **298** 36
~ theatre **298** 29–40
mark *[sign]* **221** 35
~ *[report]* **249** 54
~ *[coin]* **244** 7, 29
~ f. dowel hole **115** 23
marker *[billiards]* **264** 18
marker* *[die]* **85** 43
~* *[slab]* **312** 14, 26
marker-off **145** 36
market **252** 43
~ fountain **252** 44
~ garden **79** 1–51
~ gardener **79** 20
~ place **16** 52, **252** 43
~ f. securities **243** 2
~ stall **252** 46
~ stand **252** 46
~ woman **291** 65
mark of exclamation **325** 21
marking device **176** 26
~ flag **272** 29
~ gauge **145** 30
~ gouge for preparatory cutting **129** 15
~ hammer **85** 43
~ iron **85** 43
~-off implements **145** 29–35
~-off plate **145** 28
~-out implements **145** 29–35
~-out plate **145** 28
~ post **219** 75
mark of interrogation **325** 20
~ of ownership **37** 4
marmot **351** 18
marquee **290** 1
marquetry **47** 48
marriage *[advertisement]* **325** 51
~ ceremony **313** 13
marrow **19** 48, **20** 25
~ bone **96** 8
Mars *[Myth.]* **308** 9
~ *[planet]* **6** 25, **7** 13–15
marsh **16** 20
marshal **310** 75
marshalled coat-of-arms **24** 10–13
marshalling yard **202** 44–54
marsh harrier **347** 13
~ mallow **364** 12
~ plant **361**, **362**
~ rosemary **361** 21
marsupial **351** 2+3
marten **86** 22, **352** 14–16
martinet **213** 36
martnet **213** 36
marzipan **98** 82
Masai warrior **337** 8
mascara **103** 9
mascot **187** 3, **190** 35
mash boiler **92** 27
~ copper **92** 27
masher *[mach.]* **92** 25
~ *[dandy]* **289** 33
mashie **276** 70
mashing machine **92** 25
mash tun **92** 26
mask *[face~]* **289** 7, 13
~ *[death ~]* **44** 31
mask *[gas~]* **83** 19, **255** 40
~ *[surgeon's ~]* **28** 19
~ *[Art]* **322** 37
~ *[character]* **289** 33
masked ball **289** 1–48
masking frame **112** 22
mason **150** 34
masonry dam **212** 58
mason's tool **150** 35–38
masquerade **289** 1–48
mass **11** 43
Mass **311** 49
massage **24** 1
~ brush **51** 27
~ chair **103** 34
mass-book **311** 50
masseter **21** 7
masseuse **24** 2
mass meeting **251** 1–15
~ vestments **314** 37
mast *[ship]* **214** 1–9
~ *[Tech.]* **226** 66, **237** 38
~ *[Bot.]* **355** 37
Master **272** 61
master *[teacher]* **249** 10
~ *[craftsman]* **99** 23
~ arm **2** 42
~ of ceremonies* **234** 9, **298** 2
~ clock **200** 30
~ compass **219** 28
Master of Foxhounds **272** 61
master furrow **91** 18
~ of the house **47** 55
master's diploma **124** 20
master shoemaker **99** 23
~-slave manipulator **2** 47
~ switch **228** 27
masticatory muscle **21** 7
mast-mooring gear **226** 67
mat *[carpet, etc.]* **45** 64, **279** 13
~ *[slide]* **291** 40
~* *[cardboard]* **112** 47
~* *[matrix]* **172** 7
matador **287** 65
match *[safety~]* **105** 26
~ *[Sports]* **274** 1, **281** 18–46
~-box **105** 25
~-box holder **260** 24
mate **265** 15
~ by knight **265** 15
~ position **265** 15
maté plant **366** 11

material **161** 7, **163, 164, 197** 51
~ bill **144** 64
~ bin **196** 45
~ delivery **161** 39
~ department **256** 58
~ to be dyed **161** 7
~ intake **161** 38
mathematical instruments **144** 28–48
~ symbol **327** 15–24
mathematics **326, 327**
matrix *[Typ.]* **169** 29, 31, **240** 38
~ *[dentist]* **22** 79
~ case **169** 42, 46
~ chuck **170** 59
~ clamp **170** 59
~-cutter **170** 49
~ f. hand insertion **169** 28
~-holder **27** 55
mat sail **336** 33
matter *[Typ.]* **175** 37
~ *[Post]* **232** 24
mattock **58** 10
mattress **48** 10
~-covering machine **124** 3
~-filling machine **124** 3
matt weave **165** 11
mature grub **81** 53
~ timber **84** 4
~ valley **13** 55
mat-wrestling **281** 8, 9, 11
mausoleum **319** 16
mavis **346** 16
maw worm **341** 20
maxilla **19** 36
maxillary antenna **342** 42
~ feeler **342** 42
maximum of curve **329** 19
~ thermometer **10** 57
May *[Zool.]* **358** 30
Maya temple **335** 20
May bug **82** 1
~ fly **342** 6
maze **257** 5
M. C.* **234** 9, **298** 2
meadow **13** 13, **16** 18, 19, **65** 35
~ buttercup **359** 8
~ crowfoot **359** 8
~ fescue (grass) **70** 24
~ flower **359, 360**
~ foxtail **70** 27
~ grasshopper **342** 8
meal beetle **341** 19
mealies **69** 31
meal worm beetle **341** 19
meander *[river]* **13** 11
~ *[Art]* **316** 43
~ core **13** 12
measure *[glass]* **112** 35, **334** 26
measure *[tape]* **102** 73
~ *[Mus.]* **299** 30–44
measurement **144** 58
~ of height **15** 46
measuring apparatus **2** 1
~ area **171** 26
~ beaker **259** 60
~ device **221** 29
~ element **10** 22
~ field **171** 26
~ glass **112** 35, **334** 27
~ jug **42** 45
~ rod **150** 26
~ scale **142** 54, **241** 22
~ tape **102** 73, **256** 38
~ tool **85** 33, **142** 48–56
meat **95, 96** 25, 44
~-beater **41** 4
~-chopper **96** 39
~ dish **46** 26
~ inspector's grade stamp **94** 14
~ machine **96** 36
~ market* **96** 1–28
~-mincer **42** 37
~-mixing trough **96** 43
~ paste **96** 16
~ salad **96** 21
~-shredder **96** 39
mechanic **192** 65
mechanical dog **149** 17
~ musical apparatus **306** 1–10
medallion **322** 36
mediaeval notation **299** 1–4
medial moraine **12** 54
medical instrument **26** 26–62
~ man **26** 12
~ treatment **26** 17
medicinal plant **364**
medicine **26** 11, **28** 7
~ ball **278** 42
~ ball exercise **278** 41
~ bottle **26** 11
~ cabinet **26** 19
~ chest **23** 54–63, **51** 82, **266** 15
~ cupboard **23** 54-63, **26** 19
Mediterranean (Sea) **15** 25
medium *n.* **291** 9
~-cálibre gun **222** 33
~ cut **105** 20
~ frequency **4** 21
~-pressure cylinder **147** 24
~ sieve **77** 35
~ wave **4** 21
~-wave range **234** 38
medulla *[Anat.]* **19** 47, **20** 24
medulla *[Bot.]* **354** 14
~ oblongata **19** 47, **20** 24
medullary rays **354** 11
medulla spinalis **19** 48
Medusa **308** 49
medusa **340** 14
meeting **251** 1–15
meg* **269** 21
megalithic grave **309** 16
~ pottery **309** 12
meganucleus **340** 11
megaphone **269** 21
megger* **269** 21
meiobar **9** 3
Melanocetes **349** 6
melodeon **306** 8
melody **300** 46
~ key **303** 39
~ pipe **301** 10
~ strings **301** 30, **303** 25
Melolontha **82** 1
melon **59** 23
Melpomene **308** 74
melting bath **155** 3
~ pot **106** 8, 9, **164** 30
member *[Anat.]* **18** 43–54
~ *[Tech.]* **210** 17, **271** 50
~ of Exchange **243** 6
membrana putaminis **75** 49
membrane *[bird]* **343** 7
~ stethoscope **26** 14
membranous wing **82** 11
membraphonic instrument **302** 51-59
memo calendar **238** 31
~ pad ***238** 17
memorial archway **319** 3
~ chapel **312** 12
~ plate **312** 14
~ slab **311** 65
~ tablet **312** 14
men *[chess]* **265** 4
~ *[halma]* **265** 28
menagerie **290** 63
mending wool **102** 51
~ yarn **102** 51
menhir **309** 18
meniscus lens **108** 4
men's clothing **34**
~ hair fashion **35** 1–26
~ Oxford tie-shoe **100** 20
~ pants **33** 57
~ pyjamas **33** 35
~ secret society **335** 34
men's short pants **33** 57
~ underclothing **33** 35–65
mensural notation **299** 4
men's wear department **256** 12
menu **260** 21
~card* **260** 21
merchant* **98** 41
~ ship **216** 1
Mercury *[Myth.]* **308** 21
~ *[planet]* **6** 22
mercury barometer **10** 1
~ column **10** 2
~ manometer **23** 5
Mercury's staff **308** 25
mercury-vapour lamp **24** 17
~ rectifier **295** 18
mereles* **265** 18
meridian *n.* **15** 4
~ circle **109** 24
meringue **97** 17, **261** 5
merlin **347** 1
mermaid **307** 23
merman **307** 23
merry-andrew **289** 69
~-go-round **291** 2
mesa **13** 59
mesh **125** 25
~ connection **147** 21
~ gauge **101** 25
~ pin **101** 25, **125** 27
mesolithic period **309** 1–9
messenger god **308** 21
mess kit **266** 43
metacarpal bone **19** 16
metal **3** 22, 23
'metal' *[glass]* **155** 8
metal *[Her.]* **246** 24+25
~ ball **335** 32
~ balustrade **118** 22
~ bar **303** 77
~ bed **196** 60
~ box **10** 11
~ camera cover **292** 48
~ clip **112** 6
~ comb **306** 3
~ contact sleeve **159** 31
~-cutting circular saw **143** 46
~-cutting saw blade **143** 47
~ disk **306** 9
~-drilling machine **143** 23
metal-dust remover **143** 15
~ frame **303** 76
~-grinder **143** 7
~ hose **52** 4
~ hot-water bottle **23** 14

metallised paper **147** 44
metal-milling machine **143** 18
~ pen **324** 25
~-planer **143** 41
~-planing machine **143** 41
~ plate **331** 52
~ plate printer **239** 37
~ reed **306** 4
~ rim **108** 17
~ shears **106** 23
~ string **303** 14
~-string holder **303** 13
~-turning lathe **142** 1
~ wheel **287** 36
~-working machine **142** 1-47, **143** 1-57
metatarsal bones **19** 28
Metazoa **340** 13–37
meteor **4** 37, **7** 28
meteoric crater **7** 30
meteorite **4** 37, **7** 29
meteorological instrument **10**
~ observation **9** 7
~ offices **220** 4
~ station **9** 7, **220** 4
meteorology **8**, **9**
meter **2** 6
~* **268** 10
~ cupboard **43** 17
~ stand **145** 40
~ tape* **256** 38
method **323** 1–13, 14–24
~ of release **17** 34
~ of rescue **17** 28–33
metope **316** 16
metre tape **256** 38
metronome **304** 19
metropolitan *n.* **252** 4
~ railway **252** 4
mew **343** 14
Mexico **14** 31
mezzotint **323** 14-24
micrometer gauge **142** 53, **331** 1
~ knob **15** 52
~ screw gauge **331** 1
micronucleus **340** 12
microphone **234** 7, **237** 5, **294** 40
~ boom **237** 7, **292** 30
~ on boom **292** 21
~ bow* **108** 23
~ cable **237** 8, **292** 32
~ leg **108** 23
~-operated barrier **198** 75
~ stand **237** 6
~ standard **237** 6
microphotometer **110** 26
microscope **26** 2, **109** 1
~ camera **110** 21
~ eyepiece **15** 53
~ lamp **110** 22
~ tube **109** 2–10
microwave receiver **332** 21
~ transmitter **332** 20
middle brisket **95** 26
~ coach **207** 34
~ ear **19** 59–61
~ of fairway **219** 73
~ finger **21** 66
~ leg **82** 7
~ rib **95** 19
~ shot mill wheel **91** 37
Middle Stone Age **309** 1–9
middling **91** 2
midinette **289** 21
mid leg **82** 7
~rib **354** 30
~ships **223** 1
~wife **29** 7
~wifery forceps **28** 59
~-wing aircraft **225** 19
migratory bird **344** 7
~ dune **13** 39
mihrab **319** 14
mike* **234** 13,
mildew **81** 20
~ on grape fruits **81** 21
mileage-recorder **186** 7
mileometer **186** 7
milestone **16** 109
milfoil **360** 15
milk **77**
~ balance **77** 5
~-beaker **49** 29
~-bottle crate **77** 23
~ churn **76** 34, **77** 2
milking machine **76** 23–29
~ passage **76** 30
~ plant **76** 23–29
milk line **76** 24
~maid **76** 17
~ pail **76** 26
~ reception **77** 4
~ reception vat **77** 6
~-server **45** 20
~ storage tank **77** 10–12
~ tube **76** 23
Milky Way **5** 35, **6** 47–50
mill **41** 62, 63, **91**, **152**
~ brook **91** 44
milled wheel **111** 30
miller **91** 15, **92** 23
millet **69** 28
millibar **9** 4
~ scale **10** 3
millimeter* see millimetre
scale **10** 3, **249** 68
milliner **36** 30
milliner's shop **36** 27–57
milling course **91** 21
~ drum **195** 22
~ iron **244** 44
~ roller **162** 3, 6
mill race **91** 44
millstone **91** 16, 22, 23
~ casing **91** 20
~ eye **91** 19
mill weir **91** 42
~ wheel **91** 35
milt **89** 66
milter **89** 66
mimbar **319** 15
mime *[actor]* **288** 38
~ *[pantomine]* **288** 37
mimer **288** 38
minaret **319** 13
miniature poodle **71** 14
mince **96** 25
minced meat **96** 25
mincing board **41** 57
~ knife **41** 58
~ machine **42** 37, **96** 4, 37
mine *n.* **16** 34, 35, **137**, **138**
~ car **137** 18, 28+29
~ car circulation hall **137** 7
~ fan **137** 10
~ locomotive **137** 28, **138** 46+47
~ machinery and tools **138** 37–53
mineral collection **47** 36
~ oil **12** 27, **139**
~ oil wharf **220** 59–62
~ spring **262** 15–17
miner's badge **137** 1+2
~ equipment **138** 54–58
~ helmet **138** 54
miners' lamp **138** 57 + 58
miner's symbol **137** 1+2
Minerva **308** 17
mine sweeper **222** 14
miniature camera **111** 18
~-film case **112** 26
~-film strip **112** 21
~ rifle range **291** 58
~ ritual cart **309** 36
~ stage **298** 38
minim *n.* **299** 16
~ rest **299** 24
minimum of curve **329** 20
~ thermometer **10** 58
minion **170** 24
minnow *[bait]* **89** 41
minor axis **329** 24
~ chord **300** 17
~ key **300** 1–15
~ planet **6** 26
~ station **252** 56
~ warship **222** 11-13
minstrel **310** 70
mint letter **244** 9
~ mark **244** 9
minuend **326** 24
minuscule **170** 12
minus sign **326** 24
minute hand **107** 4
~ wheel **107** 19
Mira **5** 11
mirabelle **61** 25
mire crow **343** 14
mirror **6** 4, **26** 4, **43** 5, **230** 52
~ arc lamp **295** 39
~ carp **350** 4
mirrored panel **259** 66
mirror manometer **333** 20
~ scale **350** 11
~ spotlight **297** 48
~ tower **230** 53
missal *n.* **311** 50
~ desk **311** 50
missile device **335** 31
~ weapon **335** 39
mist **9** 31
miter* see mitre
mitered* see mitred
mitral valve **22** 47
mitre *[bishop's]* **314** 46
~ *[tool]* **122** 4
~ box **127** 50
mitred gate **212** 19
mitre joint **122** 4
~ sawing board **122** 30
~ scale **143** 51
~ shooting block **122** 31
~ shooting board **122** 31
~ square **115** 82, **127** 13
~ wheel **136** 89
mitt **275** 47
mitten **221** 17
~ crab **342** 1
mixed-asphalt outlet **196** 54
~ forest **16** 14
~ number **326** 10
~ wood **16** 14
mixer *[Tech.]* **42** 30, 34
~-driver **113** 32
~ stage **236** 5
mixing bowl **42** 31, 60
~ console **292** 55, **293** 23
~ depot **197** 22
~ desk **234** 2, **293** 23

mixing drum **113** 34, **196** 15
~ machine **42** 34, **97** 79
~ panel **292** 55
~ pot **164** 53
~ set **47** 40–43
~ of sound tracks **293** 22–24
~ tool **261** 49
~ unit **196** 15
~ valve **339** 32
~ vessel **339** 33
mixture of colours **320** 10, 12
~ control lever **228** 31
~ throttle **183** 61
Mizar **5** 29
mizen mast **214** 8+9
mizzen **213** 29
~ mast **214** 8+9, **215** 30, 33, **270** 34, 42
~-masted sailing boat **215** 9+10
~ sail **270** 33, 41
~ staysail **214** 27
~ top **214** 54
~ topgallant sail **213** 54
~ topgallant staysail **214** 29
~ topmast **214** 9
~ topmast staysail **214** 28
μ-meson **4** 32
μ-mesotron **4** 32
moat **252** 38, **310** 37
mobile car jack **192** 66
~ diesel compressor **196** 39
~ platform **29** 44
moccasin **100** 42, **335** 18
~ flower* **360** 27
mocha cup **261** 51
~-grinder **41** 63
~ machine **42** 17, **261** 50
~ mill **41** 63
~ percolator **42** 17
~ urn **42** 17
mock orange **357** 9
model of atom **1** 1–4
~ of climatic zone **339** 45
modeler* see modeller
model framework **271** 44
~ glider construction **271** 40–63
modeling* see modelling
model of isotope **1** 5–8
modeller **322** 6
~ in clay **322** 6
modelling board **50** 23, **322** 34
~ clay **322** 31
~ loop **322** 11
~ material **50** 22
~ spatula **322** 10
modelling stand **322** 9
~ substance **322** 8
model skid **271** 45
moderator **1** 26, 34
modern dance **288** 41
modified rib weave **165** 19
modillions **316** 14
modulator **237** 36, 37
module **126** 33
Moirai **308** 53–58
moiré ribbon **36** 41
moistener **238** 78
moistening sponge **238** 78
molar *n.* **21** 18, 35
mold* see mould
molded* see moulded
molder* see moulde
moldery* **141** 25–32
molding* see moulding
mole *[canal]* **212** 15 **220** 32
~ *[Zool.]* **351** 4
~-trap **58** 43, **83** 8
mollusc **340** 25–34
Mollusca **340** 25–34
mollusk **340** 25–34
molten glass **155** 8
monastery **16** 63, **314** 1–12
~ cell **314** 4
monastic habit **314** 14–16
money **244**
~ compartment **256** 6
~ letter* **232** 25
~ order **232** 12
~ rake **263** 5
~ tray **200** 37
monitor *[Zool.]* **350** 31
~ *[ship]* **222** 64
~ *[water gun]* **255** 66
~ *[dosimeter]* **2** 15
~ for transmitted picture **237** 27
monitoring apparatus **237** 19
~ console **293** 30
~ desk **293** 30
~ loudspeaker **234** 5
~ receiver **237** 31
~ room **237** 31–34
monk **314** 3
monkey *[Zool.]* **353** 12+13
~ *[ram]* **221** 60
~ island **218** 4–11
~ wrench **119** 52, **192** 9
monk's cell **314** 4
~ frock **314** 8
~-hood *[Bot.]* **363** 1
monocable ropeway **209** 15–24
monoceros **307** 7
mono·chlorobenzene **164** 9
~chromator **110** 28
monocle **108** 27
monoclinic crystal system **330** 24, 25
monocoque construction **185** 1
monocular field glass **108** 42
~ microscope **110** 1
mono·gram **37** 4
~plane **225** 1
~symmetric crystal system **330** 24, 25
~treme **351** 1
monotype **169** 32–45
~ caster **169** 39
~ keyboard **169** 32
~ standard composing machine **169** 32
monster **307** 47
monstrance **312** 48, **313** 33
monthly *n.* **47** 9
~ rose **62** 15
monument **16** 92, **257** 10
monumental gateway **315** 9
monument pedestal **257** 11
moon *[satellite]* **6** 24, **7** 1–12
~ *[finger]* **21** 81
~ crater **7** 12
moon's limb **7** 24
~ orbit **7** 1
~ phases **7** 2–7
moor **16** 5
~ buzzard **347** 13
~ harrier **347** 13
~ hawk **347** 13
~land **16** 5
mooring gear **226** 67
moor plant **361**
moose* **352** 1
mop **52** 11
~ board **118** 21
moped **181** 33
Mopsea **349** 8
moraine **12** 53–55
mordent **300** 33
morel **365** 26, 27
morion **310** 60
morning coat **34** 55
morris **265** 18
morse *[Zool.]* **352** 20
Morse alphabet **233** 62
~ code **233** 62
~ cone **143** 29
~ key **233** 64
morse lamps **218** 7
Morse printer **233** 54–63
~ receiver **233** 54–63
~ telegraph sytsem **233** 52–64
mortar *[tool]* **27** 52, **333** 9
mortar *[gun]* **224** 52+53
~ bed **118** 27
~ pan **113** 39
~ trough **113** 20, 39, 84
~ tub **113** 39
mortgage debenture **243** 11–19
mortice **115** 54, **134** 35
mortise **115** 54
~ axe **115** 72
~ chain **128** 30
~ chisel **127** 63
~ gauge **127** 20
~ lock **134** 35
mortising machine **115** 17
mortuary *n.* **312** 21
mosaic *n.* **321** 37
~ figure **321** 38
~ game **50** 18
~ tesserae **321** 39
mosque **319** 12
mosquito **341** 33, **342** 16
moss **361** 17
~ berry **361** 23
moth **82**, **341** 14, **342** 48, 55, **348**
mother *[wife]* **45** 2
~ *[deer]* **88** 1, 34
~ of cloves **366** 29
~-of-pearl **340** 32
motif **181** 42, **321** 27
motion **159** 19
~-picture camera* **294** 1
~ work **107** 14–17
motor **76** 27, **128** 25, **161** 18, **182** 1, 21, 61
~ air pump **206** 17
~ automatic safety switch **254** 46
~ base plate **157** 36
~ bicycle **182**
~boat **269** 2
~boat landing stage **211** 7
~ f. brake-lifter **206** 13
~ bus **188** 5
~ cabin **183** 41, 50
motor-car, motorcar **185**, **207** 30
~ boot **187** 5
~ carrier unit **208** 31
~ implement **192**
~ race **273** 34–45
~ repair tool **192**
~-tow launch **271** 1
~ type **187** 1–30
motor chain saw **85** 44
motorcycle **182**
~ battery **182** 54
~ boots **190** 19
~ carburettor **183** 53–69

motorcycle combination **182** 60
~ dual seat **182** 55
~ driving mirror **190** 14
~ gymkhana **273** 32
~ headlight **182** 10
~ race **273** 24–28
~ ramp **191** 33
~ and sidecar **182** 60
~ stand **182** 38
~ tool box **182** 41
motorcyclist **190** 15, **253** 68
motor-driven air pump **190** 27
~ ferry **211** 6
motoring goggles **190** 17
motorist **187** 6, **253** 65
motorised dusting machine **83** 43
~ spraying machine **83** 43
~ traffic patrol **247** 19
~ vaporising machine **83** 43
motor launch **216** 20, **269** 2
motorless aerobatics **271** 17
~ flight **271** 10
~ model glider **271** 40–58
~ stunt flying **271** 17
motor lifeboat **224** 31–43
~ lorry **189** 14–50
~man* **193** 21
~ passenger ship **216** 33
~ pump **255** 8
~ railcar* **201** 27, **209** 1
~ rail coach **209** 1
~ room **223** 28
~ scooter **183** 17–35
motorship **218**
~ f. cabotage* **216** 38
motor snow plough **195** 30
~ spirit **139** 38
~ sport **273** 24–50
~ truck **189** 14–50
~ truck f. refuse collection **195** 1
~ turntable ladder **255** 9
~ vehicle **189** 1–13
~ ventilator **206** 16
~ ventilator switch **206** 34
motorway **16** 16, **197** 32–50
~ approach **197** 36
~ exit **197** 36
~ under bridge **197** 33
mouflon **352** 6
mould *[Tech.]* **140** 36, **155** 23, **198** 29
~ *[earth]* **79** 15
~board **68** 4
moulder **141** 30
moulding box **141** 19, 25
~ machine **97** 64, **115** 17
~ sand **141** 26
~ shop **141** 25–32
mould loft **217** 3
mound **312** 24, **319** 21
mount **89** 43, **112** 47
mountain **12** 4–20
~ ash **355** 42
~ building **12** 4–20
~ climate **9** 56
~-climbing **282** 1–56
~ cock **88** 72
~ cudweed **361** 3
mountaineer **282** 6
mountaineering **282** 1-56
~ boot **282** 49
~ equipment **282** 35-56
~ party **282** 26–28
mountaineer's cap **36** 26
mountain everlasting **361** 3
~ hut **282** 1
~ pass **12** 47
~ railway **209**
~ range **12** 39
~ ridge **12** 36
~ saddle **12** 42
~side **12** 43
~ slope **12** 37
~ station **209** 57
~ top **12** 40
mourning cloak **348** 5
~ hat **36** 46
~ veil **312** 39
mouse **52** 74
~ trap **83** 9
moustache *[beard]* **35** 12, 18, 26
~ *[Zool.]* **352** 21
mouth *[Anat.]* **18** 13
~ *[organ pipe]* **305** 25
~ *[river]* **13** 1
~-binder **301** 5
~-blowing **155** 13–15
~-blown goblet **155** 17
~ lamp **27** 44
~ mirror **27** 43
~ organ **303** 35
~ parts **342** 26
~piece **302** 29, 36, **303** 33, 72
~-rinsing basin **51** 64
~ wash **51** 60
move *[chess]* **265** 6
movement *[Fenc.]* **277** 20
~ *[watch]* **107** 14–26
~ weight **107** 35
moves of pieces **265** 14
movie projector* **295** 26
movies* **295** 1
movie theater* **295** 1
moving bridge **210** 55–70
~-coil instrument **332** 10
~ picture camera* **294** 1
~ staircase **256** 22
~ van* **189** 41
mower **67** 27
mowing machine **67** 27
mucilage-dispenser* **238** 45
muck-spreader **67** 7
mud **262** 39
~ bath **262** 37–49
~ collector **205** 28
~ cone **11** 51
mudguard **180** 13, 43, **185** 3
~ side **187** 21
mud hose **139** 12
~ layer **13** 15
~ pump **139** 15
~ trap **194** 23
~ tub **262** 38
muff **32** 47
muffle furnace **134** 20
muffler **182** 8
~* **182** 42, **185** 62
mug **260** 6, **266** 41
,Mühle' **265** 23–25
mule *[Zool.]* **74** 8
~ *[shoe]* **48** 34, **100** 48
muleta **287** 66
mull-applying section **177** 42
~-holder **178** 19
mullein **360** 9
mullion **39** 35
mullioned window **39** 86
mullions **317** 41
multi-bucket excavator **151** 3
~-bucket ladder dredger **211** 56
~cellular animal **340** 13–37
~-channel stereo-sound reproduction **295** 45
~-colour rotogravure press **176** 27, 35
~-deck partitioned wagon **208** 28
~-engined turboprop **226** 12
~-light fitting **259** 21
~-light pendant fitting **45** 30
multiple drying machine **163** 31
~ sound-reproducing unit **294** 52
multiple unit-car* **207** 29
multiplicand **326** 25
multiplication **326** 25
~ key **240** 66
~ sign **326** 25
multiplier **326** 25
multiplying **326** 25
multi-point **119** 66
~-purpose cupboard **44** 25
~-purpose wagon **208** 32
~-roller plant **141** 74
multi-stage· air compressor **227** 27
~ rocket **229** 34
~ satellite rocket **4** 56
multi-stor(e)y· block of flats **39** 77–81,
~ building **39** 82 **252** 13
~ garage **252** 62
multi-tool holder **143** 3
mum **45** 2
mummy *[mother]* **45** 2
~ *[embalmed body]* **335** 21
municipal bond **243** 11–19
~ gardener **257** 68
~ hall **252** 7
~ park **252** 10
~ ward **252** 16
mural *n.* **321** 40
~ crown **246** 46, **308** 38
~ painting **321** 40
muriatic acid **52** 35
Musagetes **308** 15
muscle **20** 34–36
~ of head **21** 1–13
muscular foot **340** 26
~ system **20** 34–64
Muse **308** 59–75
Muses' steed **307** 26
musette **301** 8
museum **252** 21
mushroom **365** 2, 3
music *[sheet, etc.]* **44** 33, 34, **306** 9
musical apparatus **306** 1–10
~ box **306** 1
~ clown **290** 23
~ instrument **301–306**
~ interval **300** 20–27
~ notation **299, 300**
musica mensurata **299** 4
music hall **298** 4–8
musician **53** 24
music light **44** 38
~-recording studio **292** 14
~ rest **305** 36
~ room **44**
~ shelf **44** 26

music stand **44** 30
~ stool **44** 35
~ tape **293** 13
~ track **293** 13
musk-ox **352** 10
muslin lap **147** 46
~ square **30** 6
mussel **340** 30–34
~ shell **340** 34
mustang **335** 4
mustard *[Bot.]* **63** 16
~ *[spice]* **98** 28
mute *n.* **302** 10, **303** 68
~ swan **343** 16
mutton **74** 13
mutule **316** 13
muzzle *[animal]* **71** 4, **73** 6–10, **88** 45
~ *[dog]* **71** 27
mycelium **365** 2
myrtle **56** 11, **313** 21
~ wreath **313** 18
mythological animal **307** 1–61
~ being **307** 1–61
mythology **308**

N

nacelle **226** 76, 77
nacre **340** 32
nail **136** 49
~ *[finger]* **21** 80
~ bag **117** 72
~ box **99** 17
~ brush **51** 67
~-cleaner **103** 8
~ enamel* **103** 12
~ file **103** 7
~ of flag **245** 8
nailing *[boot]* **99** 33
~ *[stapling]* **240** 41
nail lacqueur* **103** 12
~ polish **103** 12
~-scissors **30** 45, **103** 5
~ varnish **103** 12
naked boys **363** 3
~ lady **363** 3
name **239** 15
~ of plant **57** 4
~-plate **113** 47, **181** 18, **270** 16
~ of street **253** 2
names of stars **5** 9–48
nanny **30** 9, **258** 34
Nansen sledge **285** 1
nape band **36** 38
~ of neck **18** 21
naphta **139**
naphthalene-washer **148** 32
napkin *[serviette]* **23** 63, **46** 9
~ *[diaper]* **30** 6
~ ring **46** 10
Narcissus **62** 3
narcissus **62** 4
narghile(h) **105** 39
narrow-film· camera **294** 24
~ cinema projector **295** 52
~ scanner **237** 22
narrow-gage railroad track* **149** 26
narrow-gauge· locomotive **196** 24
~ tramway **151** 4
narrow-necked amphora **309** 12
~ pass **16** 84
~-tape recorder **293** 7
nasal bone **19** 41
~ cavity **19** 53
nasicorn **351** 25
nasturtium **56** 4
natatorium* **25** 2
natatory* **25** 2
national coat-of-arms **244** 12
~ colors* **245** 15–21
~ colours **245** 15–21
~-costume jacket **34** 26
~ dance **288** 39
~ flag **245** 15–21
Nationalist China **14** 49
nationality sign **186** 33
native **335** 37
natural *[accidental]* **299** 47, 55
~ gardens **257** 41–69
~ gas **12** 30
~ history collection **47** 34–36
~ honeycomb **78** 60
~ rock **339** 17
~ scale **299** 47
~ sponge **112** 15
~ stone **194** 12
nautical mark **219** 43–76
naval cap **36** 23
nave *[Art]* **316** 62, **317** 1
~ *[Tech.]* **131** 27
~ plate **185** 14
navel **18** 34
navigable channel **211** 21
navigating bridge **218** 12–18
~ bridge superstructure **216** 23
navigation **219**
~ light **226** 46
navigraph* **228** 7
navvy **113** 76, **150** 13, **198** 20
~ excavator **153** 2
navy yard* **217** 1–40
near beer* **93** 40
Near East **14** 39–45
near wheeler **179** 47
nebula **6** 44–46
neck *[Anat.]* **18** 19-21
neck *[vaulting horse]* **279** 34
~ *[Tech.]* **136** 62, **229** 12, 13, **269** 37
~ *[mus. instr.]* **303** 7
~ **[peninsula]* **13** 5
~ brush **104** 18
~ cushion **48** 54
~ duster **104** 18
neckerchief **37** 9, **266** 47
neck flap **255** 38, **277** 28
~ grasp **278** 7
~ guard **255** 38, **277** 28, **310** 83
~lace **38** 8, 12, **309** 25
~let **38** 8
~line **32** 40
~ pommel **279** 37
~ ring **309** 26
~ strap **72** 30
~-tie **33** 45
~ of veal **95** 3
~ of violin **302** 2
nectary of leaf **61** 18
needle *[Tech., etc.]* **102** 55–57, **136** 74, **160** 53, **331** 66
~ *[Bot.]* **356** 11
~ bar **102** 29
~ bed **160** 55
~ butt **160** 60
~ clamp screw **102** 30
~craft **101**
~ cylinder **160** 8, 11
needled half-lap **156** 70
needle-holder **26** 37, **331** 65
~ hook **160** 64
~ jet **183** 56
~-made lace **101** 30
~ roller bearing **136** 73, **182** 49
~-shaped **354** 34
~ thread **102** 21
~ tricks **160** 15
~work **50** 30, **101**
negative *n.* **112** 41
~ carbon **295** 41
~-carrier **112** 30
~ cyanotype machine **241** 13
~ direction **329** 7
~-holder **112** 30
~ number **326** 8
~ sign **326** 8
négligé **48** 16
negress **337** 22
negrillo **337** 41
negrito **337** 41
negro **337** 13
~ hut **337** 21
neighbor* see neighbour
neighbour **259** 41
neighbouring house **53** 23
nematode **81** 51
Neo-Classic style **318** 15
neolithic period **309** 10–20
neon lamp **194** 19
Neptune *[Myth.]* **308** 29
~ *[planet]* **6** 30
Neptune's horse **307** 44
Nereid **307** 23
nerve *[Anat.]* **20** 28–33
~ *[Bot.]* **354** 29
~ fibre **21** 33
nervous system **20** 22–33
nervure **342** 34
nest **343** 28
nesting box **75** 6
~ cavity **343** 29
Net **5** 48
net *n.* **89**, **90** 8
~ adjuster **276** 14
~ background **101** 16
~-cutter **223** 52
~ factory **220** 8
~ fishing **89** 1–6, 13–19
Netherlands **14** 14, **244** 19
nether millstone **91** 23
net knot **125** 29
~-making **125** 24
~ player **276** 48
~ post **276** 15
N. E. Trades **9** 48
net stocking **33** 33, **289** 10
~ strap **276** 14
netting **101** 22
~ loop **101** 23
~ needle **101** 26, **125** 28
~ thread **101** 24, **125** 26
nettle **63** 33
net wing **90** 16
network *[main]* **148** 53+54
~ of meridians **15** 1–7
~ of parallels **15** 1–7
neumatic notation **299** 1–4
neumes **299** 1
neums **299** 1
neuropteran **342** 12
neutral corner **281** 34
~ point **147** 22
neutron **1** 2, 6, **4** 30
névé **12** 48, **282** 23
newborn child **30** 26
~ baby **29** 6
newel **118** 78
~ post **118** 43
Newfoundland dog **71** 39
new moon **7** 2
news·agent* **201** 19
~boy **253** 44
~ in brief **325** 53
~dealer* **201** 19

newsmonger **53** 29
newspaper **325** 37
~ boy **253** 44
~ heading **325** 38
~-holder **261** 26
~ man **253** 44, **281** 45
~ packet **232** 24
~ photograph **325** 44
~ rack **47** 7, **261** 8
~ reader **261** 24
~-seller **253** 44
~ shelf **261** 8
~ stand **47** 7
~ wrapper **232** 24
news-reel camera **294** 23
~ studio **234** 7–12
~ trolley **201** 17
~vender **201** 19
~vendor **201** 19 **253** 44
newt **350** 20–22
new year's shoot **356** 25
New Zealand **14** 28
~ Zealand clover **70** 2
next-door house **53** 23
nib *[pen, etc.]* **144** 43, **239** 18, **249** 59
~ *[tile]* **117** 51
niblick **276** 70
niche **48** 39, **212** 70
nick *[Typ.]* **170** 47
nickel coin **244** 1–28
~-in-the-slot machine* **260** 48
~ steel pendulum **107** 39
nigger **337** 13
night cap **36** 2
~ clouds **4** 36
~ commode **23** 25, **48** 2
~ cream **103** 11
~dress **31** 1, **33** 1, **48** 16
~ glass **108** 38
~-gown **31** 1, **33** 1
night-gown· frill **33** 2
~ lace **33** 2
~ top **31** 2
nightie **31** 1, **33** 1
nightingale **346** 14
night layer **4** 19
~ life-buoy **216** 63
~-luminous cloud **4** 36
~robe* **33** 1
~shade **363** 5
~shirt **33** 50
~stick* **248** 10
~ stool **23** 25
~ table **48** 2
nighty **31** 1
Nike **308** 43
nimbo-stratus cloud **8** 10
nimbus cloud **8** 10
Nine *[Muses]* **308** 59–75
nine-eight time **299** 41
~-four time **299** 42
~-men's morris* **265** 18
~-penny morris **265** 18
ninepins **287** 1
~ alley **287** 2
~ yard **287** 2
ninth *[Mus.]* **300** 27
nippers **28** 57, **99** 35
nipping section **177** 42
nipple *[teat]* **18** 28
~* **30** 48
nitrous oxide cylinder **28** 34
nix **307** 23
nixie **307** 23
nixy **307** 23
nobleman **338** 44
nock **287** 45
nocturnal birds of prey **347** 14–19
~ Lepidoptera **348** 7–11
~ moth **82** 14
node **69** 7
nogging piece **115** 55
Noir **263** 21
nominal value **232** 22+23
~ value of share **243** 12
non-migratory bird **344** 4
nonpareil **170** 23
non-passerine bird **343** 24–29
~-plus-ultra **170** 19
~-printing parts **172** 36
~-professional wrestler **281** 7
~-skid chain **286** 9
~-slip tread **189** 13
~-smoker **203** 29
~-smoking compartment **203** 29
~-spherical hollow mirror **295** 39
~-storage heater **27** 27, **119** 66
~-swimmers' pool **268** 21
~-terminating decimal **326** 22
~-terminating decimal fraction **326** 21
~-toothed artery forceps **28** 55
~-toothed forceps **26** 35
noodle machine **97** 78
noose **335** 5
no-parking sign **253** 18
Norfolk Island Pine **56** 16
normal fault **12** 7
North America **14** 29+30, **15** 12
~ Atlantic Current **15** 30
~-East trade winds **9** 48
~ Equatorial Current **15** 32
Northern Crown **5** 31
~ heavens **5** 1–35
~ hemisphere **5** 1–35
~ Ireland **244** 37
northern light **4** 35
~ sky **5** 1–35
north light **116** 21
North pole **15** 3
~ sea **15** 26
north star **5** 1, 34
Norway **14** 15, **244** 26
~ maple **355** 53
~ spruce **356** 12
nose **18** 10
~ band **72** 7
~ wheel **225** 49
~ wheel release lever **228** 33
~wheel ground gear* **226** 36
nosing **118** 20
nostril **73** 7
notable *n.* **289** 29
notation *[Mus.]* **299**, **300**
~ of chess game **265** 6
notch *[Tech., etc.]* **85** 20, **87** 66, **287** 45
~ *[Geol.]* **13** 30
~* **16** 84
notched-stamp pottery **309** 35
note *[foot~]* **178** 62
~ *[Mus.]* **299** 5–9
~ *[money]* **244** 29–39
~ bar **299** 8
~ crook **299** 7
~ head **299** 5
~ hook **299** 7
~ pad **238** 17
~ paper **239** 1
~ stem **299** 6
~ tail **299** 6
not-go side **142** 51
notice **231** 26
~ board **145** 45, **267** 6, 7
nought **263** 18
~ key **240** 65
novelty department· sales assistant **256** 63
~ salesclerk* **256** 63
~ salesgirl **256** 63
~ saleslady **256** 63
nozzle **52** 3, **83** 33, 36
~ tip **135** 54
~ pump **211** 62
N-truss bridge **210** 47
nuclear fission **1** 13-17, **4** 28
~ physicist **1** 40
~ propulsion **223** 6–10
~ reactor **1** 31–46
~ submarine **223** 1
nucleus of galatic system **6** 47
~ of spiral nebula **6** 44
nude *n.* **321** 32
~ life model **321** 32
~ model **321** 32
nugget **244** 1
number **326** 1–22
~ board **272** 6
~ girl **298** 8
~ key **256** 3
~ plate **185** 43, **186** 31, **204** 29
~ plate lighting **186** 37
~ of postal area **232** 38
~ tab **259** 10
~ tag **259** 10
~ of winning horse **272** 22
numen **308** 47
numeral **326** 1, 2
~ pennants **245** 33+34
numerator **326** 15
nun *[sister]* **314** 22
~ *[Zool.]* **344** 4
~ of nursing order **29** 18
nurse **23** 23, **30** 9
~maid **49** 1
nurser* **30** 46
nursery *[child]* **30** 1–52
~ (garden) **79**
~ gardener **79** 20
~ maid **49** 1
~ school **50**
nurse's cap **30** 10
~ uniform **50** 2
nursing **30**
~ the baby **30** 30
~ bottle* **30** 46
~ mother **30** 30
~ sister **29** 18
nut *[Bot.]* **61** 37–51, **354** 98
~ *[Tech.]* **136**, **180** 53
~ *[violin]* **302** 13
~-crackers **46** 49
~ crunch **98** 85
~hatch **346** 11
~jobber **346** 11
~meg tree **366** 30
~ tree **61** 37–43
~-tree twig **61** 37
Nydam boat **213** 1–6
nylon-6 manufacture **164** 1–62
~ stocking **33** 32
nymph *[Myth.]* **307** 23

O

oak **355** 1
oar **269** 14, 35–38
~ blade **269** 38
~lock* **269** 29, 41
~ shaft **269** 35
oarsman **257** 52, **269** 12
oarsman's seat **269** 28
~ thwart **269** 28
oasis **337** 4
oath **248** 31
oats **69** 27
obelisk **315** 10
Oberwerk **305** 2
obi **336** 41
object chamber handle **109** 4
objective *n.* **110** 5
~ slide changer **110** 16
object stage **110** 6
~ stage adjustment **109** 6
~-teaching **249** 17
oblianus abdominis **20** 43
oblique crystal system **330** 24, 25
~ randing **130** 3
~ scarf joint **116** 88
oblong cake **97** 45
oboe **302** 38
~ da caccia **302** 38
~ d'amore **302** 38
observation car **207** 40
~ hole **93** 16
~ panel **42** 27
~ platform **226** 71
~ ship **9** 7
~ telescope **108** 44, **330** 31
~ window **224** 23, **234** 4
observatory **6** 2–11
observing aperture **6** 9, **295** 15
~ position **6** 10
obstacle **272** 25, **280** 21+22
obstetrical forceps **28** 59
obstetrician **29** 3
obtuse angle **328** 11
~-angled triangle **328** 30
obverse **244** 8
ocarina **303** 32
occasional postmark **231** 51
occipital bone **19** 32
~ muscle **21** 2
occluded front **9** 25
ocean **15** 19–26
~ current **15** 27, 28, 30–45
~ depth **4** 10
~-going liner **216** 32
ocean going seaplane* **226** 30
~-going tug **221** 47–50
oceanic deeps **11** 12
Oceanid **307** 23
ocean ship **216** 13
~ steamship **216** 32
~ tanker **216** 22
ocellate spot **74** 32
ocellus **74** 32, **78** 2
octagonal ground stopper **333** 4
octahedron **330** 6, 10, 13, 14, 16
Octans **5** 43
Octant **5** 43
octave **300** 26, 62–70
~ sign **300** 44+45
octogon **330** 17
ocular **6** 3
odalisque **289** 41
odd number **326** 12
~ pinnate **354** 42
~-toed ungulate **351** 25–27
odometer* **186** 7
Oertz rudder **217** 66+67
oesophagus **19** 49, **22** 23
off-end framing **158** 14
off-the-peg dress **256** 29
offering **311** 64
office **231** 1–30, **238**, **239**
~ *[train]* **204** 20
~ apprentice **238** 44
~ block **252** 15
~ boy **238** 8
~ chair **238** 34
~ duplicator **241** 1
~ machine **240** 1-71, **241** 1-61
~ paste **238** 46
officer **219** 19, **221** 8
officer's cabin **218** 21, **223** 47
officer of the watch **216** 65
official at counter **242** 8
~ list **243** 8
official's electric hand lamp **138** 58
offset **57** 27, 29
~ machine **174** 1, 38
~ press **174** 1
~ printing **174**
~ printing machine **174** 1
~ process **173**
~ proofing press **174** 38
~ sheet-fed press **174** 33
offshoot **57** 17
offside **274** 57
off-the-road tire* **67** 2, **189** 12
off wheeler **179** 47
ogee arch **318** 36
ogre **307** 37
O.H.V. single-cylinder motor **182** 21
oil *[salad~]* **98** 24
~ *[petroleum]* **139**
~ bottle **46** 42
~ brake switch **206** 4
~ burner **40** 58–60
~-burning system **40** 44–60
~ cabinet **190** 11
~ can **102** 48
~-circulating pump **146** 45
~ colour **321** 11
~ conservator **146** 42, **147** 9
~ container **191** 14
~ cooler **146** 46, **206** 19
~ dip-stick **184** 18
~ drilling **139** 1–20
~-driven vacuum pump **331** 17
~ engine **184** 37–80
oiler **107** 31
~ clip **180** 62
oil-filler pipe **184** 47
~-filler sleeve **186** 58
~ filter **184** 48
~-firing system **40** 44–60
~ fuel tank **216** 28, **218** 70, **223** 37
~ furnace **40** 57
~ gauge **40** 54
~-heating system **40** 44–60
~ injection pump **228** 25
~ level gauge **147** 11
~ level pipe **40** 53
~ manometer **149** 15
~ f. massage **24** 6
~-painted dado **121** 5
~ painting **47** 6
~ palm **367** 54
~ pan **184** 49
~ pressure gauge **149** 15, **207** 14, **228** 17
~ production **139** 48–55
~ pump **184** 22, **190** 12
~ pump shaft **184** 21
~ refinery **139** 56–67
~ refining **139** 21–35
oils **224** 54–56
oil scraper ring **184** 80
oilskin coat **224** 56
~ jacket **224** 55
oil·skins **224** 54–56
~ stand **191** 31
~stone **323** 21
~ sump **184** 23
~ switch **206** 4
~ tank **40** 44, **182** 34
oil temperature gauge **228** 19
~ trough **143** 6
~ wharf **220** 59–62
ointment **26** 10
~ tin **26** 10
old English **325** 1
Old Glory* **245** 18
old style **325** 4
~ town **252** 34–45
~ valley **13** 56
'old woman's tooth' **127** 60
oleander **357** 13
oleiferous seed **367** 5
olive **367** 29
~ oil **98** 24
~-pointed probe **28** 46
~-shaped ear nib **26** 16
~ tree **367** 29
Olympian god **308** 1
Olympic flag **245** 5
omnibus **179** 37, **188**
omni-directional radio beacon **230** 18
~-range radio beacon **230** 18
Onagraceae **56** 3
on-and-off switch **306** 27
once accented octave **300** 66
~-marked octave **300** 66
one-and-a-half plane* **225** 4
~-axle railbus luggage trailer **207** 27
~-berth cabin **218** 41
~-celled animal **340** 1–12
~-channel sound **293** 23
~-color offset machine* **174** 1
~-cut finishing drill **143** 32
~-direction traction car **193** 8
~-hand snatch **281** 2
~-horse carriage **179** 29
~-horse vehicle **179** 18
Oneirophanta **349** 18
one-line octave **300** 66
one-man· canoe **336** 12
~ crosscut saw **85** 38
~ motor chain saw **85** 44
one-mast support **209** 23
~-metre board **268** 10
~-piece collar-stud **33** 61

one-seeded fruit **60** 23
~-sided snow plough **195** 30
~-side print **323** 27
~-tower support **209** 23
~-way cock **334** 42
~-way plough **68** 20
~-way ticket* **200** 36
on-guard position **277** 43
onion **59** 24
onsetter **138** 5
~ skin **59** 25
opaque glass **122** 5
open-air· cure **29** 21–25
~ inhalatorium **262** 6
~ meeting **257** 48
~ pool **268** 1–32
~ rest cure **262** 12–14
~ theater* **257** 6
~ veranda **29** 21–25
open-cast excavation locomotive **206** 56
opencast working **150** 1
open compartment **204** 56
~ fire **259** 25
~ flue pipe **305** 23-30, 31-33
~ freezer **96** 2
~ goods wagon **208** 2, 21
opening **117** 24
~ f. cleaning purposes **93** 21
~ joint **144** 32
~ f. lift **297** 32
~ position **265** 1
~ f. stairs **115** 46
~ f. washing material **166** 14
open-line pole **233** 66
~-necked shirt **266** 8
~ platform **203** 31
~-platform coach **203** 26
~ string **303** 24
~ visor **246** 9
~ well **269** 8
~-width scouring machine **162** 8
~ wood **305** 31–33
~work **101** 27
opera glass **108** 40
~ hat **36** 20
~ house **252** 20
operating bridge **298** 37
~ cap **28** 18
~ desk **176** 39
~ handle **240** 51
~ glove **28** 20
~ gown **28** 21
~ lamp **27** 18, **28** 26
~ lever **128** 38, **197** 12, **239** 42
~ mask **28** 19
operating overall **28** 21
~ platform **298** 37
~ position **140** 50
~ room **28** 1-45
~ sister **28** 16
~ surgeon **28** 17
~ table **28** 4, 23
~ theatre **28** 1–45
operation area **28** 25
operative's platform **162** 23
operator **135** 1, 38, **233** 16, **255** 13
~* **136** 100
~ brake* **136** 100
operator's cabin **145** 11
~ platform **162** 23
operculum **350** 5
ophiuroid echinoderm **349** 11
ophthalmometer **109** 15
ophthalmic instrument **109** 11–15
ophthalmoscope **26** 33
opium poppy **364** 15
opossum **351** 2
opponent **281** 24, 36
opposed-cylinder engine **182** 6
optical bench **331** 27
~ instrument **109**, **110**
~ measuring instrument **110** 24–29
~ plummet **110** 34
~ system **108** 9
optician **108**
optic nerve **21** 51, **78** 24
or *[Her.]* **246** 24
orach(e) **63** 24
orale **314** 55
orange *[Bot.]* **368** 27
~ *[colour]* **320** 7
orangeade **261** 35
orange flower **368** 25
~-peel **98** 11
orangery **257** 3
orange-tip butterfly **348** 3
orang (o)utan **353** 15
orator **257** 49
orbicular **354** 33
orbicularis oculi **21** 5
~ oris **21** 8
orbiculate **354** 33
orbit **1** 4, 8, **5** 2
~ of sun **5** 2
orbspinner **342** 45
orchard **16** 108
orchestra *[band]* **296** 25
~ *[Greek Theatre]* **316** 47
~ *[seat]* **296** 19
~ chair* **296** 19
orchestral instrument **302** 1–62
orchestra pit **296** 24
~ seat* **296** 19
~ stall **296** 19
orchestrion **291** 38
orchid **360** 28
orchis **360** 28
order *[religous]* **314**
~ *[Comm.]* **232** 12, **242** 19
~ on bill **242** 19
ordinal *n.* **326** 6
~ number **326** 6
ordinary grip **279** 53
ordinate **329** 10
ordinates' intersection of curve **329** 22
ore deposit **11** 31
~ transport wagon **208** 19
öre **244** 24
organ *[Anat.]* **22** 1–57
~ *[Mus.]* **53** 26, **305** 1–52
~ of attachment **341** 25
~ case **305** 1–5
~ casework **305** 1–5
~ console **305** 36–52
~ of equilibrium **19** 56–65
~-grinder **53** 27
~ of hearing **19** 56–65
organistrum **301** 25
organ pipe **305** 17–35
oriental slave **289** 41
~ woman **289** 41
orifice of stomach **22** 41
origin **11** 32, **329** 4
original sum invested **327** 7
origin of earthquake **11** 32
~ of ordinates **329** 4
oriole **344** 7
Orion **5** 13
~ nebula **6** 51
ornament *[Art, etc.]* **38** 4, **317** 14–16, **338** 17
~ *[Mus.]* **300** 28–38
ornamental band **316** 38
~ bush **257** 14
~ flower bed **257** 39
~ hub cap **185** 14
~ park **257** 1–40
~ shrub **54** 4, **257** 14, **357, 358**
~ stitch **101** 3
~ tree **357, 358**
~ waistcoat **34** 42
ornamentation **316** 38–43
ornamented column **315** 18
Ornithopoda **70** 11
orographic lift **271** 13
orpin(e) **361** 9
orrery **6** 12–14
orthopaedic instep support **99** 29
~ shoe **99** 34
orthopedic instep support **99** 29
~ shoe **99** 34
ortho-pinacoid **330** 25
orthopteran **342** 8
orthopterous insect **342** 8
orthorhombic pyramid **330** 23
ortolan **346** 7
~ bunting **346** 7
oscillator **236** 5
~ coil assembly **235** 18
~ valve **235** 16
oscillatory circuit **234** 25–28
~ circuit coil **234** 25
oscillograph **237** 32
osier stick **130** 14
~ twig **130** 14, **355** 29
osseous framework **19** 1-29
ossicles **19** 61
Ostiak **336** 17
ostrich **343** 2
~ egg **343** 3
~ plumes **246** 30
os uteri **22** 85
ottava alta **300** 44
~ bassa **300** 45
~ sopra **300** 44
~ sotto **300** 45
otter board **90** 13
Otto engine **187** 25
~ motor **184** 1–36
outboard float **225** 64
~ motor **269** 7, **273** 49
~ motorboat **269** 6
~ tail fin **225** 15
out counter **250** 20
outdoor cage **339** 25
~ enclosure **339** 16
~ filming ground **292** 1
~ inhalatorium **262** 6
~ rest cure **262** 12-14
~ shooting **292** 18
~ substation **146** 29–35
outer bailey **310** 31
~ case **166** 7
~ casing **162** 17
~ container **161** 47
~ cover **180** 30
~ gate **310** 32
~ hall **269** 58
~ home signal **199** 41
~ keel **269** 32
~ moat **310** 33
~ race **136** 69
~ skin **217** 41–46, **269** 33,48

outer station **4** 54
~ string **118** 44
~ top rail **131** 2
~ wall **116** 32, **117** 37, **310** 15
~-wing turbine **226** 20
outfall **13** 1
~ arm **13** 2
~ ditch **211** 36
outfeed roller **128** 43
outfit box **99** 17
out for a ride **257** 42
outlet **162** 29, **186** 23 **334** 63
~* *[El.]* **120** 5
~ control valve **254** 30
~ chute **140** 38
~ cock **172** 27
~ faucet* **166** 16
~ pipe **176** 38, **254** 21
~ road **252** 1
~ structure **212** 44
~ terminal of the heating system **44** 16
~ tunnel **212** 62
out-look tower **16** 68, **252** 52
output stage **236** 28
~ transformer **235** 2
~ tube* **235** 13
~ valve **235** 13
outrig **269** 42
outrigged rowlock **269** 41
outrigger **269** 9–16, **335** 36
~ canoe **335** 35
outside board **115** 96
~ covering **226** 74
~ cut-at-head **277** 37
~ girder **210** 9
~ hood iron **187** 15
~ keel **269** 32
~ left **274** 17
~ margin **178** 57
~ plank **270** 19
outsider **272** 16
outside right **274** 21
~ staircase **315** 33
~ string **118** 44
~ thermometer **228** 14
~ wall **117** 37
outskirts of the town **252** 31
outsole **99** 50
Ovaherero woman **337** 25
oval table **204** 46
~-tube frame **181** 46
~ winch **161** 6
~ wing **225** 23
ovary *[Anat.]* **22** 83
~ *[Bot.]* **60** 40, **354** 54, 60
ovary with awns **359** 34
ovate **354** 36
oven **41** 38, **97** 57–63
overall **28** 21, **32** 19, **50** 2, **144** 24
overalls* **28** 21
over-and-under rifle-shotgun **87** 33
overburden *[Tech.]* **137** 20, **150** 2
overcast *[sky]* **9** 24
overcoat **32** 52, **34** 48, 52
overfall **91** 43
overfeed **162** 26
overflow **51** 66, **212** 60
~ basin **257** 23
~ flask **334** 60
~ pipe **40** 69, **51** 18, **254** 20, 33
overfold **12** 15
over grip **279** 53
overhead camshaft **182** 46, **187** 26
~ conductor **146** 32
~ contact wire **188** 16, **206** 2
~ contact wire frog **193** 30
~ lighting battens **297** 13
~ line **188** 16, **206** 2
overhead line· pylon **146** 36
~ tension **206** 42
~ tower **146** 36
overhead monorail **145** 53
~ inclined Otto engine **187** 25
~ planer **128** 11
~ support **29** 33
~ travelling crane **217** 20
operating crank **182** 43
overhead-valve· operating crank **182** 43
~ single-cylinder motor **138** 53 **182** 12
overhead-wire examination wagon **206** 57
overland timber haulage **85** 1–6
overload circuit-breaker **120** 18
overman's yardstick **138** 53
overpass* **197** 32
oversea airplane* **226** 30
overshoe **100** 27
overshot bucket wheel **91** 35
oversite **118** 13
overthrust fold **12** 15
ovoscope **75** 46
ovule **60** 39, **61** 14, **354** 63
ovum **22** 84
Owen's bottle-blowing machine **155** 12
owl **244** 1, **347** 14–19
owl-glass **289** 38
ox *[Zool.]* **74** 1, **95** 14–37
~-bow lake **16** 75
oxer **272** 33
ox-eye **360** 4
~-eye daisy **63** 7, **360** 4
~-hide **337** 11
oxidation **164** 19
oxidiser **227** 51
ox-stomach scraper **96** 34
~ team **65** 16
oxy-acetylene welding **135** 29–64
~-acetylene equipment **135** 29
oxydation **164** 19
oxygen cylinder **255** 20
~ capsule **47** 42
~ connection **135** 51
~ container **229** 8
~ cylinder **28** 36, **135** 32, 61, **196** 40
~ distributor **229** 17
~-filler neck **229** 13
~ hose **135** 36
~ meter **24** 20
~ nozzle **334** 13
~ pump **229** 16
~ respirator **24** 19
~ tank **229** 8
~ valve **135** 50
~ welder **135** 62
oyster **340** 30
~ fork **46** 80

P

pabouch(e) **48** 34
pace **73** 40
~maker **273** 11
pacemaker's machine **273** 12
~ motorcycle **273** 12
Pacific Ocean **15** 19
pack *[load]* **74** 5
~ *[hounds]* **86** 33, **272** 62
~* *[packet]* **105** 13
package* **231** 3
~-washing **164** 48
pack animal **337** 3
~ass **74** 3
~ of cigarettes* **105** 13
packet **23** 12, **105** 13, **232** 24
~ of blue **53** 58
pack of hounds **272** 62
packing counter **256** 14
~ plant **153** 28
~ roll **204** 54
~ shed **220** 10
~ f. whole body **23** 19
packsack* **266** 22
pack saddle **74** 4
pad **23** 39, **30** 2, **72**, **88** 46, **284** 40
padded armour **336** 38
~ doublet **338** 30
~ trunkhose **338** 31
~ wall **287** 5
padding material **124** 23
paddle **269** 34, 39
paddling **269** 1–66
~ pool **39** 44, **258** 10
paddock **272** 4
pad·lock **40** 21, **53** 4
~ saddle **72** 45–49
~ saw **115** 63, **127** 27
~-saw handle **127** 28
page *[boy]* **259** 18
~ *[book]* **178** 53
~ boy **259** 18
~-boy style **35** 35
~ cord **169** 16
~ number **178** 63 **243** 14
pagoda **319** 1
pail **52** 50
paillette **38** 1
pailoo **319** 3
pailou **319** 3
pailow **319** 3
pail f. used dressings **26** 23
paint **121** 10
~-box **50** 31, **321** 10
Painter **5** 47
painter **121** 2, 28, **321** 2
painter's ladder **121** 4
~ room **296** 29–42
~ stencil **121** 25
painting-book **50** 25
~ gun **83** 34–37
~ spatula **321** 15
~ studio **321**
~ surface **321** 22
~ table **321** 25
~ utensil **321** 6–19
~ wall **121** 1–28
paint pail **121** 27
~ spray **121** 12
~-sprayer **83** 34–37
Pair **263** 20
pair **42** 65, **257** 44
~ of carvers **42** 65
~ of dancers **259** 46, **288** 44+45
pairing *[basket-making]* **130** 1
~ season **86** 9–12
pair of lovers **257** 44
~-oar **269** 15
~ of pincers **99** 35
pairs *[Skat.]* **284** 7

pair-skating **284** 7
~ of steps **52** 1
pajamas* seepyjamas
Pakistan **14** 47
palace **16** 96, **252** 54, **317** 47
~ buildings **315** 29
~ garden **252** 55
~ gardens **257** 1–40
Palace of Sargon **315** 29
palaeolithic period **309** 1–9
Palaeopneustes niasicus **349** 19
palatine tonsil **21** 23
paleolithic pepori **309** 1–9
palet **177** 3
palette **321** 28
~ dipper **321** 29
~ knife **321** 14
paling **39** 53, **55** 10, **115** 96
palisade **310** 36
pall *[cloth]* **312** 53
~ *[pallium]* **314** 56
~ *[Her.]* **313** 55
palla *[cloak]* **338** 10
pallet **305** 10
pallets *[watch]* **107** 23
pallette **310** 45
pallium **314** 56
palm *[Bot.]* **368** 2
~ *[hand]* **21** 71
~ *[horn]* **88** 41
Palma Christi **364** 14
palmate antlers **88** 40
palm column **315** 17
palmette capital **315** 25
palm of hand **21** 71
palm leaf *[Bot.]* **368** 3
~ leaf *[ornament]* **316** 41
~-leaf capital **315** 25
pamphlet **251** 9
Pan **308** 40
pan *[trough, etc.]* **41** 70, **115** 59
~ *[Anat.]* **73** 33
Panama hat **36** 6
pancreas **22** 44
Pandean pipes **301** 2
pandore **301** 21
pane *[glass]* **122** 16
~ *[hammer]* **66** 22, **132** 26
~ of glass **57** 10, **122** 16
panel **40** 67, **115** 59, **124** 27
panelled mirror **259** 66
panelling **260** 37
panel rotary switch **120** 11
~ saw **115** 60
pangolin **351** 10
panicle **354** 69, **366** 54
paniculate phlox **62** 14
paniered skirt **338** 83
pan-lid **41** 71
pannier **64** 40
~ bag **190** 21
panorama film **294** 45–52
panoramic screen **294** 49
~ sound-recording **294** 45
Pan-pipes **301** 2, **308** 41
Pan's pipes **301** 2
pansy **62** 2
panther's skin **308** 34
panties **33** 20
pantile **117** 54
pantiled roof **117** 53
pantograph *[instr.]* **15** 65, **170** 58
~ *[conductor]* **193** 15–19, **206** 3
~-carrier **170** 53
~ current-collector **193** 15–19
pantry **204** 19, **218** 38
pants **33** 56
papal cross **313** 60
Papaver **63** 2
paper **51** 31, **167**, **168**, **175** 43
~-bag **98** 48 + 49
~ ball **289** 55
~ chain **289** 5
~ chase **272** 58–64
~ clip **238** 42
~ cup **201** 50
~-cutter **178** 1
~cutting machine **178** 1
~ delivery **175** 14
~-fastener **238** 43
~ feed **175** 14, **240** 15
~ feeder **175** 11
~ feed release **240** 16
~ guide roll **240** 8
~hanger **121**
~hanger's hammer **121** 39
~hanger's trestle **121** 41
~hanging **121** 29–41
~ hat **289** 45
~-holder **51** 30, **240** 8
~ kite **258** 50
~ knife **238** 47
~ lantern **55** 15, **289** 4
~ machine **168** 6
~ manufacture **167**, **168**
~ money **244** 29–39
~ plate **201** 51
~-reel **175** 46
~ reel holder **176** 40
~ release **240** 58
~ rest **240** 9
~ ribbon **169** 34
~ roll **240** 56
~ scissors **238** 76
paper serpent **291** 14
~-stapling machine **240** 36
~stock preparation **167** 24–27
~ streamer **289** 66
~ strip **240** 57
~ tape **233** 61, **240** 57
~ tower **169** 33
~ web **168** 19
~ weight **238** 30
papilionaceous flower **59** 1
papoosh **48** 34
pap plate **30** 18
pappus tuft **362** 11
paprika **59** 42
papyrus column **315** 15
~ plant **367** 64
para **244** 28
parabola **329** 14
parabolic arch **318** 29
~ girder **210** 36
~ mirror **6** 4, **230** 40
~ radar mirror **230** 52
~ reflector **6** 4
parachute **228** 48
~ bag **228** 51
~ canopy **228** 49
~ harness **228** 54
parachute rigging line **228** 50
~ rip cord **228** 55
parachuter's harness* **228** 54
parachutist's harness **228** 54
parade **289** 57–70
~ ground **252** 47
paraffin **139** 39, 46
~ lamp **99** 26
~ lantern **76** 16
~ oil **139** 39
~ wax **139** 46
paragon **170** 31
paragraph-indention **170** 16
Paraguay tea **366** 11
parallel *n.* **15** 2, **327** 21, **328** 4
~ bars **279** 27
~ brake levers **182** 26
~ christiania **283** 32
parallelepiped **329** 36
parallel guide **144** 8
parallelism **327** 21
parallel keys **300** 1-15
~ of latitude **15** 2
parallelogram **328** 33–36
parallel swing **283** 32
~ vice **134** 12
Paramecium **340** 9
parapet **39** 19, **310** 21
~ walk **310** 20
parasite **341**
~ of man **341** 20–31
parasol **32** 34
~ mushroom **365** 30
~-wing aircraft **225** 21
Parcae **308** 53–58
parcel **231** 3, **200** 2
~ counter **231** 1
~ form **232** 15
parcels label **200** 3
~ office **200** 1
parcel-weighing machine **231** 2
parclose **311** 32
parent aircraft **226** 23
'parent-child' aircraft **226** 22
'parent-child' arrangement **226** 22–24
parentheses (or parenthesis) **325** 24, 25
parent plant **57** 15
parents **45** 1 + 2
parietal bone **19** 31
parietales **56** 2
paring chisel **127** 65
parish church **252** 28
parison **155** 15
park **16** 97, **257**
~ bench **257** 16
~ entrance **257** 32
~ gate **257** 31
parking ground **252** 27
~ light **185** 17
~ lot* **252** 27
~ meter **253** 51
~ place **252** 27
park keeper **257** 30, 68
~ life **257** 41–69
~ path **257** 38
~ pond **257** 50
~ railings **257** 33
~ regulations **257** 29
parlor* **39** 70, **44**, **103** 1–34
~ car * **204** 49
parlour **39** 70
parotid gland **21** 9
parquet* **296** 19
~ floor **118** 74
parrot **345** 1
parry **277** 21
~ of fifth **277** 38
~ of tierce **277** 22
parsley **59** 19
parson **311** 22
parsonage **312** 20
part **136**, **233** 47
parterre *[beds]* **257** 39
~* *[Theatre]* **296** 19
Parthenon **316** 1
participant in procession **312** 50
parti-coloured hose **338** 47
~ tights **338** 47
parting *[hair]* **35** 13, 19
~-off tool **142** 45
~ tool **129** 24, **323** 9
partition **114** 25

partitioned plate-tray **260** 54
~ wall **114** 25
partly bald head **35** 20
~ insured registered letter **232** 35
partner **259** 42, **288** 44
partridge **88** 70
~ call **87** 47
part of roof **116** 1–26
party **259** 40–43
~ wall **53** 25
pas de chat **288** 17
~ de trois **288** 31–34
Pasiphaea **349** 12
pass *[defile]* **12** 47
~ *[calibre]* **141** 63
~ *[Footb.]* **274** 61
passage **53** 19, **319** 4
~way **53** 19
Passe **263** 19
passegarde **310** 44
passenger **187** 7, **201** 3, **216** 52, **226** 31
~ aircraft **226** 30
~ cabin **209** 28, 52
~ cable railway **209** 15–38
~ car **209** 28
~ car* **203** 26
~ and cargo motor-ship **218** 1–71
~ coach **203** 26, **204** 1
~ and commercial motor vehicle **189** 2
~ ferry **16** 60, **211** 1
~ and freight boat (or vessel) **218** 1–71
~ gondola **226** 68
~ lift **256** 45
~ liner **216** 32
~ motor vehicle **187**
~ nacelle **226** 68
~ quay **220** 16
~ ship **216** 33
~ sled* **336** 18
~ sledge **336** 18
~ steamer **216** 32
~ train **201** 27, **203** 1
passenger train·engine **203** 2
~ locomotive **203** 2
~ luggage van **203** 11
passé-position **288** 15
passerine *n.* **346**
pass guard **310** 44
passiflora **56** 2
passing the ball along the ground **274** 61
~ place **212** 27
~ precipitations **8** 19
passion flower **56** 2
pass key* **134** 10
passport **247** 14, **259** 13
~ check **247** 14+15
paste *[meat]* **96** 16
paste *[soldering]* **135** 45
~ *[tooth]* **51** 58
~ *[plastic]* **240** 34
pasteboard distance piece **323** 37
~-brush **50** 27, **121** 37
~ foods **98** 32–34
pastel pencil **321** 19
paste pot **50** 26, **231** 5
pastern **73** 25
~ joint **73** 24
paste-work **50** 28
pastor *[clergy]* **311** 22
~ *[Zool.]* **346** 4
pastoral staff **314** 48
pastry cook **97** 33
~-cutter **42** 62
~ wheel **42** 50
patch **181** 4, 5, **289** 24
~ pocket **32** 3
pate *[head]* **35** 22
patella **19** 23
paten **311** 12
patent anchor **217** 75
~ key **180** 50
~-leather strap **203** 14
~ log **219** 31
~ valve **180** 31
paternoster bead **313** 29
~ lift **164** 36
path **16** 102, **257** 18
~ border **257** 37
~ of the sun **5** 2
patient **26** 17, **27** 2, **262** 7, 18
patients' bed **29** 8
~ table **29** 14
patriarchal cross **313** 58
patrician lady **338** 48
patrol car **248** 2
~man* **247** 1
~ wagon* **248** 2
patter **113** 57
pattern **102** 68, **121** 25, **170** 55
~ book **102** 72
~-holder **171** 29
~ repeat **165** 12
~ sheet **102** 72
~ table **170** 56
patty **97** 13
pauldron **310** 44
pause **300** 42
~ sign **300** 42
paved footpath **194** 6
pavement **39** 60, **194** 6, **212** 1
~* **210** 2, **253** 34
~ concrete **197** 43
~ snow plough **195** 4
paver *[worker]* **194** 16
~ *[tool]* **194** 17
pavilion **246** 14, **262** 15
~ roof **116** 22
paving **118** 14, 26
~ brick **151** 27
~ sett **194** 12
pavior **194** 16
paviour **194** 16
pavise **310** 56
Pavo **5** 41
paw **88** 50, **353** 4
pawl **107** 18, **145** 25
pawn **265** 13
payee **242** 19
paying-in counter **231** 19
pea **59** 1, **70** 19
~ blossom **59** 2
peach **61** 31
~ blossom **61** 27
~ flower **61** 27
~ leaf **61** 32
~ tree **61** 26–32
Peacock **5** 41
peacock **74** 30
~ butterfly **348** 2
peacock's feather **74** 31
pea flower **59** 2
~hen **74** 30
peak **11** 6
~ pendant **214** 49
pea nut **367** 41
~ plant **59** 1
pear **60** 33
~ blossom **60** 38
~ flower **60** 38
pearl **340** 33
~ *[Typ.]* **170** 22
~-barley **98** 35
~ diadem **338** 16
~ hen **74** 27
~ necklace **38** 12
pear pip **60** 37
~ quince **60** 50
~ seed **60** 37
~-shaped flower head **354** 75
~ stalk **60** 34
~ tree **60** 31
~ twig **60** 32
~ twig in flower **60** 32
peascod **338** 30
peat bed **13** 20, 22
~ dust **79** 31
pea tendril **59** 4
peat moss* **79** 31
~-moss litter **75** 29
pectoral cross **314** 52
~ fin **350** 7
~ muscle **20** 36
pectoris major **20** 36
pedal **27** 4, 5, **180** 40, 78, **185** 39-41, **302** 62
~ ball-race **180** 59
~ car **258** 2
~ frame **180** 83
~ harp **302** 60
~ key **305** 51, 52
~ lever **156** 28
~ mechanism **303** 54
~ pin **180** 81
~ pipe **305** 3
~ rod **304** 42
pedal roller **156** 27
~ spindle **180** 60
~ tower **305** 4
peddler* **253** 11
pedestal **290** 55
~ mat **51** 34
pedestrian **253** 32
~ crossing **194** 3, **253** 33
Pediculati **349** 6
pedicure **25** 18
pediment **316** 3, **317** 49
pedlar **53** 30, **253** 53
peduncle **61** 4
peek-a-boo **258** 1
peel **97** 66
peeling iron **85** 25
~ knife **85** 42
peen **132** 26
peep hole **43** 31, **248** 15
peewit **343** 21
peg **118** 11, **260** 13, 14, **303** 11
Pegasus *[Myth.]* **307** 26
~ *[Astr.]* **5** 10
peg box **302** 20, **303** 10
~-box cheek **303** 19
pein **132** 26
~ ***66** 22
Pekinese spaniel **71** 20
Pekin(g)ese **71** 20
pekin(g)ese dog **71** 20
pelargonium **56** 1
pelican **343** 5
~ eel **349** 2
pelota **287** 51
~ player **287** 52
pelvic fin **350** 8
pelvis **19** 18–21, **22** 31
pen *[writing]* **239** 19
~ *[play~]* **49** 4
~ *[enclosure]* **202** 7
penalty area **274** 5
~ corner **275** 6
~ spot **274** 6
pencil *[writing]* **239** 31, **249** 60
~ *[Geom.]* **328** 19
~ attachment **144** 29, 42
~ box **249** 66
~ cap **239** 34
~-holder **239** 34, **249** 61
~ india rubber **144** 53
~ lead **239** 36
~ point **239** 33
~ of rays **328** 19
~ rubber **144** 53
~-sharpener **240** 68
~-sharpening machine **240** 69
~ shield **249** 62
pendant *[jewellery]* **31** 61, **38** 14, 32
~ *[pennant]* **245** 22
~ fitting **45** 30

pendant ornaments **338** 17
~ switch **120** 12
pendentive **316** 74
pendulum **11** 42, **107** 36
~ device **2** 35
~ saw **143** 46
~ spring **11** 42
~-type centrifugal hydroextractor **162** 14
~ weight **11** 43
pene *[hammer]* **132** 26
pen groove **249** 64
penguin **343** 4
penholder **239** 17, **249** 58
peninsula **13** 5
penis **22** 66
pennant **245** 22, 28, 29, **266** 44
~ of international code of signals **245** 29
pen nib **239** 18, **249** 59
penning gate **212** 77
pennon **266** 44, **267** 11
~ staff **267** 10
penny **244** 37
~cress **359** 26
pensions counter **231** 19
Pentacheles **349** 15
Pentacrinus **349** 3
pentagon **330** 9
pentagonal dodecahedron **330** 8
penthouse **39** 74
pen tray **238** 69
pentroof **39** 55, 78, **116** 7
pen-wiper **249** 51
peplos **338** 2
pepper·corn **366** 39
~mint **364** 3
~ plant **366** 36
perambulator **258** 30
per cent **327** 7
percentage sign **327** 7
perch *[bar]* **75** 14, **86** 49, **131** 14
~ *[Nav.]* **219** 74
perchloride of iron **176** 4
percolation of river **13** 73
percolator **41** 64
percussion cap **87** 59
~ gun cap **289** 49
~ instrument **302** 49–59, **303** 47–58
percusser **26** 27
peregrine **347** 2
~ falcon **347** 2
perennial **55** 9
perfect fifth **300** 23
~ fourth **300** 22
perfecting control **175** 49
perfect octave **300** 26
perforated basket **161** 61
~ brick **151** 21+22
~ cage **161** 61
~ cement pipe **196** 62
~ rack **41** 77
~ plate **161** 28
~ spoon **42** 61
perforator **238** 80
perfume flacon **48** 27
~ spray **48** 28, **104** 20
pergola **39** 80, **54** 5, **257** 17
pericarp **59** 6, **61** 42
pericementum **21** 28
perineum **22** 64
period *[full stop]* **325** 16
periodontium **21** 28
periphery **328** 44
periscope **223** 17
peristyle **316** 2
peritoneum **22** 58
perlon **164** 61, 62
~ cone **164** 51, 52
~ manufacture **164** 1–62
~ staple **164** 61
~ stocking **33** 32
~ thread **164** 44
perm machine **103** 25
permanent magnet **107** 40
~ pleating **32** 33
~ wave machine **103** 25
peroneal muscle **20** 64
~ nerve **20** 33
perpendicular *[Geom.]* **328** 6, 27
perpetual-fruiting wood strawberry **60** 16
Persia **14** 44
Persian cat **74** 17
person going for a walk **257** 26
personal weighing machine **51** 1
perspex all-round-view windscreen **183** 43
Peru Current **15** 42
peseta **244** 22
pest control **83** 24-45
~-exterminator **83** 18
pestle **27** 53, **333** 10
petal **61** 11, **354** 59
petasos **338** 4
petiole **354** 27
petrel **343** 12
petrol **139** 38
~ can **191** 22
~ consumption indicator **192** 36
~ dispenser **190** 22
~ engine **184** 1
petroleum **12** 31, **139**
~ lamp **99** 26
~ reservoir **12** 27
~ wharf **220** 59-62
petrol flowmeter **190** 5
~ gauge **186** 14
~ pipe **184** 10
~ pump **184** 9, **190** 2
~ pump hose **190** 3
~ station **190** 1
petrol station· attendant **190** 10
~ canopy **190** 7
~ lights **190** 8
petrol stove **266** 19
~ tank **182** 28 **185** 65
petticoat **33** 26, 28 **338** 37
pettitoe **95** 48
petty officer's cabin **223** 48
~ officers' mess **223** 39
petunia **56** 6
pew **311** 28
pewet **343** 21
pewit **343** 21
pews **311** 28
pewter **262** 28–31
~ bottle **262** 30
~ bowl **262** 31
~ jug **262** 29
~ plate **262** 28
~ ware **262** 28–31
phaeton **179** 38
Phalacrocorax **343** 10
phalange **19** 17, 29
phalanx **19** 17, **21** 77
pharmacy **253** 28
pharyngeal cavity **21** 24
pharynx **21** 14-37, 24
phase contrast attachment **110** 8
pheasant **88** 77
pheasant's-eye lily **62** 4
~ feather **36** 56
phelonion **314** 30
Phenix **307** 9
phenol **164** 14
phial **26** 32
Philippine Islands **14** 54
Philippines **14** 54
Philomel **346** 14
philtrum **18** 12
phlox **62** 14
Phoenician script **324** 14
Phoenix **307** 9
Pholiota mutabilis **365** 33
phone **233** 1–51
phonendoscope **26** 14
phonetic transcription **325** 14
~ writing **325** 14
phorbeia **301** 5
photo **47** 15, **112** 45
~ album **47** 14, **112** 52
~ cell **178** 5
~ copier* **112** 27, **241** 18
~-copying apparatus **241** 18
photo-electric· cell **295** 49
~ optic system **295** 46
~ sound-reproducing unit **295** 45
photo floodlamp **112** 61
photogrammetry **15** 63–66
photograph **47** 15, **112** 45
~ album **47** 14
photographer **112** 20
photograph frame **47** 16, **112** 50
photographic accessories **111** 31–59
~ apparatus **111** 1-27
~ arc lamp **171** 24
~ camera optical system **294** 2
~ chamber **109** 10
~ laboratory **112** 1–61
~ plate **112** 41
~ reproduction **171**
~ sound-reproducing **295** 45
photograph register **247** 22
photography **111**, **112**
photogravure **176**
~-etcher **176** 3
~ press **176** 8
photomechanical engraving **172** 23-30
~ reproduction **171**
photo·meter **110** 26
~-printed zinc plate **172** 25
photostat **241** 18, 23
photostatic apparatus **241** 18
phototopography **15** 63–66
Phrygian cap **36** 2
physical culture **25**, **278** 1–23
~ education (P. E.) **278** 1–23
~ exercise **278** 1–23
~ training **278** 1–23
physician **26** 12
physician's office* **26** 1–25
physics **331**, **332**
piaffer **72** 1
pianissimo **300** 56
~ possibile **300** 57
pianist **298** 1
piano *[mus. instr.]* **304** 1

piano [soft] 300 55
~ action 304 2–18
~ case 304 6
~forte 304 1
~ hammer 304 3
~ lesson 44 32-37
~ mechanism 304 2–18
~ pedal 304 8+9
~ teacher 44 37
piazza* 39 18
pica 170 28
picador 287 61
piccolo 302 30
pick 138 52, 150 31, 282 39, 301 19
pick-a-back· aircraft 226 22
~ fight 258 44
pick-counter 159 2
picker 159 64
~ head 177 48
picking bowl 159 67
~ cam 159 66
~ -machine 124 1, 2
~ stick 159 17
~ stick buffer 159 65
~ stick return spring 159 68
~-up bearings 230 22
pickled cucumber 98 29
pick f. plucking 301 19
pickpocket 291 16
pick-up 306 35
picnic case 266 21
~ stove 266 19
Pictor 5 47
picture 311 15
~-book 50 16
~ camera 292 47, 294 22
~ caption 325 45
~ of Christ 311 15
~ frame 48 17
~ gate 295 31, 34
~ hat 36 39
~ house 295 1
~ light 44 38
~ line adjustment 295 29
~ monitor 237 26
~ in outline 321 4
~ palace 295 1
~ paper 47 10
~ postcard 232 5
~-printing machine 293 17
~ projection 293 33
pictures 295 1
picture of saint 314 7
~ signal 237 24
~-sound camera 294 23
~-sound-printing machine 293 16
~ tube 236 1
~ writing 324 1
pie* 97 16
piece [part, etc.] 30 22, 95, 260 44, 310 53, 54, 88
~ [games] 265
~ [Theatre] 297 35
~ of cloth 162 51
~ of combination furniture 47 25
~ of furniture 44 25
~ of ice 260 44
~ of meat 86 43
~ of scenery 297 35
pieces of meat 95
piece of soap 30 22
~ of type 170 38
~ of wood 52 62
~ work 155 16–21
pied woodpecker 343 27
pier [landing stage] 16 59, 220 17
~ [bridge] 210 32
~ [Art] 317 34
piercing saw 106 11
piercing-saw· blade 106 13
~ frame 106 12
pierrette 289 12
pierrot 289 19
pig [pork] 74 9, 88 51, 95 38–54
~ [iron] 140 39
~-bristle scraper 96 34
~-casting machine 140 33–43
~ creep door 76 46
pigeon 64 10, 74 33, 343 23
~ hole 231 21, 259 2
~ house 64 8
piggin 126 9
piggy back* 226 22
pig-iron 141 11
pig-iron· ladle 140 12, 20, 41
~ outlet 140 11
piglet 74 9, 76 40
~ creep 76 39
pigmy 337 41
pig's ear 74 11
~-ear [pastry] 97 52
~ head 95 43
~ liver 96 28
~ snout 74 10
pigsties 76 39-47
pigsty 76 39–47
pigtail [wig] 35 6
~ [tobacco] 105 22
~ tress 35 30
~ wig 35 5
pig trough 76 43
pike [Zool.] 350 16
~ dive 268 41
pilaster 317 46
~ strip 317 11
pile [stake] 211 18
~ [heap] 177 37, 221 36
~ [reactor] 1 31–46
~ of boards 115 1
pile of branchwood 84 16
~ of bricks 113 40
~ of brushwood 84 16
~ carpet 47 61
~-driven well 254 60
~-driver 221 59–62
~ dwelling 309 15, 335 33
~ feed 174 36
~ foundation 211 8
~ house 335 33
~ of linen 48 42
~ of logs 64 16, 84 24
~ of plates 260 11
~ of sheets of paper 168 48
~ of unprinted sheets 174 24
pileus 365 4
pile wall 114 17 212 5
~ of wood 53 31
~wort 359 36
piling 114 17
pill 23 9
pillar 13 82
~ crane 221 1–7
~ stand 2 29
~ tap 119 36
pill box 23 8
pillion 183 32, 190 20
~-rider's foot-rest 182 57
~ seat 183 32, 190 20
pillow 48 6
~ lace 101 18
~ slip 48 7
pilot [aircr.] 226 38
~ [Tech.] 183 57
~ [piano] 304 33
~ balloon 28 40
~ jet 183 57
~ lamp 207 21
~ required signal 245 23
pilot's cabin 228 1–38
~ cockpit 226 37, 228 1–38
~ seat 228 1
pilot wire 304 34
pimpernel 63 27
pin 102 78, 136 19, 29, 303 11
pinacoid 330 20, 24, 25, 26
pinafore 31 48, 32 17
~ dress 32 11
~ slip 31 34
pince-nez 108 28
pincers 127 21, 130 37
pinchbar* 150 32
pinchers 134 73
pin cushion 102 77
pine [fir] 356 20
~ [ananas] 368 61
~apple 368 61
~apple gall 82 40
~ beauty moth 82 46
pine cone 356 26
~ forest 16 1
~ hawk moth 82 27
~ looper 82 31
~ moth 82 28
~ tree 356 20
~ weevil 82 41
~ wood 16 1
ping-pong 276 39–42
ping-pong· ball 276 42
~ bat 276 40
~ player 276 39
pin groove 136 47
~ head 102 79
pinion [Tech.] 136 90, 210 64
~ [bird] 88 76
pink [Bot.] 62 7
~ [colour] 320 4
pinnacle 317 29
pinnate 354 41, 42
pinnatifid 354 40
pinned barrel 306 2
pinning 240 41
pinniped n. 352 18–22
pinny 32 17
pin slit 136 47
~ slot 136 47
~ spanner 192 7
~ tumbler cylinder 134 48
Piorry's wooden stethoscope 26 26
pip [Bot.] 60 60
~ [dice] 265 32
pipe [conduit] 119 24–30, 140 13, 17
~ [organ] 305 17–35
~ [smoking] 105 32–39
~ [Mus.] 301 3
~ bend 53 51
~ bowl 105 36
~ bridge 220 59
~-cleaner 105 43
~ clip 117 31
~ connection 203 35–39
~-cutter 119 54
~ elbow 53 51
~-fitter 119 23
~ knee 53 51
~line 119 30, 139 56, 212 41
~ of one stop 305 19
~ of peace 335 6
pipes [organ] 301 57
pipe-scraper 105 41
~ stem 105 38
~ still 139 25, 32
pipette 26 44, 334 24
pipe union 334 5
~ vice 119 12
~ vise* 119 12
~ wrench 119 56
piping [pipes] 227 13
~ [braid] 102 6

pirate **289** 43
pirn **159** 7, 30
~-holder **159** 33
pirouette **284** 12, **288** 27
Pisces **6** 43
pisciculturist **89** 65
pissabed **63** 13
pistachio nut **366** 51
~ tree **366** 49
piste **277** 16
~ fencing **277** 15–43
pistil **61** 13, **69** 34
pistol **248** 7
~ grip **87** 6
~ holster **247** 8
~-type handle **89** 25
piston **148** 59, **184** 54, **239** 22
~ aero engine **227** 1
~-edge packing **148** 60
~ knapsack sprayer **83** 34–37
~ pen **239** 19
~ ring **184** 79, 80
~ ring fitting tool **192** 13
~ rod **205** 33
~ sprayer **83** 34–37
pit *[mine]* **137** 1–40
~ *[Agr.]* **64** 11, 12
~ *[Theatre]* **296** 19
~* *[Exchange]* **243** 1
~ *[Sports]* **273** 41, **280** 31
~ bank circulation hall **137** 7
~-bottom **137** 27, **138** 1
pitch *[Tech.]* **136** 58
pitched roof **39** 5
pitcher **30** 24, **309** 35
~ ***42** 45
~ *[Baseb.]* **275** 53
pitching **194** 13
~ plate **275** 43
~ rubber **275** 43
pitch of rivets **136** 58
pith cylinder **354** 14
pit-head gear **137** 5
~ house **79** 33
pith ray **354** 11
pit hydrant **255** 25
~man* **243** 5
Pitman shaft **186** 42
pit mechanic **273** 43
piton **282** 52, 54
pituitary gland **19** 43
pivot bearing **91** 10
~-buffing machine **107** 57
~ drive **210** 59
pivoted lamp-arm **171** 23
~ saddle **182** 19
~ spring **193** 19
pivoting bearing **221** 62
pivot pier **210** 58
pix* **295** 1
placard **98** 2, **253** 22
~ advertising bargains **256** 65
place **252** 43
~ card **46** 13
~ for clamps **64** 11
~ of coinage **244** 9
~ of issue **242** 13
placing of hands **276** 49, 50, 51
place of meteorological observation **9** 7
~ of mintage **244** 9
placental flying animal **351** 9+10
place of observation **9** 7
~ of payment **242** 15, 22
~ f. pits **64** 11
~ of registration **186** 35
~ where the wing folds **342** 35
plain pipette **334** 25
~ segment **156** 69
~song notation **299** 2+3
~ tile **117** 6, 46
~-tile double-lap roofing **117** 2
~-turning slide **142** 24
~ weave interlacing **165** 1
~ web girder **210** 30
~ white ball **264** 11
plains Indian **335** 3
plait **35** 30
plaited belt **37** 13
~ bun **97** 53
plaiting device **162** 30, 35
plan *[Arch.]* **144** 62
~ *[ship]* **222** 48
planche **277** 16
plane *[tool]* **115** 64, **127** 52–61
~ *[aircr.]* **225**, **226**
~ *[Geom., etc.]* **329** 31, **330** 5
~ *[Bot.]* **355** 67
~ carried by another aircraft **226** 24
~ curve **329** 12
~ geometry **328** 1–58
~ iron **127** 57
~ mirror **331** 33
planer **143** 41
plane stock **127** 58
~ surface *[lens]* **108** 6
~ surface *[Geom.]* **328** 24–58
~ of symmetry **330** 5
~ table **128** 13
planet **6** 22-31, **7** 13-18
plane-table micrometer **110** 38
planetarium **6** 12–14
planetary gear **136** 92
~ system **6** 21–31
plane tree **355** 67
~ triangle **328** 26–32
plan-filing cabinet **144** 27
~ of game **263** 9
planing machine **143** 41
~ shed **149** 29
~ shop **149** 1–59
~ slide **143** 45
~ table **143** 42
planishing hammer **132** 31
planisphere **5** 1–35
plank **115** 91
~ cut **323** 4
~ fence **113** 44
planking *[Build., etc.]* **113** 44, **115** 9
~ *[boat]* **270** 19–26
plank platform **113** 28
~ roadway **113** 79
~-wood block **323** 2
plano-concave lens **108** 1
~-convex lens **108** 5
planographic printing process **323** 25+26
plansifter **91** 58
plant *[Bot.]* **354** 15
~ *[works, etc.]* **140** 1–19, **146**, **147**
plantain **70** 10, **364** 11
plantation **84** 10+11, 12
~ protection **83** 46
plant body **362** 49
~ bowl **44** 18
~ disease **81** 20
~ in bloom **366** 53
~ in flower **60** 17, **362** 36
~ in fruit **60** 17
planting stick **57** 7, **58** 2
plant label **57** 4
~ louse **342** 13
~-marker **57** 4
~ in pot **79** 25
plant protection **83**
~ tub **79** 47, **312** 61
~ used f. industrial purposes **367**
plaque **322** 38
plaster *[coating]* **117** 38, **118** 59, 60 **321** 42
~ *[Med.]* **17** 7, **23** 54
~ cast **322** 4
plasterer **113** 83
plaster floor **53** 68
plastering **113** 83–91
plaster key **118** 71
~ model **322** 4
~ mould **154** 15
~-of-Paris bandage **26** 8, **29** 25
plastic art **322** 32
plastic ball **264** 1
~ curtain **51** 19
plasticine **50** 22
plastic material **29** 55
~ paste **240** 34
~ rain cape **34** 35
~ stiffener **37** 19
~ substance **322** 8
plate *[Tech.]* **136** 91
~ *[Phot.]* **112** 41
~ *[dish]* **46** 3–6
plateau **13** 46
~ climate **9** 56
plate armour **310** 65
'plate' brooch **309** 30
plate clamp **173** 33
~ clock **107** 49
~ condenser **331** 51
~ cylinder **174** 8, **175** 51, 60
~ dinner* **260** 54
~ feed **239** 44
~ of food **260** 17
~ girder bridge **210** 30
~-heater **77** 8
~layer **198** 20
~layers' railcar crane **208** 36
~ lunch* **260** 54
~-mark **38** 30, **112** 46
~ mill* **141** 67
platen *[Typ.]* **175** 13, 15, **177** 29, **323** 31
~ *[typewr.]* **240** 10
~ machine **175** 13, 29, **323** 29
~-turning knob **240** 17
plate rack **172** 28
~-receiver **239** 38
~ rod **172** 3
~ shears **119** 1
~ showing model number **182** 51
~ showing type number **182** 51
~ f. sweet course* **46** 6
~-warmer **46** 45
~-whirler **173** 1
platform *[elevated surface]* **1** 42, **139** 2
~ *[Railw.]* **201**
~ f. artiste **290** 5
~ clock **201** 53
~ edge **201** 21
~ indicator **200** 18
~ loudspeaker **201** 28
~ mail box* **201** 46
~ pillar box **201** 46
~ post box **201** 46
~ railing **113** 24
~ refreshment stall **201** 48
~ roofing **201** 1
~ scale **221** 32
~ seat **201** 43
~ stairway **201** 2

platform telephone kiosk **201** 44
~-ticket machine **200** 22
~ tip **145** 73
~ truck **202** 38
~ tunnel **201** 2
~ underpass* **201** 2
platinum-iridium electrode **27** 46
~ tube **29** 52
platoon* **247** 1—8
platter **46** 26, 33
platyhelminth **341** 24
platypus **351** 1
play **277** 1–66
playback button **306** 22
~ head **293** 4
player *[Theatre]* **297** 37
~ *[Mus.]* **289** 3
~ *[Sports]* **274** 11–21, **276** 16
player's line **275** 45
playgoer **296** 8
playing cards **265** 36
~ at catch **258** 23
~ field **261** 31
~ the races* **272** 8
~ at touch **258** 23
play-pen **49** 4
~-room **49** 1–29
~suit **31** 5, 9
~things **49** 5–29
pleasure boat **216** 36, **269** 1
~ garden **54**
~ steamer **216** 45–66, **220** 18
pleat **32** 5
pleated skirt **31** 34, **32** 33
pleat held by stitching **102** 3
pleating **32** 33
plectrum **301** 19, 53
~ guitar **303** 20, 27
pledget **28** 8
Pleiad(e)s **5** 26
pleiobar **9** 2
plié **288** 6
pliers **119** 55
Plimsoll **100** 24
plinth **316** 31
Plough **5** 29
plough **65** 6, **68** 1–34
~ beam **68** 9
~ body **68** 4–8
~ share **68** 7, **309** 33
plover **343** 19–21
plow* see plough
plow bottom* **68** 4–8
~ neck* **68** 3
~ tail* **68** 3
plug *[El.]* **52** 7, **120**, **192** 56, **233** 9
~ *[bait]* **89** 39
~ *[chew]* **105** 23
~ and body **134** 49
~-cock **119** 27
~ drill **143** 32
plug gauge **142** 52
plugging sand **150** 29
plug hat* **36** 20
~ lever **51** 65
~ point **120** 5
~ tap **134** 64
~ tester **192** 56
~-type cut-out* **120** 35
plum **61** 20
plumage **347** 3
plumb-bob **113** 50
plumber **119** 13
plumb bob* **219** 35
plumbing gland **147** 40
plumb line **113** 71
plume *[helmet]* **308** 18, **310** 78
~ *[mill]* **91** 41
~ of peacock's feathers **246** 36
plumicorn **347** 16
plum leaf **61** 21
plummet **110** 34
plum stone **61** 23
~ tree **61** 19–23
plumule **354** 90
plunge **268** 29
plunger *[compasses]* **144** 39
~ *[syringe]* **26** 29
~ *[Tech.]* **139** 50
~ *[typewr.]* **240** 31
plus-fours **34** 22
plus-minus lever **240** 60
~ sign **326** 23
Pluto **6** 31
plutonic magmatism **11** 29–31
~ rock **11** 29
plutonium **1** 48, **3** 40, 41, 42
plywood **127** 34+35
~ frame **271** 48
π-meson **4** 31
π-mesotron **4** 31
pneumatic axle car jack **191** 30
~ brake cylinder **204** 5
~ bumping bag* **226** 70
~ chisel **141** 40
~-dispatch postage stamp **232** 30
~ drill **138** 49
~ grinder **141** 39
~ grinding machine **141** 39
~ letter **232** 29
~ power hammer **133** 8
~ printing-down frame **173** 13
~ rammer **141** 31
~ sanding gear **205** 19
~ tyre **180** 30
pneumatophore **354** 82
poacher **86** 29
P. O. boxes **231** 7
pochette **301** 20
pocket **31** 10, **32** 59
~ clip **2** 18, **239** 25
~ dosimeter **2** 15
~ fiddle **301** 20
~ flap **34** 9
~ grinder **167** 14
~ handkerchief **31** 8
~-knife **266** 17
~ pencil-sharpener **240** 68
~ spittoon **23** 32
~ timetable **200** 44
~ torch **120** 26
~ train schedule* **200** 44
~ trimming **32** 53
~ watch **107** 9
pod *[seed vessel]* **63** 11, 20, 23, **70** 8, 16
~ auger **126** 1
~ corn **69** 31
'Poets' horse' **307** 26
point *[Geom.]* **328** 1–23, 1
~ *[tool]* **322** 15
~ *[tip]* **36** 3
~ *[ice axe]* **282** 37
~ *[antlers]* **88** 10
~ *[Railw.]* **198** 47
~* *[halt]* **16** 27
~* *[report]* **249** 54
~ of blow gun dart **335** 29
~ of contact **328** 49
~ drive **198** 66
pointe danseuse **288** 31
pointed arch **318** 31
pointe d'arrêt **277** 41
pointed beard **35** 8, 9
~ tree **257** 19
pointer *[index]* **10** 9, 26
~ *[stick]* **249** 22
~ *[dog]* **71** 40, 43
pointe shoe **288** 34
point of hock **73** 37
~ of hough **73** 37
~ of inflection **329** 21
~ of inflexion **329** 21
pointing **117** 55
point of intersection **328** 1
~ lace **101** 30
~ lock **198** 59
~ paper design **165** 4
~-protector **249** 62
points of horse **73** 1–38
point of shoulder and chest (or breast) **73** 19
points lamp **198** 64
~ lever **199** 58
~ signal lamp **193** 29
~ tongue **193** 33
~ trough **198** 65
poison foam apparatus **83** 44
poison gas atomiser **83** 40
~gland **78** 14
poisonous agaric **363** 11
~ fungus **363** 10–13
~ plant **363**
~ viper **350** 40
poison sac **78** 13
poitrel **310** 85
poker *[tool]* **40** 41, **41** 49
Poland **14** 17
polar axis **6** 5
~ bear **353** 11
~ cap of Mars **7** 14
~ circles **15** 11
~ climate **9** 57+58
polaris **5** 1, 34
polar light **4** 35
~ wind **9** 51
pole *[Geogr.]* **15** 3
~ *[shaft]* **72** 21, **179** 19, 30
~ *[sea mark]* **219** 75, 76
~ *[Sports]* **279** 8, **280** 39
~-climbing **279** 7
~ horse **179** 46
~ of horse-gear **64** 59
~ jump **280** 38–41
~-jumper **280** 38
~ star **5** 1, 34
~ vault **280** 38–41
~ wagon **84** 15
police **247**
~ alarm **253** 14
~ car* **253** 58
~ constable **247** 1
~ detachment **247** 1–8
~ detective **248** 3
~ dog **71** 31, **248** 8
~ force **247** 1-8, 9–11
police identification·mark **186** 32
~ number **186** 32
police·man **247** 1, 11, **248** 6, **253** 64
~man's uniform **247** 2
~ officer **248** 6
~ telephon cable **194** 35
~ van **253** 58
polish **127** 12
polishing brush **52** 14, 42, **106** 45
~ head **107** 57
~ lathe **107** 57
~ machine **106** 43
~ mop **106** 45
~ steel **106** 52
polish rod **139** 54
Polish swan **343** 16
polje **13** 72
pollard-cleaner **91** 60
~ reducing roller **91** 61

poll card with registration number **251** 19
~ clerk **251** 26
pollen **354** 65
~-basket **78** 6
~ sac **356** 45
~ tube **354** 66
polling booth **251** 23
~ box **251** 23
~ number **251** 19
~ station **251** 16
Pollux **5** 28
polo **287** 26
~ cycle player **287** 30
~ neck **32** 13
~ player **287** 27
~ stick **287** 28
polyamide chip **164** 39
polyanthus narcissus
polygon **328** 40
polyhedron **330**
Polyhymnia **308** 67
polymerization **164** 54
~ in autoclave **164** 33
Polymnia **308** 67
polyp **340** 37, **349** 9
polyphagous beetle **342** 24–38
polypod fern **361** 16
Pom *[coll.]* **71** 19
pome **354** 102
pomegranate **368** 16
pomelo **368** 23
Pomeranian (dog) **71** 19
pomes **60** 31–61
pomiferous fruit **60** 31–61
pommel **72** 38, 46, **279** 37
pommer **301** 13
Pomoideae **60** 31–61
pompom **100** 47
pompon **100** 47
~ dahlia **62** 23
poncho **335** 24
pond **16** 79, **54** 19, **257** 50
pons **19** 46
pontic **27** 32
pontifex maximus **314** 54
pontifical ring **314** 47
~ vestments **314** 54
pontoon **210** 18, **221** 45
~ bridge **16** 46, **210** 17
pony-tail hair-style **31** 62
poodle **71** 14
pool *[Swimming]* **268** 1–32
~ *[Roulette]* **263** 11
~room* **264** 7–19
poop **218** 33
poor-box **311** 61
~ man's weather glass **63** 27
popcorn **69** 31
Pope **314** 54
Pope's ring of investiture **314** 58
pop hole **75** 3, 31
poplar **257** 53, **355** 23
poplin coat **32** 42
poppet valve* **184** 57
popping crease **275** 57
poppy **63** 2
~ blossom **63** 4
~ capsule **63** 5
~ flower **63** 4
~ head **63** 5
~ roll **97** 55
~ seed **63** 5
~ stick **97** 55
popular musical instrument **303** 1–66
porcelain insulator **233** 67
~ manufacture **154**
~ painter **154** 17
~ pontic **27** 32
~ tooth **27** 32
~ vase **319** 5
porch *[tent]* **266** 34
~ *[entrance]* **312** 16, 24
~ roof **39** 67
porcupine **351** 13
pore mushroom **365** 16
poricidal capsule **354** 96
Porifera **340** 13
pork **74** 9, **95** 38–54
~-fat cutter **96** 41
~ loin **95** 46
~ spare rib **95** 47
~ trotters **96** 24
porous layer **12** 29
port *[harbour]* **220**
~ *[~hole]* **216** 21
~ *[side]* **221** 49
~ *[Tech.]* **184** 73, 74
portable forge **134** 4
~ motor pump **255** 52
~ organ **301** 56
~ paint box **296** 34
~ radio* **266** 10
~ railway **16** 90
~ tape-recorder **306** 13
~ wireless **266** 10
portal *[bridge]* **210** 54
~ crane **198** 15
~ figure **315** 36
~ ornament **315** 35
~ support **217** 12
~ vein **22** 39
portamento **300** 52
portando **300** 52
portato **300** 52
porta triumphalis **316** 59
port bit **72** 52
portcullis **310** 24
porter *[janitor]* **53** 28, **145** 87, **256** 44
~ *[luggage~]* **201** 32
porterhouse* **95** 17
~ steak* **95** 17, **96** 20
porter's lodge **145** 83
porters' room **201** 45
portfolio **238** 36
port hole **216** 21
portico **262** 9, **316** 56
port light **218** 15
~ mouth **72** 52
portrait watermark **244** 31
ports *[ship]* **215** 27
port side **221** 49
Portugal **14** 18, **244** 23
Posaune **305** 17–22
Poseidon **308** 29
position **140** 48–51
positional game **265** 1–16
position of the hands **276** 49, 50, 51
~ of team **274** 1
positive *[Phot.]* **112** 9
~ carbon **295** 40
~ direction **329** 6
~ engraving **323** 3
~ number **326** 7
~ organ **301** 56
~ sign **326** 7
post *[Post]* **203** 18, **231, 232**
~ *[timber]* **80** 7, **84** 25, **116** 40, 81
postage book **238** 48
postage meter·machine **231** 46
~ stamp **232** 17
postage stamp **232** 3, 40, **239** 46
~-stamp book **238** 49
postal card* **232** 2
~ card w. view* **232** 5
~ check **232** 10, 11
postal check· f. cash payment **232** 11
~ envelope **232** 10
~ f. transferring* **232** 11
postal cheque **232** 11
~ cheque envelope **232** 10
~ compartment **207** 33
~ form **232** 6–15
~ franking machine **231** 46
~ meter stamp **232** 17
~ note* **232** 12
~ order **232** 12
~ parcel **231** 3
post boy **179** 40
~card **232** 2, 4, 5
~ crown **27** 34
poster **98** 2, **251** 12, 13, **256** 25
poste-restante letter **231** 21
posterior **18** 40
~ ruga **18** 41
poster pillar **253** 21
post horn **179** 41
~ horse **179** 43
postil(l)ion **179** 40
postil(l)ion's horn **179** 41
post·man **231** 47
~man's bag **231** 48
~mark **232** 39
~master's office **231** 23
~ office **231** 1–30
post-office· box **231** 8
~ employee **231** 39
~ motorcycle **231** 33
~ official **231** 39
~ receipt **232** 9
post-paid stamp **232** 3, 17
~ synchronizing **293** 25–29
~ synking **293** 25–29
~ windmill **91** 31
pot **41** 70
~-hat **36** 7
potassium permanganate tank **229** 18
potato **69** 38, 40
~ basket **66** 38
~ beetle **81** 52
~ berry **69** 43
~ clamp **64** 12
~ delivery spout **67** 14
~-digger **68** 41
~ dish **46** 31
~ foliage **69** 41
~ fork **66** 8
~-harvester **67** 38
~ hoe **66** 6
~ hopper **67** 15
~-masher **41** 3
~-peeler **41** 55
~ pit **64** 12
~ plant **69** 38
~-planter **67** 11
~-planting trug **66** 26
~-raiser **67** 38
~ rake **66** 24
~ scoop **67** 43
~ spoon **46** 75
~-spinner **68** 41
~ tuber **69** 40
potcher **167** 7
pot f. cotton-wool **30** 49
pot hat **36** 7
~ plant **79** 25
potted plant **79** 25
potter's wares **291** 66
pottery **291** 66
~ stand **291** 64–66
pottice *[fam.]* **30** 17
potting table **79** 12
pouch-bearing animal **351** 2+3
~-shaped pod **63** 11
pouf **48** 31
pouffe **48** 31
poulaines **338** 43
poulard **98** 7

poultry **74** 19–36
~ farm **75**
~ farmer **75** 7, 11
~ farming **75** 1–46
~ feeder **75** 8
~ house **75** 13
~ raiser* **75** 7, 11
~ shears **42** 64
~ yard **75** 18
pounder **333** 10
pound sterling **244** 37
pouring end **140** 33
~ gate **141** 22
powder *[Hyg.]* **30** 38
~ *[cartridge]* **87** 53
~ bowl **48** 29
~ box **48** 29
~ charge **87** 57
~ paint **121** 9
~ puff **48** 30
~ rocket **227** 46, **271** 61
~ spray **104** 19
~ tin **30** 38
~ wagon **208** 17
power *[Math.]* **327** 1
~ cabin **221** 42
~ cable **229** 35
~-driven model glider **271** 59–63
~-driven saw **85** 44
powered glider **271** 27
~ pump **255** 5
power hammer **133** 8
~ house **212** 21
~ line **16** 113
~ navvy **196** 1
~ plant **146, 147**
power railroad· car* **207** 28–40
~ train* **201** 27
power shovel **196** 1
~ spraying machine **83** 45
~ station **146** 1–28, **152** 19, **212** 64, **292** 8
~ station generating plant **152** 19
~ take-off connection **67** 40
~ transformer **146** 30, 39
~ transmission **207** 1–10
~ unit **68** 56
practical-joker's toy **289** 56
practice fencing **277** 44
practitioner **26** 12
prairie horse **335** 4
pralltriller* **300** 33
pram *[boat]* **221** 45
~ *[perambulator]* **258** 30
~ coverlet **258** 31
~ rug **258** 31
prayer book **311** 59
~ niche **319** 14
~ tower **319** 13
~ wheel **336** 29
praying desk **314** 9
preacher **311** 22
pre-amplifier valve **235** 17
precious coral **340** 35
~ stone **38** 26
precipitation **8** 9, 10, 18, 19
precision calipers **145** 42
~ drive **171** 12
~ lathe **107** 55
~ measuring instruments **145** 38–43
~ radar set **230** 38
~ water level **145** 39
pre-classicistic· Latin **325** 5
~ Roman **325** 5
pre-combustion· chamber **184** 66
~ engine **184** 63
predacious animal **339** 6
predatory animal **339** 6
~ beast **86** 22
~ beetle **342** 39
~ bird **347**
pre-fade picture monitor **237** 26
~-heater **146** 10, 11, 25, 26, **205** 23
~-heater pressure gauge **205** 44
~-heating furnace **133** 1
prehensile foot **350** 34
~ tail **350** 35
~ tool **23** 50
prehistoric find **309** 1–40
prehistory **309**
preliminary cleaner **91** 48
~ rocket-stage **229** 36
~ stretching **164** 45
première danseuse **298** 4
preparation *[Danc.]* **288** 28
preparatory weaving machinery **158** 1–65
prepared earth **79** 15
~ stump of the tooth **27** 30
prepuce **22** 70
presbytery **311** 36
prescription **23** 6
preselector **42** 21, **233** 33
presentation basket **289** 11
preserve *[jam]* **98** 51
preserves *[forest]* **86** 1–8
preserving bottle **41** 69
preserving jar **41** 66
president of court **248** 20
presiding judge **248** 20
press *[Tech.]* **80** 16
~ *[Typ.]* **174** 1, 33, **175**
~ *[Sports]* **281** 6
~ button **120** 2, **199** 70
~-button switch **145** 19
pressed peat **79** 31
presser **102** 28
presser bar **102** 28
~ foot lifter **102** 25
~ foot **102** 28
pressing cylinder **162** 41
~ mechanism **177** 50
press photo **325** 44
~ photographer **281** 46
~ plate **323** 31
~ screw **127** 33, **128** 59
~ section **168** 14–17
Press table **248** 40
pressure adjusting wheel **174** 44
~ bar **304** 16
~ chamber **167** 16, **297** 55
~ controller **254** 47
~ foot **167** 15
~ gauge **28** 39, **172** 9, **174** 37, **205** 44, **297** 56
~ hull **223** 21
~ indicator **228** 15
~ line **297** 54
~ pipe **212** 50
~ pipeline **212** 41
~ point **17** 14
~ pump **211** 60
~ ram **145** 75
~-reducing regulator **135** 31
~-reducing valve **135** 31
~ regulator **323** 38
~ roll **141** 64
~ roller **141** 64
~ screw **323** 62
~ spring **169** 41
~ vessel **254** 50
~ weight **162** 2
pressurised beer dispenser **260** 1
~ water reactor **223** 9
press vat **80** 43
prestabilization of film **295** 30
prestidigitator **298** 19
pretzel **97** 48
preventer **255** 15
preventor roller **157** 4
price card **256** 19
price indicator **190** 6
~-list **98** 73
~ ring **281** 32
prick **219** 74
pricked seedling **79** 23
pricking-in **57** 5
~-off **57** 5
~-out **57** 5
~ wheel **123** 15
pride of lions **339** 20
prie-dieu **314** 9
priest **312** 47, **314** 25–31
~ saying mass **311** 49
prima ballerina **288** 31
primary *n.* **332** 34
~ air-blower **152** 11
~ armament **222** 32
~ coil **332** 9
~ crusher **150** 17, **153** 6
~ return **40** 80
~ winding **147** 15, **332** 9
primate *n.* **353** 12–16
prime meridian **15** 5
~ number **326** 13
~ rib **95** 18
primer spring **183** 64
priming brush **321** 9
primo ballerino **288** 32
primrose **56** 3
Primulaceae **56** 5
Prince Albert (coat)* **34** 53
prince Carnival **289** 58
Prince's Guards **289** 68
prince's hat **246** 40
princess **289** 61
principal *[Arch.]* **115** 7
~ *[Math.]* **327** 7
~ *[organ]* **305** 31–33
~* *[headmaster]* **249** 23
~ male dancer **288** 32
~ post **115** 25
~ rafter **116** 55
print *[Phot.]* **112** 9
~ dryer **112** 44
printed circuit **236** 9
~ letters **325** 1–15
~ matter at reduced rate **232** 24
~ page **178** 53
~ papers **232** 16
~ sheet **175** 25
~ zinc plate **172** 25, **173** 25
printer **112** 27, **323** 35
printery* **323** 27–64
print forceps **112** 38
printing* **232** 16
~ arc lamp **173** 20
~ block **172** 31
~-box **112** 27
~ element **172** 32
~ form(e) **323** 32
~ frame **112** 25

printing glass plate **171** 50
~ laboratory **292** 2
~ lever **323** 61
~ machine **175** 1–65
~ office **323** 27–64
~ pad **239** 40
~ paper **112** 24, **174** 2
~ plate **173** 9, **239** 43
printing-plate· cylinder **174** 8
~ graining machine **173** 29
printing screen **162** 62
~ surface **323** 59
~ unit **241** 58
print tongs **112** 38
~-trimmer **112** 42
priory **314** 1–12
prism **329** 34, 37, **330** 24, **331** 31, 36
prismatic guide **170**54
prism table **331** 35
prison cell **248** 11
~ clothes **248** 13
prisoner **248** 5, 12
prison guard* **248** 14
~ warden* **248** 14
~ warder **248** 14
private detective **263** 16
~ launch **216** 20
~ lecturer **250** 3
~ party **259** 40–43
~ road **16** 99
~ sidings **145** 79
~ water supply **254** 40–52
privet **357** 6
~ hawk-moth **342** 55
privy **266** 39
probe **26** 43
proboscid **351** 20
proboscis **342** 17, 56
process **92** 25-36, **323** 1-13
~ camera **171** 1
~ engraving **172** 23–30
processing laboratory **292** 2
procession *[Church]* **312** 42–50
~ *[Carnival]* **289** 57–70
~ *[moths]* **82** 16
processional banner **312** 44
~ cross **312** 42
processionary moth **82** 14
proclamation **251** 14
Procyon **5** 15
produce of fields **69** 1–45
producer *[Theatre, etc.]* **297** 40
producer-gas plant **148** 14–16
producer's script **297** 41
~ table **297** 42
product *[Agr.]* **69** 1–45
~ *[Math.]* **326** 25
~-checking table **145** 37
production* **143** 49
~ derrick **139** 48
~ of energy **1** 28
~ of groundwood pulp **167** 14–20
~ of handmade paper **168** 44–50
~ of malt **92** 1–21
~ of pure yeast **93** 15–18
~ of sound film **293** 1–34
~ of sound motion picture **293** 1–34
product register **240** 48
~-testing table **145** 37
professional *n.* **272** 56
~ racer **273** 14
professor in ordinary **250** 3
profile board **113** 69
~ milling machine **128** 22
profit **327** 7
program* **296** 13
programme **296** 13
projectile **87** 55
projecting aperture **295** 15
~ leaves **315** 24
projection *[plan]* **144** 59–63
~ *[Art]* **317** 43
~ apparatus **6** 14
~ drawing mirror **110** 7
projectionist **295** 21
projection room window **295** 15
~ unit **295** 26
projector **295** 26–53
~ lens **295** 35
prolong *n.* **304** 33
~ wire **304** 34
promenade **218** 27
~ deck **218** 22–27
prominence *[Anat.]* **21** 75
~ *[sun]* **7** 23
prompt *n.* **297** 28
~ box **297** 27
~ copy **297** 44
~ script **297** 44
prompter **297** 28
prong **46** 60, **68** 44
pronunciation accent **325** 30-35
proof **323** 43
prooving cabinet **97** 57
prop *[support]* **138** 24, 25, **285** 4
propagating house **79** 4
propagation by layers **57** 11
~ by offsets **57** 27
~ of plants **57**
~ by runners **57** 14
propellant feed control **227** 57
propeller **217** 69, **226** 10, **227** 40
~ compartment **161** 25
~-driven aeroplane **226** 1–8
~ guard **221** 54
~ post **217** 68
~ power unit **227** 1, 8
~ shaft **185** 52 **218** 55, **223** 3
~ shaft tunnel **185** 44
~-turbine aeroplane **226** 9–12
propelling cone **227** 33
~ lever **181** 24
~ pencil **144** 50, **239** 35
proper fraction **326** 15
properties *[theatre]* **296** 50
prop-free front face **138** 19
proportional compass **322** 2
~ dividers **322** 2
props **269** 50
propulsive duct tube **227** 19
propylaea **316** 7
proscenium **295** 9, **296** 15, **298** 39
~ spotlight **297** 21
prosecuting attorney* **248** 25
proskenion **316** 46
pros spot **297** 21
prostate **22** 76
prosthesis **23** 48–50
protecting gap **147** 62
protection of plants **83**
protective casing **198** 66
~ cloth **104** 26
~ clothing **255** 46, **275** 47
~ device **273** 13
~ fork **290** 54
~ gloves **29** 47
~ grid **162** 45
~ grille **166** 27
~ leather clothing **273** 26
~ niche **287** 6
~screen **29**43, **113**90
~ shield **2** 46
~ shielding **2** 46
~ shutter **231** 15
~ wall **117** 35
Protestant church **311** 1–30
~ clergyman **313** 3
prothesis **23** 48–50
prothorax **82** 4, **342** 29
proton **1** 1, 5, **4** 29
proto·plasm **340** 3
~prism **330** 19, 20
~pyramid **330** 19, 20
protozoan **340** 1–12
protractor **144** 4
protuberance **8** 12
provincial town **252** 1–70
prowl car* **248** 2
pruned hedge **257** 37
Prunella **360** 16
pruner **58** 6
pruning hook **80** 10
~ knife **58** 23, **80** 10
~ saw **58** 9
~-shears **58** 15
Prunoideae **61** 1–37
Prussia **244** 6
psaltery **301** 32
pseudo·berry **60** 21
~carp **60** 21, **368** 12, 62
~pod **340** 4
~podium **340** 4
~stem **368** 30
psychrometer **10** 32, 56
P. T. **278** 1–23
pub **260** 1–29
pubis **19** 20
public baths **25** 1–6
~ building **16** 54, **252** 19
~ call-box **233** 1
~ convenience **194** 20
~ department **242** 1–11
~ house **260** 1–29
~ prosecutor **248** 25
publisher's colophon **178** 48
~ imprint **178** 48
puck **284** 39
pudding plate **46** 6
puddling furnace **133** 1
pudenda **18** 39
puff **97** 50
~ball **365** 20
puffed sleeves **338** 49, 60
puff pastry **97** 52
~ sleeve **32** 22
pug (dog) **71** 9
pugging **118** 69
pugilist **281** 22
pulley **145** 9, **331** 4
~ apparatus **23** 41
~ block **139** 55, **145** 18
~ cradle **209** 36, 53
~ cradle main carrier **209** 67
~ head **216** 5

Pullman* **204** 49
pull-off spring **186** 53
~-on strap **99** 42
pull-out· extension **238** 33
~ leaf **44** 4
~ switch panel **241** 50
pullover **32** 12
pull rod **136** 99
~ switch **120** 12
~ switch cord **120** 13
~-through **87** 64
~-thru* **87** 64
pulmonary artery **20** 11, **22** 55
~ valve **22** 50
~ vein **20** 12, **22** 56
pulmotor* **17** 27
pulp *[Bot.]* **60** 24
~ *[Tech.]* **167** 11
~ *[tooth]* **21** 32
~ board **321** 24
pulper **167** 8
pulpit **311** 20, 53, **319** 15
~ balustrade **311** 23
~ step **311** 19, 56
pulsator **76** 25
pulse **20** 21
~-counter **29** 19
~-jet tube **226** 21, **227** 12
pulsojet tube **226** 21, **227** 12
pulverisor **153** 25
pulverising plant **153** 19
pumice stone **51** 78, **127** 10
pump **2** 52, **64** 25, **137** 32, **139** 49, **164** 31
~ barrel **64** 26
~ delivery pipe **254** 49
pumpernickel **97** 28
pump-fed power station **212** 39–44
~-hold **224** 7
pumping station **139** 23, **212** 43, **217** 30
~ unit **139** 49
pumpkin **59** 23
pump motor **161** 73
~ pipe **93** 3
~ pressure-spring **169** 41
~-room **216** 31, **262** 8, 15
pumps **100** 40
pump storage station **212** 39–44
~-tripod **292** 50
~ unit **227** 53
Punch **298** 25
punch **106** 31, **323** 15
~ bag **281** 18
~ blank **170** 35
~ bowl **45** 44
punch cup **45** 46
~-cutter **170** 32
punched card **241** 61
punched-card· accounting machine **241** 55
~ machine **241** 35–61
~ sorting machine **241** 52
punching bag **281** 18
~ ball **281** 19, 20
~ the ball clear **274** 40
~ hammer **323** 14
~ sack **281** 21
Punch and Judy show **298** 23
punch ladle **45** 45
~ pliers **123** 13
~ f. riveting **107** 63
punctuation mark **325** 16–29
~ sign **325** 16–29
punner **196** 26
punt **269** 1
~ ferry **211** 15
~ pole **89** 5, **211** 16
pup **74** 16
pupa **82** 13, **342** 20
pupil **21** 43, **249** 28
puppet **298** 24
~ body **298** 34
~ man **298** 36
~ show **298** 29–40
~ stage **298** 38
puppy **74** 16
purchase *[tackle]* **216** 4, 48
purchaser **256** 55
pure-yeast· culture **93** 15–18
~ culture apparatus **93** 15
purfling **302** 26
purgative pill **23** 61
purifier **91** 60
purlin **114** 3, 4, **116** 39, 51, 76
purple border **338** 14
~ cloak **338** 18
~ medic(k) **70** 9
purse *[bag]* **308** 24
~ *[Anat.]* **22** 71
~ net **86** 27
purser's office **218** 40
push-bike **180** 1
~ button **234** 47, **239** 27
push-button· contact* **120** 2
~ control **162** 40
~ panel **176** 28
~ release* **111** 5
~ switch **145** 19
pushcart* **76** 47, **253** 10
pusher **30** 19
~ aircraft **226** 1
~ airscrew **226** 2
pushing **160** 63
~ frame **196** 30
pushing handle **160** 41
push hoe **66** 3
~ pin* **144** 52
~-pull rod **228** 36, 39
~-pull track **295** 45
~ rod **184** 28, 68
~ rod* **184** 27
~ sledge **286** 29
puss **74** 17
pussy-cat **74** 17
putlog **113** 27
putter **276** 66
putting *[Golf]* **276** 66
~-on the brake **131** 4
~ circle **280** 47
~ green **276** 62
~ the shot **280** 45–47
~ the weight **280** 29–55
putty **122** 17
~ knife **122** 27
puzzle **50** 14
pyjama jacket **33** 4
~ trousers **33** 5
pyjamas **33** 3, 35
pylon *[Art]* **315** 9
pylorus **22** 42
pyramid *[Geom.]* **329**, **330** 23
~ *[tomb]* **315** 1, 22
~ *[tree]* **55** 16
~ *[Acrob.]* **290** 28
~ *[Maya]* **335** 20
pyramidal tower roof **317** 7
pyramid fruit cake **97** 44
~-temple **335** 20
~-trained tree **55** 16
pyrheliometer **10** 48
pyritohedron **330** 8
pyrometer **97** 63, **172** 16
pyrometric cone **154** 6
pyrotechnical article **289** 49–54
pyx **311** 11
pyxidium **354** 95

Q

quadrant *[Geom.]* **329** 5
~ *[plate]* **142** 7
~ *[lath]* **118** 64
quadratic prism **329** 34
quadrilateral *n.* **328** 33–39
~ pyramid **329** 46
quadripartite vault **317** 31+32
quadruple cordon **55** 1
~ magnetic sound-head **295** 51
~ platform **139** 4
quadrupod **63** 43
quail *[Zool.]* **343** 22
~ call **87** 45
quaking grass **70** 26
quarantine flag **245** 27
~ station **220** 2
quarry **16** 87, **150**, **153** 1
~ face **150** 15
~ labourer **150** 5
~man **150** 5
~ wagon **150** 14
quarte crossing **277** 49
quarter *[district]* **252** 16
~ *[shoe]* **99** 41
~ bars **91** 33
~-elliptic cantilever leaf spring **183** 45
~ gallery **213** 57
quartering **246** 18–23
quarter·master **219** 18
~master's grating **219** 17
~-newelled stairs **118** 75
~ note* **299** 17
~ piece **310** 88
~ post **115** 53
quarters *[horse]* **73** 35
~ *[station]* **255** 2
quarter timber **115** 90
~-tone accidental **299** 56–59
~-tone scale **299** 50
quartz lamp **24** 17
quatrefoil **317** 39
quaver **299** 18
~ rest **299** 26
quay **217** 5, **220** 32–36
~ road **220** 15
quayside activity **221** 1–21
quay wall **212** 1–14
Queen *[Beauty~]* **289** 64
queen *[chess]* **265** 9
~ *[bee]* **78** 4
~ ant **342** 21
~ bee **78** 4
~ emerging **78** 38
~-excluder **78** 47
~ post **116** 68
~-post roof truss **116** 46
queen's cell **78** 37
~ chamber **315** 3
~ transport box **78** 44
queen truss **116** 65
quenching tank **132** 8
~ trough **132** 8
question mark **325** 20
quick-acting circuit-breaker **206** 39
quick-action· chuck **128** 40
~ veneer press **128** 56
quick balance **98** 12
~beam **355** 42
quick-change· gear **142** 8
~ gear box **142** 8
quick-firing· anti-air-craft gun **223** 44
~ gun **223** 45
quicklime **153** 16

quick lunch* **260** 45–54
~-lunch restaurant **602** 45–54
~-motion camera **294** 30
quicksilver column **10** 2
quid **105** 23
quiff **31** 7
quill **89** 49, **324** 26
~ float **89** 48
quillons **277** 56
quilt **30** 33, **48** 11
~ cover **48** 12
quilting seam **101** 1
quince **60** 49, 50
~ leaf **60** 47
~ tree **60** 46
quinquefoliate **354** 39
quinte *[Fenc.]* **277** 38
quintuple cross **313** 66
quipu **335** 22
quirle **42** 58
quitch **63** 30
~ grass **63** 30
quiver **287** 46, **308** 13, **335** 27
quoin **175** 39
quoit **261** 29, **267** 32, **291** 47
quoits **261** 28, **267** 31
quotation mark **325** 26
quotient **326** 26

R

rabbet plane **127** 59
rabbit **88** 65
~ fence **84** 7
rabbit's earth **86** 26
race *[Sports]* **269** 1–18, **272**, **273**
~ *[mill]* **136** 69, 70
~ *[Tech.]* **136** 69, 70
~ board **159** 42
~ committee **273** 4
racecourse **272** 1–35
~ f. flat race **272** 10
~ f. steeplechasing **272** 23
racehorse **272** 14
raceme **354** 68, **358** 33
racer *[competitor]* **273** 2, 8, 14
~ *[vehicle]* **273** 16, 38
racer's shirt **273** 9
racers' pavilion **273** 7
raceway* **91** 44
racing bicycle **273** 15, 16
~ boat **269** 9–16. **273** 46–50
~ car **187** 19–30, **273** 38
~ cycle **273** 16
~ cyclist **273** 8
~ dive **268** 29
~ driver **273** 39
~-eight **269** 10
~ handlebars **273** 18
~ keel-yacht **270** 5
racing machine **273** 16, 27
~ motorboat **269** 6
~ motorcycle **273** 29
~ motorcyclist **273** 25
~ number **280** 18
~ plunge **268** 29
~ saddle **273** 17
~ sculler **269** 16
~ shell* **269** 16
~ skate **284** 29
~ ski **283** 40
~ sledge **285** 11
~ toe cap **273** 21
~ track **273** 34
rack *[clothes~]* **43** 1,
~ *[shelf]* **262** 16
~ *[Tech.]* **209** 9, 11, **221** 3, **253** 43, **301** 51
rack-and-pinion· railway **209** 7–11
~ winch **145** 21
rack f. conditioning the paper **174** 32
racket *[tennis]* **276** 27
~ *[snowshoe]* **286** 13
~ handle **276** 28
~ press **276** 30
rack f. furniture **169** 8
~ f. glasses **262** 16
~ head **156** 16
racking apparatus **93** 29
~ back **113** 61
~ back the beer **93** 20–28
rack mountain railway **209** 4 + 5
~ railroad car* **209** 5
~ railway **209** 4 + 5
rack railway· coach **209** 5
~ locomotive **209** 4
rack wagon **64** 44
racoon **353** 9
racquet **276** 27
radar connection **4** 23
~-controlled blind landing **230** 34
~ display unit **219** 11
~ image **219** 13
~ map **230** 51
~ mast **223** 15, 16
~ mirror **230** 52
~ receiver **230** 46
~ scanner **218** 8, **230** 4, 40
~scope **230** 48
~ sounding **10** 61
~ transmitter **230** 35, 45
~ unit **219** 9–13, **222** 75
radial artery **20** 21
~ bearing **136** 67
~ brick **151** 25
~ drilling machine **143** 23
~ nerve **20** 28
~ side of hand **21** 69
radiant-heat bath cabinet **24** 9
~ heater **119** 65
radiation lamp **27** 20
~-measuring instrument **2** 1–23
~ meter **2** 1–23
~-monitoring instrument **2** 1–23
~ shield **2** 31
~ shielding **2** 31
~ of waves **230** 42
radiator *[heating]* **40** 76
~ *[motorcar]* **185** 9
~ bonnet **286** 10
~ brush **121** 16
~ cap **185** 10
~ grille **185** 12
~ hood* **286** 10
~ mascot **187** 3
~ rib **40** 77
~ shutter **286** 11
~ shutter opening **286** 11
radical *n.* **327** 2
~ leaf **359** 9
~ quantity **327** 2
~ sign **327** 2
radicle **354** 88
radio *[Broadc.]* **234**, **235**
~ *[air~]* **230**
~* *[set]* **234** 35, **235** 1–23, **306** 46
~active cobalt **29** 55
~ announcer **234** 9
~ beacon **230** 12, 18
~ cabin* **218** 12, **223** 14
~ cabinet* **234** 36
~ casting* **234** 1–20
~ communicator* **234** 9
~ detecting and ranging apparatus **219** 9–13
radio direction· finder station **230** 20
~ indicator **228** 10
radio-equipped patrol car **248** 2
radiogram **44** 28, 29, **306** 45
radio·grapher **29** 38
~-isotope **1** 36, 44
radiolarian **340** 8
radio location· service **230** 22–33
~ system **230** 22–33
radiologist **29** 45
radio navigation service **230** 22–53
~ play studio **234** 7–12
~ receiver **234** 35
~ reception **234** 21–50
radioscopy **29** 39
radio set **234** 35
~ signal **230** 12
~-sonde **10** 59
radio-sounding apparatus **10** 59
~ stage **234** 14
~ station concert hall **234** 13–17
~ set **306** 46
~ therapy **29** 30–38
~ tower* **16** 33
~ transmission **234** 1–20
radish **59** 15, 16, 20
radium container **29** 52
~ cupboard **29** 51
~-packing table **29** 54
~ therapy **29** 48–55
~ treatment **29** 48–55
radius *[Geom.]* **328** 47
~ *[Anat.]* **19** 13
~ *[windmill]* **91** 2
~ of curvature **328** 22
raffia **130** 29
~ binding **57** 35
raffle **289** 11
rafia **130** 29
raft **266** 2
~ channel **269** 60
~ chute **269** 60
rafter **116** 28, 36, **117** 19
~ cornice **39** 9
~ head **116** 45, **117** 41
~ roof **116** 27
rag *[bolt]* **136** 41
ragamuffin **53** 11
rag boiler **167** 21
~ bolt **136** 41
ragged robin **360** 21
rag halfstuff **167** 21
raglan **34** 41
rail *[bar]* **2** 37, **160** 45 **198** 32, **209** 10
~ *[Zool.]* **343** 20
~ bicycle **208** 42
~ bottom **198** 35
~bus **207** 25, 27
~bus trailer **207** 26
~car **201** 27, **208** 35
~car train **207** 29
~ cycle **208** 42
~ drainage system **194** 32
~ fish-plate **198** 43
~ foot **198** 35
~ guard **205** 34
~ head **198** 33
railing **113** 89, **257** 34
rail joint **198** 42
~ level **198** 31
~ motorcycle **208** 42
~ omnibus **207** 25
railroad* see railway
rail/road bus **208** 45
railroad car* **216** 19
~ car cleaner* **201** 14
~ depot* **16** 41
~ laborer* **198** 20
~ mail car* **203** 19

railroad omnibus **208** 45
railroad policeman* **201** 22
~ postmark* **231** 52
~ schedule* **200** 50
~ shop* **199** 7
~V-dump car* **208** 22
~ vehicle* **203–208**
rail and road vehicle **208** 35–47
rail scotch **202** 52
~ spindle **157** 50
~ tongs **198** 21
~ truck **150** 14
railway bridge **16** 42
~-building **198** 1–31
~ cap **203** 15
~ construction **198** 1–31
~ embankment **198** 22
~ engine **205** 1
~ foreman's office **199** 55
~ grounds **199**
~ guide **200** 50
~ kilometre post **198** 82
~ line **198**
~ milepost **198** 82
~-owned container **202** 25
~ policeman **201** 22
~ post **203** 18
~ postmark **231** 52
~ post official **203** 21
~ premises **199**
~ repair shops **199** 6+7
~ station **16** 41, **199** 4
~ station hall **200**
~-supplied container **202** 25
~ terminus **252** 30
~ ticket **200** 36, **203** 48
~ timetable **200** 50
~ truck **208** 2–34
~ van **208** 2–34
~ vehicle **203–208**
~ viaduct **16** 42
~ wagon **208** 2–34
~ worker **198** 20
rail web **198** 34
rain **8** 18, **9** 32
~ belt **9** 53, 55
~-cape **31** 25, **34** 35
~ cloud **8** 10
~-coat **32** 42, **34** 39
~ collector **10** 39
~-deflector **10** 45
~ gage* **10** 37
~ gauge **10** 37
~ measure **10** 40
~ pipe **117** 29
~storm* **9** 37
~ streak **8** 9
rain-water· butt **64** 15
~ downpipe **39** 13
~ head **39** 12
raised beach **11** 54
~ side **189** 17
raisin **98** 8
raising apparatus* **89** 59
~ the arms **278** 3
~ jar* **89** 56
~ of the leg **278** 6
~ of poultry* **75** 1–46
~ ship **224** 9
~ of stock* **76**
~ tank* **89** 61
~ a wreck **224** 9–12
rake **40** 42, **66** 31
~ arm **67** 30
~ tine **67** 23
rallus **343** 20
rally **266** 40–52
~* **251** 1-15
Ram **6** 32
ram *[Zool.]* **74** 13
~ *[Tech.]* **133** 10, **143** 53, **221** 60
~ *[column]* **297** 60
rambler **55** 5
~ rose **55** 12
ram framework **221** 59
~-jet **227** 44
ram-jet· aeroplanes **226** 19–21
~ barrel-shaped aircraft **226** 19
~ tube **227** 19
ramie hat **36** 8
rammed concrete **113** 1
rammer **124** 14, **221** 60
ramming weight **221** 60
ramp *[approach]* **114** 41, **202** 1
~ *[stairs]* **118** 30
~ *[loading impl.]* **85** 5
rampart **252** 35
ramson **361** 6
ram-type snow plough **208** 44
randing **130** 3, 4
range *[mountains]* **12** 39
~ *[distance]* **86** 15
~ *[shooting ~]* **291** 58
~ *[kitchen]* **41** 39
~-finder **111** 40, **222** 36, 37
ranger* **84** 35
range selector **2** 4, 23
Ranunculaceae **62** 13
rapacious animal **352** 11–17
rapid-fire gun* **223** 45
~ interurban coach **204** 53
~-motion camera **294** 30
~ photometer **110** 26
~ water-heater **27** 27
rappel **282** 32, 33, 34
rapping iron **130** 36
raptorial animal **339** 6, **352** 11–17, **353** 1–11
~ leg **342** 5
Raschel fabric **160** 29
~ warp-knitting machine **160** 23
rasp *[Bot.]* **60** 28
~ *[Tech.]* **127** 30
raspberry **60** 28
~ blossom **60** 26
~ bush **60** 25
~ flower **60** 26
ratan **130** 32
~ cane **97** 80
rat-catcher **83** 18
ratchet **127** 23, **145** 24+25
~ f. inclining the top **171** 32
~ stop **142** 56
~ wheel **145** 24
rate **231** 26
~ of climb indicator **228** 13
~ of descent indicator **228** 13
~ of interest **327** 7
ratite bird **343** 1–3
rattan **130** 32
~ cane **97** 80
rattle **30** 42, **289** 40
rat trap **83** 7
ravine **13** 52
raw-gas· main **148** 13
~ pre-cooler **148** 28
~ primary condenser **148** 28
~ secondary condenser **148** 33
~ secondary cooler **148** 33
raw grinding mill and drier **152** 4
~ hemp **125** 1
Rawlplug drill **120** 55
raw material **152** 1, **163** 1–12, **167** 25
~ material intake **152** 1
~ material store **152** 3
~ meal silo **152** 5
~ stone **322** 5
~ tobacco **83** 11
~ water **254** 4
ray *[Phys.]* **29**
~ *[Geom.]* **328** 20
~ floret **359** 31
rayon manufacture* **163** 1–34
~ staple **163** 1–34
~ stocking **33** 32
~ yarn **163** 27
razor **51** 71, 79, **104** 25
~ blade **51** 72
razor blade· hone **51** 73
~ sharpener **51** 73
razor strop **104** 24
reach *[cart]* **131** 14
~ gate **212** 31
reaction chamber **227** 60–63
~ pile **1** 31–46
~-propulsion jet **226** 29
reactor **3** 1–23, **223** 9, **225** 71
~ cycle **3** 24–42
~ liquid **3** 14
~ tank **3** 25
reader *[person]* **298** 40
~ *[book]* **249** 31
reading board **249** 15
~ eyepiece **110** 32
~ lamp **48** 1
~ matter **201** 18
~ meter **239** 51
~ microscope **109** 26
~ room **250** 13
~ room supervisor **250** 14
~ tachometer* **159** 2, **207** 15
ready-to-wear dress* **256** 29
real **244** 22
reamer **134** 25
reanimation **17** 24–27
reaping hook **58** 28, **66** 25
rear axle **185** 51
~ break pedal **182** 16
~ boarding door **193** 12
~ bumper **186** 36
~ diesel-engine bus **188** 5
~-dump truck* **196** 7
~ engine **188** 5
~-engined bus **188** 5
~ fender* **180** 43
~ forage ladder **131** 23
~ hub sprocket **180** 38
rearing jar **89** 56
~ of livestock **76**
~ of poultry **75** 1–46
rear lamp **186** 29
~ license plate* **186** 31
~ light **180** 46, **182** 18, **186** 29
~ light indicator lamp **180** 47, **181** 44
~ mudguard **180** 43
~ nacelle **226** 77
~ number plate **186** 31
~ part of car **186** 25–38
~ quarter vent **185** 22
~ reflector **180** 45
~ seat **183** 8
~ side-panel **185** 2
~ sprocket wheel **180** 38
~ view mirror **185** 38

rear wheel· brake linkage **182** 15
~ spindle **182** 40
~ swinging arm **182** 5
rear window **183** 48, **185** 21
receipt **238** 51
~ post card **232** 6
receiver *[Radio]* **230** 28, 29, **234** 3 6
~ *[Sports]* **276** 19
~ cabinet **234** 36
receiving aerial **234** 21
~ magazine **241** 54
~ ramp **77** 1
receptacle *[Bot.]* **354** 53
reception *[Radio]* **230** 30
~ hall **259** 1–26
recess **48** 39, **312** 63
recessed rotary switch **120** 11
recessing machine **128** 22
recipient **232** 37, **239** 5
reciprocal *n.* **326** 16
recitation room* **249** 1
reciter **298** 3
reclining chair **29** 21
~-chair coach **204** 48
reclusion* **248** 11
recoil guard **149** 6
recooling plant **145** 60
record *[Mus.]* **306** 34
~ button **306** 21
~ cabinet **238** 59
~ card **238** 72
~-changer **306** 32
recorder *[flute]* **301** 7
recording arm **10** 7, 21
~ cylinder **10** 5
~ disk **241** 25
~ drum **10** 5
~ head **293** 3
~ level indicator **306** 19
~ level control **306** 17
~ lever **10** 7, 21
~ mechanism **10** 46
~ room **234** 1–6
~ style **233** 58
~ stylus **233** 58
~ tachometer **205** 56
~ tape **306** 14
~ truck* **292** 22
~ van **292** 22
record-keeper **281** 44
~ office **238** 37–80
~ marker **280** 32
~-player **237** 14, **306** 29, 32, 47
records **238** 9
~ department **247** 21
record run **273** 31
~ slot **306** 31
rectal syringe **23** 59
rectangle **328** 34
rectangular tailplane **225** 41
~ timber **115** 10, **149** 28
~ wing **225** 25
rectification **211** 31
rectifier **295** 18
rector **311** 22
rectory **312** 20
rectum **22** 22, 61
recumbent fold **12** 14
recurring decimal **326** 22
~ decimal fraction **326** 21
Red *[roulette]* **263** 24
red **320** 1
~ *[billiards]* **264** 12
~ admiral **348** 1
~ ball **264** 12
~breast **346** 15
~ cap **201** 42
~cap* **201** 32
~ chickweed **63** 27
~ cloak **287** 60
~ clover **70** 1
~ darnel **63** 29
~ deer **88** 1–27
~ fox **88** 42, **352** 12
~ haematite **106** 49
Red Indian **335** 11
red lamp **171** 48
Red Man **335** 11
red poppy **63** 2
Redskin **335** 11
redstart **344** 3
reduce-speed sign **198** 79
reduction gear **227** 39
~ gear lever **142** 3
~ scale **144** 51
~ tacheometer **110** 30
~ tachymeter **110** 30
red weed **63** 2
~ wine **98** 64
~-wine glass **46** 83
reed *[Bot.]* **130** 28
~ *[Weav.]* **159** 10
~ mace **130** 28, **362** 21
~ panicle **324** 22
~ peat **13** 17
~ pipe **301** 3, **305** 17–22
~ roof **64** 35
reeds **266** 3
reed slip **302** 29
~ spike **362** 21
~ stop **305** 17–22
reef *[Geol.]* **13** 32
~ *[ship]* **214** 72
reel **68** 50, **102** 20, **168** 22
~ of cotton **102** 20
~-cutter **168** 28
reeling friction **295** 37
reel of paper **233** 60
~ of thread **102** 20
reeve **211** 46
reeve's cottage **211** 45
ref **274** 22
referee **274** 22, **281** 37
reference **239** 7
~ book **250** 17
~ library **250** 17
refill **144** 50, **239** 36
~ lead **144** 50, **239** 36
refined sugar **98** 55
refiner **167** 9
refinery **139** 56–67
~ storage tank **139** 24
refining bath **155** 4
~ house **148** 28–46
reflecting goniometer **330** 28
~ layer **4** 16–19
~ monochromator **110** 28
~ telescope **6** 2–7
reflection **230** 30
~ of waves **230** 43
reflector **3** 13, **6** 2–7, **180** 45
~ arc lamp **295** 39
~ of beryllium **1** 50
~ lamp **112** 60
~ pedal **180** 78
reflex angle **328** 10, 11+12
~ camera **111** 15
~ hood **111** 16
reflux cock **334** 49
~ tap **334** 49
reformer **139** 64
refracting telescope **109** 16
refractionometer **108** 35
refractometer **110** 24
refractor **109** 16
refreshment **201** 48
~ kiosk **257** 58
~ stall **201** 48, **291** 3
~ stand **291** 3
~ trolley **201** 49
refrigerated container **261** 45
refrigerating chamber **218** 50
refrigerator **42** 1
~ wagon **208** 27
refuse **253** 48
~-bin **41** 11, **53** 32
~ incinerator **252** 67
~ lorry **195** 1
~ wagon **195** 1
regatta **269** 1–18, **270** 51–60
~-sailing **270** 51–60
region **73** 30
regions of atmosphere **4** 11–15
register **304** 44
registered letter **232** 25, 35
registering tachometer **205** 56
register key **303** 42
~ roller **176** 32
~ scale **178** 11
registration number **186** 34
registry **238** 37–80
reglet *[border]* **43** 26
~ *[Art]* **316** 57
regula **316** 17
regular crystal system **330** 1–17
~ customer **260** 40
~ polygon **328** 41
regulating screw **144** 40
~ valve **40** 75, **147** 29
regulator *[Tech.]* **10** 17, **107** 24–26, **184** 41, **240** 47
~ *[clock]* **107** 52
~ handle **205** 49
~ lever **107** 26
Regulus **5** 17
rehearsal **296** 20
re-heat turbojet power unit **227** 42
reichst(h)aler **244** 6
reindeer **336** 16
~ harness **336** 15
~ horn **309** 5
~ rig* **336** 15
~ turn-out **336** 15
reinforced-concrete·
~ ceiling **114** 8
~ construction **114** 1–89
~ floor **118** 35
~ frame **114** 2
~ skeleton structure **114** 1
~ slab **118** 28
reinforced counter **282** 50
reinforcement **114** 54–76
~ bar **114** 23
~ rib **196** 9
~ f. riding **34** 32
~ rod **114** 23
reinforcing rib **212** 78
reins **72** 25, 33, **179** 31
rejonar **287** 57
relay *[Sports]* **280** 13–16
~ baton **280** 15
~ horse **179** 43
~ race **268** 24–32, **280** 13–16
~ runner **280** 13
~ team **268** 24–32
release **17** 34, **111** 5
~ grip **17** 34
~ lever **239** 53, **240** 62
~ magnet **233** 50
~ valve **205** 60
relief **322** 33
~ printing method (or process) **323** 1–13
~ tile **315** 20
religious orders **314**
~ procession **312** 42–50
remainder **326** 24

remedy **26** 11, **28** 7
remnants of planet **6** 26
remote-control· apparatus **207** 41
~ of elevation **15** 54
~ of lateral movement **15** 56
~ panel **306** 44
remote-controlled· model **271** 60
~ point **198** 58
~ switch **198** 58
remote-control tongs **2** 47
~-heated building **3** 37
~-reading thermometer **166** 9
removable base **111** 26
~ seat **189** 3
removal van **189** 41
removing bark **85** 25
Renaissance church **317** 42
~ Latin **325** 4
~ palace **317** 47
~ Roman **325** 4
renal calyx **22** 30
~ pelvis **22** 31
rendering **117** 38, **118** 6
rendezvous **257** 44
reniform **354** 38
repair kit **181** 1
~ kit box **18** 12
~ pit **192** 63
~ quay **217** 10
~ shed **199** 6+7
~ shop **199** 6+7
~ tool **192** 6
repeat switch **306** 38
repeater *[rifle]* **87** 2
~ *[flag]* **245** 30—32
~ compass **219** 29
repeating decimal fraction **326** 21
~ rifle **87** 2
repeat mark **300** 43
reply coupon **232** 20
~-paid postcard **232** 4
report *[school]* **249** 53
reporter **248** 39, **281** 45
~ camera **294** 23
representation **335** 2
~ of wind **9** 9–19
reproducer **306** 2
reproducing camera **171** 1
reproduction of talkies* **237** 21
reproductive shoot **356** 43, 62, 68
reptile **350** 27–41
requin **350** 1
requisite **105**
rerebrace **310** 47
reredos **311** 42
rescue **17** 28–33
rescuer **17** 29
rescue work **255** 1–46
research laboratory **292** 9
reserve **274** 45
reservoir **212** 39, **239** 28, **254** 18
~ rock **12** 29
resetting button **120** 19
resident bird **344** 4
residential area* **252** 11, 59
~ district* **252** 59
~ section* **252** 11, 59
resilient clutch **207** 10
resin **302** 11
resistance **331** 84
resistor **147** 56, **206** 21
~* **129** 3
resonance box **303** 26
~ pendulum **331** 21
resonator **303** 78
resort **262** 1–49
respirator **17** 27
respiratory apparatus **17** 27
rest *[support]* **47** 60
~ *[teleph.]* **233** 29
~ *[Mus.]* **299** 22–29
restaurant **260**
~ car **204** 17
~ compartment **204** 18,52
rest cure **29** 21–25
resting rail **301** 42
restraining spring **233** 57
rest room **25** 15
result **326** 23
~-effacer **240** 52
~ register **240** 48
resuscitation apparatus **17** 27
~ equipment **255** 20
resuscitator **17** 27
retailer **98** 41
retaining lock **16** 69
~ wall for stowage **138** 17
reticella lace **101** 30
reticulated screen **171** 35
~ vault **318** 45
Reticulum **5** 48
retina **21** 49
retinoscope **109** 12
retort **333** 13
~-charging **148** 10
~-feeding **148** 10
~ furnace **148** 11
~ furnace house **148** 10–12
retouching desk **171** 28
~ tool **171** 51
retractable undercarriage **225** 51
retrievable rope **271** 5
retrieving **86** 36
~ winch **271** 6
return **40** 79, 80
~ chute **287** 16
~ cock **334** 49
~ conveyor **68** 64
~ pipe **40** 56
~ tap **334** 49
~ ticket **203** 48
Reuter lamp **331** 22, 28
rev-counter **207** 15
reveal **115** 10, 31
revel **113** 10, 31
revenue stamp **105** 21
reverberatory furnace **133** 1
reverse dive **268** 42
~ face **244** 10
~ grip **279** 54
~ shaft **142** 34
reversible warp-faced cord **165** 27
reversing **283** 31
~ light **186** 38
~ resistor **206** 21
~ rheostat **206** 21
~ screw **205** 58
revo-counter **228** 18
révoltade **288** 25
revolution-counter **159** 2, **207** 15
~ of moon **7** 1
~ regulator **106** 46
revolutions-per-minute indicator **228** 18
revolving die hammer **85** 43
~ disk **263** 31
~ dome **6** 8
~ flat card **156** 34
~ head **128** 26
~ nosepiece **110** 5
~ punch **123** 13
~ stage **297** 31
~ table **141** 36
~ table type shot **141** 34
~ tool box **143** 3
revue girl **298** 7
~ star **298** 4
~ theatre **298** 4–8
reward **86** 43
re-wind button **306** 24
re-winding **164** 50
re-winding· desk **295** 23
~ knob **111** 23
rewind plates **293** 32
rheostat **206** 21
~ f. control of light **171** 46
rhesus monkey **353** 12
rhinoceros **351** 25
Rhiptoglossa **350** 33
rhizome **60** 18
rhizopod **340** 1
rhododendron **362** 1
rhomb **328** 35
rhombic crystal system **330** 23
~ dodecahedron **330** 7
rhombohedron **330** 22
rhomboid **328** 36
rhombus **328** 35
Rhön wheel **287** 54
rib *[Anat.]* **19** 9, 10
~ *[Bot.]* **354** 29
~ *[Tech.]* **118** 36
~ *[ship]* **217** 55, **269** 49
ribbed vault **318** 43
ribbon **36** 41, **240** 14
~ cylinder **169** 35
~ of pigtail **35** 7
~ spool **240** 18
~ switch **240** 29
Ribes **60** 1-15
rib grass **364** 11
rib of violin **302** 4
ribwort (plantain) **364** 11
rice **69** 29, **98** 38
~ grain **69** 30
ricksha **336** 34
~ coolie **336** 35
rickshaw **336** 34
riddle **79** 13
ride *[riding]* **257** 42
~ *[forest]* **84** 1
rider **257** 42
ridge *[mountain]* **12** 36, **13** 60
~ *[roof]* **116** 2, **117** 93
~ board **116** 48
~ capping piece **117** 99
~ course **117** 47, 79
~-course tile **117** 4
~ cross **312** 10
~ of hills **13** 60
~ hook **117** 65
~ plough **68** 1
~ purlin **116** 43
~ roof **116** 1
~ tent **266** 27
~ tile **117** 3, 52
~ turret **116** 14
ridging hoe **66** 4
~ plough **68** 1
riding animal **337** 2
~ boot **272** 54
~ breeches **34** 27
~ cap **272** 50
~ horse **272** 47
~ jacket **272** 52
~ position **278** 14
~ saddle **72** 37–49
~ track **257** 41
~ whip **272** 53
riffler **127** 31, **168** 8
~ file **127** 31
rifle *[gun]* **86** 30, **87** 1–40

rifle *[barrel]* **87** 36
~ butt **87** 3
rifled gun barrel **87** 34
rifle range **291** 58
~-shotgun **87** 33
rifling **87** 36
riftvalley **12** 11
rig **214** 1–72
Rigel **5** 13
rigging *[sailing ship]* **214** 1–72, **226** 53, 56
~ line **228** 50
right *[Her.]* **246** 18, 20, 22
~ angle **328** 9, 32
~-angled triangle **328** 32
~ back **274** 13
~ cylinder **329** 38
~ full back **274** 13
~ half **274** 16
~ half-back **274** 16
~-hand projector **295** 14
~ leg forwards **278** 3
~ pedal **304** 8
rigid axle **183** 47
~ dirigible **226** 65
rim **130** 17, **180** 28, **185** 30
~ of gear wheel **136** 88, **180** 74
~ of lenses **108** 14
~less spectacles **108** 18
rind **354** 8
ring *[jewellery, etc.]* **38** 20, 24, 28, **107** 10, **350** 39
~ *[Geom.]* **328** 57
~ *[Sports]* **272** 5, **281** 32, **290** 21
~-a-ring-a-roses **258** 29
~ attendant **290** 27
~ cake **45** 29
ringed boletus **365** 21
~ snake **350** 38
~ worm **340** 16
ring entrance **290** 11
~ fence **290** 22
~ finger **21** 67
~ frame **157** 34
~ gauge **106** 25
~ horn **132** 22
~ of investiture **314** 58
ringlet **35** 2
ring master **290** 31
~ net **90** 25
~ pipe **140** 46
~-rounding tool **106** 26
rings *[Gymn.]* **279** 47
ring size gauge **106** 27
~ snake **350** 38
ring spanner **191** 16
~ spindle **157** 45
~ spinning frame **157** 34
rings of Saturn **7** 17
ring stand **48** 25
~ and traveller **157** 51
rink **284** 3
rinsing bath **262** 47
~ pipe **173** 6
~ sink **41** 20
~ tank **112** 2
~ water **41** 21
~ water casing **166** 4
rip cord **226** 54, **228** 55
~ panel **226** 54
ripper **196** 20
ripping chisel **322** 19
ripple **13** 41
~ marks **13** 41
riprap **211** 55
riser *[iron foundry]* **141** 23
~ *[stairs]* **118** 33, 48
rising gas pipe **119** 24
~ ground **13** 66
Rising Sun **245** 20
rising table **241** 4
ritual cart **309** 36
~ procession **312** 42–50
river *[stream]* **13** 61, **16** 45, **211**
~ *[tool]* **126** 11
~ arm **13** 2
~ bed **13** 68
~ bend **211** 42
~ branch* **13** 2
~ course **211** 42
~ dam **211** 49
~ engineering **211**
River Eridanus **5** 12
river ferry **211** 10
~ islet **211** 4
~ landscape **13** 1–13
~ mouth **13** 1
~ mussel **340** 31
~ outfall **13** 1
~ pier **210** 32
~ regulation **211** 31
~ tug **211** 23
~ valley **13** 57–70
~ works **211**
rivet **136** 55–58, **181** 31
~ head **136** 55
riveting **136** 54
~ hammer **134** 17
~ stand **107** 62
rivet point **136** 57
~ shank **136** 56
riving hammer **85** 26
~ knife **128** 7
road **194** 10, **253** 34
~ bridge **16** 55
~-building machine **197** 1
~-cleaner's barrow **195** 7
road clearance **189** 5
~ construction **197**
~ embankment **197** 35
~ engineering **197**
~-grader **196** 19
~ machine **196** 1-54
~-making **197**
~-making machine **196** 1–54
~-metal spreading machine **196** 31
~plow* **196** 20
~ race **273** 8–10
~ racer *[person]* **273** 8
~ racer *[vehicle]* **273** 16
~-racing bicycle **273** 16
~ roller **196** 36, 37, **197** 19
~-scarifier **196** 20
roadster *[bicycle]* **180** 1
~ *[motorcar]* **187** 11
road surface **212** 1
~ surfacing **210** 2
~-sweeper *[person]* **195** 8, **253** 47
~-sweeper *[mach.]* **195** 6, 12
~-sweeper's barrow **195** 7
~-sweeping machine **195** 12
~ trailer **208** 40
~way **194** 10, **210** 2, **253** 34
~ wheel **68** 40
roaring **86** 12
roasting drum **98** 71
roast meat **46** 27
robe **248** 27
~* **48** 55, 56
robes **311** 22, **313** 4
robin *[Zool.]* **346** 15
~ *[Bot.]* **360** 21
robinia **355** 70
robin redbreast **346** 15
Rob Roy **269** 4
rocaille **318** 13
rochet **314** 50
rock **13** 28, **307** 38
~ bit **139** 20
~ climber **282** 6
~-climbing **282** 2–14
~ drill **150** 11
rocker *[tool]* **323** 19
~ *[lever]* **182** 44
~ arm **184** 58
~ bearing **221** 62
~ switch **120** 4
rockery **39** 40, **54** 1
rocket **224** 53, **227** 46, 49, **229**, **289** 54
~ apparatus **224** 52+53
~ assembly tower **229** 32
rocket car **187** 18
~ combustion chamber **227** 60–63, **229** 22
~ control operating mechanism **229** 3
~-driven car **187** 18
~-driven model **271** 61
~ flight **229**
~ head **229** 2–5
~-launching **229** 28–31
~-launching platform **229** 29
~ motor **229** 12–24
~ nose **229** 2
~ power unit **229** 12–24
~ propulsion charge **227** 47
~ propulsive charge **227** 47
~ ready for launching **229** 28
~-stage **229** 36, 37
~ steering vane **229** 27
~ tail section **229** 12–27
rock face **150** 3, 15, **282** 3
~ garden **39** 40, **54** 1
rocking-duck **49** 15
~-horse **49** 13
~-seat **49** 15
~ tablet **305** 39
~ tool **323** 19
rock layer **13** 78
~ painting **309** 9
~ pile **150** 4
~ piton **282** 55
~ technique **282** 2–14
~ terrace **13** 47, 63
~ tomb **315** 38
~ wall **282** 3
Rococo ornament **318** 13
~ period **318** 9-13
~ wall **318** 9
rod **1** 39, **158** 54, **159** 54, **228** 36
rodent *n.* **351** 12–19
~ trap **83** 7–9
rod fisher **89** 7
~ fishing **89** 7–12
~ rest **89** 11
roe *[deer]* **88** 28–39
~ *[fish eggs]* **89** 66, 67
~ antlers **262** 27
~buck **88** 28
~ call **87** 43
~ deer **88** 28-39
roentgen apparatus **29** 39
~ film **2** 10, 13
~-like radiation **1** 17
~ therapy **29** 30–38
rogue **289** 38

roll *[bread]* **46** 21, **97** 37–40
~ *[cushion]* **48** 54
~ *[saddle]* **72** 48
~ *[Tech.]* **141** 49+50
~ basket **46** 20
~ of clay **322** 8
~ of cloth **256** 59
~ of crepe paper **104** 4
rolled-asphalt drying and mixing plant **196** 48
~ ham **96** 27
~ steel joist **136** 6
~ oats **98** 37
~ steel section **136** 3–7
roller *[Tech.]* **175** 7, **212** 65, **240** 10
~ *[Zool.]* **343** 24–29, **344** 6
~ bearings **223** 64
~ bit* **139** 20
~ chain **180** 36
~ dam **212** 65–72
~ guide **197** 4
~ hoist **113** 91
~-holder **174** 31
~ indicator **305** 37
~ lift **113** 91
~ postmark **231** 49
~ printing machine **162** 53
~ rail **202** 42
~ skate **287** 35
~ skate hockey **287** 33
~ skater **287** 34
~ skating **287** 33
~ squeegee **112** 37
~ stamp **231** 43
~-straightening machine **141** 72
~ table **141** 45
~ top **212** 66
~-type blotter **238** 19
~ weir **212** 65–72
rollfilm-winder **111** 4
roll front **238** 7
~-front cabinet **238** 5
~ of gauze **28** 11
~ of gauze bandage **17** 9
~ of gummed tape **238** 78
~ housing **141** 52
rolling chock **217** 44
~ mill **141**
~-mill case **141** 68
~-pin **42** 54, **97** 67
~ plant **151** 9
roll of material **256** 59
~ of matting **79** 6
~ of paper **175** 43
roll of postage stamps **231** 18
~ of steril bandage **28** 10
~ stand **141** 51–55
~ standard **141** 52
~ top **231** 15
Roman *[Typ.]* **325** 4
~ art **316** 53–60
roman capital letter **170** 11
Roman capitals **324** 16
~ Catholic church **311** 31–65
~ Catholic clergy **314** 32–58
Romanesque art **317** 1–21
~ cathedral **317** 1–13
~ church **317** 1–13
~ ornament **317** 14–16
~ vaulting system **317** 17
Roman lace **101** 30
~ man **338** 11
~ metal pen **324** 25
~ mythology **308**
~ numeral **326** 1
~ point **101** 30
roman small letter **170** 12
~ warship **213** 9-12
~ woman **338** 7
rompers **31** 19
roof *[house]* **40**, **116**, **117**
~ *[coach, etc.]* **179** 14, **183** 9
~ *[mine]* **138** 20
~ boarding **117** 61
~ cornice **40** 11
~ course **117** 78
~ disconnecting switch **206** 6
~ door **187** 30
roofed platform **199** 3
roof finish **40** 1
~ hook **40** 6
roofing **40** 1
~ felt **117** 62
~ tack **136** 53
roof ladder **40** 4, **117** 63
~ lock **183** 11
~ of mouth **21** 20
~ paper* **117** 62
~-slating **117** 76-82
~ stay **183** 10
~ timberwork **116** 27–83
~ trestle **117** 66
~ truss **115** 7, **116**
~ window **64** 50
rook *[Zool.]* **346** 2
~ *[chess]* **265** 12
room **45**, **48**, **259** 27–38
~ clerk* **259** 7
~ w. distorting mirrors **291** 55
roomette* **204** 15
room exit **39** 83
rooming house* **262** 22
room key **259** 9
~ number **259** 10
~ f. storing books **250** 11
~ telephone **259** 34
~ thermometer **23** 26
~ thermostat **40** 78
~ w. two beds **29** 8–20
~ waiter **259** 33
rooster* **74** 21, **75** 9
root *[Bot.]* **354** 16–18, 78–82
~ *[beet]* **69** 45
~ *[tooth]* **21** 36
~ *[Math.]* **327** 2, 3
~-cleaner **67** 33
~ crop **69** 38–45
~ crotch **85** 22
~ of curve **329** 12
~-cutter **67** 33
~ of dock **73** 34
rooter plow* **196** 20
root gall **81** 27
~ hairs **69** 18, **354** 18
~-leaf **359** 9, 15, 30
~ louse **81** 26
~ stock **60** 18
~ of tail **73** 34
~ thorn **354** 81
rope **125** 18, 19, **209** 21, **282** 13, 26-28
~ block **145** 20
~-climbing **279** 6
~ core **125** 23
roped crossing of a glacier **282** 23–25
~ party **282** 26–28
rope ferry **211** 1
~ heart **125** 23
~ ladder **216** 14, **290** 8
~maker **125**
ropemaker's spinning machine **125** 8
~ workshop **125** 1–18
rope-pulley hoist **113** 91
~-pulley lift **113** 91
ropes *[Box.]* **281** 33
rope sandal **100** 7
~ start* **271** 4
~-steering **285** 6
~ top **125** 16
~ walk **125** 1–18
ropeway **209** 15–24
~ gondola **209** 52
~ support **209** 76
rope yard **125** 1–18
roping **202** 13
rosace *[stovepipe]* **53** 52
rosary **313** 28, **314** 21
rose *[Bot.]* **55** 12, 13, 21, **62** 15, **361** 20
rose *[mus. instr.]* **301** 22, **303** 5
~ *[antlers]* **88** 5
~ *[shower]* **79** 28, **104** 38
~bay **357** 13
~bud **62** 16
~ bush **55** 13
~ laurel **357** 13
~ standard **55** 21
~ thorn **62** 18
~ tree **55** 21
rosette *[badge]* **289** 34
rose window **317** 23
rosin **302** 11
rostrum **250** 4, **251** 6
'rotaprint' sheet-fed machine **174** 33
rotary battery **159** 5
~ blower **141** 34
~ column sleeve **143** 26
~ counting mechanism **240** 43
~ cutter **177** 58
~ digester **167** 21
~ grab crane **148** 5
~ kiln **152** 8
~ line switch **233** 33
~ magazine **159** 5
~ magnet **233** 48
~ milling machine **162** 1
~-piston gas meter **148** 45
~-piston water meter **254** 53
~ press **162** 38
~ printing machine **175** 41
~ ratchet **233** 46
~ sand-spreader **195** 18
~ switch **120** 10, 11
~ swivel **139** 9
~ table **139** 14
~ veneer lathe **128** 52
~ wheel **68** 42
~ wing aircraft **226** 28
rotatable directional antenna **235** 5
rotating armour **223** 58-60
~ brush **162** 46
~ cage **162** 17
~ cylinder **166** 2
~ prism **200** 42
~ radar scanner **230** 40
~ shuttle **102** 38
~ table **177** 36
~ turret **143** 3
rotational mirror tower **230** 53
rotator **219** 32
rotogravure **176**
~ cylinder **176** 2
~ press**176** 27, 35
~ printing unit **176** 14

rotor·plane **226** 28
~ wheel **180** 9
~ wing **226** 29
rotunda **199** 6
Rouge **263** 24
rough *[Golf]* **276** 60
~ draft **321** 4
~ file **132** 35
~-grinding the corn (or grain) **91** 57
~ lumber* **115** 83
~-stemmed boletus **365** 22
~-turning tool **142** 43
~ wood **129** 21
roulette *[tool]* **123** 14, **323** 18
~ *[game]* **263**
~ *[table]* **263** 10
~ ball **263** 33
~ bowl **263** 29
~ plan **263** 9, 17
~ player **263** 15
~ table **263** 8, 17
~ wheel **263** 28
round *[rung]* **40** 17
~ *[canon]* **300** 46–48
~about traffic (flow) **252** 12
~ arch **318** 27
~ awl **123** 26
~ axe **126** 8
~ bar **136** 8
~-bar steel **114** 80
~ bed **54** 6
~ of beef **95** 14
~-bottomed flask **334** 38
~ bracket **325** 24
~ brush **121** 15, **321** 8
~ cage **290** 49
~ cake tin **42** 48
~ dance **258** 29
rounded end **136** 20, 48
~ stern **213** 25
rounders **275** 39–54
round game **258** 4
~-headed graver **323** 20
~-headed screw **136** 34
~house* **199** 6
~house track* **199** 9
rounding to **270** 52
round knife **123** 6
~ loaf **97** 26
~ mallet **124** 15
~ neck **32** 40
~ neckline **32** 40
~-nose pliers **120** 50
~ nut **136** 33
~ parentheses (or parenthesis) **325** 24
~ punch **134** 69
~ set hammer **132** 32
~ shave **126** 13
roundsman* **247** 1
round-tapered wing **225** 18
~ top of mountain **12** 35
~ tree **55** 16, **257** 12
~-trip ticket* **201** 55, **203** 48
~ trunk **115** 83
~ window **317** 12
~ wood **115** 35
~ worm **341** 20
route number **193** 22
~ plate **193** 23, **201** 34
router **128** 22
~ bit **128** 24
~ cutter **128** 24
route timekeeper **193** 37
rover **266** 40
roving **157** 29
rowan tree **355** 42
rowboat* **257** 51, **269** 9–15
row of books **47** 5
rowen* **65** 35-43
rower **269** 12
rowing **269** 1–66
~ barge **213** 1–6
~ boat **257** 51, **269** 9–15
~ instructor **269** 20
~ practice **269** 20-22
~ slave **213** 48
row of leaves **316** 25
~lock **269** 29, 41
~ of needles **160** 46, 47
~ of ports **215** 27
~ of pumps **190** 13
~ of seats **290** 15
royal game **265** 1–16
~ sail **214** 60
~ stay **214** 13
rubber *[india ~]* **249** 52
~ *[Baseb.]* **275** 43
~* *[boot]* **100** 27
~ animal **30** 41, **267** 33
~ arm bandage **23** 4
~ band **238** 75
~ bandage **23** 4
~ bath **30** 25
~ bladder **274** 52
~ blanket **162** 56
~-blanket cylinder **174** 18
~ block **180** 85
~ boot *[horse]* **272** 45
~ brush **52** 43
~-bulb blower **23** 3
~ cap **26** 45, **30** 48
~ cement **181** 3
~ compound **157** 11
~-covered cylinder **176** 20
~ cylinder **174** 9
~-driven model **271** 59
rubber expander **278** 50
~-foam sock **99** 7
~ heel **99** 56
~ hot-water bottle **23** 27
rubberised hair **124** 23
rubber ledge **264** 16
~ mallet **192** 17
~ operating glove **28** 20
~ nosing **43** 29
~ packing roll **204** 54
~ panties **30** 15
~ pedal **180** 78
~ printing blanket **174** 42
~ puncture roller **245**
~ ring **41** 68, **267** 32
~ roller **176** 25
rubbers* **100** 5
rubber sheet **30** 4, **171** 41
~ shoe **28** 22, **100** 5
~ solution **181** 3, **323** 49
~-sprung bogie **193** 5
~ square **30** 4
~ stamp **238** 22
~ stud **180** 84
~ suspension bogie **193** 5
~ syringe **30** 20
~ thread **271** 59
~ tire* **30** 36
~ tread **180** 85
~ tree **367** 33
~ truncheon **248** 10
~ tyre **30** 36
~ water-bottle **266** 16
~-wheeled farm-cart **64** 33
rubbing strake **221** 48
rubbish basket **253** 46
rubble **13** 29
ruche **37** 18
ruching* **37** 18
Rückpositiv **305** 5
rucksack **266** 42
~ f. hull **269** 65
rudder *[ship, etc.]* **223** 25, **269** 26, 51–53
~ *[aircr.]* **228** 42
~ bar **228** 37
~ blade **217** 66, **269** 53
~ pedal **228** 38
~ post **217** 67
~ stock **217** 65
~ yoke **269** 51
ruff **289** 20, **338** 52
ruffle *[ruche]* **37** 18
~ *[Tech.]* **159** 60
rug **48** 55
ruga **18** 41
rugby **275** 19–27
~ ball **275** 20
~ football **275** 19-27
rugger **275** 19-27
ruin **16** 72, **80** 20
ruins **80** 20
rule of three **327** 8-10
rule-of-three sum **327** 8-10
ruler **249** 67
ruling up table **173** 35
rum **98** 57
Rumania **14** 19
rumble seat* **185** 57, **187** 12
ruminant *n.* **351** 28-30
rummer **46** 87
rump *[Anat.]* **73** 31, **88** 20
~ *[meat]* **95** 35
~ bone **22** 59
~ piece **310** 88
~ steak **96** 20
run **285** 11
runabout* **183** 41
runch **63** 21
run-down **283** 9
~-down tower **283** 8
rune **324** 19
rung **40** 17, **279** 2
runic script **324** 19
runner *[Sports]* **280** 6
~ *[rail, etc.]* **92** 10, **225** 43, **285** 3
~ *[Foundry]* **141** 22
~ *[millstone]* **91** 22
~ *[carpet]* **48** 32
~ *[Bot.]* **57** 16, **60** 20
~ stone **167** 12
running **280** 1–28
~ chain **92** 17
~ gate **141** 22
~-line lever **199** 61
~ noose **335** 5
~ race **280** 1–28
~ rigging **214** 67–71, **226** 56
~ scroll **316** 39
~ shoe **280** 26
~ shorts **31** 13
~ surface **283** 37
~ through-vault **279** 44
~ title **178** 66
~-track sign **198** 79–86
~ twist **268** 44
~ vest **31** 12
~ wheel **209** 7
run-up board **287** 19
runway **84** 32, **230** 2, **287** 16
~* **86** 16
rush **130** 27, 28
rusk **97** 43
Russian cigarette **105** 16
~ cross **313** 51
~ Orthodox priest **314** 25
~ script **324** 20
rustication **317** 51
rustic work **317** 51
rusty-leaved rhododendron **362** 1

rutting mane **88** 27
~ season **86** 9–12
rye flour **97** 19
~ grass **63** 29

S

sabbaton **310** 55
saber* see sabre
sable *[Zool.]* **352** 15
~ *[Her.]* **246** 26
sabre **277** 34, 46, 63
~ fencer **277** 33
~ fencing **277** 33–38
~ glove **277** 35
~ helmet **277** 36
~ mask **277** 36
~ play **277** 33–38
sabreur **277** 33
sac *[Zool.]* **350** 25
~ *[Bot.]* **356** 45
sack **91** 66
~ barrow **202** 15
~ coat* **34** 2
~ of corn **83** 16
~-filling plant **91** 67
sacking **91** 67
sack race **258** 7
~ f. soot **40** 34
~ truck **202** 15
~-weighing plant **91** 67
sacrament **313** 24
sacramental wine **313** 27
sacrarium **311** 36
sacred building **319** 21
~ song *[symbol]* **308** 67
~ vessels **313** 33-48
~ vestments **314** 37
sacrificial bowl **308** 6
sacristan **311** 26, 62
sacristy **312** 13
~ door **311** 18
sacrum **19** 21, **22** 59
saddle *[horse]* **72** 17, 31, 37–49
~ *[bench]* **126** 22
~ *[vaulting horse]* **279** 35
~back roof **116** 1
~ bag **266** 23
~ blanket **72** 44
~-bottomed wagon **208** 23
~ bow **72** 38
~ bracket **183** 31
~ cloth **272** 17
~ cover **182** 19
~ fungus **365** 25
~ grip **183** 33
~ horse **272** 47
~ post **126** 19
~ post head **126** 20
saddler **123** 16
~* **272** 47
saddle roof **116** 1
saddler's hammer **123** 5
~ needle **123** 28–33
sadler's roulette **123** 14
~ tracing wheel **123** 14
~ treadle sewing machine **123** 23
~ workshop **123** 1–33
saddlery **123** 1–33
saddle seat **72** 37
~ springs **180** 23
safety belt **30** 12
~ catch **2** 40, **87** 8, 25
~ chain **38** 19, **119** 32
~ contact **206** 35
~ curtain **297** 24
~ dam **220** 62
~ device **178** 5
~ door chain **43** 32
~ glass lid **42** 23
~ hat **150** 10
~ helmet **150** 10, **183** 40
~ key **134** 52
~ net **290** 14
~ nut **180** 64
~-pin **37** 25, **102** 60
~ platform **139** 4
~ razor **51** 71
~ stop device **162** 19
safety strap **30** 12
~ switch **42** 25, **254** 46, **294** 9
~ tube **333** 7
~ valve **40** 70, **205** 3
safe vault **242** 4
saffron **363** 3
saggar **154** 2
Sagittarius **5** 37, **6** 40
sagittate **354** 37
sago **98** 39
~ palm **367** 58
~ tree **367** 58
sail *[boat]* **214, 215, 270, 284** 34
~ *[basket]* **130** 6
~ axle **91** 5
~boat* **215** 6–8, 9+10, **270** 1-10
~ f. folding boat **269** 62
sailing **270** 1–60
~ boat **270** 1–10
~ dinghy **270** 6–10
~ regatta **270** 51–60
~ ship **214, 215**
~ skate **284** 30
~ vessel **215**
~ before the wind **270** 56–58
sailor-blouse **31** 29
~-cap **31** 32
~-collar **31** 30
~-knot **31** 31
sailor's knot **125** 29
sailor-suit **31** 28
~ tie **31** 31
sailplaning **271** 1–23
sail top **91** 6
sainfoin **70** 10
saint **311** 46, **314** 7
St. Andrew's cross **313** 54
St. Anthony's cross **313** 53
St. Bernard (dog) **71** 38
saintfoin **70** 10
St. Peter's cross **313** 52
salad bowl **46** 23
salade **310** 61
salad fork **46** 68
~ oil **98** 24
~ plant **59** 36–42
~-server **46** 24
~ set **46** 24
~ spoon **46** 67
salamander **350** 22
salame **96** 13
salami **96** 13
sal-ammoniac block **119** 7
sales assistent **256** 18
sales-clerk* **98** 13 **256** 18, 63
~ counter **256** 42, 61
~girl* **98** 31 **256** 18, 63
~lady **256** 18, 63
~-lady* **98** 31
~woman **98** 31, **256** 18
salicional **305** 23–30
salient **310** 16
salina **16** 32, **262** 1–7
~ attendant **262** 5
saliva ejector **27** 8
sallow **355** 24
saloon *[motorcar]* **187** 8
~ *[Railw.]* **204** 50
~* *[inn]* **260** 1–29
~ car **204** 49
~ w. sliding roof **187** 8
salt **98** 40
Salta **265** 20
~ piece **265** 21
salted almond **45** 50
~ roll **97** 54
~ stick **97** 54
saltier **313** 54
saltire **313** 54
salt pot **45** 37
~ refinery **262** 1-7
~ shaker **45** 37
~ sticks* **45** 61
~ straws **45** 61
~ works **16** 32
salutation **239** 8
salvage inspector **224** 15
~ vessel **224** 5–8
~ of wrecks **224**
Salvation Army band **257** 61
~ cadet **257** 63
~ soldier **257** 62
salvationist **257** 62
samara **355** 12
samovar **45** 49
sampan **336** 31
sample **231** 17
~ container **231** 17
~ of frames **122** 2
sample of frame wood **122** 2
~ saggar **154** 2
~ scoop **98** 72
~ seggar **154** 2
sampling of the beer **93** 10
samurai **336** 37
Sanctissimum **313** 33
sanctuary **311** 36
Sanctus bells **313** 43
sand **16** 6, **41** 27
sandal **100** 29, **266** 13
sand bag **211** 50, **279** 24
~ ballast **226** 61
~bed **118** 8
~ box **205** 14
~ bucket **258** 27
~-castle **267** 35
~-deflecting blade **195** 19
~ deposit **211** 52
sander control **193** 36, **206** 40
~ control lever **207** 20
sand-feeder **199** 54
~ glass **107** 48
sanding apparatus **195** 17
~ belt **128** 47
~ gear **205** 19, **206** 15
sanding gear control **193** 36, **206** 40
~ control lever **207** 20
sanding machine **195** 17
~ pad **128** 48
~ shoe **128** 48
~ table **128** 49
sand lizard **350** 27
~ lorry **195** 16
~lot* **258** 26
~ pail **258** 27
~ paper **129** 25, **181** 7
~ pipe **141** 33
~ pit **258** 26
~-pump dredger **211** 59
~ spade **258** 28
~-spinner **195** 18
~-spreader **195** 5, 18
~ track **273** 24
~-track race **273** 24–28
~ tube **205** 15
sandwich **46** 37, 39
~ fork **46** 76
~ f. mid-morning break **249** 65
~ loaf **97** 27
~man on stilts **291** 49
sanitary napkin **23** 63
~ towel **23** 63
sanitation **195**
San-José scale **81** 35
Sanscrit **324** 9
sanserif (print) **325** 7
sap *[wood]* **115** 85
sapling **84** 10+11

sapo cubano **303** 60
sappho **345** 4
sapwood **115** 85, **354** 12
~ side **149** 34
sarcophagus **317** 53
sardine in oil **98** 19
~-server **46** 78
sartorius **20** 45
sash **32** 27
~ window **204** 58
satchel **249** 41
~* **201** 7
~ flap **249** 42
satellite **4** 48, 49, **6** 24
~ rocket **4** 56
satin stitch **101** 10
satirical figure **289** 63
saturated zone **13** 24
Saturn **6** 28, **7** 16–18
Saturn's atmosphere **7** 18
sauce boat **46** 17
~ ladle **46** 18
~pan **41** 75, **42** 15
saucer **45** 8
sauna **25** 7–16
~ stove **25** 11
sausage **96, 98** 4
~ boiler **96** 15, 49
~ end **96** 57
~-filler **96** 52
~ knife **96** 31
~ machine **96** 37
~ meat **96** 44
~ ring **96** 7
~-slicing machine **96** 19
~ tongs **291** 35
~ of unminced meat **96** 17
sauté **288** 12
savoy **59** 33
Savoy biscuit **97** 20
savoy cabbage **59** 33
saw **85** 34–41, **127** 1–8
~ axle **149** 24
~bill **343** 15
~ blade **85** 35, **127** 5, **149** 11
~ buck **53** 6
~ chain **85** 46, **115** 16
~ cut **85** 21
~ f. cutting branches **58** 9
~ file **127** 26
~ frame **149** 12
~ guide **85** 47, **128** 3
~ handle **85** 37
~ horse **53** 6
sawing shed **115** 3, **149** 29
saw jack **53** 6
~ mill **149**
saw mill· foreman **149** 25
~ worker **149** 19
sawn log **149** 38
saw set **127** 49
saw tooth **85** 36, **284** 32
~-tooth roof **116** 20
~ trestle **53** 6
sawyer* **149** 19
saxboard **269** 43
saxifrage **359** 1
saxophone **303** 69
scabious **359** 29
scaffold **15** 50
~ *[Tech.]* **229** 32
~ angle brace **113** 25
scaffolding **217** 18
scaffold pole **113** 23
scalder **28** 62
scale *[map]* **15** 29
~ *[pan]* **41** 60, **272** 3
~ *[Mus.]* **299** 47–50
~ *[Bot.]* **356** 42
~ armour **310** 64
~ insect **81** 35
~ lamp **235** 20
~ microscope **110** 31
~ ornament **317** 15
~ pan **333** 36
Scales **5** 19, **6** 38
scalloped **354** 46
~ sleeves **338** 46
scalloping **101** 6
scalpel **26** 39
scalper **323** 7
scaly animal **351** 10
~ ant-eater **351** 10
~ urchin **365** 24
scandalmonger **53** 29
scanner **237** 20, 21, 22
scanning radar set **230** 37, 39
scansorial bird **345** 6
scantling **115** 10, **149** 28
scape **354** 52
scapula **19** 7
scapular **314** 15
scapulary **314** 15
scar **11** 48
scarab beetle **342** 39
Scarabeidae **342** 39
scarboards **269** 31
scarecrow **55** 27
scarehead* **325** 42
scarf **37** 9, **266** 47
~ joint **116** 87
~-pin **38** 17
scarlet pimpernel **63** 27, **70** 28
scauper **323** 7
scenario **292** 45
scene **237** 10, **296** 2, **297** 36
~ number **292** 35
~-painter **296** 35
scenery **296** 2
scene-shifter **297** 46
scenic artist **296** 35
~ artist's palette **296** 36
~ railway **291** 5, 39
scent *[Hunt.]* **86** 8
~ bottle **48** 27
~ spray **48** 28, **104** 20
scepter* see sceptre
sceptre **289** 59, **308** 3,8
schalmeys **301** 13
schedule* *[Railw.]* **200** 20
~* *[School]* **249** 26
~ drum* **200** 16
schilling **244** 13
schizocarp seed· capsule **354** 95
~ vessel **354** 94
schnap(p)s **98** 56
schnauzer **71** 37
schnorkel **267** 39
scholar **249** 28
school *[Educ.]* **249**
~ *[shoal]* **90** 52
~ bag **249** 55
~boy **249** 28
~ cap **31** 58, 59
~ cupboard **249** 25
~ desk **249** 27
~ figure **284** 13–20
schooling lane **272** 30
school ma'am* **257** 27
~man* **249** 10
~ map **249** 20+21
~master **249** 10
~ materials **249** 32-70
~ mistress **257** 27
~ room **249** 1
~ utensil **249** 32–70
~ of whales **90** 52
schooner **215** 14, 18, 20
~ foresail **270** 29
~ yacht **270** 27, 28–32
Schwabacher type **325** 2
sciatic nerve **20** 30
science of light **331** 22–41
~ of sound **331** 18–21
scimitar wing **225** 68
~-wing aircraft **225** 67
scion **57** 37
scissors *[tool]* **102** 66, **103** 5
~ *[Gymn.]* **279** 33
~-hold **281** 17
sclera lamp **109** 11
scolex **341** 25
scoop *[tool]* **28** 58, **323** 6
~ *[Tech.]* **67** 43, **221** 65
~ bucket **113** 82
scooter *[child's ~]* **258** 8
~ *[motor ~]* **183** 1–37
~ *[snow ~]* **286** 16
~ carburettor **183** 53–69
~ combined seat and pillion **183** 2
~ rider **183** 38
~ seat f. child **183** 30
~ seat and pillion **183** 2
scooter sidecar **183** 3
~ w. sidecar **183** 1
~ trailer **183** 36
~ wheel **183** 35
score board **287** 17
~ marker **287** 17
scorer **287** 17
scoring a goal **275** 37
scorper **323** 7
Scorpio **5** 38, **6** 39
scorpioid cyme **354** 77
Scorpion **5** 38, **6** 39
scorpion **342** 40
scorzonera **59** 35
Scotch fir **356** 20
~ kale **59** 34
~ tape* **238** 79
~ terrier **71** 17
Scottie *[coll.]* **71** 17
Scots fir **356** 20
~ pine **356** 20
scourer **41** 24, **91** 53
scouring machine **162** 8
~ nozzle **211** 62
~ rush **360** 18
scour outlet **212** 62
scout **266** 40
scrag and neck **95** 6
scrap of cloth **102** 81
scraper *[tool]* **130** 38, **134** 67, **171** 55, **323** 17, 63
~ *[mach.]* **196** 17
~ *[door ~]* **118** 25
~ chain conveyor **138** 14, 37
~ flight **149** 34
scrap-iron· box **135** 42
~ feed **140** 58
scrap paper* **238** 18
~-steel feeder **140** 25
scratching ground **75** 16
~ space **75** 16
scratch pad* **238** 17
scray **162** 37
screech owl **347** 17
screed **197** 14
screen *[sieve]* **113** 85, **153** 9
~ *[shield]* **52** 65, **331** 32
~ *[Film]* **292** 16, **295** 11
~ *[Met.]* **10** 53
~ apron **67** 42
~ on carriage **162** 60
~ counterweight **171** 3
~ curtain **295** 10
~ dot **172** 32
screening *[Phys.]* **331** 63
~ *[T. V.]* **236** 23
~ glass **135** 27
~ hood **293** 6
~ plant **137** 8, **153** 8, 19
screen plate **254** 11

screen table 162 63
~ wiper 186 10
~ work 130 4
screw [Tech.] 136 13–48
~ [dive] 268 45
~ auger 68 53
~ cap 161 44
~ clamp 115 66
~ clip 331 11, 334 30
~ closure door 67 61
~ coupling 206 24
~-cutting change lever 142 9
~ dive 268 45
~-driver 107 29, 120 46, 134 66
~ drum 302 57
~ groove 136 36
~ w. groove 136 34
screwing tool 142 46
screw-in miniature circuit-breaker 120 18
~ f. outlet of air 232
~ post 217 68
~ shot 264 4
~ slit 136 36
~ w. slit 136 34
~ slot 136 36
~ w. slot 136 34
~ socket adapter 120 64
~-spanner 119 52
~-thread gauge 145 41
~ wrench 119 53
scribbling block 238 17
scriber 145 34
scribing block 145 33
scrim 124 25
scrimmage 275 19
script 324, 325
~ girl 292 39
scripts 324 1–20
Scripture 311 14
scroll [Art] 315 26, 316 23
~ [script] 308 56, 60
~ [cello] 302 17
~ opener 162 13
~ rod 162 13
~ saw* 129 12
~ saw blade* 129 13
scrotum 22 71
scrubber 52 25
scrubbing-board 53 70
~-brush 52 25, 49, 53 59
scrub-brush* 52 25, 49, 53 59
~woman* 52 52
scruff of neck 18 21
scrum 275 19
scrummage 275 19
scull 269 17, 35–38
sculptor 322 1
sculptor's studio 322
sculpture 322 32
scurf 103 27
scut 88 19, 62
scutcheon 246 1–6
scutcher 156 14
~ lap 156 47
scutching tow 125 7
scutellum 82 5, 342 30
scythe 66 12
~ anvil 131 34
~ blade 66 13
~-bladed sickle 58 29
~ edge 66 14
~ hammer 131 33
~ heel 66 15
~ sheath 66 18
Sea 15 25
sea 13 26, 15 19-26
~ aircraft 225 32
~ anemone 349 20
~ bear 352 18
~ being 307 40
~ bull 307 47
~ calf 352 19
~ cow 351 24
~ cucumber 349 18
~ deity 307 23
~-eagle 347 5
~ fishing 90
~-fishing line 90 28
~-fan 349 8
~ gherkin 349 18
~ glider 271 24
Sea-Goat 5 36
~ goddess 307 23
sea-going· barge 220 22
~ keel yacht 270 1–4
~ lighter 220 22
sea grass 362 54
~ gull 343 14
~ hedgehog 340 24, 349 19
~ horse [Zool.] 350 18
~ horse [Myth.] 307 44
seal [wax] 232 27
~ [insulation] 148 62, 254 64
~ [coating] 118 5
~ [lead] 203 44
~ [soldering] 120 61
~ [Zool.] 352 18–22
sealed cell 78 33
sea level 11 11
~ lily 349 3
sealing wax 232 27
sealskin 283 43
seam [Cloth.] 102 4
~ [mine] 137 22, 23
sea maid(en) 307 23
~ man 307 23
~ mark 219 43–76
seamen's mess 223 49
seam frame 270 24
~-frame construction 270 23
sea monster 307 47
seam roller 121 40
seamstress 102 75
sea otter 352 17
~ pen 349 14
seaplane 225 32
~ stack 13 25
search n. 223 56, 247 9
searchlight 222 39
~ platform 222 38
seaside resort pleasure boat 216 36
sea star 340 23
~ swallow 343 11
seat [body] 18 40
~ [Tech.] 136 63
~ [chair, etc.] 44 11, 54 18, 72 45
sea tangle 362 48
seat-cleaner 51 32
seat frame 185 42
seating f. permanent lining 138 32
seat pillar 180 24
~ prop 285 4
~ stays 180 19
~ of trousers 34 34
~ tube 180 18
sea urchin 340 24, 349 19
~weed 124 23
~ wheate-grass 63 30
secant 328 50
secateurs 58 15
second [Mus.] 300 20
~ [cut] 277 2 to 1
~ [Box.] 281 40
secondary n. 332 35
~ armament 222 33
~ coil 332 8
~ contact 147 57
~ cooler 148 14
~ fairway 219 69
~ pipe 119 25
~ return 40 79
~ terminal box 147 60
~ winding 147 16, 332 8, 35
second belly band 72 23
second-class· matter* 232 24
~ road 16 36
second crossing 277 52
~ dozen 263 26
~ finger 21 66
~ floor* 39 3, 113 14
~-hand bookshop 253 3
~-hand shop 253 54
~ pilot 226 39
~ power 327 1
~ reduction roller mill 91 62
seconds hand 107 6
second stage rocket 229 42
seconds wheel 107 21
second thigh 73 36
secretary 238 10, 292 39
section [iron] 136
~ [plan] 144 59
~* [sleep. car] 204 15
sectional bookcase 47 53
section crew's rail car crane 208 36
~ of a flower head 362 12
~ hand* 198 20
~ line 84 1
~ mark 325 36
~ steel 141 73
~ of track 198 12
sector 328 54
~ scale 294 16
securing [Sports] 282 30
securities counter 242 6
~ payment counter 242 1
security 243 11–19
~ control key 206 35
sedan* 187 1
sedge peat 13 17
sedimentary rock 12 1
sedimentation 13 69
seed [Bot.] 60 23, 65 12, 69 13
~ [Zool.] 89 66
~ barrow 66 39
~ box 67 25
~ capsule 63 5, 367 8
~ corn 65 12
~-covering 366 34
~ drill 67 24
seeder [fish] 89 66
~ [mach.] 67 24
seed fish 89 66
~ leaf 354 87
seedling 57 6, 84 9
~ box 79 51
~ nursery 84 6
seed lip 65 11
~ lobe 354 87
~ pan 57 2
~ potato 69 39
~-sowing 57 1
~ tuber 69 39
~ vessel 354 94, 368 58
seesaw 258 55, 290 59
Seger cone 154 6
seggar 154 2
segment [Geom.] 328 52
~ [Zool.] 340 21
segmental arch 318 28
segment compartment 166 3
segmented crustacean 341 12
seine 89 3
seismic focus 11 32
~ intensity 11 37
~ sea wave 11 53
seismograph 11 39
seismology 11 32–38
seismometer 11 39
seizing 90 5, 216 62
selector 233 42, 236 27

selector shaft **233** 43
selenium **234** 30
~ rectifier **236** 14
~ vapour rectifier **295** 18
self-centering chuck **142** 38
~-cocking gun **87** 23
self-contained· house **39** 1–53
~ tractor **67** 1
self-cooker **262** 36
~-defence **281** 15–17
~-defense* **281** 15–17
~-discharger **208** 17
~-discharging van **208** 24
~-feeder **67** 45, **75** 8
~-feed hopper **75** 8
~-heal **360** 16
~-locking catch **75** 26
~-recording barometer **10** 4
~-recording rain gauge **10** 42
~- recording thermometer **10** 19
~-rescue **17** 33
~-service snack bar **260** 45-54
~-starter **227** 26
~-timer **111** 24, 37
~-timing release **111** 37
~-watering trough **64** 30
~-winding wrist watch **107** 1
seller **253** 5
selvage to selvage **102** 7
~ tape **102** 54
selvedge **159** 11, **165** 24
~ to selvedge **102** 7
~ tape **102** 54
semaphore type direction indicator **189** 46
semi-automatic machine **143** 1
~-balloon tyre **181** 10
~-bold letter **170** 3
semibreve **299** 15
~ rest **299** 23
semicircle **328** 46
semi-circular· arch **317** 19, **318** 27
~ steering wheel **183** 52
semicircumference **328** 46
semicolon **325** 19
semi-detached house **39** 69–71
~-dome **316** 73
~-high wing monoplane* **225** 19
seminal vesicle **22** 77
semiquaver **299** 19
~ rest **299** 27
semi-rotary pump **212** 47–52
semolina **98** 36
sempstress **102** 75
send a letter to my love **258** 4
sender **232** 36
sender's address **239** 15
~ name **239** 15
Sendzimir rolling mill **141** 67
senna **364** 16
~ leaves **364** 16
sensitive altimeter **228** 9
~ element **10** 22
~ section **78** 22
sepal **60** 44, **354** 58
separating funnel **333** 3
~ tank **148** 36+37
separation point **4** 46
~ of the rockets **229** 39-42
separator **167** 5
~ check flap **68** 63
~ pump **148** 29
septum musculare ventriculorum cordis **22** 52
sepulchral monument **312** 26
sequestrum forceps **28** 52
serial number of bond **243** 13
series *[Math.]* **327** 11, 12
~ compressors **227** 27
~ of pig moulds **140** 35
~ resistance **236** 8
~ topographic camera **15** 63
Serpens **5** 20
Serpent **5** 20
serpent *[Zool.]* **350** 38–41
~ *[mus. instr.]* **301** 12
~ foot **307** 39
serpentine *[Skat.]* **284** 14
serpent's body **307** 2
~ tail **307** 31
serrate **354** 44
serratus anterior **20** 42
serum **26** 32
servant **179** 20
server *[impl.]* **45** 24, **97** 32
~ *[Sports]* **276** 16, 45
~ *[Church]* **311** 52
service *[Sports]* **276** 17
~ area **276** 44
~ bell plate **259** 28
~ brake* **182** 16, **185** 40
~ bridge **212** 72
service court **276** 12
~ gangway **212** 72
~ hatch **248** 16
~ line **276** 6 to 7
~ pipe **148** 53+54
~ reservoir **254** 18
serviette **46** 9
~ ring **46** 10
serving the ball **276** 50+51
~ hatch **45** 62
~ spoon **46** 74
~ tray **261** 14
~ trolley **46** 32
sesame plant **367** 45
sesquiplane **225** 4
set *[assortment]* **46** 24, **286** 26, **297** 35
~ *[Film, etc.]* **237** 10, **292** 33
~ *[Bot.]* **57** 20
seta **359** 33
set of bells **286** 26
~ of carvers **46** 69+70
~ collar **136** 31
~-designer **296** 37
~ of filters **172** 6
~ of flags **245** 22–34
~ of floodlights **199** 46
~ hammer **132** 31
~ head **136** 55
~ of hooks **89** 34
setiferous animal **74** 9
set of machines **241** 40–61
~ of mathematical instruments **144** 28–48
~ of pearls **38** 12
~ piece **296** 30, **297** 47
~ of points **199** 15
~ of pulleys **216** 4, **331** 3
~ of rollers **141** 49+50
~ of rolls **141** 49+50
~ of saw blades **149** 3
~ screw **111** 35
~ of spindles **125** 8
S. E. Trades **9** 49
set square **144** 5
~ of stones **91** 21
~ of taut strings **276** 29
sett **194** 12
set table **46**
~ of teeth **21** 16–18
settee-bed **47** 46
setter **71** 41
~-combination **305** 46
setting *[jewellery]* **38** 25
~ *[scene]* **296** 2
~ back **113** 61
~ lever **240** 46
~ lotion **103** 29
~ mechanism **240** 47
~ of offshoots **57** 18
setting rule **169** 14
~ stick **169** 13
settling tank **252** 65
seven-headed dragon **307** 50
seventh *[Mus.]* **300** 25
~ *[chord]* **300** 18
seven-unit day-service diesel train **207** 37
~-yard line **275** 10
sewage disposal works **252** 64
~ farm **252** 66
~ lorry **195** 34
~ purification works **252** 64
~ treatment works **262** 64
~ waters **194** 36
~ works **252** 64
sewer **194** 36
sewing *[book]* **177** 34
~ awl **99** 62, **123** 32
~ box **102** 74
~ clip **124** 7
~ cord **177** 10
~ frame **177** 9
~ machine **102** 14–47
~ machine *[electr.]* **102** 14–40
sewing machine· cabinet **102** 13
~ case **102** 49
~ cover **102** 40
~ light **102** 47
~ needle **102** 55, 56
sewing needle holder **178** 21
~ saddle **178** 24
~ silk **102** 50
~ table **102** 46
~ tape **177** 10
~ thread **102** 21
~ wax **99** 16
sewn book **177** 32
sextant **219** 1
sexton **311** 26, 62
sexual organs *[female]* **22** 79–88
~ organs *[male]* **22** 66–77
sgraffito drawing **321** 41
shackle **185** 24
~ insulator **234** 23
shaddock **368** 23
shade *[shield]* **276** 35
~* *[shutter]* **39** 28
~* *[Theatre]* **297** 24
~ guide* **39** 29
shader **79** 6
shadow puppets **298** 28
~ roll **272** 43
~ show **298** 28
shaft *[column]* **317** 35
~ *[thill]* **72** 21, **179** 19, 30
~ *[screw]* **136** 59

shaft [Weav.] **159** 4
~ bracket **218** 53
~ chain **72** 20
~ circuit f. empty tubs **138** 3
~ furnace **140** 1
~ hood **226** 72
~ horse **179** 28
~ kiln **153** 12
~ landing **137** 27, **138** 1
~ f. selvedge **165** 20
~ sinking **138** 27
~ trunk **218** 56
~ tunnel **218** 56
shaker [cocktail~] **47** 40, **259** 61
~ [Tech.] **67** 46
~ shaft **67** 53
shake without turn **300** 31
shako **247** 3
shale* **323** 57
shallot **305** 18
shallow bog **13** 14
~-bowled champagne glass **46** 86
~ ground **219** 62, 72
~ pool **268** 21
shallows **219** 62, 72
~ limit **16** 9
shallow water **219** 62, 72
shaman **336** 24
shambles **94** 11–15
shammy **52** 28
shampoo **104** 15
shamrock **70** 1
shank [Anat.] **18** 52
~ [meat] **95** 14, 33
~ [screw] **136** 15, **141** 24
~ [shoe] **99** 53
~-end mill **143** 17
shape gauge **155** 19
shaper* **143** 52
shaping hammer **106** 41
~ machine **128** 22, **143** 52
'shard' **154** 21
share [plough] **68** 7
~ [security] **243** 11-19
~ of stock* **243** 18
~ warrant **243** 11
shark **350** 1
sharp [Mus.] **299** 51
~* [expert] **248** 36
sharpening steel **96** 30
sharpers' marks **247** 25
shave [tool] **126** 13, 14+15
~ [beard] **35** 25
shaving [beard] **104** 11
~ [wood] **115** 80
~ brush **104** 35
~ cream **51** 70
~ dish **104** 23
~-horse **126** 18
~ mirror **51** 81
shavings **127** 47, **129** 26
~ container **240** 72
shaving soap **51** 69, **104** 21
shawl collar **32** 20
shawm **301** 13
sheaf **65** 23
~ tie band **65** 24
shearing blade **162** 44
~ cylinder **162** 44
shears **119** 2
she-ass **74** 3
sheat fish **350** 12
sheath **69** 9, 21
sheathing board **114** 76
~ of supports **114** 73
sheath-knife **266** 46
shed [hut] **53** 47, **113** 48
~ [Weav.] **159** 40
shedding tappet **159** 57
shed f. electric locomotives **199** 18
~ entrance **221** 30
~ foreman **221** 22
she-dog **74** 16
shed platform **202** 24
sheep **74** 13
~ dog **71** 31
~ pen **64** 47
sheep's fescue **70** 24
sheepskin cap **336** 23
sheeps-wool quilt **48** 11
sheer·strake **217** 41
~wale **217** 41
sheet **48** 9, **141** 70, **214** 68, **239** 21
~ bronze **309** 34
~ cloud **8** 3, 4, 8, 9, 10
~-counter **175** 54, **241** 8
~ feed board **174** 22
~-feeder **174** 3, **175** 5
~ feed mechanism **174** 23
~ feed table **178** 9
~ glass **122** 5
~-glass manufacture **155** 1-11
sheeting-carrier **114** 78
~ support **114** 86
sheet-lightning **9** 39
~-metal casing **183** 34
~ of lined paper **249** 40
~ of writing paper **239** 1
~ pile **174** 2
~-pile bulkhead **114** 17, **212** 5
~ piling **114** 17
~ of postage stamps **231** 14
~ roller **106** 1
~ steel **141** 70
sheet-steel casing **181** 47
sheet wall **114** 17, **212** 5
~ writer **241** 32
~ of yarn **158** 55
she-fox **88** 42
shelf **250** 12, 15
~ [shallows] **219** 62, 72
~ f. bottles **260** 10
~ f. glasses **260** 9
~ f. magazines **250** 15
shell [egg] **75** 48
~ [foil] **277** 57
~* [boat] **269** 16, 63
~-built boat **269** 9
~ hoist **223** 70
~-like structure **11** 1–5
~ membrane **75** 49
~ plating **217** 41–46
~ trumpet **307** 41
shelter **193** 7
shepherd bird **346** 4
shepherd's-clock **70** 28
~-club **360** 9
~ flute **301** 2
~ god **308** 40
~-purse **63** 9
shield [protection] **3** 1, **135** 26
~ [Her.] **246** 5
~ [wild boar] **88** 55
~ [chivalry] **310** 57
~* [badge] **247** 24
~-budding **57** 30
~ fern **361** 16
shielding **236** 23
shield(ing) against radiation **3** 1
shield volcano **11** 13
shifting gauge **145** 30
~ keel **270** 10
~ spanner **119** 53
shift key **240** 26
~ lock **240** 27
shilling **244** 13, 37
shin [meat] **95** 28
~ bone **19** 25
shingle **117** 48
shingled hair **35** 34
shinny **275** 9–18
shin pad **274** 30, **284** 40
shinty **275** 9–18
ship **214–216**, **218**, **222**, **223**, **226** 65
~* **226**
Ship Argo **5** 45
ship·building **217**
~-building hangar **217** 3+4
~ chamber **212** 33
~ channel **211** 21
~ under construction **217** 26
~ drive **218** 58-64
~ elevator* **212** 29-38
shiplapped lumber* **115** 88
ship lift **212** 29-38
~ of the line **213** 51–60
~ run aground **224** 47
ship's kitchen **218** 37
~ library **218** 25
~ parts **217** 41–58
ship screw **217** 69
~ siren **218** 3
ship·wreck **224** 47
~wrecked man **224** 46
~yard **217** 1–40
shirt **33** 36, 39, 41
~ blouse **32** 6
~ bosom* **33** 42
~ button **33** 52
~ collar **33** 51
~ front **33** 42
~ sleeve **33** 43
~waist* **32** 6, **33** 9
Shiva **319** 19
shoal **219** 62, 72
shoat* **74** 9, **76** 40
shock [Agr.] **65** 21, 22
~-absorber **185** 29
shoe **100**
~ [Tech.] **114** 50
~ [windmill] **91** 14
~black **200** 11
~ brake **136** 95
~ brush **52** 40–43
~ buckle **100** 38
~-button hook **100** 10
~ clasp **38** 10
~-cleaner **200** 11
shoe-cleaning· cupboard **52** 26
~ foot rest * **200** 12
~ stool **200** 12
shoeing hammer **132** 42
shoe·horn **100** 17, 19
~ knife **99** 60
~maker **99** 23
shoemaker's apprentice **99** 13
~ globe **99** 25
~ stool **99** 14
~ workshop **99** 1-37
shoe ornament **38** 10
~-polish **52** 38
shoeshine* **52** 38
~ boy* **200** 11
shoeshining cupboard* **52** 26
~ stool* **200** 12
shoe sock **99** 4
~ sole **99** 50+51
~-stretcher **52** 46, **99** 20
~string* **99** 47
~-tree **52** 46
shoot [Bot.] **57** 37, **354** 19–25
~ [preserves] **86** 1–8
~ [Sledg.] **285** 11
~* [slide] **286** 17

shooting *[hunting]* **86** 1–52
~ *[Film]* **292** 26-61
~ brake **189** 2
~ cutting **57** 24
~ distance **86** 15
~ gallery **291** 58
~ fr. high stand **86** 14–17
~ hut **86** 51
~ in rutting season **86** 9–12
~ script **292** 45
~ shelter **86** 51
~ stand **86** 14
~ star **7** 28
~-stick **86** 10
shop **98**, **127** 1-65
~ assistant **98** 31, **256** 18
~ counter **79** 44
~keeper **98** 41
~ mincer **96** 4
shopper **253** 12
shopping bag **52** 48, **253** 13
shop traveller **145** 1
~ walker **256** 33
~ window **98** 1
shore **13** 4
short cape **338** 29
~-distance racer **273** 8
~ doublet **338** 41
shortening* **98** 23
shorthand **325** 13
~ note-book **238** 11
~ typist **238** 10
~ writer **238** 10
short jerkin **338** 45
~ line **90** 29
~ moustache **35** 26
~ pace **72** 2
~ pants **33** 56
~ pipe **105** 33
~-range light **185** 17
~ rifle **86** 30
shorts **31** 54, **266** 9
short sleeve **32** 32
~-stroke planing machine **143** 52
~ title **178** 44
~ wave **4** 22
short-wave· apparatus **24** 12
~ range **234** 37
~ therapy **24** 12
~ transmitter **10** 62
shot **89** 47
~ *[weight]* **280** 46
shote* **74** 9, **76** 40
shot·firer **150** 25
~ gun **86** 4, **87** 33
~ number **292** 35
shoulder *[Anat.]* **18** 22
~ *[street)** **197** 47
~ *[meat]* **95** 5, 9
~ *[Geol.]* **12** 41
~ *[Tech.]* **269** 46
~ *[letter]* **170** 40
~ bag **249** 69
shoulder blade **18** 23, **19** 7, **73** 18
~ camera **294** 22
shouldered arch **318** 33
~ bucket **309** 34
shoulder girdle **19** 6+7
~ height *[letter]* **170** 45
~ iron **40** 33
~-length hair **35** 27
~ pad **102** 80, **275** 30
~ stand **278** 29
~-strap **33** 12, **249** 45, 70
shovel *[coal ~]* **40** 43
~ *[excavator]* **196** 1
~ *[deer]** **88** 40
~-type excavator **196** 1
~* **113** 82
show **298** 29–40
~case **98** 3, **249** 18
shower *[rain]* **8** 19, **9** 37
~ *[bath]* **268** 2
~ bath **25** 1, **268** 2
~ cabinet **51** 14
~ rose **104** 38
showers **25** 1
shower tray **51** 17
show of goods **98** 1
~ jumping **272** 31-34
~man **291** 10
~man's caravan **202** 26
~ pipe **305** 1-3
~ window **98** 1, **253** 41
shredder **96** 39
shredding **163** 6
shrew **351** 7
~mouse **351** 7
shroud **214** 16
shrub **54** 4
shrubbery **84** 5
shrub-sprayer **58** 8
shrunken head **335** 30
shuck* **340** 30
shunting engine **202** 46
~ locomotive **202** 46, **206** 59
~ platform **220** 49
~ yard **202** 44–54
shutter **111** 44
~ catch **39** 31
shuttering **114** 11, 54–76
~ strut **114** 13
shutter opening **145** 64, **286** 11
~ release **111** 5
~ setting scale **111** 12
~-type dark slide **171** 5
~ f. ventilation **93** 4
shut-off valve **339** 30
shuttle *[Weav.]* **159** 25
~ *[game]* **258** 46
~ aerial ropeway* **209** 25
~ armature **331** 78
~ box **159** 9
~ car* **209** 28
~cock **258** 45, 46, **276** 37
~ eye **159** 29
Siamese script **324** 10
sickle **58** 28, 29, **66** 25
~-shaped tail **74** 25
sick-nursing **23**, **24**
side *[body]* **18** 32
~ *[Tech.]* **136** 2, **318** 40
~ *[Geom.]* **328** 26
~ *[spectacles]* **108** 16
~ altar **311** 45
~ armour **222** 57, **223** 60
~ of bacon **96** 11
~ of bed **48** 5
~ board *[planking]* **118** 10
sideboard *[cupboard]* **45** 42, 57, **46** 44
sideboards *[beard]* **35** 24
side building **53** 1
~ buntline **213** 36
~-burns* **35** 24
sidecar **182** 60, **183** 3
~ body **182** 62
~ bumper **182** 63
side cargo battens **217** 59
sidecar wheel **182** 64
~ windscreen **182** 66
side-comb **103** 36
~ corridor **204** 10
~ cutting pliers **192** 15
~ discharger **208** 19
~ drop-cloth **297** 11
~ drum **302** 51, **303** 48
~ drums **303** 57
~ elevation **144** 61
~ entrance **312** 15, **317** 13
~ of excavation **113** 72
~ of fourth **277** 12
~ frame **160** 20
~ gate **64** 2
~ girder **217** 49
~ light **182** 65, **218** 15
~ line **275** 9, **276** 2 to 3, 4 to 5
~ log **85** 11
~ nacelle **226** 76
~ note **178** 68
~ parting **35** 13
~ plank **131** 16
~-plate **45** 9, **181** 30, **212** 67
~-plate unit **181** 30 + 31
side platform **202** 24
~ pocket **34** 14
~ port **216** 43
~ rail **40** 16
~rite **7** 29
~ root **354** 17
~ rudder **213** 6
~ shoot **60** 20, **354** 21
~-show **291** 24
~ shutter **114** 55
~ snow-sweeper **195** 15
~-step **179** 13, **283** 24
~ stop **196** 34, 44
~ of storage bin **196** 35
~ strake **217** 42
~ street **194** 2, **253** 7
~ stringer **217** 47
~ stroke **268** 37
~ support position *[Gymn.]* **278** 18
~ swivel door **208** 3
~ tank **217** 34
~ of third **277** 11
~ trappings **72** 16
~ unit **195** 15
~ valve **184** 1–36
~-valve single-cylinder four-stroke motor **182** 61
~ vault **279** 51
~ view **144** 61
~ viewfinder **294** 17
~ of violin **302** 4
~walk* **39** 60, **194** 6, **195** 4
~ways lunge **278** 20
~ wall **212** 80
~-whiskers **35** 11, 24
siding *[track]* **199** 27, 29
sidings *[yard]* **202** 44–54
Siemens electric low-shaft furnace **140** 44–47
~ open hearth furnace **140** 20-29
sieve **77** 34–36
~ plate **333** 12
sifter **42** 52, **91** 26
sight *[scope]* **87** 29
~ graticule **87** 31, 32
sighting arrangement **87** 65
sights *[gun]* **87** 65, **90** 57
sight-scale division **87** 68
~seeing car* **179** 33
~ testing chart **26** 1
sign **6** 21-31, 32-43, **326** 15, 23, **327** 16
~ of accentuation **300** 40
signal *[Railway]* **199** 37-39, 41

ski joring **283** 5
~ jump *[jump]* **283** 14
~-jump *[hill]* **283** 7
~ jumper **283** 14
~-jumping **283** 7
~ kjoring **283** 5
~-lift **209** 15, **283** 2
skim co(u)lter **68** 11
skimmer *[spoon]* **41** 2, **96** 51
skim milk tank **77** 11
skin *[integument]* **75** 49
~ *[glider]* **271** 55
~ *[ski]* **283** 43
~ float **336** 11
~ freshener lotion* **103** 14
~ knife **96** 33
~ lotion **103** 14
skip *[bucket]* **113** 35
~ *[hive]* **78** 52
~ *[jump]* **280** 33–35
~ *[wagon]* **196** 25
~ bucket **140** 5
ski pole **283** 52–54
skipping **258** 53
~ rope **258** 54
skirt **32** 4
skirting **118** 21, 63, **121** 34
~ board **118** 21, **121** 34
ski stick **283** 52–54
~ track **283** 3
~ trousers **31** 44
skittle **287** 9-14
~ alley **287** 2
~ ball **287** 3
~ bowl **287** 3
~ boy **287** 7
~ frame **287** 8
~ player **287** 20
skittles **287** 1
skittle yard **287** 2
skiving machine **123** 3
ski wax **283** 58
skull **19** 1, 30–41
sky-blue **320** 6
~light **28** 27, **116** 8
~sail **215** 32
slab **115** 96, **149** 39
~ ingot **141** 43
~ junction **197** 46
~ of chocolate **98** 78
~ wood **149** 37
slacks **31** 41, **34** 3
slag bunker **199** 53
~ ladle **140** 10
~ outlet **140** 9
~ rod **141** 17
~ runner **141** 12
slaked lime silo **153** 23
slaking plant **153** 21
slalom **283** 15
~ race **283** 15
~ ski **283** 36
slashed doublet **338** 33
slate *[roofing]* **117** 85
~ *[writing~]* **249** 32
slate* *[election]* **251** 20
~ nail **117** 74
~ pencil **249** 57
slater **117** 71
slate roof **117** 61–89
slater's hammer **117** 73
~ plank **117** 66
~ shears **117** 84
~ shoe **117** 75
slate sponge **249** 36
~ stone **323** 57
~ surface **249** 34
~ table **264** 14
slath **130** 19
slaughter house **94**
slaughtering club **94** 8
~ cudgel **94** 8
~ hammer **94** 7
~ hatchet **94** 10
~ knife **94** 9
~ mallet **94** 7
~ mask **94** 4
~ tool **94** 4–10
slaughterman **94** 1
slaughterman's assistant **94** 3
~ findings* **94** 4–10
~ tools **94** 4-10
slave **289** 41
~ bangle **38** 15
~ driver **213** 47
~ galley **213** 44–50
~ tongs **2** 44
slay **159** 41
~ cap **159** 6
~ sword **159** 53
sled* **285** 11
~ dog* **336** 2
sledge *[sleigh]* **285**
~ *[hammer]* **132** 23, 24
~ dog **336** 2
~ hammer **137** 1, **150** 6
~ w. horn-shaped runners **285** 2
~ f. polar expeditions **285** 1
sledger **285** 12
sledge runner **285** 3
~ slip **285** 3
~ slipper **285** 3
~ sport **285** 5–20
sledging **285** 11+12
sleeker **99** 30, 31
sleeking iron **99** 30
~ stick **99** 31
sleeper *[person]* **257** 66
~ *[car]* **204** 14
~ *[railw. track]* **198** 87–89
~ *[log]* **85** 8
~ attendant **204** 16
~ conveyor truck **198** 24
~-layer **198** 19
~ train* **207** 38
~ transport **198** 25
~ truck **198** 23
sleeping car **204** 14
sleeping car· attendant **204** 14, 16
~ train **207** 38
sleeping man **257** 66
sleet **9** 35
sleeve *[Cloth.]* **34** 17
~ *[Tech.]* **186** 30, **209** 73
sleeveles gown **338** 50
sleigh **285** 11
~ bells **286** 26
sleight-of-hand artiste **298** 19
slewing **130** 2
~ crab **217** 21
~ crane **145** 16, **195** 26
~ gear **221** 4
~ pillar crane **221** 1–7
~ porting crane **221** 1—7
~ trolley pole **188** 13
sley **159** 41
~ cap **159** 6
~ sword **159** 53
slice *[piece]* **46** 22
~ *[server]* **42** 56, 66
~ of bread **46** 22
slicker *[tool]* **99** 30, 31
~* *[Cloth.]* **34** 39,
~* *[Insect]* **341** 15
slide *[Tech.]* **84** 32, **212** 55, **333** 33
~ *[chute, etc.]* **258** 36, **286** 17
~ *[Mus.]* **300** 30
~ *[mus.instr.]* **302** 47
~ *[organ]* **305** 7
~ *[photogr.]* **112** 48
~ calipers **85** 33
~ chair **198** 53
~ frame **112** 49
~-holder **112** 57, **333** 32
~ key **240** 50
~ plate **198** 53
~ projector **112** 55, **295** 25, **297** 17
slider *[weight]* **41** 61
~ *[organ]* **305** 7
~ *[Clothing]* **37** 22
sliderless chest **305** 12-14
slide rail **333** 31
slider soundboard **305** 12-14
slide rule **144** 7
~ saw **143** 46
~-scanner **237** 20
~ spring **183** 53
~ valve **212** 53–56
sliding *[on ice]* **286** 18
~ block **145** 30
~ cam **37** 22
~ contact **193** 27
~ door **75** 32, **92** 30, **256** 50
sliding drawer **339** 4
~ exit door **193** 14
~ gate **212** 18
~ handwheel **142** 13
~ keel **270** 10
~ lid **173** 2
~ object stage **110** 6
~ platform **148** 4
~ ring **282** 42
~ roof **187** 8, **208** 5
~ safety catch **87** 25
~ scale **333** 23
~ seat **269** 41—50
~ shelf f. the formes **169** 10
~ shutter **39** 28
~ shutter guide **39** 29
~ shuttle **102** 37
~ swivel door **207** 35
~ tray **339** 4
~ weight **41** 61, **333** 33
~-weight balance **41** 59
slim fuselage **225** 50
sling **282** 12
~* **258** 9
~ ring **87** 5
slingshot* **258** 9
slip *[slipway, etc.]* **217** 11–26, **285** 3, **291** 40
~ *[Cloth.]* **33** 28
~ *[Bot.]* **57** 20
~ *[shingle]* **117** 48
~ *[mus. instr.]* **302** 29
~* *[landslip]* **11** 46
~ board **285** 19
~-on casual **100** 12
~ galley **169** 12
~-on nib **144** 67
~ of paper **238** 18
slipper *[shoe]* **48** 34, **100** 45, 48
~ *[sledge]* **285** 3
~ animalcule **340** 9
slip ring **331** 77, 81, 82
~ road **16** 16
slipway **90** 33, **217** 11–26
~ crane **217** 23
~ floor **217** 17
~ frame **217** 19
~ portal **217** 11
slit *[screw]* **136** 36, 47
~ *[trousers]* **34** 30
~ gong **337** 18
slitting unit **176** 11
~ roller **176** 12
slit web **176** 9
sliver **156** 38, **157** 12, 13, 21
~ can **157** 3, 20
~ after drafting **157** 13
sloe **358** 27
sloop **215** 6, **270** 45
~ rigging **270** 45-50
slope **13** 57, 58, 65

slops **338** 34
slot *[slit]* **136** 47
~ *[Hunt.]* **86** 8
~ *[organ]* **305** 30
~ f. insertion **169** 48
~ forging furnace **133** 1
sloth **351** 11
slot machine **253** 50, **260** 48
~ milling tool **143** 16
~ mortiser **128** 32
slotted board **2** 45
~ wing **225** 58
slot f. weft feeler **159** 32
slouch hat **36** 9
slowing-down layer of graphite **1** 26
slow-motion camera **294** 28
slow-running· air jet **183** 59
~ vent **183** 58
slow train **203** 1
~ worm **350** 37
slubber tenter **157** 24
slubbing bobbin **157** 23
~ frame **157** 19
slub-catching device **158** 13
sludge bucket **195** 27
~ cone **11** 51
sludger **195** 25
'slug' of clay **154** 9, 10
sluice **212** 77
~ dam **212** 73–80
~ gate **212** 77
~-gate house **212** 42, 63
~ valve **212** 53–56
~-valve house **212** 42, 63
~way **212** 56, 62
~ weir **212** 73–80
slumber robe* **48** 56
small arm **87** 2
~ of back **18** 25
~ bus **188** 1
~ of butt **87** 7
~ cabbage white butterfly **81** 48
~ cabin **209** 20
~ cabin cableway **209** 19
~ capital **170** 14
~ cart **53** 49, **209** 19
~ car cableway **209** 19
~-cattle pen **202** 7
~ child **49** 26
~ cigar **105** 3
~ ermine **81** 5
~ garden **55** 1–31
~ holding **64** 1–60
~ Host **313** 46
~ intestine **22** 14–16
~ lamp **26** 51
~ letter **170** 12
~ lorry **189** 1–13
~ mask **289** 13
small moth **60** 62
~ moth's caterpillar **60** 64
~ octave **300** 65
~ parcel **231** 6
~ platform lorry **189** 10
~ punching ball **281** 20
small-shot·barrels **87** 27
~ cartridge **87** 49
~ charge **87** 51
~ round **87** 49
small soft hat **36** 28
~ sugar basin **261** 20
~ tart **45** 10
~ town **252** 1–70
~ van **189** 1–13
smash **276** 34
smash-up **253** 58–69
smelter **141** 7
smelting furnace **141** 1, **172** 19
~ head **164** 41
~ operations **141** 1–12
~ section **140** 8
smith **132** 10
smith's assistant **132** 13
~ hammer **132** 15
smithy **132** 1–42
~ chimney **132** 5
~ fire **132** 5
~ hearth **132** 5
smock windmill **91** 29
smoke *[cigarette]* **105** 14
~ box door **205** 26
~ cloud **4** 4
~-consumer **47** 30
smoked meat **96** 12
smoke flap **335** 9
~ hood **132** 6
smokeless powder **87** 53
smoke outlet **199** 11, **205** 22, **336** 21
smoker *[Railw.]* **203** 27
smoker's companion *[fam.]* **105** 40
smokers' requisite **105** 40
smoke stack **145** 48
~ stack cap **222** 40
~ tube **205** 8
smoking-cap **36** 5
~ chamber **96** 47
~ compartment **203** 27
~-jacket **34** 47, **47** 56
~ requisite **105**
~ table **47** 21
smoother **121** 38
smoothing blade **196** 18
~ brush **121** 13
~ choke **236** 19
smoothing hammer **132** 31
~ plane **127** 52
~ screed **197** 14
~-shaven face **35** 25
smuggled goods **247** 17
smuggler **247** 16
snack bar **260** 45–54
snag* **88** 10
snail **340** 25
snail shell **340** 27
snail's horn **340** 29
~ tentacle **340** 29
snaithe **66** 16
snake **350** 38–41
~ brooch **309** 28
~-charmer **336** 45
~ root **360** 10
snakeskin shoe **100** 33
snake weed **360** 10
snap *[button]* **37** 20
~ bean* **59** 8
~-fastener **37** 20
~ gage* **142** 49
~ hammer **132** 12
~ head die **132** 12
~ lid **23** 17
~link **282** 56
snapping beetle **81** 37
snap set **132** 12
snare drum **302** 51, **303** 48
snatch **281** 2
sneaker* **278** 48
snipe **88** 83
snippet **102** 81
snips **119** 1
~ f. cutting holes **119** 33
snorkel **223** 11, **267** 39
snort **223** 11
snout **74** 10, **88** 53, **350** 2
snow **9** 34
snowball **286** 15
~ fight **286** 14
~ tree **357** 10
snow·bell **362** 3
snow-blowing machine **195** 21
~ bridge **282** 25
~ chain **286** 9
snow-clearing· machine **208** 43
~ machinery **195** 1-40
snow cornice **282** 21
~drift **286** 5
~drop **62** 1
~fall **8** 18, **286** 4
~ fence **286** 6
~flower **62** 1
~ goggles **282** 19
~ guard **40** 8
~ guard hook **117** 16
~-handling equipment **195** 1–40
~ hut **336** 4
~ and ice climbing **282** 15-22
~-loader **195** 13
snow-loading lorry **195** 13
~-loading truck* **195** 13
~man **286** 12
~ paling **286** 6
~ plough *[mach.]* **195** 1–40
~-plough *[skiing]* **283** 20
~plow* **195** 1–40, **283** 20
~ push **286** 23
~ scooter **286** 16
~shoe **286** 13
~ shovel **286** 23
~ slope **282** 15
~ sport **285** 5–20
~storm **286** 4
~ vent **195** 24
snubber* **185** 29
snuff **105** 24
~ box **105** 24
snuffers **47** 29
soaking pit **141** 41
~ pit crane **141** 42
~ tank **153** 23
~ tub **130** 13
soap **30** 22
~-box orator **257** 49
~ dish **30** 22, **104** 34
~-dish recess **51** 10
~-powder **53** 55
soaring **271** 1–23
~ field* **271** 38
~ flight **271** 10
~ instructor **271** 29
~ pilot **271** 29
~ site **271** 38
soccer **274** 1
social class *[bees]* **78** 1, 4+5
sock *[stocking]* **31** 39, 56, **33** 62, 64, 65
socket **120** 5, **235**
~ f. accessories **111** 21
sock-suspender **33** 63
~ top **33** 65
soda **41** 28
~ water **47** 41, **98** 87
sodium **3** 19
~ chloride **164** 13
~ graphite reactor **3** 17–19
sofa **318** 17
~-bed **47** 46
~ cushion **44** 2
soffit *[roof]* **117** 27
soft animal **49** 5-29
~ball **275** 39–54
~ broom **52** 20
~ collar **33** 37
~ corn **69** 31
softener **121** 20
soft felt hat **36** 19
~ fruit **60** 1–30
softies* **48** 34
soft-lead core **87** 56
~ money **244** 29–39
~ palate **21** 21
~ pedal **304** 9
~ roe **89** 66

soft rusk **97** 46
~ soap **41** 31
~-water pipe **161** 50
soil covering **196** 64
~-grader **196** 19
~ injector f. killing the vine root louse **83** 4
~ pulverizer* **68** 35
solan (goose) **343** 9
Solanaceae **56** 6, **363** 7
solar disk **7** 19, **315** 12
~ eclipse **7** 24
~ globe **7** 19
~ physics **6** 20
~ spectrum **320** 14
~ sphere **7** 19
~ system **6** 21–31, 48
Soldanella **362** 3
soldering bit **106** 39
~ blowlamp **106** 14
~ borax **106** 40
~ disk **106** 17
~ fluid **119** 8
~ flux **106** 36, **119** 8
~ iron **106** 39, **119** 5, 6, 50
~ stone **119** 7
~ tool **119** 5–8
soldier's grave **312** 33
sole *[foot]* **21** 62
~ *[shoe]* **99** 50+51
~ *[plough]* **68** 6
~ bar reinforcement **208** 10
~ of foot **21** 62
~ leather **99** 50
solenoid* **233** 54
~ brake* **136** 100
sole plate **196** 33, **198** 36
~ plate screw **198** 38
~-protector **283** 55
solid *[Geom.]* **329** 30–46
~ brick **151** 20
~ ceiling **113** 16, **118** 28
~ coal **138** 9
~ cooler **77** 26
~-fuel rocket **227** 46, **271** 61
solidification of perlon threads **164** 43
~ of polyamide **164** 35
solid newel **118** 77
~ stairs **118** 16
~ screw chaser **134** 28
solid-web· girder **210** 30
~ girder bridge **210** 30
~ wooden girder **116** 72
~ wooden truss **116** 72
solid wheel **185** 15
solitary farm **16** 101
solo *[mach.]* **182** 1–59
solo dancer **298** 4, 5
~ machine **182** 1–59, **273** 27
~ organ **305** 45
~-skating **284** 4
solstice **5** 8
solution **327** 10
somersault **258** 6, **268** 43
somersaulter **298** 10
somewhat cloudy **9** 22
sonde **4** 42, 43
song-bird **344**, **346** 1–20
songster **346** 1–20
soothsayer **291** 36
sordino **302** 10, **303** 68
sorosis **368** 12
sorter **231** 39
sorting machine **241** 52
~ plansifter **91** 59
~ plant **148** 22
soubresaut **288** 20
sound-absorbing wall panel(ling) **234** 6
~ blimped studio camera **294** 1
~-board **301** 34, **303** 3, **305** 12–14, **311** 21
~-board groove **305** 13
~ body **301** 29
~ box **303** 2, 15
~ cable **293** 29
~ camera **292** 56
sound camera· room **293** 1
~ table **292** 57
sound chest **301** 18, 33
~-cutter **293** 24
~ demodulator **236** 18
~-doubling **293** 22-24
~-dubbing **293** 22–24
~ emission microphone **219** 39
~-emitter **331** 20
~ engineer **234** 3, **292** 60, **293** 24
sounder *[Nav.]* **219** 38
sound film· projector **295** 26
~ studio **292** 26–61
sound·head **295** 51
~ hole **301** 22, **312** 8
sounding balloon **4** 42, 43
~ board **301** 34
~ lead **219** 35–42
~ line **219** 35–42
sound intermediate-frequency amplifier **236** 16
~ lamp **295** 48
~-mixing **293** 22–24
sound-mixing· desk **237** 12
~ room **237** 16
sound-monitoring desk **237** 12
sound-on-film recording· camera **293** 8
~ studio **293** 1
sound output transformer **236** 31
~-projector **295** 26
~-recording equipment **234** 1+2
~ recording studio **292** 14
~-registering strip **294** 41
sound-reproducing· set **293** 13
~ unit **294** 52
sound rose **303** 5
~ scanning **295** 47
~ signal **219** 40
~ stage **292** 26–61
~ strip **293** 32
~ table **301** 34
~ track **293** 13
~-track printing machine **293** 18
~ transmitter **219** 39, **237** 37
soup bone **96** 8
~ cube **98** 26
~ flavouring **98** 30
~ ladle **46** 14
~ plate **46** 5
~ spoon **46** 61
~ tureen **46** 15
~ vegetable **69** 25
soutane **314** 33
South America **14** 32–34, **15** 13
~-East trade winds **9** 49
~ Equatorial Current **15** 34
Southern Cross **5** 44
southern fruits **368**
~ light **4** 35
Southern Ocean **15** 22
Southern stellar heavens **5** 36–48
~ Triangle **5** 40
South Polar Ocean
southwester **224** 54
sou' wester **224** 54
Soviet Union **14** 22
sow **74** 9, **76** 42
~bread **56** 5
~ bug **341** 12
sower **65** 10
sowing **57** 1, **65** 10–12
~ pan **57** 2
spa **262** 1–49
space **218** 28, **252** 14
~ *[Print.]* **170** 17
~ *[Mus.]* **299** 46
~band **169** 24
~ bar **240** 24
~ between words **170** 17
~ craft **4** 57
spaced letters **170** 13
~-out letters **170** 13
space flight **4** 48–58
~ betw. paragraphs **170** 15
spacer **114** 81, **240** 22
spaceship **4** 57
space station **4** 54
~ betw. teeth **136** 82
spacing piece **114** 69
spade **58** 1, 31
spades *[cards]* **265** 39+43
spadix **367** 55
spaghetti **98** 32
spa hotel **262** 8
Spain **14** 23, **244** 22
span *[bridge]* **210** 34, 68
~-bending **279** 3
Spanish hat **36** 17
~ pepper **59** 42
~ style dress **338** 27
~ walk **72** 1
spanker **213** 29, **270** 41
~ boom **213** 28, **214** 44
~ yard **213** 30
spanner **192** 1–3, 7–10
spanning **279** 3
span of oxen* **65** 16
~ saw **115** 61, **126** 3
spa orchestra **262** 20
~ park **262** 1–21
~ promenade **262** 10
spar **131** 21, **271** 53
~boom **271** 50
~ buoy **219** 54
~ ceiling **217** 59
spare lead **239** 36
~ tubular tyre **273** 23
~ wheel **185** 54
sparhawk **347** 12
spark *[dandy]* **289** 33
~-arrester **205** 24
~ coil **184** 8
~ gap **331** 73
sparking plug **184** 4
sparking plug· cleaner **192** 56
~ spanner **192** 8
~ tester **192** 56
sparkling wine **98** 63
spark plate **205** 24
~ plug* **192** 56
Sparmannia **56** 9
sparred frame **131** 20+21
sparring partner **281** 24
sparrow **53** 43
~ owl **347** 19
~ hawk **347** 12
spat **100** 30, 31
spatula **27** 51, **322** 10
spawn **89** 67
spawner **89** 66
speaker proposing the toast **259** 40
speaker's desk **251** 6

speaking membrane **200** 38
~-tube appliance **198** 76
~ window membrane **200** 38
spear* *[Nav.]* **219** 74
~-head **309** 2
~ thrower **335** 40, **336** 9
special bib tap **119** 35
~ bicycle **181** 15
~ camera **294** 28–35
~-delivery letter **232** 34
~ drilling machine **170** 49
~ issue **232** 21
specialist **26** 12, **248** 36
special postmark **231** 51
~ vessel **216** 40
specie **244** 1–28
specimen **26** 3, **249** 18
specs *[glasses]* **108** 12–24
~ *[Skat.]* **284** 21
'spectacle' brooch **309** 30
spectacle case **108** 25
~ frame **108** 14–16
~ glass **108** 13
~ lens **108** 13
spectacles **108** 12–24
spectator **291** 29
spectator's seat **296** 28
spectators' stand **274** 31
spectral analysis **6** 20
~ lamp **331** 26
spectrometer **331** 34
spectrum **320** 14
speed·boat **269** 6
~ change lever **142** 6
~ frame **157** 19
~ gauge **206** 54
~ indicator* **206** 54
~ jumping **272** 31–34
speedometer **180** 33, **186** 7
~* **206** 54
speed regulator **241** 12
~ roller skating **287** 33
~-skater **284** 24
~-skating **284** 23
~ switch **306** 36
~way* **16** 16
~well **359** 22
spelt **69** 24
spencer **215** 1
spermaceti whale **352** 25
spermatic duct **22** 74
sperm whale **352** 25
sphenoidal sinus **19** 54
sphenoid bone **19** 38
sphere **7** 19, **329** 41
~ conductor **331** 61
sphincter of anus **22** 63
Sphinx *[Myth.]* **307** 20
~ *[Art]* **315** 11
sphinx *[Zool.]* **342** 55, **348** 9
sphygmograph **29** 19
sphygmomanometer **23** 1
Spica **5** 18
spice biscuit **97** 5
~ rack **41** 10
spicula **70** 23
spider **341** 8, **342** 44–46
spider's web **341** 9, **342** 47
spigot hole **126** 27
spike *[shoe]* **280** 27, **282** 10, 37
~ *[bolt]* **94** 5
~ *[Bot.]* **69** 2, **354** 67
spikelet **69** 3, 10, **359** 41
spikes **280** 26
spillway **212** 60
spin *[billiards]* **264** 5
spinach **59** 29
spinal cord **19** 48
~ marrow **20** 25
spindle **142** 20, **180** 80, **308** 54
~ catch **157** 49
~ drive **157** 31
~ shaft **157** 46
~ wharve **157** 48
spine *[Anat.]* **19** 2–5
~ *[Zool.]* **351** 6
~ *[thorn]* **62** 18
~ of book **178** 41
spinet **301** 45
spinnaker **270** 39
~ boom **270** 40
spinner *[fish]* **89** 40
spinneret **342** 46
spinner gritter system **89** 45
~-type potato-digger **68** 41
spinning bath **163** 15
~ box **163** 17
~ device **157** 51
~ head **164** 41
~ jet **163** 14, **164** 42
~ machine **125** 8
~ pump **163** 13
~ reel **89** 27
~ rod **89** 20
~ top **258** 18
~ the top **258** 17
~ tower **164** 43
spiracles **342** 32
spiraea **358** 23
spiral *[Skat.]* **284** 8
~ arm **6** 45
~-chute in staple pit **137** 33
~ gasometer **148** 61
~ guide rails **148** 63
~ lead **89** 46
~-meander ware **309** 13
spiral mixer **261** 49
~ nebula **6** 44–46
~ oil cooler **206** 19
~-ornamented bowl **309** 13
~ separator **91** 51
~ spring **283** 50
~ staircase **118** 76
~ toothing **136** 90+91
spire **312** 6
spirit *[alcohol]* **98** 56–59
~ *[fuel]* **52** 32
~ *[Myth.]* **307** 55
~ blowlamp **120** 32
~ lamp **27** 57
spirits of salt **52** 35
spirit stove **266** 19
Spirographis **340** 18
spit **96** 48
~ rod **158** 54
spittoon **23** 16, 32
~ dodger **27** 7
Spitz **71** 19
splash board **179** 6
~ dodger **221** 47
splasher **269** 56
splash form **187** 19
~ guard **161** 22
splatter sieve **323** 24
spleen *[Anat.]* **22** 12, 27
splenius **20** 51
splice-grafting **57** 39
splint **17** 10, 12
~ bone **19** 24
splinter **131** 15
~ bar **131** 15
~ screen **222** 42
split guiding drum **158** 10
~ nucleus **1** 20
~ pin **136** 19, 76
splits **288** 22
split-tiled roof **117** 45
splitting hammer **85** 26
spoke **131** 28, **180** 27
~shave **126** 14, **127** 61
sponge **249** 4
~ cake **97** 14
~ string **249** 37
spongy lining **365** 17
sponson **222** 66, **225** 62
sponsor **313** 12
spool **295** 32
~* **102** 35
~ box **295** 27
~ of thread* **102** 20
spoon **45** 11, **46** 61, **266** 20
~ *[Golf]* **276** 69
~ bait **89** 41
~ bit **129** 16
~ chisel **322** 18
~-edged scraper **192** 16
spoon-shaped bow **270** 2
spoon-shaped rasp **99** 36
spoor **86** 8
spore **365** 13
sport **269**, **270**, **273**, **283**–**285**, **287**
~ boat **269** 9–16, **273** 46–50
~ fencing **277** 15–43
~ fishing **89**
sporting dog **71** 40–43
~ gun **87** 1–40
~ rifle **87** 1–40
~ single **269** 54
~ sledge **285** 11
~ weapon **87** 1–40
sports bicycle **181** 8
~ bike **181** 8
~ cap **36** 18
~ car **187** 11
~ coat **34** 2, 21, 41
~ deck **218** 22
~ handlebar **181** 12
~ jacket **31** 40
~man **86** 1
~ model **182** 59
~ news **325** 49
~-racing car **187** 19-30
~ shirt **31** 49, **33** 39
~ shoe **100** 22
~ stadium **252** 53
spot **21** 50
~ *[Film]* **292** 52
~ bar lamps **297** 16
~ light **171** 49
~-light printing arc lamp **173** 20
spotlight(s) **292** 52, **297** 16, 21, 48
~ flap **296** 1
spot remover* **53** 56
spotted hemlock **363** 4
spot white ball **264** 13
spout *[pot]* **45** 15
~ *[whale]* **90** 51
~ hole **352** 26
spray *[atomizer]* **48** 28, **121** 12
~ *[Bot.]* **367** 30
sprayer **83** 34–37
~ f. disinfection **94** 17
spray gun **121** 12, **175** 34, **191** 19, 21
~ head **104** 38
spraying apparatus **27** 9
~ machine **83** 43
~ tube **94** 18
~ liquid **83** 37
spray of leaves **367** 61
~ outlet **83** 6
~ screen **269** 56
~ tank **83** 32
spread-eagle **284** 5
~ fences **272** 33
spreading box **67** 8
~ flap **196** 42
~ roller **128** 55

sprig *[nail]* **122** 29
~ *[Bot.]* **356** 6
~ bit **99** 63
~ of blossoms **367** 22
~ pin **122** 29
~ wire **122** 28
spring *[water]* **16** 82
~ *[meat]* **95** 41
~ *[Tech.]* **10** 10, **185** 25, 26, **187** 24
~board **279** 17, 25, **290** 36
~board acrobat **290** 35
~ bolt **134** 37
spring bow· compasses **144** 38
~ dividers **144** 44
spring buffer **209** 50
~ bumper **209** 50
~ clip **41** 67, **42** 48
~ clip fastener **181** 29
~-clip pirn-holder **159** 33
~-contact switch **233** 7
~-damper **183** 46, **185** 29
~ developer **278** 50
~ dynamometer **331** 2
springer *[Arch.]* **318** 22
spring expander **278** 50
~ fly **342** 12
~-grip dumb-bell **278** 49
springing system **185** 24–29
spring mattress **52** 75
~ rail **304** 39
~-regulating device **10** 15
~ set teeth **127** 6
~ support **10** 13
~ tongue **193** 33
~ washer **136** 32, **198** 39
spring-water· collecting chamber **254** 24
~ pump **64** 25
sprinkler **79** 19, **195** 39
sprinklers **297** 6
sprinkler system **297** 6
sprinkling box **23** 60
~ can* **54** 17, **79** 26
~ device **195** 39
~ truck* **195** 36, 40
sprinter **273** 8, **280** 6
sprinting **280** 1–28
spritsail **213** 43, **215** 5
sprocket **180** 74
~ piece **116** 31
~ wheel **180** 38
sprosser **346** 17
sprout **354** 19–25
sprouting cutting **57** 24
sprouts **59** 30
spruce **356** 12
~ cone **356** 13
~ fir **356** 12
~ gall aphid **82** 38
~ needle **356** 19
sprue* **141** 22
sprung seat **67** 3, **68** 38
spud **69** 40
spun yarn **125** 17
spur *[cock, etc.]* **72** 50+51, **74** 26, **88** 82
~ *[tree]* **85** 22
~* *[Railw.]* **16** 25
~ gear **207** 9
spurge-laurel **361** 10
spur line* **16** 25
spurr(e)y **70** 12
spurt **273** 2
spur vein **73** 28
~ wheel **136** 80, 85
~ wheel gear **207** 9
Sputnik **4** 48
sputum container **23** 32
~ mug **23** 16
spy hole **248** 15
squab **74** 33
squad car* **248** 2
square *[Geom.]* **328** 33, **329** 31
~ *[chessboard]* **265** 3
~ *[instr.]* **127** 15
~ *[cloth]* **30** 4, 5, 6
~ *[scarf]* **37** 9
~ beard **35** 15
~ bracket **325** 25
squared plank **149** 1
square-faced hammer **137** 2
~ fore sail **215** 13
~ fuselage **225** 46
~ head **136** 37
~-head bolt **136** 37
~ iron **136** 9
~ mallet **127** 9
~ mesh **90** 19
~ notation **299** 3
~ parentheses (or parenthesis) **325** 25
~ root **327** 3
~ sail **214** 55–66
~ stern **270** 17
~ stock* **136** 9
~ tapered wing **225** 13
~ thread **142** 32
squash* **59** 23
~ hat **36** 9
squatting **278** 23
squaw **335** 10
squeaker **74** 33
squeegee **112** 37, **162** 61
squeezer **42** 42
squeeze roller **158** 43
squid **349** 4
squire-at-arms **310** 68
squirrel **351** 19
squirt oiler **102** 48
stabilization plant **139** 29
stabilizer **139** 29
~* **226** 81
stabilizing fin **229** 25, **273** 50
~ nose undercarriage **226** 36
~ surface **226** 80+81
stable **76** 1–16, **272** 1
~ boy **76** 10, **290** 27
~ door **64** 49
~ dung **65** 15
~ fly **341** 4
~ lantern **64** 37, **76** 1
~man **179** 27
~ window **64** 48
stabling **64** 47
staccato **300** 54
stack *[chimney]* **145** 48
~ *[goods]* **221** 36
~ *[rock]* **13** 25
~ *[pile]* **64** 16, 17
~ armour **223** 61
stacker truck **151** 18
stack of firewood **64** 17
stacking table **241** 43
stack of linen **48** 42
~ of logs **64** 16, **84** 24
~ of planks **149** 1
~ of plates **260** 11
~ room **250** 11
~ of wood **53** 31
stadium **284** 1
staff *[crew]* **203** 9+10
~ *[stick]* **278** 38, **308** 25
~ *[Mus.]* **299** 45+46
~ exercise **278** 37
stag **88** 4
~* **352** 2
~ beetle **342** 24
~ call **87** 46
stage *[Theatre]* **296** 14
~ *[platform]* **268** 7
~ *[rocket]* **229** 36, 37
~ bridge **297** 34
~ coach **179** 37, 39, 53
~ directions **297** 41
~ director **297** 30
~ floor **296** 3
~ frame **298** 39
~ hand **292** 24, **297** 46
~ horizon **297** 9
~ w. machinery **297** 1–60
~ manager **297** 30, 45
~ manager's desk **297** 29
~ work **292** 26–61
staghound **272** 63
stagnant water **211** 17
stain **127** 12
stained glass **311** 17
stain-remover **53** 56
stair carpet **43** 27
stircase **39** 72
~ bolt **118** 46
staircase construction **118**
~ cover board **113** 22
~ exit **39** 83
~ landing **118** 23
~ locks **212** 17–25
~ without well hole **118** 42–44
~ window **39** 81
stair rod **43** 28
~ runner **43** 27
stairs **40** 25, **118**
~ lamp **43** 24
stairway **161** 37
~* **39** 72
stake *[post, etc.]* **80** 7, **84** 25, **130** 6, **131** 10
~ *[Roulette]* **263** 13
~ brace **131** 22
~ net **89** 14
stalactic structure **13** 80+81
stalactite **13** 80
~ cavern **13** 79
~ vaulting **319** 17
stalagmite **13** 81
stalk **69** 6, **354** 20
~ w. flowers and immature fruit **362** 31
stalked eye **340** 28
stalker **86** 1
stalking **86** 1–8
stall *[shed]* **76** 7
~ *[Theatre]* **296** 19
~ box **272** 2
stallion **74** 2
stalls **272** 1
stamen **354** 57, **356** 18
stamp *[instr.]* **169** 7, **231** 42–44
~ *[postage]* **232** 3, 21, 30, 40
~ *[postmark]* **232** 17, 39
~ booklet **231** 12
~ cancelling **231** 45
stamped matrix **170** 37
stamper **141** 32
stamp folio **231** 13
stamping **231** 40
~ arm **239** 41
~ machine **231** 45
~ table *[Tech.]* **172** 10
~ table *[Post]* **231** 41
stamp rack **238** 21
stamps position **231** 9
stance **276** 20, 21
stanching blood **17** 14–17
stanchion **131** 10
~ brace **131** 22
stand *[support, etc.]* **99** 27, **111** 31, **130** 10
~ *[frame]* **102** 41
~ *[Gymn.]* **279** 29, 30
standard *[pole]* **114** 47, 59

standard *[flag]* **245** 14
~ anchor **217** 76
~ berry **55** 11
standard-film· camera **294** 1
~ scanner **237** 21
standard fruit tree **55** 30
~ gauge **142** 49
~-gauge locomotive **206** 1
~ ladder **113** 86
~ lamp **28** 15
~ meridian **15** 5
~ model **271** 41
~ of cavalry **245** 13
~ of President **245** 14
~ ring spindle **157** 45
~ rose **55** 21
~-time clock **234** 11
standing at attention **278** 1
~ at ease **278** 2
~ by **279** 16
~ cable **209** 27
standing and haulage· cable **209** 21
~ rope **209** 21
standing matter **169** 11
~-matter rack **169** 9
~ press **177** 20
~ rigging **214** 10–19
~ rope **145** 59
~ stone **309** 18
~ timber **84** 4
~ wrestling **281** 10+12
stand magnifying glass **108** 34
standpipe **255** 26
stand-up counter **260** 53
Stapelia **56** 15
stapes **19** 61
staple *[wire]* **240** 40
~ *[rayon]* **163** 1–34
~ length **164** 60
~ pit **137** 17
stapler **240** 36
stapling **240** 41
star *[celestial body]* **5**
~ *[Film]* **292** 27
starboard **221** 52
~ light **218** 15
~ side **221** 52
starch **53** 57
starched shirt **33** 41
star connection **147** 20
~ finch **344** 3
~ of first magnitude **5** 14
~fish **340** 23, **349** 17
starling **346** 4
star map **5**
starry sky **6** 1
star-spangled banner **245** 18
Stars and Stripes **245** 18
start **270** 51
starter *[person]* **268** 30, **280** 1
~ *[car]* **186** 6
~ *[motor]* **161** 24
~ battery **183** 22
~ board **272** 6
~ button **186** 6
~ motor **184** 50
~ pinion **184** 33
start and finish **273** 35
starting block **268** 27
~ device **162** 20
~ flag **272** 13, **273** 37
~ gate **272** 11
~ hole **280** 2
~ lever **172** 20
~ line **280** 3
~ mark **280** 3
~ number **273** 28
~ pedal **181** 50
~ place **268** 27
~ post **275** 62
~ resistance **129** 3
~ rod **160** 22
~ signal **201** 35
~ slope **271** 11
starting and stopping· handle **158** 65
~ lever **158** 17
start and stop· device **175** 32
~ pedal **175** 12
start-stop lever **156** 40, **174** 43
star wheel **143** 5, **323** 39
state cabin **218** 30
~ loan **243** 11–19
statement *[Math.]* **327** 8
state police force **247** 9–11
station **147** 1-8, **199** 1, 4, 36, **200** 54, **209** 39, 57
stationary casting mold* **172** 22
~ cupola **6** 12
~ mass **11** 43
~ mixing depot **197** 22
station building **199** 2
~ car **199** 30
~ car* **179** 33
~ clock **200** 30
~ of the Cross **311** 57
~ depot* **200**
~ governor **148** 48
~ hall **200**
~ meter **148** 45
~ mission **200** 53
~ platform **201**
~ post box **200** 52
~ restaurant **200** 13
~ wagon **189** 2
statue **316** 5, **319** 20, **322** 32
~ of a saint **311** 46
statuette **309** 8
stave *[staff]* **126** 21
~ *[Mus.]* **299** 45+46
stave-bending machine **126** 34
~-jointing bench **126** 31
stay *[rigging]* **214** 10–14
staying race **273** 11–15
staysail ketch **270** 44
~ schooner **270** 32
steady precipitation **8** 18
~ rain **8** 18
~ snowfall **8** 18
~ stand **143** 38
steam accumulator locomotive **205** 69
~ battery loco-motive* **205** 69
~ boiler **146** 5
~ chest **205** 31
~ coil **158** 52
~ collection box **205** 21
~ column **11** 22
~ cooker **96** 15
~ cut-off **205** 49
~ cylinder **205** 32
~ dome **205** 12
~-engine driver's seat **205** 61
~-locomotive driver's cab **205** 40–65
steamer *[ship]* **216** 32
~ *[pot]* **41** 76
~ *[mach.]* **67** 55
~ rug* **48** 55
steam fountain **11** 22
~ gate valve* **205** 49
~ generator **223** 8, **229** 20
steaming cone **126** 35
steam injector **205** 42
~ inlet **3** 8, **167** 23
~ jet **11** 22
~ laundry **166**
~ locomotive **203** 2, **205** 1
~-operated forging press **133** 48
~ outlet **3** 35
~ pipe **161** 64
~ piping **223** 7
~ power station **146** 1–28
~ railway engine **205** 1
~ regulator **205** 13
~-reversing gear **205** 18
~ship **216** 32
~ shovel* **113** 81
~ tug **220** 21
~ turbine **147** 23–30, **227** 54
~ vent **161** 4
~ washing machine **166** 1
~ whistle cock **205** 53
stearage hoe **68** 45
steed **307** 26
steel **96** 30, **138** 52
~ accumulator battery **332** 1
~ ball **136** 68
~-bar reinforcement **118** 37
~-bender **114** 21
~ cable **189** 55
~-casting ladle **140** 30
~ cylinder **174** 8, 9, **229** 5
~ drawing-in tape **120** 30
~ driver **276** 70
~ edge **283** 39
~ grit **141** 33
~ ingot **140** 32
~ ladder **255** 10
steel lattice· mast **209** 77
~ support **209** 77
steel-moulding ladle **140** 30
~ nib **239** 18
~ pile **212** 4
~ road surfacing **210** 2
~ set square **106** 28
~ shelf **250** 12
~ sleeper **212** 3
~ stanchion **208** 6
~ style **324** 21
~ support **171** 16
~ tape armouring **147** 50
~ tie* **212** 3
~ tip **99** 58
~ wheel glass-cutter **122** 26
~ wire **280** 50
~-wire armouring **147** 50
~ works **140** 20-62
~ wrist joint **2** 41
steep coast **13** 25–31
steeping **163** 4
~ the barley **92** 1–7
~ cistern **92** 2
~ tank **92** 2
steeple **312** 2
~ ball **312** 5
steeplechase **272** 23-29, **280** 20-22
~ course **272** 23
steeplechaser **280** 20
steep-sided valley **13** 45
~ slope **13** 57
steering **68** 54
~ axle **68** 72
~ castor **145** 81
~ column **185** 48, **219** 14
~ compass **219** 16
~ damper **182** 25
~ handle **68** 46
~ head bearing **183** 23
~ lock **183** 21
~ mechanism **181** 26
~ oar **213** 6

steering rod **186** 44
~ roller **197** 20
~ wheel **181** 27, **219** 15, **223** 41
~ wheel lock **183** 21
steersman **213** 2, **285** 7
steinbock **352** 7
stela **316** 33
stele **316** 33
stellar vault **318** 44
stem *[Tech.]* **134** 46, **217** 71
~ *[Skiing]* **283** 33
~ w. flowers and fruits **367** 46
~ w. fruits **367** 34
stemming sand **150** 29
stem post **213** 4
~ stitch **101** 4
~ turn **283** 33
~ winder* **107** 9
~ winding gear* **107** 14–17
stencil **37** 5, **121** 26, **321** 8
stenographer * **238** 10
stenography **325** 13
stenter **162** 21
step *[stairs, etc.]* **40** 27, **118** 17, **258** 39
~ *[Danc.]* **288** 11–28
~ fault **12** 8
~-ladder **52** 1, **119** 31
~ one **4** 45
~-on lever **41** 12
stepped boat **273** 48
~ pyramid **315** 22
~ racing boat **273** 46
~ tower **315** 32
~ waterfall **257** 9
steppe zone **9** 54
stepping stones **39** 45
steps **290** 20
step two **4** 47
~ wheel **136** 80
stereobate **316** 4
stereo camera **111** 27
stereophonic camera **294** 39
~ film **294** 36-44
~ sound-recording by three-channel system **294** 38
stereo·photography **111** 27
~planigraph **15** 66
stereoscope **111** 28
stereoscopic camera **111** 27
stereo slide **111** 29
~ test microscope **110** 17
stereotope **15** 64
stereotyper **172** 4
sterile bandage **28** 10
~ cloth **28** 13
~ gauze dressing **17** 6
sterilized cloth **28** 13
~ instrument **28** 14
sterilizer **28** 60, 61
sterilizing apparatus **28** 60
~ drum **28** 5
stern **217** 63–69, **270** 1
sternal ribs **19** 9
stern crane **224** 10
~ fender **224** 5
~ frame **217** 67+68
~ gallery **213** 56
sternocleidomastoid **20** 34
sterno-mastoid **21** 1
stern post **213** 1
~ rudder **213** 24
~ shape **270** 11–18
~ stay **270** 47
~ torpedo tube **223** 27
~ tube **223** 27
sternum **19** 8
stern wheel* **225** 8
stethoscope **26** 14, 26
stevedore **221** 22
steward **216** 53, **251** 10
stewardess **226** 32
stewardess' cabin **226** 42
stewed fruit **46** 30
~-fruit bowl **46** 28
stewpan **41** 75
sticharion **314** 26
stick *[staff, etc.]* **43** 15, **278** 38
~ *[aircr.]* **228** 35
~ *[violin]* **302** 14, 56
~ of alum **104** 22
~ blade **284** 38
~ disk **283** 54
'sticker' *[label]* **232** 28
sticker* *[poster]* **253** 22
~ *[organ]* **305** 9
stick exercise **278** 37
~ handle **284** 37
sticking **95** 20
~ plaster **17** 7, **23** 54
stick-on label **231** 4
stick pin* **38** 31
~ of vanilla **366** 48
sticky band **83** 26
~ paper **83** 3
stiffening **210** 31
~ girder **210** 27
~ rib **212** 78
stiff shirt **33** 41
stifle **73** 33
~ bone **73** 33
stigma **60** 41, **342** 32, **354** 56
stile **115** 25
stiletto *[weapon]* **277** 66
~ *[tool]* **101** 12
still *n.* **139** 25, 32
~hunter* **86** 1
~hunting* **86** 1–8
stilling basin **212** 61
~ pool* **212** 61
still life group **321** 27
stills camera **292** 23
stilt *[pole]* **258** 38
~ *[Zool.]* **343** 19
~ *[plough]* **68** 3
~ bird **343** 19
~ plover **343** 19
~ shank **343** 19
~-walker **343** 19
stimulant **366**
sting **78** 11, **342** 43
stinging nettle **63** 33
~ organs **78** 10–14
sting sheath **78** 12
stink weed* **363** 8
stippling brush **121** 22
~ iron **322** 15
stipule **60** 48, **355** 73
stirrer **333** 18
stirring machine **42** 30
~ spoon **42** 61
stirrup *[Anat.]* **19** 61
~ *[iron]* **72** 43
~ leather **72** 42
~ strap **72** 42
stitch **102**
~ cam **160** 58
stitcher head **177** 54
stitching **32** 55
~ block **123** 21
~ horse **123** 22
~ machine **99** 2
~ thread **99** 3
~ scale **102** 18
~ work **101** 10
stock *[anvil]* **133** 29
~ *[windmill]* **91** 2
~ *[Railw.]* **203–208**
~ *[Bot.]* **57** 33
~* *[cattle]* **74** 1+2
~* *[Comm.]* **243** 11-19
~ anchor **217** 76
~ broker **243** 4
~ dye solution **161** 21
~ Exchange **243**
~-exchange list **242** 5
stocking **33** 32–34
~ being knitted **258** 16
~ repairer **102** 61
~-suspenders **33** 19
stock inlet **168** 7
stcck jobber* **243** 4
stockless anchor **217** 75
stock market* **243** 1–10
~ preparation **167** 5+6
~ of rifle **87** 3
~ saddle **72** 37–44
~ shears **119** 43
~ suspension **167** 4
stogie* **105** 4
stogy* **100** 21
stoker **203** 10
stola **314** 35, **338** 9
stole **314** 35
stomach **18** 35–37, **22** 13, 41+42
stomachic-intestinal canal **78** 15–19
Stomiatidae **349** 10, 13
stone *[rock]* **65** 9
~ *[Curling]* **284** 44
Stone Age **309** 1-9, 10-20
stone age idol **309** 8
~ axe **309** 19
~ ball **335** 32
~ base wall **39** 85
~ bolt **136** 41
~ bridge **16** 50
~ chippings **150** 23
~-coffin burial **309** 17
~crop **359** 21
~-crushing plant **150** 18
~ fence* **319** 23
~ fender **187** 16
~ filling **211** 51
~ fruit **61**, **354** 99
~ fruit plant **61** 1-36
~ hammer **150** 35
~ jar **80** 17
~ jug **80** 17
~ marten **352** 14
~ mason **150** 34
~ mason's mawl **150** 36
~ mole **16** 48
~ packing **211** 51
~ pine **356** 29, 55
~-pine cone **356** 57
~ riprap **211** 55
~ slab **312** 64
~ spindle **91** 12
~-spreader **196** 31
~ statue **257** 2
~ step **54** 24
~ trough **64** 28
~ vase **257** 35
~ wall **319** 23
stook **65** 21, 22
stoop* **39** 66
stop *[halt]* **263** 30, **333** 37
~ *[station]* **16** 27
~ *[mus. instr.]* **303** 44, **304** 44, **305** 6, 16
~ *[diaphragm]* **331** 29
~ bar **306** 23
~cock **51** 41
~ crew **29** 10
~ cylinder press **175** 20
~ fillet **114** 62
~ gear **145** 24+25
~-go* **253** 39
~ key **303** 42
~ knob **333** 38
~ lamp **186** 28
~ light **186** 28, **193** 9
~ measure **142** 47
stopped flue pipe **305** 34
stopper *[cork, etc.]* **112** 11
stoppered graduated measuring glass **334** 27
stopper rod **141** 10

stopping handle **157** 6, 32
~ a leak **224** 1+2
~ train **203** 1
stop plate **193** 2
~ ring **282** 45
~ rod blade **159** 43
stops *[organ]* **305** 39
stop sign **198** 80
~ signal **199** 39
stop and start lever **156** 31
~ valve **339** 30
~ watch **280** 28
storage **148** 3
~ bag **48** 44
~ battery **233** 53
~ cask **93** 20
~ cell **78** 35
~ lake **212** 57
~ pool **212** 57
~ reservoir **212** 7, **254** 13
~ sack **48** 44
~ shed **220** 38
~ tank **139** 66, **220** 61
store *[storage]* **152** 10
~* *[shop]* **98** 1–87
~ clerk* **98** 13
~ dress* **256** 29
~house **310** 13
~keeper* **98** 41
~ of material **197** 51
~ window* **98** 1
storey see story
stork **64** 7
stork's nest **64** 6
storm ball **267** 4
~ coat **34** 41
~ lantern **54** 8, **76** 16
~ signal **220** 6
~ warning **220** 6
story *[house]* **39** 3
stove **41** 35, **52** 64
~ bolt* **136** 34
~ bench **260** 36
~-door **41** 43
stovepipe **53** 50
~ collar **53** 52
~ rosace **53** 52
stove-plate **41** 41
~-ring **41** 42
~ tile **260** 35
~-top **41** 41
stowed area **138** 16
stowing pipe **138** 18
straddled legs **278** 26
straddle vault **279** 20
straight *n.* **281** 25
~ angle **328** 9, 13, 15
~ blow **281** 25
~ edge **144** 8
straightener* **236** 14, **295** 18
straightening plate **119** 3
straight eyepiece tube **110** 10
~ fall **196** 57
~ halved joint **116** 86
~ handpiece **27** 14
straight hardy **132** 29
~ header **268** 12
~ line **328** 2+3
~ line edger **149** 2
~ parting tool **322** 20
~ punch **281** 25
~ row **265** 24
~ rule **144** 8
~ stem **270** 9
~ thrust **277** 20
~ wing **225** 11
strained honey **78** 62+63
strainer **42** 43, 44, **77** 7, **254** 32
strait **15** 24
Straits of Gibraltar **15** 24
strake **217** 42, 43, 45, 52
stramony **363** 8
strand **125** 22
stranded ship **224** 47
strangle-hold **281** 16
strap *[band]* **33** 12, **203** 14
~ *[Tech.]* **114** 60, 65
~ brake **136** 102
~-cutter **123** 19
~-cutting machine **123** 19
~ drop hammer **133** 16
~ hinge **134** 56
strapless brassière **33** 15
strap pulley **125** 9
~ shoe **100** 39
~ wheel **125** 9
stratification **12** 1
stratified rock **13** 48
stratocumulus cloud **8** 3
stratoliner **226** 30
stratosphere **4** 12
~ balloon **4** 41
~ passenger aircraft **226** 30
stratum **12** 22, 23
stratus cloud **8** 4
straw **65** 29
~ baler **65** 30
strawberry **60** 21
~ plant **60** 16
straw braiding **36** 37
~ bundle **76** 9
~ conveyor **68** 61
~ feeder **68** 70
'straw fiddle' **303** 61
straw file **132** 35
~ hat **36** 6, 39
~ hive **78** 52
~ intake **65** 31
~ litter **76** 12
~ mat **79** 6
~ press **68** 71
~ rick **65** 28
~ roof **64** 35
~-shaker **68** 62
~ shoe **100** 7
~ sock **99** 5
~ stack **65** 28
stream *[water]* **11** 18, **89** 8
streamer **245** 9, **289** 66
stream-straightening **211** 31
~-training **211** 31
street **194** 1, **252** 32
~ arab **53** 11
~car line number* **193** 22
~ child **53** 11
~ cleaner* **195** 8
~-cleaning **195**
~-cleaning machine **195** 1–40
~-cleansing machinery* **195** 1–40
~ corner **194** 5, **253** 15
~ floor* **39** 2, **113** 7
~ hawker **253** 5, **291** 51
~ lamp **39** 62
~ musician **53** 24
~ nameplate **253** 2
~ seller **253** 5
~ sign **253** 2
~ singer **53** 24
~-sweeper **195** 12
~-sweeping brush **195** 32
~ vender **253** 5
~ vendor **253** 5
~-watering lorry **195** 31
strength *[ship]* **217** 41–53
stress accent **325** 30–35
~ cone **147** 36
stretch **279** 3
stretcher *[device]* **28** 33, **94** 12, **269** 47
~ *[litter]* **255** 23
~ bar **198** 51, 60
~ bond **113** 59
~ course **113** 63
stretching arms upwards **278** 5
~ bond **113** 59
~ section **168** 42
~ weight **23** 42
stride **280** 34
~ vault **279** 20
stridulating apparatus **341** 7
strike *[Geol.]* **12** 2
~ *[matrix]* **170** 37
striker **87** 21
striking circle **275** 12
~ hammers **301** 35
~ mechanism **107** 47, **304** 3
~ surface **105** 28, **276** 29
~ weight **107** 34
string *[cord]* **98** 47
~ *[mus. instr.]* **302** 1–27, **304** 7
~ *[stairs]* **40** 26
string bean* **59** 8
~ course **317** 52
stringed instrument **302** 1-27, **303** 1–31
~ keyboard instrument **301** 45
string of amulets **337** 40
~ of pearls **38** 12
~ tie* **33** 45
~ wreath **118** 49
strip **213** 34, **331** 56
~ of canvas **213** 34
striped trousers **34** 56
strip flooring **118** 62
stripper **139** 30
~ crane **141** 42
~ light **44** 38, **256** 23
stripping shovel **196** 1
strip steel **134** 60, **136** 11
~ of tin foil **331** 56
strobilus **356** 2
stroke *[Swimming]* **268** 33–40
~ *[Billiards]* **264** 2
~ *[rower]* **269** 12
~ exercise **268** 20
strong·hold **310** 1
~ man **291** 27
~-man act **298** 15
~-room **242** 4
~ tackle **216** 4
strop **104** 24
struck guitar **303** 73
structural parts **4** 57
~ system **317** 27–35
structure of crystal **330** 1–26
~ of the earth **11** 1–5
strut *[Build.]* **116** 58, 69, 82, **210** 50
~ *[chair]* **130** 24
strutted collar-beam roof truss **116** 37
~ purlin roof truss **116** 52
~ roof truss **116** 46
stub **84** 14
~axle bracket **185** 28
~ wing **225** 62
stubble field **65** 20
stubbly beard **35** 23
stud *[post]* **115** 25, **131** 10
~ *[collar]* **33** 61
~ *[shoe]* **274** 28
~ *[horse]* **74** 2
~ bolt **136** 22
student **250** 9
stud horse **74** 2
studio **237** 1–11, **321** 1–43
~ apartment* **39** 74
~ architect **292** 43
~ couch **47** 46
~ designer **292** 43
~ easel **321** 3
~ flat **39** 74
~ grounds **292** 1

studio hairdresser **292** 36
~ lamp **112** 59
~ manager **292** 25, 44
~ microphone **292** 31
~ skylight **321** 1
~ sound booth **292** 54
~ sound box **292** 54
~ spot **237** 9
~ spotlight **237** 9
study *[room]* **47** 1–61
~ in oil **321** 36
stuff chest **168** 1
stuffed bird **249** 16
stuffing **124** 23
~ box **205** 32, **218** 54
stump *[stub]* **84** 14
~ orator* **251** 5
stumps *[Cricket]* **275** 55
stupa **319** 21, 28
sty **76** 39–47
style *[Art, etc.]* **116** 1–26, **318**
~ *[pen]* **324** 21
~ *[Bot.]* **60** 42, **354** 55
~ dress **338** 27
~ of hair dressing **337** 9
~ of swimming **268** 33-40
stylobate **316** 32
stylus **324** 21
styptic pencil **51** 80, **104** 22
~ powder**23** 60
sub* **222** 18–20
sub-base· drainage **196** 61
~ grader **197** 1
sub clavian **20** 7, 8
~ contra octave **300** 62
~-drainage **196** 61
~ floor **118** 38, 73
~-grader **197** 1
~ head **178** 47
~-heading **178** 47, **325** 46
subject* **143** 49
sublimate bowl **28** 31
submarine **222** 18-20, **223** 18
~ contours **16** 11
~ diesel engine **223** 34
~ centaurs **16** 11
sub-maxillary gland **21** 11
submergible roller **212** 68
subscriber **233** 31
subscriber's teleprinter **241** 32–34
subsidiary float **225** 63
subsoil drainage **196** 61
substance container **334** 61
sub-standard· camera **294** 24
~ cinema projector **295** 52
~ film-scanner **237** 22
substation **146** 29-35
substitute **98** 65, **274** 45, **275** 38
~ flag **245** 30-32
substratum **11** 2
substructure **199** 49, **316** 4
sub-surface **196** 59
subterranean river **13** 83
subtitle **178** 47, 67
~ camera **294** 33
sub-total key **240** 63
subtracting **326** 24
subtraction **326** 24
subtractive mixture of colours **320** 12
subtrahend **326** 24
suburb **16** 28, **252** 11
suburban estate **252** 69
~ line **199** 34
~ railway **199** 19, **252** 63
~ terminal railway station **199** 4
subway* **252** 25
succory **360** 25
sucker **340** 17, **341** 25, 26
~ rods **139** 52
sucking proboscis **342** 17
suckling **30** 26
sucting box **157** 44
suction arm **177** 48
~ basket **254** 6
~ box **168** 14
~ couch **168** 14
~ dredger **211** 59
~ feed **174** 35
~ filter **333** 11
~ funnel **212** 51
~ gully **195** 28
~ hose **255** 67
~ line **297** 52
~ pipe **40** 55, **137** 31, **221** 57, **254** 5, 14
~ pump **26** 57, **211** 62
~ roller **24** 5
~ rose **254** 6, 43
~ tube **10** 36, **333** 21
suctorial organ **341** 25
~ pad **78** 9
sudden precipitation **8** 19
suède brush **52** 43
~ cap **36** 44
~ powder **52** 44
~ shoe **100** 2
sugar **98** 53–55
~ basin **45** 21
~ beet **69** 44
~ bowl **45** 21, **261** 20
sugar cake **261** 5
~ cane **366** 52
~-coated pill **23** 13
~ mite **341** 15
~-server **45** 24
~ tongs **45** 23
suit *[Cloth.]* **34** 4, 13, **278** 44-48
~ *[cards]* **265** 38–45
~ of armour **310** 38
suitcase **201** 4
~ for air travel **259** 15
sulcus longitudinalis anterior **22** 25
sulfate*, etc., see sulphate, etc.
sulky **272** 39
sullage pipe **141** 23
sulpherate pulp **167** 11
sulphurated head **105** 27
~ tip **105** 27
sulphuration **163** 9
sulphuric acid **164** 23, 24
sulphurous powder **103** 18
sulphur purification **148** 40
~ recovery plant **139** 61
sultana **98** 8
sum **326** 23
Sumatra cigar **105** 2
summer *[Arch.]* **115** 50, **116** 67
~ boarder* **262** 24
~ cage **339** 25
~ coat **32** 54
~ dike **211** 48
~ dress **32** 31
~ fruit tortrix moth **81** 9
~ house **54** 2, **55** 14, **262** 25
summerite* **262** 24, **267** 30
summer monsoon **9** 52
~ sausage* **96** 13
~ solstice **5** 8
~ visitor **262** 24
summit **12** 40
~ of rocket trajectory **229** 44
sump *[mine]* **137** 30
~ *[motor]* **184** 49
~ drain plug **184** 24
~ oil pail **191** 9
sun **6** 21, **7** 19–23
~ *[artificial ~]* **24** 17
~ animalcule **340** 7
~ bathing **268** 4
~ bathing lawn **39** 46
~ blind **39** 71
~ canopy **262** 14
~-couch on wheels **58** 38
~ deck **218** 22
~ dew **361** 14
sundial **58** 39
~ disk **315** 12
~ flower **55** 7
~ gear **136** 92
~ glasses **108** 20
~ guard **208** 16
sunk key **136** 71
sun monstrance **313** 33
~ parlour **39** 70
~ roof **39** 75
sun's energy **10** 48
sunshade **39** 71, **266** 6
~ bellows **294** 4
~ with filter holder and gauze clamp **294** 3
sun's halo **7** 22
sun shelter **75** 10
~ shield **187** 4
sunshine roof **187** 8
sun's limb **7** 22
sun·spot **7** 20, 21
~ suit **31** 5
~ trap **39** 70
~ visor* **187** 4
~ window **39** 68
super *[Film]* **292** 29
~-automatic vertical process camera **171** 33
~ charger **227** 6
superciliary arch **18** 5
super·elevation of curve **197** 30
~ heated-steam supply pipe **166** 21
~ heater **146** 9
~-highway **16** 16, **197** 32–50
~-hive **78** 45
~ imposed roof **319** 2
~ intendent of bath **268** 15
superior vena cava **20** 9, **22** 53
supers *[Theatre]* **297** 39
supersonic wave· apparatus **24** 14
~ treatment **24** 14
superstructure **216** 23, 25
supervisor* **256** 33
supervisory control apparatus **147** 5
supple-jack* **49** 14
supplementary angle **328** 14
supply **254** 1–66
~ can **77** 33
~ package **158** 15
~ package container **158** 16
~ tank **161** 51
support *[Tech.]* **116** 83, **141** 15
~ *[Acrob.]* **290** 29, 45
~ and counterweight for lid **161** 68
supporter *[Her.]* **246** 15+16

supporting cylinder **223** 62
~ outer wall **116** 77
~ pulley **156** 46
~ string **298** 31
~ structure **319** 9
~ wheel **189** 34
support pillar **160** 2
~ roll **255** 50
suppository **23** 7
suprarenal gland **22** 29
supreme pontiff **314** 54
surf **13** 27
surface **249** 34
~ *[Geom.]* **329** 40
~ *[Geol.]* **254** 1
~ casing **139** 16
~ condenser **146** 24
~ cooler **93** 1
~ crew **224** 14
~-cutter **143** 19
~ of earth **15** 1–7
~ gauge **145** 30
~ of the glacier **12** 56
~-grinder **143** 10
~ grinding machine **143** 10
~ installation **137** 3-11
~ lay-out **137** 3-11
~ of Mars **7** 13
~-milling machine **143** 18
~ milling and drilling machine **128** 22, **143** 18
~ of moon **7** 10
~ planer **149** 56
~ pre-heater **205** 23
~ printing method (or process) **323** 25+26
~ rotary switch **120** 10
~-testing instrument **110** 27
~ vibrator **197** 10
~ waters **194** 36
~ waves **11** 36
surf-board **267** 15
~-rider **267** 14
~-riding **267** 13
surge diverter **146** 35
surgeon **28** 17
surgeon's overall **28** 21
~ overalls* **28** 21
~ tourniquet **28** 54
surgery **26** 1–25
surge tank **212** 40
surgical clip **26** 38
~ cotton **28** 9
~ dressing **28** 6
~ instrument **28** 46–59
~ knife **26** 39
~ microscope **110** 9
~ needle **26** 36
surplice **314** 34
surround* **86** 34–39
surroyals *[stag]* **88** 9
surtax **232** 23
~ stamp **232** 21
survey **15** 46-62
surveying **15** 46-62
survey meter **2** 1, 19
suspected person **247** 10
suspended fishing tackle **90** 29
~ fuselage **225** 17
~ microphone **234** 7
~ platform **145** 55
suspender **33** 19, 63
~ belt **33** 18
~ girdle **33** 16
suspenders* **31** 52, **33** 47
suspension bridge **210** 22
~ cable railway **209** 15–38
~ eye **161** 42
~ gear **209** 54
~ insulator **146** 38, **193** 46
~ monorail **145** 53
~ railway **209** 30
~ ring **161** 27, 42
~ rod **210** 23
~ system **185** 24-29
~ tackle bolt **209** 72
~ wire **193** 41
sustaining pedal **304** 8
suture table **28** 2
S. V. single-cylinder four-stroke motor **182** 61
swab **28** 8
swage **119** 46, **132** 36
~ block **106** 18
~ head **136** 55
swaging machine **119** 21
swallow **346** 20
~ dive **268** 12
~ hole **13** 71
~tail *[butterfly]* **342** 52
~ tail *[suit]* **34** 58
~-tail twin crystal **330** 25
swamp **13** 14–24, **16** 20
~ plant **361**
Swan **5** 23
swan **257** 46, **343** 16
~ dive* **268** 12
~ mussel **340** 31
swan's house **257** 47
~ neck **117** 30
swarm of bees **78** 53
swarming net **78** 54
swat **83** 2
Swatchel* **298** 25
~ box* **298** 23
swath board **68** 49
swearing in **248** 31
sweater **32** 12
Sweden **14** 20, **244** 25
Swedish balancing form **279** 40
sweep **40** 31
sweep-back· airplane* **225** 27
~ wing* **225** 28
sweeping lorry **195** 31
sweep net **89** 3
~ seine **89** 3
sweet *n.* **98** 75
~ alison **63** 17
~ chestnut **368** 48
~ corn **69** 31
sweets **98** 75–86
sweet sedge **361** 22
~ shop **253** 19
~-william **62** 6
~-wine glass **46** 84
swelling cloud **8** 17
swell organ **305** 2
~ pedal **305** 50
swept-back· hair **35** 28
~ wing **225** 28
~ wing aircraft **225** 27
swift *[Zool.]* **343** 24
swill trough **76** 43
swimmer **267** 37
swimmers' pool **268** 23
swimming **268**
~ bath **25** 1–5
~ baths **268** 1–32
~ belt **268** 19
~ cap **267** 44
~ instruction **268** 16–20
~ instructor **268** 16
~ lane **268** 31
~ lesson **268** 16–20
~ pool *[basin]* **25** 2, **268** 21–23
~ pool *[baths]* **25**1–5, **268** 1–32
~ race **268** 24-32
~ stroke **268** 33–40
~ teacher **268** 16
~ trunks **267** 27
swine **74** 9, **88** 51
swing *[recreation]* **54** 25, **258** 58
~ *[Skiing]* **283** 32
~ *[Box.]* **281** 28
~-boat **291** 41
~ bridge **210** 55
~ door **204** 12
~ frame **67** 59
swingle **66** 28
~bar **131** 9
~ set **131** 8+9
~tree **131** 9
swing plough **68** 24, 27
~tree **131** 9
~ turn **283** 32
swipple **66** 28
Swiss formation **274** 26
~ stone pine **356** 29
switch *[El.]* **120**, **145** 19
~ *[Railw.]* **198** 47, 50
~ f. action-current **305** 47
~back **291** 39
~ blade **198** 52
switchboard **174** 37
~ panel **40** 67
switch box **172** 29
~ clock **294** 29
~ drive **198** 66
switcher* **202** 46
switch gear **146** 19
switching track* **202** 50
switch knob **199** 65
~ lamp **198** 50
~ lever **142** 11, **199** 58
~ lock **198** 59
~ panel **293** 11
~ signal **198** 50
~-socket outlet **120** 8
~ step indicator **206** 32
~ table **199** 69
~ toe **198** 52
~ tongue **198** 52
~ tower* **202** 47
~ trough **198** 65
~ weight **198** 49
~ f. wind **305** 47
Switzerland **14** 21, **244** 15
swivel **107** 12, **139** 9
~ chair **238** 34
swivelling wall bracket **27** 21
~ water tap **41** 23
swivel outlet angle valve **119** 37
~ outlet combination fitting **119** 38
~ rowlock **269** 41
sword *[loom]* **159** 53
~-flag **62** 8
~ play **277** 1–66
~-swallower **291** 26
sworn broker **243** 4
syllable **249** 7
symbol **6** 21–31, **327** 21–24
~ f. chessmen **265** 7
symbol of railway **201** 64
~ on map **15** 27–29
~ of planet **6** 21–31
~ of zodiac **6** 32–43
symmetrical figure **328** 24
symmetry **330** 3, 4, 5
symphysis pubis **22** 65
synagogue **252** 29
synchromesh clutch hub **186** 60
synchronisation separator **236** 15
synchronist **293** 27
synchronization **293** 25–29
synchronizer **147** 32

synchronizing device **147** 32
~ motor **293** 12
syncline **12** 18
syncopation **300** 39-45
synking **293** 25–29
synthetic fertilizer* **65** 14
syphon **47** 41
Syria **14** 43
syringa **357** 9
syringe **27** 11
~-scalder **28** 62
syrinx **301** 2
system of caves **13** 76
~ of coordinates **329** 1, 8
~ of lenses **108** 9
~ point **210** 52

T

tab **297** 23
tabby ribbon **36** 41
tabernacle **311** 39
table *[furniture, etc.]* **26** 20, **46**, **128** 35, 49, **143** 20, **204** 38
~ *[Geol.]* **254** 1
~ *[mus. instr.]* **303** 3
~-adjustment handwheel **143** 14
~ cloth **45** 6, **46** 2
~ covering **135** 43
~ decoration **46** 19
~-elevating screw **143** 56
~ feed drive **143** 22
~ game **265**
~ lamp **44** 7
~land **13** 46
~-leg **47** 22
~ linen **256** 57
~ model **124** 2
~ napkin **46** 9
~ roll **168** 11
~ w. rollers **128** 15
~ runner **44** 6
~ set f. coffee **45** 1–29
~ spoon **46** 74
tablet **23** 11
table tennis **276** 39–42
table tennis· ball **276** 42
~ bat **276** 40
~ net **276** 41
~ player **276** 39
table-top **47** 23, **264** 15
tablet tube **23** 10
tabloid **23** 11
tabouret **48** 31
tabulator clearance **240** 3
~ key **240** 21
tacheometer **110** 30
tachograph **205** 56
tachometer **205** 56
tachometric warning appliance **184** 46
tachymeter **110** 30
tack **136** 53
~ hammer **122** 18
tacking *[sail]* **270** 52–54
~ stitch work **101** 10
~ thread **102** 52
tackle **214** 1–72, **216** 4, 50, **331** 3
~ fall **331** 5
~ f. predatory fish **89** 34
tack line **245** 2
tadpole-shaped fuselage **225** 65
taenia **316** 19
taffrail log **219** 31
taffy* **98** 77
tag *[game]* **258** 23
tail *[animal]* **71** 12, **88** 80, **307** 43
~ *[flag]* **245** 9
~ *[page]* **178** 58
~band **178** 42
~-cable sleeve **209** 74
~ fin **225** 15
tail-first· aircraft **225** 36
~ model **271** 42
tail-fluke **352** 29
~ lamp **186** 29
tailless amphibian **350** 23–26
~ fin **225** 31
~ model **271** 40
tail light **182** 18, **186** 29
~ light indicator lamp **180** 47, **181** 44
~ line **117** 81
tailored blouse **32** 6
~ costume **32** 1
~ dress **32** 8
~ suit **32** 1
tailor-made suit **32** 1
tailor's chalk **256** 39
~ dummy **256** 34
tail·piece **302** 7, **303** 13, 17
~plane **225**, **226** 81
~pole **91** 32
tails *[suit]* **34** 57
tail section **229** 12–27
~ shaft passage **218** 56
~ skid **225** 6
~ sting **342** 43
tailstock **129** 7, **142** 29
~ centre **142** 26
~ centre sleeve **142** 27
~ sleeve adjusting handwheel **142** 30
~ sleeve clamping (or locking) handle **142** 28
tail unit **226** 80–83
~ unit bearers **225** 40
~ wheel **225** 8
~ wheel release lever **228** 33
take-board **292** 35
~-down weight **160** 32
take number **292** 35
take-off **271** 1, 4, **280** 33, **283** 10
take-off· board **280** 30
~ box **280** 41
~ deck **222** 72
~ platform **283** 10
~ spindle **295** 36
~ sprocket **295** 28
taker-in· roller **156** 53
~ under casing **156** 54
take-up· reeling friction **295** 37
~ roller **161** 16
~ sprocket **295** 28
taking aim **86** 34
~ an inhalation **262** 7
~ the logarithm **327** 6
~ of the oath **248** 31
~ a root* **327** 2
~ a sample **93** 10
talking picture projector* **295** 26
~ screen **295** 11
talky* **293** 1–34
tall fin **225** 24
tally **57** 4, **75** 43
tallyho* **257** 54
tallyman **221** 27
talon *[bird]* **307** 61, **347** 7
~ *[Comm.]* **243** 19
talus **11** 47
tambourine **258** 47
~-type body **303** 30
tamer **290** 52
tame rabbit **74** 18
Tamilian (or Tamilic) script **324** 11
tammy **31** 43
tam-o'-shanter **31** 43
tamped concrete **113** 1
tamper of beryllium **1** 50
tamping beam **196** 32, **197** 2
~ rod **150** 26
tampon *[Med.]* **28** 8
~ *[tool]* **323** 22
Tamulic (or Tamulian) script **324** 11
tan bark **84** 29
tandem **179** 50
~ kayak **269** 5
~-wing model **271** 43
tang **46** 60
tangent *[Geom.]* **328** 48
~ *[mus. instr.]* **301** 43
tangerine **368** 23
tank **52** 6, **185** 65, **229** 6, 7, 8
tankard **260** 6
~ of beer **260** 27
tank cap remover **192** 26
~ car* **208** 15
~ f. cooled water **145** 65
~ crown **217** 51
tanker **216** 22
~ terminal **139** 68
tank filler **40** 47
~ filler sleeve **186** 30
~ frame **181** 46
~ furnace **155** 1
~ inlet **40** 47
~ locomotive **205** 66
~ margin plate **217** 48
~ of liquid oxygen **229** 8
~ top plating **217** 51
~ wagon **208** 11, 13, 15
~ wagon f. chemicals **208** 11
tansy **364** 9
tap **119** 34–41
~ dancer **298** 5
tape **233** 61, **238** 79, **276** 53
~ measure **102** 73, **256** 38
~ needle* **123** 33
taper *[Bot.]* **360** 9
~ *[wax]* **78** 65
~ drill **143** 32
tape-recorder **237** 13, **306** 13
~-recording machine **293** 7, **306** 13
tapered pin **136** 35
~ file **106** 50
~ slacks **33** 8
~ tailplane **225** 35
~ trousers **33** 8
~ wing **225** 18
tape reel **306** 15
~-reproducer **293** 13
taper hole diameter gauge **134** 63
tapering glass **46** 85
tape roll **233** 63
tapestry **47** 45
tap f. evacuation **334** 53
tapeworm **341** 24
tap hole **126** 27
tap-hole· borer **126** 1
~ channel **140** 47
~ rod **141** 9
taping machine **158** 40
tapir **351** 26
tap operated by elbow **28** 43
tappet **159** 57, **184** 68
~ shaft **159** 56
tapping iron **141** 9
~ lead **147** 18
~ spout **141** 3
~ a spring **254** 24–39
tap wrench **134** 26
tar distillation **164** 4
tare *[Bot.]* **70** 18
~ *[wrapping]* **156** 4
tarefitch **70** 18
tar-finisher **196** 43
~ and gas water separator pump **148** 29

target **287** 47, **310** 79
tar heater **196** 46
tarmacs* **230** 2
tarpaulin **216** 51
tarred impregnated paper roofing **117** 90–103
tarsal bones **19** 26
tar-separator **148** 31
~-sprayer **196** 46
tarsus **347** 4
tart **45** 27
tar tank **148** 36, **196** 47
tart case **97** 15
tartlet **45** 10
tar truck **148** 38
~ tube **148** 12
tassel *[cap]* **36** 3
~ *[Cloth.]* **338** 23
~ *[Bot.]* **69** 35
tasset **310** 49
taster **80** 40
tatting **101** 19
~ shuttle **101** 20
tattler **53** 29
tattoo **289** 44
tattooing **289** 44
Tau cross **313** 53, 57
Taurus **5** 25, **6** 33
tawny owl **347** 19
taxi **253** 35
~ cab **253** 35
~-driver **253** 37
~meter **253** 36
~ passenger **253** 38
~ stand **253** 35
T-cross **313** 53
tea **98** 68
~ bush **366** 7
teacher **249** 10
~ of gymnastics **279** 39
teacher's desk **249** 12
tea-cloth **41** 14–16
~ cosy **45** 51
~ dance **259** 44-46
~ infuser **41** 81
~kettle* **45** 49
~ leaf **366** 9
team **84** 20, **274** 11-21, **279** 31+32
~ leader **279** 32
tea plant **366** 7
~pot **45** 47
~ plate **45** 9
tear bag **88** 14
tear-off· plate **240** 59
~ saw **240** 59
tea room **261** 1–26
~ shop **261** 1–26
~ shrub **366** 7
teasing machine **124** 17
tea spoon **45** 11
~-strainer **42** 43, **45** 48
teat **18** 28, **30** 48, **76** 20
~ cup **76** 23
~ cup cluster **76** 23
tea-towel **41** 14–16
~ tree **366** 7
~ trolley **45** 53
~ urn **45** 49
technical drawing **144** 6
~ laboratory **292** 9
~ office **144**
~ sectional drawing **144** 17
technician **1** 41, **144** 23
Teclu burner **334** 4
tectonic earthquake **11** 32–38
tedder **67** 29
tedding machine **67** 29
teddy bear **49** 5
tee **284** 45
teeing ground **276** 59
~-iron **136** 3
teenager **261** 23
teepee **335** 7
Tee-square **144** 20
teeter* **258** 55
~ board* **258** 55
teetering board* **258** 55
teeter-totter* **258** 55
teething ring **30** 40
tele·cast* **237** 12–39
~casting **237** 12–39
~film* **237** 21
telegram **232** 13
~ form **232** 13
~ position **231** 20
telegraph *[app.]* **241** 32
~ *[form]* **232** 13
~ blank* **232** 13
~ office **252** 19
~ pole **233** 66
telegraphy **233** 52–67
telemark **283** 23
~ turn **283** 23
téléphérique **209** 15–38
telephone **233** 1–51
~ book* **233** 3
~ booth* **233** 1, **243** 10
~ box **243** 10
~ call box **231** 24
~ case **233** 25
~ connections **230** 16
~ cord* **224** 20
~ directory **233** 3
~ kiosk **200** 46, **233** 1
~ operator **233** 16
~ receiver **233** 15, 30
~-user **233** 4
~ wire **224** 20
tele·photo lens **111** 43
~printer **241** 32–34
~-radiation apparatus **2** 28
telescope **15** 60, **108** 37–44
~ level **15** 48
telescopic fork **182** 52
telescopic magnifier **109** 9
~ sight **87** 29
~ spring-damper **183** 46
~ springing **182** 4, **187** 30
~ umbrella **43** 10
tele·thermometer **166** 9, **205** 50
~typewriter* **241** 32
television **236**, **237**
~ actor **237** 11
~ camera **237** 1
~ producer **237** 30
~ receiver **237** 31
~ studio **237** 1–11
~ transmission **237** 12–39
telford base* **118** 12, **196** 60
teller **242** 2
teller's counter **242** 1
telly **236** 1–31
telpher line **145** 53, **148** 6
tempera colour **321** 17
temperature **9** 8
~ chart **29** 16
~ control switch **42** 2
~ gauge **228** 19
~ graph **29** 16
~ regulator **48** 52
~ scale **4** 58
tempered face **132** 25
template **154** 14
~ pin **128** 27
temple *[Anat.]* **18** 6
~ *[Arch.]* **319** 7
~ *[Weav.]* **159** 13
~ buildings **319** 25
~ observatory **315** 32
~ portico **316** 50
~ tower **319** 1, 26
~ vestibule **316** 50
~ wall **316** 6
temporal artery **20** 3
~ bone **19** 33
~ muscle **21** 3
~ vein **20** 4
temporary bridge **210** 17
~ stop button **306** 20
ten **326** 3
~-colorroller printing machine* **162** 53
~-colour roller printing machine **162** 53
tender **203** 8
~ crew **224** 14
~ fall plate **205** 2
~ locomotive **205** 38
tenderloin* **95** 17
tendon **20** 48
~ boot **272** 44
tendril **60** 30
tenement house **53** 12
ten-metre platform **268** 7
tennis **276** 1–35
~ ball **276** 26
~ court **276** 1
tennis lawn **276** 1
~ net **276** 13
~ partner **276** 18
~ player **276** 16
~ racket **276** 27
~ racquet **276** 27
~ shoe **100** 24
tenon joint **116** 84, 85
~ saw **127** 51
tenor clef **299** 13
~ horn **302** 39
~ oboe **302** 38
~ trombone **302** 46
tenpins* **287** 1
tension-cable plate **209** 43
~ control **158** 60
~ device **158** 13
~ disk **102** 24
~ hoop **303** 56
tensioning-weight pit **209** 40
tension jaw **142** 37
~ spring **52** 77, **67** 32
~ weight **160** 50
tent *[Camping]* **266** 27
'tent' *[Zool.]* **81** 31
tent apse **266** 35
~ awning **266** 37
~ canopy **266** 37
tentacle **340** 29
tented arch **318** 35
tenter **157** 24
tent floor **266** 33
~ fly **266** 32
~-peg **266** 28
~-pin **266** 28
~ pole **266** 31, **335** 8
~ prop **290** 13
tenuto **300** 53
ten-yard line **275** 26
~-yards' circle **274** 9
tepee **335** 7
teres major **20** 55
~ minor **20** 54
tergites **342** 31
terminal *[El.]* **147** 33, 34, **184** 6, **332** 12
~ *[Railw.]* **199** 1
~ bud **354** 22
~ equipment **237** 33
~ moraine **12** 55
~ point **210** 52
~ station **199** 1
terminus **199** 1, **252** 30
term of sum **326** 23
tern **343** 11
Terpsichore **308** 70
terrace **13** 47, **261** 27, **274** 32
~ houses **39** 58–63
terracotta idol **309** 20
terramare **309** 15
terrestrial globe **7** 8, **249** 14
~ pole **15** 3
terrier **71** 15–18
Tesla transformer **332** 33
tessellation **321** 37

tesseral crystal system **330** 1–17
testaceous animal **340** 25–34
testicle **22** 72
testing shop **145** 1–45
~ sphere **331** 46
~ table **145** 37
testis **22** 72
test microscope **110** 17
~ tube **334** 34
~ tube stand **334** 35
tetradrachm **244** 1
tetradrachmon **244** 1
tetragonal bipyramid **330** 18
~ crystal system **330** 18+19
tetrahedron **330** 1
tevee camera* **237** 1
text *[letter]* **239** 9
~ *[Type]* **325** 1
textile-bleaching **161**
~-dyeing **161**
~ mill **158, 159**
~ pest **341** 14+15
~ raw material **163, 164**
text of letter **239** 9
thalamus **354** 53
Thalia **308** 61
thallus **362** 49
thatched roof **64** 35
Thaumatolampas diadema **349** 4
T-head bolt **136** 39
theater* see theatre
theatre **296–298, 316** 44
~ *[hospital]* **28** 1–45
~ agency **256** 26
~ auditorium **296** 16–19
~ chorus **296** 21
~ curtain **297** 23
~ dressing room **296** 43–52
~goer **296** 8
~ hairdresser **296** 48
~ nurse **28** 1
~ rehearsal **296** 20
~ seat **296** 28
~ sister **28** 16
~ spectator **296** 4
~ ticket **296** 11
~ workshop **296** 29–42
theatrical costume **296** 51
theatron **316** 44
thenar **21** 71
~ eminence **21** 75
~ muscle **20** 41
~ prominence **21** 75
theodolite **15** 52–62
therapeutic mud **262** 39
therapy **29** 30–38, 48–55
thermal *n.* **271** 19
~ bubble **271** 19
thermal lift **271** 19
~ soaring **271** 20
~ upcurrent **271** 19
thermic soaring **271** 20
thermo gage* **97** 63, **172** 16
thermograph **10** 19,55
thermometer **10** 57+58, **161** 9, 57, **205** 50
~ f. extreme temperatures **10** 57, 58
~ screen **10** 53
thermostable room **6** 19
thermostat **40** 78, **77** 9
Thessalian hat **338** 4
thickener **167** 6
thicket **16** 15
thick flank **95** 36
thickness **170** 48
thicknesser **128** 14
thickness gauge **145** 38
thick pencil **113** 51
thief **291** 16
thieves' marks **247** 25
thigh **18** 49
~ bone **19** 22
~ feathers **347** 3
~ plumage **347** 3
~ rappel **282** 32
thill **72** 21, **179** 19,30
~ horse **179** 46
thimble *[sewing]* **102** 53
~ *[plectrum]* **303** 27
thin flank **95** 15+16
thinner(s) **321** 13
thin veneer **128** 53
third *[Mus.]* **300** 21
third-class· matter* **232** 16
~ road **16** 30
third cross fold unit **178** 14
~ dozen **263** 27
~ quarter **7** 6
~ wheel **107** 20
thirteen-metre line **275** 4
thistle **63** 32
~-lifter **58** 25
thole **269** 29
Thomas converter **140** 48–62
thoracic nerve **20** 26
~ shield **342** 29
~ vertebra(e) **19** 3
thorax **18** 28–30, **19** 8–11
thorn **62** 18
~ apple **363** 8
~ branch **262** 2
~ house **16** 32, **262** 1
thorus **354** 53
thousand **326** 3
thread *[yarn]* **125** 21, 26, **160** 17, 36
~ *[Tech.]* **136** 16, 66
thread book-sewing machine **178** 16
~-chaser **129** 14
~-clearer **158** 20
~ cop **178** 18
~ cop holder **178** 17
~-counter **171** 25
~-cutting tool **142** 46
threaded pin **136** 46
thread guide **160** 3, 37, 54, 64
~ guide support **160** 38
~ head **180** 75
~ hook **102** 22
threading tool **142** 46
thread interlacing **165** 26
~ pitch gage* **145** 41
~ take-up lever **102** 23
three-bell telescopic gasometer **148** 61
~-car train **206** 60
~-control key **306** 36+37
~-cornered hat **338** 62
~-decker **213** 51–60
~-dimensional photography **111** 27
~-edged scraper **192** 16
~-eight time **299** 38
~-engined aircraft **226** 5
~-four time **299** 39
~-two time **299** 40
~-horse carriage **179** 45
~-jaw chuck **142** 38
~-lift telescopic gasometer **148** 61
~-line octave **300** 68
three-masted· fore and aft schooner **215** 18
~ topsail schooner **215** 19
three-master **215** 18-27
~-mast sailing vessel **215** 18–27
~-metre spring-board **268** 9
three-necked· bottle **334** 57
~ flask **334** 55
three-phase·alternator **147** 26
~ current **147** 42
~ generator **147** 1
~ motor **157** 35
three-pin· plug **120** 7
~ socket **120** 6
three-point · support **333** 28
~ switch **23** 53
three-pole· conductor rail **145** 15
~ contact rail **145** 15
three-pronged centre **129** 11
three-quarter· length coat **256** 21
~-length trousers **266** 12
~ sleeve **32** 16
three-section telescopic gasometer **148** 61
~-suture legume **354** 93
~-tined dung fork **66** 7
three-way· cock **331** 15
~ faucet* **29** 29
29 29
~ multiple plug **120** 16
~ socket **120** 14
~ switch **23** 53
~ tap **29** 29
~ tipper **189** 18
three-wheel· cabin scooter **183** 6
~ delivery motor lorry **189** 1
three-wheeled· chair **181** 22
~ road-sweeper **195** 6
~ truck **145** 80
three-wheeler **183** 6
three-wheel road roller **196** 36
thresher **67** 44
threshing cylinder **68** 57
~ drum **68** 57
~ floor **64** 38
~ machine **67** 44
thrice accented octave **300** 68
thrice-marked octave **300** 68
throat **18** 19
~ band **72** 11
~-gas outlet pipe **140** 13
~ lash **72** 11
~ latch **72** 11
~ piece **310** 42
throstle **346** 16
throttle control cable **182** 29
~ lever **228** 30
~ slide **183** 61
~ valve **183** 61
through-bend **298** 13
~ station **199** 36
~-vault **279** 52
thrower **154** 9
throw of fault **12** 6
throw-in **274** 49
throwing **280** 29–55
~ act **290** 43
~ board **336** 8
~ circle **280** 44

throwing the discus **280** 42–44
~ disk **280** 43
~ hammer **280** 49
~ the hammer **280** 48–51
~ the javelin **280** 52–55
~ knife **337** 15
~ line **224** 52, **280** 53, **287** 50
~ rope **335** 5
~-spear head **309** 2
~ stick of reindeer horn **309**5
~ wheel **154** 11
throw rug* **48** 35
thru* see through
thru·fare* **53** 19
~ line* **199** 35
thrush **346** 13–17
~-nightingale **346** 17
thrust bearing **218** 57, **223** 4
~ block **218** 57
~ cone **227** 33
~ cylinder **227** 60–63, **229** 22
~ frame **196** 30
~ of head **277** 42
thrusting weapon **277** 53, 63
thrust nozzle **229** 24
thru-train passenger car* **204** 1
Thuja **356** 39
thuja hedge **54** 13
thumb **21** 64
~ *[sewing machine]* **102** 30
~ hold **302** 45
~ stall **23** 30
~ tack* **144** 52
thunder·bolt **308** 2
~ cloud **8** 17
~flash **289** 53
thunderstorm **9** 38
~ front **271** 21
~ soaring **271** 22
thurible **313** 37
~ bowl **313** 40
~ chain **313** 38
~ cover **313** 39
thuya hedge **54** 13
~ tree **312** 29
thymele **316** 48
thyroid cartilage **22** 3
~ gland **22** 1
tiara *[crown]* **246** 37
~ *[jewellery]* **38** 6
Tibetan **336** 27
~ script**324** 12
tibia **19** 25
tibial artery **20** 20
~ muscle **20** 47
~ nerve **20** 32
tick *[cloth]* **48** 8
~ *[Zool.]* **342** 44
~ bean **70** 15
ticket **200** 36, **203** 48, **250** 25, **296** 11
~ agent* **200** 39
ticket book **201** 55
~ clerk **200** 39
~ collector **200** 25
~-collector's box **200** 24
~ office **200** 35
~-printer **200** 43
~-printing machine **200** 40
~ punch **201** 56
~-stamping machine **200** 40
ticking *[cloth]* **48** 8
tickler **182** 31, **183** 63
~ spring **183** 64
tide table **267** 7
tidewater limit* **13** 35
tie *[bow~]* **33** 45
~ *[Mus.]* **300** 41
~* *[sleeper]* **198**
~ bar joint **113** 30
~ beam **116** 53
~ piece **115** 42
~ of pigtail **35** 7
~-pin **38** 31
tierce crossing **277** 50
tiercel **86** 46
ties* **114** 39
tie tube **114** 49
~-wig **338** 77
tig *[game]* **258** 23
tiger **353** 5
~-moth **348** 7
tightener **240** 70
tightening device **125** 11, **149** 55
~ rope **149** 54
~ screw **144** 36, **186** 48, **302** 53
tight rope **290** 41
~-rope dancer **290** 40
tilbury **179** 44
tilde **325** 35
tile *[roof]* **117** 45–60
~* *[hat]* **36** 20
~-cutter **117** 33
~ drain **65** 44
tiled floor **51** 28
~ roof **117** 1
~ stove **260** 34
~ table **47** 21
tile hammer **117** 20
~ kiln **151** 19
tiler **117**
tile roof **117** 56
~ roofing **117** 45–60
Tiliaceae **56** 9
tiling batten **117** 17
~ hammer **113** 53
till *n.* **242** 1, **256** 5
tiller **213** 13
tilt *[covering]* **189** 15
~ *[joust]* **310** 71
tiltable garden parasol **54** 9
tilted block mountain **12** 9
tilt-holder **189** 16
tilting armour **310** 76
~ bearing **221** 62
tilting boiler **67** 60
~-bucket conveyor **145** 70
~ device **140** 43, 52
~ gear **189** 20
~ helm **310** 77
~ lance **310** 81
~ lath **117** 43
~ target **310** 79
timbales **303** 57
timber* **84**
~ bob **85** 27
~ bridge **210** 45
~ carriage **85** 2
~ chute **84** 32, **85** 7
~-fitting yard **115** 1–59
~-framed wall **115** 48
~ haulage **85** 1–6
~ house **39** 84–86
timbering **39** 84
timber·jack* **84** 18
~ -janker **85** 27
~ to be joined **115** 24
~ joints **116** 84–98
~ ship **220** 54
~ sleeper **198** 88
~ slide **84** 32, **85** 7
~ store **149** 1
~ trailer **85** 2
~ transport **85** 1–6
~ transport wagon **208** 20
~ wagon **84** 15, **208** 20
~ yard **115** 1–59
timbrel **303** 45
time **327** 7
~ *[Mus.]* **299** 30–44
~-accelerator **294** 30
~ ball **267** 5
~ clock **145** 85
~ of departure **201** 25
timekeeper **193** 37, **268** 24, **280** 9
timer **1** 49, **184** 7
time-retarder **294** 28
~ signature **299** 30–44
timetable **249** 26
~ drum **200** 16
time value of note **299** 14–21
timing knob **111** 20
tin bath **52** 59
tincture *[Med.]* **23** 58
~ *[Her.]* **246** 24–29
tine *[fork]* **46** 60
~ *[antlers]* **68** 34, 43 51, **88** 10, 31
tines **67** 22
tin figure **49** 25
~ foil **331** 56
~foil capsule **93** 44
~ of glossy point **121** 10
tinker **119** 13
tin loaf **97** 27
~man **119** 13
tinned fish **98** 19
~ food **98** 15–20
~ fruit **98** 16
~ meat **98** 20
~ milk **98** 15
~ vegetables **98** 17
tinner* **119** 13
tinner's shears* **119** 1
tin of ointment **30** 43
~-opener **266** 18
~smith **119** 13
~smith's snips **119** 1
~ soldier **49** 25
~ of vaseline **30** 43
tip *[finger]* **21** 79
~ *[tassel]* **36** 3
~ *[Mech.]* **145** 73
~ of axle **186** 54
~ heap **137** 9
tipper **114** 28, **189** 18
tipping bucket **209** 34
~ device **189** 20
~ gear **189** 20
~ lorry **189** 18
~ platform **145** 74
~ truck **114** 28
tip of spout **45** 16
~ stop **209** 35
~-up seat **204** 11
tired swimmer grip **17** 38
tire see tyre
T-iron **136** 3
tissue f. facial compress **103** 10
tit **344** 4
Titan **307** 37
title **178** 46
~ of chapter **178** 60
~ of column **178** 66
~ of drawing **144** 64
~ page **178** 45
~ pages **178** 43–47
titmouse **346** 7
toad **350** 23
~-flax **360** 26
~stool **363** 10–13
to-and-fro aerial ropeway **209** 25
toast *[bread]* **46** 34
toaster **42** 33
toasting *[speaking]* **259** 40
tobacco **105** 20, **366** 40
~ leaf **366** 43
tobacconist's kiosk **200** 47
tobacco-presser **105** 42
toboggan **285** 11, 13
tobogganer's crash helmet **285** 16
tobogganing **285** 11+12
toboggan slide **291** 40
~ slope **285** 11
toddler **49** 26

toe *[foot]* **21** 52, 53, 56
~ *[tree]* **85** 22
~ bone **19** 29
~ box* **99** 38
~ cap **99** 38
~-iron **283** 47
~ nail **21** 57
~ pad **275** 15
~ piston **305** 48
~-placing left **278** 21
~ plate **99** 58
~-strap **283** 46
toffee **98** 77
toga **338** 13
toggle **266** 29
~ action **177** 30
~ button **34** 38
~ joint **323** 30
~-lever drive **175** 16
~ link **206** 12
toilet* **51** 1–28, 35
~-bag **266** 26
~ cabinet **51** 82
~ paper-holder **51** 30
~ roll **51** 31
~ soap **51** 68
~ table **48** 26
~ window **53** 13
tom **74** 17
tomahawk **335** 16
tomato **59** 12
tomb **312** 23
~ recess **312** 63
tombola **289** 11
~ booth **291** 44
tombstone **312** 26
tom cat **74** 17
tomtit **344** 4
tomtom **303** 49
tone arm **306** 35
~ arm switch **241** 28
~ control **241** 29, **306** 26
tongs **135** 14
tongue *[Anat.]* **19** 52, **21** 25
~ *[mus. instr.]* **301** 52, **305** 19
~ *[knife]* **46** 52
~ *[shoe]* **99** 48
~ gusset **99** 48
~ hitch **17** 24
tonic for the scalp **104** 13
tonsil **21** 23
tonsure **314** 17
tool **142, 143, 192**
~ box **143** 3, **182** 41
~ cabinet **191** 12
~-carrier **142** 14, 16 **143** 45
~ chest **127** 10-31
~ cupboard **127** 10-31
~holder **142** 21, **143** 2, 57
~ joint **139** 18
~ kit* **182** 41
~-measuring microscope **145** 43
~ post **142** 21
~-rack **64** 41
~ room **39** 32
tool room machine* **128** 22
~ shed **79** 1
~ trolley **192** 68
tooth *[Anat.]* **21** 28–37
~ *[Tech.]* **136** 81, **282** 40
~bone **21** 29
~ brush **51** 57
~ brush moustache *[fam.]* **35** 26
~ brush stand **51** 56
toothed *[leaf]* **354** 44
~ gear rim **221** 6
~ lath **117** 26
~ rack **145** 22
~ sector **186** 42
~ tongs **132** 4
~ whale **352** 25
~ wheel **136** 80–94
toothed-wheel clutch gear **207** 2
~ gear box **207** 2
~ ratchet **192** 20
tooth glass **51** 55
~ glass holder **51** 54
tooth-grass **63** 30
toothing **136** 93, 94
~ plane **127** 54
tooth paste **51** 58
~-pick holder **260** 23
~ powder **51** 59
~-root elevator **27** 49
~ scaler **27** 47
top *[upper end]* **29** 15, **157** 52, **245** 10
~ *[toy]* **258** 18
~ bearing **128** 21
~ of bobbin **157** 52
~ boot **100** 28
~ chord **210** 48
~ clearer **157** 22
~ coat *[paint]* **121** 10
~-coat *[overcoat]* **34** 48
~ comb **156** 67
~ cushion **264** 16
~ die **132** 36, **133** 12, 27
~ discharge **140** 41
~ of fermenting apparatus **333** 7
~ film box **295** 27
~ of flagpole **245** 10
topgallant mast **214** 4
~ rigging **214** 18
~ sail **214** 58, 59, 64, 65
~ stay **214** 12
~ yard **214** 35, 36, 41, 42
Topham centrifugal spinning box **163** 17
top hat **36** 20, **179** 25
~ of head **18** 1
~ layer **118** 41
~ light **116** 21
~ log **85** 12
topmast **214** 3
~ rigging **214** 17
~ stay **214** 11
top nipper **156** 66
topographic camera **15** 63
~ instrument **110** 30–38
topper **36** 20, **179** 25
topping lift **214** 48
topping out **115** 8
top plate **177** 24
~ press plate **128** 58
~ rib **95** 21
~ of ring tube **157** 52
~ road **137** 37, **138** 10
~ roller **157** 11, 18, **159** 36
~ rope **90** 7
topsail **213** 38
~ schooner **215** 11–13, 19
~ yard **214** 33, 34, 39, 40
top side **95** 37
~ slide **142** 22
~ station **209** 57
~ step **118** 19
~ stroke **264** 3
~ swage **132** 36, **133** 12
~ of tree **354** 4
~ tube **180** 16
~ yard **213** 39
toque **36** 27
torch *[flaming light]* **308** 36
~ *[electric]* **120** 26
~ battery **120** 27
~ guide **135** 64
torcular **28** 54
toreador **287** 59, 61 63, 65
torero **287** 59, 61, 63, 65
torii **319** 11
toro **287** 67
torpedo **223** 32
~ boat **222** 14
~ hatch **223** 30
~ room **223** 28, 49
~-shaped fuselage **225** 16
~ stowage compartment **223** 29
~ tube **223** 27, 50
torque *[Her.]* **246** 2
~ convertor **207** 4
~ meter **192** 25
torse *[Her.]* **246** 2
torsional pendulum **107** 46
torso **322** 7
Tor steel **114** 82
torus **316** 28, 30
totalisator **239** 52, **272** 8
totalizator **272** 8
tote box* **208** 26, 47
~ box car* **208** 25
totem **335** 2
~ pole **335** 1
toucan **345** 6
touch *[game]* **258** 23
~-line **274** 7, **275** 23
~-me-not **361** 11
toupee **35** 2, **338** 8
toupet **35** 2, **338** 8
touring bicycle **180** 1
~ boat **269** 26–33
~ bus **188** 1
~ circus **290** 1–63
~ cycle handlebar **180** 2
~ double seater **269** 61
~ ski **283** 35
tourist's ticket book **201** 55
tournament **310** 71
~ pennon **246** 33
~ saddle **310** 87
tourney **310** 71
tourniquet **17** 15, **28** 54
Touropa long-distance coach **204** 48
tout **291** 8
tow *[rope]* **87** 63
~ *[launch]* **271** 1, 7
~ *[hemp]* **125** 7
~ boat **220** 21, **221** 51–55
~ boat* **217** 39
~-drying **164** 58
towel **51** 62
~ rail **51** 22, 61
tower **15** 51, **268** 6, **310** 14
~ base foundation **209** 81
~ crane **114** 31
~ cross piece **210** 39
~ f. high diving **268** 6
~ mast **219** 57
~ pincers **122** 19
~ platform **310** 8
~ roof **252** 42, **317** 7
~ slewing crane **114** 31
~ tomb **315** 21
~ wagon **206** 57
tow-finishing **164** 57
towing **211** 27
~ aircraft **271** 8
~ engine **211** 29
~ grip **17** 37
~ mast **211** 28
~ track **211** 30
tow motorcar **271** 3
town **16** 51, **252, 253**
~ banner **213** 22
~ bus **188** 7
~ centre **252** 33
~ coupé* **179** 3
~ gas **148** 1–46
~ hall **252** 41
~ house **252** 60
~ moat **252** 38
~ network **148** 53+54
~ parish church **252** 28
~ pressure regulator **148** 48

town's arms **246** 46
town wall **315** 30
tow·path **211** 30
~ rope **271** 2
tows of filament **163** 28
toy **49** 5–29
~ animal **49** 17
~ box **50** 12
~ bricks **49** 19
~ car **49** 23
~ cart **257** 56
~ drum **49** 21
~ house **49** 16
~ motor car **49** 23
~ shop **50** 10
~ soldier **49** 25
~ train **49** 20
~ trumpet **49** 18
trace *[harness]* **72** 22, 24, 35
~ *[Fish.]* **89** 30
~ *[scent]* **86** 8
tracer **102** 62
tracery **317** 39+40
~ window **317** 39-41
trachea **19** 50, **22** 4
tracing paper **144** 2
~ wheel **102** 62, **123** 14
track *[Railw.]* **199** 71
~ *[Sports]* **280** 5
~ *[Hunt.]* **86** 8
~-carrying train **198** 11
~-closed sign **198** 84
~ construction train **198** 1
~ diagram **199** 68
tracker **305** 9
~ action **305** 6-16
track and field events **280**
~ gauge **192** 34
tracking dog **71** 43
~ hound **71** 25
tracklayer* **198** 20
tracklayers' railcar crane* **208** 36
track-laying **198** 1–31
~ craft* **196** 3
track-laying in sections **208** 37
tracklaying tractor* **196** 3
trackless trolley* **188** 12, **252** 23
track·man* **198** 20
~ mountain railway **209** 1–14
~ racer **273** 2
~-relaying **198** 1–31
~ rider **273** 2
~ rod adjusting screw **186** 45
~ rotary snow plough **208** 43
~ shoe **280** 26
~ suit **280** 57+58
~ target* **198** 79–86
~-testing trolley **208** 38
track w. empty tubs **138** 4
~ w. full tubs **138** 2
traction car **193** 8
~ motor **207** 8
~ power gauge **206** 44
~ rope **145** 58
~ rope sleeve **209** 73
~ tramcar **193** 8
~ vehicle **207** 39
tractor **65** 25, **67** 1
~ aircraft **226** 5, **271** 8
~ airscrew **226** 4
~ lorry **189** 45
~ propeller **226** 4
~ tyre **67** 2
~ trailor unit **189** 31
trade barrel **93** 45
~ cask **93** 34, 45
tradesman **98** 41
trade winds **9** 48, 49
trading floor **243** 1
traffic accident **253** 58–69
trafficator **186** 27, **189** 46
traffic island **253** 30
~ island lamp **190** 30
~ light **253** 39
~ patrol **247** 19
~ point **247** 18
~ police **247** 18+19
~ policeman **253** 64
~ sign **253** 56
~ warning light **198** 78
tragedy *[symbol]* **308** 74
tragic mask **308** 75
trail *[condensation]* **229** 38
~ *[Hunt.]* **86** 8
trailer **189** 35, 50, **193** 6, **208** 46
~ coat* **266** 4
~ coupling **189** 43
~ curtains **297** 23
~ wagon **196** 25
trailing float **89** 53
~ tender **208** 1
trail rope **226** 63
train *[Railw., etc.]* **189** 44, **203** 1, **207** 37+38
~ *[Cloth.]* **338** 80
~ bar **204** 26
~ of cars* **199** 28
~ compartment **204** 27
~ conductor* **201** 54
~ cook **204** 23
trained horse **290** 30+31
train of empty stock **199** 28
trainer **290** 31
train ferry **16** 12, **216** 16, **221** 69+70
~ guard **201** 54, **203** 17
~ heating system switch **206** 36
~ indicator **200** 18, **201** 23
training **272** 31–34
~ f. boxing **281** 18–26
~ jacket **280** 58
~ opponent **281** 24
~ step **288** 11–28
~ suit **280** 57+58
~ trousers **280** 57
~ whip **290** 53
train kitchen **204** 21
~ letter-box slot **203** 20
~ mail box slot* **203** 20
~man's cabin **208** 7
~ of tubs **137** 28+29
~ schedule* **200** 44, 50
~ toilet* **204** 13
~ washroom* **204** 13
trajectory **229** 41
~ summit **229** 44
tram *[tramway]* **193**
~ *[mine]* **138** 48
~car **193** 8
~ conductor **193** 11
~ depot **252** 17
~-driver **193** 21
trammels **119** 44, **144** 13
tram stop **193** 4
~ stop post **193** 2
~ trailer **193** 6
tramway **193**
~ island **193** 4
~ passenger **193** 3
~ points **193** 25
~ route number **193** 22
transatlantic aircraft **226** 30
~ liner **216** 32
transceiver **230** 31
transcription **325** 14
transept **317** 3
transfer **50** 17
~ picture **50** 17
transfer table* **145** 76
transformer **146** 30, 39, **147** 9-18
~ connection **147** 19
~ station **212** 46
~ tank **146** 40
~ unit **241** 38
~ ventilator **206** 18
transient literature* **201** 18
transilluminating instrument **77** 19
transit circle **109** 24
Transjordan **14** 42
transmission **180** 35–39
~* **186** 55–62
~ cable **237** 34
~ line **233** 65
~ line pylon (or tower) **146** 36
~ wheel **107** 15
transmitter-receiver **230** 31, 32, 33
~-receiver case **230** 44
transoceanic aircraft **226** 30
transom **39** 35, **270** 18
~ mitre **122** 7
~ stern **270** 12
transonic wave* **24** 14
transparency **112** 48
~ frame **112** 49
~ projector **112** 55
transparent rain cape **34** 35
transplant **84** 10 + 11
transplanting of seedlings **57** 8
transportable transformer **146** 30, 39
transportation of beer* **93** 34–38
~ train* **198** 25
transport bogies **146** 41
~ cask **80** 13
~ glider **271** 25
transporting of coal **148** 1-9
~ material **137** 18
~ roller **131** 37
transport lug **146** 48
~ worker **145** 82
transshipment **220** 63–68
~ harbour **220** 28–31
transsonic wave* **24** 14
transverse arch **317** 18
~ axis **329** 23
~ bulkhead **222** 54
~ flute **302** 31
~ frame **270** 20
~ girder **210** 6
~ joint **197** 40
~-joint cutter **197** 16
~ ledge **130** 8
~ level **15** 61
~ movement knob **171** 6
~ stiffening **210** 31
transversus abdominis **20** 44
trap *[catching]* **83** 7–9
~ *[Tech.]* **119** 41
~* *[Golf]* **276** 61
~ door **40** 13
trapeze **279** 45, **290** 6
~ acrobat **290** 7
~ artiste **290** 7
trapezium **328** 37

trapezius 20 52
trap-nest stand 75 5
trapper 289 8
trapping 86 19–27
~ beasts of prey 86 19
trappings 72 16, 310 74
trapping w. the sole of the boot 274 60
trash bin 53 32
~rack* 91 42
trautonium 306 11
travel agency 256 24
~ bureau 256 24
traveller [Tech.] 157 55
traveling* see travelling
travelling [Tech.] 145 1, 157 55
~ alarm 107 58
~ artiste 291 25–28
~ bag 201 7
~ block 139 7
~ blower 158 2
~ circus 290 1–63
~ cleaner 201 38
~ crane 140 40, 199 47, 217 20
travelling first-aid· chest 266 15
~ medicine chest 266 15
travelling lighting gallery 297 19
~ overhead crane 145 1
~ platform 148 4
~ portal crane 198 15
~ rug 48 55, 201 8
~ show people 291 25–28
traverse 115 15
traverser 145 76
traversing overhead crane 145 1
~ pit 145 78
~ platform 145 76
~ wheel 145 77
trawler 90 11, 216 6, 7
trawling 90 11–23
~ fishery 90 11–23
tray 88 8, 261 14
~ for the money 261 3
tread [tyre] 189 13
~ [stairs] 118 32, 47
~ contact 231 25
treading water 268 40
tread layer 118 41
treadle 102 42, 304 46
~ bellows 266 25
~ blower 106 16
~ car 258 2
~ frame 102 41
~ lever 159 58
~-lifting plan 165 10
~ scooter 257 60
~ sewing machine 123 23
tread sledge 286 29
treatment 24 14, 26 17
treble belly bridge 304 11
~ bridge 304 11
~ clef 299 10
~ hook 89 33
~ register 303 41
~ stop 303 41
~ string 304 10
~ viol 301 23
tree 354 1
~ brush 58 21
~ f. climbing 339 3
~ frog 350 24
~ guard 113 80
~ of life 312 29, 356 39
~ nursery 16 111, 79 3, 84 6
~-pruner 58 6
~-scraper 58 16
~ f. sharpening claws 339 3
~ stake 55 31, 83 27
~ tie 83 28
~ top 354 4
~ trunk 84 21, 354 2
~ tub 312 61
trefoil 70 1, 11
~ arch 318 32
trellised arch 55 12
trellis gate 203 32
~ tube 6 2
trench coat 34 40
trestle 115 18
~ plank 117 70
~ rope 117 67
~ table 292 20
trez tine 88 8
triad 300 16+17
triakis-octahedron 330 10
trial 248 18
~ by jury 248 18
triangle [Geom.] 328 26–32
~ [Tech.] 89 33, 334 17
~ [Mus.] 302 49
~ [railway] 199 13
~ symbol 327 24
triangular cloth 17 2
~ file 127 26
~ mainsail 270 31, 36, 38
~ prism 329 37
~ scale 144 51
Triangulum Australe 5 40
triceps 20 38
trichina control mark (or stamp) 94 13
trichotomous antenna 341 5
trick [Knitt.] 160 15
~ bycicle 287 32
~ cycling 287 31
~ drawing 294 34
~ film camera 294 32
trick rider 290 26
~ table camera 294 33
triclinic crystal system 330 26
~ pinacoid 330 26
Tricolour 245 16
tricorne 338 62
tricot goods 256 56
tricuspid valve 22 46
tricycle 181 22, 258 59
trident 308 30
trifoliate leaf 60 19
triforium 317 33
trifurcating box 147 33
trigger [gun] 87 11, 12, 90 59
~ [lever] 199 60
~ guard 87 10
~ valve 255 62
triglyph 316 15
trigonometrical function 328 32
~ point 15 49, 16 71
trike* 258 59
trilby 36 11
trilling whistle 203 16
trill w. turn 300 32
~ without turn 300 31
trimmed beard 35 15
~ hedge 257 37
~ timber 149 1
trimmer [tool] 112 42
~ [Build.] 115 41, 116 71
trimmers 102 70
trimming [Cloth.] 33 2, 36 49, 102 5
~ flap 229 26
~ joist 115 41
~ tank 223 43
tri-motor aircraft 226 5
trinket 38 1–33
triplane 225 10
triple-barrelled gun 87 23
~ cross 313 60
~ fin 225 48
~ last 99 32
triple picture· camera 294 47
~ projector 294 48
triple rotating turret 223 57
triplet [Mus.] 300 38
triple turret 222 27
tripod 111 31, 333 15
~ bush 111 32
~ crane 217 6
~ head 111 34
~ leg 111 36
~ mast 222 25
~ socket 111 32
~ top 111 34
trireme 213 9–12
Triton 307 40
triumphal arch 316 59, 71
trocar 26 41+42
trochar 26 41+42
trochilus 316 29
troika 179 45
trolley [truck] 221 15
~ [conductor] 188 14
~ arm 188 13
~ bus 188 12, 252 23
trolley bus· overhead line 252 24
~ trailer 188 15
~ w. trailer 188 12-16
~ car* 193
~-locomotive 138 47
trolley wheel 188 14
troll hook 89 44
trombone 302 46
~ slide 302 47
Tropaeolum 56 4
trophy 335 15, 30
~ of chase 262 26
tropical spice 366
~ stimulant 366
tropic of Cancer 5 4
tropics 15 10
troposphere 4 11
trot 73 41
trotter [pork] 95 48
trotting course 272 36
~ hore 272 40
~ race 272 36-48
troubadour 310 70
trouble car* 189 52
trough [feeding] 76 36
~ [windmill] 91 14
~ [vault] 318 48
~ [Tech.] 167 13, 198 65
~ f. dry food 75 22
~ gutter 117 83
~ lid 76 37
~ tipper 208 22
~-tipping wagon 208 22
~ vault 318 47
~ wagon 140 57
troupe of girls 298 6
trouser button 34 29, 37 27
~-hanger 48 46
~-leg 34 11
~ pocket 34 31
trousers 34 3
'trousers' 347 3
trout stream 89 8
trowel 58 13, 113 52
truck [lorry] 189 14-50
~* 189
~ [cart] 53 49, 149 27
~ [flag] 245 1
~* [bogie] 114 32, 204 3, 61
~ cab 189 11
trucker* 79 20
trucker's tree nursery* 79 3
truck farm* 79 1–51
~ farmer's tree nursery* 79 3

truck garden* **79** 1–51
~ gardener* **79** 20
~ gardener's tree nursery* **79** 3
~ pin hole* **204** 65
~-tipper **148** 2
trudgen **268** 38
~ stroke **268** 38
trudgeon **268** 38
true ribs **19** 9
truffle *[sweets]* **98** 86,
~ *[mushroom]* **365** 9
trumpet *[mus. instr.]* **303** 65
~ daffodil **62** 3
~ narcissus **62** 3
truncated cone **329** 45
truncheon **248** 10
trundling the hoop **258** 20
~ stick **258** 22
trunk *[body]* **18** 22-41
~ *[tree]* **354** 2
~ *[proboscis]* **351** 21
~ *[suitcase]* **200** 6
~* *[car]* **185** 23
~ *[telephone]* **233** 37, 40
trunk bending backwards **278** 10
~ forwards **278** 11
~ sideways **278** 9
trunk-hose **338** 31
~-lid **185** 7
~-lid handle* **186** 26
~ line* *[Railw.]* **16** 21, **199** 20
~ line* *[Teleph.]* **233** 37, 40
~ lock* **186** 25
~ road **16** 17
~ turning **278** 12
trunnion-bascule bridge **210** 61
truss *[Build.]* **116** 37, 42
~ *[orthopaedic]* **23** 38
~ bridge **210** 47
trying plane **127** 46
try-sail **215** 1
~ square **115** 69, **127** 15, **145** 35
~-your-strength machine **291** 11
tsetse **341** 32
~ fly **341** 32
T-shaped slit **57** 32
T-square **144** 20
tsunami **11** 53
T-tail unit **225** 59
tub *[recipient]* **80** 8
~ *[mine]* **138** 48
tuba **302** 44
tubbing ring **138** 30
tube *[pipe, etc.]* **19** 65, **109, 180, 321** 11
~ *[railw.]* **252** 25
~ *[Zool.]* **340** 19
~ *[Bot.]* **365** 17
~ *[Tech.]* **1** 36
~ boiler **146** 5
tube camera **111** 18
~ clamp **331** 11, **334** 30
~ of oil colour (or oil paint) **321** 11
~ clip **331** 11, **334** 30
~ f. broadcasting poisoned bait **83** 1
tubeless tyre **191** 23
tuber **69** 39, 40, **354** 79
tube f. radio-isotopes **1** 36
tuberose **62** 9
tuberous plant **69** 38
tube socket **110** 15
tubing **139** 51
tub f. gathering grape **80** 8
tubophone **303** 61
tub plant **79** 46
~ f. wet-dressing corn **83** 15
tubular fabric **160** 9
~ frame **182** 2, **183** 29
~ furnace **139** 25, 32
~ heater **139** 25, 32
~ letter **232** 29
~ section pressed steel frame **182** 33
tubular-steel chair **43** 23
~ furniture **43** 23
~ mast **209** 78
~ scaffold **114** 46
~ support **209** 78
tubular tyre **273** 19
tuck **102** 3
Tudor arch **318** 37
tuff **11** 19
~ deposit **11** 26
tuft *[Zool.]* **74** 7
~ *[Bot.]* **362** 11
tufted lark **346** 19
~ tail **74** 6
tuft of grass **359** 44
tuft of hair **31** 7
tug **220** 21, **271** 8
~ boat **220** 21
~boat* **217** 39
~-of-war **258** 35
tuille **310** 49
tulip poplar **358** 1
~ tree **358** 1
tulle background **101** 16
~ hat **36** 48
~ lace **101** 15
~ work **101** 15
tumbler *[glass]* **46** 91, **260** 3
~ *[Tech.]* **166** 6
~ *[toy]* **30** 29
~ *[Acrob.]* **298** 9
~ lever **142** 10
~ spring **134** 42
~ switch **120** 3
~ yoke **142** 10
tumbling **278** 24–30
~ clown **30** 29
tumulus **309** 16
tun **91** 27
tundra climate **9** 57
tunic **216** 58, **338** 12
tunicle **314** 44
tunic-like garment **30** 31
tuning device **305** 30
~ key **304** 20
~ knob **234** 27
~ peg **302** 18
~ pins **303** 22
~ screw **302** 59
~ slot **305** 30, 33
~ tongue **305** 30
~ wedge **304** 21
~ wire **305** 21
tunnel *[Railw.]* **16** 70, **209** 6
~ kiln **154** 5
tup **74** 13, **133** 10, **221** 60
turban **336** 46
~-top **365** 25
turbine **146** 23, **226** 16
~ aeroplane **226** 13–18
~ after-burner **226** 14
~ air intake **226** 13, 15
~ bearing **227** 32
~ control desk **147** 30
~ house **212** 43
~ nacelle **226** 18
~ power unit **227** 38-45
~ room **146** 22
~ self-starter **227** 26
~ set **223** 6
~ superstructure **226** 17
turbo-alternator **147** 23-30
~-blower **295** 34
~ brake **187** 22
~ gear **207** 4
~-generator **3** 6
turbojet **227** 30
~ engine **226** 50
~ power unit **227** 25, 41
~ propulsion **225** 70
turboprop **227** 38
~ aeroplane **226** 9-12
turbo-supercharger **227** 8
turbulence chamber **184** 78
Turdidae **344** 3, **346** 13–17
tureen **46** 15
turf **272**
Turkey **14** 40, **245** 19
turkey cock **74** 28
~ hen **74** 28
Turkish delight **291** 18
~ towel **25** 17
~ trousers **289** 42
Turk's-cap (lily) **361** 4
turn *[Mus.]* **300** 35
~-and-slip indicator **228** 5
~buckle **198** 62
~-down sheet **48** 12
turned work **129** 19
turner* **279** 31
turning bar **176** 10
~-bar mechanism **176** 8
~ buoy **270** 55
~ device **133** 32
~ flag **272** 34
~ machinery **210** 59
~ mark **270** 55, **280** 25
~ peg **304** 17
~ pin **304** 17
~ post **275** 64
~ tool **129** 14, 15, 24 **142** 43–47
~ tray **200** 37
turnip flea beetle **81** 39
~ cabbage **59** 26
~ moth **81** 42
turn-off* **197** 36
~over **256** 10
~pike **247** 13
turntable *[Railw., etc.]* **199** 10, **221** 44
~ *[record]* **306** 41
~ glazing machine **154** 16
~ ladder **255** 9
turn umpire **268** 26
turpentine **52** 34, **121** 8
turps **52** 34, **121** 8
turret head **128** 26
~ lathe **143** 1
~ mast **222** 43
~ top **223** 58
~ training motor **223** 65
~ turntable **223** 63
Tursiops **352** 23
turtle **350** 28
~ dove **343** 23
tusk **88** 54, **351** 22
tussock **359** 44
tutu **288** 33
tux* **34** 61
tuxedo* **34** 61, 62
~ jacket* **34** 62
tuyere **140** 19, **227** 48
T.V. **237**
~ actor **237** 11
~ aerial mast **237** 38
~ camera **237** 1
~ console **237** 41
~ monitoring receiver **237** 31
~ producer **237** 30

T.V. receiver **237** 41
~ receiving aerial **237** 40
~ reception **237** 40+41
~ sound-mixing room **237** 16
~ transmitting aerial **237** 39
tweed cap **36** 18
~ suit **32** 58
tweeter **235** 23
tweezers **26** 35, **107** 30, **169** 18
twenty-faced polyhedron **330** 11
~-five yard line **275** 25
~-four-faced polyhedron **330** 12
twice accented octave **300** 67
~-marked octave **300** 67
twig **25** 13, **130** 14, **354** 6
~ in flower **61** 26, **355** 2
~ in fruit **355** 3
~ w. fruit **61** 19, 30, 48
~ in leaf **355** 27
~ w. multiple fruits **368** 12
twin arc lamp **171** 37
~-barrel gun **87** 33
~-boom aircraft **225** 39
~-column planing machine **143** 41
~ columns **318** 6
~-crystal **330** 25
~ Cuban drums **303** 58
twine **99** 19, **125** 26
~ for edge-straightening
twin-engined aircraft **226** 3
~ fins **225** 14
~ goods diesel locomotive **207** 42
~ manipulator **2** 47
~ model **172** 23
~ row radial engine **227** 1
Twins **5** 28, **6** 34
twin-set **32** 39
~ tail unit **225** 66
~ timber circular saw **149** 20
~ tube **110** 18
~ turret **222** 24
twist **105** 22
~ bit **127** 17
~ dive **268** 44
~ drill **143** 31
twisted knot stitch **101** 13
~ horn **307** 8
~ wreath **246** 2
twist grip **181** 34, 35
~ stroke **264** 5
~ of tobacco **105** 22
twitch **63** 30
two-berth cabin **218** 29
two-cycle· carburetter engine* **184** 32
~ engine* **181** 49
~ valveless diesel engine* **184** 72
two-door· centre entrance **204** 55
~ saloon **187** 1
two-eight time **299** 30
~ engined aircraft **226** 3
~-four time **299** 31
~-handed hammer **132** 23
~-hand jerk **281** 4
~-handled saw **115** 68
~-hand press **281** 6
~-high mill **141** 48
~-horned rhinoceros **351** 25
~-horse carriage **179** 36
~- humped camel **351** 29
~-jaw chuck **129** 10
two line long primer **170** 31
~-line octave **300** 67
two-man· bicycle polo **287** 29
~ plane **126** 10
~ team **84** 20
two-masted sailing vessel **215** 11–17
~-master **270** 28-32
~-piece **32** 9,35
~-power works locomotive **207** 43
~-pressure trigger **87** 11
~-seat chair **209** 18
~-seater **187** 11
two-seater· folding boat **269** 61
~ lift chair **209** 17
~ motor cabin **183** 41
~ sports car **187** 11
two-side discharger **208** 23
~-sided snow plough **195** 20
~-strength glass **108** 11
two-stroke· carburettor engine **184** 32
~ engine **181** 49
two-suture legume **354** 92
~-two time **299** 32
two-way · cock **334** 49
~ connecting block **120** 40
~ socket **120** 29
two-way· tap **334** 49
~ vehicle **208** 45
two-wheel cradle **209** 69
~-wheeled fruit tree spraying machine **83** 42
two-wheel· railbus baggage trailer* **207** 27
~ railbus luggage trailer **207** 27
~ trailer **189** 35
two-wire overhead contact wire **188** 16
Tyche **308** 37
tying* **211** 13
~ up of a blood vessel **17** 14-17
~ up cloth shafts **165** 23
~ up selvedge shafts **165** 22
tympanic cavity **19** 60
~ membrane **19** 59
tympanum *[Anat.]* **19** 60
~ *[Art]* **317** 26
tynes **196** 20
type *[letter]* **170** 38
~ *[typewr.]* **240** 19
~ *[Print.]* **169** 15, **170** 1–17
~ *[kind]* **39**
~ area **178** 59, 64
~ bar **240** 19, **241** 59
~ basket **240** 20
~-casting **170** 32–37
~-cleaner **240** 34
~-founding **170** 32–37
~ guide **240** 12
~ magazine **169** 21
~-metal feed **169** 26, 40
types of mail **310** 62
type-script **325** 9
~-setter **169** 5
typewriter **240** 1
~ brush **240** 35
~ desk **238** 29
~ pad **238** 29
~ ribbon **240** 14
~ rubber **240** 33
typewriting **325** 9
typhoon wheel **291** 46
typist desk **238** 32
typographical beetle **82** 22
typographic point **170** 18
tyre **131** 30, **180** 30, **190** 28
~ balancing machine **192** 57
~ bender **131** 35
~-changing **273** 42
~ fork **192** 6
~ inflator **182** 17
~ lever **192** 4, 5
~ rolling mill **141** 61
tyre-spreader **192** 31
~ tread **189** 13
~ valve **189** 23

U

udder **76** 19
U-iron **136** 7
ulna **19** 14
ulnar nerve **20** 29
~ side of hand **21** 70
~-red radiation **4** 25
ultra-short· wave **4** 23
~ wave range **234** 40
ultrasonic wave· apparatus **24** 14
~ treatment **24** 14
ultraviolet lamp **24** 17
~ radiation **4** 24
umbel **354** 72
Umbellula encrinus **349** 14
umbrella *[shade]* **43** 10–14, **201** 10
~ *[Zool.]* **340** 15
~ *[Arch.]* **319** 22
~ case **201** 10
~ handle **43** 14
~ medusa **340** 14
umpire **275** 48, **276** 22
umpire's chair **276** 23
'una corda' **304** 41
unau **351** 11
uncial *n.* **324** 17
~ script **324** 17
unconscious man **255** 24
~ person **17** 18
unconverted timber **115** 83
uncooked ham **96** 26
under-blanket **30** 8
~brush **84** 5
~carriage **225** 5
~clothes **33** 1–34, 35–64
~clothing **33** 35–64
~cut **85** 20
~-eaves tile **117** 5
underfloor diesel engine **207** 25
'underfloor' engine **189** 26
underfloor scale **221** 32
under·frame **204** 2
~gardener **79** 50
~garments **33** 1–34, 35–64, **338** 5
underground **252** 25
~ chamber **315** 5
~ lay-out **137** 14-40
~ public convenience **194** 20
~ railway **252** 25
~ stream **254** 3
~ water **12** 21

under·growth **84** 5
~hand grip **279** 54
~lining **117** 62
~pants* **33** 56
~pass* **197** 33
~ plate **46** 3
~shirt* **33** 48
~shot mill wheel **91** 39
~side of the leaf **362** 19
~ stage machinery **297** 1-60
~taker **312** 40
under-thread· bobbin **102** 39
~ spool **102** 39
underwater swimmer **267** 37
~-swimming **268** 39
~-welding **135** 46–48
under·wear **33** 1–34
~wing **348** 8
~wood **84** 5
undies **33** 1–34
unemployed foot **284** 11
unequal **327** 18
unfired brick **151** 16
ungulate *n.* **351** 20–31
unicellular animal **340** 1–12
unicorn **246** 16, **307** 7
uniform **50** 2, **247** 2
Union Jack **245** 15
~ of South Africa **14** 38
~ of Soviet Socialist Republics **14** 22
union suit* **33** 13
unison **300** 19
~ interval **300** 19
unit *[Math.]* **326** 3
~ *[Tech.]* **27** 6, **174** 7, 34
~ construction **185** 1
United Nations **14** 55, **245** 1–3
~ States of America **14** 30, **244** 33
unit furniture **44** 25, **47** 53
~ register **169** 36
~ of tubular-steel furniture **43** 23
universal excavator* **196** 1
~ joint **182** 5
~ pliers **192** 14
~ truck cab **189** 11
university **250** 1–25
~ lecturer **250** 3
~ library **250** 11–25
~ professor **250** 3
unknown quantity **327** 4, 8
unlinked sausage **96** 7
unloading platform **202** 24
~ of vessel **221** 1–36
unprotected crossing **198** 77
unrestricted wrestling style **281** 11+12
unsewn binding machine **177** 39
unsprung saddle **273** 17
unstopped string **303** 24
unstrutted roof truss **116** 42
unwind **168** 33
unworked coal **137** 22
up-and-down step **270** 9
~-beat **300** 39
~cast shaft **137** 15
~current **271** 13
~-hand sledge **132** 23
upholstered bench **261** 10
~ seat **44** 11
~ settee **44** 1
upholsterer **124** 19
upholsterer's hammer **124** 13
~ workshop **124** 1–27
upholstering material **124** 23
upholstery **29** 36
~ button **124** 5
uplands **12** 34
upper *n.* **99** 38–49, 55
~ abdomen **18** 35
~ arm **18** 43
~-board(s) **305** 15
~-board groove **305** 14
~ box **141** 20
~-case letter **170** 11
~ circle **296** 17
~cut **281** 29
~ denture **27** 28
~ floor **113** 14
~ garment **338** 6
~guard cam **160** 57
~ head **212** 25
~ hinge **193** 16
~ jaw **21** 27
~ keyboard **301** 46
~ leather **99** 38–49
~ lid **21** 39
~ lip *[mouth]* **21** 14
~ lip *[organ pipe]* **305** 27
~ manual **301** 46
~ member **116** 74, 80
~ milling roller **162** 3
~ millstone **91** 22
~ plate of abdomen **342** 31
~ platen **177** 24
~ reach **212** 37
~ roll **141** 49
~ roller **141** 49
uppers **99** 38–49
upper ski **283** 25
~ stern **213** 55
~ stor(e)y **39** 3, **113** 14
~ swage **133** 42
upper thread **102** 21
~ top die **244** 40
~ wishbone f. independent suspension **187** 23
upright board **144** 1
~ fold **12** 12
~ member **114** 59
~ piano **44** 32, **304** 1
~ pianoforte **304** 1
~ rod **130** 6
uptake **40** 40
uptown* **252** 11
~ railroad* **252** 63
upward circle forwards **279** 46
Urania **308** 72
uranium **3** 20, 21
~ isotope **1** 48
~ rod **1** 39
uranography **6** 1–51
uranology **6** 1–51
uranous solution **6** 26
Uranus **6** 29
urban sanitation **195**
urchin *[boy]* **53** 11
~ *[Bot.]* **365** 24
ureter **22** 32
urethra **22** 68
urinal **29** 13
urn **312** 32
~ burial **309** 39
~ grove **312** 31
Ursa Major **5** 29
~ Minor **5** 34
ursine seal **352** 18
U. S. A. **14** 30
used-air regulator **166** 23
~-book store **253** 3
user of library **250** 24
usher **251** 10,
~* **311** 26, 62
usherette **295** 4
U. S. S. R. **14** 22, **245** 21
utensil **239** 17–36
uterine cavity **22** 80
uterus **22** 79
utility room door **113** 6
~ room window **113** 5
utilization of plutonium **3** 40–42
U-tube **333** 2
uvula **21** 22

V

vacationist* **262** 24
vaccine **26** 32
vacuole **340** 5, 6
vacuum adjustment **184** 16
~ ageing churn **163** 11
~ chamber **83** 12, **151** 12
~ cleaner **52** 2
~ distillation plant **139** 59
~ extracting duct **162** 43
~ filter **333** 11
~ flash **111** 53
~ flask **334** 40
~ frame **173** 13
~ fuel pipe **184** 15
~ fumigation plant **83** 10
~ gauge **76** 29, **171** 44, **333** 20
~ pump **76** 28, **173** 16
vagina **22** 86
Valenciennes **101** 18
valerian **364** 5
~ essence **23** 57
valise* **201** 7
valley *[Geogr.]* **13** 52–56, 67
~ *[roof]* **116** 15, **117** 82
~ bottom **13** 67
~ floor **13** 67
~ glacier **12** 49
~ gutter **117** 11
~ rafter **116** 64
~ slope **13** 65
~ station **209** 39
~ station platform **209** 51
~ temple **315** 8
value **232** 22+23
~ of abscissa **329** 9
~ of ordinate **329** 10
~ of power **327** 1
~ of root **327** 2
~ table **144** 3
~ tabulation **144** 3
valve *[heart]* **22** 46, 47, 49, 50
~ *[horn]* **302** 40
~ *[bicycle]* **180** 31
~ *[motor]* **184** 57
~ *[radio, T. V.]* **235** 14
~ cap **180** 32
~ chamber cover **184** 12
~-fitting tool **192** 11
~-grinding machine **192** 55
~ head **184** 31
~ of heart **22** 46+47
~ horn **302** 41
~ housing **212** 54
~less diesel engine **184** 72
~ push rod **184** 28
~ rocker **182** 44, **184** 58
~ rubber tube **180** 31
~ spring **184** 61
~ spring compressor **192** 12
~ stem **184** 30
~ tappet **184** 27
vambrace **310** 47
vamp *[woman]* **289** 32
~ *[shoe]* **99** 40
vamplate **310** 82
van *[wagon]* **208** 34
~ *[lorry]* **189** 14–50

Vandyke beard 35 8, 12
vane [weathercock] 64 5, 312 4
~ [rocket] 229 27
~ pump 212 47–52
~ spindle 91 5
~ wheel 212 52
vang 214 70
vanilla 98 43
~ plant 366 46
~ pod 366 48
vanity* 48 26
~ bag 201 9
~ case 201 9
vantbrace 310 47
vapor* see vapour
vaporizer 23 34
vaporizing machine 83 43
vapour bath 25 7–16
~ trail 229 38
~ vent 153 22
varan 350 31
varanus 350 31
variable [Math.] 327 14
~ change-speed gear 156 29
~ condenser 234 26, 235 19
~ diffuser 294 5
~ resistance 331 83
~-speed spindle 157 38
~ star 5 11
variety 298 4–8
~ show 298 4–8
~ theatre 298 4–8
varnish 121 7, 321 12
~ remover 103 13
varsity 250 1–25
vascular cylinder 354 14
~ rays 354 11
vase 44 23
vaseline 30 43
vastus lateralis 20 46
~ medialis 20 46
vat 161 8, 168 1, 45
~ w. the crushed grapes 80 15
Vatican State 14 26, 244 21
vat·man 168 44
~ truck 80 44
vaudeville 298 4–8
~ theatre 298 4–8
vault [Art] 318 38-50
~ [cellar] 80 22
~ [Sports] 279 20, 49–52
vaulter 290 32
vault of heaven 6 1
~ over the horse 279 49–52
vaulting 318 38–50
~ over the buck 279 18
~ horse 279 34–38
~ pole 280 39
~ system 317 17
V-belt 184 14
veal 95 1–13
Vega 5 22
vegetable basket 79 45, 202 11
~ bed 55 26, 79 38
~-chopper 42 36
~ compartment 42 12
~-cutter 42 36
~ dish 46 25, 33
~ fat 98 23
~ garden 55 1–31
~ plant 59
~ platter 46 33
vegetables 59
vegetable spoon 46 74
~ stall 79 40
vehicle 179, 203-208
veil [face] 312 39, 314 24
~ [fungus] 365 5
vein [Anat.] 20 2
~ [Bot.] 354 29
veining brush 121 17
vellum 302 52, 303 31
velocipede trolley 208 42
velours [hat] 36 10
velour(s) carpet 259 35
velum [Anat.] 21 21
~ [fungus] 365 5
velvet band 36 41
~ ribbon 36 41
vena cava 20 15
venation 354 29
vender 253 5
~* 253 11
vendor 253 5, 291 17
veneer 128 52, 53
veneering press 127 32
veneer press 128 56
Venerabile 313 33
Venetian lace 101 30
venireman* 248 23
venous blood 20 11
vent 11 17, 183 58
~ cap 40 52
~ channel 140 47
~ of extinct volcano 11 28
~ hole 126 27
ventilating prop 79 18
ventilation 204 8
~ duct 138 35, 161 34
~ inlet 184 3
~ jacket 40 52
~ shait 194 31
~ tile 117 7
~ window 79 10, 11
ventilator 185 37
~ head 218 36
~ hood 145 51
~ switch 206 34
vent pipe 40 51, 69
~ part of belly 95 39
~ part of spring 95 39
ventricle 22 51
ventricular septum 22 52
venturi 227 48
Venus 6 23
Venus's fly trap 361 14
~-slipper 360 27
veranda(h) 261 32
~ in the open 29 21–25
verge [roof] 116 3
~ [road] 196 56, 197 47
verger 311 26, 62
Vermes 340 16–21
vermin 341 28–33, 342 3–33
vermouth 98 62
vernier 219 5, 331 39
~ calipers 134 53
~ depth gauge 134 54
~ scale 134 55
versatile hat 36 53
vert [Her.] 246 29
vertebra(e) 19 2, 3, 4, 5
vertebral column 19 2–5
vertex [head] 18 1
~ [Geom.] 328 26, 329 28
~ of parabola 329 16
~ refractionometer 108 35
vertical adjustment 143 44
~ blocking oscillator 236 28
~ centre plate 217 50
~ cordon 55 2
~ cutting action 178 3
~ fin 228 41
~ illuminator 110 20
~ kiln 153 12
~ leg 136 4
~ log frame 149 10, 16
vertical lift· bridge 210 65
~ gate 212 31, 38
vertical process camera 171 33
~ shaft overhead valve engine 182 50
~ stabilizer 228 41
vertically opposite angles 328 8+13
vertical magnet 233 49
~ movement knob 171 7
~ pipe 168 5
~ ratchet 233 47
~ stide 143 54
~ storage tank 139 66
~ stride vault 279 20
very high· frequency 4 23
~ frequency range 234 40
vessel [boiler] 93 12
~ [ship] 215 11–27
~ [Bot.] 354 94, 95
~-shaped flute 303 32
vest [shirt] 33 11, 48, 49
~* [waistcoat] 34 43, 44, 45, 338 75
vestibule [hall] 43 1–34
~ [railw. coach] 204 9
~ train passenger car* 204 1
vestments 313 4
~ of religious orders 314
vestry 312 13
~ door 311 18
vet 76 15
vetch 70 18
veteran 257 55
veterinarian* 76 15
veterinary surgeon 76 15
vexillum 312 44
V. H. F.· aerial 235 4
~ radio direction finder station 230 20
~ range 234 40
vial 26 32
Vibrams 282 49
vibraphone 303 75
vibrating cylinder 114 89
~ road roller 197 19
~ roller 197 21
~ screen 150 21, 153 9
vibration absorber 171 17
~ damper 171 17, 209 55
vibrator 24 7
~ roller 175 63
vibratory ballast consolidator 198 17
~ massage 24 7
vicar 311 22
vicarage 312 20
vicar's house 312 20
vice 127 40, 44, 134 16
~ handle 134 14
~ head with handle 127 41
~ jaws 134 13
~ screw 127 42
victim 253 68
victoria [coach] 179 51
Victoria 308 43
~ regia 362 17
video amplifier 236 11
~-mixer 237 29
~-mixing desk 237 25
~ signal 237 24
vielle 301 25
Vienna roll 97 40
~ sausage 96 14
viewfinder 111 6, 22, 294 8
~ hood 111 16
Viking ship 213 13–17
village church 16 107

vine **80** 3–6
~-dresser **80** 11
vinegar **98** 25
~ bottle **46** 42
vine-grower **80** 11
~ leaf **80** 5
~ louse **81** 26
~ pest **81** 20–27
~ plant **80** 3–6
~ tendril **80** 4
vineyard **16** 65, **80** 1
~ boy **80** 14
~ cottage **80** 2
~ owner's cottage **80** 2
viniculture **80**
viniculturist **80** 11
vintage **80** 1
vintager **80** 18
viol **301** 23
viola **302** 27
~ da gamba **301** 23
violation of rules **274** 51
viol bow **301** 24
violet **320** 9
violin **302** 1
~ bow **302** 12
~ clef **299** 10
violinist **259** 45
violin string **302** 9
violoncello **302** 16
violone **301** 23
viper **350** 40+41
viper's grass **59** 35
Virgin **5** 18, **6** 37
virginals **301** 45
Virginia creeper **358** 16
Virginian tobacco plant **366** 40
Virgo **5** 18, **6** 37
viscose **163** 1–12
~ rayon staple **163** 1-34
~ rayon yarn **163** 1-34
vise* see vice
vision detector **236** 10
~ intermediate-frequency amplifier **236** 7
~ intermediate-frequency transformer **236** 6
~ signal **237** 24
visiting card **43** 22
visitor **262** 18
~ to the fair **291** 67
~ to the library **250** 24
visor *[helmet]* **310** 40
~ head **183** 15
vista dome* **207** 40
visual indicator **228** 26
~ nerve **78** 24
~ tube **109** 18
vitelline membrane **75** 53
viticulture **80**
viticulturist **80** 11
vitreous humour **21** 46
vivarium **339** 38
vixen **88** 42
vizor *[helmet]* **310** 40
vocalist **296** 23
vocal sac **350** 25
volant **32** 30
vol-au-vent **97** 13
volcanic earthquake **11** 32-38
~ fragments **11** 19
volcanicity **11** 13–20
volcanism **11** 13-20
volcano **11** 13, 15, 28
~ crater **11** 16
vole trap **58** 44, **83** 8
volley *[tennis]* **276** 33
~ ball *[game]* **276** 43-51
~ ball *[ball]* **276** 47
voltage-regulator **147** 31
~ selector **236** 27
~-transformer **147** 59
voltmeter **120** 42, **305** 38
volume control **234** 42, **241** 30, **306** 27
volumetric flask **334** 28
volute **315** 26, **316** 23
~ cushion **316** 24
V-1 propulsion **227** 12
V. O. R. radio beacon **230** 18
voting paper **251** 20
voucher **238** 51
voussoir **318** 22
V-shaped snow plough **195** 20
V-tool **323** 9
vulcanicity **11** 13–20
vulcanism **11** 13–20
vulcanite **284** 39
~ sole **282** 49
vulcanizing paste press **191** 24
vulgar fraction **326** 15+16

W

wafer *[pastry]* **97** 47 **261** 38
~ *[Church]* **313** 26
waffle-iron **42** 13
wag **289** 38, 69
Waggoner **5** 27
waggonette **179** 2
wagon **153** 4, **203** 11, **208**
wagoner **202** 16
wagonette **179** 2
wagon examiner **201** 36
~ load **202** 53
~ tip **145** 73
~ truck **196** 25
wagtail **344** 9
wainscot(t)ing **43** 25, **260** 37
wainwright **131**
waist *[body]* **18** 31, **338** 53
~ *[shoe]* **99** 53
~band **33** 27, **34** 25, 28
waistcoat **34** 42
~ button **34** 45
~ lining **34** 43
waist petticoat **33** 26
~ pocket **34** 44
waiter **243** 9, **259** 33, 47,
waiting position **281** 9
~ room **200** 14
waitress **260** 18, **261** 13
wait sign **198** 81
wake *n.* **218** 52
~-robin **363** 9
waldhorn **302** 41
walk *[horse]* **72** 2, **73** 39
walker *[Sports]* **280** 24
~* *[baby ~]* **49** 3
walkie-talkie wireless apparatus **255** 41
walking race **280** 24+25
~ shoe **100** 20
~-stick **17** 16, **43** 15
~-stick umbrella **43** 11
~ on stilts **258** 37
walkway* **39** 60, **194** 6, **253** 6
wall **1** 30, 31, **39** 17, **113** 15
~ arcading **317** 10
~ arch **318** 19
~ bar **279** 1
~ barley **63** 28
~ blackboard **249** 2
~ bracket lamp **261** 9
~ calendar **238** 2
~ clock **107** 52
~ crane **221** 19
~ cupboard **41** 1
~ desk **259** 16
~ espalier **55** 17
~ fountain **257** 15
~ gecko **350** 36
~ hook **124** 4
~ joist **115** 39
~ ladder **279** 4
~ lamp **48** 1, **261** 9
~ light **51** 53
~ map **249** 20+21
~ of netting **90** 8
~-of- death rider **291** 54
~ outlet* **120** 5
~ of ovary **354** 61
~ padding **292** 15
~paper **121** 32
~ border **121** 33
~ paste **121** 30
wall plant holder **44** 23
~ plaster **118** 60
~ plate **115** 40, 49
~ schedule* **200** 32
~ shaft **317** 46
~ shelf **314** 12
~ shower **51** 16
~ slewing crane **145** 16
~ socket **120** 5
~ string **118** 45
~ strip **317** 11
~-tile **41** 51
~ timetable **200** 32
~ tower **252** 36
~ turret **310** 28
~ vase **44** 23
~ ventilator **260** 15
walnut **61** 43
~ tree **61** 37–43
walrus **352** 20
wand **289** 48
wandering dune **13** 39
~ star **6** 22–31
wane **115** 89
waney edge **115** 89
waning moon **7** 7
war axe **335** 16
~ bonnet **335** 12
ward *[Fenc.]* **277** 21
~ *[castle]* **310** 2
warden* **248** 14
warder **248** 14
wardrobe **48** 40
~ mirror **48** 43
~ rod **48** 45
~ section **259** 30
~ trunk **259** 29
ward room* **251** 16
ware **309** 10, 13
wareform generator **237** 17
warehouse **220** 31
war horn **337** 39
warm air current **9** 28
~-air current **271** 19
~-air curtain **256** 43
warm and cold water syringe **27** 11
~ front **8** 5, **9** 26
warming dish **30** 18
~ pad **23** 52
warning bell **145** 13
~ cross **198** 71
~ light **255** 6
~ notice **204** 37, **244** 32
~ notice board **267** 6
~ sign **194** 18
~ signal **206** 45
warp *[fish]* **90** 12
~ *[Weav.]* **159** 39, **160** 24
~ *[basket]* **130** 6
war paint **335** 13
warp beam **158** 29, **159** 48, **160** 24, **161** 24
~-beam carrier **161** 46
warping machine **158** 22

warp-knitting machine **160** 23
~ let-off motion **159** 59
~ protector motion **159** 43
~ thread **159** 39, **165** 2, 7, 8, 17
warren **86** 26
warrior **337** 8
warship **222, 223**
warty newt **350** 20
wash basin **28** 42, **30** 23, **51** 52–68
washboard *[stairs]* **118** 21
~* *[scrubbing~]* **53** 70
wash-bottle **333** 8, **334** 58
~-bowl* **30** 23
~ cloth* **30** 27, **51** 74
washer **136** 17, 32
~woman **53** 67
washery f. grading and cleaning the coal **137** 8
~-house **53** 50–73
wash glove **51** 7
wash-house door **53** 65
washing **53** 35, **163** 19
~ basin **112** 43
~-blue **53** 58
~ bottle **333** 8
~ brush **195** 32
~ drum **42** 22, **166** 2
~ lorry **195** 31
~-machine **42** 20, **166** 1, 12
~ niche **48** 39
~ nozzle **195** 33
~ plant **163** 29
~ recess **48** 39
~ roller **174** 30
~-soap **53** 60
~ tank **112** 4
~-up powder **41** 29
~-up sink **41** 22
wash-rag* **30** 27
~ room **28** 42–45, **166** 11
~room* **194** 20
~-tub **53** 69
~ water casing **166** 4
~woman* **53** 67
wasp **82** 35
~ waist **338** 53
waste *[refuse]* **198** 8
~ *[Hackling]* **125** 7
~ basket* **238** 28
~-bin **41** 11
~ box **204** 39
~-can* **41** 11
~ heap **137** 9
~-oil collecting pan **191** 32
~ outlet **28** 32
~ packed w. dirt **137** 40
~-paper basket **238** 28, **257** 69
waste-steam exhaust **205** 22
~ truck **198** 5
watch **107** 1
~ bracelet **107** 8
~ chain **107** 11–13
~ charm **38** 32
~-dog **64** 24, **71** 31
~ glass **107** 7
~ guard **107** 11–13
~maker **107** 69
watchmaker's anvil **107** 66
~ eye glass **107** 70
~ findings* **107** 27–31
~ lathe **107** 55
~ magnifying glass **107** 70
~ saw **107** 65
~ tool **107** 27–31
~* watchman *[gatekeeper]* **198** 70
watchman's box* **198** 72
~ cabin* **198** 72
watch spring **107** 17
~ strap **107** 8
~ tower **310** 17, 35
water **51** 9, **211** 17, **254**
~ ballast **218** 68
~ barrel **55** 4
~ basin **339** 9
~ bath **174** 29, **333** 14
Water-bearer **6** 42
water-bearing layer **12** 22
~ stratum **12** 22, **254** 2, 38
water bicycle **267** 12
~ boat **220** 29
~-bottle **266** 16, 41
~ bug **342** 4
~ butt **55** 4
~ can **190** 23
~ cap **13** 16
Water-carrier **6** 42
water-cart **64** 29
~ chamber **212** 40
~ channel **149** 36, **316** 54
~ clerk **221** 24
~ closet **51** 35
water-closet bowl **51** 36
~ pan **51** 37
water colour *[paint]* **321** 18
~ colour *[picture]* **44** 19
~ column **11** 22, **199** 52
~ connection **173** 5
~ cress **362** 30
~ discharge pipe **89** 58
~-distiller **28** 63
~-distilling apparatus **28** 63
~-extracting roller **174** 27
water-fall **11** 45
~ feed pipe **176** 7
~-filled tank **3** 2
~ flask **273** 10
~ foam **255** 64
~ fountain **11** 22
~fowl-shooting **86** 40
water-gas holder **148** 26
~ plant **148** 25+26
~ washer **148** 25
water gauge **16** 29, **205** 46
~ gun **297** 18
~-heater **41** 40, **51** 3
~ hose **113** 38
~-inflow pipe **89** 55, **339** 27
~ inlet **254** 54
watering can **54** 17, **79** 26
~ device **79** 19
~ lorry **195** 36
~ lorry driver **195** 40
~ nozzle **195** 33
~ pail **75** 35
~ table **254** 1
~ trough **64** 28, **75** 37
~ vehicle **195** 3
water inlet **3** 31
water inlet connection **184** 11
~ pipe **89** 55
water jet **11** 22
~ jug **30** 24
~ jump **272** 31, **280** 22
~ level **13** 77, **145** 39
~ level indicator **220** 14
~-lily **266** 1
~ main **194** 27, 29
~ meadow **13** 13, 62
~ meter **339** 34
~-meter dial **254** 58
~ mill **16** 77, **91** 35–44
~-mole **351** 1
~ moth **342** 12
~ newt **350** 20
~ nixy **307** 23
~ nymph **257** 2
~ outflow pipe **89** 58
~ outlet **51** 18, **254** 57
~ overfall **91** 43
~ pail **30** 52
~ pipe **79** 30
~ pitcher* **30** 24
~ plantain **362** 44
~ polo **268** 47–51
~ polo ball **268** 49
~-polo goal **268** 47
~ pre-heater **146** 10
waterproof *n.* **34** 39
~ coat **34** 41
waterproofed coating **118** 5
~ seal **118** 5
water pump **64** 25, **254** 7
~-pumping plant **212** 39–44
~ rail **343** 20
~ reservoir **79** 2
~ scorpion **342** 4
~ seal **148** 62
~-ski **267** 16
~-slater **342** 2
Water Snake **5** 16
water snake **350** 38
~ sports **269, 270**
~ supply **254**
~ supply pipe **92** 31
~ tank **51** 42, **79** 2, **195** 38, **227** 50
~ tap **41** 23, **119** 34
~ temperature **267** 8
~ tender **255** 51
~-thrower **247** 20
~ table **13** 77
watertight bed **12** 23
~ deck **224** 43
~ layer **12** 23
~ stratum **12** 23
water tower **16** 81, **254** 18
~ trough **64** 27
~ tube **146** 7
~ tube boiler **146** 5
waterway **211** 21
water wheel **91** 35
~ wings **268** 18
~ works **212**
wattle **74** 24
wave *[water]* **13** 36, **25** 3
~ *[Radio]* **4** 20–23
~ *[hair]* **103** 25
~ band **316** 39
wave-cut notch **13** 30
~ platform **13** 31
wave machine **331** 18
~ path **11** 35
~ soaring **271** 23
waving lotion **103** 31
wax **78** 67
~candle **78** 66
waxed thread **99** 19
wax figure **291** 43
~ ground **323** 55
~ model **322** 26
waxing moon **7** 3
wax scale **78** 25
~ taper **78** 65
~work **291** 43
~works **291** 42
way **16** 57, **53** 19
~ bent **63** 28
~bill **202** 35
wayside crucifix **80** 19
~ station* **16** 27
~ train* **203** 1
W. C. (w. c.) **51** 35
W. C. window **53** 13
weapon **87, 277** 63
~-cleaning kit **87** 61-64
wear **31, 34, 36**
wearing *[veering]* **270** 56-58

weasel **352** 16
weather **8** 1–19
~ bureau* **220** 4
~ chart **9** 1-39
~cock **64** 5, **312** 3
~ map **9** 1-39
~ phenomenon **9** 30–39
~ ship **9** 7
~ station **9** 7
~-vane **312** 4
weave **165**
weaver's beam **158** 57
weaving **50** 29
~ machinery **158** 1–65
~ mill **158, 159**
~ pattern **130** 1–4
~ shed **158, 159**
web *[key]* **134** 47
~ *[bird]* **343** 7
~ *[spider]* **342** 47
webbed foot **74** 36, **343** 6
webbing **124** 16
~ hammer **124** 12
~-stretching pliers **123** 11
web brake **175** 47
~ feed f. folder **176** 8
~ foot **343** 6
~-footed bird **343** 5–10
~ tent **81** 7
wedding **313** 13
~ ceremony **313** 13
~ ring **313** 16
~-ring sizing machine **106** 24
wedge **85** 23, 24, **114** 15, **150** 7
~ *[Typ.]* **175** 39
wedged stretcher **321** 20
wedge heel **100** 35
~ script **324** 8
wedge-shaped· bolster **48** 15
~ head rest **29** 9
~ slit **57** 38
~ stone **318** 22
wedge sprig **122** 24
~ step **118** 31
weed **63**
weeder **58** 25
weeding hoe **66** 33
weekend cottage **262** 25
~ house **39** 84-86
weekly *n.* **47** 10
weevil **82** 42, **341** 17
weft *[basket]* **130** 5
~ bobbin **159** 7, 30
~ feeler **159** 14
~ pirn **159** 7
~ rib **165** 13
~ rib fabric **165** 14
~ thread **165** 3, 15, 16
Wehnelt tube **332** 25
Weigel(i)a **357** 23
weighbridge **145** 88, **202** 45
~ office **202** 44
weigher **221** 26
weighing bottle **333** 24
~ bunker **220** 46
~ jar **333** 24
~-machine **26** 22, **200** 5
~ shed **202** 44
weight **40** 32, **159** 63, **221** 20
~ *[Sports]* **280** 46
~ cloth **272** 17
weighting **158** 21
~ bar **160** 49
weight lever **159** 62
~-lifter **281** 1
~-lifting **281** 1–6
weightometer* **92** 5
weight-putter **280** 45
weir **16** 66, **91** 42
~ service gangway **212** 72
~ sill **212** 79
weld **135** 8
welded joint **135** 8
welder **135**
welder's gauntlets **135** 28
~ glove **135** 4, 28
~ goggles **135** 58
welding bead **135** 8
~ blowlamp **135** 37
~ blowpipe **135** 37, 49
~ booth **135** 17
~ cabel **135** 12
~ crew* **198** 27
~ flux **135** 45
~ funnel **198** 28
~ paste **135** 45
~ rod **135** 6
~ set **135** 15
~ team **198** 27
~ tent **135** 17
~ torch **135** 49
~ transformer **135** 11
well *n.* **252** 22, **254** 40
~ head **254** 65
~ hole **118** 76
Wellingtonia **356** 69
well pipe **254** 64
~ staircase **118** 76
~ wagon **208** 29
wels **350** 12
welt **99** 52
~-cutter **99** 65
~ nail **282** 47
~ pincers **99** 67
West Australian Current **15** 45
westerlies **9** 50
westerly winds **9** 50
Western Asia **14** 39–45
western plane tree **355** 67
wet bulb thermometer **10** 34
~ compress **23** 15
wet-cooper **126** 16
~ and dry bulb hygrometer **10** 32, 56
~ end **168** 10–17
~ felt **168** 16
wether **74** 13
wet-nurse **30** 30
~-nursing the baby **30** 30
~ pack **23** 19
~ pack sheet **23** 20
~-pan mill **151** 8
~ press **168** 17
Weymouth pine **356** 30
Whale **5** 11
whale **352** 23–29
~ blowing **90** 50
~ fishery **90** 30–43
~-fishing **90** 30–43
~ harpooned **90** 49
~ held fast **90** 49
~line **90** 40
whaler **90** 38–43, 46
whalery **90** 30–43
whale spouting **90** 50
~ winch **90** 31
whaling **90** 30–43
wharf **220** 32–36
~ shed **221** 22–36
wharve **157** 48
wheat **69** 23
wheaten flour **97** 18
wheat and rye bread **97** 25
wheel **136** 80–94, **160** 7, **180** 26–32
~* *[bicycle]* **180** 1
~barrow **76** 47, **113** 37
~ base **189** 4
~ bed **29** 8
~ bolt **185** 32
~-braking cylinder **186** 52
~ chair **23** 51
~ control **162** 40
~-disk rolling mill **141** 61
wheeled stretcher **28** 33
~ tractor **85** 1
wheeler *[cartwright]* **131** 25
wheel flange **204** 63
~ of fortune **291** 45
~ f. height adjustment **128** 37
~ horse **179** 46
~ house **218** 18, **219** 14–22
~ hub cover **185** 14
~ pipe-cutter **119** 54
~ plough **68** 1
~ race **210** 57
~ rim **131** 29, **136** 88, **185** 30
~ spanner **191** 13
~ spindle **183** 13
~ set **204** 62–64
~ shaft **91** 5
wheelsman* **219** 18
wheelsman's grating* **219** 17
wheel-steering **285** 6
~-testing hammer **201** 37
~ tyre **131** 30
wheelwright **131** 25
whelp **74** 16
whetstone **66** 19
~ sheath **66** 20
whetting anvil **66** 23
~ hammer **66** 21
whiffletree **131** 9
whip **124** 18, **258** 19
~ *[rope]* **224** 50
whipped cream **97** 11, **261** 5
whipper-in **272** 59
whipping top **258** 18
~ the top **258** 17
whirl **125** 12
whirling apparatus **173** 1
whirl pull-back spring **125** 14
whisk **42** 32, 55
whisker *[Tech.]* **234** 31
whiskers **35** 11
whisk(e)y **47** 44
~ glass **259** 57
whistle **41** 74
~ pig* **351** 18
white *[colour]* **320** 11
~ *[billiards]* **264** 11
~ ash **355** 42
~ ball **264** 11, 13
~ bear **353** 11
~ bow-tie **34** 60
~ white cabbage **81** 47
~ chessmen **265** 4
~ clover **70** 2
~ cooper **126** 16
~ of egg **75** 51
~horn **358** 30
~ key **304** 4
~-line block **323** 1
~ loaf **97** 27
~ owl **347** 17
~ pine **356** 30
~ poplar **355** 23
~ square **265** 2
~-tailed eagle **347** 5
~ waistcoat **34** 59
whitewash **121** 3
~ brush **121** 1
whitewashing **121** 1-3
whitewash roller **121** 6
white wine **98** 60
~-wine glass **46** 82
~wood **358** 1
whole-fruit jam **98** 51
~-meal bread **97** 21, 28
~ milk tank **77** 10
~ number **326** 10
whortleberry **361** 23
wick **47** 25, **105** 31

wicker baby carriage **258** 30
~ basket **64** 40, **202** 11
~ beach chair **267** 36
~-covered bottle **202** 14
~ fence **211** 54
~ perambulator **258** 30
~ pram **258** 30
~ racket **287** 53
wickerwork **130** 4
~ back **44** 10
wicket **275** 55
~keeper **275** 58
wickiup **335** 7
wide collar **338** 39
widening of duct **227** 22
~ of tube's diameter **227** 22
wide-screen· film making **294** 36
~ film projector **294** 42
~ stereophonic film **294** 36-44
wide sleeve **32** 50
~ window **261** 33
widow's veil **312** 39
width **117** 91, 95
~ of carriageway **197** 49
~ indicator **149** 7
~ scale **149** 5
~ of slab **197** 48
~ of spanner jaw **136** 21
wig **35** 2
wigwam **335** 7
wild animal **339** 6
~-animal cage **290** 49
~ arum **363** 9
~ barley **63** 28
~ boar **88** 51
~ chamomile may-weed **63** 8
~ chicory **360** 25
~-fowling **86** 40
~fowl-shooting **86** 40
~ mallow **360** 13
~ mustard **63** 18
~ oat **70** 22
~ pig **88** 51
~ radish **63** 21
~ sheep **352** 6
~ sow **88** 51
~ swine **88** 51
willow rod **130** 15
~ stick **130** 14
~ twig **130** 14
Wilson cloud chamber **2** 24
wimple **314** 23, **338** 22
wince dyeing machine **161** 1
winch *[Tech.]* **145** 21, **255** 56
~ *[Text.]* **161** 6
winch dyeing machine **161** 1
winched launch **271** 4
~ take-off **271** 4
wind *n.* **9** 9–19, 51
~ avalanche **286** 1
~ bracing **210** 11, 53
~ break **39** 16, **337** 35
~-breaker **34** 67
~-breaking wall **39** 16
~ chest **305** 12–14
~ cone **230** 17
~-deflecting screen **221** 51
~ direction indicator **10** 30
winder **111** 47, **168** 22
wind flower **361** 1
~ gauge **10** 27
~ guide **203** 4
winding **147** 15, 16, **163** 25, **332** 8, 9
~ engine **137** 3
~ gear **212** 74
~ knob **111** 4
~ pulley **137** 6
~ rope **137** 4
~ shaft **137** 14
~ spindle **306** 16
~ staircase **118** 76, 77
~ wheel **107** 15
wind instrument **302** 28–38, 39–48
~-jacket **31** 42, 46, **34** 67
~lass **218** 44, **255** 56
~ speed counter **10** 28
windmill *[mill]* **16** 31, **91** 1–34
~ *[toy]* **291** 15
~ arm **91** 1
~ cap **91** 30
~ gearing **91** 11
~ motor **79** 34
~ sail **91** 1
~ sail arm **91** 1
~ vane **91** 1
window **39** 22, **78** 50, **98** 1, **239** 16
~ *[envelope]* **239** 16
~-box **53** 18
~-cleaner **253** 42
~-cleaning pail **190** 24
~ curtain **48** 21
~ display **253** 4, 25
~ envelope **239** 13
~ head **113** 9, **115** 57
~ jamb **39** 26
~ leather **52** 28
~ ledge **44** 20, **113** 12
~-lifting mechanism **161** 3
~ lintel **115** 57
~ membrane **200** 38
~ opening **115** 30
~ w. pediment **317** 50
~ f. placing bets **272** 8
window shutter **39** 30
~ sill **44** 20, **113** 12
windpipe **19** 50, **22** 4
wind ripples **13** 41
windrow **65** 40
windscreen **183** 5, **185** 18
~ wiper **186** 10
~-wiper button **186** 5
windshield* **182** 58, 66, **183** 5, 43, **185** 18
~ wiper* **186** 10
~ wiper button* **186** 5
wind sock **230** 17
~ spirit **307** 55
~-swept tree **13** 43
~ systems **9** 46–52
~ trunk **305** 11
~- up window **187** 17
~ vane **10** 31
~ velocity counter **10** 28
~ way **305** 24
~ wheel **16** 73, **79** 35
~ wheel *[toy]* **291** 15
wine **98** 60–64
~ barrel **80** 23, 37
~ bottle **80** 33
~ in bottle **98** 60–64
~ cask **80** 23, 37
~ cellar **80** 21
~ connoisseur **80** 40
~ container **80** 24
~-cooler **260** 42
~ cork **80** 29
~ decanter **260** 32
~ glass **46** 82, 83, 84
~-grower's cottage **80** 2
~-growing **80**
~-growing district **80** 1–20
~ jug **80** 30
~ list **260** 31
~ press **80** 16, 42
~-press shed **80** 41
~ restaurant **260** 30–44
~ room **260** 30–44
~ storage cellar **80** 21
~ tank **80** 24
~-taster *[expert]* **80** 40
~-tasting **80** 36
~ vaults **80** 21
wing *[bird]* **88** 76, **342** 33
~ *[armchair]* **47** 59
~ *[altar piece]* **311** 43
~ *[car]* **185** 3
~ *[aircraft]* **225**
~ of bridge **218** 16
~ chair **47** 57
~ collar **33** 55
~ cover **82** 10, **342** 36
winged aphid **82** 39
~ hat **308** 23
~ horse **307** 26
~ sandal **308** 22
~ seed **355** 57
~ wand **308** 25
~ wheel **201** 64
wing end **95** 18
~ fence **225** 55
~ flap **228** 47
~ girder **217** 48
~ nut **136** 40, **180** 29, **183** 13
~ pump **212** 47–52
~ rail **198** 56
~ tally **75** 43
~-tip float **225** 33, 64
~-tip former **271** 49
~ unit **228** 45
~ vein **342** 34
~ wall **210** 28, **211** 35
~ wheel **212** 52
~ w. marked dihedral angle **225** 45
winker *[horse]* **72** 26
winner **281** 35
winning face **137** 39, **138** 12
~ post **272** 18
winnower **67** 50, **68** 67
winter coat **32** 52, **34** 65
~ dike **211** 32
~ feeding place **86** 28
~ greens **59** 34
~ harbour **211** 14
~ landscape **286**
~ moth **81** 16
~ sport **283** – **285**
wiper **186** 5, **233** 34
wippen **304** 32
wire **136** 12, **304** 34
~ *[telegram]* **232** 13
~ basket **66** 38
~ brace **114** 66
~ brush **135** 13, 56, **303** 53
~-covered rollers **162** 34
~ cutters **134** 71
~ fence **16** 39
~ frame **322** 35
~ gate **75** 25
~ guide roll **168** 12
~-haired terrier **71** 15
~ heald **159** 27
wireless *[set]* **234** 35, **235** 1–23
~ apparatus **255** 41
~ cabin **218** 12, **223** 14
~ operator **226** 40
~ receiver **234** 35
~ set **234** 35, **306** 46
~ transmission **234** 1–20
~ wave **4** 16–19
wireman **120** 1
wire modelling tool **322** 11

wire nail **116** 95, **117** 74
~ net **334** 18
~ netting **75** 23, **138** 17, **322** 35
~-netting fence **84** 7
~ pull **198** 61
~ pull cover **198** 63
~ raising machine **162** 31
~ rake **54** 16
~ roller **106** 1
~ rope **90** 26, **290** 41
~ safety cage **280** 51
~ stitching machine **177** 52
~ terminal **184** 6
~ warp **90** 15
~worm **81** 38
wiring machine **119** 21
wishbone ketch **270** 44
wispy cloud **8** 11, 12
witch **289** 6
witchen **355** 42
witchwood **355** 42
withe **84** 26
withers **71** 11, **73** 17
witness **248** 32
~ barrier **248** 35
~ bench **248** 38
~ box **248** 34
~ chair* **248** 34
~ to marriage **313** 23
~ stand* **248** 34
WM-formation **274** 25
~-system **274** 25
wobbler **89** 39
wolf **352** 13
~ dog **71** 31
wolf's-bane **363** 1
woman assistant surgeon **28** 28
~ of Basle **338** 35
~ in childbed **29** 2
~ gardener **79** 49
~ of Nuremberg **338** 38
~ roller skater **287** 34
woman's body **307** 24, 59
~ head **307** 56
woman student **250** 10
~ surgeon **28** 28
womb **22** 79
women's apartments **310** 10
~ clothing **32**
~ hair styles **35** 27–38
~ underclothing **33** 1–34
'wonder lamp' **349** 4
wood **52** 61, 62, **84** 5, 10+11, **149** 37
~ *[forest]* **84** 1–32
~ anemone **361** 1
~-basket **52** 63
woodbind **358** 13
~bine **358** 13
~ block **323** 1
~-carver **322** 28
~-chopper **53** 10
~cut **323** 2
~-cutter **53** 10, **84** 27
wooden article **129** 19
~ bar **303** 62
~ beehive **78** 45-50
~ board **321** 23
~ bridge **210** 45
~ case **96** 29
~ casing **10** 51
~ clip **112** 8
~ club **275** 60
~ cog **91** 9
~ cylinder **239** 32
~ door **39** 34
~ dosser **80** 12
~ fence **39** 53, **55** 10
~ fender **213** 26
~ form **42** 63
~ frame **249** 33
wood-engraving **323** 1–13
wooden guiding kerb **197** 38
~ hoop **126** 7
~-hoop drum **303** 49
~ house **39** 84–86
~ lid **53** 54
~ mallet **119** 14, **322** 21
~ mask **337** 16
~ mould **42** 63
~ panelling **260** 37
~ partition **25** 9, **40** 19
~ plank flooring **210** 21
~ rake **58** 4
~ roof and truss **116** 27–83
~ shoe **53** 63, **100** 6
~ shovel **91** 24
~ slat **25** 5
~ sleeker **99** 31
~ sleeper **198** 88
~-soled sandal **100** 6
~-soled shoe **100**
~ stairs **40** 25
~ stethoscope **26** 26
~ tower **6** 16
~ tripod **292** 23
~ truncheon **248** 10
~ tub **91** 27, **262** 38
~ wainscot(t)ing **260** 37
wood fiber board* **321** 24
~-fibre board **321** 24
~ file **127** 29
~ fire **266** 50
~ framework **336** 13
~-grouse **88** 72
~-haulage way **84** 3
~ lark **346** 18
~ louse **341** 12
~man **84** 18
wood mosaic **47** 48
~ nail **116** 92
~pecker **343** 27
~pile **53** 31
~ pulp **167** 1–10
~ rasp **127** 30
~ rest **149** 52
~ screw **117** 101, **136** 43
~ screw thread **136** 45
~ sculptor **322** 28
~-shavings chipper motor **149** 57
woodsman **84** 18
wood strawberry **60** 16
~-turner **129** 20
wood-turner's lathe **129** 14, 15
~ tool **129** 14, 15
~ workshop **129** 1–26
wood-turning lathe **129** 1
wood wind instruments **302** 28-38
~ winds **302** 28-38
wood-working machine **128** 1–59
~ machine shop **128**
woodwork joint **116** 84–98
woolen* see woollen
woollen blanket **30** 7
~ coat **32** 36
~ dress **32** 37
~ stocking **33** 34
'wool-pack' **271** 16
wool-pack cloud **8** 1
woolly aphid **81** 32
~ colony **81** 34
word **249** 8
work **221** 22–36
~ *[~piece]* **133** 31
~ bench **106** 20, **107** 56, **122** 15, **134** 15, **135** 40
~ box **102** 74
~ clamp **128** 31, 36
~ drive **143** 9
worked out seam **137** 23
worker *[bee]* **78** 1
~ *[ant]* **342** 22
~ cell **78** 34
workers' housing estate **39** 54–57
~ settlement **39** 54–57
work-holder **143** 48
working bath **155** 5
~ board **41** 33, **130** 7
~ boot **100** 21
~ canal **155** 6
~ face **138** 13, **150** 3
~ jacket **216** 66
~ platform **113** 17
~ roll **141** 62
~ roller **141** 62
~ scaffold **117** 34
~ a seam **138** 8
~ slot **133** 4
workman **113** 19
work piece **133** 31
~ of plastic art **322** 32
works **140**, **148**
workshop **127** 1–65
~ crane **145** 1–19
~ door **115** 5
works locomotive **205** 69, **207** 43
work spindle **142** 20
works' sidings **145** 79
work-table **135** 19, **143** 13, 20, 37, **177** 28
~-table lamp **107** 67
~ tray **107** 64
world-record-breaking machine **273** 31
worm **60** 64, **340** 16–21
~ box **89** 19
~ gear **167** 19, **186** 43
~ hole **60** 65
~ and sector steering **186** 39
~ shaft **233** 20
~ tin **89** 19
~wood **362** 6, **364** 4
worshipper **311** 29, 58
worsted stocking **33** 34
wort *[Brewing]* **93** 5
~ *[Bot.]* **360** 10
~ boiler **92** 35
~-cooling apparatus **93** 6
~ inlet **93** 7
~ outlet **93** 11
~ refrigerator **93** 6
~ supply pipe **93** 7
wound *n.* **17** 8
woven bottom **130** 20
~ fabric **159** 12
~ lime-wood sock **99** 9
~ side **130** 18
wrangler* **76** 10
wrap *[cloth]* **30** 3, **335** 24
wrapper *[book]* **178** 37
~ *[envelope]* **232** 24
~ *[cigar]* **105** 5
wrapping blanket **30** 7
~ counter **256** 14
~ material **98** 46–49
~ paper **98** 46
wreath **312** 57, **313** 18
~ of victory **308** 44
wreck **219** 59, **224** 12
wrecked ship **224** 47
~ vessel **224** 3
wrecking car* **189** 52
~ car trailer* **189** 54

wrecking crane* **189** 53, **255** 47
~ crew* **224** 14
wren **346** 10, 12
wrench **192**
wrest **304** 20
wrestler **281** 7
wrestling **281** 7–14
~ mat **281** 13
~ match **281** 7-14
wrest pin **303** 23, **304** 17
~ plank **303** 22, **304** 18
wringer **53** 61
wrist *[carpus]* **21** 76
~ *[horse]* **73** 22
~ bone **19** 15
~-joint manipulator **2** 38
wristlet **37** 1
wrist strap **282** 43, 53
~ watch **107** 1
writing **249** 48, **324**, **325**
~ brush **324** 24
~ desk **231** 30, **242** 11
~ exercise **249** 7+8
~ instrument **324** 21–26
~ nib **144** 66
~ paper **238** 27
~ pencil **324** 24
~ of peoples **324** 1–20
~ stamp **324** 22
~ surface **249** 34
~-table **47** 11, **238** 12
~ tool **324** 21–26
~ utensil **239** 17-36
wrought-iron gate **257** 31
wryneck **343** 27
wurzel **59** 28, **70** 21

X

xanthate **163** 10
X-brace* **113** 88
X-ray **29**·39–47
~ apparatus **27** 19, **29** 30, 39, **145** 26
~ couch **29** 35
~ examination **29** 39–47
~ film **2** 10, 13
~-like radiation **1** 17, 29
X-rays **1** 12, 17
X-ray· table **29** 35, 42
~ therapy **29** 30–38
~ treatment **29** 30–38
~ tube **332** 28
~ tube casing **29** 31
xylography **323** 1-13
xylophone **303** 61

Y

yacht **270** 27–50
yachting **270** 1–60
~ cap **36** 23
yachtman's cap **36** 23
yacht's square stern **270** 12
yacht stern **270** 11
yard *[court~]* **53**
~ *[storage]* **149** 30
~ *[sail]* **214** 32–43, **215** 25
~ *[balma]* **265** 27
~ door **53** 20
~ gate **64** 1
~stick **138** 53, **221** 28
~ tape* **256** 38
~ wall **64** 13
yarn **157** 53, **158** 46, **160** 17
yarrow **360** 15
yawl **270** 33-36
Y-cross **313** 55
yeast cake mixture **97** 7
~ culture **93** 15-18
~ culture apparatus **93** 15
~ press **93** 19
yellow **320** 2
~ balsam **361** 11
~-bunting **346** 6
~-hammer **346** 6
~ owl **347** 17
~ plum **61** 25
~ wormwood **262** 6
yerba de maté **366** 11
yew **356** 61
~ tree **356** 61
yoke *[stable boy's ~]* **76** 11
~ *[Tech.]* **114** 64, **147** 14, **332** 7
~ *[Cloth.]* **31** 2, **33** 2
~ *[mus. instr.]* **301** 16
yolk **75** 57
~ bag **75** 53
~ sac **75** 53
young-cattle shed **64** 47
~ girl **261** 23
~ man **261** 22
~ plant **57** 6
~ V-shaped valley **13** 53, 54
Y-piece **334** 56
yo-yo **258** 48
Y-shaped cross **313** 55
yucca **357** 24
Yugoslavia **14** 13, **244** 28
yurt **336** 19

Z

zebra **351** 27
~ stripes **194** 4
zenith *[Ball.]* **87** 77
zep **226** 65
zeppelin **226** 65
Zeppelin airship **226** 65
Zero **263** 18
zero adjustment knob **2** 7
~ isotherm **9** 41
~ key **240** 65
Zeus **308** 1
ziggurrat **315** 32
zigzag hem stitch **102** 12
~ ornament **317** 16
~ slot **158** 11
~ stitch **102** 7, 11
zinc cup **117** 102
~ cylinder **331** 69
~ plate **172** 25, 33, **323** 52
zinnia **62** 22
zip **34** 24, **37** 21
~-fastener **34** 24, **37** 21
zither **303** 21
zodiac **6** 32–43
zodiacal sign **6** 32–43
zone *[Geogr.]* **9** 47, 50, 51, 54
~* *[district]* **252** 16
~ pottery **309** 14
zoo **339**
zoological gardens **339**
zoophyte **340** 35
zoo visitor **339** 21
zucchetto **314** 53
Zulu **337** 36
zygomatic bone **18** 8, **19** 37

LEXIKA

Meyers Enzyklopädisches Lexikon
in 25 Bänden, 1 Atlasband und 1 Nachtragsband. Rund 250000 Stichwörter und etwa 100 enzyklopädische Sonderbeiträge auf 22000 Seiten. 26000 Abbildungen, transparente Schautafeln und Karten im Text, davon 6700 farbig. 360 farbige Kartenseiten, davon 100 Stadtpläne. Halbledereinband mit Goldschnitt.

Das Große Duden-Lexikon
in 8 Bänden und 2 Ergänzungsbänden. 2., neu bearbeitete Auflage. Rund 200000 Stichwörter, 10000 Textabbildungen, über 1000 mehrfarbige Bildtafeln und Spezialkarten.

Duden-Lexikon in 3 Bänden.
5., neu bearbeitete Auflage. Rund 75000 Stichwörter, 7000 Abbildungen, darunter über 3000 vierfarbige Bilder, zahlreiche Tabellen und Übersichten.

Meyers Großes Handlexikon des gesamten Wissens.
11., neu bearbeitete Auflage. Rund 50000 Stichwörter, 76 Bildtafeln, 26 Seiten mehrfarbige Landkarten.

Meyers Lexikon der Technik und der exakten Naturwissenschaften in 3 Bänden
Rund 40000 Stichwörter auf 2858 Seiten und über 5000 Abbildungen im Text.

Meyers Großes Personenlexikon
Über 40000 Biographien, Namenlisten, Stammtafeln, Literaturhinweise, Aussprache und Schreibung von insgesamt 50000 Namen. 1483 Seiten.

Meyers Großes Bücherlexikon
90000 Bücher, nach Lexikonstichwörtern geordnet. 886 Seiten.

Meyers Physik-Lexikon
Rund 10000 Stichwörter auf 864 Seiten, 600 Abbildungen im Text.

Was war wichtig?
Meyers Jahreslexikon – Daten, Bilder, Fakten. Band 10: 1972/73. 160 Seiten mit rund 200 Abbildungen und über 1000 Stichwörtern.

LÄNDERKUNDE ATLANTEN

Meyers Kontinente und Meere
Daten, Bilder, Karten – Die Länderkunde

neuen Stils in 8 Bänden. Rund 40000 Stichwörter mit etwa 4000 Bildern und rund 600 Karten. Dazu ein Weltatlas mit 172 mehrfarbigen Kartenseiten, 26 Seiten Satellitenaufnahmen und einem Register mit etwa 100000 Namen.

Meyers Großer Weltatlas
557 Seiten mit 195 mehrfarbigen Kartenseiten, 36 Seiten Satellitenaufnahmen, Karten und Bilder zur Himmelskunde und ein Register mit etwa 120000 Namen.

Meyers Universalatlas
248 Seiten mit 61 mehrfarbigen Kartenseiten, 60 Seiten mit 360 farbigen Bildern zur Kultur und Landschaftsgeographie, ein Länderlexikon sowie ein Register mit 55000 Stichwörtern.

DUDEN FÜR DEN SCHÜLER

Schülerduden 1
Rechtschreibung und Wortkunde.
280 Seiten mit einem Wörterverzeichnis mit 12000 Wörtern.

Schülerduden 2
Bedeutung und Gebrauch der Wörter.
444 Seiten mit über 500 Abbildungen im Text.

Schülerduden 3
Grammatik – Eine Sprachlehre mit Übungen und Lösungen. 414 Seiten.

Schüler-Mathematikduden 1
Die Neue Mathematik (bis 10. Schuljahr).
3., neu bearbeitete Auflage. 541 Seiten mit 308 zweifarbigen Abbildungen sowie einem ausführlichen Register.

Schüler-Mathematikduden 2
Die Neue Mathematik (11.–13. Schuljahr).
458 Seiten mit 237 teils zweifarbigen Abbildungen sowie einem ausführlichen Register.

Duden-Schülerlexikon
Ein Nachschlagewerk für jeden Schüler.
768 Seiten, davon 52 Farbtafeln, über 1000 Abbildungen im Text, mehr als 8000 Stichwörter und etwa 60 Großartikel.

Bibliographisches Institut
Mannheim/Wien/Zürich